自由人（七）

自由人總目錄

動盪時代的印記——《自由人》三日刊始末

陳正茂（北台灣科學技術學院通識教育中心教授）

一、前言：《自由人》三日刊創刊之背景

民國三十八年是中國歷史上驚天動地的一年，隨著戡亂戰局的逆轉，中共席捲大陸，國府敗退遷台，真是國命如絲風雨飄搖的危急存亡之秋。處此動盪時代中，除大批軍民同胞隨政府播遷來台外；尚有一部分人士選擇避難香江，南下港九一隅，這些人當中，有不少是失意政客和知識份子。基本上，當年選擇避秦來港的知識份子，其心態上有兩種，一則對國、共兩黨均感不滿；再則係看上香港為自由民主之地，較能有揮灑發展的空間。此情勢考量，誠如雷嘯岑所言：「在一九四九－五〇年之間，因大陸淪陷，香港乃成了反共非共的中國人士望門投止的逋逃之藪」。

這些投奔港九的政治難民，以高級知識份子居多；兼以香港時為英屬自由之地，所以只要不違背港府法令，一般而言從事任何活動是百無禁忌，相當自由的。不僅可以高談政治問題，甚至於從事政治活動亦不加以限制。於是，「從大陸流亡到港九的高級知識份子群，乃相率呼朋引類，常舉行座談會，交換對國事意見，而美國國務院的巡迴大使吉塞普（Philip Jessup），斯時亦在香港鼓勵中國人組織『第三勢力』運動，目的以反共為主。」在此背景下，港九地區的自由民主人士，在美國幕後撐腰下，「各種座談會風起雲湧，熱鬧非凡；而諸多以反共為職志的大小刊物，更是應運而興，琳瑯滿目了。」[1]所以，《自由人》三日刊，就是在此大時代氛圍下孕育而生的。

二、《自由人》三日刊誕生之經過

《自由人》三日刊醞釀誕生之經過，最早鼓吹者，一般而言，說法有二，一為由王雲五號召發起。據其《岫廬八十自述》書中提及：「自民國三十九年開始以來，由於中共匪幫建立偽政權，並先後獲得蘇俄、緬甸、印度、巴基斯坦及英國的承認，於是匪幫的勢力在香港突然大振，不少反共分子漸呈動搖態度。旅港有識之士深感囂風日長，漸使全港華人隨而動搖，乃相與集議挽救之道。我因在港主辦一個小規模出版事業（按：即華國出版社），尤以一貫堅持反共方針，遂由多數參加集議人士推任領導。由臨時的集會，變為固定的座談；其地點經常利用國民黨在銅鑼灣某街所租賃之四樓房屋一層。每次參

1 馬五，〈「自由人」之產生與夭折〉，見馬五（雷嘯岑）著，《政海人物面面觀》（香港：風屋書店出版，一九八六年十二月初版），頁二一二。又此種座談會多在週末舉行，也有人稱之為「週末座談會」或「星期六座談會」。見馬五先生著，《我的生活史》（台北：自由太平洋文化事業公司出版，民國五十四年三月一日初版），頁一六一。

加座談者，多至三十餘人，少亦一二十人，皆為文化界人士，或為舊日與政治有關係者，各政黨及無黨派人士皆有之。後來我以香港政府最忌政治性的集會，凡參加人數較多，尤易引起猜疑，動輒干涉。加以如此散漫的座談，亦未必能持久，因於某次座談中提議創辦一小型之定期刊物，每週或半週出版一次，既可藉此刊物益鞏固反共人士之維繫，且刊物一經向港政府註冊，則在刊物辦公處所舉行的座談，皆可諉稱編輯會議，可免港政府之干涉。此議一出，諸人咸表贊同，遂計劃如何組織與籌款。結果決辦三日刊，定名為自由人，其資金由參加坐談人士各自量力提供。我首先代表華國出版社提供港幣一千五百元，此外各發起人分別擔任，或一千，或五百不等；並經決定撰文者一律用真姓名，以明責任。其後，又決定委託香港時報代為印刷發行。因是，籌備進行益力，發起人等每星期至少集會一次，間或二次，一切進行甚為順利。」[2]

二為眾人集議，早有志於此，雷嘯岑即主此說。雷言：「這時候，即有原在大陸上服務新聞界的報人成舍我、陶百川、程滄波，協同青年黨人左舜生、民社黨人金侯成，以及國民黨人阮毅成、無黨無派的王雲五，外加香港時報社長許孝炎、新聞天地雜誌社社長卜少夫一干人等，於每週末午後在香港高士威道某號住宅中，舉行文化座談會。大家談來談去，得到一項結論，要辦一份刊物，以闡揚民主自由思想，在文化上進行反共鬥爭。……適韓戰爆發，預料東亞局勢將有變化，刊物必須及時問世，刊物取名「自由人」，由程滄波書寫報頭兼撰〈發刊詞〉，標題是〈我們要做自由人〉。」[3]

然由當事人之一的阮毅成事後追記，似乎《自由人》三日刊能草創成功，仍是由王雲五一手主導的。阮說：「民國三十九年十二月二十日，雲五先生在香港高士威道約大家茶敘，其中特別提及『今日我約諸位來，是想創辦一份反共的刊物，以正海外的視聽。間接幫助臺灣，說幾句公道話。我們讀書人，今日所能為國家效力的，也只有此途。』」[4]由阮之記載，合理推論，《自由人》三日刊能順利催生問世，王氏為登高呼籲之首倡者，可能性是很高的！

但就在王氏積極創辦《自由人》三日刊之際，突發一件暗殺事件，則頗值得一述；且對後來《自由人》三日刊的發展不無影響。事緣於三十九年十二月下旬，王氏在《自由人》三日刊諸人集會散會後，在香港寓所遭遇暗殺，幸子彈未命中，逃過一劫，這突如其來之舉，使王氏決定立即離港赴台定居。此事來台後，王氏曾將真相告訴繼我而來的成舍我。王氏謂：「到臺以後，除將此次提前來臺的秘密暗中告知兒女外，他人皆不使知。後來事過境遷，才漸漸透露給若干至好的朋友，首先是對於不久繼我而來的成舍我君；因為他覺得我向

---

2 王雲五，《岫廬八十自述》（台北：商務版，民國五十六年七月一日初版），頁一〇四〜一〇五。

3 馬五，〈「自由人」之產生與夭折〉，同註一，頁二一二〜二一三。又見馬之驌，《雷震與蔣介石》（台北：自立晚報社文化出版部出版，一九九三年十一月一版），頁八一。

4 阮毅成，〈王雲五先生與自由人三日刊〉，見蔣復璁等著，《王雲五先生與近代中國》（台北：商務版，民國七十六年六月初版），頁三〇〜三一。有關《自由人》之發起，另有一說為萬麗鵑博士論文所言：「《自由人》為『自由中國協會』成員所辦之三日刊。」見萬麗鵑，〈一九五〇年代的中國第三勢力運動〉（台北：國立政治大學歷史研究所博士論文，民國九十年七月），頁一六四。但根據「自由人」社發起人之一的雷嘯岑回憶說：「自由中國協會」為當時在美國的胡適、蔣廷黻、曾琦等人所發起，胡、蔣、曾諸氏希望以『自由人』全體發起人為主幹，先在香港成立總會，台灣暨歐美各省都設立分會。嗣經提出座談會詳細研討，大家認為總會以設在台灣為安，香港亦只設分會，庶合體制。結果不知如何，這個會沒有成立，終於流產了。」馬五，〈「自由人」之產生與夭折〉，同註一，頁二一四〜二一六。故萬氏此說，恐不確。

來很少患病，在約定聯合宴客之日，我竟稱病缺席，舍我不免將信將疑。其後到我家探病，見我毫無病容，更不免懷疑。及我不別而赴臺，他懷疑益甚，所以在他來臺後，偶爾和我詳談及此，我也就不好意思對朋友有所隱瞞了。」[5]

上述言及之十二月下旬，實際上是民國三十九年十二月三十一日，除夕。阮氏說：是日「王雲五先生約在高士威道午餐，我應約前往，王臨時以腹瀉未到，由成舍我兄代作主人，謂『自由人』籌備事，大致已妥。」而四十年的元月三日，阮氏也說到是日，「應卜少夫、程滄波二兄之約，到高士威道二十二號四樓午膳。據滄波兄言，是日原應由王雲五先生作東，而王於當天上午，離港飛台，臨行前以電話托其代為主人。」[6]

王氏的不告而別倉促離港赴台，也使得後續有不少參與「自由人」社同仁跟進，紛紛來台，這對於原本人力吃緊資金短絀的《自由人》三日刊之發展，當然有不小的影響。至於《自由人》三日刊籌組的經過梗概，雖在王氏離港來台後，仍按部就班的進行。四十年元月十日下午，阮毅成與程滄波及左舜生又約至高士威道聚談。關於創辦刊物事，左舜生主張宜立即出版，卜少夫則以須現款收有相當數目，方能創刊。是月三十一日，雷震自台灣來，亦參加「自由人」社活動。會中大家一致決定《自由人》三日刊，於農曆年後出版。並在職務安排上初步有了規劃，即推程滄波撰〈發刊詞〉，以辦報經驗豐富的成舍我任總編輯，陶百川為副總編輯。又另推編輯委員十四人，分別是劉百閔、雷嘯岑、陶百川、彭昭賢、程滄波、陳石孚、許孝炎、張丕介、吳俊升、金侯城、成舍我、左舜生、王雲五、卜少夫。[7]

四十年二月九日，內定為總編輯的成舍我自香港致函王雲五，說到：「自由人半週刊已將登記手續辦妥，『館主』係由少夫出名，因渠後來未再提出不能兼任之困難，……編輯人經由弟以本名登記。股款雖交者仍不太多，但讀者則頗踴躍。……據弟觀察，維持六個月，在經濟上當可辦到。惟編輯方面，則危機太大，因主力軍如我兄及秋原兄均不在此，其他如滄波兄等不久亦將赴臺，（即弟本身亦恐將於三月間來臺）稿件來源，異常枯涸，然既已決定辦，弟亦只有勉力一試。」[8]尚未正式創刊，但資金人才捉襟見肘的窘境，已被成氏料中，這對好事多磨的《自由人》三日刊日後之發展，已埋下艱困之伏筆。

二月十四日，成舍我向雷震、洪蘭友等人報告，《自由人》三日刊已得港府核准登記，一俟台灣方面准予內銷，即行出版。二十八日，成舍我向「自由人」社同仁報告：台灣內銷事已辦好，《自由人》三日刊即將出版，並出示創刊號大樣。因與會者多係辦報老手，提供不少意見，而成舍我也很有風度，博採眾議，為慎重起見，同意改遲數日出版，以便從容改正，並呼籲社員踴躍撰稿以光篇幅。[9]可見在王氏離港後，《自由人》三日刊真正之台柱角色，已責無旁貸的落到成舍我肩上。

5 王壽南編，《王雲五先生年譜初稿》第二冊（台北：商務版，民國七十六年六月初版），頁七四三。

6 阮毅成，〈「自由人」參加記〉，《傳記文學》第四十三卷第六期（民國七十二年十二月），頁一四～一五。

7 見《自由人》創刊號（民國四十年三月七日）第一版的編輯委員會名單。《自由報二十年合集》（一）（香港：自由報社出版，民國六十年十月十日）。阮毅成說為十六人，疑有誤。見阮毅成，〈「自由人」參加記〉，同上註。

8 〈成舍我致王雲五函〉，同註五，頁七四六。

9 阮毅成，〈「自由人」參加記〉，同註六，頁一五。

三月七日，《自由人》三日刊正式創刊，社址位於香港德輔道中一四九號四樓。目前所知參與的發起人有王雲五、王新衡、王聿修、端木愷、程滄波、胡秋原、吳俊升、黃雪村、閻奉璋、樓桐孫、陳石孚、陳訓悆、陶百川、雷震、阮毅成、劉百閔、左舜生、雷嘯岑、徐道鄰、徐佛觀、陳克文、成舍我、金侯城、張丕界、彭昭賢、許孝炎、卜少夫、卜青茂、范爭波、陳方、張純鷗、張萬里、丁文淵等三十餘人。[10]

發刊後，一紙風行，各方咸予重視，發行之初，每期印八千份。為打開台灣銷路市場，內容安排方面，特別增加一些軟性文字，勿使論文過多，淪為說教。雷嘯岑即言：「『自由人』的作者確實很自由，各人所寫的文字題材雖相同，而見解不必一致，祇要不違背民主憲政與反共抗俄的大前提，儘可各抒己見，言人人殊，真有百家爭鳴，百花齊放的景象，……首任的『自由人』主編是成舍我兄，他包辦大陸通訊版，把大陸上的共報消息，參以陸續從國內逃到香港的難民所述情形，寫成有系統的通訊稿，可謂費苦心。」[11]

誠然如是，由於文章精彩，見解深入，內容多元，析論入理，所以出版後不久，南洋各地僑報即紛紛轉載《自由人》文章。故在香港一隅辦一刊物，無形中等於在數地辦了幾個刊物，影響所及，至為廣大。不僅如此，有關《自由人》所發揮的影響力，可以曾任該刊主編雷嘯岑之回憶為證，雷說：「自由人半週刊，頗受台灣以及海外；尤其是美國一般華僑的注意，原有的每週座談會照常舉行，參加的人亦陸續增多了，風聲所播，國際人士來到香港的，亦來參加我們的座談會，交換政治意見，如美聯社遠東特派員竇定，南韓內閣總理李範，日本工商與新聞界人士前來訪談者尤多，……唯有駐在香港鼓勵華人組織『第三勢力』的美國巡迴大使吉塞普，始終沒有接觸過，大概是他認為『自由人』半週刊這些人，多數係國民黨員，氣味不相投，我們亦以對『第三勢力』之說，不感興趣，因而絕交息游，毫無來往。」[12]

雷氏這段記載很重要，不只說明了《自由人》發刊後之影響力；也道出了《自由人》與「第三勢力」毫無瓜葛，這對坊間有不少人一直以為《自由人》是「第三勢力」刊物有澄清作用。《自由人》三日刊甫發行，負責盡職之成舍我隨即寫信給王雲五提到：「連日為自由人半週刊事，頭昏腦暈，尊函稽答，至為罪歉。現半週刊已於今日出版，附奉一份，即希鑒察。大著分兩期刊佈，並盼源源見賜。今後應如何改進之處，統希指示為荷。」[13]另針對其後外界對《自由人》諸多揣測，如與「自由中國協會」之關係等等，「自由人」社也在三月二十一日的高士威道聚會中也做出決議，大家皆一致表示，「自由人」應獨立組織，以別於其他團體，乃推定董事九人，以左舜生為董事長。監事三人，為金侯城、王雲五、雷儆寰。成舍我為社長兼總編輯，卜少夫為總經理。[14]

10 「自由人」社成員，據筆者統計為此三十餘人，且各會員加入時間先後不一，有關會員名單散見於雷嘯岑、阮毅成等人之回憶文章及《雷震日記》中。

11 馬五先生著，《我的生活史》，同註一，頁一六一。

12 馬五，〈「自由人」之產生與夭折〉，見其著，《政海人物面面觀》，同註一，頁二一三～二一四。另萬麗鵑博士論文也提到，為打擊「第三勢力」運動，「國民黨亦透過黨報如《香港時報》、新加坡《中興日報》、美國《美洲日報》，及其所資助的報刊如《自由人》報、《民主評論》等，展開對第三勢力的文宣戰，此即是《香港時報》社長許孝炎所說的以『輿論對輿論』的鬥爭。」萬麗鵑，〈一九五〇年代的中國第三勢力運動〉，同註四，頁一六四～一六五。又見〈許孝炎意見〉，《總裁批簽》，台（四一）央秘字第〇〇八五號（一九五二年二月二十二日），黨史會藏。

13 〈成舍我致王雲五函〉，同註五，頁七四七。

14 阮毅成，〈「自由人」參加記〉，同註六，頁一五。至於《自由人》與「自由中國協會」之關係，馬五在〈「自由人」之產生與夭折〉已言之甚為了稿源，三月二十二日總編輯成舍我又致函王雲五拉稿，其中說到：「自由人在香港銷路尚好，一般觀感亦不錯。惟共匪刊物正以全力抨擊，弟等亦一反過去自由派刊物置之不理的辦法，強烈反攻。臺灣發行未辦好，少夫兄不日來臺，或能有所改進。同人撰稿，此間仍不太踴躍，盼公能以日撰五千字之精神，多寫數篇，並乞即賜惠寄，無任感幸。又此間稿酬，公議千字港幣十元，前稿之款，已送託香港書局轉交。此數雖微細不足道，然吾輩合力創業，知識勞動之所獲，在道德標準上說，固遠勝於以吃人為業之共匪萬萬矣。盼尊稿如望歲，望即賜寄，以慰饑渴。」[15]除簡略報告社務外，重點仍是稿源問題，而此問題也是《自由人》三日刊以後長期揮之不去的夢魘。

三、《自由人》之命名與經費及發刊宗旨

華路藍縷，創業維艱，有關《自由人》之命名，似乎是由阮毅成所起。原本成舍我欲名為《自由中國》，因與台灣雷震負責的《自由中國》半月刊同名而不獲採納。故阮毅成認為可參考台灣趙君豪所辦之《自由談》，而稍改其為《自由人》，卒獲大家一致同意，名稱問題因此而敲定。[16]其實若從五〇年代的背景去觀察，刊物取名為《自由人》並不足為奇。蓋彼時海外正刮起一陣「自由中國反共運動」浪潮，其中尤以香港地區為最。為壯大「自由中國反共運動」，於是乎，海內外的一些知識份子刻意以「自由」二字為雜誌刊物名稱，以凸顯有別於大陸的獨裁極權。職係之故，各種以「自由」為名之刊物如《自由中國》、《自由陣線》、《自由談》、《自由世界》等雜誌，如雨後春筍般紛紛出籠，《自由人》三日刊之命名，應該是在此時代背景下而正名的，且的確有其時空的特殊意義存在。[17]

至於現實的經費來源問題，早在三十九年十二月二十日的聚會中，王雲五即定調說：「我要先與諸位約定，這是一份自由的刊物，所以，一不能接受外國的幫助，二不能接受政府的支援。同仁不但要寫稿，還要負擔經費。」[18]王氏之所以要如此約法三章，是要避免外界將《自由人》視為拿美國人錢所辦的「第三勢力」之刊物的疑慮或揣測；另外，不接受政府支援，也是想以獨立身分之姿，能在言論上暢所欲言，而不受政府掣肘，更不想貼上政府刊物之標籤。揆之《自由人》草創之初，因經費來源由各會員出資，確實能夠如此。例如在籌備階段，王雲五首捐港幣三千元，各會員至少認捐港幣一千元，所以誠如雷嘯岑言：「大家分途進行，未到一個月，即籌募到港幣一萬七千元了。」[19]

創刊經費有著落，但接下來長期的經費支出，恐怕就不是由會員認捐可解決。到最後仍不得不仰賴台灣國府的金錢支助，在《雷震日記》中即披露不少箇中內幕，茲舉日記一則為證。民國四十年五月二十五日：「雪公（按：指王世杰（字雪艇），時任總統府秘書長）

詳，同註一。

15 〈成舍我致王雲五函〉，同註五，頁七四七～七四八。為稿源及素質起見，成舍我亦曾寫信向阮毅成拉稿，信上提到：「在臺同人寫稿，原約每期供給八千字。希望以兄之熱忱毅力，催請同人，公誼私交，達此標準。」又說：「自由人聲譽，雖日有增進。惟經濟及稿件，均危機太大。現此間已只賸左（舜生）、許（孝炎）、雷（嘯岑）、及弟共四人，稿荒萬分。如濫用一般投稿，則水準即無法維持。」阮毅成，〈「自由人」參加記〉，同註六，頁一六。可見身為主編的成舍我，為稿源及《自由人》之內容水準，真是心力交瘁，煞費苦心。

16 同註六，頁一四。

17 馬之驌，《雷震與蔣介石》，同註三。

18 同註六，頁一四。

19 同註一二，頁二一三。

來電話，可助《自由人》三千港幣，但不可明言，因《新聞天地》一再要求援助而未允許也。……《自由人》因經費困難，而負責又無專人，致有停頓之可能，由予（雷震）約集雲五、滄波、孝炎、毅成、端木愷、少夫諸君會商，由予等籌款接濟，每月假定虧二千五百元，至年底約為一萬七千五百港元，改組組織，推定成舍我為社長，左舜生代理董事長，予負臺北催稿及催款之責，總統府之三千元，由予負責，予另外再籌五百元。」[20]由《雷震日記》可知，創刊才二月餘之《自由人》，經費已拮据如此，而不得不靠政府補貼，在此情況下，其日後之文章言論，就頗受台灣國府當局之制約影響了。

另有關《自由人》之創刊宗旨，其實早在刊物出版以前，對於未來言論與編輯方針，「自由人」社同仁即做了幾點規約：（一）、發揚民主自由主義；（二）、發起人按期撰寫頭條論文，且須署出真姓名；（三）、文責各人自負，但須不違背民主自由思想暨反共救國的大原則；同時將全體發起人的姓名亦在報頭下面，表示集體責任。[21]創刊後，首由程滄波撰發刊詞，題為〈我們要做自由人〉，擲地有聲的強調：「我們今天大膽向全世界人類提出一個問題：便是世界人類，現在與將來，要不要做人？如果想做人，從什麼地方去著手奮鬥？……今天世界人類只有兩個壁壘，一個是『人的社會』之壁壘，一個是「非人社會」之壁壘。這兩個社會的磨擦，今天已到了白熱化的程度。『人的社會』中每一個人，是有人性，有人格，根據人性與人格，發揮其個性，以增加社會之幸福與個人之生活水準，從而增進世界的和平與人類的文明。反觀『一個非人社會』中，人除了具備人的形態外，沒有思想與靈魂。『非人社會』中，人只是一群動物，既不許其有人性，亦不讓其有人格，他們是奴隸、是機器。」

程滄波言：很不幸的，今天的中國大陸，全大陸數萬萬同胞一年來，即陷入共匪的非人社會中。因此我們和全世界愛好和平民主的人們，要發動正義的呼聲，救自己，救同胞，救人類。我們要揹著自由的大纛，叫著「做人」的口號，開始「自由人」的運動。爭自由，爭人性，發動全人類自由人性的力量，去打倒與剷除共產帝國主義反人性的非人社會。不殘殺，不掠奪，在不流血革命的原則下，使人人有飯吃。本此目的，以建立新中國新世界。所以，「從今天起，根據以上主張，我們謹以此小小刊物『自由人』，貢獻於全世界凡是不願做奴隸的人們，也就是我們這一群人，決心獻身於這一運動的開始。全世界和平民主的人士：我們要做人，我們要做自由人。每個人爭取了自由，世界才有民主和平，人類才有幸福與光明。」[22]我們要做人，我們要做自由人，起來，不願做奴隸的人們！程滄波這篇發刊詞，簡直是一篇慷慨激昂的宣示詞，代表全世界不願在「非人社會」生活下的自由人，向共產專制極權政權，發出堅決的怒吼。[23]

《自由人》三日刊，每星期出兩次，每次十六開一張。主編人規定由原先的「座談會」同仁輪流擔任，一年一換，為義務職，故內部人事組織極為簡單，只有一主編，一助理員和事務員，共三人而已。

20 《雷震日記》（民國四十年五月二十五日），見傅正主編，《雷震全集》（三三）（台北：桂冠版，一九八九年八月初版），頁一〇〇～一〇一。

21 同註一二，頁二一三。吳相湘，〈成舍我為新聞自由奮鬥〉，見其著，《民國百人傳》第四冊（台北：傳記文學出版社印行，民國六十年元月初版），頁二七五。

22 程滄波，〈「自由人」發刊詞〉，見其著，《滄波文存》（台北：傳記文學出版社印行，民國七十二年三月十五日初版），頁一五七～一六〇。

23 阮毅成也說到，這是一篇代表知識份子愛國反共心聲的大文章，義正辭嚴，擲地有聲。同註六，頁一五。

該刊內容，第一版分「專論」、「時局漫談」、「自由談」各欄；第二版刊大陸共區消息；三版則記述港、台的社會新聞；四版是「副刊」。「專論」亦由座談會同仁分別撰寫，或徵用外界志同道合人士之作品；唯「時局漫談」和「自由談」二專欄，係由左舜生與雷嘯岑二氏負責包辦。《自由人》三日刊，因撰寫團隊堅強，且作者大多具有清望，故在海隅香港頗有號召力，銷路亦不壞；又可以銷台灣，雖無廣告收入，仍可勉強維持下去，在五〇年代的香港，可謂雜誌期刊界之奇葩。[24]

四、《自由人》的艱苦經營

平情言，《自由人》三日刊從四十年三月七日發行，到四十八年九月十三日停刊，維持約八年餘。這八年多的歲月，可謂艱辛撐持，多災多難。

首先為組織渙散不健全，於是才有民國四十年下半年的重組之舉。此中最大原因為「自由人」社大多數同仁均已離港在台，分別有：王雲五、王新衡、端木愷、程滄波、胡秋原、吳俊升、黃雪村、閻奉樟、樓桐孫、陳石孚、陶百川、陳訓悆、雷震，及阮毅成，幾乎佔了一半以上；而在港的僅有左舜生、金侯城、許孝炎、成舍我、劉百閔、卜少夫、雷嘯岑等人。其後在台參加的，又增加徐道鄰，共二十二人。為連絡方便起見，在台同仁乃公推王雲五為董事長，但又因刊物在港出版，故推左舜生為在港之代理董事長，就近處理刊物，成舍我則為社長。[25]

24 雷嘯岑：《憂患餘生之自述》（台北：傳記文學出版社印行，民國七十一年十月十五日初版），頁一七六。

25 同註二三，頁一六。

然因「自由人」社未有組織章程，也未在台辦理社團登記，所以才有民國四十一年一月十日，在台同仁在王新衡家為此商議之事。時適值端木愷甫自香港返台，報告港方同仁最近決定取消社長制，亦推左舜生代董事長，成舍我為總經理，劉百閔為總編輯。此事，在台「自由人」社同仁有不同意見，在三月七日及十五日的兩次餐敘商討論中，均決定仍採社長制，並仍推成舍我兄任社長。只是一個三十餘人的「自由人」社，就為了區區的刊物人事組織問題，港、台同仁即不同調，其他之事就可想而知了。所幸意見儘管有異，但同仁感情尚佳，阮毅成即言：「自由人在香港創辦之初，同仁常有餐會，交換意見。在臺同仁，於民國四十年七月十二日起，舉行聚餐或茶會，由同仁輪流作東，平均每兩週一次。除談自由人社各事外，亦泛論時局，交換見聞。」[26]

民國四十一年二月九日，「自由人」社在台同仁餐敘時，有鑒於《自由人》三日刊創刊已近一年，但組織與人事及編輯立論之困擾問題仍在，因此大家有必要提出意見交換，以尋求解決之道。席間程滄波首次提出編輯態度問題，但遭雷震反對。程又謂：「劉百閔不宜任總編輯，上次，此間同仁推成舍我任社長，何以改變？此間皆未知悉。」雷震與陶百川又認為，台方不宜干涉港方人事，雙方爭論甚久。最後由阮毅成提出折衷解決方案為：（一）、自由人本係超黨派立場。只知民主、自由、反共，不知其他。此後仍須守定此項立場。（二）、港方報刊如對台灣中華民國政府，有惡意攻訐，或無理批評，自由人不可自守中立，須起而加以駁斥。（三）、人事問題，另函在港之許孝炎查詢，不作決議。

26 同上註，頁一七。

眾皆贊成阮毅成之方法，並請其起草一函，致在香港之左舜生、許孝炎、成舍我、劉百閔、雷嘯岑諸人。阮函送各人簽名後發出，信中報告：「弟等今午聚餐，談及自由人編輯態度。回溯創辦之初，原屬超於黨派之外。……兄等在港主持，辛勞至佩，自亦必贊同弟等態度也。邇後港方報刊如對於臺灣中華民國政府惡意攻訐，或無理批評，自由人似不便自居中立，宜即加以駁斥。如有中國之聲作者來稿，希勿予以刊登，以嚴立場。再則，此間對第三方面各事，多持私人消息。語多片斷，難窺全貌。斯後尚懇時將各方動態，擇要見示。既可為撰稿時之參考，亦為知彼知己之一道。自由人素以民主反共為宗旨。署名：王雲五、程滄波、黃雪村、王新衡、樓桐孫、吳俊升、陳石孚、陶百川、雷震、阮毅成。」[27]

民國四十一年三月十五日，《自由人》創刊已屆滿一年，留台「自由人」社舉行全體會議。會議主席推王雲五擔任，其中：

（一）報告事項：（甲）、經費小組許孝炎報告——擬募集港幣三萬元（其中成舍我、許孝炎約洪蘭友，被分配擬向各紗廠募台幣一萬元）。（乙）、編輯小組成舍我報告：1、組織擬仍採現制，並請加推一人為必要時接替編務工作之用。2、發行擬請先行籌集基金以期達到日後之自給自足。3、編輯方針方面：積極在倡導民主自由，消極在反共抗俄，至對於台灣態度應仍許有批評，但不可損及自由中國之根本。4、在台同人集體意見推定專人執筆寄港，決登載第一版，並不易一字，如係個人稿件，在編輯方面擬請仍保有斟酌之權。5、每期需要稿件二萬四千字，在港同人無多未能盡任，在台同人時惠稿件。

（二）討論事項：（甲）、《自由人》三日刊社是否仍採社長制案。決議：仍採社長制，成舍我擔任社長。（乙）、《自由人》三日刊社費應如何加募案。決議：1、經費小組在進行籌募之港幣三萬元，於兩個月內籌足，作為基金，備日後擴充發行之用。2、另由經費小組加募港幣一萬元，作為最近數月經常費不足之需，在未募起前由許孝炎、成舍我負責維持現狀。3、加推樓桐孫、程滄波參加經費小組，並以王董事長雲五兼經費小組召集人。（丙）、《自由人》立論態度應如何確定案。決議：1、除積極的主張民主自由，消極的反共抗俄外，並須維護現行憲法倡導議會政治。2、凡外界對台灣有惡意攻擊影響國本時，應予駁斥，立場務須堅定，態度務須明確。3、除專門問題研究外，宜多載通訊及趣味性文字，理論文字及新聞性宜各佔三分之一。[28]此次會議至關重要，它為已紛擾年餘的《自由人》定調，但此為台方同仁之共識，港方同仁只是被動告知，並不見得完全同意，所以日後港、台雙方仍存有歧見。

其次更嚴重的是經費短絀，入不敷出，以至於時有停刊之議。這棘手問題其實打從創刊起即已浮現，只是苦撐待變，能維持多久算多久，但情況並沒改善且持續惡化中。四十一年六月十四日，王雲五、阮毅成與程滄波等聚會，商議如何應付《自由人》三日刊之困難。王雲五謂得左舜生與成舍我二君信，信上，成舍我堅辭社長，又每月不足港幣二千元。如無法解決，則自本月十八日起停刊。劉百閔則說香

[27] 〈阮毅成致左舜生諸氏函〉，見王壽南編，《王雲五先生年譜初稿》第二冊，同註五，頁七六八。

[28] 同註五，頁七七〇～七七一。

港紙價日跌，印刷係由《香港時報》代辦，印費可以欠付。以往亦每月虧空，並不自今日始。

對此，王雲五建議是否能改為月刊，移台出版，但眾意覺得移台出版，則《自由人》功用全失，仍宜繼續在港發行。最後決定由王雲五函復，請成舍我維持至七月底止。[29]是年十二月二日，「自由人」社同仁又再行會商，由王雲五主持，會中卜少夫表示願接辦，至少可免招致停刊命運。然未幾（十二月六日），卜少夫以有人表示異議，乃謂其《新聞天地社》同仁不贊成其再兼辦另一刊物，打消原意。王雲五即席宣布仍在港出版，推成舍我兄回港主持，並改為有給職。[30]成謙辭未果，旋即表示接受。後當場推定王雲五、程滄波、樓桐孫、胡秋原、陶百川、黃雪村為在臺撰述委員，程為召集人。另推成舍我、程滄波、胡秋原三人起草言論方針。王雲五、端木愷、王新衡為財務委員。香港方面撰稿委員，由成到港後約定人員擔任。事後，當事者之一的阮毅成，對是晚之會的結果表示很滿意，還稱為是《自由人》中興之會，同仁莫不興奮。但其後，主要的重點之一，《自由人》未來的言論方針並未草成。[31]四十二年三月十四日下午，「自由人」社同仁聚集在成舍我處，參加茶會。會中，成舍我出示香港許孝炎來信，謂自由人又不能維持。因已積欠《香港時報》印刷費港幣六千元，稿費十一期。且人力亦明顯不足，雷嘯岑將來台灣，左舜生又將赴日本旅行，主持無人，不如停刊。經同仁交換意見，仍認為不能停辦，並催成舍我兄速赴港負責。

因茲事體大，二月二十一日，「自由人」社另一要角阮毅成，也在家中約集在台同仁茶敘。會上，成舍我表示其有困難不願赴港，而港方近日來函，支持為難。眾意乾脆移台編印，仍推成舍我主持。[32]二十五日下午阮氏親訪成舍我，成表示三點立場：（一）、決不去香港。（二）、《自由人》如移台出版，願意主持。（三）、未移台前，可先在台編輯，寄港印行。同月二十八日下午，以《自由人》問

29 同註五，頁七七四。《自由人》經費之窘困，自創刊伊始至結束均如此，阮毅成即言：「我只記得在創刊第一年中，就賠去了港幣參萬參仟元。時歷八年半，為數甚為可觀。這尚是距今三十多年前的幣值，如以現在幣值計算，則更為巨大。」阮毅成，〈王雲五先生與自由人三日刊〉，同註四，頁三四。到《自由人》停刊止，其經費仍入不敷出，茲舉結束前致王雲五等人之二信函為證。四十八年九月十一日許孝炎自港來信王雲五，報告「自由人」結束時經費情況。「雲五先生並轉鑄秋舍我儆寰滄波新衡秋原佩蘭少夫諸兄惠鑒：關於自由人停刊事，前經兄等決定函達克文。兄弟回港後，復經再三磋商，始於前日由在港各有關友人舉行特別會議議決定停刊，並於本月十三日起實行。茲將會議紀錄抄奉敬祈鑒察。」「預計自由人可能收入之款（連登記費在內）約為乙萬四千餘元，支出除舊欠稿費約乙萬三千元；及克文兄之欠薪近九千三百元暫不計入外，此外薪工紙張印刷房租，今年稿費應退報費及空運費等，共計約為二萬乙千餘元，不敷之數約為七千餘元。倘預計可能收入之款有一部分不能收入時則虧欠之數將必更多，如何籌還以資結束頗費周章。而有把握之登記費乙萬元則尚待少夫兄回港簽字後始能提出備用。」又十二日社長陳克文亦致函王雲五。「岫公賜鑒：茲奉上『自由人』在港同人特別會議紀錄一份，請　察閱。『自由人』經濟情形截至本年九月十二日止，共欠債務三萬餘元，除登記費一萬元外，尚可能收回之款二千餘元，結束用費約五百餘元，並此奉告，統請轉知在台各位同人為禱。」見王壽南編，《王雲五先生年譜初稿》第三冊（台北：商務版，民國七十六年六月初版），頁一〇五二～一〇五三。

30 同註五，頁七七九。《自由人》主編是不支薪的，可見其艱困於一般。同為主編的雷嘯岑曾說：「首任主編人成舍我兄苦幹了一年之後，因為準備移家台灣，不能繼續盡義務了——主編人不支新——大家公推下走承其乏，因係義務職，唯有接受而已。」馬五，〈「自由人」之產生與夭折〉，同註一，頁二一六。

31 同註五，頁七七九。

32 雷震日記當天即記載：「下午三時半至《自由人》座談會，阮毅成提議《自由人》表面在港，實際遷台，無一人反對。我內心不贊成，但不願表示，因《自由人》遷台完全失去效用。今日雲五未到，他們囑我報告。」《雷震日記》（民國四十二年三月二十一日），見傅正主編，《雷震全集》（三五）（台北：桂冠版，一九九〇年七月二十日初版），頁四八。

題緊迫，急待解決。「自由人」社同仁乃在端木愷家中餐敘。對《自由人》前途，共有四種主張：（一）、停刊。（二）、移台出版。（三）、在台編輯，寄港印行。（四）、推成舍我赴港主持。討論結果，決定用第四法，成亦首肯。然成謂：《自由人》除發行收入外，每月須虧四千元，此問題亟需解決。[33]

四月十八日，因港方同仁頻頻催促速做決定，眾議又思移台編印，王雲五亦同意移台出版，但謂須改為半月刊或月刊。三十日下午，成舍我與端木愷、阮毅成、王新衡、程滄波等人，又應王雲五約茶敘。時端木愷甫自港返，謂港方「自由人」社已無現款，勢不能繼續。因以由今日到會者商定：（一）、香港方面自五月十日起停刊。（二）、在台登記改為月刊，推王雲老為發行人，成舍我兄為總編輯。[34]然不久，港方同仁又變掛，五月十一日，阮毅成訪成舍我，成即謂卜少夫前日到台，攜有左舜生致王雲五函，主張《自由人》仍在港出版。

此事經緯，雷震在其日記亦提到：「見到雷嘯岑來函，對我們囑香港停刊，決議移臺辦月刊則大不以為然，來信措詞甚劣，決定去電並去函說明，以免誤會。」[35]雷嘯岑甚至為此來函欲辭去社長職務。

33 雷震日記載：「下午四時，在端木愷處討論《自由人》移台問題，王雲五、徐佛觀、端木愷及我均不贊成，程滄波、阮毅成、成舍我願移台，最後決定請成舍我至港辦至六月再說，因行政院之款發至六月底止，如停刊或移台亦須至六月底再說。」《雷震日記》（民國四十二年三月二十八日），見傅正主編，《雷震全集》（三五），同上註，頁五二。

34 這問題一直延伸至四十三年依舊如此。雷震日記：「《自由人》在港不易維持，決遷台辦週刊，由成舍我任社長，王雲五任發行人。」《雷震日記》（民國四十三年八月七日），見傅正主編，《雷震全集》（三五），同上註，頁三一四。

35 《雷震日記》（民國四十二年五月九日），見傅正主編，《雷震全集》（三五），同上註，頁七四。

《雷震日記》記載：「今日午間約來臺之《自由人》報有關各位來鄉午膳，除端木鑄秋、阮毅成、吳俊升、胡秋原外，到有十五人，即王新衡、樓桐孫、陶百川、張純鷗、陳訓悆、卜少夫、卜青茂、程滄波、范爭波、王雲五、成舍我、黃雪村、閻奉璋等及另約陳方。飯後討論雷嘯岑來函辭去社長職務一事，經決議慰留。」為此事，雷震感慨的說：「《自由人》發起人在臺者，不過十餘人，港方不過數人，兩方意見不合，終會扯垮。民主自由人士之不易合作，於此可見一班。」[36]

由於雷嘯岑堅決辭社長職務，八月一日，《自由人》在台同仁藉由茶敘機會，聽取甫自香港來台之劉百閔報告，劉謂：在港同仁意見為（一）、必須在港繼續出版。（二）、改推陳克文任社長。（三）、每月不足港幣八百元，在港有辦法可以籌得。王雲五說：「左舜生有信來，克文係其物色，本人絕對贊同。」眾亦皆表示贊成。但成舍我認為每月八百元之說，計算必有錯誤，至少每月亦需賠二千五百元，所以決定請王雲五再去函新社長，請重為估計。其實《自由人》經費之短絀，可由總其事的總編輯都不支薪一事更可看出，四十三年七月十日，左舜生自香港致函王雲五即說到：「弟意，自由人編輯者，原規定每月可支三百元，以舍我、百閔兩兄任編輯時，未支此款，後任編輯一年，亦即未支。」[37]如此窘境，要不是有台灣國府當局在幕後經費贊助，《自由人》三日刊能支撐八年餘，根本是不可能的。[38]

36 《雷震日記》（民國四十二年六月二日），見傅正主編，《雷震全集》（三五），同上註，頁八五。

37 〈左舜生致王雲五函〉，同註五，頁八二四。

38 雷震日記：「王雲五約『自由人』社在台同仁晚餐，以「自由人」在港經濟困難，重申移台出版，由成舍我任編輯之議。」《雷震日記》（民國最後為文章之尺度問題，除上述言及《自由人》三日刊甫創刊即面臨稿源不濟的困難外，更麻煩的為自從接受政府補助後，基本上，《自由人》的言論立場在相當程度上已受政府箝制。以至於在很多議題上，不僅不能秉公立論、暢所欲言；且須為政府妝抹門面，極力辯解。稍一不慎，隨即惹禍，遭致抗議。如民國四十一年六月一日，「自由人」社王新衡即訪阮毅成，談話重點就說到，《自由人》最近兩期，刊載左舜生〈論中國未來的政黨〉一文，有人表示不滿。[39]為避免誤會，乃一起同訪王雲五，請其以董事長身份，致函香港總編輯成舍我，請其勿再刊出此類文字。[40]

雖係如此，但言論自由乃是知識份子的普世價值觀，用強制力約束是沒用的。果然到民國四十四年又發生更嚴重的文字賈禍事件，差一點讓《自由人》無法在台銷售。事緣於是年三月二十三日，王雲五即接到司法行政部部長谷鳳翔來函，表示《自由人》三日刊，登載雷嘯岑文章，影響政府信譽，要求王雲五代向該社方面解釋。全函內容為：「頃閱本月二十三日自由人刊載『自由談』及『半週展望』雷嘯岑先生文內謂，揚子公司貪污案牽涉本部，曷勝駭異，此種無稽之詞，殊足影響政府信譽，茲特寄上函稿二份，送請　察閱，並祈賜檢一份轉致雷君查明更正，仍乞代向該報社方面照拂解釋為幸。」[41]

由於《自由人》所刊文章得罪當道，引起了國民黨中央黨部對《自由人》言論的不滿。三月二十六日，時任《中央日報》社長，亦是「自由人」社同仁的阮毅成至中央黨部參加宣傳政策指導小組會議時，即受到中央黨部秘書長張厲生的警告：「香港《自由人》三日刊，近日言論記載，愈益離奇，須採取停止進口處分。」幸阮毅成趕快緩頰，除報告《自由人》艱難創辦經過外，並謂：「現在台北各同仁，久未與聞港事。王雲老曾去函港方，請以後勿再刊載不妥文字。又以所載台省情形，與事實相距甚遠，曾通知港方，以後遇有記載台省情形稿件，先行寄台複閱。認為可用者，方予刊布，亦未承照辦。惟自由人參加者，多為各方知名之人。如忽予停止進口，恐反而使海外人士，對政府有所批評。不如一面先採取警告程序，依照出版法，由內政部為之。一面通知在台之董事長王雲五氏，促其改組。如再有違反政府法令之事發生，則採取停止進口處分。」[42]

為此，是晚十時，阮氏尚先訪成舍我，說明會議經過；再與成同訪王雲五，報告此事。王雲五似乎對此頗為不悅，乃決定於三月三十日下午五時，在端木愷家中，約集「自由人」社在台全體同仁會商。在三月三十日的決議中，提到《自由人》的現實問題，「本刊如不能銷台，勢必停刊。為避免使政府蒙受摧殘言論之嫌，希望政府妥慎處理，使其能繼續出版。在台同仁，願意退出。惟在港同仁意見如何，亦盼政府逕與洽商。」並推阮毅成與許孝炎二人將此項決議，轉達黃少谷，另函告在港同仁。[43]

四十三年七月十一日），見傅正主編，《雷震全集》（三五），同註三二，頁三〇二。有關國民黨高層提供《自由人》之經費支援，尚可參閱〈對港澳政治活動之指示〉，見中國國民黨中央改造委員會第一六五次會議紀錄（一九五一年七月四日——附件），黨史會藏。

39 左舜生〈中國未來的政黨〉（上）、〈中國未來的政黨〉（下）二文分別發表在《自由人》第一二九期（民國四十一年五月二十八日）、《自由人》第一三〇期（民國四十一年五月三十一日）。

40 同註五，頁七七三。

41 雷嘯岑，〈半週展望〉，《自由人》第四二三期（民國四十四年三月二十三日）。雷文所寫之論揚子公司案，因涉及上海時期之揚子公司，對孔祥熙有所批評，遂奉命查辦。又〈谷鳳翔致王雲五函〉，同註五，頁八四七。

42 同註五，頁八四七～八四八。

43 同上註，頁八四九。

換言之，針對當局對《自由人》的不滿，「自由人」社在台同仁採取了委曲求全的態度，一方面願意退出，此舉可能有兩層深意，一為逼香港「自由人」社同仁，小心謹慎，莫再刊登批評政府之文章，否則與渠無關，二為多少有向政府交心之意，明哲保身，不想惹禍上身；再方面亦有請政府介入之意，希望儘量保留能讓《自由人》繼續在台銷售。[44]果然如此，四月七日，王雲五即致函總統府秘書長張群，說明「自由人」之情形，並建議將「自由人」社改組，由政府指定負責主持言論之人實行接辦。信的內容為：「惟是該刊經費本奇絀，全恃內銷而維持，一旦停止內銷，勢必停止刊行，外間不察，或不免對政府妄加揣測，弟愛護政府，耿耿此心，竊認為消極制裁，不如積極輔導，將該刊改組，由政府指定負責主持言論之人實行接辦，可變無用為有用，弟當力勸原發起各人，本擁護政府之初衷，竭誠合作。」[45]

一週後，以國民黨並無接手之意，在恐不能銷台的情況下，成舍我與王雲五、陶百川、徐道鄰、陳訓悆、程滄波、胡秋原、吳俊升、端木愷、黃雪村、阮毅成等決議：「茲因環境困難，經濟無法支持，決議停刊，由主席（王雲五）根據本決議徵求在港同人意見。」其後，在台同仁復在成舍我宅聚餐，決定在台同仁既已必須退出，而中央黨部又規定不得再與《香港時報》，發生關聯，則無地可以印刷，亦無處可再欠印刷費。外界聞知中央處分，亦必不願再行認指，環境困難如此，只可宣布停刊。並請王雲五函詢港方同仁意見，如港方同仁堅持續辦，在台同仁自不能再行參加。[46]

由於文章得罪當局，以致有禁止銷台之聲，在港負責《自由人》編輯工作之陳克文旋致函阮毅成、王雲五等人，表示「咎衍實無可辭」，「自由人停止出版，唯覺可惜，形勢如此，亦復無可如何，文與左劉兩公對此均無成見，惟此間尚有其他股東，又年來出錢出力者，頗不乏人，此事似不宜由文等三人遽作決定，即為港方同人之全體意見，擬於最近邀集會議，提出報告，徵求多數意見，再作正式答覆。」[47]但不久，事情又有變化，四月二十九日，一向敢言的左舜生，終於自香港來函，明確表示反對《自由人》停刊，並謂在港「自由人」社同人決暫予維持。信中言：

「雲老賜鑒：四月七日阮毅成兄來信，並附有留台同人退出決議一紙，十八日奉　公手書，知同人復有集議，以經濟環境關係，主張停刊；均已誦悉。此間於當地環境，已洞悉無遺；對　公等所採態度，並無不能諒解之處。惟念同本刊宗旨，一面在『堅決反共』，一面在『爭取民主』，四年以來，奉此週旋，雖不無一、二開罪他人之處，但大體上並未

44 《自由人》三日刊，國民黨中央當指示「扶助」之，以批判中共，擁護政府並同情國民黨為原則。故該刊早期立場為中間偏右，後來對國民黨的批評言論日益激烈，台灣當局乃禁止其輸入，並停止所有經費資助。故《自由人》能否銷台，對該刊影響至鉅。萬麗鵑，〈一九五〇年代的中國第三勢力運動〉，同註四，頁一六四。

45 〈王雲五致總統府秘書長張群函〉，同註四三。

46 同註五，頁八五〇。有關王雲五在此問題之角色，阮毅成有相當持平之看法，阮說：「雲五先生名為董事長，出錢出力，卻不便範圍各黨及無黨人士，一定均作統一的宣傳，致反而完全成為俗套，失去向海外為政府說話的影響力。於是在發刊期中，常常發生選稿欠當的問題。每次有問題發生，雲五先生首當其衝，常為他人所不諒解，致生煩惱。臺港兩地同仁，為此書信往返，謀求各種補救辦法，效果均不甚彰。」阮毅成，〈王雲五先生與自由人三日刊〉，同註四，頁三六。

47 〈陳克文致王雲五、阮毅成信〉，同註五，頁八五一～八五二。

逾越範圍。今赤燄正復高張，而民主亦勢非實現不可；大約在二、三月內或有變化，前途殊未可知！故此間同人，經過再三考慮，仍決定暫予維持，並囑舜代為奉復，即乞轉達諸友為荷。公等即不得已而必須退出，仍望不遺在遠，隨時予以指導，除宗旨不能犧牲以外，同人無不樂於接受。海天遙望，曷勝悲憤憂念之至！」[48]

從此以後，《自由人》三日刊似乎終於渡過了這段風風雨雨的歲月，儘管港、台大多數「自由人」社同仁情誼依舊，但經費、稿源、立論尺度等問題仍在。《自由人》三日刊即帶此痼疾，跌跌撞撞的支撐八年餘，在民國四十八年九月十三日宣佈停刊。[49]

五、結論——從《自由人》到《自由報》

無論如何，在五〇年代那段風雨飄搖的歲月，《自由人》能以香江一隅之地，在內外環境相當險惡的情況下，擎起「我們要做自由人」的大旗，反抗共產極權，與中共做誓不兩立的言論鬥爭，其勇氣和決心仍另人刮目相看的。另一方面，《自由人》雖義無反顧的支持台灣國府當局，但在恨鐵不成鋼的期待心理下，對台灣當局若干錯誤的舉措，仍一本忠言逆耳之立場，毫不留情的提出批判或建言，即使在經費斷炊的威脅下，亦不為所動，這份苦心孤詣之意，也令吾人感佩。

而此即所以《自由人》在發行的八年餘中，雖屢有遷台之議，但大多數同仁始終仍以在香港立足為佳之看法，因其言論立場較客觀中立，雖稍偏向國府，但非無原則的一面倒，兼以香港為基地，較少政府、政黨色彩之觀感，且因對國、共雙方均有批評，是以其在香港作用較大之故也。當然《自由人》之悲劇，除上文已詳述之經費、稿源、言論立場受到制約等外緣因素外，尚有深一層內緣因素存在，此即中國傳統知識份子屬性使然。知識份子主性強的「書生本色」，誰也不服誰之個性，長落人「秀才造反，三年不成」之譏，因渠主觀意識強，所以容易堅持己見，是其所是，不大能夠為大局著想，且因自視太高，未能屈己就人，所以較乏團隊精神。

這情況在「自由人」社這批高級知識份子間亦是如此，雷嘯岑曾舉一事證明之，在《自由人》是否遷台之際，「王雲五以董事長資格，致函於我，囑將自由人報遷赴臺北發行，且將繳存港府的押金萬元一併匯去。旋由代董事長左舜生召集在港同仁會商，決議仍在香港出版，但在臺北的同仁，亦可刊行臺灣版，然王雲五很不高興，說我不以他為對象，悻悻然嘖有煩言，殊堪詫異。未幾，許孝炎由臺北回港，主張自由人停刊，他怕我不贊成，先囑我莫持異議，我表示無所謂，而自由人三日刊，即於一九五八年九月十二日宣告停刊了。現代中國高級知識份子之沒有團隊精神，於此又得一實驗的證明，曷勝慨嘆！」[50]所以當年左舜生在《自由人》創辦之初，樂觀的夸談「自由人」社同仁可以組織聯合政府，永遠合作無間之見解，雷嘯岑說，實係幼稚幻想。文人相輕，自古而然，《自由人》三日刊的緣起緣滅，依然落得一個「殺雞聚會，打狗散場」的結局，這也是中國現代高級知識份子的悲劇，想來仍不禁令人浩歎！[51]

48 〈左舜生致王雲五函〉，同上註。

49 雷嘯岑說為四十八年九月十二日停刊，恐有誤。雷嘯岑，《憂患餘生之自述》，同註二四，頁一八二。

50 同上註。

51 馬五，〈「自由人」之產生與夭折〉，同註一，頁二二〇。其實雷嘯岑自己亦如是，當《自由人》剛成立時，「大家的情感很融洽，精神上團結

《自由人》雖然走入歷史停刊了，但未及五個月，一份延續《自由人》餘波的《自由報》在民國四十九年二月十七日，另起爐灶又在香港創刊了。《自由報》社址位於香港銅鑼灣高士威道二十號四樓，也是採取半週刊（三日刊）的形式，於每個星期三、六發行。社長為雷嘯岑，督印人黃行奮，出版第一期有由以本社同人署名撰寫的〈我們的志願和立場〉為發刊詞。該文強調「我們是一群崇尚自由主義的文化工作者。對社會生活篤信『人是生而平等的』這項義理，珍重個人的人格尊嚴；對政治生活認定『政府是為人民而存在的』，要求基本人權之確立與保障。……我們膺受著共產極權主義的荼毒，深感國破家亡之痛苦，流落海隅，於茲十載，內心上大家不期然而然地具有強烈的愛國情操和政治理想，要從文化思想方面，努力培育民主自由精神，發揚其潛能，成為救國救民的偉大力量。職是之故，本報的言論方針是國家至上，民生第一，我們的立場是超黨派的。」[52]

簡言之，民主、自由、愛國、反共乃為《自由報》創刊之四大宗旨，嚴格而言，此宗旨仍是延續《自由人》三日刊的精神而來。阮毅成曾說：「後來，雷嘯岑兄在香港出版自由報，乃係另一新刊物，與原來的自由人，完全無關。」[53]此話恐有商榷之餘地。《自由報》在《自由人》的基礎上，發行至民國六十幾年才結束，期間刊布了《香港自由報二十年合集》、《自由報》合訂本、《自由報二十週年年鑑》，影響力不在《自由人》之下。

無間，對任何事體決無爾詐我虞，或以多數箝制少數的作風。我（雷嘯岑）當時曾聲言：假使憑這種精神組織『聯合政府』，擔當國家政務，國事沒有不振興的。」馬五先生著，《我的生活史》，同註一，頁一六一。

52 本社同人，〈我們的志願和立場〉，《自由報二十年合集》（一九）（香港：自由報社出版，民國六十年十月十日）。

53 阮毅成，〈「自由人」參加記〉，同註六，頁一八。

自由人
THE FREEMAN
（第六六〇期）
[illegible]
社址：香港高士威道二十號四樓
3 RD. FL. 20 CAUSEWAY RD. HONG KONG
TEL. 771726

華僑問題檢討

陳式銳

台北的天氣環繞於九十度的邊緣，人們的精神無疑地感受難過。越南地在熱帶，氣候炎熱，我想像我們的僑胞，正遭逢國難的困擾與失業的威脅，他們的煩惱更甚，當可知了。我有很多同鄉的憂愁面孔，學生在那裏，而這一同樣底面孔，加以擴大，數在幾十萬計，人的心肝是血肉所成，其能免於同胞之感嗎？我多年來極怕社會活動，在面臨這一場合，我會挽我參加集會——我便覺得組織越南華僑可以成立，受台北「五、廿四事件」的影響，大概延至六月十六日可望誕生；時間未免太遲，但比沒有好。越南華文報刊出新聞，僑胞大感興奮，他們正在期待國內同胞的同情與援手，倘並此而無之，也未免太令人失望了。

一、問題的表面與本質

問題的全面是國籍、僑教、與升學，骨子裏是三石一鳥。現在的越南政府，我不否認其有其生氣與作爲，但[illegible]港的英文「南華早報」（[illegible] BRODERICK）[illegible]

[illegible]企業家，並負兵役義務言，實在改變華僑爲誠實[illegible]莫落得克氏建議[illegible]籍而不受，其他國家却求而不予，所以吳氏顯不以爲然；但越南華僑們也非完全反對歸化，根本所在是他們的「自尊心」受到損傷[illegible]子」。莫氏指出在這種方之下，越南的經濟已發生重大底困難，華僑恐慌將來不再投資，他們不再進貨，商業[illegible]一個美國銀行家預言，如果[illegible]不恢復，半年內越南將面臨經濟恐慌。據吳氏的觀察，吳廷琰的左右[illegible]以莫氏無慨嘆地說：當個人所得以爲是對的，雖時很多人說他作錯亦與爭辯！對台灣方面，這一位名記者也指出，這一事件不單爲越南華僑問題，它也將影響到其他國家，甚至東南亞[illegible]這一行動成功，其他東南亞各地亦將起而傚尤。

二、華僑同化問題

另一個澳洲國家大學研究生巴爾夫理曼氏（A.G.PALFREEMAN），近在香港大學演說華僑同化問題，[illegible]出西方文明國家與東南亞新興國家對華僑所採取的不同立場。[illegible]

[illegible]經濟生活，所以當地國家也就不在這一方面採取同化行動，在政治方面，西方的同化[illegible]一九四七年之間，歸化[illegible]四七年限制取消，一九五五年就有九千人歸化，其合格人的同化率達巴氏指出一〇〇％」。[illegible]巴氏歸納其論點如下：（一）由研究及觀察經濟同化，華僑能[illegible]取消一切法律及社會障礙（不平等）且積極執行同化政策。

（二）東南亞華僑或許大多眷戀於殖民地時代所享受底地位，但因其政治上增高了重要性，今後不惟不可能，而且將遭遇到兩種事實：（1）東道國採取各種可能方法以縮小華僑社會，如驅逐出境或給予難堪使其不得不離開；（2）東道國決定全面同化，給予完全公權而迴帶着權利與義務；在某一限度，且將迫接受同等權利及履行公民義務。

巴爾夫理曼氏最後提出三點建議：（一）切勿以東南亞華僑變成權力政治的工具；（二）欲達到此目的，其唯一方法——應從他們的經濟福利觀點着手——乃在把華僑少數民族完全同化於東道國社會，甚且開始時不計社會及政治方面所付出底代價；（三）東南亞政府斷既得之有限研究路線有如我所見者，作充份科學研究後才決定其可能採取底同化政策。除非此一研究廣泛而深入，這一問題將益陷入偏見與猜忌的迷霧中而造成社會不平與政治陰謀。總之，這一問題的解決，端賴於研究工作者遠甚於政治家（六月十二日香港南華早報）。

三、僑務政策的執行問題

我們的政府設有僑務委員會專司華僑事務，過去的工作且不去檢討，即在第二次大戰後東南亞的局勢因各地政治的獨立而大大地改觀，也有沒有對華僑的處境加以研究而訂出一個適應的政策來，實在不能免於疑問；東南亞當地政府的排華浪潮前仆後繼，那一次有過適當底處置？再看去年十月廿八日所舉行的「華僑經濟檢討會議」，蔣總統當時曾指出華僑處境的困難，並提示應取的途徑：

第一、爲政治底，「一般華僑所在地的政府和人民，以爲華僑都是中國人，如果共匪一日陰謀得逞，必將受共匪之蠱惑欺詐，難免爲共匪的同路人，甚或充其「第五縱隊」；所以他指示華僑擁護僑胞的政治立場，堅決地站在反共救國的鮮明旗幟之下……當地政府和人民，亦必自然提高對於我們華僑的信賴，逐漸消除其疑懼心理」。

第二、爲經濟底，「一般華僑與當地國家，總以爲華僑的經濟力量雄厚，對於他們自己的經濟發展，將受到不利的影響；於是出疑懼而發生其反對華僑，無形中產生了排華行動。所以他呼籲華僑遵循經濟發展的方向，「適應新興各國經濟的需要，協助當地基本工業之發展，宜將傳統的商業經濟，漸次轉化爲工業經濟，而在商業上減少與當地人民利益的競爭與衝突……實爲當地人民和政府相輔相成，分工合作，使方同受其互助互利的明智之舉」（拙作「記華僑經濟檢討會議」，載財政府經濟月刊六卷十一期）。

（下轉第三版）

半週述評

一篇超外交詞令的演詞

六月廿八日美國務卿杜勒斯在國際獅子會的演詞，大體上可說是一篇超外交詞令的演詞，不但是杜氏本人而且是近年來美國的外交演詞中最爲堅決最明朗而直率的一次。

幾個主要的作用

雖然這次演說的主要目的在糾正美國國內一些對承認中共問題的論爭，而其作用却可以抵銷四方各國放寬對中共貿易後所引起自由世界的[illegible]其正在集會中的英國聯邦會議所表現對中共的[illegible]氣氛，更且給予正在經濟以及政治「內部矛盾」中的中共政權以國際上的壓力，尤其明顯的是足以澄清自由台北當局[illegible]發生後美國將會修改現行對華政策的疑慮。

承認中共的三種論據

杜氏指出美國的一些主張修改對華現行政策的論據有三：一是「中共政權執政已有如此長久的時期，應有被承認的權利」；二是「外交承認[illegible]到底是不可避免的，那麼爲什麼不在現在承認了呢？」三是「如果我們協助中共使其強大，它終必與蘇俄決裂」。杜氏或依據國際法觀點，或援引事實，或引用邏輯，都予以有力的否定。

一個斬釘截鐵的結論

杜氏在論斷這些錯誤根據後，結論是：「中共政權過去從無和平的表現，將來也無走向和平的跡象，[illegible]們亞洲盟國的外交政[illegible]將念認中共是一項[illegible]是認中共而增強其加[illegible]項懸而爲的強行爲」。

一個朗爽的假定

對于中共的將來，他首先把「中國人民」的關係交代清楚後，[illegible]一種假定，即國際[illegible]統治之在中國，[illegible]是一種過渡性而非永久性的現象，[illegible]中國人民應盡其所能，[illegible]認爲那假定是健全[illegible]國不與中共貿易，不承認中共，及不許中共加入聯合國。

五項理由與五個結果

他所明顯的指出四項不承認中共的理由，雖是出自美國本身立場，而未舉出世界性的更大的理由，但他由此引申五個結果，已對承認中共問題，不啻打了一個死結。

他認爲如果美國承認中共：將使大陸上中國人民沮喪；將使數百萬海外華僑失其寄托；將使中華民國的前途感到自己已被朋友所粉碎；將使太平洋區和東南亞自由亞洲各國政府深感惶惑；將更將「使中共可能在聯合國中取得否決權的永久性席位，其結果將是在聯合國中倫下自我毀滅的種子」。這又爲中共政權將來，尤其是今年想入聯合國問題，打了一個死結。

一點讀後感

不論杜爾斯這篇演說的現實性如何，至少在目前，可消除大家心中的一些疑慮了。但美國政策是「隨時可以調整以適應時局變化的」，仍帶有現實性的氣息；而且這篇演詞，自我們看來，祇屬于消極性的，在積極方面如何及何時「使大陸上那種過渡現象早成過去」，那還非靠自己不可。美國一些現實主義者引爲承認中共的一個有力論據，不是說「中共政權已有如此長久的時間了」嗎？這是值得吾人猛省的。

·林伯雅·

推拖未決的中菲懸案

·諸葛明·

菲律賓同中華民國反攻基地的台灣，無論戰略地位，地理形勢，同處自由亞洲遏制赤流的反共前線。兩國邦交向來融洽無間；數達十四萬五千五百九十五名華僑，歷年對菲島的貢獻，有過於他們提供於祖國，菲律賓政府，大概不致於無從理解的。依照該國憲法規定：外僑享有「平等保護權」。中華民國的守法僑民，沒有理由例外。可是，最近四年來菲律賓政府給予華僑們的不平待遇，簡直難以令人忍受。諸如「逾期居留遊客」鋃鐺永牢，與「菲化案」剝奪華僑生計，不僅有背人類自由生存權和法益，而且有悖人性，即令中菲沒有國交，華僑無惠菲人或者無國籍之民，就世界公理正義說來，當地政府沒有理由對外僑，特別是華僑持如此態度的。鋃鐺水牢的華僑，過去雖曾假釋一批，現時仍有數逾千計。幾年來，政府雖曾向菲持續交涉，這迄無妥善辦法，這種「無力」的外交與菲人的排華思想所鑄成的懸案，不獨旅菲華僑對祖國政府失望，且使海外各地僑胞深感困惑。他們覺得僑務當局一再高呼爭取僑胞，對菲律賓的「護僑」，却毫無建樹。然而，菲律賓華僑子弟在最近幾年，對祖國雖不能說有何重大表現，別的不說，祗說他們每屆假期赴台參加軍中服務，也足見愛國情殷。政府何能坐視他們不幸的遭遇。

菲共「虎克黨」係受中共指揮，中共在菲設有「統戰」機構。旅菲華僑拒絕與共黨往還，半屬格於菲方法律，半屬惡絕中共在大陸暴行。永牢中的難胞，不乏有爲菲方藉口「涉嫌共諜」拘囚者，然大多酷愛自由的僑胞，中共也不見得會放過的，我們此刻，爲什麼不先爲之謀呢？

另一相似問題，乃爲「臨時遊客」的居留懸案，在麥格賽塞未逝世之前，菲政府擬把這二千四百名遊客遞解出境，不管是台灣或是大陸共區。迨麥氏罹難；加西亞繼任總統，這一個不決的難題，迄今仍在推搪拖延。台灣對這批來自香港及其他地方的華僑遊客，看來並不十分歡迎；假如任由他們被遣赴中共匪區，顯然將會受海外一千多萬僑胞的怨忿。於是，只有把它擱置，有待於將來處解決。

「總解決」當然是很好的辦法，可惜問題越攪越多（總商樂「菲化」，又有醫生「菲化」）越多越亂。例如纏訟幾及三年，結果敗訴的：華僑商人劉維強向菲大理院控訴「零售律」（零售商菲化法案）違憲案，已於五月三十一日宣判。雖然十位大法官並非完全同意支持判決書所列七大理由，畢竟只有一位大法官同情華僑。也許可能是這僅有的一些珍貴的同情，使商總理事長楊啓泰，及中國駐菲大使陳之邁，還存在着推翻「菲化」案的一綫希望，一面邀集菲律賓專家研究，呼籲大理院再審違憲案，同時希望藉有利的輿論，扭轉菲方的排華政策。這辦法是否行得通呢？癥結所在，過去「零售律」的擬訂，係菲律賓國民黨內若干自私的「資羅階級」分子作祟，他們只知道菲人貧困，看不慣關綽的華僑生活；當中國政治局勢極度危殆時節，就企圖「舉掃將華商逐個打死」。於是，草擬了這一既違人權又悖法理的法例，要求自由黨政府完成法案；執政的已故季里諾總統，雖被國際間指爲貪污無能的政權，到底還不失有明智與遠見，他不忍乘中國政局危難中迫害華僑，一再把這法案擱置。迨麥格賽塞柄政期間，可能是爲了踐行他競選時諾言，竟遽予通過。

現在，菲律賓的大選又將來臨，政潮澎湃激盪時節，中國政府同菲律賓政府之間，似乎不適宜於此時進行繞商個國懸案。因爲：一、現政府在此時不會採取任何措施，雖然加西亞對於解決中菲懸案，並未表示任何反對態度，一般估計談判前途，殆將徒勞無功；二、在野黨方面，他們已在設掘執政黨（國民黨）錯誤，可能會將中菲懸案不決，和「菲化案」嚴重後果打擊現政權，而作爲他們爭取下屆政權的政治資本。故此，中國政府不宜於此時在菲跟任何一方面觸及解決中菲懸案問題；只有待於大選結束，新政府成立再談。否則，不僅徒勞無功，可能造成更惡劣後果。不過我們要早作通盤打算才好。

（六月二十四日寄自馬尼刺）

台省議會質詢民政

·豐公·

台灣通訊

比立院還有聲有色

臨時省議會是自由中國唯一由人民直接選舉出來的省級民意機構。雖然，由於省縣自治通則和省自治法的迄未公布，不得已戴上「臨時」的帽子已有三屆之久，在法令所賦予的職權上，自不得不大大的打了折扣，因而顯得有名無實；但在每一會期開會時，縱然大多數的省議員們無不以「黨意」為從違，而仍有人沒有忘記他們是一千萬省民的喉舌，不肯輕易放棄他們的言責，因此，對於省政府施政報告的質詢，絲毫不含糊，儘量加以指摘，往往弄得出席答覆的某些單位主管面紅耳赤，張口結舌，下不了台，只好避重就輕，敷衍一番了事。有時，這些省議員先生們，憤激起來，甚至超出省政範圍以外，連屬於中央部份的，也是毫無顧忌，加以批評，較之立法院的質詢，還來得有聲有色的多！儘管有人對這樣的質詢，謂之為「跑野馬」，可是，省議會能夠表現這種熱烈的民主氣氛，畢竟是難能可貴的。惟有官方以及與官方有關的報紙，照例吝惜寶貴篇幅，不予詳細刊載，以致關心省政的人民，多數不甚了了，這是令人感到非常遺憾的！

不滿選政集中質詢

即如新產生的第三屆省議會，最近開始民政部門的質詢，原定議程只有一天，但要求發言的有三十八人之多，乃又延長一天，可見質詢之踴躍。首先，大家一致指摘本屆選舉未達理想，法規漏洞太多。如議員郭國基就認為這次的選舉各縣市的選務工作，都不讓黨外的人參加，舉凡管票開票計票監票等等，都由黨員來負責，是不對的。李源棧認為民間尚有許多賢能之士，因為鑒於當前選舉之不能公正，以致相率裹足不前，實為國家社會之損失。

可是即將卸任的民政廳長連震東的答覆，卻說：「這次的選舉經過，不必諱，但其結果是非常圓滿的。」他也承認現行自治法規有不少疵謬，省府即將組織修改委員會加以研討修正。

「去偽存誠」與「安全措施」

另外一位黃占岸議員（國民黨籍）則要求連氏不要粉飾太平，應該把民衆對選舉的真實反應，坦白的報告上去，建議切實改進。他指出政府若要得民心，就得先要「去偽存誠」，改革選政，勿讓選民及落選人埋怨，否則連當選人也要埋怨哩！

青年黨籍郭雨新議員緊接著質詢，語氣非常激動，仍然集中在選舉問題。他首先問連廳長：『現在民間流行一句選舉術語，叫做「安全措施」，你知道否？』連氏毫不猶疑，把頭一搖，說不知道，郭議員說：『好！你既不知道，我來教你吧！』於是他舉起雙手，撐開十指，比着手勢說：凡是快到截止投票時間以前，投票所的職員，翻開選民名簿，看到還沒有來投票的，便由職員每個人十個手指一行一行的按捺指摸，代領選票，成百成千的投入票櫃，這就叫「安全措施」。連廳長聽到以後，仍力辯決無其事。郭議員怒之下，乾脆拿出一本「自由中國」半月刊，當場揭出該刊選舉嘉義市第六十一投票所，高雄市第八十一投票所，及一百四十投票所的違法舞弊的「安全措施」，以為證，於是連廳長不響了！

無黨無派的吳三連議員對於連廳長的有關選舉問題的答覆，甚為不滿，他感慨的說：『連廳長和我是三十年的朋友，但我總了解[illegible]……』因為連氏始終維持這次選舉是公正、合理、合法的，與議員先生的觀點，大有距離，使得雙方都感到非常不愉快。

詢及「黨化國家軍隊」

此外，議員郭雨新在質詢中，還提到更重要的黨化國家軍隊的問題。[illegible]……軍隊須超出黨派關係以外的規定，完全違背。[illegible]……

海外通訊

泰政府改變應付危機辦法

祝君健

[illegible]……與「保守黨」先後解體，[illegible]……加入自由黨，後[illegible]……內部的決定——[illegible]……雖然無人會加指摘，[illegible]……及乃沙立組黨的[illegible]……「不民主」的「獨裁」措施，[illegible]……寧是一大可喜現象。令人擔心的，倒是這表面的團結，對於合作平亂，未必有多大效果。

自由黨的陣容[illegible]……但無多大用處。那麼（自由黨秘書長）奉命一專向黨員[illegible]……需要乃砲以黨秘書的身份，[illegible]……誠如披汶氏指反對[illegible]……位泰國互頭在將近兩個月來，無時不朝着這兩大方向努力。

反對黨向政府圍攻

[illegible]……公開承認：「政府不[illegible]……」鑒于反對派報紙[illegible]……人民與政府間情感[illegible]……自由黨內部團結而對[illegible]……合作，繼續支持政府[illegible]……發生分裂。

一黨專政危機

從表面上看，政府為了應付日趨嚴重分裂的局面，不能不採取「一黨專政」辦法，以鞏固中央各級單位組織。例如：「國家民主黨」的[illegible]……王及乃變（警）……

但就許多迹象看來，他們的努力，或就畢竟太少。因此，反對派就在這樣的情勢下，拼命向政府圍攻，尤其是民主黨魁乃寬，以一位代表貴族、大地主的富商巨賈，於「獨立黨」醞釀要求披汶院長引退，由乃沙立元帥組閣聲中，竟然對披汶元帥採取正面攻擊了。他引鐵道工潮、經濟情況惡化與商行紛紛倒閉，校荒的嚴重，學生求學無門等事實，來要求政府辭職。乃寬認為泰國目前的局勢，已和中國大陸淪陷前夕相似。他說：「政府既解決不了現實的險惡局勢，再過些時，恐怕將要遷往蓬魯島上去住呢。」披汶氏對於這種指摘，照例不予置評，對於工潮則在沈着應付。但也並非由於反對派的杯葛，使政府各項計劃無從進行，祗不過比原計劃遲緩了些，如向世界銀行貸款，開闢公路、興建學校、開辦醫院等等，無一不已着手。至於工商業的不景氣，乃寬自己何嘗不知道是跟政府的政策毫不相干的。問題是政府若干措施確有未盡理想之處。但在外國人看來，變披汶政府今日的處境，不是一位「理想的政治家」可以勝任的。癥結所在，由於西方民主思想輸入，使披汶氏自討苦吃；現在不闖自行釐訂泰國適合國情的政策，倒轉頭來摒棄英國式的「民主」，而推行英國式的「民主」，弄得尷尬不堪了。

共黨揚言謀殺政要

實在說來，這種局勢不應當偏賓於披汶氏「無能」。他何嘗不想這一任政府作得更好一些，反對派一味傾向共黨，迷惘於「一新」的必然比「舊」的好。乃寬雖然向政府正面進攻，其言外之意，不無以中國局勢警惕泰人，旨在促使政府拿出有效的辦法來。恰左翼報紙竟拿它來過分渲染，似乎必欲推翻現政府而後快。

在這時，潛伏地下的共黨分子散布謠言，說他們已草就一張黑名單，準備伺機暗殺政府高級官員，尤其是鑾披汶、乃砲和乃沙立。這種具有恫嚇性的謠言，據說是對政府拘留七名參加北平「五一」節勞工的一種挑戰；警方卞準堅持將該七名附共分子，送交法庭訊究。同時更搜捕取道莫斯科（香港政府拒絕過境）返國的「文化藝團」，予以逮捕審訊。不管怎樣，警方認為這批曾去北平者均涉嫌顛覆。

比里談話故佈疑陣

大多數人仍相信乃比里已潛返泰國。雖然左翼報紙譯載香港某報所載乃比里在廣州談話，指出內容暴露甚多破綻，例如：「比里先生約五十歲……」如果乃比里確在廣州，沒有理由不知道他實際年齡；更沒有理由不向他探詢在北平的真實情況；固無需乎把娘落戌在曼谷的談話（乃比里在平生活）牽引進去。於是，外國通訊稿及親政府的報紙，幾乎一致認為香港某報（按：可能係指六月八日香港「大公報」）的廣州通訊，係共黨故佈疑陣。它們引述「乃比里談話」稱：「……目前解決的辦法是愛國的泰國人民必須團結一致，促使政府獨立地實現人民的願望，……」而反斥說：「泰國政府有甚麼理由說它不是一個獨立國家；難道要像中共那樣附庸於蘇聯才是獨立國？」並直截了當地警告中共說：泰國與中華民國及其人民的邦交是不容分割的；泰國政府的態度決不承認「兩個中國」。同時復斥賈這篇絕非出於比里之口的「談話」說：「建立泰中（共）之間的關係將使兩國更加相互了解，進行正常的經濟交流，擴大泰國受限制的市場，進行正常的文化交流相互往來得以實現，中國（共）要侵略泰國的恐懼也必然消除，……」這是恐嚇的勾引；稍便有良知的泰國人民，必然相信共產黨的甘言蜜語，絕非含有絲毫善意的。（六月廿二日寄自曼谷）

海外僑胞不可不讀
今日的廣東

——中共統治廣東七年實錄——

新著簡推

最近周恩來在「全國人代會」發表長達三萬餘字的報告，說中共統治的成績，自欺欺人，厚顏無恥，已達極點。我們且看鍾仰珊先生的「今日的廣東」一書，即足以證明周恩來所謂「成績」，純屬欺騙而已。

本書分十二節為：[illegible]……（十四）衛生工作，（十五）檢察和審判，（十六）地方工業，（十七）文化教育事業，（十八）少數民族政策，（十九）漁民工作，（二十）水利，（二一）天然和人爲災害，（二二）復員共軍的遭遇，（二三）附屬黨派，（二四）陶鑄的施政總結。

中共統治了廣東七年，成績如何呢？且看在廣東省長陶鑄的話，他在「人代會」上檢討了生產低落情形，和農人工人知識分子及一般人民生活困苦之後，跟着自承：「我們確是不夠民主，現在有一機構都是幾個黨員幹部在那裏包辦，黨說了就算，靠壓力，靠行政命令辦事。」又說：「生產萎縮，農民收入普遍減少，以致生活無法維持，許多農民窮到沒錢買米。」這便是中共統治廣東七年的成績。廣東一省如此，全國可想而知。

本書香港聯合書報社出版，共十二萬餘言，廿四開，全書二百冊，每冊售價港幣一元二角。

更正：本刊上（六五八）期第一版「一個從新思索的時代」文內第九第十行內「打成死結」應為「成死對頭」；又第三版同文第六段第十二行內「結不解緣」應為「永不結緣」。

台南點滴

△省立成功大學錢歌川教授控告張思海教授，妨害名譽。地方法院已開庭調查，錢、張兩教授均曾到庭。他們的訴訟，原由於去年張以三封英文信，及一篇有諷刺意味（匿名者）的英文作品，請錢斧正，錢閱後，加以批改，並在大洋英語月刊發表。張認為錢有意排擠他，曾請校長秦大鈞面試兩人的英文程度。秦校長以無權考試教授為對。現在兩人的訴訟，結果如何，尚未可知。

△高雄市自來水廠職員黃水木捲款潛逃，後竟對刑警人員說：「我犯罪動機，由主計員羅錦楷不會打算盤及算賬，故敢於作弊，」又說：「組羅主計員能走一加到一百，不至錯誤，我願負全責」。[illegible]……

△「鬼湖」探險隊一行十一人，[illegible]……

昌增勳

談香港的中學教師訓練

·韓紹·

香港教育問題

（一）

香港教育當局舉辦的小學教員訓練班，現已辦了六屆，受訓練完畢的可以獲得檢定合格教師資格，不愁沒有出路，故每年投考的，實繁有徒。本來招收名額一百五十人，報名的竟逾一千五百人以上。今年起，香港教育當局又增辦中學教員訓練班，招收現任中學教師，訓練完畢，亦可獲得檢定合格教師資格。招收名額三十名，報名期截止後，報名的僅得一百多名。

爲什麼小學教員訓練班報名的人這麼多，中學教員訓練班報名的人這麼少呢？中學教員訓練班將來沒有出路嗎？其實並不然。香港需要中學教員的殷切，並不下於小學教員。否則教育當局不會辦中學教員訓練班了。

需要殷切，而反應冷淡，應該注意其中的癥結所在。

（二）

就數量說，香港中學已不算少，有官立的，補助的，津貼的，私立的四種。四種中，私立中學最多。以香港人口二百五十萬爲比例，合計起來百間左右的中學是不敷供應的。

目前教育當局急切的對策，是小學教育的七年發展，香港政府的七年教育計劃，也是着重小學，把中學放在第二步。

香港一般私立學校教員，薪金很爲低薄，私立小學教員待遇更低，每月約在一百元至一百八十元之間。想維持一個家庭的生活，是十分困難的。識字班的教員每月祇拿六十元至八十元，更不用說了。一般私立中學教員的薪金，約爲二百元至三百元，超過三百元的已是鳳毛麟角了。

香港教育當局對私立學校教育的待遇雖表示十分同情，但還沒有進一步積極改善的對策。星架坡政府將全部學校都改爲津貼學校，星架坡學校教員的待遇，因此獲得普通的提高，生活安定，自然增進教學效能。香港政府目前還沒有採用同樣辦法的意思，香港私立學校教員暫時祇有繼續忍受着「可恥」的待遇下去。

（三）

香港政府並不是完全漠視教員的待遇，譬如官立學校，教員待遇遠勝於普通的政府文員，初進政府當文員，他的待遇連津貼不過三百元，但一個官立中學教員起碼薪津達八百元以上。

不祇官立中學教員如此，補助學校教員也如此。津貼學校雖略遜一籌，但與私立學校教員相比，仍不可同日而語。

同是香港學校的教員，同是一星期上二三十節的課，可是同工不同酬，相差竟有逾數倍的。私立中學教員，希望改善待遇，祇有寄望移轉工作崗位，進官立中學，否則退而思其次，進補助學校或津貼學校。

這希望是很渺茫的，尤其是小學教員。因爲香港政府設立兩間訓練師資的學校——羅富國師範學院與葛洪師範學院，受訓出來的即爲檢定合格教員，所有官立補助津貼小學教員，必須聘請檢定合格教員，這兩間學校畢業的學員，獲得優先錄用。一般私立學校教員大都未受過訓練，未取得檢定資格，受聘的機會自然較少。

這就是爲什麼許多私立小學教員，想投考小學教員訓練班的理由。經過訓練合格，祇要有機會，便可進津貼、補助，或官立學校。一登龍門，聲價十倍了。

（四）

照理說，中學教員訓練班，投考的學員，應該十分擁擠才對，何以事實並不如此？要探討這一問題，首先要了解香港政府爲什麼要辦小學教員訓練班之後，又舉辦中學教員訓練班。上面所舉羅富國和葛洪兩師範學院，和小學教員訓練班，祇是培養小學師資的。香港大學畢業生雖有檢定合格教師資格，可是，港大畢業生，大都不肯當教師，且港大偏重醫理商等科，適於做高中文史教師的畢業生也很少。於是香港中學高中文史檢定合格教師大感缺乏，自從教育當局重新修訂中英文中學國文會考課程以後，教材內容比舊課程難深得多，加以中文中學畢業會考規定國文爲唯一主要科目，國文一科不合格，便不能畢業，於是高中國文教師的需要，也就更加迫切了。

（五）

一位台灣大學中國文學系三年級的學生，看到香港高中國文課本，曾對人說，香港中學國文課程水準這麼高，連台灣大學三年級都比不上。這句話，或者有點誇張，但香港高中國文課程之不容易講授，似爲事實。

香港中學國文課程的改變，牽涉到香港大學入學試的國文水準。香港大學兩年前出版了一套中國文選，裏面共選課文八十二篇，包括初級和高級標準，必須讀完了這八十多篇文字，才能應付入學考試（投考醫理等科可考初級國文，投考文科必須考高級國文）。

香港政府計劃擴充香港大學原有的中文學院，爭取香港各中學得年畢業的優秀青年，同時培養本港中學的優良師資，香港每年的中文中學高中畢業生已達到一千八百多人，祇有一間香港大學，中文中學畢業生因英文成績較差，無法應考，結果畢業後，升學問題大感困難，教育當局供中文中學的畢業生[illegible]，非檢定合格的教師，中學教員訓練班的開辦，可望解決。雖[illegible]訓練國文[illegible]招生簡章也沒有特別聲明偏重國文教師的訓練，但國文教師較其他各科教師更缺之更需要，卻是事實。

（六）

那麼投考中學教員訓練班的人數爲什麼這樣少呢？

現任中學教員比小學教員少得多，投考人數自然比例減少，此其一。還有教會中學待遇較高，許多人安於本位，不作遷調崗位之想，此其二。更有些年齡已超過四十，不符招考章程，原章程沒有硬性規定，但規定年齡不可過遲，自動放棄，此其三。此外還有一個重要因素，就是要經過入學考試，考試科目有兩種，即國文和英文，有些人不願參加考試，此其四。

且就考試來說，本來許多躍躍欲試的人，因爲許多教師顧慮到，一投考後，名落孫山，不但將爲同事恥笑，也將爲學生輕視，這顧慮不是多餘的，每個人都有一份自尊心，在學生面前，老師都要維持信仰。老師去考試，對學生是無法保持尊嚴的，投考失敗了，失笑可以由人笑罵，失掉學生信仰，便無法繼續下去。況且，理科教員要應國文考試，國文教員要應英文考試，許多人不敢信有合格的絕對把握，所以許多人因此不敢報名投考。

理科教師爲什麼一定要國文合格？國文教師又爲什麼一定要英文合格呢？同時，所謂考試的時候以什麼作標準，以什麼爲範圍，考試的時候以什麼爲範圍？譬如以考英文爲例：中英文互譯也可以，作文也可以，作一篇短文，以考國文爲例，也算國文範圍，論述諸子精義，也算國文範圍，報考章程未加詳細說明，難怪許多教師裹足不前。除非[illegible]

當局舉辦中學教員訓練班，與補救高年級國文師資問題完全無關，否則一方面需要解決國文師資問題，一方面以考試作爲難關，使國文教師不能進去，似違舉辦訓練班的初衷。

政府當局將來如繼續舉辦中學教員訓練班，第二屆筆者建議以選拔方法代替自由報名入學考試，所謂選拔標準以教學成績考核代替入學考試，由教育司署視學處考核各校教師的成績，則以視察教學報告爲根據，這樣才可以選拔真才，杜絕倖進，舉辦中學教員訓練班才可以獲致預期的成果。

香港血庫瀕臨涸竭 賣血禁例亟應修訂

·祝修衛·

香港和九龍，一共祇有兩個血庫。一在瑪麗醫院，另一則在九龍醫院；常年供應需要輸血的病人，急救求治的垂危生命。但血源需要大量市民捐出。

（一）

已往三年，因爲存血漸感不敷供應，港督葛量洪爵士率先捐輸，並呼籲二百餘萬市民支持他的義舉。可是，響應者固不乏人，可惜歐美人士居多，市民之中，大多數似乎未曾特別重視，以致庫存日涸，公立醫院對於這一嚴重血荒，已感極度危懼；私立醫院更覺窮於應付。他們認爲與其市民無意捐血，不如開放賣血禁例，由當局規定劃一血價，公開收買人血。這樣，不但血庫存貨日足，給予貧苦市民、病人均蒙實際利益。

對於一個身體健康的正常人說來，從體內抽取一百CC血，於健康不致有何損害。但他們爲什麼沒有捐血救人信心？據一位醫生分析，不外是：（一）香港二百餘萬市民之中，多數屬於受薪階級，終日胼手胝足服務社會，爲生活疲於奔命，儘管捐血手續簡單便捷，似乎都不願騰出時間去捐血；（二）也有許多人不願意爲了捐血，專程乘船、搭車；（三）更有甚多人覺得自己的血有如生命，捐血是一大苦事；（四）有錢人之中，願意捐血的更屬少之又少，何況俗語所謂「財多身弱」，他們對自己血液看來，怎不彌足珍貴呢？由於上述四大障礙，實爲今天港九兩大血庫，存貨日短的基本原因。

（二）

就目前情形看來，香港的嚴重血荒，殆已瀕臨無法解除窘境。本來麼，在國內各地醫院，公家醫院雖然沒有血庫供應，各地幾乎常年都有以賣血爲職業的；醫院只待病人需要輸血，即可按址徵召。在香港賣血則是違法的。英國的法律不准人們賣血，國家醫院血庫，全賴當地市民捐輸。香港市民心理卻不同於其他英屬地，輸血耗量既多，捐助血液太少。供應既感失調，醫生對病人在治療上，自然感到棘手。特別是若干私立醫院，血庫並無供血規定，雖然亦會要求[illegible]血庫供應必需血量。但醫務處以血庫負擔太重，難以普遍供應。[illegible]措施：（一）轉送公立醫院；（二）要求病人向親友們徵求血液。兩者有時會發生困難，如所周知，香港公立醫院的病床有限，[illegible]病人自行設法。然而，即令這病人有衆多親友，有時也會感到束手無策。因爲未必能恰有與病人血型相同的血。而醫生，總不希望一個病人失血致死，只要病人存有一線希望，輸血必有挽救病人生命，何況，總想設法挽救每一個有病求治之人，他爲了扭轉自己垂危的生命，只要能力所逮，將會不惜任何代價，期望迅速康復。於是，除了出資購血之外，沒有更好辦法。

（三）

有人說「私家醫院買血，已成公開秘密。」每一私立醫院對此却力加否認。不過他們不否認：經常資助病人輸血，同時得一需要輸血的病人，於公立醫院拒絕借醫，又找不到同型血液的時候，會向血庫挪借，這種借貸行爲，亦已成不可避免。只不過有借有還，非還不可；這筆賬，醫院方面借不過「代爲經手」，仍需病人自己設法歸還。好得還血庫的血，不一定必須同型，在病人親友中極可能獲得補償。但是，沒有親友的病人呢？於是，就有人說：私立醫院不替這種病人買血，怎能抵償「血債」？事實上，香港也不乏「職業賣血者」，他們聯絡私立醫院的工人，居間介紹給病人，由病人冒認他們親屬，私下商定價格，如果同型最好，不同型的抵補醫院方面向血庫的借血。據說一百CC的代價，最少港幣一百廿五元。

不管這種傳說是否確鑿，爲了解除香港嚴重的血荒，禁止賣血法例，終已迫臨非修訂不可之時；儘管目前尚不致發生大量缺血（需要輸血）情況，不能不作未雨綢繆打算。這樣，只要血禁一經開放，「職業賣血者」當然就難以居奇；而予病人的負擔，亦可大大減輕。此一絕不有悖人道的舉措，當局實有詳細考慮必要。

（上接第一版）

這一會議，乃決議照總統訓示，「由政府就我國內農工等建設之經驗，檢討僑胞人才，資金對外技術合作，其實施辦法之要點如下：（一）技術合作之對象：（甲）華僑居留之國家民營事業，（乙）華僑與當地甲乙兩國合辦之事業，（丙）當地政府事業，（丁）華僑居留之國之公營事業。（二）技術合作之方式：（甲）由我政府與合作國或當地政府合辦，（乙）由我政府當局核准內公營事業辦理，（丙）由國內民營事業辦理，（丁）由國內技術團體辦理，（戊）由國內民間專家辦理。（三）技術合作之實施辦法，由各有關機關配合執行。」如果當時就照此在東南亞展開工作，則當地政府明瞭我們的當前政策，縱不滿意其排華，我們也相信亦可和緩於事後。不幸，時隔半載以上，項決議形同具文，我們怎怪越南政府的一意孤行，我們可不怪我們的有關當局意念若何嗎？

華僑問題檢討

·陳式銳·

四、態度與責任問題

現在越南華僑在當地政府的「三石打一鳥」政策之下，已陷入苦痛底深淵；我政府的辦法是撤退不願入籍的土生華僑，其數目已達五萬人。外交當局向越南政府交涉的原則是「自由選擇國籍」；不錯，但是要有堅持的辦法，如一九三○年的海牙公約，一九四六年的聯合國人權宣言，且按國際公法，強制歸化，即構成平時的侵害行爲。必要時訴之於聯合國。退一步言，越南政府既允許土生華僑撤退，我們也當交涉准其隨帶財產離境。據國際公法，政府保護國民財產，[illegible]存權附屬有財產權。據說越南撤退，亦將財產出售匯回，極可能遭越南政府拒絕，但在我們的立場，因爲無可讓步，即彼此僵持也在所不計。正如莫落得力克氏所言，越南東南亞各地應付，將來百萬乃至數百萬，共且越南先假設一「第五縱隊」就來「三石打一鳥」，不正是巴爾夫理曼氏所謂「陷入偏見與猜忌的迷霧中而造成社會不平與政治陰謀」嗎？

再者，吳廷琰氏的自負，我無意加以損益，但若以他對越化華僑絕不改變，我卻不同意。我只要指出一點：他准許土生華僑撤出，即已作初步底改變；如依其原來主張，五月九日起全體土生華僑即爲越南國民，何容由我政府運回祖國？我以爲不能讓越南的片面行爲使我們來背上無法負擔底包袱；反之，隨撤財產無疑地將使越南難以消受，我們也正可以此來強其再作改變——直至「自由選擇國籍」。屆時，華僑的「自擇」不受損傷，我們當讓其自由歸化與否，當無所謂撤僑問題；再進一步，我們就忠誠地以「華僑經濟論討會議」所揭櫫的方針，積極與越南乃至東南亞其他國家謀取全面底合作。總之，越南的行動，對華僑有損，對其自身也不利；我希望外交當局再與越南政府折衝，尤願行將成立之各界後援會作爲有力後盾，有效地勸告越南共同和平謀取華僑問題的解決，而有效底作爲，毋寧說還是政府的有關部門。（六月廿三日）

自由談

嗚呼聯合國！

馬五先生

聯合國在匈牙利人民十月革命運動被俄軍鎮壓時，袖手旁觀，事後派人調查了半年，才編成一種報告書，這等於是替受害的匈牙利人民所寫的一篇訃文了。但關于如何公開散發這篇訃文的問題，幾個大國依然意見紛歧，莫衷一是，迺召集一次特別會議亦要等到九月去，眞是無聊透頂，可恥已極！

二次大戰前的「國際聯盟」，縱着日本軍閥以武力侵佔我國東北，幾個大國吱吱喳喳地爭吵了許久的時期，才派一個「李頓調查團」東來實地調查，編成報告書送給「國聯」公佈後，甚末下文也沒有，結果是釀成二次大戰。現在聯合國對匈牙利事變的態度與作風，完全抄的當年「國際聯盟」對東北事變的舊文章，其效用自可想見。假使聯大能够從速召集特別會議，把匈牙利人民被俄軍蹂躪屠殺的暴行實况公告全球，這對於已經爲反共抗俄而犧牲了的匈國人民，固然毫無裨益，但對於目前一般遭受俄帝指使匈共從事淸算審判，而瀕臨着死亡邊緣的人士，如納吉，如被匈共判處刑尙未執行，正由西方著名學者羅素等營救中的兩位作家，或許可以發生一些影響，使俄帝及其爪牙——匈共，懾於國際輿論的正義制裁，稍斂其血腥之手。然而，操縱聯合國的一二强權國家，連這點道義精神且不發揮，又隨時侈言聯合國係維護世界和平的組織，可謂放屁屁屁，眞正豈有此理！

强權主義者心目中的「世界和平」，是以其自身的利益爲標準的。祗要幾個强權國家的安全繁榮保持着，那怕全球其他地區殺伐不已，禍亂頻乘，它們還說是聯合國維護世界和平有功？「國際聯盟」就是强權主義者這種「和平」言行中趨於死亡，然後迫出了一場世界大戰的。如今看看操縱聯合國的一二大國對匈牙利事變這樣搞法，若說三次大戰可以避免，鬼纔相信呢！

釋：涵養

「善爲之下」

戈北指

我們通常對一般謙恭禮讓，虛懷若谷的人，稱之爲有涵養。涵養關乎一個人的道德學問：凡學養愈高，德望愈重的人，其涵養的工夫也越好；但涵養不是「死氣沉沉」，必須是內有活力而不形諸于外。

記得大儒程明道說過：「夫人之情易發而難制者，惟怒爲甚。第能於怒時，遽忘其怒而觀理之是非，亦可見外誘之不足惡，而於道，思過半矣。」這段話的意思很淸楚，不過須能克制工夫，不是一般人都能做到的。

閱讀歷名人傳記，每見歷史上有許多名人、學者，涵養工夫，非常人所能及！據說從前范文正公有天與朋友走在路上，聽見有人罵他，裝未聽見；朋友告訴他，公說，該不是罵我吧？朋友說，他指着你的名子，公說，焉知不是同名同姓呢？像這種「唾面自乾」，「犯而不校」的精神，你做到嗎？

范文正公的兒子范純仁（文宣）其一生立身行誼，也頗多與乃父相似處。范文宣公因忤逆章惇，被貶至永州，途中夫人每遇不如意事，即大駡章惇陷害忠良；范反時以溫語相慰。舟過瀟州時，遇大風雨，船破僅得及岸，范負夫人至民舍燎衣，稍蘇，范顧夫人說：「不要生氣，船破能怪章惇嗎？」夫人反而笑起來。史家稱范文宣公能以「博大開上意，忠篤革士風。」即可想見其平時的爲人。

有明一代鴻儒王陽明，其容忍的精神，也不在范氏父子之下。有次，有人上奏摺醜詆陽明先生，人把奏摺拿給他看。他初看時，氣憤塡膺，怒不可遏，但看第二遍時，氣已漸平，及至看到第三遍，遂一笑置之。

前讀王船山文集在其中所記文人軼事，亦頗多足稱者，茲舉「俟解」一例：「陳白沙與莊定三同渡，舟中有一面貌醜怪之侏儒，知爲兩先生而故辱之，縱情淫媟，至不忍聞。定三怒形於色，回視白沙，神色甚和，若不見其人，不聞其聲者。」船山註說：「白沙之不動聲色，蓋視其人如雞犬之亂於前：人豈有與雞犬計較哉？」可謂註得幽默。

著「小倉山房詩文集」的袁子才，爲有淸一代才子，名重一時（當時有「南袁北紀」之稱）。袁爲人謙和，獎掖後進，不遺餘力。袁編「隨園詩話」，有人指他選詩太濫，他引方孝孺手書「溪喻」一篇以自白：「學者之病，最忌自高與自狹。自高者，如峭壁巍然，時雨過之，須臾溜散，不能分潤。自狹者，如甕盎受水，容石容斗，過其量則溢矣。善學者豈如海乎？旱九年而不枯，受八州之水而不溢；撫他，善爲之下而已矣。」這種「善爲之下」的做人態度，不獨學者應有此涵養，即一般人也應有之。

尸子處道篇說：「食所以爲肥也，一飯而問人奚若？則衆皆笑之」。此語堪可爲「養」字的註腳。人生不如意事，十常八九，如果整天以「拔劍瞋蒼蠅」的態度去處世對人，不獨無快樂可言，亦殊非養生之道。學學彌勒佛笑口常開，放開肚皮，去容盡天下不如意事。

新詩與舊詩

爲「中國詩人聯誼會」而作

自由中國的新舊兩派詩人，平時各不侵犯，你推敲平仄，我吟咏風月，見面不談此調，彼此心照不宣。但，亦有新舊兼作的詩人。兩門都自謂內行，于是舊詩人「詩人聯吟大會」他也參加。因爲過去除舊詩人舉行聯吟以外，新詩人只在「五四」文藝節中，會聚一堂而已。

今年新詩人們在「詩人節」又舉行一次紀念大會，由中國文藝協會，中國青年寫作協會，今日新詩社，現代詩社，藍星社聯合召集，與舊詩人們在八卦山舉行聯吟大會打對台。表示他們也有集會了。

在這次會議中，爲了加强團結，決定組織「中國詩人聯誼會」負責籌備人，計有鍾泥、宋膺、郭衣洞、紀紘、覃子豪、左曙萍、鍾鼎文、趙友培、上官予、余光中。……二十餘人。

此在李石曾提倡的「中國集文會」之後，又一個龐大的文藝團體。他們的「詩友」劉心皇先生當衆演說：「舊詩已經沒落，應該沒落。尤其是那一種自命淸高而實際專以舊詩與名公巨卿唱和，企圖以舊詩做政治敲門磚的作品，更勢必沒落。」

有人聽了，以爲舊詩人之類，如不斷對於舊詩有無起衰振頹之法。這話也有幾分道理，正如舊劇（平劇）在今日已趨沒落一樣。不過新劇至今也還沒有趕上舊劇的寶座。那末，新詩在今日之不爲舊人們所接受，也是理所當然了。

假若新詩足以繼舊詩而取代之，正與新劇之繼舊劇而取代之一樣。那末：新詩人與新劇人都當努力前進。若像這樣的「新詩」與這樣的新劇，雖然在行將「沒落」的舊詩與舊劇面前，還有一段「低頭」的時間呢！

多少舊詩人對於新詩之嘲諷，實在也有理由，往往有些新詩，使別人看不懂，只可稱爲「天詩」，這種「天詩」，連舊詩中的「打油詩」也不如。關於這些道理，我寄望于「中國詩人聯誼會」成立之後，加以研究，務必在我們這一代，把「新詩」做到大家首肯而公認其爲「新詩」，那就是該會大大的功德。

·白源·

畫堂春

乘秋瑾輪來台途中

謝名進

置身南海碧波間，蒼茫一片無邊，艙簫幾度擺樓船，坤轉乾旋。太息中原禍亂，縈懷故國情牽，請纓歸去待何年，此恨纏綿。

憶江南

不寐

前人

人靜夜，寂寞一盞燈；眼底榮枯猶未了，心中寥落感生平，倚枕待天明。

談高帽子

·麗心·

「高帽子」與官帽子、方帽子、綠帽子、紅帽子雖同宗，而不同名。它代表：恭維、奉承、敬佩、諂媚……總帶點拍馬屁的性質；差不多的人都知道，這是爲了某類事件，而給自己戴上的一頂美輪美奐的帽子。

有時，雖然人們明明知道對方所說，與事實確有出入，但却不願意板着面孔，給對方一張冷臉，笑嘻嘻，謙虛和藹的接受對方的贈予。

據說，很久以前，學術界有一位權威人士，並沒有眞才實學，除了千百遍講演的一二張文稿外，就是會給別人戴高帽子；退隱實地附的大小官員，都知道他乘龍有術，恨他入骨，當他死後，閻王爺乃大發雷霆（威風），要把他「炸油鍋」，說他在陽間無惡不作，罪在不赦。他笑了，笑着向閻王爺說，比如您老滿臉紅光，喜氣洋洋，不日高陞玉皇大帝，難道也是我給您老人家戴高帽子嗎？

閻王爺心喜

一旁的判官氣得發抖，指罵他一味亂拋高帽子，連閻王老子都給拍上了。

「判官大人，難道您老人家非叫我欺騙人不行？假如閻王爺高陞玉皇大帝，您老人家是不是就陞了閻王爺？事實擺在眼前，也能說是恭維人，給人拍馬屁哪！」

判官一想不錯。

「昧！」兩旁執楣站班的小鬼，大聲咆哮道：「你這個不要臉的傢伙，我一棍打得你哭天喊地……。」

「唉！您們這兩個傢伙，判官爺陞了閻王爺，空着的判官是個肥缺，論情論理，是不是該輪到閣下去遞補呢？您們沒有功勞，也有苦勞呀！」

——接着，他竟哈哈哈，一搖一擺的走啦！

列國時，某君語其妻曰：「余與徐公孰美？」妻曰：「徐公不若君之美也。」這與今天的繡花枕頭，空有其表，以及那些自以爲高高在上者，八面玲瓏的左右逢源，也不外乎是善予人以「高帽子」。讀者，不要嗤之以鼻，許多人的陞官、發財、自誇、自大、盛氣凌人，都是靠那頂美輪美奐的「高帽子」哩！

但，我想——至聖先師斷不致人如此這般的吧！

海上學校

中篇小說

趙滋蕃

台下零落地響起了「早晨，老師」的喧嘩聲。

杜宇鮮嫩的臉蛋上，像潑了豬血一樣的紅。張長虹曾經發生過那種想頭，突然又闖進了她的腦袋。她用了力求鎮定，開始介紹五位老師與學生們見面。然後，她宣布了開學典禮延期舉行的消息。

前排的鄭財寶，用疑惑的眼光跌着杜宇，他不瞭解爲甚麼現在不開學的理由。孫春蘭和孫秋菊，却有些失望，但面部表情頗爲柔和。財寶的媽和劉全忠用笑容掩蓋了初釋重負時那種輕鬆的感覺。鄭老頭是高興的，因爲他的提議得到了採納。蘇氏夫婦睜着遠視的老花眼，側着不大聽得見的耳朶，動人地瞧住講台上秀麗煥發的杜宇，他倆對她感到興趣——不是對她講的話；而是對她那標緻的儀表發生興趣。總之，那是種十分複雜的感情。這感情裏蘊藏着不同的願望，各種程度不同的憂慮和喜樂，以及各種難予分析的心理動機。這感情集合在杜宇的瞳孔裏，影響了她的情緒，她感到慌亂。

「今天上午，我們決定按照課程表開始遊戲和工作，」她說。「當大家都到齊了，我們再補行開學典禮，」她重複先前講過的話。「但是，第二節的唱遊，改爲健康檢查，由李太玄，崔碧兩位老師負責。下午的海上活動，因人數沒有到齊，只好暫時停止，」他瞥了瞥大家，然後用雪白的小手絹，輕抹着額上的汗珠。

學生們的視線，依然集中在她的臉上。她感到羞澀，感到不好意思，不大自然地將頭低了下來。教室裏有兩三分鐘的冷場。

「開始讀書吧，老師，」劉全忠壯起胆子，小聲地從旁提醒她。

「好，好，」杜宇漫應着，爲了賺取一點時間，她用明亮的眼睛迎接着他的善意的目光。「麻煩貝老師到總辦公室走一趟，將練習簿與編好的活頁課本先發給大家。」她若笑着說。

「請杜老師講……講個故仔，要好聽的，」鄭財寶伸長脖子，結結巴巴地請求道。

於是，杜宇用她那富有節奏的金嗓子，講了兩個孔夫子與小朋友的故事——早晨的太陽與中午的太陽距離我們遠呢，還是中午的太陽距離我們遠？車子應當讓城牆呢，還是城牆應當讓車子？——在這兩個故事之中，她將孔子「有教無類」的崇高的教育理想，以及「學到老，學不了」的求知的精神，都鋪述在故事裏頭了。她講得那麼親切，那麼動人，回答孩子們的問題的時候，又是那麼淸楚詳盡，而且還不時睜大着那雙美麗的溫柔的閃爍着情感的眼睛，前排的三個孩子的眼睛裏，也都閃動着興奮的神采；而這種神采好像是一盞盞發光的明燈，足足可以使任何一位充滿愛心的老師，將整個寶貴的生命貢獻出來的！

故事剛剛落音，貝比立刻散發練習簿紙和活頁語文教材，每人一份。這種教材共分兩部分。一部分是油印的單張，正面爲課文，背面爲對錯測驗，選擇測驗與塡字練習。一部分是手寫的方塊單字，正面是單字和國語注音符號，反面是圖畫。不同的詞類用不同的顏色標明。譬如名詞用白色紙，代名詞用黃色紙，動詞用綠色紙，介繫詞用藍色紙，形容詞用紅色紙等等。字寫得很壯實端正，圖畫也簡樸生動，大約是周曼石和杜宇的聯合傑作。

杜宇打起精神，做了個使大家注意的手式，開始了簡單有趣的問答，從問答中她想逐步把教材提示出來。

「小朋友，你們看，教室的外面有些甚麼呢？」她問，並用手指着窗外。

「有漁船，好多好多的，」鄭財寶望了望窗外，用打鼾的低低的聲音說。

「有兩隻嗶啵嗶啵（小汽艇），」孫春蘭用含混的聲音補充道。

「還有海，海裏有海水、海鮮和海草，」劉全忠說，好像是困惑，又好像是憤慨。

「海上有風嗎？」她問，用微笑的眼睛瞧住孫秋菊。

「有的，有時大，有時小，」孫秋菊輕聲回答。

「你們看得見風嗎？」她追問。學生們搖搖頭，不安地望住老師的塗着紫色唇膏的小嘴。

「桅桿上的小旗子一擺動就有風，風蓬一鼓起來就有風，海上有波有浪就有風，我們覺得涼爽就有風，鳥忌白忌（海豚）出來就有風……怎麼風看不見呢？」鄭老頭扁起嘴巴說。

（卅一）

自由人
THE FREEMAN
（第六一六期）
[illegible]
TEL. 771726
3RD. FL. 20 CAUSEWAY RD, HONG KONG
[illegible]

中共統治了七年的廣東
—共幹和共報的正式招承—

陳克文

中共統治大陸後，有些去訪問過的外國人說，甚至有人說，蒼蠅蚊子都絕迹了。中共自己，平常更不斷的宣傳，說建設如何進步，生產如何增加，人民生活如何好。最近周恩來在「人代會」的政治報告，也大吹大擂，誇張社會主義建設的成績。他還具體的指出我國農民大體上百分之二十到卅過着略有積餘的生活，百分之六十左右過着有吃有穿的生活，百分之十到十五過着少吃少穿的生活。」又說每一個農民的生活，淨收入大約有七十元左右，合到每一農戶的收入大約三百元左右。」這樣看來，赤色大陸豈不是人間天堂了嗎？

眞相到底如何？

如此的「好世界」，最近兩三個月，大陸各地竟會掀起極普遍的悲憤呼號，抗議中共的統治嗎？中共指斥這些是右派分子的惡意攻擊。人民日報又自承是故意佈下的圈套，要一網打盡反對的異己分子。這一切我們姑且不去談它。

我們的海外僑胞，籍隸廣東的最多，僑胞關懷鄉土，對鄉土的事情最易了解。廣東乃全國重要省區之一，以一省推及全國，整個大陸情形，亦可由此而更加明白。

廣東共幹，自省長陶鑄以至其他有關首要，廣東的共黨報刊，包括南方日報，廣州日報，以及其它刊物，自去年下半年起，先後發表了許多正式報告，透露廣東在中共統治下，七年來的實際情形。這些消息，本是中共禁止外洩的，現在鐵幕無法封鎖，並且已經有人編印成書，逐漸流入自由世界了。（見本刊上期介紹的「今日廣東」）。我們現在便根據這些中共自己正式招承的事實，和中共平日的宣傳，周恩來的報告，以至外國人走馬看花得的印象，作一比較，看看眞相到底如何？

農民的辛酸嗚咽

周恩來說，大陸上的農民多數過着有吃有穿的生活，每一農民得年淨收入約七十元。廣東的農民是不是這樣的呢？且看廣東省長陶鑄在省「人民大會」的報告：他說「現在鄉下普遍有兩種反映：一是社員（農業合作社）沒有零用錢，即沒有錢買油鹽煙等日用品，[illegible]沒有錢買米，不管那一個農業合作社，都有相當的社員在生活上發生上述的困難。」沒有零用錢，沒有錢買米，還能說是有吃有穿的生活嗎？說來怪，廣東農民要紛紛退出農業合作社，去年秋冬之間，全省退社的農民便[illegible]有八萬戶之多。七年來，廣東的農產物，年年減少，農民的收入，也年年減低。農產物減少，以豬為例，據南方日報說，一九五三年全省豬還有六百八十八萬五千多頭，到了一九五六年，只剩五百四十七[illegible]頭，已減少了百分之[illegible]十點六。其它可想而知。農民收入減少，[illegible]說：「去年全省大約有四百五十萬的人減少收[illegible]」[illegible]

工人利益漠不關心

農民如此，工人更不必說。共幹廣東勞動局局長林鏘雲說「[illegible]」[illegible]

[illegible]

廣州蒼蠅帶到武漢

[illegible]

如此優待僑眷

[illegible]

發揚廣東精神

[illegible]

一週述評

[illegible]

克宮大風暴的爆發

[illegible]

是蘇林宮的政策搞變看來，再在擁護史與反史之間，實在非常混亂，很難用劃清一道界限，說這次變動，為反史派的勝利與擁史派的垮台，那是機械的公式看法，與其實決不符合。我認為這只是權力鬥爭的最高表演，正與過去史達林之清除托洛茨基與季諾維夫的左派和布哈林的右派情形一樣。他的用心無非是要清除一人及其勢力。在鬥爭的進行中自然要搬出若干理論和政策上的問題，但在季諾維夫和布哈林都自承錯誤之後，他們仍遭受清除。

方興未艾的權力鬥爭

克宮新公佈的主席團名單，清一色是赫魯曉歐夫一系，其中具有三朝元老資格的只有伏羅希洛夫和布爾加寧、米高揚三人，前者是有名的飯桶，他之繼續扮演一個偶像，本無礙於赫魯曉夫；後二人則兩三年來都一味依附赫氏，其地位正有如史達林政權初期的莫洛托夫。

另一值得注意的事，是朱可夫勢力[illegible]。終史達林之世，從沒有一個職業軍人能側身獨裁者之列。經過馬倫科夫的處心積慮的佈置，都[illegible]特務系統。經[illegible]赫魯曉歐夫擊潰，至於所謂布爾[illegible]克的老衛士們，更無以和赫氏的新興勢力相抗。其在軍方，赫氏能利用他們，作為一個同盟者。在涉及黨派權力鬥爭的範圍，朱可夫和大多數職業軍人們，一向還保持超然地位。

可是最近赫魯曉夫的發動黨內鬥爭，也是經過了四年多時間始告實現，所引起的黨內鬥爭，持續了十分顯著的十四年之久；列寧死後的共產主義和共產黨，尚未像今天這樣弱點畢露。我們不妨說：今天的赫魯曉歐夫，決不會有和史達林同樣的運氣。

中共怎樣？

肯在兩天之前，美國務卿杜勒斯曾說：革命或革命的變化，將在蘇俄或其他鐵幕集團國家內發生；他又說在中國大陸發生革命的因素，似乎比蘇俄多。就當前事實看來，似乎他的論斷只對了一半。因我們卻不應太看輕了中共統治下的「矛盾」。肯在幾個月前，毛澤東在概大放的高唱「放鳴」，人們只稍微吐了一吐內心的話，便立即倉皇狼狽的轉變成「清除右派分子運動」。赫魯曉歐夫大概勢固尚不可能就此沒落，但毛澤東還有赫氏那一點把握和力量。

・李秋生・

國際地球物理學年

時論選譯

・旭軍・

本年七月一日起便是「國際地球物理學年」（IGY，有人把其中Geophysical譯為「地球物理學」似乎含義不確切）實則不止一年，共十八個月，至一九五八年十二月卅一日才算是結束。

國際地球物理學年並非創舉，曾經舉辦過兩次，第一屆是遠在一八八二—三年，第二屆是在一九三二年—一九三三年，卻沒有今次的內容豐富，前兩次都是着重於研究地球兩極，這次是以研究太陽為主。

今屆共有五十餘國家參加，各國都先要提出報告說明其在學年中所要進行的研究工作。共有十五項，（一）世界日，（二）氣象學，（三）地磁研究，（四）極光與空中閃光研究，（五）電離層研究，（六）太陽活動，（七）宇宙線研究，（八）經緯度，（九）冰河學，（十）海洋學，（十一）火箭研究，（十二）地震學，（十三）重力研究，（十四）地理分配，（十五）[illegible]物。

香港天文台已決定參加項目，自然是側重天空的。主要的項目是升高四個測大氣球，外附有無線電四個溫度計及電壓表，氣球將升高至七萬呎，預算此外更利用儀器參加研究地球之轉動，太陽綫，及宇宙綫之輻射等。

[illegible]

是地緣物理學年將令人注意的南大陸事，各報章什誌多有詳載，今不宜再贅言。但有數項是值得再提的。

南北兩極的測探不過係IGY一部份，其整個計劃很龐大，有五十四國參加，估計用款二億美元，由「國際科學聯合委員會」作中心組織，其秘書處設在倫敦，且獲聯合國之聯合國經濟科學文化機構部份津貼。該委員會由二十個國際聯合會之代表組成。特別是與物理，天文，地理及無線電有關之團體，亦有各國之委員會，由此而獲各國之經費支持。

研究大氣上層與太陽之輻射，以及電之情形，是該計劃最重要部份。此外太陽為中心，而非係地球[illegible]

[illegible]發射小火箭，它們升空高空後，便如月球之環繞地球，每九十分鐘繞一周，它們的軌道在地面上二百至一千哩不一。它們的衛星歷時數星期，然後漸漸緩慢下來，與普通的隕星一樣，以大速度下降，同時它們被用來作觀測站，高高超出大氣層，及不斷的測量太陽的輻射，宇宙線的磁性形，它們的測量成績給地面上的我們。美國衛星計劃發射約一百個的小火箭，它們可載有共約七十磅重的科學儀器，它們射到三百英里的高度？此外美國將發射三十六個「維朗尼加」式火箭，英國均可射十二個「雲雀式火箭」，到數百哩的高度。英國和蘇聯也有同樣的計劃。

從這些測量得來的資料，可供今後許多年的研究根據。地緣物理學年是多采多姿的研究，一門說之不盡的學問，各國就其環境作貢獻。例如澳洲，從事測量南太平洋，作為對此南半球的貢獻之一部份。經過十八個月的測量，所得之資料必非常之多，或有人懷疑恐怕「消化」不了，但由於機械的與電子的計算機之進步，便能應付了。（摘譯自印度新思潮什誌」）

美援機關待遇問題分析

·楊鎮·

台灣通訊

美援機關的待遇過份優厚，向爲全國上下指摘的對象，曾經立、監兩院委員的質詢和糾正，又受報章與論一致的抨擊，雖然政府高級官吏中，對此問題爲顧全事實，仍有不同的看法，但大致說來，可以略述如下：

一、抨擊美援機關待遇的理由

（一）美援機關雖無各種津貼及實物配給及福利費用等名目，但僅就薪金而言，如與同等級的公務員相比較，計超越四倍至八倍。例如特任官部長階級底薪爲八百元，按統一薪俸規定，祇支三百二十元，再加職務加給五百元，醫藥費一百元，服裝費五十元，眷屬津貼每口二十元，實物配給每口約七十元，以五口計總共收入約一千四百元，相等于美援機關一個辦事員的薪金，若與農復會主任委員薪金一萬零五百元相比較，僅及其八分之一。而且美援機關高級職員什九從大陸隨政府來台，故皆有宿舍及汽車的供應，至于中、下級職員相形之下仍感不平，仍嫌無宿舍供給及交通車接送辦公，但比起同級甚至較高級公務員，仍優越得多。

（二）、有人以爲美援機關人員未經詮敍手續，似可不按統一薪俸支薪，但目前未經詮敍的公務員甚多，如教育機關的人員，如國營銀行的人員，都未經詮敍手續，均按統一薪俸支薪，不能厚彼而薄此。

（三）有人以爲美援機關人員辦事工作效率優于一般公務人員，亦非確的。查去歲台北市聯合報曾指出，美援會高級職員每天上午十時半，下午四時左右尚未到會辦公，且該會公文旅行，拖延遲滯，不遜于其他機關，更有美援貸款審核手續，外間嘖有煩言，可見待遇雖高工作效率並不比例增高。

（四）如果說美援機關待遇，必需與美駐台安全分署待遇相伯仲，則國防部，聯勤總部的外事人員待遇，亦可與美軍顧問團的軍官待遇相伯仲，但事實上，美軍顧問團內中國職員，平均月入僅一千餘元，非經援方面的美援機關待遇可比。再查日本、韓國所有辦理美援人員的待遇，並不優厚，與日、韓一般公務員相同。

（五）有人以爲美援機關爲臨時性質，例應給予優厚待遇此理由殊欠充分。例如行政院退除役官兵就業輔導委員會爲最近成立的臨時性美援機關，其經費由相對基金開支，但該會工作人員待遇，並不優厚。

二、糾正美援機關待遇的經過

民國四十三年五月，行政院曾遵奉總統指示，對于文武職人員待遇，應實行檢討，評議比較平均合理的辦法，當時分設公務人員、軍隊官兵、公營事業、及美援機關等四組討論，各組均獲結論，獨美援機關組宣稱，以美方建議制定待遇爲辭，對行政院提案，置之不理，以致毫無結果。

監察院曾於四十五年七月，又提出一件美援會待遇過份優厚的糾正案，送請行政院辦理，行政院乃囑美援會取消美金津貼，醫藥補助費，子女教育費三項待遇，監院認爲仍較公務員高出四倍，乃于四十六年一月，再提糾正案，送請行政院辦理，但監院尚未對經安會、工業會、及農復會三機關待遇，提案糾正，不知何故？此外，美國駐台安全分署新任會計處長巴朗採（CONTROLLE RBARANSON）就職後，鑒于美援機關待遇，較中國一般公務機關爲高，且主管人員交際費一項，尤屬浪費公款，呈請華盛頓核准，將該四機關的交際費，一律取消，並且追繳以前年度已支出的交際費，可證美方建議制定待遇一點，並不能作爲事實根據。

依目前趨勢照一般看法，以爲目前糾正美援機關待遇問題，不能不針對中美兩方當局的指示，至多祇能做到形式的統一待遇，不致與我政府公務員的待遇像目前相差那麼遙遠。可能的辦法是：

（一）遵照政府規定改訂特、簡、薦、委等級，大致仿照美援會辦法，以配合政府一般公務人員的薪級。

（二）按普通公務型支薪或公營事業型支薪，另加技術津貼百分之八十或一百，以表示辦理美援人員的性質。

（三）取消美金匯率指數，因爲目前美援會所訂美金匯率指數九、八倍，實開中華民國政府公務人員以美金計薪的惡例，有辱國體，貽笑外邦。

（四）取消年終獎金，因爲美援機關員工的年終獎金，較一般公務人員年終獎金高出四倍至八倍，所以在美援機關待遇未抑低至公平合理的程度以前，應取消年終獎金的發給。

三、美援機關待遇的內容

目前所謂美援機關，共有四個，即行政院美援運用委員會，經濟安定委員會，工業委員會，及農村復興聯合委員會，這四機關的經費開支，都由美國經濟援助項下，存在台灣銀行的相對基金新台幣帳戶內支付，因爲相對基金的預算及決算，不須經過立法院和監察院的審議和核銷，所以美援機關的開支浩大，美援人員的待遇優厚，這是最大的癥結所在。現將該四機關待遇的內容列左：

甲、美援運用委員會：一、薪金　職員部份按特、簡、薦、委任職，底薪乘百分之六十，加一百元基本津貼，再乘美匯率指數九．八倍。工友部份，按底薪加三十元基本津貼再乘美金匯率指數九．八倍。二、房租水電津貼　特任八十元，簡任七十元，薦任六十元，委任五十元，司機廿五元，工友十五元，均乘美金匯率指數九．八倍。但卅八年自大陸隨會來台者，得供給宿舍。三、年終獎金　加發一個月薪金及房租水電津貼。

乙、經濟安定委員會：一、薪金　秘書長五、〇〇〇元、組長四、〇〇〇元專門委員三、六〇〇元，秘書三、〇〇〇元，專員二、五〇〇元，辦事員一、八〇〇元，司機一、〇〇〇元，工友八〇〇元。二、年終獎金加發一個月薪金。

丙、工業委員會：一、薪金　召集人五、七〇〇元，委員五、〇〇〇元，主任秘書四、〇〇〇元，專門委員三、〇〇〇—四、二〇〇元，秘書二、三〇〇—三、二〇〇元，專員二、六〇〇—三、〇〇〇元，辦事員一、五〇〇—一、八〇〇元，打字一、四〇〇—一、八〇〇元，司機八〇〇元，工友五五〇元。二、年終獎金　加發一個月薪金。

丁、農村復興聯合委員會：一、薪金　主任委員、委員七、〇〇〇—一〇、五〇〇元，秘書長、組、處長四、六〇〇—七、四〇〇元，高級技正、委員會秘書四、〇〇〇—六、二〇〇元，技正、科長、高級會計、稽核三、四五〇—五、三七五元，會計、稽核、秘書二、九五〇—四、七〇〇元，技工、編譯二、五〇〇—四、〇七五元，速記員、事務員二、一〇〇—三、五〇〇元，打字員、話務員一、七五〇—二、九七五元，辦事員一、四五〇—二、五〇〇元，技工一、二〇〇—二、〇七五元，司機一、〇〇〇—一、七〇〇元，助理技工八五〇—一、三七五元，工友七〇〇—一、〇五〇元。二、房租津貼　卅八年自大陸隨會來台者，供給宿舍，或發房租津貼爲薪金之二成。三、醫藥補助　凡三等（會計、稽核、秘書二、九五〇—四七〇〇元）以下員工，遇有疾病時該在會醫務室購藥品，減半收費。

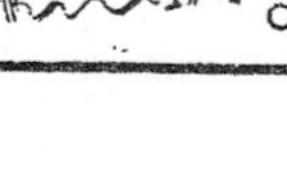

人物評介

『放』『鳴』聲中想到李根源

·易與·

「不幸已入甕，何堪再作夢；將來如何了，我爲？？痛」。這是年前李氏自大陸廣播的打油詩，如今看來，更相信那是兩字問號的哀鳴。

日來從報上讀到大陸上「放」「鳴」在由狂叫到慘號聲中，見到不少怪耳熟的而且還有很面善的甚且還有够交情的名字，悵觸往事，不免有點個「哽」「咽」在喉，以一吐爲快。忽地想到去年寫好可又沒完的一篇東西，那時也是在報上讀到那位在北洋政府曾一度出任顯職的李根源，在共黨迫脅下，曾經在廣播裏，來過一回遙遠的呼喊，對象是自由中國的政界元老于右任和張羣。據載在喊話裏有兩首打油詩：

（一）不幸已入甕，何堪再作夢；將來如何了，我爲諸君痛。

（二）只有回來好，人民矚望殷；結成大團結，共樂萬年春。

無疑的那是一種生活痛苦的哀鳴。第一首的首句，是一般被擄份子共有的哀號，末句其實該是我爲「自己」痛，反而說出「諸君」兩字而已，第二首，不特說是虛應故事，所謂「共樂萬年春」，其實只是從中共沒落了才得萬年常春。人民矚望大團結打回去。

廿多年前一段回憶

提起這位年近八十或許八十以上的老人，却逗起我二十多年前的一段回憶。

那是「九一八」的前夕，我和一位姓陳的前輩由上海到蘇州去玩，一位魁梧奇偉的大漢，前來迎接，他和陳老緊緊的握着手，陳老爲我介紹，說這是「李印老」他讓他的自備私家包車給陳老坐，他吩咐車夫拖到觀前街的讀月樓（？）接着他和我坐上一輛馬車那已是招呼好了的，並沒有再說什麼。大家到了一間酒樓，早有一位看來已有十五六歲的大孩子在那裏，他笑向那大孩子說：「陳伯伯」「某先生（我）」那大孩子照樣的猾聲一過。他告訴陳老「這孩子十三歲」我望望他那高大粗壯的身材，心想真個「優生學」的遺傳說法是其理有自的。

提起這位老人

在晚間，陳老和我談起了他——李根源。

李根源，雲南騰衝人，是陳老的日本士官同學。他有一個「印泉」的別號，因他臉龐上疤痕斑斑，友好間，嘗稱以「麻哥」或「李麻哥」而不名。早年也是同盟會中人，共和肇造初期，他是够活躍的風雲人物。後來又成爲另一政治組織中的有力份子。據說所謂「政學系」就是由此另一政治組織變衍而來。我至今仍記得陳老說的那幾句話，「印泉是一個聰明人，有時在患得患失之間，太過于重現實，故不免聰明反被聰明誤好朋友得罪了，政治立場犧牲了，結果祇是落得一場空，到頭來終究惟有徜徉山水自樂其樂了」。

有一位姑蘇佳麗

自宦場鍛羽後，在蘇州僑居下來。他娶有一位「姑蘇佳麗」的如夫人那大孩子就是這位蘇州太太所生。在我和他會晤時，他已年近花甲，可是他那紅光煥發的氣色，上下唇光亮的神態，響澈雲霄的高聲大笑，健步如飛的硬朗身手，實在看來不過是一位剛過四十的中年人。他在蘇州桃花塢（？）有一座頗具園林之勝的公館，那時他已住了十五六年，因此也成爲蘇州的甚且也可說是以蘇州的一位元老，對于地方事，也頗肯爲民請命，繆斌在江蘇省政府任民政廳長時的不法行爲，他就曾站在老百姓立場仗義執言過。

九一八變作時期

九一八變作，報紙刊出許多的民間通電，江蘇士紳的通電，李根源是領銜的「龍哥大哥」。那時，他挈妾攜子一家來遊，住在法租界留志路的陳公館。俗語說得好：「一回生，二回熟」，這次他對我會說出許多足够稱做「心腹」的話，廟廊之上，市井之間，此公確實是一個洞澈世故人情而且具有懸識妙舌的人，他頭腦清晰，口齒敏捷。此後他來上海，一定要找我見見面而聊聊天，偶爾我去蘇州，也一定去拜訪他，他那位年歲才過三十的如夫人，對我這個和印老時相過從的客人，也不作規避了。他那位公子，也不叫我某先生而改稱某叔了。

抗戰八年間

經過抗戰八年間，我和陳老住在一起，對于印老的起居動定，也頗知其一二。陳老是常以孤臣孽子自況的人，他對印老也懂得，該不至玷辱其身的了。自從陳老道山歸去，偶爾的聽說他早已「倦鳥歸林」，回雲南去了，也有說他是衣錦榮歸的。

我是這樣想

來台以後，一向聽不到他的消息，直到聽見了他的廣播，使我對于這位曾把我當做忘年交的老人的處境，未免惋惜。那首四十字的打油詩還是被逼號鳴出來的呀！我想。在今天看到大陸上「放」「鳴」的一套把戲，更使我這個想像得到了印證。

經濟安定　原來如此

台灣點滴　·陳廣·

近日省物資局決將黃豆配價提高四成，因之與黃豆有關的各業紛紛要求照樣起價。據中央日報所載，豆腐業要自即日起漲足四成，以免日後麻煩，但若干零售商因恐影響銷路，不肯全部接受，故寧願少漲少賺以便競爭多售！同時鑑于豆腐而起者，尚有豆干、豆漿、醬油等類之漲價亦不能免。按黃豆一項不但是平民大衆，且是軍公教人員的日常必需品，所以在美援物資上亦列爲重要項目之一。此次漲價乃出自負責調節物資供應的物資局決定，而該局又推說爲行政院經濟安定委員會之議決。其實，物資局也好，經安會也好，顧名思義，均以管制安定爲主旨，而結果似乎適得其反！民生必需品一漲便四成，不免使人懷疑這些重叠機構的效用了！若使放任民間進口，深信其漲價必當有所顧忌！

稿酬

六月份上半月稿酬通知單，已分別付郵，惠稿諸君請憑單領取稿費爲荷！

本報編輯部啓

一頁新儒林外史

這是學術文化界所、希望有的

關於陳含光詩案，從幾篇攻擊與反攻擊的文章可以說明的，照理應該告一段落了，可是表面平靜，內裏卻似乎還大有文章哩！

● 軒轅孫 ●

台北文壇趣話

一幕諧劇開始

端陽節師大本屆畢業生舉行謝師會，李辰冬教授以老師資格赴會，另一國文系老教授宗孝忱同時出席，三杯老酒下肚，先在席上大罵李辰冬丟教授面子，不夠資格做教授，繼則[illegible]李的領帶，大吼一聲說：「我要揍你！」尚未伸出手來，旁邊一個[illegible]的師大學生陳作武站起來說：「[illegible]！」同時[illegible]「老師不要打！[illegible]」，劉校長[illegible]培、謝冰瑩[illegible]住李辰冬，推出會場。宗孝忱[illegible]說：「宗老師可以講話，你們不可以講話，因為今天是謝師會，不是打[illegible]」[illegible]席揮拳的一場諧劇落幕了。

又來一幕趣劇

六月十二日下午，葉秀峯（會被譏為中間人者）座了三輪車自師大向羅斯福路駛來，張百成則恰巧坐三輪車向師大方面駛去，撞個正着，寒暄兩句便扯到筆戰上去，葉好意的勸張百成不要再鬧下去，否則大家都不好看，而張則提出：「他（指李辰冬）駡我們（張為陳含光入室弟子）那麼兇，現在也得讓我們駡三個月，三個月內李沒有反擊，我們才可以住手；」張說完又緊接着問：「葉的意思怎樣，葉說：「最好還是算了，兩方面都不必再駡。」張一聽這句話，便在師大前面當街跪下來，口裏連聲嚷着：「葉先生，你請！你請！」葉手足無措，忙去拉張起來，張卻兩手抱頭伏地不起也不講話，口裏嘅殺：「你請！你請！」一時圍觀者如堵，莫明所以，葉秀峯見勢不妙，乃登車急馳而去；待葉去凡十丈外，張才站起來，撲撲膝上的灰塵，悠然而去。張百成當街下跪的一幕趣劇，幕徐下。

內因撲朔迷離

此件詩案，撲朔迷離，到底是怎麼回事？文化學術界人藉為談助，態度上的表示也多不一致。自李辰冬教授發表第一文時，値陳含光先生作古之日「筆滙」聲明已排好版，竟在巧合而無可奈何，其實創刊號遲幾天也不妨，如果將李之文抽去，對陳後來的詩案，可以抽去而竟不抽去，也另有原因在。李辰冬寫該文動機，目的不在攻擊陳含光，陳生前與李並無成見，不過藉批評陳含光的詩以攻擊教育部這次發給「文藝獎金」的不合。有人認為此次運李的大名也未提出，心裏不快李氏原為張道藩先生在中央文化運動委員會時的大將，李負責北方，另一×××負責南方，而張氏來台並未過用這兩員大將，其時一在獄中，一在教授，李二年前張氏所著「三民主義文藝創作論」（？）出版後，邀請文藝理論家吃飯，聽取意見，於席間李的第一杯酒即不敬賀張，[illegible]，[illegible]，所以我先敬賀葛先生一杯，以此結果張頗為尷尬，張李因此疏遠，此與李評「文藝獎金」也不無關係。

文藝獎金是引子

關於教育部的「文藝獎金」之舉，已可見出政府由不注重文藝而重視文藝，至少可以說[illegible]文化人於萬一矣。[illegible]一次頒發時，頗[illegible]，[illegible]「作家」，利用人事關係，及其個人之政治地位，[illegible]評審委員們手中者，[illegible]是學而掀起文化界的吵嚷，擾攘不已，教部恐因[illegible]，決定頒發給有作品而年齡最高者，以為穩妥，對於「審查」自不免流於形式，因此過去之給予獎金，曾經引起不少批評，筆者亦覺得也頗是有些那個的。

李辰冬意外之禍

李辰冬寫文章，開罪於教部，他是不怕的；但他藉用評陳含光的詩，而引起張來之禍，那卻是意外的。首先人們以為他的詩不如陳含光，而批評陳詩的態度尤不妥當，更何況對死人開砲呢！

陳含光雖已作古，不能應辯，所以陳的故舊門生，甚或千媳陳陶淑明，都要站出來說話的。這種論戰，李辰冬（他的地盤——「筆滙」，主持人王藍先生為李之姻親，而擁陳一派並無地盤可用，何以「自由人」、「民主評論」、「暢流」、「反攻」等民營刊物，均願發表反李的文章？這些刊物原是園地公開，不假偏袒的。我想除了上述原因外，主要的是陳含光在詩文字諸方面確有成就，大家正抱哲人其萎的心性，所以不同意李氏的做法。

似是似非之爭

有人認為這種論爭是新舊文學之爭，或者是新舊詩之爭，以趙友培、王藍為弄新文藝而擁李者；周棄子、張百成、閒萱、馬抱甫、宗孝忱為舊文藝而擁陳者為之例證。而「政論週刊」、「中國一週」皆官辦刊物，何以擁陳反李？有人說實際是兩巨公之門法，因為張道藩支持「筆滙」，趙友培、王藍皆張所提拔培植者，另一原因見於上述。「政論週刊」、「中國一週」乃張曉峯（教育部長）所支持，李攻擊教育部「文藝獎金」，故實際是兩張之門法，立法院長與教育部長之門法，曰可也可，曰非也非，不過，筆者的看法以為一般的心理是同情死者陳含光之死後被人攻擊的成分居多。

小冊子火上加油

牽引此將欲的詩案浪濤所引起的餘波，唯一導火綫是李漁叔署名，「運史」之「論再評陳含光的詩賀李辰冬先生」刊於「中華時代（？）」印行小冊子，指責李辰冬之評詩淺薄錯誤。這種用三種封面三種印法的小冊子散給一般人，說「免費函授大學國文教授李不通」，專給劉眞校長的是「請看貴校李不通教授」，送給師大同學的是「請看你們的不通教授」，是最惹火的。是不是後面有人支持，也很難說。

可能對簿公堂

看情形已成騎虎了，棄文習武，文士將串演全本鐵公鷄的好戲，或有可能。擁陳方面對於李辰冬涉及陳含光詩的批評以外的言論，循法律途徑來控其以毀謗之罪，據云陳的後人已延聘幾個台北市有名的大律師遞狀法院，狀子已經送出去了。另一方面李辰冬教授為着應付法律攻勢，也已經準備好兩三名大律師，準備正式對簿公堂。另一可能發展，是陳方的人，明知此事在法律上難以求得一個如意的結果，現實一點的作法是糾住李辰冬一拚老命。

已越出學術論爭

一般學術文化界的人，覺得這種爭執已超出學術論爭之外，再演下去，會演至斯文掃地。也有些人認為對簿公堂一定沒有結果，像四十三年夏間，牛哥與唐賢龍對簿公堂，推事無法審理，囑其法外和解，恐必打成「血案」而已；牛哥不在乎這些我想教授們總是在乎的吧！也有些人認為與其化錢請律師，還不如都把錢捐出來，設置一項公平而有意義的「文藝獎金」。然無論如何，這一頁新儒林外史，學術文化界的人都不希望有的！

（四十六年六月十八日午於台北市）

阿根廷特稿

蕭立坤先生到阿根廷後，初任深營鋼鐵廠工程師。今年二月辭職，掛牌做顧問工程師業務，為廻各工廠之聘請或委託，研究如何供得到科學管理，增加生產，改良組織，減低成本等設計工作。阿根廷現有大小工業一千餘單位，執行此種業務的，僅得蕭氏一人，故蕭氏業務為繁忙，收入亦較以前任工程師時為豐。

又據蕭氏來函，阿根廷近年經濟自由，各工廠均極力從事改[illegible]甚烈，舊時保護方式不足以圖存，故彼個人業務得因此而大為繁忙。頃承蕭氏郵寄短文，[illegible]事人生，感慨甚深，亟為發表如下，足見海外知識份子[illegible]者之一斑也（編者）

我的自白

並懷國內友人

● 蕭立坤 ●

近日工作特忙，孤獨在外為了生活，忙，本是好事，但忙到精神毫無寄託，無異成了機器又是一件苦事，港台寄來的自由人，與報及自由中國，是我精神食糧之大宗。每次讀到不如意的事件，精神又極苦痛，此中滋味，非遠處絕域無親無友者，殊不易體會之。

今年元旦寫了「第三代的成長」一篇短文，（見本刊今年一月卅日六一七期）內有云：

「如果我們四十歲一代（第二代）的人，有勇氣將近二十年的經過，向二十歲的子弟們，坦白的敘述一次，我們將如何痛苦流涕，慚愧無狀呵！」

言猶在耳，接讀了近幾期自由人，關於殷台公司案，牽涉到兩位主角，魏重慶，沈家楨，恰巧都是我大學時的同班同學，那樣一個課程繁重麻木機械的交通大學，一級內竟出了這兩位傑出人才，當然是歷史的奇蹟，同時也證明唐文治先生「誠信篤實」[illegible]灌溉德教育，終於抵不過美金的實力誘惑，而我們第二代的人格[illegible]

我舉出沈魏二位同學，對他們個人，毫無褒貶之意，他們只是傳統作成了新聞人物，其實我們這可恥可悲的第二代（包括我自己在內）[illegible]

[illegible]了二十年，轉瞬間，五十[illegible]十二歲，尼克遜副總統，[illegible]請這些老頭子，終有一天[illegible]必須由第一代給第二代，[illegible]英），一定很少，但中國[illegible]十年的命，第二代的精華[illegible]，被踢了二十年，不破又不[illegible]氣比破好。[illegible]，均少音訊，偶讀華文報[illegible]北的戴安國先生，是一位[illegible]辦民航到拍電影，無一不[illegible]呢？[illegible]人半週述評所載，又在斥[illegible]本來大有前途，一念之差[illegible]會步胡風後塵，去受勞動[illegible]被踢破一個。[illegible]不逢辰，小部分是自己無[illegible]了犧牲，我不願再挨二十[illegible]以早供第三代的參考，好[illegible]的短文，能引起許多第二代[illegible]具，寫出各人的自白，只[illegible]在歷史眼光看來，揚貴妃[illegible]是強盜。只有那些不識字[illegible]。（六月廿日于阿根廷）

所謂加强義務勞動

● 陳廣 ●

[illegible]縣市政府[illegible]各[illegible]大汗[illegible]一飽之際，[illegible]國民義務勞動。[illegible]所屬區民，限明分往各[illegible]元，這者另處十銀元的[illegible]苦的是許許多多雙手[illegible]自費兩日的血汗！當新[illegible]義的工作，而是問去常[illegible]國家，普通家庭除了家長[illegible]不盡的[illegible]還迴[illegible]

新書評介

世界兵學與全球戰略

——黃煥文著——

本書著者黃煥文先生，治兵學戰略凡廿年，對西洋兵學及我國固有兵學，均研究有素，軍事閱歷洪深，歸國後曾赴西歐各國旅行考察，平時所著軍事論文，極負時譽。本書之完成，經五年研究，三年屬稿，實為黃氏嘔心嘔血之傑作，本書廣徵博引，對世界兵學，全球戰略基礎，戰爭與和平之運用諸問題深入探討，闡明切要，立論精闢，態度謹嚴負責。黃震遐先生譽為「中國知識份子在軍事學上一大啟蒙的現代化著作」，最見切當。

本書分三篇十四章。第一篇，探討世界兵學本體；第二篇，分析全球戰略基礎；第三論，研究戰爭或和平之運用。著者說：「每章每節均以引證與批判各方面具有代表性的研究及重要意見為主，期使讀者在今天原子能世紀中……對於兵學與戰略的全貌獲得一個較為整體的認識。」著者態度之謹嚴與負責，可見一斑。

我國出版界，有關軍事學術的著作，最為貧乏，本書「為一個中國人融會貫通的軍事學創作，其氣勢及格局，不為一個學派所限」。「至少是五四以後，一個現代人表現其現代人心理的時代著作」。「此書第一次具體地把國人的軍事學領域擴大到環球戰略觀點上。」（均黃震遐先生語）著者自己也說，「今日我們研究學術，必須把水準提高到國際標準，萬不宜自甘落伍」。可見本書的價值，及著者的抱負；這是本書特別值得要向讀者們推荐的地方。

本書，香港亞洲出版社出版，今年五月初版，全書二百餘面，都二十萬言，每本售價港幣二元五角。（文華）

自由談

打破了看報的紀錄

馬五先生

區區一向就有種偏見，對於當代達官貴人們在報上發表的文章和演說詞，照例瞧瞧題目及其首段的序言，即不願意枉費目力了。因為積三十年之經驗，深知其內容空疏貧乏，除卻八股濫調外，了無新義也。

日前在報上看到外交部長葉公超於慶祝美國開國紀念席上的講演詞，依然還着我的老觀念，略事瀏覽，但看過第一段開場白後，覺得倘不俗氣，乃往下再看，詎料竟不自覺地一口氣把它看完，而且重讀了一遍。這是打破了我個人平生看報的紀錄，值得談談。

葉氏這篇講演的內容及其作用，原係政治性的，却沒有八股濫調的語意，以唯理與唯識的論據，將美國獨立開國時期的人物和事迹，作生動的描述，剪裁得法，而文學氣味濃郁，說來娓娓動聽，使人不感覺沉悶枯燥。全篇並無「反共抗俄」的字句，最後畫龍點睛，把我國現階段的歷史行程襯托出來，不露些許痕迹。在那種中美高級知識份子的集會之中，這樣的講演，是適宜的，也算是不可多得的絕妙好詞哩！

因此，我希望一般搞政治的名公鉅卿，平日總以多讀書求智，少發表文章或訓詞為是。若要露一手的話，就得好好準備，萬一自己不能拿筆，不妨請教內行人，只提示自己立言的宗旨就行了。切忌自作聰明，對於內行人捉刀的結晶品，妄事竄改，以致把「策論」變成八股偈語，自我欣賞，那就甚為糟糕！譬如葉先生這篇講演，如果不是他自己出場使用，而教他代替別的大人物擬稿，我敢斷言其必不會有此恰到好處的作品，這是區區過去常為要人充當秘書郎的甘苦有得之言。誰若懂得這些訣竅，誰就可以作漂亮的政治要人，在報上發表文章或訓話，也不致沒人寓目了。

知識是民族國家的潛能與活力，代表一個政府立言的大人先生，千萬不可隨便胡來，藏拙比丟醜總是好得多啊！

七七話 蘆溝橋

·眷之·

碑立蘆溝曉月

抗戰勝利後，民國三十六年，筆者隨軍北上剿匪的時候，部隊駐在北平附近，對那八年神聖抗戰發源地的蘆溝橋，作過一次巡禮。

由於我是一個在八年抗戰中成長起來的人，我雖然沒有直接參加當時蘆溝橋事變的戰爭，可是從上海、馬當、長沙、常德一直到貴沙河，先後大大小小約二十幾次戰役，差不多都有我的份兒。因此，我曾經飽受過日本人飛機大砲的洗禮；同時也嘗試過攻、防、追、退和轉徙流離的滋味。所以我憑弔這個具有歷史性的蘆溝橋是特饒意義的。

我和幾位過去的老戰友，從「廣安門」出城，經過二十多里的平坦地水泥路面大道，穿過了「宛平」的小而堅厚底城圈，「蘆溝曉月」的豐碑，和兩排雕滿石獅的橋欄，便首先觸入了我們的眼簾。

石獅子沒有準數

我們沿着這壯偉宏闊的蘆溝橋，緩緩地一步一步走了過去；橋下夾着濃厚的黃沙的「永定河」水，永不停止的很湍急地奔流着，淙淙的水聲，彷彿告訴了我們這個平津西南出入門戶在地位形勢上的險要。

我們一步一步地走向前去，數着每個形態不同的石獅，二十年前，有無數的英勇壯士會在這兒高呼殺敵的吼聲偉跡，從當地居民的問答之中，依然能刻畫出一幅極其悲壯的景象。但是十一個橋孔已有一半卻給河中沉澱的泥土壅塞着，古遠而精美的白石橋，經過了戰火的洗禮之後，也有了無數修補過的創痕。橋長約二百四十步，兩旁雕柱凡一百四十根，每柱的大獅又背負着小獅；北平有句諺語：「蘆溝橋的獅子，沒有準確的數目」。

史稱馬可波羅橋

蘆溝橋，建於金世宗時，馬可波羅到中國來，便是由此橋進京的，所以外國人還往往稱它作「馬可波羅橋」呢。我們在橋頭橋上和守橋的哨兵談過不少的話，他指點了許多橋上和橋下的古蹟；同時，我們也把這座橋，在歷史上有否重要價值？作了一個嶄新的估評。

我們在橋頭橋尾四周，細看從長長的石橋，再走過長長的木橋，不斷的河水，浩浩蕩蕩的平漢鐵路，和堅厚高聳的宛平城垣，就更證明了「七七」抗戰在這裏發動，是具有不尋常的意義的。

白頭縣長話當年

我們在歸途中，又訪問了一位當時親身事變的宛平縣長，他雖已鬢髮俱白，可是他的精神却很飽滿，仍有「燕趙壯士」的風度。他說蘆溝橋事變：「七月那天晚上，天津日本駐屯軍，舉行夜間演習，失蹤了一個士兵，日本便利用[illegible]的手段，來尋覓失蹤士兵。但不久那士兵却又回來了，他明明是去宿娼，這是日本人的藉口。要不然，他們怎能在二十四小時內，把三萬三千日軍，經天津而開到北平，一切都準備好了呢？」

同時，他又大罵那時有舊式軍閥氣息的宋哲元是糊塗虫。因為，當蘆溝橋事變的時候，他正在冀察政務委員會主席任內。據說戰爭爆發一個星期之後，這位集軍政大權於一身的宋哲元，還不在北平，而在山東樂陵，所以宋哲元是應該負民國二十六年平津失陷的責任的。

屈指于今十年，前塵舊夢，世事白雲蒼狗，錯誤歷史尚多，何獨怪于宋哲元，但不知有日歸來，「蘆溝曉月」的豐碑，橋畔大小獅子能安然無恙否？

老鼠之弦外音

根據印象，此地的老鼠大概有三大特點：肥、厚、狠。

現在的老鼠和貓差不多已是「一律平等」了。人們還經常可以在陽溝裏發現小貓的屍首，此非它，「老鼠」之傑作也。考其原因：則以科學發達，世間營養日益豐富，故老鼠們一個個又肥又大，做祖殺貓？何以見得老鼠厚？

原來現在的老鼠不但佔有黯夜，更進而對白天的領域也加以侵佔了。

時代雖步步進了，適向來不登大雅之堂的老鼠也突飛猛進了。近來已能時常看見「活潑」的老鼠了。

狠也可以事實來說明。二十世紀的老鼠，早已不信那「人類可怕」的落伍思想了；因此當你走過牠身邊時，牠必然相對，似謂：看你有甚能耐？等到你鼓起勇氣踩上一腳時，牠却早「土遁」而去。有時不幸而給「傻」子踩着一腳，那傢伙「吱——吱」的慘叫，直令聽者冷汗直淋；底下一個結果，牠仍悠然而去。還是那個大笨瓜吃虧。

除鼠，用機籠，用毒藥來之法，本來也只是治標之法，可多少還有點用。但是今天時代不同了！「摩登」老鼠們比牠們祖宗可聰明上數萬倍——牠們的智慧大概是可列入「天才」。——這也難怪，你瞧電影院、大禮堂、學校、機關……那一處沒有鼠兒的足跡？那麼人類僅有的一些智慧，難道不可能被牠們剽竊一盡嘛？

誰都明白老鼠是一樁大害，可是治本之法，迄今未得。人類既然為萬物之靈，所以人類社會的「老鼠」，其本領更是不凡，一些富正義感的傻子，又有什麼辦法呀！

今日

刁抱石

今日方知客亦難，江南悵望路漫漫。
羈愁未免侵雙鬢，鐵骨依然是一官。
塵夢可能隨雨洗，壯心寧為飲冰寒。
何時世網堪拋却？獨任天機得所安。

談草書

·萬香堂·

最近國立藝術館在台北開了一次名書家書法展會，洋洋大觀，其中使觀衆最欣賞的是屬於草書一類，因為草書之線條生動，頗似繪畫，此正如梁寒操之品許于老之字謂「公之書法如龍蛇之飛走，臻乎神化」，喜歡草書生動起勁乃一般人之心理，而另有一種人是專愛於「章草」的，昔年京滬草書曾盛行「章草」，一般愛好書法者好似非「章草」不過癮。前上海博物院長葉君擅長此道，羅致藝術家曾推為全國第一，聞其人者已久矣！在台北擅長「章草」者，當首推張默君，近見溫一如亦略獻身手，惟精神遠不如廿年前，心神不定者，其字亦將如之。

章草

「章草」乃最古之草書法，草書乃起於秦末，而興盛於漢，其創始者未留下姓名，而草書之稱，乃起於草藁，各字不連屬者曰「章草」，簡言之乃漢魏之草書，晉以後相連屬者，則謂之今草，亦即通稱為草書者。其實，章草之形與法，均與普通草書有小異，其用筆全在中鋒，其神韻即在迴鋒，其難能可貴者乃迴鋒不易運動神妙！研究草書之專書，最著名而已絕版者為「草書韻會」，乃金張天錫集古名家草書而著，自漢章帝史遊起，至金朝王萬慶止，共二百五十七人，趙秉文為之作序，精好神彩之至。元末曾再版，洪武初，蜀邸又翻刻，今亦不可多見，故清乾隆間，石梁別撰草字彙，已不列該書了。溥心畬珍藏有二帖，傳為宋元之物，但鑒定者各有是非。

古帖

清故宮所藏三希堂古帖，為稀世之國寶，已早流入民間，刻為收藏家譚敬所有，前歲曾開價三百條（黃金）出售，台灣收藏唐宋草書極品亦不少，徐少甫所藏唐懷素之長手卷，譚組庵家族所藏之米芾之卅頁，均為不可多得之古蹟，去年在台灣古書畫展曾陳列一米芾互幅橫條草書，但其所是否真蹟，雖尚有待考證，但其所具條件已相當夠了，聞乃浙江華家藏物，筆者對草書亦有特嗜，藏有米芾長手卷一，乃宋碩黃紙所書，經專家多人代為鑒定，認為乃屬真蹟，但可惜殘缺甚多。其他明清兩代的名草書家的作品散見於展覽會及私人珍藏者不知凡幾，而且亂世書畫不值錢，往往定價陸新台幣六七百元，即無人問津，不勝慨嘆吧！

新創草書

現在之新創草書為時代一大文開鴻，憶化抗戰勝利後齊白石老人到南京時，曾語于髯翁云：『院長，汝寫字已登峯造極，但係寫汝字體，我畫係我自出心裁之畫，顯我二人從今多學古人，當必更有內容了！』此說很有道理的，前月與梁寒操偶談草書，他以為必先法古人，才可以創造自己的書體，有時亦有例外的，如故鑒家高劍父之草書，亦有其藝術之價值。

海上學校

一篇中小說

「但您看到的是小旗子，風筝、波浪、海豚等等，並不是風啊，」杜宇溫順地笑了一笑。

「沒有風，海不揚波，點解波浪與頭睇不見風呀？」鄭老頭沒了急，用他那夾生的國語辯道。

「早上的潮和晚上的汐，都有波浪，是不是被風吹起來的呢？」她反問。

「恩，恩，我想同風總有關係，」他迅速地紅着臉回答。「我講錯嗎？」他的扁嘴巴扁得十分古怪了。

「關係是有的，並不大，」她說，微笑中帶着相反的表情。「至少沒有太陽和月亮的關係大。是嗎？」

談話繼續進行着。孫春關咬着手指頭問，海字如何寫的，太陽如何寫的等等。

接着，她開始了單字的寫讀練習。黑板上出現了六組十二個字。

大海，波浪，潮汐；
太陽，月亮，星光。

她解釋了字的意義，她指出了這些字所代表的具體的東西，然後，運用這十二個單字，做造句子的遊戲，譬如「波浪太大」，「大潮大浪」，「大海是光亮的」，「太陽是亮光光的」等等。……

下課鈴終於慈悲地響了。當杜宇吃力地慢吞吞地鑽出教室時，那件天藍色竹布旗袍的肩背上，已經有些地方斑漬着汗水，使顏色變得深多了。

——第六章完——

（七）

避風塘上的夜生活，因夜暗和微雨，而更形嫵媚。貝比因為下午鄭老頭請客，多喝了幾杯「番鬼佬涼茶」，打飽嗝的時候，不時還翻攪着啤酒氣味。頭也隱隱作痛。躺在番布躺椅上一動也不想動。杜宇却倚着船舷，集中考慮海上學校所遭遇的困難，有數不清的煩惱，像帶子似的纏繞着她那沉重的心靈。

海上學校枯寂冷闃得像艘運棺船。

鄭老頭因為鄭財寶吵着要看「黃飛鴻義救賣魚燦」，恰巧又碰到他的好興頭，以致一家四口都成了油蔴地戲院的觀衆。李太玄夫婦飯後不久，也帶着六七分酒意，趕到岸上休息去了。張長虹和周曼石今晚還要做特約演員，八點一過，就一同離開了海上學校。現在，杜宇兼負雙重責任。一方面守船，一方面守人。

貝比渴得喉乾舌苦，爽着要飲茶。她倒了一杯涼開水遞到他的手上。他一飲而盡，伸了個懶腰，從躺椅上坐起來。

「好過了些嗎？」她問。

「謝謝你，喉嚨裏好像不再冒泡泡了。」

「我看你的酒量同我的也差不多，」她逼視他，幽暗裏可以看出兩粒眼珠子的轉動。「以後得節制點纔好。」

「是的，杜宇，」他抬頭微笑着。「多謝你的關心，心裏頭悶得發慌……」

「這年頭誰不悶得發慌？」她接過話頭。「但煩悶自有排遣的辦法，喝酒解悶總是不行的。難道你忘記了『舉杯消愁愁更愁』那句詩嗎？」

「如何排遣呢？」他反問道。

「我覺得心理上的移情作用最為重要。」她答着，並用甜甜的微笑，來排遣他的困惑。「譬如說，偉大的理想，如果失掉了可以實行的基礎，它也就會變成幻想。幻想是只能留給失望與煩悶的。幻想與失望連接在一塊，它是一切煩悶的根源。而真正的理想，就得與行動鍥成一體，那是你寄託我們的情感的地方。」

「你看看我們的海上學校吧，」他惱脫地苦笑着。「論年齡，由六歲到七十多歲；論成分，一大半是老弱，一小半是病人。難道這像識字班，民衆夜校不像民衆夜校，勸業所不像勸業所，這到底是甚麼怪東西呢？這樣一個怪理想，我們如何施教呢？我們有了真正的理想，也有了實際的行動，但何能寄託我們的情感嗎？」

「假如我們沒有對人類的愛情，我想這正是一場偉大的試驗，正是我們寄託感情的地方。鄭老頭說得好：『打着燈籠是要走向光明的，凡打燈籠在大太陽底下行走的，都是有毛病的人。』是嗎？教育工作也應當這樣。」

「你但是想教育萬能論者」他辯說道。「雖然你有這樣堅強的信心，」

（卅二）

趙滋蕃

自由人

THE FREEMAN

（第六六二期）

中華民國內政部登記證台誌字第一九九號
中華郵政台字第五〇〇〇號執照登記爲第一類新聞紙類
（每週三六出版）

每份港幣壹毫 台幣壹元

地址：香港高士威道二十號四樓
3RD. FL. 20 CAUSEWAY RD. HONG KONG
TEL. 771726

從麥紐遜委會看美國傾向

宋文明

一、

英國及西歐一部份其他國家的相繼宣布開放對中共禁運，是自一九五零年以來一個對中共聯合戰綫的首次崩解。當年韓戰爆發，自由世界爲制止中共在韓境行動，先在軍事上，接着便在政治上和經濟上結成了一條對中共的聯合戰綫。十六國共同出兵韓國，是軍事聯合戰綫；當時聯合國內幾一成不變的「五十三對五」，是政治聯合戰綫；巴黎對中共禁運委會，便是經濟聯合戰綫。

不論這三條聯合戰綫各有各的組成份子，各有各的活動範圍，但總是以美英法三國的核心作領導的。韓戰停戰後最初數年，由於這領導核心團結如故，所以使國際間對中共態度日趨和緩。現在由於英法兩國在禁運問題上與美國公開各行其是，對中共的經濟聯合戰綫便宣告瓦解，因而事實上也使政治和軍事聯合戰綫連帶受到了莫大影響。

二、

時至今日，世人所最關心的問題，已不是像日、加等國是否亦將步英法後塵開放對中共禁運，而是美國對這一問題的態度，換言之，美國自己將繼續堅持現時這種嚴峻態度，抑或最後終跟其他盟國同流合污？假若美國仍然堅持現時這種態度不變，那麼美國勢將在這一問題上陷於孤立，在禁運上的孤立可能也會造成其他方面的孤立。反過來說，假若美國最後跟隨其他盟國的腳步，自己也勉強開放了對中共的禁運，那麼其結果不僅是對中共經濟抵制行動的全面破產，而且也無異鼓勵盟國在其他方面如法泡製，聯合向美國施用共同壓力。

我們現在所注意到的是：在這一問題上美國政府在國內所受到的壓力，幾乎與受自盟國的壓力同樣重大。在英國宣布開放禁運以前，我們已看到美國企業界大亨小福特，全美商會主席柯爾曼，以及米蘇里州參議員薛明頓等，曾公開演講要求美國開放對中共禁運。及至英國宣布開放禁運以後，不僅美國若干地方商會和部份輿論機關，對英國的這種片面行動表示支持，而且有一大部份參議員亦要求美國對這一問題採取一種較「現實的看法」。在這些對中共禁運一事主張採取現實態度的參議員中幾乎包括了赫爾俱樂部（新政派廿四位參議員常在河拉巴瑪州參議員家中聚會，以商決共同問題，故稱）的所有參議員，也包括了南方保守派，如佛羅里達的斯邁司，路易斯安納的艾倫德，德克薩斯的強生，和共和黨肯塔基的古柏等。共中明尼蘇達的參議員漢佛瑞曾謂：「我們正和共黨認眞討論裁軍問題，何以禁運獨例外」？俄萊阿州的參議員慶斯甚至對一個地方商會演講說：「最合乎基督教義的事，莫如與中共貿易」。這些說法假若在半年以前發表，尚認爲是一種政治上的自殺行爲；可是現在作爲民意代表的參議員們，可以肆無忌憚的叫囂，就可證明這一壓力是多大了。

三、

美國對開放禁運問題上的眞正的危機，還不止於上一面這些叫囂。五月二十二日，美國參院州際與對外貿易委會主席麥紐遜參議員，還宣布成立了一個小組委會，負責調查對中共貿易。宣布成立這一調查會時，這位來自華盛頓州的參議員曾說：「我們不能僅因爲不喜歡它們政府的政策，就把四億中國人民當久掉在經濟的竹幕後面」。接着他說：「在三月份有六十九艘外國商船進入上海，但其中並無一艘是我們美國的」。言下之意，表示美國在這一問題上已經落伍了。於是六月十六日，這位麥紐遜參議員和另一位來自阿堪蘇斯的參議員弗爾布利特，便分別發表演講，要求美國的西北與泛美兩家航空公司從香港延長航綫至中國大陸，先辦理客運與郵件，作爲對中共開放禁運的第一步。

麥紐遜參議員是一九四二年美國衆院所通過華入移民律「麥紐遜法案」的提案人，也是一九五一年中美軍新改進關係美國派至台灣訪問的第一位參議員，以具有這樣一位歷史背景的親華人物，今日却說出這種話，主持這樣一個調查委會，實在使我們有些吃驚。我們不知道一調查的未來結果如何，亦不知道一調查委會的成立及其報告是否，即爲美國政府開放對中共禁運的藉口；但這一調查委會的明白要求開放禁運的動機，已是無可掩飾了。

除此之外，六月十七日「時代」週刊曾有一個內幕報導，說艾森豪的經濟顧問藍傑，對外經濟政策委會主席倫德爾，副國務卿赫特及國務次卿狄朗，以及中央情報局長艾倫杜勒斯等，都是主張開放對中共禁運的。若此說屬實，那麼我們可以說在禁運問題上美國的決策層已開始趨於動搖了。

四、

開放對中共的禁運是政治的，同時也是經濟的。我們若忽視了這一事件的政治意義，我們也就忽視了這一事件的嚴重性；同樣的我們若忽視了這一事件的經濟因素，也就忽視了這一決定在西方商人羣中所發生的誘惑力量。我們不願忘記上議廳斯參議員那一席演講是在商會發表的，我們也不願忘記麥紐遜和摩斯這些參議員是來自西太平洋沿岸各州的，我們更不應忘記六月九日舊金山七百三十名進出口商所作的「叛變」行動，早在一九五〇年春天就已發生過一次。這不是分明經濟因素在作祟嗎？

現在有些人在談到開放中共禁運問題時，常採取一種輕描淡寫的態度。他們以爲中共沒有剩餘外匯，却忘記了中共與共產集團的貿易主要是以貨易貨，根本就不用美金外匯或英鎊外匯。他們認爲中共沒有擴張對西方貿易的能力，他們都忘記了一九五一年後美英法三國對狄托的態度。當時英法兩國一手從美國接受援助，一手又去援助狄托，並借款給狄托，使之從西方購買必需物資。誰能保證今後英法不重複這一作法？誰又能保證西德剩餘的外匯不向中共找尋出路，而擴大中共在西德的購買力？所以祇要對中共的禁運一經正式開放，不論實際貿易額有無顯著增加，世界各國的商人都要爲這一金蘋果忙亂一陣的。

在這種情形下，筆者以爲縱使美當局顯示繼續維持堅強的禁運，恐已爲時太晚了。開放禁運是全球局勢日趨緩和的一種結果，而不是這一緩和的開端。試問它既與蘇聯商談裁軍，既與中共舉行爲期兩年的大使會議，如何獨能在禁運問題上維持堅強態勢？眞正來說，美國今日所以仍堅持經濟戰綫上的「後衛戰」者，並不是爲了這一問題的本身，而是由於美國還沒有一個肯定的對華政策，還不願付出重大讓步，以致破壞了它對中共的談判地位而已。

半週述評

章羅聯盟

中共「大放大鳴」的結果，逼出一個「章羅聯盟」來。

「章（伯鈞）羅（隆基）聯盟」是甚麼，根據中共的說法，是個「資產階級的」「右派的」「一顛覆人民政府的」「反革命份子的」「陰謀集團」。

這一系列的罪名，後果是甚麼，人們不難想像得之。

章伯鈞的供詞中說，他和羅隆基都懂得通過而照條，一再向中共的隱憂試探，現在還「放不得」，周恩來，陸定一都表示，「當然還該放，大放」！

可見，他們原是看中共的臉色行事的。

言猶在耳

如今，「大放大鳴」的結果何其慘也！

中共曾經信誓旦旦的對黨外份子保證「既往不究」，言猶在耳，墨跡未乾，然而今天大翻臉，黃紹竑等人的「反革命逆跡」全被翻案了。

毛澤東曾經一再的說，「言者無罪」，現在看來，他這句話又被賴得乾乾淨淨了。

「長期共存，互相監督」云乎哉！

槍花一變

如果我們不健忘，人們該還記得，在六月五日以前，當中共還沒有對所謂「右派」發動反攻的時候，中共說：「民主黨派」和「民主人士」的「大放大鳴」，是可以幫助中共的黨內「整風」的，然而，曾幾何時，中共槍花一變，沈鈞儒等人紛紛圍剿章伯鈞等，民盟、民革、民建、農工民主黨、九三學社等內部混戰一團，現在情況是中共「幫助」「民主黨派」進行黨內「整風」了。

一個笑話

有一個笑話說：毛澤東訪問莫斯科的時候，史達林把一些附庸國的首領召集在一起，討論「怎樣能使貓吃辣椒」的問題。

「這很容易」，一個附庸國的首領說：「把貓的嘴扯開，灌進去，不就行了！」

「這樣人們會指責我們共產黨強制人民。」史達林說。

「我看，最好的辦法是，」另一個附庸國的首領說：「把辣椒包在魚肉裏面」。

「這樣人們會指責我們共產黨欺騙人民。」史達林說。

何日清醒

毛澤東發言了，他說：「我的辦法是，把辣椒塗在貓屁股上，貓會自己去舐乾的」。

這個笑話當然祇是個笑話，但是它多少生動的寫出了中共與所謂「民主黨派」「合作」的眞相。

現在，人們或者要說，中共這一做法，未免太混賬，手段未免太狠毒了。

中共的混賬與狠毒並不自今日始，問題是，人們對共黨罪惡，何以如此健忘；共黨每偽裝「民主」一次，世間必多一批新鬼，人們究竟何日才能清醒？

·司馬璐·

橘逾淮而爲枳

——感論智識份子的命運

瓦斯

智識份子在君主專制的封建社會裏，祇是以謀臣策士的姿態寄食于世家與封建諸侯之門，本身並無力量，隨着資本主義而來的民主革命以後，他們才形成一個社會階級，纔揮才發生力量；其所以在民主社會才發生力量的道理甚明，因其本身作用祇在發現與批判社會的弱點，祇有在這種自由社會裏才能發揮他們的作用。倘寄生在任何獨裁政治及極權制度下，便失其本身作用，也祇能和封建時代一樣，成爲獨裁者的工具。

聖如孔子也得周遊列國，賢如管仲也祇好爲齊桓公完成霸業，能如韓信也祇爲漢高帝打天下——出將入相祇不過是出賣才智的報酬而已。讀三國的禰衡罵曹篇，誰也會幻出智識份子的可憐相；就連禰衡自己，也是一副可憐相，祇不過怪曹操不能遇他而已。

何況在極權的共產制度下，你若不知安命守己去替極權制度搖旗吶喊，捧場理論，向獨裁者高呼萬歲，其有不倒霉者幾希！

在大放大鳴之初，大陸上智識份子，看似發現了歷史奇蹟，似信荊棘叢中會產生葡萄。那也許出自智識份子的本性——任性批評，一發難收；也許是因爲智識份子行動的「偏差」——取巧邀功；或許有人因爲實迫處此——革命表演；也許有人眞的要對共黨制度效忠……但這些祇可以爲褒貶的若干準繩——或許以「正義猶存」甚至「民主鬥士」，或竟爲「卑鄙無恥」，或判爲「情有可原」，或視爲「執迷不悟」……祇此而已。因均不能逃智識份子「無自知之明」之譏。

如果不信中共這齣鳴放喜劇之必然以悲劇終場，那你不能算是懂得共黨。但是除非你吃過它的虧，否則你讀十遍馬列主義，研十年毛澤東思想，看百份大陸報紙，也想像不出他們那些乎常情悖乎常理的花樣。舔痔鞭尸，事前你想得到嗎？毛澤東該不會再來一次殺手鋼嗎？你也會這樣去懷疑吧！范蠡張良很懂得兔死狗烹之理，而被共黨視爲先天具有「資產階級意識」的現代智識份子，豈反不知功成難逃。「陣前起義」而功比范蠡張良的尚且難保，何況其他！

目前這麼一幕揭穿了。據法新社的北平電訊，人民日報公開表示這次「放」「鳴」是「我們已佈下一個圈套，將所有企圖爭取政權的人們一網打盡」，所以「不阻止資產階級和反動力量，傳登衆瞭解他們是如何的危險」。題名是「企圖爭取政權」吹唏，儲安平等這一班秀才的一支筆，章伯鈞，章乃器，羅隆基，黃紹竑的幾個民盟，民革等招牌，居然會在蘇聯內奪取格列烏支持下的共產政權，倒可爲歷史上的智識份子揚眉吐氣。

可惜不是呀！他們祇是中共自編自導的戲裏被安排的可憐角色而已。結果，祇有以坦白，低頭，流涕……甚至發清算終場。我們不禁爲智識份子的命運悲！

再看大陸上的報紙，紛紛在指控以上述那些人爲首的所謂「右派份子」近二百人的「偏差」行動，指控之後，還早恐不免是「坦白」，「公審」那一套所謂肅反運動。

那張二百人的名單那裏開來的呢，還不是毛澤東或劉少奇等，以及羅瑞卿李維漢一類人物還他心血來潮，在抽屜裏將早好的名單抽出來編入他所要表演的戲劇裏的嗎？至于他們在鳴放當中是放大喉嚨抑或保持限度，那倒沒有什麼大相干。

譬如說，在所謂反右派運動中，有人指控羅隆基曾于一九四九年在上海邀美領事館員吃雞尾酒；章乃器當年在南京竟敢說中國懂得馬克思辯證法的只有將介石與毛澤東，居然把將毛並列……以此類推，近二百人中以往誰沒有與「反動階級」一來往，誰又沒說過「反動」話，甚推而廣之，又誰沒有與這二百個「右派份子」打過交道呢，除非此等戲劇祇須二百個角色已足，否則百而千，千而萬，豈不又都是要被除去的「毒草」嗎？

智識份子終究是民主政治自由制度下的進步份子，是思想先驅，是革命指導者；但「橘逾淮而爲枳」，到了獨裁政治極權制度下不做裝飾品便做犧牲品，命運如斯，夫復何言！

這並不是說，在極權制度下的智識份子不應抗爭，不應鳴放；而是說鳴放式的抗爭絕不會爲共黨一類獨裁者所容，絕不能改造既經自誤的命運，根本上言，若想在那裏安身立命，則是妄想。可以醒矣。

急待挽救的學風

·張弓·

台灣通訊

學風太壞了！

近三年來，台灣學風大有江河日下之勢；很多的學生，都變了本質，走了模樣，令人看著不但不順眼，而且有點可怕。例如（一）他們以爲不教課的不是老師，教課而沒有管理權的，就不須怕他，也不必理他；所以無論在校內，在校外，在公車上，學生遇到師長，都可以昂首而過，或嬉談笑自若，不懂什麼叫做「禮節」、「禮貌」。（二）有的根本不照規定穿著制服，有的雖穿制服，却不整不潔；甚而至於奇裝異服，蓬首垢面，看起來好像流浪街頭的人。（三）三五成羣，野腔胡調者有之，行路食物者有之，高聲吵鬧者有之，奇形怪狀，不一而足。（四）甚至聚衆互毆，結伴冶遊，偷竊搗亂，乃至殺人放火，亦視爲常事。

至於學業方面，更爲駭人聽聞！上課時不肯聽講，課外習題不肯作，在校既不自修，回家又不溫習；祗求應付考試，僥倖及格，於願足矣。如果不及格，不是埋怨老師題目難做，就是責備老師分數太苛。

截至現在爲止，教育當局對於學風敗壞的情形，似乎還沒有詳細調查，確實統計，自然更談不上怎樣整頓了。假使聽其演變下去，必將染爲習尚，蔚爲風氣；而且愈積愈壞，使國家前途大受影響。

其原因安在？

一般人認爲今日學風的敗壞！應從三方面來看：（一）學校方面——如今台灣各級學校，大都重量不重質，重形式不重實質；人數多了，校舍不敷，設備不全，因陋就簡，東拼西湊，就有「顧此失彼」之弊。學生離校太遠，每天往返，途中消耗時間有三四小時之久的，往往精疲力竭，不能支持，以致學習情緒低落了；教師待遇微薄，學校又不能妥爲照料，使其生活安定，以致精神不能振作，終於敷衍塞責，得過且過；於是師生之間，視同路人，毫無感情可言，教和學的效率，祗有日漸退化，縱然是天才學生，也難有成就，何況頑劣之徒呢？（二）家庭方面——學生家長有軍公教人員，他們爲了工作，爲了生活，勞心勞形，對於子女教育，很多無暇問過，也無力顧及。有的是農工商賈，他們對子女教育，大都不甚了解，不知重視；認爲子女進了學校，一切責任，皆可由師長担負，自己就可不聞不問了。學校與家庭不能聯繫合作。（三）社會方面——近來社會風俗日趨澆薄，熙熙攘攘，惟利是圖，對於窮苦教員，毫不尊敬；雖口喊「尊師重道」，實則「慢師輕道」，鄙視非常。「師嚴然後道尊，道尊然後民知敬學」，學生既不尊師，怎能「敬學」？不知敬學，又怎能不走入歧途呢？

以上三方面原因，「涓涓不塞，將成江河，」假如不及早挽救，一旦氾濫成災，後患不堪設想！

怎樣挽救呢？

挽救之道，應有消極和積極兩方面：（一）消極方面，家庭對於子女的好壞，不能把責任完全諉之於學校，因爲各校校舍不敷，絕大多數學生必須通學，每天除上課以外，在校時間極短，管理上收效有限，大部份在家庭的時間，應該怎樣支配利用？必須當家長負責督導；還要進一步儘量和學校切取聯繫，如今家庭和學校成風馬牛，家長和老師從不謀面，學生甚至可以假借家長或老師的名義，向雙方要挾欺騙。其次社會各界也要合作培養「師嚴道尊」的風氣，使教育神聖化。尤其是有聲望有地位的大人先生們，更要首起「移風易俗」的責任，率先躬行，在平實上充分表現，以正觀聽，藉以收到「風行草偃」之效！（二）積極方面，責任還是在學校的本身，因爲學校究竟是陶冶青少年的場所，轉移社會風氣的中心，身爲師表的教員們，雖然處在困難的環境裏，也不應該妄自菲薄，作「望洋興歎」之態。假如每校有二三「有心人」，共同砥礪，互相研究，校長再能待以禮貌，付以責任，總可以想出「補罅漏防微杜漸」的辦法，來挽救這一類勢的。尤其是各校校長絕對要根除「做官」思想，不可專注意於事務應酬，要以「教師公僕」或「家長代表」自居，設身處地，和同仁共肩艱鉅，日久功深，我想一定可以收得效果。

當然今後的教育當局，應該選眞正的優良教師來負責！不可專以一紙公文令校長塡報，（那是不可靠的！）一經選定，便要賦予權職，使之肩起樹人的重担。如果仍照前例，每到教師節，僅止於集合所謂「優良教師」，恭聆文武官員訓話，敬謹接受「頒獎」，這樣非但藐視師道，抑且侮辱師表，對於教育究竟有什麼補益呢？

新聞資料

金門形勢險要

有人這樣說：「現在世界上最容易引起大戰的地方是在台灣外島」。誠然，七八年來，這些地方一直就沒有緩和下來，尤其這回韓國休戰協定局部廢除以後，台灣海峽的風雲更加緊張起來。日前廈門一帶的共砲，曾向金門猛烈發射一萬一千多發砲彈，爲一九五四年九月三日砲戰以來最猛烈的一次。

由於金門廈門隔海相望，形勢至爲險要。同時金門又爲廈門及九龍江進出口航運的通道，可以完全控制廈門和漳州進出口航運的船隻；尤以目前無論中共之廈門與香港及廈門與上海的海上運輸，常因此影響以至形成窒息形態，故對中共以廈門爲對外貿易據點的作用，打擊特大。而且因中共企圖以廈門爲侵犯台灣的主要跳板，是以金門對廈門的控制，亦即使中共無法實現其侵犯台灣的企圖，反而成爲國軍反攻大陸的跳板了。

中共的兵力佈署

從金廈猛烈砲戰看

·文鑑·

（一）中共陸軍佈署

在一百哩闊的台灣海峽對面的中國大陸上，據較早的報導，中共沿岸集結了二百八十萬海陸空軍。這一切跡象顯示共軍正在加緊準備作戰，並把由蘇俄替他們建設的空軍調駐在那些新建築的機場；同時征集了一萬艘以上的民船，準備用來運送軍隊。

目前中共在金門附近地區的軍事佈署，其重點係置於廈門。主要部隊爲第十兵團所屬的三十一軍，輔助部隊爲駐在閩南漳地區的第十兵團第二十九軍，及駐在廈門漳港地區的第八兵團第二十五軍。至於它們的兵力配置大致如下：

陸軍的：第三十一軍軍部駐廈門——第九十一師師部也駐廈門，所屬駐廈門市區；第九十二師師部駐五通道，所屬駐五通道，高崎等區；第九十三師師部駐何厝，所屬駐何厝地區。第二十九軍軍部駐泉州——第八十五師師部駐劉五店，所屬分駐澳頭、劉五店、新店各地；第八十六師師部駐在石井，所屬分駐水頭、石井、金嶼、蓮河等區；第八十七師師部駐圍頭，所屬分駐永甯、深滬、圍頭、東井等區。第廿五軍軍部駐漳州——第七十三師師部駐漳州，所屬分駐龍溪、海澄；第七十四師師部駐雲霄，所屬分駐雲霄、治安、東山；第七十五師師部駐漳浦，所屬分駐漳浦沿海地區。還有砲兵第八和十二兩個獨立師，駐[illegible]石、石井、蓮河、澳頭廈門各地。

海空軍及公安部隊

（二）中共海軍第四艦隊所屬的一部艦艇，分駐廈門、泉州、雲霄各地。中共在廈門及馬巷的機場雖已修復，但該兩地的機場直至現在並未有機駐在該地區的中共空軍，仍爲中共駐在建甌的空軍第十二師的部隊。一九五五年四月完工的足以使用的「路橋鎮」機場與台灣包括其轟炸航程內的「龍溪」機場，停有四十架米格十五噴射戰鬥機。

至於公安部隊，福建省公安第三師駐泉州，第四師駐漳州。中共爲[illegible]門近附地區的部隊，在廈門設[illegible]綫指揮部」，該指揮部受中共[illegible]司令部的直接領導。指揮與第[illegible]廈門市警備司令部合署辦公，[illegible]員由福建省軍區司令今並第十兵[illegible]飛兼任。

太平洋的美艦隊

照共軍上述的佈署看來，如果發動攻勢的時候，他們的第一個目標，多半是對付金門和馬祖等島嶼。[illegible]

如所週知，美國的太平洋艦隊，擁有一百四十一艘驅逐艦，二十四艘巡洋艦，[illegible]萬五千噸的戰鬥艦「中途島」號，[illegible]綽綽有餘。（七月二日）

領導漲風

·陳廣·

台灣點摘

官方統計機關迭經表示近年台灣物價十分平穩，而省政當局最近却以建築材料上漲爲理由，將房捐提高三成（防衛捐照加）。同時鐵路貨運運費亦提高九成。隨貨運漲價之後，凡仰賴鐵路運輸之百物勢必水漲船高。似此一片漲風，在收入有限的人們怎能不憂心如焚？

大家知道，近年美國對自由中國的軍經援助源源有加。據說國內各方生產亦年年進步。當前反攻軍事尚未發動，物價在所謂「經濟安定」之下照理不應如此跳躍，而實際却須官方常常領導漲風，此點殊不可解。是否由於近來台幣限外發行過多？抑有其它人爲之不減？這頗值得考究！我們看到從前設計「金圓券」的幾個要角今日赫然同據要津，實覺不寒而慄！

再談改進課稅問題

張健生

筆者於本刊六五六期曾報導「稅務人員整飭問題」，現在再談與此有關的改進課稅問題。

最近，各級民意機關，各人民團體，工商界人士及與論界對課稅問題，指責現行稅法不適於實際，財政當局亦深感有改進課征的必要，但是，至今尚未見有改進的辦法。各界人士業已組織「稅務改進研議會」，研議如何去課稽征公平合理。

不良風氣之根

現在所謂風氣不良，與稅務人員之貪污及納稅義務人逃漏稅有關。這兩者之間，且由相互鬥法進而變成相互勾結，致令稅源不[illegible]。我們認爲根本的因素，由于現行稅法，採綜合制而不採分類制。稅源之綜合，會增加技術上的困難，歐美民主國家，尙不敢試行。稅例之繁，專家都爲之頭痛，一般納稅者與稅務員，根本無法全部瞭解，又如何使他們能嚴格遵守。稅率又高，超越國民實際負担能力，納稅人如要守法，即不能自存。

征收費用高

[illegible]

征收程序繁

[illegible]

「遴行決定」制度

[illegible]

如何求公正合理

[illegible]

購買證制度

[illegible]

人的教育（上）

·何世明·

香港教育問題

何世明先生是一個教育家，也是一個宗教家。這篇文章是他在香港孟氏教育基金會獎學金頒授典禮席上的講演詞。承何先生交給本刊發表，於此謹向何先生誌謝。——編者——

（一）

我要講的題目，是「人的教育」。我的意思是：我們所以要受教育，無非爲了我們是一個「人」，所以我們所要受的教育，當然是「人的教育」。我們既是一個人，就不能不好好的去做一個人，如何才能「好好的去做人」，便是教育的全部目的。

近世教育因爲受了實用主義思想的影響，每每有「學以致用」的主張。如何「致用」？於是又有所謂通才教育，與專才教育的主張。有人以爲如要「致用」，則非做到無所不知，無所不能不可，是之謂「通才」。但又人認爲一個人無所不知，無所不能，實際是不可能的；因此，教育只能做到變成專知，或專長，是之謂「專才」。

「學以致用」，本是無可非議的。要使一個人有「用」，則設法使他成爲「專才」，也是十分需要的。但我們仍要問：所謂「用」，究竟是什麼呢？是爲讀書時多得積分嗎？畢業時取得文憑嗎？離校後謀生計嗎？抑或除此以外，另外還有一個什麼目的呢？

我們固不能閉着眼睛，唱高調，現實問題是不能避開的。人爲了求生存，積分是需要的，文憑是需要的。爲了謀生計，則屬於「通才」或「專才」的技能，也是需要的。以此作教育任務之一，並不完全是錯的。然而我們仍不得不問「生」了以後，又究竟爲什麼呢？求「生」誠然是人的目的，但所謂「生」又是怎樣的一種「生」？究竟爲何而生呢？

唯一的答案，仍然是「好好的做一個人」。能夠像一個人的「生」「下去」，才是人「生」，也就是人之所以「生」的目的。人之所以要接受教育的原因也在此。人生的「生」字，是不能脫離人而單獨存在的。故「生」了而不能好好的像一個人的「生」下去，可以說是「生人」做了人，未得謂之「人」。宋儒陸象山說：「若某則不識一個字，亦須還我堂堂地做個人」。能堂堂地做個人，這是非常重要的，否則雖然生了，仍然沒有什麼意義。所謂「學以致用」的「用」也就成爲無根之樹，無果之花了。

所謂「堂堂地」，或「好好地」做個人，又是什麼意思呢？要接受些什麼教育，纔可以「堂堂地」或「好好地」「做個人」呢？

大學開宗明義便說：「大學之道，在明明德，在親民，在止於至善」。聖經曾記載基督的話：「你們要完全，好像你們的天父的完全一樣」。我們可以說：「止於至善」，便是「堂堂地做個人」，便是「大學之道」的最後目的，「止於至善」即完全得像天上的父一般，此即「天人合一」的道理。

「止於至善」，「天人合一」，是人生的大目標，也是教育的大原則。這大目標，大原則，絕不能一蹴而幾，根據此一大目標，大原則而來的教育，即是「人的教育」，「人的教育」有些什麼步驟，有些什麼要點，就是我今天要說的一個中心。

（二）

人的教育所要注意的，第一是理性。人之所以爲人，不獨在於人有人形體，重要在於有理性；所謂理性，即思考與推斷的能力。人有頭腦，所以既能思考，又能推斷。人有口，所以能把思考和推斷的意見說出來；人有行動，所以能把意見，付諸實行。用腦思想，用口說話，用行動作事，這些能力，惟人有之，這就是人之所以爲人的地方。人有理性，故能思考推斷，分辨曲直是非。故理性的培養爲教育最大目的，教育必須做到啓發我們辨認曲直分別是非的能力；鼓勵我們這種能力的發展。

現代的科學方法的確有助於理性教育的發展。什麼是科學方法呢？不外對事物判斷，保持客觀冷靜的態度。先之以細心觀察，繼之以實際體驗，然後再加以細密分析和合理推斷；所得結果，黑者說黑，白者說白，是其所是，而非其所非；一點不模糊，絕對不苟且。此即科學方法。

我們若用冷靜而客觀的科學方法，以思考事理，推斷是非。則我們雖極推崇孔子，總不至說他會發明盤尼西林；極仰慕孟子，也不至說他會發明飛機；雖不能否認外國有許多事物爲我們所不及，亦不至說外國的月亮，比中國的月亮好。更不忍心勸中國人叫一個外國的政客做「爺爺」，或稱之爲「永恆的太陽」。

本來，這些就是常識，不要說受過高深理智教育的人知道，就是稍有常識的人，也會知道的。偏是現在許多知識份子或大學學生，儘管高唱科學第一，對這些荒謬言論，往往強迫他人去相信，否則加以落伍的罪名，甚至還加以迫害。這些人所謂文化教育也者，是只許盲從附和，不許研究，不許思考懷疑的。於是舉世滔滔，盡是隨聲之蟲，不問是非之辯。以黑爲白，以白爲黑，是者作非，非者作是。這樣雖高喊科學第一招牌，高喊科學方法的口號，又有何用呢？一個人的理性落到這樣田地，還可以說是一個「人」嗎？這樣的教育又是「人」所應受的「教育」嗎？

（三）

除了理性之外，「人」的教育所應留意的，便是心性問題。人有一性，亦有一心。因有一性乃可以辨是非，因有一心乃可以覺察美醜。是非可用理解。而美醜之感則每每不是理解得來，只可用心察覺的。「古道，西風，瘦馬」、「斷橋，流水，人家」、「楊柳岸，曉風殘月」，「東升的旭日，西下的斜陽，青山綠水，帆影波光，凡此種種，是畫人筆下的題材，是音樂家的曲中靈感，都是祇能心領神會，不是思考推斷得到的。一個人不獨要有理性，而且還要有感情。故人類的全部文化，不獨要有基於理性的哲學與科學，也要有基於情感的藝術詩歌。因此我們的教育，必須有啓發思想的理性教育，同時更不可缺乏培養感情的心性教育。缺乏了心性教育，結果將至美醜不辨。這還是小事，更進一步，必至於哀樂不分。中庸說：「喜怒哀樂未發謂之中，發而皆中節謂之和。」人皆有喜怒哀樂之情，心性教育的任務，即在於使人喜怒哀樂皆能「中節」。中庸又謂之爲「天下之大本」，或「天下之達道」。

古人講教育，主禮樂並行。禮則是理性教育，樂則是心性教育。今人對於音樂，有視爲雕蟲小技的，以爲只是茶餘酒後的消遣。學校課程表即使有此課目，也不過看做點綴品而已。音樂在教育上的意義既失，於是，婚姻典禮，往往有「洋樂隊」大奏死人送葬曲的。反之，沉痛哀傷的送葬行列，往往吹吹打打，有如戲場上打衝鋒的進行曲。如此喜怒不明，哀樂不分，全失樂教意義。許多受過高深大學教育的人，對此現象，也還是嘻嘻哈哈，毫不爲怪，且有隨聲附和，看作時髦的。人類感情的表現，落到如此紛亂地步，難怪有人會看殺頭如看戲，弒父弒母的人，也竟會有人視作前進的英雄了。

一個有理性又有感情的人，對於教育的期望，決不會單獨希望養成面對屍體敢於持刀解剖的科學家，同時也希望養成對父母之死亡；成爲椎心泣血的仁孝之子。假如我們只造成許多能夠持刀解剖人體而面不改色的醫生，而遇到剖開自己父母的屍體，也是木然無動於中，只知把屍體的腸肝剖開解剖出來，製爲標本，供科學研究。則我們對於此種結果，「實用」的理性教育，將作何感想呢？英國大詩人華茲華斯，對那些只知找尋生物標本的「實用」科學家，備加嘲諷，真足令人深長思也。（未完）

「明代書畫特展」巡禮

·萬香堂·

台灣文藝通訊

國立歷史文物美術館在古玉展之後又有一貢獻，這便是「明代書畫特展」。這「特展」展出的時間，適逢香港文化訪問團到台灣，正在「觀光」的時候，我想他們都參觀有很多，再加大陸淪陷時，各省流入的古書畫，舉廣州的存底流到香港，雖然說是得益很大了，他們看到了以後，不會覺得，大巫見小巫？

古畫

「明代書畫特展」的場所乃在該館出口轉彎處的一個陳列室中，該室面積僅約二丈方左右，小得可憐，而展出品約共二十餘件，計橫幅二，手卷一，其他都是立軸。入室右手第一張乃過廷章的「蒼松」，廷章名遜儀，號譜松，善松竹，兼工山水，曾有比美的王叔明之譽，但本幀看不出他的特點，用筆既不蒼老，樹幹松針均平板而無生氣，但從版底及一切條件看，自非贋品。第二件即爲明代四大家之首的沈周的長幅山水，作品雖極爲文靜，惜無石田的氣質，疑之即得其臨橅作品，清代名畫家張庚說：「石田山水之承家法，凡宋元名手，皆能變化出入，而獨於董北苑，巨然，李營丘尤得心印，中年以子久爲宗，晚乃醉心梅花道人，四十以前，率盈尺小景，四十以後，始拓爲大幅，粗枝大葉，雖草草點綴，而意已足，其畫以水墨寫山，爲藝林絕品，淺絳者次之，其大師色者尤妙！」，石田一生之研究及其精髓，於其數言中已可知其大概，本件在樂觀看，在悲觀看，如細檢畫中略有鋒筆，石田果如是嗎？入室左壁懸掛中所陳列石田之手卷，首部之瀆染，及所作人物及樹均顯出破綻，不能說是最理想之作品，但亦有推崇之者，即仁者見仁，智者見智了。沿右看，一連幾張都是文家的作品，如文徵明的「扶杖看泉圖」「隱陶圖」「蘭亭圖」「山水」（上有王夢樓記）文嘉的「山水」，文彭的「字」（橫幅），文家人馬出齊了，可以說替文家出了「專輯」了，其中以「蘭亭圖」爲最佳；「扶杖看泉圖」次之，「隱陶圖」乃寫幾個帝皇題材詩人，且有題詩及說明，尤爲難得，此次展出之畫，以文家佔較重的份量，但報紙未予報導是否這次展覽過於文靜，而不夠勁，爲時代所疏忽？叔猶山水小件平平。陸包山的「山水」極爲精妙，其作山水正如所謂「仿宋人能出己意，但時露蹊徑也！」周之冕的「雙鵲」不精，是否有問題，須詳爲研究，始能決定。

其他如范暹之「山水」，張復之山水，徐枋之「山水」等乃平淡無奇，不是稱道者，只尚有三件作品還爲評介的，一爲丁雲鵬之的「古樹羅漢」，二爲李流芳的「山水」中堂，三爲陳白沙的「墨梅」，丁雲鵬字南羽，爲明代道釋人物權威作家，傳以吳道子之法爲法，其白描酷似李龍眠，絲髮之間，而眉睫意態畢具，董其昌曾贈以印章「毫生館」，意頌所作人物生動也。今其所作之「古樹羅漢」，人樹均妙，自爲其得意之作。李流芳爲士林翹楚，工詩畫，法蘇長公，又精鐫印，與何雪漁並駕，對畫方面，擅長山水，尤好吳仲圭，其寫生亦有別趣，逸氣飛動，商務出版的「中國繪畫史」，把他列入爲明末遺民，與石濤上人，八大山人，傅山等編做一起，以這次展出的山水中堂爲例，其作風純留味深，且用筆豪勁，與石濤等的確乃屬同路人呢！陳白沙（獻章）爲廣東歷史上一大學人，其學乃於靜中養出端倪，灑然獨得鳶飛魚躍之樂，以講性命之學著稱於世，明室對其推崇備至，卒謚文恭，能詩工書，善畫墨梅，此次展出之件雖屬精品，但版底太陳黃，致失原畫之真面目，而陳列時又位於光綫甚差之處，更無可觀了！或許主持人未嘗注意白沙先生在南中國的文化地位呢！

書法

此次展出使觀衆比較欣賞的，還是書法方法，而事實上這次的「特展」乃以書法佔優勢的，董香光的巨幅中堂草書，詹景鳳的大四屏草書，在陳列室中飛動着已把觀衆吸引着，唐寅與文彭的橫幅都很不錯的，而看到王陽明的條幅，書法之美，詩句之美，哲理之深，更嘆觀止，以其中的「須憐絕學經千載，莫負男兒過一生」直個到五內中，頓時發熱起來。

最後看傅山的草書中堂，龍飛鳳舞，又把我的精神轉移了直至評讀他的詩使我的心跳起來，詩云：「道到桑乾北，逢君夜不眠，上樓腰脚健，懷土眼睛穿，斗柄垂滿地，黃河凍徹天，羈魂泣相向，『向事有詩篇』好一句「懷土眼睛穿」「羈魂泣相向」啊，現在我們想念大陸也是一樣的呵！傅山字青主，爲歷史一大愛國詩畫奇人，明亡後，居土穴養母，仰觀天，俯畫地者二十年，康熙戊午，詔舉鴻博，大臣連章薦，固辭稱疾，有司乃令役夫舁其牀以行，既至京三十里，以死拒，不入城，乃得放還。這樣的愛國巨人，是值得我們崇拜的啊！

雜感兩則

T B 團契

台北松山TB防治院。特于六月二十三日舉行出院病人團契，（參加者多爲基督徒）坐滿了日光室——平時病人休息之地。他們這一羣病友，自稱爲患難之交，有離院數年者，一年者乃至幾個月者，見面仍是親如手足。中國人「善于共患難」是美德，證之TB團契信然。

院長陶榮錦博士致詞時說：「台灣防痨工作非常進步的，現在肺病死亡率已減低了，前幾年六百萬人口有十二萬多人患TB，每年死去六千多人。現在人口增加到九百萬了，每年死去還不上六千人，但，死亡率雖然減少，而患TB者則更增多，因爲醫藥與治療的進步，可以減少死亡率，而環境與生活之不適宜，則TB傳染的機會更多所以患者也就漸漸增加了，希望全國同胞，須重于防而免得治，那就好了。」

我們聽了這一個報告，對於全民的健康問題，頗有顧此失彼之感！

不幸中之大幸

東郭牙

五二四台北不幸事件，有原因才有結果，這是合於人事「因果律」的。中央日報某日社論（大概是讀了行政院長在立法院報告處理經過全文之後而寫的。）洋洋灑灑千餘言，最後一語是「不幸中之大幸」。筆者是主張先生引出「成語」的神來之筆，想見寫好了該文而擲筆之時，一定很得意的。若是照這句話的含義而用邏輯，那末！也可以說，他日若再出了這樣「不幸」事件，自然也是「大幸」了。

成語之被曲解與誤解，除了「故意」而外是「大意」不得的。

聽說有一個笑話：一位小職員對於他的可以貪污職位十分留戀，某次給上峯報告：「鈞座所委職位……萬死不辭」在他的意思是雖然有死也不辭辛勞，並主管則誤解他是萬死也不「辭掉」職位。

我們讀了這篇社論的「結論」——「不幸中之大幸。如何能感覺此次事件是「大幸」呢？除非也有上面笑話中「萬死不辭」一樣的誤解或曲解。

稿約

一、本報各版園地公開，歡迎投稿，來稿以千五百字至二千字爲最適宜。特約稿不在此限。

二、本報歡迎通訊、特寫、文藝、評論、書評、人物介紹、短篇小說、詩詞等，三、五百字之短文尤所歡迎。

三、本報對來稿有刪改權，不同意者請於來稿預先聲明。

四、來稿請用稿紙繕寫，行文請勿過於潦草，不宜一紙兩面繕寫。

五、來稿請自行留底，外埠郵票香港不適用，請勿附退稿郵票，本報不負責退稿。

六、稿酬每千字由港幣五元至十元計算。

自由談

原形畢露了！

馬五先生

從中共這次在大陸上表演的「鳴、放」把戲中，可以認定幾點萬變不渝其宗的鐵則：

第一是共黨口中吆喝不歇的「民主自由」，這些語意，跟世人所理解的迥然有別。即「民主」必須擁護階級專政與一黨獨裁；「自由」必須對統治者歌頌不絕，極盡「歌德派」的能事。這就是毛酋澤東所謂「集中的民主」和「領導的自由」之真諦。懂得這項訣竅的，就封你爲「人民」，每月可以配給你一些吃不飽，餓不死的生活資料。否則被置於「賤民」之列，過着管制奴役的生活，教你「向隅而泣」！（僞人民日報的社論詞句）

第二是一般投靠稱臣的「民主人士」，祗論「前漢後漢」，對共產政權的一切措施，不許有半句批評的話，即使出於善意，或者如羅翼羣之流，只說是「農民生活太苦」，亦係資產階級思想的右派份子」，非予公審鬥爭不可。在羣衆鬥爭之中，逼你認供的言行，只要有人揭發，亦是「反動」的罪狀。現時在大陸上所有投靠稱臣的人物，沒有不是從舊社會退出來的，這便是基本的罪惡，隨時有，隨時可以提出來清算，任何人亦無所逃於天地之間的！

近年來，共特們在海外大搞其統戰工作，修言「愛國不分先後」，對於反共非共的文化人，且教你可以照樣的寫反共文字，祇要同時亦反台灣就行了。有些天真的人，居然中魔着迷，或者跑到大陸去「觀光」，或者躲在海外替共黨幫腔助勢，冀得儀式之物，且作爲他日實行投靠的張本。如今親見大陸上對黨攏份子那種殘酷無人性的清算鬥爭情形——如名報人儲安平之搶柱鞠躬，如羅隆基之再三認罪而不能了事等等，急否心寒亦應警惕一下，以後還想接飲統戰的毒粥不？

由於「鳴、放」陷阱之證，而使共黨的僞裝面具揭開，原形畢露，就某種意義說，這是好現象啊！

送殯狂想曲

陳永昌

對於死，簡直毫無經驗；一無所知，居然信口雌黃，瞎說亂道，冒犯的說一句，可幸你也經驗無多，也不應嫌班門弄斧。閻羅王縱使嘲弄我，想也不致那麼小氣，立時把我引渡陰間，天大事情，且留來日分解。

死並不可怖

死並不可怖可悲，要是在談死時死去的話，莫談一點覺我沒有，簡直是一個大解脫。生與死要作精密的分界，非不容易。沒有意識的生，和有意義的死，那是真正的生？那是真正的死？貪生怕死，實在是多餘。有時，也難怪聞死色變，你看：一個昨天如花似玉的人，如今面如槁木；一個今早腰纏萬貫的人，如今兩手黃土；一個剛才氣凌牛斗的人，如今一下癱九泉。這般快！這般快！便什麼都完了，怎會不怕？

怕的是見死的人

其實怕的不是死者本身，而是跟死者的人。死者一無所知，一無所覺，絕對無動於中。靈魂有靈，亦魂歸極樂，不會無繫於這具臭皮囊。死者的痛苦，只不過是我們的幻覺。有痛苦的話，是病的痛苦，不是死的痛苦。病者沒有死過，除了在幻覺中，根本就不知死的痛苦爲何物。死前痛苦的加劇，亦不過視作病情的惡化，病不會自行消滅，病魔勝利了，生命便告完結，是一個停頓，一片寧靜。

死後的担憂

最使人担憂的，倒是死後到那兒去？那兒是怎樣的？[illegible]成人怕死。死是一片黑暗，冥迷虛渺，茫茫無岸。出外半輩已難，何況闖進永無回頭，陰森淒涼之鬼域。話雖如此，死後去處，亦非游魂，變幻無定。[illegible]宗教家各異其說，那就是善有善報，惡有惡報，[illegible]主宰，作公平的判斷。

五十年前誰是我

從另方面看，要是你否定靈魂的存在，死後化爲烏有，那末，死是其去也無蹤，其生也無自，生死間[illegible]虛無。五十年前誰是我？五十年後我是誰？[illegible]

何時該死呢？

人終歸一死，但是何時該死呢？[illegible]生死有命，不由我們抉擇。[illegible]你做完了你認爲應做的事？盡得了你希望得到的東西？[illegible]

死的高潮

[illegible]死去，在你的樂業的顛峯上死去。

一朵花，就本當在最好是開得燦爛時凋謝，[illegible]

生命苦太短促

許多人都歎說：生命太短促了，太短促了，有如夏蟲朝露，白駒過隙。人生七十古來稀，就拿七十歲來說吧，不過[illegible]起初二三十年是工作前的準備，末了十年是工作後的憩息。[illegible]

自殺等于偷懶

[illegible]

不怕生也不怕死

[illegible]也就不怕死。好好的生，好好的死。不怕生也不怕死。

生命長度有彈性的

[illegible]總之，你要怎樣生，便會怎樣死！

談誇張

系子

文學中如李白的詩句：「白髮三千丈」，是一個誇張的例子！分析起來，也有其類，不可詳話也。[illegible]

到大陸去過的正人，回來都異口同聲說大陸人民生活困苦，但另一方面，大陸上大量物資卻用以援助北韓北越。所謂「打腫臉充胖子」，恐屬于上述一類呢？

但如，阿丁三年前在礦場做着工，生活尚不免寒，但他每次寫信給遠在北國的母親時，總是說得生活很寫意；他平時的穿着，是鶉衣百結的衫褲，總要借一件上衣影一張照片寄給母親。這一類卻與上例適相反，因爲他有一顆心。

鹿與鹿茸

秀瓊

牠不但是「鹿鳴思野草」，可以喻嘉賓；鹿而且全身幾無廢物，鹿茸更可以益壽延年。

鹿棲息山野，性喜羣居，四肢特別細長爲動物行走最快的一種，牝無角，牡有角，產于長白山關東、海參威、青海、新疆、桂花城及西口、台灣等處，其中以關東與台灣所產梅花鹿最爲著名。

我國人對于鹿視爲珍物，但飼者很少，僅酒家與中藥店內畜小鹿，陳列門前，供給有閒階級的進食培補，日人則說多喜養。鹿因生長遲緩不及牛羊的快大，故用途雖有限，價格昂貴。

列女傳：「鮑宣妻少君著短布裳，與宣共挽鹿車歸鄉里」可知我國古已有之。而古人對于詠鹿的詩句也不少，如蘇武古詩：「鹿鳴思野草，可以喻嘉賓。」錢起的「幽溪鹿過苔還靜，深樹雲來鳥不知」。劉長卿的「門徑稀人跡，簷峯下鹿梯。」

咱們中國人向來認爲鹿得天地之陽氣最足，故能多精而長壽，其肉骨皮乃至角類均極有用全體幾無廢物，它的初生角還有皮毛含血未成骨時如草之嫩芽，外面呈紫褐色，有光澤中有血管，叫做鹿茸，爲中藥珍品。茸之頂尖最首層，潔白如蠟，油潤如脂者名曰蠟片。次層白中發黃純係血液貫注其中者曰血片，再次層片蜂窩，色紫黑透者名曰鳳片，最次層與骨毗連，同角相仿者名曰骨片。鹿茸頂尖帶血者鄉音岩謂之血補茸，價值甚昂，因之惟利是圖之商徒，或用豬尾與小腸和以豬血，滲所什藥，僞假造充，外形與真無二，及煎熬之後，則糜爛臭穢可驗而知，鹿茸在醫藥上是大補氣陽的要藥，且有養血生精的妙效，治男子虛勞與老人衰弱及婦女白帶等病，多服且能延年益壽。

海上學校

中篇小說

趙師善

「因爲絕望的苦杯，還沒有傳到我的手裏。」

「那你是幸福的，杜宇。幸福歸于知道畏懼，但能夠克服它的人。幸福歸于知其不可爲而爲之的人。你……」

「你也一樣。」

「我不可能一樣，」他搖搖頭。「當我觀察得愈多時，我知道得愈少。我的煩惱，都集中在我的瞳孔裏。」

「唉，希世的靈才，卻偏偏碰上了這麼一個動亂的時代，」她太息道。「如果能有個安定的環境，培養你對人類的信心，那該多好！」

「信心嗎？那該多好！」他喃喃地重複着。「當人們互不相信的時節，我們到哪裏去找信心呢。」

「我是相信你的，當我對你認識得最深。貝比，」她安慰他。「我相信你那過人的智慧，我欣賞你的美麗的思想，我欽佩你的直率與天真。……」

「得啦，得啦，」他做了個手式，打斷了她的話。「你說：同情我的疾病！一個人最不能勝過的，就是他自己的缺陷。我就知道這個。」

「但強者在戰勝他自己的缺陷時，顯得最强！」

「哦，哦，杜宇，」他盯住空蕩的黑暗的大海。「單單爲了這句話，我要感謝你一輩子！」

「貝比——！」她低低地叫着，將溫柔的雙手握住他那雙發抖的冷手。有一股強烈的電流，流貫他的周身。他的心在卜卜跳動。

「我，我今晚悟到了一項道理，」貝比囁嚅着，慢慢站起身來，與她面對面而立。

「甚麼道理呢？」她茫然望着他。

「我悟到海洋也有情感生活！」

「噢，奇怪，這我眞正不懂了。」她變動明亮的星眸。

「海洋的寒流與暖流，原來代表兩種不同的感情——虔敬與狂熱。它們交會在一起，激動了，融和了，川流不息地運動着。千萬年前如此，萬萬年前如此。人的精神生活如此，歷史的長流也是如此。我們今天還是浮沉起伏在虔敬與狂熱的潮流之中。」

杜宇眼睛微閤，沉思着。貝比繼續說下去。

「虔敬由於理性的難解；狂熱卻出於情緒的燃燒，但是，它們有一個不竭的泉源，那就是愛。愛是寬容，愛是長久的忍耐，愛是永恆的親和，愛是一切生命的聖火，愛是宇宙間各種運動的最後的動力；然而，這對于我有什麼用呢？」他頹喪地將頭垂下。

「當然有用的，貝比。」

「當然？當然有例外囉！」他淒然苦笑着。

「不，並無例外。」杜宇說：「因爲愛的法則，是大宇宙普遍的法則；因爲你也是宇宙的組成份子之一，你也生活在宇宙之中，沒有辦法浮游在宇宙之外。」

談話中斷，陷於沉默。

像霧氣一般的細雨，紛紛揚揚地在海上撒下了一張法蘭絨的帷幕。但微雨輕風，卻永遠透不進戀人們熾熱的情懷。

「孖舲艇」和「沙姑艇」穿梭般在海面上兜着風。而上海上街的「辦船」上「四柱大廳」上，煤汽燈照耀得通明透亮。歡笑、鬧酒、猜拳、行令、急管繁絃，以及怪腔怪調的歌聲，從遙遠處隱隱地傳過來。杜宇和貝比默默地諦聽着……

你如果妖艷，就得咁排頭，
時常賣俏惹人嬲。……
你靠妝扮咁消魂，蝶憐蜂妒；
唔採胭脂粉格外風流。
做乜你重花紅辮兩成珠，
耳環琴色半含羞？……
一邊淫眼纖住櫻桃口，
個件藍衫滲綉惹人愁。
懷抱着胸前遮住個白，
一朶香花扣在襟頭。
下着烏褲一條光到滑溜，
青蓮襪帶繡出兩個綉球。……
（把國的笑聲掩住了歌詞）。
你行動猶如風擺柳，
巢鸞水桃咁就剃頭遊。……

這些鹽怨的靡靡歌詞，貝比大約只懂得一半。他有些感慨，但感慨得並不深。

杜宇卻全懂了。她聽着歌聲，將寂寞的眼淚帶給了她的眼睛。她想起了孫春蘭和孫秋菊兩姊妹。她覺得：環境是可以影響人的，尤其在兒童時代，環境的選擇最爲要緊。不然，教育會白費心機。

（卅三）

自由人
THE FREEMAN
（第六三六期）
中華民國僑務委員會登記證僑台字第一號
中華郵政台字第五〇〇號執照登記為第一類新聞紙類
（半週刊　每星期三、六出版）
每份港幣壹毫　台北市價台幣壹元
督印人：陳文[illegible]
地址：香港高士威道二十號四樓
3RD. FL. 20 CAUSEWAY RD. HONG KONG
TEL. 771726
承印者：東南印務出版社
地址：高士打道六十四號
台灣總經理處　台北市西寧南路[illegible]二樓　台郵撥儲金戶九二五二
海外總經銷　友聯書報發行公司　香港：德輔道中二十六號A二樓

假如我是杜爾斯

·伍憲子·

美國務卿杜爾斯六月廿八日在美西三藩市國際獅子會之演詞，許多人讀完之後，都讚杜卿今次檢討美國對中共政策，總算態度鮮明。但亦有人批評之得其反，謂其態度曖昧。二說皆有理由，讚可以謂之鮮明，亦可謂之曖昧。假如我是杜爾斯，我的演詞，就不會如此。應該如何說呢，願陳鄙見。

一、

杜卿說：「在中國大陸上，六億人民受着中共的統治，該黨憑暴力取得政權，並非依照人民的意志，而且始終憑暴力保有政權，對人民猛烈的壓制」。北觀大陸民情，可謂洞若觀火。比之其他現實主義者，只以為中共既有力量統制大陸，事實上不能否認，即使中共是用暴力壓制，亦當之下管。此種現實良心之勢利觀念，甚容易就顛倒是非，擾亂世界。杜卿幸免此，總勝他們一籌。杜卿又再進一步，指摘中共對外之不法行動，謂共「曾在韓境與聯合國作戰，支持越南共軍作戰，鼓動菲律賓共黨叛亂，與馬來亞共黨叛亂」。蓋有中共政權在，可使整個亞洲局面不安，西方國家亦精神不寧，杜卿已看得清清楚楚，比之其他勢利國家，一面想保持其在亞洲之權利，一面想討好中共，一面又內心矛盾百出者，杜卿又勝其一籌。杜卿更明白中共仇視美國，謂「認為美國是他征服途中的主要障礙」。此是知彼知己，比之其他之茫然罔覺者，與誤用聰明者，被人仇視而不知，或知之，而以為有術可以解脫，人家則敵我分明，自己則敵我混在一起，混沌糊塗，猶欲爭霸天下，杜卿更勝他們一籌。因此，杜卿毅然決定，「我們不給予中共政權以外交承認，我們反對其進入聯合國，我們不與中共貿易」，並且申明「有限度貿易也不可能」。謂「中共不是自由貿易地區，中共不能使人民得到他們所需要而非共本國所不能製造的貨品，中共也不能製造別的國家所需要的貨品，去交換其本國人民所需要的貨品，中共對外貿易，完全受政府控制，其主要之貿易目的，就是購買機器、電子器材，和一切能夠幫助他們製造坦克、車輛、飛機、軍火，以及一切其他軍用品，我們為何要增加中共的軍事力量」。此話更澈底痛透，使利令智昏悍然不顧，解除禁運，與中共做買賣者，聽之汗流浹背。此是杜卿講詞值得稱讚之處。但是對付中共，僅憑此外交不承認，反對其進入聯合國，不與貿易，就可以制勝嗎。何況尚有許多話，頗令人難解者。試引述如下。

二、

杜卿說，「或者你們會問我，將來的情形如何，難道我們的政策純屬否定的性質嗎」。「我們到底能不能恢復與中國人民過去數十年來的友好關係呢，像這樣一個潛力強大的，具有豐富的古代文化和智慧的國家，究竟能不能實行回到各種國際組織當中，負起建設性的任務呢」。杜卿有肯定的答案，「我們很有信心的說，這是可以。」此話說，我就覺得難以解答。所謂有信心的可以，杜卿是信中共可以嗎，中共可以擺脫蘇俄，自力更生以重新與西方國家合作，實行民主政治嗎。然則杜卿恐不作此幻想。杜卿所謂有信心的可以，不會屬之中共自身，或者可以屬之合[illegible]民政府。但有兩種困難，

美國第七艦隊把守台灣海峽，中共要侵略台灣，固不可能，台灣軍隊要反攻大陸，美國第七艦隊又能許可，而且加以協助嗎。尤其要者，台灣國民黨到現在仍未能推誠與海外之民主人士合作，團結反共勢力，國民黨能單獨負起責任，打倒中共，恢復大陸嗎。此與希望中共擺脫蘇俄，實行民主，同一幻想。然則杜卿所謂有信心的可以，恐不能兌現，只有歸結於[illegible]期。[illegible]亦自知難解。杜卿後，又在下文設詞自解，謂「我們的政策，隨時可以調整，以適應時局變化的需要」。此話，[illegible]

[illegible]只保持現狀，是否[illegible]露美國要[illegible]進兩步[illegible]道，而適應之[illegible]力，中共[illegible]可以[illegible]地位。故[illegible]度之曖昧，[illegible]

三、

假如我是杜爾斯，[illegible]

[illegible]不是促進，是過渡性。[illegible]永久性[illegible]等待[illegible]杜卿[illegible]民主世界不容許[illegible]行屠殺[illegible]第二、[illegible]保護之金馬除外，不承認[illegible]於日內瓦經年，凡此皆有失道義立場，近於獎勵嘉許屠殺。

（下轉第二版）

半週述評

岸新介的新閣

日首相岸信介於訪問東南亞各國及美國回來後，將他四個半月前從前任首相石橋湛山繼承過來的舊內閣從新改組完成。新閣名單，業經宣布，並於昨日由日皇舉行親任式。

新閣人物最可令人注意的，是任用日本工商會會長藤山愛一郎為外相。這是配合岸首相經濟外交政策的措施。岸氏一向標榜和平外交，然其所謂和平外交實以發展日本的經濟利益為重心。岸氏於訪問東南亞各國時，即已提出成立「亞洲發展基金會」的計劃，希望以美國的資本和日本的技術，互相配合，以求亞洲各國的資源開發。藤山既非黨員，又非職業外交家。岸氏一再懇切要求他出任外相，用意所在，可以不言而喻。

新閣既以經濟外交為重心，對中共貿易，亦成為今後當有爭論的課題。中共與蘇俄亦已藉此為誘餌，期使日本疏遠西方。惟中共與蘇俄現均陷於內部動盪不安的嚴重窘境，「過渡性質」的政權，決無真正貿易利益之可圖。岸內閣的經濟外交，必須注意及此，否則不免為共黨政權之所愚。

拉曼先生的過慮

馬來亞將於今年八月卅一日從英國殖民地的地位成為一個獨立的國家了。馬來亞獨立之後，將加入大英聯邦，成為聯合王國的一員。這是曾經殖民地統治的亞洲民族共同引為喜慶的大事。馬來亞首席部長拉曼氏，昨十日論及馬來亞的公民資格，他說，「所有居住在他們故鄉的人，必須絕不動搖地當作他們的忠誠是不能分割的」，他這話，顯然是對佔馬來亞大多數人口的中國人家而說的。

第三日前中國國民黨發言人張北宣稱，中國國民黨絕對不在國境外作何政治運動，也就是針對拉曼先生這種顧慮的。

中國人僑居海外，已有數百年的歷史，是不會從事政治活動的。中國人向來是「入境問俗」，「入國問禁」，素富貴，行富貴；素貧賤，行貧賤；素夷狄，行夷狄。故大多數的中國人都是講信義的。個人出賣朋友，尚且認為是不齒的恥辱。加入一個國家，宣誓效忠為其國民，背叛其政府，在中國人的觀念說，實在是不可思議的奇恥大辱。

因此，我們要奉告拉曼先生，馬來亞的血統居民不加入馬來亞聯邦為公民，不會有分割忠誠，自己出賣其人格的事。拉曼先生說，馬來亞可以成為「我們及我們的子孫的世外桃源」。我們相信，對待居民，只要能真正以公平的待遇，對佔多數的中國血統居民，不懷疑，不歧視，中國血統居民也一定能夠忠誠合作，以期共同實現此一「世外桃源」。

新五四運動

中共設下「鳴」「放」的陷阱，企圖把反對共產主義的異己份子，一網打盡。想不到「卑鄙無恥」的手段，結果竟出乎中共意料之外。

現在更大的反共狂潮已跟着從全國的知識青年掀起了，這一次偉大的反共浪潮，已經從北平、天津，蔓延至瀋陽、華中、華南。到處發生「殺掉共產黨人」的口號，成為五四運動以後，另一次的新「五四運動」。第一次「五四」以推倒軍閥為中心，這一次的新「五四」卻以推倒共產主義為中心。

第一次「五四」運動，北洋軍閥雖擁兵數十萬，終不免於因此而垮台，現在中共雖擁兵三百萬，也絕難逃於崩潰的命運。費孝通在北平便說「現在學生到處找領頭的，如果老師加上去，當然要收也容易，學生是去了，黨（共黨）在羣眾中的威信也就完了」。曾昭掄也說，「今天學生的問題很多，一觸即發。不要以為秀才造反，三年不成，中國知識分子鬧事，是有傳統的，從漢朝的太學生到「五四」，都是學生鬧起來的」。可見新「五四」的威力已經不是中共所能消滅得了的了，中國知識青年又將在中國歷史上寫下新的一頁，是可斷言的。

·陳克文·

新史汀生主義

許漢劍

美國國務卿杜爾斯六月廿八日在舊金山發表重要演說，坦率聲明不贊許中共參加國際社會（指加入聯合國之類）的許可理由。筆者替這次聲明杜撰一個名詞：新史汀生主義。

史汀生主義是指一九三二年美國國務卿史汀生當國際聯盟組織調查團來滿洲調查時，聲明美國政府決不承認任何破壞中國門戶開放政策的條約，和任何違反九國公約和非戰公約而造成的形勢。這個聲明被稱為史汀生主義，又稱為不承認主義。

史汀生不承認滿洲國與杜爾斯不承認中共政權精神是一致的。所不同的是美國當日沒有參加國際聯盟，而宣言發表之後，把美國與國聯政策不一致的陰霾一掃而空。日本再不能把幻想寄託於美國孤立政策之上，後來國聯終于不理會日本之以退出國聯為威脅，而通過李頓報告書。

今日國際形勢更趨錯綜複雜。美國雖為聯合國的領導國家，但對於中共問題，卅美間有許多歧見存在，這篇宣言雖不能把歧見消除，卻也把美國對承認中共問題的疑慮一掃而空，把聯合國容許中共參加的可能，加以有力的否定。

在二次大戰前，美國因為沒有參加國際聯盟，眞是塞翁失馬焉知非福，使美國擺脫許多外交上不必要的煩惱。現在美國是聯合國的要角，蘇俄用以抨擊美國把聯合國視為共附為機構之一。美國前後所遭遇的困擾儘管不同，但國際聯盟的往史可鑑，如果美國不毅然決然地支持聯合國的基本精神，則聯合國也快要成昔拗之餼羊了。

如果說威爾遜是國際聯盟之父，羅斯福也可以說是聯合國之父，羅斯福對聯合國原抱着很大的理想，可惜他留下雅爾達協定一類的失策；但聯合國否決權的運用，使聯合國成為半身不遂的不治之症，也由羅斯福輕率的決定所致。

很多人把今日中共之坐大，歸咎於雅爾達協定的簽訂，雖似徒知責人不知罪己之論，但錯了這一著棋子，釀成今日中國大陸的局面，實在是無法諱言的了。

杜魯門之毅然決定參加韓戰，說是有聲有色，但他卻不同意麥克阿瑟的看法，最後寧願犧牲了一個麥克阿瑟而不肯冒險向鴨綠江邊進兵，也鑄下大錯。

艾森豪威爾提出結束韓戰口號而贏得總統選舉的勝利，對中共問題一直維持現狀。自從艾森豪威爾當了總統，杜爾斯也當了國務卿，杜氏曾發表過無數次演說和宣言，都沒有在舊金山發表的一次來得那麼態度最鮮明，那麼言詞斬釘截鐵。

杜氏選擇這個地點這個時間來發表這次重要演說是有重要意義的。杜爾斯自己說，舊金山是美國面對着太平洋最西的一個城市，選擇這個地點來發表美國對太平洋重要政策是很適宜的，至於時間呢？現在處在維持聯合國對中共禁運政策的最低潮，加以台灣發生雷諾事件以後，中美間籠罩着一片陰霾，英國與日本向美頻施壓力以期放寬對中共禁運，美國國內孤立主義者綏靖主義者叫囂歡呼要准中共加入聯合國，要承認中共，要取消對中共禁運，要拆散中共與蘇聯的聯繫者，全世界反對共產主義的國家與人士正為美國舉棋不定的局勢彷徨而憂慮。因有過去的雅爾達協定為例，大家担心美國可能犧牲自由中國，杜爾斯這次的演詞澄清了這個局勢，正如二十六年前史汀生那次不承認宣言，同樣產生很大的時代作用。

滿洲國與中共政權在國際的影響上雖有不同，但都是用武力製造，用武力控制的；都是違背國際正義及民主政治的基本原則的，也就是杜爾斯所謂「不符合文明國家的條件」。

史汀生主義建立在一假設上，就是反民主反自由的政權必不足恃，侵略主義黷武主義一定被時代摒棄的，杜爾斯說：「吾人之政策，乃建基於一假設上，即國際共黨千篇一律統治，乃屬過渡，而非永久現象，對中共如此，對其他地區亦然」。所謂「過渡」非「永久現象」，就是黷武揚威於一時，結果一定趨於沒落的，為什麼？因為它反自由反民主，它與侵略主義黷武主義沆瀣一氣，它違反時代的潮流，因此我們找到一個結論：從史汀生的不承認主義到杜爾斯的不承認主義，它的精神是一致的。

碼頭上仍有入境的困難

祗有特殊的「觀光」人物例外

・賢・

台灣通訊

年來這裏似乎頗想發展一種所謂「觀光」事業。不論個人團體出入境辦法已放寬，並簡化了其程序。這當不是在粉飾太平，或賺一些外鈔充充國庫；大概只是想給外面的人來瞧瞧這裏確有了進步；從而也給世界人士知道這裏確有所作爲。這在政治上言，雖仍似嫌尖銳一點，亦未可厚非。但若純賴此以取信於世界。總不免又犯了那「坐而不行」的老毛病。這且不去談它。

我們處在現目環境；當然仍要防奸與杜諜，對出入境的旅人必須有若干的緝查辦法，這是人所諒解的。不過須適可而止，以不擾人爲主。若果有些不必有，莫須有，類同苛索的舉動，甚至把一個初來的陌生旅人，看作一隻肥羊，隨意不客氣，例如拉上鐵閘門，隔離其親友，翻箱倒匣，隔三個鐘頭的等待與疲勞檢查，豈不就會嚇壞了想來看成績的人！或云這是怕走私漏稅也，但時間與技術，總有許多改善之處。何況對於存心走私的，這也絕對不是有效的辦法。

再次，此地口岸的碼頭，固屬國家所有，亦是專供旅人來往；若國家要抽捐稅，亦應有個限定，應有合理尺度，有一個規定的做法，不可任由下面歹作亂爲。譬如說，若力搬運之硬搶經索，令人頭痛，試問一箱，一匣，一被包，一夾錢，重有幾何，却作四件行頭！由船卸下便鐵定每件五元；又由四號碼頭搬邊移至稅關只若干步路，又每件五元；又由稅關移回四號碼頭的入市口營卡前，又只若干步路，每件又五元！這樣只幾件輕輕的行理，這未打轉百十步便足索了不下六十元之數！誰都懂得讓價。但是，你莫想再能找旁的苦力，旁的苦力個個是啞吧，個個都會報你以白眼！你想求助於警察，關員，路人嗎？他們也只搖搖頭，結果你祗好把你那無名火強壓下去，找回最初那一位若力先生。此地誰說不是祖國的碼頭？何以竟弄到竟像無緣林路口？假定我們真是希望人來發展「事業」或來觀光（當然約定迎送的特殊階級例外），豈不是得相反的結果。至于來觀光人，倘不是約定好了的團體，或者所謂名人之類，接送都有專機，有社團賓館接待，一脚甫踏上了岸，那麼你只好先嚐嚐上述的滋味。我們還吹什麼自由法螺。過去聽說關於高港，竟有人在爭碼頭，搶地盤，包辦出入，假公濟私，庇私，護私……等等！內裏自是有文章。

你想，我們要請觀光的，是不是只限于那些少數的特殊份子呢？我們自由中國目前留下這個台灣基地，這些碼頭上運搬起卸等小事，也無法改進！我們有的是港務機關，稅務機關，警察機關……，爲什麼都不管，却留待誰管？

我們不是歡迎觀光嗎？如果觀光不是專爲一些少數特殊人物來的，爲什麼不注意這些可以影響很大的小事呢？

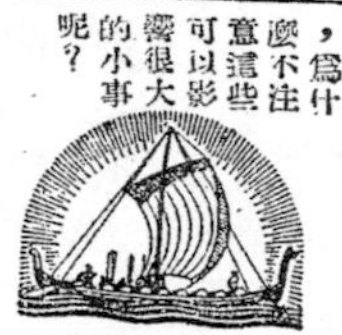

新亞設暑期藝術班

新亞書院爲提高藝術興趣，指導中西新畫理與畫法，得本港教育司特許，創辦暑期藝術研究班。研究課目：分國畫（花鳥、草蟲、山水）西畫（素描、水彩、油畫）兩種。凡對有志藝術研究者，不拘性別年齡，均得自由參加。報名日期：七月十日起至十四日止，研究期限自七月十五日起至八月廿五日止。地址在九龍土瓜灣農圃道該院。

良心的呼籲

・徐復觀・

四年前瞿荊洲先生充駐日大使館的商務參贊，我把他寄回世界美術全集的最後六本；他連同其他書籍交招商局的船運回台灣。照例，日文書籍，要由海關扣下交聯檢處檢查的；我想，美術全集決沒有什麼問題，等檢查後的發還通知好了。可是一等半年，渺無消息，沒辦法，去找保安司令部的朋友幫忙，保安司令部的朋友也熱心地代我清查了一番，但人海茫茫，辜負了朋友們的好意，我祇好再買第二次配成完璧。

最近，我托李秋生先生帶回幾張音樂唱片，照例，也要由海關留下檢查，納稅。唱片未取出前，香港時報的記者某先生，是對朋友熱心，對音樂內行的人，他告訴我：「你放心好了，我已拜托檢查的機關——省新聞處的朋友，頂好不必試聽。因爲一經他們試聽便糟了。他們常常用大針頭去試三十三轉的唱片，這便會給唱片以無可補救的傷痕」。我一面感謝這位朋友的關注，一面覺得總不致如此。

我對音樂根本缺少欣賞能力，一直等小孩們放了假，他們才開始試聽新買的唱片，聽後大聲嚷着說：「爸爸糟了！這中間最精彩的是貝多芬的第九交響樂，可是已經給大針頭傷得一塌糊塗，檢查的人太沒良心啦」！我叫他們試給我聽聽，果然又破又沙，而且有一段，唱針因大傷痕跳動，不能循着原有的軌道走，使我當下也感到非常難過。本來懂音樂的人，聽到音樂片上劃傷的聲音，好像是劃傷在自己的心上一樣，老百姓買一張好唱片固然是一件大事，但在此一時代中破壞一張好唱片，却是小而又小。像這種小事，讓天真的小孩們每天晚上嘰咕幾句，也就算了。我之所以不能已於言者，因爲覺得用適當的針頭去檢試他人的唱片，我相信政府有此力量，有此責任，而主持的先生們也會有此常識。他們之所以偏偏不合理底去處理，只因他們對人對物上，根本沒有這樣起碼的責任感。[illegible]王陽明的學說，[illegible]人類的良心的。他在大學問中，闡明人心一體之仁說：「豈惟大人，雖小人之心亦莫不然……見草木之摧折而必有憫恤之心焉……見瓦石之毀壞而必有顧惜之心焉」。[illegible]）而爲一體[illegible]小人之心亦必有之。」王陽明所以要用「必」字，是因爲只要是一個人，便必有此心。有此心便有此種作用。這是人之所以[illegible]用「必」字不可。[illegible]物爲意，這是說明人之[illegible]了。古人說：哀莫大於心死[illegible]之爲可「哀」，則一念[illegible]，這對個人對國家，都[illegible]。

（七月三日於東大）

史派勢力清除後值得注意的人物

朱可夫

・胡養之・

一九五三年三月，當史達林逝世，馬倫可夫繼任總理的時候，南斯拉夫狄托曾在一個私人宴會席上對來賓說：「馬倫可夫缺乏機智和號召力，永遠不能夠使得共黨或蘇俄人民的一致擁護；莫洛托夫的口才不行，脾氣又過於剛愎固執，得不到大衆的支持；貝利亞不過是一個匪徒罷了。可是朱可夫元帥却是值得注意的人物，他掌握着紅軍大權，將領導一個對政客們的鬥爭。」

爲何支持赫魯曉夫

誠然，狄托這些預言，現在已經逐漸實現了。史達林死後的第一次整肅，是特務頭子貝利亞的被處決；第二次是前總理馬倫可夫之引咎辭職；第三次是莫洛托夫之被免除外長職。這次呢，不僅免除了馬倫可夫，莫洛托夫、卡岡諾維奇和謝皮洛夫等人的最高蘇維埃主席團的委員職，並且連他們的政府職務亦被免除。換言之，史派的殘餘份子，現已連根拔起！

到底是狄托眼光遠大抑或是赫魯曉夫討好狄托呢？姑勿置論，但赫魯曉夫企圖拉攏狄托和其他附庸國，以及提高朱可夫的政治地位，却是事實。由於朱可夫是紅軍領袖，這次獲得列名中央委員會主席團，乃顯示赫魯曉夫已獲得紅軍支持。

同時朱可夫於本（七）月五日也在蘇俄紅星報指摘馬倫可夫、莫洛托夫，卡岡諾維奇及附從的謝皮洛夫等背黨，並強調予赫魯曉夫以軍事支持。

曾被史達林冷藏七年

朱可夫之支持赫魯曉夫，據說，因爲他與史達林有一段錯綜複雜的故事。朱可夫在第二次世界大戰中保衛莫斯科，列寧格勒的戰役，與及最後統率俄軍進攻柏林之役中，迭建奇功，曾經譽爲「紅軍的英雄」，聲譽甚高；可是却引起史達林的嫉視，被當做一個潛伏的敵人，于一九四六年四月由駐德佔領軍司令，被貶謫到奧德薩去擔任不重要的軍區司令。這樣冷藏了七年，直至一九五三年三月，史達林斃後，朱可夫重獲擢拔。

在馬倫可夫任總理時，朱可夫出任副國防部長，一般人相信他是馬倫可夫最重要的支持者之一，其實他是反史達林派的。當貝利亞被[illegible]從此以後，秘密警察的[illegible]地位也逐漸被陸軍奪取了。

被拉攏的兩個原因

然則朱可夫這次爲甚麼反而被列爲中央主席團呢？這可能有如下兩個原因：第一、赫魯曉夫認爲在自己的[illegible]的支持。[illegible]

二、赫魯曉夫之拉攏朱可夫，只是想利用他在陸軍和人民中的地位，無意讓他獲得實際的權力。[illegible]林主義者會以爲他們能使朱可夫[illegible]地。不過，朱可夫已經一再證明他是一個[illegible]獨立的人。

[illegible]夫便將擁有擬訂政策的權力，而陸軍却是不願被牽入一場不需要的戰爭的，可是除非赫魯曉夫能夠施行離間陸軍陷於分裂，要不然，也[illegible]

他會讓赫氏獨裁嗎？

朱可夫現年六十二歲，出於農家，[illegible]先當一家皮貨店的學徒，第一次大戰時，他被征召入伍，服役二年，其後他參加紅軍[illegible]又加入紅軍騎兵部隊[illegible]一九三六年，[illegible]西班牙[illegible]第二次世界大戰開始，朱可夫的聲名隨之顯赫。一九三九年在西伯利亞紅軍參謀長任內，[illegible]一九四一年六月廿四日德俄戰爭爆發，朱可夫與提摩盛科將軍，分任中南兩區的指揮[illegible]

[illegible]赫魯曉夫是不是會從[illegible]變成一個[illegible]獨裁者，那恐怕要等下一場的鬥爭與整肅了。

西藏是我國的領土呀！

——杜爾斯演詞中的漏洞

・顏澤滋・

記得一九[illegible]年八月，美國在日內瓦開始與中共談判釋俘問題時，自由世界有識人士，多表示反對。同年九月二十二日，美國國務卿杜爾斯，因向世界再度提出保證，美國和中共的談判，將不牽涉到第三者，特別是中華民國的利益。其演講辭中，曾有單獨指出匪幫強佔了西藏的語句。本年六月廿八日，杜卿在舊金山國際獅子會演說「重申美國對中共立場不變」時，又謂：「中共曾在韓國對聯合國作戰，曾支持越、棉、寮境內的共黨，曾以武力攫取西藏，曾煽動菲律賓境內共黨虎克的叛亂與馬來亞共黨的騷亂……」及謂：「一個政權在七年之中，已發動五次對外戰爭——韓國、越南、西藏、菲律賓及馬來亞……」照上面的敍述，杜爾斯對西藏是我中華民國的領土一點，似乎還沒有弄清楚。

查西藏爲我國領土載在史乘，由來已久，盡人皆知，不待辭費。（中略）

在上次杜爾斯演辭中有單獨指出中共強佔西藏之語句後，第一屆國民大會代表全國聯誼會，曾電我外交部請注意糾正，以免使人誤會西藏非我國之領土了。

茲者事隔將近二年，此次杜卿在舊金山對國際獅子會發表的演辭，雖多精到深刻之論調與斬截之主張，確能認識中共的真面目，值得人讚揚；但講詞中提及西藏問題時，仍把西藏與韓國、越、棉、菲、馬相提並論；所稱「中共發動對外戰爭五次」，包括對西藏在內，對此迄今似仍誤會不清，令人遺憾。

六月二十八日杜卿演詞全文發表後，我外交部[illegible]，對杜氏演詞[illegible]係爲我國領土[illegible]未予說明，亦令人[illegible]外交當局及國人注意及之，告訴外人西藏是我中華民國的領土呀！

假如我是杜爾斯

（上接第一版）

・伍憲子・

第三、當加強民主國際組織，以實行解放鐵幕，此事不能以空言善待，必須以實力爭取主動，[illegible]以上三者[illegible]只有如此……一切都是空言。假如我是杜爾斯，我說只有如此，事實上亦不能不如此。

四、

我還要作一結論，我向杜卿進獻，我不是專與杜卿爲難。回憶兩個月前，即四月廿二日，杜卿在美聯社周年大會中，發表一篇講演[illegible]

專論

樹立：世界一家之法學思想

二三十年前，美國龐德博士倡社會主義法學學說，使法學思潮步入一新境界。但衡以近十年來世界局勢演變之程度，龐氏學說，已不足以應時代之需要。而應樹立「世界一家之法學思想」（The Thought of Law on One World）以代之。茲申管見，試正碩學。

社會主義法學認爲一切立法，應以維護社會大衆利益爲基本觀點。在立意上誠有其正確性，而無可非議。但「社會」二字含義，究無明確之範疇；尤以「社會主義」一詞，在民主國家與極權國家，又各有其想境與解釋。法學爲含有要求極高度公平性與確切性之本質之社會科學，不應以界限不清之概念，作爲思想之依附，而致流于游移空疏。且法律係人類行爲之規範。其保護之對象，爲人類社會中之公序良俗及個人或各個人集體之正當利益。絕無犧牲少數或一方、作爲工具或手段，藉以維護多數或他方之性質（倘有此情形者，係屬立法技術幼稚所致，而非法律之本質如此）。法律之作用，在于「衡平」。司法案件中之受害者，不僅爲受害之個體，即受害之國家公權及公序良俗，或人類社會之公平原則，亦均包含在內。故必須對于每一案件中之有關各方面，恰如其分，方始適合法律準則性。稍失其「平」，即乖法律之本質所關，亦其價值之所在，而爲司法精神之所依附者。

今日世界中，人類關係，日趨密邇，原有國際私法之型態（國際私法，亦名法律之衝突），不僅與時代需要扞格不入，反爲引致國際糾紛之因素。法律本質，既以保護人類社會中之每一個體爲其要素，即具有超越人爲藩籬之力量。擴展較小範圍（國家）內保護個體之公平作用，使成爲世界一家中各個體之公平保護作用，不僅於法律本質並無變更，反使法律精蘊能作進一步之發揚。基於時代趨勢之迫切需要，「世界一家之法學思想」必須先行樹立，期能逐漸影響各國立法之褊狹觀點，而減低各國法律間之衝突性。

法學思想，爲立法觀點先導，亦司法精神之骨幹。去年倫敦國際法界會議所建議之「聯合國設立立法院與司法院」兩點，一俟此「世界一家之法學思想」形成，即將成爲當然而易舉之事矣。

．丁懿安．

「民主櫥窗」下的學校問題

學生由六萬人增至近四十萬人　此外還有「黑市學生」「走鬼學生」

．祝修衡．

在倫敦對于香港是否「維持獨裁」問題一度激辯中，殖民大臣曾以「無數人脫離獨裁，去在香港謀生」，作爲他否認香港「維持獨裁」的辯護。不錯，香港號稱「民主櫥窗」，光復以來，從未有人說「香港人在獨裁制度下生活」。特別是中國大陸陷共以後，幾乎使置身共黨奴役下的大陸人民，沒有不把它當作一「天堂」而嚮往的。

香港畢竟是「民主櫥窗」，「櫥窗」的含義雖是「衆觀」，可是這裏的有限度的民主政制與社會的安定情況，已非英國所有其他殖民地可比擬的了。

在這個「櫥窗」下，人們討論一些問題是比較現實的，態度也是溫和的。譬如下面有關學校的問題。

（一）學生保健制度，這制度歷史雖然很短，予人印象極深，此係參照英國保健計劃而來，自始就規定收費（可能係受了前工黨政府衛生部長貝萬（左派領袖），主張假牙收費影響），經過幾年來的考驗，參加保健學生並不踴躍；如果不是無力負擔，學生家長們，不致忍令他們子女不受健康保障。爲了這一問題，筆者曾就詢若干市政局議員。據說，學生保健收費辦法是不好的。但市政局議員對此只歎「無能爲力」，只希望於教育司能夠減收半數，相信必能普及。年來學生人數大增，健康要求更感迫切，可是參加保健學生，包括大多數教員在內尚不足三分之一。教育當局假如不太健忘，總還記得月前港九各校，學生健康檢查紀錄，約佔三分之二學生需要緊急就診。沒有保健計劃，原亦無可厚非，既有而無力參加者，不無抱怨當局。爲德不卒，教育司是不能忽視的。

（二）根據一九五六年度統計數字，香港官立、補助、津貼、私校以及特別班，已有一千二百間；學生就讀人數，已增至三十九萬八千六百零九名；教員一萬二千四百五十人。一九四六年的統計數字學生祇有六萬名。比對之下怎不令人咋舌？但是前項學生數字僅屬實際有籍學生，並不包括「黑市學生」、「走鬼學生」在內。後者毋寧是香港教育界的弊病。誰也知道：「黑市學生」、「走鬼學生」已成公開秘密所謂「黑市學生」係指一般假「識字班」爲名的無牌學校；「走鬼學生」係私校超額學生，他們只消聞聽「視學官已到」，校長一聲「走鬼」！超額學生迅即退堂（出課堂）而飛（登天台）而歸。這種欺蒙瞞騙的積弊，法雖不容，情實可恕。

年來兒童犯罪與日激增，癥結所在，厥爲失學衆多。如果教育界人士果於成例，峻拒額外學生，失學兒童數字既大量增加，兒童法庭顯將人滿爲患。因此，各校均應盡可能放寬學額，期能充分容納學齡兒童。近據私立中學校聯會致函教育司表示，教育司方面應放寬學額問題，作應運措施討論，可能視學校建築、光線、空氣、消防設備等條件充分考慮放寬學額。

（三）每屆學年終了，不論公私立學校，照例以各種康樂活動表演以娛師、賓。他們大多數熱中話劇。幾年來，香港適合於青年、兒童演出的劇本實在太少。去年香港教育司曾由一大出版社公開徵稿，據說收稿數量雖然不太多，出版也不困難，但審查却已逾半年，何時問世杳無音訊。就目前各校編演劇本荒唐情形看來，適合學生演出的劇本，似乎頗隨各校師生學渴待進步，儘管若干學校已着手編寫趣劇，諸如庸俗不堪的「鬼教你做老豆」這樣劇名，不管劇情如何，可以相信它絕無教育意義。就這幾件事看，「民主櫥窗」下可見還有其他類似的問題是令人感到不如意的。

請看看

日本公務員的待遇

（本報東京航訊）日本人事院業於本年四月間完成了全國公教人員加薪的目的。自是月起，平均每月得加薪津計日幣一千二百四十元上下。它的特點是把薪給制予以簡化，由原來十五級的俸給制改爲八等級，並凡把六、九、十二個月升級期限劃爲十二個月，職務方面分爲一般行政職，技能職，研究職，醫務職等。

在這裏我要特別提出日本公教人員升級期限一事，就是說把以前六個月、九個月十二個月升級的期限，一律改爲作滿十二個月，日本公教人員沒有考績這回事，只要在職滿十二個月就可晉一級，一年一定是發兩次獎金的（每逢年中和年終），並且由各級長官喜怒評分和人事單位筆桿搖搖，任意加減，然後再由銓敘部細審慢查一拖經年，要待到次年六月以後才能發表考績。

日本的公務員只要安分守己的幹，一級一級的往上爬是決無問題的；假如在職期間無特殊功績，對晉級並無影響，只是將來永遠難得出頭，只能庸庸碌碌做個事務人員，沒有做單位負責人的機會。但是，日本公務員還有最大的期望，就是那一筆數目龐大的退職金，日本公務員凡是到了退休年齡時一定退休的，退職金則足夠晚年生活有餘的，即以一位警員來說，也可以拿到日幣二百萬元上下的退職金；上月日本某縣副縣長被解職，他在職六年，四年爲一任，第一任時的退職金爲日幣六百萬元，第二任雖幹了一半，據說第二任的退職金仍可到手六百萬元，所以這位副縣長不僅不因丟官發慌，相反却撈了一筆財，這樣退職金就可作他下屆競選的費用而有餘了。這樣的制度就是日本公務員的保障。其實日本的任何公私營機構，預算裏一定要把一年兩度的獎金及應退職人員的退職金列入的。筆者有一日友，他今年才二十二歲，他算他自己可以幹三十三年，（五十五歲爲退休年齡），他說他只要好好幹下去，到五十五歲那年就可到手二百餘萬元的退職金，（按日本官價每三百六十日元折合美金一元）。

因此，我們不能不想到，我國現日仍在搞什麼職務分類，什麼任用法，考績法，却不從如何保障公務員的途徑去做，去研究；當然還有很多人尚不足以維持夠水準的生活呢！余欲無言，難矣哉！公務員。

（觀　七月二日寄）

香港教育問題

人的教育（中）

．何世明．

四、理性與心性之外「人」的教育必須注意的爲德性教育。理性教育在解答是非，心性教育在解答美醜。德性教育則在解答善惡。中國的傳統教育精神，以德性教育爲全部教育的重心。「大學之道，在明明德，」「明明德」即德性教育。論語：「弟子入則孝，出則弟，謹而信，汎愛衆，而親仁，行有餘力，則以學文」。可見中國古代的教育精神，實以德性居首。今日的「通才」「專才」教育以學問知識爲中心的教育，實居次要的地位。故中國自古對教育的見解，總是先教人作一個善人，然後教人作一個能人。這是中國傳統教育精神最偉大的地方。現在談「人」的教育，是應該特別加以注意的。

如何實施德性教育呢？理性教育所答覆的，是是非問題，偏重客觀，是冷靜的。心性教育所答覆的是美醜問題，是偏重主觀的，是熱情的。德性教育所答覆的是善惡問題，是客觀主觀兩者並重；冷靜熱情雙方兼顧的。故德性教育是理性教育與心性教育之總和，道德固然是一種思想，一種見解，但道德也是一種感情，一種感覺。孔子主仁，孟子主義，仁不免略偏感情，義不免較重理智。儒者仁義並稱，便是心理二性，兩不偏廢。而其最大的德目，則爲禮樂。禮所以納人於正軌，樂則所以感人於無形。儒家用於達到仁義最高道德標準的方法，是理性感情，兩不偏廢的。

有些人以爲孔子是一個終日板起面孔，不苟言笑的道學先生。實際他對於以藝術生活陶冶學生的德性，也是十分重視的。他的教育，禮樂並重，同時注意詩教，即其明證。他的弟子曾皙對他言志，自說，「春服既成，冠者五六人，童子六七人，浴乎沂，風乎舞雩，詠而歸。」孔子喟然歎曰：「吾與點也。」可見孔子如何注意利用情感教育的方法，以達到陶冶德性教育的目的。

西洋古代教育，也是這樣的。希臘古哲蘇格拉底，既重視書數知識的攻習，更重視詩歌音樂訓練，故西洋古代教育，也是心性理性和德性三者並重的。

樂經的失傳，是中國文化教育的一個大損失。惟發揚德性的精神，始終是中國數千年教育史的大主流。中國繪畫的成就，冶德性與美感於一爐，在世界藝壇上允稱獨步。對中國歷代儒者的品格陶融，貢獻甚大。

歐西技術文明興起以後，本爲西洋德性教育主要力量的宗教影響，已漸趨黯淡。末流所趨，整個西洋文化有和人類良善德性漸趨脫節的危險。但根基深厚的基督教信仰，仍然是西歐社會德性教育的擎天一柱。所以西洋社會的道德藩籬，一時還不至全部傾塌。可惜我們中國，一方面雖接受了西洋技術文明，一方面並不接受他們的宗教信仰。對於自己家傳尊德性的傳統精神，却不管好壞，要概加屏棄。於是道德藩籬，且盡撤，一向尊德性的教育精神，在功利主義和實用主義的無情打擊之下，幾已完全消滅了。

結果，我們的教育園地中，尊賢敬老的精神消失了，尊師重道的精神消失了，敬業樂羣的精神消失了，忠厚仁愛的精神也消失了。學生精神上的領導，只有富貴功名，文憑積分。於是人與人之間的關係，完全建築在互相利用的功利基礎上。口裏儘管救世救人，心中却是自私自利。再加以黃色刊物泛濫，宣傳文學橫行，於是學生的純潔無瑕心靈，弄到幾無一片乾淨土。

由此表現於私人生活的，便是牛仔舞，亞飛舞一類下流性感藝術，淫蕩野蠻的搖曳爵士音樂。幾乎成了許多青年學生不可須臾或離的「藝術」。表現於社會生活的，便是閒居終日，無惡不作的亞飛型浪子不絕產生。其尤甚的，弒父殺母竟謂之大義滅親，辱師賣友竟稱之爲革命前進，詭詐誇爲聰明，謊話成爲坦白。是非顛倒，黑白不分，德性教育已蕩然無存了。凡稍有良知，略具正義的人，對此日趨墮落的青年，到底作何感想呢？（未完）

宗孝忱教授來函照刊

編輯先生著席：頃閱七月六日貴報「一頁新儒林外史」一幕諧劇欄內，載鄙人嘲罵大鵬李辰冬並且有「揪住領帶」，「我要揍你」之語，完全與事實不符。鄙人酒後談及李辰冬再三評論陳含光之詩，鄙人指摘錯誤，有失學者虛己下人推崇前輩之風度。鄙人僅作正義批評，與陳李皆無德怨，當時中餐席次李與鄙人相隔數席，豈有拉住領帶之事，並未談到教授不教授，更無或到「我要揍你」之語。且李早散去，劉校長未到，學生陳修武未出一聲。希即更正，以明眞相。即頌

著安

宗孝忱敬啓（七月七日）

歡迎會上的一幕

紐約通訊

（紐約航訊）前美洲日報主筆梁際泰氏，因發表有關和談文字，引起糾紛，經過已見各報記載，現梁氏已脫離美洲日報，仍任紐約中華公所主席，該項職務，須待明年三月始告屆滿。

最近僑務委員會委員長鄭彥棻訪美到紐約，紐約中國國民黨支部開會歡迎，梁際泰氏亦到會，當時若干黨員表示不滿，聲言要梁退出，空氣甚爲緊張，鄭氏出面勸導，略言梁際泰雖受停止黨權處分，並非開除黨籍，參加歡迎會，乃屬黨員義務，並非權利。惟反對者始終堅持，勢成僵局，後出僑領梅友卓從中調解，囑梁先退，歡迎會始能進行，散會後，黨部繼續舉行座談會，發言攻擊梁氏者仍多，發言龐雜，且有詞及鄭氏者，鄭亦頗感爲難，座談會直至夜間十時半始散會，紐約僑務黨務之複雜困難，於此可見一斑矣。

（七月一日寄自紐約）　文波

自由談

主從之間的矛盾

當中共爲首毛澤東大談其「人民內部矛盾」問題之際，俄共頭目赫魯雪夫卻聲稱蘇俄的人民內部，並無矛盾問題存在。

毛共盛讚農業合社的優越性，主張徹底實行「統銷統購」政策，且舉出河北省的「王國藩合作社」爲例，說是農民家家都有餘糧，以證明其政策的正確有效。然俄共赫魯雪夫又主張對集體農場的管制要放鬆，准許農民保有其勞動所獲的剩餘物。

毛共正在大張旗鼓，殺氣騰天的撻伐「右派份子」，繼爲「反黨集團」，而俄共馬倫科夫等人，卻因爲指斥赫魯雪夫爲「右派份子」，反被鬥倒，扣上「反黨集團」的帽子了。

毛共的一言一行，一舉一動，都是以「蘇聯老大哥的先進經驗」爲楷模的。現在發生上述一系列的「社會主義國家間」的矛盾現象——而且是主子與兒皇帝之間，含有對抗性的矛盾問題，豈不大爲狼狽嗎？

共產黨專是教別人要搞通思想，要無條件地承認「社會主義建設事業」的正確性。可是，宗主與附庸政權的社會主義思想，即有如此混亂的情形，這教「非黨人士」的思想，如何搞得通呢？搞不通，當然就不能接受，就要反對，「北京大學」學生譚天榮即指出毛共「再論無產階級專政的歷史經驗」一文，完全是唯心主義的路線，是以思維變更存在的玩藝。再看看中俄共酋的矛盾混亂思想與作風，更把共黨的西洋鏡戳穿了。

我認爲毛澤東目前最寢饋難安的事，並不是「右派份子的反黨集團」，而是這種主從之間的思想矛盾，無法統一。將來訪問波蘭，朝覲克里姆林宮的時候，何詞以自解呢？這是共產世界崩潰的前奏曲，距離它們大出喪的時間不遠了！

馬五先生

閒談

慢性自殺

‧寒士‧

在台北街頭，你可以碰到一些胸前掛着硬紙牌，一手提着一串既大又肥的死老鼠，一手握着傳單的賣殺鼠藥的推銷員。只要你稍一佇足瞧那些死老鼠一眼，那人便會迎上前來，舉起手中的戰利品，採取心理作戰方法，向你大肆宣傳，兜售一種美其名曰殺鼠新藥——「滅鼠靈」，這實在是一種新興事業。

老鼠原是最使人討厭的一種小動物，因爲牠狡黠多詐，所以多少年來人們對牠已絞盡腦汁，用盡心計，然而卻不能收到趕盡殺絕之功，因此仇恨愈來愈深。現在看到「滅鼠靈」的宣傳說明，姑勿說其實際效力如何，至少在人們自認爲是萬物之靈，對此妖魔小醜，畢竟難逃如來佛手掌的一種優越感，已達到其藥品推銷的心理影響。

那說明書上是這樣寫的：「……本藥無味，加配鼠類嗜好之食料，能使秉性狡猾之鼠類毫無戒心，爭羅競食，且食後成癮，有非吃不可之特點……鼠類食後三天——七天即漸起內出血症，視力衰退，全身燥熱，必離險暗窩穴，奔向水溝而斃……」試想，這種使老鼠自己上鈎而不自覺，終於走上慢性自殺的一途，比之於用老鼠籠，老鼠夾，是多麼自然方便而令人滿意。

我很佩服這位美國發明家，他竟能運用了這種「慢性自殺」的原理，利用某種毒品來對付狡黠的老鼠。可是，我猜想他之所以能觸起這一發明的靈感，說不定是在抽一根烟，或是喝一杯酒的時候；甚至是對於人類用鴉片烟來戕害自己同類的方法上而得來的。因爲人類本身有時即在慢性自殺中生活，或是在製造種種慢性自殺事件；小而至於吸烟、喝酒、吸毒品，大而至於和共產集團侵略者謀取和平共處等等。

有人或許要說，吸烟喝酒，自有其一種樂趣，何能列爲慢性自殺，然而，樂趣固然有，但看到一些醫學家提出的報告，證明了肺癌、胃癌……等病症與烟酒之有重大關聯，就很難不令人觸目驚心。

近一年來，台灣連續發生有毒性的醬油防腐劑，糖菓等食用色素，以及燃燒生煤等，均是人類自己造成慢性殺害人類自己的事實；當報紙揭發了這些實情後，誰人不感到惴惴自危，大駡商人利令智昏，草菅人命呢？

但是，可驚奇的卻是那批商人們雖然供給了無數的罪劑；那些負有檢驗責任的官吏，更沒有受到失責的處分，就那麼雲淡風清的過去了。

至於政府禁止燃燒生煤，保護人民生命安全，原本是天經地義的事情，而竟有一些代表人民的議員，卻公開在省議會上發言反對，據說他是爲了代表煤商說話，同時又大力提倡煤烟過濾器，結果，竟然被通過了開放燃燒生煤。這是贊成「慢性自殺」政策的一例。這種慢性自殺之法，居然由代表人民的議員們倡主張，噫，此乃人之所爲萬物之靈歟！

隨筆

小巷

‧戈北指‧

「熱散由心靜，涼生爲室空。」

我的住處，是在一條寬不滿丈的小巷裏。小巷兩邊，長着兩排高大的椰子樹，濃密的葉片，把小巷掩蔽成一條綠色的走廊。牽牛花繞着圍牆，綻開一朵一朵的花朵，從墨綠中伸出頭來，像一支支的小喇叭。清晨，陽光乍現，那些漂亮的花朵，張着小嘴，含笑迎人，煞是可愛。

每天一早，我拉開窗，滿室綠色，連人和衣襟都是綠的。在這綠色的氛圍中，人顯得年青而有朝氣，心緒也特別的舒適與寧靜，讀書寫作，自覺無求心自閒。

住在這條小巷的人，多半是靠薪俸過生活的公教人員，沒有達官貴人，沒有富商巨賈，因而沒有車馬的喧擾，靜得像深山的一角，使你忘記這是[illegible]的都市裏。晚上，小巷裏行人不多，我總愛搬張籐椅坐在巷邊的綠蔭底下，[illegible]

[illegible]

「北大金剛」周炳琳

胡錦華

[illegible]

中篇小說

海上學校

趙師蕃

歌聲仍然斷斷續續地飄過來。這歌聲掛在人家的嘴邊上時，雖是快樂的；但一鑽進杜宇的耳朵，卻帶有哀婉淒涼的意味。[illegible]

「唉，這是我最大的心願，」她微喟着，將身子依偎在貝比的胸前。「我以爲教育不應當僅止於黑板作業，傳道授業，或者變化氣質等等；這些都有點近於空話。最要緊的是改變環境，改造社會，不然，我們所花的心血，恐怕是徒勞無功的！」

「有什麼辦法去改變這個環境呢？」他吻了吻她那飄拂着的秀髮。

「事在人爲，辦法是人想出來的，是嗎？」

「我一時觸住了，倒的沒有想通，」他溫柔地低語着。「不過，在改變環境上，我不獨同情你的主張，並且堅決擁護。」

「那就好了，貝比。」她將熱烘烘的臉蛋，挨貼着她，「改變環境也不是一天兩天的事，它是由一點一滴積累而的。[illegible]」

[illegible]

——第七章完——

（卅四）

自由人

THE FREEMAN

（第六四六期）

中華民國僑務委員會
頒發登記證台教新字第一零二號
中華郵政台字第五○○號
執照登記爲第一類新聞紙類
（半週刊每星期三、六出版）

每份港幣壹毫
台北市售價台幣壹元

督印人：陳文華
地址：香港高士威道二十號四樓
20 CAUSEWAY RD. 3RD. FL. HONG KONG
TEL. 771726

承印者：東南印務出版社
地址：高士打道六十四號
台灣總經理處
台北市西寧南路壹壹零號二樓
電話：四七三四六
台郵劃撥儲金戶九二五二
海外總經銷：友聯書報發行公司
香港：德輔道中二十六號A二樓

大陸反共的新形勢

•鄭竹章•

中共由「鳴放」運動所引起的政治危機，使大陸上統治集團發生嚴重的分化，而統治階級與被統治階級的對立，亦因此，進入一新階段。今天毛澤東正面臨其統治大陸以來最困難的局面，這是我們展開政治反攻的最佳時機，決不能輕易放過。

統一戰綫破產

中共的奪取政權及鞏固政權，統一戰綫的運用乃共主要策略之一。一九四五年以來的統一戰綫，最低限度使中共達成三項目的：一、是由於附庸黨派的合作，使國民黨陷於孤立；二、是透過附庸黨派來攏絡知識份子及資產階級；三、是藉附庸黨派來加强對外的宣傳攻勢與政治滲透。沒有統一戰綫的運用，中共在一九四九年的奪取政權決不會如此順利，而近七年來的所謂社會主義改造及工業化，亦將事倍而功半。

今天大陸上的附庸黨派，雖然無權無兵，正如許德珩所說，乃在「無病延年」。但附庸黨派手內仍有二張王牌：一是大陸的高級知識份子；二、是海外的若干組織。中共在完成資產階級改造後，而仍聲稱要同附庸黨派「長期共存，互相監督」，除了利用這一幌子向台灣發動和談攻勢外，主要即是考慮到這些附庸黨派，仍有其政治上的使用價值。

這次毛澤東的發動鳴放，原定的計劃祇是在學術及文藝上，稍爲放鬆胡風所說的「五把刀子」，並未料到附庸黨派竟然打蛇隨棍上，向中共的要害進攻。附庸黨派的所以敢於批逆鱗、捋虎鬚，一是匈牙利以後共產集團內部的混亂狀態，使他們摸清了共黨的底；二是認爲中共在現階段，仍須要附庸黨派的合作。再加上毛澤東「言者無罪」的詔書，因而實行假戲眞做，由章羅的帶頭鳴放，以至儲安平、葛佩琦、楊玉清、陳新桂、王德周、龍雲、黃紹竑等的大放大鳴，才使中共統治集團驚惶失措，一方面趕快結束統戰座談會，一方面下令進行反擊。

從六月十日「人民日報」開始反擊，到七月十日這一個月中，大陸的政治形勢緊張到極點。爲了打擊右派，中共同時採取了二種策略：一、是發動潛伏各附庸黨派內部的中共份子如史良、朱學範、鄧初民等，來揭穿章羅等的底子，把他們在過去二十年來的舊帳一一翻出，以便扣上「一貫反黨反革命」的帽子；二是佔領右派言論機關的「光明日報」及上海「文滙報」，使他們沒有鳴放的地盤。這一全面圍剿運動，雖迫使章羅等公開叩頭求饒，但中共與附庸黨及高級智識份子在過去十年間所保持的合作，至此已澈底破綻，而所謂統一戰綫，亦已名存實亡。

統一戰綫在實質上的解體，不但使中共在政治上開始陷於孤立，而且附庸黨派及知識份子，已由中共的聯盟者變爲潛在的敵對者。[illegible]

學潮如火如荼

比統一戰綫破產更嚴重的問題是，大陸大專學生反共情緒的白熱化，學潮已在北大、復旦、南開等大學局部發生，而有全面迸發的趨勢。

據六月廿八日「人民日報」的報導：[illegible]

天才（北大物理系四年級學生）發表「一株毒草」的文章，指斥馬克思主義從一八九五年起就開始走向自身的反面，[illegible]

[illegible]能壯烈演出，但大陸學生反共情緒業已無法抑制，直到目前爲止，中共雖動員各地黨團員向所謂「右派」學生反擊，仍無法使他們屈服。從六月下旬起，北平、天津、上海等地高校，不得不假學習毛澤東講話爲名，下令停課，以便部署幹部，收拾殘局。但狂瀾既起，平息已無可能。中共一向以青年學生爲鬥爭的工具，而目前大陸的智識青年，正是反共巨流的先鋒隊。這是中共政治戰線上全面潰敗的開始，亦是大陸上反共鬥爭的一重要的轉變。

下級幹部動搖

除附庸黨派及知識份子的奮起反抗外，中共中下級幹部，[illegible]對民衆更步步[illegible]。據最近由大陸來人報導：共幹深恐一旦匈牙利式革命爆發，他們將首當其衝，因而對中共政令的推行，已採取敷衍塞責。特別是人民的逃出大陸，更採取縱容態度，因而最近廣州批准出口者竟達四萬餘人。而中山縣境共軍民兵，最近更不斷發生協助農民逃亡事件。

在大陸各地農村中，民心亦普遍浮動，據廣州「南方日報」報導，中共廣東省政府參事室副主任羅翼羣六月十六日在興甯發表反共言論後。「興甯全縣的反共活動即立刻活躍起來。到處盛傳國軍已登陸汕頭，廣州已被國軍飛機炸爛。」從這一段報導中，可窺見大陸農村中人心浮動的一斑。

政治反攻的良機

綜合上述的分析，中共政權，從上層統一戰綫以至下級統治，都已呈現崩潰的趨勢。再加上大陸的反共怒潮，大陸已在全面激變中，匈牙利革命所具備的條件，大陸上無一不存在。這是一九五〇年中共介入韓戰以來，在政治上所面臨的最嚴重的危機。

這一新形勢的來臨，一方面更堅定我們反攻復國的信心，同時亦給自由中國及海外的自由人士帶來了一個莊嚴的任務，這個任務要求我們對大陸情勢重新作縝密的估計。同時立即展開政治上的反攻！

—七月十日脫稿—

半週述評

猴兒戲散場了

中共爲圍剿「右派份子」而召集的「人代會」，已告收場了。這一幕猴兒戲的表演情形，[illegible]是把中國人的臉面丟盡，把中華民族的人格蹧蹋完了！

經過這次鬧劇，毛共集團得到了[illegible]一是[illegible]家封爵，鬥爭地[illegible]對付知識份子，[illegible]，揭穿別人的私[illegible]「十年同居之愛」[illegible]過歐爾和司徒[illegible]誘迫章伯鈞、儲[illegible]父，稱父親爲「先生」[illegible]爲莫大的侮辱」！而「人民日報」且公然承認「爭鳴、齊放」之說，是共黨預爲佈置的陷阱。古今萬國幾曾見有這種地痞流氓性質的政府？又那有這種下流的統治方法呢？

這一切是大陸上大多數人民的反共抗暴情緒，已到飽和點，快要趨入爆炸階段了，致令毛共寢息不可終日，急求彌縫敷衍，手忙腳亂，無所擇。因而不分青紅皂白地只顧制止「反黨反社會主義」的「人民內部矛盾」擴大，卻不敢對右派份子採取血腥的鎮壓政策，藉「人代會」來對右派份子施行「疲勞轟炸」的精神威脅，但期右派份子低頭認錯了事。

中共對這場猴兒戲，是用盡了心機，費盡了氣力，但問題依然原封未動，而且更將增進社會大衆反共心情的廣度與深度。因爲右派份子紛紛指出的「黨天下」事實俱在，共黨始終無詞以答，向胡扯瞞而已。雪亮的人民的眼睛，看得清楚。這種對抗性的「人民內部矛盾」，豈是幾個被迫認錯之右派份子的空言所能消弭嗎？

知識份子的挑戰

旅居美國的張君勱先生，對中共發出挑戰性的質問，中共敢不敢讓那般右派份子走出中立地帶來，實行「爭鳴、齊放」一下？其言甚壯，其理甚直，可惜中共是不敢招架的。共黨對於一個普通老百姓，且不敢讓他們走出非共區域，以防洩底現醜，何況知識份子？更何況視爲有敵意的右派份子呢？共產黨如果能够揭開一下鐵幕，那就不算是眞正的俄式共產主義者了。不過，張先生若爲此問題而對中共寫出一封公開信，倒是很有意義的事，至少將使毛共集團惶惶不安，深感慚愧啊！

另一個致中共的公開信

近來另有旅居美國的中國知識份子吳尚鷹，也在報上發表致中共的公開信。可是，內容並非挑戰，而是乞降。他對中共的態度，嬌媚有致，撒嬌多情，除了表彰自己是個「中立」人物，抱有前進思想，奄有政治與社會地位之外，只希望中共不要向蘇聯一面倒，其他皆無問題。他寫這篇公開信的目的，似乎是在暗示毛澤東一種志願：即要求毛爵設法給他以「光榮」歸降的機會。這樣的「鳴放」，實比章伯鈞、羅隆基、章乃器之流，高下相去遠不可以道理計，祇可與沈鈞儒、王芸生輩，媲美爭輝而已。

張先生源於反共的思想體系，要以公開信向中共挑戰論難；吳某則以媚共的心情，藉公開信來搔首弄姿。上帝歸上帝，撒但歸撒但，此時此刻，確係一幅值得欣賞的靈圖啊！

•雷嘯岑•

反史是一個騙局

•瓦斯•

據合衆社莫斯科消息，此次被整肅的主角莫洛托夫將降爲外交部「政治專家」，卡岡諾維奇降任一家建築材料廠的經理，謝比洛夫改任經濟教授，馬倫可夫將被放逐到距莫斯科二千里外爲一九二八年托洛斯基充軍地的卡薩斯坦去充當水電廠的廠長。他們暫時不致如上次貝里亞的被戮，據稱是蘇聯已從史太林式的鬥爭改用了列寧式。

其實，反史是騙人的，赫魯曉夫成爲史太林第二才是眞。

一九五五年二月當馬倫可夫第一次被整肅時，赫魯曉夫早就有此企圖，不過格于其時敵對勢力不易清除，才喊出「由個人獨裁到集體領導」的口號。那局面，自然是過渡性質的。其所以經兩年餘角鬥而赫魯曉夫勢力不倒者，祇可看爲赫魯曉夫手腕較勝一籌。因此，此次整肅，只是上次整肅局勢的延長而已。

赫魯曉夫能從此成爲史太林第二嗎？

一九五三年六月的整肅，赫魯曉夫合而殺了貝里亞，把格別烏的勢力從軍隊裏撤出去，今次呢，赫魯曉夫更把軍隊勢力進一步帶上了政治舞台；不論朱可夫將否兼任總理，也打破以黨政控制軍隊的傳統，形成共產制度下的獨裁者依附軍人以維持政權的局面。

這仍是一個過渡的「集體領導」的殘延局面，不過換成赫魯曉夫與朱可夫兩巨頭而已——因爲布爾加寧伏羅希洛夫輩也岌岌不保了。這個局勢能否維持像上次期間那麼長，尚很難說，不過下一次的肅整，又孕育在這一次的肅整中，是可以預言的。

有人不同意這看法，以爲這次整肅，不能純粹看作俄酋間的爭奪權力，而以爲是蘇聯外交政策的緩進派主張獲得勝利。這一種以民主政治的看法去看極權，是不大適當的。雖然赫派指摘「馬、莫、卡集團」的罪狀爲「反對緩和國際緊張局勢的政策」，是所謂「反黨政策」、「反赫魯曉夫」等等，其實都是「反赫魯曉夫」，不過是任何獨裁者在任何一次勝利時清除異己的一個對內宣傳理由，同時又是適應外交局勢一種對外宣傳姿態而已。

如同去年鞭尸一樣，反史祇是要把蘇聯一切罪惡推到史太林及所謂史派身上，這樣便可一石數鳥，使此次整肅來得振振有詞，使匈牙利革命後引起附庸國家的不滿消弭，使和平攻勢外交的宣傳收效。其實蘇式共產制度的本質，是萬變不離中心的，固無所謂列寧式或史太林式，馬倫可夫或赫魯曉夫式。

一九五三年三月馬倫可夫繼史大林登台之後，和今天一樣，國際上就聽到一種所謂「蘇聯要從史太林主義回到列寧主義去」的論調，稱馬倫可夫爲列寧最忠實信徒，認爲急激的史太林主義的時期不復再來；四年後的今天，赫魯曉夫卻把它打入史太林派去，其實俄酋莫不是對內高壓，對外侵略，不過時勢推移，史太林不得不做了共產主義進行中的擋箭牌，共產祭壇上的犧牲品。今之視昔，馬、莫、卡輩不過是繼史太林的厄運而已；後之視今，赫魯曉夫又安知不變爲史、馬、莫、卡輩之續呢？

如今所謂列寧路綫，如果只是意義着對內由恐怖轉向寬容，對外由侵略轉向和平共存，那麼，你相信這種戰略上一時的運用，會成爲共黨「國際革命」基本政策的改變嗎？

目前世人目光咸集于赫魯曉夫與朱可夫。

赫魯欲變成史太林第二，但他在鬥爭當中失去了史太林三十年來控制紅軍的法寶，使軍人突破黨與特工的控制，使朱可夫成爲一字併肩王。如果不否定獨裁者不能並存，集體領導終不可能，那麼，赫魯勢將無法控制紅軍，結果等于玩火自焚。獨裁精算獨裁，終究是極權統治的「惡性循環」而已。

所以赫魯的當權，也只能作爲一個過渡性質看，如果他的捷克及東歐各國之行與「撫」「整」政策失敗了，以及中共及其他附庸國內此發生風暴；這個過渡時期，恐更將縮短。但蘇聯對西方國家的和平攻勢必將加強。

俄酋「都是史太林主義者」（赫魯自己曾這樣說過），反史只是一個騙局，不過對內騙取國人對此次整肅的同情，對外騙取附庸國反抗情緒的緩和，尤其更要騙取西方國家對和平攻勢更多的迷惑而已。

高棉又來一套「棉化」案

有甚于「越化」與「菲化」案

喬靄雲

海外通訊

高棉總理施漢諾組閣纔個半月，便宣佈他將赴法治病。看來，這位（一九五四年）讓位其父的王子，是患了嚴重的政治病，在經濟危機嚴重聲中，打算一走了事。雖然，經濟上的困窘，並不是現在開始。

早在一九五一年已經存在了。當時他曾向全國人民許下諾言：三年內無法改善國民生活，誓必自動退位；經過三年實驗，證明他的能力，無法改善國民生活。他的父親蘇拉瑪里即位後，他作了一次環遊世界旅行。回國以後，使他已失的聲望重又拾回，以王子身份組織人民社會同盟黨。使國民議會七十七個議席一黨包辦。該時候，施漢諾揭示三大政綱：（一）促請政府維持中立；（二）肅清貪污官吏；（三）改善國民生活，反共的山吉內閣，在王子悉力杯葛下，卒於本年三月廿二日，內閣因預算而否決垮台。

施漢諾於四月八日受命組閣，不惜鞏握外交，更主持國家經濟計劃。他的政策雖然不獲西方國家歡迎，而全國人民對他仍寄厚望。可是，這位國家領袖，總然不致增加國家預算，繼管國會擁有全權，到底維護國人支持。於是，不能不將其私帑使用，勉強維持了個把月光景，到了五月間，他覺得再不想一點辦法，國際勢將更緊，隨着全國不安的情緒蔓延。

抄襲越南一套

於是，施漢諾抄襲了南越對華僑的一套，以「棉化」案收攬人心。五月廿五日開始，施漢諾宣佈禁止外僑經營十八種職業：稅關人員，船主及船舶代理人，情報人員及私家偵探，移民局職員，職業介紹所主持人，小型典當，軍火及軍用品，米糧業，收音機及零件商，印刷業，理髮店及理髮師，僱員，航員，金銀首飾、五金商、汽車、紡織工人、農林業等十八種行業，悉被解僱歇業。

「棉化」促成全國癱瘓

這樣措施甚於「越化」「菲化」的「棉化」案，在過去執行的一個月，使金邊陷入了癱瘓狀態，抑並不能扭轉其厄運。地方政府每天接受衆多人民投訴，諸如農民與華僑商人間的買賣契約不能履行等等，地方政府不勝其煩，而且亦無法合可以適循處理。這種不良後果，並非局部，影響所及，香港、泰國、菲律賓以及與高棉華商有往來的，亦都遭受深重打擊。金邊本來是東南亞一個著名吐納港口，一個月來已成爲意態消沉的死港了。

施漢諾一走了事

因此，這種嚴重情勢，絕非施漢諾一走了事，也許他想着赴法攻治，蒙是甚麼散佈謠言，企圖攪和全國動盪的不安情緒。政府當局依舊若無其事，以政府顧問森沙里爲首，包括國家教育社會主義青年部發起風部長胡森巴，司法部長，新聞遊歷事務大臣丁東，政治事務主任周生，國家警局第一助理郭恩安，國家警局監督森壽等組成了一個「發展高棉中立局勢教育研究委員會」，從事研究供國下華僑學校的教材。

廢棄僑校教材

據說他們現已原則上決定，將過去僑校教材全部廢棄，而採用香港，新加坡適用的讀本，予以翻譯改編，以期配合「中立政策。」

我國政府於接獲高棉禁僑報告之後，因事出突兀，迅即採取應急措施。一方面撥款棉幣二十萬元，交與中華會館正副主席黃化龍，徐自克分發失業僑胞濟急，並慰勉僑胞靜候政府適當解決辦法；同時電令駐金邊領事館向高棉政府交涉。由於政府救濟款項有限，中華會館暫時規定以人口計算，不論大口、小口，一律發給棉幣二百元；只有少數的九口之家，領到一千八百元，比較可以支持一個時期。因此，富裕同僑，紛紛集款濟助。

僱用外人限十分三

據說，高棉政府除了前述十八項職業、行商之外，凡是僱用外人的企業，只能佔百分之三十，逾額必須解僱。其他外國人企業，規定棉人職工應佔百分之七十。

預料失業人數將會大大增加，當地僑團除了設法救助之外，並已組織轉業輔導委會，設法解決同僑當前迫切的生活問題，同時希望祖國政府促請高棉暫緩施行全面禁僑。雖然，高棉政府如此緊迫華僑，中棉兩國人民迄今仍合作無間。隨着「棉化」案的威脅，以使許多肩挑販賣棉人生計絕望，若無施漢諾求治雖切，逆取順守之道。如今進退維谷，無人能不爲高棉前途憂。（七月二日寄自西貢）

嗷嗷待哺生活綫下

教員苦難當

收入祇能養活一個人

台灣通訊

「十年樹木，百年樹人」，國家百年大計在於樹人，樹人之責，端在教育，教育又端在教員；不久前學人先生在本刊發表的「哀大學教授」，等而下之，中學教員，小學教員，可以說已到了苦難當的時候，寄望於「樓梯響」的加薪，又是困難重重，恐亦將要成爲畫餅了。

從一般生活看，日前報載新台幣發行已至十五億五千八百萬，三十九年最初改幣制時爲二億，通貨膨脹如此之多，生活指數高了多少，惟待經濟學家或財政學家去縝計，教員們的待遇七八年來却未增加，也看至少可說沒有多大增加，有人以黃金比照，三十九年爲三百元新台幣一兩，現在則爲一千九百餘元，便加了六倍多，現在的六元多只抵彼時的一元，如果彼時一個教員的待遇可以養活六口人，現在只能養活一個人。固然是一般公教人員都若，可是公務員有津貼，或者加班費，出差費好拿，日前報紙公佈全省公務員出差費年逾千萬以上，可見比教員總高一層的。何況有些中學，尚要利用週日補課，考試等，不發一角的加班費，教員們的半日課務繁重已經被壓得抬不起頭了，連公假日也被剝奪，寧非令人興嘆之事？台灣地處亞熱帶，大陸來的或生殖力又強，教員們的太太們，偏又在台灣接連不斷地生孩子，在學校裏被弄得疲倦，回家孩子們吵着要讀書要穿衣，爲人父而兼作教員者，有幾個不寒心呢？現在規定中學教員要大學畢業，讀了十幾年書，只能養活自己和太太，連孩子也養不活，斯文還有甚麼價值呢？即使以學有專長（包括技藝、著作等）而爲教員，也化過不少的時間和精力，到頭來，直要改「萬般皆下品，惟有讀書高。」爲「萬般皆上品，惟有讀書低」了。無怪乎前一二年有位同行去幹吧女，當時社會譏責不已，並未加予同情，眞是一人不知二人事。中學教員走頭無路之際，惟有兼課、兼差、或作其他副業，藉以維持家計，教員把教課當作知識販賣的一件「工作」，處理故事，學生的受益將如何，家有子女讀書，或教育行政有責之士，應該注意的啊！

試想想看，以於國家百年大計有責的教員，被迫作知識販子，品德之自修已不暇，何談感染學生？教育的目的，當不止於求得知識，尚需教品，品既不能教，社會問題又多了；所謂「尊師重道」也者，是教師先重道而後爲人尊，夫道先不重，人豈用尊？問問良心，社會看教師如上海口語之「癟三」，教師自認爲末路，教育如何能辦得好？「百年樹人」者，豈可得乎？

教育爲公民爲社會成員培根植本，今既從根本上無功效可言，欲之強國，欲之社會良好者，復可得乎？而有些大員每個月的特支費十萬二十萬以養廉，視爲必要，百年大計之教育視爲不重，這個道理又是什麼呢？

看情形，教員加薪，與其說希望少，毋寧說無。因爲財政上向爲中央補助地方，中央之在台灣，但是靠地方來補助，本來地方在財政上可以增加支出，但是省級公教人員加薪水，比照起來，中央公教人員職低，中央自然不許，即使中央與省級公教人員增加了，但是八十萬軍隊也要增加，事實上是任公職者都苦，我看拳來扯去，加薪的希望勢必變成失望，甚或絕望。

今而後，社會之有望於教育，國家百年大計之實於教育者，遏帶的都告絕望。絕望之後的問題發生了，根本問題是必需解決的，總要叫教員家計能夠維持下去，才能安心從事於作育人才，教品力學，全其師道呢！（四十六年七月六日夜）

•貫斯文•

人物評介

悼念金湘帆先生（上）

•紹華•

前兩天整理書籍，在舊堆裏偶然發見金湘帆先生送給我的澄宇齋詩存，在第一頁看見他老人家的照片，清癯的面孔，孕育着慈和而安靜的氣氛，再翻開第二頁，有他親筆寫的七律一首，用珂羅版製成，題目是澄宇小住，「故園春盡燕初歸，暮雨瀟瀟落夕暉；鏡影却教紅袖背，窗紗不礙綠蛾飛。籤題詩卷裁黃絹，風入羅幃斷翠緋，寂寞閒庭憐夜永，幾回好夢認依稀」風華綺麗，在他詩集裏是最佳的作品。那時我想起金先生死在鐵幕裏，墓門已有宿草，生前在教育界的顯赫，和身後的淒涼寂寞，顯然成一對比。我們流亡在海外的及門弟子，對於這一位三十年前的老校長，委實有用文字來紀念他的必要。

先生諱曾澄，字湘帆，廣東番禺人，生於民國紀元前二十三年，十一月廿六日。金氏在廣州爲望族，一支爲寶華坊金，一支爲高第街金，先生即屬於後者。家世富厚，裘馬雍容，然不流於逸樂，未出國前，肄業於廣雅書院，鑽研經史。辛丑東渡，初在東京補習日文，其後考入廣島高等師範肄業。出發時先生曾賦詩云：「國步艱難事可知，掉頭東去欲何之；瀟瀟鐵瀉三山近，浩浪奔騰萬馬馳。」可見他少年時的意氣。在日本時與胡展堂納交，集中有贈胡氏七律一首，「小住初爲六月期，一年濡滯意多違；留雲館畔花生笲，滄客江樓雪滿衣。得句何妨搖燭影，闌談未許散烟霏，蕩篁自有登臨興，策杖郊，緩緩歸。」這首詩作於壬寅年。先生在留學期中，雖然沒有加入同盟會，但與同盟會中人頗有往來，則是事實。先生於庚戌年學成歸國，時南京舉行博覽，先生曾經往游金陵，賦詩云：「百尺高樓招酒夜，八千遊客渡江春。銀箏鐵板添歌扇，鬢影衣香襲軟塵」。可見先生少壯時代的風華。

清末興學，在廣東擬辦了兩廣優級師範，第一任校長是浙人王舟瑤。辛亥革命後，改爲廣東高等師範。先生即出任校長，那時幫助先生主持教育行政的是京師的大學師範館出身的吳鼎新和李伯覽諸先生。民五臨桑廷入學，軍政大權落於「桂系」之手，廖道傳先生繼長校政。及廖氏辭職，先生第二次復出，駕輕就熟，廣東高師的聲譽鵲起，駸駸乎與南京高師，北京高師比美。

先生留學日本，與北京高師校長陳寶泉出身相同，但當他第二次長校時，却羅致了一大批留美學生襄助，如李次蕭、穆吉蓀、陳宗南諸先生，都是當時傑出的人才。先生辦理高等教育成功的地方：第一是知人善任，信賴他人的才能做到如淮南王書所說的「三無主義」。第二是宏獎人才，他對於優秀而實幹的學生，愛護無微不至，如選拔李僕生，朱瑞元在附中教書，陳寶垣、鄭彥棨在附小教書，保送蘇熊瑞往美國留學，和後來在廣東教育廳長任內用劉芙初、溫仲良、陳良烈做秘書和督學，爾參化主持國文函授學校，都是值得一提的。

那時廣東高師是南方一所最高學府，負笈前來求學的，包括南方許多省區的優秀青年，如廣西的陳克文、閔康；湖南的唐富言、陳書農；福建的李鈺等，他們和廣東的同學蘇熊瑞、李加雪、潘學增等組織知用學社，出版了學聲旬刊、學聲日刊、和革新雜誌研究的風氣，盛極一時。後來學社中人和學生會份子衝突，金先生是左袒知用學社社員的，引起學生會份子不滿，他們藉口將高師改辦大學，運動鄒海濱先生長校，在民十三年國民黨改組前夕，形勢比人強條件之下金先生不能不離職了。

民十六年國民政府奠都南京後，蔡元培先生模仿法國制度，成立了大學區，金先生出任秘書，不久回廣州，任西南政治分會秘書，民十九年，陳銘樞任廣東省政府主席，力邀金先生繼長中山大學，其時中大在戴朱兩校長經營之下，規模宏大，設備充實，在南方首屆一指，一部份學生因受戴朱兩校長的薰陶，同時景仰他們二人在黨國的勳勞，對於政府的任命，竟加以拒絕，這是一件不尋常的事。世人嘗痛詆江蘇教育會中人盤踞東大爲學閥，然在打倒學閥之後，自身亦不免重蹈覆轍，這是值得痛心之事。金先生本人決不是學閥，而他本人亦沒有造成學閥的野心，這是衆人皆知道的。

（未完）

讀者來書

沙地阿拉伯來鴻：

我反對馬步芳出使

貴報爲大衆喉舌，我現在寫這封信報告一件實在的消息，請借貴報一角披露，以促政府當局與全國人民的注意。

自從馬繼援來「托依夫」將他父親馬步芳將任駐沙地阿拉伯大使的消息告訴此間西北同鄉以後，幾天之內這項消息已經傳遍了沙地阿拉伯各城了。凡旅沙僑胞無不對此譁然驚疑。

此間均知馬步芳過去爭政青海時期，淫威殘暴，有西北土皇帝之稱，其當年惡劣印象，到現在還盤旋在我們西北民衆的腦海裏。馬步芳這幾年在埃及，積性不改，醜聲及私德均甚壞，爲一般中外人士所不齒，種種惡劣事實，無人不知。去年來沙以後，到現在一直藏頭斂跡，無臉見人，爲何政府當局會選派這種人出任駐沙大使呢？我希望這消息不確。

我更殷切的希望政府當局注意此事，千萬不要使此事成爲事實，有失國體，幸甚。

就此敬祝

文安

讀者勇武敬啓

六月十七日寄自依托夫

香港圖書藝術館將開幕

（本港訊）由本港文光書局主人陳冠明創辦，錢穆、賈作賓、黃天石等贊助之香港圖書藝術館，已籌備就緒，不日即將開幕。該館設在皇后大道中與德輔道中之間萬宜大廈二樓，專門經售中西書畫及美術用品外，並經常舉辦各項展覽。開幕時已延請岑學呂、于右任、易君左、曾克耑、王世昭、趙戒堂、黃堯、曾后希、林千石、林大嶋（依年齡序次）等舉辦書畫聯展，屆時想有一番盛況云。

時論選譯

克姆林宮的「地震」

——一些升沉的分析

旭軍譯

蘇維埃主席團成員之由十一人增加至十五人，以及新入勢力之消長，均不足以朦晦一顯著的事實，即：此次克姆林宮之事變將擴大共產黨第一書記赫魯曉夫的權勢。除了朱可夫之外，赫魯曉夫之地位已超過諸人。朱可夫已升爲主席團正式委員，已往他在蘇聯人民中享譽之隆，爲史達林所嫉忌。

布爾加寧元帥及蘇聯主席伏羅希洛夫元帥，是史達林派『老衛士』僅有之尚居顯要者。但他倆和九個新人中之附和他們者，均不能在權力上與此三個被黜之馬連可夫、莫洛托夫及卡岡諾維奇相比擬。

一些抬頭的人物

主席團新委員當中，比較顯著的人物，是謝維匿克，他是共產黨監委員會的主席，久已成爲一顯著人物，尤其是在他歷年領導下的工會當中。富茲娃亦是著名人物，她和朱可夫及謝維匿克同是由「候補」升爲正式委員。她是莫斯科黨部委員會的書記。她握有從前赫魯曉夫掌握過的鬥爭戰略上重要職權。在此次革變正式宣佈之前數日，她竟被選出作對莫斯科黨部會議宣佈此事之人。可見她在黨的地位，大爲抬高了。

在新獲委任者，當中有數人曾爲主席團之委員。自一九五三年史達林逝世後，經過幾次的改組，便失去其職位。他們就是伊納托夫、阿里斯托夫，以及那曾任目前已被廢的卡里利安自治共和國最高蘇維埃主席的庫西寧。在去年二月，他被選爲蘇維埃聯合院主席。他好像其他新委員一般的，在俄國共產黨員負有重大的任務。在一九五二年，他被選爲修改共產黨方案委員之一。其時特別獲得史達林的信任。但在最近的兩三年，他極力支持赫魯曉夫的懷柔政策。

此九個新人在蘇聯政治舞台上，不是陌生的人。幾乎完全在史達林統治下掌有大官職，雖然現在他們登上主席團的權位是有賴乎赫魯曉夫。

一些被黜人物

有人奇怪浦伏金之由主席團正式委員降爲候補的地位，以及沙布洛夫之完全被免去第一副總理及經濟設計委員會主席之職。據各方面之消息說，浦伏金在黨中未嘗獲得歡迎，常引起赫魯曉夫之憤激。彼黜勢所必然，但沙布洛夫似乎常與赫魯曉夫接近，頗獲寵信，有若赫氏之獲史達林信任。大概伏沙二人是技術上專門及設計人員，反對赫魯曉夫的改革工業計劃。

前任外長謝比洛夫之前途，自然引起最多之猜測。雖然他被排擠出主席團之外，但未有若其他三人的被猛烈譴責。他的外長任期很短，他企圖構成的「莫斯科，開羅軸心」，並不如預期中的成功。這裏的問題，在赫魯曉夫給他的主持黨理論重要地位，是否仍能維持。

赫魯曉夫的阻力仍在

最近克姆林宮之變革雖然急激驚人，但顯然的，尚待其鬥爭的結果。史達林派之殘餘勢力要人物被驅逐，乃爭權之一幕。但權力鬥爭仍未解決。赫魯曉夫地位上升是顯然的，是對他本人和他的政策之反抗力，仍然存在，一若自一九五三年以來的繼續醞釀着。尚未採取流血手段對待「反黨派」。大概他們還想表示他不復用史達林的方法。那些人士多是被貶謫。若他們再與曉夫爭論，可能受嚴厲的懲處。中央委員會長篇大論，聽數莫馬卡三人的錯誤，歷次指責他們違離去「民主集中制」之原則，藉此而聲討他們的反黨。該宣言說『他們反對黨實現列寧之民主集中主義的原則』。

莫馬卡被黜原因

在分析莫馬卡等人被黜的原因之前，我們應瞭解目前蘇聯民主集中制的構成。雖然必須回憶蘇聯革命初期及列寧常常提及與使用，但事實上，此原則已在一九五二年第十九屆共產黨大會加以修改。當時奠下四個原則：

（一）整個黨的各部自基層至最高層，臨實行選舉。

（二）各黨部應按時向其上層組織報告。

（三）必須嚴厲的維持黨紀。及少數要服從多數。

（四）上級之決定，無條件的約束其下級機構。

最後的一項原則，對於其他的原則有重大意義。在史達林時期，因爲沒有自由討論，幾乎沒有民主存在，甚至在政治局中和較大的中央委員會也是如此。

加于莫馬卡之罪

從中央委員會的宣言許多段文字上看出：他們指摘莫馬卡等人運用反抗的方法，係違反民主集中主義。所謂『他們謀改變黨的領導組織。』——換一句話來說：他們企圖謀鼓勵中央委員會之內外的支持，去消除主席團內的政敵。他們謀反對工業管理新政策，不管此政策已在最高蘇維埃中獲批准。他們在主席團和中央委員會，都不接納大多數對他們的裁決，因此他們維持着『錯誤的「反列甯」立場』、除欲改變黨的政策之外，『他們用陰謀手段，共同串反抗中央委員會』。（譯自英國泰晤士報）

台灣點滴

要人忙

陳廣

吳國楨雖我不苦避天，這裡不知要人們有暇考忠，當年也曾倡導「便民」運動和低物價政策，以減輕人民的負担。年來省政當局所有鑑政，如推行「購買證」，商業簡易會計，特定縣市鄉鎮選舉選出之民選入，省府施政時，慮過否？主持省政者却由地方兼行政院政務委員，經濟安定委員會主任委員，美援運用委員，又兼省保安司令，省民政廳……尚有中央黨部什麼黨官等……，經常奔馳於台中與台北之間，教其重要的約會，處處徒際於公家飯……是爲民僕財，……清的稅款，無不完的表報和重疊束縛，受着疲擾之外，自不免叫苦，唯唯諾諾，猶何只爲多部幾份辦公費賬！

讀者論壇

也論儲備登記證適用範圍

● 牛馬走

前見余櫳先生在本報六四九期論儲備登記一文，閱後頗有同感，今天又有特別儲備登記辦法，想必銓敘部又是新猷，查四十四年，新公務人員任用法施行後，公務員任用資格分三點（一）考試及格者（普考及特種考試）（二）依法銓敘合格者（三）依法升等任用者；舍此均不夠資格作公務員，銓敘部爲予人方便予已方便，所以舉辦公務人員儲備登記，最初收費分簡任六十元，荐任四十元委任二十元三等，旋經報章與論指責乃不得不改口只收證書工本費二十元了（至于證書工本費是否報銷只有天知道了）。儲備登記辦法，堂堂規定（一）任雇員滿三年者得申請委任職之登記（二）曾任雇員三年委任七年者得申請荐任職之登記（三）曾任雇員三年委任七年荐任八年得申請簡任職之登記，並且鄭重其事宣稱：凡仍未經取得正式簡荐委官等者（按聘派職務係相當某一官等而非正式簡荐委官等）亟應申請辦理儲備登記，取得各官等任用資格，俾免新公務員任用法施行後發生任用資格問題，又任職年資合于上述三項規定者亦得申請較高官等之儲備登記，可說設想週到，與歷史所載賣官鬻爵是迥然不同的，何況取費一律二十元，純粹是證書工本費，自不能視爲登記證本身之價值，反過來說登記證的價值絕不止二十元，當然是無法估計的。

試問，假如某君恰於取得委任儲備登記證後就官運亨通弄了一個道地委任實缺，當然要送審，某君就憑這一紙證記書銓敘部依法核予某君委任幾級。請予公開答復。又某公雖有荐任登記證書却只尋到了委任職實缺，照例送審，請問銓敘部依法核敘委任最高級，抑核給荐任最低級俸，至于有簡任儲備登記證而任荐任職者銓敘部依法審核可敘荐任幾級？是不是由銓敘先生們隨意賞賜一時喜怒而決定呢！

總之儲備登記證應該有其適用範圍，這一點筆者是同意余櫳先生看法的。銓敘部受理的案子多的很，似乎不能再裝蒜了，應該及時負責解決這一問題，當部長先後三度出國參加國際人事機構會議，看看別的國家人事制度是怎樣辦的？這幾年來也應該有所改進了吧！不是在爭執各單位人事主管人員應由銓敘部指派就算事吧！

香港教育問題

（五）

最後我們提出來討論的，是靈性教育。理性教育給人以知識，心性教育着重意識訓練，德性教育注重行爲，靈性教育，則導人以信仰。從表面看，信仰問題，似乎和整個人類生活無關，事實上整個人類一切文化，一切行動，都無不由信仰而來。知識，意識，與行爲都無非是信仰的工具而已。我們談西洋文化史，基督教的信仰，就和整個西洋哲學、文學、藝術、音樂、教育、社會等思想，結下了不解之緣。這是我們談文化問題，教育問題所不應忽視的。

有人說，中國人沒有很深的宗教觀念，中國人似乎並無信仰；中國教育也一向不注重信仰。這說法，表面看來，像有理，其實只看到事實的一面；實際上並不盡然。中國歷代教育，無所謂宗教教育，因此，無所謂靈性問題。這只是表面的說法。實際上，我們說中國歷代讀書人不着重宗教，是不錯的，若說根本沒有信仰，那便是大錯了。

人的教育（下）

● 何世明 ●

中國的讀書人，雖缺乏宗教的行爲，但未必完全沒有信仰。儒家思想，一向歸結於命，或歸結於天。天的觀念，可以說中國讀書人的宗教精神，或讀書人心目中的上帝。「天命之謂性，率性之謂道，修道之謂教。」故儒家所謂道，所謂教，都是由「天命」而來的。儒家思想中存在「有意識的天」，對天的崇敬，是最可注意的一件事。孔子說：「五十而知天命」。又說：「吾誰欺？欺天乎？」又說：「君子有三畏：畏天命，畏大人，畏聖人之言」，孟子也說：「順天者存，逆天者亡，」漢儒董仲舒引申其義：「道之大，源出於天，天不變，道亦不變。」諸如此類，以天爲主，以天爲大的宗教思想，在中國古代思想中，可以說俯拾即是，很普遍的。

中國人一向所敬畏的天，是賞善罰惡的天，是福善禍淫的天，是有好生之德的天，亦即是四時行焉，百物生焉的天。中國人心目中的天，是自然的本體，亦是道德的本體。是以中國人言道，則曰天道，言理則曰天理，言良心則曰天良。中國傳統教育，尊德性，教孝弟，這基本精神完全由尊天畏天與敬天的觀念而來。天就是中國人心目中的上帝。而尊天，畏天，順天就是中國歷代的宗教教育。「天理良心」四字，可以說是中國人心目中的宗教。因此，說一個人「天良喪盡」，或「全無天理」，即不啻說這個人「雖生人世上，未得謂之人」了。

中國的讀書人有了尊天，畏天與順天的偉大傳統觀念，又有孔子所說的「朝聞道，夕死可矣」的嘉義精神，更進一步，也就是基督教以愛爲中心的上帝觀了。那是願萬人得救，而不願一人沉淪的上帝；是爲世人贖罪，願意自己到十字架受苦的大仁，大愛，至善，至聖的上帝。中國人如果真能接受此一以愛爲主體，以恩典爲中心的上帝觀；則歷代以來由於偏重人文精神而發生的祭祖，宗族的行爲，更由此而來的宗族觀念，地方觀念，門第觀念，做官觀念，等等都可以得到補救。得到調劑。可以避免人文精神的流弊，重新建立以「天」爲主，以天爲大，以天爲孝，以天爲道的中心信仰。中國人若真有了此一信仰，在中國文化來說，可以起死回生，救病扶危。對世界來說「更可以由此一中心信仰做領導精神，使東西文化，滙合爲一，使中外人種成爲兄弟，攜手共進，以建立平等，博愛，孝弟，忠信，的理想世界。這樣的一個時代，如能出現，即必然是一個世界性的文藝復興運動。對於世界文化的貢獻，和人類幸福的建立，可以說是無可衡量的。

無如淺見的中國近代讀書人，對於西方文化主流的基督教信仰，既堅決拒絕，對於中國固有的尊天，畏天，與順天的觀念，與由此觀念而來的孝弟忠信，禮義廉恥思想，亦一概加以屏棄。使中國人的信仰園地，成了真空狀態。基本信仰既不能建立，於是以知識爲中心的理性教育，以意識爲中心的心性教育，以行爲中心的德性教育，便都成了無根之樹，無果之花。許多人便因此而彷徨終日，無所適從，天下蒼生，便不免因此陷溺於「天理淪亡，天良喪盡」的悽慘景況。竟還有人一天到晚叫前進，叫革命，而他已埋在罪惡的湖沼中，泥足深陷，而無由自拔。

（六）

所以現在世界的問題，已不純然是一個理性、心性，或德性的問題；實實在在是一個信仰問題。現在人類所對着的，並不是不肯去做君子，或不能做君子的問題，而是根本上已經把君子小人之別一筆句銷了的問題。人類並不是不肯爲善，但今日，已經到了完全消滅了所謂善的存在的階段了。

現在全世界的人類，都陷入了拜物的狂潮之中。以物爲主，以物爲大。人與人之間，國與國之間，全以功利爲前提，全以金錢爲第一。所謂仁義道德，天理良心，早已全部拋諸腦後，不復聞問了。這便是基督說的「賺得了全世界，却賠上自己的生命」。人類已甘心樂意把自己的身心性命全部交給了物質，甘爲奴僕。這樣的時代，眞是人類最深的陷溺。也可以說是迷信技術文明，把人類心靈完全扼殺的惡果。

今後必須樹立信仰。使人類重新相信宇宙間應該以人爲物主，心爲人主，靈爲心主，愛爲靈主。使物歸於人，人歸於心，心歸於靈，靈歸於愛。這才是拯救斯民於苦海，引登彼岸的唯一要諦。此在哲學，爲本體問題；在社會，爲信仰問題；在教育，則爲有關靈性的宗教教育問題。我們必須重新喚起人類的心靈，使與天地之氣相通，使與萬有之靈相感。這樣，學生才能樹立信仰的標準和人生的中心。我們所談的「人的教育」，纔可以完成它最高的任務。（全文完）

自由談

知識界的人渣

馬五先生

有個旅居美國的高等華人吳某，最近以自命爲眞正懂得三民主義的中山忠實信徒的身份，在報上發表「致中共的公開信」，洋洋萬餘言。我瀏覽一遍之後，不覺作嘔難忍，想不到現代中國的高級知識份子中，其精神之空虛墮落，竟有如此令人驚詫者！

吳某過去藉國民黨起家，歷膺要職，自大陸淪陷後，潛居美國，熱心搞第三勢力，曾一度充任李宗仁氏所組政團的秘書長，在政治思想上，他至少應該是反共非共的。然而，看他這次對中共所上的萬言書，完全是獻媚作態，表示投靠的心情，不亦怪哉！

他這封王媽媽裹脚布式的公開信，主要用意只是勸中共不要向蘇俄一面倒，而對共產主義卻不反對，並且相當的贊許，一則曰：「關於內政問題，共產也可，我自己共產之」；再則曰：「我相信孫氏（指國父）健在，他不會盲目反共」三則曰：「向美國一面倒，彼亦以我可資利用，進行消滅共產政權，必惹起識渦」。他認定中共若不一面倒向蘇俄，即可成爲「大亞洲安定力量……我國之和平統一則水到渠成，甚至台灣問題都不存在了」。

此外就是自背履歷，說他足迹遍及全球各大邦，見過德國的史達林，俄國的考茨基，英國的拉斯基和工黨首領艾德禮等等，表示自己是極其前進的人物。最教人肉麻的話，莫過於對中共說：「貴黨唯一成功條件，所要求於全體黨員一律奉行者，是『天下爲公』之道」。他祇顧獻慇懃，送秋波，投靠心切，卻忘記了共產黨的「唯一成功條件」，就在「無產階級專政」。對共黨談「天下爲公」之道，等於向娼妓說貞操義理，連常識都大有問題哩！他對中共只說是不贊成「一面倒」政策，並不反對共產主義，而對台灣的自由中國，則視爲「與三民主義背道而馳」，根本否定其存在。最後還歌頌中共爲「貴黨不少聰明變識之士」，眞是不知人間有羞恥事了！

共黨最鄙視知識份子，像吳某這種知識界的人渣，共黨見了更將捧腹不置也。

拍手百態

·方正·

雙手可以打天下，也可剝蒜皮，拍之倘不得其當，就會露馬脚，誤大事。

人之爲人，貴有情感。表現情感之動作，種類甚多，拍手其一也。自牙牙學語，即能張手作勢，逗人轉喜，殆亦本能之一也。至於此種本能何以進步發展以至表現於大庭廣衆之前予人以肉麻之刺激，而竟揚揚得意恬不自知者？蓋亦平素教養之使然，自然之勢也。近日以來，在各種公共場所目覩拍手之狀，類現甚多，舉其大者，約可如下：

欽敬

一日欽仰欽佩之態：國家元首，社會賢達，以及道德、學問、功業之有貢獻於國家社會者，或蒞臨，或離去，或發表對於人處世之演詞，引起內心之欽敬仰慕，從而發之於外，形之於拍手，其態強，其勢穩，感動熱烈，毫無勉強之態。

狂歡

二日狂歡興奮之態：競技得勝之際，佳音傳來之時，心花怒放，情緒奔騰，拍手已不足以發洩其歡欣，恒輔之以喊叫跳躍以助其勢，此時拍手之形態，其聲亂而亮，其勢疾而堅，所謂聲震屋瓦手心紅腫而不自知之情形，蓋如是也。

讚美

三日諂媚讚美之態：名伶之演唱，政論家之演說每多於緊要關頭發聲賣力，以博一「好」，台下聆者，爲其婉轉精闢而感動，至於點頭稱善之邊際「好」「好」之同時，鼓手而拍，「擊節如雷」、「滿堂彩」之情形，恒見於此種場合。

如儀

四日不得不拍之勢：社交活動，首重禮節，貴賓光臨，主人致詞之際，會衆以掌聲歡迎，演講之後，主客得已被應景，答禮掌聲，其實際上尚往來之形式，可以知矣。對於其人其事，有不惟於心者，亦不得不勉其難，如儀鼓掌，或祇以示禮貌不開其腔，或祇其勢表現，或有分寸不失君子之風。

奉行

五日奉令行事之態：台上有人高喊，立於主講人之側，把握緊要之時機，以手作則，振臂之令，台下衆聲，接受其指揮，以作響應，人多則聲大，人少則聲小，恒以發令者之動作以爲斷。集中聽衆之注意，提振會員之情緒，給予主講人以滿意之感覺，甚有利也。

憎惡

六日反對憎惡之態：與邁當衆心之意見，王大娘裹脚布式之宏論，爲一般不能忍耐之時，拍手恒爲「噓」聲之前，以作哄下台去之工具。掌聲雖不一定甚爲普遍，但有時能出現甚爲整齊之節奏，此舉雖不免有傷忠厚，然主講者若昧於羣衆之心理，甚或誤會爲其捧場之表示，則其結果必難堪矣。

難堪

其最不堪者，厥惟七日令人肉麻之態：當外國人到敝國訪問，見敝國人士歡迎之場面，除入門鼓掌歡迎，出門鼓掌歡送之外，就其演說從頭到尾之過程而言：主人促駕客人忸怩客氣之際，鼓掌，以示非發表高論不足以慰民望之意；每至停頓以待翻譯，鼓掌，以示你不必講得甚好之意；譯爲翻體，鼓掌，以示果然不錯之意；大聲疾呼，青筋暴露，必係驚人之筆，鼓掌，以示驚佩之意；氣色緩和，莞爾而笑，必係得意佳句，鼓掌，以示先得我心之意；甚至飲氣、擊桌、揮拳、擺手……一舉一動，必有深意存焉，亦莫不鼓掌讚美；句句皆鼓掌，語語都贊成；以至詞畢鼓掌，鼓掌，再大鼓掌；似此不惜精力再接再勵，非至使嘉賓受寵若驚覺得不好意思不足以表示其不勝榮幸之至意，他人渾身雞皮疙瘩，不暇也。此種拍手之形式，如名之爲獻媚阿諛，恐失忠恕之道，故曰令人肉麻之態。

這一雙手

天生吾人，賦予雙手，可打天下，可除奸宄，可拔鷄毛，可剝蒜皮，惟有能作最有益最有效之利用，始可不負天賦之機能，拍手一事，雖極平常，但拍之不得其當，小足以露出敎養不够之馬脚，大足以妨礙國體之體面，文化水準之所係，社會風氣之所關，可不慎乎？

賣文嘆！

·黑水·

月前本刊有一篇大學教授嘆苦經的文章，讀後爲之一洒同情淚者，大有人在。教育界如此清苦，敎授清苦如此，殊堪浩嘆！可是也有不贊成的，理由是：「我們今日是對匪作戰期間，正加强心理作戰，凡是見于報章者，都要講好不講歹，報喜不報憂，暴露光明面，避免黑暗面，如大學教授嘆苦經之類，多少是暴露了學府中的陰暗面，予宣傳上確屬不智之舉。」（編者按：說這話的人有點像毛澤東的腔調）

這一說法，看來似乎無理由，但，絕非眞理，則是事實，且不免有諱疾忌醫之嫌，說老實話，把問題公開，給大家研究以求解決。雖然是暴露「弱點」，但如能即行改善，豈不更發揮了積極作用。

基于此，我且作一次「賣文嘆」。記得二年前（？）有位高（清心）先生曾在本刊發表過一篇「賣文嘆」似的文章，倒也收到了效果，繼之有「文協」常務理事陳紀瀅先生撰文安慰，介紹投稿。此後即不再見有高氏之嘆了，可見暴露弱點以後，就會有人來克服弱點。

不過，像「賣文嘆」這種弱點，是克服不完的弱點，若要個個作家都不興嘆，那是不可能的事，而且何況尚有很多人，欲嘆無門，無處發表其「嘆」呢！（編者按：本報園地公開，無門戶之見，而有是非之心，「嘆」者，如言之有物，自必刊載）

前此高君嘆只嘆刊物包餅，拒收外稿，走「投」無路而已。但，他尚年青還可以改行，他未患病，還可賣勞力即使捨棄「賣文」，亦有求生之道。若我則不然。年齡快滿花甲，肺病糾纏多年，老妻不良于行，子女不能生產（因幼小在求學中）八口之家，全賴我一人賣文爲生。人家是健康者找錢來養病患者，我家則是要病人來養未病之人。

今日在粥少僧多的文場（文章市場）賣文，如在歌場舞榭的「花市」中賣笑，或賣身。人們若知道賣笑者痛苦，那末，也當知道賣文者有同樣的痛苦。自然賣笑者亦有不少的「紅倌人」在風頭上並不覺得其苦，而賣文者也是同樣有不少的名作家在紅運上並不覺得其苦。賣笑的「紅倌人」有僱客或嫖客會一見鍾情。賣文的名作家也是讀者或編輯能一見傾心。

我是無名的賣文者，本來學無專長，筆下自少精彩，在老、貧、病交迫困境中，那兒還有推敲字句，斟酌詞藻的閒情，只有滿腹牢騷，一臉悲憤，自然率爾操觚，潦草急就，所作之文，雅不願媚俗欺世，甚多爲「惡人所好」者，當然不受讀者歡迎，而編者更不願浪費篇幅了。是以文稿寄到報社，不是原物退還便是充塞字簍。偶有一二篇得與讀者見面，那可說是神助，非我貨色可以「派司」也。

我不敢埋怨編者不識貨，只怨自己無他法以謀生活，在無可奈何之中，以筆耕爲聊且維持之計，予豈願賣文哉，實不得已耳。在賣文受盡閒氣，而意冷心灰，病苦萬狀之際，也曾有朋友勸我改爲「賣卜」——也是文人賣文之一事！經我多方觀察，乃知賣卜也非朝夕間可以問世而營生的，若要我從頭學起至于開業，正是「修得廟來鬼已老」，時不我與了。何況賣卜生意也有盛衰，在台灣只有一個紫虛上人是第一流的星相大家，門庭若市的應接不暇，其他的人還不是門可羅雀嗎？我非女性而無從賣笑，我無專長而不能賣卜，也只好賣我所能「賣」的文，賣文到了我這樣已經賣不「出」的地步，每日對着稿紙興愁，看見墨水生悲，故不禁擲筆三嘆！

春雨燈下偶成

張瘦碧

風雨連朝迄未休，夜來更覺亂相投，
挑燈懶續迷離賦，縱酒聊歌擊節歌；
心事徒勞三璧劃，愁懷儻獨做王侯，
要知九十晴無幾，爲盼春光入畫樓。

喜晴

張瘦碧

肯放天公一日晴，閒情重踏春城，
狂歌當哭銷時序，借酒澆愁嘆禁聲；
亂世誠然增感歎，背時猶作不平鳴，
年來百事皆疏懶，欲注莊周續養生。

海上學校

中篇小說

（八）

一個禮拜不到，海上學校起了顯著的變化。

開頭，是梁有根，梁有材和梁有訓三兄弟的銷假上課。這三兄弟——尤其是梁有訓，不獨替海上學校帶來了活潑氣氛，而且，還帶來了許多吵鬧和淘氣的方法，比方：橡皮圈，彈弓、小圓鏡子等，都是從他的書包裏走私進來的。教室的秩序，時常遭受到破壞，以致杜宇在講課的時候，往往需要分心來予以溫和的取締。接着，黃潘生、黃阿水兩兄妹也上學了。男女老少十三位學生，總算都到齊了。海上學校在預定的跑道上，開始了高速度的運動。

按照教學設計，第一單元的，是集中學習「天氣預測」的常識部分。上午由貝比正式講授，下午則由他指導進行海上實習。貝比把教學內容分成八個小單元，每週學習一個，即風向、雲霧、天象、寒暖、雨露、雷電、節氣，與物象。在兩個月之內授完。這項學習大約與孩子們的海上生活特別有關係，大家學起來最爲起勁。而那種課文如：「東南風，燥鬆鬆。東風把霧醉，便是雨祖宗。」之類，不久，大家都能背誦如流，不時在實際生活中應用出來。

缺課的學生，分兩組進行夜間補習。担任補課的是兩位小老師——劉全忠和鄭財寶。由杜宇分別從旁協助指導。這樣一來，劉全忠和鄭財寶對學習興趣，也提升到了從來沒有的高度，他們因做了小老師而感到光榮。

而最顯著的變化，却在於海上人家心理的轉變。這有如千尋深淵的大洋潛流，雖然不容易感覺到，但力量之威猛，確實千百倍於海洋上澎湃的波濤。誠如貝比所言：「心理的稍爲變動，可以產生各式各樣的不同，」現在，海上學校正面臨着這樣一種新的心理轉變。這新的心理轉變是由蘇登同促成的。

記得是在第五天上課的時候，蘇登同忽然感到不樂。他認爲海上千百年來，沒有半個自己人辦的學堂。而岸上人對于這批「捕魚爲業，賤於爲生」的蛋家學生，總是瞧不起；孩子們受到與生俱來的輕視，受到許多不必要的羞恥，大都不願到岸上去讀書。現在海上居然有了自己辦的學校，並且辦得這麼好，爲甚麼大家都不來上學呢？是學費貴嗎？學費比岸上便宜了一半。當然不是理由。是老師不行嗎？不，這樣好的老師，岸上的學校未必能挑揀得幾個出來。……他愈想愈氣，黃黑臉漲成了豬肝色。下課之後，他找鄭老頭商量。鄭老頭因爲吃過了那「盲年」的啞子虧，只好撥動最體己的窩心話，向他勸導，希望他慢慢進行。但蘇登同却不肯甘休，他一定也要來一次「勸學」。他說做就做，根本不計成敗。

就海上人家而言，蘇家是大族。他却是蘇家的有名望的族長。避風塘裏，大約有近四千蘇姓的族衆。族長請敬師酒，大家不好不奉陪。於是，開課後第六天的晚上，蘇阿嬌與林金華掌廚，在蘇登同的歌樂船上，筵開三席。幾杯三蒸酒下肚，賓主笑逐顏開。蘇登同在酒酣耳熱之餘，大讚海上學校的好處。他認爲蘇家子弟必須讀書；而讀書就必須讀海上學校這種書，才有意思。

他也有一套宣傳的技術，而這套技術却是周太玄等的頭腦中所沒有的。譬如他說：海上學校是海上人家辦的學校，自己人不幫自己忙，何是當有此理！族長七十四歲，還想求個上進，爲甚麼你們這班「契弟」不讀書求上進？等等。言語雖粗魯，但確實能打動族衆的心。

當然，也有人搬出「盲年」來抵擋的。蘇老頭不慌不忙，聲色俱厲地還了一發「鋼！他即刻提出了「殺隻雄雞抵煞」的大理論，往賓客的頭頂上淋下來。他認爲盲年的煞氣，都被兩個老頭子抵消了。盲年只找兩個老頭子算帳，其他的孩子們它就不管了。古時候有殺人祭旗的事情，而現在已經有兩顆人頭，再也不會「盲」到你們頭上來的。

揮動「盲年」這塊擋箭牌的人無話可說。爲了信任族長的話，爲了尊敬族長的地位，便毅然決然自先創舉，願意將自己的兩個「犬子」，送到海上學校來做學生。

趙璐著

（卌五）

自由人

THE FREEMAN

（第六五六期）

中華民國僑務委員會登記證台誌字第一〇二號
中華郵政台字第五〇〇〇號執照登記為第一類新聞紙類
（半週刊每星期三六出版）
每份港幣壹毫
台北售價台幣壹元
督印人：陳文華
地址：香港高士威道二十號四樓
20 CAUSEWAY RD. 3RD. FL. HONG KONG
TEL. 771726
承印者：南華印務出版社
台灣總經理處：台北市西寧南路
電話：四三七六六
台北郵政信箱九二五二
海外總經銷：友聯書報發行公司

答「台灣印象如何」問

•司馬璐•

台灣「觀光」歸來，朋友見面，每每第一句話，就是：「台灣印象如何」？

我說：「很好」。

朋友：「你是為「自由中國」事件向政府抗議的簽名者，你還是這個態度嗎？」

我說：「是的，我毫不含糊的說，如果台灣今後有類似的「自由中國」事件，我還是要抗議的。」

我們不是偏愛「自由中國」這一個雜誌，而是認為，一個獨立的輿論力量的培養對于我們今天太重要了；像台灣的「自由中國」、「民主潮」、「公論報」這類報刊對于團結反共力量來說，影響太大了，他們對于政府也是大的，因為他們的存在，多少表現了自由中國的自由的價值和希望。

我們在台中時，曾訪問徐復觀先生，我深為徐先生以下這幾句話所感動。徐先生說：「我儘管批評這個政府，不滿意這個政府，但無論如何，我擁護這個政府，因為這個政府終究是我們自己的政府。」（大意如此）

我希望，徐先生這個風度，能夠成為自由中國所有在野黨派和海內外所有獨立自由份子批評政府和督促政府的一個共同態度。我相信，在這個基礎上，自家人沒有什麼道理說不通的。

感情用事和意氣成見，易于隱蔽眞相，掩蓋事實，除加深這種痕跡以外，對于解決問題是無補實際的。

自由中國內部過去若干不愉快的事，無疑執政黨要負最大的責任；但這不是說，其他各方面的人全無責任，據我的看法，「偏狹」已成為我們目前政治生活中最大的和最普遍的病症，國民黨如此，小黨派與若干其他政治小集團亦然，由「偏狹」產生「誤會」，「誤會」經過點件循環遂成「成見」，不打開此種隔閡，誤會，成見，無法接近眞理，也無法面對問題，解決問題。

在台灣，我們發現許多外間傳說，多少是出于一種誤會，這種誤會不僅出現于在朝與在野，政府與民間，也不斷出現于同一集團內部，事後眞相大白，往往彼此付諸一笑；但是，假使，沒有一個適當的機會解釋，誤會就可能變成一個「問題」存在了。

由「誤會」變成「成見」，就更可怕了，例如在台灣和海外有少數人，他們當然是反共的，但因為不高興政府某些措施，他們對政府任何成就和進步，不肯承認，我認為，如果我們批評政府的動機是求政府的進步，在鼓勵這個政府成為反共的民主的有力的力量，那麼，我們的態度應該是大公的，而不是自私的。

在台灣，我們看過三軍，部隊的精神好，裝備好，軍隊教育也確有進步；我們看過許多大工廠；今日台灣工業建設的成就的確是驚人的，有不少的廠，根據專家的意見，都承認是遠東第一流的設備；我們看過農村土改，水利建設，參觀過農民和工人的家庭以及學校教育等等，我們沒有理由可以推翻這個事實。

政府的負責人士，包括各級的幹部，都勤勤懇懇，踏踏實實，在談話中都極其虛心，誠懇，他們的確很願意多聽到一些朋友的意見，在這些政府人士中，我們沒有理由可以推翻這個事實，今天政府中確實有不少人是要把國家弄好的。

問題是，政府雖有這麼多努力的朋友，但是，實際上我們今天期待于政府的，總不止于這些。

例如，從一般的行政建樹的角度上來衡量我們的政府，這不失為一個好政府；例如，從一個中興復國的要求來衡量我們的政府，那就嫌得距離太遠了。

試舉一例：

如前所述，政府中人都很賣力，但可惜的是，政府內外，忙的太忙，閒的太閒，勇于負責的精神固然是一種美德，但是「一把抓」的結果，縱然你是一番好意，也費盡了力氣，總不易令人服氣。

我曾向一位在政府擔任職位的朋友，問他何以如此忙碌，他說「手腳太少了」，但事實上他這一說法不完全是事實，我們看到，「閒」着的「手腳」實在是很多的，有許多人力浪費之處。

一個起碼的希望是，使所有的「手腳」都動起來，使「忙人」從少數人變成大家都是「忙人」。

自己的「手腳」揮舞是有限的，如果大家的「手腳」動起來，「閒」就閒得多了。

所以我們認為公道的說，今天政府不是不賣力，而是「忙」的「手腳」太少了，假如「閒」的「手腳」都「忙」起來，我們政府的成就和氣象就更可觀了。

有人說，我本來想把這「手腳」說得好，但是「人多口雜」，「手腳」亂，反而愈幫愈「忙」，把事弄糟了。

這說法是不能成立的。

假如，你「想把這件事做好」，「願意幫忙」的「人多」，當然好；「口雜」也不妨，只因為大家認眞起勁，「口雜」就免不了的；但是，「手腳」亂，當然是不對的。

如何使我們的國家通氣，今天朝野，上下，內外一心，大家出力，善用我們「人多」，「口雜」的有利條件，而「手腳」不亂，這就是我們當前的政治生活上一個重要的問題。

要彼此「手腳」不亂，同時大家都能夠自動自發的接受一種社會「輿論」和「政治精神」約束的力量。

如果把「自由」和「安全」看成一個對立的東西，那是大錯特錯的，事實上，通過「自由之路」，「安全」是更有保障的，因為人民總有經濟的選擇，才能眞正達到「人人防諜，個人設防」（這八個字台灣隨處可見）的地步。

培養公正的獨立的「社會輿論」和鞏固建立在民主基礎上的「法治精神」，是可以把「自由」和「安全」的觀念統一起來的。

在台灣有一小部份人，他們的理論把三民主義和自由主義對立起來，這種人很使國民黨吃虧，也很使政府處于十分為難的地位。

我願意奉勸政府和國民黨人，如果你們要壯，一定要徹底擺脫這種把三民主義和自由主義對立的觀念。

台灣氣壯，我們海外反共的人士當然也氣壯。

大陸「鳴」「放」悲劇，形勢已更進一步對自由中國和中國整個反共力量有利，今天，大陸那些受中共迫害的知識份子和人民，他們正在期待着。

我們要進步，要團結廣大的反共力量，要好自為之。

（七月十八日）

半週述評

貿易乎？政治乎？

日本終於宣佈對中共放寬禁運了！

這一事態演變的結果，是必然的，一點也不可怪。日本的輿論早已振振有詞的說「我們不明白，何以較西歐更接近中共的日本，竟較英國和西德更為懦怯。」

而美國的態度，對日本此舉雖不贊同，但却「已完全諒解」。

日本輿論的鼓噪和美國的諒解，都是基於「日本有求生存」的需要。而照中共的宣傳，戰後日本的生存之道，主要是依靠了「韓戰」。現在，亞洲既無戰爭，日本就必須要與中共貿易了。若就東京、華府和北平所持的觀點來看，台北當局的抗議，和我駐日大使館向日本提出的一份備忘錄，都將為日外務省於禮貌的接受之後歸檔。

日本的生存究竟是非必須依賴對中共的貿易呢？筆者個人的看法是否定的。

為什麼？

因為連日本的通產大臣，也不信中共有足夠的外匯。

因此，我們有理由相信，日本的「經濟外交」「不完全是經濟的，而且還是政治的」。「每日新聞」已經露骨的表示：「日本與共方交換貿易使節，並締結貿易協定」。也因此，我們除了在外交上表示應有的抗議之外，似乎還應該有深一層的警惕！

大陸上的第二代

大陸上的「鳴放」事件的上層，整肅右派，骨子裏，更嚴重的問題是集結於廣泛的知識分子中。

近六十年來，中國的知識分子的態度，是一貫的代表了人民的利益。在每一個時代的關頭，不論在說話，在行動，總是敏銳的站在前頭。因此，我們與其重視大陸「政治上的右派」，不如注意靑年的一代更為切實。

當前最值得注意的是：目前大陸上的大專教育中心地區（平津、京滬、武漢、成渝）的學生，均已有了具體的行動表示，八年前，他們都還只是一個高小或初中的學生，雖長期在奴化思想的教育下，亦未能消磨其良知良能。

人民的願望！

這證明，任何形態的極權政治都是不可能的，知識分子，永遠是個反抗者！

從歷史上看，執政者對知識分子，不外抱二種態度——一種是麻木的態度——認為「秀才造反三年不成」；一種是兇殘的殺伐——認為「秀才遇到兵，有理也講不清」。於是在自我催眠狀態中，墮落成為官僚政治，而忽略了「人民的願望」，「全人類所固有的願望」。（「杜爾斯論蘇俄政變」語）

蘇俄的政變，中共的整風，（也可以說任何國家政治上的大變動）主要因素既是導源於執政者違反了「人民的願望」，相信這面歷史的鏡子可供任何一個政治領袖照一照，省一省。

什麼是「人民的願望」——全人類所固有的願望呢？杜爾斯的解釋的含義是指：更多的個人安全；更多的個人自由和享受更多的個人勞力成果。而這些要義，在我們的綫裝書裏也有，不滿於現代的「自由主義」思想者，該不至於再有曲解了吧！

•李金曄•

海外通訊

越南華僑改變主意

不少人要求撤銷回國登記

•喬靄雲•

我國政府在處理南越華僑問題上，所取「自由選擇」「退縮」的態度，在西貢的華僑社會中，認為是一種「退僑」政策，對僑務當局大感失望。數逾四萬五千士生華僑，仍然舍棄數十年來血汗博取的家宅資產，要求遣返祖國的反攻基地——台灣居留，實足以扭轉國際人士的親共觀念，以及加強海外一千幾百萬僑胞反共信心的向心力。政府應該盡力照顧他們，珍視此種愛國的選擇。

澆了一盆冷水

可是，僑務當局一聽那麼多的僑胞湧入台灣，覺得住屋，教育均將發生嚴重問題；在撤僑命令已下，西貢公使館遣僑登記已辦之後，一面推說陸續派調船隻接運，同時宣佈越南僑胞返台之後，不論衣食住所以及教育各項問題，均由僑胞自理。消息傳到西貢，滿懷希望的華僑子弟，不啻澆了一盆冷水，嚮往祖國的心情，霎時變為悲憤。雖然，他們同時也知道：祖國各界維護越南華僑後援會，已於七月一日在台北組織成立，要求政府繼續跟南越政府交涉，堅持由越歸僑隨帶全部財產移回祖國。就情理上說來，南越政府原沒有理由拒絕；但事實上南越政府迫令土生華僑入越南國籍；以及拒絕國籍登記，志願遣返本國僑民，不准攜帶財物，無他，南越顯要沒收華僑的財產。

撤銷回國登記

大多數僑胞都很明白：政府向南越未來的交涉，未必會有充分把握。於是，他們基於兩點理由：（一）遣返台灣後居住、就業、升學以及生活無法解決；（二）不能將留越財產攜同歸國。自七月二日起有不少人向公使館要求撤銷回國的登記表。就數字上看，已登記遣返台灣的僑胞，已達兩萬多人。但此種表格，公使館已於上月送交南越政府；公使館既感困難，但南越公安局情報司復表懷疑。於是，已經在登記表中撤銷返台的，連日均遭公安局情報司傳訊，使館方面而不能不派員赴公安局解釋，並要求當局發還他們的身分證。

又遭遇新問題

西貢使館目前對於僑胞去留問題已大感頭痛。但另一頭痛問題，也由撤銷回國問題引起，因為每年六月底以前，領有身分證的華僑，必須繳納「人頭稅」。四萬五千多名華僑，由於準備返台，一九五七——五八年度稅款均未繳納；依照過去成例，七月一日起除補繳應納稅款，另科滯納罰金。故此，使館不得不商請西貢當局通融，免予科罰；同時召集各幫僑領籌集款項，救濟無力繳納「人頭稅」僑胞，儘速辦完不願回國僑胞居留手續。根據使館方面統計，受「越化案」打擊的肉類，五金等十一行業僑胞，共達四千一百七十二人。其中有四百八十五人係店主，他們有家屬二千一百三十四人；失業店員三百七十七人，家屬達一千一百七十六人。肉類行業佔數達三千三百人。這四千餘人生活，目前全賴僑胞互助，否則早已危及生機；生活既陷困境，「人頭稅」怎能負担。

有待撥款救濟

就現實情況看來，我國對於失業僑胞處境，亟應考慮撥款救濟，不論款項或者物質多寡，不能一無表示。四萬餘僑胞如今彷徨西貢，有的打算遷往南越，前往香港、澳門，但畢竟是千分之幾的少數，多數均為未來的生活担憂。

企望祖國壯大

現時湧現於他們面前的，似乎只有一個希望：祖國能夠一天天壯大，脆弱的外交轉趨強硬。那麼他們雖然目前被迫加入越南國籍，終有一天脫籍重投祖國懷抱。但復由於教育「越化」的影響，給予僑胞上述希望，未嘗不是一大阻撓。說來，是得一有良知的中國人不能容忍的。我們有理由促請政府注意：保衞海外的中國傳統歷史文化，視為反攻大陸的準備工作之一，而予同樣重視。

（七月六日寄自西貢）

國會聯合會中國組自動解散

•牛崎•

台灣通訊

映動一時的代表國會名義問題之爭，經司法院大法官解釋後，有關各方雖歧見猶存，總算有了一個共同代表的機構可資依循。不料一波未平，一波又起，組成已久的世界性國會聯合會中國組正式宣告解散，再度引起人們注意。

立法院發表解散經過

據立法院新聞室發表的資料，國會聯合會中國組，鑒於前國內外形勢特殊，無法進行該組任務，由立委廣祿主持召開會員大會，決議接受該組全體籌備委員之辭職，「中國組」正式宣告撤銷。緣民國四十年六月，國會聯合會土耳其組會邀請我國參加第四十屆大會，當以時間迫促未及參加。至四十三年十二月，立法院乃籌組國會聯合會中國組，參加之委員共有四百餘人，並選舉委員廣祿等為籌備委員，負責辦理申請入會手續。四十四年五月至八月該組制定內部組織規程並申請入會，不意是時中共「人民代表會」亦欲乘機申請入會，經該組，多方設法阻止中共混入並洽請各國助我入會。八月廿三日國會聯合會行政委員會，在芬京開會，蘇俄極力支持中共，而中共且派有代表團先期抵達芬京，幸經我友邦代表竭力反對該會行政委員會乃決議暫不作決定，留待下次會議解決。十一月二十八日行政委員會在新德里召集會議，事前該組雖曾盡力佈置，但不料原允出席之美國代表臨時因事不克赴會致該組入會案以三對三之平票而為當時會議主席英國代表裁決助中共一票遂以一票之差而告失敗，中共入會之申請反被通過。自新德里行政委員會允許中共入會後，該組委員深為憤慨，乃分電各國表示反對，至四十五年四月七日在南斯拉夫召開之國會聯合會理事會中幸賴各友邦之援助，經激烈辯論後，乃以三十三票對二十二票，五票棄權將行政委員會允中共入會之決議打消。但關於我國聲請入會案則決議俟我國聯合國代表權問題解決後再議。職是之故，我國入會問題遂被擱置，現該組籌備委員深感於國內外形勢之困難，無法繼續進行，乃向該組大會提出辭職，一致表示該組應予解散，均經大會決議通過。

值得檢討的幾點

如果將這段資料稍按一下，有幾項事實值得加以檢討，第一：我們的政府一向忽略國際宣傳，在國際聲勢上吃虧不淺，世界性國會聯合會正是「聯合國第二的象徵」也是發展外交爭取國際間了解與道義支持的好場所，由於中共的力爭加入可見其重視之一斑，我們一誤於時間迫切未及加入，再誤於中共阻撓與排擠，三誤於代表權問題之未能解決，以致會籍懸擱置。這些所謂：「時間迫切未及加入」，所謂「代表權問題未能解決」誰之咎？誰之過？

第二：立委廣祿委員勇於任事起而籌組國會聯合會中國組以及同中共堅決鬥爭的精神是值得欽佩的，但是跡近「唯我獨尊」只此一家並無分號的做法實在使人憂慮。復觀立委廣祿等十五人總辭國會聯合會報告第五點載：「大法官會議之解釋，致使本組工作無法進行，竟認為國民大會，立法院，監察院共同相當於民主國家之國會，本組工作難於進行。」一節，更適足以證明。

第三：在立委總辭國會聯合會籌備員報告中可以看出，中共百般設法爭取加入國會聯合會，而我們的中國組卻自動放棄權利自暴自棄的解散了！姑不論司法院大法官解釋文是否值得考慮接受，難道在此國難方殷當中不能同舟共濟？同是政府機構不能攜手合作一致對外嗎？

第四：有關方面應該澈底檢討國會聯合會究竟有無參加的必要與價值，假如有[illegible]聯繫有關機構，使之捐嫌修好，收拾意氣，如何運用友邦關係重新申請參加國會聯合會，充份發揮力量，使代表團具有「蔣廷黻第二」的作用，在在都是目前重要一課題。

一誤不能再誤

國會聯合會代表權問題，一誤不能再誤，必須迅速解決，我們希望有關機構安份際，守本職，不僭越，不推諉，不意氣用事，不希望這內不見諒於國人，外不見諒於國際的事實繼續存在。

百年前的建議——英擬建英法海峽隧道

正當拿破崙全盛時期，法國陸軍工程師馬蒂額於一八二〇年向他建議建築英法海峽隧道，以便向英國進軍。此項建議並不荒謬，只是拿破崙不予重視，未能實現，到一八八〇年英國率先成立了海峽隧道公司，但英國軍方極力反對，擔心在軍事上更不利，到一九二九年，英國會又成立一個委員會，但終又為軍方所反對。現在，英國對前議又感到莫大的興趣了，而美國也有人願作此項投資，但英國海峽隧道公司董事長錫爾卻有意利用前蘇伊士運河公司資金開鑿，費用約為一億英鎊，為時約需十年。

願與海外華僑作一懇談

——蕭立坤——

阿根庭特稿

一九五五年四月卅日我在「自由人」寫了一篇短文「泛論殖民主義」中有三段如下：

「美國，菲律賓，泰國，訂出許多歧視華人的法律，主要原因是華人不願與土人同化，許多土生華僑，不效忠當地政府，而第一忠於祖國（中國），因之使當地政府及人民不放心。異地而處將心比心，這也是大值得研究的一個基本問題。

意大利人移民阿根庭則不然，（歐洲人移居美洲，一般均如此），他們一到新國，精神上即與祖國脫離關係，好比女子出了嫁，即全心忠于丈夫，與娘家兄弟們，各立門戶，各是一家）。

「一個政府希望移居國外的僑民，第一向祖國效忠，不啻一個父母，希望已嫁的女兒，第一向娘家效忠，而將丈夫擺在其次，一樣的不合理，已嫁的女兒自身，如果時時念念娘家，而不效忠丈夫其後果也是不堪設想的。」

這一段話，不但人微言輕，或可能反而引起許多忠貞人士的反感，今年越南僑胞國籍問題，鬧了幾個月，我幾次想再作一次逆耳的忠言，都因事忙未果，却也絕未料到有如此惡劣的演變。

現在我仍擬以一個華僑的地位，將上述三段話，貢獻給我留越僑胞，請三思之。下面只是簡單幾條原則，請僑胞自己去再加發揮，因為我是不會寫長文章的。

一、今日身為中華血統的人，應請學習林有福先生。瓦斯先生在六五七期「自由人」上說「僑胞是祖國擺在海外的一股力量」我不同意這看法，我以為這是一種極危險的看法，今日之錯，正因許多人犯了這毛病，林有福是中華血統的新加坡人，與任何中國政府毫無法定的明暗關係，也不是祖國擺在新加坡的一股力量。

二、華僑應把國籍與血統的觀念分開，我們的偉大，在于我們的血統文化不在于國籍。愛因斯坦是一個猶太血統的科學家，他是德國籍抑是美國籍，對他的偉大毫不相干，反之，中國之貪官污吏，冒充難民，入了美國籍，其滿身腥臭，並不洗脫。

三、生在當地，而不入當地籍，這對於當地政府及其人民是一種不友誼的表示，這無異輕視當地國家不配做出生人的祖國，即令是新興弱小的國家，也不會歡迎這種態度的，試問，不但土生在美國的華僑都高興保留美國國籍，許多外邦人，還千方百計去求入美國籍，豈非美國强大嗎？趨强棄弱，也是中華傳統文化所不取的。

為今之計：

一、上策：凡土生華僑均應丟掉面子觀念與當地政府力爭入籍後的權利，並負起入籍後的義務，撤退回去台灣（或大陸）是萬萬做不得的。

自由中國政府，也要丟掉面子及官架子，派大員赴各海外當與地政府交涉，並協助未登記入籍的僑胞，補辦入籍手續。

二、中策：不惜以絕交手段，力爭土生華僑，雖不願入籍，仍應享有居留權，如當地政府不可理喻，應將此問題提交聯合國，在任何情況下，不得撤退回台。

三、下策，已有了，不必我說了。（六月卅日于阿根庭）

人物評介

悼念金湘帆先生（下）

•紹莘•

金先生加入國民黨，是在十三年改組之後，他編了一本三民主義問答，應考做公民教師的視為必讀的手冊。至於他生平論學做人，與儒家思想接近，樂易和平，入情入理，決不是主張循名覈實，刻薄寡恩的法家。我還記得在民十一年暑期中，我和潮汕學生一批赴廣州投考高師，那時正在潮汕八二風災之後，交通梗阻，我們搭了一艘無客貨的貨船到香港，隨即趕上廣州報名，剛巧那天就要考試，教務員羅某拒絕我們報名，同伴中人推我做代表謁見金先生，在大鐘樓的走廊中碰見了他老人家，我把我們的理由向他申述一番，他馬上答應我們參加考試，這是他辦事有情的地方。

金先生是廣東教育界的宿儒，他先後擔任了嶺南大學，國民大學，廣州大學的校董，和廣州知用中學，香港知用中學的董事長，亦曾做過廣州大學，敎忠中學，執信中學，仲愷農工職業學校校長。抗戰軍興，金先生避居港澳，他那時是任執信學校校長，學校暫遷澳門南環，他的住家是在香港，當時常來往港澳兩地。廣州知用那時亦遷到澳門青洲，香港知用則在九龍太南街開辦，師資和設備，在當時首屈一指。每學期開董事會，或在澳門，或在九龍，開會後聚餐，我多數是和金先生同席，同學們知道他喜歡喝酒，叫我陪他喝，他的酒量還很好，能夠連喝幾大玻璃盅的五加皮，那時他已是六十有多的人了。金先生在香港居住一段時間中，經濟情形似乎不好，澳門知用和香港知用當局每學期都送了一筆車馬費孝敬他老人家。廣東臨時參議會成立，他是參議員，每年必有二次同曲江出席，那時擔任議長的是民大校長吳鼎新先生。現存詩集裏的詩，大部份是那時做的。如民三十年辛巳旅港作七律三首有句云：「高士本來難入世，野花多半不知名。」「酒貴難為豪飲客，菊殘猶有耐寒枝」。「駒過似箭流光易，米貴如珠飽腹難」。可見他的鬱勃的心情了。

日本發動太平洋戰爭，進攻香港，僥倖他在澳門沒有受到驚恐。這一年多天，澳門教育會（等於香港教育司）的秘書衛人白脫利先生通知各華校，說他的兒子要回里斯本大學唸書，各校當局紛紛送禮，並在國際酒店設宴餞行，我那一次又和金先生同席。他出示近作七律三首，我即席依韻和作，一揮而就，澳門中華教育會會長梁彥文深為驚異，金先生心中歡喜，以為孺子可教了。金先生在澳門居留時間，有一段事實令人可敬可佩的：有一天，日本駐澳門領事某，探聽他在執信學校辦公，驅車前來訪謁，意在游說，勸他參加偽組織；他知道「來者不善，善者不來。」便由後門溜走了。孟子說：「段干木閉門而不納，泄柳踰垣而走。」金先生這番舉動，頗可謂臨大節而不苟，君子人歟？君子人也。

經過這一番後，金先生知道是「齊乎不可久留」。有是打算偷渡回內地。事前我們知道了，便在青洲設宴餞行，同座的還有鄒海濱先生夫人梁定慧女士，黃鶴白酒，別有一番風味。及今思之，儼履如昨。

金先生回到肇慶後，打了一封電報給教育部長陳立夫先生，報告他已經到內地。當他到達曲江不久，教部馬上發表他為中大校長，繼張雲出長中大。

三十一年夏天，我回到坪石，曾到校本部謁見他，不久我便到桂頭廣東省立文理學院教書。一直在復員後，才到高第街拜見他。民三十六年，高師同學在文德路的會所聯合和金先生祝壽，他即席賦詩云：「悠悠三十年前事，到底分明祇此心。舊日絃歌如隔世，滿門桃李已成陰；登樓每起滄桑感，掩卷聊為禾黍吟；且為開軒迎晚麗，燈前不覺引杯深。」在這首詩裏，可以看出他當日的心情。

大陸變色後，他曾舉家遷居澳門，聽說是受了崇清的游說，實行靠攏，晚年他病廢居家，但名義上仍然是敎忠校長。亞理斯多德說：「吾愛吾師，吾尤愛真理。」對於先生的晚年遭遇，不禁為之三嘆息了。

廣州撤守前，台灣某顯要曾拍電給法商學院院長張良修，囑他離開，結果張不特沒有走，且實行靠攏。教育部長杭立武亦曾囑咐參事姚寶猷搶救陳寅恪先生，但姚亦存心靠攏，沒有達到他的任務。假如當時有人注意金先生的安全和生活，當然他仍可生活於自由天地，不致受靠若難，磨折而死，這是可以相信的。

澄宇齋詩，以我觀之，七絕最佳，我尤喜歡他過藍關一首「為看藍關不見關，輕車已過萬重山。回頭九曲羊腸路，盡在青樹碧靄間。」金先生走完人生的旅途他的精神已在青樹碧靄間了。

出版尺度放寬後

•芮莫中•

自從報紙與通訊稿相混合而成的「怪物」——大華新聞于去年記者節出版以來，報業公會為之側目，讀者群眾為之納罕，像這樣的「違章建築」得以存在者，人們都解釋為「出版尺度放寬了。」

可惜「大華新聞」本身太不爭氣，已于今年六月廿六日「短命」。與它同為小型報的報，以為從此少了一家競爭的同業，歡喜得睡着也會笑醒。「你也夠了，」這怕是它們所擬的輓詞。

據說大華新聞關門的原因，在於股東之間意見，原有四個股東，社長周偉成，總編輯沈吟，總經理張仁道，採訪主任丁元久。出版不上三月他們就發生了歧見。未幾則丁張沈三人拆夥而去，僅由周偉成一人獨力支撐，至于關門，蓋他不是內行，所以後來該刊成了「自噲以下」，共計八個月，蝕本二十萬，慘哉！慘哉！後之欲法此「違章建築」諸公，都以為前車之鑑。

我們的政府，不但關于通訊稿出版的尺度放寬，而聽任大華新聞之「小報化」發行，連一切所謂黃色黑色的內幕雜誌，現在也「一視同仁」了。

記得在大鬧「文化」清潔運動期間，那受罰「關門十月」的十種內幕雜誌。當時的確出版界「清潔」了三百多天，及至它們「刑滿」復刊，捲土重來，其聲勢銳不可當，生意仍然興隆，人們鑑於賺錢如此容易，也就開始大動腦筋。那通訊稿可以做成「報」型，那末，原屬於專門性的週刊，旬刊，半月刊，何嘗不可以改出綜合性之內幕雜誌呢，先有二三大胆之人試出之，繼有四五小心之人仿效之，更有六七八九為了撈錢之人跟進之。於是除了原有十種之外又增加了十多種。甚至一塊民主畫刊的招牌，也出成「內幕新聞」了。不久以前，曾有「鈕司」刊示「雜誌界之混亂」一文，志在提示有關當局「清潔」一番。可是至今未見清潔跡象。而遠在宜蘭花蓮，等外埠的登記證也拿到台北來出版了，猗歟盛哉！內幕雜誌之混且亂也。

有人譏諷的說：「這情形有點像「百花齊放，百鳥爭鳴」的亂放亂鳴，惟不識其後果如何耳！」又有人感嘆的說：「請看大華新聞的下場！」

我們不反對出版尺度之放寬，但，專門性刊物轉變而為綜合性的內幕，總是不正常的現象。

寫給司法行政會議

·萬香堂·

民主國家的生命乃維繫於法治，而法治之得以健全發揚，固在立法之適合時代精神，尤在於執法之能公正貫徹。自由中國在奮鬥中，司法界雖力求進步，四十三年間討論此問題甚多，原以近年司法界曾標榜「革新司法」以配合國策之需要，當必多所改革。然近數年來之成績如何，在往年舉行司法行政檢討會議中似無若何「自我坦白」的表示，我們希望今年度之會議應切實檢討，茲謹將輿論之焦點提供參考，其亦不以爲忠言逆耳乎。

一、審判已完全獨立了嗎？據四十三年七月間的輿論指出『近幾年來凡較重大或屬有權有力的訴訟案件，初二審法官的審判，往往受到干涉，也可說是受部方控制，致在檢察方面應起訴改爲不起訴者有之；已不起訴又提起訴者有之；在審判方面，由審推事判決書已定被部方影響改變刑詞者有之；案經判決無罪，經檢察官率章上訴，覆判之後倒擱置時日，即命撤銷者有之；宣判之期未到，判決書已滿天飛者有之；凡此，均是勝訴抑或敗訴的當事人，常有向司法人員到有人與事可稽。法官具有做官不肯接受控制者，主管長官有竟公開於司法檢討會議中予以指斥者。審判之被控制，就是幾年來司法上混亂的原因。』（大意略見四三年七月一日自由人報），該文發表已逾三載，司法當局未嘗加以否認，當局非無稽之談。年來是否對此類事，加以改革了呢？

二、紅包煩惱已解除否？司法官員清廉守正者固不少，而徵逐於酬酢應酬者，亦正多，訟事人與律師知之甚詳，前年新聞記者有以「紅包煩惱」爲法官們解嘲，據我們所得的資料如下：『「紅包」風氣煩惱了司法當局，司法行政部長谷鳳翔日于一九五六年夏在記者招待會中談到此一問題，他說：「在台灣打官司，無論洩紅包的風氣（註：即贈金、受賄）此一惡劣風氣，每每使一般清廉的司法人員蒙受侮辱者。他們遇到此種事時，除了立刻將所送紅包原封退回外，祇好予嚴正申斥一番了事」。據說，送紅包的人並非全是知識淺薄的無知者，有些頗具社會地位且有聲望當法律常識的人」。（見聯合報新聞窗第九〇期）由這段談話足見歷年司法界，有不可否認的壞現象。而潔身自好的法官偶遇到有此饋贈，即行[illegible]，這也證明「一條竹槓打死一船人」[illegible]不能打死一船人；司法當局不[illegible]急補救[illegible]，當局不願[illegible]，派由老成清正份子出任各級部門要津，並澈查會衙，嚴加懲戒。

三、不許而懷刑。今世之有批評狂者，亦不足法，斯齊本哈白有言「世人有一種情慾，即揭發他人之隱事，而公之於世上，而此情慾，於世上爲最大之魔力，極難制止。」而史記所謂「衆口鑠金，積毀銷骨」，「含血噴人，先污其口」，故發言者必須大公無私，不計個人毀譽，惟每個人必須三省吾身而有懷刑的勇氣，陶覺所謂「世人大病，只是自家不肯認錯」。平時吾人常於訟事人及律師口中，聽到許多法官之失檢，但要拿到受賄的證據是不易的，惟有彼輩自問良心而已。英國有諺云：『罪雖可匿，然而心不能安』。蕭伯納亦謂『一切刑罰中之最重者，爲自吾本心裁判所受之刑罰，任何人，都不被釋免！』

年來街頭巷尾對所判案不滿者不可勝計，遠如二審中某販毒首領之宣判無罪，近如皮作瑰貪汚二百餘萬，初審僅判罰一年半，人言嘖嘖，繪聲繪影，然從另一方面看，未嘗不可如司法行政部長之所言「由於此一惡劣風氣之形成，最易使一般不法之徒，假借名義，在外招搖撞騙，從中混水摸魚。例如，據說常有人向當事人說他認識某某法官並與之有深厚交情，如欲如何如何，祇要拿出多少錢來，他便可代爲說項……等情，其實，他根本與該司法人員素昧平生，至於那筆非法的錢當然是他中飽私囊了，因而司法人員便無緣無故蒙上莫須有不白之冤」，是則吾欲進言謹借淮南子一言以贈「夫據除而窺井底，雖達視猶不能見其睛，借明於鑑以照之，則寸得而察！」也。

關于甘乃光在澳遺產稅

——外交部來函照刊

貴報本年五月八日刊載雪梨簡訊一則，略以我前駐澳大利亞甘大使病故後，其遺產需繳納遺產稅共六百五十餘萬鎊，約遺產總值之半數，又甘氏遺產，並非澳方[illegible]所得，聞可由我國外交機構代爲申請豁免該項遺產稅等語。

經本部飭據駐澳大利亞大使館復稱：「（一）甘前大使故後，其遺產需繳納遺產稅[illegible]，[illegible]總領事於本年二月間代函澳洲維多利亞省政府請免稅，[illegible]。（二）澳遺產稅條例係採累進稅率，[illegible]一萬鎊以下之遺產徵稅率約爲百分之五，載該稅數與遺產總值半數一節似非事實」等情特函請查照更正爲荷。

香港今非昔比

今天的筲箕灣

·劉兆祺·

假如你在二三十年前到過香港的筲箕灣，今天重臨這地，你眞的不會相信這就是昔日的筲箕灣；就算你將戰後一二年間的筲箕灣來和今日的比較，亦有很大分別。三數十年前的筲箕灣，還是荒蕪一片，野山廢土，人跡稀少，只有一些漁民聚居在這裏。漸漸地，隨着人口的遷移，塡海的工作，街道的開拓，灣上亦隨之繁盛起來。

可是，戰場的筲箕灣，因爲經過日寇的摧殘彈藥的炸毀，還見滿目瘡痍，頹牆亂瓦；但時至今日，洋房高樓已替代了那些亂堆起的瓦礫，再加上稠密的人口，興盛的工商業，使筲箕灣頓成爲一處盡人皆知的地區。

特寫

漁業和工業區

筲箕灣是本港著名漁業區之一，和香港仔、長洲、大澳等地齊名。今天，它還保持着漁業區的地位。灣上停泊着無數的漁船、風帆、拖渡、和小艇；有些漁船，從前是用篷帆行駛的，今天已用內燃機代替，成爲行駛迅速的機動漁船。

還有，今日的筲箕灣，不特是漁業區，同時已發展成爲新的工業區。現在，灣上工廠林立，著名的有馮強樹膠製造廠、振興糖菓麵包餅乾製造廠，太平糖菓麵包餅乾製造廠，康元玩具製造廠，其他還有造船廠，和釀酒，香烟、茶葉、玻璃、五金、針鈕、電筒、麻繩、麻織品、絲織品……等的製造工廠，成爲本港工業出品的產地。

人口和建築事

從前筲箕灣只是漁人們聚居的地方，可是今天，除了水上人家居住以外，還有各階層的人，尤其是近年來工廠的加增，工人爲數着實不少。據說現在筲箕灣擁有廿餘萬人口。

因爲人口的加增，樓宇紛紛增設，昔日賤價的土地，今日地價日益昂貴。今天的筲箕灣，你別看輕它，高聳的大廈幢幢纔起，好像樓高十層的鄉政大廈經已落成，而繼續動工的，還有十二層高的樂聲大廈，和規模龐大的章記大廈樓宇。

然而，在另一方面，儘管高樓洋房日起，有些貧苦的漁人，仍居住在黑暗潮濕汚穢叢臭的陋巷裏，他們沒有一所起碼居住的房子，只有終日屈身在那些狹窄的破船上，因爲那些破船，經已破殘不堪，不能在水上行駛，只得擱在陸地上，代替他們的房子。

教育、社會福利和娛樂

爲了適應兒童們就學的需要，筲箕灣的學校，年來紛紛增設，除了原有的的十餘間小學以外，這兩年來設立和著名的學校，計有聖迦勒撒學校、聖十字架學校，東華三院香港第二免費小學、慈幼中學，和月前由督憲葛量洪爵士開幕的聖馬可中學。

福利機構有筲箕灣街坊福利會，香港政府社會局和在聖馬可中學隔鄰的香港保護兒童會（H.K.S.P.C.），及供給兒童們遊玩街坊福利會兒童遊樂場。

灣上有電影院三間，就是筲箕灣戲院，長樂戲院，和較爲寬大的金星戲院。

灣上特色

灣上仍具有漁村的特色——傍晚的時候，歸帆紛紛由鯉魚門駛返，密密地聚泊在灣裏的一角。晚上，燈光點點，漁歌對答，音調淳樸而帶有風土人情味。還有另一特色，就是每屆節令或年尾時分，出海漁船，紛紛駛回，漁人多聚在街頭，三五成羣，互相談笑，又每年天后和譚公誕，漁人多攜綵，香燭、飽餅、金豬……等，拜廟參神，非常熱鬧。

假如你有興趣的話，只消花費三數毫子的車費，便可以到那裏走一回；尤其是在炎熱的夏日，傍晚前往，一方面可以遊車河，另方面可以欣賞一下筲箕灣夜裏的景色。又假如你喜歡繪畫或游泳的話，你可以到那裏寫生或到南蕉泳場游泳，浮沉在綠波中呢！

梁啓超傳記

毛以亨著 亞洲出版社出版

·伍憲子·

爲一個名人作傳記，是一件困難的事。尤其是近代人，所牽涉者太廣，很容易感情用事，將理智掩蔽。最近亞洲出版社所印之梁啓超傳記，著者毛以亨氏，我讀完之後，覺其持論很公平，能將梁啓超眞相畫出，不因感情而掩蔽理智，是一部有價值之書。

毛氏提出「新」與「熱」兩個字，描寫梁任公。但是所謂新，並非對於舊觀爲無一顧價值，任公最重要的工作，除介紹西洋文化外，尤在整理國故。毛氏謂「任公之灌輸西洋文化，是以儒家思想爲其先驗意識與範疇，若非儒家意識所能有而與其不並容者，如基督教與馬克思，則不入選。」此話極深透有力，不只深切了解任公之人格，也見任公之學術思想，實已深切了解任公糾正社會的錯誤，我們要做社會底氣幹。我們要做人，在社會上要做成一種不逐時流的新人。我們要做學問，在學術上要做成一種適應新潮的國學」。毛氏所謂以儒家思想爲其先驗意識與範疇，就是申述此意。毛氏蓋善學任公者。

毛氏又謂：「新與熱爲權法，而非常道。以『新即是好』的命題，在邏輯上是決不能成立。而一味提倡熱誠，在政治上只是培養革命與獨裁。民主政治是與之相反，而是講寬容的。在教育上尤足以使學生心粗氣浮，不能靜心下來讀書研究。……任公當時，爲了求變，非以新與熱爲權法不可。但他是寶貴中國文化的人，新是有限度的，熱亦不是常用的，其頭腦冷靜，計劃周詳。若謂任公只驚新奇，而浪用其過度之熱，便差之毫釐，謬以千里，錯認任公了。」此段話說得極有分寸，亦極中肯，毛氏可算任公知己。

至於任公如何新，如何熱，如何運用其有限度之新，與不浪用其過度之熱，請讀原書自明，我不用多再引述。

原書分六章，一、緒論，二、少年讀書時期，三、維新運動時，四、流亡辦報時期，五、民初從政時期，六、文化運動的晚年，每章又各分數節，三十餘節，條理井然不亂，文筆亦流暢動人。末節，從康梁公車上書，說到任公反共態度之徹底批評蘇俄，「只是共產黨人的成功，却是共產主義的失敗」，其言尤爲深入。回憶民十六年多間，我在天津，與任公有過一段談話，任公說，「現代的經濟病態，我所診斷，與共產黨所診斷，同一脈論。但所開方劑則不同，我確信這個病，非共產黨所開藥方可能醫好。將來全世界都要跟我們學」，把病醫好，這方子，還方子也許由中國先服了」，並答應將這方子寫出，對於政治主張，經濟制度，都擬一套具體辦法。此可見毛氏所說任公反共態度之徹底，得一個證明。然可惜任公未幾因病去世，方子未曾寫出，此是中國之損失。

今者任公往矣，其書，如其人，毛氏極致嚮往之誠，謂「任公之精神，已非少數人所得而私，蓋如飛花片片散入各個人之靈魂中，變爲新生命，而爲新文化之再造以努力了。我們這一代的人，無論爲敵，爲友，在氣質上，似乎沒有不受到任公影響的」。此話說得很公道。

至於全部書中，沒有缺點嗎，錯誤之處儘有，但此是小疵，無害宏旨的。

編者讀者

論翻譯

編輯先生：

政論專欄作家，該有狠大的自由的；沒有，便削弱了他筆下生花的妙趣。馬五先生稱「自由中國」的主持人爲「吾家徽猷」，便令人聯想到「吾家太炎」這一類仿傚於江左風流之睡款，是饒有趣的。可是自由人這期（六月二十六日）——據說，馬五先生和我們懂得「美國英語」——馬先生詞一是韓復渠的「創造」——的朋友們過不去，說一看便懂的「封閉社會」都要註上英文，說得討厭！自由討厭！這次，「我的朋友」馬五先生似乎有點信口開河了。當今有兩個第一流的哲學家，一個做了一本 Open Self，一個做了一本 Open Society。「自我」便「自我」，爲甚麼要上 Open，「社會」便「社會」，爲甚麼要加上 Open，如果譯文便能明義，恐怕沒有這樣簡單罷。然則成爲 Open 之反面的 Closed，未必能使馬五先生一看就懂罷。當然他如果隨便照譯文生義，那是他的自由。

馬五先生的朋友 六月廿七日

自由談

對牛彈琴

馬五先生

日本政府最近宣告放寬對中共區域的禁運物資種類，我外交當局曾表聲明，指其爲得不償失。這算是一種姿態，表示友邦的立場，但亦大可不必枉費唇舌也。

跟共區貿易的利害得失所在，我相信日本人、英國人，以及其他嚷着要解除禁運限制的各國人士，心裏都很明白，用不着別人指述的。其所以然的唯一原因，就是自由世界的經濟市場日益緊縮，而壁壘重重各不相謀，所謂「歐洲自由市場計劃」，談判了四五年，才搞出一套紙上方案來，不知何年何月，方能予以嘗試。美援所及之地，別國的商業皆無從染指，也無法競爭，美國既堅決表示不與中共區域貿還有無，而共區又隨時懸出貿易的金蘋果，使一羣狐狸們垂涎欲滴，以爲沒有美國這一勁敵前來競爭，正是捷足先登，追摘金蘋果的大好機會。英國悍然不顧一切，要自動撤除禁運限制，用意即在此。日本自恃可與英國競爭一番，所以急起學步，何況艾森豪先生又曾經明目張胆地贊成別國與共產國家通商哩！

像英日各國人士，固然知道以戰略物資接濟共區，是要助長共產國家的軍事力量的。但它們認爲大戰若發生，自有美國打頭陣，在此「和平共存」的時候，自不妨乘機會圖一些商業暴利再說，天坍了，有高個子頂住，管它媽的！這是自由世界自己牛吊子的，太不成材，美國亦不能辭其咎。我們苦口婆心的呼籲，它們亦將無動於衷，何必多說呢？

不見棺材不掉淚，聽它們去追逐金蘋果，弄得頭破血流，自傷淪落吧！最要緊還是先把我們自己的經濟措施搞好，不似現時財經當局這末低能無用，以期立於不敗之地。我盼望從今以後，對放寬禁運問題，採取沉默態度爲佳，對牛彈琴，殊無謂也。

中國字的趣味

△厭字是走廊下嚼狗肉

·戈北指·

瑞典語文學專家高本漢，在他所著「中國語與中國文」一書中說：「中國文字是世界上最進步與最科學的一種文字，所以它是必不可少的。」高氏的這一論斷，是否正確，尚有待世界語文字專家們的研究。我在這篇短文裏，僅談一談中國字的趣味。

中國字稱爲方塊字，因爲每一個字體，都成爲一個獨立的方塊，體積大小相似，看起來非常整齊美觀。而且中國字的撇、點、鉤、捺，運筆各有不同，善書者的字，眞是鐵劃銀鉤，力透紙背，所以中國的書法，成爲一種高尚的藝術品。

如果細心研究，中國字是很有趣味的。記得從前看過一本專談中國文字的書，作者把中國字就其體形、音、義分成許多種類，其中就形而分者，如：塔形（圭、品、鑫、磊），匣形（四、回、田、日），螺絲釘形（丁、甲、中、宁），神主牌形（且、直、具、貝）……，並於文字，附以插圖，看起來非常有趣。再就組合來說，中國字很多都是由兩個或三個字合而爲一的，所以從前的文人，都喜歡用字的折合作成對聯或燈謎，以爲遊戲。據說從前有甲乙兩秀才，一天二人相遇，各顯才學，遂以拆字對對，以賭輸贏。甲說：「五行金木水火土，」乙對：「三位公侯伯子男。」「紅荷花，白荷花，何荷花香？」乙對：「黑甚子，赤甚子，甚甚子甜！」甲說：「海宴河清，玉有四方當作國，」乙對：「天寒地凍，水無一點不成冰。」這樣一出一對，始終不分輸贏。最後甲想開乙一下玩笑，於是甲說：「一醜陋不堪，細審原是西邊鬼，」乙知甲存心挖苦，遂對：「囚首垢面，乍睹幾疑O中人。」（北方人稱監獄爲O）原來甲乙兩秀才，各有缺點，甲的篇幅不修，乙則其貌不揚，乙相譏諷，幾至動武。

前年羅家倫先生提倡簡體字時，曾引起一場激烈的辯論，有位立法委員，在立法院討論「簡體字案」時，認爲中國文字的音、義，都是根據六書而來的，一旦字體簡化後，就失去了六書的意義，深恐初學者，將感到困難。他舉出討厭的「厭」字爲例，他說：「當我們讀到厭這個字，就知道這是一個人在走廊底下嚼狗肉，因而就會想到一般人整天在走廊底下嚼狗肉，能不感到『厭』煩嗎？」（見當時聯合報載）這種解釋倒是很有趣味，不過除非這小子是屠狗專家，否則，何以會整天在走廊底下嚼其狗肉呢？老實說，中國字的音義，也並非完全都根據六書，有很多字都是六書無法解釋的。有人說，矮與射這兩個字的音義互爲顚倒，試把「射」字分開看，是成爲「寸」與「身」，一個人身高僅及一寸，豈不是個矮子？再把「矮」字分開則成爲「矢」與「委」，矢是箭，委是托，手托弓箭，不射而何？若果把這兩個字的音義互爲顚倒一下，也許要恰當得多呢。

大凡任何一件事物，總有研究的興趣。中國字全部約在四萬四千餘字（中部大字典收四四九〇八字），我們經常所應用者，也不過三數千字，如果能將那些冷僻字，細心加以研究，也許是門很有趣味的學問呢！

閑話相命

·張瘦碧·

「窮算命，富燒香」，這是江南地方一句極流行的話，而事實上也確有這種情形。一個人當他不如意事時，又處在惡劣環境下，心中的憂鬱無法排遣，在人生坎坷的旅途中，有如迷途的羔羊，不知怎樣抉擇前路，那麼，他自然就會想到自己的命運，不免要求助於命理家，卜一卜吉凶，問一問壞運幾時擺脫，好運何日臨身。

逢凶化吉，遇難呈祥，這雖然是屬於老生常談，但是六十年風水輪流轉，原是循環至理，「葡萄美酒夜光杯」如何能使人始終這樣的陶醉下去呢，世間沒有不散的筵席，也決不會把你憔悴一輩子，苦與甜的味道，都要嘗一下子的。人是最靈感的動物，誰都愛過着好生活，萬一拂逆來時，事實無法給你解答，惟有消極的求之於算命，以時辰八字，[illegible]答案，于是一般專門研究星相命理的[illegible]

朋友就險險有問了，在目前科學至上的原子時代，他們那一套玄妙哲理，還是到處風行，可以得到拆穿的西洋鏡了。

人總有向上心理，何能怪那些處在逆境的人們，就是一些正處在一帆風順日子的人們，心裏也時常要惴惴不安，担心着好景會突然間的逝去。任憑你有多大學問，多大資金，多大勢力，也常屈服於命運，要請教命運家「指示迷津」。[illegible]

[illegible]

廣陵秋近

慰陳一萍悼亡

·王蓬翠·

寶瑟凝清。忍顧腳，向晚[illegible]

隨筆

烏兒與馬丁路德

·沙飛·

宗教改革家馬丁路德，終其一生幾乎無日不在爭取宗教自由而與當時黑暗勢力相搏鬥。他不獨主張人類應有其良心的自由，即一切飛禽走獸，也都應有其生存的自由。有次，他的一位僕人，設網捕捉烏兒，爲他所惡，認爲這是一件妨礙自由的行爲，遂假借太羅曾第六章第廿六節，代烏兒撰了一封信，原文如下：（見「黑暗中的亮光」一書）

「親愛的馬丁路德先生：我們幾種烏兒，今夏由南方飛向北方，必須經過[illegible]飛越過的時候，您那位殘忍的僕人設網侵辱我們，使我們不能就地啄食神所賜給我們的種子，且要傷害我們的生命。我們[illegible]他是多麼兒殘而不講理啊！[illegible]嘗此卒惡，遺種行動。[illegible]上停留的鳥兒敬上。」

如果那人不是馬丁路德的僕人，又如果馬丁路德是那位殘忍的僕人，就會給鳥兒隨意帶上一頂帽，或者編入「大鳴」案中，豈不成了籠中之鳥，其命運不問可知！

失眠

「夜中不能寢，起坐彈鳴琴！」

有了憂患或愁若，往往是睡不着。古詩：「明月何皎皎，照我羅牀幃，憂愁不能寐，攬衣起徘徊」，這是恒由失眠症起，尤其在現社會複雜生活的人們是常可以見到的一種病症。

[illegible]的醫生或精神治療專家[illegible]的勞動或就寢前用熱[illegible]加使我清醒的結果，聚精會神閱讀的結果，眼力即感疲倦，心身就比較易于入睡。

[illegible]

阮籍詠懷有句云：「夜中不能寐，起坐彈鳴琴。」這也是一種解悶消憂的辦法。而剪貼圖畫與報紙文章及玩弄七巧板都能消磨時間而使一部份人滿足。

邀了二三知己在「芭蕉分綠上窗紗」的月夜或雪壓松枝拂石窗的寒晚，泡了一壺濃茶，抱膝長談，剪燭西窗，到更殘夜盡時與歡而散，也就易于入睡。

總之，隨遇而安，逆來順受，是解除拂逆的一個訣竅也是治失眠的靈方。

秀瓊

海上學校

—中篇小說—

其他有的願意送三個的，有的願意送一個的，也有並無子女可送，自告奮勇向親戚朋友處「拉伕」的，大家你一嘴，我一句，酒席筵前弄得熱鬧非凡。頃刻之間，海上學校的學生人數，在筵席上就增加了四十幾位。使「海字組自學團」，變成了名符其實的「蘇家班」。

粗野的民族有一種最可欽仰的美德，那就是答應過的事馬上就做，不然砍下頭來也不點頭。他們既經點了頭，事情就成了鐵案，決計沒有翻悔的餘地。

散席後，李太玄夫婦扶着薄醉，診治了三幾處病家，然後返回海上學校。他今晚感到特別興奮。微微膨脹的腦袋裏，正盤旋着一組新計劃。他確認這組計劃不獨美麗，而且平實，頗合乎海上人家的需要。他想得出神，胖臉上的笑容將紅鼻子都擠歪了。

總辦公室的汽燈，照耀着五位容光煥發的老師。他們有談有笑。爽朗的笑聲與短促的談話，將同一的夢想擁展在似錦的希望之上。一個月來的抑鬱和辛苦，在新形勢之前，已一掃而空。

教室裏，高掛着另一盞汽燈。杜宇文靜地靠住講桌，指導劉全忠和鄺財寶進行工作。也許是因爲這兩位小老師的工作，表現得十分優越；也許是他們的認眞負責的態度感動了她，有一抹掩飾不住的甜笑攀在杜宇的嘴唇邊，教人可以窺見他內心的快樂與和諧。梁家三兄弟，黃家兩兄妹正聚精會神，分組補課。那股渴望把功課學好的神態，着實令人感動。

鄺財寶分了黃家兄妹這一組，在學習的進度上大致符合標準，沒有甚麼逢到疑難的麻煩。而劉全忠那一組，却經常碰到梁有訓的連珠炮，把這位小老師糾問得啞口無言，面紅耳赤。有些問題幸虧杜宇從旁解圍，代爲答覆；還有些問題，連杜宇都被難倒了。比方說：漲潮時，多出來的水是從那裏來的？落潮時，減少的水又跑到那裏去了？在梁有訓那好奇的幻想裏，他認爲潮水的漲落和一只玻璃杯子裏，水的增加和減少是同樣的現象。他就要追究潮水的增減的原因。杜宇很誠實地告訴他，這個問題她還沒有弄明白，且待明天上常識課的時候，再向貝老師提出來。她把這個問題記載在教學日誌上，並且用很虔敬的態度，讚揚了梁有訓的懷疑精神。使這個黃黑頭髮的淘氣學生，露出他那列稀鬆的細牙齒笑個不停。

同樣，教學日誌上還記載了海水爲甚麼是鹹的？鹹味到底一樣嗎，還是各地不相同？只有海上有波濤呢，或者海底也有波濤？海爲甚麼老是動來動去，永遠不要休息？等等問題。杜宇很欣賞梁有訓的聰明，又爲自己學識不足而感到慚愧。然而，她是誠實的，她至少謹守了「知之爲知之，不知爲不知」的教學原則，她不欲強不知以爲知。在那一連串的問題中，她眞切地體認到「教學相長」的道理。

誠懇的態度，清晰的言語，帶着感情的微笑，自然的表情，火熱的愛心，是每一個教師必須具備的要素。不然，就無法與兒童的思想感情融和。兒童的心扉，是爲眞理與愛心而敞開的。假如缺少這個，即令你每天撫摩十遍孩子們的頭頂，說七千遍空洞的好話，都是無濟於事的。杜宇在先天上就具備這些要素，所以她在孩子們的王國之內，當然要成爲受孩子們尊敬的女王。

補課正接近尾聲。孩子們在清理書包。海上起了一陣騷動。

成百艘的「西瓜扁」、「小舢舨」、「橫水渡」，從四面八方向海上學校集中。有男人、有女人、有老頭，也有兒童，陸續從歡樂船的梯口湧出來。蛋民們古銅色的臉上，燦開了歡樂的花朵。孩子們的吵鬧聲，混和着大人們的低聲斥責，脚步夾雜着談話和咳嗽，簡直要把這座靜寂的海上學校鬧成一個蜂窩。

六位老師再加上鄺老頭蘇老頭的全家，一齊出馬接待着這批直腸直肚的來客。

他們分別解答了一些疑問。分批領導他們參觀了海上學校的簡單設備。並簡明扼要地講述了爲甚麼要辦這所學校的理由。來客們快樂地點着頭。眼睛裏和嘴巴裏同樣流露出一種親切的興奮的感情。

當時有人要求送子弟上學。

周曼石想延至明天來辦入學手續。他用目光徵求杜宇的意見。但蛋民們在這樁事上，充分發揮了硬朗堅決的民族性格，一面談話，一面摸紅包，手續不手續他們可管不了這麼多。

杜宇沒法，只好請求周曼石快點把報名冊拿出來逐一登記（卅六）

趙師善

自由人
THE FREEMAN
（第六六六期）
中華民國僑務委員會
頒發登記證台僑新字第一第二號
中華郵政台字第五〇〇號
執照登記為第一類新聞紙類
（半週刊每星期三六出版）
每份港幣壹毫
台北市售價台幣壹元
督印人：陳文尊
地址：香港高士威道二十號四樓
20 CAUSEWAY RD. 3RD. FL.
HONG KONG
TEL. 771726
承印者：東南印務出版社
地址：高士打道六十四號
台灣總經理處
台北市西寧南路壹號二樓
電話：四七三四六
台郵撥儲金戶九二五二
海外總經銷：友聯書報發行公司
香港：德輔道中二十六號A二樓

從本質上看一個問題

林培彬

月前美國時代雜誌談論東南亞華僑問題時，有一句話是：「勤勞加上財富等于嫉妬」。這句話深刻的說出了華僑在當地所以受到排擠的心理上原因。

這種心理的，再加上時代的以及華僑本身的其他因素，便足以說明今天華僑所以遭遇空前厄運的來由。

一、華僑問題關聯着的時代因素是：

一般新興國家在南徑長期殖民地生活下獲得獨立自主後，自有着一種抑鬱待洩的心情，以，對本國一種逾分的狂熱，這種心情與狂熱對殖民主義國家或其他先進國家發而為憎惡的心理，對其他民族寄居于當地的，尤其在當地比自己富裕的華僑，自然又有一種屬地優越感與排他性心理。

其次，由于這些新興國家對于殖民主義國家的深惡痛絕，因而易為新興的殖民主義國家的宣傳所煽惑，尤其是莫斯科所謂「人民反壓迫和剝削的鬥爭，在西方表現為社會主義鬥爭，在東方則表現為反帝國主義及殖民主義的鬥爭」那一套，正投其所好。這一個公式把新興國家人民的積的抑鬱感與新的優越感挑撥而成一種非理智所能克服的一種畸形發展的民族（或種族）情緒。

何況，上述的外來因素外，再加上華僑本身——一種內在的心理因素——那是，過份敏感的自卑心理與依戀過去的保守性，但交織着共同增加了華僑問題解決的困難。

二、

[illegible]

三、

[illegible]

是自然的不可動搖的關係。何況中國人目前遭遇世界空前的浩劫，庇護于別的國家，尤其別的國家本來是祖國的朋友。一個富強國家的人民之歸化他國尚無此顧慮，對于多災多難的中國人，更何必有此顧慮呢？

[illegible]

以這顧慮近於杞憂。而且用强逼的方法，反以生出相反的效果。

四、

但上面這兩種顧慮，足以代表一些新興國家的對華僑國籍問題的過慮。我們以爲具有政治眼光如吳廷琰總統以及拉曼首席部長諸氏，假如能够以大政治家風[illegible]

[illegible]披十年才取得公民權而華僑反嫌其長而要求減短居留期間的限制呢？但是證明華僑並非不願加入國籍，不過不要「奉命」的加入，不要不平等的公民權耳。

再不然，爲什許多在美國的華僑沒入美籍，及大部分香港居留沒有取得英籍，而沒有發生國籍及居留權及其他一些新興國家所發生的問題呢？那就不能說是由于上面分述的幾個因素互相激盪造成了。

五、

時代把華僑的四週環境根本改變了。華僑問題的解決是從本質上去理解問題的存在，從根本上去改變一些構成問題的復複因素。

因此問題的根本解決我們以爲是寄望于多方面的。

一、這個新興國家的領導者，要是一些有高遠眼光的政治家，而不爲國內一時的政爭，而去投合狹隘的民族情感或爲其所左右，

（下轉第三版）

半週述評

是誰收了「鳴」「放」？

[illegible]

赫魯雪夫勝利後的矛盾

[illegible]

所謂「現代主義者」

[illegible]

朱可夫訪美告吹

[illegible]

美記者太天真

杜爾斯上週許少數美記者以六個月的試驗期間訪問中共。這問題是由去年中共邀請十五名記者訪問開始的。[illegible]危險是不會有的；怕爲中共利[illegible]權的——除非杜卿另有顧忌，[illegible]恐也把問題看得太嚴重了。[illegible]的招待訪問者，還不是「捲起紅色地毯」來，[illegible]會給看壞的一面嗎？而且今天[illegible]或許不再是受歡迎的人物了。記者去看看，[illegible]好，但想看出什麼來，恐也太天真了。

李承晚慨乎言之

李承晚總統發表談話，反對盛傳美國正逼使[illegible]美國護防日本不可靠，他說「日[illegible]服；也應記住它的歷史，而不[illegible]問而知」。我想這話，深得中國[illegible]喜自稱泱泱風度，不好像這樣[illegible]壯哉李任晚總統之言！實也替[illegible]中共貿易，內閣不已過渦放寬[illegible]歐共產國家一樣了嗎？李總統[illegible]，也

·林伯雅·

國外通訊

赤色青年節前夕 在日本引起的風波

·嚴森·

（本報東京特約航訊）第六屆世界青年節已訂於本年七月二十九日在國際共產主義赤都的莫斯科舉行，會期十三天。

據悉各國被邀參加的青年將達三萬餘人；另外還有各國的新聞記者約千餘人亦將前往採訪。日本的「世界民主青年聯合會」及「國際學生聯合會」兩個青年組織共選派了五百名青年參加這次的節日。

（一）

這五百名青年經過其組織向外務省申請出國護照，日政府當局鑑於「世界青年節」實爲共產國際對世界各國青年對共本國進行離間宣傳和政治鬥爭的一種工具，故初時拒絕核發這批青年前往莫斯科的護照，左派社團遂向當局施用壓力，同時東京十餘所大學的學生，聚集了數達十餘萬衆的青年學生，展開示威遊行並派代表赴外務省請願，情況闊得異常嚴重。結果外務省當局被迫讓步，以五百名青年人數太多，僅准發給一百五十名青年護照；可是左翼組織對此事的主其事務省此次讓步決定極端表示不滿，公開聲言，將繼續奮鬥，務必要達成全體能啓行的目的，而後始甘休。

惟據外務省人士透露，此無理之要求不予理睬，當局將對此省堅決維持原決定，果如外務省就是再示威，遊行，日本青年代表團，惟筆者執筆時已接受外務省的決定，並已於十七日離東京往新潟港搭乘蘇聯貨輪ALEXANDER OSHAISKy首途赴莫斯科。

（二）

日本外務省此次洞察共黨陰謀力阻日本青年前往赤都，雖阻止未果，然其主張已表現日本對蘇俄現行外交政策態度的一斑。

按第一屆世界青年節於一九四七年在捷克首都布拉格舉行，自此以後，每兩年便召開一次。第二屆於一九四九年在匈牙利首都布達佩斯舉行；第三屆於一九五一年在東德首都柏林舉行；第五屆於一九五五年在波蘭首都華沙舉行，今次在莫斯科舉行，由此可見所謂世界青年節完全爲共產極權國家誘騙非共黨國家青年的一種「國際統戰」工具，因爲共產黨肯花費鉅額金錢來舉辦「世界青年節」，讓幾萬人的代表以朝聖的心情前往莫斯科，享受下完全免費的度假旅行，希望這些參加的青年們到本國之後替共產黨做一番宣傳工作，由他們支持莫斯科所領導的「和平」運動，以壯蘇俄「和平」攻勢的聲威。

（三）

保衛世界「和平」底論調，一向是共黨「青年節」的主題，今年「世界青年節」負責方面爲了配合蘇聯現行「和平」攻勢政策，將儘可能冲淡政治彩色，使之完全隱蔽於娛樂後，以期爭取更多的非共黨團體與個人參加。因此，盡量的使各國政治色彩不太濃厚的，而又是在國內外均有聲望青年分子，由於他們「增加參加色」。將來能使「世界青年節」增加生色。同時，在完全免費的引誘下，個人僅須備極少的錢即可獲得一遊鐵幕的神秘心臟，故自動爭取前往者亦十分踴躍。甚至來自非共黨國家的代表也可以獲得旅費津貼。以過去中共邀請日本非共人士參加北平所舉行各項集會爲例，免費招待之外，且有饋贈，即其途經香港的食宿招待，亦多爲一流的供給。但無可諱言的，在這批人中間，有些是負有其他特殊任務的，他們可藉此機會，作彙報，和接受新的指示；則作到了使他們進一步思想青年，發生關係的作用，與共產國際核心，抬高他們的身價，使其回國後可逐漸走上鬥爭的領導崗位。

（四）

事實上就日本言，戰敗後日本的青年們，由於受國際共產黨分子在日本全國各地所施的歪曲宣傳影響，思想左傾的青年爲數極衆，共黨分子遂操縱他們滋事，例如動輒即舉行示威遊行運動，擾亂治安，這批人實已成爲國際共黨領導們企圖赤化日本的本錢。

日本這個國家民族，如細細的觀察大部份是反對共產主義的，可是共黨在日本全國各地的潛在勢力卻亦不容等閒忽視呢！（七月十九日寄）

波蘭的剖視

・旭軍譯・

時論選譯

波蘭在歐洲附庸國的地位，相當于中共之在亞洲。其重要性值得去了解，而其複雜性却不易了解。本篇對波蘭內部錯綜的勢力關係的分析，足供參考。（編者）

誰控制了黨

波蘭的共產黨大概分爲四派：（一）親俄派，公開表示是史達林主義者。（二）新史達林派，是改良派，但仍欲維持其主要的力量。（三）戈莫卡派，希望維持去年十月開始推行的政策。（四）新戈莫卡派，仍嫌戈莫卡主義不够澈底。謀擴大自由活動範圍。

親俄派與新史達林派，一同控制黨的組織。戈莫卡派希望在七月大會中，改選中央委員會，打破親俄派的勢力。

新戈莫卡派雖然在黨內的上級無勢力，但以全國來看，佔最普遍和最强的勢力。他們雖願追隨戈莫卡，但嫌他不够前進，不够迅速。將來終會從勉强的跟隨，變爲分道揚鑣。

經濟破產與蘇援

波蘭的經濟瀕於破產，目前的財政計劃徒引起通貨膨脹。去年十月爆發革命後，工資增加，至今仍上升，以免發生罷工。但經濟的病源未被探及，亦不敢觸及，因爲若要完全改革波蘭的經濟，則必要大規模的借外債，和吸收外國投資。這是目前不易辦到的。

蘇聯願意援助，但波蘭必須付出將經濟體系併歸蘇聯，和重返史達林式的統治之代價。如此便會引起匈牙利式的革命爆發。

華沙公約與美援

目前美國只同意給與九千五百萬美元的援款，——其中八千萬元是美國剩餘農產品，其餘是供購買煤礦機之用。如要大量的援助，則波蘭必須放棄華沙公約。苟如此，則蘇聯又必定干涉而推倒戈莫卡政權。退一步而言，縱使蘇聯不干涉，波蘭人因畏忌德國，亦不敢放棄此公約。

能脫離東歐集團嗎？

據一位波蘭的經濟學家說：『縱然無軍事上的恐懼，也有經濟上的原因，不讓波蘭脫離東歐集團。因爲德國藉着美國的支持，發揮其經濟上巨大之力量，足以窒息波蘭，使我們淪爲德國的藩屬。』他的說話是否眞實，且不必推究，但可知波蘭人的一般意見。

三十五萬軍隊

波蘭經濟的困難，由於太誇張工業化，而沒有原料，上級官僚主義，及維持大量軍備，三十五萬的軍隊，有現代化裝備的，佔三分之一，還有維持天主教會及教士，也耗費相當大。

假使要經濟獨立，能維持一抗俄的主權，就需要大量的投資開採煤礦，——或鐵路電力化，節省煤，將大量煤輸出，取得外滙。

波蘭需要穀類去渡過未來數年的難關。除非有豐富的儲備去穩定價格，否則土地改革只有愈弄愈糟。

另一波蘭的經濟困難，是根深蒂固的腐化。薪水低了，便公然實行賄賂盜竊。

天主教勢力相當大

波蘭的天主教勢力相當的大，韋辛斯基主教和他的兩個助手，掌握波蘭天主教會權力。

韋辛斯基主教和戈莫卡都是愛國者，和擁有許多附從者。他也相信到達自由之路是艱苦的，一不慎即墜入萬劫不復之深淵。他會以戈莫卡交換條件，就是使教徒在選舉中支持戈莫卡，另一方面，戈莫卡給予教會更多的自由。

韋辛斯基主教企圖約束他的教徒。但大多數的波蘭人相信；假如爆發革命，低級的教士們佔有領導的地位。

共黨可與天主教共存嗎？

韋辛斯基相信；共產黨和天主教會可以共存，甚至天主教可以吸收而融化共產黨徒。

在數月前，有人告訴他說，陸軍會作教會之保護者。他祇有搖搖頭。現在他較了解得清楚了。

在目前斯派查爾斯基將軍統率之下之波蘭陸軍，自去年十月以來已有很多改革。自從以波蘭職業軍人代替了陸軍中的蘇聯軍官以後，波蘭的陸軍已變爲富有民族意識了。

陸軍對俄對德有宿怨

民族主義在波蘭常賦有宗教的性質，陸軍是擁護教會的。斯派查爾斯基將軍原是一個建築工程師，在大戰時，會參加游擊隊，被囚於獄凡五年。他可能職業上是個共產黨徒，但是服膺民族主義的人。波蘭陸軍組織良好，懷有兩個宿怨，其一是對俄國，其次是對德國。

戈莫卡這個人

戈莫卡雖然在個人負有隆望，及有忍耐毅力的本領，但他的地位是日趨衰弱。他不能將去年十月的諾言兌現。

一個基本態度

在政府的內部人士很坦白的說：『我們必須要獲得援助，否則我們要革命了。固然蘇聯要幫助我們的革命，但如此便可能引起東德共同暴動反抗俄國，西德亦隨之而參加。』

但他們又說：『若華沙公約，而不保護與西方國家要求我們撤出，得，納新邊界，則波蘭人，不論是共產黨或非共產黨，都不願接納西方的援助，假如蘇聯不放棄史達林式的控制，則波蘭人亦決不接納蘇聯的援助。』

要生活得像一個人

最近波蘭報紙發表民意測驗，有三分之二的答者，强調着惡補的心情。對於『你的人生之目的是什麼？』一問題，大約有三分之二的答案是：『要生活得像一個人。』（譯自五月三十日 The Reporter）

台灣通訊

我會見了郭「大炮」

・李樸生・

我因爲談台北今年的競選，批評到郭國基先生所演講新加坡獨立問題。郭先生不以爲然，要求我公開答復他給我的信。我答復後，他覺得尚無不合之處，特來訪我三次。（第一次來訪，我不在。我回拜他，他不在。第二次來訪，我又不在。第三次，先打電話給我，我恭候他，因事忙，只談了半個鐘頭。）使我受寵若驚！

他是一位感情很盛，外向型的人，講話很激動，很豪放，歡喜人稱他做大炮。他能够獲得很多選民，這些特點似乎是很重要的因素。加之，他有一位做醫生的賢能太太，能够養家，使選民相信他廉潔，不會爲養家而貪污。

他的奮鬥紀錄

他告訴我：（一）他在日本讀中學時，讀到中國現代史，知列强對中國的侵略及侮辱，非常憤慨；（二）他想瞭解中國，利用暑假回國旅行，（謁見過黎元洪，和黎先生拍過兩張照片，（三）他很早便參加國民黨，從事光復台灣的活動，（四）抗戰時，被日本拘捕，灌水，拷打，備極慘苦，（詳見卅[illegible]年四月[illegible]日勝流吾[illegible]認識的台灣第六節），到日本投降時始被釋放。（五）台灣光復，他滿心希望我們的政治做得好，給日本人看看我們的建設能力，不幸陳儀這個傢伙不中用，庶政腐敗，他非常痛慨，遂攻擊貪污和腐敗的官吏，又被疑是叛亂份子，再被捕。（六）魏道明來任省主席，他被釋，但仍不滿當日的政治，仍繼續抨擊，（七）他決不屈服于權勢，他要爲正義奮鬥。他寧願再被捕，再坐牢，也不會變更他的信心。他眞是一個堅强的鬥士！

狂放的論調

他又解釋他爲什麼演講到新加坡獨立？因爲他有三大主義：（一）大中華民國主義要把華僑衆多的南洋地區，用投票的方法，歸到中國的版圖；（二）大台灣主義，劃福建漳泉二州入台省；（三）大高雄主義，高雄併鳳山，岡山爲省會。老實說，他這樣的『大中華民國主義』的主張，很容易使人誤會是希特勒大德國主義的翻版，也很容易使人誤會是共產帝國附庸主義的變相，是不應該主張，更不應該提倡的。（大台灣主義與大高雄主義，我不加討論）中國對于鄰邦，只求敦信修睦，和平相處，從不想用任何方法，收入版圖。凡有『以大事小者，樂天者也』的胸懷。他這種思想，是違背了中國文化的基本原則，也是不合時代潮流趨勢的，不能不說是狂放之論，也可說是『閉門車』的意識。但我以爲他提起新加坡獨立便被控告，卻是錯了。如果我沒有看到四十一年出版的紐司，我還以爲他是事後非之辯呢。

他對執政黨的誤會

他對中國歷史很有興趣，他以爲歷代的皇帝如果殺忠臣，如『夏桀殺關龍逄，殷紂殺比干，吳王夫差殺伍子胥，宋高宗殺岳飛，明太祖殺胡惟庸、藍玉，漢高殺韓信、英布、彭越，』都不是好的。他自命是忠臣，對貪污腐敗的攻擊，是爲國家。他認爲一個執政黨如果不能接受逆耳的忠言，就是本身腐化的開端。他以爲國民黨通令各報館，封鎖他的一切消息，不登他在議會的發言，不登載他的名字。我覺得這應該向他解釋：『台北有民營的報紙，有言論的自由，國民黨怎能禁止民營報紙登載他的名字與言論？而國民黨的報紙，怎可以一定要登載他的名字與言論？』我更解釋，政府遷台以後，從未對於不同的人士加以『莫須有』的罪名，而拘捕。[illegible]

「大炮」應受歡迎

如果政治進步，不必怕他經常放大炮，取攻勢。倒當歡迎他的大炮，更足以顯示政治的進步。不放大炮，他也必另外有人來放大炮。而且大炮如果不在平日放，埋伏到某一個不平常的時間，不平常的局勢來放，便于國家不利。聰明的執政黨必要使大炮在平日盡量放，而隨時接受，隨時改善，[illegible]得他這發大炮，在鐵幕之外，民主國家之中，[illegible]氣湧，得罪了人，會吃虧，所以他個人也有所忌憚，不敢放恣，[illegible]竟是有好處的。（四十六年七月二日于台北）

讀者論壇

我們幹教師生涯的人，最的電得，「行政效率」之妙了。省立中學校七月份薪水，到今迄今未發，詢其究竟，何時可發，去無期限也，據悉因爲財政廳遷到「中興大廈」以致延誤云云。

由教員發薪談到「行政效率」

中學教員的待遇，每個人領回去家用，多則半個月，少則五天，便無分文了。這一拖，豈不是同窮書生開玩笑！這且不說。

首先是財政廳遷往「中興新村」一事，台中市在台中縣範圍之內，其距離怕不會怎麼太遠，搬遷如此費時，以致延誤領發時間。如係會計年度更變，自應於搬遷之前，將經費撥到各學校去。教員的薪水時間是以八月至次年一月爲上學期，二月至七月爲下學期，那麼學期應該和會計年度配合，改爲七月至十二月及一月至六月，[illegible]

[illegible]官，自然也要建立威信；[illegible]「官腔」，[illegible]「官調」，[illegible]，威嚴十足，[illegible]色難看，拉長了臉，即使人民作主人的民主時代，亦不能免。再由下看上，由於庶民過慣[illegible]

[illegible]

（四十六年七月十五夜）・賈斯文・

台南點滴

近半月來，有不少人喜歡談「自由中國」半月刊十七卷一期的社論「今日的司法」。其中談到律師處境，以律師爲最，一位名律師憤慨說：『我們那誇到離開法律，不過混飯吃而已。』回想幾年，恐怕連飯也難混。

×　×　×

[illegible]

×　×　×

[illegible]

・昌增勳・

專論

國際刑事案件之審判權問題

·丁懿安·

人類社會既已步入原子時代，則各國人民間關係之須重新估計與調整，亦屬必然之勢。於是「世界一家之法學思想」之獨立，即有其重要性，且刻不容緩。筆者曾於本月十三日本報中，述其概略。惟任何學術思想之形成，決非一朝一夕之事；且此項法學思想形成後，普遍爲各國立法所吸取，積收減低各國法律之衝突性者，又須假以時日。在此項作用發生效果前之各種時期中，對於國際刑事案件中，前所發現之缺陷，應採用何種方式，以資補正，亦不失爲當前國際重要問題之一。

國際刑事案件中所涉及之法律問題，實包含有下列各點，即（一）審判權問題，（二）法律適用問題，及（三）判決確定後之補救問題。茲先就「審判權問題」論之，其餘二者，內容涉及較廣，擬另文論述。

審判權爲主權之一，既爲國際所公認，即不應再成爲問題。但國際刑事案件，即多在此一階段上發生爭執。窺其原因，係由于有關各國對于對方之司法獨立程度、司法程序、刑罰輕重差異，司法官水準、採用罪證主義、以及監獄設備等等，有其不能完全信賴之處，遂掀起審判權問題，作爲保障其本國國籍被告之手段。實則上述顧慮各點，究與審判權之性質不同，不應混爲一談。人類心理，喜避繁就簡，寬閱省事。故不針對顧慮各點，求致適當補救之法；而乃不惜侵害他國之權，斤斤于審判權之爭取。不知在他國人民心理上，已刻下不平之印痕，影響國際間之和衷共處。故管見認爲審判權應屬于主權國家，不宜變更。有時雖可因協定而轉屬，但此類協定，易引起不平之感觸，終非理想之辦法，不宜輕率訂立。若雙方認爲治外法權範圍，則不妨盡力求致擴充國際公認之範圍，獨立公平之基礎。倘因審判權之不我（指非主權國家）屬，而恐其可能有致我方於不公平之結果者，則應就「法律適用」及「上訴辦法」諸方面，謀致補救之道。不應以侵害別國主權作手段，求達保護本國被告之目的，而釀成國際間不平等之事實。

談：中文中學畢業會考

·祝修衡·

香港教育問題

一九五七年中文中學畢業會考，合格學生比率，爲三年來最低，引起教育界的驚異。因此，教育司應正視會考，改善過去辦法。

本屆及格率低落

本屆參加會考學校，共有四十三個單位，報名人數一千八百六十六人，參加會考者一千八百三十二人，經過兩周考試，合格的僅佔百分之六十五點一七，祇有一千一百九十一人；比前年六十五點四低，更低於去年七十五點七。人們懷疑這是否表示學生成績真正的低落？

如所周知，四十三個參加會考學校，均爲顧全校譽，成績較差學生，例不准其參加會考；準此計算，參加會考的學生，自信均有合格把握。但是，本年度的合格率爲什麼低至如此程度？據一般人的觀察，認爲試題太偏狹，以致私立學校學生難於應付。

由于試題偏頗

據報載，「會考執行委員會」每屆會考期前，先行通知港九各參加會考學校準備，並指定該校若干位主任、教師擔任監考及擬會考試題一份，送請該委員會審定，以便作爲會考時選一試題。這辦法，倘能編製適當，不特每一考生都能及格，而且無需特孔挖竅，問題是就試題偏頗不均。

就本年度所有英、數等十三項科目所採用試題看來，執委會採用官立及津貼學校所擬的試題；而這些學校只求學生應付會考，並不若私立學校學生升學（大專）科目考應付方法。因此，各私校學生儘管學校畢業試成績各科目俱佳，但會考却不能合格。然則，私立學校即令幫助學生預備會考，由於課程各分數不同，亦難望能全部合格。

私校學生吃虧

私校學生參加會考，既須遭遇以上難題，平時除了重視本校科目，還需向官立、津貼、以及各學校尋孔挖竅，跟各校熟識同學去研究課程內容，借閱段考試題。用心之苦，非爲局外人可以想象。但得到「貼士」的，爲數實在太少，他們無法摸孔，有的甚至摸不着竅門。於是，會考試後榜上無名。

很多家境貧寒家長，希望他們子弟高中畢業之後，取得會考及格，就可以向輔政司署登記就業。當他們發覺他們的子弟會考落榜名落之時，不明實情的家長歸咎於其子弟，而的不愉快情緒殆免；但也有明知自己子弟平常學行均優，不實子弟，卒令學校。誰也不知道有上面那麼一個原因。那麼執委會爲什麼不要採納衆多意見呢？就情理上說，執委會既然普遍徵集試題，不應當偏頗不均。大多數私校擬出的試題，竟遭全部擯棄了！

影響私校聲譽

以上諸端不僅予學生們重大打擊，不明底蘊的學生家長，倘予私校聲譽以不良印象，確實有點兒寃枉也。許多學生家長爲其子弟升學選擇學校時，大致以會考合格人數多寡，去衡量學校的優劣，却不知港九各校，除非蓄意迫使學生左傾的三兩學校；大致都有突出的優點，特別是會在教育部立案的僑校，最低限度能關了學生升學前途。參加中學畢業會考的先決條件，當然是需要學生對於本身學業特別重視，不然，本屆會考及格人數，必然更會打上大折扣；儘管本屆比前年去年逆差，根據實際情況看來，可以算得上「倖優」了。

下年度改新例

毋庸諱言，現行辦法若不改善，下屆合格差額更鉅。記得過去有人曾經主張撤銷會考制度；可能基於上述原因，然而大多數人仍認爲會考制度尚有存在必要。那麼，問題就落在試題本身，故此開始考慮制訂新例，期能提高以後考生合格的數字。據說，新例仍以五科合格爲準，除國文、英文兩項必需合格科目之外，其他三種可就如下十三個科目中取決：甲、乙數、化、史、地、美、聖、生物、音樂、手工、家政、打字簿記等。由於新增兩科（手工、打字簿記），學生爭取合格機會增加。假如試題仍照過去成例，百分率甚難迎合各方要求。私立學校所希望的，是要使試題能夠切合實際，不致失於偏頗；會考應試學生既不致覩爲畏途，嚴重的失學，就業問題亦將大爲減輕。這是香港教育界應該重視的一個問題。

關于試聽「貝多芬交響樂」

——台灣省新聞處來函照刊

逕啓者：頃閱貴刊第六六三期「良心的呼籲」一文，涉及本處唱片審查業務一節，所述與事實不符。查本處審查唱片從未將七十八轉唱機用之於卅三轉唱片，至於「貝多芬第九交響樂」根本不必試聽審查，因內容無疑問之唱片，係隨申請書審查放行，不必攜同唱片到處審聽。所稱唱片在本處審聽損傷一節，絕無此事。請爲更正，以正視聽。至基隆高雄兩港口進口唱片，係另一單位負責檢查放行，合併說明。

此致

自由人社

台灣省新聞處啓（七月十六日）

立委延國符赴日韓考察歸國

（大阪簡訊）立委延國符先生，本年五月中旬經此前往韓國考察，歸途於六月卅日返抵大阪視察，慰問大阪、神戶僑胞。七月二日蒞訪大阪各僑團，晚於東海俱樂部應各僑領之邀餐敍，三日下午在大阪華僑總會出席大阪九僑團聯合座談會，延委員簡介國內各方面進步實況，闡述中共殘暴必定滅亡之理，並解答僑胞之詢問。四日於神戶華僑總會出席神戶各僑團代表座談會，五日中午在我駐大阪總領事館與全體館員聚餐座談，晚出席魯籍僑胞之歡宴會，席間延委員講述歷來山東同鄉爲國捐軀之無名英雄故事。勉各同鄉保持山東人英勇傳統精神，爲今日反共復國努力，並書題「無名英雄」四字紀念。六日下午延委員自神戶乘鐵橋輪返國，我駐大阪總領事及各僑團僑校代表多人至碼頭歡送。

從本質上看一個問題

·林培彬·

（上接第一版）

同時要有一個站在自由世界的堅定立場與信念，不爲中立主義所動搖；這樣才能清楚的看清愛慕自由的華僑是他們的合作者。

二、當地人應得時間的體驗，終有一天會覺悟目前這種過度狂熱種族觀念是終要爲時代所揚棄的，有關方面應共同促進此傾向。

三、華僑本身懍于環境的變遷，應以悲壯的心情，能從政治經濟社會教育各方面積極改變態度與方式，與當地朝野合作，以適合于當前環境。當然這些問題，如在經濟上將商業資本轉化而爲工業資本以避免與當地人利害衝突而協助當地國整個經濟的發展，以及如何取得當地政治權利以依照合法途徑去爭取本身文化教育傳統的維持與發展，那就非與三方面——祖國本身與當地國——的諒解與協調不可了。

四、我國政府應深思熟慮視同反攻一樣重要的工作，去拯救華僑，勿等閒以尋常一種職業外交處之。

新書介紹

華國

崇基學院中國語文學會編著兼發行

·邵鏡人·

一、

近頃一本新著，——華國，約計萬言，共分二十六篇，每篇獨立。照凌道揚先生發刊辭所說：『我中國文物之美富，久遠，爲世界最，是以有中華之名也。然其所以爲美富者，世界各國之人，鮮能知之。甚而我中國之人，亦多未嘗知之。外國人不知之，無足怪也中國之人，亦不求知之，則國之奇恥也。』可見他們是爲發揚中國文化，溝通中西學術起見而作的。因此也引起我的興趣，一口氣把它讀完：書中關於經、史、子、集、詩、詞、歌、曲、小說等，應有盡有。其提出德法兩國學者，對於中國文化研究心得兩篇，尤見新奇精彩。這實在足供研究國學，及有志溝通中西文化者最好的參考資料。所以，我特地將其中幾篇重要者，提綱列舉出來，以供讀者欣賞。

二、

明儒一篇，以極簡單文字，把儒家微言大義，發揮無餘。因爲儒道以仁愛爲本，以大同爲極至，而以孝弟爲行仁之始。故儒道爲入世的，平易的，講人事的，愚夫愚婦所能了解，而賢者亦不易做到。但是，漢宋諸儒，未能闡揚立教眞義，以至談玄遠虛，違離了人事，講得愈多，愈不明白，愈見枝離破碎，而去人事亦愈遠了。儒家理想的社會制度：『天下爲公，選賢與能。』其結果則在實現『大同政治』。但大同不是一蹴而就的，故以孝弟爲起點，『孩提之童，無不知愛其親，及其長也，無不知敬其兄。』因就人類的性善，爲實現大同的基礎。所以，大學治國平天下，亦必先之以正心誠意，總是從每一個人做起來，『本立而道生，』天下事自然無不可爲，而大同政治亦即容易實現了。

三、

法國之漢學研究及其影響一篇，是敍述中國文化在法國發展情形：自從法王路易十四以後，一般學者，對於中國的文物制度，文史、哲學、美術，考古等等，無不悉心研究。從其演進過程上可分爲三個時期。第一時期是啓蒙運動，以愛慕及介紹方式爲研究基本態度。但，仍以致用爲歸。第二時期以批評的精神，逐漸趨向於純粹求知上去。第三時期係自第二次世界大戰起以至現在，不但注重求知，而更注重致用，知以科學方法，分析中國近代或現代史實，已獲得更新的成就了。

本篇並將每一個時期中研究漢學代表人物，及其著作，分段列舉，使讀者更了然於漢學在法國發展的情形。

四、

論鄂闌法蘭克的「中國史」一篇，開篇即引歇德言：『中國人無論在思想上，行爲與情感上，都像我們一班，……一切都表現得更清晰和更道德化。只因爲中國人能有這種嚴肅的情操，所以中國這個國家，能歷數千年而保存下去，而且能發展到更遙遠的地方。』歇德是西方文學權威，他的言論影響是很大的。

因此，漢學在西方，已成爲一種深奧學科，並且是一種特有的學名。德國學者不但對西方文化有重大貢獻，即對東方文化，特別是漢學，更有驚人的發展。他們漢學大家法蘭克，對中國周、秦、漢、三代大一統政教特點，也有深刻的研究。他認爲中國人能從人類中，尋求出一種宇宙法則的一致性，……禮教所及之處，是不分疆域與國家的。

五、

除上述三篇以外，有論詩境一篇，把詩在文學上地位重要，說得頭頭是道，並分論「情境」、「物境」、「理境」、「情物交融之境」、「情理交融之境」，而歸納到學詩則在於博學，多識，養性、窮理、體物、積象。

大戴禮與廢考，春秋經傳說，墨子兼愛與儒家論仁，范文正公評傳，代詞在文學上之功用，詞體辨，……等篇，都是洋洋數千言，多至萬言，探本尋源，剖晰精詳。可惜我這篇短短的評介，限於篇幅，不能夠把它一一詳述出來了。

六、

我常常這樣想：中國具有五千年攸久歷史，其間幾經變亂，而終能屹然自立，一定有他存在的眞理。近代歐美學者，往往竭盡精力研究中國文化，而我們到反漠焉視之，這是中國人的恥辱！

中國科學及物質文明，自然無從與人比美，但是，我們先聖先哲在人文方面的成就，確有獨到之處。誇大點說，也許爲世界任何國家所不能及的。我們應當作重新估計，檢討，何者爲精華，發揮而光大之，何者爲渣滓，屏除或改良之，庶使舊的文化，有新的發展。我們決不願再蹈往昔冬烘先生復古運動的覆轍，但是，舍己之田，耘人之田，全盤西化，同是犯了重大的錯誤。因此之故，我們要不偏不倚，本着時代需要，並以科學精神，研究中國文化，與西方文化，進一步來創造人類的新文化，以奠定世界永久和平的基礎。

這本華國學報，確已走上這個途徑。在今天這樣的動亂當中，崇基學院中文學會，肯從這一方面努力，而且有這樣的表現，實在是難能可貴了。

自由談

可憂慮的華僑問題

馬五先生

由兩月間政府官僚派船赴越南接運不願受入越籍的五萬餘華僑回到台灣，我不禁大爲驚詫，曾以極大的疑問心情，請教政府當局將何以善其後？近日又有一自台北的消息，說是要派飛機去越南撤退急須回國的僑胞，這些迫切待歸的華僑，以免受到「越化」法案的拘束，被迫成爲越南公民，而有調服兵役的資格！

東南亞各國的排華問題，已醞釀了幾年了，政府究竟作何決策，我們始終莫測高深，但見頭痛醫頭，腳痛醫腳，作零星的應付，這是謀國之道嗎？政府沒有很大大計，而欲藉外交官的力量維護海外僑胞的生存權益，可謂本末倒置，莫名其妙，即令外交官具有飛天的本領，也是無用的。

政治上最誤事的因素，就莫過於虛矯之氣。明知其不可爲，亦昧昧然不從根本大計設想，而專冷冷談談地應付，等到圖窮匕見，事情弄僵了，

寄居越南的五萬餘名華僑同胞，政府若派船接運，亦非有一兩年工夫難以竣事；五萬多華僑來到台灣後，如何安頓？怎樣使他們營生？將來共救國？

我們政府過去在大陸上雖然失敗了，但大家但知推卸責任，實行「請示總負責之本」的秘訣。像這樣的才氣與作風，就希望能夠反共復國？

尚有些不是第一流人才的政治人物，予我國事。如今海外多是什爲二三流角色，高踞要津，菲律賓、印尼、曾向越南看齊，大力實施排華政策，而這些地區的僑胞，亦要自由祖國政府把他們接運到台灣；滿懷虛矯浮夸之氣，而自以反共必勝，抗俄必成，至少我是不敢信賴的！來，結果是否可能？不可能，又憑甚理由來答覆呢？

高血壓是什麼

現代人須知的醫學常識

陳永昌

人在壯年時期的正常血壓爲一百到一百卅耗水銀（計算血壓的單位），高血壓病有一個比較科學的名稱，叫作「動脈張力過強」，除自發性的高血壓外，還有下列幾個原因可造成高血壓：（一）慢性腎臟發炎，（二）動脈硬化症，（三）心臟病，（四）腎臟生瘤。當它本身成爲一種病症時，我們稱它做「自發的張力過強」。

老幼皆會有高血壓現象

經常或慢性的高血壓，可成爲一個非常危險的病症，它能造成心臟衰敗，腎臟機能不健全，和其他嚴重的結果。懸性高血壓是非常危險，因爲血壓逐日增高，常能危及生命，譬如腦溢血和狹心症，都非常危險的；全世界有十萬人因此死亡，而在我們的近代生活條件中，這病症是愈來愈普遍了。

自發性的高血壓通常以老年人男多，因爲老年人血管壁的硬性，隨着年齡增加而日益減少，血管中的內膜肿大，主動脈狹窄，使血液流動發生阻力，心臟爲了要抵抗這種阻力，收縮作用必須加強，結果便發生血壓高升的現象。這情形是屬於生理方面的變化。青年人也會有高血壓的現象。

我們知道，有三大因素可造成自發的動脈張力過強。其中之一，我們稱做家屬因素；這意義未必是高血壓具有遺傳性——但我們確發現這種病症時常在同一家庭中發生。

其次，我們注意到趨向高血壓的傾向，有時與體質有關。若干人對於這種病症似乎具有天然的弱點或誘因。

第三，也是最重要的，乃它是一種精神的病症。

在討論第三點以前，必須先說明人體在平時是怎樣調節血壓，並使壓力的任何變異或波動，保持在一定的限度之內。

過勞緊張焦慮之爲害

人體內調節血壓是由反射的神經活動來完成的，因此血壓如有增減，都可在動脈的某等特別區域內刺激神經末端，使它們伸張或收縮，以補足血壓的活動。這是一種緩衝或和緩機構，在身體的正常狀態下，它會經由神經系統而自動活動。

當這種緩衝或和緩機構內因一種或他種障礙而變得紊亂時，則動脈張力過強或高血壓，就會自己表露出來。我們發現調節機構發生這種紛擾，通常係因情感緊張而引起。

我們知道：焦慮，過度工作和職業上的緊張，如長時期使我們煩心，那就會對腦的某一部份發生影響，因而刺激到身體內分泌腺的器官。

情緒的緊張特別刺激腎上腺，使它分泌出某種荷爾蒙來。這些腎荷爾蒙就是可使調節血壓的機構發生障礙的。

普通說來，唯有在長期中繼續不斷感受情感緊張的人，他的調節機構才會受到這些紛擾，而致成高血壓。在我們多數人所過的劇烈變更的生活條件下，這危險最嚴重。

高血壓常常是富有的工業家，爲他們的業務所付的代價；又是憂慮得不到高級職位的售貨員的罰則；它又是感覺不能保持他的職位之小職員的；或憂慮收入不足和償付額外負擔。緊張，比較國少的印度，一般情形亦復如此。

高血壓最好預防治療乃變更病人的劇烈生活方式，減少或避免情緒上的緊張和焦慮，相當的休養係屬必需，把業務擱過一邊，渡一個寬閒的假期，調節飲食，也屬重要。

總之，我們必須使我們的心情平靜下來。

須注意飲食戒絕嗜好

患高血壓現象的人，常感頭痛，頭漲，心臟擴大，心臟衰弱，失眠，精神不安等症狀。

患有高血壓的人，尤須對於採取食物的量，尤其是鹽類須減少至最低的標準，嚴格限制肉類，飲食以菜食爲主，烟酒等刺激品宜戒絕，咖啡也宜少喝爲佳。

高血壓的預防步驟：（一）減肥，（二）勿過份採取食鹽，（三）大便要暢通，（四）情緒上要安定。

另有若干人的病情或已嚴重到單是休養不能產生足夠的改進。對這些嚴重的病者而言，則醫藥科學也有救藥。現在有若干藥品，可助神經系統控制血壓的機構中建立均衡。

甚至在最嚴重的情形下，亦已能對所謂交感神經系統施行外科手術。用手術移去了交感神經節後，血管的收縮就可獲得解救，而使血壓減低至安全的水平上。

所以，如能及時應用適當的治療，對高血壓病，實無需怖的，過份憂心的。

今天，世界各地的醫藥研究員和科學家們，都在爲它工作者，而更進一步的知識，必將帶來更進一步的治療方法。（部份取材自世界衛生組織新聞通訊）

悼崔書琴博士

·邵鏡人·

一代清才最汝憐！九原空負腹便便。傷心白下論文夜，忍淚羊城話別年。（昔年與君都門同議席時，適結比鄰，時相過訪。君體肥而善滯，竊以爲憂。嘗勸節勞怡養，今不幸遽歸道山矣。）舊事即今縈夢寐，名篇他日壽山川。料知此去應含笑，十萬雄師下北燕。

觀海浴

·李仲侯·

基隆海水浴場，是北台灣消夏的最佳處所，場背一帶青翠若滴的山林，正面對着用沉箱築成，一字形的防波堤，擋住外海浩瀚無邊的驚濤駭浪，有兩座燈塔，遙望之，像兩個衛士，把守這個場地，雖氣象宏偉，似較淺水浴場略遜，但這裏海灘平微，浪輕盈，海風和煦都是一樣的。

在年只要夏至一過，火傘張空，這場上已是浴客如雲，好些仕女還由台北台中趕來赴浴，呈現畸形的繁榮，今年台灣的氣候，午後還遇着十來天驟雨，最近颱風——在天既過天，我漫游基隆，無端闖進這海灘，見到無數老少男女，擠滿在這張平坦無垠的沙灘上，浮沉於艷陽照灑的碧波間，各種各樣的游泳衣帽，五色發光的浮水器，像花蝴蝶般的落在海灘上，無心的海鷗亦翩翩起舞，夾在人叢中穿來穿去，好像一切都在向大自然爭艷鬥奇，有些人攜手踏浪，奔上沙灘，把身體躺向軟綿綿的沙堆，伸展四肢，而對碧空，盡情享受日光浴和空氣，有些倚偎在一頂漂亮的遮陽傘下，喁喁情話，陶醉於附近招待所內微風送出的流行歌曲裏，編織他們無限快樂的緋色美夢，有的游得筋疲力倦，跑近自來水龍頭，冲洗身上的鹹水，進入冷飲室去解口渴，有的正在乘風破浪，一不小心，喝進幾口腥鹹難聞的海水，在喉中咯咯欲嘔，這一幅海濱消暑偉大的風情畫，確是有聲有色，再美也沒有的了。

這浴場還有一個特點，左面靠緊法國公墓，右邊則是新建的民族英雄墓（原名滿國人墓）長眠地下的，都是中法戰役，當年法軍登陸基隆，兩度拚命爭奪這片海灘而戰歿的將士，今竟望衡對宇，成了比闊而居的鬼鄰，長夜漫漫，不知他們在幽冥中有何感想。

海上學校

（中篇小說）一一

趙滋蕃

周曼石手不停揮，忙得滿頭熱氣直冒。人潮一批批的來了，又去了。報名册整頁整頁地留下了一個個爭鮮的名字。其中有些名字值得出奇，而且還有些是渾名，如大腳婆，大口桂，烟屎蘇之流，弄得個周曼石直搖頭。好在他們並不斤斤於這些文雅的玩意，還千恩萬謝地拜託老師們，替他們的孩子取個「學名」。積直只要繳了學費，靜候通知來上學，其它都可以將就辦理。

等到人潮散盡時，鬧鐘已指向十二點正。兩個老頭歡天喜地的互道「早抖」，又同老師們點頭爲禮，分別率領家裏的人，去尋酣甜的夢去了。

但海上學校的六位老師，却得爲剛才這一幕喜劇所激動，他們還想利用這段時間，討論今後的發展計劃。

「今晚總共招到了多少學生？」杜宇問，輕鬆的語調中拖着個疲倦的尾巴。

大家的目光全注射在周曼石的臉上。大約有三分鐘的沉默。周曼石急遽地翻動着報名册，用含糊的低低的聲音計算着。

「今晚新報名的有五十八名，」他說。「連舊生總共七十一人。」

「這就麻煩了，」貝比嘟噥着。「海宇組自學團，恐怕不能容納這麼多學生的。」

「原來的計劃，得個自學團準備容納多少學生呢？」紅鼻子將手掌托住肥臉，偏過頭來問。

「最高限額，每團容納六十名學生。」崔碧搶先回答。「超過這個數目，在管理上，在教學設計上，就顯得不靈活了。」

「另增一個自學團好啦，」紅鼻子打了個哈欠，用瞌睡的聲音說。

「將孩子們組合成一個自助學習團體，裏邊的問題多得很，並不那麼簡單」崔碧說：「我們既要兼顧學齡與智齡；又要考慮天才兒童與低能兒童在學習進度上的差異，以及個性發展上的特徵。而且，孩子們在不同的年紀中所存在的心理狀態，尤其需要很精細的個案調查，纔能有良好的分類……」

「問題眞這麼複雜嗎？」周曼石反問道。

「怎麼不複雜呢？曼石」崔碧說。「你只要想想幼稚期的兒童與大紅番期的兒童，大紅番期的兒童與青春期的兒童，在心理與行爲上的差別；或者幼年期的兒童與青春期的兒童，在心理與行爲上的差別，究竟有多大的距離，你就會知道最簡單的問題之中，有着一個多麼複雜的核心……」

「何況，海上學校的學生，從六歲一直到七十四歲，都收羅到了，」貝比同情地點着頭，說。

「這件事情的確很爲難，」杜宇說。「入學學生的人數，此刻正在膨脹。一切都是不固定的，一切都是流動狀態。」

「因此這個問題更形複雜了。」她着急地抹着汗，瞅住張長虹。「你有甚麼好主意沒有？長虹，」她補說道。

「我以爲還是先就報名的秩序，暫行混合編組，」張長虹審慎地說。「因爲這是一所特殊的學校，又是辦在一個非常特殊的環境之中的。許多學理上的根據，我們一時還用不上。那麼，就不妨『草鞋沒樣，邊打邊像』吧！」

「這未免太遷就現實了，」杜宇說。

「慢慢求改進吧，杜宇，」張長虹說。「由無到有的過程，總是十分艱苦的。」

「要不，倒正來個清一色的蘇家班如何？」貝比笑嘻嘻插嘴。「五十八加上蘇登同蘇阿嫂，剛够六十名的額。由長虹另行開辦『洋字組自學團』。下午上課，上午海上實習。恰好與『海字組自學團』的學習秩序顚倒過來。同一個教室，可以多容納一倍學生，你們說好不好？」

「唉，在目前這個的條件底下，我們也只能這麼做啊！」杜宇緊鎖着柳眉，說。

「我贊成，」李太玄嗅了嗅紅鼻子。「爲了免得孩子們『炒現飯』，減低學習的興趣，我覺得這個提議，還不失爲沒有辦法中的辦法。」

「假如學生的人數，再迅速增加呢？」周曼石問。

「當然我們不能拒絕孩子們來入學的，我們總得想辦法擴充設備。」

「我不贊成臨渴掘井，」紅鼻子不耐煩地說。「弄得手忙腳亂，」周曼石說。

「像今天晚上這樣，已够人受的了。」

「未雨綢繆之計，本山人早經安排停當，」紅鼻子文縐縐地搖着肥腦袋。「如果學生人數再增加，我想再租用蘇老先生的那艘歇業船。一切比照蘇老先生的辦法，不過，這一次的裝修費，必須由海上學校支付。」

（卅七）

不爲長老安禪寂　縱有良媒祇自傷

——賈煜老明心佳句

近年來台灣「老少年」結婚，戀愛的佳話頗多。前有大法官王風雄及元老李宗黃之續絃，後有李老石曾之與田寶田女士戀愛。李宗黃以七十之年，在髮妻仙逝後不久，娶了曾在台北醫院任護士長的某女士，雙方極爲和好。大法官王風雄與一年僅十七之小姐締婚，合巹之夕，恰逢農曆月初，國策顧問賈景德氏曾賦妙聯以賀：文曰：「南方之强，花甲開年十七；西施並美，峨眉剛晝月初三」。結婚一年，現在已有個白白胖胖的寶寶了。李石曾氏與田女士已成燕好。賈景德氏文章翰苑，爲當代稱道，自年前夫人仙逝及公子相繼遭遇不幸後，心常鬱鬱寡歡。是以近年來社交暨政府大典場合中，均少見其足跡，最近也頻傳喜訊。據說若干黨國要人，以及賈氏的老上司閻錫山等勸他不可長此寂歡下去，曾多方代爲物色對象。最近台北市上傳說賈老與名坤伶金素琴來往頗密。但金女士已向人解釋是外界誤會，傳說不可靠。同時，賈煜老也來了個以悼念夫人冥誕爲題，賦詩明心，藉以闢謠。詩曰：

「明知泉路事茫茫，每謁孤墳總斷腸；竿木隨身姑作戲，雲旗何日是還鄉？不爲長老安禪寂，縱有良媒祇自傷；一任旁人矚笑口，誰生敢戀綺羅香？」

詩文妙也絕也，圈內風傳一時。此與月前傳出關於李老（石曾）的佳話，如出一轍。

·季鸞·

自由人
THE FREEMAN
（第六六七期）
中華民國僑務委員會登記證僑台報字第二號
中華郵政台字第一〇〇五號執照登記為第一類新聞紙類
（每週三六出版）
每份港幣壹毫 台北市售價台幣壹元
社址：香港高士打道二十號三樓
20 GAUSEWAY RD. 3RD. FL. HONG KONG
TEL. 771726
承印者：南華印務出版社 地址：香港高士打道六十號
台灣總經理處：台北市衡陽路
海外總經銷：香港

論「獨立的民族共產主義」

周之鳴

此次俄共的整肅，我認爲應特別注意兩點：一、爲朱可夫之決定性的作用，和他的担任俄共主席團委員，此爲軍權進一步控制黨權的表現。今後的演變，可能是赫魯曉夫利用另一軍人整肅朱可夫，否則即朱整肅赫，或則以另一人代之，或則直接掌握政權，最後必將走上職業軍人之獨裁。二、爲赫的堅持實行他同意狄托式的民族共產主義的策略。此在報刊上甚少論列，尤其台灣，似有顧忌。實則主持宣傳或理論決策者，須知反共即應面對現實，思有以解決之，逃避現實不是辦法，姑略論之。

一、

狄托主義的反史達林，是爲拒絕接受史達林所發布的，在南斯拉夫行不通的許多命令，尤其關于農民政策，如此。而史達林强迫叫他接受，最後不惜把他驅出共產國際情報局。于是俄共和南共則製造了「狄托主義」，而史達林亦製造了「史達林主義」。但史達林主義實即列寧主義，而就狄托看來，此一列寧主義又是反馬克斯主義的。反之，狄托主義雖與列，史主義相反，卻有若干地方，是符合馬克斯主義的。

史達林一死，赫魯曉夫，布加寧和米高揚的上台，他們要改善經濟，特別是爭取南斯拉夫，乃不惜向狄托低頭認錯，所以在赫魯曉夫訪問南國後，不久他們又一致在俄共第二十次大會上，公開地承認了「從不同道路到達社會主義的原則」，這也即所謂「獨立的民族共產主義」。

但這時只有一個狄托主義，到了去年隨着波蘭和匈牙利的反共抗俄革命運動，又有發生了近于狄托主義的戈慕克主義和納奇主義。[illegible]的方式和方法」，而[illegible]會主義」，[illegible]公開採取狄托式的獨立路綫。又如捷克也是[illegible]本月十一日，赫魯曉夫在布拉格對一工廠工人發表演說支持這個說法，可爲明證。蘇聯爲挽救危機，祗好這樣拉攏狄托，和對其他附庸國家放寬控制，但莫洛托夫，馬林可夫和卡岡諾維奇的一派，他們反對。所以這次整肅，據俄共的決議案，主要的是他們反對「改進蘇俄和南斯拉夫間的關係」。[illegible]各個附庸必將趨向狄托式的獨立的民族共產主義，殆無疑義。

二、

所謂狄托主義或獨立的民族共產主義，它有兩個特點，一即如個共產主義國家，都各有它不同的到達共產主義的道路。二則各個共產主義國家的合作，原則上應建于獨立平等的原則。這兩點，原是與馬克斯主義的主張，是無大衝突，而與俄共的列寧主義則相反。民族共產主義實即馬恩列史的所謂「一國社會主義」。列寧以爲一國社會主義是他創立的，實則馬克斯在「告共產主義者同盟書」中[illegible]

[illegible]馬克斯恩格斯的修正各個資本主義國家的同時革命而爲一國社會主義革命。[illegible]位對待各國共黨。這也是違反馬克斯主義的。[illegible]

三、

但馬恩所主張的[illegible]社會主義國家」，但俄國卻是從「封建的帝國主義」及「半封建資本主義」，變成了共產帝國主義。狄托主義所要求的並不是反馬克斯主義，但東歐的無產階級革命卻又根本反馬克斯主義的。事實上東歐幾個所謂社會主義國家，只是蘇俄紅軍佔領下所發動政變的結果。[illegible]

四、

中共何如呢？中共[illegible]階級專政[illegible]一文，關[illegible]義國家[illegible]這個說法[illegible]的一切經[illegible]族特點，都[illegible]原樣照抄[illegible]

[illegible]係」，卻又表示支持蘇俄對匈牙利事件的高壓政策。可見俄共和中共間的微妙關係，也可見中共在狄托主義與史太林主義間存在着矛盾。

五、

但是東歐各附庸和中共所走的路向，眞相又如何呢？以各個狄托主義本身來說，雖然要求獨立，但稱兄道弟，仍再三聲明決不脫離社會主義陣營，以示與蘇俄的一體。此蓋由于既有地理關係，經濟關係，又有主義關係，尤其血統關係，所謂獨立也只能限于到達社會主義的方式和方法而已。即以南共而言，其內政上各種措施，本質上仍爲共產專政，所異于蘇俄的，只有程度上的不同，至於外交，除和美國以外，一致[illegible]以蘇俄來說，它允許它們獨立平等，如以暴力鎮壓匈牙利事件，以蓋官們的關係，在[illegible]看來，不惟[illegible]父子，且[illegible]爲主奴也。在蘇俄暴力鎮壓下，縱有獨立的[illegible]際來反對牠的侵略也不可能。（下轉第三版）

半週述評

尾巴黨派是中共的「功臣」

平心而論，今天大陸上這般尾巴黨派，對中共總算是有功的。

在中共還不會佔據大陸以前，不有這般人爲它張聲勢，國民黨的失敗決不會那樣快；最近這八年以來，不有這般人搖旗吶喊，助紂爲虐，中共就難維持目前這個局面，也不可能。

中國大多數的老百姓，本來對中共是毫無認識，毫無淵源的，他們只知道中共是殺人的魔王，是打刧他們的强盜，不有這般尾巴黨派點綴其間，把中共的猙獰面目稍稍予以沖淡，他們便早已和中共翻臉，絕對等不到今天。

留在大陸上一般不屬任何黨派的人士（包括若干的學者名流），海外的留學生，以及在海外從事工商業的人士及其子弟，他們對中共本來也是毫無信心的，不有這般尾巴黨派的分子加以穿插拉攏，他們也根本不會和中共去接近。

然則，這八年以來，表面上是中共在那裏領導這般尾巴黨派，實際則是這般尾巴黨派作了中共和人民間的一道橋樑。因此，就促成整個大陸淪陷這一點來說，尾巴黨派是中國民族的罪人；就引導人民和中共接近這一點來說，尾巴黨派卻是中共的『功臣』。

黨權派與政權派的鬥爭

這次的所謂『整風』，本來是中共發起的，其最初的目的，原在減輕中共自身的包袱；其要求這般尾巴黨派爲他們幫忙，確也是出自中共的邀請；沒有料到中共『政權派』這一舉動，乃引起了他們『黨權派』的妬忌，劉少奇以爲周恩來這種進一步的『統戰』，其目的乃在削弱『黨權』以擴張他的『政權』，『是可忍孰不可忍，』於是由黨方發動，把『整風』的目標，由中共本身，轉移到了這般尾巴黨派。

要『整』這般尾巴黨派，中共本來是可以直接動手的，可是毛和尚有言在先，曾表示願與這般小黨『長期共存，互相監督，』一下便完全取銷，面子上也太講不過去，於是乃發動這般小黨派內部的無恥分子，實行對他們一部分的領導者，加以嚴厲的清算；甚至還發動他們的兒子或『愛人』去清算他們的爸爸或丈夫。這樣一來，這般會經大放大鳴的所謂右派分子，因遭受空前的精神虐待，固然無以自存；即各小黨派的自身，因爲表現了徹底的無恥，把一般人民對他們所存的若干幻想，也全部消滅乾淨。

小黨派抬不起頭；統戰遭遇了一大頓挫；以目前表面的情況來說，好像是『黨權派』佔了上風，『政權派』不能不暫時屈服。

毛和尚另有把戲

可是事實不會這樣簡單：

第一、在一般老百姓的心目中，他們只知道『政權』，決不會理會所謂『黨權』；

第二、這八年以來，中共在大陸所造的種種罪惡，大體上都是黨方發動，老百姓早已痛恨得要吃他們的肉；

第三、周恩來有三十年的統戰基礎，他和一般社會的關係，遠比劉少奇深切得多，甘心屈服，俯首聽擒，他決不肯幹；

第四、毛和尚也懂得『製造矛盾，利用矛盾』，與其伸劉抑周，或伸周抑劉，爲他自己打算，實不如兩俱而並存之來得好。

因此，我判斷這場風波，只能由毛和尚出來打圓場敷衍了事：即政權黨權依然對峙；小黨派也聽其不生不滅；毛和尚仍舊高高在上，除死方休。

‧左舜生‧

自白另一章

——兼應蕭立坤先生

‧牛嶠‧

深夜翻閱早兩期自由人報，不期讀到第六六一期蕭立坤先生在阿廷所寫「我的自白——並懷內友人」一文，不禁感慨萬千，甚於蕭先生在文末說：「我希望我這篇短文，能引起許多第二代兄弟們都撕去二十年來可恥可悲的假面具，寫出各人的自白，只有眞話才是好文章……」。再三找尋近幾期自由人報，失望得很，對此竟然未尋到片言隻字。

我同蕭先生素昧平生，可是沉痛之言引起了共鳴；鬱藏已久的感觸，如鯁在喉，不吐不快。

蕭先生在文中舉出第二代（四十歲）的人是可恥可悲的一代，他幼年親眼看見過殺頭刑，悶死嬰兒，打死丫頭，父老們睡在鴉片床上大講孔孟仁義，青天縣太爺有了三個姨太太還誘姦良家婦女，穿起筆挺西服的國文教授卻反對用鋼筆。自從離開學校進入社會討生活起（一九一八與七七前後）無日不在中外、新舊、善惡、清汚、貧富的矛盾理論及現實中掙扎。並認出誠信篤實的舊道德教育，終於抵不過金錢的實力誘惑，第二代的人格也同金元券一樣，一文不值了。復指出領導世界人類的大責任，必須由第一代給第二代，像直接跳給第三代之事（如約旦王胡士英）一定很少，但中國的第二代，實在太可憐，一連革了三十年的命，第二代精華，不是成了仁，便是生了蛆。

我相信這一番赤裸裸的寫照，雖不一定包括第二代總體，至少也是第二代大多數人的傳眞。

如果拿他這面「陳跡」的鏡子鑑照一下我們這一代（余生也晚，甫滿三十歲，將近三十歲的人不知應爲第二代，蕭先生指四十歲的人屬那一代）可說是支離破碎，麻木不仁的一代。

我曾經仔細對我週圍三十歲上下的人加以觀察，根據許多事實表現，所謂氣節、人格、道德、良知、都好像絕了緣，既無老一輩的革命精神，又欠缺煥發朝氣，做公教人員終日愁眉苦臉，彷彿把一切都歸咎于待遇菲薄，有的斷然表示沒有貪汚機會，從商的每日斤斤較量，一腦門金銀銅鐵，幹文化事業的每天搜索枯腸千方百計在錢上打主意，卻都有一個共同之點，就是金錢變成崇拜偶像，有則興風作浪，無則頹唐腐濁。高風亮節，在眼中糞土不如，誠信篤實，在心中乃是別人之事，道德、良心，僅是一個過時的名詞。我對我這一代人的直覺，正像吳稚老所說的「漆黑一團」。這當然不能說個個如此，除了少數宅心淳厚者外，狡詐、虛僞、麻痺、淺薄、險惡之人卻是佔着可怕的比例。（但願是我的偏見）。

我也曾思索分析探討過，這些險暗的一面，除了先天本性涼薄顯露了本來面目，許多忠厚老實的人免跟着轉變卻是環境背景。三十歲上下的人，自幼即生活在戰亂中，十餘歲時便分隔在「淪陷」及「後方」，[illegible]的短暫教育，便是在大後方流離中接受的短暫教育，抗戰勝利也不過初中程度，此後，時局僅穩定一個短時期，便遇到共匪肆虐，踏上人生坎坷路程。在台灣，比如我們這幾年總算安定了，但是，已屆而立之年，謀生的担子，家庭的負担已是重重的壓在肩上。三十歲人這一代所遭遇的：舊有的傳統文化與道德倫理沒有接住，新的文化僅吸收皮毛，正是「上不着天，下不落地」懸在空間的一代。這一代人可以說沒有儒家思想，沒有宗教觀念，因爲缺乏心性教育，所以美醜不分，善惡不辨；三十歲的人正是社會上中堅份子，所受的精神教育竟是如此的脆弱，將來怎樣承接上一代領導下一代，這已不是單純的杞人憂天的問題了。

有時我嘗自我安慰的想，我們三十歲的人所以如此糟，主要的是兒時基本教育（德智育）接受不正常，很像一株樹木幼苗因培育不良，早期就生長的很軟弱，成長以後也就歪七扭八了，纔起的當然就不同了，幾年施肥工作做得好，在道德心性領域裏一定是壯大有爲。然而，我曾經認識幾位正在大學讀書二十幾歲學生，幾度交往發覺其腦海中道德觀念空虛的可憐，談起跳舞、吃酒、賭錢、玩女人頭頭是道，言行之鄙，舉措之狂，較之三十歲有「病」的人「病」還深幾成，我這自認其糟無比的人反而感到小巫見大巫，深佩後來居上了。（我祈禱這情形只是我看到僅有的幾位）

我無意汚衊我們三十歲階段這一代，也不是想替自己辯白，只是願如「白頭宮女話舊事」帶着創傷來提醒上一代及下一代。

拉曼仍睡夢在馬共謊言中

海外通訊　‧司徒鈞‧

英下院三讀通過馬來亞獨立法案之後，只要上議院通過，即成為法律；儘管有人認為：如果馬來亞聯邦新憲草案，不能使馬來亞各民族感到滿意時，種族衝突危機殆將無法倖免，除非刪除不合理的條款，馬來亞獨立過程將較預期（八月三十一日）長；看來還是不致延宕的。

不平的規定

華印英籍人士，自從馬來亞開埠以來，均曾以其精力物質貢獻，使橡膠荒蕪半島繁榮發展。新憲卻規定馬來人獨占利益、權力。獨立後十五年內，巫族以外任何人均難分享平等待遇。讀經過華印英僑團在半年來的爭執，並未扭轉東姑那種橫蠻無理的獨斷態度。

三個不同角度

現實的情勢是：一方面鴨都拉曼在促成了立法議會通過新憲草案；當然，源他的獨裁權力，立法議會不敢修改或否決；另一方面，感受權利束縛的中印英各族領袖，再向英倫呼籲要求修改草案，維持馬來亞各族平等原則；倫敦方面則希望馬來亞獨立憲法草案早日完成法案；這三個不同角度在現在看來，如果不謀協調，即令馬來亞於八月三十一日如期宣布獨立，以剛愎自用的東姑鴨都拉曼一人擅權，爆炸性的危險將使東姑難以應付。也許他已經明白，最近對異族的態度稍有改變，不像過去那樣將中國國民黨跟中共混為一談——迫使馬華公會整肅國民黨分子；反而忽略了共黨的顛覆活動。

錯誤的做法

東姑對自由中國地位的認識，最低限度是以為接近台灣會激怒北平。表面上儘管邀請中華民國組織記者團參加獨立大典；不再狂言國民黨與共產黨同屬馬來亞之敵；並且還呼籲華巫合作。骨子裏卻並無若何巫華合作誠意，不肯放棄馬來人「特權」——巫語為國語，回教為國教，限制異族參政的主張。過去厚備國民黨分子，殆欲使用這種手段來維持他的「特權」，與勉強二百三十萬華人和八十萬印度人的不滿情緒；使華印英人不得不由積極抗議，改取消極的呼籲態度，坐視八月三十一日獨立實現。

馬共是「民族主義份子」嗎？

言：我們不妨退一萬步數說三百一十萬的非巫人，即使這一次不能獲得英國同情重修新憲草案，以難堪的隱忍態度正視獨立的馬來亞開國紀元，絕不會採取任何敵對態度。令人扭心的，倒是進入第十年的剿共軍事，將會全功盡棄。這一點，相信東姑於出任新總理時節，做夢也想不到的。這並不是甚於最近盛傳：首席部長將與馬共首領會晤。而保東姑對馬共的期待過分天真。他曾一再告訴各地巫人：馬來亞共黨恐怖分子係「民族主義分子」，只要馬來亞一經獨立，森林中的馬共，即刻放下武器跑進城市來；那些不願在馬來亞的馬共，政府可以講買單綜船票，送他們回中國大陸去。並且還一再強調：「他們從前的作戰目的，是反抗英帝國主義；但馬來亞宣告獨立之後，他們將是打馬來人，而不是打英帝國主義了。」這種理論雖然現在幾給人聽到，但是他那錯誤的觀念，由來已久。前年耶誕節他曾於華林跟馬共首領陳平會晤，陳平就告訴他：「只要馬來亞獲得獨立，馬共可以放下武器。」他不辨這是謊言，一直把它當作對英談判獨立的條件，英國人也只好把它當做「和平」顯望，東姑及其同僚，兩年來，無時不在夢中。

森林中確數知多少

一九四八年六月二十日英方宣布：馬來亞進入緊急狀態，對森林馬共稱為恐怖匪徒，動員全馬軍民圍剿。不論華民人等，無人不相信這種恐怖匪徒，只不過五千人；但是今天官方宣布：過去九年馬共死了九千六百零九人（自首被俘除外）。如果不是中共幕後支持，絕不會使森林中仍有不知確數的馬共。當然，在沒有解決馬共之前，仍是獨立的障礙。但如何解決？且看：東姑一面揚言對馬共繼續作戰；泰馬會剿；同時強調：馬共只有無條件投降等等，暗中卻試圖跟馬共首領陳平恢復「和平」談判。在馬共，顯然是求之不得的。

勿預掘墳墓

誰也可以斷言：在目前這一階段，馬共很可能同意放下武器，同東姑合作；東姑及其同僚殆將忘懷已往戰亂中所付出之重大代價。誰能否認：馬共一經進入城市，不啻使新興獨立「的馬來亞王國預掘墳墓」。（七月十六日寄自星洲）

我看到的：「縣市政府組織新案」

‧冷賢‧

臺灣通訊

今天無意翻閱到一頁四月間的已經用以包物的殘缺周報，只見有八個大字排着：「縣市政府組織新案」。所謂「新案」文章，在觸目的主題之後，更有一個大副題：「專家研討幾達四年，七週省府通過原則」。又：「此一方案係遵奉總統指示，及各方建議，本『嚴密組織』，與「機能一致」之原則而擬訂，僅自本省光復後在行政組織上是一項重大的改革，即在各個部門亦打破過去在大陸上所沿用之縣市政府系統，而使更為合理，符合實際需要」。真是來頭甚大，不可不卒讀的問題文章！

所謂重大改革

不知道「重大改革」，仍使我們失望得很！「（一）人員編制。（二）提高官等。（三）建立縣市政府局科主管互調制度。（四）改進指導制度……」。總共就只有此四大標榜。如是而已。

只有加官晉爵最新奇

所謂「人員編制」。新調整機構，縣設三室二局七科一課，市也差不多。根本就是如舊，即現行的編制。要說新奇特色，只有官等提高了一個主任秘書——長與及十分一的科員一律無條件晉升薦任職，局科主管互調；以為這樣加官晉爵，就可以「提高行政效率」，「符合實際需要」。及「避免發生因循懈習」！我們想這是經過數十位專家，四年時間研討的成果，非同小可。但專家究有幾有四天跑到那些縣市政府機關辦公還去坐一坐？看看究竟是怎麼樣的一個情形？國家之官等，原來是用來獎擢從政人員的，何可這末隨便用以餌釣魚蝦！假定一個縣市政府的主秘都官封極品，那麼總統的秘書長是否要佩七星？也是否還要弄到如過去部隊的將將將？大家特晉級，臨陣關搬扯！若文官也一樣來這一套，只有使國家多一批有資格弄權玩法的高級官僚政客而已！

國家名器應不可濫

官等是代表國家名器的尊嚴。古來不少平民掛帥，白衣拜相。這完全是講才德，是真正的選賢與能。職所以綬能，俸給乃是酬庸褒廉。因此，我以為新案是庸醫亂投藥，弄成名器大亂！

我以為應「級職分開」

我們是絕對不相信「新案」之提高幾個主管的官等，便可以提高效率，而符合於實際需要。我以為要級職分開，才是一種實際而有效的辦法，才是一種公平合理適於現時的制度方案。因為，若果真有才有能而又有德者處上位，則下無不服，實不假借。官等尊嚴始有存在，人才向上，當可治平，才有效率可言。所謂「級職分開」乃補救人才或因未遇表現機會，未得擢拔，亦可安於職位而無憾怨。若果國家之名器官等濫予，則何官之責？只是大開小人倖進之門，方便人情援引，寃埋長材而已。試看過去大官貴僚多如過江之鯽，究有幾個能員，有那些不是倖進胥吏！

事實有寃枉的替死鬼

今日無論任何一個縣市級機關，很顯然存在着兩個大壁壘。即額內與額外。此何許人也？「額內人員不裁減，無案人員要解僱」。我國的政治法寶，就是這一套！造成許寃枉的替死鬼。筆者前回談「冗員」，已曾言之矣。這是不可忽略的常理；——一件普通人盡可為的事，為什麼也要人來幫佈？倘若祇是普通的幫佈都可以辭，那麼我們又何以不能幹？不是很簡單？如非材不適，就是工作懶或有什麼可恃與倚賴。那麼「冗員」究是額內還是額外，推出午朝門外替死的所謂「冗員」豈不是大寃哉？

新案對此有何貢獻

「人事凍結」，一向輿論有譴責。今此新「新案」是否已承認了過去的否認？「新陳代謝」是國家的善策；「選賢與能」，也是國家的要求。今此新案的鬼，究竟對此有何貢獻！「遵奉總統指示」，「各方建議」，可以明白用一點說事向國人交代嗎？只顧了幾個主管的官，互調一陣，就一定搞得出名堂來了嗎？新案為指導員改稱視察，也許名稱來得高貴好聽些，但仍只是名義的官。既視與察也，可不必動手足！為免浪費公帑，就何不澈然而裁掉這正牌貨的額外「冗員」？，而反將那些實實在在做事的作了他們的替死鬼呢？「額內人員不裁減，無案人員要解僱」。且拭目以看所謂「新案」的後果吧！

國外通訊

梁聲泰事件餘波

‧文波‧

（紐約七月十五日航訊）梁聲泰事件在美國華僑社會所激起的風波，現在已算得過去了。但尚有若干餘波，可以報導於「自由人」的讀者。

昨日（七月十四日）紐約出版的「大華周刊」，以「鄭彥棻先生的使命已完嗎？」為題，發表文章，認為鄭氏為處理梁案而赴美，但「對於梁氏事件迄「無明確表示」」，「使命終未完成」。

七月八日台灣英文中國日報的社論，即由此發，認為鄭氏使命已完，不應「在美國流連忘返」，「應趕速回來，為東南亞華僑解決其面臨的嚴重問題」。該周刊繼續說：

「鄭委員長此次來美，其主要使命為處理梁案。但到美之後，可說對梁案絕未過問。至少未曾對華僑公開的作任何表示。」

又說：「鄭先生真有處理梁案誠意，則於國民黨美洲黨支部代表大會之後，就該馬上飛到紐約，……但鄭氏在代表大會閉幕之後，依然逗留美西，尋且漫遊墨西哥與加拿大，……六月廿四日由加拿大飛到紐約，梁聲泰早已辭卸美洲日報的總編輯，……梁氏因鄭委員長之來，而得以中華公所主席的地位，追隨左右，……」認為梁氏久已銷聲匿跡，卻因鄭氏一到，梁氏又出現於華僑社會，從新活動。是該周刊不僅認鄭氏使命未完成，且認為鄭氏有袒梁氏之嫌。據說，鄭氏個人也有其不得已的苦衷，蓋鄭氏對於派系複雜，意見紛歧的華僑社會，欲保持一較為超然中立的態度，不欲捲入是非漩渦之中也。

上述種種，可作為梁氏事件的餘波看，吾人固深盼從此以後，旅美華僑能團結一致，同為反共抗俄而努力也。（七月十五日文波）

多災多難話江杓

‧季鸞‧

自由中國經濟部長寶座，確實是不易坐得穩的，前有尹仲容，現有江杓，兩任部長因「闊利」案涉訟，前者在一年多的任內，為楊子木材公司案纏訟半年之久，卒告下台，後者則為般台公司案被移送法院辦理，看樣子也要打一陣官司。

尹仲容卸任後，閉門讀書，深居簡出，台北植物園的中央圖書館是他經常的去處，目前他僅有的職位是石門水庫建設委員，他在任上大刀闊斧的作風，的確得罪了不少人，多少人罵他傲慢狂妄，但今天，社會對他的輿論，似尚不錯。

江杓在當局發表他的任命之初，就知道這是一份不好幹的工作，他還沒有上台就上了份

是擋未准，一直拖了一個多月才遲遲走馬上任。

他之所以尚未榮篆即上辭呈，據熟悉者所悉，是有兩大原因：（一）人事問題：他物色次長人選，數度呈報委任，均未獲通過，（二）行政院院會通過，指定物價管理由經濟部負責。物價管理需要金融、賦稅、外匯貿易、物資供應等部合，這都不是容易辦得到的，也非經濟部能力下能完成。最後一拖無法再拖，才硬着頭皮視事。

初碰電力加價案

一上任，第一物事又遇到電力加價，這是歷任經濟部長最頭痛的事，立法院對於加價的案子不輕易通過，主管官員每次費盡了唇舌，挨盡了罵，才把新電價通過，去年，由於各方的協助，總算度過了第一難關。

再碰到般台公司案

跟着而來的第二件大事，就是被監察院彈劾的般台公司案了，為了這件案子，江杓在立法院不分晝夜的被質詢了有十餘天，在質詢時，他竟公開保證他的部屬也沒有貪污，這句話，曾被立法委員們多次引用指摘。

般台公司案鬧得滿城風雨，其勢不下於尹仲容時代的胡光麃案，一直這問題的複雜性，一直到今天本案移送法院，仍未能有個局部的明朗，事由出來，頗使各界人士對此案的真正因素，據說我國與美國般格公司洽商造船一事，遠在前年（四十四年）就談起，那時江杓還是國防部次長，未參加其事，「般台」合約造船是經過行政院會議通過所簽訂，經濟部是沒有這一決定權的，問題是他是「主管部長」的關係，對外自不能卸除責任。

這位部長

江杓這個人，現年僅五十七歲，籍隸上海，他出身德國柏林工業大學機械系，並獲德國工程師學位，歸國後即一直幹「經濟」本行，如兵工廠長、物資處長、國防部次長（管後勤）等等，他對「經濟」卻有一套，能善於執行任務，致為俞內閣堅邀組閣，任其數上辭呈，仍是慰留。不過，他缺乏辭令，極容易動肝火，在立法院出席院會時，與立委一言不合，便即憤言「另請高明」，引起軒然大波，幾乎弄得下不了台，被立委羣起「圍攻」。在財政部長徐柏園的公館中，為了般台公司貸款一事，竟然和台灣銀行董事長張茲闓大打出手，曾為政治圈中引來趣談。

萬言「申辯書」

到今天為止，江杓已有一個多月沒有到部辦公，經部內外事情，均由王撫洲、李景潞兩次長分担，江杓請假的理由是生病，究竟是什麼病？外間懷疑莫測。在病假中，他針對監察院的彈劾親自寫了一篇長達萬言的「申辯書」送給公務員懲戒委員會，之後，到烏來休息了一星期，其餘時間在家看書，日前他看見案子移送法院之後，他又提出了接任一年零六月的第五次辭呈，以便聽候處理。

好戲還在後頭

自「般台」案發生後，江杓尚未公開說過對自己辯護的話，現在聽說他要說話了，他已經要求行政院將他的「萬言申辯書」公開發表，如果政院不管應，他將以私人的名義對外發表，以便對社會交代。般台案與江杓，這台好戲還在後面呢！

自由人
THE FREEMAN
（第六八六期）
中華民國僑務委員會頒發登記證台教新字第一零二號
中華郵政台字第五〇〇〇號執照登記爲第一類新聞紙類
（半週刊每星期三、六出版）
每份港幣壹毫
台北市售價台幣壹元
督印人：陳文華
地址：香港高士威道二十號四樓
20 CAUSEWAY RD. 3RD. FL. HONG KONG
TEL. 771726
承印者：東南印務出版社
地址：高士打道六十四號
台灣總經理處
台北市西寧南路壹壹零號二樓
電話：四七三四六
台郵劃撥儲金戶二九二五二
海外總經銷：友聯書報發行公司
香港：德輔道中二十六號A二樓

大陸附庸黨派的末日

•金達凱•

目前中共在大陸上的鬥爭右派，實質上是以各附庸黨派爲對象。在這種百般凌辱與窮追猛打的鬥爭態勢中，各附庸黨派的政治生命勢將從此結束，即使名稱與形式仍保留一時，但那已是失去靈魂的軀殼，變爲更卑微下賤的奴隸。這不僅是章伯鈞、羅隆基及其追從人物的悲哀，也是中國近代政治史上最大的污點。

中共與各附庸黨派的關係，始終是建立在一種不平等的主奴關係上面，附庸黨派的存在不決定於政治制度或其自身願望，而決定於中共黨的利用與需要。中共之容許附庸黨派，最初是爲了爭取統一戰線，去年之提出「長期共存，互相監督」口號，乃是爲了向海外自由人士進行統戰攻勢；現上項目的既無法達到，而其內部矛盾日益擴大，則以形成更清一色的統治局面，自是其必然的步驟。

這一羣傀儡人物，對中共的佔領大陸，雖沒有發生決定性的作用，因爲決定大陸的主要關鍵，還是國民黨在大陸的政治，但他們確實給了共產黨的幫助，促成國民黨在大陸潰退，則是確切的事實。可是共產黨對他們則完全是利用性質，根本不給予他們以同等的政治地位與同等的政治權利。因此，雖在偽政權建立初期，予張瀾、李濟深以偽中央人民政府「副主席」名義，但不久即被撤銷。目前偽中央政府副主席中沒有附庸黨派的份，即在偽國務院的十二個「副總理」名額中，也沒有一個是黨外人士。這也就是儲安平所指出的「黨天下」和向「老和尚」請教的根據。

這係就中共獨攬高層政治職務情形而言，至於對各附庸黨派的組織，更給以嚴格限制。在黨員發展方面，在「分工發展」的藉口下，中共實行「三層兩類」的規定，限定各附庸黨派只能吸收老年的中上層人士，不得向下層的工農羣衆、青年學生及軍警人員發展。在活動地區方面，只准在幾個大中城市建立支部，禁止他們向農村、工廠、礦區及少數民族區發展組織，而這些禁區則爲中共所獨佔。在此情形下，各附庸黨派的內外工作都「不能脫離共黨的領導與監督」。據「民盟」中委陳新桂的反映：該「盟」的地方支部完全不能單獨活動，甚至開一次會，用一筆經費，調動一下人事，都要經過同級的中共黨委的批准。特別是「肅反」運動時，各附庸黨派的組織名册及黨員材料都要交給中共審查，對自己黨員的生命安全沒有一點保障的力量。

反之，各附庸黨派還要在中共「統戰部」的指導下，担負各種特定的任務。這些特定任務的分配情形是：

「民盟」：負責執行對知識份子的團結工作和改造工作。

「民主建國會」：負責執行對工商業者的改造工作和宣傳工作。

「農工民主黨」負責執行對工程技術人員的宣傳教育工作。

「九三學社」：執行醫藥衛生人員的宣傳工作。

「致公黨」：執行對華僑的宣傳工作。

「民革」：則專門負責對台灣軍政人員的統戰工作。要他們「充份利用過去的歷史關係與社會關係，採取廣播、撰文、通信等方式，向台灣軍政人員進行宣傳」。

在上項支配情形下，大陸上的所謂「民主黨派」，已徹頭徹尾成爲中共御用的工具。爲進一步控制他們，在去年十月，中共在北平設立了一個「社會主義學院」，分期調訓各附庸黨派的中央常務委員和中央委員，實行思想改造。第一批調訓的一百五十人中，「民革」方面有翁文灝、衞立煌、盧漢、賀耀組、陳銘樞、張軫、丁貴堂、高桂滋、李德全、胡庶華等。甚至有七十六歲高齡的王葆眞也要受這個調訓。據「人民日報」報導：這一時期的章伯鈞了無情趣，整日玩古董，不談政治。而羅隆基也異常消極，無事可爲。及至中共提出所謂「長期共存，互相監督」的口號後，特別是毛澤東講解內部矛盾問題後，他們始積極起來，加強活動，但也因此招致共黨的忌刻，引起了這一場所謂「反右派」的嚴重鬥爭。

在中共的「鳴放」運動中，章伯鈞與羅隆基的計劃是：第一步工作是發展組織，認爲有力量始有發言權。第二步是要求中共撤退潛伏在各附庸黨派內負責監視的共產黨員；第三步是提出偽人民代表大會之外成立一個「上議院」，企圖由附庸的地位走向獨立的地位。可是中共認爲他們是「造反」，「妄想爭取領導權」。于是展開大規模的「圍剿」，而毛澤東也改變了所謂「共存」的腔調，他說：「各民主黨派存在的先決條件，是眞正爲我們努力，在我們還有困難的時期確實幫了忙，並且一實地幫下去，那末，我們可以給他們以生活的機會和努力的機會。至於能否長期共存，主要要看各民主黨派自己的表現，要看他們是否取得人民（共黨）的信任」。這就是說：奴隸要完全順從主子的意旨，才可給他一點生活資料，否則就要使用皮鞭了。

中共打擊附庸黨派的清算鬥爭，目前正有加無已，慘受糟蹋蹂躪的已不止章伯鈞、羅隆基、章乃器、黃紹竑、陳銘樞等人，而一般高級知識份子，如曾昭掄、錢偉長、錢端升、潘光旦、費孝通、吳景超、陶大庸、李宗恩、陶孟和、黃藥眠等亦均在被圍擊之中，形成自胡風事件以來最殘酷的鬥爭事件。然而這也正是中共的自掘墳墓。蔣百里先生曾說：流氓與知識份子結合，就可得天下。今天毛澤東無疑是一個大流氓，他失去這些優秀知識份子，失去社會人心，則這個暴力政權的滅亡，當亦不遠矣。

本報台灣總經理處已裝電話台北四七三四六
讀者訂報或接洽請撥電話四七三四六
號外埠繳費請交當地郵局郵撥儲金戶
頭（9252）號

半週述評

放不得與收不得

中共今天面對着這樣一個進退維谷的地步：它「放」不得，也「收」不得；「放」要洩氣，「收」要爆炸；「放」既失敗，「收」也要完蛋。

共產黨人動輒以挖別人的根爲詞，現在事實上他們正在挖自己的根；他們正在辯證地否定自己；這個制度本身正在奏着自己的葬曲與輓歌。

正如南斯拉夫副總統傑拉斯說：「世界共產主義思想的中心已不再存在」，「它正在趨向澈底的瓦解中。」

根本問題是制度

傑拉斯又說：共產主義這個制度是一個「人類歷史上最浪費的制度」；這個制度「在共產黨人間，權力爭奪的慾望是貪得無厭的，而爭奪權力的爭奪又必然產生官僚主義與腐敗」；這個制度「政府操在少數幾個人組織的一個政治團體手中，而政府也成了一切特權的來源」。因此「共產政權經常處在政府與人民的內戰狀態之中。」

投向鐵幕的炸彈

如所週知，傑拉斯是前共產黨員，而且是南共的領導者之一，過去狄托的左右手；「前共黨員」往往被人指摘爲主張採用「共黨方法」反共者，事實上，今天很多的「前共黨員」像傑拉斯一樣，已經理解到一個基本信念，反對共產黨，必須從根本上澈底反對這個制度本身，以及產生這個制度的觀念。

傑拉斯最近的一本書是在南斯拉夫的獄中寫作的，正如英國作家克阮克紹在推荐時說，那是一顆向共產世界投下的巨型炸彈。

「前共」與共黨之戰

路易‧費休說，未來的戰爭是前共黨人與共產黨員之間的戰爭。費休是美國早年著名的親共作家，他曾經瘋狂的歌頌過蘇聯，他經歷過「克隆斯達德事件」中的紅軍自相殘殺；他經歷過一九二五年莫斯科的清黨大審判；他經歷過蘇聯屠殺西班牙內戰「國際縱隊」中的共黨幹部……。他後來深切體會一個事實，一個偉大有力的反共力量正在許多曾經身受過共黨洗禮的共黨份子和同路人中發展着。

快動還是慢慢動

在我們同敵人鬥爭的形勢上，大形勢對我有利，這是毫無疑問的。形勢確比人強，形勢步步逼人來，但是，我們有沒有充份把握和適用對我們有利的形勢呢？形勢步步逼人來，也就是說，在我們面前，一定產生不少新的課題，我們有沒有針對這些新的課題，拿出辦法，提出答案呢？

匈牙利革命期間，東德的人民正在醞釀醞釀着，西德廣播天天要東德人民「忍耐」，說時機未成熟，不要作無謂的犧牲。西德這一態度，可能很多人的看法不盡相同。但有一點我們可以看出，西德政府有一個大政策在督導他們的東德人民作暫時的「忍耐」。

我們也應該讓我們大陸的同胞知道，他們現在應該「快動」呢？還是應該「慢慢動」呢。

•司馬璐•

印尼政治變質
耶城滿街滿巷是鐮刀斧頭

•華仁傑•

海外通訊

【耶加達七月二十日訊】印尼今天分崩離析的局面，在總統蘇加諾看來，只要把中共那一套輸入，全國不難歸於統一。

去年十月一日，他在北平天安門看到中共的坦克、大炮與武裝配備。毛澤東曾經當面告訴他：「這些都是我們自己製造的；閣下如果需要它們，不妨隨時通知。」因此，他迷信中共會「善意」地支援他的獨裁權力，不管印尼全國的棋布島嶼紛紛脫離中央政府，也不理睬惡性的通貨膨脹瀕臨危險地步，竟然還說：「克服當前困難，最好倣效中共的『團結、批評、再團結』方式。」實際上蘇加諾只學到中共的許多短處，把它當做長處。自從「民族委員會」組設後，蘇加諾的說話就成法律，內閣形同虛設。朱安達總理本來是一位有作爲的人物，四月八日就職以後，這個名義上的「做事內閣」，直覺無事可做。無他，蘇加諾只在利用他來號召全國統一，並非眞的讓他放手去幹；相反，陸軍參謀長那蘇蒂安有實權。他在朱安達就任總理第二天，頒布了一個「撲滅貪污條例」，五月二十七日又頒發一項「財產監督條例」；六月四日制訂了「國籍法」；發表「徵用技術人材」通告；組織「軍事代表團」訪問北平；邀請中共陸軍參謀長粟裕訪問印尼。各式各樣布告、令文，內閣只有依法執行義務，並無參加意見之權；朱安達曾向蘇加諾表示異議，卒爲總統以「戰時緊急命令」壓制。

上述許多法令，各有不同用處，但均從排異與私利出發，例如「撲滅貪污條例」，與「財產監督條例」，一方面排斥異黨，同時企圖以「貪污犯罪」、「拒絕說明」理由，使被害人財產，更以妻子兒女處以不超過五年徒刑。過去一個月間，慘遭陸軍逮捕的涉嫌貪污分子，雖未正式公布，數字已逾千計。因爲沙斯特羅米約佐（前親共總理）任內及其前後，政府中的大小官吏，多多少少都可以找到一些貪污證據。因此，向外島逃亡人數日增，稍有資產與不滿於現實政權者，人人自危，他們感到耶加達軍人們的飛揚跋扈，欲加人罪何患無辭，也祇有出於逃亡避難一途。於是，耶城軍人更加胡作非爲。

「國籍法」是對付荷蘭人、中國人的。進一步將頒布一項剝奪外商經營的法案，首當其衝的，將是荷蘭KPM輪船公司（按：該公司控制了印尼全國各海島百分之八十航運）；其次爲與人民日常生活有關的華僑行商，以變相沒收的方式掠奪外國人的財產，以挽救當前的危殆經濟局勢。

據七月十二日印尼銀行宣布：以黃金交換流通貨幣的準備額百分率繼續下降，自週前的一二點九八減縮至一二點六九。政府向銀行透支數本日已增至五億零五百萬盾，使黃金儲備額減少了一千五百萬盾；銀行不能不乞靈印鈔機，續增紙幣二億八千七百萬盾，政府帳戶赤字大量增加，上述法令並未有所裨補。於是，斂錢的新辦法—「徵外國人稅」又頒布了。根據該項納稅規定：戶主應向耶加達政府年納一千五百盾，成年人每人每年繳納七百五十盾，未成年小童則爲三百七十五盾。直接受到重大迫害的，乃是數達百萬的華僑，其他外國人至多不過二十萬人。中央政府在頒布此一「人頭稅」新例時，已於收支預算中在歲入項下，列進了九億盾「外國人稅」，如果此項鉅額稅收順利徵收，對於日形枯竭的國家經濟，也許可以抹掉一些赤字，問題是納稅人無力負担。這種「只見森林不看樹木」財經政策，現時雖已開徵，即已注定失敗，儘管法令規定拒絕繳納有被驅逐出境危險，即令以生命相脅，繳不出稅款，任由政府怎樣嚴令峻法，也是無用。

就耶加達表面上看，滿街滿巷的鐮刀斧頭旗幟、標語，即使北平、上海都沒有像耶城那樣充滿赤色氣氛，這種象徵「改朝換代」的色彩，使反共的回教黨派大爲不滿；可是，他們都沒有勇氣來採取行動。還有，許多不願意（奴役）的技術人材，迫於法令（不願被征用者可處於兩年徒刑或罰款一萬盾），隱忍接受任務。總而言之，今天的印尼人，外國人，沒有不對蘇加諾切齒痛恨；只有共黨在一旁鼓掌、喝采。他們在當權者支持下擴張、發展。最後，終將爆發爲共黨與反共陣綫間的武力衝突，蘇加諾狂吠「團結、批評、再團結」只不過拿中共的口號來向人民恫嚇，匈牙利式的革命，殆將在耶加達出現。

司法行政檢討會議過後

·華民一·

司法行政部召開之四十六年司法行政檢討會議，於十九至二十一日開會三天，到有行政院[illegible]員黃季陸，秘書長陳慶瑜，院[illegible]，司法院副院長謝冠生，秘書長王煥，最高法院院長謝瀛洲，行政法院院長馬壽華，司法官訓練所所長石志泉，共計出席一五六員。主持人部長谷鳳翔勉以「四毋」——「毋意、毋必、毋固、毋我」態度。黃季陸（代行政院長）勉以檢討工作在於發現問題，解決問題、必須以時代的新觀念新知識爲基礎。

檢討範圍

檢討範圍：一、四十五年度司法行政檢討會共收提案一五七件，提大會討論者一四三件，通過六十五件，一年來執行完畢者五五件，尙在進行中者十案。二、該部去年共舉行工作會報九四次，決定事項八一五件，尙未辦結者四三件。三、四十三年六月一日以來，前提六項工作，完成百分之八五以上。四、本不諱短、不掩長作風澈底檢討。審查組共分行政類、民事類、刑事類、檢察類、監所類及調查保防類六組。

指出兩點

司法院長王寵惠書面報告，指出司法公共關係之注意：一、司法是獨立但非孤立，和普通行政以及政治、經濟、社會均有密切關係；故司法官除聽訟斷案，尙要吸收法學及其他智識，復須將法律學識向外界推展，使法界內外打成一片，其範圍則達於國際；而後始可造成一種安定、和穆、知法、守法的社會。又發揮研究精神，期獲遠大成就，爲未來研究司法方案；各項事業，應如何救偏補敝，充實發展。

十一項討論

次日仍在原地繼續舉行檢討，惟出席單位改爲司法行政部各司室及最高法院檢察署，調查局等，列出專題以備報告與討論，計十一項：一、鄉鎮調解制度之加強與改進，二、改進檢察官偵查事務之案，三、調查鑑定技術之研究，四、推檢辦案成績考查辦法之改進，五、改進司法人員俸級考績辦法之研究，六、保防工作措施，七、光復地區司法事務處理計劃方案草案，八、監所作業報告，九、台灣各法院監所財務狀況及收支處理情形，十、改進文書處理報告，十一、台灣省違反選舉法案劇增原因及其防止之對策。並討論行政類議題十件，其中有關整飭司法風紀一案，與會人員咸以司法人員職責神聖，必須砥礪廉隅，具有富貴不淫，貧賤不移，威武不屈之精神。倘有人員不知自愛，破壞綱紀，決從嚴懲處。至於捕風捉影，信口誹謗，以破壞司法信譽者，亦應依法究懲，並決議司法同仁應更避免酬酢，摒絕餽贈，拒受招待杜絕請託，崇尙節約五項，由部通飭遵照。又民事類一件，議案爲「辦理民事案件如何求其迅速適當並加強和解以提高辦案成果案」，就討論速度方面通過改進辦法十六項，而正確適當方面通過改進辦法，程序部分十八項，採證認事部分十二項，用法部分二十二項，製造裁判部分五項，就加強和解辦法方面通過改進辦法八項。

四大目標

閉會日部長谷鳳翔提出四大目標，志在建立良好制度，樹立新風氣，尤其值得注意：計議程及其效果共收各單位工作報告案六案，專題報告十四件，提案三十案，其中最有價值者，乃第一、二兩個民事刑事業務具備改進之具有建設性。另爲啓創性者乃研究專題報告七案，就過去執行業務所遭遇之實際問題，除提出過去辦理情形，並研究今後改進辦法。歸納以上各項確立司法之三個新方向：一、針對現實：面對現實，不逃避現實，不以理想粉飾現實。二、把握時代要求：一切以民主政治時代，一切應以合於此種時代精神爲目標。三、側重業務發展：於現有人力物力財力範圍內，力求業務之增進。並就「進德」「修業」兩方面，提出「三敢」：敢負責、敢檢討、敢改革；要有「五自」：自覺、自重、自勵、自強、自立。並提出此次會議收穫要在四點：爲國家建立良好制度、爲大衆保障安全福利、爲司法界樹立新風氣、站在時代前面不落人後。

決議五要點

大會提出總決議文要點有五：體認反共抗俄國策，推行法治；簡化法院訴訟程序，疏減訟源；司法精神作用，在維護憲法尊嚴，保障人民權益，安定社會秩序，確保民主法治國家之根本。一、簡化程序疏減訟源：觀社會實際情況，衡各國法例，加以改革簡化訴訟程序；就鄉鎮調解制度，健全組織加強輔導，愼重考核，改善法令，期在疏減訟源。二、提高裁判之正確性：對於民刑訴訟力求迅速適當，提高辦案成果，對於推檢辦案成績，加以考核，力求公平合理，提高工作效能，及檢察官偵查事務，調查犯罪技術研究，力求改進。三、改善行刑措施加強教化：採取近代刑事政策改感化主義精神，分別人犯個人或集體監管方式，就受犯人生理、精神、智力、道德觀念等，加以科學測驗，注意教化，移易惡性，變化氣質；作業不僅促進生產，且增益犯人生活技能。四、飭躬率己礪廉砥隅：司法人員宜刻苦自勵，奮勉從公，仰體時艱，崇尙節約。五、體認國策推行法治：憲法規定「法官須超出黨派以外，依據法律獨立審判，不受任何干涉。」舉凡叛亂案、懲治貪污，違反國家動員法，違反兵役糧政林政等行爲，皆繩之以法。

提供兩點意見

吾人讀完司法行政檢討會議所揭櫫者，除希望其決而能行外，並附二點意見：一、鄉鎮調解委員會宜賦諸事權、酌選法界人士組成，使其有地方陪審團作用；二、司法官不論具有何種政黨身份，一律登報聲明退出，此乃「超黨派」者。凡此皆司法獨立及其尊嚴之基；有地方陪審團之制衡，不致人民有枉縱、冤誣，亦可以疏減訟源；無政黨身份之司法官，則即或不透過行政而透過政黨干涉者，亦無所影響司法審判之獨立與尊嚴精神；如此而後，司法精神殊可符合民主法治之國策意義，殆亦有其公平合理光明前途！（四十六年七月廿二日於台北市）

思想是否有史

——提供一個學術上的問題

·季海拂·

思想是不是可能有史呢？倘若有史，思想史的性質又是怎樣的呢？思想與思想史，二者的關係又是若何？凡是喜好深思的人，總不願輕輕放棄這類問題的，因爲它直接關係這門學術的本身。向來從事於這種工作的人，因爲入門的徑途以及觀點，各有不同，所以攻研的方面和所用的方法，也常有別；所以各家的造就，各異其趣，雖然從事在這種工作中都是想在千變萬化中，尋求得亙古不渝，進展不息的宇宙與人生，網羅全體，綱維各部，控取萬機，磅礴萬有的經常至理，然而這個至理，依照概念上的分析，當然是唯一的。誠然它也可以散爲萬殊，但萬殊不過是全體的一部，並且這些散殊的屬部的基本原理，在性質上都不能獨立的，也不相衝突，反而互相補充關連，形成一有機的整體，這也就是說：思想的對象確乎唯一。而歷史概念，則是照一般所了解，必有許許多多的事件乃能形成；而這許多事件，在時間中陸續發生出來，常常是雜染紛呈，不相連貫，乃至於有互相衝突的，而所謂歷史者，只是將這些逐一的記載而已，換句話說，思想的對象是純一的，而歷史的對象則係雜多的；以這兩種研習的性格，從初步看來，顯然似不相類的，將這似不相類的兩種因素，合爲一種學術——思想史，縱非全不可能，然而總不是容易的。

如果依照思想與歷史這兩種學術的本質，作一揉合性的使它聯成一體，成爲所謂思想史，那就是要將許多雜七雜八不同的思想系統，曾經在歷史上顯現過的，替它逐一敘述出來；然而這些思想系統，雖都是持之有故，言之成理，然卻又是言人人殊，莫衷一是的，把它搜集起來，也不過是一部諸子百家雜鈔而已，這樣的一部作品，根本與思想本身的概念不相融和，所以我們的古人從來就不做有關思想史性質的典籍，並且對於這種工作的可能性，加以否認；因爲思想的工作，純係主觀的，毫無客觀標準，所從遵循的，思想工作者之間，也沒有相因的條件，彼此共同公認，只要任何個人能夠自圓其說就成了。這樣說來，思想史似乎不能成爲一種學術。

現在在各地區已經出刊的思想史中，大體而論，一是用兩種辦法寫成的，一是將各家的思想系統，作爲單純的歷史事實，並將思想史劃分爲各思想家的史，依照資料詳略所許可，及作者個人所了解，各就個別的敘其平生，述其意見，及列其派系。次一種是，認爲前一種辦法不正確，而以各家持之有故言之成理，然都互相衝突，未能殊途同歸，達致眞知的統一。於是在各系統之中個別的各予批評，而不拘束於歷史的性質，但這樣做成的思想史，就將思想與史，完全分離了。照前面的一種辦法，思想史的工作止於敘述或報告；照後一種辦法，思想史的工作，只是批評檢驗，前一種工作缺乏批評，與後一種工作缺乏歷史，情形相埒；從片面的歷史觀點看來，它是有歷史而無思想；從片面的批評觀點看來，它是有思想而無歷史，這樣當然不能成爲一部完善的著作，當然更譚不上建立一項新的學術天地。

我們如果有志眞想建造這一門新的學術，必須要沖虛坦率的嚴密探究，因爲它的整個對象，分枝散發於宇宙萬有及各時代各民族各種文化中，祖麟相襲，各思想系統的作者每自爲所作，爲有史以來不能有二不可無一的完整系統，然從學術發展的通例及歷史眼光看來，則任何思想系統都不過是當時作者就他所處的環境及文化階段所許可，而識得宇宙與人生的一面或數面，遂表而出之，它的價值要視它的貢獻而定，所以自分爲系統完整的作者，實乃人類歷有的眞正完整思想系統的一階段，對象的各方面各階段合之乃成整體，所以思想的各端凡有根底者都不可少，凡有歷史的價值及歷史的眞實性的，都必須隨著歷史上的地位，予以充分的了解，合度的承認，所以眞正是思想，不但不排除歷史，而且需要歷史，不但需要而已，思想的本身必全在一歷史過程之中。

日內閣改組面面觀

·文鑑·

日本首相岸信介的新內閣，於七月十日組成。有人說：戰後日本內閣的幾次改組，這次算是最順利產生的。照道理，無論在任何方面言，在日政壇上岸信介總還算是一個後起之秀，他的聲望絕對趕不上吉田茂、鳩山一郎等人，爲甚麼能夠這樣順利改組呢？

艾森豪支持岸信介

當岸氏在改組內閣之前，繼承舊內閣四個半月當中，他對內對外的風度，似乎都比吉田、鳩山等人強得多。比方：從今年五月岸信介訪問東南亞各國及自由中國的情形看來，彷彿一反所有日本人具有的狹隘胸襟。他曾和藹的虛心的去拜訪這些國家的元首，他的外交詞令也比較得體。這一來，把那些國家的領袖們，過去對日本牢不可破的成見幾乎改變了。

尤其是六月訪問華府的時候。雖然，當時有人說他在華府與艾森豪總統交談中，曾發生很多不愉快的地方；也有人說他有好幾個晚上睡不着覺，其失眠的原因就是爲了不愉快的情形所致。但是從當時美日雙方發表的消息看來，許多事實對岸信介的政權有很大的幫助。例如艾森豪不顧國會議員的異議，毅然決然地把美兵吉瑞德的犯罪事件，交由日本法院審訊；又如五角大廈早已擬定撤退駐日陸軍計劃，硬等到岸首相到達華府與艾克總統會談時才正式公佈。這顯然都是給岸信介一種政治上的幫援，不啻暗中促成他這次改組內閣的順利完成。故岸氏由美返抵日本東京國際機場時，曾受到日本萬餘民衆的熱烈歡迎。他們認爲岸氏與艾克的會談，確有「偉大的成就」。

工商業家任外相的用意

再從他的新閣名單看來，他也深深地懂得日本的國情和「知人善任」的眼光。除了副首相兼行政管理廳及北海道開發廳長官，仍由石井光次郎蟬聯外，而外相一職，照他原來的計劃，是由岸氏自己繼續兼任的。因爲他事先難於在日本工商會主席藤山愛一郎及一名菲律賓簽署賠償協約的日本代表國代表之間加以取捨；同時執政的自由民主黨，有一大派人士也堅持藤山愛一郎在提名出任外相之前，必須先成爲自由民主黨黨員。可是藤山愛一郎曾反對此舉，所以增加了他出任斯職的困難。

後來，外相一職終於落在藤山愛一郎的肩膀上？據一般觀察家說：藤山雖然是外交政策的新手，但他却生長於著名的工業家族，是現任日本全國的工商會主席。日本是一個工商業的國家，如果日本要想恢復戰前的元氣，自然全靠工商業的發展。岸信介前此以很客氣的態度去拜訪東南亞各國，目的無非想利用它們作日本今後工商業銷售的市場。換句話，日本今後的外交政策多半着重在工商業方面，軍事、政治還在其次。因此，以工業家出身的藤山愛一郎出任外相，確實比較適當。他正式就職後發表的聲明中，有一段很透澈的見解。他說：「……關於獨立的經濟外交，我並非指一種自視爲正當的政策，亦非一種孤立政策；我的意思是以正確估計世界局勢現況與日本國際地位爲基礎的外交。同時，外交更非一個政府的唯一部門，沒有人民的諒解和強大的支持，不能從事眞正的外交。作爲長久從事商業的我，深知人民外交的重要性，我希望我將在經濟文化與其他各方面，扮演一個更爲積極的角色……」是故，日本具有份量的報紙——「朝日新聞」的社論稱：「除任命藤山愛一郎一事，使內閣略呈新氣象外，該內閣對於各大臣的遴選，已不合於因材授職的原則。」

合元老關係於一爐

不過，除藤山愛一郎外，內閣中還有官房長官愛知揆一，却是日本有名的金融界巨子；主管經濟計劃廳的國務大臣河野一郎，也有日本政治上的「慧星」人物的綽號；其餘大藏大臣六十三歲的一萬田尚登，爲前日本銀行總裁，是一位具有大才幹的人。

尤其岸信介更有幾點地方是很高明的：（一）他把他自己的親信幹部，統統都安置「民主自由黨」內，以表現出他在政治上因事擇人的風度；（二）在發表新閣名單的前兩天，岸信介特派心腹川島與三木，曾先後分別謁見前首相鳩山一郎、蘆田均、石橋湛山、吉田茂和參議長松野鶴平，以及村吉三郎、大野伴睦、林讓治等元老派，這種虛懷態度，也是日本過去政壇上很少見的。無形中新閣陣營，便溶合了政界各元老的關係於一爐。所以這八位自由民主黨的元老，一致保證充分支持岸氏改組內閣計劃。

明朗表示政府立場

至於岸新閣今後的施政方針，如果根據他先後所發表的言論實施的話，那末日本的前途當很光明。因爲：（一）在內閣改組之前，他曾一再聲明日本既無意承認中共，也無意實行中立主義。改組之後本月十一日，他在記者招待會中曾說：他的新政府，將不邁從親共或中立的政策。並強調日本作爲一個自由國家，將維護自由與民主，努力對世界和平有所貢獻；（二）岸信介還準備再度訪問東南亞前次所未到過的國家，將包括菲律賓、印尼、越南及澳洲等地。他還打算儘早解決對印尼、越南等國的賠償問題，消除她們之間的宿怨；（三）岸新閣又準備加緊努力，謀與韓國締締修好。他在新閣組成的第二天，曾發表談話稱：日本與南韓未能獲致「友好」的諒解，實屬遺憾。他希望兩國不久將來，能恢復友好關係。

話是這麼說

岸信介的話是說得很漂亮，但是人們正要看看他的做法。最近他的內閣有些措施，例如決議放寬對中共貿易一事，已引起人們對他說的話懷疑。實在說來，他是置身對內對外許多問題的困難來繞中，今後還要看他的手法如何了。

英國記者布萊爾筆下：

莫斯科人過什麼生活

——一篇逃過檢查的漏網新聞——

●旭軍譯●

時論選譯

讀者也許看過不少有關蘇聯人民生活的報導，但相信很少能看到逃過檢查的記者報導。下面是英國記者布萊爾．佛拉塞給「人人什誌」的專稿。茲摘譯如下。

婦女像一羣中性工蟻

蘇聯的婦女負担極勞苦艱重的工作。甚至阿拉伯國家也不如。她們必須工作，因爲普通的男人所得，不足以養家。莫斯科的工資很低，其他可想而知。她們幹着很粗重的工作，樣子很粗魯，像一羣中性的工蟻。

月入僅值一套衣服

男子們普通在辦公室的白領階級，每人月入八百盧布。其價值祇等於百貨公司最賤的一套衣服。一間工廠半熟練工人之收入，也是大概一樣。大學畢業生開始大概每月僅一千盧布。

七百萬靠工資的人

上面所說的已經是較優的薪酬了。蘇聯工業法定最低的工資是每月三百盧布（須注意蘇聯的物價。）在今年一月以前，還是二百二十盧布，因此本來蘇聯工資要增加八十億盧布，給那七百萬個靠工資度日的人。

儘靠這些收入祇是勉强維持個人生活，據記者看到的，蘇聯沒有餓死人，但許多人面有菜色，營養不足。他們說：『祇有澱粉質，而缺少蛋白質。』

肉一磅值一天工資

你就在糧貨店便可以看到其原因。肉的價錢（大概指牛豕羊肉）是二十五盧布一磅。差不多付出了白領階級或工人一天的薪水。低級的勞工，還要做兩天的工作，才可以換得。顯然的，非普通人家每天可以吃得到的了。

購物要排長龍

然而店中的食物倒可以應付需求。我在莫斯科看見購食物擺長龍，似乎是由於政府會訂的方法，而非係因缺乏而防止搶購。無論買什麼東西，都是令你久候到不耐煩。衣服布類也是由政府統制供給。

一個小房睡五人

蘇聯屋荒，已有許多報導了。記者欲一看蘇聯人家庭生活，是很艱難的事。政府當局極不願外人去訪問人民家庭。我住在蘇聯數年，祇偶得一次的機會，看到一房長廿呎，寬十呎，便住上了，我訪問的友人，和他的母親，妻，妹及四歲的兒子，共三代五人。一煤氣爐，在走廊，是和鄰人共用的。

九十家住五層樓

國示四五個人共居的一間小房子，他們已經是很幸運的了。

我探訪的寓所，是五層樓，大約有四十一個房，是沙皇時代的舊建築物。九十餘家人住在那建築物。廁所祇有兩間。情形還得驚人。而完全沒有浴室。

經濟計劃忽視房屋

蘇聯當局不是不知房屋情形是如此的壞，也不是絕對沒有能力去建築，而是因爲建造房屋，是蘇聯經濟計劃最被視爲不急之務。因爲要注重重工業。

西方觀察家懷疑蘇聯人民是否已悟。他們以爲目前波蘭和匈牙利，已公開承認此種祇重重工業建設，而忽視人民福利的錯誤。而蘇聯本身還不改變這種錯誤。

蘇聯當局不敢公然阻止外人去接近蘇聯人民，而係嚴厲阻止蘇聯人民不去接近外人。

蘇人喜問人住什麼房屋

自然，蘇聯人是很渴望和外人談話的，在莫斯科外國人比較多一點，外人還不至吸引蘇聯人民注意。但其他各地，甚至基輔城，人們很渴望和外人談話。當他們和我談話時，第一問及英國加拿大及美國，人人自行經營事業的情形如何。其次是談到房屋問題。問我住的是什麼房屋，每人佔若干方呎？

尼泊爾這小國

●養之●

新聞資料

最近尼泊爾由於旱荒與夾雹暴雨的打擊，造成該國

從天災說起

約二百五十萬人民因歉收而瀕於飢餓的威脅！據說在這飢餓羣中，有二百萬左右住在靠近印度邊境的尼泊爾南部，五十萬住在靠近西藏邊境尼泊爾北部。這是由於尼泊爾的國民經濟，是以農業，畜牧爲主，靠甘蔗、黃麻等，所以經不起旱荒夾雹暴風雨的打擊。至於礦產雖甚豐富，有金、煤、鐵、雲母、錫等，可是都沒有開採出來。

紅色「中東走廊」

尼泊爾還更甚于天災百倍的是人害。關於尼泊爾毗鄰中國印度之間，中共奪取西藏後，即計劃在尼泊爾建立橋頭堡，並擬與蘇聯銜接，建立一道紅色「中東走廊」。下列兩項工作已經展開：

（一）中共與尼泊爾簽定的友好條約，是中共派駐在新德里大使袁仲賢馬亨德拉國王，以「和平五原則」的招牌，把那尼泊爾土包子國王說服。袁仲賢接着就兼任駐尼泊爾大使（實際是國際間諜訓練人），將可能藉着外交上便利的關係，對尼泊爾隱設大批間諜，赤化尼泊爾，自在意料中。

（二）同時中共向利用尼國叛徒希恩，爲尼共的中心人物，發展勢力。一九五二年，希恩曾一度煽動大規模的扳亂，失敗後逃入中共區，尼政府曾懸紅三千一元美金通緝，直到現在，通緝令仍未取銷。

第二胡志明

據聞近來尼國內大部份左傾政治家，正進行要求尼政府取銷通緝令，准許希恩返國活動，而且發動激烈的示威遊行，並喊出「打倒政府，擺脫印度支配」的政治口號來！同時，中共預定的希恩返國日期，本來是在今年十月尼泊爾國會選舉的時候，可是，中共爲了配合中東局勢的發展，據說曾於約但發生危機的前後，把希恩偷偷地潛回尼泊爾了。因爲中共想培植希恩成爲第二個胡志明，由他發展地下武裝，使尼泊爾變成越南第二。

醉翁之意不在酒

中共所以看中了這一個喜馬拉雅山麓的小小王國，是醉翁之意不在酒。如果攫取了尼泊爾，那末，印度卻受到嚴重的威脅。中共第二個目標當然指向印度。同時中共最近藉口鎮壓西藏的動亂，早已將其精銳部隊，開入了印藏邊境，相距尙不足十五里的地方，並沿山嶽地帶建築了永久性的兵營和防禦工事。印度政府也慌了。據接近尼赫魯的人士透露：假如中共再有進一步的行動，印度準備向聯合國提出控訴。但照這些蛛絲馬跡看來，相信中共與蘇聯也不在乎。是不會放棄其建立「中東走廊」的計劃的。

亞洲的「秘境」

尼泊爾的面積約十四萬五千平方公里，現有人口約七百萬，首都卡曼都約十萬八千人。其主要民族爲尼瓦爾人和廓爾喀。紀元前六世紀，尼瓦爾人即卜居於卡特曼都河谷一帶，從前被稱爲「亞洲的秘境」，禁止外人入境，由於國境封鎖，故又有「鎖國」之稱。國內政治向由將軍把持政權，類似日本的德川幕府時代。以後國內展開「王政復古」運動，由國王親臨朝政。

但直到現在，仍是一個君主專制國。國內因爲沒有推行義務教育，文盲還佔全國之冠，鄉間雖然也有小學校的設立，可是少得可憐。

兩項奇怪的輸出品

尼泊爾的畜業雖然落後，但有兩項奇怪的輸出品：第一項是兵，第一次世界大戰中，英國政府在尼泊爾募兵達二十萬；第二次大戰中，英國又在該國募兵四十萬。尼泊爾人以爲當兵是一項可靠的財源。第二次輸出品是和尙，尼泊爾人信佛教，外國去傳教，非以金錢邀請不可。尼泊爾人大多數是佛教徒，境內寺廟林立，到處都可聽得到喇嘛誦經木魚聲。佛教系統分爲喇嘛派和和尙兩派，但兩派並無糾紛，一向和平相處。

專論

國際刑事案件之法律適用問題

●丁懿安●

此處所稱之法律適用問題，非僅指「法條」之適用問題，即審判程序，採證主義，強制執行等問題，亦因牽連關係而包含在內。惟此類問題，與審判權之性質不同。換言之，即與主權無關。絕不可將主權觀念混入此等問題之中。因法律適用，係以維護法律公平原則爲其中心。主權之受侵害，只能來自有關之他國一方；至于法律公平原則之受侵害，則有關雙方，均有其機會與可能。

就理論言，各國立法，本應隨時代需要，與以逐漸改善，以資適應。但因法律之變更，影響整個社會至鉅，自不宜出之輕舉；又以人類心理，習于偷安因循，對于牽涉繁複之問題，多採取拖延或逃避之態度，遂致法律與其需要，常呈脫節現象。但因國際案件之發生，使有關各國之立法，得一換觸與比較之機會，未始非一外來助力，可能促起若干改進作用。茲就有關要點分論于后：

一、審判程序問題

審判權既經確定，則次一問題，即爲審判程序問題。按吾國司法體系，一般案件，採三審制。前兩審爲事實審，最後一級爲法律審。此本爲力求公平之周密措施，但其弊在易于使當事人在時間上受長期之訟累。爲免除此等缺點並發揮國際事實審之偏頗得有補救之機會起見，國際刑事案件宜採兩級制。第一審爲事實審，屬于有主權之國家；第二審爲法律審，則屬于具有超國家之第三者資格——由聯合國所組成之國際刑事案件上訴法庭（此點留待專文論述）。

二、法條適用問題

「法無明文規定者不罰」，爲一般刑法所採用之原則。其意旨可解釋爲：（一）處罰必須在法律上有明確之依據，（二）其行爲在立法者眼光認爲尙未達應受處罰之程度，（三）其行爲所構成之侵害輕微，不宜以刑律衡量。但若相關兩國之法律有出入頗巨之規定時，或同有處罰之明文，而刑罰輕重之規定懸殊時，又將如何？按之向例，適用之法律一經確定，即視他國法律之規定僅爲無拘束力之「證據之一」，可以不加顧及。此種方式，雖可簡化或減少法律適用上之困難，但究不免有偏畸輕重之情形，而難期達法律公平於高度境界。管見以爲應透過聯合國或先由一部分國家以協定方式，訂立一「國際刑事案件科刑原則」，共同遵守。其中宜包入下列數點：

一、甲國人民在乙國境內傷害乙國人民，而經乙國法庭審理時，倘甲國法律，於該項行爲處罰之規定，其最重刑輕于乙國法律所規定者，則乙國法庭之科刑，應以甲國法律對該行爲所規定之最重刑爲其最重刑。

二、右述情形，倘係乙國人民在本國境內犯罪，傷害他國人民，經本國法庭審理時，則應按本國法律之規定科刑。

三、甲國人民在乙國境內，傷害乙國人民，經乙國法庭審理時，倘該行爲在甲國法律爲不罰，而在乙國法律則有處罰之明文時，乙國法庭應按乙國法律所規定之最輕刑計算，易科罰金（因應視爲其「缺乏犯意」）。

四、右述情形，倘在甲國法律有處罰之明文，而在乙國無處罰之規定者，則乙國法庭應宣判爲不罰，但不影響于受害人所提起之損害賠償之訴。

五、受害人得根據同一事實，向同一法庭提起損害賠償之訴。法庭應就事實證據，獨立衡量，酌定賠償與否及賠償之數目，不受被告是否定罪或無罪或不罰之拘束（使于罪責之成立上，理由詳後）。

右列五點，保[illegible]

三、採證主義問題

英美法採證積極證據主義，我國則採自由心證主義。前者或不免失之「縱」；後者或不免易失之「枉」。[illegible]

至于強制執行問題，則留待另論文中之。

自由談

人性與獸性的生活

前十九路軍主將蔣光鼐、蔡廷鍇等，最近在北平的「民革」反右派運動座談會上，攘臂痛詆陳銘樞爲「資產階級思想」的反革命陰謀家，並且認當年十九路軍在上海對日本侵略軍的抗戰行動都是假的！蔣氏原係有知識的軍人，蔡氏雖爲行伍出身，椎魯寡識，然人性與理性總未完全汨滅，何至於自虐自賤到這步田地呢？

很顯然，他們在沒有不說話之自由的奴役生活環境中，變成了馬戲班的獸類動物，非照着馴獸師的鞭影，跳躍表演如儀不可，否則便有活活餓死或遭宰殺的災禍來臨。這證明目前大陸上所有從事於反右派運動的「民主黨派」人士，賣友滅親，五倫之內自相作踐摧殘的言行，都是受共黨的脅迫而然。我只有可憐他們，殊不忍加以斥責也。

人生最痛苦的事，殆莫過於精神虐待，無論在任何專制暴君的統治下，再也沒有像共產黨這種無人性無理性的慘毒情形了。因此，我對於現時有些以反共非共自居的民主人士，動則把中華民國政府與中共政權相提併論，毫無所擇的言論，實在不敢苟同。不管怎樣，今日中華民國政府蔭蔽之下，即容許人民經常可以批評政府得失，言者無罪，縱使觀察錯誤，立言失檢，甚至出以詈罵的詞色，亦決不致有如共黨那種罪及五倫的惡作劇發生的。

當然，我們決非認爲現時的政治生活已是十全十美的民主自由了，待改進的地方還很多，但至少至少亦不能將自由中國政府與中共政權等量齊觀，皆在否定之律吧！這樣的反共觀念，那就恰恰是幫助共黨的統戰工作，因爲共黨在海外對一般所謂民主人士的統戰魔術，它教你在言論或文字上不妨照樣表示反共的態度，只要同時反台灣就行了。我們看看蔣光鼐、蔡廷鍇以及章伯鈞等人在大陸上所受的活罪，還不應該提高警覺，把私人意氣恩怨之見，從受理性與良心的支配嗎？

馬五先生

沒有方向也許就是好的方向

當前的電影事業

・微觀・

最近的台灣社會上有一句嘲諷話，就是「最佳勇氣獎」，這是由「養女湖」之影片參加在日本舉行第一屆亞洲影展而來的，現在這句話已用逐漸廣汎。不過，我個人認爲還是就事論事：「藝術」，不是甚麼權威，批評也好，譏評也好，能夠虛心改善，受社會輿論指導一下也是應該的。

在台灣，嚴格說起來水準之低落，豈止影片。無可否認的，台灣的文壇也好，文藝圈子也好，都有一個獨腳戲班，就報紙來說，看也得看，不看也要看，可是電影就不同了，電影有外國影片比較，好的國片要看，不好的國片就未必有人看了。爲甚麼文藝水準之低落得這一種使人漠不關心的程度呢？主要的原因就是自以爲是的「文閥」在作祟，以影片來論，沒有好的腳本寧肯東拚西湊也不要外人的，台灣有一個潛在的意識：「凡事只要是我們自己的就是好的，你的好我不認識你，好壞沒有人敢替你負責」，同時都以爲自己是龍門，不能隨便叫別人一步登天。

我們的演員不都是很好嗎？捧明星，固然是不好，但是明星倒底還是因爲人捧而肯自己努力向上的，明星的演技，並非不夠水準，目前卻沒有一部好的片子。

關於確立電影事業政策

台灣的電影事業，不但是國際市場，就單就國內市場來說，要打算打開當前的出路必要有一套辦法，我以爲下列幾點，至少要做到：

不要把電影當一種宣傳的工具。凡事有好就有壞，比如看電影，不論故事內容如何，有一個共同的影響，就是因爲觀衆的教育程度而異其所得，比如一部西部片，小孩子看到的是牧童裝，成年人看到的是打鬥，再高一點的看懂的是美國早期生活，或者開拓精神，或者再好一點的更能看出打鬥片中潛在的人性光輝更具眞實的本質，這樣一部片子就適合這麼多階層的吸收，一部宣傳片怎麼能處理到天衣無縫呢？比如我們實實在在的暴露共黨的罪行，這一種罪行對觀衆就有傳染性，如何來防止？就是問題了，所以在政策上來講：能夠消極地避去邪惡場面就很勉強，如果以消極來指出邪惡所在，就更增加了電影的危險性，況且一部作品本來就不夠好，再加上政治上的干涉，（而且這種干涉多半是外行得很）所以與其多過問，不如不過問的好。

關於改善劇本

我們都知道一個作家的精力畢竟有限，如果一個優秀劇本作家包辦，其成就是可悲的，大都是還劇作家「閉門造車」。以「關山行」爲例，都說有時代意義，那樣壞的汽車比擬得不倫不類，我們的時代（或者政府）果然就像那部汽車一樣的遭遇嗎？如果是，再進一步推演，我們的「時代」是不是就成了一個冒險家了呢？爲甚麼偏走關山隘阻的險途，不走光明大道？壞了車是誰的責任，是乘客嗎？是司機呢？司機又代表誰？如果不是司機的過失，汽車有問題，汽車又代表誰？排到最后是不是產生我們「時代」的中國文化背景有了問題？這種劇本的寫出只能供給某一部人作啓示，打算收到一點使觀衆了解「團結之道」我想當時或者第一景象似乎是；但一經咀嚼大概就落空了。我以爲要好劇本的產生，最好廣事徵求才有眞正的劇作家的努力，這不過是一個例子。

關於培養演員

在這裏我想提出一個問題，就是近年來這一方面我們做的已經不少所謂「明星主義」，可惜我們除了在報紙上看見他她們的玉照外，我們都眞不知他們是演那一部戲出名的，而事實呢？他她們的演技還備不錯，劇本害了他們，導演約束了他們也許是眞的，劇本不能給他們舉出典型人物的例子，另外舞台經驗也或者害了他們，沒有成熟，就定型化了。

關於拍攝影片的場景

中國人攝影有其範圍，老實講視野很窄，念念中總想到拍一場景要和劇情一致，其實劇情和場景是極其自由的，比如說在結婚禮席上的痛哭流啼本身就是戲，當拍攝時，攝影師時時受到劇本的牽制，鏡頭運用失去自由，而劇本作家呢？我敢說，十九是先有舞台劇脚本的經驗，才開始寫電影劇本的，這位劇作家先生，頭腦裏總多少殘存一些舞台場景與劇情非常緊湊的影象，把電影分幕支配不開，在思想上早有這一類片段印象，劇本寫出來可想而知，因此一直到製片成功，這部片子都是呆板的，甚麼道具不足啦，沒有設備啦，以我來看這並不是完全充足的理由，所以好的拍攝之成功，在場景上一定要打破「思想上自爲聯貫」的約束，還是讓放演機和觀衆自己去連綴起來的好。

此外：

最後我想除了上述幾點之外，正當的檢查制度還是要維持的，不過我認爲事前腳本的送審重於事後檢查，拍一部電影耗費甚大，事後總是不大公當，而且製片人往往顧及到檢查一點不易通過，從寫腳本起就受到了打擊。怎麼會有好的影片產生？這一點比別的都嚴重。

總之，電影水準提高刻不容緩，外國影片對國人生活的影響，不可以道理計，想到這裏也就夠了。眞能從本身做起，打開國產片的出路是不成問題的，至於甚麼方向不方向也無關宏旨，沒有方向也許就是好的方向。

牽牛花

・錢新望・

爲着遮蔭，春間在院中栽了幾棵牽牛，這種蔓生植物，生長得極快，不到半年工夫，居然爬滿竹架，而且已經開花了。前兩週，下了一場小雨，喇叭筒狀的花朵，綴滿棚架。花作淡紫色而略帶紅暈，像位半老徐娘，依附着花架，搔首弄姿，頗感意氣揚洋。但是，見不得陽光，一經太陽照射，就逐漸憔悴而枯萎了。

不知從甚麼時候起，我對這種叭喇筒狀的花朵，有種深切的厭惡之感，我怕看它們那種「傳聲筒」式的嘴臉，不是嗎，你看那一支支的花朵，不活像傳聲筒嗎？花兒有知，也該感到羞慚吧！

據植物學載：牽牛爲一年生蔓草，屬旋花科，莖有纏繞性，葉心形互生，柄與莖均生有茸毛；夏日開花，秋後花落結實，實圓而黑，名叫黑丑。明李時珍的「本草綱目」說：「黑丑有毒，誤食之，能致人於死」。同樣的，從傳聲筒裏發出來的聲音，有毒，誤聽之，會致人於惑！

順手拈來

變抑未變？

・麗心・

孫猴子千變萬化，愈變愈「莫明其妙」；何況，你我是宇宙中「萬物之靈」呢！

×××

最顯明易見的，帶有滑稽性的是：沒有鬍鬚的，漸漸變大，長出鬍子；花容月貌，傾城傾國，變成滿臉雞皮鶴；以往大人孩子所喜愛的，——今天，大人孩子都不喜愛哦！甚至，討厭「她、它、牠、他……」的存在。

×××

原有的華北、華中、華西、華南……是我國的，今日依然是我國的。但是這些，以前都是我們政府的轄地呢！——不過現在，至少是今天，今天呢？

×××

文人相輕，自古而然，今之文人似乎上了台，就均能祛除此一詬病。君不見？甲登台時說：「……前乙先生任內業已奠定良好基礎，兄弟沒有甚麼遠見，祇有蕭規曹隨也！」丙下台時亦如是云。

×××

民國前後，銀元（包括：龍洋、帆船、大頭、小頭等。）通用，後改紙幣，抗日勝利又有法幣，關金，金圓券，銀圓券出現，三十八年台灣仍流行老台幣，旋改爲今日之新台幣，並不准以銀元交換貨幣，違者，即犯法。法令由政府公佈，違法者似乎專屬合法機構，君不見？台灣所有的警察機關，以及所有地方，高等法院，處罰款時，總以銀元爲基數，折合新台幣。

×××

各人自掃門前雪，休管他人瓦上霜，古人雖然比較自私；但，總比現代人老實得多。現代人是：只管他人瓦上霜，不掃自己門前雪。表面上是熱情的多麼可愛，——其實，……呢！

×××

宇宙間有兩個大玩物，它導演着喜悲劇：男人以爲女人是自己的玩物；女人以爲男人亦是自己的玩物。時至今日，一切多不倫不類，男人將會是女人；女人將會是男人，理由深奧，非拙筆所能揭破也！

中篇小說

海上學校（九）

復活節假期來臨前先一天的黃昏，海上學校的夜航船團，已在落潮線外揚起了一片片風帆。

這是個強大的船團。有四十艘漁船參加工作。海上學校的師生，除了周曼石和蘇登同夫婦，因需督工裝修博覽船與另一個教室，不能分身加入這一次爲期一週的海上捕魚工作外，海字組自學團、洋字組自學團、以及成人組夜學團的團員，差不多都到齊了。連自動參加的學生家長親屬在內，總共是三百二十人的混合編組。

船團的活動範圍，包括大浪頭及其附近的公海。船團的集中地，是大浪頭外側的浦台島。工作的目的，有三個重點，即：（一）採集香港近海的海生動植物標本。（二）通過旅行與遊戲，將遊戲經驗，實用經驗，技術訓練，知識組織，用有計劃的團體工作接合起來。（三）用自由聯合的方式，以個人工作爲基礎，達成羣衆性的創造活動。換言之：這是一次以遊戲、工作、教育三位一體的海上實習。這次實習前後計劃了三個星期，因此，在行動中就顯得秩序井然，有條不紊了。

海上鋪滿落日餘暉。風帆吃滿了風，鼓起了紅褐色的肚子。船團成三列縱隊，迤邐航進。中央船團有杜宇、貝比、張長虹、鄺老師、劉全忠、鄺財寶的蝦罟、魚艇、蛤艇、蜆艇各一，由梁有財、梁有訓以及黃滿生、黃阿水等的家長駕駛操作，左右相隔約二三十碼之遙，各排列着十七艘大船，航行的方向與速度都一致。

船團出港口後不久，海上颳忽着孩子們的歌聲，是孩子們的總出的大合唱：

沒有起點，沒有終場，
這就是神秘的海洋！
永遠是月色如銀，
永遠是驚濤駭浪，
永遠是金黃的陽光，
我們在藍色的海上。……

×

沒有起點，沒有終場，
這就是神秘的海洋！
靜聽那潮汐高歌，
靜聽那漁婦私語，
靜聽那漁人的希望，
我們在藍色的海上。……

×

沒有起點，沒有終場，
這就是神秘的海洋！
潛藏着青春活力，
潛藏着自由之光，
潛藏着不屈的力量，
我們在藍色的海上。……

這歌詞是張長虹寫的，由杜宇譜曲。無怪乎他們兩人在歌聲中都興奮地笑了。歌聲反覆地繼續着，老師們的臉上，也有了愉快的神色，而且都情不自禁地加入了合唱。

熱情的歌聲，最富有感染性。成人組夜學團的學生和一些學生的家長們，在合唱逐漸消散的時候，也表演了一大堆海上歌謠。海上人家本是個最富於歌謠的民族，而歌謠也是他們的拿手本領。那悠揚舒徐的旋律，簡直把他們的感情和悲怨都融會在一起了。他們的歌詞有些是文雅的，有些卻粗野得很，而且還夾雜着許多洋涇濱英語，如同「番鬼識當唐人坐落，兄哥歪二字趕兄台。」「番鬼新爹唐人禮拜，兄哥，但逢禮拜要哥哥埋，」之類，把個貝比聽得滿頭霧水。幸虧杜宇從旁解釋，才知道「識當」是 Sit down，「哥歪」是 Go away，而「新爹」是 Sunday 的音譯，彼此都啞然失笑起來。在熱鬧的一唱一和一問一答之中，杜宇附記巧式，記錄了一些比較對的歌謠，如：

「跪在高山喫嫩草，
相思水間綠麻紗；
紋藤待來作馬騎，
問娘淡落年進家？」
「手撚梅花春意鬧，
[illegible]

（卅九）

趙邱蕃

自由人

THE FREEMAN

（第六六九期）

中華民國僑務委員會
頒發登記證台教新字第一零二號
中華郵政台字第五〇〇號
執照登記爲第一類新聞紙類
（半週刊每星期三 六出版）
每份港幣壹毫
台北市售價台幣壹元
督印人：陳文華
地址：香港高士威道二十號四樓
20 CAUSEWAY RD. 3RD. FL.
HONG KONG
TEL. 771726
承印者：東南印務出版社
地址：高士打道六十四號
台灣總經理處
台北市西寧南路壹壹零號二樓
電話：四七三四六
台郵撥儲金戶九二五二
海外總經銷：友聯書報發行公司
香港：德輔道中二十六號A二樓

談談外交

· 王厚生 ·

據中央社台北七月廿八日電訊，自由中國政府將派以張羣氏爲首的代表團答訪日本。在大陸，周恩來在七月廿九日發表談話，人民日報七月卅日發表社論，都對日本岸信介內閣的外交政策有所指摘。

作者非外交家，但對我國的外交有些議論，特爲提出，與讀者談談。

毛澤東曾於一九四九年宣佈一面倒外交政策，唯蘇聯之馬首是瞻，唯蘇聯之命是聽。其實，中共之依附蘇聯，遠在民國十年左右。蘇聯爲二十世紀共產主義的祖國，中共爲國際共產黨在中國地區的支部，在馬列主義的共同思想和赤化世界的共同目標下，中共接受蘇聯的命令行動，蘇聯則供給中共以必須的實質援助。中共能夠席捲大陸，得力於蘇聯的策動和支援，毛澤東向蘇聯一面倒，僅從中共的立場決策，何嘗符合我國人民的利益？

外交之作用在維護國家的利益，亦即維護組成此國家的人民利益，故決定一項外交政策，應以國家，人民的利益爲重爲出發點，而不能以少數人爲表示謝恩起見，將整個國家的利益斷送與異族。

中國應否向蘇聯一面倒？我們首先要知一面倒便不是外交，所謂一面倒者，實國的代名詞而已。因爲外交的運用以多求與國爲的，多求與國即所以減少敵國，減少敵國就有維護國家利益之可能，世界上斷沒有國家可以在四面楚歌中顧全國家和人民之利益者。所以，一面倒的政策，根本不能算是外交上的政策，與多求與國的背道而馳。

一面倒不能作爲外交上的原則或方針既明，但毛澤東既已一面倒了，則蘇聯能否給中國以利益？世界之大，是否別無一國可給中國以利益？此爲應加探討的問題。惟在作出此二問題的答案以前，我們應先了解蘇聯是何等樣國家。

蘇聯在政治上是個專制國家，在經濟上是個後起的工業國家，在文化上是個缺乏創造和毫無成績的國家，在外交上是個傳統向外侵略的國家。中共向這個樣子的國家一面倒，不是瞎了眼睛嗎？

我們與列國打交道，應先睜眼看清，這個國家能否在平等互惠的基礎上和我們相處，與其不能，我們應該隨時警戒她。俄國過去曾爲我國的大患，照今日蘇聯的本質而論，她決不是中國的朋友，仍是中國的大患。

在亞洲，我們需要注意日本。回顧過去，中日兩國有過一段太不愉快的沉痛歷史。日本曾侵略我國，猶如過去俄國和今日蘇聯圖謀我國一般。將來中國和日本的關係怎樣？從現在開始，就應研究了。

在自由中國所在地的台灣，已有人注意到了這一重要的問題，大體言之，都認中日兩國有合作的必要和可能。對此，我另有一種看法：我國的外交不應以一面倒爲基本，故中國不但與日本有合作的必要和可能，即世界上一切國家，我們都有與之合作的必要和可能。但合作爲雙方面的事，我方的意思既定，而對方之態度如何，便須加以研究。

一國的外交態度，受地理環境，國內政治，經濟狀況和文化本質的限制，以中國而論，土地遼闊，東南濱海，和外國交通極其便利，且勢必與外國通商。滿清時代（鴉片戰爭之前），我國閉關自守；民國肇造，宣佈和以平等待我之民族之國家合作；軍閥(?)混戰時期，各自找一外國，以爲援助之來源；十七年國府奠都南京，和各國相繼互換大使，建立外交關係；三十九年末，中共囊括大陸，建「中華人民共和國」於北平，宣佈外交上一面倒。

我國以農立國，人民生活水平較低，推銷土產、輸入洋貨以及發展本身使成爲現代化工業國家諸因素，對我國的外交實有重大的影響力。中國爲五千年文化古國，對於外來文化，一向有來者不拒之氣概，對於入侵異族，更有感化之潛力，故中國不怕外國文化，中國人爲可以與任何其他民族結朋友的無所謂的民族。所以，中國人辦外交，對任何國家不存歧視，陰謀之心。

以下，再舉日本和美國的情形，藉以考察日美兩國的外交態度。

所以舉日本和美國之理由，一爲中國之近鄰，[illegible]日本爲亞洲第一工業國家，其商品和英美等工業國家在世界各地市場競爭，不解決日本的市場問題，將致日本於死命。故拓展市場爲日本外交之特色。日本文化得之於中國，明治維新後，吸收西洋近代文明之精神殊多。其民族性偏於趨向極端，而缺少我國文化的涵蓄精神。總之，日本的情形可使我們得一結論，即日本爲一個必須向外求發展的國家，且此國家所取於外國者甚多，而所與於外國者極少。

再觀美國。美國的地理環境和我國頗相類似，土地大，資源富，而人口較中國少去一半以上，故美國人民大有[illegible]她所與於外國者多，所取於外國者少。

我國人民所欲完成之目標爲何？是領土完整，是主權獨立，是工業發展，是文化會通？現在試[illegible]（下轉第三版）

半週述評

注視中共的侵略動向

中共從「鳴放」「整風」轉變到打擊「右派」之後，一天到晚忙於檢舉批判和清算，如所謂「右派」的知名之士，絕少有人未被波及。縱然現在尚未大開殺戒，其對於大陸人心的影響，是不難想像的。

依照極權統治者的慣技，每逢內部發生重大危機之際，便需要利用對外冒險以轉移視線，緩和危機。現在中共在大陸的政治危機之外，又適逢酷熱水患，在種種不利情勢威脅之下，極可能挺而走險。

最近中共對外作種種活動，值得注意。印巴喀什米爾之爭，邊界西藏部落叛亂，甚至遠英與西德關於放寬對華禁運的合作，香港黃大仙民居作拆遷，中共都斷斷不休出現一種準備攫人而噬的面孔。八月一日中共的建軍節，彭德懷已修改中共的實力，朱德更提出過懷已久的準備以武力解放台灣。凡此種種，自然都有對內部誇耀藉以鞏固威望用心，但誰也不敢擔保中共不會突然放迅一把野火。

國際裁軍的僵局

不幸在西方強國，現在還沉溺在裁軍迷夢中間。歷時十二載開會一百數十次的裁軍小組談判，這次到八月一日的限期，依舊是一個僵局。杜勒斯匆匆奔命趕到倫敦，希望至少在空中觀察與核子裁軍方面能獲致相當協議。

在東西對立冷戰方殷之際而侈談裁軍，是一件不可思議的事。日前西方四國所發柏林宣言，對於德國統一表示堅定而明朗態度，但同時對於與此問題密切關聯着的裁軍則懷有相當幻想。這除了顯示艾克史塔森等人懷有太天真的願望而外，實難有其他更圓滿的解釋。

事實上不只西方立場與蘇俄大相逕庭，其在西方三國之間，意見也有很大出入。世人還記得當韓德遜爵士以全副精力主持日內瓦裁軍會議之際歐戰業已爆發的往事。像這種勞而無功的事，可以休矣。

蘇俄海上的威脅

蘇俄軍事主力在陸上，所恃在人力，其空軍也相當强大，但最近俄共的軍事威脅竟由大陸向海上推移，這是一件極可注意的事。

日來接連發生件事：第一，蘇俄一座能容三千噸軍艦的浮船塢，日前經過韃靼尼爾海峽進入東地中海。從今年一月到現在，這已經是開到地中海的蘇俄第二座浮船塢。此事顯與所傳蘇俄在阿爾巴尼亞境內伐羅那地方建造海軍基地一舉有關，與伐羅那相去不遠便是撒西諸島的潛艇根據地。第二，蘇俄突然宣佈關閉海參崴港口從圖們江口到波伏羅尼角一帶海域，都被劃成禁區。第三，蘇俄海面艦隊突在西太平洋出現，括有兩艘快速驅逐艦和一艘油輪。這種軍事實已引起全世界驚慌和指責，日政府且爲封鎖大彼得灣向俄方正式抗議。

若干年來，海上霸權都掌握自由世界手中；在最多事的中東和西太平洋，美國第六和第七兩艦隊，更是保障各該地區安全的主要力量。最近蘇俄在海上的新部署，恰恰是針對着這兩支艦隊的存在。如所週知，俄海軍擁有强大的潛艇隊，以潛艇對航空母艦，在戰術上還是未知數，但戰略上無疑可以發揮重大牽制作用。要估計今後遠東與中東的安危，這因素是不容忽視的。

· 李秋生 ·

從大陸青年的抗暴談到青年運動

· 軒轅孫 ·

不久之前，自由中國的文化、學術、新聞各界，舉行支援大陸青年抗暴運動會議，使我想起此次大陸青年能在暴力政權下大無畏的高舉反共大纛，實可比擬辛亥時代之革命青年烈士推翻滿清帝制的革命行動；也使我想起了過去在青年運動令人失望的情形。

中國青年近三十多年來之被利用、誤解、迫害的痛苦過程，其辛酸的，我們的青年運動的領導技術，亦有需改進者在焉！我之敢於作如是言，實因我尙在青年期，這些遭際，我是曾經親身體驗過來的。

先就青年容易招致不幸的遭際而言，他們對人生的夢想是綺麗的；熱情、好奇、正義感、不滿現實、缺乏理智諸天賦，政治野心家都以此視青年爲政治資本，而各方面都爭取青年。中共對青年用其疏導與誘惑的，政府的大人先生乃至中年人，卻多厭惡青年，其後果是不少青年人投入中共懷抱，因爲一方在排出，一方在迎入，是勢所必然的。我們那時代的青年心境，在抗戰前後，是。我們的大人先生們，只是了青年期，成爲「小大人」而後，便完全忘記自己在青年期的心情，視青年人爲幼稚，常將熱情與共產黨同等看待，動輒擲以「紅帽子」給他們。結果令青年失正義感，成爲冷靜的現實主義者，我不知「不滿現實」與「共產黨」何時成爲同義詞，出於何種典籍？以至於今，風氣所播，人人怕青年，致青年人逐漸被社會擯棄了。人一直也就被大人先生們如此看待的，痛心之餘，我也爲那些青年人同情和痛心。不少青年在這種情形下跑到共產黨那裏去；那情形就如一批被趕進屠場的羊，而中共正以笑臉歡迎以待宰；那麼，致青年人於罪過的責任應該由誰來負呢？

而中共呢？茅盾在其「三部曲」小說中，給青年思想三部曲——追求、動搖、幻滅，而他身任「文化部長」，竟把青年思想的第四部曲——反抗也看出，也足見其糊塗了。這次大陸青年的抗暴運動，即是摧毀中共極權暴政的青年第四部曲了。

此次大陸青年抗暴運動，其本質是反對中共的整個制度，反對虐待青年的暴政，尤其不滿於青年失學，學術不自由，思想定於一尊，畢業無出路，個人前途幻滅，所以第四部曲的反抗，也是勢在必然的。

今天，中共要運用四種手段：一、企圖學生們在思想上的屈服；二、實訂「教育計劃」，以冲淡反抗心理；三、利用黨團組織的學生打擊反抗力量；四、造成輿論、分化學生，發動圍攻；五、以「反革命」帽子，進行鬥爭。無論如何，企圖用這種方法對付的青年，是不會成功的。

實際看來，大陸學生抗暴運動觸中中共「正確處理人民內部矛盾」中的主題，還會產生領導作用，啓示全世界青年向共產主義的挑戰！

從根本上言，中共教育志不在作育人才，而在培養黨性，使青年成爲政治的工具，漠視其個性和發展自己的意志和才能；以統治者的意見來教育青年，一味強調觀點，用情感體制的說服，這樣只造成虛偽的順應，一旦時勢變易，便會一切幻滅。以致政治演變，令他們不滿現實狀態時，勢必起而要求改革，採取抗議態度的。

談到我們的教育，本質上雖與中共大異，然在思想上面防堵黨化，政治性，亦係很重要的情形，讓我們從中共之失敗，我們也能發展他們自己的意志和才能，以說明的方式，培養其高度的理性，由理性的認識與判斷，而決定其社會行爲。這樣才是辦法。

在大陸青年抗暴運動一事，已提供吾人不僅在於支援大陸抗暴的青年，亦宜乎改善青年運動的技術，即如何「開導學生」，也不應如何歧視，慣用阻遏與打擊，要在如何善用青年人的熱情、好奇、正義感、不滿現實、缺乏理智諸天賦，納入于正軌，始可不致趕青年於陷阱也。

徐柏園部長談：「國民稅負並不苛重」評議

・商民・

財政部長徐柏園氏近在行政院新聞局記者招待會上發表，關於國民稅負的談話，至少有兩點令人不敢苟同的：其一就是反共時期，國民不出錢出力，就是不愛國，不愛國也就是不反共，不反共就成了問題；其二就是忽略國民稅負苛重及納稅手續繁亂，稅員態度等諸多弊端的事實，不過作了粉飾與護短的官式談話而已。

台灣通訊

所謂法定稅率

徐氏指出我國現行某些稅捐的法定稅率與國民稅負，對一般人認為稅負苛重，是不合反攻復國情勢下的正確觀念云云。徐部長置身機關，而前所攤開的是財政統計表和理論文章，而一般人面前攤開的是國民所得的事實，比較起來，恐怕稅率稅負還以國民所得為稅率稅負調節的依據，因為國民所得是稅源，稅源枯竭，即使再低的稅率再少的稅負，怕也是徒然的了。正如發電的用水，如水源枯竭了，沒有水還能發出什麼電來呢？

所謂出錢出力

接着徐氏指出：任何國家處在戰時為了勝利，必須動員人力物力財力，我們現在面對着兇惡的匪敵，全國軍民都該協力一致，出錢出力，才符合基本國策的要求云云。這種道理說了幾十年，那一個國民不知道？問題就在徐氏是坐在機關太師椅上，看慣財政理論、數字，忽略事實的說法；還有一點，徐氏暗示與論界，不得對財稅問題多事疵議，一切為反共，如否，就等於助共或不反共了。誠然國民應該有錢出錢，有力出力，但是必須使國民所得在最低生計支付後的部份，盡量支付出來，如果國民所得連最低生計支付也不夠的時候，而要支付生計費作稅負，枵腹從公，以身殉國，固然是美德，但絕非合乎人情與事實。

所舉國民所得比較

最令人不敢苟同的是，徐氏以美英日等國和我們國家的國民稅負來作比，顯然我們的國民稅負比人家輕，如美國國民稅負佔所得百分之卅八，英國為百分之廿八，日本為百分之二十三，我國僅為百分之二十。首先，美英日等國是工商業國家，發達國民企業，國民就業機會多，國外貿易增加外滙收入；看看我們，僅以台灣來說，輕工業尚不發達，重工業幾乎沒有，國民企業十九都在岌岌可危的情況下，咬緊牙關，維持不倒閉或關門；僅以台北市（較有工商業都市化）的七十餘萬人口來說，失業的當不下五萬人，而商業的年終結賬，十九都有不少虧損的數字；而米、糖、香蕉等農產品之出口，又多阻礙，即使加工品也沒有出路，僅以紡織的棉布來說，只有韓國的微而又微的銷暢，已成生產過剩的現象，與進口比較，恐怕外滙的出入，不特不能相抵，而且是出超太多。失業的成員，粒飯維艱，無業可就，商業上的投機如企圖逃稅的「發票供應」等不法團體，並有關道德，有些也實逼處此。如此，國民所得能和美英日等國相比嗎？如果僅就所得中國民稅負數字來說，孤是財政學家的份內事，容非財政家財政部長的實職，舉一個小例：如果美英日等國國民所得為日計十元美金，我們的國民所得為五角美金或為零，即使百分之二十與二十三、二十八、卅、又怎能比較呢？

更何必與大陸比

徐氏最妙的是：以我們的國民稅負和大陸的共區相比，他說：「匪區橫征暴歛，苛稅之外，加以強迫追獻，捐稅之後再加清算殺戮。」中共的財政是「敲骨吸髓」的辦法，動衆性的稅負無稅率的財政我們又何必相比！財政之行，貴在依實際的國民所得情形為準根本用不到比的。徐氏繼又指出：我們的稅法稅率，都出民意機關制定，……並沒有當然任何法令，並沒有缺點，稅法也是如此，……尤其稅負必需力求公平。稅法稅率之沒有缺點，當是指它的成立有法律依據，並不能謂為稅法稅率本身沒有缺點，法者率者，財政原則也，它是死的，依照國民所得額加以調整變化，如果當着「活的」來用，豈不是「敲骨吸髓」嗎？

所謂最低限制手續

徐氏對於稅捐稽征手續的簡化謂，凡表報過於細密者，經陸續簡化；凡手續過於周折者，經陸續糾正，……也不能沒有必要的表報，和最低限度的手續、簡化的各種表報達七十種，納稅人申請或申報者，亦有十七種之多，若不簡化，不知還有幾千百種嗎？豈皆是必要的表報，最低的手續嗎？在幾年來「便民」德政之下的商民，已不堪其煩擾了啊！

所謂鼓勵儲蓄

徐氏又指出：現在我們每年的國民所得超過二百五十億，如果能積聚百分之五，便可達到十二億五千萬元；……除鼓勵儲蓄，保障盈利之外；至少應注意幣值的穩定，才可以促進儲蓄的信心和興趣。這樣，還是以所得的數字來填充官樣文章，所得額雖然增高，但是物價漲到多少？生活指數增高多少？幣值穩定了沒有？三十九年老台幣改新台幣，限內發行二億，現在則到十五億五千八百萬，通貨膨脹後的幣值，穩定還是低落？國民目前的生活狀態，還能把百分之五存放到銀行去生利？至於毀壞社會風氣的，豈不是國民，粒飯既不易，何談乎酒肉？還談什麼奢侈浪費不節約呢？

兩個小人物的見解

最後，說兩個小人物的見解：一位從政多年現在從商的人說：台灣財政和蒙特卡羅的賭場抽頭，經商者有盈虧，合計起來，都虧到稅捐稽處的金櫃裏去了。另一位從事財政工作多年的人說：我們三九—四十年，吃的老台幣換新台幣，四一—四二年吃的統一發票，四三—四四年吃的土地債券，四五—四六年吃的是地價稅與綜合所得稅，四七—四八年要吃愛國公債，四九—五〇年要吃新法幣換新台幣，以後就猜不着怎麼辦了。因此，徐柏園部長「國民稅負並不苛重」之談，並不依據國民所得實際，徒然財政學家的官式妙論而已。（四十六年七月廿二日午於台北）

讀者論壇

一個大兵的呼籲

七月份為四十六年度的會計年度，曾一度引起，調整待遇的風波，而今業已平息。因此我這穿二尺半的大老粗，想說幾句良心話，對否我不知道，但我知道是出自良心：

我們所希望的：乃就是「公平」，只要公平的待遇有撥，也沒有話說。嚷窮的是公教人員，但公務員可以出差勞費用，甚至出差費超出月薪者，也有特別的，教員們給學生課外補習，也可收進一筆。而對當兵的，他們沒有差費，無法找外款。現在比方說吧！一個二等兵每月的薪餉是二十五元新台幣，士兵中收入最多的是一級上士，每月薪餉是五十六元新台幣，但真正月入五十六元者實在有限，就以一級上等兵來說：月入三十元新台幣，我們算算叫他怎樣來支配呢，每月以最節省的來算，一瓶牙膏需要化五元，肥皂三元，牙刷三元，理二次髮十元，另外洗澡都不能列入，在這亞熱帶的任何時節，都以克難的方法，用涼水衝洗，這樣已夠節省了，結起來已用去二十一元了，再者說他是大老粗看不懂電影，不把這項開支列入帳內，但是，抽烟是不易擺脫的，台灣最便宜的香烟是寶珠牌，但還需要二元錢一包，試問，剩下這九元錢叫他們怎樣支配？

主副食方面，實行食物補給制度實行，人人讚譽，都說好起來了，實際上只是給菜單上好起來了，供高級官員們看時，每天都有紅燒豬肉，鮮魚、豆腐，誰又知道，一百多人的大鍋，每天只有兩斤豬肉下鍋呢？

也許有人說：服兵役是每一個國民應盡的義務，人人皆有份。不錯，但是那些已服役七八年至今仍不能退役者，又算是依兵役法那一條？

・一級上士・

如此高中國文教員！怎不教他滾出學園？

台灣教育問題

台灣各級教育，年來的普及與提高，日有進步，那是事實。惟此是一般情形。教育行政人員、教師等賢不肖，總是不免的。本年度中學新生入學考試，就出現一件令人不敢相信的事情，桃園縣鎮有一所省立××中學（注意：縣境內唯一普通中學也！）以無獨有偶的身份，單獨辦理招生，如果有人不信，請許以事實證明吧！

國文題是「西瓜與汽水」

七月十七日，為初中新生考試，我們國民學校教師領着畢業學生去應考；所以，我就以這一部份的事實來說明「西瓜與汽水」，學生在提筆時，愁眉苦臉，直到考完出來了，我奇怪，此類作文題，非一個菜園學家不知西瓜的種植一套學問，必然就西瓜的形色味去下筆；非一個汽水製造廠工人，諳汽水製造方法，必然就汽水牌名、色調、氣泡等方面着筆，試問國校六年級的學生，能作出一篇文章來？作文已不成為發抒思想情感，而是開玩笑的嗎？

指定答案纂改歷史

最有意思的是當日揭曉，歷史的是非題有「燕王棣進南京即帝位，歷史上稱為（1）（2）（3）（選擇題）」，據貼在該校大門外牆上的「標準答案」示知：（2）靖康之變。此不啻竄改歷史了，蓋靖康為宋欽宗年號）民國前七八六年）靖康二年，金人南侵，虜徽宗及欽宗北去，史稱靖康之變。同時館唱岳飛「滿江紅」歌曲者，莫不知「靖康恥，猶未雪，臣子恨，何時滅？」岳飛者，宋之名將也；靖難之變者，明建文帝，用齊泰黃子澄之謀，削奪諸藩，燕王棣內不自安，遂指齊黃為奸人，請入清君側，名其兵曰靖難。靈璧鐵鉉盛庸所敗，帝下詔諸軍，毋使朕負殺叔父名，諸軍因不敢發矢，燕王遂陷京師，燕王棣，明建文帝之弟。出題者宋明兩朝史實也弄不清楚了？

以藩屬解作領土

地理部份是非題有「琉球群島在滿清時代為中國的領土（）。」「標準答案」為「〇」（×為非，〇為是）。琉球亦稱冲繩，明以後始通中國，受我（國）冊封，後亦兼屬日本，清光緒初，日本廢琉球王，改其地為冲繩縣。所謂「領土」：轄地也，謂其為本國統治權之所及，在國際法上，非他國所能侵犯其權利者；本兼海陸言之，或對領海言，則專指陸地，亦作領地。藩屬者何？保護國或屬地，服屬而為藩屏也；清代稱內外蒙古、青海、西藏為屬地，一般稱朝鮮、安南、琉球、緬甸諸國皆我國藩屬。出題者以藩屬作領土解釋了啊？

再看公民部分答案

公民部份問答題「闡述共產主義與民生主義不同之點何在？」「標準答案」：「共產主義主張階級鬥爭，製造仇恨；民生主義主張階級對立，提倡互助合作。」（餘略不錄，略而不談！）首先須指出者，欲作比較需其兩者以上之對象有對等地位，不能以某一物之部份與另一物全體作比。其次，馬克斯用他的唯物辯證法，推論出階級的對立。國父主張平均地權節制資本，根本是消弭階級對立為目的，今答題所說：「共產主義主張階級鬥爭和民生主義主張階級對立」，無論就常識上，就學理上言，都有不可原諒的錯誤。

竟以人名列入詞彙

據說高中新生考試也有令人不敢苟同者：國文考卷之解釋題，將杜甫、柳宗元、白居易等人，列入詞彙與成語中，令學生解釋，如果放胡適之在內，可以解作「何處去？」，可是此三人如何解釋呢？並有「發奮」（改錯題）一詞令學生改錯，「標準答案」是改「奮」為「憤」，此乃出題者心中答案，若視為「發奮」之意，則原題便不錯了，若謂「發憤忘食」之「憤」為正確，此是其心理的「標準」啊！試題中沒有客觀的「標準的」，絕對標準答案，實在有些滑稽啊！

學生未考上是幸運！

當我帶領學生回去的前一刻，我心裏想，決不是我們教的不好，是出題者的胡鬧，考不取該校的學生覺得幸運，否則豈不是貽誤可愛的青年一生嗎？因為搞不清這件奇事，便找到一位在該校教書的朋友問個明白，他說題目全是高三國文教員方××所出，他是××國學專修館畢業，教了二十多年，平時自視初中教員為孫子輩，自誇才高八斗哩！此次每一科命題代價為五十元，這次數百元之獲當不在話下。他是太上教務主任太上校長，定該校教育行政於其一，智囊團要角也。

我問他：不是說貴校辦得很好嗎？這次校長沒有參與其事嗎？

如此教員如此校長

他說：四十六年度招生委員關在校長室三天；提起校長來，他很會作官，對上級很有一套；對下屬儼然「校長」，愛罵就罵；不必問他的學問了，寫「弟」之古寫「棣」，寫「濫竽充數」之「竽」為「竿」，皆有案可稽者。啊！原來都是一丘之貉。

！此次尚有國校教課書參考哩！否則，豈不是全錯了嗎？為維護教育名氣，為保持學術風氣之深，如此高中國文教員！如此校長！怎麼不教他滾出學園？教育當局似不能再視此為無關之事了！（四十六年七月廿一日午揮汗而作）

學生王

國際動態拾零

・陶然・

美國共和民主兩黨皆同意將一九六〇年兩黨總統候選人推選大會，提前至是年六月舉行，俾候選人聲望，可以藉較長時間，栽培起來，使選民知所抉擇。因為在一九六〇年，兩黨皆捧不出聲望振全國如艾森豪者其人了。候選人培植聲望的辦法，仍是坐火車到處演說，單賴電視是靠不住的。一則電視缺乏親切感，再則電視價太貴了。

× × ×

美國對印度與巴基斯坦之互爭克什米爾，將不復如以前之守中立態度。自從巴外長蘇洛瓦第（Suhrawardy）進入白宮會談之後，美國已決定在聯合國，（第十二屆大會，在九月十七日召開）支持巴國之人民投票公決的計劃。以親共為得計的尼赫魯，似乎應知止步了。

× × ×

英美外交路綫，似將呈現明顯的分道揚鑣。英國主張月底召開四外長會議，而美國則仍然反對此舉。

× × ×

美國務院的意見，以為如邀請鐵幕人物的話，應首先邀請波蘭的戈莫卡（Gomulka），因為葛氏是鐵幕中最能接近西方的人，而且波蘭是接受少數美援的國家。

論駐軍司法協定

衛挺生

衛挺生教授於本年六月間曾爲文論治外法權與司法民主化，刊本刊六五五期；頃又函行政院俞院長鴻鈞，有所建議。茲將原函刊佈如下。（編者）

鴻鈞先生院長閣下：奉六月七日大函，敬佩沖懷，猥承諮及，敢不盡心。察美兵吉若德槍殺日婦坂井一案，可作我借鏡。方今美國在世界各國內駐軍七十萬人，而曾與駐在國簽訂駐軍司法協定者，幾四十國。其所協定之司法權限，大體一致。即美國軍人因執行職務而殺人時，專受美國之軍法審判。其非因執行職務而殺人或犯罪時，則依駐在國之司法審判。吉若德之槍殺坂井，雖在執行職務時，而其事務未經受命，因而司法權限未明，然日本首相堅持日本有司法權，而美總統終令引渡，美最高法院判其案，一致承認總統依憲有權以此處理。其所據判例遠溯其開國時馬紹爾院長之言，謂「凡有主權之國家，皆各自有刑懲在其境內犯其法律者之司法權，除非明認或默認放棄之」。雷諾案非因執行職務而殺人，照四十國協定其司法權原屬於我。但因我國未與美國簽訂同類協定，故不得援引此規定。此蓋由于我國百年習受外人治外法權之犧牲，而未悟在不平等條約取銷後之可以司法自主也。此項忽略，凡行政，司法，立法，監察，乃至國民輿論，機關政法學者，均有失察責任。而先生獨慨然罪已，自不愧宰相風度。今判案有例，協定已多，我方提訂協定，美政府斷不再拒。爲之，水到渠成，今後中美民間自可除出一切誤會機會，而加強友好也。承命述其觀感所及，謹此奉達。

衛挺生拜啓　四十六年七月廿四日

學生升學就業問題

・祝修衛・

香港教育問題

香港學生將來大量增加，中學畢業生就業、升學，誠令人一大困擾問題。中文中學會考及格，他們參加專上學院考試，只要符合取錄標準，大致均可獲得升學機會；失學數字至多還不過將近千名。其中固不乏尚有升學英文中學第八班及就業機會。但是英文中學畢業學生出路，目前已成極大困難。本年度港九各英文院校實際參加會考學生二千九百五十八人；但合格人數僅一千八百五十八人；尚有只參加英文一科測試的六百八十人之中，僅二百七十三人合格；報名的卻有七百二十六人。就實際情況看來，英文中學學生成績低劣，比中文中學更甚。

在升學與就業中徘徊

無可否認的，英文中學參加畢業會考學生，他們除了少數準備升讀大學預科，大多數都希望獻身港府各級單位工作。非正式估計，本年度英文中學高中畢業、修業期滿學生，數達四千二百名之多，將就讀大學預科的，不足三分之一；能夠獲得就業機會的，殆無十分之一可能。那麼至少有二千八百名在升學、就業途中徘徊。這批人如何處置，不僅使研究社會問題人士大傷腦筋，即每一學生家長亦十分困惑。他們過去屬望於他們的子弟：高中畢業之後，總可自立；因此，有的於小學、初中畢業之後，投考英文中學，甚至尚有人認爲：中文可以不讀，英文非懂不可。但經過長時期考驗，事實證明英文中學畢業，未必如中文中學升學那麼容易。並且，少數英文院校管教未必盡如社會人士理想。過去有個時期，港九「亞飛」盛行，作奸犯科甘入「黑籍」之流，何曾見有中文學校學生，涉足舞廳與每周私人「派對」，更非中文中學學生敢行敢爲者。英文中學學生成績之低，當非由於試題偏頗不均，或者過分艱澀、深奧；即令中文中學生亦未嘗感到煩難。有人預料，今後中文中學學生，特別是在教育當局決定採用會考新例之後，數字將會大增。

當然，數字增加，高中畢業學生出路亦應周詳考慮，相信只要大專院校聯合招生名額放寬，中文中學畢業生的升學困難，即可迎刃而解。傳說台灣本年收容港澳僑生將予核減，但願所傳非確。

各校容納量有限

不論中英文高中畢業學生，他們除了葛量洪、羅富國、以及工專，港大顯然大感興趣；但各校容納的名額畢竟有限。投考師範學生，非僅必須品學兼優，而且更須儀態；工專雖屬一大良好出路，學生們的興趣較差。於是，大多數學生，特別是英文院校的高材生，多想投考港大，儘管感覺學費太貴——每月約需五百元——一次過付出萬元港幣，却有甚多人想藉指公費及申請助學金者。但是，香港大學下學年能夠容納多少新生呢？這個啞謎待揭曉的謎底，假如以爲本年入學試及格學生全部收容，那麼得未免太天眞，雖從理論上說來，港大沒理由不照榜全收，問題是港大的名額不多，其實只有一百二十名，醫、理科佔五十名，建築科只有二十名；另外十名已被分配給攻讀初級理科的（一九五六——五七年度）新生。而本年度修畢預科投考港大的高中，以及初級各生，一共一千八百六十二人；由於容納數字過少，錄取標準提高，也就嚴苛，全科合格只有三百一十名，當非意外。落第的一千五百多人，大多數均享有（本年及格科目）明年豁免部分應試權利，但本年度及格諸生，未必能有半數獲得升學港大機會，雖然其中也有部分已經考入倫敦大學。

應替未來設想

這些情況如果拖下去，只會嚴重不會稍減。於是，有人以爲當局既不允許籌建中文大學，又不擴充港大學額，與情於理均有未合。香港政制儘管落後，政治開明不容否認，大學教育不能充分實施，確也令人遺憾。處此中小學校擴充學額之時，當局應替未來設想；當地有力人士，亦應多加考慮了。

大陸災區遍十餘省

（本報訊）根據綜合中共報紙刊載，目前，西北地區還有旱象，江西、福建、湖南、浙江、溫州地區和廣西部分地區亦呈現旱象；河南、山東、安徽、江蘇等省，則有洪水和內澇災害。

湖南農民反對統購

又訊：據七月十九日的「新湖南報」社論，反映出湖南農民對中共的強迫「統購統銷」表示：在去年大水災和今年旱荒下，「現在的糧標準太低，今年要等我們自己用夠了，再把糧食賣給國家」。該報社論謂「這種論調關係到糧食統購統銷政策要不要的問題」。（人）

陳茹玄政論集

・邵鏡人・

政治論文，很難做得恰到好處，因爲牽涉實際，而今日的國際間又森嚴複雜，瞬息萬變，更不容易抓住要點。稍不留意，往往因此失彼，甚至偏激用事。這類文獻，我們是讀得太少了。

最近讀到陳逸凡遺著：「陳茹玄政論集」，覺得思深體謹，議論平實，絕非偏狂之徒，所可比的。逸凡早歲留美，專攻政法。歸國後歷任大學教授，立法委員，垂三十年，已有「聯邦政治」；「中國憲法史」；同爲世界中外了。近年本其所學，所見，所聞，致爲政論，指陳時敝，暢所欲言，在政治上是極有價值的著述，在救時上是起死回生的良劑，誠屬今日不多覯的政治論集。

逸凡是在民國四十四年十二月逝世的。本集爲其門人徐照教授，就他自四十一年起，至臨終前止，所著的論文，選輯而成，分爲四編，又共分六十二篇，約廿八萬言。其中主張人才政治，闡明民主憲政，對現階段反共抗俄政策上，主張加強國際組織，建立東南亞防組織，美國須採強硬立性外交政策，英法兩國須改變自私政策，所佔篇幅尤多，均以遠大眼光，作具體的論列，苟非學貫中西，發有卓見，焉能有此！

第一編中論人才政治有云：『今世之所謂民主，亦不過以全國之事，公諸全國之人，使人人有責，有盡責機會，則不負責者，當自慚矣，使人人有用才機會，則無才能者，當自退矣，使人人有言論自由，則心無抑鬱，意見溝通，眞僞立辨，邪詞自止矣。……蓋不能容物，無以爭取眞才，不能用人，無以力任艱巨，先賢之所以大過人者，無他，善於用人容物而已。方今赤燄彌天，四方多難，撥亂反正，決非少數人所能爲力，尤宜集天下之賢，擷多士之英，……』這類沉痛言論，總算是對症下藥了。然而，當局是明知而不做呢？還是執迷而不醒呢？到成爲一個悶葫蘆了！

全書政治論文以外，國際問題研究，則側重於分析國際現狀，加緊民主自由國家間的組織，以早完成反共抗俄之神聖任務。每一個問題，莫不是旁引博搜，作周詳的，具體的論列。誠如他的夫人與玄英女士序文所說：『見夫子每一篇文，夜分不寐，一字之微，以求其當。……』這確是實情，即就我個人十年以來所了解逸凡的做人治學，總是處處謹愼的，事事篤實的，向來沒有粗躁，苟且從事的。

彭醇士先生，替他作傳說：『……事所當言，未嘗不言，言之又未嘗不盡。閑居退然，若不自勝，及其勇也，千萬人無畏焉。……』寥寥數十個字，已寫盡逸凡的風格。醇士可謂善於爲文。

今日全世界都在動盪當中，自由中國脫離不了世界，而世界也少不了自由中國。因此之故，凡是有志氣，有責任感的中國人，應該研究世界問題，研究世界問題，「陳茹玄政論集」，確爲必讀之書。故我特地介紹，非僅發潛德啓幽光而已。

青年眼中的日本

＝蕭始達＝

大阪航訊

（上略）到日本，已經三個多月，對這裏的環境及食物，已漸漸習慣。簡單的普通日語會話，也無多大困難。聽日本人說話，大多數已能領會到其意思，並不如初到時那樣隔膜了。但普通會話本來較容易，明春進大學，能否明白教師的講授，尚未可知。此時只有加倍努力，以期早日克服言語上的困難。

我覺得日本人大多數是刻苦耐勞的，從辦公室的情形便可看到。在香港每日下午五時過後，各寫字樓便門堪羅雀。可是在這裏，辦公時間過後，辦事人員仍就自動留在那裏，做他們未完全的工作。有家室的人，雖有時不至留得太晚，但單身漢往往做到七時或八時，才下班的。

普通日本人的食物也簡單得很。幾件鹹蘿蔔，一碗白飯，一碗麵豉湯，便是他們的早餐。午餐，就是用木盒或鐵盒盛着的少許飯菜，叫做「便當」。吃的時候，飯菜都冷了。我曾問過一些日本人，他們說，多天也是一樣的。普通日本人的晚飯，也並不見得豐富。通常款待客人，也不過是飯，加上生魚數片，麵豉湯一碗而已。家父在這裏時，曾和我一塊兒到日本飯店吃晚飯，我們叫了幾個菜，各人吃兩碗飯，傍邊便有人覺得奇怪，注視着我們，好像我們太浪費了。

戰後日本復興得很快，不愧爲亞洲第一個工業國家。現在甚麼東西，日本人都能自己製造。布疋、照相機已經可以和輸入的製品比美。日本汽車，雖屬小型，也並不壞。其他如火車，電車等，日本都能自己生產。日本的摹仿性極強，也極快。譬如電影，美國有新的攝製方法，不出數月，日本立刻便有同樣的攝製品出現了。這裏的外國貨少得很，也貴得很。日本生產情形和我國比較，眞使人不禁暗暗慚愧。

日本的歷史，受中國影響甚大。現在老一輩的日本人，大多數讀過中國的「四書」「五經」，這又不禁使我暗自慚愧。（下略）七月廿六日大阪

談談外交

・王厚生・

（上接第一版）

我們更不願以美人做事每多天眞，翻覆和現實爲慮，要知天眞，翻覆和現實也有其利弊，從弊面觀之，爲不可信賴，爲美人不瞭解中國實際情形，致有格格不入之感；從利面解之，正是以證明美人之無所存心，雖然，美人之大少爺作風和老闆氣概，我們看不慣，但中國的朋友適以不打中國的主義爲準，凡打中國主義者皆不可以深交。

中日兩國的外交關係自有光明的將來，因中國能協助日本之處甚多，而日本能協助中國者也復不少。日本的工業化經驗可爲中國參考者很多，而中國有豐富的天然資源和農產品，可供一部分予日本工業之需，惟中國將走自己的工業化道路，中國市場已不能和昔日一般專爲外國的商品推銷地，且中日兩國可於某些有關問題如移民、原料、製造品性質等分工，以磋商，俾達互利的目的。

中國爲一未經開發的大國，[illegible]……如能好自爲之，正可發揮自身的精神和物質力量，則中國未嘗不能成爲世界上第一等大國，更未嘗不可爲希望的國家。因此，世界的中心，很可能在中國本身。[illegible]優越條件和工業發展的，將招徠世界各地人民的光顧，且將成爲各國人民的淘金樂土。此一情況的發生，將替我國外交增加許多新的問題，殆無疑問。

雖說弱國仍可辦外交，但弱國之地位，總是一種不幸或悲哀。中國欲躍登世界強國的前茅，必須要自己先有辦法，始能結集全國上下之總力，一方求自強，一方周旋於各種錯綜複雜的國際關係之間，而立於不敗之地。關於如何結集全國上下之總力問題，我舉二點附述於後：

第一、中國必須爲一民主國家，使全國人民皆有國家爲我等所公有之愛國感責任感，而蕩滌「黨天下」的觀念，則中國外交得全體國民之支持，而顯示亘大力量。

第二、應有全國各階層各黨派一致擁護的基本國策，不容以輕率的態度提出異議，則政策雖有變動，所變者僅爲將基本國策付諸實施的方法或步驟，而不動搖根本。能如此，則國力鞏固，外人無隙可乘矣。

自由談

今日談民主政治，必須崇美國的民主生活，然美式的民主作風，也並非放諸四海而皆準的，它有其傳統的文化精神和民族性習，更有其開國以來一貫創進的政治制度，不是偶然的。我們如其毫無所擇的勉强效尤，有時候即難免不無利未見而先受其害的毛病。

民主生活的基本觀念

但我覺得美式民主生活中，有些作風是可以追隨，而且能夠做到的。首先就是掃除官僚思想，雖貴爲總統，一朝去位，便與齊民無殊，人們亦並不因其曾是「總統先生」而另眼看待。就是總統在位時，亦常常跟大衆接近，有說有笑，忘形相處，情愫溝通，譬如每十天半月即舉行記者招待會，任憑衆詢問，即其一例。最近艾克總統在記者招待會中，有人問他：新近提出的錫蘭大使候選人克拉克，連印度和錫蘭總理的名字都說不出來，祗因克氏在去年大選時，捐了三萬元給共和黨作選舉費，才有此酬勞的任命，是不是？艾克當場臉色紅了一下，把問題解說後，並無怒氣。這在咱們中國，漫說是對齊總統說此狂言，必被視爲大不敬，即對外交部長提出這類詰問，亦必受到拍案申斥之辱，而官與民之間的惡感乃深結了。像艾克總統這種風度，又何損於其行政元首的身份與威望呢？相反地，人們覺得這樣的領袖是可親可愛的！

政治上的官位無論多大多高，也不過是個人生活旅程中的一種符號而已，妄自尊大胡爲乎？大官的肋骨並不比普通人民多幾根，何必故爲矜持，顯示爾與衆不同的阿Q形態呢？貴官賤民的觀念不剷除，根本就不配談民主生活的話，咱們中國的官兒血液中，這項官僚毒素却最深。所以，我認爲大家該先從掃除官僚氣習這一項美式民主作風學習起，這種基本工夫做到之後，其他一切的民主事業，自然容易創進了。

馬五先生

畫聖

高奇峯其人其藝

• 萬香堂 •

高嶠字奇峯，粵之番禺人，生於小康之家，惟早歲自雙親去世，家即中落，無以爲生，（報載其十三歲赴日留學，絕無此事），兄弟四人——高冠天、高劍父、高奇峯、高劍僧，徬徨無依，一日三餐亦成問題，冠天半工半讀，以其月得最微薄之收入，彌補諸弟之米飯，劍父（高侖）自幼好「東塗西塗」，雖然塗稿，而有時居然落筆不凡，卓然成章，爲國畫大師居廉所賞識，收爲弟子，那時小小年紀的劍父初即利用「畫點應用東西」弄幾個錢來「買菜」之用，後即一躍而任小學校教師了，在家餘暇即教二弟（奇峯及劍僧）繪畫，奇峯天資超絕，幾聞一而知三，三十年後，聲名雀起，去世後政府以「畫聖」崇冠加之，此豈當日所預料呢，而劍僧雖亦有天才但早夭，成敗得失似有內果。

幼年受日本畫影響

奇峯幼年對於繪畫已能自修而有進展，兼之人緣又好，不患太孤單了。會其二兄劍父東渡留學，寄回許多日本第一流南畫作家栖鳳，及春潮等畫集給他參考，學與大進，此爲奇峯受日本畫影響之始，當時廣州畫壇，對日本畫之技巧仍極陌生，奇峯所作雖受仙山之助，而別人仍以爲乃其創作呢！未幾劍父由日歸，不僅帶返更多的參考品（以帝展畫集爲多）更帶回了革命的使命（劍父奉命回國，任廣東同盟會會長），組織了許多革命機關，多附於寺廟學校之中，並於廣州對面之河南開了一間裱畫店作爲黨人之交通站，奇峯主持店務。

且爲革命畫家

奇峯棲身於此，不僅日夕與畫爲伍，且不斷與各級革命黨人接觸，數次偉大之暗殺案所用之炸彈均乃先運至該店，密藏於裱畫大櫃中，（裱畫店乃用一張長約九尺許之櫃，上以大紅漆板凳上，用以糊裱工作之用，櫃內即藏裱畫紙料及各種工具，以之儲藏炸彈實屬最理想者），奇峯每即以該櫃作床，甜睡得甚長，革命成功後，遂傳爲佳話。

會主持上海審美書館

辛亥革命成功後，劍父當不會論功計勳，但畫家是搞不過政客的，高氏兄弟只有向文化方面撤退，劍父即運用資金，到日本購了一批美術印刷品及應用工具，回國後即於上海河南路商務印書館斜對面之處開設審美書館（後改與胡漢民有關之文運書局地址？）並派由奇峯主持，曾出版眞相畫報。奇峯曾借赴日採購之便，專習美術應用之製版技能（如哥羅版之類）擬該館辦理印刷繪時，不必再延日本技師（當時中國尚不會製造），但該館生意不佳，終於關門大吉，遂買棹南歸五羊，彼留滬期間雖曾娶滬籍婦人，並生二女，但並未偕歸，似懷異志，而奇峯去世時，二女仍未得歸宗，此實爲奇峯一生愛情悲劇之始，蓋奇峯歸粵後，未幾即有新歡，其對象爲一多才多藝之女史，但爲環境關係，二人不宜結婚，奇峯乃爲愛情犧牲了上海之混成家庭，復失志終生相伴，不再娶了！

遺產畫會掀起糾紛

廿二年秋，奇峯逝世於上海旅次後，爲爭取奇峯遺留之數十件畫，曾掀起一場官司，蓋冠天及劍父等以奇峯無後，其遺物依法應由其胞兄繼承保存，但奇峯之義女張坤儀即謂彼爲奇峯之合法繼承人，有奇峯親筆字爲憑，結果張女勝訴。

汪精衛捧他的場

高奇峯一生未開過「個人畫展」，其藝名實飛猛進者與三數知己之捧場有關，汪精衛即爲其中之一人，奇峯民國七年歸粵，初寄居於冠天之家，時冠天已任嶺南大學秘書，省立工業學校爲高氏兄弟播植其新繪畫的溫床。

「天風樓」與「春曉別院」

其專長於國畫之學生，遂分二股流入奇峯的「天風樓」及劍父的「春曉別院」的私人的門牆，漸且有門戶之見，兄弟二人初即同床異夢，繼即暗鬥日烈，由十三年至十五年間，數次由公家主辦之展覽會，奇峯的作品出盡了風頭了，當時國父去世未幾，廣東積極籌備北伐，汪精衛任國民政府主席。

粵畫壇新舊派之爭

汪氏曾以三千元毫洋定購奇峯所作之「秋江白馬」圖，後續購「海鷹」「雄獅」等作，名爲代「中山紀念堂」而購，而一般輿論即以爲汪氏拿政府公幣硬捧奇峯呢！我們以爲政府以實力促其新興藝術運動是對的，即算是酬答私人友誼，也於藝術運動有益，果然這給粵省畫壇新舊派之爭一個決定性的勝利，青年畫人多由舊而轉向於新，各報的言論也極力鼓吹「向新派看齊」。

被稱爲折衷派

奇峯最後之畫道被稱爲折衷派，乃屬於寫實主義，從畫路看，早年似曾一度受李復堂之影響，我對其順手拈來的揮毫作品較爲欣賞，雖所專心經營之鉅製，爲其代表作，但故意經營，反失却了天眞的趣味，說者謂其所畫出之作品，多以日本畫爲藍本，是否屬實不得而知，但彼對於動物寫生（如馬猫之類）常先以照相機攝影，再行放大描寫，即乃事實，而其畫必須用礬紙，（逕稱熟紙）使能揮積水法而加以撞粉（或石綠）襯染，此均爲日本畫技法之特點，奇峯採用之，故其畫面頗有日本畫的氣味，所不同者惟民族性格而已，而又因礬紙之爲物，使水墨浮於上，久之始乾，所繪綫條易失於浮蕩，若以最高層之原則分析，一切有「華而不實」之弊，我們承認在高氏兄弟時代，他們是成功了的，今後的時代當須追尋更高的理想吧！

掌故漫談

黃巢與黃巢坑

• 浩然 •

講起黃巢，多知道他是一個殺人八百萬的魔王，和搜括不可數計的財寶的大盜，所以有黃巢坑之遺址，（即其藏金之所）和底他是何許人？因何殺人八百萬之多？和黃巢坑在那裏？正史並無記載，稗官野史，和故老相傳，則述說不一。

黃巢係唐僖宗年間，爲一個私梟頭目（即販運私鹽），原是今之河北省濮州鄄城人，隨父在豫湘鄂閩粵沿海一帶販運私鹽，結識江湖好漢頗多。當唐僖宗末年，橫征暴歛，民不聊生，有山東王仙芝，以抵抗苛稅，在濮州附近聚衆千餘倡亂，不久擴大到數千人了。黃巢聞之，乃向魯豫發動數百人響應王仙芝，與之並肩作戰，數月間發展到好幾萬人，後因王仙芝首鼠兩端，竟欲自首投降，爲黃巢所殺，從此他便擁有數萬之衆，自稱大將軍。

黃巢渡過了黃河，從河南打到浙江，沿海而下廣州，沿途官兵紛紛投降，俘獲無算，駐紮大營於偽北三元里一帶，乃盡將投降的官兵殺死。沒收其財寶，並下令搜掠粵中富人殺之，盡掠其藏金，暴屍郊野，白骨纍纍。未幾廣州大鬧疫病，黃巢隊伍，死亡枕藉，他乃率衆扛同輜重，沿粵北清遠英德而至韶關，如入無人之境，更從湖南打到湖北，經河南，一直打進長安，（唐僖宗時之京都）一路勢如破竹。迨到了長安邊境，唐僖宗已率一部臣僕逃往漢中，當時留在長安的唐朝羣臣和宮女，竟出郊外焚香跪迎，黃巢於是上了金鑾寶座，號稱大齊皇帝。

當他駐紮清遠時間最久，乃遍遊名山勝跡，在峒峽山（天下第七十二福地）附近，發現有一天然山洞，係由一條蜿蜒山坑而進，黃巢忽異想天開，盡將其沒收得的金寶，着令隊伍數百人運藏於坑底及洞內。事畢，隨將搬運的數百人盡殺於深坑。後人發覺此事，乃相率入坑洞，希冀掘取藏金，說也奇怪，未聞有一人能取得藏金而歸者，相傳掘出的金磚，轉瞬即變成泥土，此黃巢坑之名所由來，清遠縣誌亦有黃巢坑之紀載，信非誣也。

黃巢在長安稱帝後，對唐朝的宗室王公，大官僚，和長安一般富人，大肆迫害，先清算其財產，迫令盡獻其所藏金寶，然後加以罪名而盡殺之，弄得閭里騷然，人心不安，正如今日大陸的人民同一痛苦。

唐僖宗既逃到漢中，再轉往四川，向沙陀國借兵回朝平亂，遂借得李克用的黑衣軍，協助打回長安，長安被害的民衆，紛紛起義，外擊內應，黃巢的隊伍，無法抵抗，相率投降，黃巢被民衆所俘，爭以小刀剮其肉而死，殺人八百萬的魔王，搜括公貲不可數計的大盜，如此結果，後之視今，亦猶今之視昔，殺人括財之魔王，結果大都如此。

中篇小說

海上學校

趙滋蕃

杜宇想選擇其中較文雅，較有意義的，用民謠的風格把它們譜出來，作爲社會教育的部分教材。她工作得最爲起勁，連海上美麗的夜色也忘懷了。

船團駛過虎頭洲，駛過大浪灣，海風漸緊，船行更速。纖月從鞍山的背後窺視着大地，而清輝却投射在湛藍的天宇之上。夜海上空，繁星不時眨動紺青色的眼睛，從半透明的霧氣中照臨着這寂寞的海夜。

濃綠已近於黝黑的大海，被夜風掀起了一道道波浪。鞭毛蟲放射出來的磷光，在尖峭的浪頭上顫動，大海燃點着綠燦燦的寒火。更遠的地方，浪頭戴着白絨帽子，向無情的崖岸滾滾猛撲。漁船上的汽燈，照耀得海上一片通明，船頭激起了雪白的浪花，向左右兩舷捲開，船尾則拖曳着一條條銀河似的尾巴，頻添了夜海的迷人與神秘。歌聲停止了。空闊的海上更顯得寂寞。

廣大的魚羣滑過船潮，海水像鼓風爐中倒出來的鐵液那樣閃爍。把舵的人，隨即有一陣哦哦吹吹的聲音彼此呼應着。

船團駛抵蒲台島附近的外海時，月亮已沉，灰青色的海上浮滿了幽黯與夜霧。

左右兩翼的船團即刻開始了捕魚的活動。中央船團的六艘船，則相繼泊在蒲台島挨近天后廟的淺灘上。鄺老頭，劉全忠率領着張長虹、貝比，及李太玄，首先搶舟登岸，好尋覓一個理想的處所，搭起帳篷作露營之用。

蒲台島是個荒僻而秀麗的孤島，是那麼安詳，是那麼沉靜，橫躺在海波之中，彷彿海洋底濕潤的曠野裏燦開着的花朵。港灣斜枕着陰鬱茂密的峯巒，山腳下有一片碧色艸原，靜穆地高高地平伸向蒼茫大海，像一個偷懶的巨人靜靜地俯伏在盾牌上，傾聽那波濤澎湃說故事，而南中國海正永無休止地重複着千年古調。

五個人成一字長蛇陣，由鄺老頭提馬燈前導，劉全忠執手電筒殿後，拐過二三十戶茅寮聚成的村落，到了這島岬角的草原。這眞是青春和詩讚頌着的大地，健康的碧綠粲泳着這夜風甚勁的原野，濃風與冒潤着淡淡的艸香。五個人不約而同地佇足而立，向行將破曉的大海，行了一陣深呼吸。

「這地方實在美極了，到處浮漾着原野的呼聲，」貝比讚歎着。「如果能在此消磨一生，也算是幸福的了。」

「啊喲，貝比，」李太玄說，「怎麼你一腦門子，都裝滿了這些古怪的玩意？」

「認識近代文明的徹底虛假，太玄，我想你心靈中，也會渴望着另一種迷人的東西的！」

「恐怕你在此呆久了，又會有一種更迷人的東西，要闖進你的心扉啊。」

「不會的，眞的不會，」貝比沉着有力地回答道。「若干年來，我一直在尋求大遺忘和大超越，此刻我總算有了初步的答案，那就是——歸自然！」

「但人是不能夠太孤單太寂寞地活下去的……」

「比起那緊張而單調的都市生活，比起那無根無蒂的近代市民生活，不，欺詐虛僞的新遊牧生活，孤單寂寞眞是幸福的開始嚟！」

「還是慢點說牢騷吧，」張長虹提醒他倆。「宿營之地，最要緊的是水源。這地方萬事都好，就祗沒有發現水源。」

「淡水嗎？有的，多得很，」劉全忠興奮地說。「我們的漁船，都在這裏取淡水的」

「距離這裏遠不遠呢？」張長虹追問道。

「不遠，在山嘴嘴那邊，」他答。

「哦哦，那眞合乎理想了。」

「我帶你們先看看那口水塘吧，」劉全忠把手電筒射向叢林那邊。「完全是泉水，好清好甜的，眞爽口。」

他們轉進相思樹林子，沿一條曲折而幽暗的小徑走了四五十碼之遙，淙淙的流泉聲已清晰地響在耳邊了。那是口直徑不過一丈多大的小池塘，四周披滿着的綠綢輕輕地掩蓋着，在電筒光下變幻着傳奇的色彩。山坑上，是一帶椰林，霧靄高高地在樹巔上游泳。和如茵的草原比較起來，此地却另有一番風致，含蓄的美與簡樸的美。鮮明地展露着。

水源既然沒有問題，露營的地址就選擇了這塊岬角上的草原於是勘測完畢，大家回船睡覺，一切的活動要在復活節這天開始。（四〇）

自由人

THE FREEMAN

（第六七〇期）

中華民國僑務委員會
頒發登記證台教新字第一第二號
中華郵政台字第五〇〇號
執照登記爲第一類新聞紙類
（半週刊每星期三六出版）

每份港幣壹毫
台北市售價台幣壹元
督印人：陳文華
地址：香港高士威道二十號四樓
20 CAUSEWAY RD. 3RD. FL.
HONG KONG
TEL. 771726
承印者：東南印務出版社
地址：高士打道六十四號
台灣總經銷處
台北市西寧南路登發[illegible]號二樓
電話：四七三四六
台郵劃撥儲金戶九二五二
海外總經銷：友聯書報發行公司
香港：德輔道中二十六號A二樓

日本反共漸趨積極

——岸信介一氣周瑜——

左舜生

還在五年以前，我在本刊上便有過如下面所說的一種看法：我說：『今後民主集團和共產集團所將竭全力以爭取的，在亞洲爲日本，在歐洲爲德國，這是兩集團在歐亞勢力消長的一大關鍵；到最後究竟如何歸結，則將決於日德兩國人民的意志，而決不是任何一個政府所能左右得了的。』

日本不會赤化

一九五三年，我以私人資格到日本去訪問，當時與一部分久留日本而熟悉日本情況的朋友們交換意見，他們大致都以日本的左傾思想泛濫爲憂，甚至有人以爲可以不必流血便會有紅旗子在日本的首都高高掛起。當時我根據日本的歷史，文化，現行的政治制度，戰後各種事業恢復的迅速，一般人民生活的漸趨豐裕，購買力的加強，乃至在若干圖書館看見多數青年那種埋頭苦學的精神，我對上述那些朋友們所表示的看法，乃提出了我個人不同的意見，甚至於我對他們說：『如果中國共產黨要把他們從前在大陸對付國民黨的那一套，盲目的拿到日本來推銷，一定會要碰鐵，說不定還非碰到皮破血流不止！』

去年的春天，我參加了一個赴日的親善訪問團，其時去我上次個人的訪問，剛好祇有三年的光景，我眼見日本一般的情況，又有了長足的進步；他們一般的生活情況，好像已由安定而進入了繁華。其後，我們參觀了若干的工商業機構，還接觸過不少工商界的領導人物，我們覺得這些機構內容的堅實，以及這些人物的沉着有爲，乃把我這個『日本不會赤化』的信念，更提高了不少。

至於西德近年的突飛猛進，已爲舉世所熟知，我們只要看東德人民不斷的向西德逃跑，人已經可以知道德國之必須歸於統一，決不是任何力量所得加以遏止的了。

日本的國防政策

日本在過去吉田，鳩山兩個時期，其本質上誠然也是反共的，可是吉田雖然親美，對亞洲其他反共非共的國家則甚少接近；鳩山希望在他的任內完成日蘇復交，因而在表面上乃不免有些閃閃爍爍。這些都是由於他們的內力未充，復興的工作有待，所對內對外許多問題，他還感到相當的棘手，其必須採取一種較爲謹愼的態度，這是無怪其然的。自從岸信介內閣出現，於是他們的態度，乃趨漸於明朗確實。

本年的五月二十日，岸內閣有『國防基本政策』的發表，其內容共爲四條：

一、支持聯合國之活動，並增進國際之合作，以貢獻世界和平。

二、增進國民福利，增強愛國之精神，並爲國家之安全，建立一個鞏固的基礎。

三、在國家負担能力範圍之內，及本身國防需要範圍之內，漸設有效的防衛力量。

四、在聯合國對於防止及驅除侵略，尚未創立有效機構之前，依據和美國之共同安全機構，抵抗侵略。

這四條的內容，誠然不必把它解釋爲是一種反共的國防政策，可是根據中共和蘇聯所訂的『友好互助同盟條約』，却是以日本爲他們共同的假想敵人，日本對於這樣一種顯然的『敵意』，和毫無忌憚的『侵略姿態』，當然不能熟視無睹，因此在他制定這四條『國防基策』的時候，乃不能不表示對聯合國的支持，不能不強調對日美安全機構的信賴，在岸首相準備出發到東南亞各國及美國訪問之前，把他們這個國策佈出來昭告世人，自然是有其必要的。

岸的東南亞之行

從本年的五月二十日至六月四日的兩週間，岸信介首相作了東南亞六國家的訪問，並分與緬甸、印度、巴基斯坦、錫蘭、泰國的總理，以及中華民國的行政院長發表了共同聲明。從這些聲明的內容，除表現了一種友好的氣氛以外，誠然看不出任何具體的跡象，可是從岸在這些國家所發表的談話，態度却是十分明朗：

岸首相在印度發表談話說：『中華人民共和國，在聯合國不是會員國，而是侵略國，這一決議仍然有效，由於這個理由，我們不能承認共產黨中國！』

岸在自由中國也曾對蔣總統說：『如果能够收復大陸，我認爲是非常好的。』

中共這幾年，確實對日本下過不少的工夫，日本民間的親善使節，可以說不絕於道，乃他們所得的結果，却完全與他們所期待者相反，乃至乎周恩來氣得發昏，乃不能不對日本幾個訪問北平的記者，發表了他那篇充滿敵意的談話。（上月廿五日）這篇談話儘管是拉拉扯扯說上了許多但大抵仍不外『硬中帶軟』，『外強中乾』，尤其把日本政府和日本的人民截然分開，更是共產黨一貫的伎倆，可以說毫不相干。本來，周恩來這個人，他對日本可以說是全不理解的，這幾年他對日本問題的應付，大抵都是仰仗郭沫若這類的狗頭軍師，甚至郭還親自出馬，曾到日本去大肆遊說。最近有一位訪問香港的日本青年學者，和我曾有過四度的見面，兩次的長談，他對我說：『郭上次在東京一個青年的集會中演說，說中共這幾年在大陸的改革運動，和日本明治維新完全一樣！』我問他的感想怎樣？我說了眞是笑不可仰，說謊總不能說得太離譜，郭以一個日本老留學生的資格，居然對日本青年實行這樣的公開欺騙，寧不令日本的有識者齒冷！

岸對美提開發東南亞計劃

岸在訪問東南亞以後，又於六月十八日晚動身赴美，延至七月二日始返回東京。其與美方所談的範圍，相當廣泛，但濶用美國的資金，日本的技術，並成立一個基金委員會，作爲開發東南亞經濟有力機構，也是岸此行向美國提出的主要問題之一。截至現在爲止，這個計劃的具體內容如何？美國的反應如何？東南亞各國的態度如何？我們所得到的資料還嫌少，因此要作成一種評論，還需要等待一個相當的時期。可是不問爲日本本身打算，爲美國的亞洲政策打算，爲東南亞各國的經濟現狀打算，這一計劃的確有其不可否認的價值，要爲無可置疑。

我對僑胞六點的貢獻

我爲了促起東南亞一帶僑胞對這件事的注意，曾在南洋一家僑報上發表了我六點的意見：

第一，我認爲僑胞須確認這一計劃對於僑胞本身在當地歷年所經營的工商業將有益無損。

（下轉第三版）

半週述評

撲不滅的大陸反共潮

最近十日內，中共爲青海，山東，四川等處破獲的反共運動之後，本月三日又宣布西南的『中國志和黨』陰謀叛亂事件，與[illegible]的『中國革命軍』事件。這些事件都是有組織，有主[illegible]行動，甚至在大陸各處[illegible]深刻。這些運動究竟有[illegible]，有多大力量，[illegible]參加了。

除了這些已被中共破獲的組織外，一定還有許許多多相類的組織潛伏在大陸各地，未經中共發覺。今後這些運動還要繼續不斷的蹤着起來的。

這些運動雖散處各地，互相沒有聯繫，但精神都是一致，並不是孤立的。經過相當時期，這些力量一定會匯合成一股洪流，到時便不是中共所能撲滅得了的。

中共最近發表這些反暴事件，似乎表示他們還有力量足以對付反抗，無所用其恐懼。然而這些現象正是中共統治的表徵，抗暴組織是中共統治的[illegible]。中共的統治已經是病入膏肓，決不是撲滅三幾處的抗暴組織，便能挽救得了的。但是野火燒不盡，春風吹又生，中共瘋狂一天不消滅，這運動是一天不會停止的。反共組織的破獲，於事何補？

且看中共的對外貿易

中共統治致命的死症，自然是經濟破產。天災人禍，生產衰落，農村破產，都不必細說。祇就對外貿易說，已可見其一斑。最近本港報紙記載，自大陸來港，接近中共貿易圈子人士的透露，中共因受與蘇俄及共產集團訂立貿易協定的束縛，不能對西方國家多所輸出，無法套取外匯購入必需物資，經濟陷於極度困苦，表現沮喪。因此中共企圖取銷若干易貨協定，減少對蘇聯的輸出，以進行改善與西方國家的貿易。這證實了港督葛量洪的話，禁運雖已放寬，但中共沒有外匯，和中共做生意，還是沒有希望。

上述人士又說，北平上海廣州的中共貿易當局口出怨言，憤恨東歐共產國家，將輸入大陸貨物，極度提高價錢，比西方國家的售價高出五倍至十倍。

這說明了中共的經濟祇是赤色帝國主義的殖民地經濟，殖民地經濟是決不能免於受剝削，也決不能有獨立和繁榮的希望。這是中共統治經濟的死症，這死症註定了中共的覆亡命運。

星馬和台灣的貿易

星馬工商考察團一行十七人，到台灣訪問已經多日，據報紙電訊，他們到台後會和台灣工商界人士分別舉行座談會，磋商各項貿易業務，今後台灣與星馬之間的雙方貿易，將有實質上的擴進。這是一個令人興奮的消息。

馬來亞將於本月底正式獨立，星洲也快要成爲自治國家，這兩個新興的亞洲國家，其人口大部份都是中國血統。因此，這兩個新興國家是中華民國兄弟之邦，他們的政治獨立，與經濟繁榮，都是中華民國人民最爲關切的。

星馬的反共政策，最爲明顯而堅決。擴展台灣星馬間的貿易，不僅足以增加中華民國與星馬的友誼，亦足以加強星馬的反共力量。星馬必須徹底消滅共產主義，才能眞正完成其獨立自主，邁進和平康樂的理想境界。

興廢繼絕，是我們的傳統政治道德，我們今日喜見星馬的獨立自治，我們自必須盡其所能，協助這兩個新興的兄弟之邦，完成其百年不拔的國家始基。星馬考察團來台的重大意義，其在斯乎，其在斯乎！

• 陳克文。

共鳴之一章

——讀蕭立坤牛嶠兩先生文後

• 瓦斯 •

本刊六六一期蕭立坤先生的「我的自白」，引起了六六七期牛嶠先生的「自白另一章」，均痛快淋漓，心醉也，比一篇大人物的堂皇演詞更有益于世道人心，比一篇說仁論義的文章更值得一讀。

蕭先生幼年時見過「殺人頭，悶死女嬰，打死了頭，睡在鴉片烟床大講孔孟仁義，雷天知事有了三個姨太太還誘姦良家少女……」這一代（當然上述只是壞的一面），這大都是七十以上的人了，現在不是已變成了灰骨，便只在每年一度的敬老會才有地位；不論過去光榮傑作如何，都已成爲人瑞，純厚得還相信四維八德在統治世界。

目前的第一代（六七十歲上下的人），當然也包括有蕭先生所講當年「穿起綵挺西裝的國文教授却反對用鉛筆……」的一代，在社會上也不是變成被遺忘的人物便爬上了社會的最高層，前者爲寄望于兒孫，後者還在立言立德（「功」當然已經立過了）各自爭着要把自己的一套，像照像一樣直照在下一代的腦中，要他們爲這公式而拼命。

于是第二代（四十以上的人）曾經「無日不在中外，新舊，善惡、清污，貧富等矛盾理論及現實中掙扎」而他們的「誠信篤實的舊道德教育」，却「終于抵不過金錢的實力誘惑」，結果「不是成了仁，便是生了蛆」。

于是蕭先生便有感于領導世界人類的責任不能直接由第一代跳交給第三代（應該是指三十上下的人），可惜世代不能像銀幕上用「若干年後」幾個字便交代了一個不幸的歷程！

于是更引出牛嶠先生來，他慌不迭來一個自白，認爲這三十歲的人（就算第三代吧），也可說支離破碎，麻木不仁的一代。

他把第三代描寫成：「氣節、人格、道德、良知都好像絕了緣，既無老一輩的革命精神（大概是指蕭先生所說「成了仁」的一輩），又欠缺煥發朝氣……金錢變成偶像……篤信，在心中乃是別人的事，道德良心僅是一個時的名詞」（當然也是指壞的一面）。他們所遭遇的是：「舊有的傳統文化與道德倫理沒有接住，新的文化僅吸收皮毛，正是『上不着天，下不着地』的一代」。于是說爲這一代是「黑漆一團」的一代，是「不能承接上一代領導下一代」的。但可惜呀，歷史又不像打籃球，一個PASS便可以推却責任。

怎麼辦呢？「百年事業開新運」，從再遠再遠望，牛先生所看到的下一代（二十上下的人，就稱爲第四代吧），不少是「腦中道德觀念空虛得可憐，談到跳舞，吃酒，賭博，玩女人，頭頭是道，言行之鄙，舉止之狂，較之三十歲有病的人『病』還深幾成」。

當然這是壞的一面，另有好的一面，也還有更壞更糟的一面。世界一大變，一些心理病狂的領導者（應爲第一第二代），在計他們「丟包袱」「割斷封建的尾巴」……把上一代好的壞的都全給挖根毀了。然後像可惡的魔術師把他們從「人」變成機械——學習如何屠殺鬥爭，清算父親，教訓師長，稱長輩爲同志，呼妻爲愛人……。他們親眼看到上幾代一些過去曾經被視爲領導階層的顯赫人物，腐敗，貪婪，塗攏，自打嘴吧，說着一些可恥可悲的話……，比起我們看到上一代的悶死女嬰，打死了頭，抽鴉片……，還來得更可悲可恥。經過了七八年，這已是見怪不怪現象，再過十年八年，而下一代呢（十歲上下就稱第五代吧），還不是依樣葫蘆向他們學習？直到六十年代的世界，那將是不可想像的世界。

但是年青的一代，畢竟是在成長中被教育的，不像上幾代那麼定型，有無限的可變性，只要上幾代少做些醜惡事情，不再使他們在心靈上把老輩的價值看成金錢券一[illegible]不值錢就行。

「人性」是消滅不了的，只要上代能够不忘記代任務，留給他們一個發揮人性的機會，他們便自有安排，其餘用不着替他們担憂，再不可把他們像皮球一樣亂踢。

占士•格尼在「一代梟雄」影片裏，罪惡雜，成爲一頑頑浪兒崇拜偶像，直到他犯法，電椅快把他偶像軀殼毀滅的時候，還相信他臨死不會哼一聲。但他最後接受了牧師的勸告，在電椅上裝着大叫哀號，才粉碎下一代的偶像，使之走向新生，而自己也以帶罪的心情交代了上一代的任務。我以爲這才算仁至義盡！

從封鎖海參崴看

蘇聯的海軍實力

·胡養之·

蘇俄宣佈封鎖海參崴以來，北海艦隊活動即引起世界注目。據東京廿四日的消息，由兩艘蘇聯最新型三千噸級的攻擊驅逐艦和一艘油輪組成的艦隊，曾在遠東水域出現。這批兵艦前來遠東，不是示威，便是增強海參崴遠東艦隊的兵力。過去數年中，克里姆林宮也曾不斷經由北極航綫派遣兵艦往海參崴，據估計，現有驅逐艦四艘至六艘，巡邏艦七十至九十艘，及潛水艇一百至一百廿艘。

美海軍參謀長的話

這話是指遠東一地而言。據本年三月十八日，美海軍參謀長伯爾克在記者招待會中曾稱：近來蘇俄海軍逐漸增強，尤其潛艇活動更甚；且在水底活動的範圍亦甚擴大。四月一日伯氏於倫敦的慶慶大廈中又說：蘇俄似認爲潛艇能向美國發射定向飛彈。其艦隊中的大批潛艇，對盟邦海上交通，是個嚴重的威脅。在此核子飛彈時代中，比以往爲尤甚，能控制海面的一方，即能立於不敗之地。

伯氏這些話，當時並沒有引起任何人的注意。但至四月十二日，蘇俄一隊驅逐艦隊在通過北海與波羅的海的戰略水道卡提加特的狹入口，作了卅六小時神秘演習之後，遂使北大西洋公約國均感惴惴不安！

潛艇等于戰時德國七倍

根據一般軍事觀察家的估計：蘇俄現有潛水艇約三百七十餘艘，等於二次世界大戰開始時德國現役潛水艇的七倍。因此，美國海軍部長陶瑪斯前年八月廿三日，在紐約潛艇俱樂部晚會上演說稱：假如大戰爆發時，俄國的潛水艇艦隊將使美國控制海權增加更大的困難。由於二次大戰初期，德國潛水艇在美國東海岸給予盟國航運的損害是很大的。況且按鈕戰爭距實現之期尚遠，美國海軍主要將依賴原子武器，和快速的航空母艦，以航空母艦爲基地時速一千五百哩的飛機，及更快的驅逐艦罷了。

海軍劣勢　逐漸加強

美國卸任海軍部長卡爾尼將軍亦曾提出警告，謂美國及其盟邦的海軍優勢，已因蘇俄海軍的滋長而被削弱，他並指出：自由世界絕對不可自持擁有海上的優勢了。過去蘇俄的戰略，只是控制接近本國沿岸的海岸，現在起來，在逐步將控制範圍擴大，盟國海軍於海洋控制時，都可能遇到阻力。

遠東有廿六個基地

卡尼爾將軍認爲盟國在大西洋的戰略，現時雖然很穩定，但在太平洋方面的戰略，還須下更大的決心。因爲那裏有數以億計的友好的亞洲人民，有賴於海上的連繫。北大西洋公約組織的義務與太平洋局勢，美國必須兩洋兼顧。若以美國目前的海軍力量而言，恐怕不足以應付世界戰爭的緊急需要，何況蘇俄在遠東方面的海軍實力，據倫敦軍事權威的估計：起碼有二十六個以上的基地，並以潛艇爲主力。而在這些基地當中，對太平洋威脅最大的，當然首推海參崴；其次是旅順，爾街，鄂霍次克、海南島及蘇維埃港等基地。假定太平洋戰事一旦爆發，它們勢將運用這些基地重重包圍太平洋。

另一軍事評論家的看法

然而，美軍事評論家鮑爾溫對蘇聯海軍實力，却有不同的估計。他認爲：自一九五四年起，蘇聯在海軍方面可能已經停止或修改了巨型巡洋艦的建造程序。最高海軍司令部裏也有人事上的更動，不過對於小型艦隻或潛艇的建造，仍在積極地進行着。因此，鮑爾溫推測克里姆林宮當局並沒有把海軍實力，提高至陸空兩軍之上，故判斷今日蘇俄海軍，顯然處於弱者的地位。

爲什麼關閉海參崴

然則蘇俄爲甚麼很露骨地斷然關閉海參崴呢？因爲，海參崴不僅是蘇俄在太平洋最大的海軍根據地；而且也是蘇俄東面的門戶及其遠東區的文化經濟中心，西伯利亞鐵路亦從此爲終點，假定海道沒有凍結的時候，那末，蘇俄駐於遠東方面的第五艦隊和第七艦隊，將可隨時由北海方面以兩艘一萬七千噸級的巡洋艦去增援。這些巡洋艦都裝有五吋口徑的大砲。另外還有若干艘驅逐艦和潛水艇，可以隨時開赴太平洋。由是，蘇俄駐防太平洋的海軍實力，可能很快增至七艘巡洋艦，和若干艘驅逐艦，掃雷艇及佈雷艇等；甚或其主力潛艇也可能增加到二百艘，並將以海參崴爲這些海軍的總基地。

台灣通訊

由鬼湖探險說起

青年運動之道

·胡錦華·

上一個月台灣有所謂「鬼湖探險隊」的組織，發動的地點是戰時首都的台北，探險的區域是台灣南部的屏東。這活動是經青年救國團的協助，宣傳的。但這個驚動各方的探險壯舉結果是笑話百出，其事復除中央，中華等報外幾一致抨擊。七月七日民族晚報的報導文中有幾個小標題可概括一切：（一）山地並無鬼湖，只是活人搞鬼——繪聲繪影，無非危言聳聽；隨隊警官，一直感覺詭異。（二）行前無準備源空亂吹牛——蛟蜒傷人，陣脚大亂；收支賬目一塌糊塗。（三）自誇鬼域勇探，却先桃源尋春（指領隊於屏東狎妓）。自第一個經中央團部指導協助的探險隊失敗後，高雄支團部要繼起完成此舉，七月十日大華晚報乃又以「死鬼餘氣」爲題論述此事，一日「『鬼湖』證明了不但是個笑話，而且是個鬧劇」；再曰「山胞經常狩獵其間，毫無神秘可言；警察人員亦常在那一帶活動，證明決非人跡罕至之地」；然後曰「最可笑探險隊在行進時，幾乎一步也離不開山胞的扶掖……有那末一次，已給山胞笑掉牙齒」而結論是活劇不可再演。警務處方有輿論的倚恃，故最近也發動阻的通告，這事大概將成陳跡。惟筆者於此，對當今的青年運動不無感想。談青年運動，誰都會聯想到「五四」。但「五四」在今日的台灣已無甚紀念，原因爲當局對這個運動的功罪看法不一。不過我們回憶到「五四」當時的北京南下的學生代表身穿魚白色的竹布長衫，足登黑布鞋的莊嚴樸素，和沒有講求領導而自然（大家公認）產生領導的純潔，實可使人嚮往！但以這樣的基礎而其功罪今日還聚訟紛紜，可見青年運動的迴該如何深切檢討。由歷史的教訓，視現實，筆者以爲：（一）能由高級行政當局願意協助青年的活動，這趨向是正確而無可厚非的。（二）惟青年運動的正確方向在求「知」與求「值」。如過去給人利用的所謂「造成高潮」，這一類煽動行動和與事實不符的誇大宣傳，都是左派旁門，不足採取。（三）以這次所謂鬼湖探險爲例，誠如七月二日聯合報所云「人家在阿爾卑斯山和喜馬拉雅山上插上了探險的國旗，我們在台灣的活動，就這是比較符合事實」（大意）。如關起門來宣傳，以爲給青年們「不過如此」的自滿觀念，演變成驕傲，淺薄的主流習氣，其流弊是不可計述的。本書號「與鬼湖探險是同一的「關門造高潮」的寫照。我中華青年……精神，一誤不可再誤。願領導青年的先生們就理知的分析，重新決定正確的途徑。

人物介紹

旅美畫家曾景文

·墨蘭·

美國十大畫家之一，華僑水彩畫家曾景文氏于七月廿三日抵台觀光，停留三天，晨曦時換着畫具在台北市街尋找畫材，有時至夕陽西下才返寓處休息。只有一次應其友好何鐵華之邀，與自由中國畫家十餘人會面。談有關美國畫壇的事：

「在美國的畫家，能在畫壇上佔一席位，是一件極不容易的事，並非時常舉行個展就可得逞的。

中國畫家在美國能夠成功更是困難。張書旂先生所以能享譽，是因爲他旅美日子最久，且在抗戰時曾義賣畫，籌款援助祖國，這種義舉深得美國人非常欽佩。

在美國也沒有一個中國畫社，由許多中國畫家主辦，然而並沒有什麼成就」。

說到這裏，曾先生突然想起一個人來，他很興奮的說道：

「有一位中國畫家，名叫程及，是上海人，他以水彩畫馳譽美國，得過很多的獎。」

他以程及爲例，說到美國有一年一度大規模的展覽會。其中獎金自二百至一千美元。一九五五年的最高獎金得主，竟爲程及所獲。這不但是他個人的榮譽，也爲祖國爭光不少。此後程及的畫賣出很多，現在他是一位職業畫家，每天作畫，然而並不教畫。

有人問及美國人對中國畫的看法如何。很鄭重的答：

「大多數的美國人對中國畫是不懂的，然而在美國研究中國藝術的人士並非沒有，他們亦有收藏中國古畫的，而且許多新興的藝術理論也融合了許多東方的技巧與趣味。所以眞正的大畫家是決不敢妄自品論中國畫。」

「美國人近來特別熱中於繪畫，畫展也特別多，規模大的展覽會，都有名流來品定，只要作品好便能入選，所以也很公平。但是有些小型或地方性的畫展，水準便差得多了，甚至也有不成熟的作品展出。美國人工作的時間不多，他們都有餘暇來作畫，做生意的老闆，小店員，家庭主婦，火車道上的守閘的人，監牢中的囚犯都有畫畫的興趣。因此教繪畫的人也很多，函授，面授都有。美國的工資非常高，因此有些畫家所作的畫不能賣出，便兼做工藝美術，如商店門面裝修，家庭設計等工作來維持生活。」

畫畫的人多，因此畫展也多，有的公司商行出資舉辦畫展，獎金高達萬元以上。因此得獎的機會也很多。

這是一類饒趣味的事。

「在美國，畫是非常價昂的，印刷如原作的贗品，長三尺，寬兩尺印刷費便須美金一百元，由此可知原作的價值了。」

最後曾氏提到他自己，原來他這次環球旅行，是應美國一家名叫愛一朗的航空公司邀請，環遊世界，由該公司出資約一萬美金，讓他沿途作畫。曾氏並透露，他本人最近新婚，故此次旅行亦是他們夫婦的蜜月旅行。

越文報籲請

歡迎華僑投資

（越南通訊）越南政府頒佈「禁營令」後，僑商首當其衝，蒙受「停業」的損害，生活陷於困境，同是，越南整個商場亦因僑商停業而發生嚴重的影響，越文報界對此曾加以評述，希望政府正視此一適足以搖動越南經濟命脈的危機。其中一部份越文報如南天報等，對目下僑商面臨困厄，並寄予同情。

最近越文南天報，在其討論歡迎外僑投資的專論中，曾論及華僑投資問題，該報籲請越南當局利用華僑資金，以發展越南經濟，茲將該報原文摘譯如下：

自從禁廢外僑經濟的十一項業的命令執行後，經營雜貨業之全體華商，已先後停業，使越南的經濟遭受頗大之影響，另一方面，被禁營的華僑，多將其存在銀行之資金，全部收回，這等資金未被動用，所以對越南的經濟復興事，有不良的影響，所以，我們必需設法使華商能動用其資金，俾對越南的經濟有利，越南政府而此會宣佈歡迎外國投資，但却忽略了華商的資金運用，這誠屬可惜。

「我們認爲，當局應鼓勵華僑在越南之投資工作，以華越混合之公司企業，其中讓華人佔有百份四十九之資本，以新之姿態繼續其業務，只有如此，始可望引領華商朝向生產方面發展，因政府對華商開設輕型工廠一點，從未加以禁止，加以在上次國貨展覽會中，我們可以看出華僑對於輕工業方面，具有了豐富的經驗及能力，如此，由越合資經營的公司或工廠等，的工業必能製造各種如鐵盒，造紙，製皮，製電燈泡……等。

「當然，在目前環境已隨着時代而改變，華僑過去由殖民地主義者所給與以種種優越條件，已不復存在，華僑居住在一個新興及獨立的越南國家中，只可以與越人平等的地位進行着華越的經濟合作，我們很了解，一般欲在越南作長久之居留計的華僑，現均感到彷徨，尤其一般被禁營的華僑，更不知應如何改操何種業，我們認爲，在這時期中，華僑之各幫幫長及其駐越公使，應負責引導華僑向新的經濟發展方面」。（自由通訊社）

更正： 本報上期第二版，台灣通訊欄標題，應爲「徐柏園部長談」，誤植作「徐柏圖部長談」，特此更正。

讀者論壇

既寡而又不均

·張瘦碧·

公務員薪給報酬菲薄，月入不敷出，已成了無可諱言的事實。照說台灣一般物價，表面上看來，好像都很風平浪靜，而事實上每天開門七件事裏面的柴蔬和薑鹽，暗中高漲甚烈，每一位主婦們一直在大傷腦筋，由於支出的數字增加，而收入仍維持原數，不得不東張西羅力求彌補，終有一天會到水盡山窮的地步。

但由于反共抗俄現階段，國家有許多急待需用的支出，此雖窮苦公職人員，雖背後嘆息，却從未有成羣結隊，在那裏高喊調整待遇，總在等候上峯的合理的調整辦法。但在屢次由民意代表向着政府當局爲了公教待遇問題，提出質詢的時候，當局總是說，一定會有個合理調整。

有些機關似乎迫不及待了，他們早已挖盡心思自己想出多種辦法，作爲對部下的黑市津貼，形成了變相加薪。結果又造成了待遇的懸殊。一個同等的機關，實際上辦事人員，有了多種不同的待遇。而更有若干高級人員，更是一切開支，全由公家負担祇要移花接木一下，誰也找不出證據的，雖然曾經當局一再糾正，認爲是此風不可長，應該迅予消除，實際還是消除不了。至於說美援機關，那更公開了。日前自由人曾發表過一張薪給標準，眞是令人窮苦公務員既羨且羞！

由于待遇懸殊，大都不願意留在冷衙裏，以是厚黑之術，愈來愈妙，鑽向待遇好的機關鑽進，結果活動份子佔了便宜，而不懂吹拍的老實人，祇好吃虧！

最近聽說當局，眞的要把公教人員待遇酌予調整了，並且有人說，也許實行之期，或不致太久。語曰：「不患寡，而患不均」。我們希望除予薪資與物價求合理調整外，還得力求各機關，待遇彼此公允均衡，才是辦法。

泰國局勢詭譎多變

●祝君健●

國外通訊

面臨兩大威脅

【七月廿二日曼谷訊】鑾披汶政治生命同他的政府，現時面臨兩大威脅。一係政府黨在民會中票數減少，反對黨一經聯合，政府迅有垮台可能；這一股有形壓力，已使民主黨黨魁乃寬處於舉足輕重地位，乃寬表面上儘管極力抨擊政府，到底尚能體察披汶氏的處境艱困，除非他有東山再起的絕對把握，不會跟左翼黨派聯合。另一無形壓力，係越來越嚴重的共黨顛覆危機；表面上，中共、泰共在泰國的活動，並不像星洲、馬來亞那樣猖獗，但政治滲透和離間政府中諸巨頭、以及政府與民間情緒，和擴大反對黨（左翼黨派）組織等等，比貼標語、呼口號、遊行示威等等，幾乎更使泰國困惑與危懼。

披汶氏的手法

因此，披汶氏一方面極力調和自由黨諸領袖間情緒，同時爭取自由黨在民會中蟬聯主席及兩個副主席地位。另一方面，推翻前言（政府面臨顛覆危機），而公開否認泰國將會發生政變。但他在自由黨檢討當前政治局勢中，卻一再強調當前局勢嚴重。對付反對派宣傳上的威脅尤其是應付報界無情的抨擊，決定今後採取法律途徑，以儆戒危及政府的「不忠實報導」。據泰文「頭社報」警告說：要不是披汶氏、乃寬他們反對，政府中有人主張拘捕反對派人士。

自由黨內部分裂問題

披汶氏在自由黨代表大會中，雖然並不否認黨員跳槽，只說僅有九名。他不以為這是內部分裂的象徵，並說民主黨也有九名脫黨，不過，美國報紙卻說自由黨已有半數黨員退出，此說可能誇張其詞；然則披汶氏所謂僅有九名退出，係主張「一黨專政」之後脫黨與新加入黨員總和並額，實際不止九名。黨內是否團結，假如取決於乃沙立是否担任黨職，未免過分樂觀；乃沙立不脫離黨職，此次仍被當選自由黨副黨魁，與乃砲聯秘書，係由於「一黨專政」結果，絕非團結象徵。因為，乃沙立一經宣布脫黨，必須辭去國防部長兼陸軍總司令職務。但是他既不脫黨卻支持其弟組織新黨，足以說明他在自由黨中，並沒有團結與効忠意向。

「一黨專政」的目的

由此不難相信：鑾披汶揭示「一黨專政」目的，絕非如西方觀察家們心目中「披汶氏採取獨裁制度」，旨在加強自由黨內部的團結，特別是對付乃沙立；他相信乃沙立無意放棄軍職，以「清一色自由黨政府」增強乃沙立放棄組黨決心，實際上乃沙立雖未形於眉色，內心並不同意。泰文「晨報」曾一再強調乃沙立支持其弟乃沙闖新黨於六月二十六日組成後，自由黨（東北部及南部）黨員約有半數加入該黨。這些黨員毫無疑問係擁護乃沙立元帥的。那麼，乃沙立雖未退出自由黨，今後他在政府黨中徒然擁有副黨魁虛名，卻無任何影響力量，反而助長了新黨反對政府的聲勢。因此，自由黨在民會的形勢，顯然驚險萬狀，佔有票數已非駕御反對派的絕對多數，儘管任一黨派均難以自由黨抗衡，假如他們聯合起來，政府黨的票數就無法掌握現政府的命運了。

民會中的勢力消長

現時自由黨在民會中共有七十五票，加上支持政府的保守黨三票，一共七十八票，剛巧跟反對派拉平；反對派方面的票數，分散於民主黨（乃寬領導）二十九票，聯邦黨（新成立者）二十二票，包括左翼的自由民主黨（十票）、經濟人黨及社會主義聯盟（九票）獨立黨一票，無黨派而擁護反對派者（七票），合共七十八票。這是六月三十日的形勢，以後朝野兩派消長即使無大出入，乃寬無疑處於掌握政局的舉足輕重地位。

最近情勢發展

最近情勢發展，乃寬支持政府若干措施，其間還受到左翼黨派重大打擊；民主黨內部分裂雖然不若自由黨那樣尖銳，在新政黨紛紛籌組中，許多不滿於乃寬政策的，均陸續退出。這是左翼黨派猖狂進攻的結果。但在這一令人困惑的局勢中，卻湧現出可喜現象，那是曾於一九四六年簽訂中泰友好條約的前總理西尼拍拉莫親王，於六月三十日正式宣布參加民主黨，担任該黨副黨魁。他在曼谷執業律師，這次重又參加政治活動，出於政府黨分裂的鼓勵。他不僅堅決反共，更反對中立政策。乃寬得此臂助，不僅民主黨實力可望加強，政府將無慮於民會中被迫垮台。但當前急務殊無過於需要建立民主自由的公正輿論，庶不致為共黨邪惡所乘。

書刊介紹

讀童譯「戰爭與和平」之

●羅七●

近來翻印古書之風大行，而盜印今人名著譯著之風亦盛。然皆為書賈牟利之圖，無關于文化之推行也，更有盜印郭沫若所譯之「戰爭與和平」——托爾斯太原著——以出售者。世界書局總經理楊家駱，有鑑于此，乃發行另一種「戰爭與和平」之譯本，譯者為湖南童錫樑氏。

童氏現年七十多歲，畢業於日本士官學校，曾任湖南軍政要職，且精于國學，他在本「譯序」中說：「譯者翻譯此書開始民國廿六年，那時候統一告成，湖南粗安，我居長沙命兒女輩就學；獨居岑寂，翻閱藏書，得日人鈴木悅所譯是書，愛其筆致奇偉，乃執筆試譯，日成數段，以為消遣，並旁加識語，以教兒輩行文方法，且使窺世界之奇，因為卷帙太多，雖以藏事，又本無問世之志，因譯至第一編而止。後來看見書店有郭沫若譯本，比我所譯的較多，我知郭沫若留日甚久，且在當時頗有虛名，想必也還可看，買來一閱，知其所據也是鈴木悅本，及至展卷，才知其文筆拮据敖牙，無法看下去！關於軍事部門，因其不懂軍事術話，尤其錯誤百出，想不到其不通一至于此；後來輾贈與看小說之人，沒有誰能看之終卷的。我本無意與此翠較其短長，不過可惜此書經彼一譯，而無人能看，以後必無人繼之而起者；如此宏文，竟不流傳于我國，殊為可嘆而已。過了七年之後，我避兵于甯鄉之梅塢，篋中無以自遣，檢視行篋，此稿尚在，乃重理舊業，日課數紙，經一年始脫稿，蓋前後八年始告成功。」

我們讀了童氏這一段序文，也發現他把老郭當年雄踞創造社，販賣東洋「貨」的紙老虎拆穿了。其人曾經把老郭當成偶像崇拜，跟着他走，其是一種慣性的盲從了。

童氏譯本，我細心的讀過了，可謂與「信達雅」的翻譯條件相符。尤其是那些流利的文筆，「雅」得可愛。我不是為世界書局做宣傳，乃是使愛好「戰爭與和平」這部巨著的讀者，更得以欣賞托爾斯太的名著。

近來翻譯界中（惡不祗在合灣一地），還是不免有與郭沫若把同樣毛病的大膽亂譯之人，藉外國「貨」以欺騙讀者，尤其是短篇小說及幽默小品，簡直是在賣野人頭。而不懂外文或稍懂而不精于外文之出版商所僱用的編輯人，還把他們的『亂譯』視為珍寶以轉賣給讀者，眞是罪過！特介紹童譯「戰爭與和平」給大家讀後作一比較。

中共又以新法箝制學生

●風行●

鐵幕眞相

據倫敦『每日電訊報』駐北平特約通訊員戈爾丁（OSSIAn GOUlding）本月自北平發的特稿如下：

北平在七月二十日，宣佈對學生施行嚴厲壓迫手段，着令全國大學及研究學術機關遵守奉行。

從本學期起，依照國務院之通令，凡行將畢業之學生，必須經過「政治甄審合格證書」之試驗，凡此項試驗不及格之人，祇能獲得完畢學程之證書，而未能獲得學位。

他們便要受『政治考察』一至三年不等。此種由政府決定之步驟，綜合要領如下：

（一）給予政治甄審合格證書，觀乎該生個人記錄上得日行為、思想，及言論而定。

（二）凡思想行為對於社會主義，即共產主義，有嚴重的反抗，將受政治的考察，在被監視之時期中，他們可從事一副業，僅得僅可維持生活之工資。

（三）屬於上述「犯了嚴重錯誤」之人，將被留禁於學校中，再加考試，或受強迫從事於國家指定的工作，而受僱用他們的部門考試。

（四）犯了反革命罪，或其他侵犯法律或秩序者，可能被法院判處刑罰，受一個時期之勞動改造，或勞動訓練。

（五）國家經濟委員會與高級教育部，每年共同依照國家需要，參訂行將畢業學生受指派工作之計劃。

（六）凡無理的堅持自己提出之要求，及拒絕服從國家之指派，雖然尚可獲得學位，及自行找尋工作。但政府機關，學校及各行業，祇能錄用服從國家指派之學生。此等機關絕不能自由僱用自己找尋職業之學生。

（七）凡決定在從事教育研究及行政工作機關做事的畢業生必須首先在工廠或集體農場，從事體力勞動之工作。

此種野蠻之訓練，使人回憶到昔日日本帝國主義的特別思想警察制度。顯然的，這不但是高壓的，而且是報仇的手段。

條文中雖然沒有迫害的詞句，但處處是迫到畢業生受其羈縻。稍有異念，便被迫得無路可走，非餓死不可。尤其是第六條，雖縱而實擒。這是共黨典型的毒辣手段。

國際動態拾零

●陶然●

西德反間諜組織，發現國會餐室侍者為共黨間諜，藏有西德秘密國防文件。這些文件都從其衣箱與口袋中搜出來。

× × ×

馬林可夫的太太，與他離婚。馬林可夫免軍委卡薩斯坦（Kazakhstan），但其漂亮紅髮的太太，仍偕其子女住在莫斯科附近的別墅中。其太太曾為大戲院的紅伶，政要娶戲子為妻，是史太林以來蘇聯的時髦風氣。

× × ×

赫魯曉夫曾公開稱讚捷克政治，但暗中已命特務頭目艾云。夏洛夫（Ivan Serov）監視此捷克同志，尤其注意在學生運動方面。

× × ×

美國三軍現有人數，為二百七十九萬餘人，一九五七年減去十萬人，一九五八年預備再減二十萬人。理由是火箭進步，軍事新面貌運動抬頭，盟國的軍力亦已增加，故蘇聯不敢輕使，所以用不着這許多的軍隊。眞是兵貴精不貴多，總多亦奚以為？

× × ×

亞剌伯各小國，信從艾森豪主義之後，納薩不復能領導亞剌伯民族，威望大減，內部糾紛增多。陰謀反對納薩的集團，愈來愈多。有名為正義者利會，其領袖向在少將阿托夫納薩。四月間預備在開羅槍殺納薩及其閣員，陰是師納吉培、納薩趕走的將軍。事洩之後，納薩大放厥詞，稱為美帝陰謀。然有人謂他說漏了一句話，就是『納薩反對納薩』云。

日本反共漸趨積極

（上接第一版）

第二，所謂『美國的資金，日本的技術，』確為東南亞的經濟現狀所迫切需要。

第三，能得美國為加，則我僑胞所保留對日本一切過去的不良印象，應該渙然冰釋，儘可放手與之合作。

第四，在東南亞一帶；凡我僑胞集中之地，如仰光，曼谷，加爾各答，星馬，西貢，湛九，馬尼拉，印尼各地，宜各推代表，商討組一個大團結的切實辦法，最忌的是分離應付，人自為戰。

第五，這一個大團結得有初步的成功，其第一件工作，便要成立一個規模宏大，人才集中的調查機構，就東南亞一帶的資源，產銷實況，已有工商業的實際情況及其購買力，當地人民的生活政情的一斑，作出精確的報告，以供美國和日本的參攷，然後我們才能立於主動地位，而不必事事仰人的鼻息。

第六，大團結實現後的第二件工作，各方中有較大資力的僑胞必須打算，作出一套全盤計劃與集中使用的準備，以表現我們的實力。

建立反共的金城湯池團結第一

歸結我們六點的意思，我們認為我們必須予日美雙方一個很好的印象，換言之，即須使日美雙方確切認識，除『技術』以外，我僑在當地所積累的資金，信譽，在已有工商業中所具有的潛力，以及人事上的種種關係，也是今後在東南亞作大規模經濟開發一個絕不可缺少的重要因素。但是萬語千言，我們要為僑胞忠告的，便是『必須團結』，最忌的是『分地應付，人自為戰』！

我相信，假定日本岸內閣這一計劃能够逐步實現，其具好成績，則東南亞一帶形成一條反共的金城湯池，共產黨滲透顛覆的工作，必將遭遇無情的打擊，到那時候，周恩來近年所做拉攏僑胞的工作，便全部落空，恐怕他更非氣死不可。而共黨在東南亞和平攻勢的陰謀，也將斷然歸於失敗！

生命的旋律

幻痕

生命可能極平凡，也可能變得很曲折，可能是極甜蜜的也可能極辛酸，可能是一大段呆板枯燥的歲月，也可能是無數多采多姿的日子，你的生命和我的便可能有很大的差別。

但是，每一個生命都有它的起點和終站，而在這兩者之間也有幾個必經的階段，正如每一首樂曲，從開首至末端都有一定的旋律和節拍一般。

在命運的支配下，你和我便這樣地活在生命的旋律中，像五線譜的音符般從一個小節跳到另一個小節，直到命運終於中止了旋律，結束了樂曲式的生命。

當你純潔的腦筋還沒有沾上世俗的塵埃，

> 少年聽雨歌樓上，紅燭昏羅帳。壯年聽雨客舟中，江闊雲低，斷雁叫西風。而今聽雨僧廬下，鬢已星星也。悲歡離合總無情，一任階前點滴到天明。
>
> ——虞美人（聽雨），蔣捷詞——

當世界在你眼中仍是新奇而美麗的時候，你便在生命上寫下最絢爛，最值得懷念的一頁。每個生命的開端都是這樣幼稚而可愛的，因爲只有在這時候，你才眞正的屬於你自己，你的思想還沒有經過文化的洗禮，也沒有被社會教育滲進，也沒有讓經驗在它裏面醞釀成各種觀念，這時候，憂慮和苦惱對於你也是陌生的。當然在這段歲月中，你也有流淚和生氣的時候，你會和弟弟妹妹吵架，也會因頑皮而受母親責駡，可是這是極輕微而短暫的，不到一刻，便會在你幼小的心靈中消失了，你又和以前一樣愉快，當然也有很多使你感到困惑的事，可是這只會增加你對事物的好奇心，和引起你對一切的興趣，這是值得嚮往的日子。

隨着飛逝的歲月，你開始長了，你開始對世界有新的認識，對人生有新的觀念，你的思想由稚嫩漸趨成熟，你處世的方針也開始被確定，這是你生命中由童年轉變爲成人的過渡時期，是你一生中最重要的階段，你正站着許多向不同方向發展的路上，彷徨地選擇着適合於你的一條道路。寬闊平坦的康莊大道，它的盡頭不一定是光明的烏托邦，崎嶇曲折的小徑也不一定以黑暗的地獄爲終點，當你憑着自己的學識和勇氣，決定自己應走的路的時候，你的命運同時也被決定了。

人們多喜歡一開始就選擇寬闊平坦的大道前進，但當時候把青春帶走了的時候，你便會發覺雖然自己還未到衰老的地步，但已缺少了一股活力——一股青年人本能地具有的狂熱和衝勁，去改造你的生命或重新建立良好的事業基礎的活力。你的神經作比較上是麻木了，感覺也比較上遲鈍，經驗會使你變得沉實而穩健，再也不會像年青時那末易於激動。

殘酷的時光並不會爲你留情，終於有一天，你的頭髮會變成花白，皮膚會變得枯黃，臉上會佈滿了皺紋，你已受盡生活的折磨，看盡人世間一切光怪陸離的事物，不論你以往的生命是豐富或平凡，走近生命盡頭的你，再也沒有改變它的力量，你只有等待得到最後的歸宿。

假如說生命像一首樂曲，這便是生命的旋律，它像樂曲中的旋律一般，是不可缺少而永遠不會變更的，但是一首出色的樂曲，除了旋律外，還需要抑揚頓挫，才可以發出引起人們感情上波動和心靈上共鳴的音調。世界上最有名的樂曲都不會是單調呆板的，不論那是悲壯慷慨泣訴般的調子，或是輕鬆朗逸使人興奮，或激昂使人擊掌的調子，只要具有眞實情感的，便有它的藝術價值。

由曲折起伏的生命也比平淡沒有變化的生命豐富而有意義，生命中的遭遇愈複雜，便愈不平凡。只有從困苦中鍛鍊出來的人，才會認識生命的眞正價值，和懂得珍惜生命，利用生命。沒有人能改變生命的旋律，它是無數年月的堆積而顯著清晰無限的韻理。

君子惡居下流

自由談　馬五先生

匪賊中共在大陸上熱烈導演着的「反右派份子」鬧作劇，其目的並不在明是非，辨善惡，而是以不分青紅皂白地芟夷黨外人士爲原則。

無論任何黨外人士，只要是誤信毛澤東所宣示「言者無罪，聞者足戒」的求直言號召，說過一句不滿意於共黨「三害主義」的話，即令出於至誠惻怛之心，亦被羅織爲十惡不赦的「反黨社會主義」份子，一律難逃。

它們反右派的方法，決不是從事理論鬥爭，更無所謂思想體系，而專門驅迫你的親朋和子女們，出面揭發你過去十年二十年內私生活情況，或者私下所說的一些閒話，然後將現成的「官僚」、「軍閥」、「地主」、「惡霸」、「土劣」這頂帽子，分別套在你頭上，威脅你低頭認錯，自虐自賤。至於這般「右派份子」當日被邀請幫助共黨「整風」所發表的言論，究竟錯在何處？怎樣構成了資產階級思想的所以然？一概不予理！

這證明一項事實：共黨教你幫助整風以除三害，你就該說所見的祇有「三善」或「五美」，共產黨對人民的恩情是說不盡的。如是乎，共黨即可以憑此眞憑實據向世界宣傳，認爲六億人民皆竭誠擁護獨裁政權，而自詡爲這是「資本主義國家所沒有的民主」現象了！共產黨的宣傳本領就是這末一套，此外再也玩不出花樣來。

邱吉爾先生早就指出共產社會生活是「普遍的下流」，我看了中共這次掀起的「反右派」運動經過，我不能不傾服邱翁的眞知灼見，睿智非凡，他這句話的效用，抵得上千萬篇的反共八股文章，啓迪世人的智慧不淺。是之故，我們如果抱有「君子惡居下流」的志氣，則一言一行皆應以效法共黨爲大忌可恥的事，這才配談反共的話，才算是有人性與理性的自由人！

巧辯

人既非聖亦非賢，則過錯是難免的。當然所謂「人」，當然包括了公卿大夫和販夫走卒，公務員與小市民；還有機關社團與夫個人。但也有很多人是「死也不認錯的」。當人家舉出實證之後，他還要辯一辯。辯什麼呢？他是要辯我之錯。當不論錯從何來，既錯了，必然有錯的原因，其否認，也就是表示他是個聖賢或準聖賢了，而夫子卻說「人非聖賢」。至於說到過錯，有無意中而未注意發生的；也有因注意過當而發生的；以及其錯不在他的……錯的事實存在，又豈是巧辯所能掩蓋。不承認錯，有兩種意義：一是表示不虛心；一是表示他對了。但多數所表示的是不虛心。爲什麼，因爲勇於認錯固是美德，但也帶錯的產生了責任問題，也就是不負責以不承認！祇有勇於負責的人，才勇於認錯，祇有勇於負責的人，才是虛心的人。

我希望我這話沒說錯，因爲我不好意思寫信麻煩自由人的老編更正一番也！（賢不肖）

夏日雜詩

刁抱石

驟雨開新霽，遠山勢更成，當門元舊識，出客不知名。（遠山）

初暑心常靜，焚香定自容，白雲留不住，隨處作奇峯。（白雲）

詩情未減，恰在酒杯中，偶爾搖團扇，依然憶放翁。（團扇）

田園風味美，五色最堪誇，不有東陵子，誰人學種瓜。（種瓜）

蟬鳴聲斷續，萬樹綠陰沉，領取臨風意，方知唱露心。（聽蟬）

李福林編入趣語

浩然

李福林以混過諢名（因他曾以一枝盒仔闖世界），當粵垣反正時，招編民軍，各江綠林領袖，紛紛擊所部到省大東門諮議局（收編民軍辦事處）報到，聽候收編，給以某字營統領名義，當時各江綠林領袖受編者，有石錦泉陸蘭清，羅子儀黃明堂黃和順等分別編給以石字陸字，羅字明字，順字各營統領。李登同當不能例外，但李登同爲衆名李營或李字營之名稱，時李登同係辦事員之一，乃向他解釋以人姓名編爲營名之意思，詎李忽謂：「舊時係做綠林，現在反正我做福林了，問其名營統領好否？」李乃笑答之大笑。因其編爲福字營統領，並定其名爲李福林，不料此福字竟是他後來日受福之預兆。……「嘯聚綠林」一語，問謂福至心靈者歟。

基隆的民族英雄墓

李仲侯

近月基隆海水浴場附近新建民族英雄墓，也可說是無名英雄塚。據說有一段可歌可泣的事蹟。

當清末辛巳中法構釁，清廷起用淮軍宿將劉銘傳督師防台，法使越久不逞，轉犯台灣，光緒十年八月四日，法艦轟擊基隆砲台，由大沙灣登陸，（即今海水浴場附近之地）激戰劇烈，迨劉將軍由台北馳往督戰，登陸法軍，已被提督蘇得勝等殲滅過半。嗣復大戰於後山（即海水浴場背後一帶山岡）復殲敵百餘，繼念鼠尾（即今淡水）距台北甚近，爲敵所必爭，劉即親督大軍防鼠尾，僅留二百人扼守基隆獅球嶺。法果三襲鼠尾，皆爲我師擊退，斬敵千餘。法軍踞基隆，我以寡敵衆，困守獅球嶺數月，敵率未能突進一步者，故舊相傳實因某夕由我守將張兆連，乘敵不備，親率健兒，帕首袒身，手持大刀，殺入敵陣肉搏決戰，使法所恃犀利炮火，皆失效用，從此深溝高壘，氣遂大挫。未久，犯台法將孤拔遂死澎湖，馮子材復大捷於諒山，和議旋告成立。

民族英雄墓中之骨灰，皆我國戰士當年抗禦法師登陸時，喋血疆場，留餘下來的殘肢斷腿，事後附近居民，檢存於斯，市紳池清譯等勸石立碑，號曰「清國人之墓」，市民過大災疾病，輒往焚香拜祝，皆有驗應，甲午割台後日人惡之，平其塚，仆其碑，光復後民國卅八年，乃於海水浴場上面，另建水泥甬道，出原碑於榛莽中，重表其阡，仍名曰「清國人之墓」。墓下左側，原有法國公墓，葬法軍戰歿將士，芳草芊綿，嘉木成蔭，風景頗爲清幽，自上年法將孤拔遺骸由澎湖遷此，氣魄益雄，而我民族墓道，相形見拙，邑人近始于浴場石側，闢地三千坪改建，即可觀成。此處江山如畫，海風嗚咽，碑石巍然，足供憑弔。

海上學校

中一篇小說

趙師番

旭日冉冉上升。茅寮的炊烟愈來愈濃。公海上捕魚的舢舨，慢慢向蒲台島集中。桅桿上鮮麗的漁旗，在曉風裏舒捲着。

張長虹清點了漁船之後，分別通知海字組、洋字組與成人組的學生，到醫藥船和供應船上搬取露營的用具，在天后廟前集合。

按照預定的計劃，此次露營的總指導員歸張長虹担任。三個自學團分成十八個小隊，一共要搭十八座帳篷。其中海字組和洋字組的學生，每十人爲一小隊；而成人組因人數較多，每十二人爲一小隊。小隊有小隊長，小隊附，由隊員互相推選；三小隊爲一中隊，兩中隊爲一大隊，負責的人選也是由大家共同選舉出來的。老師們做生活輔導員，杜宇負責比負責海字組露營大隊，管理海獅、海象、海豹、海馬、海狗、海豚六個小隊。李太玄和祖碧蘭兩位老師，負責輔導洋字組露營大隊的活動，管轄鯨魚、鯊魚、魟魚、鱈魚、飛魚、鯿魚六個小隊。成人組露營大隊則由張長虹兼任生活輔導之責，統領海鷗、海燕、鰹鳥、魚鳥、企鵝、信天翁六個小隊。這種團體生活，對海上人家而言，確實是奇怪的，新鮮的，所以大家工作起來，都非常起勁。

復活節這天的上午，三個大隊的帳篷已次第支搭完成。孩子們在老師指導之下，自動地在挖排水溝，掘燒飯用的土灶，用樹枝和搭營門，用麻繩和樹根圍出營地，喊叫，追逐，歡笑，混雜着從不同的工作中發出來的不同的聲響，其熱烈的程度，簡直可以將和穆的原野煮沸。

與孩子們的工作同時，漁船上的大人們，歡歡喜喜地用竹籮運來了還在蹦跳的鮮魚鮮蝦，其中還有些婦女，手裏卻提着油漬的乾柴，或一串串的花蟹和鮮螺，免費送與孩子們佐餐。而蒲台島上的許多漁民，不論是男的、女的、老的、少的，都不約而同地擁來在營地的四周熱鬧，山村小徑上來來往往的人絡繹不絕，孤寂的草原變成了鬧市。那種擁擠熱鬧的場面，恐怕是蒲台島開天闢地以來的第一次。

張長虹巡視了三個大隊的營地，見搭帳篷的工作可以告一段落了，於是，發佈通告，通知各大隊派出維持秩序的糾察員，持童軍棍守營門，並準備埋鍋造飯。

運水的孩子們上路了。負責火的孩子們，到遠處揀來了枯枝敗葉和乾草，開始了架油柴燒土灶的初步工作。掌廚的孩子們，則在老師們熱心指導之下，分別進行淘米……

終於，一個個大面盆裏盛滿了白灼蝦、像寶塔樣堆積着花蟹、油炸魚片、鮮螺、炒白菜等等，隊員們依中隊的次序，分別圍成了六個吃飯的圓圈，大家津津有味地咀嚼着用自己的手製成的佳肴。漠漠的春風點蕩在原野上，麗日當空，他們大部分都赤脚赤膊，汗水不時綴在頭面上，胸脯上滾動。然而，他們都特別興奮，也特別珍惜這種團體的生活。

飯後，大家忙於整理內務，洗滌碗筷。接着，張長虹通知大家，自由活動或休息。

孩子們三三兩兩，歡天喜地的到山前山後，或海灘上，公海中，去採集動植物標本去了。

愉快的日子最容易滑過，晚飯吃完了，廣場上的營火，正伴隨着海上的明月，熊熊地燃燒起來。火光在孩子們的圓黑臉上漾漾，火光隨着孩子們的舞步波動。孩子們手挽着手，團團圍住旺盛的營火，歡樂的歌唱與營火一般熾熱。一個中隊退下去了，另一個中隊又蜂湧而來；那種「燒野火，燒野火，野火好長苗；我們，來自青海頭，來自黃河畔；……」的歌聲，不斷集合成雄壯的海洋，向明潔的原野和明潔的大海擴散。青春的「狂放樂章」，在山谷中迴旋，火熱的醉人的歌唱，祝福着這粗獷的原野。

明月在天，疏星閃爍。海風微微地，默默地，從海上吹來；又默默地，吹拂過椰林。一切振顫在微風的音弦上，一切都帶着沉酣的夢的情趣……

狂歡之後的海獅隊隊員，正團團圍住他們的小隊長——鄺老頭，要求他講海的故事。鄺財寶和黃河水吵得最厲害，他倆把他按在帥地上，不讓他站起來。（四一）

自由人

THE FREEMAN

（第六七一期）

每份港幣壹毫　台北市售價台幣壹元

20 CAUSEWAY RD. 3RD. FL. HONG KONG

TEL. 771726

論台北五二四事件

——復國前途論之一

·胡秋原·

我旅行歸來後，有一最難過之事，有一大高興之事。自然，這都不是個人的。我想就此論我們的危險和希望，以及預測我們復國的問題。

這事件之心理背景

最難過之事，指台北五月廿四日之事。此事發生時，我在韓國。我自不知道，亦無意知道其眞相。但無疑的是：在台北有我們中國人包圍美使館，毀物，打人，乃至撕下美國國旗，這不能不說是一件國家的怪事，民族的醜事，而且無可辯解。

由于中美政府之明智，這件事沒有擴大，並都在採取步驟，防止此類事件之重演，補償這雖于補償的損失；這是可喜的。當美國正充分注意防止其駐外軍人與當地人民之可能事端時，我們自己批評自己，也是必需的。

我所以爲此事而難過，不完全是着眼於此事本身之利害，而是想到此事所以發生的精神狀態。一件事之發生，不在乎有一導火綫，而在有一種暴戾的環境。到處有共黨，但只有在中共爲禍如是之烈。此即環境之可畏。就此事言，我說的是精神環境。我不注意此事之細微末節。不過認爲此事所以發生，表示：一，台北若干民衆之間有一種不正常心理；二，若干官吏有一種不負責任心理；三，即使是言論界，事前事後，若干方面也有一種決不能說是健全的心理。我之難過者，以此。

若干不正常心理

所謂台北若干民衆之間有不正常心理者，是這樣幾種心理的錯綜。第一是苦悶，焦燥的狀態。心情不好，一點小事容易大鬧起來，也願意看見別人吵鬧。只要能出氣，一時打得過，誰都可打的。近來打架之事似乎很多，這同打到美國人身上而已。第二是自卑而虛驕，傀儡而不滿的情緒。有美國記者說台北之事，是一種反美情緒，或嫉妬美人生活太好。這殊非事實，至少是很淺的看法。但一方面，一部分人能享受美式生活，乃至打算出洋到美國；而一部分人因種種動機，不無反感；也許是事實。又一部分人希冀美國能將共黨打得落花流水，同時看到美國又時常與共黨談來談去，甚至偶有承認中共之言，心懷不滿；也許是事實。第三，若干人不無一種麻木乃至于絕望心理。麻木云者，六七年來，在第七艦隊之後，此處有一種小康。俄帝共奸之禍，若干人漸漸淡漠起來了。若干人看見目前世局之下，至少下意識中不覺有何危險；然同時，亦不覺有何希望——回大陸的希望。許多朋友說，共黨打不來，我們也回不去。這無異自動接受「兩個中國」公式，雖是無意識的。不知如下所述，共黨不一定不能打來，而我們也一定回得去的。反之：「兩個中國」如確定，不僅是慢性自殺，且能禍延百世。一有「兩個中國」之意，如是以杭爲汴，如是孜孜斤斤於目前的權利。如是派生兩種心理自圓其說：一是說，美國何嘗援我。無非要這個地方而已；他不能不要這地方，而這地方到底是中國的。二是說，美國援助是好的，但美式民主自由可不合乎國情。這樣想時，「愛國」，「民族」，自然是容易引來增援的。

不正常心理，最足以妨害是非利害之清楚的判斷，並最容易訴諸原始的愚笨的反射動作。我以爲五二四之事原因在此，而其可憂亦在此。

或者有人反駁說，沒有雷諾殺人，沒有外交豁免權，沒有審判不公，即不會有此事了。然而，這是民族精神表現！然而，雷諾出現台北，由于美國軍事人員之駐華。而這不是由于我們失去大陸，而這不是由于俄帝之侵略嗎？我們軍隊在抗戰時期也到過外國的（如越南），不是也曾肇事，也曾享受外交豁免權嗎？審判不公無論依法律問題，爲政治問題，總共外交問題，而不應循外交以解決，而可以以拳頭解決嗎？在日本進攻時，在俄國迫我們放棄外蒙並在東北殺人時，我們曾以搗毀日俄使館，表現民族精神嗎？如我們不贊成美國回到孤立主義，不能希望美國派到國外軍人皆爲君子。如我們能一面體諒過去伊朗埃及之民族主義者，一面曾一致批評他們之非法有害；難道我們即可以由于對于一個傳統友邦一個人一事之不滿，即以五月廿四日的方式表現民族精神嗎？不談民族精神則已。有之，首先必須用于俄帝。只要記得俄帝大仇未復，其他總在可忍之列；而凡小不忍以亂大謀者，尤其是以羣衆拳頭解決政治問題者，大抵是自卑精神，絕望精神，虛驕精神，小人精神。

至于官吏不負責之處，這是政府報告已自己承認，無須多說明。我不過說間接聽到一位政府人員說，當時警察同情民衆云。我想，警察責任是維持秩序。警察因同情秩序破壞者，而不顧本來職務，還成一件事情嗎？

而我們立于指導地位之輿論界，在雷案之初幾無報導，判決之後稍有情感記載，不無對此事突發，不無多少影響。而事後不少言論，依然對此事表示讚揚，或自薄而厚責於人，這是我以爲決不能附和的。

我有幾位平日最欽佩的朋友，在此事上意見不同。他們說我太爲美國人着想。我說，我爲不幸的中國着想，

不要爲仇者快

並本於中國之道着想。只因我們受俄帝侵略，只因我們無力獨力自衛，才不能不接受美國軍經援，才有此類意外事件，然對於朋友，對于朋友之錯，總不可出之于非友好態度。即令能不要美援，或不願承認這個朋友，也不可出之于非文明的手段。中國傳統立國交友之道，不是如此的。還有許多朋友說日本如何，韓國如何。據我所知，大抵想當然耳。日本韓國，都沒有這種事的。今日是非標準之一，是不爲親者痛仇者快。此事發生後，我們的友人失望。而敵人是大痛快。他們要「擁抱台北「反美」羣衆」。直到七月廿六日，周恩來還在高興的談到「台灣也發生了大規模的人民反美運動」。我們還可以以古爲鑒，以知得失。一部三國演義，在諸葛亮之偉大。諸葛所以偉大，在其原則精神。漢賊是曹魏，所以必須伐魏，而伐魏必須聯吳。東吳奪取荊州，謀殺關羽。劉備一怨伐吳，敗壞全局；使千載之下，我們還「遺恨失吞吳」。今俄帝共奸之害，非曹魏可比。而美國非東吳可比。然無論如何重要，也不是關雲長。我們如何可以一人一事，即以睚眦之嫌對待一個盟邦，忘記對岸的世仇和死敵呢？此事幸而不是爲人所容（這不是諷刺的）。如果美國民衆也有和我們同樣的「民族精神」，那將是一件甚麼事呢？

（下文轉第二版）

半週述評

大有爲的時機來臨

大陸上的「反右派」鬥爭，演得如火如荼，無微不至，共黨勢必要把一切「非我族類」的反共非共知識份子，芟薙而禽獮之，其方法將視過去的「三反五反」尤激底，其手段更毒辣，這是可以預見的事。

因此，共黨連年來所恃爲從事政治瓦解敵人的統戰魔術，自非收藏不可。它唯有戰戰兢兢地藉暴力作定心丸，採取高壓政策，企圖維繫政權於不墜。然而，海內外的人心，經過這次「鳴、放、收」的事實表現，對共黨已普遍的由失望而痛恨了。——即共黨內部凡有人性的份子，亦莫不然，試看北平「人民日報」自供具有十五年以上的黨齡，現在各機關擔任重要領導幹部的戴文杰、薛毅、袁永熙等人，說是要做「人」不願再做「狗」的反共言論，即可知矣。我們面臨着敵人這種內亂的形勢，緬懷海內外反共非共潛力之廣大，作何感想？有何對策呢？「臨淵羨魚，何如退而結網」，古人遺訓，殆有至理存焉。我們其將泄泄沓沓，守株待兔，期待不勞而獲的奇蹟出現乎？抑孜孜汲汲，乘敵之敝，罄策羅力以進取乎？何去何從，應該趕快抉擇，擇定行動才是。

萬事莫如團結先

中共以統戰得天下，亦欲以統戰治之。所以過去它隨時大呼「團結可以團結的一切力量」，海內外不少的中國人士，每受共黨蠱惑。如今它自己把統戰工作公開否定了，這正是我們實施大團結運動的大好時機，不可再事瞻顧徘徊，更不宜徒托空談，自暴自棄。

如果政府素所倡導的團結論調不虛，此時即須以行動來表示其決心與誠意。行動的方針，政府亦早已有所宣示，如所謂「反共救國」會議是也。這類工作在目前的形勢之下，猶不能積極展開，更待何時？你不做，別人也會做，近來我們就聽得有人提倡「海外反共人士大團結」的號召呢！這種號召萬一有所成就，不特對於領導反共救國大業的政府，實爲一大諷刺，根本就是對政府不利的！

去冬我由台北漫遊回港時，曾有朋友問我：「政府當局天天喊團結，連一個自己所提倡的救國會議，且不能舉行，還有甚末團結的事實可言呢？」我祇好說是：「大概政府必須在適當的時候，纔可以採取行動吧！」團結之道多端，固不一定限於召開救國會議。但若僅是邀請少數人到台灣去觀光一下，而不憑政治號召與行動，爭取海內外廣大羣衆的共鳴翕從，其作用實屬有限之至！

不團結又如何？

共黨已經無心再搞統戰工作了，我們似亦大可不必亟亟於團結問題，徒亂人意。反正國內人民到處發生抗暴運動，海外的反共非共同胞更不致再受共黨的誘惑，等到我們的軍事力量進入大陸時，再來講求團結，未爲晚也，當然也可以。不過，有些客觀的事實，這種想法仔細省察衡量一番，否則一廂情願，將來即難免有失望之慮。

大陸上現時據共黨所宣佈各地方人民的抗暴運動，及其所「破獲」的各種有組織的反共力量，究竟有多少是與台灣發生聯繫的？海外各階層的反共非共力量，又有多少是對政府表示向心的？國際間的反共勢力，它對未來的中國問題，又是抱持甚末願望，採取甚末合作方針，這些現存在的問題，都對反共救國前途，大有關係。在不能積極團結一切力量，把若干個別的矛盾統一起來，將來即使明天之幸，一舉而光復中原，誰敢保證不會發生其他的問題呢？軍事行動既不宜隨便實施，政治行動亦不能及時展開，無論如何，這是令人沮喪的情形啊！

·雷嘯岑·

在裁軍會議上蘇聯又敗了

·金曄·

在倫敦，進行中的裁軍會議，正像是艘航行在陌生海域裏的商船，前途滿佈着淺灘、流沙、暗礁和漩渦！

聯合國大會所賦予裁軍小組的任務，是在擬訂一項公約，以實現大量裁減一切武裝部隊和常規軍備，以及徹底禁止使用和停止生產核子武器和一切大規模屠殺的武器。

（一）

五強間，如果眞能使裁軍會議獲得協議，而該項協議又確能爲彼此遵守履行，對世界和平當然是卓有裨益的。但是，試問裁軍會議能總消失衡的國際形勢，和對被分裂的國家的要求統一問題，同時達成協議嗎？又如果，裁軍會議只是五強間彼此取得妥協，則環繞美蘇兩國的與國之間的爭執，又將如何謀取解決呢？這些與國的軍備又將如何裁減呢？

這些常識上的問題，也正是構成裁軍會議不能順利獲致結果的主要因素。問題的癥結，顯然不在停止核子試驗，銷毀核子武器和開放天空……；關鍵是在：一旦這些問題得到協議後，國際均勢又將如何才能保持。

因此，裁軍會議進行到現階段，已經面臨到不能再避而不談政治性的問題了。

（二）

七月廿九日，美、英、法、西德的柏林聯合宣言簽署發表後，裁軍會議上的爭執益加顯明；八月二日莫斯科對柏林宣言，發表了一項聲明，認爲西方將德國統一問題和裁軍問題並提是破壞裁軍會議。現在，赫魯曉夫又偕同米高揚，葛羅米柯一行於七日抵達東德，未經證實的消息，則謂此行係在謀與東德單獨成立和約。是則蘇聯又將如何自圓其說呢？

另一方面，由於蘇聯裁軍代表佐林要求杜爾斯闡明所提陸空視察計劃爲何不包括北非及中近東地區的自由國家，使西方代表史塔生認爲這更像是個政治性的問題了。西方國家的人士認爲，如果蘇聯對此有所堅持，那末，西方代表也必將同等的提出將中國大陸、北韓、北越、外蒙古等蘇聯的衛星國家劃入視察範圍。

就上述這些情況而論，已可認定裁軍會議的前途是難以樂觀的。但是也必須同時認定，在裁軍問題上，蘇聯正處於下風狀態中。若我們認爲裁軍會議對實質問題雖有結果，而實在是一種宣傳戰或冷戰的另一種姿態，那末，蘇聯在這方面已是失敗了！

（三）

裁軍會議拖到現在已歷時十二年，筆者在四十五年三月的本報五三〇期上，即曾爲文指出，當時關鍵是在蘇聯要「把自己的軍備保持在應有的水平上」，米高揚代表蘇聯政府聲言，表示蘇聯必須不斷增高軍備，因爲裁軍還沒有能夠實現。實則，蘇聯是一貫地以破壞裁軍會議而藉之以爲增長軍備的口實。當時西方鑑於裁軍會議已成爲蘇聯的宣傳講壇。並且一再將核武器與普通武器的裁減混淆糾纏，艾森豪遂提議相互開放天空視察，蘇聯對此先則表示贊同，旋即悔言，相隔經年後，蘇方始又首肯，但只限於遠東、歐洲、北美的局部地區；現在，杜爾斯的提議，則要求擴大視察範圍。

杜爾斯的建議是：新的空中視察範圍，一、應爲：美國本土全部，阿拉斯加全部，加拿大本土全部，以及蘇聯本土全部；若蘇聯不接受，則可縮小至限於美、加、蘇、丹麥、挪威等位於北極圈以北的全部領土。二、若蘇聯接受上述協議，西方建議在歐洲空中視察區是：南至北緯四十度（即到通保利亞海及愛琴海止，包括意、南、土的一部或全部領土）；東至東徑六十度（即國不在內）；西至西徑十度（英止於蘇聯的整個歐洲部分）。若蘇聯反對，則杜爾斯認爲可以討論變更，但必須包括足夠的蘇聯部分領土和東歐國家部分領土。

（四）

目前裁軍會議的高潮到此似已告一段落，蘇聯尚未肯定答覆西方。而艾森豪則於本月七日已表示，如果蘇聯拒絕第一項大視察方案；則何妨採取有限度的計劃。就現勢觀察，蘇聯正在忙於與東德作勾當，恐難於短期內答覆西方，而本年的裁軍小組會議，恐也將在此高潮上結束。就宣傳戰的成就看，蘇聯無異又敗於美方的提案了。

台灣車禍可怕

·牛嶠·

是一個救命問題

省議會不該決議暫緩實施汽車投保責任險

台灣通訊

據台灣公路局局長譚嶽泉在省議會本屆會期答復省議員劉應財質詢時報告：台省車禍統計數字，四十五年全省發生肇事事故計二千七百六十一件，肇事車輛一萬六千七百五十三輛，受傷人數二千九百一十一人，死亡人數三百八十二人，較四十三年及四十四年傷亡人數爲少。另據省警務處發表四十六年一至五月份全省汽車肇禍數字共達一千二百四十二次，死亡一百五十五人，受傷一千二百〇五人，平均每天全省有八次車禍發生，一人死亡，八人受傷。這在汽車並不算太多的台灣，不能不說是觸目驚心的車禍傷亡，和急待挽救人命的問題。

猖獗原因何在

台灣的車禍，一向爲執政者束手之策，輿論界深所詬病，究其猖獗之因，不外下列數端：（一）路面時常待修，路基不平，車輛顛簸（二）道路窄狹，轉彎之處太銳。（三）車輛種類複雜，指揮不易，老舊車淘汰不嚴。（四）取締標準不一，懲罰不公。（五）軍車、三輪車橫行霸道。（六）汽車肇事意外保險制度未能確立施行。公平而論，政府當局在近年來對上述各點不是不在力謀防止與改善，無如積習「人爲」環境所限，總有力不從心之感。例如以前交通部爲遏止補救車禍而訂定之「汽車投保意外責任險辦法」，又爲省議會決議暫緩執行，實令人不解。

辦法原屬不錯

汽車投保意外責任險辦法內容規定：一、所稱之汽車意外責任險，係指被保險人使用之汽車在公路上肇禍致乘客以外之第三人死亡或受傷或財物受有損害，依法應由被保險人負責賠償時，由保險人代爲給付之契約。二、公私汽車領牌照之領照人或請領人，均應向財政部核准註册之保險公司就每一車輛投保意外責任險。三、意外責任險期有定期一年以上之保險期間，在汽車牌照有效期內滿期者，應於一個月內辦續保手續，其保險契約失效時應即繼續投保。四、每一汽車投保之意外責任險，其最低保險金額由交通部衡照各地區情形商同財政部訂定，在台灣省不得少於新台幣二萬五千元。五、領照人或請領人不依規定辦理時，公路監理機關應不予發照或撤銷其牌照。六、保險契約之訂立，續訂或更新領照人，應即時附具證件通知公路監理機關備查。

從該辦法內容可以看出，汽車投保意外責任險是給駕駛者一種保障，給受害者一種慰藉，對防範車禍，確是有效措施。乃省府對這個辦法，決定依照省議會之決議暫緩施行。不知「民意代表」代表那些「民意」？保障的是誰？

議會應以「人命安全」第一

汽車投保意外險之旨趣在對意外之損害依「危險分散，負担平均」的理論，故不能說與社會救濟的道義觀念無關。汽車肇禍之原因甚多，立法縱嚴，顧此失彼，在所難免，但，強制汽車投保意外責任險，至少可以解決局部問題，假使連解決局部問題之辦法都不能施行，車禍傷亡將無絲毫保障。

諸先進國家爲防車禍一旦發生，每因駕駛人無力賠償，受害人不能取得適當補償無以善其後，因而制訂積極干涉主義保險法令，在汽車登記時，非按規定提供肇事担保金不發給行車執照，保險由政府舉辦，徵收適當保費。對此一制度之推行，不遺餘力，列爲要政。目前即落後國家亦無不迎頭趕上，而我們的「民意代表」如果只代表「業者」而不顧及人命安全，那就無話可說了。

（編者按：我們希望能看到並刊出反對者的意見）

實施汽車投保經過

汽車投保意外責任險辦法是交通部邀集專家經長時間研究審慎擬訂的，於四十五年六月十五日公佈，並規定在台省開始實施日期，由省政府自行決定。省府方面亦認爲此一辦法對交通安全裨益甚大，爲顧及各機關編列保險預算便利起見，於去歲十一月八日公告，凡屬省內領用統一牌照的公私汽車，一律從民國四十六年七月份起均須依照汽車投保意外責任險辦法規定辦理保險，並由公路局從同年八月份起開始檢查，如違反規定即依法吊扣或吊銷執照。

台灣 廢止會考

在本屆第一次臨時省議會大會中，竟有人提出通過明年度起廢止會考制度，其所持「理由」爲：甲、會考將造成惡性補習；乙、會考徒費物力；丙、考試應任各校自行辦理；丁、省議會對會考向表反對；戊、會考學生因而留級，多年學業毀於一旦。讓這些理由，我欲無言！

要知道：甲、會考制度本屬公平適中，應考中學生總無爲會考而特別補習的理由與事實；乙、會考要費紙張筆墨，難道學校考試就不要用紙張筆硯等物力嗎？丙、會考是考試制度的變更，絕不是對學校信任與否的問題；丁、至於省議員向來反對會考，那是部份議員的意見，實不能作爲說明會考制度的不良的理由；戊、會考固足使程度較低劣學生留級，難道學校考試就沒有留級的嗎？要不分品學高低，一律予以象徵式的畢業嗎？

會考制度要是有問題，理由也不應是這些呀（八月四日）

·楊芷梧·

民法七五八條應修改 免壞人假法院爲行騙所

——違章建築的物權問題

·萬香堂·

違章建築問題

我國現在有一條法律，困擾了許多在台灣旅居的人，因爲大陸淪陷後，這個小小的寶島，頓時增加了幾百萬人，當然是鬧屋荒了，爲了急於解決居住問題，乃有違章建築房屋的發生，因此便發生一個重大問題。

照民法第七百五十八條「不動產物權，依法律行爲而取得，設定，喪失及變更者，非經登記，不生效力」，違章建築的房屋既不可以登記，故凡購得這類房屋的房主，均得不到其物權，該項房屋的原有人，往往借債務糾紛，用欺詐的手段把房屋「回籠」到自己的手裏，他們並不是偸偸摸摸地做，而是假借法院爲欺詐的場所，並假借法官的判決爲手段的。

一個驚人智慧的欺詐

這確爲驚人的智慧的欺詐，司法立法院及法院應該重視這一個問題，以爲數以若干萬計的違章建築住戶設法補救此一法律的問題，茲爲易於了解此一問題，特引據最近由台北市第四分局轉送台北地方法院檢察處法辦的一宗案件，（聞該案當事人乃一作家），以明瞭台北不易居也：

一件可爲例證的案子

事實是：他在新生南路一段一〇五號有房屋一間，係買自汪水木，而又由他租賃與汪居住者，並訂有租約。前年春由發覺汪氏原乃萬華區之流氓，負債甚鉅，誠恐發生意外，正商洽退租之際，忽有莊正義未得業主之同意，閃電式入佔樓下開設莊源發雜貨店，當時他根據租約規定不准分租，即提出反對，而汪即謂已收用莊民押租金二千元，如令莊氏搬遷，即須由告訴人繳出，因此相持不下，至去年夏汪水木更將該屋拍賣，其做法富有戲劇性。

據該案當事人作家列舉實情，有如下述：

一、汪水木欠台北區合會公司債務數千元，汪唆使債務担保人某通知該公司，謂一〇五號房產乃屬汪水木者，可申請法院查封拍賣抵償。

二、查封一〇五號房產時，汪水木一面承認乃其產業，一面事後將封條移於室內，使民無法看見，並禁止鄰人洩漏該項消息，謂如有人來民處報密者即遭殺害，一面唆使其同路人多人以債權人名義請求法院分配拍賣房產所餘款項，蓋法院已估價該房屋底價爲五萬元，（聞事實市價值十餘萬元）而台北區合會公司債務僅數千元而已，尙餘四萬餘元，汪氏爲謀此四萬轉入其私囊，故出毒辣之陰謀。

三、他雖住近咫尺，但未嘗稍知其陰謀，嗣風聞有該項案情發生，即到汪處查問，汪即聲言並無此事，到樓下雜貨店查問，亦謂並無法院查封之事，且到處均不見有封條，嗣他到台北區合會公司及地方法院執行處查詢，案情始完全明瞭，乃即與汪水木交涉，汪表示並不怕坐牢，嗣於該房屋之價買介紹人王振武處獲悉，汪水木意欲勒索五千五百元之搬遷費，始允遷出，他爲保存房產，忍痛照付，到汪搬遷之日，臨時汪又以敲詐方式，要他負担彼前收受樓下莊正義押租金二千元，他因其兇橫異常，亦被迫承認。至於一〇五號樓房被查封事，因爲免涉訟事，乃不得不以三千七百元承受合會公司之債權，始將地院執字九六六查封案撤銷，計此前後被汪水木之陰謀詐者共損失一萬一千二百元之鉅。……

乃一戰時社會問題

據說，事後汪水木還有奉林文生等手持已爲法院撤銷之九六六查封案之分配款項和解書作爲勒索要挾，致使該案當事人無法接管該房屋之產權。

以上案情之觀察，在目前台灣的環境下，民法第七百五十八條實有修改之必要，以前大陸沒有違章建築問題，該條法律自有其理由，而今日台灣之違章建築問題，與大陸淪陷遷台有關，顯然乃戰時的社會問題，如司法院及立法院以爲無法可以修改該法律，即此問題應用政治解決，即放寬登記不動產的尺度，凡違章建築一律允准，登記費可特別提高，寄有「寓禁於登」的意義，又由上案所見，台北的流氓及壞人相當猖獗，警察局的維持治安服務精神也成問題的。

我們的希望

我們的希望各警局應注意，清除社會地棍流氓，嚴防其強占房子，勿令這類事情一再暴露基層組織的弱點。而地方法院法官應嚴守官常，斷然拒絕每年節台北區合會公司之盛宴，以及類似的應酬。

論台北五二四事件

（上接第一版）

應知危險和希望

·胡秋原·

我以爲五月廿四日事件所由來，由於我們有若干不正常心理，而不正常心理所由形成，則由於我們沒有充分了解我們的危險和希望。如我們了解我們正在伺隙（中美之隙）[illegible]國代表權。這是馬上就要再遭遇的。在今日美國民意趨勢下，美國國策不會動搖。但民意一動搖，就難說了。第三，不要以爲美國是非合作不可。[illegible]

最後一線生命，我們一定刻刻謹慎，不會爲小事分散精神。[illegible]下之心，昭天下[illegible]以成大事，不會[illegible]鼠牙雀角之事[illegible]神。如是[illegible]二四之事；一切[illegible]必根本不同。一定[illegible]已的危險。即以最現實的而言：第一，中共實力，遠比我們強大，他在俄帝支持鼓動下天天在伺隙冒險。台灣海峽實在是外國[illegible]。第二，我們國際地位，不是很好的。此非指自由世界助共反[illegible]是許多國家不一定重視我們。有的國家[illegible]我們，然而自己[illegible]唯一有力量而又[illegible]我們的，老實說，就是美國，特別是美國的一般人民和民意。今日我[illegible]

，即是托管。我們必知[illegible]久死亡。[illegible]第五，須知我們在實際上精神上還甚虛弱，[illegible]須維護秩序，秩序一壞，不可收拾的。今日可打美國人，明天就可打別人的。第六，以上是就目前僵局說的。但是即令國際大規模衝突發生，美國爲了應付全面戰略，例如美國軍隊移到歐洲，中東，而俄帝又恰將軍勢放在遠東，我們如力不足保持平衡，一個小島，還是很危險的。敵人不一定是不能打來的。

爲甚麼我說這些危險？須是明白事實，不可自欺，自欺，必自殺的。而知危，才思勉。

知道大有可爲，光明在望，然同時要知道希望，才能提高信心和志氣，才能善用理智，增強力量，才能聚精會神，向前對外，打開局面，而不致妄自菲薄[illegible]。我們的希望是什麼呢？首先是美國力量比俄帝強大[illegible]。此無須多說。而更重要的，便是我們的敵人——俄帝和共匪必然崩潰，正在崩潰，而且快要加速崩潰！[illegible]我大陸同胞反共抗俄運動業已起來，而且快要普遍起來。[illegible]最近大陸之「鳴放」，「整風」[illegible]，還加上俄帝[illegible]之事。這就是我所謂大高興之事。

日本九州水災散記

（本報東京快訊）九州水災：九州自七月二十五日起，至廿七日三天間豪雨如注，使九州的長崎縣，熊本縣，福岡縣，佐賀縣，鹿兒島縣，宮崎縣都遭到了水災，尤以長崎縣最重，次之爲熊本縣，日本各報皆以一版刊登災情，其實僅僅死傷了六百多人，[illegible]嚴重地區限於長崎縣的諫早及大村二市，幾乎三分之二以上浸入水中；[illegible]鐵道被沖毀，火車不通，電報電話也斷絕，[illegible]鐵路要到八月十號或十二號才能恢復正常，[illegible]

[illegible]本的宣傳成功了[illegible]新聞電影、電視[illegible]美國人的全力救助[illegible]日本政府向日本政府慰問災情。據說：[illegible]以後災僑才獲得我官方救濟款項，若不是仰仗僑日本政府的救濟，恐怕早已升上天國了。（俊八月一日寄）

從港督倫敦之行 管窺英國遠東政策

·胡養之·

月前香港總督葛量洪爵士，應英殖民地大臣之邀前往倫敦時，曾引起一般人的揣測。一說與解除對中共貿易禁運有關；又說是爲了香港的難民問題，結勿擾論。可是香港在英國人的心目中，却是美麗的「東方之珠」，是國際商場的轉口中心；她的地位的重要，足以影響整個英國對遠東的政策。

政策在轉變中

英國的遠東政策，一向是維持均勢，在遠東也不例外，最近似乎在轉變當中。由於今年三月，英下院議員保守黨遠東委員會主席狄林的訪問台灣（也是自一九五〇年英國承認中共政權以來訪問自由中國的英國議員之第一人），發表許多由衷之言，尤其是他在中國立法委員招待席上所說的：「在原則上我們是反共的……但英國最怕的是第三次世界大戰，——不致引起大戰，則英人對遠東以至中國的看法，如果能以宣傳方法，使英國人民相信反攻大陸，——也許會加以改變。」

誠然，這是英國遠東政策的主要基礎。然則英國政策這個可能轉變的趨勢，是怎樣來的呢？試作如下分析：

過去的教訓

當年遠東局勢急轉直下時，英國爲了維持其在遠東的利益起見，便要委曲求全。狄林所說：「……僅要減少各地承擔的義務，使英國能在遠東維持列強間的均衡態勢。所以當初選擇的對中國大陸和遠東行貿易，保持在華商業的原有權益，直至一九五三年五月中間，英國商人認爲對中共統治的大陸已經沒有希望再行貿易了，於是才忍痛地宣佈退出在華商業。英國「中國之友協會」秘書阿林武德夫人今年二月在台灣也說過：「當一九五〇年初，英工黨政府承認中共政權時的主要動機，乃在於企圖繼續對中國大陸進行貿易，而廣大的英國人民却不表贊同。經過數年以來，事實證明工黨政府當時的這一希望，已完全幻滅了。」所以今天雖然英國對中共的放寬貿易政策，也可說有遠見的英國人民不贊同的，而且對香港實際也沒有多大好處。

又怕大戰吃虧

其次，自經過第一和第二次世界大戰之後，民主國家最吃虧的首推英國。她不僅原有的殖民利益喪失殆盡，而且大不列顛的世界威望，也一落千丈。如果大戰一旦發生，不獨英國海外屬土將無一倖存，就是英倫三島亦將大受威脅。所以英國情願犧牲越南，而拒絕與美合作援救貧困的危機，打擊杜爾斯的東南亞「十國聯合行動」；並且公開主張將金馬給中共，以謀安協；但過去的教訓以及今天的情勢，英國看得比較清楚些了。

英美諒解的開始

英國也知道，共黨製造西方矛盾，共黨就利用這些弱點，來製造西方的矛盾，並鼓勵殖民地人民，起來反抗他們的歐洲主人。這不特寵美國於進退維谷的境地。有人認爲英美兩國對遠東問題的諒解，不自今日始，早在中美聯防條約簽字時，英國政府就已表示相當滿意。由於英國覺得這種條約可以防止台灣海峽兩岸彼此的進攻；同時美國採取這種防止戰爭的措施，英國也認爲與她自己的遠東政策毫無抵觸。可是英國的這一表示，却觸怒了中共，記得當時的北平電台曾痛斥英國不忠實。廣播中說：「英國是承認中共的國家，而英政府居然對於中美聯防條約表示滿意，實等於協助美國的侵略行爲。」

但是英國並不以此而停頓了她與美國合作。當中共宣佈已將在韓國擊落的十三名美國「間諜」飛行員下獄時，英國也曾大抱不平。她除了轉美國向北平提出抗議外，同時英國出席聯合國的首席代表納丁也曾支持美斥中美破壞停戰協定的提案。他說「英政府是要依照中共的行爲來判斷中共有無資格參加任何一個國際機構的。」迨至聯合國討論此問題時，納丁又責備中共並在聯合國與其他四十七個會員國，一致通過美國的提案，證實中共破壞停戰協定，和扣押戰俘的罪行。

仍保持兩面政策特質

今年六月二十日，遠東聯軍總部通知共方，取銷自一九五三年七月二十二日在板門店簽署的韓國休戰協定後，接着宣佈將日本、沖繩等地的軍事重心，統統移往南韓，並將前遠東聯軍總部改組併歸入太平洋三軍統一指揮部。當時駐在日本沖繩等基地的新式噴射機，不到幾天便大部齊集漢城附近機場，形勢確實相當緊張。而一向反對美國在遠東增加實力造成緊張情勢的英國，這次却充分支持美國之措施。

英國對遠東政策的轉變，固然值得自由世界的慶幸，祇論這是爲了她自己的利益成份居多，結果却也對于整個自由世界有利。不過，她一面支持中美的聯防條約，和聯軍的取銷韓國休戰協定；一面又倡導放寬對中共的禁運，及要求美國保障其香港，這和過來的防禦計劃，仍然是她的兩面政策的特質。

突尼西亞首任總統鮑爾吉巴氏的軼事

七月廿五日，突尼斯宣佈共和，成立突尼西亞共和國，由制憲會議選出哈比布．鮑爾吉巴爲第一任總統。

鮑爾吉巴，一九〇三年生於突尼斯的蒙那斯提爾城，十九歲即參加了突尼斯的民族主義政黨（憲政黨）。一九二三年，他赴法國留學，在巴黎大學專攻法律。四年後回國，執業律師，並進行民族獨立運動，在憲政黨內漸露頭角。

一九三四年，憲政黨內部分裂，鮑爾吉巴脫離該黨，另組新憲政黨，旋被法國當局逮捕入獄，不久獲釋。一九三八年，法國對突尼斯民族獨立運動施展大規模壓力，下令解散新憲政黨，鮑爾吉巴又再度被捕入獄。

二次大戰暴發，鮑爾吉巴得德軍之助脫逃，抵中東一帶進行宣傳活動，並恢復組織新憲政黨。

一九四九年後新憲政黨在突尼斯境內各處異常活躍，法國當局再度頒令限制該黨活動，鮑爾吉巴三次被捕，軟禁於法國，一直到一九五五年法國與突尼斯政府重開談判，始獲釋回國。

一九五五年，十一月新憲政黨改選，鮑爾吉巴當選該黨主席，翌年三月，突尼斯獨立，成立制憲議會，又被選爲議長；四月十四日又被任命爲首相，並自兼外交、國防兩部長，以迄此次當選爲共和國首任總統。（寶）

吉拉斯獄中著書

南斯拉夫共黨政府前副總統吉拉斯，獄中著書秘密運出鐵幕，將在美出版。實如對共黨世界投下的一顆可能動搖整個共黨世界的炸彈。他預言共產主義終將滅亡，共產制度終將崩潰。他說共產經濟或者是人類歷史上最浪費的經濟制度；如將極權界與世自由世界的經濟制度，比較研究或將共產經濟學說與自由世界經濟學說，舉行辯論，裁判結果，也或將必如他所預言。

吉氏又言：共產主義勢必導致獨裁，在共產黨徒間，爭權的欲望是無厭止的，不可抵抗的，而權力則導致腐敗。他又指出共產制度下，政府操在少數人個人組成的一個政治團體的手中，而政府也成了一切特權的來源，共產政權是人民和政府間的一項潛在的內戰。從俄共的內鬨經緯，從中共之「人民內部矛盾問題」絲條，可以窺得此言之答案。

他最後預言：世界共產主義思想的中心已不再存在，它正在趨向徹底的瓦解中。

吉氏之言在提高反共人類的理性認識，潛滋摧毀共產主義的反共力量。這是出內向外打出的反共防線的實質。

吉氏之書，宜乎自由世界廣爲發行，並投入鐵幕，在鐵幕內，信將成爲人民內心的炸彈，造成一條壯大的「反共第一線」！

·古丁·

國際動態拾零

·陶然·

美國新聞週刊最近一期封面，爲諾蘭氏肖像，且附註曰：「其人果爲一九六〇年白宮候選人麼？」據說諾蘭夫人爲其母親說，「諾蘭必然競選加州州長，因參議員當選總統者少，由州長獲選者多，而諾氏是想做總統的。」加州黑人票有十九萬四千，是投諾蘭的，因爲諾蘭在上院維護人權法案最力。艾森豪與諾蘭殊爲融洽，其政見無甚重大歧異。

× × ×

B58型爲世界最快轟炸機，時速一千二百英里，升高六萬呎。上裝可達一千五百英里火箭，殆非空中防禦所能阻擋。

× × ×

埃及除已接收蘇聯三艘潛水艇外，將陸續到達者，尚有佈雷艇六艘，快速新魚雷艇十五艘。埃及海軍人員，在波羅的海，黑海蘇聯軍艦上受訓者，亦復不少。埃及有火箭，坦克百分之九十爲蘇聯與捷克的出品。

專論

國際刑事案件之上訴問題

·丁懿安·

凡設計司法制度時，須針對兩目標，即（一）如何防止「不公平」判決之發生（須排盡不公平因素後，始能獲得公平）；（二）倘發生「不公平」判決後應如何補救。

就現代法學觀點觀之，除簡易案件外，對于刑事案件不應採一審制。因缺乏補救之途徑。曾見認爲國際刑事案件之審判程序，必須採兩級制。第一級爲事實審，由有主權之國家審判之（參見本報本月廿一日六六八期「國際刑事案件之法律適用問題」一文）。第二級爲法律審，由聯合國組織之國際刑事案件上訴法庭審理之（使兩國訴訟人均有客觀性保障之安全感）。聯合國應就全世界分爲四或五區，分區設立此項上訴級法庭，主理其事。該項法庭之主要職權，宜規定如左：

（一）認爲第一審判決並無違法或顯失公平之情形者，應作維持原判之判決；

（二）認爲第一審量刑科罰過重或所判損害賠償之金額過多，顯失公平時，應廢棄原判，另爲減輕刑罰或減少金額之判決；

（三）認爲第一審判決違法或所依據之事實證據有瑕疵或於應採用之證據而漏未採用，致原判決顯失公平者，應撤銷原判決，發回原審法院更審；

（四）得依聲請另行指定強制執行之法院；

（五）依職權確定兩審訴訟費用之負担者。

就右列各點以觀，該上訴法庭之權限有兩大特點，即（一）對于第一審判決之刑罰或金額，只能酌減或維持原判，無權增加；（二）有得依聲請另行指定執行法院之權。茲綜述其理由如次：

該庭既屬法律審，則不需具開庭審訊及言詞辯論之程序，只就第一審所認定之事實點與法律點以及上訴意旨與對造辯解所列各點審理。倘該庭作超越原判決範圍之科處，則常須顧有新事實或新證據作依據。但因地區所限，事實調查困難；又無言詞辯論程序，未經辯論之新證據，即「不可能」成爲合法之依據。如是而作重逾原審處罰之判決，實有增加「不公平」之危險。第二審既爲終級審，原在補救第一審判決中之有不公平者，豈可自陷于「不公平」之境地。故須限制其量刑科罰，不能重於原判決。倘認爲原判過輕未當，則只能就該部分，發回更審，利便事實證據之重新調查與辯論。

案未上訴而判決確定者，自應由第一審法院強制執行之。若案經上訴，其徒刑部分，上訴庭得依據被告之聲請，以判決指定移送于其本國法院執行（移送費用，由聲請人或其本國政府負担）。例如甲國人民在乙國境內犯罪，被判徒刑。上訴時，犯罪人得以乙國監獄設備不良，足以增加囚犯之精神痛苦或肉體折磨爲理由，附帶申請；倘敗訴時應移送于其本國法院執行其徒刑。上訴庭于判決其敗訴時應核准其聲請。因徒刑屬自由刑，目的在剝奪犯罪者在一定時期內之自由權，使其暫時與社會隔離，並有反省及接受教育之機會。現代立法觀點，並無予犯罪者以精神虐待或肉體折磨之意旨。一國之監獄設備欠劣，不僅顯示其國監獄制度之欠完善，亦與其人民一般之生活水準有關。若強迫異國籍罪犯接受遠低于其本國監獄設備之待遇，則無形中成加重其刑之作用，實際上致該罪犯受逾份之處罰。絕非法律上之公平原則所能承認。若謂此等執行方面之差異，足以引致乙國人民之嫉妒不滿，但此非法律範圍內之問題，而係由于兩國本身之生產力及社會物質文明發展之程度懸殊所致。司法方面以適切措施，防止罪犯蒙受額外之精神虐待或肉體折磨，正係高度發揮法律之公平性與精密性（即發揮無枉之程度于細微處）。此亦立法者所應細心深研者。上訴庭既爲聯合國機構之一，其判決即應有拘束會員國有關機構之力。故移轉執行，在事實上應不生困難。

於此擬補充說明者：

一國之國策，與道德倫理、公序良俗、國民生活水準，人民思想趨向等等，同爲構成立法觀點之因素，總融匯吸收于立法之中，以成就完善公平之法律，而供司法之獨立運用。但絕不應偏持共一以影響司法。否則，司法即無法獨立，法治基礎亦永難鞏固。極權國家以法律爲政治之工具，藉口國策，以圖掩飾其「司法不獨立」之病態。實則極權國家與法治國家之法律，雖同具成文法條之型式而性質迥異。我國古代「法家者流」之思想，係基于統制階級之立場，與今日民主立法之基點，相去懸遠。以古例今，將屬毫釐千里矣。

聯合國之應設立該上訴級法庭，不僅着眼于爲任何兩國間解決刑事糾紛；即在聯合國本身，亦爲必不可少之應有舉措。蓋聯合國之目標，在于維護世界和平。但人類苟不各得其「平」，焉能「和」衷共處。且必先有其「平」，始能言「和」。法律作用即在于衡平。若不能將一切國際糾紛，透過公平之法律，世界將難有眞正而永久之和平可言。設立實際所需要之各種國際法庭，不僅爲聯合國本身之功能所關，亦爲維護其存在意義之所賴。聯合國所可能擁有之國際武力，亦司法警察之作用，而將附麗于司法權之維護而存在者。

法律本係融會道德倫理，公序良俗，人類希望等社會性元素透過專家頭腦所爬剔提鍊而成之產物，不僅用以維護和平，且賴以培養人類社會進步之正常力量。故立法司法，均屬專家之事。法治國家之不容許任何「法外力量」來影響司法之獨立者，實因認定：「人類之善良觀點與認識，究不如司法者以冷靜之頭腦，縝密之思考，熟練之技術、謹嚴之程序所分析，證明而得之結論之更爲周詳正確」。此則爲國人絕大多數所未熟知之事。

國際刑事案件之處理問題，爲吾人所面臨新課題之一。筆者先後於本報中舉其概略，抒陳管見，分列四篇，而以「樹立世界一家之法學思想」冠其首。倘讀者視作一篇觀之，當不難了然問題之全貌。至于其他相關問題，如本國司法制度與法律教育應如何改進與配合等等，因其內容繁複，非一二篇章所能概其要略。俟有機會，再謀舉所見，就正專家。

自由談

談廢話

馬五先生

沒事時，一個政治機構的首長，對於自身職權，總是越大越好，爭持唯恐不及，任何事情都要過問，而以「有關機關」一語作護符。一旦發生稍為困難的問題，需要負責處理時，即相率你推我諉，唯恐其不能把自身的職權縮小到零點，而以「主管機關」為口實。這是我國積習相沿的官僚主義。任何時代的事物，皆受到了革命洗禮，多少已有所改革，唯獨這項濫權卸責的官僚政治現象，原封未動，愈演愈烈！

所謂「分層負責」之說，我們聽過二十年了，到今天所眼見的政治現象，還是「請示為負責之本」，大家攘臂爭權，袖手卸責，却又開口閉口不離「革命」，不亦怪哉！究竟這種惡習何以革除不掉，其癥結安在，是人的關係，抑係制度問題呢？我認為這與制度無涉，人的關係最大。「請示為負責之本」的風氣不掃蕩，就絕對做不到「分層負責」的事實，這是必然律。

爭權卸責之風氣一經形成，另一種歪風乃相因而起，那就是「開會為服務之本」，事無鉅細，開會第一，大家像煞有價事地研究、辯論，乃至於爭吵，散會之後，誰也好少理。如果說要稽考成績，完整的會議紀錄俱在，堂哉皇哉，績業彪炳也！如果要追究責任，就說「不歸我主管」，再也沒人提及曾經共同開會決議那回事了。

實現「分層負責」的要訣，第一是上級要授權；要少干擾下級的日常工作，對功過要算總帳，算算零帳，亂來請示者，申斥之；第二是少開會，一切不相干的「小組會議」，如非設計機關，一概罷之便。

我為甚末談這些廢話？就因為想到最近台北「五·二四」不幸事件的教訓，不能不提醒大家也。

烏鴉

·秀瓊·

誰謂「與衆爭嫌屋角鴉」？

其實「斜陽顏色最宜鴉」！

烏鴉被人視為一種不祥之鳥，舒頔詩：「向人報喜枝頭鵲，與衆爭嫌屋角鴉」。喜鵲為人歡迎，烏鴉為人討厭，這也許人們的錯覺所致，因為烏鴉口直心快而叫出來的聲音是那麼重濁嘶啞，枯噪難聽，尤其牠的羽毛墨黑不美，致遭人們的厭惡。然「北人愛鴉惡鵲，南人愛鵲惡鴉」一方把烏鴉當做鐵味，一方把烏鴉敬之為神，是則烏鴉也不一定完全被人討厭的。

天下烏鴉一樣黑

詩經上說：「莫黑非烏」。俗語亦謂：「天下烏鴉一樣黑」這只是一般的說法，其實自古就傳白頭烏，俗話又說白頸子老鴉另一種。又據拾遺記載：「晉文公焚林以求介之推，有白鴉繞烟而噪」。韓湘詩：「寶晶存金虎，玄田養白鴉」，李白詩：「仙鼠如白鴉，倒懸深溪月」。又郭鈺詩：「宮樹沉沉點白鴉」凡此都足證明鴉也有白的。

啼向碧紗堪憶遠

一到傍晚，烏鴉便成羣結隊飛繞空中或兩三隻棲于樹上，所謂「斜陽顏色最宜鴉」「暮鴉棲未定」。「斜陽外，寒鴉數點，流水繞孤村」是也，我們再看詞人的描寫「鴉陣來沙渚，逗輕寒，霜天一抹，晚紅如樓，掠下晴窗驚帛裂，影逐斷雲歸去，伴黃葉蕭蕭亂舞，寒活雲林飛且止，似商量明日風兼雨，啞啞啞，情誰訴？黃雲城畔知無數，趁星日稀月明三匝，一枝休妒，雁字橫斜紛幾點，極目江村烟燭，惆悵無錦霞孤鶩，啼向碧紗堪憶遠，最淒涼，織錦秦川女，空房宿，淚偷注」。

碧池新漲浴嬌鴉

烏鴉是好鳥，慈鳥，孝鳥，如樂府古題要解」載：「魏何晏女造，晏繫獄，有二鳥止晏舍上，晏女曰：烏有喜聲父必免，後父果出獄。遂撰「烏夜啼」一曲。又三國演義裏記劉備，諸葛亮帶大兵去攻打長沙，路上聽見烏鴉叫了三聲諸葛亮馬前課的解釋是長沙城已得，而且收了兩員大將足見烏鴉不但無害且能報喜。所以杜牧詩云：「碧池新漲浴嬌鴉，深鎖長安富貴家」至于烏鴉是孝鳥，從漢朝就有這種傳說：小爾雅說純黑而反哺者謂之烏，東晳的補亡詩：嗷嗷林烏受哺于子，白居易根據傳說作慈烏夜啼詩，成為多少年來教孝的絕好材料。但是依照近代生物學家的觀察報告，反哺的事實在鳥類還沒有發現過。不免涉于捕風捉影之談。

烏合之衆

成語說：「烏合之衆」就是指烏鴉是散漫不團結的無組織無紀律的代表，相反的照克魯泡特金在互助論云烏鴉也是很能合羣互助的鳥，每在一處過夜，就成羣結隊，牠們在發見甚麼危險來臨或仇敵之類，（狐狸，猫頭鷹）出現的時候，必聒聒而鳴，警報同類知而避免，牠們發見大量食物時，也呼喚同類來而共吃。同族也決無自相殘殺的事。

毀譽尚無定論

烏鴉具有遠飛和遠視的能力且胆很大，每天飛到很遠的地方去找尋糧食——捕食昆虫，又喜歡吃鼠蛇的臭屍，但是烏鴉又常偷吃農家的穀物，所以人家說牠們既是益鳥又是害鳥，烏鴉的是非毀譽，從來沒有定論。

憶：廬山　青島

·文鑑·

暑假，想起了廬山、青島，抗戰初期，我們參加廬山受訓，也正當炎熱的時候，每當課餘假日，出外而走走，總感覺清涼舒暢，常在記憶中。

廬山位於九江城南，翹然特出，高四十餘尺，周圍二百餘里，烟雲飄渺難見眞面目，有五老、香爐、雙劍、鶴鳴諸峯，飛泉瀑布，梵宮琳宇，點綴其間，處處引人入勝。

同時五老峯下又有白鹿洞，為唐李渤隱居之所。因為他常畜白鹿以自娛，故得其名，這也是後來宋朱子講學的地方。山的西南角有栗里，為晉詩人陶淵明的故鄉。唐宋以來，詩人隱士，探幽尋勝者，絡繹不絕；山陽棲賢寺前的玉淵，九屏峯下的三叠泉，尤為匡廬的絕勝。

另有暑天回憶的勝地是青島，（縣於三面海的半島上，市面非常清潔，氣候也很正常，無論春夏秋冬，都有和緩的海風輕輕。筆者曾在那兒先後過了三個夏天（自三十五年夏至三十八年春），在那裏從未嘗過絲毫苦熱滋味。

我們每逢閒暇的時候，不是遊玩碧松籠罩着古刹的湛山公園；就是參觀清流映掩着細沙的海濱水族館。有時高興起來，或者跑到規模宏大的海軍球場去打打球，或邀二三知已到海濱游泳場去玩玩水。而且有時碰機會還可看到是有傳奇性的「海市蜃樓」！

所謂「海市蜃樓」，大抵每年一次，約在陰曆的六月中旬，正午十二時前後，突然現出一座城市，但在一剎那却就消逝了。現出來的城市，或上海，或東京、或紐約、或倫敦都不一定。可是筆者駐在那裏五年，却祗看見一次似是而非的影子。

自三十八年淪陷後，不僅她的雅潔和美麗，早已隨着流光而消逝；並且全都淹沒在鮮紅的流血裏。這個老幾避記中的幸福之鄉，現在祗有留給人們的憧憬罷了！

無題

楊有釗

讀史雜詠

·邵鏡人·

欺人害史課千秋，竪子猶多據上流。馮道何曾羞作相，最憐飛將不封侯。

淡到名心祗自憐！漫從濁世論貞堅。單于若不歸蘇氏，空負看羊十九年。

一角山樓興不窮，潮聲鼓盪入高松。書生未必終無用，且看南陽起臥龍。

註：黄仲則詩句：『百無一用是書生。』余不謂然。自來書生功業顯於當時，惠澤被乎後世者，亦甚多也。

手錶

生活小品

張健

生來性急，又兼不願輕易失信於人，所以一向對時間異常注重。往常寒酸，排骨手腕間與手錶無緣；邇來偶得「橫」財，忍痛少上兩趟書店，購置了一隻看相頗為「史麥脫」的手錶。這是我生平第一次擁有隻錶。

新戴手錶的確添了不少麻煩。譬如按時上發條的習慣就有待不斷訓練；同時為求其準確性，常弄得我有些神經過敏。不過它到底給我帶來不少方便：在家不必屢屢抱去請教家裏那隻老爺鐘了；上街也不必叨擾路人或「東張西望」了。

不過我始終還沒有把手錶視作裝飾品的「修鑒」；要不是它眞有用，我眞恨不得把它打入冷宮——我那頗有塵埃儲蓄的抽屜中。有時它眞是累贅，何況還要給我嚐嚐「夾」肉「鉗」毛的滋味。可恨像那撈什子眼鏡一樣，它有它的用處，所以總得忍受一下它的「無禮」。

很不幸的，三天以後我終於發現它已坦白的證實了我的疑慮——它每天廿四小時要慢上兩分鐘！於是每天必須記牢：替它「加班」推進一百二十秒。對我這麼一個懶人來說，這可眞够煩的！可是我從它身上取回的却也不少，看晚場電影不愁誤了末班公共汽車了；赴友人的約不必心情緊張了；碰到什麼「過關」式的「大」考不必担心「虎頭蛇尾」了；最切身的還是：不再受那隻自得其樂的老爺鐘愚弄了！

現在我對「自己」的錶已相當滿意了；可是由於它的媒介，我却管起閒事來。原來戴錶初期，上街張望店家掛鐘之積習尚未革除，因此每每搞得心驚肉跳：我總發現我那每小時慢五秒的錶比那些掛鐘還快——而且快得很驚人！我先是乾着急；後來屢經試驗，證明的確不是我的錶對我不忠，而是市上的鐘多半患上了流行性「慢行症」。不知是鐘錶工廠不够科學呢，還是受了鐘錶使用者之傳染。鄙人不敏，很想拿我只「敝」錶向鐘錶工廠共同倡導鐘錶界的「社會改造運動」——高呼口號曰：「確實第一！守時第一！」

海上學校

中篇小說

趙師善

其他小隊的人，聽說要講故事了，也先先後後的攏聚在鄭老頭的周圍，催促他快點開始。

鄭老頭沒法，只好硬起頭皮將四十年前的一段親身經歷，撮要地講出來。其大意是：

那時還是民國初年，那時你們還沒有生，但海上的夜色好像和今天晚上差不多。我的蝦罟在伶仃洋外漂流，我一個人眞有些害怕。

記得那時北斗星的尾巴慢慢斜下去夜已深了。我搖着櫓，划水蟲的櫓脚，在櫓聲中平靜地邊開；而水母的小鈴子，則隨着櫓聲顫動、閃光。夜海是空闊的，一眼望過去，盡是這些怪傢伙。桅桿上，下沉的斜掛的月亮蒼白得像死魚的肚子，披縹緲的霧絲斜纏着，變鈎微微向上翹起。

突然，船舷兩旁的浮燈，嗶啦被連發射中了好幾下，「噢，有水鬼！」我想，頭上冒冷汗，搖櫓的手也軟了。

「阿爺，眞……眞的有水鬼嗎？」鄭財寶攀住他的肩頭問。

「水鬼是什麼樣子呢？」黃阿水搖撼另一邊的肩膀。

「不，不是水鬼，當時我以為是的，」鄭老頭苦笑道。「是標槍魚，比中指頭稍為長一點的槍鯛，就是這種東西。它們一跳就有人這麼高，專門在夜海上搗蛋的傢伙，眞嚇死人！」

「呵呵呵，」孩子們高興得擠在一堆，「我們還沒有看見過標槍魚呢。」

「標槍魚不算希奇，」鄭老頭說。「最希奇的是一種會打鑼鼓的明蝦螃蟹！」

於是，他繼續講那晚的遭遇。

「那種會打鼓的蝦總算是怪蝦呢，」他說。白天牠們看起來是灰黑的，躲在深水裏不出來；到了晚上，肚子底下就像裝上了一盞盞小電燈泡，成羣結隊地在海面上開提燈會，幾萬幾十萬地游在一塊。當牠們躍動的時候，那種鼕鼕鼕的聲音，鬧得海面上像敲牛皮鼓一般，與許多螃蟹用大鉗鐵水時，發出的鑼聲合在一起，眞正聽得人眼睛發花，頭頂冒氣。」

「你怕嗎？爺！」

「當然有點怕吖，你想想看，海上四面空空，忽然來了鑼鼓，這是什麼玩意呢？」

「那晚還看到甚麼怪東西沒有呢？」海獅隊的小隊附劉全忠也插嘴了。

孩子們裝出並不怕危險的英勇姿態，硬偃偃地互相推擠，眼睛鼓得滴溜溜圓，將視綫掃射在鄭老頭的花白而稀疏的頭頂上。但夜風却使赤膊孩子的手臂上，添了雞皮疙瘩。

「唉，怪東西嗎？」鄭老頭吁了一口氣，「最後的也是最怪的！你們不要插嘴。」

「不要做聲，聽！」一個孩子的聲音。

「不要做聲，聽！」另一些孩子喧複着。

我正在聽海面上打鑼打鼓的聲音，大約聽得入了神，率性連櫓也不搖了。……

「呱呱呱，呼嘩，」一個怪聲音從桅桿上落下來。當時我的心在卜卜亂跳，好像心都沉到了犢鼻褲的褲襠裏。

我抬頭一瞧，啊喲，我的天！有一隻老鷹大小的鳥，正兇神惡煞地對我撲動翅膀。

「鳥？甚麼樣的怪鳥啊！」孩子們不約而同地追問道。

那種鳥全身烏黑，有一隻鮮血一樣的紅頭，和一個彎得特別厲害的鐵鈎嘴子。樣子眞怕人！牠叫做「魔鬼鳥」！碰到的人就要遭逢兇險！

「嘩！你碰到兇險沒有呢？」一個孩子驚訝地問。

「怎麼沒碰到兇險呢？」他沉思着，痛苦的回憶使焦黑的額頭上湧起了波紋。「那一晚之後，我生了病，一病就有三個月。跟着，財寶的阿媽就死了，那時財寶還沒有生，財寶的爸爸只有財寶這般大小。你們想，這故事發生在甚麼時代呦。」

故事講完了，孩子們熱烈地鼓動小巴掌。他們的注意力，又開始集中於另一項表演——唱姑妹。起先男或女獨唱，接着是男女合唱，後來變成了一唱一和的形式；而唱到最有興趣的地方，孩子們也不期然而然地加入進出了。尤以財寶的媽林金蓮唱的「張家妹賣生菓」的小調，瘋魔了營火四周聽衆，着實贏得了一陣陣非常熱烈的彩聲。（四二）

自由人
THE FREEMAN
（第六七二期）
中華民國僑務委員會
領發登記證台教新字第一零二號
中華郵政台字第五〇〇號
執照登記為第一類新聞紙類
（半週刊每星期三 六出版）
每份港幣壹毫
台北市售價台幣壹元
督印人：陳文華
地址：香港高士威道二十號四樓
20 CAUSEWAY RD. 3RD. FL.
HONG KONG
TEL. 771726
承印者：東南印務出版社
地址：高士打道六十四號
台灣總經理處
台北市西寧南路壹壹零號二樓
電話：四七三四六
台郵撥儲金戶九二五二
海外總經銷：友聯書報發行公司
香港：德輔道中二十六號A二樓

我們須有一個新的軍事制度

·張六師·

為了反共復國和保障人類自由生活；為了發具「精兵」和「多兵」的軍事政策；為了建立配合反攻的財政制度；為了加強動員效率使戰鬥條件和生活條件一致；我們必須有一個新的軍事制度。

不能自滿於現階段的成就

「假如我們黃帝子孫決心履行歷史所交付的反共復國神聖任務，和為保全人類的自由生活而必須消滅大陸極權俄式暴政，則我們今天就是把台灣一省建設成一個有船舶航運力到三百萬噸如挪威；有高度工業基礎如比利時；有現代化農業水準如丹麥；有高昂士氣舉國一致戰鬥精神如以色列，結果仍然只是一個須賴大國支持安危的富強小國而已。我們的歷史任務並未脫卸，也和舉世皆知的當前國策不符，自然也非大陸和海外同胞的願望。因此，我們今天需要一個迎接時代，適合國情的新軍事制度來解決這個問題。」這是筆者此次旅台時和政府首長們所提出的意見。

過去一般人對於自由中國的軍事進步，多謂超過政治的進步，筆者此次去台也很想了解這個問題的內容，因為這是直接有關摧毀俄式暴政，拯救中華民族的首要問題。就一般情形而論，政治設施確比過去在大陸有進步，（尤以農工生活的改善，並提高到超過一般公務人員為最顯著。有人說台灣農民工人生活已超過歐洲許多富足的國家，甚至在日本之上。）但行政效率還不夠理想，（我在香港所見英國人的行政效率頗好。）經濟建設全台灣都有很好的成績，但還不能離開美援而完全自給自足。不過這都不在我要說的範圍之內，我所要說的是中外注視的軍事。

必須以軍事配合大陸的政治形勢

就軍事的實力而言，無論在兵力的數字上，裝備上，士氣上，以及教育訓練上，都超過東南亞任何國家，在軍需工業方面只可說不如東北亞的日本。至於面對大陸俄式偽組織入寇的武力，則已超過防衛自守的階段，（僅以交通而論，除複綫鐵道外，所有長途公路、橋樑，都能行駛重型坦克）。但這不在我所重視的範圍之內。我所注重的是：反攻實力，是否已有充份準備，在海空掩護而登陸灘頭以後，能連串的擊潰中共第一綫海防部隊的逆襲和二週三的逆襲，反攻直達它們的所謂「現代化國防工程綫」，給予粉碎性的打擊，再入贛浙境內打第一次正式會戰的第一回合。（這是假定在福建登陸，預想敵人主力控制在浙贛地區，廣東方面只是側翼。）此後就是發揮新戰略和裝備新軍威力的問題了。不過，準備是有的，但已到了什麼程度呢？

可以說，今天全世界的中國人所最關心的問題，無有過於反攻大陸的這件大事了，全世界同情中國反共的人民亦然。各地中國人，幾乎普遍的都有同一見解，就是：政府須要能反攻，即使只先收復國家領土的一部份，大家對政府有些不得已的措施，即有所不滿，也會如對日抗戰一樣的團結起來一致對外的。不過如政府在新式現代化進攻的三棲武力未完成科學工業基礎和軍火物資（包含運輸）的基本準備未充份以前而能不計成敗的獨立行動，這在配合大陸今天的客觀形勢來說，對大陸同胞的掙脫枷鎖暴發大革命運動當然是絕對有利。因為這是造成「亡秦」的開始工作，從此一面戰鬥，一面建軍，一面對敵作長期銷耗以造成未來的漢興之局，這絕非幻想，因其基礎是建立在大陸廣大反共人民滾雪球式的武力發展上，和政治的影響力上。但主要的問題，仍在我們對國際政略的運用和盟邦與友邦的客觀形勢未成熟以前就須要我們自己來完成了。

反攻前的新軍事制度

政府軍事當局，當然很了解今日中共的恐怖和準備，最近如彭德懷所謂：「國防前綫和縱深要點，進行了歷史上從未有過的現代化國防工程的建設」是些什麼玩意，（它們對核子武器隨時在發抖）。以及「我們還進行了後備兵員的儲備工作。」是指些什麼內容。和「有堅固國防工程為依托，有舉世無匹的人力作後備，有雄厚的國家力量，並有國際方面的巨大援助」的一連串半夜吹口哨安慰自己的壯膽話是甚麼作用？這類老話由史達林起到赫魯雪夫早已說了不少，聽得肉麻的已不值理會，實際上今天大家比較要問的還是「他們到底真有了多少「軍種」？多少「兵種」？由蘇俄手裏領到了多少裝備？自己能生產訓練多少？所謂「現代化」？所謂「建軍」的部隊現代化要求制度和生活秩序是什麼東西？」中華民國今天很明白，要求是要以少勝多的精兵，但不完全是裝甲部隊和步砲兵的火力。戰術性核子武器，在兩年前已促進美國軍事編制作新面目的改革。美國的動機還不完全是基於節省經費的目的，而是基於要求軍隊本身能具備以劣勢數量能克復任何優勢數量，以消滅這個不惜人命的共產武力的作用。以後飛彈的進步，又影響了空軍的地位，連同海軍都受了影響，於是才有新部隊編制的改革。當然今後軍事人員更需要專業化，部隊人員數量也就比例減少，而職業性軍官的地位更重要，甚至最近已有逐漸廢止徵兵制度的趨勢。在此情形下，軍費的開支也比較大為減少，只是科學發展方面，如核子武器與飛彈的研究試驗經費則較有增加。英國繼之而來，把國防費減到年只十六億多磅的數字。我們的國策與目標自然與此較有出入，我們既需要強大火力的新武器裝備，又需要數量也多的新裝備軍隊，以適應未來在遼闊大陸上的使用。尤其是需要多種不同組合的特種部隊（TASK FORCES）以符合各種不同情況和地形的戰場。解決上述兩種軍事要求的條件是和軍事科學工業的發展不可分，也和我們負擔龐大軍事開支的財政政策有密切的關係。今天不特須要減輕軍費在財政上的負担，而且還要財政上能撥得出和友邦合作發展（不單是美國盟邦）科學武器的研究與製造。於是我們現有做之新武器訓練或裝備的部隊，是否應該酌予改編（不是裁汰）的問題便值得研究了。改編的部隊有兩重意義：一為能生產（不管對輕工業或兵器工業甚至農業）。二為能打戰，（不管是輕裝備步兵組合或特種部隊組合。）第三便是在兵役法之上應召集入伍的高初中畢業青年，自然同樣照常徵集入營，但訓練的科目，教材，以及編入的兵種，在基本訓練完成後，每天在營的時間，和他們未來的家庭生活關係，就都該有一套新的生活制度和生活理想。此外對大陸每日的匪情研究，國際共黨歷史和理文化的深入探討，共黨實施暴政的原因和背景，大陸的若難。

（下轉第二版）

半週述評

協防而不協攻

從東京傳出的華府消息說，白宮當局已曾通知我政府，「美國將不協助中華民國收復大陸」。並謂此係美國務院主管遠東事務助理國務卿羅柏遜，在六月下旬於出席參議院撥款委員會時，所作之證詞，且是中美雙方有「書面協議」者。

這一消息已經不再令人驚異了，因為稍具常識者，亦該早知道，美國目前是不會協助反攻的。沒有美國協攻，不論主觀條件如何有利和強大，也不會單獨反攻的。

當前，美國只願盡協防之責。在這樣的情況下，我們朝野必須在目前的困守環境中，容忍、團結，各盡心力，對現有之小康局面，勿存絲毫偏安苟存之心，更須忌避虛驕，以免自棄消極反射而產生副作用。

促美改變政策之道

就目前情勢看來，我雖無美國贊同不能反攻，但大陸上的反共浪潮，此起彼伏，洶湧不已；對中共政權說，正是險象環生，星火燎原之勢已成，對我復國前途卻是非常有利的。

大陸上的不安情況，和人民待機而動之勢，也已為美國政府和議院所肯定。

因此，如果大陸上的情況在繼續惡化下去，自由中國能百尺竿頭再進一步，美國的現行對華政策，並非無修改之可能，最要緊的關鍵還在看我們如何去做了。現在，時間和形勢皆已證明，並非完全有利於中共，中共現今最感困擾者，不僅是黨外的反共力量在滋長，而是黨內的反黨潛力將根本動搖其統治權。

正由於大陸情況之惡化，反襯出自由中國的國際地位將益見提高而臻于穩固，但這只是客觀因素所促成之一端。如果，當局能以閎偉的氣魄，主動地促使國內外反共非共力量之團結，則新的政治形勢可望展開，更將因此予全世界以一新面貌。或且，因為新政治形勢之產生，使華僑協助反共復國之信心增加，轉而以雄厚的僑資協助國內經濟開發，增強反攻實力，即自我的努力，亦未嘗不能改變美國的現行對華政策。

當然，若已滿足於此小康之局而欲株守之勢，欲美國能轉取積極之政策，則其難概可想見。

吉拉斯之言

全世界的共產黨，目前正自陷於人格解組之狀態中，黨員唾棄黨的事例，正層出不窮。在英國，共產黨的分裂和黨員的退黨，已迫使英共無法如期召開年會。但較之中共黨員抨擊共黨之行為更為激烈者，則為南共的吉拉斯的新著「新階級」一書之在美國出版。書中有一段（照中央社譯稿），是值得所有現在尚執迷於擁護極權政黨者所警惕的：

「……共產黨人對權力的渴望，永難滿足，而且非常強烈，爭取權力的勝利，被認為是神聖偉大的，失敗了則是莫大的恥辱；……因此鐵營主義越標榜變權力，以及腐化勢力隨之出現。這裏所謂的腐化，並非國家公僕的腐化，因為公僕的腐化，可能將比以前減少，它是一種特殊形式的腐化，是由於政府掌握在一個單一政黨手中，並且成為所有特權的泉源的一項事實所引起。」

「政府掌握在一個單一政黨手中」，可以形成「一種特殊形式的腐化，」這句話是多麼令人可怕，但確已是充分刻畫出了一黨政治的墮落性！

吉拉斯的「新階級」，實在宜乎獨裁寡頭政者們人手一冊。

·李金暉·

為港澳難民呼籲

——提供有關救助的幾點意見

·瓦斯·

最近救濟港澳難民的呼籲，愈來愈急，原因不祗是由于一九四九年大陸淪陷後受中共迫害而逃亡港澳的難民至少達七十萬以上是一個驚人的數字，而且更由于近日大陸難民逃荒而來追求自由與生活的，一天比一天增加，勢非加緊搶救不可。

這些難民雖然曾獲香港政府本人道主義立場予以收容庇護，設難民營建徙置區及盡各種努力，與當地社團及自由中國的「大陸救災總會」合力臨時救濟，可是限于地狹人多及種種客觀條件，勢難更進一步。故目前估計至少尚有三分之一以上還無法安居，大半還在無固定職業之下生活，於是救濟難民的呼聲不得不由港澳擴大到世界各地。

本來，等待人家救濟，無論任何國家的人民，祗要稍為自己有法可想的人，在平時是自尊心所不許的，曾見西方人失業需要束緊腰帶而也恥于列名於救濟名單內，中國人也不例外。七十萬以上的港澳難民中，有教授，有學生，有軍政工商各界以及被大陸三反，五反，反光的一般普通人民，他們却毫不遲疑的執筆與寫挪接受救濟的表格；他們寧願留在此間，向窮苦的命運低頭，做窮教員，替人補習，做小工，打石子，糊淨火盒，挨做織繡串珠等零工，以至擺攤相對，街頭叫賣，甚至于沿門托砵，也不願回去大陸向暴力屈服，可見事實上，他們已成了象徵性的國際難民了，也象徵世界被奴役者的反抗精神，也象徵世界「反人性」暴行與人道主義者間的對比，因此他們迫切的希望接受國際正義的援手。

美國「一九五三年難民救濟法」對難民所下的定義是：「因遭受或恐懼遭受（政治）迫害，現已逃至非共產主義政權控制下之國家或地區者，或因天災，或因軍事行動致不能返還其原來居住地區，而刻下未有確定鞏固之就業，且迫切需要生活必需品及移動上的救助者」。港澳七十萬以上難民，正是這一羣。

上（七）月廿二日艾森豪總統向國會提出一九五八年新會計年度援外計劃預算中，將撥一百五十萬美元用以協助港澳中國難民，自是一件令人興奮的消息，但為了解決問題，我們更寄望于聯合國。聯合國于一九五四年間雖曾注意並從事調查港澳難民，但迄今仍不能和歐洲難民受到同等的重視而獲得救濟。不久以前聯合國難民基金委會通過擬在下屆聯合國大會把這問題提出研究；目前聯大將于下（九）月開會，我們希望能通過一個比較龐大而澈底解決這問題的救助辦法。

一、我們希望聯合國撥一筆充份的資金，由難民基金執委會及高級事務員遴派公正人士來港負責主持或監督，與香港當局合作，並延邀自由中國及港澳的公正而熱心的人士協助辦理。

二、我們希望此項救助，被視為解決國際性問題，拯救人類厄運的一種人道主義的積極性的救助計劃，而不單純是一項消極性的賑濟辦法；在聯合國與香港當局合作下，以各階層難民的需要救助為對象，分別設立各型工廠，各種學校和文化事業，以及難民（當然指真正窮苦的）貸款的銀行等，達成普遍的，替真正窮苦的難民解決失所，失業，失學各項問題的目的。

三，我們希望此項援助的效果，實際而公平合理的落到真正困若難民身上，不因宗教，身份，職業，人事，個人活動能力等關係而有優越重複與落後忽略的現象；把過去一般救濟會經有過的所謂「救濟一有辦法的人」「救濟者」一類為狡滑者巧取豪奪實益的不良現象根除，同時不要讓真正困若難民。祗值得除了不斷的填表外永不見實惠。

四，我們當然希望「移動上的救助」。美國「一九五三年難民救濟法」一案實施的結果，畢竟救助了很少的數字。我們希望聯合國能有一個進一步統籌而合理的移民計劃，美國及南美，澳洲各地自由地區儘可能放寬移民限制。

總之，我們希望這是一項本乎人道主義的，反「非人性主義」的，國際性計劃，是救助而不僅是賑濟；是積極性的而不僅是消極性的；是比較遠長的而不僅是臨時的；是整個的而不是零散的；是合理運用的而不是浪費的；是普遍救助的不是特殊偏重的。同時我們相信這計劃解決了難民本身的問題中，也同時解決了難民帶給香港的困難問題，也同時解決自由世界一個國際性的嚴重問題。我們呼籲共同促進自由國家代表，在此屆聯合國大會中替港澳難民請命！為自由世界敞開人道主義之門！

台北通訊

台灣省政府易長 周至柔繼嚴家淦

·季鸞·

台省主席嚴家淦業經中樞准辭職，以現任國防會議秘書長的周至柔氏繼任，院議已定本月十六日交替。省府改組之說，傳聞甚久，據說：中樞爲加強地方建設，未來的省主席將盡可能不兼中央有關財經方面的職務。

三年的台省主席，也的確把這位素不錯風的「經濟家」嚴家淦忙壞了，一身兼數要職，南來北上，經常僕僕旅途。

政府官員兼職太多的現象，久爲人所詬病，就以台省府而言，自疏遷中部後，兼職之弊更顯著的暴露出來，目前廳處人員，工作情緒低落，工作效率延宕，主要原因是由於高級主官公忙兩地，以大部分時間多羈留台北，而不能專心一意的坐鎮省府領導。因此，省主席擺脫中央兼職是一項最重要的措施，省主席要示範作用，廳處長自然乖乖坐在辦公室，而全省工作人員之精神始可一振，省政之弊始可革除。

省主席更迭，各廳長也將大有調整，這是我們中國五千年來所謂「傳統精神」——「一朝天子一朝臣」，惟我們希望新上台的周至柔應樹立新人新政新作風，大大革新一番，對各廳處長暨僚人員之決定，固本其個人的專長而施配，譬如嚴家淦時代民政廳長是由省主席兼，交通處長則由鐵路局長兼，有的廳處長亦多親領其留在台北的業務，均不免心分兩處，身忙兩地，這都是過去的壞現象，均有待我們這位「將軍」主席來切時改進。

教育部舉辦四十六年度文藝獎金

希望引文藝獎金委員會失敗爲鑑 作品徵選評定應力求公允而合理

·何其愚·

台灣通訊

今春國民黨中央黨部舉辦數年之「文藝獎金委員會」停辦之時，許長論短，已屢見本刊，大家一致希望能有一個更好的「文學獎金」之設置，有人矚望文教最高當局之教部辦理之，今也果如所望。教育部是項獎金之設置，定爲「四十六年度」。

其辦法第一條的宗旨「爲發揚民族精神，淬勵戰鬥意志起見」，希望這不是以「黨」及其「主義」之規限解釋之，而是指「超黨派」性的客觀的寬泛的「民族精神，戰鬥意志」釋義，庶不致蹈過去「黨」文藝獎金失敗之覆轍。

第二條爲獎金品種類別，計有文學一名（包括詩歌、散文、小說）；戲劇一名；音樂一名；美術一名。比較「黨」「文獎會」已進步多多，規定名額，當能於同類作品中取其最優者給予獎金，是乃文藝獎金之主旨焉！至於規定四門之限，亦宜靈活辦理，即寧缺毋濫，務使得獎人心服，抑且淬勵作家精益求精。該部更宜將得獎之作，向國際文壇推荐，爲中國文藝爭一席地位，不必像「孽海花」要等人來找，而能主動地讓歐美人士從文藝作品了解中國民族精神，以及反共意志等等。

第五條爲徵選作品之來源，限「由教育部學術審議委員會委員，各有關學會，各大學學院，各大學研究所，獨立學院推荐」，或不十分妥當，後四單位是以學生抑或以教授搜取推荐呢？如係學生作品則未必優也，如係更就報刊或書肆所見者，博閱旁採或可得到優秀作品，首三項易啟人情弊端，看委員的高興以及委會之空氣而定，若與委員無關係或不參加學會者之作，豈不杜絕於門外？如是則得獎之作品，亦不能代表全國的文藝。同時「黨」文藝會已如此失敗於先，故爲防範審議與推荐人以此獎金爲應酬之資；似應有更明確進步規定。

是項獎金既以辦理之公允合理首要，那就要以審議委員之修養與德操爲關鍵。倘一旦漏失優秀作品，或者存私，則是項獎金等無意義，關於審稿辦法，該部規定，推荐人，或會、院、所必須繳附詳細推荐書，須將其學歷、經歷、創作過程及貢獻，作扼要說明。「參加獎勵候選著作或作品，由教育部學術審議委員會分科組織小組，負初審之責，再由該會常務委員會就初審結果，擬具得獎候選人名單，提出大會，決定得獎人選。」所謂「初審」乃復審也，委員會之審乃決審也。決審並無何重要，不過看看複審、初審之意見或評分多少，最要者初、復二審，交由推荐機關單位辦理，似未盡妥。

蓋文藝之評審，非一般學術著作，可憑學理或主觀意識（理智）作用取決之也；文藝需直觀的情意欣賞之品評，如遇審閱人未經驗者，或其主觀派別成見，以及作理智之品評，均有不正確之可能；如一位老人審閱年輕人作品之新經驗，可能認其不確實；如一位古典主義者審閱浪漫派或寫實派作品，或不認其優也；如一位戲劇理論家而無實際舞台、表演經驗者，審閱劇本，該劇本之爲優劣，殊難公允。

爲教部文藝獎金之事功計，吾人擬提供三點：關於徵選作品，不應以委員、學會、院校爲限，當以海內外所有報刊，單行本爲範圍，求其真正優秀之作，得獎者當較合理；其次，可不必僅憑少數初、復、決各審之人，應廣事徵集讀者意見，批評工作者的意見，再經復審，決審取決之，則其公允者殆不遠矣；最後，請獎日期爲八月五日至十月底止，十二月廿五日給獎過於短促，既爲四十六年度，何不延至明年給獎？從長計議，有裨事功，妄獻芻蕘，以供參考，其然乎，豈不然乎？（四十六年八月五日）

我們須有一個新的軍事制度

（上接第一版）

附庸國和蘇俄的若干事實的了解……使他們的生活條件，與生產關係，職業發展國家民族的雪恥圖強的人生觀，都和戰鬥關係打成一片。

最現實的原則

一、實際戰場的作戰經驗，應重於演習場的實彈演習；我們必須有「突擊」，「搜索」的兵種編組。（顧惜流血，決不可能復國，八年來大陸已流血三千萬人，今天我們應該以血來換取勝利了。）

二、在士氣昂揚，民心旺盛，鄙棄苟安享受，重視死節赴難的社會風氣中，改進我們的政略，戰略，戰術。

三、在國際安撫陰謀幕後到處蠢動中，我們還須準備迎接未來最惡劣與最樂觀的現實環境，把它用軍事力量粉碎下去。

請讓我所說的都是原則性而且是要引起國人研討的公開意見。至於盟邦，友邦，「中立國家」的局面如何打開，我們也不可忽略我們是否有能力實現的正實力，否則一切都是實力多而反功少的，誰不知今天的世界是只講力量不講道義的。（完）

編者與讀者

△武耀庚先生：八月五日大函敬悉，承示關於本刊九六九期學生王君一文內，認爲有批評不允之處，已包括在中壢中學來函照刊的辯正文中，恕不另覆。

△陳鴻道、黃耀武、鄭競三先生：大教奉悉，謝承指示，自當徐圖改進，俾副雅望。（編者）

台南點滴

昌增勳

高雄新生報上月廿四日，以六段的版位，刊載酒吧女徐莉倩徵婚的消息，並登附二寸半身照片，指定外省籍，年在卅至卅五歲工程師，身高百七十公分左右，中等經濟環境爲條件。一週間，該報代收到全省各區應徵信五十二封。於連載第五次消息及徐女在香閣拆開青年工程師函件後，露了馬腳，引起讀者懷疑，青年工程師們憤受無端的愚弄而抗議。原來「西洋鏡」戳穿，這是徐人所導演的一幕。

×　×　×

高雄市議會開會中，議長收到李彩娥芭蕾舞「漁女」團長何張廿元，免費招待議員。張瑞英議員指爲「陷害之嫌，認爲議員看芭蕾舞可自購票，不必議長代勞。

×　×　×

全省聞名的台南市「新町」風化區，日前響應市警局長招待記者，多人前往參觀，喝得酩酊大醉後依母與老鴇鳴放爆竹歡迎，並張貼紅紙標語：「歡迎記者，官員，來賓，參觀」。

×　×　×

高等法院台南分院，受理台南縣議員及縣市長選舉訴訟案十二件，於日昨全部審結，內證據不足，無一成立。

×　×　×

合衆社報導，「中國人以目瞪向美國人投擲，在淡水游泳區禁止星期日」云。但筆者常與外人一同練習跳水，並未見過類「反美」事件。（八月一日）

人物介紹

中國自由史上一位獨立的記者 ——祝成舍我先生六十壽——（上）

·程滄波·

（一）

舍我先生今年六十歲了。照代醫學上的看法，人生六十歲，正是精神、健康和事業「如日方中」。所以今天我寫這篇短文，一方面是慶祝過去，同時也是瞻望未來。舍我先生六十之年，同時也過去四十年在新聞界的奮鬥，這是我國新聞界的奮鬥歷史，它的光榮是不能磨滅的。他四十餘年的努力奮鬥，是中國自由的一章。他在新聞界四十年的奮鬥，影響於新聞界的一個圈子中間，其直接間接的影響及效果，不止限於整個中國。所以說舍我先生是近代中國新聞史上一位偉大的鬥士，中國自由史上一位勇敢的鬥士。他爲了新聞自由而奮鬥，也就是爲了人類自由而奮鬥，他的奮鬥，不僅是消極的排除對於自由的障礙，時常在積極建設了適宜於自由的環境。在自由的鬥爭中，能不顧一切利害去排除自由的障礙，已經需要大仁大勇。在此積極的爭取以外，再能積極創造自由環境的建設，在大仁大勇以外，更需大智慧。舍我先生今天值得自由世界的崇敬，就在他爲自由的奮鬥中，無論在消極或積極兩方面，都有偉大的表現。

英儒阿克頓爵士Lord Acton有名言：「權力易於流入腐敗，絕對的權力，易於絕對的腐敗。」美儒亨利亞當斯Henry Adams說：「權力是毒。」瑞士哲學家勃克哈德Jacob Burckhardt說：「權力本身是邪惡，不管什麼人運用它。」權力本身是不愉快的，而且注定要使人不愉快。

」這三位大思想家的名言，論世論政的人常引用着。照我的歷史研究，有權力者也總是嫉視本身權力以外之任何其他權力，所以有權力者不管自身的來源如何，性質如何，一旦權力在手，便不願再見其他足與抗衡之權力的產生。譬如新聞紙的歷史來講，就英美的事例言之。在十六十七世紀過去英國新聞自由的，不僅是王室。

當時英國的巴立門，也曾通過了種種法律限制英國報紙之發展。譬如國會中辯論的記載，當時英國國會絕對禁止報紙登載，是以多次通過法律，不許報紙登載。關於國會的辯論，直到十九世紀中葉才予廢止，所以英國的報紙，在歐洲當時各國的報紙中，也最早得到了新聞自由，不僅要與王室鬥爭，還需與民意機關鬥爭。民意機關與輿論機關，雖其源流同爲人民，然而因爲民意機關已經是確立的權力，乃至不惜對新聞機關濫用其權力以保持其權力。

閣自由乎以惡道。這一個事實，在現今雖已完全改觀。但其跡象，也常隱約可見。所以一個偉大的自由鬥士，其奮鬥是多方面的。一位成功的獨立的記者，要有勇氣，有智慧，與妨礙自由的各種敵人去奮鬥。

綜合舍我先生的生平，在他四十餘年奮鬥史中，最值得我們大書特書的，是他獨立精神。四十六年的長期奮鬥中，他所遭遇的敵人，雖然有各種的各式的不同；他所創立的報紙，雖然有晚報、日報、畫報乃至週刊；他奮鬥努力的地方，雖然遍及中國的南北東西，乃至海外；然而他最偉大的特點是他獨立的精神。獨立與公平，是一個好記者的必要條件。有了這兩個條件，然後一個記者的觀察與言論，可以引起多數人的信服，在社會方面發揮大的效力。公平的報導與言論，能替國家社會造成優良的氣氛健全的環境，消極方面，各種政治與社會罪惡，可賴公平的報導與言論爲之滌除。積極方面，各種改良與建設，可依公平的報導與言論而啟導引以迄於完成。人類的災禍，都是造端於不公平。政治與社會的公平，其實現有賴於制度，而尤在透過不斷的公正言論，使各種制度日新月新。但是如何培成公平，其關鍵在於獨立。惟有獨立的襟懷，獨立的人格，然後能達成情感與理智乃至觀察與言論的公平。歐洲近代文明的進化，由中世紀歷文藝復興，科學發明，工業革命乃至民主政治，其精神上最重要的依傍，便在個人的獨立精神。有了獨立的精神，然後得以打破教條，排除厄咒，而漸能由此草昧荊棘中入於理性的發明。近代的新聞紙，所謂新聞自由，便是替人類驅除精神桎梏與智慧枷鎖的一種制度與風氣。所以，近代成功的記者，其對人類的豐功偉烈，有時是超過政治家以上，而是與宗教家思想家佔着同等地位的。佔着這樣重要地位的人，其精神上最主要之條件，是獨立。由這個精神源泉而奮鬥出來的記者，必然是一位偉大的記者。

（二）

舍我先生今年纔六十歲，我在上文一再提到他在新聞界奮鬥四十餘年的歷史，這是今天想研究舍我先生的人們開始必將懷疑的，我想簡單敘述他的一點歷史。舍我先生是湖南省湘鄉縣人。因他的尊人在安徽遊宦，他在幼年就離開湖南到安徽。所以他至今講話很少湘音。反而帶着相當重的安徽口音。辛亥革命時，他只有十四歲，參加了當時安徽省的革命青年軍。這支青年軍的領導人是韓衍先生。民國元年，青年軍解散。舍我先生開始在安慶的民碞報及長江報寫稿。有時採訪新聞。二次革命失敗以後，他參加了柏文蔚領導下的秘密組織，在安徽担任反袁工作。民國四年，他一個人跑到奉天（瀋陽），在健報做編輯。當時和他同事的人，今天在台灣的王新命先生是其中一位。不久，他回到安慶，和幾位青年想籌辦一家報紙，當時正是袁世凱籌備帝制鬧得熱烈的時候，安徽督軍倪嗣沖便將他拘捕，幾以「亂黨」論罪，幸有人營救，才免於難，出獄以後，他潛往上海。民國四年到民國六年，他在上海民國日報主編副刊，中間爲柳亞子驅逐朱鴛雛出南社的糾紛事件，曾經和總編輯葉楚傖先生發生衝突，他捲舖蓋，離開報館。民國七年，他考入北京大學的中國文學系，他便到了北京。從民國七年到民國十四年，他一方面在北京大學讀書，一方面先後參加北京益世報任總編輯、主筆、採訪主任。他在北京大學畢業後，有一個時期專在益世報任事。世界晚報是舍我先生第一次自己籌辦的報紙，那是民國十三年的事。翌年創辦世界日報。

（未完）

香港的失學問題！

「香港青年往何處去？」台灣？大陸？這是每當暑期，就會引起的問題，誰都覺得：大陸不能去，那末選擇去台灣。但「台灣能容納多少人？」似乎又成爲疑問。第一、政府的經濟情況，台灣校舍並不充分到可以盡量容納的地步；第二、入學限制嚴，除非是特別需要培植的那項人才；第三、升學名額每年增加（自四十年的八十五人遞增至四十五年一千二百人），但仍不够理想；至於並非就學青年，假如找不到親友關係，也更感困難。

基於上述原因，香港失學（失業）青年只會長此增加。就社會局統計資料看來，失業數字，似乎還不算太大，如果加上失學數字，那就不少了。假如以三百萬人口比率來看，約有一萬二千名大專科程度的失學青年，並不是一個了不起的數目，問題是三百萬人口中，包括七十五萬難民，至少有一百二十萬失業者。

撇開失學青年不談，似乎有失正視現實。然而萬流歸海，問題總是一個，這些問題均係大陸陷共而來。一九四六年學生人數只有六萬名，一九五六年卻已增至將近四十萬名，如果加上義校、識字班與中小學程度失學、文盲，十年前後相差近十倍，在六十萬學齡兒童與就學學生中，除了極微的少數被誘赴大陸，投奔自由祖國的一共四千幾百名。在港澳人士看來，祖國每年容納大專學生人數太小了。

傳說本年度原定一千五百名額，可能感受「額外增加南越僑生」影響。但是南越擬入大專升學僑生，僑數僅只二百三十六人，與傳說本年在港澳區招生僅七百人，尚有很大出入，而且如果這樣減少港澳區名額，也不是辦法。有謂這與年來對於港澳回國升學僑生給與教育及僑務當局的印象不佳有關。

其實縱然有這樣事實，也不能一概而論。例如：（一）港澳僑生之中，多數均獲家庭接濟零用，這些零用錢（大致港幣一、二百元一月），掉換台幣卻是一大可觀數目；如果匯於學校轉撥，校方決不任令學生濫用；他們偏因疼愛子弟，把款項委託親友直接交與他們子女，這可能是造成不良效果原因之一。（二）不少有錢子弟，平素父兄縱驕，恃財自大、浮囂性暴，不免胡作非爲。（三）學生程度不够，只要自己勤於補習，未始不能跟上水準；問題是程度既低，又不勤讀，常使學校當局大傷腦筋。

就上述三點去看也許就是導致不良印象原因，但國家負有教育青年的責任也應從積極方面想辦法，何況港澳學生不少勤苦向學的青年呢。

如今，香港失學問題日形嚴重，事實上與祖國青年問題爲不可分。即國家多難亟須羅致海外僑生；香港這樣的社會問題，又亟須解決。顯有關當局及學校，共同注意解決之道。

·祝修衡·

我國的青年問題！

中共為什麼不惜「報憂」

曾旭軍

中共最近之宣傳，一反以往報喜不報憂的作風，居然也報憂了。論者皆謂爲了對付右派而鎮壓民衆革命。此誠正確言論。雖蘆頭方面所謂：中共藉此顯示其不畏右派動搖其政權，反因此而增强其政權之說，非但屬捕風捉影，而且在有意無意之間替中共作義務宣傳。

一、

但何以中共以報憂之宣傳，去對付右派及鎮壓民衆，誠有再深加研討之必要。

以常理測度，中共報憂，不論對國內或國外，均屬對己有百害而無一利。民不畏死奈何以死畏之的道理，雖凶殘無憚之共酋，亦未嘗不了解。手無寸鐵之右派人士與民衆之是否敢於實行武力革命，早已忖度形勢，分辨强弱，共酋不必以報憂及宣張撻伐來鎮壓及誅鋤吧。共黨對此等籠鳥押家，儘可不聲不響，令其整千論萬的失蹤，勞改。至於報憂之際散佈海外，亦徒自曝其醜聲破壞統戰。

這是普遍表面的看法，共感到疑惑不解之處，在未明今日共產黨危機所在，與其程度之深廣。

今日共黨之危機，在其制度造成的腐爛惡毒，成了死症。

經濟權給寡頭黨棍攀摘，農民與工人祇是如奴僕的從事生產，對於其勞動成果，無權過問，亦無權享受，祇過着奴隸的生活。商人屬資產階級，經過公私合營，而變爲所謂「社會主義化」，等於剝削淨盡，淪爲赤貧，與工農同列奴隸階級。至於共產黨豢養之幾百萬兵，在經濟未到枯竭時，尚可爲超級奴隸相安於一時，到了壓榨人民膏血殆盡時，生活降低，怨

償一生，中共之政權立即覆亡。農、工、商、兵在現行的共產主義制度之下，自然趨於「普遍下流」，這是一加一等於二的一定道理，遲早必臨到命運。

至於忍辱求存或獻媚逃寵之士大夫，八年的籠牢生活，久已備受精神虐待，求死不得，祇有待機求翻身。至於騎在人民頭上的黨政人員，權利不均，猜嫌忌恨，相繼滋生。

二、

如上說的一幅中共獨裁圖，早已由「人民日報」，「新華社」，「右派份子」等，一筆一筆的繪上，班班可考，不必在此引證。非此間之「打朝」「文匯」之報喜可能掩飾得了。並非盲目的樂觀，這是無可否認之事實。依照共黨那一套辯證八股，量變可變爲質變，那麼目前正是「普遍下流」的趨，已到達變質的飽和點。我們固然不用幻想揭竿而起那一套鐵幕自崩論。但我們亦不能否定鐵幕內變蘇聯共黨獨裁統治了。

俄國四十年，包含一連串的清黨，鎮壓，殘殺的變，所以未至崩潰，原因在人民醒覺程度不够，警察制度之嚴重，尤其是二次大戰復以民族主義維持向心力，未至崩潰。但無時不在內部醞釀崩潰之因素。

在生活水準極低的人亦不能忍受得的，是缺乏麵包與自由。共產黨亦非不知，但共黨以往造成今天的勢力，都是爸着一身的血債，無法放鬆，對國內的鎮壓，和對國外自由世界的防禦，所以必須維持軍備武力。這個矛盾無法解決，不論在蘇聯和中共，都是一樣。凡不想放鬆或反對放鬆的，便冠冕堂皇的說反對「修正主義」。凡想放鬆或不得不放鬆的，便言不由衷的說反對「教條主義」。中共蘇聯自史達林死後的一片苦悶恐懼，所發表的議論，總不免在這兩個方法中打滾。就是這個緣故。

因此我們可以看得很清楚鐵幕中共黨必然有一派感到禍至無日，急須反對「教條主義」的。也有一派認爲徒然修正、放鬆，則覆亡更速。固然共黨內鬨動機在爭權位。但對敗亡之預燭先機，亦爲內鬨的原因之一。此所以赫米之與莫馬卡意見分歧，終至莫可容忍。

三、

中共奉克姆林宮主人行事，常受俄共政策左右。但中共黨內亦必然有修正與教條之分。毛酋是個善於玩弄矛盾的人，必相機求放鬆，所以有鳴放之倡導。劉少奇之輩，知放則覆亡更速，所以反對放。

至於一般所謂民主人士智識份子，知道直接反對共產主義必無希望。但他們也希望從蘇聯式的共產制度，變爲類似南斯拉夫或波蘭式的制度，或妄想變成民族共產主義，或廢除集體農場，恢復農業自由市場，或如南斯拉夫之工會自治生產制度，而廢除國家統制等等經濟主張，和政治改革，至少以爲這樣是「言者無罪」。

四、

我想中共一般智識份子，甚至共產黨員，已醞釀成一股反蘇俄控制，及主張修改經濟制度的强大勢力潛伏着。此非北平的幾十個寡頭統治者所能以武力解決。這是毛澤東日夕苦思的大難題。他憂慮共產黨員和共軍，受這一股的勢力所滑移默化，他的主子赫魯曉夫在應付的，也正是這個問題。他內則對付黨內，在外則謀組成共黨以蘇爲中心的「社會主義陣營」。對於中共居然有膽雲尊人之反蘇控制，同必令毛記政權快收，同時，數以必須擊[illegible]員，故不惜採取「報憂」的宣傳手段，我們可在中共一貫擺[illegible]內文可以看出。其着重點則在右傾思想破壞「社會主義制度」或甚至不惜反叛變者謀使國民黨回返大陸，欲藉此以恫嚇附共[illegible]智識份子，及共產黨員，除此以外，無其他的理由可以解釋。

但，此徒見中共之心勞日拙，我們不是盲目的樂觀，因爲共產主義思想已進入可救藥的腐敗階段，經濟制度亦難以改善。甚至共產黨員亦默認不諱。故軍事反攻之時機縱未即至，但思想與政治反攻的良機已來臨了。

國際動態拾零

歐洲之情報機關，以西德都城波恩最多，竟不下有六十個機關。東西方間諜殆勢均力敵。以東德之經濟情報員最爲活躍，專長偷竊西德之技術秘密。西德東德間之郵件，因過多而故郵遞並無阻礙。西德公務員，殆人人皆有親友駐在東德，往往收到共黨勸告之書信，以致不勝其煩。去年西德政府拘捕之間諜，殆達六千人。

× × ×

中國大陸水災，區域甚廣，災情不減一九三一年（民國二十年），江淮等市可以行舟。黃河長江流域被淹水田，不下二千二百萬英畝，山東省水深四十英寸。災民向當道請求逃荒，中共暗中予以便利，令邊境哨兵勿予搶擊。

× × ×

蘇聯巨頭再火併消息，起于朱可夫演說受黨報嚴重批評。蘇聯受黨統治是表面文章；大家都誤認爲史太林祇是黨的領袖，忘記了紅軍都是由史太林統率的十四軍擴充起來。史太林爲事實上的大元帥，而另以特務監軍。特務頭目利亞被殺，紅軍乃成爲唯一的統治力量。酒鬼赫魯曉夫是大砲而非陰謀家，極似是紅軍傀儡。美國自然希望火併尤其希望朱可夫獲勝，繼續做其世界和平之夢。但紅軍中亦有反朱可夫一派，結果殊屬難言。

·陶然·

十朋書畫聯展印象記

·王韶生·

近年來，香港的藝壇極爲活躍，使我們得有機會欣賞許多書畫家的作品。可是往往使人感覺到，長於山水的未必長於花卉，長於花卉的又未必長於人物，而長於人物的又未必長於翎毛，而長於翎毛的又未必長於其他的種種。而況，在畫法中，尚有工筆、意筆、潑墨、沒骨、雙鉤、白描之分；又有南宗、北宗、唐人、宋人、元人、明人、清人之別。說到書法，又是五花八門，有鐘鼎、有小篆、有章草、有分書、有隸書、有楷書、有行書、有草書、無論在那個場合中，得窺全豹的機會，直可算是少之又少。

今天恰遇香港閣書藝術館開幕，主事的人，延請了岑學呂、吳子深、易君左、曾克耑、王世昭、趙戒堂、黃堯、曾后希、林千石、林大厝十大名家，舉辦一次十朋書畫聯展，使我若干年來的希望獲得滿足。現在特把我參觀後所得的印象寫下來：

這個展覽，巨軸計有十幀，曾先生一人就佔去七幅：一、撫黃鶴山水，二、觀世音像，三、午倦拋書圖，四、漢宮春色，五、端陽競渡，六、中秋賞月，七、蕉除微涼；林千石先生佔一幅，宋人花鳥；林大厝先生佔兩幅，其一、赤壁夜遊，又一、玄武湖之春，此外，王世昭先生有一七字長聯。

我不是說大軸比小軸更好，我是說大軸比小軸更富吸引力，因爲，這是藝術家的精神與氣力合而爲一的象徵。

岑學呂先生以七十七歲的高齡，還能寫小不逾寸的行楷，一幅琴條，竟遂二百餘字，就說比老五年前死去又活回來，依這個書法來判斷，他的歲數似乎還要加一倍上去才够啦。

吳子深先生以不爲良相便爲良醫的抱負，出品雖然不多，可是，他的山水、依我看，有明人的工力，有元人的氣韻，耐人尋味，至於花卉，有綠竹長春一軸，胆大心細，不是大行家是不敢輕於下筆的。

易君左先生是詩人，偶然間也寫幾筆山水，泰山觀日一軸，可與王摩詰的輞川圖同觀。

曾克耑先生的篆隸草楷四屏，都成自己的風格，而楷河南與瘦金合參的楷書，王右軍與懷素聯體的草書，在今天的全中國，恐怕也就寥寥可數了。

王世昭先生是書家也是詩人，那一付對聯，有人說，氣力之大與朱晦菴先生有些仿佛。至於琴條與橫披，都很名貴，琴條上兩首詩是于右任先生與王先生祝屈子誕生二千三百年的大作。他的書法，有瘦勁的，也有重厚的，用不到我再來介紹了。

趙戒堂先生的畫，有似石谷的，有似文沈的，有似元人的，有似大小米的。而合四者以爲一的工夫，也隨處可以看到。

黃堯先生的畫，我們讀過不少「牛鼻子」，萬不料他還會來幾筆米家，也還會來幾筆周文矩和仇十州。不要看他寫的是現代畫，可是沒有那一筆不是從古人磨鍊中得來的。

曾后希先生的人物畫與山水畫，不愧中國現代巨擘。在這一次展覽中，從北魏到唐宋元明，所有第一流名家的手法，無不在他的心胸與手腕中表現出來，值得細細觀摩。

林千石先生的創作，有山水也有花鳥，山水畫他走焦墨與渴筆的路子，花卉則在青藤與白陽之間，有一張臨宋人的花鳥，寫的很好。

林大厝先生是奇才，既能工筆，也能意筆，工筆的春遊圖，草蟲，花鳥，真是精絕極了，意筆的鸚鵡，貓，小麻雀，置於華新羅畫中，也無遜色。

像這樣的畫展，十年來我在香港還是第一次見到。

老實話

馬五先生

路透社華盛頓十日電訊：美國務長官杜勒斯，最近在衆議院撥款委員會對援外計劃的陳詞，聲稱「國務院的目的不是在取得朋友，而是在維持美國的利益。」這是一種老實話，但我相信，或者希望他的全篇語意必然有所分別，而非籠統地說明援外政策的一般目的。

可是，美國對一般積極反共的自由國家之援助目的，如果亦係只在「維持美國的利益」，那就太不成話！教別人專為美國利益服務而接受美援，這決非自由世界領導者應有的作風，別人亦將視美援為「出賣靈魂」的代價之物，「渴不飲盜泉水，熱不息惡木陰」，稍有獨立自尊心的國家民族，是不屑為的。譬如美國援助自由中國的目的，如其真是只在使台灣這個戰略據點不落入共黨之手，而指中國政府反攻大陸，解放人民的主張為「神話」，（民主黨人即有此論調）那我們就要謝謝美國的「好意」了！

像美國對南斯拉夫的援助，表面上就令人發生「自作多情」之感。南共首領狄托，長時期接受美援，却對美國並不怎樣感謝，漫說他的共產主義制度決不會因美援而有所變革，即普通友誼亦極為淡薄。他曾經訪英國，却沒有表示過有訪美的意向，這就符合杜爾斯所謂「不在取得朋友」的說法。因為美方亦有人早已聲明過：美國每年向南斯拉夫傾銷剩餘農產品的代價，核與軍經援助它的金錢數目，相差不過四百萬美元而已。此外對印度的援助，用意殆亦同然。

按照美國今日的國際地位設想，即令內心上真以維持美國利益為援外政策的唯一目的，亦應該說是要爭取朋友，才合體統，這與實際作用並無妨礙。杜爾斯先生這番老實話，不管其中有無界說，都是大大地失態，乃又公然宣佈出來，更將使一些受援國家感覺寒心。功利主義之流毒，若是其深重，可怕孰甚呢！

提供一個藝術觀念問題

新天

在六六八期「自由人」上，看到觀微先生一篇談當前電影事業的文章，筆者頗具同感，但覺得觀微先生僅就表面的問題，加以論列，讀之似未盡意。誠然，我們並不是沒有好演員，也不是沒有好製片人或劇作家，而是當前的電影事業政策束縛太緊，不能自由發展的緣故。而一個政策的形成，又有一個「觀念」為其背景。形成今日第八藝術——電影（當然也包括戲劇和文藝）事業政策的觀念，是什麼呢？

一個流行的觀念

抗戰時，有所謂「抗戰文藝」者，曾被人譏為「抗戰八股」。近年來又有所謂「革命文藝」或「文藝革命」之呼聲，究竟其意指為何，筆者未曾深究，但在報章雜誌上所經常看到的一些富有「反共抗俄」大道理的作品，想來就是此物了。此類「作家」為適應「時代潮流」，而把一些口號與教條式的東西，填鴨也似的填進其「作品」之中。電影事業在這方面的表現，更為「進步」。幾年來，我們這自由國度幾家大製片廠（統為公營）所攝製的影片，幾乎沒有一部不是以這些冰冷冷地口號作為主題的。這類作品，而美其名曰：有「革命性」、「教育性」、「社會價值」，這是一個值得商榷的觀念問題。

所謂「社會價值」

是的，「社會價值」在藝術作品中是不能缺少的。任何作品，必有其特定的目的，這就是「主題」。主題是一列火車的目的和軌道，沒有主題的作品，實際上是不會有的。所謂主題，也就是作者的思想，任何一個作家（包括「藝術至上論」者），必在其作品中滲入自己的思想，把它用一種形象表現出來，以感染大衆。這是藝術品所以能有「力量」的緣故。遠在希臘時代的亞里士多德，就把「思想」列為戲劇的要素，他說：戲劇的四大條件，一、佈局，二、性格，三、措辭，四、思想。時至今日，思想在戲劇中的重要性，當然更見增加。這是因為後者已經肩上了「誘導社會」、「改造社會」的重大使命的原故。

藝術之所以為藝術

然而，藝術之所以為藝術，在其有「社會價值」以外的東西。一部作品，如果祇有「社會價值」，那麼，這祇是一部宣傳品，而不是藝術品了。藝術的特性，是一種純心靈的活動，它的基礎，是建立在「直覺」功能之上的。所謂「心靈的活動」，是指把許多對外界的雜亂的印象統一起來，融合於一個有機的整體之內。這就是「藝術作品的整一性」。

藝術作品的整一性

因為如此，所以欲在藝術作品中表現其「社會價值」，首先必須將作者所欲表現之主題，融合於藝術的整一之中，藉藝術特性的感染，以引起人心底的共鳴。使人在不知不覺中跟隨藝術的腳步前進。用圖畫的理論來說，即用一種「意到筆不到」的精神感應的方法，來達到作者預期的目的。其方式是內打出的，而不是外行進的。所以，在一件作品裏，社會性應與藝術本身密合得天衣無縫，絕不能為了達成宣傳的目的，而疏忽了藝術品之所以為藝術品而非宣傳品的基本因素。忽略了這種因素，就不能成其為藝術品，也就不能引起觀賞者的共鳴作用。這樣的作品，事實上也就失去其「社會價值」了。

不幸的，我們這個國度的影劇藝術（當然並不止此），却正犯了這個毛病。

絕句四首

王韶生

半日驅車任往還。頗憐時俗薄朱顏。
青山似覺如弦直。飽看灣頭處處山。

平岡遙去接羅湖。為避驕陽此暫居。
獨坐細評茶味好。眼前風物不關渠。

嘒嘒蟬聲轉午陰。不知何處火流金。
境過海水明如鏡。洗盡時趨媚俗心。

閒從爾雅釋虫魚。敢向經筵說授書。
輪與太常論資格。相如終覺不相如。

更正

本刊六七一期第四版，邵鏡人先生讀史雜詠，第二首，第三句：「蘇氏」，誤植「蘇武」，特此更正。

印尼天聲報主筆——張自銘六十自壽詩

文波

印尼僑報有悠久的歷史，影響最大的天聲日報（在耶加達），其現任總主筆為張自銘氏，閩漳籍人，旅印尼卅餘年；日軍侵印，曾因從事抗日被執繫獄四載，始終不屈。其道德文章，及努力華僑文教，對中印文化交流及國民外交，有不少貢獻。今年張氏六十，曾自撰「六十生辰放歌」以寄意。詩曰：

我生戊戌維新日，歲月駸駸六十稔。稟賦自知愚且魯，[illegible]行。家貧輟學[illegible]，思種桑。思投筆[illegible]，遂願初執教。[illegible]曾插足興革[illegible]，性懶學[illegible]強。關佛師韓[illegible]……

……民衆同甘苦。除暴剷奸新舊怨，求全不料招猜怨。[illegible]十載[illegible]，廿年[illegible]。[illegible]鄉。別來三載[illegible]。[illegible]腸。文章敢謂能報國，抗日罪名入闇[illegible]……

放歌後率成一律

六十年華閃電同。自憐駑馬漸稱翁。[illegible]。九渡重洋類轉蓬。息尚未[illegible]。[illegible]敢言功。放懷[illegible]思前事。猶是邯鄲一夢中。

蟬

戈北指

「蟬聲無一添煩惱，只是愁人枉斷腸」！

夏，又是蟬聲擾人季節。記得幼年在家時，最愛撲捉蟬兒，手持丈八竹竿，抹上膠質，往蟬兒身上輕輕一貼，就能把牠順利捉到。用綫栓住，牽在手裏，聽牠吱吱喳喳地叫著，是孩子們開心的玩意兒。

祖父年紀老了，喜歡清靜，每一聽見蟬聲，就叫我拿竹竿去趕，事實又那能趕得淨呢？

昆虫學家費布爾說：「蟬是聾子，聽不見外界任何的聲音，甚至連自己的歌聲也聽不見」。[illegible]

詩人曹子建[illegible]認為蟬是一種高人雅士，他有一首詠蟬詩說：「實澹泊而寡慾兮，獨怡樂而長吟。聲噭噭而彌厲兮，似貞士之介心。內含和而弗食兮，與衆物而無求。棲高枝而仰首兮，漱朝露之清流。」這完全是過譽之詞！其實，蟬不過是個自我宣傳的小人，那有一點高人雅士的味兒？[illegible]

[illegible]此時此地，聽著滿耳的蟬聲，憶起故國田園，誰不是肝腸寸斷呢！

海上學校

〈中篇小說〉十

當營火有點打烊的時候，鄒老頭、劉金忠率領了夜學的六名選手，搬出了各色各樣的漁具，如網、投網、蝦網、八手網、[illegible]，分別名稱、保管、使用方法，介紹給孩子們。最後由趙虹作總結，[illegible]

……「生活就是教育」，[illegible]

七天瞬眼即過，孩子們的臉上，身上都加深了顏色。[illegible]

[illegible]

自由人

THE FREEMAN

（第六七三期）

中華民國僑務委員會
領發登記證台教新字第一壹二號
中華郵政台字第五〇〇號
執照登記爲第一類新聞紙類
（半週刊每星期三六出版）

每份港幣壹毫
台北市價台幣壹元

督印人：陳文華
地址：香港高士威道二十四號四樓
20 CAUSEWAY RD. 3RD. FL.
HONG KONG
TEL. 771726

承印者：東南印務出版社
地址：高士打道六十四號
台灣總經理處
台北市西寧南路壹壹壹號二樓
電話：四七三四六
台郵撥儲金戶九二五二
海外總經銷：友聯書報發行公司
香港：德輔道中二十六號A二樓

論蘇俄整肅與中共整風

——復國前途論之二——

・胡秋原・

俄帝之「整肅」和中共之「整風」「鳴放」，是有關聯的；這都是狄托獨立，韓戰戰爭，反史運動，波匈革命一連串事變之繼續。主奴之「整肅」「整風」「鳴放」，都是被動的，即在自由世界衝擊下解救其矛盾之產物，然而又都是無救其矛盾，只能擴大其矛盾，加速其崩潰的。

中共「整風」「鳴放」之初，有人以爲中共要「民主化」，至少假民主。中共翻臉之後，有人說是陰謀和陷阱。中共也自承「陽謀」。我看都不是。中共是被迫如此的。如今的形勢下，中共之「放」和收，皆有不得不然之苦。

中共靠俄帝起家，這也注定他的苦命。他只知俄道，也必行俄道。而俄式辦法，是與中國人民根本不相容的。俄帝形勢好，他受控制愈緊。俄帝形勢不好呢，他又得分担俄帝的風險。反之亦然。他無法脫離俄帝。俄帝亦不許其脫離。此之謂「牢不可破的友誼」。

韓戰開始美國對俄帝及中共之反擊。從此俄帝內部矛盾也日益緊張起來，而中共且幾乎送命。史達林死後，韓國停戰，救了中共之命。但接着「五年計劃」，亦是慢性流血。如是新的反共運動起來。新的反共運動者，並非國民黨的反共運動。第一聲即胡風事件。

而俄帝國內人民與東歐之反抗，也在史達林死後日趨表面化。加上「集體領導」之內爭，使赫魯歇夫在去年二月有一有趣的反史演說。這又鼓勵了附屬國人民及我大陸同胞反共抗俄勇氣。毛澤東原不以清算史達林爲然。但他不敢說話，說也遲了。

中共整風主要動機

接着波匈革命發生。而俄軍入匈屠殺。這在自由世界以及鐵幕世界都激起抗俄反共風潮，中國大陸亦不例外。毛澤東自己說，「匈牙利事變後，成千成萬的人上街反共」。毛澤東知道事情不妙了。他又看到兩篇文章。一是杜勒斯在大西洋公約理事會演說，說用壓力改變擠垮蘇俄，是可能的。二是十二月十三日，狄托有一篇動人演說，指摘史達林罪惡在其制度，不在個人禮拜問題。匈牙利革命對蘇俄及一切共黨國家是一最後警告，必須改變政策。否則，「人民一旦起來反抗」，軍隊警察都無用處的；俄國出兵，也無用處的。他警告各國共黨勿做格羅與拉科西。只有學他的「微風細雨」的方法，才能避免匈牙利的「狂風暴雨」！

去年十二月底，中共發表「再論無產階級專政的歷史經驗」，擁護蘇俄屠殺。毛澤東在此文中，開始提出所謂「人民內部矛盾」與敵我矛盾之不同。他說杜勒斯上了他一課。又雖然批評狄托，但微風細雨」，實與出狄托之文，可見也上了一課。匈牙利革命後，「我國有些人表示高興，動搖，動搖」。另一方面今年二月周恩來赴俄效忠而去，兩手空空而歸。蓋蘇俄出兵匈牙利後，財政困難萬分。毛澤東深知，共產國家如不改變辦法，他將有一重災禍。

于是二月末，他便有「解決人民內部矛盾」之演說。這是「整風」「鳴放」之理論基礎。同時。也是想對「老大哥」及「兄弟黨」作一貢獻。據說波蘭很高興這篇文章。但此文當時未發表，我想由于「老大哥」不高興。四月初旬，「伏老」來華。其任務之一，一定是要毛澤東到莫斯科去受訓。毛澤東非去不可。但他在赫魯雪夫反史演說後，對自己聰明增加自信。而又覺得，他的「人民矛盾」之發明，對「匈亂」對他自己，是公私兼顧的。就公言，如他自己所說，「匈牙利事變是壞事」。但「壞事可以變成好事」。怎樣變呢？要知道這原是「人民矛盾」，而「百花齊放百家爭鳴是處理人民矛盾的正確方針」云。就私言，他要打擊周恩來。整風首先整官僚主義，不待說，「周總理」是官僚首座。高饒事件後，「老大哥」極力扶植周恩來。此非「老大哥」不信任毛澤東，而是制衡原理。所以「伏老」到平後，他反而提高「整風」。一則要在到俄之前實驗一點成績，供「老大哥」參考。二則，打擊周恩來一下，免得他到俄後，周恩來搗鬼。此「整風」之由來，而與赫魯歇夫反史，是一個做法。

鳴放收場之原因

大家知道，中共整風」有二：一是「黨內整風，即反官僚、教條、主觀。這是整風八股，沒有多大問題。二是「開門整風」，即歡迎黨外人士「鳴放」。這就大出毛澤東意外了。最初是章伯鈞羅隆基等之鳴放，還算微風細雨。到了章乃器儲安平王造時葛佩琦乃至龍雲之類，攻訐社會主義和「黨天下」，要求共黨「下台」，乃至打擊到「老大哥」，變爲大風大雨了。而一般青年乃至共幹，高呼繼續五四精神，「全面學潮」，有一觸即發之勢」。這簡直是狂風暴雨要來了。

毛澤東自作聰明，想藉鳴放緩和民憤，知識份子則乘機反共。「壞事」不僅沒有變爲「好事」，而且「壞事」有提前之勢。中共震驚之餘，已考慮要收縮了。而同時，「老大哥」警告也來了。何以知之？五月底，赫魯歇夫對美作電視廣播時，說「蘇俄沒有人民矛盾，因蘇俄革命有四十年經驗」云。此一段話在六月初即華北報上，皆未登載。這一定還另有正式警告。因爲這兩個原因，六月初旬起，中共開始對鳴放者反攻，迫章伯鈞等「悔過」。六月十八日毛澤東演說「整理補充發表」，實即宣告「鳴放」之結束。六月廿四日以後所謂人代會，變爲整肅「章羅同盟」和「右派分子」的大會。所謂鳴放，也就如此收場了。這是毛澤東之弄巧反拙。「陽謀」云云，只是對「老大哥」的一種辯解而已。

章伯鈞在七月三日「坦白」中，曾表示鳴放是得「毛公」諒解的。章伯鈞說他自己受了歷史運動，波匈事變，和狄托思想影響。他說到「毛公估計不足」，弄得「超額完成任務」，收放兩難。知道章伯鈞的人，一定可以了解這些話還老實的。「估計不足者」，是沒有估計到人民反共如是之猛烈。不過，沒有說出另一點，即還沒有估計到「老大哥」對其「輕舉妄動」那麼不高興。

（下轉第二版）

半週述評

東歐怎麼樣？

在赫魯曉夫東奔西走到東歐去安定鐵幕人心的時候，東歐頭號附庸國的波蘭，又發生了一次羅茲工人大罷工，以致不得不出動軍警鎮壓。

罷工縱然可以用高壓手段鎮壓下去，但已燃着的燎原之火，是永遠撲滅不了的。

赫魯東德之行，遭遇的是民衆的淡漠！使得東德共黨當局不能不出于古所無今僅有的「徵」人去送行，以點綴場面；他滿以爲可使東德成爲共產主義窗櫥，也恐將只是一個布爾希維克主義者的誇大狂。

南國呢？儘管蘇聯大送秋波，要恢復情報局去拉攏，但狄托自有一套，他是絕不會來雪中送炭的。

中共怎麼樣？

在亞洲主要的蘇聯附庸中共呢？由鳴放而整風，在廣州雷霓公審的一套，勢必重開殺戒（中共曾聲言不再殺人）但鳴放之風一開，收是收不來，整是整不了，殺是殺不盡的，學潮農民抗暴潮風湧而起，智識份子逐漸堅持起來，刀斧已不足畏，北京將疲于應付，大陸也困態畢露了。

不是時候嗎？

蘇聯對附庸國的矛盾加上內部的矛盾，今天正是整個共黨世界險象環生，危機四伏的混亂時候，不正是艾森豪總統說過的解放鐵幕政策的大好時機嗎？

西方難道老在共黨「和平共存」的八陣圖打轉？

說的那裏話！

主理遠東事務的美國助理國務卿羅伯遜最近在國會作證，說出了「美國曾與中華民國政府書面協定，不反攻中國大陸。」

其實，儘管羅氏不作此言，大家也不會相信並無此事，有幾年來的事實爲證，任何否認也等于「此地無銀三百兩」。

但儘管這是事實，羅氏坦乎言之，忒也多餘，這是讓美國人民知道可以放心呢？還是要向中共解釋？結果總是向中國人澆冷水！

但儘管美國聲言不助我反攻，難道我們中國人民會永遠甘于讓政府株守一隅，等候人家安排「兩個中國」好「和平共存」嗎？絕不！

華府的算盤

合衆社透露，美政府請求國會于一九五八年度撥于遠東區域軍事援助六億九十萬美元，中日韓占百分之八十七；防務支持費六億六千八百萬元，也大部份分配與中韓越（日本當爲日本明年將負擔地面防衛全部責任，故未列）。

這事實說明美國用在這幾國家的錢，半作爲美國的防務經濟看，半用作援助別人，所謂援助，即便是杜爾斯所謂「不是爲了打交情，而是爲了美國利益」（埃及報紙引用也有美國會的聲明），實際也是算在自由世界報上。美國的國防與利益，也絕不會與其他自由國家的利益無關的。然而爲什麼會疑慮台灣還有所謂「反美情緒」，（國不少人指台北五、二四事件爲反美情緒的表現）？「居然日也可能在日釀成一些反美意識」（羅伯遜在國會作此言）？李承晚總統還不時對美有微詞呢（事實如此）？

此無他，美國的算盤在替自己或世界打算中，總不替別國人民想想！不支持中國人所渴望的台灣反攻，寧言支持韓國不可能的「和平統一」。在日本嘗轄了幾年，化了許多錢還不能令到日本人沒有「反美情緒」存在。化錢不討好，這在表面上有人替美國抱不平，事實上却是勢必如此。

米高揚之言

勢將取布加甯地位而代之的蘇聯第一副總理米高揚，在大雞尾酒會上說：（據合衆社柏林電訊），「第二次大戰時發戰爭財的美國人，如果再爆發戰爭，所得者將不是黃金而是炸彈與砲彈了」。這是俄帝恐嚇之詞，却也說明了一個事實：美國消極等待政策與畏戰心理，早給對方看穿了，還用得着美國說什麼不支持台灣反攻，不支持李承晚武力復國統一那一套嗎？

・林伯雅・

我這老頭也來饒舌

——共鳴又一章

・仲佚・

由於六六一期自由人蕭立坤先生「我的自白」一文，引起六六七期牛囁先生的「自白另一章」和六七〇期瓦斯先生的「共鳴之二章」。這三篇文章因是顯顯婆婆心，語語辛酸淚，把代代人担百腹赤裸裸的大胆爲出，這是饒有意義的。

世代的劃分，瓦斯先生祇是劃一個大概輪廓，其實確也不能嚴格劃一。如果以二十年爲一代，這算下去，我今年五十四歲，剛剛居第一代，也是蕭先生所說「快與泥土同歸」「人生如夢復如烟」的一代了。

五十四歲的流光，眞好像是一剎那，憶當年負笈就讀湘中書院改設的一間學堂，辛亥革命那年，寒假回家，將一把並州快剪，冷不防把我大姊的頭髮剪掉，這件令到她大哭大鬧三天。還記得就在那讀書的鎮上，有一天看到一個外行劊子手，穿着大紅衣，揹着大砍刀，在廣場糊亂把犯人的頭砍下一半，觀刑的人山人海，有些鄉愚還拿了熱烘烘的包子，爭着在那受刑者的頸血蘸了血，把麵包大口吞嚥，那時童稚的心靈，震嚇得不敢作聲，祇聽旁人說：「吃了人血可以大胆」。民國十一年我族人犯了竊案，被族長野蠻得像個不開化的酋長，把他活活淹死在池塘裏，（當時湘中族規最嚴，凡犯盜竊被族人淹斃是常事）。二十九年川西小縣子有一位縣長勦匪邀功，跑去汶川山中，斫下兩個夷人腦殼，扛着大吹大擂，凱旋回城，沿街鳴放鞭炮，圍觀凱旋，我曾親眼看到縣大爺那副賣野人頭的嘴臉，蕭先生說：「父老們睡在鴉片床上，大談孔孟仁義」，這恐怕還是老學究的作風，應該甘拜下風。

我是二十四年入川，卅九年三月纔離川康。據我所知，凡川康顯宦縉紳巨賈之家，決缺不了有兩三套精緻的鴉片烟具，往往有什麼民生國計大問題，會議兩三天難獲結論，三五人只要在烟燈旁一擺，就可迎刃而解，十數萬元交易在市場難成立，可取決於烟盤子裏一句話，這些我或許較蕭先生看得還多，不過我還會看到我的同輩，把打倒曹汝霖章宗祥的標語，高高的貼在北京天安門上，北伐前後，在廣州莊嚴誓師時，也看過我的同儕那種氣概與風骨，一往無前的氣概，可是一眨眼間，誠如蕭先生說，這些人「不是成了仁，便是生了蛆」。

蕭先生今年四十，牛囁先生卅，瓦斯先生呢，看他筆下所體驗的，想也四十來歲的人了。如果第二代眞是可恥可悲的一代，第三代也不能開新，那麼我們這些忝列第一代的，縱然健在，應該怎麼坦率自白才好。

這本難怪，我們這兩代，一生下地，都在亂離風塵中打滾，舊的東西，隨着無情的時代潮流席捲以去，新的一切文化思潮又接不上氣，在「無日不在中外，新舊，善惡，清濁，貧富等等矛盾理論及現實中掙扎」的人，究竟能站得住，不爲時代逆流捲去的，能有幾人。

但時代畢竟是進步，我們在童年和中年時目覩的那怪現象，今日已不復見了。雖然不合理的新現象，如牛囁，瓦斯兩先生筆下所描繪的，也足以令人目覩心傷，但老一輩的，頑固自守，無法改造，俱往矣；新一代的縱然有「病」，但如果能像瓦斯先生所云，我們老一輩的，能以帶罪的心情，有個良好的交代，是不難痊癒的。

古人謂卅曰壯，四十曰強，三四十歲的人，畢竟是成熟的果實，社會的中堅，「疾風識勁草，板蕩見忠貞」。在這樣一個天翻地覆地大時代中，不必一定樂觀，也不必過于悲觀，至老一輩的人雖不須如陸放翁「老子猶能絕大漠，諸君何至泣新亭」，或如麥克阿瑟「老兵不死會再來」，那麼自豪，但春蠶未死，蠟炬未灰，還是希望世局轉好的。

今日國家之事敗壞至此，我們第一、二兩代都應該負重大責任，他們第三代，可說是無罪的羔羊，應不負任何責任，第三代以下更不用說了。他們是民族國家的生命綫，我不是循例的說，是創造時代的寵兒，他們可以改變歷史的動向，可以扭轉艱危的世運，時至今日，無論一二兩代，凡是老一代的，都應以贖罪者的心情，寄希望於他們，撫之以溫情，導諸於正義，十年生聚，十年教訓，今後沼吳復漢的重担，都寄托於他們的肩膀，中華民族歷史文化生命能否延續，也就要看他們的表演了，我們不必及身而見，大家都應作如是觀！

蕭先生原意是盼第二代的人坦率自白，而我這老頭也無端饒舌，只能算是多餘的，不過我希望老年人的確有的是眞實的體驗，如果能寫給第三代的人作爲參考，是絕對應該的。

馬來亞獨立底前夕

·司徒鈞·

海外通訊

拉曼態度　關係新國前途
華巫印團結　乃衆望所歸

森美蘭蘇丹嚴端，被擁戴爲馬來亞首任元首後，東姑鴨都拉曼「一人控權」思想，已受到嚴重打擊。華巫間的嫌隙能否彌縫，有待時間考驗。在正式獨立日子逐漸接近的今天，人們體覺到的，依然是巫族獨佔內政治，跟華族經濟權力恰成尖銳對比。儘管有人提出警告：新興獨立的國家，需要各方合作。但東姑並不理會這些。他對過去恃爲爭取獨立基礎的「華巫印聯盟」（政聯），在英國許諾馬來亞獨立後，早已視同贅疣。

富有華人徙往星洲

馬來人遷徙星洲，在最近兩個月間，遷往新加坡的華僑已數逾萬計，雖然他們基於兩大理由：（一）國際共黨一方面循外交手段，將使馬來亞獨立後改採中立政策——爭取新政府宣佈承認中共以及其他共黨國家；另一方面策動馬共地下組織陰謀滲透顛覆活動。（二）獨立之前，馬共雖無顯著活動，政府明知馬共首領陳平率部曾由泰境侵入，回返馬北森林未加阻擋，而潛伏城市的恐怖分子，自將無法無天，以後不要說工潮勢將擴大，獨立成果難確保，人民生命財產誰維持呢？實際上，他們有同巫人合作之心，却難獲得巫族領袖拉曼放棄排華心理。這顯然是建國的一個不幸開端。

拉曼的態度

雖然，「氣走」的華人並不是多數，對於馬來亞經濟上的影響却並不太少，就東姑鴨都拉曼態度上看：最好讓所有的中國人、印度人、英國及歐洲人全部自半島撤出。許多熟悉東姑心理的人士認爲：將來終有這麼一天，他會大胆地公開表示：「所有外國人全部滾出去。」他們說：可惜不待他表示，恐怕早已給環伺四周的共黨奪去了他政治生命。這種看法雖然比較武斷一些，就現實趨勢看來，確非過甚其詞。至於東姑本人，他現在只知道：美麗的遠景已逐漸接近，到底將來採取什麼路綫，等到做了首任新總理再說。於是，有人已經替他算定：政治路綫步武埃及的納瑟；外交路綫追隨印度的尼赫魯；經濟政策向南越看齊。倘不幸言中，馬來亞不搞成一團糟才怪呢！當然，馬來亞是不輕易擺脫了殖民地的束縛的，誰能容忍愚昧地鑽進紅色的圈套呢？

元首人選的決定

馬來亞立國規模，係合九州，二海峽殖民地（馬六甲與檳榔嶼）而成。元首係由九州蘇丹（土王）輪流擔任（五年選舉一次），首任元首雖已八月三日選出，誠如本報前此預言將由嚴端膺選，醞釀却有兩月之久。因爲，東姑鴨都拉曼雖然一味獨攬政權，但並不獲得全民歡迎。九州蘇丹除了柔佛蘇丹（常年在英作寓公）之外，其餘均爲馬來亞前途設想，不擬依照憲法規定依現任蘇丹執政長久，決定擔任首屆元首；而取決於具有人望的政治家。那毋寧是在對付拉曼。

拉曼的大打擊

嚴端是馬來亞各邦蘇丹的傑出人才，早年留學英國，被推爲留英的馬來亞學生會主席，有極大的號召力，二十四年前登基，成爲森美蘭的統治者之前，曾任行政、司法，學識經驗豐富，拉曼顯然不是他的對手。半年前，這位現任的首席部長，滿以爲未來的元首係由柔佛蘇丹出任；有了一位只知享受，常年悠遊歐洲的名義上統治者，他可以予取予攜，至少在今後五年間，他是一個實際的統治者；迨至蘇丹秘密會議中選出嚴端，對於東姑鴨都拉曼說來，當然打擊最大，儘管憲法賦予了總理很多權力，爲了馬來亞建國前途設想，誰能相信：那位有作爲的元首，甘作馬來亞傀儡。

解釋「誤會」的用意

形勢比人强，顯然已不容東姑鴨都拉曼再存偏見。這是可以說其解釋「誤會」看得出來：過去他歧視華人，甚至於對他視同左右手的李孝式上校私人行動也表不滿，李氏爲現任聯邦財政部長，七月廿八日獲吉隆坡華僑擁戴，提名爲馬華支委候選人時，竟被拉曼指摘爲不受組的忠告（勿與馬華公會的中國國民黨領袖發生關係），現時却又表示後悔，而力言對「李孝式爵士完全信賴」，並說上次的談話僅「私人間的交談」，而非一種指摘」。這是不是說拉曼對於歧視華人態度有了改變？抑係對國民黨黨員在海外沒有政治活動有了認識？還是担心華僑財富的轉移？或爲避免跟財政部長間的摩擦呢？凡是一愛護拉曼政治前途的人，沒有不希望他早日闡明他的立場：貫徹「華巫印聯盟」諾言，共同合作建設馬來亞君主立憲的新國家。（八月三日寄自星洲）

論蘇俄整肅與中共整風

·胡秋原·

（上接第一版）許多朋友以爲周恩來與附庸黨派混得熟，「鳴放」一定是周恩來反毛的花樣。然如看周恩來在人代會上反鳴放之激烈，比毛澤東文章兇惡萬倍；而且居然將毛澤東的話，改爲「百花齊放，推陳出新」；更可以看出鳴放起于毛之發動，凡有反周之意；而周藉鳴放之出醜，對毛反擊。在莫斯科集體領導時期，毛澤東可利用「老大哥」之「人民矛盾」，出點小主意。莫斯科一單純，毛澤東只有聽話，否則周恩來勢燄，就要進一步威脅到他了。毛澤東已延遲其朝俄之期。但遲早要見赫魯歇夫的。見面之時，兩人心中都有一句話：「你的演說！」

「鳴放」之重大意義

赫魯歇夫之反史運動，促進匈牙利革命；毛澤東之鳴放，亦將促進中國大陸之革命，鳴放結果出乎漢奸意外，誠然有趣，然就一般鳴放內容而言，意義是重大的，嚴肅的。值得高興，亦當感動的。

這鳴放是一民意測驗。這證明大陸同胞與我們是一致的。自由中國不僅在台灣，在海外，也在大陸五億人的心中。這不是偶然的。共產主義不是中國人請進來的，是俄帝國帶進來的。許多國人不明此理，以爲中國文化有專制主義成份，有共產主義基礎。其實中國的仁義思想，即是民主自由。中國文化是一種個人主義的文化，也是一種世界主義的文化。此與共產主義不相容。故中國人終必反共。而中共遲早必倒。這是我們必能回到大陸的基本保證，而這也便是最後只有「一個中國」的基本保證。

然則中共能不能多少改變一下自己呢？鳴放證明中共是不能狄托化「民主化」，也不能狄托化。老實說，一切專制政權獨裁政權都難，共產主義尤難如此，漢奸性共黨尤其如此。鳴放是中共恐懼人民反抗的預防措施，而稍一鬆手，促成人民提前反抗，就急忙收兵，露出凶相。這是中共進一步自暴其虛弱卑鄙。而人民亦早看穿中共真相。無論中共玩什麼策略，總是等機會收拾他們的。很多人希望毛澤東做狄托，不知狄托獨立得早，雖行獨裁，沒有如毛澤東殺人「八十萬」（何止于此！），南人雖不滿狄托，未至「與汝偕亡」。而狄托能反抗蘇俄，因此還能得南人擁護，這都是毛澤東不能比的。更重要的是中國不是東歐，沒有狄托主義（民族共產主義）的社會基礎。誠然，毛澤東發動鳴放，是多少受了狄托演說影響。然而，人民一起來，老大哥一警告，這忙修改演說，將責任向章羅一推，這還算狄托嗎？章伯鈞等也許頗有點狄托傾向，但無做狄托之力。而一般知識份子，根本反獨裁，反社會主義；自然絕不屑于狄托了。

鳴放運動是一思想解放運動，將加速中共政權之瓦解。中國人民鐵幕，不滿共產，由于共產恐怖的神秘，很多人特別是青年，還沒有一種明確的反共思想，也缺乏足夠的勇氣。由于鳴放機會，許多知識份子提供了很多很好的反共理論和思想，而共黨之可恥可恥亦完全暴露。思想即力量，而暴露增強大家不怕共黨之信心，所以反共運動立刻起來。今中共雖然藉「整風反右」，並迫若干人「悔過」，然鳴放火花已經散布了，收不回的。在目前中共全力防範鎮壓之下，公開反抗自將暫時潛伏。然一個思想解放運動必不徒勞。這運動必繼續蔓延，一方面影響中共內部之懷疑，消沈，相互猜忌和怨恨；另一方面，而反抗思想將由知識份子普及工農士兵之中。再度暴發之時，那才是驚天動地的。中共似呼自詡其鳴放原是陷阱，若然，我要說，這陷阱是你們自己的墳墓。（全文完）

人物介紹

中國自由史上一位獨立的記者

——祝成舍我先生六十壽——

（中）

·程滄波·

「從五四」時代到國民革命軍北伐，他在北方爲了自由的奮鬥，曾經坐過多次監獄，好幾次幾乎槍斃。國民政府在南京成立，是民國十六年四月十八日，舍我先生大概在五月初便在南京發刊民生報。當時我亦在南京。大家所爭閱的日報，一爲革命軍日報，另一則爲民生報，前一個報紙，是總政治部辦的，主持人爲龔德柏先生。民生報完全是民間報紙。民生報由民十六到民國二十三年在首都是惟一的民間獨立的日報。最後卒遭汪精衛的非法封閉，衛戍司令部禁閉了四十天。上海立報是民國二十四年九月開辦的，這張報紙，在中國報史上有它特殊的地位，今天不及在此贅述。可是我必須追述當年他從南京衛戍司令部被釋外出，南京地方是不許他辦報的。立報的創辦，一方面是他對小型報在大城市生存發達一個思想的實現。同時也爲辦小型報可避免人家的注意。那知道這一個小報在上海，竟在數年中打破報紙的發行紀錄。中日戰爭爆發後上海立報隨着國軍的撤退，另在香港繼續出版。直到珍珠港事變，香港淪陷而停刊。重慶世界日報籌備開始在民國三十二年，到三十四年五月正式發刊。因爲當時後方人力物力及設備的艱難，據舍我先生時所追憶，他一生辦報費力最多，莫如重慶世界日報。當時我也在重慶日報担任一個總主筆[illegible]見他赤足打水，（因爲出版不久重慶[illegible]過報館的一段，突然阻塞，全館被[illegible]一公尺餘，經過兩月，始由市政府[illegible]更親見他到排字房，到打包間，[illegible]對。報館中各種事務，他既無一不親自動手參加。經過這一段簡單的[illegible]請舍我先生從十五歲起，便從事報[illegible]四十五年的歲月中，他在報館工作，從總編輯總主筆，從發行廣告到總經理，[illegible]一部門的工作沒有參加過，而且[illegible]熟。他在報館內部的工作既如上述，他創辦的報紙，我們記得清的，便是上面所說的六個日晚報，其次他在北平創辦北平新聞專科學校，在桂林繼續創辦[illegible]，去年他在台北，再創辦世界新聞職業學校，並準備籌辦新聞學院。

三

我在本文的開始，便強調舍我先生四十餘年在新聞界奮鬥的歷史，他特殊的風格在於他獨立的精神。他這個獨立的精神，充分表現於他的言論行動及事業方面，民國十三年的世界晚報，是他第一次創辦的報紙。據說他開辦那個報紙的資本，是大洋二百元。而這二百元大洋，是他在益世報最後幾個月工作的積蓄。從民國十三年到民國十五年，他在北京，赤手空拳，辦了四個報紙。沒有拿着任何方面一文津貼。更沒有假借報紙與當時的軍政任何方面發生關係。他的聯繫對象，是多數的人民與青年。他總靠這一點獨立精神，爲着自由，與當時的軍閥官僚，作殊死的鬥爭。結果坐了多次的牢，幾次險些遭了槍斃。國民革命軍北伐，舍我先生因爲參加地下革命的組織活動，曾經短時期担任軍總特別委員會秘書長，平津收復，任北平大學秘書長。他與革命的淵源，歷史甚深，更對革命的宣傳着實出過死力，如果他想作政治活動，他的政治資本，正是十分殷實。但是他除了在短時期担任過上述兩個職務以外，他始終不會向政府爭取一官半職。他在南京辦民生報，沒有受過政府一個錢津貼，他的報館房屋與自己住宅，聯在一起，簡陋偪促，刻苦艱難，今天在台的朋友，還有人可以回想而證明。他既不願做官，也不願假借報紙的地位，替自己營謀任何名利。不但不去稍謀名利，而且終致報館被封，自己坐牢。記得民生報被封，舍我先生在首都衛戍司令部禁錮四十天出獄，唐有壬曾與晤談，勸他與汪精衛修好，間接暗示如肯與汪妥協，不但報可辦，還可做官，名利兼收。當時舍我先生一口拒絕。唐有壬還曉以利害說一個新聞記者要和一個行政院長去碰，實在是碰不到的。舍我先生答覆唐：「我與汪精衛碰，最後勝利是屬於我的。」唐爲之謂然不解，舍我先生他說最後勝利的理由：第一汪的年齡比他大；第二汪不能一輩子做院長，而他能一輩子做新聞記者；第三做記者可以抱定主張，始終不變，搞政治則誘惑太多，不容易永保令名。民國三十七年底，北平再度淪陷，三十八年春共匪宣佈沒收北平世界日報，舍我先生在上海各報發表長文，對毛匪澤東正面駁斥他沒收報館的理由。這一篇文章，當時全國爲之震駭。舍我先生一生奮鬥的紀錄，今天不容詳細引舉，但就這兩件事說來，他的勇敢，他的正氣，在近代中國新聞界中是空前的。有一位老友曾對我說，舍我先生只憑一篇文章，便可名垂千古，何況他推倒一世豪傑，開拓萬古心胸的文章，何止一篇？而每一篇警世不朽的文章，都是表現了他獨立特行的人格，大仁大勇大智的風範。近年我常有意撰述中國近代記者的傳略，我所知道的記者，我所親自交往的記者，像舍我先生的風格，實在是不易多見的。而舍我先生風格中最獨特之一點，便是他獨立的精神，他那獨立的精神是近代中國記者中少有人可以比擬的。

中國近五十年的新聞記者，人才輩出，如果今日修訂國史，在儒林，文苑，藝文，獨行等傳以外，應該加增「記者志或傳」一門。五十年來的記者，始終維持報紙記者的立場，而且終身從事新聞事業的，我常常想起三位人物，第一位是陳景韓先生，第二位是張季鸞先生，第三位就是成舍我先生。這三位先生將來各有千秋，今日是可斷定的，說到陳景韓先生，今天新聞界中不但和他接觸的人不多，怕知道或認識他的人更少。陳先生前後做了三十年的記者，他不愧是一位獨立的記者。可是，他的獨立，還多少是限於消極的。他的獨立，多年中是偏於「有所不爲」。像我一輩的人，大概可以記憶三十年前申報署名一個「冷」字的社評，在那時，在今天終覺得他過於「冷」一點。有一次景韓先生對我講一段故事，那是前清末年在時報時代的事，他那時他在時報做總編輯兼寫社論。社論的文章是極具鋒芒的。有一次時報主人狄楚青先生給他看一封信，責備他寫的文章，竟像革命黨寫的。後來看了信末署名是康有爲。狄楚青是康的門生，他把康有爲的信給陳先生看，意思是嫌他寫的社論過於激烈。從這一個故事，可見陳先生在當年寫文章是「冷」的。抗戰中間，陳先生始終沒有離上海，勝利後我一到上海，去看他，問他何以自全。他說「我從來少出去，即出去沒有人認識我」我當時默念，做新聞記者，做到沒有人認識是太難了。景韓先生的行己立身，嚴極正，認識事理更絕對清楚，他的立場堅定明朗，是毫無疑問的。可是他那種風格，是無法效法的。（未完）

香港難民呼籲國際援助

希望下月聯合國大會通過議案　列爲國際難民予以正義的援助

·祝修衡·

聯合國第十二屆大會，預定今年九月十七日舉行，距今僅一月間。香港難民救濟問題，將來能否及時提出討論，和將大是否能夠確定：把港澳難民視同國際難民，現在無法知道。

香港難民多數來自中國大陸，係一九四九至五零年間大量湧入；最近幾年雖有移入，數量並不太多，但迄今仍源源不斷。香港究有多少難民，根據香港政府主管部門統計，估全港人口總數大約四分之一。香港方面私人志願團體對這些難民的貢獻，據港府估計，在一九五一至五六年間，所承負擔的救濟費用，爲一千萬至二千萬港元。這種出於道義與胞愛的同情與支援，受惠者當然不能體然無知，其中不只是調景嶺同馬鞍山、荃灣難胞而已。

是香港的中國籍難民實數究竟多少，顯然不易統計，除非進一步精確調查。據中國大陸災胞救濟總會統計，目前流亡香港難民總數已經超過一百萬人，由幾年來接運赴台的難胞，約達五萬二千四百八十人。按：這一數字不同於香港政府移居數字的原因，係包括了社會局未登記的難民；港府的統計資料，僅限於調景嶺、馬鞍山、荃灣區的三個難胞組織），其中經美國政府協助徙置的，估計一萬六千人，其中間難胞括有調景嶺及馬、荃難胞，由此數字看，少；大多數爲知識分子學生。從這些數字看，顯然不能解決基本問題。

應有充分準備

現時各界人士籌謀

問題一直存在着

八年來，香港始終存在着一個「難民問題」，原因是：第一、大陸上人民處境日感艱困，不管他們打算投奔台灣或者海外其他地區，第一個目標總是選擇香港；於是，香港的難民數字不斷增加；第二、一九四九年以迄一九五五年六月，香港政府存在着一個希望：鼓勵難民移向海外——台灣或其他各地；但結果，在一九五四年六月至一九五五年六月一年間，只有二千七百四十一名徙居海外，而其中去台灣的佔有了二千七百零三名，直至一九五六年六月這一年，雖有少數移居台灣，移居南洋，美洲的，實在微不足道，於是，事實變成了入境者多出境者少；第三、港府在八年來對於處理難民問題，曾作過極大努力，但房屋、醫療、教育等設施，仍感不足。主管當局估計目前需要徙置木屋居民約有二十八萬人，屋宇居民四萬人，街邊露宿者達一萬四千人。以多層式屋宇容納大部分人士的計劃實施以來，這種費用按人計算，每人大約費三百五十港元，僅此一項，港府已經動用三千一百六十萬元；本年度擬再動支二千五百萬元以支持這一徙置計劃。至於醫療、教育以及其他服務方面所提供的負担，已由一九四七至四八年度的一千一百萬元，增至三千三百萬元。

引起英倫重視

基於上述三點，曾經引起英倫憂慮，而於世界教會聯合會李斯博士尚認爲英國政府、香港政府一對於難民問題應成爲一種國際責任，顯然缺乏熱忱。」提出質詢後，今年五月，英國代表古溫夫人，在日內瓦難民問題會議中，不能不呼籲世人正視這一現實問題，請求聯合國宣佈在香港的七十萬中國難民（編者按：目前已不止此數，今後可能大大增加），由聯合國難民問題高級專員管理，因此便有資格由國際加以援助。當時，這一個會議中，與會各國代表從影片中（香港難民實況）知道香港政府對中國難民提供了經濟、物質以及其他的援助、他們至多也不過做得一個結論：希望由聯合國國際難民問題高級專員駐港代表，與港府協同解決這個問題。

籲請聯合國援助

聯合國的難民機構並非不知道，古溫夫人曾於去年十二月，向聯合國難民緊急救濟基金會執委會第四屆會議提出報告。但是，該會議只有「沒有的款」，不置可否。這就不能使世界輿情滿意，也是這時各界要求本屆聯大提出討論的基本原因。但

籲請本屆聯大，處理這一日益嚴重的「香港中國難民問題」，茲列四點提供參考：（一）問題日近，距九月十七日聯大開幕日近，必須趕及聯大秘書處編排議程之前，將所有關聯資料編列議程；（二）這一個問題須由何方提出？中華民國政府、英國政府、美國政府，抑由聯合國協會機構、難民機構、必須確定；（三）香港中國難民的實際數字必須有一正確統計，以目前數字與比一九五四年韓晉蘇博士估計的六十六萬七千人顯有重大出入；（四）救濟方式，雖然聯大如果同意考慮，將會決定經濟、物質支援，或設法徙置，但也不能不提供具體方案，否則，假如考慮接受前此韓晉蘇博士的建議撥款一千萬美元，仍不能解決今後的難胞。當然，此外，還有其他比較具體切合實際資料，有待「香港各界呼籲聯合國救濟留港中國難民委員會籌備會」或其他有關機構研究準備，迅採有效可行途徑。倘得成就，豈僅造福入港難胞，予自由中國政府與人民的負担，而香港政府與市民的負担，將獲大大減輕，這問題，顯然是國際性的問題，歐洲難民、巴勒斯坦難民均被注意，香港難民沒有理由不被國際重視的。

國際動態拾零

莫斯科召喚大批大使回國，到現在止，召來返者已佔總數百分之四十以上。蘇聯外交界大爲震動，所猜測的理由，這些人都在莫洛托夫任外長時期提升起來，其今後之命運，亦將與莫氏相彷彿。

×　×　×

美國國務院擬請求國會取消打手模手續簽證申請書上的規定，據云，一則避免蘇聯以此爲宣傳的藉口，再則美蘇文化交流之交換計劃業已成熟；兩國鋼鐵工業家之交相訪問，已經內定，並有兩國退伍軍人互相訪問之偉大計劃。

×　×　×

據原子能委員會研究的報告，謂放射氫氣彈區域附近，有三分之一兒童，發育都比較遲緩。

×　×　×

美軍海軍消息，謂正在計劃建造最大的原子能水上飛機，可繼續在空中停留一星期以上。

×　×　×

匈牙利卡達政府，正擬將去年十月革命後所拘捕的人犯，舉行秘密審判。據中立外交家報告，被拘者數目已在五百人上下。

陶然

新書評介

談「蘇俄在中國」

·陳克文·

蔣總統所著「蘇俄在中國」一書，自六月間發行以來，已引起世界各地人士的極大注意。歐美日本的政治家和評論家，對本書的評價，已經有過不少談話或文字發表，一致加以推崇。就香港一地的銷行情形看，最初發行那幾天，人人都爭相購讀，以先睹爲快。海外華僑叢集的地方，如越南和印尼，函托「自由人」報社設法供應的，亦爲數不少，可見本書在海外華僑社會，銷流也一定很大。中共報刊，向來對於反共著作的消息，是隻字不提的，現在對本書也著文評論，大肆攻擊了。故本書不僅爲自由世界所重視，也爲共產國家所不敢輕視。

本書爲甚麼會引起世人這樣的重大興趣呢？在本書初發行的時候，本刊「新書評介」曾經說過：「本書係敘述卅年來中華民族和國際共產黨鬥爭的經史事實，其中有許多未經發表，爲世人所不及知的史料；加以著者係始終領導此一鬥爭的中心人物，艱苦備嘗，現在親自論述這一段本世紀中華民族最重而又最慘痛的歷史，其價值之珍貴，自可不言而喻」，（見本刊六五八期）。我想這幾句簡單話很可以說明許多人要爭讀本書的主要原因。

兩月來，本書在香港的銷流雖然很大，而文字的評論卻不多見。因此，要知道香港文化教育界和一般社會人士對本書的意見，只能從許多人談話中得之。以筆者耳目所及，中共報紙的惡意攻擊姑不必說它。香港許多人讀過本書的，有人加以稱美，有人加以壞的批評。

稱美的，大體都說這是一本平心靜氣，就事論事，不涉意氣的好書。他們並且認爲在著者的許多著述中，本書應該是最具權威價值的一本。

至於若干表示不滿的意見，其中較可注意的。第一，有人認爲本書有點「長他人志氣，而滅自己威風」的氣味。他們認得書中論述中共得勢的地方，儘管指出中共背信棄義，奸險狡詐，處處受蘇俄操縱和指示。但是不免給人以一種印象，中共聲勢愈來愈大，終于達到竊據大陸，奴役同胞的目的。反過來說，國民政府卻愈來愈弱，弄且支離破碎，被迫退處台灣。其次，又有人認爲本書的理論推究，不免有使用共黨理論武器辯證法的嫌疑。對著者的反共立場，似乎多少有些刺謬。此外，還有人對本書的發行技術認爲殊欠周詳的。他們認爲全書廿餘萬言，在現代的繁複社會裏，是不會有很多人有時間讀畢全書的，或竟因此而不敢一讀亦未可知，因此他們主張應該同時發行一種精要節本，或附一篇緒論結論之類的文字，總括全書要旨，以利便讀者。

本來，近卅年，我國國際關係的複雜微妙，爲我歷史之所沒有；而卅年反共政策的執行，其牽涉之廣泛複雜更爲我國政治經驗之所缺乏。本書要把反共的國際關係和反共政策失敗的原因，在「反共復國」尚未顯見成效的今日，作出使人人能夠覺得滿意的解答，是事實所不許可的。

兩年前，美前總統杜魯門發表他的回憶錄，當時曾受世人譏評，認爲杜氏「有意改變歷史」，因爲杜氏有意把自己內部的歷史，在自己的著述中，掩飾史實，以求文過飾非。以此他的著述價值遂爲世人所懷疑，而成爲不可信的文獻。蔣總統此書能夠不計個人毀譽，忠實於史事的敘述，這一點恐即予人以「長他人志氣，滅自己威風」的印象底最大原因。然而就立言的精神來說，本書實較杜氏之作遠勝了。

邱吉爾的二次大戰回憶錄，爲今後研究大戰有關史實及其成敗得失的權威著作，蔣總統這本「蘇俄在中國」，也應爲今後研究蘇俄外交與反共問題的權威著作。因爲邱吉爾爲二次大戰的領導人物之一，而蔣總統則爲卅年來領導反共鬥爭的唯一領導人物之故。蔣總統領導的反共鬥爭，雖曾受了挫折，但他的經驗，他的意見，和他所提供的歷史事實，卻是極端寶貴的。

執政者自身的經驗和意見，往往留待後人去批評，其實執政者自身的經驗和意見，亦可寶貴，現代政治，必須執政者能夠不斷的自行檢討其政策的得失，從挫折失敗之中，不斷的求改革，有事實，有理論，才能貫徹其政策的精神。「蘇俄在中國」是有一本有系統，有步驟，有事實，有理論的政策檢討著述，本書之所以受人重視，不是沒有理由的。本書的價值即在此。故讀本書的人，不論他對著者的見解是贊成或反對，本書始終不失爲研究蘇俄與中共問題的權威著作。（一九五七年八月十日）

悼念陳博生先生

·林伯雅·

今天翻閱報章，發現博老（我們新聞界許多如此稱呼他）于昨天（十三日）病逝的消息，使我默然悲悼者久之。我對于博老之爲人與風格，在這混世滔滔的俗態中，敬佩之外，特別有深刻的印象。雖然我們自從廣州一別，八年來未見過面，但我相信沒有彼此忘記過，因爲往來港台間的朋友常常替我們帶給一些互相關切的音訊。

我覺得博老和我是用不着以應酬交往而心照不宣的朋友，當然他對新聞界的其他許多後進，相信也是一樣。我們特別在民國卅一年至卅四年間在重慶過着戰時生活的一段時間，相處過往比較密。他爲人正大而輕鬆，寡言而言必有中，談吐特別有風趣，風趣中又特具一種相當深刻的啓示作用，和他來往，使你覺得他是一個非常年輕的老人（今年六十七歲）。他「在家裏絕不談公事」，（用他自己的話），是一種可以爲範的生活方式。對于他已成家立業的幾位兒女，也一樣的輕鬆風趣；叫他們常見他們在像小孩似的對他親切的叫着「爹爹」，眼裏同時流出敬佩老朋友一般的神氣，充滿着輕鬆的氣氛。

他這種特具的風格，正是他成爲文化界碩果，受人敬佩的因素。他替國家做過許多事，卻不是在做官，他的貢獻永遠是在文化界。

他是新聞界耆宿，但他不隨意寫文章，但爲一執筆卻多精闢之論；他是新聞界的立法委員，但他在立法院也不常常發言，但發言提案，都切中時弊，百發百中。

他早歲先後在日本早稻田大學及倫敦大學遊學，回國後一直未離開過新聞界崗位；先後做過北京晨鐘報總編輯，晨報總編輯及社長，中央社駐京特派員，總編輯，顧問並曾兼任中央日報社長；曾任過國民參政員，新聞界立法委員，也可說都是不出文化圈外；他也是國內有數的日本通，但這些都用不着提及，我們只稱他是新聞界，博老就夠了。

他畢生盡瘁于國事，尤其于新聞事業，待人溫和而內心剛直，尤其在十餘年中央社總編輯任內，兢勤于職務中，（或者是在中央社法院中）的不免于觸動，一直養病家中，當他病重彌留時仍以未能目睹光復大陸爲憾，使我們新聞界常爲老表示無限的同情。

博老之逝世，是文化界的大損失，他的道德、文章、風格，永遠留給人們，尤其是新聞界同人，以不可磨滅的印象。（八月十四日）

編者與讀者

一、△守琦先生：七月廿五日函，關於某中學「奇異的簽名」一事，甚感，但本刊已將該長另文報導過，恕不另刊。

二、△李敬民先生：七月廿六日大函，承告以立法院關於儲備登記質詢一則，內容，大致已見本刊「六五一期」陳先生「締運僑胞」一文中，擬不另發表了。

自由談

談反對黨問題

馬五先生

言民主政治者，必倡言反對黨之說，固矣。但所謂反對黨的真諦，乃係兩個或者兩個以上的政黨交互執政，在野的如不與執政黨組織聯合政府，即以反對黨的立場，對政府當局的凡百措施，盡其監督批判之責，而以議會和言論機關為表達意志，較量能力的公共場所，最後決勝負於人民的選擇。所以，政黨本身原無所謂反對性，今天在野，便是反對黨，明天在朝，又處於被別人反對批評的地位了。

我國自辛亥革命迄今，只有國民黨的基礎和力量最強大，中間國民黨曾經以黨治方式，單獨執政了二十年。迨憲政實施後，國民黨在議會中仍佔有絕大的多數議席，因而繼續當政。現有各級民意機關中的青民兩黨代表，即居於反對黨地位，也擁有監督批判執政當局的權能。至於他們是否可以發揮一般反對黨的效用，那是事實問題，與有無反對黨之存在問題不相干。這也就是說：現時我們所需要的民主政治建設，是在使國民黨以外的政黨都能夠更發展，更強大，而不在乎標榜反對黨的名號。世界上決沒有永遠以在野的反對黨自居的黨派，否則根本就失去組織政黨的意義了。

現階段與其斤斤於反對黨之有無，倒不如提倡兩種政治風氣：一是確切實行言論自由的基本人權，真正做到「言者無罪，聞者足戒」的事實；而言者亦不要藉反對批判執政當局的權力為榮梯利媒，政治權利有我一份就是民主，沒有我一份即為獨裁。這樣的反對派，徒然鴨屎臭而已。二是一般搞政治的高級知識份子，應以政治理想與主張作為進退仕途的準則，不要直尺枉尋，喪其所守。二三十年來，我就未曾見過有因政治主張不行而掛冠拂袖以去的重要官員，滔滔者盡是些言不顧行，嗜官如命的政客政棍，恍如政治蝨蟲，這種無所不為的作風，配談反對黨嗎？

斥「符咒主義」

政治圈裏的新巫師與「國粹巫師們」無別

·楊海宴·

兒時在故鄉，有一件事記得特別深刻，就是那些巫師巫婆，專靠念咒寫符，為人家遣鬼治病，捉妖安宅，以此作為自己的衣食之資。這些人大都是陰森森的，說話慢吞吞，一臉神秘恐怖味兒。令牌一塊，黃紙一疊，外帶一肚子滾瓜爛熟的咒語，「急急如勅令，太上老將軍。」或者在黃紙上寫上「姜太公在此。」往門上一貼，據說這樣即可卻病消災，平安大吉。

在廿世紀六十年代的今天，這些巫師巫婆，自然被盤尼西林、阿司匹靈、葡萄糖針，以及聽診器等科學工具所代替，他們也就祇有改行了。但另一批新的巫師卻在我們這個「政治落後區」，應運而生了。這些新巫師們和「國粹的巫師們」沒有多大的區別，同樣是不學無術，同樣是陰森森的不可侵犯，同樣是念咒畫符，他們讀熟幾本訓詞、學說、主義、勵飄大筆一引，「太上老君云」，「姜太公如是說」，儼然是忠實的信徒，其實一旦遇到患難危險，首先叛變投降的就是這批王八羔子（恕我粗鹵無禮，實在恨煞人也）。當年邵力子、張治中之流，這些傢伙就全靠唸國父說，領袖云起家的，當彼之時，若有人膽敢指稱他們是「新巫師」，豈不是言在亂時，自取其禍也！然而今日事實俱在，眞是慘痛的悲劇。我們今天在台灣，這些新巫師不僅存在，且日復一日的猖獗起來了，祇要聽來說：××云，激昂慷慨，做出道貌岸然的樣子，那怕是「忠貞的幹部」了，若誰有此類相反的論調，這些不學無術的新巫師們，必然群起而吠，大唸其符咒了，儼然痛不欲生的衛道之士。其實呢，得了，還不是想升個把官，登龍之術而已，與那些「國粹的巫師們」，唸咒畫符，以此為衣食之道又有何異？所不同的，只是新巫師所衣的是國家之衣，所攝的是國家名器罷了，而其貪心更大，私慾更甚！

「符咒主義」可以說是咱們國家獨有的特產，至少有三十年以上的歷史了。它的興起，全是因為「上有好焉者，下必甚焉」。以為巧言媚人，能得一己歡心者，便是好人材，不惜把國家名器私相授受，於是忠憤耿耿者退處一隅，而會鑽營退縮者鑽首上騰，國家弄在這班不學無術，既無原則，又無良心的巧言令色之徒的手裏，焉能不敗！

咱們是從偌大的大陸敗下來了，這是事實，請不要強詞奪理，怨天尤人，應該做的是多反省！多反省！現在講反共，講復國，這是驚天動地的大業，幹這樣大的大業，再不流著眼淚，激勵哀憤慚悔的心情，實事求是，莊嚴穩重，開誠佈公的來幹，如若在觀念上仍是爭政權，搞小集團，排除異己，而不破格求才，為國家人民打算，縱有外援，亦非長久之計。相反，假使我們上面能以磊落光明之心，愧悔哀憤之情，摒棄官僚，引用人材，重學術，縱無外援，我們戰至一人一卒，終究都是勝利的。一些一言九鼎的人不願談這些，而人微言輕如我，卻無法自制，不已于言，但願列祖列宗有靈，冥冥中促成一種新風氣，那就是蒼福萬福了。到了這時，那些投機取巧，靠念咒畫符起家的巫師們，自然會消滅於無形了。（四六、八、八、）

記十朋書畫聯展

十朋這兩個字，在中國藝術史上，似乎還很新鮮。考春秋左氏傳，古有八元八愷之稱，至周代，武王自稱「予有亂臣十人而天下治」，可見，所謂亂臣者，治世之能臣也。漢初，有三傑，四皓；東漢，有雲台二十八將；漢末，又有三君、八俊、八廚、八及、八顧等，那指的是當代賢人，無關於書畫史。唐有醉中八仙，香山九老，宋有五老等，那指的是當代詩人。而唐宋之間又有古文八大家，那指的是當代文人，亦無與於書畫史的。晉興，王氏三世皆擅書藝，則為世所稱之王廙，王羲之，王獻之祖孫也。唐人中又見二李，宋人中亦見二米，皆父子也。同時以書名者曰蘇黃米蔡，以畫名者曰荊關董巨，則四大家也。大概自元代起，文人畫大為發展，遂以黃公望，王蒙，吳鎮，倪瓚四人為元季四大家。洎至明朝，文沈仇唐亦以四大家稱，而宋克，王紱，夏昶、則以墨竹三大家著矣。明末有金陵八家、畫中九友，玉山高隱十三家，海陽四大家，四僧等，泛泛洋洋大觀矣。清初，始稱四王，加上吳歷與惲格，是為六大家。稍後，董邦達，張鵬翀，李世倬，允禧，高翔，高鳳翰，李師中，王延格，張士英，陳嘉樂，謂之畫中十哲。而金農，羅聘，鄭燮，李鱓，汪士慎，李方膺，黃慎，閔貞，則以揚州八怪著。這叫什麼名堂？我說：這叫文人墨士之雅趣。其中不必盡同，然，有以親合者，有以事合者，有以道合者，有以志合者，有以詩合者，有以地合者，有以畫合者，有以聲響相合者，不一而足。

我們這一夥，都勢居海外的朋友，亦有以書合，亦有以畫合，亦有以地合，亦有以詩合，亦有以誼合，亦有以趣合者。若論區域，括廣東，福建，江蘇，湖南，浙江五省。若論年齡，最高的是七十七歲，最少的是四十歲；謂之忘年之交也可，謂之萍蹤偶聚也可，謂之故舊相知亦無不可。十朋有什麼目的，沒有！只是為了興趣所在，偶然間碰到國畫藝術館開幕，主事人堅邀我們舉辦一次十朋書畫展，如是而已！

我們這個書畫展，作品不算多，但在內容方面，依畫幅來說：有人物，有山水，有花卉，有翎毛，有竹石，有走獸；如依筆法來說：有白描，有工筆，有意筆，有潑墨，有沒骨，有鉤勒。高的追到唐宋以前，近的寫到自己所要寫的東西。至於書法，有大篆，有小篆，有分隸，有草書，有楷書，有行書。要說好，自己實在不敢，要說壞，當然希望批評家予以指教，我們在很誠懇的。

出品人依年齡敍次，順德黃學壁，蘇州吳子深，澳譚易君左，福州曾克耑；王世昭，揚州趙滋蕃，福州林嘉善黃競，湘鄉曾后希，福州林千石，潮州林大厲云。

·王世昭·

書法的全盛時代

·楊有釗·

佳話餘味

·藍流·

年富麗堂皇的台北賓館，舉行了一次「李田聯婚」的空前「新婚茶會」，來賓「有黨國顯要，社會顯達，眞是「一網打盡」。據細心人估計，小脚在太太而穿「解放」皮鞋，亦有三十多人。可謂盛況空前也。

這個新婚茶會，名目煩多，有人稱為鑽石婚姻（新郎名石，新娘名寶），是較平妥的。在台北的報紙刊物上，對于她們婚前婚後的記載，已經有了不少的篇幅，大多是捧場，製造「佳話」的，也有唱了一點兒「反調」的。

那天在茶會中，年老的新郎，大說其戀愛經，年少的新娘落落大方的表示姻緣美滿。來賓演說，只有張岳軍與賈景德二老。賈詞諧，而不虛；張詞近虛。如張氏所謂「愛的三變」論：由敬愛變為戀愛，由戀愛變為婚愛（結婚），引起全場大鼓掌。可謂替老頭子的年齡辯護。

聽說賀聯中有某院長的妙句：「李下自成蹊，老尚多情呼寶貝」，「石人亦瞬目，一葉不田田。」又有某詩人的妙句：「豈可攻錯乎，他山無此石。」「猶堪種玉也，耕者有其田。」

在賀詩中亦有不少佳作，特選錄一首：「八十老翁何所求，尚尋俊侶作良儔，人生個已勳名立，自有紅顏嫁白頭。」但在當事人「蜜月」幸福中。那兒還有閒心聽別人的捧場與「反調」呢！

中篇小說

海上學校

「喂，太玄，快扭轉去吧，浪頭完全不對啦！」貝比在舢舨上力竭聲嘶地狂叫道。

「怎麼？貝比，」紅鼻子幽默地打了個手式，用慣於說笑話的神氣回答道，「是不是出了事，需要我動手術，行人工呼吸！」

「呸，眞有你的，快點替我滾回去，」貝比驚得喉嚨嘶啞了。「杜宇受了傷，眞的等你動手術。」

「哦哦，你看這個神經，這麼報凶報吉的，不怕嚇壞人！」紅鼻子暗忖着。

「快點好不好？像你這樣逍遙自在，回頭吃了苦鹽水，可不能怪我啦。」貝比紐紋著領子說，他的舢舨已經漂遠了。

「得令，老大爺！」紅鼻子向他扮了個鬼臉。

小舢舨寂寞地划過了三四浬的水程，方始眞正碰到了打圍網的三艘漁船。貝比勸他們趕快起網行船，免得挨了風暴。但打圍網的漁民沒有理會他，只對他那口沫橫飛的怪樣子發暗笑。在他們的心眼裏，這是千載一時的好機會，深海中的魚蝦都到了海面上，此時不撒網，豈不白白糟蹋天老爺賜的糧食？貝比勸得眼淚都幾乎要淌出來了。但這些憑老經驗吃飯的海上人家，卻曾不了這麼多尖浪禿浪，他們對這種風暴並無預感，而且，認為海裏無浪，那還叫做甚麼海！值得這麼大驚小怪，眞是笑話。他弄得手足無措，只好硬起頭皮，繼續往深海裏划。不久，鄺老頭的蝦罟回航了。貝比像得到了救星似的，在很遠的地方就怪叫起來。

原來，蝦罟上又飛過一隻紅頭的魔鬼鳥。鄺老頭覺得兆頭不對，不斷督促全忠和張長虹的反對，一定要把船開回去。當兩艘船逐漸靠攏時，貝比把風暴的消息告訴了他。

「沒錯，我也吃過禿頭浪的虧，」鄺老頭點了點頭。「不過，這種浪是罕罕的，不是上了年紀的人，就不會相信你的話。還是讓我來招呼大家吧！」

「眞的嗎？眞的有風暴嗎？」劉全忠用兩腿夾住舵尾，向平靜的大海眺望着。「雲彩，天色，海水的顏色，都平像是沒有風暴的呀！怎麼會有風暴呢？」

「全忠，海上千變萬化，你怎麼曉得這麼多啊！」一陣嗆咳打斷了鄺老頭的話。「貝老師的話不錯，我敢打賭，我總覺得今晚很古怪，有一種天悶無愁，臨喪發弔的樣子！」

「那麼，既然是這樣，就請鄺老先生通知各船回航吧，」張長虹仰起臉肺，吸了一口長氣。「粗獷的海洋，是離不開老經驗的。」

「好的，好的，」鄺老頭抹掉額頭上的汗珠，說。「全忠，請掌起紅燈籠，」他說，「貝老師，你的舢舨快點轉頭，海上的事，歸我負責。」

貝比的舢舨回蒲台島駛返時，在幽暗的海上，他初次看到了一盞血紅的燈籠。船頭陸續得到了通知，先後都掛起了紅燈籠。遠海上的漁船，也正緩緩地向蒲台島集中。大約相隔不到兩個時辰，火熱的海風，已從外海掃拂過來，夜海像搖籃一樣強烈顛簸起來。

遠洋風暴響集着，伸縮着，轟鳴着，剛勁的風尾掃得大海捲了邊。港灣裏，新泊岸的漁船互相碰撞，而海水猛撲着崖石，迸發出一陣陣打鐵的聲音。大海在天翻地覆中，開始了痛苦的哀號鬼掙扎。

第一聲汽笛，這時，在狂舞不休的大牛血似的燈籠中漂動，作為漁船泊岸的標幟。而爬到樹頂上去掛燈的，是劉全忠。

漁船陸續歸來。驚樁喊叫之聲大作。

漁夫們、孩子們、婦女們，穿着被海水淋濕的衣褲，抹拭着臉上的汗水和海水，三、五成羣地互相攙扶，湧到天后廟裏來了。黝黑的臉上，閃映出初脫危險時那種既輕鬆又疲倦的複雜表情。

張長虹和貝比，依然在圍廟轉動。張長虹管船，貝比卻負責清點人數。炎風挾帶海水，疾掃過海灘，揚播起滾滾黃沙，使他們的眼睛幾乎睜不開。

挨近子夜時分，船隻回來了三十八艘，而船上的人幸喜都安然無恙。雖然暴風更迫近了，雖然搖岸上打鐵的聲音更驚心動魄了，雖然翻江倒海的浪花更是猛了，但大家都私相慶幸，慶幸這有驚無險的風暴之夜！

（四四）　趙滋蕃

自由人
THE FREEMAN
（第六七四期）
中華民國僑務委員會
領登記證台僑新字第一零二號
中華郵政台字第五○○○號
執照登記爲第一類新聞紙類
（半週刊每星期三　六出版）
每份港幣壹毫
台北市每份價台幣壹元
督印人：陳文尊
地址：香港高士威道二十號四樓
20 CAUSEWAY RD. 3RD. FL.
HONG KONG
TEL. 771726
承印者：東南印務出版社
地址：高士打道六十四號
台灣總經理處
台北市西寧南路壹壹零號二樓
電話：四七三四六
台郵劃撥儲金戶九二五二
海外總經銷：友聯書報發行公司
香港：德輔道中二十六號A二樓

大陸反共鬥爭的新發展

鄭竹章

中共的「鳴放」與圍剿右派運動，在反共鬥爭中的積極意義，是等於對大陸人心作一次總測驗。這次測驗的結果，不但更堅定鐵幕外人士摧毀中共政權的決心，而且使人確信一切違反理性及人道的政治制度，均無法獲致人民的擁護而久存。經「鳴放」之後，智識份子的反抗，可能暫趨低沉，而農民的反抗行動將趨激烈，而使中共更難於應付。

智識份子的共同傾向

綜合近三月來由「鳴放」與「反鳴放」過程中所透露的材料，大陸智識份子，不論是附庸黨派人物，是高等學校的教師及學生，乃至於具有十年二十年以上黨齡的中共黨員及幹部，都具有幾項共同的要求：

第一、是反對一黨專政：一般認爲一黨專政是宗派主義，官僚主義，主觀主義的根源，是中共政權腐化墮落的癥結。持這種觀點的，不僅是「民主人士」，而是所有智識份子。如瀋陽師範學生張百生，黃振旅等，在「瀋陽日報」發表文章中，即指出中共政權實際上「是一黨專政，是黨中央政治局少數人獨裁。黨是太上皇，威武神聖，一手托着馬列主義的聖經，一手仗着國家政權的寶劍，誰敢提出異議，不是被扣上反馬列主義的鐵帽，就是被帶上莫須有罪名的手銬」。他認爲在這種情形之下，「憲法成爲一紙空文」；「少數人的發號司令，不發生亂子才怪」。因此這次大陸智識份子的共同要求，是改變一黨專政局面，實行各黨各派聯合政府。

第二、是反對「一面倒」外交：除龍雲公開提出要與蘇俄算舊帳外，反蘇意識普遍存在於一般智識份子間。有人指出蘇俄派遣專家顧問，旨在干涉中共內政；有人對中共與蘇俄貿易的價格問題表示不滿；有人指出在教學及科學研究上學習蘇俄一無是處；有的更抨擊中共重視蘇俄專家輕視本國專家。至於背後譏評蘇俄「無文化」、「落後」、「無民主」、「教條主義根深蒂固」的更比比皆然，皆表示大陸智識份子的鄙視俄共。

第三、是反對馬列主義：一般認爲馬列主義乃「過時的陳腔濫調」。如北大學生譚天榮指出「一八九五年後，馬克思主義即按鐵的歷史必然性，轉化爲自身的反面」。雷海宗教授指出最近六十年來，世界的社會科學仍在不斷地有新的發展，而中共卻仍滿足於六十年到一百年前馬克思或恩格斯在當時的認識條件下和資料條件下對問題所說的個別語句。吳半農教授亦指出馬列主義理論與資本主義國家的經濟發展不相應。而大多智識份子指出馬列主義其實只是百家中的一家，絕無罷黜百家，獨尊一家之理由。

第四、是反對鎮反肅反：認爲鎮反肅反都是企圖用暴力來維護革命果實，乃「教條宗派主義的集中表現」。一般人對中共肅反期間的濫捕濫殺，言之尤有餘悸，故「平反」遂成爲這次鳴放中共同的呼聲。

第五、是反對社會主義改造：[illegible]

綜合這些意見，可見大陸智識份子反共反蘇俄思想，其激烈程度，不但不在鐵幕外人士之下，而且可能比海外[illegible]

三項重要的轉變

[illegible]首先，在這次「鳴放」以前，海外一般人最担憂的是，隨着中共政權的延續，到十年以後，當下一代的兒童成長後，這些受馬列毒素最深的青年，將成爲中共最忠實的幹部，那時，要推翻中共政權，勢將更爲困難。但近年來的情形，證明這一觀察並不正確。在這次大陸上反共鬥爭中，青年學生正是急先鋒。如南開大學學生劉立夫，張步明等指共黨憲法是「掛羊頭賣狗肉」；武漢大學學生與開斌指大陸[illegible]

其次，[illegible]「反革命份子」的整肅亦已基本完成，顯示中共所謂思想改造之完全是心勞日絀。不但未能絲毫改變智識份子的世界觀與人生觀，剷除其唯心主義與個人主義，而且由於中共各項政策的倒行逆施，益使他們深信舊的一套更有價值，對馬列教條更加鄙視和厭惡。至於肅反工作，從近月來中共官方所宣佈的反革命案件，直接反抗中共政權的活動，幾乎由南到北普遍存在。證明所謂肅反，亦已澈底失敗。今天大陸上的「反革命份子」，正是野草燒不盡，春風吹又生，愈來愈成爲中共的心腹大患。

復次，未經過這次反右派運動，一般人總爲中共的一千二百萬黨員及二千五百萬青年團員所嚇倒，以爲這近三千萬的「滑教徒」（借用章伯鈞語），中共仍可統治六億人民。但這次反右派鬥爭，揭露出黨政財經文教各部門，普遍潛伏其而且有不少是十年二十年黨齡的幹部。他們的反共情緒比黨外的右派還要激烈。日前主持中共新聞出版的主要幹部，十之八九都是右派，最近先後被清算的人物，如老牌作家丁玲、前「大公報」名記者彭子岡、「新觀察」雜誌主編戈揚、「人民出版社」社長兼副總編輯曾彥修（曾任廣州「南方日報」社長）、「文藝報」總編室主任唐因、唐達成、「新華社」記者戴煌、中央美術學院院長江豐等，都贊同右派反抗中共。如有十五年黨齡的戈揚，公開表示「過去做一個黨員，不是當瘋子，就是當死人」。福建文聯負責人（共產黨員）陳中指出「黨外沒有民主自由，黨內更沒有民主自由」，他說「美國可以公開駡艾森豪威爾，中國誰敢批評毛澤東」。這些話均言人所不敢言，證明中共的三千萬黨團員中，絕大多數均不滿中共，這些人在將來摧毀中共的總鬥爭中，亦將成爲反共的先鋒隊。

（下轉第二版）

半週述評

反攻大陸問題

目前輿論的一個爭點

在過去的三十年，我曾不斷的追隨當代若干前輩先生，或名流碩彥，就當前有關國家命運的問題，隨時都以文字或談話，表示我的一種看法，以供大家參考。我覺得這是我們的一種權利，除非我們對於某一問題根本沒有意見，否則我們一定要說了出來，說得對，自然對問題的解決會有些好處；說得不對，可得到一個接受批評的機會，對於自己意見的修正，也還是有益的。我們平日所說言論自由的好處，這便是最主要的一端。

我現在要從我自己三十年來的言論，舉出兩個例子：第一，當時我從來沒有發表過文字，督促當時的政府去抗日；第二，最近這八年來，我也從來沒有表示過意見，希望政府立即反攻。

[illegible]

造時居然擺出一個書生的臭架子，一定要有將先生的親筆信或電報他才肯去，好像我是在他面前傳「聖旨」的樣子，因而我這個努力也歸於無效。現在王造時正在上海受着中共殘酷的清算，如果他還記得這個故事，我不知道他作何感想。

現在這個反攻大陸的問題，好像又成了大家輿論的焦點。主張立即反攻者的義正辭嚴，也與當日主張抗日者的義正辭嚴並無二致，其容易引起與一般不負責任者的羣衆擁護，自屬毫無疑義，但我個人決不能輕於附和。現在我把我的主張歸納如下：

反攻復國確實是我們反共的目的，但反攻決不是一個單純的軍事問題，同時也是一個嚴重的政治問題。台灣的軍事準備，究竟到了何種程度，我不敢斷言，因爲我對軍事的內容太不清楚。以台灣目前的政治實況，加上有限度的美援，以言保守台灣則有餘，以言反攻大陸則不足。以台灣的力量去孤注一擲的反攻，顯然不是只能勝不能敗；以大陸現有力量來應付這一反攻，即令一時失敗，以他們也還能作掙扎。當前大陸的形勢確然是有可乘之機，但因遭受反攻之故，反而促成他們的內部團結，也決不是沒有可能性。有人主張把各個「反共黨派」的集會作爲鼓動反攻的[illegible]心改革政治，這一點不召集這一會議也可以；[illegible]改革政治，即召集這個會議也沒有用。

左舜生

請不要連累了科學

陳伯莊

甚麼是科學？簡單說來，科學的知識是對事事物物合乎邏輯而有充分實證的認識。科學的方法是最可靠的致知方法而已。

讀八月十七日香港時報記者張君繼高的「台北的反攻論戰」一篇報導之後，才知道「自由中國」的「反攻大陸問題」引起了政治情緒的波瀾。波瀾總比「靜如死水」來得好些。但這，不在本文話下。

本文要說兩點：（一）爲「自由中國」提出的「公算」一詞，（二）爲台北聯合報提出的「科學絕對主義」一詞和它論邏輯經驗論的幾句話。

「自由中國」的有關的原文是：『我們要能對尚未實現的事件作論斷，只有依據「公算」，一談到公算，我們只有以已有的知識和因素爲根據。』這樣的話，本來沒有甚麼了不得或者不得了之處，不過「公算」一詞，來得俏皮些，跡近拿科學來「虎人」而已。既然是「公算」，便是估計，便是判斷，便是意見，依嚴格的而非通俗的說法，判斷或意見，可含有知識的成分而其本身不是知識。只有知識，才有公共性。而意見包有多數人或少數人或一個人的意見，有爲了某種作用而說出來的意見，或不具特殊作用也說出來的意見而已。儘管根據已有的知識和因素（當然應該是認知清楚了的因素）來下判斷，然而「根據」便是行動，而且無可避免地是一種選擇的行動，選擇自應以甚料對問題之有關與無關爲斷。然而，把有關的遺漏了一些，是可能的；把有關的錯認爲無關，或不給與以適當的比重，是可能的；把有關的認識得不夠乃至解釋錯誤，也是可能的。總之「公算」恆還是意見。和「老子所謂道德云者，去仁與義言之也，一人之私言也。」無殊。和「吾儒所謂道德云者，合仁與義言之也，天下之公言也。」亦無殊。

張君對聯合報的報導有：『……從學理的觀點上，指責（自由中國）那篇文字犯了「科學絕對主義」的毛病。這種思想本源於維也納學派的邏輯實證論，認爲凡人文現象與人文價值均被視爲不合科學而被擯棄。……』

據我的了解，邏輯經驗論不是這樣。這一派中誠然有以價值判斷，道德判斷乃屬於意志範疇，不屬於認知範疇，因而以認知爲事的哲學，不應冒昧此範閾而已。這不是擯斥，而是謙虛。例如羅素在他的純哲學論著中，所持的立場便是如此，而是一到談論世事，羅老頭子總是擺臂下車大聲疾呼講道德說仁義的。又如萊申伯 Hans Reichenbach 也是這派大師，在他的「科學的哲學之興起」一書中，他說：「邏輯的解析，味如生蠔（意謂初嘗者常不喜之），習而久之，方成嗜癖。然而嗜蠔者，又何嘗不欣然色喜，願助以香檳一杯（意指道德情緒）增其甜味耶？」（見原書第三一二頁）他們一樣是人，一樣是「我之欲善，哪不如人」的人。

不但如此，他們磨練好他們的邏輯和科學方法的武器，向人文領域進軍，向價值領域進軍，參加行爲科學的運動。他們根據可經驗可觀察的人文基料，價值基料，而作可運作的研究，要從神學手中，玄學手中，奪回文化，奪回價值。大有「若非壯士全師勝，爭得蛾眉匹馬還」之概。

科學有公共性的方法，而無絕對不變的內容，因而根本沒有「科學絕對主義」。神學家，玄學家，先驗論者才有絕對主義。經驗論者，連邏輯經驗論者在內，沒有絕對主義。他們認爲邏輯是形式是空洞而無內容的。內容只有來自經驗。經驗無絕對，何來絕對主義。

「王速出令。反。」「君夫人，陽貨欲。」這是聰明人拿截搭題來開玩笑的玩意。請不要做截搭題，不要拿政治情緒，連累了科學，連累了科學的哲學——邏輯經驗論。

自由中國之可貴，就在有「百鳴百放」。讓他們在哲學論壇上，靜他們羅漢之眉，怒他們金剛之目罷。讓他們「魚鳥天地寬」罷！（完）

海外通訊

緬甸辦理外僑管理

當局處理上應注意幾項事實 勿令無辜「非法入境者」白送命

凌冰

緬甸政府總理宇汝，在五月七日招待記者席上，曾謂關於外僑管理問題，無非志在防衛聯邦之安全而已，因有些是不合法入境的，他們非一般商人或平民，大多數受過特別訓練派進來的，其目的在破壞聯邦，危害聯邦，像這些是負有地上工作任務，的非法入境者，聯邦政府是決不放過的。另一方面是防止部份不法邊境移民官，接受賄賂後，竟將無入口證者引渡入緬，政府爲消除貪汚的現象，得到十分證據後，將嚴辦不赦。這就是設外僑管理的目的。關於有合法居留證者在外僑登記上發生的難題，政府現正組織一個顧問團，負責擬具妥善辦法後，再予以改善。政府方面知道，有些辦理官員，故意刁難外僑，爲了種種因素，政府決設外僑管理這一部門。

關於外僑登記，去年九月聯邦國會通過僑民登記新條例後，政府即於十月宣佈，准許未辦理登記之外僑，重新辦理登記證，及移換登記證，每年每人納稅二十五元。

外僑辦理登記有重重困難：一、辦理員貪汚。二、較有疑問處，即大加盤詰。三、登記之外僑過多。四、有嬰孩之名，未塡入母親登記證，辦理也故意刁難，在這種情形下，僑民之損失就太大了，一張登記證，而至少要奔跑十來天，令人叫苦連天。

在這裏我想向緬政府進言：

（一）有合法居留證者，故意刁難他，不但不尊重合法居留者，同時也違反了聯邦的法律。

（二）重整外僑登記問題，無非在防止非法入境者。但有些因辦登記時，不用賄賂辦理員，即不能按時辦妥，而政府移民局派出大批檢查員，下鄉檢查，向上面所述的那種人，全被捉走，或待審，這些未按時辦妥的人，全是辦理員故意刁難的，移民局應先詳細的檢查之後，如確係非法入境的，也才未遲呀！

（三），提到非法入境之華僑，政府不該送交大陸，其中有兩原因：（一）如是受中共特別訓練派入緬甸者，一旦政府提解時，就不該以非法入境辦罪，送共回國，這無異是放虎歸山，希緬政府重視這點；（二）有些非法入境之華僑，並非是間諜，而是忍受不了飢寒交迫之生活，冒着生命不要，奔來自由的地方，像這種人，政府也送回大陸去，那無疑是害了他一條命，他們一定會被中共槍決。

緬甸是一個佛教國家，佛的宗旨，就是大慈大悲，現在將非法入境華僑送回大陸去，是違反了佛教的眞理，同時也違反了民主國家，都有政治庇護難民之法律，只要犯法者政府查出不是間諜，就以大慈大悲之量，容納他們，像這種走頭無路之難民而加以間諜之名，加在其身遣回大陸送命，實非我佛慈悲之旨。

希望緬甸政府當局，分清是非，黑白，不然是枉送人命而已，于保護聯邦安全並無裨益啊！（七月二十四日晚寫於仰光）

台灣通訊

東吳法學院易長

誰將躍上院長寶座

•季鸞•

東吳大學法學院自在台復校後，由於辦學者的認眞，及規模之强盛，已成爲自由中國培植法學人才的權威學府。該校係採董事會制管理校務，董事長是法學權威王寵惠氏，副董事長是黃仁霖氏（現在聯勤總司令），董事均爲該校歷屆校友，在校友共同的努力下，校譽日隆。

東吳除董事會外，法學院設有院長一人，由院長直接掌理院務，如發生難以解決之院務時，再由董事會議定。而實際，院長且是最上權威的，可以有權決定一切。最近，法學院院長曾文彥氏奉派爲駐美大使館文化參事，懸缺董事會方面一直覓尋不到適當人選，現在四十五學年度已經結束，四十六學年度行將開始，全校學生及校友會對誰將是法學院長極爲關注。就因爲這是一個可熱的職位，致問鼎於此者大不乏人。

依照慣例，凡是大專校長因故不能視事時，校務則由教務長代行，或是由院長代行，例如過去台大校長傅斯年請假時，校務由教務長錢思亮代理，及傅斯年逝世後，錢思亮担任校長，在錢氏公出期間，校務則由文學院長沈剛伯代行，這是因爲文理法工農醫等學院，文學院列在首位之故也。東吳大學法學院因爲是一所獨立學院，因之在院長出缺或不能視事時，按例是由教務主任來代理校務，不然就應由系主任代理，但東吳的情形卻完全兩樣，則由校董會方面派了黃國材、施邦瑞、陳珍錄等三人爲校務委員，共同處理院務，這確是別開生面的一着。

三人小組處理院務，這僅能是一短期性質，尤期是四十六年度即將開學之際，院務日繁，是需要一位院長來獨自處理院務的，校董會也有此計劃，據筆者所悉，校董會刻正積極選賢，據說史尚寬、浦薛鳳、江一平，等法學人士均在校董物色之例，茲將幾位頗有希望入選者簡介如次：

史尚寬：安徽桐城人，五十九歲，畢業日本東京帝國大學法學部、柏林大學法律研究所、巴黎大學博士班。歷任大學教授、立法委員、立法院法制委員會委員長、考試院秘書長、國防最高委員會法制專門委員、考選部長、總統府國策顧問、等職。先後著作有「民法總則釋義」「信託法論」「民法原則總論」「行政法論」及「民法債篇總論」等等，爲我國著名法學專家。

江一平：浙江杭州人，年五十，出身聖約翰大學、東吳大學法科，曾任東吳大學法律教授、國民參政員、復旦大學代校長、立法委員等職。江氏爲昔日滬上名律師，對昔我國法權之伸張，及人民權利之保障，要有貢獻。

浦薛鳳：江蘇常熟人，年五十六，畢業清華學校，曾入美翰墨林大學深造，並得哈佛大學研究院碩士，母校翰墨林大學會頒贈榮譽法學博士。曾任雲南、浙江、國立清華諸大學教授，系主任，中央設計局設計委員，黨政考核委員會委員，中央日報總主筆，台灣省政府秘書長等職，著作甚多。

以上三位，具熱門人物，頗有入選可能，另外傳說中的張慶楨、桂裕、馬君碩諸氏亦多爲該校校董會考慮之一，據傳教育當局亦有推薦者，不過想躍居此一寶座的有心者很多，看來似乎難免一場激烈的逐鹿戰，我們靜待着吧！

大陸反共鬥爭的新發展

農民問題更嚴重

•鄒竹章•

（上接第一版）

但事實上十智識份子更具威脅力的，是大陸五億二千萬農民，他們雖沒有參加鳴放，但已開始採取行動：

第一項行動是抗繳公糧：據江蘇、山西，等省報紙的報導，各地農民均普遍隱瞞產量，抗繳公糧，如湖北到六月二十日止，征購糧食不及去年同期一半。據中共糧食部的統計，到七月二十五日止，全國小麥入庫量比一九五五年減少二十億斤左右。目前征購進度遲緩，征購量續有下降趨勢。

第二項行動是拒售餘糧：山西各省農民今年夏季在分配糧食時普遍將小斗改大斗，小秤改大秤，一百五十斤算一百斤，有的多報人口或造兩本賬，以達到多留糧少賣糧的目的，河北農民公開表示「國家有權購咱的糧食，咱就有權不生產」，「國家想多購，咱就多瞞產」（八月十一日「人民日報」）。

第三項行動是對共幹進行「倒算」：據七月二十日「人民日報」報導：廣東海康、陽江、陽春等十一縣最近一月中發生倒算事件六百二十七起。農民紛紛要求追回「土改」中被鬥去的房屋財產，廉江並發生農民毆死中共糧站主任及會計七人事件。四川達縣六月底出現「刀兒教」組織，煽動農民反抗統購統銷，廣東電白有七個縣八萬人參加反共活動，聯臺諸除毆打共幹，包圍中共縣政府，高呼消滅共產黨，解散合作社，規模之大，爲八年來所罕見。有不少共幹恐遭毆打而辭職，情況相當嚴重。

上舉情形，可見農民雖未參加鳴放，但卻以實際行動來響應鳴放，使中共更窮於應付。

我們不能守株待兔

由智識份子，中共幹部到廣大農民，目前都已躍躍欲試，大陸的內部革命，看來只是時間問題。

面對着這一新形勢，如果我們採取隔岸觀火的辦法，等待大陸內部自起變化，不但要延長反共鬥爭時間，而且可能挫抑千萬志士的銳氣；如果我們能針對大陸內部的變化，予以主動及具體的協助，在未能全面採取軍事行動以前，考慮更具體的支援方式，如空投軍火彈藥，加強對大陸廣播宣傳，對海外共幹展開招降運動等，都有助於大陸內部革命的進展，並加速中共政權的解體。（八月十三日）

人物介紹

中國自由史上一位獨立的記者

——祝成舍我先生六十壽——（下）

•程滄波•

其次講到張季鸞先生，他的智慧，他的熱誠，眞是令人欽佩。大公報與張季鸞先生，是近代中國報紙與報人中最幸運的。它們是「九一八」以後時代的寵兒。季鸞先生少年孤露，中年坎坷。晚年眞是交大運。他晚運好死運更好。個人與事業，其成敗得失，努力一半，命運還佔一半。古今中外的歷史，都是如此。季鸞先生當過隴海鐵路會辦。民國十七年北伐渡河北上，蔣總統與馮玉祥在鄭縣會面，隨着馮玉祥到鄭縣的是季鸞先生，據說這是季鸞先生與蔣總統第一次正式見面。從清末到「九一八」，季鸞先生眞是經過了「戰國縱橫」的時期。民國十五年後，他與胡吳兩位先生專心辦大公報，這是一個文人理想的歸宿。我與季鸞先生，曾經有過長時期的接觸。抗戰時期在重慶，我們還在一所房子同住過一個時期。有一天于先生季鸞先生和我同在庭院散步，季鸞先生忽而喟然說：「我們三個人，代表了三個時代的中國記者，可說是三代的記者。」三個時代的記者，確現了三個不同的時代，三個時代記者不同的命運！我對季鸞先生，具有公私無限之愛慕與敬仰。但我也始終覺得季鸞先生帶着濃厚的縱橫家氣味。這是時代環境所造成。關於獨立精神這一點，在陳張成三位先生中我總覺得舍我先生是超過他們之上的，舍我先生半生在縱橫的時代中，但他沒有半點縱橫之氣，也不帶半點縱橫家的手法。舍我先生辦報的地點，多半不在租界，而且專擇首都去辦報，這一股衝鋒陷陣的獨立精神，人論世者是不可不體會而認識清楚的。他眞是近代中國記者的「雲中一鶴」。他是正規民主國家一個獨立的記者。他的命運與國運聯在一起的。舍我先生的交遊恐怕不是受着任何人的寵眷，而是全國的民意崇奉他。

（四）

十八世紀英國有一位印刷商兼辦報刊的人名叫阿爾濛約翰 JOhn Almon有幾句沉痛的話：「生了兒子，與其使他做印刷生意或辦刊物，不如叫他學習修補鐵鍋的匠人。因爲鐵的法則是可以懂的，而誹謗的法律是不成文的，不確定的，也是沒有解釋的。有時候國王或王后變怎麼辦，有時候大臣變怎麼辦，有時候檢察長變怎麼辦，便怎麼辦。」讀了這幾句話，再看今天英國的新聞事業，知道人家新聞事業的發達，與新聞自由的樹立，原不是容易的。英國在十八世紀，辦印刷事業或辦報，使當時從業人員，如此頭痛，可知新聞事業在外國，即在英國，當初也被有權者所竭力壓迫而摧殘的，英美兩國的新聞事業，所以獲得今天的成就，中間正賴無數志士仁人無量的奮鬥與犧牲，也經過多少從事新聞事業者之積極創造與建設。中國新聞事業，歷史還不及百年，這一百年來中國經過長期的混亂，新聞記者的命運是可以預定的。所以在此百年混亂中，中國新聞記者命運上的困頓潦倒是常道，飛黃騰達是例外。在世界新聞史上，飛黃騰達的新聞記者畢竟是無所欣羨種道的，受着權力當局特殊之知的新聞記者，在新聞史上也並不是一種佳話。新聞記者最重要的條件既如上面所說，是獨立的精神，而一個獨立記者的最重要修養，是爲多數大衆培養權力，而自己本身決不攫取此種屬於公衆之權力，更不矜誇本不屬於自己的權力。倫敦泰晤士報從華爾陀第二辦以後，編輯新聞上首要信條之一，爲辦報人絕不利用報紙作本人或團體之宣傳。此與中國舊時史家的傳統信條相彷彿。紀事論事，雖父子骨肉，必用第三者立場，褒貶抑揚，純采客觀與獨立的態度。拜恩斯 Thomas Barnes是英國十九世紀一位大報人，在泰晤士報担任主筆達二十五年之久，拜恩斯死後，（一八四一年五月八日）泰晤士報新聞欄中並沒有一字的紀載，而僅在新生，結婚，死亡，報告欄中有兩行半的普通紀載，英國泰晤士報這一優良傳統，一直保存到現在，如果我們一回想我們國內的報紙，對於本身的宣傳，是何等努力，眞是報界所應惕勵改革。因此我再想到舍我先生，在他四十年的記者生涯中，在自己三十餘年經手所辦各報中，從來沒有看見他爲自身任何宣傳，這是現代記者極重要的修養，今天應當爲全國報業鄭重提出檢討的。

最後，我想再談一點舍我先生的個人修養，做本文的結束。一般人對舍我先生的評價，說他是一位卓絕的事業家，他創造事業與維持事業的能力，這是新聞界所公認的，中國在十年來新聞事業中傑出的人才，但像舍我先生那樣的無所不能，無所不精，實在是少見的。在營業方面，他從材料成本發行廣告等無一件不精通。在技術方面，他對印刷排字都時時研究且有新的發明。在編輯方面從校對採訪編排乃至寫專文評論，亦無一不能，無一不好。他眞是一位新聞事業的全才。我嘗說：舍我先生的學問文章，每被他的事業所掩蓋，他是北京大學文學系畢業的，所以他的國文根底十分深厚，二十餘年前我們同去歐洲，那時候他的外國文不能說好。然而經過二十餘年不斷的努力，他對英文閱讀與聽的能力，已十分完備。他辦時代週刊，七八年來每期自編索引。讀中國書更做扎記，資治通鑑是他熟讀的書，他早年喜治詞曲，至今還喜唱崑曲，這一點與張季鸞先生相像。到台灣後，他對書法忽感興趣，兩年臨池，他的書法亦改觀了。舍我先生對治學的自强不息，眞使人歎服。他於外國文字，英文以外，尚懂日文，他寫的文章，不但犀利而且浩瀚。他三十年有多篇文章，必爲將來歷史上的重要文獻，尤爲新聞學史上的寶貴資料。他的文名，被他的事業所掩蓋，其實他的文筆，在現代自由中國，是不易尋出的一枝筆。而最可欽佩的他對自己一切技能，不但不稍顯露，惟恐藏之不密。我對舍我先生，追隨訂交，至今恰將三十年。中經無數憂患，然而我對他的敬愛，久而彌篤，我覺面對了他，自己覺得過於渺小了。不肖他經營事業之才，我不及他百分之一，便是談學問寫文章，我也跟不上他。他現在的年力，正如日方中，希望他繼續爲其使命而努力。更望自由中國、自由世界，珍重維護這一位獨立的記者。（四六、八、七、台北。）

——全文完——

大陸知識分子的偉大作用

——復國前途論之三

·胡秋原·

中共這一次的鳴放運動，足以表示大陸中國知識份子的偉大作用，這是不可忽視的。只要中國知識份子保持其愛國愛民愛自由愛人格之傳統，中共就決不能征服中國，且必敗于知識份子之手。這一點已在此次鳴放中已充分證明了。

要鼓勵大陸反共者

台灣及海外言論中，頗有因鳴放諸人中有過去曾參加共黨而為共黨官僚，乃至所謂「黨外人士」參加，而他們又有後「悔過」者，因而對他們之譏笑，乃至嘲笑之辭。我以為我們不好如此。大陸之淪陷，大批青年及國民黨或非國民黨人之投共，是中國一大悲劇。除國民黨官史外，並非皆爲無恥之人。其所以至于投共，原因不簡單的，大家都有責任的。今日他們之出來抗共，這也不是小事。中國數十年之文化基礎，大陸上，以及從在蘇俄和西伯利亞數千萬人之流血，也都在擁起一自由之浪花之開始。在大的歷史運動中，世界是往結合，人類是往優生，且淨化，都要若干人扮演，我們要重觀整個情形，不在乎每一個腳色，此其一。若干人不問其過去如何，今日反共是言去大一步，總是良心之一步。其他們過去好多是有共的，今日反共，意義不尋常。他們是在虎穴一言一誠。然，若干人「悔過」，但一則未必可信，二則若干表面「悔過」實際還在罵共黨。我們身在自由區之人，笑他們之前，一當設身處地，二當自問平日愛國之志是非之心，到如何程度。此其二。問題還不在若干政治上混過的人物，而在許多善良正直知識份子。問題還不在這些知識份子，而在廣大的人民。今天不過是全國人民普天之憤，藉許多知識份子，藉若干鳴放之機會，表現於一聲而已。何以他們敢於發現？不是民不畏死，或所罪有甚于死，不敢致即是賊勢已衰，不敢致他們于死而已。此其三。如果我們想到這一切，即我們對于大陸鳴放，只有無限沈痛和欣慰，哀矜和奮發，慚愧和勉勵；我們只有對共黨同切齒，對一切反共者同情鼓勵，對于提出反共理論，知識份子欽佩感激，並且深切認識父老兄弟姊妹于血海骨嶽之中。不但如此，除了毛周之流罪惡滔天之外，一般共幹，也是中國人之子孫，如其有覺悟之一日，也是我們的手足，只是毛之下我們真正仇敵，只是克里姆林宮的一羣魔鬼而已。

集體導領到兩頭政治

而最近魔宮之整肅，也是值得高興的。一方面是獨裁權之本身邏輯；另一方面，也是俄帝內外矛盾之尖銳化。史達林死後，有一「集體領導」。但只過渡，貝里亞死，軍人擡頭。[illegible]洛托夫失勢，馬林可夫還有赫魯歇夫之手，俄帝一政變，赫魯歇夫獲得一步，軍人勢力大一步，今日代表者爲朱可夫，亦擡頭一步，今日是黨軍二元，亦即赫朱二頭。然不久將來，還要見一高下。史達林死後莫斯科之政變，莫不因內外矛盾之緊張，最初韓戰形勢之攻勢，如柏林起義，而貝里亞死，及匈牙利形勢緊張，馬林可夫主張加強內部增加消費品，而赫魯歇夫標榜強硬，聯絡莫、朱，將馬林可夫擠下。然赫魯歇夫硬不起來，還是要和平攻勢。如上所言，國內和附庸不安，加上內爭激烈，赫魯歇夫不得已而要清算史達林運動。他利用狄托，訪俄，將莫洛托夫擠下，反面來說，匈牙利事件以後，朱可夫入何居命暴政，蘇暗維持了赫魯歇夫政權。然波蘭已經離心，美國在中東成功，俄帝所受威脅更爲嚴重。此時莫、馬攜手起來。從去年末到今年初，赫魯歇夫地位是十分危險的。馬林可夫且有東山再起之說。但靠朱可夫支持，在三月底確定分散經濟計劃，與馬林可夫一大打擊。在六月間，除了波匈繼續動搖之外，捷克不安，中共之「鳴放」，也使俄帝不安。馬莫同盟擴大，指摘赫魯歇夫。他幾乎被擠下了。最後靠朱可夫之公開支持，才轉敗爲勝。

我們的大希望

赫魯歇夫勝利的原因，除朱可夫支持外就其本人言，亦有二點可得說。其一，他承繼了史達林主要遺產的黨。其次，他也易于與朱可夫勾結，也比馬莫之更無原則，更「機動」，更善于作「兩面人」，而且，能作最露骨的宣傳（俄人喜歡「一套」），掩飾其「兩面人」。他說其政敵是史達林派，其實他在其政敵中，是最像史達林的。他說他是主張和平共存的。其實在這一點，馬林可夫還較多「誠意」。至于倒牙利手之朱可夫，雖反史達林，恰恰是一個標準的俄羅斯帝國主義者。

我對于這二頭政權興的理由有三：第一這政權是俄帝內外不安之產物。然而這政權比「集體領導」還要無能。赫某之經濟計劃，是比馬林可夫更荒唐的。第二，如果中共今日對內進退兩難，俄帝對外也是進退兩難。「和平共存」既騙不了美國，甚至也難通過朱可夫。第三，這兩頭政權比過去更無緩衝，亦即比過去更不安定。我相信只要美國繼續加強壓力，俄帝很快又會整肅的。這整肅將起于黨內和軍內，繼而起於黨軍之間。

我看俄帝今後無法安定國內，也不能安定附庸。在非共世界煽動的可能性也很小，阿曼之事不足成爲大問題。俄帝今後可能發展亦有三：內部更多更大的炸裂，自己冒險，或騙中共代其冒險。然兩者冒險亦皆自殺。所以我看俄帝無任何出路，除了或快或慢的瓦解之外。今中共政權之動搖，已加重俄帝困難。俄帝一開始大瓦解，中共立即隨之而瓦解。如是今日之鳴放，在那時便要發生決定性的作用。那時候，我們欲求不回大陸亦不可得了。這便是我們的大希望。

編者 讀者

台灣中壢中學來函照刊

對入學命題事有所辯正

編者先生：頃閱八月三日貴刊第二版：「台灣教育問題」一文，顯係影射本校，惟與事實不符，茲謹逐一申述如下，請賜更正，毋任感禱。

（一）國文科作文題目「西瓜和汽水」並無不當。查本省四十三學年度台北市聯合招生，亦以「西瓜」爲題，此次本校除「西瓜」外，加一「汽水」似無不安之處。他校亦有用「鏡子」「自行車」「晚會」「水」「手筆」等爲題者。

（二）所謂「指定答案篡改歷史」更非事實：按初中入學考試常識科試卷第二頁選擇類第十一題原題爲：「燕王棣發兵攻入南京，自即帝位，這次事變歷史上叫做『（1）土木之變、（2）靖康之難，（3）靖難之變。』」是依據高級小學歷史教科書第二冊第十二課最後一句命題，當然是指「（3）靖難之變。」本校評閱試卷先生批改時全以「靖難之變」爲準，有業經評定之試卷爲證，故命題者根本無「弄不清楚」之處，評閱者更無將錯就錯之事。

（三）所謂「以藩屬作領土」云云：按本校新生入學試題常識科試卷第一頁是非題第十題「歷史部分」，原題爲：「琉球羣島在清朝時代原爲中國領土，」根據高級小學歷史教科書第三冊第三課：「清初三帝（康雍乾）和國勢的強盛」中，課文是「從此疆土大展，東起鄂霍次克海、日本海，包括庫頁島和朝鮮半島，東、渡海，直達台灣和琉球；疆土的廣大：……除元朝外，沒有一朝可以和它相比的。」課文上並未將琉球列入其上段「安南尼泊爾等藩屬」之內，又曾經台灣省教育廳編審委員會審查後准於發行之「中國歷代疆域形勢圖」五十一頁清初疆域形勢說明（二）疆域範圍內：「東——台灣、澎湖、琉球羣島。」復第五十頁形勢圖上亦將琉球劃入疆域範圍內，故題目中有「原爲」兩字，似並不合就國家觀念言，更覺正確。

（四）再看公民部分答案並無錯誤。初中新生入學試題常識科試卷第四頁問答題第一題：「簡單說明民生主義與共產主義不同的地方。」考生服務團張貼之答案爲：「共產主義主張階級鬥爭，製造仇恨；民生主義却主張消滅階級對立，提倡互助共存。」張貼後發現漏列「消滅」兩字，當即加以更正，並無錯誤。

（五）「竟以人名列入詞彙」查無此事。按高中入學試題國文科（乙）解釋一項有三十小題，雖標明「解釋」，並未有「詞彙」或「成語」等字樣，將「杜甫」、「柳宗元」、「白居易」等人名列入，並無不妥。至於初中新生國文科試題（丙）改錯項下第五小題：「發奮」兩字，「奮」字應改爲「憤」字，「奮」字亦無錯誤。按「奮」字相聯，「奮」與「發」字應在「發」字之上，如用「憤」字，應置於「發」字之下，現行工具書辭海第三七五頁「奮」字欄內，亦祇有「奮發」而無「發奮」；況「發憤」而已僅見成語。可見並非命題者心中之答案。原文作者對私人加以攻訐，顯係有所不滿而存私意。爲特聲明，並祈撰安。

台灣省立中壢中學招生委員會敬啓（八月六日）

巴黎所見甲骨錄

饒宗頤著　代售處香港蘇記書莊

·王君實·

清光緒二十五年（公元一八九九年）大批龜甲獸骨文字發現於河南安陽縣城西北五里的小屯，該地爲一大平原，東西北三面環以洹水，安陽在彰德西北，南距府治四十八里，竹書紀年引相州圖經說：「安陽在淇、洹二水之間，本殷墟也。」史記所說：「洹水南，殷墟也。」都指此地。因甲骨上刻有文字，稱做殷虛書契，亦稱做甲骨文，所刻都是殷先王占卜，祭祀，征伐，行幸，田獵，日月風雨……之事，大概是當時太卜所典守的。士大夫撥拾龜甲，校正文字，近人稱爲契學，亦稱契文。研究甲骨文字的，始於瑞安孫仲容，著有契文舉例二卷。羅振玉，王國維繼之，羅著有殷商貞卜文字考，殷虛書契考釋，殷虛書契待問編，王著有戩壽堂所藏殷虛文字考釋，貞卜文字考。王氏曾說過：「他自己和所得證明者，不過十之二三，而文字之外，若人名，若地理，若禮制，有待於考究者尤多，」所以學者對於契文的研究，倒是一件很要緊的事。其後王襄著有簠室殷契徵文，簠室殷契類纂，陳邦懷著有殷虛書契考釋小箋，商承祚著有殷虛文字類編，殷契佚存考釋，葉玉森著有殷契鈎沉，研契枝譚，吳其昌著有殷契解詁，郭沫若著有甲骨文字研究，都有創獲。而董彥堂（作賓）氏於民十八年奉中央研究院派往安陽，主持發掘工作，歷時將近十年，所獲甲骨數量尤多，加以董理，迭有發明，更飲譽於國際間了。

安陽出土的甲骨版，初爲鄉人賣給藥材店，當龍骨用以治病，及後大批流入北京，爲人注意，搶購迨盡；而老殘遊記作者劉鶚搜購獨多，劉著有鐵雲藏龜一書，外國人士亦多有購得甲骨版的。因此安陽初期出土的甲骨，除爲中國的士大夫所購得外。一部份流傳於巴黎、日本、倫敦……等地。而爲中土研究契文的人所不及見。

友人饒宗頤教授於去年九月赴巴黎出席第九屆國際漢學會議，先後於巴黎大學中國學院，策努斯奇博物院，歸默博物院，遍觀所藏龜甲獸骨廿六版，剔去僞品，摹錄以歸，閉門謝客，窮旬日之力，爲作考釋，頗集成編，研究尤爲精邃，能夠獨闢蹊徑，以求勝前人。

饒氏研究契學多年，遍讀時人關於契文專著，深知其得失異同之故。年前遊日，遍觀公私所藏龜甲，見聞尤廣，加以平日治學勤懇，貫穿羣經子史，讀書得間，廣徵博引，俯拾即是，所有持論，有本有源，決非獨壁虛造可比。並且虛心求益，兼採時人之說，是者是之，非者非之，完全採取客觀的態度。

茲篇所著錄，雖僅僅二十六版，其中見於殷契佚存者四，與他書同文者亦四，參互證繹，發明甚多。篇末附有關釋字四篇，篇中每考一字，必備徵全部卜辭，殊形異訓，皆爲歸納，足爲研究契學之助。其中勝義，讀者當自得之，不俟覼縷也。

國際動態拾零

本年春間以來，蘇俄潛水艇練習，常在挪威丹麥、瑞典內海舉行，瑞典政府已暗中抗議。同樣情形，在挪威丹麥，亦已發生過。

× × ×

共和黨估計，美國參議院下屆多數，將爲共和黨所得。民主黨參議員，都是年紀最老的人，若因健康或其他關係而不幹，必爲共和黨人所取代。至少需是四十八對四十八票，而尼克遜乘上院議長，即有最後決定權了。

× × ×

美國情報處消息，共黨將在中東搗亂。過去巴拿馬總統與尼瓜多總統之被殺，業已獲得證據，皆有共黨背景云。其在墨西哥活動尤烈，蘇聯駐墨大使館工作人員，已達九百人。

× × ×

邱吉爾演說，謂聯合國若不改革，即會垮台。在安理會中，蘇聯已使用過八十次否決權。大會有八十一國投票權，但非洲占有廿八權，大可影響票決，使英法在埃及及北非洲吃虧。

陶然

臥嘗無力

「臥薪嘗膽」，使吳越之爭的局面一變，也使歷史得以改觀。於是「臥薪嘗膽」成爲後日勵志人筆下發揮的好題目。

但「臥薪嘗膽」，畢竟不是憑勇氣和毅力的；在今日看來，重要的還在[illegible]。今天，有多少人流落在街頭，有多少人備嘗辛苦，但又有多少人有薪可臥？有膽可嘗？[illegible]許多是被拋棄在這世道上[illegible]，其中固有一些是不求長進的，但也確有[illegible]已經使他連嘗膽的能力也喪失了！（湄）

革除買辦惡習！

自由談

馬五先生

中國語言，聯合國是法定的語言之一種，但自從聯合國創立以來，中國出席聯合國會議的首席代表，在會場上正式發言却未曾說過一句本國話，這真是咄咄怪事！

最近有朋友自美國來，說是在聯合國担任翻譯華語職務的中國籍「士大夫」（Staff），懇切希望我國出席本屆聯大會議的首席代表發言時，也講一次中國話，讓他們表示有事可做，以免長此尸位素餐，而有打破飯碗之虞。噫嘻！此國家之奇恥大辱也，豈勝痛憤！

外交人員嫻諳練駐在國以及國際間一般的通用語言，原屬應有之義，但在正式外交場合，必為本國語言是尚，亦係舉世皆然的通例。這不僅是在保持國家民族的獨立精神和人格，也在謹防出言錯誤，因而債事失職也。西方國家駐在中國的外交官，許多都能操華語——尤其是英國的外交人員——然他們在公式的外交折衝談判時，決不說中國話，這是誰也知道的事實。何以我國的外交官吏，就多是些「外國月亮也比本國好」的傢伙，總以殖民地的奴才式姿態，出現於國際外交場中，而恬不知羞呢？

我國外交界泰斗伍廷芳，他懂得幾國的語文，但他以外交總長或部長的身份接見外國使節時，就決不說外國話；我國學術界宿儒辜鴻銘，不特精通英法德各國語文，連拉丁文亦有很深的造詣，却不屑對人以洋話自炫。今日一般使於四方的人物，其才其學不足與伍、辜兩位先生執帚捧册，只是具備着一些買辦知識而已，宜乎有此罔顧國格的自卑自賤性習啊！

我因有感於在聯合國担任舌人工作的本國同胞的喟歎陳詞，盼望政府飭令出席聯大會議的首席代表，若要發言，即須說本國話，否則撤懲不貸，把過去積習相沿的惡劣風氣掃除掉，真正表現一點革命精神何如？

九龍的古跡與名勝

•陳永昌•

提起港九古跡，自遺漏不了宋王台。合在九龍城附近，以宋帝昺南渡時，曾一度登臨其地，為近海小丘，上多巖石。所謂合實為一亘大之石，約三百噸。山麓有大榕樹三五株。近來本港為曾闢市區，古跡僅留一石，已移在附近新建的公園內，以備遊人憑弔。

九龍城乃開埠所建築，城在斜坡上，經已全部拆除。城之附近有五龍廟，內置真武大帝銅像。像本置廣州某寺，重千餘斤，係五百年前所鑄，鑄工甚精。民元間省當局拆寺，將像作廢銅出售，為港商曾氏所得，乃建此廟祀之。城西有侯王廟，因楊國舅亮節護宋帝南渡死於九龍，居民建此以誌紀念。侯王道之尾，有茶寮數間兼賣小食，以餃子河粉為著。

九龍新界之青山禪院，在深水埗西北之青山。青山又名杯渡山，南宋杯渡禪師住錫於此故名。巴士可直達山下。登山有二途：一在正面，須以舟渡淺灘（近已有石橋）；一繞會閣之背，逶迤斜上。禪院築於山麓，上有楣額署「青山禪院」四字，兩旁聯為「十里松杉圍古寺」對「百重雲水繞青山」。上有海月亭，橫署「海合明月」，聯為「白雲白鳥飛來去」「青史青山自古今」。旁有杯渡巖，觀音閣，魚骨巖等勝跡。杯渡巖有杯渡禪師之石像，像高約四尺，作赭色袈裟。右有小平石，石碑刻「高山第一」四字。魚骨巖中有魚骨數根，植於大香爐上。旁有小瀑布，僧引泉院內，為客備俗。

青山道上多中西園圃、別墅等，風景佳勝者不少，主人有偶一蒞至者，稍出小費大都可入內遊覽。循公路可至坪山、元朗，由元朗有路可通錦田，沿途多屬田園，如由公路續進可至粉嶺。粉嶺有遠東最大之高爾夫球場，計有三大場地及兩會所（一男一女），但非有介紹不易入內參觀。

自粉嶺向東有支路可達沙頭角，沿路風景絕佳。粉嶺循公路東行二十餘分鐘即至大埔墟，為新界一大市集，逢三六九尤盛。大埔墟有省心草堂，地頗清靜。大埔墟南不及一里為大埔，中經一長堤，風景亦勝。大埔人家甚少，但有巡理府及差館等新界政府機關。自大埔至沙田車行亦約二十餘分鐘，路忽上忽沿海，為新界風景最佳之區，別墅亦有多處。山中甚多小瀑，雨後最大，瀑下野餐游之際盆耳，殊為樂事。

沙田車站旁有西林寺，內略具人工園林，寺內可食宿，設備尚佳，惜其費頗昂。此一帶山中多家庵，非有人介紹多享以閉門羹。車站之西有道風山，山上基督教叢林乃北歐瑞典路得教會所設。有宗教研究院並接待有道僧人居士。自沙田南望可見一若婦人負兒之望夫石，如願攀行，沿途亦有小瀑，越嶺可至九龍城。如循公路南行，須繞山坡，紆迴山間，穿插松林，風景奇幽。未幾見一大湖，即九龍水塘，乃港九食水水源之一，亦世界最大水塘之一。戰前，路傍多猴甚馴，見人求取食物，如預攜果物為餌，羣猴畢至，可稱奇觀。因此地名俗稱馬騮山。（粵人稱猴為馬騮）自此向南復入深水埗，如此環遊，九龍名勝古跡盡收眼底矣。

無題之談

•東郭牙•

前幾天參加一個團體，歡迎兩個新聞記者由美國研究新聞學歸來的座談會。他們所說的並不關於新聞與文藝，乃是報告他們在美國觀察一般社會現象，因為中西國情不同，生活方式也有異。

一位說：「美國近年來早婚盛行。中學生結婚的，約有五分之一，為了家庭的負担，不能夫妻同時進入大學，往往是妻子作工補助生活而讓丈夫晉升大學。待到學業完成而妻子已辛苦極了。所以丈夫也無心深造，只要混得一紙文憑，就投身社會「報妻德」而工作。這樣一來，高深學問，很少人繼續研究了。」

他認為長此下去，在科學的上，慢慢的會走下坡，終有一日被蘇聯追到前面去。因此美國有識之士也認為這乃他們「國家的隱憂」。

回頭來看一看我們這裏一羣，婚姻問題，早婚者倒不算多，然至亂婚者却也不少，雜婚者更為普遍。所謂亂婚者一切不依常軌之婚姻就是。所謂雜婚，一切男女獨身而無力無法解決婚姻問題者就是。有了這癥結，多少男女關係的離奇新聞，便產生了。

這正是中西國情之不同。」

講到這兒，有一個先生說：「最近由歐洲回國天主教的某神父上書蔣總統，有一條是指台灣女子旗袍的衩開得太高，實在不成話。」

大家因為這個「高衩」問題，熱烈發言，都是不贊成它太高的說法，可是一位太太開腔了，她帶着些微慍色地笑說：「這是男士們少見多怪，那個人沒有兩條大腿呢？露了又有什麼稀奇？你們不知道開高衩的理由，因現在的旗袍都是窄狹得緊如裹纏在身上一樣，若是衩不開高些，簡直不能開步走了。」

先前熱烈發言的希望旗袍的「低衩」的男士們，此刻只有哈哈大笑，不再堅持「原議」了。

又有一位說：「美國女人不穿旗袍，在暴露肉感方面，多是上半身的頸與胸或背。我們的女同胞，因為穿旗袍則只有把下衩開高，暴露其大腿。並且把衣領也特別加高，緊箍着她們的粉頸，大有「不堪回首」之勢，其隱憂大胆可說是更勝于美國的早婚了。」

于是，我保留了一些將發表的未發表的意見。

命名談

•仲侯•

六七〇期自由人載浩然先生述李福林趣語一則，使我聯想及咸同間，相傳曾國藩由衡陽興師討伐洪楊，派人回湘鄉募兵，規定新兵均以湘鄉縣知事衙門為集合站。那時蕭開印和成大吉，同在富人張姓家傭工，一個專管牧牛，呼為牛工，一個則管牧羊，呼為羊工，大抵他們對這夥牛羊都玩膩了，是年新正，相偕跑去縣城投軍，臨到點名入伍，他們還沒有名字，招募員抬頭一望，看到縣正堂門上貼着一張「開印大吉」的紅紙，就將這四字分開，命名曰蕭開印，曰成大吉，後來隨軍東征，克復金陵，蕭為曾國荃手下攻打雨花台最善戰的驍將——成則助曾胡與太平天國大將四眼狗，鏖戰蘄黃桐廬間，獨當一面。二人均官拜提督，晚年優遊林下，皆享高壽而終。

又湘鄉黃大勝，起初在曾國藩吉字營中當伙夫，曾由異人傳授他一種頗具奇效的金鎗藥，無論斷臂折腿，祇要他略施法術，敷上藥膏，即平復如初，亦由戎功顯榮官至提督，晚歲休致家居，牛莊戰役，復被起用，以提督在鄉募兵赴援，臨出師時，親自點名，首先呼第一排什長的姓名，乃為易長清（湘語變音為「一場清」為最不吉利），鄉人即竊竊私議，已預卜其不得善終矣，後果在牛莊與倭人戰，全軍覆沒，黃亦陣亡。

故國鄉思老來最　楊有釗

稿酬

七月份上半月稿酬通知單，已分別付郵，惠稿諸君請憑單領取稿費為荷！

本報編輯部啓

海上學校

中篇小說

「喂，張老師！」鄺老頭嘶起喉嚨在喊，「船都回來了嗎？」

「還有兩條；」他抹了一把熱汗，仰頭眺望黑漆漆的大海，暴睜的眼睛突了出來。「連一點影子也找不到！」他添說。

「那兩條？」鄺老頭閃擊趕過來，快速的小步子在沙灘上擦響。

「大約是黃豬生和梁有訓的，這兩家始終沒有露面。」目比式答道。焦灼的情緒像火一樣捻住了他的喉管，而卜卜跳動的心臟，像正在斷打的鶺鴒。

「唉，他們划得太遠了，」鄺老頭喪着頭，長長地噓了口氣。「人為財死，鳥為食亡，唉，實在太貪心啦！」

「還不致於這樣吧，」目比點着鼻樑上的眼鏡，說。「也許他們還有生還的希望……」

「但願如此，但願如此！」張長虹蹬着腳，焦急地打斷了他。「鄺老先生，」他提高嗓子喊道，「我們最好派出一艘搜索船！」

「是，是，」他點頭贊成。「劉全忠，備船！」他轉過身子將兩手裝成一個筒，向天后廟那邊怪叫道。

但海上交響起來的狂吼，掩沒了他的喊叫，這聲音對于距離稍遠的地方，絲毫不發生影響。他沒有得到任何回答。

輕快的小步子又響了。鄺老頭蝦着背，將頭埋進肩胛裏騰，匆匆拾着蔴石磴道。

還有兩條船沒有脫險的消息，一下傳開了。大家你一嘴，我一句，在緊張地商議辦法。不到一刻鐘之久，廟裏竄出來十多條矯捷的影子，肩上套着一大綑一綑的蔴纜，發足狂奔。

在被急浪席捲的一個孤立的礁石上，十多個人艱苦地工作着。一條小舢舨推到了激流之中，纜索一根接一根地延伸下去，船頭上撐篙的是劉全忠，船尾却是鄺老頭，他用雙槳狠狠地敲打着無情的海洋。而礁石上，手電筒的白光射向了夜海，十多名壯漢，正緊緊勒住這艘向風暴划進的小舟。

張長虹呆了好一會。他覺得讓七十高齡的人，冒這場九死一生的兇險，於情於理說不過去。於是，他用盡平生之力，高聲阻止岩礁上的人們放纜索，同時，自己也撲向了大礁。

舢舨被拖轉來了。鄺老頭扁起嘴巴，不知在嘟噥一些甚麼。風疾浪狂，語言在此時此地，完全失掉了傳遞的功能。張長虹死拉硬拖，總算把鄺老頭拉到了岩礁上。說時遲，那時快，張長虹跳進舢舨，代替了鄺老頭原來的工作。他把手一揚，吩咐大家放纜開船。電筒光照射着他那寬大的肩膊，抒發出一縷縷殉道者的光芒！

恐怖的夜海永遠是囂張的。泡沫洪流轉折暗礁間，而暗礁羣回流造成的巨大渦漩，悽厲得如同羣鬼夜號。

舢舨衝進堅浪驚濤。浪從船一邊翻過來，漫過艙面，漫過船頭，直瀉向船的另一邊。船上，水深沒脛，兩個人一面死死地攀住船邊，一面尋覓着前進的方向。船慢慢探進了夜海深處，岩礁上手電筒的白光，遙遠地被拋落在後頭了。

突然，漫漫的夜海起了喊聲！

那聲音急躁、短促、含糊不清，然而，就張長虹的耳朵而言，那恐怕是世界上最美好和親切的聲音了。他抖擻精神，伸長脖子喘氣。

「落帆，落帆！……」一個尖銳的聲音傳過來。

「不行啦！絞斷啦！」是另一組絕望的音符。

「斬！」尖銳的聲音變得更為尖厲了。

「油，倒油！」「冚家鏟！」粗厲的發怒的聲音未息，夜海上再送過來嘩嘩啦啦的一片繁響。

「誰？」劉全忠猛喝道。

「我，梁阿根！」尖銳的聲音失掉了後勁。

孩子們力竭聲嘶的哭喊聲躍之而起。「救命啦，救命啦！……」之後，緊跟着一陣憤怒的斥喝。

「收櫓用篙！收櫓用篙呀！」劉全忠突然狂叫道。「側過暗礁，脫險啦！」

鐵篙子猛烈地敲打着岩石，發出一種使人牙齒發酸的怪聲音，接着，捕漁艇嘎嘎擦過礁岩，夜暗裏隱約地還能看到顫慄的竹篙，被撐成了一把弓！（四五）

適廬書

自由人
THE FREEMAN
（第六七五期）
中華民國登記證台內警字第一〇〇〇五號
中華郵政登記認為第一類新聞紙類
（半週刊每星期三六出版）
每份港幣壹毫
台北市零售每份新台幣壹元
督印人：陳[illegible]
地址：香港高士威道二十二號四樓
20 GAUSEWAY RD. 3RD. FL. HONG KONG
TEL. 771726
承印者：南東印刷出版社
地址：香港士道十六號
台灣總經理處
台北市西寧南路登壹零號二樓
電話：四七三四六
台北郵政劃撥儲金戶九二五二
海外總經銷：友聯書報發行公司
香港：德輔道中二十六號A二樓

復國希望的條件和限制

復國前途論之四

胡秋原

我在復國前途論的前三篇文字裏，已說明了我們的危險與希望，又說明了我們一定能回到大陸。以下我還要說明我們希望的條件和限度。然後才能了解我們復國的前景，即如何回到大陸。

為而不有始有前途

希望的條件指此而言：如果俄帝不能受到重大的打擊，他還能有力量支持中共，則大陸之革命便難于有效打倒中共；則我們之反攻，便有絕大的困難。然要給俄帝以重大打擊。非今日我們所能為力。這主要是美國之事。打擊俄帝促其崩潰之道有二：一是戰爭；二是東歐之大革命乃至一同時革命。許多人以為今日核子戰爭，而這可能性幾乎沒有了。我不這樣想。戰爭是難免的。何況還會有「清潔的」原子彈？但時間亦難說。更可能的事，是東歐革命起來之後，俄帝干涉美國通過聯合國來作制裁。這將是一費力較小的戰爭。而不等到這一戰爭，大陸將有普遍的革命。我們之反攻，便非可再遲。

所謂希望之程度者，指此而言：如果大陸人民不反共，中共不瓦解，我們根本無回去之望。然中共瓦解了，即瓦解為十股，每股還能有數十萬之武力，每股還能有抵抗我們反攻之兵力。說我們都會投誠，是不切實際的；而曠日持久的打，也是不好的。又大陸人民反共了，一定各種黨派風起雲湧，一定有無數第三第四第N勢力起來。說他們一定都歡迎和擁護我們回去統治他們，是不切實際的。所以，我相信「接收」之夢斷乎沒有；我們只能打算與大陸同胞共同復國，共同建國。而反攻主要的也不是軍事問題。老實說，政治經濟思想的反攻，重于軍事。

我們應對大陸反共思想之表現而喜悅。但也要由此體察大陸人心之趨向。這不指青年受了共產主義洗禮，或有若干狄托傾向。這問題不大。今日大陸人民反共愈烈，即表示他們對自由民主要求愈高。他們不能容忍，敢于反抗共黨之暴政貪污和思想統制，便決不會容忍稍有失乎仁愛，廉潔，開明的政治傾向。他們反抗共黨的一黨政治，便不會再接受任何一黨政治。他們反抗馬列教條，便不會再歡迎任何其他教條。而我們逃離的人，回到本土，只有自修自勉，求大陸同胞之同情諒解，在國家和平復興長治久安願望下，盡我們的責任。假如還有「接收」之想，乃至說什麼「寬大」，「立功有賞」，不僅近乎妄，足增將來糾紛，亦根本不是中國人對中國人所宜出口之言，尤其不是逃難的我們能有權利對水深火熱之父老兄弟所可出口之言。必須知道中國問題之決算于大陸。而大陸是萬萬人。而隨政府逃難者不過數百萬人。今日台灣的政府與人民，抱着中華民國的國位，在此蒙難，意義很沉痛，功勞也很鉅大的。中共政權如杜勒斯所言，只是一消逝之局（PASSING PHASE），但也要知道今日播遷台灣的中華民國政府也是一媒介之局（INTERMEDIATE PHASE）。要知道偏安不會久的，一定要回去的，然回去以後，眞正的主人是在大陸，將來中國政府不會是播遷前之還原或播遷後之放大的。將來在建國事業中，我想我們與大陸中的人，今日對此一努力的程度，「為而不有」，有而不為，愈有愈為。

應防止和努力的三事

指出這一切以後，我還要提到我們還有三個較遙遠的危險，必須防止。

第一事，是俄帝途窮之時，可能嗾中共犯台，而發生美國對中共之戰。我從來不希望一個原子戰爭發生在中國大陸。美國力量亦不宜用于對付中共。原子戰如不能避免，最好由中東向俄國發射。美國與中共之戰，必須避免。這只對俄有利，於美國於中國皆不利的。

第二，目前偏局可能延續二三年，乃至于更長一點時間。在這偏局中，「兩個中國」法律化之危險，是存在的。「兩個中國」之法律化，可以強化中共，可以危害自由中國到根本生存，而且可以危害到將來中共崩潰後中國之長期混亂。這是必須避免的。

第三，即令俄帝中共同時崩潰，我們登陸回去，而由于當時必然是國際發展為一個三次大戰，參加作戰者，不僅中美兩國而已。如是在一種國際戰爭形勢下，「兩個中國」「三個中國」之可能，還是存在的，中國領土主權不完整之危險，也是存在的。這可能造成中國長期混亂，乃至世界新戰爭（第四次大戰）的危機。這也是必須避免的。

針對這三種危險，防止之道，也很明白。為了防止第一危機，要台灣本身有攻防兩宜的力量，要大陸人民反共運動更加普遍而深入。要防止第二第三兩個危機，一方面要台灣成為破天荒的模範省，得中外之敬愛；另一方面，要在全中國人民之間，找一個大家都無間言的最高精神威權，發揮其威信，發揮其力量。這一是中華民國憲法，二是中國文化，包括中國語言文字在內。

擁護憲法提高水準

這些危險之防止，是可能的。但必須大家一致努力——政府的，在野人士，一切中國人，特別是知識份子作一種有效努力。這份工作，第一是維護和實踐中華民國憲法之神聖。自由中國最大保障，與其說在武力，不如說我們有大陸同胞都信仰的憲法。如果我們大家首先忠于憲法，首先實行憲法，[illegible]所受。所以擁護憲法，即擁護[illegible]大家實行，民主治[illegible]中國。[illegible]政府之威信，[illegible]止將來第二中[illegible]

半週述評

我對反攻論戰的看法

從「自由中國」半月刊一篇文章，又引起有關反攻大陸問題的論戰。如果說政府應該少發反攻的空言，多做政治上的積極準備，那主張並不算錯。只是該文僅就台灣一地情形立論，而忽略了流亡海外的幾百萬難民，更忽略了大陸上水深火熱的同胞。從最近中共控制下的報刊所透露的消息，大陸上也頗有人對反攻有所期待，至少不能讓他們感到絕望，以致死心塌地的做中共順民。雖然在軍事準備之外，例如政治方面和心理方面，也還有許多迫切的事應該去做。

關於國際大局，目前誠然厭戰心理是普遍的。但在第二次世界大戰爆發前夜又何嘗不如此，否則就不會有慕尼黑協定產生了。我們並不願見立時有毀滅世界的大戰爆發，中國問題也並非非靠國際戰爭不能解決，但是爆炸性的危機到處都潛存着，蘇俄軍人在政治上比重日見增強也是事實。反對原子彈氫彈大會一類的叫囂並不一定顯示世界和平因素的增強。

我個人不同意反對反攻論者的看法，但卻認為應讓大家都暢所欲言，展開平心靜氣的討論。

敘利亞事件

中東眞是多事之區，奧曼戰事甫告結束，卻仍在聯合國中擾攘不休；敘利亞竟如瓜熟蒂落，差不多整個墮入俄共轂中了。

那一「利凡特」古國，從中古即以暗殺和政治陰謀著名，在獨立以來這十一年間，暗殺之風未替，政變之繁且甚於拉丁美洲。像這樣一個混亂困窮，國民性又強悍而喜鬥而走險的國度，恰好是共黨滲透顛覆的理想對象。美國恃以挽救中東危局的艾森豪主義，根本不能適用於敘利亞的場合，西方國家至少在目前幾乎是束手無策。

俄共自從武力擴展政策在歐洲和遠東都受到阻遏之後，即轉而致力於滲透陰謀，專向自由世界的弱點進攻，對中東尤其用了全力。最近四個月中，已有印度喀萊拉，印尼的爪哇若干地區，和美洲的英屬圭亞那四個地方，共黨都竟從選舉中獲得勝利。這次敘利亞事變，雖是蘇俄用武器和經援來誘惑，卻也是敘人自願上鉤。過去自由世界對付俄共侵略，只注意到軍事與經濟上的圍堵，對於滲透陰謀一向沒有適當對策。現在事實證明：單靠軍事基地，防禦協定和美援，並不足以阻遏俄共的擴張。一面是俄共以全力遂行其陰謀，一面是美國的援外撥款都要受到削減。我們只能說：共黨並不一定有可勝之道，其任何勝利都是由於自由世界的無能。

中共加強清算「右派」

中共此次對於所謂「右派份子」的清算，精神上的苛虐固無所不用其極，却至今為止，除了極少數例外，尚未及生人身的迫害。但這種形勢是不會長久的。

連日中共不斷提要加強鬥爭，對「右派」的清算也漸涉及一些「血腥」，和風細雨一變為疾風暴雨，看來即將再成鮮血淋漓。不管那些人過去附共是投機也好，是一念之差也好，總不該成為中共鞏固政權的犧牲品。我們應該加強對中共罪行的申討，予那些受難者以道義上的支援。

李秋生。

我看「反攻」論戰

瓦斯。

久已成為自由中國朝野不爭的「反攻」問題，最近在台灣却引起了論戰，這表示了長期的等待政策發生了疑問。

「自由中國」半月刊八月一日發表了「反攻大陸問題」一篇社論，直率地檢討並否反攻問題，認為台灣殊無單獨反攻的條件，于是引出中央日報八月七日以「二分法的邏輯」為題的一篇社論，加以辯駁，認為「這不啻替『兩個中國』說話，間接為朱毛共匪張目」。

對于這個人人關切的大問題，的確需要大家虛心而客觀地研討。

論戰的重心在「能」與「不能」，「應該」與「不應該」，其實也是「能」與「不能」的問題。前者是一個宣傳政策問題，而後者是「能」的解釋如何，是要以後果判斷。可以說，用不着引用何種邏輯，事實總是可以清楚的。原則上，是國人等待國際局勢變化，等待大陸反共運動起來，也等待美國對我有利的轉變，然後把握一個機會，打開一個「反攻」之局。這就是說把戰爭指揮原則，這個「官方言論」，也就是看「時機」而定的。這就行了。這當然可以造成「官方言論」與「民間思想」之間的一些「距離」，指一一大學教授所言，不久以前，正值今天面臨這一共產集團內部的變動，這是「民間思想」一一疑議，雖然今天共產集團內部的暴怒潮的勢興，這是今天新形勢，我們能否把握，如何把握它，還是一個疑問！「能」與「不能」問題，是透過許多內外因素去看，如果說能，事實告訴我們非主動不可，法是以改變或影響自己努力而使十年，二十年，若干年後反攻，在理論上可以名之曰「能」，縱然官方言論「民間思想」，潛伏「民間思想」並不意味着「不願站在官方」，更不等于「放棄反攻」打算，相反地，是更希望儘速反攻。如果不否定這來流亡海外及在台灣大陸受過的人民確有權利要求，不只希望政府負起反攻責任，這裡，問題便從事實上「能」與「不能」，轉到責任上「必須」「應不應該」的問題。「不能」與「不能」的，反攻是「必須」的，否則合理失其依據，什麼建設也談不上。「反攻」是一補「革命行動」，就是要從「變」中創造，因此它的可能後果，不是擬一件一計劃的普通公事，可以……

最精確的「公算」，也算不出動態中的可靠因素，而且「等待」反攻將靜態中的有利因素也要損傷。等待整個自由世界把共產集團打垮了，我們覺像「直從巴峽穿巫峽」，那樣便捷順利嗎，縱然是還會有此可能，但那時的民心士氣也要損傷。用，如說算「公算」出來的，排，其後果也還不一定便於我們可以反攻問題了。何況被動地等人家安的問題，如果「公算」的結果以為「應該」與「不應該」說「能」「不能」籌言論」，可以說是一個論點。半月刊文精神緊張，欲使反攻的「停止製造」，宣稱出來十二年，若干年的等待，縱然是「自由中國」半月刊該文作者的實意，但確不是有損於「民間思想」在「官方言論」與「民間思想」——指「自由中國」半月刊，有多大區別，同一是在等待政策的，只在宣傳方略上，無論引用什麼樣說也是好，還有主張收回已公然表示反攻的口號，這斗，事實勝於雄辯，說與不說，結果被國人，好從事于「培養」持久心理基礎」，豈不是大有礙于自由中國的思不要全民心士氣低沉的？

建設，固然失掉反共心理據，長期而一再空言反攻，也會失掉政治上最有力的號召。問題還在「能」創造，至少是把握，「最有利的」時機，而不一再失之交臂。「能」與「不能」，應從這裏去找答案。

我以為一個種要求反攻的民間思潮之後面，就是民心士氣，如果忽視「反攻」是一個總體戰和全面戰，這「民間思想」，固不可以不負責的叫囂心理操縱思想而忽視之。

政府必須澄清反攻問題

•張仁征•

昨天再讀十七卷三期的「自由中國」半月刊社論，使我引爲驚奇的是：「經過長期苦心思索的結果」所提出「要解答的問題」——反攻大陸，認爲「是大家最感茫然的問題」。

一、

中國國土淪陷於蘇俄所組訓的第五縱隊鐵蹄之下，大陸被統治奴役于俄帝的傀儡政權之手，八年以來的血腥事實，和至今正在砲火接觸下的交戰狀態，對方敵人還在不停的叫囂；「我們正面臨台灣反攻的危險」，（劉少奇在人代會語）「一定要爲解放台灣作好準備」，（朱德、彭德懷等最近喊出的話。）而台灣的部份高級智識份子却反而對這個血腥「現實」，竟「茫然」起來，怎的不令我們這海外中國人不引以驚奇！身爲中國人——有骨頭，有氣節，不甘屈伏於異族的中國人，面對國家存亡，民族興衰，文化禍變的關頭，和爲了爭取人權自由，自身生存，及子孫免於奴役而言，今日只有「擇善固執」的一條路，如果說出「究竟應該不應該，這個道德的考慮反放在其次：……像這個道德的詩人是難活得下去的」這類話，這豈不令人感覺到失望嗎？

二、

就自由中國半月刊而論，大家好容易脫離魔掌，到了台灣，辦個刊物都還要在中國兩字上加「自由」二字，已夠痛苦了。而共黨勢力今日還仍是和我們勢不兩立中，如果說五十年，共黨有「拖」五十年，一百年「持久」的心情，把前幾年敵我正在炮火相接的戰局面，忘得一乾二淨，於斜陽方面中短兵相接的鬥爭敢言無諱，國際主義陣線，附統門爲「擁護社會主義陣國」下中國人所受苦難，死亡，奴役剝削中。血淋淋的現實，無動的環境中生活還嫌太緊張，但我們在海外耳聞目睹共黨統治的大陸同胞，却無此等「五十年，一百年」的閒情逸致「持久」。共黨拖得不照辦，你不想緊張，他却偏不許你輕鬆，你又將奈何？

中國人要知道，我們海外中國人，並不以托庇於美國第七艦隊的掩護爲光榮，同時還以美國限制中國的反攻爲可恥。何況你想持久拖五十年，美國却並未必打算長期奉陪，共黨目前之未發動進犯，是它在大陸天天「緊張」準備「不打無把握的戰」，再加上新問題，却並不可能有此耐性等你培養意志。

三、

談到「公算」問題，是「自由中國」作者全文中最重要之點，也佔篇幅最多，可是文字却[illegible]。第一，不注意今天世界人民（包括鐵幕內的）普遍心理的傾向於反共黨，反極權暴政；更忽略武器的發展優勢是在反共的國方面的；最後，更忽略所謂三勢力的中立[illegible]，一旦共黨的陣營發生[illegible]，這些國家[illegible]。

第二、現代戰爭的條件——人口，資源，科學水準，（姑照作者所舉只此），到底是反共方面的自由世界優勢呢？還是共黨集團佔優勢呢？如果說中國反攻時無美國的支持便不具備上述條件，然則中共的條件如何？作者似乎沒有證據能證明大陸全體人民都是誠心誠意甘爲中共效死的。大陸資源都已開發到能生產原子武器的階段嗎？中共的「科學水準」和「物理武器」已佔優勢嗎？這類彭德懷式的恫嚇，出之反共者之口，令人不無遺憾！

「自由中國」作者錯誤在作機械式的武斷，在該文的首頁便說：「如果我們主觀的願望超過了我們實際力量所及的範圍，那麼我們所能實現的祇是實際力量所及的部份，實際力量所不及的那一部份是不會實現的。」請問：狂妄，是不是整個世界比共產集團小？大陸遍地反共的中共自己都鬆懈，如果自己自卑，則反攻的中國人爲「狂妄」。然則，當初中國的抗日，豈不更「狂妄」？其實，知識實際力量所及和「不及」，也是很難說的。

四、

現在，我要轉向政府負責當局有所請教：

第一，由於中美條約的訂立，把中國的復國鎖縛在條約換文附件中，就是擺在國家政府當前是否得到了同意，不對大陸採取任何攻勢行動」，這個拘束，實在既顯示中美間的不平等，又打擊中共民心士氣，助長中共的氣燄。但國際問題的協定，常因客觀情勢的變化而可隨時推翻修改的。中國政府應該及早明告，中國如對大陸採取攻勢，決不需要美國軍事人力的支持，只希望接濟和後勤方面的物質援助和精神同情，則此項行動並不影響美國政府得失也與美國無干。自力準備，了解國策，自力自強，不動人心，整飭士氣，政府似應及早有所表示，以釋羣疑。（在國際外交上當然應該另有新作法？）

第二、今天國際間誠然還有一種自私暗計的「兩個中國」陰謀，而中共統治者來說，當然也利用「兩個中國」主義陰謀，「兩個中國」思想對我們，（五十年，一百年的「和平共存」幻想便屬後者。）但一經觸到真正本身國家的安全和利害關係上，卻也就無人肯自甘退讓；四方的大西洋聯盟，中東的巴格達公約，亞洲的東南亞條約，東南亞的東南亞條約……，誰都知道這樣的武力聯盟，其用意亦是相互共同防禦……越南的反共血戰，何嘗不是得益於美國的支持，有利的光榮抗戰，……而南越、那麼一週盡不是在對付共黨的鬥爭和傾覆威脅？那麼，中國的反攻大陸——從前民族「自治」名義，陰謀顛覆侵略，主張以暴力征服，更加從內部赤化，直接威脅侵略國家的所謂「政治攻勢」和「和平攻勢」、製造武力侵略中的較美國的，今天我們當前要我們的共黨侵略，反主張退讓？對現實，反主張退讓，「不言反攻」……因此，我們必須認清反攻前提下，用事實所表明的大努力，使一切退讓的理論陷於不可再發生影響的地位。國家反共，「用兵無逃」，一如戰場上所謂戰略勝利，而中國屆時如不然，則外援與同情，將何自而來？

現在已是時候了，政府對「澄清反攻問題」一事，是責無旁貸的。

「半個國會」無會場

•牛嶠•

陶百川說：「寧做唐吉珂德，而不願做阿Q」

我以爲立監兩院應該有一個「綜合會場」

監察院的「都老爺」們在攝氏卅七度熱浪中，假座省民衆服務處舉行例會，禮堂狹小擁塞，與會委員莫不汗流浹背，氣候環境影響情緒，會場上一連掀起數次風波，更不料因某報一則短評，似火上澆油，爆炸火舌萬捲，反映出政治形態上的現實與諷刺，以及御史大夫們的格調。

某報喻爲「世態炎涼」

這一則短評，是某報的黑白集，題名世態「炎涼」，行文精悍幽默，於報端刊出後，對監委激勵很大，茲錄於下，以資妙文共賞：「天氣太熱了，立法院早已『歇夏』，停止集會，若干立法委員更是偷閒學少年，利用夏季休會時期，出外考察的考察，參觀的參觀，大可與『暑期青年戰鬥訓練』媲美。省民衆服務處禮堂開會，台灣銀行總行大廈，全部裝起冷氣設備，涼爽宜人，溽暑全消，儼然一座『避暑山莊』，男女行員們惟恐招涼，不怕受暑。倒是監察委員們，在如此大熱天舉行院會，而且找不到一個適當的會場，結果只好『深入民間』租用『一』，……良以監察院之『權』，不如立法院的權受人重視，監察院之『銀』，比起台灣銀行來，連一毛之於九牛也不如，因而監察院諸老只得受熱受暑了，世態『炎涼』於此可見其一斑。……以監察院之崇高與監察權之尊嚴……尚且不能『自決』其會場問題……欲期其能杜絕有錢機關的浪費，調整公教人員的待遇可乎？」

引起御史一篇宏論

在這篇短評刊出的當天，正值監察院舉行院會，名御史陶百川在繼起委員光宸報告專題研究「監察工作與監察制度」之後，以沉痛心情作補充報告，並將「世態炎涼」短評向大會宣讀一遍，然後說：「人家以一千萬元建造禮堂，而監察院却無一個固定的集會場所，東借西租；但這並不可恥，人家辦公地方裝冷氣，監察院連院長室也沒一架電風扇，但這也並不可笑，我們應引以爲恥的是糾彈案不能發生效力、政治尚未能澈底修明。我們毋寧做唐吉珂德，而不應做阿Q，我們要勇敢的依法批評和糾彈，行政院不遵重我們的職權，我們應加以彈劾，公務員應懲戒委員會不依法懲戒，我們應加以彈劾，法院破壞司法獨立而故爲枉縱，我們應加以彈劾。我們不這樣做，便是失職，對不起國家，那才是我們的奇恥大辱。」辭畢，博得全院委員一致支持與喝采。

監院無會場的原因

監察院自遷台以來，一直就被會場難題所困擾，最初是借省黨部禮堂開會，嗣後數年間又連續租借開南商工職業學校，公路黨部禮堂、女子師範學校禮堂、省社會服務處禮堂開會，以開南商工學校禮堂最久。這幾處禮堂形式都不適作議會場所，尤其在以往各國使節及友會議員來華訪問，參觀監院「半個國會」開會，目擊此「破落戶」現象，無不掩口葫蘆。監察院方面對此未嘗不痛心疾首，據說其所以不澈底解決自建會場原因有三：一、許多監委認爲國難方殷，不應浪費國帑，只要能發揮監察效力，馬路上開會也可；二、監院經費短絀，無餘款營建，監院乃監督別人機關，怎能伸手向政院討錢修蓋會場。如果以單純眼光來看，這三項理由，固值得欽佩，但是，對國際觀瞻也不能過份漠視。

立院會場也是租的

當前立法院會場是租用中山堂前廳，該處不是放映電影就是出演話劇京戲，前一時黃清石大腿歌舞團也是在此上演，集中外古今雜亂無章之大成，堂堂立法院在此開會實在有失體統，何況職工都在中山堂走廊上辦公呢！

基於立監兩院變方辦公及會議場所窘迫情形，筆者建議政府當局修築「綜合會場」以供變方使用，或將省府南遷剩餘房舍擇一處同立監兩院交換，不求富麗壯觀，只求實用不礙觀瞻就好。

在台灣，舉凡行政、公營機關，無不是巍峨大廈，即鄉鎮公所也是堂皇可觀，台灣省政府疏遷台中，修建費耗資數億。反之，相當於國會的立監兩院却偏促一隅寄人籬下，適一適當會議場所皆無。這成什麼話！

我國憲法以五權爲基礎，但事實上並未能收到相互制衡實效，而形成了行政權力一枝獨秀的局面，立監兩院會場無着，行政機關漠然視之由此可知，即其一例也。

稿酬

七月份七月稿酬通知單，已分別付郵，惠稿諸君請憑單領取稿費爲荷！

本報編輯部啓

嗚呼我國的外交官陣容

•香水園•

馬步芳出使沙地阿拉伯，眞是一個大笑話。七月廿七日本刊六六四期登刊有勇武君自依托夫寄來的一封信，報導彼曾早已聽到這消息，旅沙僑胞莫不譁然，原以爲是一項消息而已，今已見之行政院派令多日矣，眞令人不解。接香先生來文論及此事，特爲發表如下。（編者）

讀者論壇

晨早閱報，在第一版上赫然有這樣的一段大新聞：「政院派馬步芳出任沙地阿拉伯大使。」看了這段新聞後，令人啼笑皆非！感慨萬千。政府自大陸淪陷後，蟄處台灣小島，一切尚知振作。惟外交陣容始終少見刷新，（想外交當局定有難言者在。）看不見有幾個像樣的外交使節，而以馬氏之出使沙地爲最令人不解！

中近東之各回教國家，如沙地阿拉伯之國，一切雖落後，但它因地緣與民族關係，在東西兩大集團之間，在聯合國的亞非集團之中，地位却很重要；因爲回教的聖地「麥加」就在他的國境之內，對於每年由世界各國去朝覲的百萬回教徒，與遍佈在亞非兩洲的阿拉伯民族主義者，它是有很大的影響力的。故美國近年極力敷衍它，扶植它。想以對付埃及，在中東推行艾森豪主義。阿國與其他各回教國家之間，也是利害各異，恩怨互見，他們的國際情形很複雜，他們相互之間的利害情形更複雜。在這樣的複雜狀態之下，我們就須要派遣第一流的外交人才才行，乃我們的行政院竟派了一位出身行伍，僅識之無的馬步芳担任大使。據抗戰時期與馬將軍很熟的友人言，馬氏未讀過任何學校，除他的名字外，再能認識的方塊字很有限，本國字且不識多少，外國文字更無論矣，但其爲人陰鷙，殘暴作事不擇手段，因爲爭取青海省政府主席，以兵力放逐了他的親叔父馬麟，自己私據青海省府主席寶座；爲了奪取騎兵第五軍軍權，幾弒其胞兄馬步青；卅八年蘭州之役，因與其同教的馬鴻逵爭意氣，竟私自遣散了軍隊，棄職挈眷潛逃埃及。

以這樣一個椎魯無識，所知有限的老粗，充任國際情形很複雜的中東區的中國大使，阿國固尚落後，但駐阿國的各國使節並不落後，像這樣的馬將軍在吉達搖作寓公則可，但代表中華民國作大使駐節外邦萬萬不可。此事將會成爲中外的一大笑話。中華民國外交史上的一大恥辱，徒爲中俄共平添了宣傳譏誚的一大資料而已。

客曰：君祗知其一，不知其二，自由中國的外交長才固很多，但要求一個回教徒而又與阿王私交甚好如馬將軍者則百不一得，政府豈有不知馬之無知無識所識有限者乎！不過爲了有利於國家，故取其長捨其短而已。

愚曰：善哉善哉，下走太愚，未悟此理，今蒙指導，茅塞頓開，政府既有此苦衷，在回教國家派遣使節，非回教人不可，則何不派像現在自由中國首都之回教人領袖白崇禧將軍？白之智能與其在回教國家中之聲望，高於馬氏何止百倍，何以又捨其長而不用耶？外交之玄妙吾輩外行人則莫測高深矣，如無其他奧妙，純係爲國家之利益而擇人，則在台流亡之受過大學教育之回教人士，除白之外，尚不乏其人，何況果有外交長才，固不拘于回教徒，何以政府非要選一僅識之無毫無現代智識，而又劣績昭彰，無知軍人不可呢！客與下走相對無言，默然而退。（八月二日）

岸信介組閣前後
美日關係明暗面

·文鑑·

最近美國官員預測：在今後二三年之內，美日關係不會有重大的改變。他們認爲：這一預言，不僅適合於軍事方面，亦適合於政治方面。

不錯，由於美日關係的基礎，經過了這麼多年，定沒有其他巨大而特殊的影響，相信不會，至少在短期間不會有所改變。尤其是岸信介繼石橋湛山出任首相後，美日關係比較趨於明朗化。

岸信介的施政方針，固然大部份是依照石橋湛山的老路子走，可是他敢於實現的，卻多半在加強美日間的關係。例如（一）上次促請美國及其他政府舉行高階層會談，目的是希望遵循較爲有力的經濟政策，及在今後六七年間將日本的經濟擴展至兩倍；（二）關於美日的安全條約，希望重新予以調整。岸氏前此訪美的目的，是在經由調整各項顯著問題以作進一步加強兩國間的友好關係。

冲繩島問題

不過，美日間也存着不少的歧見。比方：（一）冲繩島問題：日本曾一度請求美國將該富有戰略性的島嶼收回，但美方亦曾屢經不能撤離的原因。就戰略上言，美國曾經指出了三個亞洲島嶼的軍要性。第一是台灣，第二是[illegible]，第三是冲繩。自從美國在太平洋戰爭末期以佔領冲繩，把它變成不沉的航空母艦以後，就被叫作遠東的直布羅陀。韓戰期間，出征鴨綠江一帶的遠程轟炸機，都以冲繩島爲基地。如果共產國家與自由世界一旦在亞洲發生衝突，海空力量將是制勝的先機。那末，只要美國軍隊留在冲繩，整個中國大陸沿岸和中國東北及北韓，都是美空軍立即報復的目標。因此，美國遠東聯軍統帥克拉克曾經建議：整個太平洋的防務組織，都應該把首腦部設在冲繩島。

但是日本要提出檢討的，可能爲該島的農田被美軍佔用問題，必須全盤解決——擬定公正地租和安頓當地人民。其次是工人的工資，尤其是教員的薪金問題，必須制定合乎平常生活費用的計算方法，及使當地人民明白蘇共和中共對冲繩破壞目的。

對中共貿易問題

（二）日本與中共貿易問題：岸信介固然數度聲明決不承認中共政權，但最近卻向美國建議放寬日本與中共間的貿易而遭到美國坦率的拒絕。

本來美國在戰後十幾年中，先後拿出了不少美元資助日本，使她擺脫瀕於經濟破產的危機，特別是在韓戰期間，更帶給了日本以繁榮，當時美國每年在日本花用的金錢達十億近千萬美元左右，且一連三年都是如此。此外，美國還給予日政府以巨額的貸款和直接的援助。照理，美日關係的堅強，應該是牢不可破的。

然而，在亞洲大陸上的共產黨勢力，卻日趨強大。他們正在以貿易和親善作香餌，向日本展開強烈的引誘，使日本國內很有許多急功近利的朝野人士，產生了一種不正常的心理，以爲日本應該扮演一個新的「獨立」角色，可能左右逢源。

最奇怪的是，日人不但不以美國爲德，反而把日本戰後經濟的大部分罪過，歸咎美國人身上。其理由爲（一）現在日本的失業人數差不多達到一百萬人以上，且每年都有罷工的情形發生；（二）自殺案件越來越多；（三）家庭用品許多都已猛漲；（四）百貨因爲滯銷的原故，到處堆積如山；（五）貨倉裏也堆滿了準備輸出而又找不到國外銷場的貨物；（六）借款和可供運用的資金的缺乏，使許多商店陷於破產。

美援解決不了的困難

事實上，在日本的困難時期的後面，確有不少爲美援所不能解決得了的大問題存在着。比方：（一）日本每年必須花費巨量金錢以輸入糧食和原料，故勢必倚賴貿易以求生存；（二）戰後由於千島羣島和庫頁島均被蘇聯霸佔，致日本的漁業趨於沒落；（三）區區的幾個島國，失去了戰前的殖民地，自然感到資源的缺乏，不足以供養九千萬上下的人口。同時一般經濟學家也覺得：美國在日本花錢愈多，可能給日本人的害處愈大。這話怎樣說？因爲這，大概是可能使日本人養成一種「倚賴」的習慣。當美國的花錢，由於韓戰的停火而突然減少時，日本人就馬上失去了一向所倚賴的支持。

由於經濟危機的影響，日本的整軍計劃，也已進展遲緩。據本年一月十八日東京消息，美國已答應日本以現有的十六萬美軍繼續留駐日本一年。這就是說日本將延緩其徵兵計劃至一九五八年，始行徵集新兵一萬人，充地面自衛軍。

同時，日本一再指責美國不肯幫助他們在東南亞方面找尋新的市場，殊不知美國也有美國的實際困難情形。由於第二次世界大戰終止，日本無條件投降時對東南亞各國的賠償問題尚未解決之前，縱使美國儘力幫助，卻也不能夠使日本跟這些要求賠償的國家如菲律賓、印尼、緬甸及馬來亞等地的貿易早日恢復。

要看岸信介的辦法與做法

觀察家對岸內閣的出現，有着高度的評價。他們認爲：岸可能維持一個長期安定政權的希望。不過歐洲國家對岸氏的印象，卻不及吉田茂和鳩山一郎等人那麼深刻。但是一再表示歡迎岸氏的美國，對於岸氏的智識，也未必怎樣完滿。只知道岸曾因戰犯入獄罷了。其實岸在日本的潛力比任何人爲大。如所週知，新任外相藤山愛一郎便是岸的好友。藤山戰後經營糖業和化學肥料工業，已自成一個財閥系統。當一九五三年四月大選時，藤山特別賣力，風塵僕僕地替岸競選。八幡製鐵公司總經理藤井丙午，富士製鐵公司總經理永野重雄，大阪商工會會長杉道助，山崎證券公司總經理山崎種二，八千代證券公司董事坂動等人，都與岸氏有甚深的淵源。日本的財閥，向來是可以左右政府的，只要岸信介在這麼多的財界巨頭支持之下，能夠解決許多困難的問題；同時儘可能把足以令人懷疑其爲中立騎牆的精神作風改變，則美日關係當可彌久彌光的。（八月十二日）

復國希望的條件和限制

（上接第一版）　·胡秋原·

改變觀念作風

第三事是要在觀念上，作風上，有徹底改變。改變云者，去腐而已。必須除去者，一是滿清時代許多老習慣。例如寫字抬頭，又如「吳沃堯小說上論官場習氣，特別是「鬼混」習氣。國家至于今日，百年鬼混之結果。二是民國十三年後由布爾維克、法西斯、納粹傳染來的許多不良觀念，術語，口號，作風。例如置黨于國之上，「民主集權」，「鐵的紀律」，「黨的細胞」，這一套東西；「計劃經濟」，「五年計劃」，這一套東西；思想統制，以及將政治上人物理論加以神權化教條化這一套東西；人與人間缺乏忠信、篤敬、道義與人格尊嚴的控制排擠，不必要的檢查，自清這一套東西；到處貼標語口號，以及使用共黨許多肉麻名詞，如「反映」「看齊」這一套東西。這都是不祥的陳腐的東西。又即使是不是共黨專利，卻爲他們偏愛的東西，如「開會」，如「革命」，如「鬥爭」，如「辯證法」一類名詞，亦、總以盡量節約爲佳。我們不僅要在實體上反共抗俄，尤要在精神上反共抗俄。反者抗者，即事事與其相反，而反必從根反全面反。例如，要反對馬列教條，決不是將孫中山主義變爲教條，與其爭一日短長；而是根本肯定自由討論之權利，肯定教育獨立及學術自由之尊嚴。除憲法未經修改前不可反對外，沒有什麼不可批評。孔聖人既可批評，孫中山先生的學說當然不是不可批評的。自然，既可批評，亦可以反批評，即是擁護；只要是循討論之常規。又如，我們很多人反狄托主義。這是對的。因爲狄托主義也是一種半共產主義。但如我們不能全面反共，結果走入狄托主義而不自知。狄托主義在共產集團中有困擾蘇俄之功。然在自由世界，他便是庸人自擾了。

以大陸人民之心爲心

治國斷無秘訣奇術，只有正道常道。共黨根本是旁門左道，反共尤必正常。何謂正常？即中山先生所謂「順乎天理，適乎人情，適乎世界潮流，合乎人羣需要」。「天理人情者何？中外之通例，古今之常識而已。世界潮流者何？道德，科學，人權，自由，民主之類而已。人羣者何？除了高級官吏委員代表之外，是二百萬的難民，八百萬的土著，千餘萬的海外同胞，而最重要的是五萬萬的大陸父老兄弟姊妹。他們的需要是什麼？亦無非是道德，科學，人權，自由，民主之類而已。因此，自由民主之目標，是不可懷疑的。在自由中國，並非沒有民主自由。雖然不足，不斷充實好了。只將這當作一個口號，固無益處；但以法治與民主對立，以國家自由與個人自由對立，乃不能言之成理的。而這只是觀念上的隔閡，只有損于自由中國之前途的。而這種隔閡，是應該澄清廓好的。我們尤須特別傾聽大陸同胞的需要。他們的鳴放，是對共黨之怒吼，亦對我們的啓發。我們必以他們之要求爲要求，才不負他們的希望。凡他們反對共黨者，我們也就必須避免，不可嘗試。否則，便不必回去。而另一方面，他們反共，給我們以希望。我們亦必有所努力，給他們以希望。無疑，我們只有走正統中西文化道路，才是受用的，經久的，無往而不利的。而自由中國應使自己名符其實，才應足以保證台灣對大陸的鼓舞作用，以及在世界上領導作用的應有地位。

發揮自由的人力

最後，我想說到，我們是應有勵精圖治，發憤爲雄之氣概的；而事實上往往只見暮氣，或抑鬱之氣；缺少生氣活氣，也就缺少光芒與力量。這一方面是制度問題，一方面是觀念障礙。許多人忘記我們還在生死線上，覺得「此間樂」，且樂此間，構成一個「既得利益」之網。大家知道，唯有以回大陸爲目標，才能發揮自由的人力。反過來說，必須發揮自由的人力，才能有回大陸之可能。然這不是宣傳之事，或派若干人到大陸之事，這還是要在觀念上制度上努力的。

提高廉正，振奮心，自信心，責任感人格感，革除亡清惡習，左道旁門；本于決心常識，擴張心胸眼界，集中人才，培養人才，擴大政治基礎，力量源泉，樹立良好制度；採用合理政策；不使既得利益集團阻塞公平競爭之路，不使勢利之見顛倒社會價值標準；務使人人能說實話作實事，循正當軌道，發揮其聰明才智，盡力于學問事業，追求其應得的幸福與榮譽。信如是，台灣自然生機活潑，朝氣煥發。信如是，必然是一切政治經濟軍事文化力量之提高，同時是，各方面人才之輩出。即以文化界而言，試想一般人的精力不用于「八股」「內幕」，而用于學術之認眞研究，國家問題之嚴肅思索，我們的氣象又當何如？我們的人力是薄弱的，唯其薄弱，不能濫用，必求質的提高。許自由人力充分發揮出來，自有一種大光與力，對大陸衝擊，鼓舞大陸人心，對中共爲更堅決之反抗。同時亦必能提高我們在世界地位，增進我們在世界的發言權。而將來回到大陸以後，也只有我們的才能智慧，政治經濟的經驗，文化學術的成績，貢獻國家，團結國民的。要之，今日要想號召大陸，將來領導大陸，一定要有號召領導的東西；而這些東西，除一部憲法外，必須是成績，知能，人才；還不是很明白的嗎？假如沒有這一切而還談領導，我恐怕即使我們回去，也有爲大陸同胞所棄之一日的！

回大陸必有其道

此文之意無他。我看世界大局甚好，只是我們主觀努力不足，不能配合。所以不足，根本原因在若干人既忽於危險，亦忽於希望。如是不免以爲偏處或可苟安，而大陸雖光復。如是固步自封膠柱鼓瑟。我的看法剛剛相反。台灣只能說是一橋頭堡。此處不可久居，大陸終必光復。如大陸不能光復，台灣難自存。所以今日一個死活問題，是我們與敵人爭誰活得過誰一分鐘的問題。敵人早死我們一分鐘，是我們和全民族之永生。明乎此，大家便當團結一致，死命求生；此必目注大陸，把握國運，而不在島上糾纏。[illegible]者，不是一個聲音，而是和而不同。和而不同，不同才有生機，同而不和只是死結。知大陸之必回可回，而回必有其道，才能打開死結，一切有一正當目標，正當標準。所以得一個人立心行事，皆當刻刻自問：這條可以回大陸嗎？

（七月三十日）（「復國前途論」全文完）

文藝世界

『孽海花』將出國爭光

·詩書生·

「孽海花」爲曾孟樸氏於民前八年執筆迄民十七年完成之一部膾炙人人的小說，其內容以名妓而功在於國的賽金花爲主角，貫串全書，將晚清數十年間歷史及社會百態，用諷刺，詼諧的筆法寫出，不僅文字優美，且見解精當，觀察深刻，描寫生動。

現在美國奧立根大學東方語言學教授魏利司，任過九年教授，精通中、英、日、法、德、西及冰島語文語文，由現任哥倫比亞大學教授蔣彝氏之推荐，赴台灣譯曾氏此部遺著，先後與有關方面洽談翻譯諸多問題，決定採用曾虛白所提翻譯方法第三者——一面敘述書中故事，一面用有系統的註釋方法說明當時的時代背景，及政治情形。並於着手翻譯前，先譯在台重印「定本孽海花」中曾虛白手輯的曾氏年譜。

自魯迅之「阿Q正傳」小說出國後，「孽海花」的出國，足可表示中國並非沒有好小說。也許有些人認爲近二三十年間的小說，此書並不算最好，但是它將譯成英文是事實，說不定譯成法、德、日、西、冰島各種文字，也未一定。

曾孟樸氏生前並未料及該書能夠出國，死後多年之今日亦不知能夠爲中國文學揚名國際文壇，可以說這是千古世界文學史的常例，今日之小說家，何用其汲汲乎成名呢？只要有價值，化過超人的心血精力，它就是黃金，總有一天陽光照着它使之發光。

作者曾孟樸氏自幼即已天才橫溢，嫻於文事，也從事過實業、政治、商業、結納維新份子，贊助變法，生活經驗豐富，見聞至廣。此無他，說明這部書之成，能夠出國，也非偶然機會之倖致，今日小說家日唯斤斤於技巧上故弄玄虛，而鑿幻構，而不從生活中汲取經驗，培養人生及社會見解，創其哲學思想，影響當代人們的生活思想者，徒然誇誇其談，傲然自視，今觀曾孟樸氏，當可三思自省焉！

再從該書之翻譯方法與態度觀察，第一種譯法是捨棄書中文字意味，視作中國清代政治與社會紀錄，作硬性翻譯。此非文學之迻譯，可謂改寫式的翻譯。第二種譯法是以故事與文字爲主，擬從當時社會及歷史背景，只重故事敘述。此徒重生活現象紀錄，忽略構成文學價值之歷史社會背景之重要因素，捨本逐末，當代諸多創作之淺薄者流，其病在此，翻譯之草率輕心者，亦殊多如此。

魏利司教授擬於明春來台作較長時間居留，就近與曾虛白氏研討譯時諸多問題，茲先從曾氏年譜對作者得一層了解，將來擬謹慎從事，力求忠實，不歪曲原意，糟塌原著，或只求新奇炫耀，使人誤解。今日我們的翻譯家，似可領悟翻譯者的責任重而道遠矣！

除對該書於世界文壇爭得中國文學光輝，深覺欣慰外，今之作家，對於近三十年中國民族的歷詩、文化、思想之顛沛波瀾，繼之於小說，予西方人一層了解，不亦善乎？吾人將以此勉諸小說家，而小說家似宜努力以赴，爲中國文學永遠爭得世界文壇之增增光輝矣！

自由談

因噎廢食乎？

我絕對不贊成負有實際政治責任的人，時作大言壯語，表現着一股虛驕之氣，濫發空頭支票，又不能兌現，徒然使人由沮喪而失望，由失望而厭惡，何苦乃爾？

五年之前，台省主席吳國楨對着外國記者大發其「國軍即將反攻大陸」的言論，當時我即在本欄斥吳不應該越職妄談軍事問題，心裏認爲這是虛驕之氣作怪，問題決不像說話那末簡單容易的。

可是，不贊成政府當局空口作肯定式的「反攻大陸」之談，並不等於否定「反攻大陸」這項救國救民的國策，而以苟安台灣一隅爲得計。政府應以埋頭苦幹，少作空談的精神，爲反攻復國而努力準備，以待行動時機來臨，才是謀國之道。否則我們憑甚末以爭取海外華僑的向心力？又憑甚末來鼓勵我軍民和公教人員的奮鬥勇氣呢？

認爲政府現在應該放棄「反攻大陸」的準備，停止一切訓練工作，以免「製造緊張氣氛」的人，他至少在其科學的邏輯「公算」上，具有這樣一種判斷：世界今後永遠不會有戰爭發生，中華民國已成爲歷史名詞，決無反攻復國之可能了，漫說十年八載，就是再過一百年，亦是沒有希望的。與其枉耗人力財力於絕望之事，何如即以海外扶餘自安，讓現時在台灣的人民過些輕鬆逸豫的生活罷！不然的話，一切反攻計劃與準備工作都拋掉了，萬一國際形勢突變，自由中國縱有光復大陸的機會，臨時又用甚末力量來從事反攻呢？難道只盼望別人把我們送回去不成！

因爲不贊成虛驕之氣而空喊反攻大陸的作風，即根本否定「反攻大陸」的可能性，這是諺所謂「把嬰兒和洗澡水一起倒出去」的說法，不會有人同情共鳴的。只有海隅的共黨聞之大樂，近日來即在報紙上利用這種言論主張，大事宣傳。事實上，這項「高見」也祇有共黨纔讚賞哩！

馬五先生

商君與屈原

·燕廬·

暑假開始，小部份同事，閒着無事，曾討論回故鄉看看的問題，這原是很自然的事，一般人對于政治，有時也會有曖昧一點，不一定堅決保持自己的立場，問題是你的敵人不見得真正糊塗，于是有些人便不免要躊躇一下，是不是可以隨便回去看看呢？

一位黃先生，他的看法很特別，他說：「誰都去得，但也可以說誰都去不得」。這說話看似平常，其實都是對共產黨具有深入了解的一種說法。目前的共產黨，是最精于講求功利的政黨，只要他以爲你對他有利，則一切已往的歷史都可以暫時擱起來不談，等到你真正入了圈套時，你卻休想他真會寬大起來，讓你漏網。

以上的情形，使我想起了給左派文人捧得最高的兩個古人，就是商君和屈原。他們捧商君，並不奇怪，因爲目前的中共正執行着那「苟可以強國，不法其故，苟可以利民，不循其禮」的富強之術，而屈原卻是「忽奔走以先後兮，及前王之踵武」；「長太息以掩涕兮，哀民生之多艱」，一直在向往着堯舜之世，所以他老實地說：「堯舜之抗行兮，瞭杳杳而薄天」，而對於現狀則感到：「哀州土之平樂兮，悲江介之遺風」，把一個嚴刑罰，勵農戰，記首功的商君，和一個擁護舊傳統，繼續於「終古之所居」的屈原捧在一起，就正同章士釗同郭沫若握手互稱同志一樣的可笑。

中共的一套措施，文飾上共產主義的唯物論辯證法，搬弄出一些矛盾、統一，質變、量變的名詞，很容易使人震眩一下，不免也相信他們可能弄出一些奇跡，但回頭看看，他們的人民民主專政，不外是君權，集體農場，不外是農戰，至於秘密警察，勞動和獎勵參軍，不外的特務統治，也不外是設告坐，記首功的末法而已。中共的目的是富強，要富，就須「算地以定墾」，由政府統制所有的出產，地有餘而民不足，則徠民以墾之」，因而新疆、東北、海南各地，都忽而吃香起來。要強，便須發動鬥爭的高潮，挑撥階級的仇恨，和不斷的整風，製造種種英雄的頭銜，使青年人如飲狂藥，死而無悔。除了禁止人民有私產一點之外，則一切都是商君治秦的翻版，具有一點歷史知識的讀書人，絕不覺得他們的措施會替中國帶來幸福。而中共的痛恨知識份子，也正與當日的「強」秦不相上下，自然也是必然的結果了。

最近中共爲了要替統購統銷的政策辯護，竟因此把桓寬的鹽鐵論重印發行，又把當日商君的徒子徒孫的韓非，桑弘羊，上官桀捧出來，希望人民再度勒緊肚帶，卻不知道當時的人民代表（文學和賢良）早就提出過有力的反對論：「昔文帝之時，無鹽鐵之利而民富，今有之而百姓困乏，未見利之所利也，而見其害也，且利不從天來，不從地出，一取之民間，謂之百倍，此計之失者也，無異于愚人反裘而負薪，愛其毛，不知其皮盡也」，「夫李梅實多者，來年爲之衰，新穀熟，舊穀爲之虧，自天地不能兩盈，而況于人事乎？」目前大陸上幾乎是天天報導豐收，捏造出許多農民生活水準提高的數字，這種技倆，也只好騙騙自己了。

至於屈原，由於賈生之弔，司馬遷之傳，後來王逸爲楚辭作注，朱熹又編之作楚詞集解，在經史上早就有了一定的評價。我們僅知道屈原的身世，是孤危愁苦排惻纏綿的，但有些人卻要把他說成慷慨激越，讓他披起一襲革命的外衣。使他以文學、革命的兩種寶座，這便上面我們說他非常不倫。我們覺得他擁護舊傳統，其實就在這一點上，他也不曾提出過鮮明的主張，他口中的堯舜、龍逢、比干，也縹緲得像輕烟一樣。但某些文人，卻一定要說他主張法治，反對貴族執政，他聯齊拒秦，不外是戰國時代縱橫捭闔的習套，但所謂創造派的歷史家，卻一定要將他說成是統一主張，是準備以楚來統一中原，搏成由封建沒落後的帝國，只可惜受了上官大夫他們的反對，以致使秦國的李斯搶先了一步，於是他竟然成了失敗的英雄，卻仍不失爲歷史的先知。像這樣處理歷史，我們以爲不但不是尊重屈原，而且簡直是開屈原的玩笑。

很久以前，魯迅在他的小說集彷徨的扉頁上，抄了「朝發軔于蒼梧兮，夕余至乎縣圃，欲少留此靈瑣兮，日忽忽其將暮，吾令羲和弭節兮，望崦嵫而勿迫，路曼曼其修遠兮，吾將上下而求索」。這幾句表示他的彷徨。彷彿是經他這一提，屈原才慢慢給人注意起來。五四以後，許多人都喜歡發掘一些較冷僻的古人來湊熱鬧，表示自己獨具隻眼，例如李贄、王充、李汝珍、以至末了的袁中郎沈三白都在這種情形下被推出來。由于胡適之先生的考據，說他只是一個箭垛式的人物，是否有這麼一個人也很成問題，這一挑戰，卻使對方變本加厲起來，于是屈原傳，屈原的戲劇，離騷的譯本都紛紛出現了，又爲了藉口說當時的政府不肯積極抗日，借屈原的愛國行爲向政府猛轟，索性來一個詩人節，每年端午雅集一番，把箭垛改成砲台，一班活的屈原，瘋狂起來，實行向不愛國的政府算賬了。流風餘韻，直到前兩年，香港的某教授也出了一本超過王注的離騷新解。共產黨捧屈原，大抵已到了尾聲，說不定將來會清算他一下，因爲屈原其實是個十足的右派，卻正好方興未艾，至於捧商君韓非而且連桑弘羊，上官桀也沾了光，無非只知道法令的嚴而已，目前正有人震懾于中共的兵力，但賈誼早就說過，強秦之所以敗的原因是：「仁義不施，而攻守之勢異也」。賈誼大抵也不如是右派。于此我們不妨用韓非的話作本文的結束吧：「今人有五子不爲多，子又有五子，大父未死，而有二十五孫，是以人民衆而貨財寡，事力勞而供養薄，故民爭，雖倍賞累罰，而不免于亂」。

中篇小說

海上學校

「得咯，阿根，」劉全忠鬆了一口氣，喊道。

「黃家的船，黃家的船！」尖銳的聲音有點嘶啞。

「船翻轉啦！……」

與此同時，礁叢中傳來「轟隆……嘩」的怪響。男人女人的呼救聲，慘號聲，有一兩分鐘之久，震耳欲聾。大海依舊沸騰着。風濤依舊澎湃！

劉全忠慌了急，牙齒咬得格格作響，狠命地猛撐了一篙子，船在激流中竄過兩個浪頭，顛簸着，失掉了平衡，終於翻了！

他喫了一口海水，鼻孔裏充滿了血腥氣味。幸喜竹篙沒有被波濤捲去，他伏身在翻轉的舢板上，不停地喊着張老師。

張長虹聽到了他的喊叫，但沒有回答他。他在翻船之際，已經向外海泅泳。波峯將他高高地頂出水面，又將他拉向波谷之下。他掙扎着，痛苦地呼吸着，忘記了他本身的危險！他正與死爲鄰！

海面上飄散着打漁艇的破篷，船板，和一些碎得像泡沫的東西。破船的船身，在高得接近海面的暗礁上，瘋狂地旋轉着。沸騰的深夜，加速了死亡的節奏；而黑茫茫的深夜，更加深了那罪惡的沉寂之感！

張長虹拚命泅近這出事的地方。他隱約聽到了一種「人的聲音」，這聲音很微弱，半像呻吟，半像斷氣時的喘咳，無法辨識清楚。

「喂，誰？」他喚道，吞進了一口鹹得發苦的海水。

「哇，救命啦！」風車一般轉動的破船上，迸出活人的語言，那聲音好像是黃阿水的。

「抓緊，不要放手，」他用蛙式沖刺過去。

「哦，張……張老師，」聲音從破船上發出，「救命啊！」

此刻，他已抓到了翻轉的船尾了。他摸索，觸到了黃阿水那冰冷而流血的身體。他安慰她，幫助她將浸沉在海水中的半截身子，挨上朝天的船底。而他自己的兩腿，還在水面上亂打，藉以平衡破船的重心。

正當劉全忠用竹篙將朝天舢板撐近時，觸打漁艇在礁叢中急遽地又車動了好幾圈。張長虹忽然覺得腿部發酸，這酸味使他的手幾乎喪失握力。而海水在發酸的地方一沖刷，一種熬不住的劇痛，直鑽進他的心窩，眼睛冒火星，頭像被石頭砸破了似的難於抵受，他有點麻木，有點力不從心；雖然最後的生之潛力，迫他推過了排浪的推擠，使他沒有放鬆緊握船尾的手。

劉全忠見勢頭不對，鼓起眼睛亂嚷着：「張老師，張老師！」

「全忠，我在這裏，」他用盡力氣說，但聲調低沉，無法使人聽見。

「劉全忠，張老師在……」急浪捲走了黃阿水的喊叫，這一次劉全忠卻聽到了。

他用篙子將破船與舢板的距離儘量拉攏，一竄身，攀住了破船的船邊，使盡九牛二虎之力，將黃阿水揹上舢板，第二次，再將張長虹拖過去。於是，對空發射了三短一長的連續電筒訊號，直向遙遠的地方有了回應，邊附着舢板的尾巴，將身體平直地浮在海面上，作爲船舵，向被巨浪包圍吞噬的海灣回航。

礁石上，十多人的工作在加緊進行。漸漸地，電筒光能集中照射到一個灰黑色的點子了，岸上人們的喧囂，也慢慢能聽到了。但張長虹昏迷不省人事，膩膩的鮮血，流紅了半個船底！人是得救了，也許他救的是人的靈魂，而不是人的軀殼。因爲，生命底代價，畢竟如此高昂！

（四五）——第十章完——

趙滋蕃

耶加達天聲日報主筆張自銘先生，花甲覽揆，賦成長歌，豪宕激昂，欽佩奚似，敬依原韻奉和。

·陳璇珍·

張公花甲今覽揆，黃花晚節凌秋霜，大漢天聲振南紀，無冠皇帝翻同行，毅然向正義道途前邁進，奮志堅定無彷徨；早歲涉瀛海，萬里離梓桑，曲高世和寡，刻羽衆引商；秋水伊人遠，蘋藻水中央；振聾覺後覺，訓誨何周詳；國父倡導革命于海外，公嘗從之走踉蹌，滿清瞬顛覆，民主代暴強，民國肇建，五緯入於房，所惜根蒂未鞏固，難禁暴雨與風狂；內亂多年未休歇，凶邪幾度擅憲章，共和政體托虛語，康樂之果民未嘗；

無何倭寇構外釁，我軍抗戰整戎裝，敵騎縱橫蹂禹甸，鐵蹄直抵驪獨旁，億兆同胞罹苦難，流離轉徙辭家鄉，張公時客訶陵島，悲深風木遭凶喪！鼓吹抗日盡勞瘁，奮氣振衣千仞岡；文章報國非誇詡，高擊義聲憤迴腸；聲名不脛信能走，知者遍及太平洋，余亦欽遲期識面，雖聆數仰夫子牆；倭寇既降服，禹甸喜重光，人人擬享家園樂，海外紛紛泛歸航，親舊半爲鬼，凄然奠椒漿；何期共匪又煽亂，四海南奔復遑遑，神州蒿噴血，赤霾偏八方，浮雲變蒼狗，浩劫哀紅羊，貔虎悉潰遁，妖氛悉猖獗，乾坤成改變，天地改玄黃！公遷台島，余亦奔命忙，浪跡寄香海，旅食隨夫郎，卻羨張公鵬摶去，南溟鮫翻息殊荒，明哲保身斯遠害，用之則行舍之則藏；平生家國縈懷抱，悠悠誰與叩穹蒼？潛心著述操鉛槧，天人學述究微茫，報界尊山斗，口誅筆伐揮掀猖，茲逢花甲榮誕日，萬里余，智一觴，敬祝期頤詩且康，令名景福長，德業更榮昌，壯氣如潮陽，五代克同堂；他年光復神州，肅清妖孽，奏凱還鄉樂徜徉。

再和張自銘先生六十壽辰七律

故國雄心猶未已，天涯惆悵渺斯鄉；
追歡高潔凌方草，豈醫驪歌怨鄉邃；
匡時長才傳文獻，孤忠早著讓成功；
好期禹甸重光日，錦酒相逢一笑中。

我生有三樂

孟子：「君子有三樂，……父母俱存，兄弟無故，一樂也；仰不愧於天，俯不怍於人，二樂也；得天下英才而教育之，三樂也」。我老了，父母久已去世，兄弟留在大陸，誰能保其無故？無學無識，對天對人，愧怍萬端；我雖教書，但所教的皆非「英才」；這個「君子」我是做不成的了，自然享受不到那「君子的三樂」了。

我苦嗎？自覺並不因此而苦，卻有我自己的「三樂」存焉。我的三樂是：「睡眠充足，一樂也；大便通暢，二樂也；得天下蠢才而教育之，三樂也」。何以言之？因爲（一）人生精力有限，逍遙不可終日，爲生活，爲名利，爲權勢，……而奔走勞碌，常精疲力竭，神魂顛倒，苦不堪言；能恬然睡眠，恢復疲勞，使身心安適，神智清明，這不是一樂嗎？（二）人身需要營養，講求享受，口腹之欲，雖以饜足；往往饕餮成性，飲食過量，若不及時排泄，腸胃容易生病，大便容易秘結，實在痛苦萬狀！大便通暢，可使身體輕鬆，精神爽快，這不是二樂嗎？（三）教然後知困，我忝爲人師，深知教人之不易；自己是庸才，假如教育「英才」，必不能勝任愉快，更恐誤人子弟，被閻羅王打下十八層地獄，受無窮之苦。幸而我所教的都是「蠢才」，他們不敢妄作聰明，傲慢師長，在我這「平庸」的教導之下，亦步亦趨，居然收到一點效果；師生之間，融融泄泄，於是乎我便儼然師表矣。這不是三樂嗎？

孟子說：「君子有三樂，王天下不與存焉」。我不妨仿照他的話說：「我生有三樂，富與貴不與存焉」。

·張弓·

自由人
THE FREEMAN
（第六百七十六期）
中華民國僑務委員會登記證台僑新字第一號
中華郵政台字第五○○○號執照登記爲第一類新聞紙類
（半週刊每星期三六出版）
每份港幣壹毫
台北市售價台幣壹元
督印人：陳文華
地址：香港高士威道二十四號四樓
20 GAUSEWAY RD. 3RD. FL. HONG KONG
TEL. 771726
承印者：東南印務出版社
地址：高士打道六十四號
台灣總經理處
台北市西寧南路壹零號二樓
電話：四七三四六
台郵政儲金戶二九二五二
海外總經銷：友聯書報發行公司
香港：德輔道中二十六號A二樓

中共政權之致命傷
——兼論人性文化之大用——

·伍憲子·

現在對中共政權進攻之力量有四種。一、近代原子武器，二、西方民主政治，三、中國人性文化，四、台灣國民政府。此四種力量，若能配合起來，成一整體，向中共進攻，中共立即崩潰。但可惜，原子武器操在美國人手中，備而不用，有等於無。民主政治之自身，則自相矛盾，罅漏百出。人性文化更無人識得運用，有時且遭受打擊。國民政府之號召，本來是名正言順的，然因爲與上三者不配合，亦變了孤掌難鳴。到底此四種力量，能否配合，此是一個大問題。中共現已顯露崩潰情形，是受了那種力量打擊，此篇之作，擬略爲說明。

不可得而求之于原子武器打擊

在杜魯門當美總統時代，曾以原子武器威脅蘇俄。然亦只於威脅而已，史太林神志很鎮定，知到美國的原子彈，不會向俄境拋擲。蘇俄如此，中共亦然。當韓戰打得最劇烈之時，聯軍統帥麥克阿瑟會一度建議，飛炸鴨綠江以北，毒中共負隅之氣。卒爲華盛頓當局所制止，麥帥且因此免職。可見美國對於中共，早已決定，是作有限度之戰爭，其後訂停戰協定，造成最近數年間不生不死之局。夫以韓戰之悲慘，美軍死傷十萬人以上，美國當局尚且忍痛，不輕用原子武器，以制中共之無理挑釁，以懲其拍胸架樑，此極好機會，已輕輕放過之，今後更有何詞可藉，對中共作戰。中共窺見美國當局此種隱衷，早已斷定美國之無能爲。只管日日高喊製造原子彈，氫氣彈，如何成功，飛箭彈如何準確，減輕輻射性之潔淨原子如何效用，他們亦充耳不聞。艾森豪高呼解放鐵幕，亦已數年，到底事實之答覆何在。只要熱戰不卒發生，即使發生，而限於局部，無論積存原子武器之數量如何多，亦可凍結在冷戰中，與局部熱戰中，不會發生絲毫效果。故謂原子武器足以打擊中共，中共受原子武器之威脅，可以改變其附庸蘇俄之政策，可以改變其奴役人民之暴力，可以誘導之傾向於西方，致力於民主，此話似尋不出理由。然則中共之致命傷何在，向原子武器求之，既不可得，不妨轉向民主政治求之。

必須求民主政治之進步

民主政治，是世界最進化之政治，爲後人類，必當努力，共向此途徑策進，是絕無疑義的。但民主政治，分幾個階段，現在西方之民主，是初步人權民主，必須向人性民主求進化，亦是絕無疑義的。當其人權當局限於資本主義氣氛之下，尚未進於優美之人性，則謂之庸人政治，亦非貶損之詞。因爲庸人就是平常之人，平常之人往往囿於平常之見，見小而不見大，見近而不見遠。在此種庸人政治世界，若果安常處順，國際和平，不遇窮兇極惡之侵略者，亦可以循序漸進，爲人民謀幸福。然不幸碰着共產黨來攪亂世界，庸人政治就着着失敗，束手無策。一面驅兵防堵之，視爲仇敵，一面又放寬禁運，以救之，藉[illegible]，一面堅拒之入聯合國，一面又在日內瓦與之開經年累月之無聊會談，此種「僞」，假令人百思不得其解。若以平常人自私自利之見解測之，就可以迎刃而解，此無他，就是庸人政治。最近美國務卿杜勒斯公然說：「美國援外目的，不是爲結交朋友，全是爲美國利益。」助理國務卿羅拔遜更公然說：「美國與中華民國政府協議，中國未得美國同意，不能採取任何攻勢行動」。此就是全爲美國利益，不爲朋友之一個好證明。我們不必驚奇，西方民主政治，須討好於一般投選票之公民，除自身利益外，甚少有遠大之見，我故目之爲庸人政治。試問此種庸人政治，何能打擊中共，使受致命之傷，手段稍高者，則出之安撫，低能者，則縱容而已。故爲人類前途計，我們必須求民主政治之進步，所以想到人性文化。

人性文化的偉大潛力

如上所言，中共政權既不畏原子武器之威脅，庸人政治之民主國家，又不能下決心以搖撼之，中共政權似乎可以苟安。然而事實上則不然，八年以來，依然不穩定，還出最近之大放大鳴，似暴露其漸趨崩潰之勢。此其原因何在，我們當悉心研究之。中共政權所以失敗，全是中國人性文化之潛勢力作梗，無論其作如何巧妙宣傳，皆通不過，而且宣傳與事實不對，更犯了言而無信之弊。人性文化之政治，講足食、足兵、民信，兵是保衛人民之兵。中共違反之，先控制人民腸胃，使常處飢餓狀態之中，而但足其驅迫人民之兵。人性文化講親其親、長其長、樂其樂、利其利。中共又違反之，以拆散家庭爲事，使父母、子女、兄弟、姊妹，不相保，更無所謂師友，於是整個秩序翻亂，人無樂生之心。知識分子無論在何時何地，皆居領導地位，應當愛護之，講人性文化尤特別培養其人格。中共又違反之，專摧殘知識分子，毀其人格。而散播國中之所謂共幹，大率是一知半解，無知無識，甚而社會敗類，皆憑藉黨勢，實行以愚治智，以不肖治賢，此尤犯人性文化之大忌。故鳴放一起，如銅山西崩，洛鐘東應，從黨外以至黨內，從教授以至青年，從農場以至工廠，所謂右派分子，大有「舟中之人皆敵國」，與「時日曷喪，予及汝偕亡」之勢。此非原子彈引導也，亦非民權感召也，全是數千年來傳統之人性文化之潛勢力，積怨發憤而爆炸，故人性文化潛勢力之偉大，終不可侮。

最低限度的負責條件

在上述情勢之下，國民政府之反應如何，非我們海外人士所得知。然國民政府以反共號召，以反攻大陸自任，八年於茲，對人性文化之精神，似未能提振。國民黨以黨負責之作風，三十年來，未嘗改變。負責本是一件好事，但負責，而無人性文化之精神以策勵之，很容易變成一件壞事。我們若平心靜氣，從人性文化中求出負責之條件最低限度，有亟當了解者兩事。一是「躬自厚而薄責於人」。此語在理智上有極深哲理，在事實上有極良效果。須知負責不是責人，其責任是由自己負之。即如大陸之失，當政的國民黨應負重大責任，不能輕輕卸却，反厚責他人。必先明白此，而後可以籌補救，而後可以負起光復大陸責任。二、是「任重而道遠，仁以爲己任」，此語不是空談，是指出一條道路。須知仁即人性，人性是合羣，是互助。

（下轉第三版）

半週述評

「自由中國」

台灣出版的「自由中國」雜誌，一篇關于「反攻大陸」的「公算」文章，筆者不同意這篇文章的論點，同時却認爲我們不應完全否定這篇文章的價值。

「自由中國」雜誌對於「反攻大陸」的「公算」，沒有把國內戰爭和國際戰爭加以區別，沒有把最近中國大陸內部所發生的變化，適當的估計它的價值和影響，因而這篇文章所作的結論是不健全的。

激將作用

如前所述，我們儘管不同意「自由中國」這篇文章的論點，却同時認爲，自從這篇文章發表以後，它發生了建設性的影響：第一、激起了關心這一問題的朋友，對於何時以及在甚麼條件下進行反攻的公開討論。第二、這篇文章對於我們的政府在「反攻大陸」的問題上，有「激將」的作用。第三、這篇文章使我們面對現實，更冷靜的考慮許多與「反攻」有關的問題。

健康現象

「自由中國」雜誌的文章發表以後，我們也跟着看到許多獨立性的報刊批評它的文章，筆者希望，在中國培養民主輿論的過程中，由此産生一個更健康的現象。

筆者願意我們政府和執政黨能由此體會一個事實，民主的好處在于，人人張開眼睛，每個人還自己獨立的意志選擇輿論，這一回，很多「民間輿論」是與「官方觀點」一致的，可見，民主的尺度愈放寬，我們政府的基礎也愈能鞏固。

政治反攻

因此，在「反攻大陸」的具體準備工作上，我們認爲，政府應大開步的向民主的路上走。因爲，這是我們整個反攻步驟的一部份。因爲，這是我們軍事反攻的前奏。因爲，我們民主的號召愈有力，政治反攻的隊伍愈強大，我們勝利的時間就愈快，勝利的保證也愈多。

大陸「鳴放」收整以後，目前是我們「政治反攻」一個最有利的時機，爲甚麼我們不充份加以運用呢？

創造條件

關于「反攻大陸」問題，我們今天爭論的中心應該是，如何加速創造和運用「反攻大陸」的政治條件。

這項政治條件的基礎應該是，我們政府一切開明的做法，剛好打中敵人的要害，敵人「收」，我們「放」；敵人「整」，自相殘殺，我們用更寬容更誠懇的態度去結納天下的反共英豪。這樣的政府，誰不歡迎，誰不擁護？

需要行動

目前我們所焦急的是：大陸的反共浪潮，我們跟不上，配合不上；大形勢太好，我們政府却拿不出做法；人民期待「反攻大陸」，政府也說要「反攻大陸」，但是，人民所期待的是行動，而不僅僅是口號。

這一「行動」縱然不立刻是軍事的，至少也應該是政治的。

但，截至目前爲止，還是一張白紙。

·司馬璐·

論美削減援外

·曾旭軍·

美衆院大削減援外款，危及自由世界安全，殊堪重視。國會是代表民意的，那麼美國的輿情與社會心理，與此有極大關係。茲略論如下。

首先，這與美國內部的繁榮有關。過去十五年來，美國之日趨繁榮，使民主黨賴以表現其克服「窮條」的手段，因此羅斯福總統那一套「新政」已不受人歡迎。美國中等階段大爲擴張，大家收入大增，人人都忘記了以往的不景氣。但這種經濟的生活提高，並不把美國帶回到一九二○年時代的政策。美國新保守主義的顯著特色，是保持經濟的增益。事實上，共和民主兩黨，都是不得不主張爲民衆保持經濟增益。而沒有多大的歧異。一位美國汽車司機也會說：『美國兩大政黨，好像兩個肥胖子，相對於狹窄巷中。他們相擠迫，不能往來互相經過，必須共同進退。』這種經濟增益，可能受兩種不同的威脅，或再來一次不景氣，或支付太多，因通貨膨脹。好像在一九四八年和一九五四年的恐慌不景氣時，民主黨便佔優勢。和像一九五○，一九五二，一九五六年的遭遇通貨膨脹時，共和黨便易爲民衆擁護。共和黨艾森豪威爾政府，環乎此，而糾正其弱點。參注意防止不景氣的辦法，不管民主黨人說他抄襲他們的「新政」「公政」，到底艾克在這五六年內的經濟政策頗成功。例如政府不憚麻煩與損失，承購入農民剩餘的農產品，致令農業不致陷入蕭條。又如在一九五三年，知國防支出及生產減少，（韓戰停止），政府便減稅，及不平衡預算，與增加保險利益。該年生產雖然減少百分之十，但供私人支用之款反增十億美元。但一俟是露恢復之趨向，政府便反其道而行。兩度延遲減稅，及謀平衡預算，並限制信用借款。共和黨政府內政設施就在這制止蕭條，及制止通貨膨脹當中，力求維持平衡。美國人普遍要維持經濟的增益，如政府支付太大，這便大受損害。政府亦明白這一層道理。但共產黨的威脅，亦不能不與自由友邦共同負抵禦之責。其次是共和黨的外交政策面臨奇異的矛盾。舊日的『孤立主義者』極力支持毫不妥協的反蘇政策。但同時他們仍不信任盟邦。政府不難團結一切反對蘇聯帝國主義的力量，但困難處便在怎樣實行維持有效同盟的辦法。

自從大戰以來，美國耗費了不知多少的援外經費與物力。祗就歐洲這一方面來說，已超過一百億美元。但結果令到美國人民感到許多的失望。英法之不能在共同對付蘇俄中共政策與美國一致，南斯拉夫之背信親俄。印度及一般「中立主義」的反覆無常，反眼不相識，甚至背後中傷。甚至無恥之埃及妄人納撒，一面伸手索取建築阿斯溫水閘援款，一面公然購買蘇俄軍火，總不要說要受援者表示感恩了，但悍然先表示不履行義務，凡此種種，使到一般美國納稅人『條氣難順』。至於西班牙等國，爲着設幾個基地，美國負起甚重的包袱。美國國會的大事削援外額，實在有其苦衷。甚至形成一種「反盟」的情緒。這是自由世界中若干國家所當反省的。

因此美國政府援外的障礙，一方面是顧慮支出太大，而傷害經濟的增益。另一方面是有點不信任盟國。另一個是最近發生的因素，就是共產主義自匈牙利革命以後，不祗鐵幕人民浮動，醞釀革命，而且共產主義理論日趨崩潰，幾乎完全破產，使美國人民有輕俄中共不能發動戰爭的心理。

上述美國人民這種見解，顯然影響了削減外援；當然，美國之未有控制經濟的萬全策略，亦與此大有關係，一一年過去一年由於工資要求增加的刺激信用的緊縮，物價已上升百分之三。可是鐵幕存在，共黨威脅一天不除，自由世界的動盪不安，可以給美國極大不利的影響，援外如不以抗共全般大局着想，如不對援助對象作適當的選擇，是一種大失策。所以國會之削減援助，有詳思熟慮之必要！

減免學費辦法有待修正

監察院曾提案糾正迄無下文　這裏我們提供幾點修正意見

·黃恒浩·

台灣通訊

台灣省減免學費辦法在從前除山地籍外，一般的都是依戶稅爲準，凡納戶稅在三十二元以下者，其女子就讀學費減免三分之二，是以清寒爲減免標準，其立法本旨寓救濟之意，實有當於理。

台灣省政府在四十六年春，把舊的辦法廢止了，另行公佈新的減免辦法，祗限於軍公教這個階級的人員，其子女就讀，優待，貧者得減免，富者同樣的亦得減免。凡不屬於這個階級的人士，其子女就讀，貧富也必須一律交足學費。因此那些地主（都市中）房主工廠主資本家以及銀行有大量存款在地方有高利貸的人們，他們祗要能取得軍公教階級的資格，其女子就讀學費都得減免。在此階級以外一般平民，即使沒有飯吃，其子女就讀，亦必須交費，不能邀得減免的恩典。未免有失情法之平，在民主政治國家這類辦法，實有修正的必要。

查該辦法第一第三兩條是規定軍教人員子女就讀減費辦法，雖不免有階級意思，在原則上，未有何等例外，問題尚少。至第四條關於公教人員的規定，未免有些矛盾，其條文『凡現職經銓敘合格有案之機關荐派任以下公教人員及編制內之雇用人員，並照現行政院規定統一薪俸支薪者之子女，持有其家長服務證件者，荐派任以下人員，須經銓敘機關證明書，及山地籍均得按規定額數減免三分之二』。是公務人員子女就讀，必須具備第四條規定之各種要件，纔准減免，不如軍教人員那樣簡單。

該辦法矛盾之處甚多，除軍教以及山地籍限制甚寬，可研究之處尚少，關于第四條公務人員限制各要件，有加以檢討的必要。

關于現職經銓敘合格有案

依現行辦法，公教人員僅有現職或未經銓敘合格有案者，其子女就讀學費不得減免。其銓敘合格有案而無現職者，亦不得減免，必須有現職並經銓敘合格有案，乃爲必具的條件。因此不免有了問題。

（一）凡政府特設機構人員以及民選代表等，其現職多有不經銓敘者，但他們是公務人員，同樣的爲國家服務，而且那特設機構亦許由於國家需要纔設置的，他們的薪俸比行政院規定統一薪俸還要低，而他們對於國家或地方的貢獻，比之於現職經銓敘合格有案坐在辦公室內而不辦公以及無公可辦的機關人員還要多些。他們竟不能有公務人員的待遇，於情於理，殊有未當。

（二）公務員之退休者，他們是已經銓敘合格有案，惟因年老退休而無現職，薪俸又打八折，他們爲國家服務時期最長，可以說是積有勞績的，乃亦不得入於公務人員之列，未免有欠公允。

（三）公務人員之失業者以及非軍公教人員根本無職無業而貧苦無告者，他們無薪給無收入且無以爲生，政府應該照顧他們。在從前減費辦法以清寒爲標準時，他們子女就讀，學費已經得到減免，今則不特不予救濟，反而把已往這種對他們的優待取消了，以階級爲減免標準的辦法，實無多大理由，且在這個階級中，更以現職經銓敘合格等爲限，於情於理尤覺不當。至所謂經銓敘合格有案，依法應以銓敘部的銓敘爲憑。而省政府現行辦法所列派任人員，那在銓敘部是不銓敘的，而現行辦法卻認爲是合格而有優待，這在銓敘合格有案上說，又開了特例，是不是我說合格就算合格呢，這在民主制度，應無此等的作風。

關于荐派任以下公務人員

依現行辦法，必須在荐派任以下的公務人員其子女就讀，學費纔可以減免。其荐派任以上簡任特任選任公務人員以及民選代表等其子女就讀學費，都不能得到減免。這理由亦許以爲低級人員的薪給微薄，簡任以上以及民選人員薪給優厚，所以有此規定。其實低級簡任人員和高級荐任人員的薪俸相差無幾。其生活並不優於荐派任以下人員，尤其是民選代表等他們更爲微薄。且荐派任以下主管人員，因有加給等等特別給予，比之一般非主管的簡任人員等實相差懸殊。這種事實，乃爲一般人所共知的。且簡任以上人員以及民選代表他們同樣爲國家服務，他們服務時期更長，對於國家貢獻亦許更多，而其子女就讀不能得到同樣待遇，也還是關乎考慮的。

關于在編制外之雇用人員

依現行辦法，必須限於在編制內僱用人員，其子女就讀，纔能得到此項優待，如此則退休人員是不在編制，又不到公，是不必論了。那額外臨時人員他們雖是在編制外的雇用人員，可是他們確實是在辦公爲國家服務，在台灣省此類人員多是長期任用，並非眞的臨時短暫，實無異於在編制之內。而且政府機關必然是需要他們纔雇用的，亦許是需要的更積極，所以纔在編制之外特爲長期雇用。他們沒住房和實物的配給，沒有編制內人員一切的福利，他們和編制內人員在同一機關同樣的爲國家服務，他們比坐在辦公室看報那些在編制內的人員作事多。但是他們不能得到平等待遇，這是否疏於考慮，而應該修正或補充的規定呢。

照行政院統一薪俸支薪者

依現行辦法，照行政院規定統一薪俸支薪的機關人員，其子女就讀纔得減免學費，這在本旨上亦許以爲有機關人員不依照行政院規定統一薪俸支薪，那薪給是特別優厚，所以纔有這種限制。但是還有同樣的不照行政院規定統一薪俸支薪的，他們薪給乃低於行政院規定的統一薪俸，乃亦不得減免的優待，這是不是顧慮未週。應有所補充呢。

關于須持家長服務及銓敘證件

依現行辦法，軍教人員子弟僅持家長服務證即可以證明其身份，准予減免學費。而公務員子弟僅持有家長服務證件還不足以證明是現職人員，更必須要送縣長的銓敘機關證明書，這還是恐怕公務員造假呢，還是防止一般機關僞證呢。

前閱報載監察院對於這混亂的辦法，已經依法提案糾正，並歷指其不合法之處，本不必再加論列，但今已數月，迄無下文，暑期轉眼即過，已放假的學校都要開學，學生家長馬上就要繳學費，學生家長究竟是依照監察院所糾正不合法的辦法交費呢，還是等候政府有一定辦法再交費。

讀者論壇

「有什麼，就說什麼」評議

·曉智·

「有什麼，就說什麼」，是台灣民營電台聯合星期評論的一篇評論，它與七日中央日報的社論「二分法的假邏輯」，有幾點不同之處，社論代表官方，評論代表民間，前者用邏輯的駁正，後者用事實來辯論；其次社論提出革命與民主，反攻的官方言論和民間思想，評論只以後者立論；但在目的上則是一個：和「自由中國」半月刊論戰，多面包圍，一點突破。

該評論提出六點，第一點是「反共革命」，這樣的命詞嫌有些架床疊被，而且革命是人民對某種不合人民要求的政權而言，辛亥革命是反對滿清專制政權，大陸人民的抗暴，是對中共獨裁政權而言革命，難道堂堂中華民國要對毛政權而言革命嗎？因此認爲答案「不能」，是一大錯誤。這樣的說法，我想總還代表某一種觀點。但該評論指出大陸智識份子和工農群衆堅決反共的信念和決心，是「能」反攻的，那又該當怎說呢？

第二點是「唯武器論」，該評論眞正否定現代兵學與戰略觀點，把我們的反共戰爭作孤立論，指出大陸的抗暴行動，不必要有科學的新武器，國際戰爭的技術觀點，因而得意地認爲是擊破了主張「不能」者的觀點了。特反共戰爭從世界戰爭抽離出來，從全球戰略孤立出來，可以說是否定反共鬥爭的全球戰略；共黨侵略野心的對象是全世界，自由集團的組織亦以全世界爲對象，但戰爭的攻防可以是有限的點，如果以點否定面的戰略，乃是戰略觀點的「井蛙語天」；依西方當代兵學與戰略家論點，越洲飛彈與核子武器的威力，可以在幾小時內夷平一個國家，以我們否定武器戰術的軍事力量攻擊新武器戰術的敵人，能夠致勝嗎？唯一可資主張「能」論者反攻的條件，是在長期冷戰階段可以採用「以不戰屈人之兵」的戰略戰術論點，可惜「戰爭孤立論」者未論，我也不於此多事。

第三點是「推理態度」，該評論指責「是什麼，說什麼」的推理態度還該有「有什麼，就說什麼」，不能以部份已有智識和因素爲已足，而忽略大陸抗暴的知識和因素；這也只是「戰爭孤立論」的看家法寶，而非世界戰略論者所重視之者，以一論點強迫另一論點必須採證的態度，已不夠客觀，故不予置喙；第四點是「客觀論事」，該評論指責「是什麼，說什麼」者只採證有利於己的論據，不利於己的論據，略而不採；總則否定客觀因素，強調主觀條件，認爲沒有世界大戰，中華民國政府也不一定就不能反攻大陸，應該努力爭取早日反攻，充實本身力量，變不可能的爲可能。這樣的論點推出兩個問題，所謂「早日」的爭取，究是何時？如係今年今月今時，要充實到什麼程度？

第五點是「必須反攻」，該評論認爲在反攻大陸問題上，只能鼓勵政府，督責政府，絕不能潑政府的冷水，消沉民心和士氣，「反共就必須反共，不反攻，先反共，是反不下去的。」所謂對政府加以批評，加以指責，加以嘲笑和諷刺，雖然是民主制度之常事，唯獨然也有「潑冷水」「消沉民心士氣」之罪嫌。回答這個問題，簡單的說是在於馬上反攻，必須不打無準備無把握的仗，其不然，時間上還需考慮，我們常常報告今年反攻，說多了激得太少，單一的反覆刺激，麻痺民心士氣的反應，似乎也值得注意；其次，如果說因爲人民對政府加以批評、指責，甚或嘲笑和諷刺，致令政府不反共不反攻，實在近乎可笑，政府者全民之政府，此語或係指少數官員而言，如果他（或他們）如此，則人民可以請其去職。最後一點是「責任所在」，該評論指責台灣與大陸之對峙，不能與基督教與回教戰爭來比，拖上幾百年幾十年，我們應該把整個中華民國變爲自由的中國；意旨而皆無誤，惟此種對峙，可以拖到幾年，請教是那一個數字？（八月十六日于台灣）

人物介紹

追思胡政之先生（上）

·陳紀瀅·

一、

三十八年一月初，我攜眷自北平到上海。把家眷安置在旅社之後，我即去南京路大公報館看谷冰兄等。從他處知道政之先生病情嚴重，最近新換了一個醫院，希望能有轉機。當時我聽了，十分難過。因爲我雖已辭卸報館職務已有三年之久，但與報館上上下下的友誼並未中斷。無論在北平、天津、南京、上海，只要我的公務完了，我所接觸的朋友，仍以大公報同人爲多。

這天，谷冰、芸生、子寬、光中等邀我去國際飯店內豐澤樓吃飯，談了些華北情況，飯後匆匆而別。第二天，清晨我邀老友趙惜夢兄同去滬西虹橋醫院去看政之先生。到達時，護士小姐正在爲他注射，就在門外扶廊等候。大約十分鐘後，胡夫人自室內迎我們進去。及我們走到床前，政之先生一見我倆，特別有感觸似的，問：「你倆怎麼來的？」又驚又喜的一副神情。隨後又說：「一輩子沒生過病，一病就不起！唉，完了！」

我們勸他躺下休息。他還問我們住在那兒，今後行止如何，我們一一具答。並且拿話來安慰他。

胡先生是個胖子，不和他見面還不到一年，這次看見他居然比平常消瘦了很多，尤其是摘去眼鏡後，兩隻眼窩塌陷着，上額越發顯得短狹，毫無昔日那份殷勤神情。只覺得他好似一位半生戎馬叱吒在疆場上的英雄，一旦遇挫，就顯得特別消沉。胡先生素日以健康自恃，沒想到他這次竟爲病魔困擾，並且他已預感不起；所以從內心反映出來的神情是失敗的也是令人不勝惋惜的。

我是最不適宜到醫院看親友得重病的一個人，因爲無法掩飾我眞實的感情，雖然儘量克制自己，仍不免形諸於色。這次我竭力控制感情，故意做出笑容，但等我與他告別並且請他安心靜養的時候，我眼角裏竟已充滿淚水。我竭力躲避他的視綫，匆匆走出病房。到了門外，我禁不住淚如湧泉。可是爲了不使胡夫人多心，又趕快擦乾，強睜笑眼，與她道別。

三十八年三月間，我正在桂林籌設郵政儲金匯業局，忽然從報上讀到政之先生在滬逝世的噩耗，立刻打電報安慰胡夫人，他害的是肝癌，是不治之症。雖然我那時爲局務正在弄得頭昏腦脹，可是我仍在長時間內對於胡先生之死，心頭上埋伏着無限哀痛之情。跟季鸞先生逝世時候心情一樣。好像曾給谷冰兄寫過一封長信，說明我對胡氏撒手西去後的哀情。屈指算來，一恍兒也已八年了！

但我始終還沒有用文字哀悼過胡先生。今乘給季鸞先生編印小册子之便，重新檢查舊作，深感有補寫這篇文字的必要。

二、

我首次和胡先生有接觸是民國二十一年春天。那時日軍侵佔哈爾濱未久，大公報原駐哈埠的特派員李玉侃被敵憲監視，無法活動。朋友內我服務郵局有通訊便利，就介紹我接替該報以通訊方式報導吉黑兩省新聞。當我第一篇通訊寄達天津後，就有一位署名「胡霖」用大公報信箋的人給我寫了一封信。「胡霖」即「胡政之先生」的本名，只是字跡寫得龍飛鳳舞，十分有氣魄，不似普通職員的手筆。後來我打聽清楚，我就時常藉寄通信稿之便，給胡先生寫信，直到民國二十二年八月，季鸞先生與他要我由上海赴天津，我才與胡氏見面。

我的印象是：季鸞先生儒雅風流，有學者並有政治家的丰度。胡先生則胖胖的活像大老板，也是一個有事業雄心的人物，等我從東北調查僞滿情況月餘，再回到天津時，胡先生對我採訪結果表示出來的一團高興，使我受寵若驚，事前絕未料到。杜協民兄那時正在任會計主任，他告訴我：「你的稿子一寄到，胡先生就叫我領在保險櫃裏，誰也不許動」。當我把「九一八」的特刊稿子在九一六寫完之後，他特意在他那黎家花園的公館設宴爲我洗塵，並介紹全館同事相識。好像我以後再沒有機會看見過如像那天他大張其口，咯咯笑出聲來。

他的不輕意有笑聲，與季鸞先生永遠是一副笑迷迷的臉，都是給我印象最深，和同受鼓勵最多的地方。

以後我便被留下來代何心冷先生編「小公園」。同時發本市新聞副刊稿。心冷死後紀念特刊，是政之先生交待我編的。他還寫了一篇極盡哀悼的文章。廿二年十月到十二月間，季鸞先生突然臥病，他主持經理業務之後，還需要撰寫社評。對外交際及處理社內一切事務。我常聽見他接日本朋友和英美朋友的電話。他和季鸞先生一樣，英日語說得都好。外國報界對於胡霖先生的大名是以報界鉅子看待，其地位之隆，足與外國某某系媲美。大公報那時社址在天津法租界卅號路一八八號。樓下是經理部，樓上是編輯部，樓下後邊是排字房與機器間。國聞週報附在編輯部的一個內間裏編輯。當時經理部有王佩芝、杜協民、李清芳、袁光中等，編輯部有曹谷冰、許萱伯、楊歷樵、馬季廉、王芸生、艾大炎、費彝民、趙思源、張遜之、高元禮、曹士瑛及女記者于立忱等。駐外記者南京有金誠夫，上海有李子寬、程玉西，北平有張琴南、孔昭愷，漢口有徐鑄成等。谷冰與萱伯編要聞版兼看特別欄及大樣。歷樵、思源編國際版。彝民翻譯外國通信社電訊。芸生、季廉，大炎等曾先後編國聞週報。張遜之是天津地頭蛇，有大亨之稱。曹士瑛採訪本市及體育新聞。

以人才而論，迄後十五年，一直是這批人爲大公報開創局面。中間只有馬季廉繼何心冷於戰前死在天津。許萱伯於卅九年死在香港。大公一直是開館閉館，閉了再開。抗戰時期先後增加大批新進人才。

（未完）

由波蘭羅茲工潮看東歐

●胡養之●

衛星國危機潛伏滋長，蘇俄有實力可以控制嗎

這次波蘭羅茲電車工人的大罷工潮，雖已勉強平息，但工人們莫不憤慨填胸。如果非由華沙魚貫趕來三千武裝軍警，以催淚彈和刺刀槍口緊迫他們，相信可能成爲去年波茲南和布達佩斯的流血鬥爭的重演。同時，我們由此想見其他蘇聯東歐五個衛星國家的工人中，必定也潛伏着類似的危機。假如東歐七個衛星國一致反蘇俄的話，那末蘇俄原有的所謂「東歐八國聯盟」，以對抗北大西洋公約組織的企圖，就會無形中瓦解。

蘇俄在那裏有多大控制力？

由於蘇俄集團擬於東歐軍事統一指揮之下的武力相當龐大，據估計，七個衛星國包括國內的保安部隊和邊界的警衛隊在內，已有受過完整訓練的兵員一百八十至二百萬人，光是正規部隊就有八十六個編師，其中還有十五至二十個師是完整裝甲部隊。還有一個極具效力的動員制度，在必要時，得迅速擴充爲一百四十個師，其中又有八十二個師分駐於西部和東歐各國。這些部隊多半是裝備了坦克車及機械化運輸的。

波蘭巨大武力的實質

尤其波蘭，便是蘇俄東歐衛星國中實力最大的一個，連它的警察部隊及邊界警衛隊計算在內，起碼擁有九十萬人以上，其中約五十萬是正規軍。波蘭陸軍廿四師中有四個裝甲師，另有五個師已全部機械化。空軍有廿四個大隊，分爲八個空軍師。惟海軍現已減至驅逐艦一艘，潛水艇三艘及極少數的魚雷快艇。受過使用迫擊砲，手榴彈和來福槍訓練的民兵，約有四十萬人。

說也奇怪，這一龐大的波蘭陸空軍，上自總司令，下至團營長，雖然穿着波蘭制服，但其指揮權，卻完全操縱在蘇俄軍官手裏。一九四九年十月，俄駐華沙大使里比耶得頁夫，往見波蘭總統貝爾律特，命令他請求莫斯科解除羅柯蘇夫斯基的紅軍元帥職務，改由波蘭政府委派他的工作。貝爾特律遵命照辦，不到半月，這個生長波蘭並說波語的莫斯科之役和史達林格勒之戰的英雄，便到了華沙，接受波蘭人民共和國的元帥頭銜，並把波軍事的組織置於他的鐵腕之下，大刀闊斧地開始他的蘇維埃化。直至去年十月，波蘭共黨政治局的選舉，才把這個親蘇派的羅柯蘇夫斯基逐出門外。

東德有三千納粹軍官

據莫斯科的說法，東德沒有它的武裝部隊，只有担任佔領工作的俄軍廿二師，和一支維係公共秩序的地方警察及一部邊界警察衛隊。但事實上東德的駐軍，據在「人民」警察守備隊這個名稱的掩護下，經過十年來的擴充，現在至少有十五萬人，此外還有三萬人的海空部隊。這些部隊，與維持公共秩序可說完全無關。

據西德軍方的估計：目前東德的警察守備隊，足有八個至九個編制完整的師。其中至少有一師分作兩個集團的裝甲師。南集團設於萊比錫，北集團設於巴斯瓦克。同時核心幹部發展的重視，更比實際單位的數目值得注意！

總之，假定蘇俄擔當東德一天不放手，不僅德國無法統一；就是整個歐洲也要受到威脅。由於德國北部的蘇俄實力，擁有強大的空軍基地，一旦有事發生，它們的飛機只需十五分鐘便可飛翔丹麥的哥本哈根上空；同時蘇[illegible]德半島基地的陸軍，只費幾小時，也可兵臨丹麥首都的城下。再就地理環境言，德國北部平原，是來自西南征服者最有利的路綫。雖然這區域有若干天然障礙，可是這些利於守軍的地區，早有蘇俄軍隊駐守。因爲這些地帶是從北河西，擋着哈斯山系的主要山峯，伸出英國防區的北端，成爲包圍的形勢。

好在東德內部的兩萬軍官中，至少還有三千以上的年青力壯者，是前納粹軍官；守備隊的軍要將領中，也有十幾名曾在希特勒底下名震一時的雞鳴狗盜之雄，如鮑拉斯將軍和命契將軍等。設使一旦機會來臨，也許這些就會起來革命的日耳曼民族英雄。

匈牙利六個俄師控制不了

假如站在巴爾幹區域的立場看，匈牙利也是東歐衛星國家最重要的戰略據點。因爲匈牙利的東鄰是奧地利，南接南斯拉夫，西臨羅馬尼亞，北通捷克與波蘭。多瑙河貫穿中心，做成匈牙利自然地成爲巴爾幹的交通樞紐。特別是匈牙利境內比較平原，供給蘇俄許多良好的空軍基地，可以控制奧、南、義、德諸國。一九四八年秋，狄托背叛史達林的時候，匈牙利和羅馬尼亞便是他最大的威脅。倘若南國不是有利於游擊戰的山嶽地帶，也許「狄托主義」不復存在了。

蘇俄原駐匈牙利只有三個師，後又由奧地利撤退的三個師留在匈國，共有六個師，但經過去年匈牙利革命運動後，這區區六個師俄軍已無補於事。由於匈牙利當時有二十五萬熱血青年，加上四個團的愛國陸軍參加革命，曾佔領廣大地區，跟俄軍對峙時近三個月之久。

捷克有地利及武器可用

至於捷克，時也可能受到影響。由於捷克間於波、匈之間，尤其接近這兩國的所謂波希米亞盆地，及波希米亞森林，蘇地丹山系的環抱。只要它的內部一發動叛亂，憑着天然堡壘，很容易發展過來，沿着多瑙河山谷南部，與業北河北部展開，隨時可以與波、匈相呼應。而且捷克又是一個著名的軍火工業國家，武器裝備不成問題。據統計：捷克連各種保安部隊和警察部隊在內，現能動員的兵力至少有五十萬人，或許比這數字更大。他有十六個正規軍，其中有六個裝甲師和幾個完整的機械化師。假如眞的動起手來，力量可能大過匈牙利。

除上述危機外，據維也納的靈通消息：阿爾巴尼亞有一間在蘇俄控制下的工廠，也曾發動大規模地反俄運動。

由此看來，蘇俄在東歐的衛星國家，將可能有分崩離析的緣象！

國際動態拾零

納薛盼望美援復活，故最近政府。英國中東統帥，曾秘密報告蘇彝士運河恢復通航後的情形，……

× × ×

[illegible]

陶然

談：香港的教科書

●梁宜生●

前幾年承香港某出版社之託，和友人合寫了半部小學尺牘教科書（四年級至六年級）。當時因爲社方趕着出版，匆匆命筆，交稿時自己實在還有好些不滿意的地方。不過恃着尚須經編輯人過目，當必予以修正潤色，所以也就不甚措意了。出版後曾大約看過，也沒有發見什麼。一天，一位同事問我，五年級尺牘教科書裏，有「黑黝黝」一詞，「黝」字究竟怎樣讀法。我說：「還不是讀「越」音嗎？」『奇怪，』他說：『這個字辭源，辭海裏都找不到！』認眞一看，原來是把「黝」寫成「黝」，難怪老師們不認識。就弄成笑話。不禁萬分惶恐，趕忙通知出版社負責人，於再版時加以改正。因此我想到編書責任的重大。在人事匆忙的現在，作家撰文，往往欲求其急就，文字上無暇細加雕飾，錯誤時所難免，如編輯也疏忽大意，將使作者負罪，讀者迷惑了。

我很同情現在的青年和少年。他們的文字常被老師或長輩們斥爲不通。其實這不通的罪過，他們所接觸到的讀物，應該負一部分。我們將時下銷行的報紙及供中小學生課外閱讀的書刊來稍一審查，便覺有許多無法消滅的文字上的流行病菌藏在裏頭，極易飛入青年少年腦中起作用。第一、文法上的錯誤，用詞的欠當，理論的不完滿，這些關乎學問的基本素養，作者爲學力所限，姑不足深求。獨有些方言，別字，天天在報刊上出現，而人們竟熟視無睹，則殊不可解。如「不經不覺」，「爲之吹漲」之類，前者根本不是國語文（國語文只用「不覺」兩字就够了），後者在某種場合，偶然插入以增加文字的風趣則可，視其正式爲國語文則不可，可是這些詞語在香港已成習見了。其次，如寫「高興」爲「高慶」，以「造謠」爲「做謠」，也是報刊上常見的。我想這決不是手民之誤，而是作者慣用（廣東話是「興」「慶」同音，「造」，「做」不分的），編輯沒有留心，學生們天天接觸這些讀物，而以其爲典範，若能寫出純正的國語文，才是怪事。甚至教科書也很多疏忽的。下面幾種句子，是在幾本香港所最流行的教科書中找出來的：

（一）、郵差來了，郵差派信來了。

（二）、捉迷藏，濕纏鍬。

（三）、頭戴紅帽，身穿白袍，走起路來，一搖一擺。看見生面人，伸長頭頸叫。（謎語：鵝）

（四）、游泳已不行，我們只得在露台上玩牌，可是天氣實在太熱了，我提不起興趣……

這些句子，值得斟酌的是：

第一、「派信」，是廣東方言，國語說「送信」。從字義看，「派」是分配的意思，郵差送信決不是挨戶分配的。「纏鍬」總是「鍬纏」；「纏鍬」也是廣東話。

第二、「伸長頭頸」四字，述語和賓語不能完全相應。頸關可以伸長，頭是不能伸長的。

第三、在小學教科書裏提到「玩牌」，無意中暗示了玩牌並不是壞事，這似乎與小學的訓育方針背謬了。誠然，有些人認爲語文教學，應着重文學內容，文字技巧的欣賞研究，不應着眼在道德教訓上。這是一方面的說法。我們知道，文章的權威，主要是思想。我們決不能離開思想而教學。思想在學生腦中所起的作用，往往比語文教學主要的作用更大。成年人應回想少年或青年時期看聊齋誌異之類的書，對着「邂與合」，「邂逅綢繆」那些文句時，腦筋中所引起的是什麼反應。淫詞艷曲諸尾也常有勸善懲惡的教訓，但讀者腦所所得印下的是那些描寫，而並不是那個教訓。

讀物是人們精神糧食，它能滋補人，也能毒害人。尤其教科書，是下一代生命的營養，更不能有一個錯字，一點不良的思想質素。這當見想是爲一切出版家、教育家所同意的。

港大增設校外課程部

（本報訊）目前港大已準備就緒的校外課程共有十一種，性質各異，期間自六週至兩年不等。各課將在三址舉行（一在大學正校，一在中環西洋會所，一在九龍葛量洪師範學校），以三種語言（英語，國語，廣東話）講授。並擬將來能在灣仔，荃灣，大埔等處設新址。

第一項課程爲唐代文化，共計二十四次演講，每週一次，內容將包括政治軍事史以及當時哲學，文學，宗教，倫理，美術，建築，社會生活。演講節目甚繁，自「唐代之帝國」，以至「哲理派詩人：韓愈，孟郊，賈島」及「敦煌及唐代繪畫」無不概括。本課程以國語講授，自一九五七年九月始，至一九五八年四月止。講師共四位：計歷史背景（六講）由港大中文系講師羅香林主講；唐代學術思想（六講）由新亞書院院長錢穆主講；唐詩（六講）由港大中文系講師劉若愚主講；唐代美術及其與佛教、中亞、印度及日本之關係（六講）由港大中文系主任林仰山主講。報名資格：參加本課程者須暢通國語，且受有足能領略此種綜合性研究之教育。自九月二十五日起，每星期三下午五時四十五分在港大正校講授。學費：全課程二十四元，另繳註冊費六元。報名截止期爲九月十二日。

第二項課程爲中等數學概觀，共計廿四課，每週一講，以粵語講授。由一九五七年九月起至一九五八年四月止。本課程將由香港大學數學系副講師周紹棠主講。由一九五七年九月廿六日起，每星期四下午六時在葛量洪師範學院授課。全期學費二十四元，另註冊費六元。入學申請定本年九月十二日截止。

此外，其他課程爲德國語言及文學，經濟學地理，現代英國及美國詩歌，生物學基本觀念，歐西建築原素，音樂鑑賞，香港經濟生長情況，近代中國宗教組織，及建築實習及過程云。（昌）

中共政權之致命傷

（上接第一版）則非一人所能任重道遠，仁爲己任，則不是大衆分担，仁實己任，合作一件件看，故己任就是任仁，質言之，一方面虛心以接納人之仁，一方面養氣以克服自己之不仁。上述兩條件已具備，方可以說負責，否則所謂負責得起，只負實。

[illegible]

安定世界的道理

或者問曰：中共旣因違反中國人性、文化，招致人心之離散，政權之崩潰。假令中共臨崖勒馬，翻然改圖，安知不能恢復人性，……

[illegible]

自由談

盍各言爾志

馬五先生

我的朋友胡秋原，（他不是『胡適之』的一家，也非當代要人，道道地地是我的朋友，如此稱呼，當無挾闊人以自重之嫌吧！）最近在海外的刊物上發表文章，說是「我除了回大陸外，別無他想」，並且預爲聲明：「即回大陸以後，第一事是辦點工商事業，將本求利，發點小財。」

我對於他的大前提，絕對同感，毫無間言，因而聽說有人否定自由中國反攻大陸的可能性，即認爲是一種「言語道斷」之談，未敢苟同也。

平日在海外每與本國朋友談心，我常常這末說：「假使我們不能回到祖宗廬墓所在的大陸去，台灣即令是安全繁榮的天堂，教我去從政作總統，或者辦企業發大財，也絕對不感興趣，倒不如在海外流浪着，希望早點死去的好！」我想今天流亡在海外的反共非共同胞，沒有不是抱着這種心理的，尤其是一般華僑，他們拒絕共黨「祖國」的誘惑，而決心擁護台灣的自由中國政府，所爲何來？既無反攻大陸之可能，他們又何必傾心於台灣的祖國政府？難道他們是爲想到台灣做點生意不成！

希望是激發事業心和奮鬥精神的最大潛力，沒有希望還談甚末創造？因此，我對於秋原預告他那將來回到大陸後的私人計劃，就覺得未免太「自私」，而且近於幻想。吾輩書生氣質，乃是上帝早就替我們建搆好了的一種宿命的定型——與經商發財無緣。所以，我的私人計劃，只跟秋原有一半相同，即在回大陸以前，決無意於從政，也不想作反對黨。一旦明天之幸，回到大陸後，那就不客氣，我要拚命地搞政治，而且要大搞特搞其民主政治，不惜犧牲生命以從事。這是上帝交給我輩書獃子的唯一使命，一息尚存，非幹不可的！

鄉土之憶

無錫

・羊五・

無錫，她是位居京滬綫中心的一個縣份，也是江南豐富的魚米之鄉。在城北的官塘（北塘）兩岸，米行林立，糧食推積得像土丘一樣。縣城的東南，鍛紫港，南方泉，板橋，那都是濱湖的漁區，鄉人都是以種竹養魚爲業的。「種竹養魚千倍利」，這句無錫土話，雖或描繪得過甚一點，但是事實上，它亦構成了無錫民間財富的殷實，與連繫到地方經濟的繁榮。

是在民國的初年，和第一次世界大戰的前後吧，城郊便像雨後春筍一般，創設了許多現代化的新型工廠，絲廠、紗廠、布廠、鐵工廠、麵粉廠，在若千年後，這些行業已成爲無錫人地方性的集體職業，從本鄉發展到全國各大埠和海外。即以目前的香港言，凡是這個行業中人，大部份是無錫人，或者是和無錫有着深厚的淵源關係。

無錫的文化水準，一向保持着極高的地位。地方民情溫文和雅，尚文的風氣特別濃厚。在抗戰勝利以後，那裏已有一座完全大學——江南大學，和三個專科學院；二十餘所中學。不能說無錫沒有文盲，但她的教育確已發展到相當普及的程度。

最可愛的還得推許無錫的風景。她是江南著名的風景區之一，春日遊客如雲，都在這裏留戀忘返。那不高不矮的龍山——又名惠泉山——峯巒九曲，蒼翠欲滴，它靜靜地躺在太湖之濱，照映着湖光一色，山巔有古人陸羽所鑑定的「天下第二泉」，泉水清醴醇厚，含有特異的素質，倒入了茶盅裏，茶水高出了茶盅一二分，水還是一樣的凝不會向外流注。放上好的茶葉，慢慢地品嘗，的確是醒人心脾。再嘗那一葉片舟——斗米兩人船——這是無錫人自製的輕便交通工具，只載得一斗米兩個人，因此得名）漂蕩在湖心裏的特殊，青山如繪，湖水似鏡，春日的太陽照耀到每一個遊人的身上，陣陣的清風在面旁吹過，遠望着山谷裏的開元寺，碧瓦紅牆，正在那裏發出宏偉的鐘聲，一陣陣忽隱忽揚的梵魚誦經的聲響，它輕輕傳到了船邊，這是僧侶們正在齊聲誦經呀！端壯肅穆，它劃破了大自然的靜寂。眞的，它能使人俗慮盡消，飄飄然而有出世之想。

土產，銀魚，絲經黃草布，那早已是人所共譽的了，最有趣味性的，要算是無錫泥人。牠的行銷，遍了國內各十省，同時它亦站穩了脚步在國際貿易市場上，和泊來品分庭抗禮。

說到製成過程，那就太古老了，是全憑着人手捏出來的。沒有科學的工具，亦沒有方法的原料，僅憑着那惠山脚下特異的深黑色的土壤，發掘了出來，放在手裏，得心應手的捏將出來，它們都不是美術專門，或是彫塑技術專家，可是飛禽走獸，蛟龍魚鼈，成齣的戲劇，單只的而論、佛像，應有盡有；它能大，亦能小，小得可以放在火柴匣裏，看來一樣的富麗堂皇，美不勝收；大的像神像那樣一尊，唯妙唯肖。它能盡情的傳神，深刻地寫出人情的喜怒哀樂，那個喫爲神品。還有一種，他們能對客捏像，不消多少時間裏，他們就了捏成顧客們的肖像，雛型的小泥人，一切都是與顧客畢肖的，與人可以差別的僅僅是少了一口氣，在那春日游客畢集的季節，我們可以常看到，一個衣冠楚楚的客商，坐在一張破舊的條凳上，而對着一個鄉下佬，呆呆地笑嘻嘻地坐着，這就他們作品與酬勞的交換正在進行中。

追溯這行業的來源，那已不知有多少年代了，有這樣一個近乎神話的說法，說是朱明劉伯溫（劉基）所創辦與發召的。據說：明朝大局初定，江南王氣依然極盛，而將建地理，劉伯溫觀察天文因發現了無錫是龍脈集結之區，那裏非但出帝皇人物，而且公侯將相，輔弼之人物，亦必在此地蘊運而起，爲要安定明朝的未來，就將東鄉的龍亭附近的龍脈斬斷了，並在一夜之間，改稱了惠亭。（今惠山的原名）按脈上了九個石製的龍頭，使它朝夜不停的吐出山裏的泉水。一方面又教導鄉人以捏泥娃娃爲業，於是公侯將相，都從泥土裏冒出來了，可都是泥製的！這話，確乎涉及到神話的意味，不過古老的傳說，亦大都是這樣的。

無錫是范蠡的故居，當他功成身退，最後便隱居無錫久住，在這瑰麗的湖山之間渡過了快樂的晚年。年代雖已久遠，蠡橋和蠡湖的稱謂，却至今還留存於民間。

十年不歸子作翁

・楊有釗・

中篇小說

海上學校

趙滋蕃

十一

就在黃港生他們這一個晚上，海上四個不速之客。周曼石與蘇登同正坐在總辦公室外面的欄干旁乘涼，順便閒談着一些有關海上學校的瑣事。

擺渡艇在碼梯口停住了。大耳朶鄒雲亭在船頭上嚷道：「張大哥，張大哥！」

「哦，雲亭兄，久違了，」周曼石邊說邊迎了上去。「張大哥呢？他不在。」

「是你，曼石，」他扶梯登船，同時掉轉頭去，招呼同伴，「大家一齊上來！」

「你好？怎麽，瘦了許多？」大耳朶在做作的假笑中顯動起來。「杜宇呢？還有那個神經鬼呢？」

「都不在，」周曼石面無表情。

黃暈的馬燈光，從敎室的窗口投射在三個陌生大漢的臉上，他開始直覺到這三個人有點橫眉怒目，有點來意不善。

「到甚麽地方去了？」鄒雲亭的尖下巴拉長得像一根黃瓜，纖纖然問。

「到蒲台島去了，」他對直地盯住那三個大漢，心中激動着惡劣的情緒。

「海上學店關門大吉了嗎？冷火消烟的，看不到半個鬼影子！」一個大漢插了幾句嘴。他輕蔑地吮着潑酸的牙齒，臉肌的運動牽動了眼睛，而那個又大又歪的鼻子，在他的銅盆大臉上劃出了一個疑問號。

周曼石沒有直接回答他。他輕哼了一下，將目光移到了另一個人的臉上。另一個人面色慘白，有一張永遠合不攏的嘴巴，稀長的帶陳獨象牙色素的門牙，暴露在短唇外邊，像一束焦黃的龍膽草根。「是道友，而且是白糖的，」他默默地暗忖道。「大約是來敲點小竹槓收保護費的吧！哼，」他想，將視綫拉到自己的脚背上。

「怎麽這張死人嘴不做聲呀，」第三個人從旁攛掇着，在冷笑中上下挑動着濃黑的眉毛，而佈滿血絲的眼睛裏，洩出一片兇光。「我看你要多吃點山楂麥芽，開開胃才行！」

「唏！老四！」大耳朶嘘了一下，並揚手做了個禁止的手式。

「哼，對付這批傢伙，不開硬弓怎行？」那人不服氣，將拳頭在掌心裏磨擦。

「開硬弓？甚麽叫做開硬弓！」周曼石火了。「我們人生面不熟，怎麽好隨隨便便欺侮人！」

「啊哈，看不出你這小子，倒有一張利嘴，牙巴骨眞打得狗死！嘿嘿！」那人逼近一步，雙膀一閃，露出一對拳頭。「再頂，爺認人，爺的拳頭可不認人！」

「老四，住嘴！」鄒雲亭用掌側下他拳頭。

「大哥，他，他敢在太歲頭上動土，他媽的眞吃黃了眼睛！……」

「不是他，那戴眼鏡的不在，」鄒雲亭作好作歹，將他推擠到身後邊，蘇老頭見大家吵起來了，連忙趕上去將雙方隔開，並以排解的口吻探問事情的原委。

三個大漢是認識蘇登同的。他們曉得他在海上人家的號召力，是一個掂得出斤兩的人物；雖然蘇登同並不認識這幾個人

「他們不管三七二十一，一上船就平白無故地罵人，」周曼石氣鼓鼓地說。

「老先生，沒有事的，」鄒雲亭用淡漠的調子說。「彼此誤會了，我同他是好朋友。」

「好朋友？」蘇登同用懷疑的老花眼瞧住他。「磨拳擦掌，叫巴閉？」

「聽說這個學店開得很興旺，我們想來看看……」暴牙齒說。

「我們是來拜望老朋友的，」鄒雲亭打斷了暴牙齒的話。「順便邀他喝一兩杯淡酒，談談心。」

「我不喝酒，」周曼石嚷道。「我不屑與你們爲伍！」

「曼石，你這話眞有點見外了，」大耳朶陰鷙地冷笑道。「歸人是有怕做『人之患』，」他陰陽怪氣地添說，「怎麽你對老朋友，也擺出那副吃冷豬肉的臭架子來了呢？」

「這傢伙敬酒不吃吃罰酒，老三——」血絲眼在說話時眨動着，「黃鶴中，要看看你的手脚了！」

「言個易過借火，」暴牙齒勒着黑膠綢衫袖子。（四六）

稿酬

七月份上半月稿酬通知單，已分別付郵，惠稿諸君請憑單領取稿費爲荷！

本報編輯部啓

中華民國四十六年八月卅一日　自由人　（星期六）　第一版

自由人

THE FREEMAN

（第六七七期）

中華民國僑務委員會登記證　中華郵政登記認爲第一類新聞紙類　內政部登記證內警台誌字第五〇〇號

（半週刊每星期三六出版）

每份港幣壹毫　台北市售價台幣壹元

督印人：陳文華

地址：香港告士打道二十四號四樓　20 CAUSEWAY RD. 3RD. FL. HONG KONG　TEL. 771726

承印者：東南印務出版社　地址：高士打道六十四號

台灣經理處：台北市館前路壹號二樓　電話：三七四六

台灣郵政劃撥儲金戶二五二九號

海外總發行：榮利書報發行公司　香港德輔道中二十六號A二樓

祝馬來亞獨立

· 司馬璐 ·

今天，全馬來亞在歡呼「默迪卡」聲中，按照預定的程序，在馬來亞步入獨立地位的前兩分鐘，作爲馬來亞聯合邦首都的吉隆坡，將陷入全黑狀態。昨夜十二時正，時鐘發出第一響，即今晨零時，全市將大放光明，象徵馬來亞步入獨立之光明坦途。

馬來亞首席部長，也就是獨立後的馬來亞內閣總理兼外交部長的拉曼先生對記者說：「中華民國爲反共國家，其政府爲反共政府，故馬來亞不但願與中華民國建立關係，且願與所有反共國家加強關係。」

今天，不僅在馬來亞，在整個東南亞，在整個亞洲，在整個自由世界，舉世都在歡迎這一新興的獨立馬來亞的誕生。

勝利的一仗

馬來亞的獨立是自由世界與共產集團在「民族主義戰綫」上的一個勝仗。

二次大戰期間，由于馬來亞人民奮起反抗日本侵略者；由于西方在馬來亞統治地位的動搖，馬來亞的民族主義情緒空前高漲。

一九四八年，馬來亞的第一個立法議會成立；一九五一年，英國政府將一部份行政權交與馬來亞人；一九五三年，立法議會的議長由馬來亞人担任；一九五五年，馬來亞聯邦憲法公佈，並以過渡方式，產生民選政府；一九五六年，英政府與馬來亞的代表團在倫敦關于馬來亞的獨立步驟取得協議，並定一九五七年的八月卅一日，馬來亞正式宣佈獨立，獨立以後的馬來亞，將成爲大英聯邦之一員。

我們舉出這些史實說明，馬來亞的獨立，不僅是馬來亞人民的勝利，同時也是在整個自由世界範圍內，民族主義與民主主義相結合的勝利。

民族與民主

民族主義應該與民主主義相結合？還是應該與共產主義相結合？馬來亞人民經過了選擇的，他們這一選擇是明智的，他們選擇了民族主義與民主主義相結合的道路，因而他們也勝利地贏得了獨立。

在一般的意義而言，民族主義應該在反共與反帝的兩條戰綫上同時並進，兩面作戰。但是，我們今天又應該承認一個歷史事實，在自由世界內部，民族問題是可以通過和平的漸進的道路逐步解決的。

就英國來說，印度、巴基斯坦、緬甸、錫蘭……以及今天的馬來亞等，都是十分顯著的例子；就法國來說，摩納哥及南越的獨立也是顯著的例子；就美國人說，菲律賓尤爲最特出的例子。不錯，我們也承認，今天在某些地區，例如在北非的阿爾及尼亞，悲劇仍在繼續，但世界的大趨向使我們相信，悲劇終將結束，阿爾及尼亞的獨立問題終將經由和平的途徑解決。

世界大趨向

世界大趨向要求整個自由世界的團結一致，以對抗共產主義對民族主義與民主主義的共同危害，因此：

在西方國家，儘管他們如何標榜民主主義，如果他們忘記民族之間的民主（民族主義），則他們必難取得世人對他們的信任。

在今天還遭受民族壓迫的國家和民族，儘管他們如何標榜民族主義，如果他們的奮鬥目標，忘記世界民主的主流，則他們很難通過「民主」的道路，牢固一個民族內部的團結。

世界大趨向將是：自由世界應該是建立在民族平等的基礎上的自由世界，自由世界應該是世界各種民族歡樂的大家庭。我們相信終有一天，在自由世界將不再有所謂「民族問題」存在，因爲民族間的和平相處確實是沒有問題了。

反共與建設

獨立後的馬來亞，當前最大的問題，一個是在政治上澈底消滅馬共；另一個是經濟上的建設。

事實上，一九四八年以來，十年的馬來亞獨立準備，也同時就是馬來亞人民反共鬥爭的十年。

過去的馬來亞反共戰爭是以英國軍隊爲主體的，在政治號召上，不能十分有力。今天不同了，今後的馬來亞是由馬來亞人自己作主了，十萬馬來亞保安部隊今後將成爲剿共的主力，他們便可以[illegible]林的馬共根據地。

馬共曾一再向馬來亞的民族主義者建議組織「聯合戰綫」，事實上，馬共又怎樣看這個「聯合戰綫」呢？馬共的黨內刊物「研究」中說：「若干同志曾詢問吾人現在是否值得重視於『聯合戰綫』，而不注重武裝鬥爭？答案是：否。武裝鬥爭是吾人之革命政策，聯合戰綫不能與武裝鬥爭機械分開」。（「研究」一九五五年三月份出版）。馬共與馬來亞民族主義者絕無共存可能，「聯合戰綫」全屬欺騙，這篇文字是一坦率的招認。

必須工業化

一個現代化的獨立國家，必須工業化，必須有獨立的經濟建設。馬來亞的經濟，在目前仍以農業爲主。但他的樹膠和錫產的豐富，都與馬來亞提供了發展工業的有利條件。

發展經濟建設，可以使馬來亞步入繁榮之途。一面可以擺脫外力的經濟束縛，完成眞正的獨立；一面可以提高人民的生活，使共黨無由滲透。

發展經濟建設是與發展生產教育不能分開的，在這一問題上，我們願意向我們的朋友指出，馬來亞政府的「五年經濟建設計劃」中在教育項目下所支配的款項可能是過少的。

對于馬來亞的經濟發展來說，最理想的是馬來亞與新加坡的合併，但由于這一問題要牽涉到其他的政治問題，不是我們便于表示意見的。但歷史有的是時間，將來可能有人要重提這一問題的。

中國人合作

在馬來亞的中國人，今天毫無疑問的，應該擁護一個新興獨立的馬來亞國家，服從和遵守當地政府的法令；馬來亞政府也應該面對一個事實[illegible]亞人與中國人，普遍十個人中有六個是馬來亞人，四個是中國人[illegible]來說，無論就一部份人與[illegible]人的合作太重要了，今日之馬共，實即中共之第二，是馬來亞之大敵；馬來亞人民，如果要在防共反共的陣綫上，有效打擊馬共，他們也應該與中國人充份合作。第三，馬來亞的中國人，社會中經濟貢獻甚大，馬來亞的經濟建設，如果充份取得這些中國人的合作，是會事半功倍的。

最後，我們願意指出的，今天在東南亞的政治家中，在馬來亞有拉曼先生，在新加坡有林有福先生，他們反共堅定有胆識，有魄力，這是整個東南亞前途光明的徵象。

半週述評

蘇俄和平政策破產了

蘇俄在倫敦裁軍會議前夕，突然宣佈已經製成了越洲飛彈。這一宣佈和兩三個月前赫魯曉夫所宣稱蘇俄已擁有融化北極冰層，使水淹歐洲的氫彈的話，即使有所不同，恐怕也只是程度之差而已。

跟着這一宣佈之後，蘇俄裁軍代表佐林，立即拒絕西方所提空中視察與停止核子試驗兩年的裁軍建議，則這一宣佈祇爲政治的宣傳目的，已甚顯然。

蘇俄這一宣佈，不論其飛彈實際成就如何？對裁軍會議的協議祇有增加困難，或竟陷於停頓；對軍備競爭和世界緊張局勢，則祇有揚湯止沸，治絲愈棼而已。蘇俄幾年來所標榜的和平政策，至此，不啻由這一宣佈而自行取銷。艾森豪說，蘇俄的行動，「可能宣告人類要陷於無定期的無限危險途。」這當不是危言聳聽的話。

美記者能入竹幕嗎？

一年前中共邀請美國記者進入竹幕，明知這是美政府所不能准許的，不過藉此挑撥記者和政府感情而已。現在美國政府在與論壓迫下，不得不准許記者前往，但中共便立即食言自肥，一面提出互惠的要求，一面還汚衊記者，說他們是到大陸做間諜的。

中共也許會自鳴得意，認爲詭計已經得售。其實，中共這樣的反覆無恥，欺詐失信，使美國與論界得到更深刻的認識，也使他們對政府過去的堅決態度，得到完全的諒解。他們已經覺悟到過去壓迫政府，是一種錯誤，只是便利中共敲搾勒索的。

現在雖還有一部份記者認爲中共的互惠要求，可以答應，然而這決不會是中共進一步施展狡獪陰謀的更好機會。

美國記者進不了竹幕，中共的記者自然也不會到美國去。這是目前形勢造成的僵局。

海外知識份子的徬徨

大陸智識分子掀起的反共洪潮，方興未已，海外智識分子也就感覺其責任之不容放棄。於是怎樣督促國民政府，從事改革，加强反攻復國的準備，以迎合大陸這一有利的新發展，遂成爲目前最感急切的心情。

政治不祇是理想的事，同時必須是力量的事。沒有力量，談不到督促，理想更無從實現。幾年前，海外智識分子，有所謂第三勢力運動，這運動消逝後，又有所謂召開救國會議和成立反對黨的主張，都不外是知識分子要與聞國事，發揮力量，以盡其天職的一種表示。然而，很可惜，這種種表示始終祇是限於「表示」而已。

海外知識分子之不能成爲一個有組織的力量，決不是發展民主政治，迎合大陸反共洪潮，準備反攻復國的好現象。

時至今日，政府當局和執政的國民黨，應該改變過去的觀念，樂觀海外知識分子能够團結，能够表現其力量。海外知識分子也應該從這一方面加緊努力，迎頭趕上。祇是焦急徬徨，牢騷憤慨，都是沒有實際意義的。

反對黨的成立，並非紙上談兵，一蹴而成。惟反共救國會議的召開，對海外知識分子的意見統一，力量集中，實具建設性的深遠意義。

政府和執政黨，如果能够了解民主政治的制衡作用，和目前號召廣大羣衆的意義，這會議的召集，似乎是不應再事遲疑的了。

· 陳克文 ·

記者的衛冕戰

—九一節墨水瓶邊談話

· 瓦斯 ·

新聞記者曾被視爲自由人民的「無冕皇帝」，皇帝不冕，虛者實之，無冕亦有，有時不如一頂兒童玩具帽，有時却價值[illegible]皇冠。其唯一自衛的武器是一枝筆，筆有時甚至無力影響一個平凡的讀者，有時却可能推翻一個皇朝，創造一個新的時代；其力量幾等于零，却又是無窮大；所以記者可以說是富有天下（古今天下事盡入筆端），也可以說是窮無立錐（文章不值錢）；有時被人看成天之驕子，引領翹企，有時却被人看成窮酸，敬而遠之。

然而無論如何，無冕而皇，早已名正言順。論來總是與自由俱來，隨民主而確立，與自由民主同其命運，有如影之隨形，毛之附皮。

自由民主的限度，就是記者的宮闈。自由之對立物是權力，民主的實體是獨裁，均是記者衛冕戰所必爭之敵。極權及一切獨裁制度，也可以有白紙黑字的憲法，也寫上言論自由的保障條文，掩飾其獨裁面目，[illegible]辯護，更可以利用權勢，解釋和限制自由；還可以利用權勢，使對方利令智昏；更可以用盡各式各樣的方法，令對方無從運用其唯一的武器——筆，到頭來，非使你不知不覺地自己把無形之冠也摘下不可。逮捕記者，封鎖報館，常見不鮮，那只是最愚笨的特權者的最愚笨的方法。

無冕皇的特權者得鮮地是報館，報館最初可說是來源于專制時代爲政府喉舌的公報，後來隨自由民主潮流演變而爲民間輿論，爲人民喉舌，使記者積功而皇。當然，在民主時代，政府也可以辦報爲其御用；資本家有的是錢，更可以辦報，供其使用，甚至任何一個野心家都可辦一張紙。大之可以控制輿論，小之可作直步青雲的墊脚石，甚至等而下之，作爲敲竹槓的本錢。法律並不禁止人們這樣做，社會也沒有規律去規範他們！無冕之皇國裏，只有一條無形的道德律，但這一條道德律並不能禁止上述的事情發生，於是正牌無冕皇若矣！

記者因此便時時是在衛冕戰中，永無止境地爲自由，爲民主，爲正義，爲眞理；而奮鬥下去，如果想不失去這頂皇冠，就要忍受得了銀彈的攻擊，要抵得住權勢的威迫，利祿的引誘，要擋得住「富貴不能淫，威武不能屈」才行。所謂「否則連自己的看家本錢也要失掉！」

從本質上言，政府的財富是權力，記者的財富是自由；自由與權力[illegible]在自由民主國家，[illegible]「巴里門」[illegible]由民選而來，是有權力的民官，而記者則永遠站在民方，永遠與權力有着距離，從這點看，記者們[illegible]人民方面站在眞理方面，向一切惡勢力抗爭，[illegible]一筆橫掃千軍，[illegible]榮譽而奮鬥的英雄之冠，記者永遠要付出很大的代價。

極權及一切獨裁制度，是「絕對權力」的表徵，也就是與記者成爲尖銳的對立，絕對權力的行使，勢必侵犯自由，因此記者衛冕戰最大對手仍是極權主義者，獨裁者，暴力主義者……。

今當九一節前夕，可成爲墨水瓶邊談助的，有發生在美國的兩件大新聞。

一件是：美國務卿杜勒斯在新聞界及國會壓力下，不得不突破其「反對美國任何人進入中國大陸訪問」的主張，准許廿四名記者訪問中國大陸。自記者圈內言，這是爭取採訪自由的勝利，然而這慘勝竟又立即慘敗於極權主義者——中共之手，被指爲美「刺探情報」的文特而拒絕入境，這很足以說明記者們執行其「民賦」的天職時，絕不能與代表極權的制度相容。

另一件新聞是：洛杉磯法庭在審訊「秘聞雜誌」的誹謗案中，揭發該雜誌記者以揭發對方私人秘密爲要挾，向一羣大明星大敲竹槓。這說明了這無冕皇冠下也有流氓皇帝。

由此可見記者的衛冕戰，是長期而對七情六慾強烈考驗的總體戰，全面戰。一枝鐵筆要過得五關斬得六將，然後可以像洲際飛彈，無敵于天下，然後可保得住無冕的皇座！

千萬不要忘記過去爲自由，民主，眞理而殉難的記者，他們曾經爲無冕皇國創下了許多奇蹟。

今日獲得獨立的新興馬來亞

這是第二次世界大戰後原在英國轄下的第十一個獲得獨立的國家。其他先後獲得獨立的十個國家是：愛爾蘭、加拿大、澳洲、新西蘭、南非聯邦、印度、巴基斯坦、緬甸、錫蘭和嘉納。

森美蘭蘇丹

【本報訊】英屬馬來亞聯邦定於今日（八月卅一日）正式宣佈獨立。森美蘭蘇丹任第一任元首，（如附圖）東姑阿都拉曼任首席部長（如附圖），李孝式任財政部長，拿督依斯邁任教育部長，翁毓麟任交通部長，森班頭任勞工部長。馬來亞聯邦包括九個馬來州和檳榔嶼馬六甲兩個英屬殖民地，其總面積爲五萬六千方英里，人口約六百零五萬（馬來人二百九十萬，華人二百三十萬，其餘爲印度人巴基斯坦人混種人及歐洲人）。一九四八年以前，各馬來邦由九個馬來蘇丹在英國顧問指導下負責統治，而檳榔嶼馬六甲兩殖民地則直接由英國官員管理。到了一九四八年，英政府決定將九個馬來州和檳榔嶼馬六甲合併爲馬來亞聯邦（擁有一百二十萬人口的新加坡不包括在內）。馬來亞聯邦的種族非常複雜，且戰後又不斷遭武裝共產黨徒的騷擾，在這個逆境中，英國仍積極推進其扶助殖民地邁取自治和獨立的政策。

建國的經濟基礎

馬來亞聯邦的經濟是以農業做基礎的，樹膠一項，已成爲馬來亞繁榮的泉源，錫產對馬來亞經濟的貢獻只居於次要的地位。根據一九五五年的調查，那一年出產的樹膠和錫佔了馬來亞出口貨總額的百分之八十五，光在出口稅方面，這兩種產品的稅收就佔了聯邦政府稅收總數的百分之二十九。由此看來，馬來亞的樹膠和錫，實在對金鎊區的財政有重要的貢獻，同時，對自由世界的經濟穩定，也間接產生良好的影響。

現在，馬來亞已經有三百五十萬英畝的樹膠園（超過耕地總面積一半以上，亞洲人經營的膠園約佔一百五十萬英畝），根據一九五六年的調查，那一年的膠產總額是六十二萬六千噸。錫產總額達六萬二千二百九十五噸。

馬來亞聯邦政府，刻下正在努力推進一個五年計劃，實施這個計劃約需十三億五千八百萬元馬來亞幣。

從自治到獨立

馬來亞的第一個立法議會是在一九四八年組成的，當時代表各族的議員的人數超過官方議員的數目，到了一九五一年，英國政府決定將一部份行政權交與馬來亞人，當時有幾個馬來亞立法議員被委做行政部門的主管官，後來他們又被任「執行委員會」的會員。一九五三年政府又委任一名馬來亞人任立法議院的議長，到了一九五五年政府正式頒佈一個聯邦憲法。一九五六年春，英政府和馬來亞的代表團在倫敦聚首商討馬來亞爭取獨立的步驟，該會議對馬來亞的國防內部治安財政經濟和未來憲法修改等問題提出若干建議，並決定馬來亞聯邦於今天（一九五七年八月卅一日）正式宣佈獨立，成爲英聯邦的一個成員。

英馬關係的特點

自一八七四年起，英國對馬來亞各州擔負了保護諮詢與管理的責任，一直經過了兩個年代。及至一九四二年英國的保護遭受到嚴重的考驗和失敗。在日軍侵略馬來亞的前夕，英國正在歐洲和北非方面和納粹德國從事生死存亡所繫的鬥爭，以致缺乏充足的準備和力量保衛馬來亞。

迨及戰後，國際共黨於一九四八年間以「反殖民地鬥爭」爲號召，發生武裝暴亂。

馬來亞戡亂和實現獨立的工作，由鄧普勒將軍於一九五二年蒞任英國駐馬來亞高級專員後隨即加緊進行。當時輔助鄧普勒將軍的也就是現任英國駐馬來亞高級專員麥其佛萊爵士。在他們領導下，民主政治基礎隨而迅速建立，一九五五年馬來亞聯合邦第一屆大選終於產生了過渡方式的民選政府。

在是屆大選中，由各民族組成的聯盟獲到了壓倒性的勝利，由聯盟領袖東姑阿都拉曼所領導的政府與英國進行友好磋商，奠定了今日獨立的基礎。

馬來亞獨立的來臨顯示並不意味英國政策突然的變遷。這是經年累月發展過程上的延續。馬來亞的獨立也是英國海外屬領政策不斷進化過程中的一個部份。印尼、巴基斯坦、緬甸、錫蘭、加納都相繼獲到「自由」。目前就輪到馬來亞了。

建國過程的困難

馬來亞的居民主要上分作馬來人，華人和印度人三大民族。在戰後初期，各民族之間要達成任何方面政治上的合作，就似乎是一件不可能實現的事。當時馬來亞確曾一度受到種族之間的隔閡和衝突所威脅，其情況有如曾經分裂印度和巴基斯坦分治的狀態。……了各民族領袖以公約態度尋求合作的途徑，是一個具有劃時代作用的轉捩點。除了種族問題以外，憲法的工作過程中也碰到許多問題。馬來亞由九個蘇丹邦所結合成爲一個聯邦，其憲制發展的趨勢並不是要構成單一的國家。其次由英國方面予以修正，……的意見過遠，個個憲方案的爭議，有及後的爭議，都如何調整與平衡與馬來人這一個問題。

組成聯盟政黨是轉捩點

英政府隨即加強信念，認爲唯有籍着馬來亞本身始能決定馬來亞的命運，而必須由馬來人與華人各大政黨實行合作從事開闢獨立建國的途徑。根據這個觀念組成的聯盟政黨，東姑阿都拉曼（担任首席部長）領導和英政府進行磋商而達成協議。

東姑阿都拉曼

新領袖拉曼其人

馬來亞聯合邦首席部長東姑阿都拉曼無疑的是馬來亞建國中的主角。他對於共黨是從不妥協的。最近他曾對一位朋友說：「只要共黨一天在馬來亞從事活動，我們就不能採取中立主義的政策。我們已經作了我們的抉擇」。

拉曼曾肄業于劍橋大學聖卡斯林學院，自英返馬後隨即在故鄉吉打州担任瓜拉尼關區長。日本佔領結束後，他奉派監督吉打州的教育事務。踏進四十歲中年以後，他又負笈英倫攻讀法律，隨而獲到倫敦四法學院之一的內院檢定律師資格。他於回馬後就任副檢察官，開始他的法律生涯。

馬來亞的民族主義遂即激勵了他。當巫人統一機構簡稱「巫統」主席那督翁於一九五一年辭職時，他即被推選担任領袖。他認定，獨立的步驟，須先行在馬來人、華人與印度人之間建立互相信任的基礎。這終於使他成爲各民族聯盟和馬來亞領袖。

他並不是口若懸河的演說家，也從不以誇大的言語去掩飾不愉快的實情。他對他的黨（巫統）和聯盟具有極大的信心。（聯盟是由華、巫、印三大民族所組成的。）在一九五五年第一屆民選中，五十二名聯盟候選人中，有五十一人被選爲立法議員，由這個壓倒性的勝利看來，顯然他已獲得了聯合邦人民的信任。

拉曼面對的困難

他也有他的困難，他也經常受到政敵的批評。有些馬來人，說他的黨已將馬來人「出賣」給華人，同時有些華人也同樣地說，馬華公會將華人「出賣」給馬來人。所以他要成爲一個成功的領袖，還須以公正的態度，去謀取華巫各族的團結，才能克服前途的困難。

今後建設成功的關鍵

對於團結華巫兩大民族方面，拉曼認爲個人的榜樣要比千言萬語更能消除懷疑。他曾向福利部申請撫養了兩個華人孤兒。這雖是小事，足見他對于華巫各族團結的看法與做法了。這個一般的看法，新興國家今後建設的成功，有賴于他溫和的自由作風與公正態度，如何謀取華巫各族團結，爲其中關鍵。而團結之道，又如何能使巫印各族的聯合邦成爲團結的聯合邦，而不致被馬共的威脅，然後巫人的馬來亞聯合邦可以共同對付馬共的侵略，及抵抗外來共黨的侵略，目前人們都在注視這個領袖的新作風，而企盼新興國家的其成功！

人物介紹

追思胡政之先生（中）

・陳紀瀅・

三、

（續上期）季鸞先生態度溫和，待人寬厚，館中同人敬而愛之。政之先生治事謹嚴，不苟言笑，館中同人敬而畏之。他倆合作無間，這也是大公報成功的原因之一。如此兩種不同的性格，相輔相成，就能使大公報的業務蒸蒸日上，維持了二十餘年的合作關係。如果說季鸞先生是大公報的靈魂，則政之先生是大公報的骨幹，相輔相成，缺一不可。

記得二十二年冬，我在報社以記者身份編了一張近半年的副刊與本市新聞之後，我要回鄉去過舊曆年。他跟我暢談他初年當記者的經過。「我們當年做記者可以說得萬事通。我爲了跟同業搶新聞，常常跑到崇文門去抄告示。因爲那時候有許多重大新聞，常常在告示內，天亮之前就貼好，等我抄好把電報拍出之後，別的同業們還未起床。所以我的新聞常常搶在大家前頭。記者除作品勤快，不偏不倚。」「大公報的特點就是文人論政，不偏不倚，有心的錯誤不讓他有，無心的錯誤避免。」「大公報的人大都老實而少才，但規矩以報爲家，爲終身事業。」

並且囑咐我回到鄉下，仔細視察農民生活，把農民疾苦寫給報館。

我曾問他：「胡先生整天介這樣忙，身體，請問您攝生的方法怎樣？」那時候，他聽後，笑了笑，說：「做報館的人還有什麼攝生之道？唯一的辦法就是打補釘式的睡覺，隨時睡，睡得要多。」

後來我由原籍再回上海。他與季鸞先生時常去滬旅行。除非他太忙，否則一定邀我去。政之先生每次歸館後，當以「靜觀」筆名撰寫通信稿，文章觀察深刻，眼光犀利，行文簡勁，不愧爲名報人的手筆！

四、

多年以來，我曾懷着濃厚興趣試辨季鸞先生與政之先生所寫文章有什麼不同？這幾乎是件難事！因爲他倆是同一個時代人物，同到日本留學，又同在上海從事新聞事業，同在中國公學授課，與達詮先生三人共同接辦大公報後，無論所持立場，與對事物的見解，更趨一致。所以他倆發表出來的文字，非常混淆，很難令人截然劃分哪篇是誰的手筆。後來我更進一步地從他倆行文時所用術語和名詞各方面加以區別。慢慢才找出他倆文章之不同處。

大概是這樣：他二位的文章在結構、文意、氣勢等方面沒什麼差異。但季鸞先生的文章重感情，政之先生的文章重理智。季鸞先生愛用新名詞和術語，政之先生稍微保守一點。季鸞先生文字已够洗鍊，政之先生則更求遒勁。還有一個最大特點，政之先生愛好對仗句子，尤其在社評裏用的較多。季鸞先生有時也用對仗句子，但較少。

季鸞先生除是政論家外，還是文學家。政之先生則是一個政論家兼名報人。

因此，季鸞先生逝世後，爲編印「季鸞文存」，着實費了一番考正工夫。三十三年十二月「季鸞文存」出版時，政之先生親撰序文，節錄如下：

「季鸞兄逝世三載餘，國內外讀者及各方友好多以張先生文集何時出版相詢。我個人與季鸞有三十年交情，同舟風雨，久共休戚。也極願其文集及早觀成，以留永念。但爲季鸞編文集有一困難，他雖終身從事文字事業，却並不自珍，以爲時事文章朝刊夕爛，他寫文向不留底稿，也不自蒐存，所以早年文章皆已散佚無存。自民國十五年九月，大公報續刊，以迄三十年彼之不起，這一期間，他的主要文章皆在大公報，尚爲完整。然於編選之際，也有兩點困難：一、抗戰期間，大公報迭遭大難，滬、漢、渝、港四館，設備淪陷，文物蕩然，現所得之大公報始自民國二十一年，以前者俱闕，所以自大公報的文章也非全豹。二、大公報社評向採不署名制，於論出一人執筆者，若干立論文章且係大家商討後由一人執筆。久之即難辨認究爲誰之手筆。我編選此文，重讀舊報，一一恨觸往情，同時也難以辨別何者係季鸞所寫，何者爲我自己所寫，且有已經選入而經其他記者辨明係我所寫而復抽出者。記憶不全，辨認困難，也有若干文章雖事過境遷，仍覺未便收入，且有雖已收入而遭檢落者。有此數難，所以此集只能稱爲「文存」，以見其非全。

在文人論政的階段，季鸞就是一個文人論政的典型。他始終是一個熱情橫溢的新聞記者，他一生的文章議論，就是這一時代的活歷史。讀者今日重讀其文，將處處接觸到他的人格與熱情，也必將時時證認到這一段時代的歷史，季鸞既逝，其文尚存；國族永生，亟待進步。我編「季鸞文存」既竟，既傷老友之逝，尤感國事之待我儕努力者尚多，國人讀季鸞之文，倘能識其一貫的憂時謀國之深情，進而體會其愛人濟世的用心，則其文不傳而傳，季鸞雖死不死！

中華民國三十三年十一月十日胡霖序於重慶大公報社」

從胡氏序文，可證實兩點：一點是他倆所寫文章難以辨認。另一點是季鸞先生「熱情橫溢」。可惜季鸞先生早逝，否則他若死在政之先生以後，也同樣編印一部「政之文存」，由季鸞先生作序文。其情形又將怎樣？

五、

抗戰以後，大公報連續關閉津滬兩館，由季鸞與政之二位先生，分兩路另行建館。一路是跟隨政府西遷，一路向外發展。政之先生就擔任了香港建館的任務。廿九年日本攫取香港，他又在桂林建館。香港與桂林都不是辦報的理想地點，尤其是對大公報更較困難。政之先生獨負艱鉅，在這兩個文化水準比較低落，地方彩色濃厚的城市創辦新聞事業，頗有點吃力不討好。但憑他的宏大氣魄，卒能夠戰勝困難，在「東方之珠」與「八桂」播下文化種子。在抗戰時期，對海外與西南諸省頗盡宣傳之効。

季鸞先生長於文章，政之先生則兼長處理業務。職此在大陸淪陷以前的大公報，有幾個特點，不完全被外人知道，也不受人注意。但我認爲却是大公報成功條件諸多種之一部份。這些特點則多半出於政之先生的安排。

一、以編輯部領導經理部。這種制度也許在美英等以新聞爲企業的國家已視爲落伍，但在文人論政階段的中國，新聞事業仍是不可避免的一種傳統倚重。迄至現在，大多數報館，仍然維持這項傳統。不過，論有績效，大公報堪稱首屈一指；論做得徹底，大公報也唯一無二。如衆所周知，大公報第二輩同人中，所有負責經理業務的人，如曹谷冰、許萱伯、李子寬、金誠夫、王文彬等無一不是經過在編輯部數段編要聞版階段而改任。程序是這樣的：一個新進人員除担任職員外，多半從事文字工作而進館。在編輯部由担任採訪、編輯起，然後編要聞版，或派在外埠當特派員。大約服務十年之後，不但文字工作已站得住，對內對外也有了相當人望與信用。再派到經理部門主持業務。（未完）

大陸的「新五四運動」

——火炬篇——

·沈著·

最近數月來，大陸青年學生反共怒潮，聲勢的浩大，思想內容底深刻，超出了一般人的想像之外。

章伯鈞等的估計

此項運動根據毛澤東在「最高國務會議」中所作的那篇有關矛盾問題的報告，及章伯鈞與費孝通、曾昭掄、陶大鏞、吳景超、黃藥眠等六教授在皇行秘密會議時對目前大陸學生思想情況作的估計看，並不是突發的，而是長期醞釀的必然結果。——早在去年十月匈牙利革命之後便已劇烈醞釀，不過遲今年五月中共整風後的鳴放而爆發吧了。

大陸一般教授及學生們自己認定這是「五四」歷史底重演，故有人稱之爲「新五四運動」。

鐵幕真相

五四健將復出

「新五四」運動的第一把火炬，正是當年創造「五四運動」的「北京大學」學生。五月四日，原爲中共欽定的「青年節」，「北大」學生就選定這一天作苦難。八千人在該校大操場上，肅穆地舉行「自由晚會」，當有十九個學生連續登台發表了激烈的演說，對中共政權幾年來摧殘自由民主，禁錮學術思想提出了嚴正的抨擊，並當場喊出了「繼承五四光榮傳統」等口號。

譚天榮的「一株毒草」

第二天，物理系四年級學生譚天榮在該校的壁報——「民主牆」上發表了一篇題爲「一株毒草」的革命性的文章，主張對中共的官僚主義「一棍子打死」。自此以後，「北大」學生便組織了「百花學社」，增闢了「百花壇」和「自由論壇」兩個大壁報，正式用文字不斷對中共暴政及基本制度展開了猛烈的抨擊，與無情的批判。

龍英華的公開信

到了六月二日，哲學系一年級學生龍英華寫了一封公開信給該校的印刷工人，激勵了他們的反共情緒，趕走了該廠所有共幹，與學生連成一條戰線，將該廠交給學生使用。於是，「北大」學生們以「百花學社」的組織爲主體，由「百花壇」，「自由論壇」等聯合出版了一口名爲「廣場」的刊物，並由譚天榮、劉奇弟、李亞白、龍英華、李燕生、陳奉孝，葉于性等組織編務委員會，同時編印了一本名爲「民主接力棒」的小冊子，廣泛寄各地大中學校，要各地的學生爲民主革命「接力奮鬥」。

北大的「民主接力棒」

「民主接力棒」發出後，並由譚天榮、劉奇弟、陳奉孝、葉性于等組織「北大訪問團」去平津各校從事聯絡活動。

天津大學的「春雷社」

譚天榮等到天津後，「天津大學」，「天津師範學院」，「南開大學」，「天津學院」等立即掀起了反共學潮，一面罷課，一面在校內創辦壁報，展開了激烈的反共言詞，當時僅「天津大學」學生組織的反共壁報或反共組織，就有「春雷社」、「DDT社」、「沙布社」、「風雨社」、「鳴放社」等五個之多，其蓬勃情形概可想見。

二十四個學院的「聯合戰線」

北平所有二十四個院校的絕大多數學生也紛紛行動起來，其中最有名的，是「北京師範大學」的兩張壁報——「苦藥」，「底層之聲」，與「北大」的「廣場」和「自由論壇」等，結成了「聯合戰線」，用極其有效力的雜感，小品、詩歌等。一唱一和地針對中共所有的制度、政策、人物展開了廣泛的抨擊和諷嘲。同時中共的「人民大學」學生也對中共的官僚主義，宗派主義和教條主義集中地展開了抨擊。

林希翎的五點指控

其中有聲有色的，是該校法律系四年級一位女生林希翎指控中共如下五點：

一、大陸人民與共黨之間的存有嚴重矛盾，乃因共黨的政治制度根本有問題。她說三害的根源就在於共黨的制度太不民主，太強調黨性，太迷信馬列經典。

二、黨包辦了一切，使幹部和黨員變成了三種特殊化的人——「混蛋」，「腐化」，「僵化」。

三、共黨的司法工作完全是黑霸式的，過去幾年不知害死了多少好人。

四、共黨的選舉制度完全是虛僞的，所有的「候選人」和投票都是欽定的。

五、青年需要向上，共黨去禁錮思想，摧殘捍衛，因此中共已成爲阻礙進步的反動勢力。

她是副部長共幹的女兒

據黃紹竑說：林希翎是其「貌不驚揚，而談吐風生」的女青年，原名程海東，是一個中共副部長級幹部的女兒，因此她還是中共黨員，顯然出於她是一個高級共幹的女兒，黨員、而且語出驚人，更鼓舞了平津各處學生的反共勇氣，公開響應（喊）出了種種爆炸性的口號，甚至大呼：「革命的時間到了，是生死搏鬥的時候了！」

黨書記住宅爆炸事件

就在這一時期——六月十七日，「北平醫學院」黨委書記住宅，突發生投彈爆炸事件。投彈的又是一個身份純正的學生，更使北平地區的學潮到達了沸點。

曾昭掄等認是匈式革命前夕

當時一般大學教員陶大鏞、黃藥眠等都認爲情況乃「五四」所未有。又一部份教授曾昭掄（現任職高教部副部長）等，更認爲目前大陸學生的反共情緒，實已到了匈牙利式革命的前夕，只要有人振臂一呼，大革命就一定會全面爆發。他這話說中了，這是一把火炬，一經鼓動之後，果然各地學生風起雲湧地起來接受他們的「民主接力棒」。

國際動態拾零

東柏林消息，共產世界對于本年十一月，召集巨頭會議于克里姆宮。參加者除赫魯雪夫外，有狄托，毛澤東，與波蘭之哥穆卡。議事日程爲「如何保持馬克思列寧主義之公同利益？」。聞將避免紅色集團之再分裂。

×　×　×

據說亞洲流行性感冒，將于本年冬季進襲美國，美國醫藥界已發明抵抗傷風之細菌，並已大量製造針藥，唯實驗結果，有效程度，僅有百分之五十至七十。據衛生當局報告，如無此種針藥之發明，傳染此病者將有一千六百萬人，死亡者將達五千人。

×　×　×

國務院專家估計，蘇聯對美態度將軟化。米高揚將代布加寧爲總理，米氏是促進美蘇文化交換的人。赫魯歇夫主張鬆弛對衛星國的統制，以反對莫洛托夫之強硬政策著名。朱可夫之威望日高，他是標準型的蘇聯人，謹慎而且客氣。

陶然

「誹謗法案」在修訂中 「民主櫥窗」下的新聞自由

·祝修衡·

香港的「言論自由」，在狹義的「誹謗法例」下，在最近幾年，幾被英倫視爲「民主櫥窗」爭議的焦點。新聞事業進一步的發展，和健全輿論的樹立，無可否認地受到若干阻礙。

香港法例制訂原則，以中英兩國法律爲藍本，取其宜行條例釐定；原因不外本港市民，中國人居多，生活積久成習。但民國以來，中英兩國法律，均爲適合民主潮流，增刪屢見；港例卻未稍更變，跟日新的時代顯難迎合，不能無憾。

「毀謗名譽法」

如一九五二年英國頒行的「毀謗名譽法」，已採毀謗名譽法委員會建議重行修訂；香港律政當局原應循例考慮修正。主要點大致爲：（一）使無意而觸犯毀謗別人罪之人，於作更正之後，得以免被控訴；（二）將關於報紙特權之法律放在一新基礎上。而該例的其他部分，包括廣播或散播影響官員、職業或商業名譽的毀謗等。

根據中國民刑訴訟法規定，一般犯罪之人係決定於有故意犯罪的證據；如果沒有故意犯罪證據，罪責不能成立，雜誌另有出版法明文規定，紀載不實的文字，應接受當事人要求或自動更正；倘不遵守這一條文，有被視爲構成罪責。這是民國以來幾經修訂的涉及誹謗法案，但本港未遑考慮，亦無人向律政當局提供建議。那可能是未曾注意。

這裏有一件事例

最近幾年，香港人事日繁，無意觸犯誹謗而「構成」罪責事件，去年一度接連發生數宗，幾家日晚報均被處罰，儘管不是最高（五千元）罰款，卻已引起倫敦報紙不小煩言。人們也許尚能記得：早幾年有一業主稱一單身女住客爲「師奶」！言者無意，聽者有心，一狀告到法院，誹謗罪一經宣告成立，卒被判賠償名譽損失五千元。本來，筆尖、口頭上無心之失，總得給予糾正機會，方不失爲民主大度，社會纔能進步發展。

香港既有「民主櫥窗」美譽，尤應充實內容，不能僅重形式。使這一美麗城市，成爲最低限度的民主社會。似乎誰都有此要求。但健全的輿論絕不能任其長期成爲難換現象。應當賦予充分發言權利，這樣，纔能培養民主風氣，創進開明政制，促進社會繁榮。

不久前有修正之議

不久以前，盛傳立法局將討論修改誹謗法案，這一件大新聞一度於各報顯著地位刊出後，人們似乎對立法局每次例會無不特別注意，但迄今未見提出討論。到底是怎麼一回事呢？就筆者所知，這一誹謗法律的修正草案，現在尚未開始起草，問題是修訂委會目前所修訂的法案，均係十分繁重而需要優先處理者，在一九五七年年底之前，即使起草完成，恐亦不易爲立法局三讀通過。

已由有關當局起草

負責修改現行誹謗法例起草、建議的委員會，係由正按察司何瑾（主席）、律政司顧維邇、立法局（非官守）議員羅文惠、登記總署署長鍾志、香港大律師公會主席麥雅爾、香港律師公會主席李漢度士、律政司署的巴加威、蒲詩殊（秘書）等組成。他們曾於本年初間，縝密審查香港現行的誹謗法例，發現很多缺點，跟英國的現行誹謗法例迥然不同；於是，該法律修訂委員會參照英國法律，決定草擬第一份報告書，建議重行修訂，即能配合英國的現行「誹謗法律」。這份報告書經由輔政司戴維德，於今年四月十日向立法局提出，同時並聲明：香港政府已接納該報告書所陳述的各項意見；稍遲當可提出該「誹謗法」的修正草案。

修訂該例[illegible]

當然，這一關係保障[illegible]，立法局各議員特別重視，於[illegible]後，無一表示異議。相信[illegible]均能承認輿論的責職，隨複雜的[illegible]日益繁重，而負責的言論，爲了適合廣泛的公衆要求，無心之失容或難免；接受「更正」彌過，與以「罰正」、「勸誡」爲其辯護，乃爲人與人之間的常情，無可厚非。可是，現時吾人所遺憾的，殆無過於社會上有一部分不具用心之流，專事尋隙抵罅，橫撥爭訟，遂使報紙[illegible]律咎。[illegible]不特「新聞自由」受威脅，影響新聞事業發展既大，更足阻礙建立健全的公正與論。故此，「誹謗法例」的修訂，誰謂不是開脫市民「枷鎖」的善政呢？

書刊介紹

求學與做人

白志忠著——自由出版社刊行

·邵鏡人·

白志忠先生最近以其新著「求學與做人」見贈，披讀一過，深佩白先生用力甚勤，用心良苦！

近數十年來的教育，日新月異，尚在嘗試改進當中。而大學畢業的人數，年年增加，留學生亦復不少，但是，所得到的效果，距吾人所期望者相差太遠了。這個原因，決不是數百言短文所能說明白的。概括籠統而言之，總不外是青年人基本修養太差，躐等以進，縱或窺見一些學術門徑，或者學得人家的皮毛，而依然無補於國家社會所需要的。所以，儘管大學生，留學生，多似牛毛，然而國家學術荒蕪，人情澆漓，社會道德一天墮落一天，終是不易挽救的。

白先生目擊現狀，憂心如擣，遂以菩薩心腸，教育家態度，寫出一本書：爲的珍惜青年人時間和精力，以便運用最經濟時間和最有限精力，學習各方面所需要的新知識，與實驗，致能，隨着時代進步，成爲新時代健全國民，終至能夠負起扶危定傾的責任。

書中對於青年所要學習和必須學習的知識，應用和必須懂得應用技能，所要修養和必須修養的方法，步驟，所要了解和必須了解的常識，專誠，一一概舉出可行的原則與方法，只要青年們掌握住時機，切實學習下去，一定可收事半功倍之效的。

他爲的閱讀方便起見，更以簡明文字，分綱分目列舉。例如知識之部，分出怎樣讀國文、英文、數理化、歷史、地理？怎樣作文，寫日記，寫信？……修養之部，除了明白人生道理與正確目的外，又列舉怎樣修養自己，保持心理健康，生活愉快，智慧增長，待人接物，交游擇友，寬恕容忍等。服務之部，怎樣選擇職業，發揮效能，以及就業後的態度，並指示閱讀中英文，是引用學者專家心得，其中關於怎樣讀國文，讀英文的言論，更爲精彩，有獨到精闢見解，足爲青年開一條讀書入門的捷徑。

編者話

△凌冰先生：函悉。請將稿費單簽字託人在港到本社領取即可。

△牛劍午先生：八月十五日來函敬悉，瓦斯先生通訊址可由本報轉。

△蕭立坤先生：牛曦先生欲與先生通訊，請將餘址示知牛先生爲荷。

△陳曉風先生：承示「一個銀行人員對待遇的看法」，並詢編者意見。此意並非「未便發表」，但可「不必發表」。因其中談及「沒有理由把銀行人員的待遇降低，而應把普通公務人員的待遇提高到銀行人員那麼多」，倒是一個公平合理的看法。謹覆。（編者）

自由談

我的杞憂

馬五先生

中國大陸上這次發生的「反黨反社會主義」事變，乃爲十足的人民內部對抗性的矛盾現象，是中共僞政權皆八年以來最嚴重的危機。從自由中國的立場設想，這當然是我們發展政治反攻力量的大好機會，稍縱即逝的。

然而，政治反攻的效用，不是僅作些文字和口頭宣傳所能獲致的，必須有行動的配合才行。譬如共黨僞政權所恃以誘惑海內外人心的統戰魔術，有了這次「反右派」的惡作劇，西洋鏡已經完全戳穿，再也沒人理睬它那套「愛國不分先後」的鬼話，即使過去對共黨懷着某種幻想的人，大家亦已幡然覺醒，轉而寄其希望於反共的自由中國了。此時此事，政府除卻派飛機赴大陸散發傳單以外，更該趕快表現政治反攻的實際行動，以期振奮人心。至於跟着共黨背後而學步瞎搞的無益又無聊之事，如在報上寫文字教章伯鈞及早逃到台灣來等玩意，這心理作戰的意義也說不上，徒然令人作嘔而已。

光是散傳單教大陸人民反共，寫文字勸「右派份子」到台灣來，這就算是盡了政治反攻的能事？這樣廉價的反攻效果，除非自天而降，人間是不會有的。所謂政治反攻的實際行動多端，要在能有新的政治號召與作風，只須表現一項具體的事實，大家觀感必將爲之丕變，而一致團結，共赴國難的復興氣運，即蒸蒸日上了。

共產黨是一種暴力集團，若不使用各種力量實行打擊它，而但事宣傳咒罵，雖斥之爲「匪幫」，亦復何濟於事呢？中共暴力政權終歸是崩潰的，假使我們沒有新的政治號召與作法，則將來打倒中共的力量，恐怕不會集結在我們這一邊，這就是區區的杞憂所在！

小啓：明日我到東京旅行去，自下期起，「自由談」暫停，敬希讀者諒察是幸。

蓬拆拆時代

——我見到一角落

陳永昌

我這一輩怎麼樣？——世紀末的一代：蓬拆拆時代。

看了近日「自由人」一連登了數篇「自白篇」後，使我發生上面這個感想，自問自答。筆者年僅二十二，所見實少，也許所說的話是世紀末的一角落的一部份人，冒犯了他人也顧不得許多了。

我出生於香港，除於抗戰時期回鄉三年餘外，其餘時間全部均居於香港。日寇戰據香港時，筆者年幼，沒有甚麼國家民族觀念，只是對蘿蔔頭（日人）存着畏懼心理吧了。等到一聲砲竹共慶抗戰勝利之時，已身處蓬拆拆時代了。世紀末阿飛之風已成爲我這一輩普遍的習染。悲哉！

阿飛青年以蓬拆拆爲橋樑，結識很多很多的異性，玩弄愛情，逢人便說「我愛嫁」，玩膩了便像拋掉廢物地把愛人遺棄，從未想到愛情原是情感的代價，是有責任的。

我之所以名我們這一代爲蓬拆拆時代，實非無根據的，不但成人，就算是三歲孩童，也已懂得蓬拆拆爲何物。每晚華燈初上，蓬拆拆之聲便不絕於耳，甚麼「派對」，甚麼夜總會、甚麼舞院，燈紅酒綠，臘板銀燈，不知陶醉了多少青年男女，不知使多少我這一代的人墮落。街的東邊一聲蓬拆拆，街的西邊又蓬拆拆，甚至收音機也常常傳出蓬拆拆之聲，終日耳濡目染，難怪小孩子於聽到蓬拆拆時也「脚都郁」了。我絕對相信近代青年人不懂得蓬拆拆是絕無僅有的。中學生都已能做蓬拆拆的教師，大學生卻已能做蓬拆拆的教授了。年小的一代托着腮，「仰望」哥哥姐姐的蓬拆拆之腳法，年老的及中年的嘆息着自已下一代的不振作，但他們也沒法可想，爲的這是蓬拆拆的時代呀！蓬拆拆經已佔領了每個青年人的心。

下堂鐘聲過後，便把書本拋掉，立即趕去舞院上課，他們爲了要趕上時代，不得不去趕上「時代的一課」；週末到了，表演的機會來了，你懂得「蘐步」嗎？我懂得「森巴」；你懂得「喳喳」嗎！我懂得「加力騷」；你懂得「山巴」嗎！我懂得「探戈」，交換一下又如何？於是輪流左擁右抱，難道這還有好事幹出來嗎？他們爲了趕上時代，把書本棄諸腦後，歲月蹉跎，不知老之將至矣！

蓬拆拆的特色，就是青年人沒有國家民族觀念，蓬拆拆之聲把國家觀念之「蓬」「拆」去了，把民族觀念也「已」「拆」去了，把自蓬入格也「蓬」「拆」一去了。求學的被蓬拆拆之聲吸引着而致不與集中精力從事學問的探討，于是傑出的成就沒有了；做事的只求能解決生活，便不再從事更偉大的創作，甯願把多餘的精力及時間花費在蓬拆拆上，于是社會進步也不可能了。

青年人是現時代的骨幹，可惜骨髓已被蓬拆滲透了，我覺得在我接觸的一角落，是我這一代人罪惡之源。

我眼看着不知多少青年男女爲了蓬拆拆失了學業，失了事業，失了將來，淪落了成爲一個玩世的人，一反以前和年幼較輕不懂蓬拆的時代的認識種種態度，這些不能不說是拜蓬拆拆之賜了。

不要再讓蓬拆拆介入我們的生活中吧！可悲的蓬拆時代。

不修女德修女容

·楊有釗·

海上學校

中篇小說

趙滋蕃著

「笨傢伙，老是胡來，他又不是那條四眼狗！他媽的膿包！」鄒雲亭喝斥道。「來，來，曼石，喝杯酒聊聊天如何？」拉長的狗臉一收縮，換上了一副人臉。

「謝謝你，」他說。「你曉得我是滴酒不嘗的。」

「汽水總歸可以吧，喝杯汽水好不好？」

周曼石被歪纏得無法脫身，只好答應下來。他始終感到忐忑不寧，因爲他不知道他們的葫蘆裏，到底賣的甚麼藥！

擺渡艇劃槳發記紫洞艇慢慢搖去。五月的避風塘上，已經是「熱水生意」的季節。手提收音機播送出來的粵曲，喧闐盈耳；海面上的遊船如織。賣生菓汽水的，賣粥賣海鮮的，玩十三張打麻將的，在「嘛嘛船」或「道館船」上唸經做法事的，左擁右抱着船妓遊「船河」的，穿梭般從擺渡艇旁邊搖過。笑語諠嘩，情調特別。周曼石微覺耳朶發燒，頗爲後悔他今晚的孟浪。

「曼石，上海街你一共逛過幾次？」鄒雲亭聳聳臂膊說。

「幾次？這還是破天荒頭一趟哩。」

「我不信——我不信你是聖人！」

「這與聖人有甚麼關係呢？」他不解地蹙起額頭。

「那也好，讓你開開眼界。叫你認識認識海上的繁華風月！」

「但是，很抱歉，我害怕過這種生活。」

「哦哦，連這點勇氣也沒有嗎？逢場作戲，眼中有妓，心中無妓，不就得了嗎？」

「我，我的身份與你有些不同，」周曼石期期艾艾地說。「你是遊客，我是此間海上學校的教員。」

「小意思，嘻嘻，酒色財氣人人都愛，當教員的我想也不例外。而且，」他瞇起眼睛發着奸笑，「你們既然有這種勇氣，在避風塘中間開辦學校，宣傳你們那種落魄的小資產階級的信念，那麼，你們也該有勇氣接受現實的挑戰，睜開眼睛看看你們的環境，到底是一個甚麼樣的社會？」

「噢，看你的口風好像變了，」周曼石想，心中增加了幾分戒備。

「這個社會是個笑貧不笑娼的社會，有奶便是娘，一切都在錢眼裏翻觔斗，一切都在鈔票上跳舞！嘻嘻，有錢萬事足，其他的可以死人都不管！」鄒雲亭旁若無人，神氣活現地繼續發抒偉論。「所以，我說呀曼石，要在這窮蛋家賊中辦學校，無異於在娼門中找愛情！玩玩票是可以的，若要頂眞起來，那是不背時尋時背，五肝六肺都會氣炸的！」

「我看這倒不見得，」周曼石搖着頭。

「不見得？哼，眼面前擺的都是看得見的事實！咱們哥兒倆騎牛趕馬，走着瞧吧！」

「我們的海上學校，就不如你所說的那麼悲觀，」他說，「事實上我們與海上人家，合作得很好，它一天比一天興旺」。

「是嗎？嘿嘿，栽種在沙池上的幻想，是不會開花結實的呀！」鄒雲亭扯了一把溜尖的鼻子，不屑地抬頭望天。「假如你有勇氣，今晚我帶你遊十八層地獄，瞧瞧美麗的理想旁邊，赤裸裸躺着一個怎麼醜惡的現實！我們要在唯物的基礎上，開始大量觀察，把頭埋在沙土裏做鴕鳥是不行的！是嗎？曼石！」

「我，決定奉陪！」周曼石的語意裏飽含激激怒的忿恨的表情。

「是啊，這樣就好了，與風車作戰的好漢，也需要英勇姿態呀，嘻嘻，」他輕佻地拍打着他、肩膊。「我覺得，兄弟，你是那窩天眞的靈魂裏最天眞的一個！」

談話在擺渡艇靠攏紫洞艇的時候停止了。鄒雲亭鬼鬼祟祟地附在那臉上寫了個疑問號的歪鼻子耳邊，嘰哩咕嚕了一陣，然後，攙扶周曼石，走向正廳。（四七）

閒話

道義云何

幾年前聯合國共約禁運戰略物資輸入鐵幕國家，多少人額手稱快，以爲可予侵略者以打擊矣；現在英國已經採取單獨行動，自由放寬對禁運的限制，多少人震驚不已，譴責英國此舉破壞盟國協定的道義。

什麼是道義？且聽我道來。國際間的邦交，猶之乎個人與個人間的交往，道義也者，須在各不損害利益下產生；換言之，道義以利害爲之取決標準，「捨命陪君子」赴湯蹈火，捨己以救人諸美德，只有在古代典籍中有之，看看今世，有幾人如是？恐怕即或有之，亦被人恥笑爲傻子矣。

尤其是今之各國皆工商業社會，賴工商業以維持國家體制，故與國亦以工商業利害關係爲之取決，在我國言英國破壞道義，在英國言亦振振有詞也。譬如甲（爲農人）與乙（爲商人）相交，若甲告乙在必賣商品與丙，其乙之[illegible]吃什麼？環顧聯合國中，凡工商業國家所以與美國作如此觀者，以此。中共之所以不奪香港，亦賴此以爲侵略物資運輸站也，在禁運嚴緊中，看看工商業國家的商埠運往鐵幕之戰略物資數字，已足令人咋舌矣！道義能和商品交換嗎？

·軒轅黃·

自由人

THE FREEMAN

（第六七八期）

每份港幣壹毫

台北市售價每份台幣壹元

社址：香港高士威道二十號四樓 20 CAUSEWAY RD. 3RD. FL. HONG KONG TEL. 771726

承印者：東南印務出版社　地址：九龍打士道二十四號

台灣總經理處：台北市西寧南路

蘇德商務談判與「拉派勞」精神

——德國選舉前夕的蘇聯「和平共存」術

宋文明

蘇聯與德國的商務談判，早於七月二十二日開始在莫斯科舉行，一度曾因遣返德平民問題爭執而告停頓，後又恢復舉行。不過由於對外完全保持秘密，所以至今為止，我們不知道這一談判究竟已發展到什麼地步，也不知是否一如預定限在一個月內結束。不過有兩點我們必須瞭解的是：一，這一談判的能夠舉行和繼續，自始即不是蘇德雙方一拍即合和兩相情願的表現，而是蘇聯經過整整半年之久繼續不斷拉攏德國的結果。

一

在這半年期中，蘇聯總理布加寧與西德總理艾登諾前後交換了八次函件，而布加寧在這些函件中所持的態度，亦一次比一次溫和，最後使西德除同意這一談判外，似別無選擇。二，這一談判實際上的重要性，遠比表面所現出者更大，因這一談判進行的結果，不僅決定蘇德現行關係能否予以更進一步的改善，而且亦將影響蘇聯的對德政策及德國的統一前途。

一般人雖稱蘇德間這一談判為商務談判，但事實上，這一談判除了要求簽訂蘇德間的一項長期商務協定，發展兩國貿易外，還包括三項重要問題，即交換領事問題，文化與科學技術交流問題，和遣返兩國平民問題。最後一項是德國所堅持要討論的，亦是希望和其他各問題同時獲得解決的。假若蘇聯肯在遣返德平民問題上作相當的讓步，那麼西德同樣亦會在其他的問題上作讓步。因此這一談判假若照它們的預想發展下去，不僅蘇德間將有一個長期的商務協定，和小一部份德國平民被遣送返國，而且亦有可能出現領事協定和文化合作協定等，使蘇德兩國的關係，不論在外交，經濟和文化各方面都能有更好的開展。

二

何以蘇聯要堅持舉行這一談判？又何以為了舉行這一談判竟最後不惜在遣返德平民問題上作重大讓步？對於這些問題，蘇聯自己已作了最好的回答。

本年四月六日蘇聯消息報上，有位名鮑耶諾夫（Polyanov）的國際問題專家，撰文如此說：「根據拉派勞條約而來的互助合作精神，今仍有效」。所謂拉派勞條約就是蘇德兩國在一九二二年四月所簽訂的一項條約，在這一條約中不僅恢復了蘇德兩國的正常外交與領事關係，以共同友誼調整了商務貿易關係，而且雙方均無條件放棄了一切賠償要求。因此所謂拉派勞精神（Spirit of Rapallo）者，便是恢復全面外交與領事關係的精神，樹立健全的商務貿易關係的精神，加強共同友好關係的精神，及遺忘一切戰爭創傷的精神。過去多少年來，蘇聯一直把這一拉派勞條約置諸腦後；可是在今年，蘇聯不僅煞有其事的公開為這一條約的三十五週年舉行紀念，而且還立即採取實際行動，企圖把這一條約恢復起來。今日要求簽訂所謂商務協定，領事交換協定，文化和科學合作協定等，實無一不是基於這一所謂拉派勞條約的。

不過今天的蘇聯行動和過去的拉派勞條約之間，顯然有一個很重要的區別。過去的拉派勞條約，其唯一目的在使蘇德兩國於友好基礎上，恢復全面的外交商務關係；而今天蘇聯的行動，除了利用所謂拉派勞精神，企圖喚起德國人民過去對蘇友好的一段回憶外，其眞正的目的，並不在恢復全面的正常關係，而是在別的地方。蘇聯很知道，今日蘇德兩國的關係是不正常的，除非東西德獲致統一，在預見的將來蘇德關係仍舊是不正常的。在這種根本不正常的外交關係下，即令兩國簽訂了商務協定，領事協定，和文化合作協定之類，還是不正常的。所以蘇聯的利用所謂拉派勞精神以推動目前的莫斯科談判，正如一九五五年艾德諾訪蘇時，利用「羅蜜歐和朱麗葉」，呼籲兩國諒解，一九五六年利用過去的蘇德互不侵犯條約來推動和平一樣，完全是一時的權宜之計。

三

實際上蘇聯利用所謂拉派勞精神，和積極進行蘇德談判的目的，主要一個着眼點就在應付即將到來的西德選舉和選舉以後的情勢上。因為單單拉派勞精神和進行蘇德談判的結果，不論這一行動的實際成就如何，至少這種作法表示了蘇聯對德國的友好態度，表示蘇德間的一切爭執可經由談判途徑尋求解決，也表示祗有經由與蘇聯友好合作的方式，才能最後獲得德國的統一。這種態度對於西德內部主張實行中立，以解決德國統一的派系，當然是有好處的。同時在這次選舉中假若艾登諾的基督教民主黨再度勝利，那麼這種拉派勞精神，和基於這種拉派勞精神而來的各種協議，將用以緩和西德對蘇的敵視，為將來新的作法作準備。假若在這次選舉中社會黨獲勝，那麼這種拉派勞精神及其成就，又將成為全德實行統一的基礎，為蘇德全面友好打基礎。既然如此，何以艾登諾要同意舉行這種談判，為莫斯科的拉派勞攻勢作義務宣傳？我想艾登諾是充分衡量過這一情勢的，然後覺得同意這一談判固有許多壞處，同樣也有很多好處。艾登諾以為這一談判可以證明，他的與西方聯盟政策，不僅未如反對黨所料破壞了德國統一的機會，反而緊迫蘇聯積極尋求與德國接近，正足以強化他的競選地位。蘇聯的利用拉派勞精神及蘇德談判，來企圖影響德國選舉，正如西方利用最近聯合聲明來影響選舉一樣。既然西方如此，我們亦不能禁止蘇聯這樣作。

不過從遠處看，不論雙方對這次選舉如何重視，不論雙方在選舉前夕採取何種行動，而眞正對德國統一的重大步驟，將不會出現在本（九）月十五日選舉以前，而是要出現在選舉以後。因在選舉以前，雙方都在強化自己的固有立場，不欲有所示弱，等到選舉以後，失敗者一方非作讓步不可。換言之，西方在德國問題上必須要作讓步，若艾登諾失敗，若艾登諾勝利，蘇聯也不會再等另一個四年。所以要看德國這幕鬥爭，要看拉派勞精神究竟如何，還須看未來的精彩表演。（完）

半週述評

天下之治亂

最近，在自由中國這方面，無論是在台灣或海外的知識分子，於大鳴大放導致中共內部不安繼續擴大的新形勢鼓舞下，朝野間的論爭相持於反對黨問題，反攻問題，和救國會議是否召開等問題上。

這些問題和論爭底焦點，無非是為了試求團結之道，以加速推進反共復國的成功，誰也不應說是在於乘機向政府「為難」甚至「作亂」。當更非什麼個人或集團藉此以向執政黨要分享一杯羹。如果有這樣的人或這樣的集團，不僅其面目可憎，其心實亦可誅！

因此，就政府的立場言，應該洞察權衡當前的情勢，確切地表示鮮明態度，也不能不週面對共同的呼聲，默而不聞，更不應加以歧視。

站在第三者的立場，對於執政的第一大黨—國民黨，這八年來的苦撐和企求從失敗中求勝之心，是可以諒解的，但執政黨之尚未能於失敗之後完全擺脫「唯我獨尊」意識束縛，致未能予人以「大公無私」的觀感，却也有點令人未免失望了！

三百年前的知識分子王犁洲說得好，「天下之治亂，不在一姓之興亡，而在萬民之憂樂」。

就現代民主政治，政黨政治之角度論，則「天下之治亂」，當不在一黨或一氏之興亡！若持一黨或一氏之興亡以言天下之治亂，則竊取了大陸的中共或毛劉輩，豈不將成為不可動搖的萬世基業了？

正由於政府對這些問題或明或暗持以「獨行千里」的意識，已使海內外若干愛國之士，也有因氣餒，無形中取消了積極態度，轉向冷淡以至於緘默之途。從大處看，這個態度是絕大的不幸，這樣發展下去，團結途中的暗礁，是很可慮的。

英國人有羞恥心

東西雙方的裁軍論戰，儘管在倫敦會議上儼然有介事，但會議外的宣傳戰，却已暫入另一高潮！

英國防大臣桑第斯已直率地表示：如果蘇俄發動戰爭，它將死無葬身之地，難免遭受毀滅！

英國防實力的增強，主要是在核武器上的突飛猛晉，已使西歐第一線的防衛實力無需完全依賴美國，而法國在較早時期，也曾表示了要在核武器方面迎頭趕上。

英國實力之能夠不斷增強，尤在於能從殖放棄殖民地，裁減海外駐軍，減少了國力的消耗。

予殖民地以自主機會，一方面固可使「子國」獨立增高其地位，同時也解脫了「母國」的困窘。如果法國要迎頭趕上英國，除了必須澈底放棄殖民地政策外，同時還要有羞於讓美國來單獨負擔西歐防務的心。桑第斯對此，是承認依賴美國為大錯誤的。

實則，任何一個屬於自由集團的成員國，皆[illegible]圖強的。自求多福之心，乃為立國久長之道。

可邀右派份子訪美

中共拒美記者入境並污衊之為「間諜」後，美國務院曾出諸幽默之聲明，而民間輿論則頗為憤慨。今則參院共和黨首領諾蘭建議可發給特別「暫時新聞證」，予中共記者赴美，以資交換訪問。

諾蘭的建議誠佳，但不知對於邀請中共記者是否已具腹稿，此者，我願略供芻議。

按中共初時邀請美記者，係採「點將」法，當時各方曾逐個分析其背景，內中不無有中共同情者在，現則美國亦可如法泡製，列一名單，照單點將邀請，至於該名單如何開列呢？這是「易過借火」，凡是那些被中共列為右派份子而具有共黨黨籍或國籍的新聞從業員，皆有被邀請之資格，如是，則山姆大叔不亦可與毛和尚一默乎。

李金晖

要創造反攻的時機

谷懷

「君自故鄉來，應知故鄉事。」我從台灣來，卻不大懂得台灣的政治行情。然而，香港的朋友，見面開談，總是抱着「應知」的心情問道：「甚麼時候才可以反功大陸？」這問題，不獨圈外的我，難於解答，就是最高負責當局，恐也答不出來。

（一）

去年，政府有資格發言的軍政首長，老是强調台灣的防禦力强，不怕共黨來攻。今年，語調轉變了，不是說軍事部署已定，待時而動，便是說反攻準備已完成，俟機而發。可是，怎樣才算是適當的時機，這時機甚麼時候才會來臨，那就問題更多了！所謂時機，成了反攻的先決條件，時機一日不來，反攻一日無望。大家關心的問題在此，大家的心情之所以焦燥煩惱亦在此。

時，是指時間的某一節段；機，是指空間的某一事件。甚麼事件才有利於反攻？甚麼時間才會發生這有利事件？均屬未可知之數。所謂待時而動，俟機反攻，祗是自己安慰自己的說法，擺脫不了時間與空間的支配。這是被動的想法，除在意識上構成一種模糊的觀念外，再看不出任何影子足以顯示時機的來臨。未可知的時機，除等待外，再沒其他辦法。「俟河之清，人壽幾何？」這樣等待又等待，那就難怪大家的心情苦悶了！

不等待又怎樣？難道要盲目蠻幹？不，中國的命運已到了生死關頭，一綫的命脈，繫於台灣一地，萬不能把國運作孤注。我們要採取主動，自己來控制時間與空間。換句話說，我們要自己製造一個有利於反攻的時機。倘能有計劃的按步實施，這個時機便在我們的掌握中。反攻復國，責無旁貸，我們相信政府何[illegible]朝創造時機的路上走，不會坐待時機的來臨。

（二）

製造反攻的時機，方法是多方面的。而所用的手段，且是機密的，這是有司所有事，我們不能知，也不必談。我們只想指出，反攻的時機，不能坐待國際的變化，而要靠自己的力量和辦法，造出一個新環境來。

在一般人想像中，反攻的時機，有如下幾種：一、世界三次大戰爆發；二、韓戰再起；三、台灣海峽大戰；四、東南亞反共戰爭。這些時機，只是一個「望」字，等到何時，誰也不能肯定。

等待時機的來臨，既是一句空話，那末，我們要反攻，就得靠自己。在中美協防的形勢之下，美國是怕惹火上身的。要想取得美國的同意，而作大規模的軍事行動，是絕對不可能的事。因此，我們理想中的時機，是要觸發一種純內政問題的事件，避免國際條約的束縛，可是，這種時機，也不能空等待，要靠我們自己努力去製造。

（三）

大陸上大放大鳴，雖是共黨預設的陷阱，而知識分子假戲眞做，已充分反映全民對中共憎恨的心聲。各地抗暴運動的風起雲湧，正顯示偽政權的根本動搖。無數波茲南式的衝突，必將激起匈牙利式的革命。中國歷史更告訴我們，暴政必崩潰，從桀紂以至始皇，沒有例外。但，必有湯武的誅伐，夏商乃滅，必有陳勝吳廣的起義，秦朝乃亡。因此，反攻大陸的時機，應由我們製造，不能坐待。

大陸苦難同胞不斷反抗或逃亡，證明民心已變；韓戰一萬四千義士來歸，證明軍心已變。匈牙利革命，是軍民配合的。如果我們能造成大陸軍民的反共行動，那末，反攻的時機，便操在我們手中了！伐暴救民，是政府的責任，在這時候反攻，是我們的內政問題，誰也不能干涉。

時勢造英雄，這時勢是渺茫的，難於等待。英雄造時勢，才是旋乾轉坤的英雄本色。天下興亡，匹夫有責，我們希望大家做一個造時勢的英雄，在反共抗俄的國旗下，與政府通力合作，從思想以至行動，從政治以至軍事，一齊向共黨內外夾攻。這樣的時機，是全民的意志和力量所創造的，可以計日而至，穩操於我。因此，「甚麼時候可以反攻？」這一問題，大家問問自己，也就有把握了！

海外通訊

政府當年走漏了一著棋

今天總該有個補救辦法（上）

·趙家將·

（一）流水落花春去也

東南亞的華僑，似乎已不幸步入「盛極必衰」的階段中，從菲律賓之菲化案以至越南之國籍、業營案，柬棉之十八項行業禁營及印尼，馬來亞之排華跡象，在在都足以顯示華僑問題在東南亞，並非如我執政當局所想像那末簡單。

有人以爲東南亞一般新興國家之排華趨勢，是由於該等國家之狹隘民族主義所造成。也有人歸咎於華僑在海外，一向抱着自爲一國的生活習慣，未能與當地民衆構成相處，以致主客之間，發生了不可彌縫的裂痕，故此，其結論爲華僑應該歸化這些新興國家，以提高華僑的發言權，以保存華僑半生經營的生命財產。

其實這種想法，未免太天眞了。

須知道，華僑的黃金時期是建築在別人愚昧的基石上，隨着現代的進展，這座基石已由穩固而動搖，而瀕於倒塌的邊緣，上面的建築，不用說，也到了岌岌可危的地步。

而且，我們國政府，對華僑處境及東南亞之國際情勢缺乏遠見，無容否認，亦是造成這幕悲劇的前因。

筆者是越南華僑，特以華僑的眼光，來分析華僑問題，相信在設身處地的環境下，所寫出來的會比較具有眞實感吧！

這裏，我先介紹一幕由越南新聞部屬下宣傳幹部，在西貢郊區演出的街頭劇，內容是這樣的：

一個赤膊，只穿一條破爛犢鼻褲的中國人，面黃肌瘦，從「唐山」乘船來到越南。起初，他辛勤的工作，後來，還藉法國人的包庇，他找到了發財的竅門，幾後，他住洋房，坐汽車，抽雪茄，成爲面團團的富家翁。然而越南人民，仍然住破屋，穿破衣，拿着鋤頭艱辛的工作。

當然，在劇終時他們呼籲觀衆，要從中國人手中取回越南的資財，使中國人赤膊離去。

很明顯的，這正符合了華僑們的一句歌言：「當越南人懂得穿鞋的時候，華僑即沒有飯吃了」。如今穿鞋的習慣在越南還未怎樣普遍，華僑已受到排擠了！歸化之後，是否可以保存產業，或提高其在當地的發言權呢？下面是最好的解答：

西貢舊街市一家豬肉店的店東，別號「豬肉滙」，家財約有越幣一千一百餘萬元，大部份存在西貢的一家外國銀行中。

十一行業禁營令頒佈後，魚肉商赫然是禁營行業之一，「豬肉滙」求繼續營業，不惜歸化越南實行轉籍。

不錯入籍之後，豬肉店可以如常經營，但一千一百餘萬元的家財，卻發生了問題，原因是越南政府認爲一個越南公民的財產，不應存儲在外國銀行中，於是一紙通知，把「豬肉滙」全部存款，移往越南國家銀行，換言之，即是無形的凍結。

「豬肉滙」經不起這大的刺激，因而神經失常。

其他如入籍之後，獨齡兒子被抽去服兵役，後管訊毫無。或商店轉由越南妻子企牌，但她在獲得財權後就營別抱，中國丈夫被逐。如此例子並不少見，只要稍爲留心僑社的動態者，都可以隨便道出。

事實的教訓，假設僑胞們其要接納當地「善意的同化」，終局中國人還是要赤膊返「唐山」。

同時，越南政府在國籍法頒佈不久後，會陸續指出越民與公民，其意義在於「越民沒有選舉權」了，那麼，提高發言地位的理想，又何從實現？

舉一反三，越南的情形是如此，其他新區的新興國家，也不再是愚昧的民族部落了，他們要維護其本國人民的特殊利益，必須要把華僑排擠出去，但基於國際情勢，他們在表面上不能不握着「親善」的面孔。

撇開國家民族觀念不談，撇開民族優越感不顧，單純站在利益的立場上，華僑們已不甘願意歸化，因爲歸化不但不保存財產，還有這類事情發生。

流水落花春去也，前路茫茫，僑胞究將何以自處呢？

（二）血淚寫成的史實

華僑旅居海外，對於當地政府及人民一向都極盡合作之能事，這是情勢使然，我們祇要翻開華僑史册，就可以看到一頁頁的血和淚。

雖然說：「有人煙的地方就有華僑」，可是華僑的大量移殖海外，還是在遜清末葉開始。

當時清室腐敗，在內憂外患，天災人禍之煎迫下，民不聊生，生活在沿海省份的老百姓，不得不揹起簡單的行裝，踏上「大眼雞船（因船頭上繫上兩隻木眼睛故名）」飄洋過海，以謀升斗，這時東南亞的一般獨立國家，仍未脫離殖民主義者的羈絆，因其接近中國，且氣候溫和，農產豐富，謀生極易，故成爲華僑移居的目標。所以，現時東南亞各國的華僑，大部份都是廣東、潮州、福建各沿海地區中國人。

及後國民革命北伐，八年抗戰，國患頻仍，更促成了無數同胞，離鄉背井，過着漂泊生涯。

他們在海外做苦力，開墾等工作，食盡幾許艱辛，才造成了今日的基礎，間接上也增進了當地的繁榮，雖然卻因無暇兼顧進修，但他們變成至死不渝，除了固執地保存一切風俗習慣與文化外，所有積蓄，都寄返家鄉，廣置田產，每當國難臨頭，往往減衣縮食，捐款救國，及鼓勵僑胞返國從軍，同赴國難。

華僑子弟，亦常被送歸國求學，成年後再赴海外繼承父業，尤有者，一般老華僑身故之後，其骸骨亦要運返祖國安葬，「死爲異鄉之鬼」是中國人莫大的悲哀。

勝利後，舉國騰歡，海外僑胞，正好重整舊觀，熟知赤潮泛濫，神州變色，國內各省各縣之同胞，紛紛逃亡海外。我府偏安台灣，對這些海外孤兒的流離苦況，亦愛莫能助。

因此說海外僑胞求生與保衛之首要條件，就是與當地人民合作，百餘年來一直如是，這就是所謂「情勢使然」的理由。

警迎說，越南華僑，在越南政府宣佈獨立，吳廷琰膺選總統之時，各大僑團代表自動往獨立府晉謁吳氏，表示擁賀。各階層僑胞亦爲僑居地的獲得新生而衷心慶幸。

越南國家軍剿滅平川軍閥之役，不少工商業區及住戶，被槍炮夷爲平地，災黎遍野，華僑亦自動組成救助會，捐出物資，不分國界地救濟華越災民，後來此一救助會更歸併入越南中央救濟總會。

公安局收回一週年紀念，總監阮玉鏘示意華僑選造一五百碼長龍，參加慶祝巡行，另外建立凱旋門十座，僑胞全無推諉，因而耗費了不少資財。

吳廷琰總統就職一週年紀念，各校派出童軍巡行往總統府接受檢閱，也充份表現出華僑對居地政府的擁護。

總之，華僑在海外，等於一個寄人籬下的孤兒，他有家歸不得，復得不到父母的蔭庇，只能低首下氣，委曲求全，以對好寄居地的主人，但是，迎他獻出了錢財擺出了笑臉，也無法扭轉主人對他的歧視。當然，臥榻之側，豈容他人鼾睡？一個新興的後之國家，又豈能容許一股擁有龐大經濟力量的外人立足呢？

稿酬

七月份下半月稿酬通知單，已分別付郵，惠稿諸君請憑單領取稿費爲荷！

本報編輯部啓

台灣點滴

·端木白·

台灣達官貴人的子弟，似乎不屑與平民爲伍，不屑就讀一般學校，學校附近，每逢上下學時候，你就可看到小轎車與自備三輪車大擺長龍，接送。你看他們小小年紀，乳臭未乾的小假洋鬼子，滿嘴半生不熟的洋文，一舉一動，令人看了有點那個，內心自然引起感慨。

我們的國民教育是強迫教育，和服兵役納稅一樣，這些沒有受過國民教育的人，如何能修養成中華民國的正正好國民。年前有一位立法委員曾質詢此事，當時教育當局答覆，並沒有積極的取締辦法，僅作消極性的解釋，謂「進入外國學校讀書的學生，教育部將否認其學籍」。

這種解釋，只能欺騙自己。要知道這些達官貴人們的子弟，並不重視這區區學籍，他（她）們在台北的美國學校混了幾年，即可遠走高飛，出洋鍍金，等到回得國來，憑着老子的關係，竊得一官半職，還不易如反掌。國家到了這般田地，我不知道這一般爲父母者究竟是何居心？而教育當局顧若無睹，也令人不解！

走筆至此，唯有長太息而已。

關於舉辦公務人員保險；最近中央信託局爲謀保障公務人員之生活安定及增進福利計，特舉辦公教人員人壽保險一種，立意本善也。可經細看現行辦法後，才知道對於正式公教人員，並未獲得多少裨益。查全國中下級公教人員中，以二十至四十歲居多，求生的慾望人皆有之，誰也冀求能多活幾年，而且也不願意在每月微薄的薪水項下抽去百分之三的保險費！同時單身公教人員，孑然一身在台，無親無眷，一旦不幸死去，教誰去領保險費？這叫做「長綫放遠鳶，齊頭便放掉」。因此政府此次舉辦公教人員保險，投保的公教人員並不踴躍，到是立監委員國大代表，投保踴躍非常！

人物介紹

追思胡政之先生（下）

·陳紀瀅·

（續上週）

這種制度在別館並不嚴格，尤其對日抗戰後方幾家大報，只要在新聞界兜得轉，有辦法招攬資者，就是頭等經理人才。但大公報則不然，管業務的人一定是從事編輯業務的老手，才能充任，從沒派過一個無編輯經驗的經理人員。

這種安排究竟有什麼好處？我以爲：第一、在人事制度上，不失爲鼓勵與擢拔資深從業員的一種辦法。第二、莫若使編輯，經理兩部同人聯結一起，促進互相了解。使編輯部同仁得到重視。因之提高服務精神，保持版面時時革新。無論在言論上，新聞上，隨時爭取進步，增高報紙的地位。第三、編經兩部藉人事交流，可得到業務上的諸多配合。

大公報於抗戰前後，因在各地建館，很自然的形成這個制度。也得此機會試驗這種制度。別的同業則沒有。

二、通信課的成功　從在天津起，大公報編輯部特別重視通信課。這一課專門負責與全國各地通信員聯繫。大公報在「九一八」前後，全國有一千多個城市，設有通信處，構成廣大通信網。通信工作至繁，尤其每位通信員都希望在精神上與報館密切聯繫。假若既不利用他的來稿，也不覆他的信，當然他不滿意。只刊用來稿，但不能在工作上保持必要聯繫，仍難免不抱怨。

通信課專門負責回信，並且經常指示通信員採訪何種新聞，注意些什麼事項。

試想，遠處邊陲一個小小通信員，當他收到報館一封充滿友誼與工作指示的信件時，心理所生影響，是可想像得到的！

別的報館都有類似設置，但我以爲抗戰前大公報在天津時節的通信課最爲成功。抗戰時期就差了，但其基礎已固，不受影響。

三、健全的人事制度　大家都知道自張、胡、吳三位先生協力接辦大公報之日起，就奠立下以道義爲重的文人合作基礎。到「九一八」事變前，因業務發達很快，不能不大量引用新人。於是一項雛形的人事制度開始釐定。直到抗戰發生，才漸臻完善。無論人員錄用、派職、敘級、定薪俸、和升遷、黜降等等才有了明文規定。至於後來高級職員可贈股金等等，都是人事制度中的一部份。

胡氏因我服務郵界，曾向我探詢郵政人事制度種種細節，我曾把郵政整套章程和種種卡片檢送全份，以資參考，所以大公報的人事制度比較完備。

然而它的好處，絕不止於表面上保障職工生活與謀求社員福利。最重要的一點，還在成文規章外，另有不成文的精神鼓勵。想試，從一個事文字生活的人，怎能夠呆板的以辦公時間和表面工作，考績的根據呢？因此，一個新聞事業機構，既不能完全沒人事規章，也不能完全依靠制度。全憑運用靈活，才能使人員得制度的善果，不受制度的損害！

我認爲大公報之所以有轟轟烈烈的一段歷史，重要原因之一，就是人事安定，而且還不斷的增加新血輪！

除以上三個特點之外，大公報關於發行，廣告，機器房，工人宿舍，都有比較別家高明的一套辦法。任何報館都有過工潮，惟獨大公報沒有。別家常在發行上出毛病，大公報則未聞。

這一切，固然也有季鸞先生的意見，然而政之先生的主張尤多。他一心多年主持新聞業務經營，用於大公報，而大公報得由天津根據地，由華北發展到南上海、香港、漢口、桂林、重慶等館，在抗戰前後，真正開發到大江南北，各省皆有發行，到全國各個角落的銷路，除大公外，恐怕還不易找到第二家。

以我淺陋的見識，直到今天，我還沒有看見過辦報氣魄之大，手腕之高明，能勝過胡氏的人！

六

在第二輩大公人物中，曹谷冰兄繼張、胡二氏之長，人望亦佳。在張、胡二氏相繼物故之後，本來可領導大公走上中興大路。可惜一著因他身體欠佳，二者適逢大陸淪陷，再加王芸生拿大公做投錢資本，偷賣靈魂，控制人事，並把報館偷偷契賣給匪僞。因之所有報館老人早被出賣。從三十八年多起，大公報被「人民政府」派的匪幹，控制業務與言論，連芸生自己早已變成俎上之肉，爺庭遊魂了！在「鳴放」之際，縱然提出了些哀鳴式的抗議，試問有什麼用處？

季鸞先生去世後，胡氏自桂林赴渝主持社務。桂林陷敵，所有職工都集中重慶。在李子壩報館樓上闢「季鸞堂」。每年季鸞先生忌日率領職工祭奠，從未中斷。政府也聘任胡氏爲國民參政會第三、四兩屆參政員，並於抗戰前後派胡參加訪英團及出席舊金山聯合國制憲大會。政府重視由可見一斑！

三十四年底，大公報在天津老家復刊。新館址設羅斯福路（即舊日界旭街）我與老友李酒時兄從北平專程去津，參與復刊典禮。當晚報社在舊英界某大飯店宴請全體同人，以示隆祝。在這個會上，胡氏且談且笑，豪勢豪邁，不減當年。然而距我初次在津於會，匆匆已十二年了。

胡氏祖籍四川，自幼隨家人游宦北方。光緒末年去日本留學，習法律。民元服務於上海民立圖書公司。民二，主辦大共和報。季鸞先生在報任譯員，同時在中國公學授課。民五，政之先生服務於英歛之先生所主持的大公報。民八，政之先生赴歐洲採訪巴黎和會新聞。歸國後，在上海創辦國聞通信社，附刊國聞周報。民國十五年與季鸞、達詮兩先生協力接辦大公報。從此之後，張、胡二氏一生盡瘁大公報，以迄於死，未曾任其他任何官吏職位。

季鸞先生去世時僅近五十七歲。政之先生死時也不過六十二歲。以現代眼光來說，他倆都在壯齡，竟壯志未酬身先死！尤其是他們絕不會料到大公報的盛名竟亡於朱毛匪幫之手！張、胡在天之靈，一定大爲憤怒！

胡氏原配夫人於抗戰前死於天津，留有子女衆多。抗戰時兒女皆已婚嫁。兩位小姐都擅長平劇，在大公報晚會上，時有表演。抗戰初，續娶江蘇顧氏，名門閨秀，賢而有德，據云現在卜居香港，不知確否？（四十六年七月十八日追記）

——全文完——

大陸的「新五四運動」

——接力棒篇——

•沈著•

鐵幕真相

當平津學生揭起火炬，如火如荼地展開反共運動的時候，其他各地的大中學生亦如接着接力棒般紛紛響應。在五、六、七三個月中，各地區一些較有代表性的或消息較靈通的學校，無不掀起學潮乃至暴動，瞬即掀起了一個全國性學生反共運動的高潮。

第一個響應的「聯合宣言」

華中方面，武漢地區是風潮的重心。五月卅日，以「武漢大學」學生爲首，與「湖北區學院」、「中原大學」、「湖北師專」、「中南財經學院」及「武漢水利學院」的學生同時罷課，對中共集中火力對黨委治校制度的黑暗、罪惡，幾乎用上了所有最惡毒的字眼。

根據中共「長江日報」及「湖北日報」所發表的真相，謂上列各院校學生開始行動時，先由[illegible]教授及學生領袖[illegible]等起草發表了一個「聯合宣言」，控訴中共的罪行是：（一）中共以黨代政，包辦學校，[illegible]重用黨員，排斥非黨的教授學生，[illegible]宗派主義；（二）中共[illegible]不公，黨員教職員[illegible]受祿，非黨的勞苦[illegible]；黨團員霸佔升學[illegible]深造機會，非黨學生，永遠被迫奴役；（三）中共在過去鎮反肅反運動中大肆殘殺學生，罪大惡極。

繼這個宣言後，各校學生壁報與標語，如雨後春筍出現。

「請願團」

上列各院校在一輪猛攻之後，先後罷課請願，提出各種要求。武漢大學」、「中原大學」、「中南財經學院」的學生同時組織了三個請願隊，要求中共武漢市「教育局」及「人民委員會」：（一）撤銷學校制度；（二）平反冤獄，並給死難者家屬以補償損失；（三）堅持學生有選課，升學及選擇工作的自由和深造的權利。

「控訴大會」

「武漢水利學院」的學生舉行「揭發和控訴大會」，控訴該院黨委書記，展開[illegible]

武大的「火焰報」

「武漢大學」學生[illegible]然後，「武大」學生與「中原大學」和「中南財經學院」的學生聯合行動，並且分別利用各校車輛在街頭叫喊，貼標語，在武漢重要街道和碼頭及汽車上，都可見到：「我們堅決要爭自由」，「共[illegible]到處設集中營，這是歷史上空前的大暴政」，「共產黨員都是屠[illegible]警察和特務」，「我們必須把共產黨連根拔掉」……。

「火箭」「DDT」「匕首」

「武漢水利學院」的學生成立了「行動委員會」，控制了該院的「民主牆」壁報，其中有「火箭」、「DDT」、「匕首」[illegible]都是很生動有力的諷刺性詩歌及漫畫，分別諷刺武漢的一些高級共幹，該院的黨委書記、院長等，鉤出了[illegible]醜惡的面貌。

湖北師專的「鳴放聯盟」

「湖北師專」學生，一面頻頻舉行學生大會，一面就在壁報上成立了一個「鳴放聯盟」

…「湖北醫學院」公開大呼要趕走俄國教授。

……學生砸會一度包圍「長江日報社」和「湖北日報社」，迫令刊登學生的抨擊文字。

漢陽中學生的一幕

而這時候尤其激烈的，是漢陽第一中學的一千多男女學生，曾在該校副校長（中共青年團團員）王建國等支持下，於六月十二、三兩日接連演出有聲有色的大暴動。

大喊「毛主席要下台了」

這次暴動，根據八月五日武漢「長江日報」事後報告，謂該校學生內由於不能升學，前途無望，情緒非常激動。十二日上午開始時，係由該校學生領袖滕文俊等領導罷課遊行，在漢陽大街上到處貼出了「共產黨走下坡路了，毛主席要下台了」，「活捉教育廳狗蛋」，「打倒縣委會」，「歡迎國民黨趕快回來」等標語。

捆走了縣委共幹

當天下午，忿怒的學生羣衆先後衝進了「縣人民委員會」和「縣委會」，搗毀了全部辦公室，捆走了「縣委」的幹部胡子齊。晚間，衆再衝「兵役局」，幾乎給打開了軍火庫，結果是綁走了「兵役局長」七官明賢。

學生聯合了農民

次日，漢陽一中有更多的學生，聯絡了學校附近的大批農民，再衝「縣人民委員會」，聲勢喧嘩地提出了很多要求，當場將縣提韓教林的「警衛」及在場幹部全部加以毆打之後再予捆走或加以痛毆。

中共的學生也「反動」了

比外，設於湖南洞庭湖畔的中共「中南礦冶學校」學生亦曾起而暴動。根據七月廿二日「新湖南報」事後報告稱：該校學生先曾[illegible]組織了一個名叫「[illegible]」的革命團體，六月二十日開始行動時，先[illegible]

○國○際○動○態○拾○零○

艾森豪不邀請朱可夫訪問美國，據白宮消息，是有堅強理由的。負責人員謂，當局實無法避免東歐在美的移民，作反朱可夫之強烈示威運動，尤其在各大城市爲然。

× × × × ×

行將辭職之國防部長威爾遜，拒絕再進工商界。他現在農莊休息，打算寫回憶錄。安排得生動有趣，並將插入許多卡通。

× × × × ×

艾森豪座機的輪子降落有損傷，人員均無恙。該機正在演習英女皇伊利沙白二世十月間訪美時的儀節，忽然發生此小小意外，致該機歸回華盛頓時，就誤了若干小時。

× × × × ×

美國民主黨主席勃脫萊與會計麥克羅兩人發生內鬨。勃氏責麥氏籌款不力，麥氏則譏勃氏爲非有能力之主席，且謂華盛頓中央黨部在選舉期間，可以關門。

× × × × ×

雷德福退休時，曾勸國防部長威爾遜，謂萬不可以原子彈交給法國，及其他北大西洋盟國。國務院曾提出原子武器租借計劃，但雷德福則認爲將其把握在美國人自己手中，較爲安全。

•陶然•

美國全史

•紹康•

龍倦飛譯 台灣商務印書館印行

「美國全史」是哈利•卡門及哈勞•賽瑞特合著，是美國史中較完備者之一。龍倦飛翻譯，分上下兩冊，自四十二年至今春始出齊，全書一千二百頁，附原書插圖。爲出版界一部少見的大部頭譯著。譯者的魄力也是可佩的。原著自中古的地理發現說起，至美國參加韓戰爲止，共四十二章。由於史料繁浩，仍是敍述多於梳理，對於新大陸人民活動的自身雖尚停寓，然於史實前後之相續與演變，仍欠缺客觀的分析。譯者於此無能爲力，原文如此，只有由他去了，可是對於章目標題，譯者是可以斟酌修改，以期眉目的，不幸竟未做到；章的標題，如「聯邦主義者之提勢」，「從孤立到干涉」等，甚能代表內容，至各節的標題，如「農業」、「宗教」、「文學」、「教育」等幾項，老實說等於沒有標標題。

作爲一本通史，尤其是包羅萬有的美國，其內容必定無所不備，政、軍、經、文是主幹，工商以及對外交涉的複雜更是美國歷史的特色。他們工商界的專門名詞與術語甚多，外國人不但要俱有足夠的語言學識，而且要有專門，技術的研究，不然無法譯得確切。此外，對西班牙文、法文、印第安語轉化的英文等，也得稍下功夫以求起碼的了解，不然就可能鬧出笑話。譯者於此，尚無大漏，但小眦難免；如通用動力」公司較合理的譯法，書中作「一般廢托」，Del Norte 不譯「北河」而譯「大河」等是。其他專門名詞的譯法也多可議處，大家熟知的「五月花」號帆船，譯者用廣東腔音譯爲「梅法洛華」。人名譯法的姓名先後硬用中國式姓先名後，中間隔以圓點，反易滋誤會。談文學的部分，錯誤也多，兩本書誤爲一本書（「巨人」與「金融家」是德來塞的兩本小說，主角雖是一個，也不可稱之爲「泰坦神族與金融家」。至於路易士的「大街」及「巴比特」更絕對是兩本小說，竟譯作「大街與巴比特」。）「三部曲」的小說，竟成了「八言絕句」（杜士巴梭的「美國三部曲」及烏爾夫的「朗尼根三部曲」被譯爲『巴梭的八言絕句「合衆國」』及「八言絕句Studs Lonigan」，不知道美國小說家如何運用「八言絕句」的筆法。）譯者似未能從美國文學詳加商榷，就大胆的假設起來，是一大缺點。

在外國，專書的人完稿後，肯找人幫他花費時間編製索引，以利益查閱。我們中國人似乎很少有人肯做這種吃力工作，而且索引不像別的，譯洋書時洋書的索引不能把它譯成中國字就算數，尚要待譯文樣張印妥，再按頁排列，如今千餘頁的書，索引只好「從略」了。

現在，海內海外的中國人都需要一本像樣的中文本美國史，不論是著是譯。龍譯雖未能完全滿足這個需求，但終聊勝於無，商務的印刷雖不甚佳，內容於「信」、「達」雖不無問題，我們仍願一讀。我們也願意更完備的作品問世。

菲共窮途末路

由二萬人降至七百，明年可望全部解決。

•胡蒼之•

自從菲前總統以剿共著名的麥塞塞罹難後，菲律賓共產黨馬上又活躍起來，以爲是東山再起的機會。但是經過幾年來的一再進剿，菲共實已走上窮途末路了。

加西亞繼續進剿中

據馬尼剌消息，菲律賓現只剩七百名左右的武裝「民抗軍」，是由菲共頭目拉瓦和艾歷仁德諾率領，散處在中呂宋各省。菲總統加西亞在限期投降期滿後，菲武裝部隊目前正在驅剿中，據菲警察部隊情報，去年有五百名「民抗軍」投降或被擊斃，並有三千名左右民抗軍支持者向政府投降。

同時，據一般可靠報導，菲共在拉瓦地方已召集高級民抗軍領袖舉行會議，與政府前此建議共黨投降有關。會議地點是在呂宋省慕班地區附近，距離馬尼剌一百公里左右。

歸功前總統麥塞塞

菲律賓共產黨的一蹶不振，多半歸功於麥塞塞。由於二次大戰結束之後，菲律賓的內政問題複雜，老想推翻政府取而代之的「胡克黨」（即共黨）被蘇俄利用。一九四九年一九五〇年間該黨勢力澎漲，游擊隊數近二萬人，背後至少有二百萬農民支持。在內地幾省，甚至統治城鎮向人民收稅，菲共中央政治局並預定在一九五二年春季征服全國，使當時政府軍警束手無策。

麥塞塞看出當時共黨勢力之迅速膨脹，全在於腐化的政府，對于那些進剿胡克黨的正規部隊和警察，沒有統一指揮，不僅不敢深入叛軍所盤踞的山林裏；而且僞藉搜索胡克黨的名義，盡量敲搾老百姓。針對這一弊病，他曾在國會大聲疾呼：嚴明政治，整頓軍警。

他于一九五一年麥氏任國防部長以後，運用着一種恩威並濟的手段。果然，不到半年，潛匿於山林裏的共黨武裝部隊就已減少五千人。同時對于投降的叛軍，馬上由政府設法分別安置，使能獲得安定的生活。這使叛黨來歸絡繹不絕！

得力於兩名共黨

共時菲共兩個青年負責幹部，一個叫山狄哥的；一個名叫[illegible]，後來他們良心發現，決把武器交出，並且決定合力工作。第一步首先出賣於菲共最高的中央政治局的地下份子，結果，把所有在馬尼剌做地下工作的菲共中央政治局委員全部逮捕。其中最使麥塞塞吃驚的是政治局首腦竟是他的相識。那人的名字是叫佛賴，一個平時沉默寡言的大學教授。[illegible]

菲共中也有美國人

菲律賓共產黨，是戰前由一個熱烈主張土地改良的知識份子[illegible]

（八月卅八日）

粵共拘捕港澳歸僑

（本港訊）[illegible]港澳僑胞[illegible]。根據八月廿四日南方日報稱：穗共拘捕了由香港和澳門返穗的僑胞[illegible]，據說：該批人之罪名爲走私運品進口[illegible]。又據穗共八月份之不完全統計：廣州市區已有千餘人被拘捕，其中三分之一以上者被指控爲走私[illegible]。據穗共稱：走私案者，大多數與共幹勾結[illegible]，欲加之罪，何患無詞，因此[illegible]，從此歸國更具戒心。（自港）

滿清戮囚的悲喜劇

‧浩然‧

滿清戮囚儀式，有如戲劇，羣衆亦恬不驚怪。

滿制，戮囚例由地方官——知縣，奉到上級批准的釘封書後，於翌日清晨面諭典史（管獄官）親往監獄指揮獄卒，提出囚犯，用五花大綁，置於大堂石階下，聽候縣官坐堂宣告罪刑。同時有燒豬肉一碗，白酒一碗，饅頭一碟，冷水一碗，陳列在被戮囚犯面前，由卒持酒夾肉勸飲勸食，壯者一面大飲大食，一面高歌狂笑，或痛駡縣官，弱者則戰慄變色，甚或昏迷。斯時圍集縣府頭門外的民衆，翹足引領，有如觀劇。

搭近正午十二時，大堂上之雲板（銅磬）鐺鐺一響，一次，二次，三次，大堂的中門呀然大開，預立堂上左右的兵丁皂隸，大聲呵叱，嘀嘟，轅門陳列之土砲轟轟三響，縣官朝衣朝冠，戴上墨晶眼鏡，大搖大擺，八字脚慢慢由內堂踱出大堂，登其寶座，侍立兩旁者有長隨二人，身衣藍袍，足穿黑靴，頭戴無頂紅纓帽，一獻上香茶一盅，一持水煙筒供吸，縣官例吸煙三口，喝茶一口，然後把驚堂木一拍，傳話乃高呼「把犯人帶上」，獄卒一聲答應，便把被戮之囚犯扶上案前，喝其跪下，縣官循例一問，此即所謂「驗明正身」，隨問其姓名，宣告罪狀，手持硃筆，即將預置案上紙箭所書囚犯姓名處用硃筆一企，作成一長直綫，隨將筆一擲，硃筆與紙箭同時一齊落地，此纔巧妙技術，須經練習始克臻此。此時差役急忙將之拾起插在囚犯頸下，其硃筆則人皆視爲不利，無有敢拾起者，僅以掃把掃入坑渠中。

當紙箭插在死囚頸後，有號筒手二人即吹起號筒，其聲嗚嗚然前行，負長槍之兵丁四人繼之，死囚則以二人抬其所坐之籮而行，劊子手例飲酒後，口咬猪脚，腰束黑帶，脚踏尖頭快靴，手握大刀托於肩上，緊隨死囚之後，死囚如係強悍者，則頻頻回首辱駡劊子手，劊子手例報以一笑，視他十八年後是一條好漢，到達法場後，兵丁作四方形站立，兩皆向外，置死囚於方陣中，靜候縣官到場監刑也。

當兵丁押解死囚去後，縣官即拔令箭一枝交給典史，縣官乘坐四人紅藍呢大轎，四名佩腰刀之親兵分左右發衛，銅鑼令旗前行，轎前張一紅羅傘，典史乘馬持令箭隨轎後，長隨二人負紅皮馬扎小几及茶烟等殿後，抵法場時即步設好馬鞍小几，候縣官下轎休息安坐，吸烟喝茶，典史看準午時三刻，即向縣官打千報告，隨即持令箭飛馬到法場大呼皇令到，劊子手向令箭打千即狂呼呵呵，雙手橫刀向死囚背後疾奔，手起刀落，落刀正是死囚頸後骨坑處，刀出處向是侯上頷下，千人一律，此種刀術，蓋亦有師傳也。

當縣官回衙頭門時，預設有小凳放火爐於其上，縣官舉足跨過，與役衆即高呼「大老爺高陞」，鞭砲隨之響矣，迨行至二門時，縣官太太例捧一銅盤內放紅綢一條五尺長，清酒一杯，縣官先取紅綢條披於肩上，然後取酒而飲，又燃鞭砲一串，此之所謂解穢除凶，至此，此一幕人間之悲喜劇方告終。

小談「轟大炮」

闞德栢的大砲，久已寂然，今見其「序新聞圈裏四十年」（該書爲王新命著）條述其大砲史，王亦爲大砲，兩砲之合，故而震驚一時，我來台九年，初聞砲聲，反覺欣慰！王新命行年六十有六，闞德栢六十有七，闞王兩砲當謂爲老矣，然而其響還可以震耳欲聾，闞氏之砲轟中共，歷史淵源，其來有自。卅九年因放砲被關數年，好似去年始恢復自由，並復其國大代表身份；大陸淪喪之時，闞以反共激烈，留在大陸，中共殺其頭有餘，至少亦有牢獄之災，隨反共的政府來台，自然應該；不期亦有牢獄之災，此祗好歸咎於闞大炮流年不利了。

民十一闞德栢去北平接受英人辛博遜邀辦「東方時報」（華文版）總編輯之職，遂言論自由保障，於該報發刊詞「就大大開砲，弄得當時第一權勢者大發雷霆……」，時辛被迫而辭闞；再請出任，條件爲「不能照從前那樣駡人。」闞未就。民十四闞在北平辦「大同晚報」，時共黨非常活動，他即向共黨開火，其文題爲「本報歡迎放火」（因共黨放火燒了陳博生主持之「晨報」），「次日沒有一家報紙敢登載此事，我所以加倍的駡他們，由此我與共黨結下了不解的仇恨。」此時若干人或附和共黨或持中立態度，而獨闞氏敢於衝鋒陷陣，不愧大砲之名。民十五年八月五日，六日闞爲在報上大駡張宗昌，張大怒，下令憲兵司令王琦捕闞，捕到就槍斃，事後湊巧，闞倖免後離北平而去。民廿一闞在南京辦「救國日報」，尤其勝利後在京復刊的該報，反共之激烈，爲全國日報之最。時我在反共部隊前綫，天天讀該報，痛快之至，其時尚不知豪壯的反共文章，原出自闞氏手筆。以此時際而言，無論與中共在理論上的鬥爭，甚或針砭時政，都需要像闞大砲這樣的人。他現缺之砲台基地——自辦報館，但仍有發砲的本錢——國大代身份。不知這等大砲，是否久而益響。

‧詩書生‧

立秋有感

‧刁抱石‧

未須去日挽迴頭，尤望炎州暑潮收。
天上昂然懷一雨，杯中元自有千秋。
懸知秸枯生人意，莫怪梧桐動客愁。
銀漢碧霄渾似水，歸心竟夕向西流。

圈內與圈外

‧張健‧

「圈內」與「圈外」現在幾乎已成常用語了。

把「內」（即內行）和「外」（即外行）以「圈」來分開，其最大用意是預防「充內行」的作祟，用意是很好的。因爲圈內人到底是本行，假如任圈外人到圈內去「亂」來，那就變成像「濫竽」、「蠹虫」、……一樣，危害其本行了。

可是在另一方面無論是政治、經濟、教育、文學、藝術……那些「行業」，若只圈內人一味自是，完全不肯接受圈外的意見，批評，而我行我素，也就危險萬分。俗謂「旁觀者清」，這句話在這裏倒用得上。圈內之病，圈外人固未必知之，然非絕不可能；有時從圈外看，且看的更加透澈。普通所以「尊重輿論」的道理或在此！

進一步說，圈內固守，而不吸收圈外的新血，則不能日新又新。這道理用於政黨、政團、文藝界……不可偏私而拒絕有希望的新人，也頗適合。

眼鏡篇

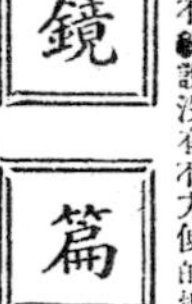

戴眼鏡，撇開老眼昏花不談，就是不分老少的遠、近視了；再有，就得數太陽鏡之流了。

戴太陽眼鏡的人中，有一種業按摩者，他（她）們因不幸瞎眼故帶來遮醜；另一種是學時髦的男女，把它當作裝飾品，一些準明星以及充做明星的哥兒姐兒，亦復羣起效尤，無間寒暑，不計明暗，總是愛把兩隻「賊溜溜」地眼珠，關在「鐵幕」後面暗地窺人。

太陽眼鏡決不是當作明星標幟而產生，可是今日流行性的準明星們，卻無不人「眼」一副，用它作幌子。也許我太看不慣這些太陽明星，所以很希望有權威人士能作這樣的硬性規定：太陽眼鏡爲明星們專享，旁人不得配戴。俾免眞假不分，是非不明；搞得在「太陽」下的人，都是明星，又都不是明星。

眼鏡，爲免貽人以「太陽明星」之譏，我的太陽眼鏡，如非必要，向不上臉。不單對它如此，就連對糾正我近視的近視眼鏡，也是如此。大家知道，近視眼鏡不會像太陽眼鏡那樣的多朵多姿，自然也不會有人戴它做明星招牌。人之對待太陽眼鏡，如非必要；而我卻一如對待太陽眼鏡然——會少離多。傳我矯枉過正？不然，這有我獨特原因：

我的近視度數不高——一百五十——，除會看遠景嫌不夠清楚外，舉凡讀書寫字……等案頭工作，均堪幸告無恙。我故經常可以使眼與鏡分居兩地。但這不能說沒有不方便的地方，譬如：在外面偶而想看場電影而終於看不成的，就是因爲眼鏡離開眼睛遠不及見故也。有時雖先有準備看電影，本應有備無患，事實上往往又以行色匆匆，待趕至戲院門口，才會想起眼鏡還留在家裏，此刻，回去取則時不我與，去看則莫明其妙。以此，不知化了多少冤枉票錢。

爲免這種常有的意外損失，我曾幾次試圖把眼鏡與眼睛建立起「永不分離」的關係，無奈我的鼻子不肯合作，拒絕這一不屬於牠本身應有的負担。當我看看電影等，已算勉爲其難；過此，她就很現實的使我難堪，不得不自動「解放」它了。由於這樣的「鼻」性，我就不能與我「一般見識」的人一樣，經常的戴着眼鏡了。是故「意外損失」更有的是：有自遠方來，就向我點頭示禮，我則視若無睹。過後，他（她）們說我發財了看不起人，眞是寃哉枉也。

有詩爲證：「笑君兩眼特希奇，子立身邊問是誰？屋漏有光疑彈子，月移花影作枯枝。爲看壁畫擦傷鼻，因鎖書櫥夾住眉；更有一番堪笑事，吹燈燒破嘴唇皮。」這首專挖苦近視眼人的詩，患者讀之，將不知引以爲「侮」否？至少不會像我讀之還能「趣意盎然」；這因爲我的近視不甚已甚，不會「子立身邊問是誰」也。

我不知道人的眼睛，有否一隻近視，一隻遠視。如有，我但願如此，因爲我相信近視配上遠視，自可以「遠交」，又可以「近攻」。但不識遠視先生們，肯同意我這「殊途同歸」的看法否？

陳曉風‧

文化消息

易君左「綵筆寫名山」

（本報訊）本港華僑出版社近又有叢書之編印，第一種爲王世昭氏之屈原傳，銷行頗廣。茲悉該社第二種叢書爲易君左氏最新著「綵筆寫名山」，亦已出版。全書十萬言，包括：良辰美景圖，綵筆寫名山，斜陽與明月，黃金與美人，人情翻覆似波瀾，煮酒論詩文等六大篇，要目近八十節。易氏散文爲現代高手，內容精采。

中篇小說

海上學校

趙滋蕃

跑僕的見來的是熟客，而且是一向慣於使「大牛」的闊佬官，招待得特別殷勤。鄒雲亭點好菜，要了一瓶陳年白蘭地。跑僕的還好花付杯筷，用着急促尖銳的蛋家腔調，高聲報道着白灼蝦、蒸蟹、東風螺……而暴牙子在這時候，竟不辭而別，悄然獨自走了。

第一道菜擺上來了，是一大盤白灼蝦。騰騰熱氣在白得泛青的煤汽燈下跳躍。暴牙齒把盞，替大家斟滿了酒，開始舉杯。

「請，」鄒雲亭舉杯敬客。「先喝杯冷酒，等撈仔來了，再喝熱鬧的！」

周曼石疑惑地望住他。他總覺得今天的鄒雲亭不比往日。鄰艇的下流的舉動之外，再加上蟲蛋戶的銅臭味道，使他難予忍受，他噁心得要作嘔。

「請請，」鄒雲亭同他碰了杯。伸出五爪金龍，窮凶極惡地剝着熱蝦。

他又沉悶地陪着泯了一口。酒在喉管裏強烈地燃燒起來。他嗆咳得豎緊了眉毛。

「酒不對頭嗎？」

「不，我的量窄，酒太猛了」

「喂，伙計，再開一杯白馬威士忌！要頂好的！」

「不，不，不要破費了。」

「哦，這算甚麼？今朝有酒今朝醉，這算甚麼！」

「雲亭，我看你好像突然中了頭獎馬票似的……」

「不像頭獎馬票，倒像個小搖彩，哈哈，」他得意地喝完一杯，抹抹嘴唇，再替自己倒滿。「放寬點擔吧，兄弟，今朝有酒今朝醉啊！」他帶着些微的酒意添說。

「雲亭，你眞好像無端端發達了，」周曼石將大塊蠔油魚片塞到嘴裏，含糊地追問道。「大把大把銀紙飄花，就是一座山也要搬空的！」

「嘿嘿，哏，」不要想得那麼遠吧，」他又痛飲了一杯白闌地，紅光煥發的瘦長臉上，展露出一縷包瞞不住的邪惡的笑容，「錢是社會的籌碼，取之於人民，用之於人民，用多用少，那有什麼關係呢？」

「怎麼能說沒有關係呢？」周曼石映着酒後充血的眼睛。「錢到用時方恨少，文錢可以逼死英雄漢啊！」

「那也未必，嘻嘻，總之，不可一概而論，」他得意地敲擊着桌子邊。「譬如說，如果海上學校能夠——」「哏，」他吞吞吐吐地壓低了聲浪，「能夠同我們合作，而且合作的條件也還談得攏，我鄒雲亭就願意投資，把學校規模，大大擴充起來，你知道我是樂於與人爲善的！」他添說，忘乎其所以然地用手亂抹着臉上的汗珠。

跑僕的遞給每人一個熱手巾把子。

「有些什麼條件呢？」周曼石警覺地問。用熱手巾掩飾着心情的緊張。

「條件嗎？嘿，簡單之至！」他打了個酒嗝，將熱手巾在頭頂上揮舞着。「我出錢，你們出力；我出教材，你們教書，其他我一概不管。」

「但是，海上情況特殊，古往今來，就沒有那一種課本，能夠適用於海上教育的。」

「那你們現在拿啥來教呢？」

「從國語到尺牘，從算術到珠算，都是我們自己編的。」

「那也好，我並不堅持，」他說，「不過，假如能把海上學校桅桿上的那面旗子掉換一下，三五萬算我的！」他拍拍胸脯，用嚴峻的態度宣布。

「很抱歉，這個永遠辦不到！」

「兄弟，不要衝動，凡事三思，總宜通權達變。」

「這個永遠辦不到！」周曼石重複道。「我們萬里投荒，就爲了要掛這面國旗！」

「你自己不可以多考慮一下嗎？」

「沒有考慮的餘地，決不！」他氣虎虎地從座站起，準備告辭。

鄒雲亭一把將他挽住，說，「兄弟，買賣不成仁義在，不要老發你這種書獃子氣！」他掃視了其他兩個人，「嘛，眞糟糕，老四做事眞龍鍾，去了大半天怎麼還不回？」

「天氣太悶熱了。我也要回學校了。」

「這都不是理由，哈哈，」鄒雲亭把他按歸原位。「今晚專談風月，不談正經事，我保證，再談的爛舌根。你不是答應過奉陪的嗎？怪甚麼要歸與呢？」

周曼石無可奈何地低頭不語。酒精燃燒過一肚皮的悶氣，他覺得腸子發熱，頭腦發脹。

（談話中止了。仍然繼續。）（四八）

自由人
THE FREEMAN
（第六七九期）
中華民國僑務委員會登記證僑新字第二號
中華郵政台字第五〇〇〇號執照登記爲第一類新聞紙類
（半週刊　逢三期六出版）
每份港幣壹毫
台北市售價台幣壹元
督印人：陳文華
地址：香港高士威道二十二號四樓
20 CAUSEWAY RD. 3RD. FL.
HONG KONG
TEL. 771726
承印者：東南印務出版社
地址：高士打道六十四號
台灣總經理處
台北市西寧南路壹零壹號二樓
電話：四七三四六
台郵撥儲金戶九二五二
海外總經銷：友聯書報發行公司
香港：德輔道中二十六號A二樓

黑暗時代的一點希望

·謝康·

在整個世界的混亂狀態中，人們的思想也惝怳模糊而不能安定；恰像一個大災難的前夜，看不見理性和完美的前奏。對於我們所喜歡的，好像沒有什麼遠大的理想，也沒有什麼光明的遠景。人類的文明，在暴力劫持之下，日就衰落。甚至不免大戰爆發，人類又經一次集體自殺，不論勝敗，都要同歸於消滅！

但是，冷酷的隆冬，雖則還在肆虐，然而春天的胚子，已暗中在那裏發芽。人們似乎還存有一點回春的希望！

現代的「中世紀」

現在一個殘暴的時代，和殘暴的集團，正在將要收場，這是人類最暗淡的時代，也是科學文明所造成的「中世紀」。──這個二十世紀的上半期，經過兩次大血戰，一次經濟大恐慌，備嘗失業窮困的痛苦。而在兩次大戰中間，因爲希特拉，慕梭里尼和日本軍閥的錯誤領導，使許多生命財產陷於危險的深淵。可愛的青年成爲崇拜權力的犧牲品。以至於因此動搖了人類的智慧，使得這些國家的領導階層，差不多成爲瘋狂暴虐的惡魔或劊子手！引導人們走向牛角尖裏去，盲人騎瞎馬，如同迷途的羔羊，遇着豺狼，終於造成空前的災禍！

機器時代，科學文明所造成的「中世紀」，似乎快要接近它底尾聲了。這可怕的黑暗的「中世紀」，人們不能控制自己發明的東西，以致許多人成爲機器的奴隸，許多人已經爲機器所消滅，或瀕於死亡的邊緣，機器受制於暴力，（或盲動的社會力量），於是個人的智慧完全受了貶抑，而所過的多是囚隸的生活，盲目的崇拜，或機械的動作。

合理法則的出現

一旦人們所崇拜的「假神」被推倒之後，人們中的優秀份子便會發現，如今所流行的許多學說或主義，都缺乏堅固不拔的基礎，雖則還沒有發明相當的東西去代替它們。但是人們旣能運用自己的智慧，自由地思想，總會找着適當的法則以克制未來的許多困難。在沒有沉淪的西方文化與東方文化，和其他行將消逝的概念，如急烈變質的民族主義，全憑暴力而自以爲神聖的辯證唯物論之間；找着一種尊重人權，而避免使用武力的合理法則。

我們竭誠禱祝這新生的精神力量的滋長，和這些新方向的努力，能早日底於成功。以後人們將爲自己的存在而工作，却不是爲他人的權勢而努力。爲着自己的完成，和自己的自由幸福，尤其要爲着自己的精神發展，而貢獻出自己的生命的光和熱，以造福於人羣。

東方老早便有優美和平的文化，西方也有他們的古典主義，人文主義，和宗教的傳統，雙方要攜手合作，發揮偉大的精神力量，掃除這「中世紀」黑暗的陰影吧！

一種宣傳三種幻想

近代經濟的定命論，似乎引誘若干國家走向「計劃經濟」的路，以致國家的需要，處處控制人民的生活。歷史的定命論在預言「西方的沉淪」（特別是西歐的沒落），而東方集團取而代之。

另一種是技術的定命論，則宣佈這時代是「機器統治的時代」。

由於上述三種宣傳的見解，於是這四十年來似乎造成幾種頗爲流行的思想：

第一個幻想，是蘇聯代表將來，共產主義是人類的歸宿，而美國就是資本主義的迴光反照，它已爲歷史的命運所判定，終將歸於沒落，這是一般馬克思主義者的共同信仰。然而近四十年具體事實所昭示，富裕的是美國工人，而貧困在蘇聯這邊，而蘇聯在農工業方面，只是步美國的後塵，所行的國家資本主義，減低人民生活，以增加國家財富，倒免不了如馬克思所說，「剝削勞工剩餘價值」的現象。至於美國却已能將工業進步的果實，來改善勞工生活，却有幾分好像馬克思所憧憬的社會現象。看來自稱社會主義的祖國，搞了幾十年，仍不能免於社會主義者馬克思的譏諷。而所咒罵的資本主義大本營的美國，反爲全世界勞工階級所羡慕的對象；成爲「人民資本主義」，或「半社會主義」的新經濟政策。最近蘇聯經濟計劃的轉變，由集中中央而趨於分散，已被迫採取資本主義的方法，來和美國競賽，甚至因爲倒行逆施，違反人性的緣故，整個共產集團經濟瀕於破產的邊緣，而趕不上資本主義的進步。

蘇聯已不復代表「將來」，至少在匈牙利人的眼光中如此。在若干同情匈牙利革命的民主自由人眼光中如此。甚至共產集團內許多知識分子也是如此！

歐洲沉淪的幻想

第二個幻想，是「歐洲的沒落或沉淪」。歐洲在兩次大戰經濟破產之餘，還依舊分裂爲二十五個國家，結果東歐一面倒向蘇俄，西歐則傾向美國，而中歐有些國家則保持中立（如瑞士，奧國）。從這點看來，歐洲的地位的確比以前差得太遠了，任何一個西歐的國家，在蘇俄武力威脅下，幾乎都不能自衛。若要對外有軍事行動，也得請求美國的同意。東歐更完全處於被保護的附屬地位，任何一國不能單獨保持她底殖民地，也不能夠自給自足。嚴格說來，任何一國都不能完全獨立。但是如果歐洲能組識聯邦，至少讓大部份國家聯合起來，歐洲仍然可以自救。現在鐵幕以西的西歐，約有三億三千萬人口，而在鐵幕中的大約有一億左右，兩者合計，超過蘇聯與美國之人口之和。歐聯若能好好組織起來，當可與美蘇兩集團鼎足而三。成爲進步的領導勢力。因此斯賓格拉一班人的悲觀論調，可能爲這新結合所否定。

（下轉第二版）

半週述評

裁軍案歸檔

因此，談判了半年的五國裁軍會議顯得僵局，可能移歸聯合國大會。本來，該會是由聯合國分出來的裁軍小組會議性質，回到聯大來，聯大又有什麼辦法解決呢，這豈非意味着「此案歸檔」！

其實裁軍問題的本質，就是一個政治性問題，撇開一切政治基本問題不談，而專談裁軍而裁軍，先天就有着「不可能」性，曾一度對裁軍會議抱樂觀的美代表史塔生也相信「鐵幕開下去，不會有多大價值」了。

德國這個結

德國問題可說是裁軍問題的政治的結，儘管雙方勉強同意暫時撇開它不談，但如果真的繼續談下去，結果終將會碰到的。

飛彈外交戰

蘇聯突然誇言洲際飛彈實驗成功，是要英美在裁軍會議上讓步，結果西方也競傳美國正研究一種原子飛彈火箭，──將使蘇聯的洲際飛彈完全落伍，一如當年美蘇爭原子彈，蘇聯對於原子彈的獨佔，以及一切核子武器的宣傳戰一樣，蘇聯是「有的放矢」心理戰術，而西方却有「不可信其無」的心理，那是一件最滑稽不過的事，所謂軍備競賽，倒成了新武器競賽的外交宣傳。

赫朱兩大之間

本月十九日的德國大選，艾登諸勝利的形勢，有如前此李承晚之在南韓大選，這是說，形勢不會有多大改變，裁軍的政治的結，仍是不易澈底解開的。

觀察家已開始預言赫（魯曉夫）朱（可夫）間準備攤牌了──不是赫對朱照最近前例予以「慈善的清算」，便是朱將打垮他。前者的論據是：赫魯曉詭計多端，早已利用黨權預謀在先；後者的論據是：朱可夫已集軍權于一身。然不論如何，極權制下兩雄不能供存，是必然的。

假如這清算歷史又一次在蘇聯重演，勢將再予鐵幕附庸一次的動盪，而西方的包圍政策能再緊一步嗎？

毛澤東隱蔽之謎

兩月前毛澤東于放鳴鬧亂子後離平赴滬轉青島，迄今仍成一個謎，最近路透社也證實在北京的一次重要招待會中也沒有他。

不論他是爲了不願捲入周（恩來）劉（少奇）間的暗鬥旋渦，抑或爲躲避與「反右派運動」所激動的怒潮正面衝擊，這謎至少表示中共內部矛盾仍在方興未艾，所謂將實行「新清算運動」，是很可能的。

羅隆基當主角

羅隆基成了中共編演的「反右派」一劇中被「反」的主角，據載他供認「爲不滿中共統治的知識份子組織秘密組織，于一九四九年即行成立，並在全國設立支部」。這是該劇的台詞。這一幕，再加上章伯鈞的一幕，便交織成「章羅同盟」。這是中共編案定罪的手法。極權政治的戲劇性，概當作如是觀！

馬來亞面臨的問題

馬來亞于擺脫英國一百七十一年統治而獨立後，首先面對着最嚴重的問題是：它將往何處去。其試金石厥爲與中國建立邦交問題。

中華民國與中共政權差不多同時表示承認馬來亞聯合邦。聯合邦新任總理拉曼公開說「共黨永遠不會與任何政府共存的」，但對中華民國的訂交，也尚未達至明朗的程度。因此一些觀察家認爲有一事可能改變他的態度，那就是「如果中共停止游擊戰及領導馬來共黨，接納馬來亞政府條件投降」，那麼「他就會考慮與北平建立關係」。

那個觀察的假定儘管有着不可能的因素，都是一個可慮的假定。

自己的事

港澳難民救濟問題是國際性問題，事實上也是自由中國的本身問題；大陸人民反共潮的興起，是中共的問題，更是自由中國的問題。在目前各方呼籲與興奮中，自由中國總拿出積極的態度與辦法來。

近又傳越南總統吳廷琰訪澳前夕，曾接見越南袁公使，一般因此推測中越外交將有新的發展，我們應該如何積極地主動把握任何機會，使華僑問題，能夠有個打開僵局的辦法！

·林伯雅·

社會有無軌律可循

──一個年青人的疑惑

·王布儒·

通讀了自由人幾篇自白性的文章──蕭立坤、牛嶠、瓦斯三先生的大作，引起了我（廿餘歲）也打算來談談我們這年青的一代。

牛先生說他們的一代已變成「麻木不仁」，並指出我們這一代「較之三十歲有病的人『病』得還深幾成」，壞處後來居上，直叫我輩後生小子慚愧無地！

天啊！我們不知「病」從何來！當我開始懂得一些所謂世故人情的時候，一直都生活在亂離的世界中，看見的是飛機炸彈，殘垣斷壁，凄涼的村落，雜亂的都市，公路上走着肩挑手挈的逃難者，車站上人叠人的搶購車票……；所見的是姦淫殘殺，是怎麼一回事却不大淸楚；十多歲的時候我又聽得慘勝後一批批的人們復員，接收……，又聽到耳熟能詳的名詞──黃金，美鈔，金元券，銀元券之類，後來好像銀幕上鏡頭一轉那麼快，又換了一幕，回復像勝利前那樣離亂無章，淸算殺戮，逃亡……，一如瓦斯先生所述的，祇是主角換了一批人，戲路又別開生面。這幕一直到今天還在演着。

這些大人們的傑作，我一點也不懂得，更不能領悟其中奧妙。不過大人們以前告訴我許多日本鬼子該殺，後來提到了，連頭號戰犯也在內，却說該放，甚至舉杯互祝；在另一面以前大罵朱毛匪幫的人，匪變成了皇帝之後，却有不少人去叫他做東方的太陽，他自稱殺了八百萬人，據說還不止此數。還有人以爲我皇聖明，人民當誅，心中莫明其妙，執以問長輩，長輩祇告我說人心不古，也得不到滿意的答復。現在眨眼就要進入第三代（卅歲）了，我還是一知半解，我讀到了幾位先生的大作，似乎有點領悟，有點親切感，却不大了然，當然更談不上體驗。

少年時父兄所教誨的一套，似乎在生活上與社會格格不入，師長教我們的一套，──仁義道德……；却與我們看到的，一點也不相聯系。一加二等于三，H2O就成水……，又更與這些無關；讀文章，都覺得語語金石，字字如珠，似乎另是一回事。

我自認一無所知，今天看到牛嶠先生的指責，說我們這一代的後輩也不出息，有如受到老師譴責，十分難受，雖然指的是一部分，自問不是那一皮，却似乎我也有責任。

仲侯先生出來了，（見自由人六七三期）一紙赦免令，我心裏才釋然。

想學老先生那麼大大方方來自白一番，過去却一點值得提出的歷史也沒有，仔細一想，我覺得還沒有資格自白，如果有話要說，祇能像老師給我作文題目「述志」之類照做文章，講起來，一定比不上人家那麼精彩，回味來說，似乎有點逾份。

恕我不敬的說，我們的長輩，有令我佩服的，有不的。我不明白爲什麼似乎好的人大都沒有辦法，壞的人倒有辦法呢？看歷史，奸相總比良相多；看現在社會，紳士名流，聽說大都是有一段不可告人的歷史，不好的人到了有錢有勢時就會變成好人，生前變人捧場，死後受人頌讚。同一個人昨日共神，今天可變爲魔鬼，昔爲戰犯，今成貴賓，史太林會被赫魯歇夫鞭屍，岸信介却成爲艾森豪上賓……如此看殺，社會有道德律嗎，這些究竟是屬于老前輩告訴我們的道德那一條呀！媽媽告訴我們長大賺錢養家，爸爸却告訴我們非義勿取；回到家鄉聽到的都是某家兒子做大官，某家少爺營洋樓，人人都以爲「大丈夫當如此也」，這樣的大丈夫，究竟是否值錢，大人們口中的「氣節，道德，人格良知」究竟值幾個錢一斤，至於牛嶠先生所指出的「經商的滿腦子斤斤計較金銀銅鐵，幹文化事業的搜瞎刮腸爲了稿費」，我却覺得用本錢博小利，用腦汁賣錢，似乎天公地道，沒有什麼不對，倒是滿口仁義道德，滿腦子男盜女娼的人才眞是可惡，反反覆覆的才是小人，「盜亦有道」也比他們好！是嗎？

疑惑，彷徨！長輩請告訴我們該是怎麼樣呀？社會有無軌律可循的呢？

海外通訊

共黨選舉獲勝印尼局勢瀕危

蘇加諾面臨抉擇階段

華仁傑

自八分崩離析的局面，[illegible]蘇加諾最後抉擇的階段，[illegible]竭與政治癱瘓，使中央政府[illegible]迫。這次地方選舉，共黨以[illegible]數擊敗執政的國民黨後，東[illegible]爪、西爪三省，括有泗水、[illegible]及萬隆三大都市，悉入紅色[illegible]

。國民黨秘書長馬諾巴迫得發表聲明，籲請反[illegible]團結，並要求共黨對付泛濫的赤色狂流；地方[illegible]斥總統蘇加諾媚共招致現今顛覆危機，呼籲非[illegible]組織「聯合陣線」對共黨作戰；回教神學會領[illegible]召開各地方首長圓桌會議，集合非共黨派的國[illegible]軍總部發言人力證共黨企圖改變印尼的法統。

蘇加諾引火上身

這次國民黨的慘敗，該黨機關報歸咎於共黨造謠污衊。國民黨過去挾共自大，勢力範圍原僅限於爪哇的中、東部，蘇加諾做夢也未想到：過去在這兩大地區極力扶植共黨勢力，藉共黨支持他抵制其他回教政黨，竟然召致今日坐令共黨喧賓奪主。當然，國民黨的首腦如果不被「北處」沖昏腦袋、過分信賴共黨，共產黨顯然難以獲得本屆地方選舉決定性的勝利。

國民黨內部倒戈

然而，共黨這一次的勝利，除了悉力抨擊執政黨的腐敗，同時進[illegible]來已久的「國共合作」概念。這一概念雖已受得嚴酷考驗，中共政府[illegible]

蘇加諾應該今是昨非

蘇加諾面對這一[illegible]訟紛紜局面，[illegible]非，迅即宣布：[illegible]此次選舉無效，[illegible]數與黨支持（[illegible]）；（二）擱置[illegible]黨已搜證共黨非法[illegible]證據，力言蘇[illegible]法）；（三）[illegible]各項有違民意法令[illegible]

（八月廿四日寄自椰城）

「外僑稅」助長「離心力」

八月派舉閣征的「外僑稅」，法令規定全年分四期繳納，今年九至十二月爲第一期，規定在第一個月繳納全百分之二十五，第二個月起，每月加罰百分之三，第四個月勸令遷出國境，否則予以驅逐離境；更有一項規定：凡是本年度死亡之人，家屬亦須代爲繳納該項稅款。五口之家的中等家庭，事實上無法應付[illegible]

共黨在大選獲勝原因

[illegible]

海外通訊

政府當年走漏了一著棋

今天總該有個補救辦法（下）

●趙家將●

（續上期）

（三）最新的一頁

[illegible]

（四）無遠慮必有近憂

[illegible]

台灣通訊

星馬考察團訪台側記

●丘富生●

[illegible]

黑暗時代的一點希望

謝康

（上接第一版）

機器不能統治人類

第三個幻想，「機器統治人類」，人們將變成機器的奴隸，尤其是加上所謂「電腦」的發明以後，人們的勞力與心智，都要完全受着機器的支配，單調的機械生活，每天控制我們有紀律的動作，使我們的神經疲勞緊張而趨於瘋狂，一旦機器爲狂人所開動，十分之九的人類將不免於滅亡……

上列這些話每大都有人在複述，但不完全合於事實，人能造機器，也就能使用機器，人們要不指揮機器的話，機器是很難支配人的，如果善於使用機器的話，它應該是能造福人類的東西，而不是加害人類的東西。在十九世紀中葉蒲魯東、馬克思一班人所咒駡的罪惡，現在事隔一百年，應該不存在了吧，將來機器進步改良的結果，一方面是工廠設備的人道化，使工作變得輕鬆和愉快，同時因爲工作時間的減少，工人文化水準提高，康樂生活的豐富，人生當更感覺有意義，這倒是機械時代人們的自我教育和消閒的問題了。

沒有悲觀的理由

這樣看來，機器進步，人底教育也跟着進步，人們似乎沒有悲觀的理由，毋寧是抱着樂觀的期待，還來得合理一點。不過，在期待當中，要提高警覺，加強政治的認識，千萬不要對造成國際緊張局勢的暴力集團，存着什麼幻想！

美駐北平記者訪問後的談話

記者有訪問大陸必要嗎？

·何雨文·

美國記者訪問大陸，幾經波折，始得國務院批准，又代中共阻撓，看來將成泡影。美國記者當然以爲訪問大陸，是有此必要的，其實，以中共各種管制的嚴，限制的繁多，美國記者縱能前往，所能探訪的事情，不會有很大價值，必然是「徒勞此行」的。然而美國記者不是這樣想法，尤其是蝟集在遠東的一羣，個個躍躍欲試，對職務的忠誠和探求新奇與神秘的心理，兼而有之。我們在此，不願多所論列，願以二位美國記者的見解介紹一番，這兩位記者，一位居住香港頗久，對此問題有深刻的分析，另一位是去過大陸，報告他的經過和「收穫」。

中共七項禁令包括：
不得訪問毛澤東
不得訪問宋慶齡
不得訪問福建省

駐北平記者報導多揣測之詞

齊爾斯（Guy Searls）氏是美國哥倫比亞廣播公司遠東特派員，他在四月八日出版的新共和雜誌（The new Republic）上發表了「香港前哨」（Hong Kong Outpost）一文。他用這個標題，意思是說一個記者從一千二百英里獲得赤色中國的消息。文章開首就說：「國務院拒絕記者訪問中國大陸，結果是使得美國新聞機構完全依靠中共宣傳文件來發佈消息。在香港，美國記者和一般人一樣，可以獲得中共出版的六種報紙，這些報紙是中共的主要報紙，一切重要文件刊載在上面。但據悉有將近一三〇種的地方性報紙是不准出口的，許多重要事件各地的反映，因此無法獲知。」他由於此一點，是很羨慕路透社駐北平的記者大衛齊發（David Chipp）氏的。他說好像毛澤東的「如何正確處理人民內部矛盾」，中共沒有正式公佈全文之前，它的全部內容，海外是焦切地要知道，齊發氏用電訊報導了十二個要點。他猜想齊發，摭拾了地方報紙的零星透露，綜合起來成爲一個權威的報導。但是美國記者就沒有這種機會。不過，我們知道齊發氏報導的十二點，後來證明還是推測之辭。他在北平，所獲得的消息，並沒有強過在香港的各國記者。中共的地方性報紙，就是在大陸也是不准自由流通，一定要機關或高級幹部由於業務上的需要才准訂閱的。這一點也許齊爾斯不清楚，所以他才有所誤解。以一個外國記者的便利來說，也許在香港，倒有較多的機會去獲得這種中共地方性報紙。

香港外記反較大陸記者消息靈確

齊爾斯也承認在香港的外國記者所獲得的消息，有時反較在大陸的記者多而且比較正確。他舉了一個例子：一九五五年大水災，爲近百年來所罕見。但是在中共沒有正式公佈之前，大維齊發氏雖在北平，但並沒有隻字報導，因爲他沒有旅行到有水災的地方去，而他所能看到的報紙又沒有這種記載。在香港，有成千成萬往返大陸各地的人，因此有很多正確而重要的消息透露出來。齊爾斯也承認大陸來客是寶貴消息來源之一。

另一位記者是美國美非日報記者威廉萊森氏，他是一九四九年來第一個訪問中國大陸的記者。他寫了一篇報導訪問經過的文字，也刊載在新共和雜誌上（三月二十二日）。齊爾斯的文章發表以後，所以還提到這位先生。

安排一次廣播　費了四個整天

威廉萊森氏是一九五六年十二月廿五日由廣州飛北平的。在機場上接待他的是一位年紀只有二十二歲但已禿了頂的旅行社招待員。以後他在大陸一個月的時間，這位招待員始終沒有離開他，服務可以說週到極了。爲了安排第一次廣播，花去四個整天。他主要的訪問對象是被中共拘留的美國人。他要求和十個人會面，但祇允許見一個。就是這一個，他化了不少時間。從黎明六點，他便從北平出發，飛了六小時，他在南京歇了一夜，第二天再坐火車到上海。他被中共允許見到的是一位已經洗過腦認爲「思想已經通」的。談話時間只限在三十分鐘。結果一無所得。齊爾斯在他的「香港前哨」一文中，曾提到，英國記者和美國記者採訪的興趣和觀點不相同，例如被中共拘囚的美國人，是美國記者所要獲得的最重要消息，但是英國記者根本沒有興趣。齊爾斯據此爲理由，再三強調美國記者有訪問的必要。即使齊爾斯的意見是對的，可是大衛齊發的遭遇[illegible]

大衛齊發駐京一無所獲

大衛齊發的結果，自然大爲失望，是中共准許了下列各項：

1.不得訪問毛澤東
2.不得訪問宋慶齡
[illegible]

周恩來拒絕齊發的要求[illegible]美國人民賀新年的電文[illegible]不得訪問任何中國家庭。[illegible]不得與懂英語之[illegible]，特別是那些教育者談論關於[illegible]或中國人對美國[illegible]。上列限制，美國[illegible]其訪問大陸，可訪到什麼有特別消息呢？

國際動態拾零

據報訊，波蘭上校普里亞巴蘇聯駐軍發生衝突，其情形較羅茲騷亂爲嚴重。起因於俄軍擅砍樹木，爲波蘭森林警察所阻止，俄軍竟射殺之，繼而民衆射擊，雙方死傷甚多。現該波軍事當局，經聯合蘇軍司令部，先將肇事地區封鎖。

×　×　×

蘇聯將派新噴射機二架，載運其代表團人員，到聯合國開會。國務院未表示反對，但美政府其他機關，則殊不贊成。蓋自第二次世界大戰以後，蘇機迄未飛臨美國領土。

×　×　×

陸軍主持之中程木星飛彈試驗，多爲機械故障。自中程火箭劃歸空軍管理後，專家們將被解散，當局多介紹之至工商界任事。

×　×　×

狄托與赫魯曉夫前在羅馬尼亞會晤時，曾有秘密協議。蘇聯派至埃及敘利亞軍官，被許通過南斯拉夫。而且蘇聯運往該地軍火，亦得經過南國。惟須喬裝隱蔽，藉以避西方人員耳目。

·陶然·

新書評介

萬竹樓隨筆

左舜生著　香港自由出版社刊行

·王君實·

左舜生先生的大著萬竹樓隨筆出版以後，我得到一部。近來我患了頗爲劇烈的風濕病，在家裏調養，把這一本四百多面，二十萬言隨筆，從頭至尾細讀了一遍，找到了精神上的慰藉。恰如蘇子瞻詩所說：「有病得閒殊不惡，安心是藥更無方」。慢慢的不藥自愈了。

左先生是治史學的人，尤其是近代史的權威，從他在復旦大學，中央政治學校講授近代史起，以至最近在香港新亞書院擔任講席止，從他在中華書局編輯中國近代史料叢編起，以至最近出版萬竹樓隨筆止，他對於近代史的研究，幾乎到了三十年左右，因此他對於評述近代人物和掌故，無黨無偏，絲絲入扣；而且持論不苟，說起來，尤可見他筆下的嚴謹和公正。何況近二十多年來，左先生置身政海，接觸了不少大大小小的人物，他所觀察，尤有獨到之處。

中國傳記文學發展的途徑，和西洋不同。西洋名人的傳記，多數是自己寫的，中國人的傳記，多數是史官或文人根據現成材料寫的，但是除了一些著名的史家和文豪寫的外，大都是刻版式的，決難引人入勝。左先生在隨筆中所記載的如王秋，張季直等，除了記述他們的學問事功外，對於說及他們的遺聞軼事，寫得非常有風趣，[illegible]詒等則極力表揚他們的貢獻，不會把他們一筆勾消，這是稱公道。

這一本隨筆，除了一部份談人物[illegible]的絕筆詩，不是重遊巴黎和隨去巴黎[illegible]兩首絕句，而是他最後由歐洲回到紐約[illegible]金門一首。詩如下：「金門城上自由神，[illegible]寄語蔡京[illegible]。」這首詩[illegible]給黃河清君[illegible]，如果沒有遺失，[illegible]第二關於黃[illegible]：「或曰：[illegible]者即爲袁所[illegible]，刺之者實不明也。」[illegible]刺黃遠生與[illegible]刺湯化龍的都是美洲的華僑，刺湯的[illegible]烈士王昌傑骨，後來還附葬在廣州黃花崗上。

本書有一部份是用文言寫的，都能夠以簡練取勝，[illegible]祚的三國志[illegible]我們細讀此書，對於運用史料與寫作技巧，必有所幫助。最後談到作者所寫關於太平天國[illegible]，看出作者帶有所諷刺。[illegible]和個人看法。

歷史外，其餘一部份是談文學的。左先生很謙虛的說：「以我現在對中國文學的修養而來寫談文學的文章，可以說是十分的僭越，可是說到了文學的一面，[illegible]移到了文學的[illegible]力和見解，談李[illegible]晏幾道和王國維的[illegible]觀，他的見解是異乎尋常的，給治文學史和文學批評的要的參考，深入淺出，其次說到我對於本書有二處有些意見要補充。[illegible]

港大學生的煩惱

入港大自然值得向人驕傲　但也有不足爲外人道的苦心

·陳永昌·

港大是香港獨一無二的大學，能夠有機會在港大讀書的學生，自然值得驕傲。然而港大學生也有很多的煩惱，若個的心情，往往是不足爲外人道的。

學業惱人的事

平常港大同學的煩惱是（一）留級，（二）轉院系，或（三）功課落後而離校，或（四）家庭經濟困難而離校。試不及格，是[illegible]原因。但考試爲甚麼會不及格呢？居住地區的環境和家庭環境都有很大關係。選科的時候，只知道將來的出路，或職業待遇厚薄打算，選擇和自己性質不合的科目，自然吃力不討好。更有些同學因爲家庭經濟不好，必須出來做一部份時間工作，[illegible]是考試成績不好，甚至不能升級的大原因。考試失敗，很像戰敗的士兵，戰敗的兵士必須重振士氣，才能反攻，考試失敗的同學，要加倍用功，然要認眞溫習功課，但同學的鼓勵督促與信心更是不可缺的。

功課落後而離校的同學，是極可同情的。例如一個愛好醫科的，因考試結果不合理想，要轉到社會上找工作做。但其他並不感興趣，本來很有抱負的，很想若干年後，做醫生，爲大衆服務，結果如斯，現實對他打擊太殘酷了。

至於因經濟困難而離校的同學，自然更是值得惋惜，經濟條件本不應決定一個學生完成他的大學課程的機會的。現在港大雖有助學金制度，但僧多粥少，無濟於事。[illegible]

經濟不是全沒問題

現時有經濟困難的港大同學，也有幾種解決的方法：（一）申請外額，（二）半工讀，（三）申請助學金。

港大一個普通學生，每年需要費約四千五百元，普通家庭要供給一子弟讀完港大，是很吃力的，或者簡直是沒有可能的。爲甚麼申請外宿呢？因爲外宿可以不繳納宿費；住在家裏，吃住都方便。不過外宿[illegible]認識同學，和[illegible]。[illegible]集體生活的機會，[illegible]許多同學即使獲[illegible]，每日花[illegible]時間。[illegible]方法呢？有些在[illegible]功課，或[illegible]夜校[illegible]自己讀書，也不能專心功課。每天精神都是很疲倦的。學校考試，一定沒有把握。這些同學不是很值得我們同情嗎？

社交未必如理想

說到社交，在港大同學的生活裏，是很重要的。港大約一千多個同學，寄宿的只有五百多個，其餘四百多個同學，怎樣去認識其他同學呢？寄宿的很容易認識同一宿舍的同學，但又怎樣去認識其他同學呢？最普遍社交方式的舞會在港大是並不很多的。至於旅行，除了中文學會經常舉辦集體旅行外，其他學會組織的很少。至於其他集會，大多數是學術性質的，大家來聽一個學術講座，聽完了便走，很少機會去認識同學。

由社交談到擇侶，由同學關係而發展到件侶關係，本是最正常，而容易美滿，因爲人格，志向，健康，學問，興趣，個性及需要的互相了解，要以同學最方便。且同學間怎樣去認識戀愛對象呢？首先是認識同學呀！

出路問題

最後，談到港大學生畢業後的出路問題。先說醫科同學。醫科畢業生在香港人的眼中，是最被羨慕的。然而，在將來，香港的醫藥事業會不會國有化呢？醫生會不會全部被國家聘用，規定一定的薪給，對醫生私人營業加以若干限制呢？近幾年來，香港各社團的福利事業發展很迅速，每個社會團體都聘用醫生，爲會員診病，收費極廉，許多市民都願意通過團體組織，去看醫生，而不願單獨直接去看醫生。因原是香港經濟[illegible]，一般市民經濟力量有限，出不起高昂的診金。因此香港現在能夠拿出高診金的人數，如果不能跟私人執業醫生人數比例增加，則將來港大畢業的醫科同學，希望跟得上過去畢業的同學，能有同樣優越的環境，是很渺茫的。

工科畢業，就是做工程師。最近幾年，香港的大工程，有大欖涌水塘，啓德機場擴建，和填海等等。但這幾件大工程，可以容納很多港大工科畢業生嗎？這是很大的疑問。至於私營建築公司，我想能給工科畢業同學工作的，也是很少很少的。

港大的測量科，在大前年五月，才第一次有畢業同學，三十多個同學，同時畢業。工作範圍若果限於香港，短期間內，要人人找到工作，也絕對是不可能的。

至於文科和理科的同學，三年前，教育當局頒布了教師助學金辦法，使有志於教育的，解決了經濟的困難。若干本不打算教書的也準備讀教育系了。接受了教師助學金的同學，畢業後的出路似乎是不成問題的。

此外，理科畢業的同學，如像物理、化學、生物、數學等科，有沒有機會獻身於他們所學的科學呢？也是值得懷疑的。唸政治經濟的同學又怎樣呢？本港現在沒有什麼政黨存在，談政治是很少機會的。讀經濟，如果家裏是經商的，機會較好，否則只有向政府機構或找機會了。政府機構多數每年招考行政官吏，但收錄名額也是不會很多的。文科通理系，不打算教師的，可以到大文台，工商機構去，但剛畢業的同學，是不大受歡迎的。

總之，一個港大學生雖是社會人士所另眼相看的青年，但他有煩惱，很多的。在學的時候有煩惱，畢業後也還是煩惱重重的。

「報人張季鸞」自序

・陳紀瀅・

今年九月六日，是「一代師宗」愛名報人張季鸞先生逝世十五周年忌辰。緬懷張氏畢生盡瘁新聞事業，他的言論丰采給世人印象至深。尤其是他主持大公報筆政十五年間，在輿論上所發表的影響，盡人皆知，不待贅述。

自大陸淪陷，政府播遷台灣以後，新聞事業隨時代進步，已有新發展。但一般報紙言論，因種種原故，反難得到讀者重視。而若干定期刊物，或囿於知識圈，或爲感情激動，即披露批評文字，也往往不盡是多數讀者的心聲。因此代表輿論的報刊評論，迄今還沒有取得強有力的領導地位。也迄今不易從讀者尋得權威中心。誠然是遺憾事！

近些年來，我和愛閱讀評論文章的朋友們談起，大家都不約而同的，對季鸞先生有無限悼念之情。他的氣度，他的手筆，他那一片愛國心，他那積極的熱情與他那堅貞不拔的人格，都使人永難忘懷。也使他的著作永垂不朽。

今年春天，中央日報創刊二十八周年，特以「張季鸞先生與中國報業」爲題，囑我撰文。我實在無資格，也無能力寫這樣大的題目。但終因季鸞先生偉大的精神感召，我愉快的繳了卷。發表以後，出乎我意外，竟得到許多友人與讀者的過分鼓勵。我覺得這完全是大家追慕季鸞先生之故，與我的小文，干係絕少。同時，我也深深察覺得到，季鸞先生寫文章的態度與修養，甚至於文字技巧，不但不因他死去十五年被淡忘，反而因年代越久，令人越發增加敬佩與學習的心情。

我久有意爲季鸞先生作一部傳記，但他四十歲以前的生活，我知道太少。于院長右任老先生今年三月二日作古，特爲此事我邀集了一個座談會，希望大家供給我資料。那天到會的除陝西同鄉除于先生外，有恭辞識、冉寅谷、楊爾瑛三位先生，王康龍兩位先生。那一次談了兩個多鐘頭，對張先生留日期間在民立報服務情形，獲得不少資料。可是，我希望張先生的同鄉與知友，再供給我更多事實，以便將來能寫一本較完整的傳記。

現在這本小冊子，爲紀念季鸞先生逝世十五周年集成。其中「季鸞文存」是前幾年寫的。爲使讀者留有一般當年印象，臨時加入「追思胡政之先生」一文。胡政之與吳達詮兩先生在大公報的地位，均係重要，然而當時季鸞先生對新聞事業貢獻之大，也都有出版專書記載的價值。本書只因便利讀者閱讀，把記載他二位言行的文章，併刊本書之內，不會因此影響他們的地位，是不待言的。

季鸞先生的像片一幅是由沈宗琳兄附予，攝於三十年五月渝市新聞界慶祝大公報榮獲米蘇里新聞獎章慶祝會上。另一幅是冉寅谷兄費了許多事，才找到的。這張像是張氏於二十五年八月遊西安杜公祠所攝。寅谷先生並准許我單獨翻版，使本書留此紀念，實在感激之至。

當初「季鸞文存」四字係于院長寫的，本書又承他題字並詩。我想季鸞先生在天之靈也必含笑了！

談：美術郵票

・萬香堂・

台灣集郵的風氣相當盛行，衡陽路有一家書店門首一張小玻璃櫃是專賣買集郵生意，區區一張櫃的月租便是一千元租金，而且還有利可圖；由此可知台北市集郵的吞吐的力量了。

台灣印行的郵票已有相當改進，過去有一部分所印者不是紙張太劣，便是印工太壞，年來中央印刷廠爲改進此項素質，對技術職工的美術進修已予注意，紙張亦已大大改良了，所以近年來所印郵票之水準已大大增高；筆者最近獲得一個機會去參觀郵票的印刷，其過程極爲複雜。

要素

郵票那東西體積很小，而其內容很大，常包括歷史風俗、思想等，其印製之要素，第一爲「難於仿製」，第二爲「美觀」，第三爲「目的內容」。在一般印製方法來講，乃分平版票、凸版票及凹版票等三種，其中以凹版票印刷技術最爲複雜，因爲圖面線條精細美麗，非一般粗枝大葉的技工所能濫製，故不易偽造，其成本雖然較其他印刷爲高，而郵局在發行郵票仍多不得不用凹版的，其原因即在此。凹版的製造過程，中間要經過二十餘道的程序，所用機械也有二十餘種之多，而且還必須縝密工作，否則有時根本失敗，或被認爲疵票，或被人因而仿造，禍害更難以估計，過去台灣所產郵票乃多屬粗製，其外銷集郵者不佳，即乃事實。

圖案

郵票圖案之好壞，乃本質上第一先天條件，故郵票圖案都是非常講究，這項工作當須推重美術專家來負責，歷年所見郵票徵求的繪稿，有用鋼筆畫的，也有用西洋油畫的，中國國畫的，但此項徵稿之考選標準極爲困難，因爲評判委員難免見解不同，更難免有偏私，而且朋友之作品之處，所以往往所選出來的作品，並非最佳的作品。故今後在徵求方法上，如只講形式，不如郵局自己委托一二位有美術修養的專家負責，如香港之類。

雕刻

製造凹版郵票，與雕刻特別有關，它不同「影寫版」那樣痛快而簡便，雕刻一定要雕刻工作，雕版乃即郵票過程中最重要的基本工作，從前先用玻璃紙將線條描出，再覆印在紙上，由技師在母版上，如果線條精細，即採用鋼版，一部份乃用人工（用鋼刻刀及鋼刻針）雕刻，一部份用「幾何雕刻機」及「浮雕機」等，因這些工作所以時間常費，有時需數月之久。

翻製

郵票的印版，乃係由「母版」翻製而成，將母版翻撳成錫版，即乃將母版翻撳成凹形綫紋的錫版，此種錫版名爲錫版而乃鉛錫銻三種金屬配合而成的合金混血兒，版面光滑爲必要條件，再拼鋅而成電鍍母版，最後成爲很厚的銅印版，置入電缸內鍍成一塊印版須時約七十餘小時，其電鍍之目的乃使印版鍍上鉻層，增加硬度，以便可以經久耐用，普通印版印二三千份即會損壞，經鍍後則可印五十萬份之多，電鍍技術至爲麻煩，乃經過撳錫、拼鋅、修削、刨平，到電鍍最後還須修整，所有技術均有特別熟練者才可勝任愉快。

配色

配色乃一種藝術工作，原有之圖案乃爲藝術家所繪成，其顏色至爲難配，一般普通印刷技工焉可勝任愉快，否則[illegible]才可以使郵票印出[illegible]呢！去年中央印刷廠特令技工數人到台北藝術研究所學習色彩學，以便選色時懂得藝術的知識，結果當然是懂得如期效果的。在印刷前，由專門技師及技工配好色，試印選擇，經主管人認爲滿意時，即由技師將各種油墨開列份量清單，交由配油墨工人照單磅秤，絲毫不能相差，否則印出來時會走樣的。該項油墨經機器調勻後，復傾入軋墨機內軋研，使之更爲精細，遂又交印刷機印用了。

印工

郵票付印時，所用的印紙必須先行經度濕水，否則有顏色不顯明之弊，印機上乃平檯式凸印大電滾，經揩油墨手續油墨後，即印，用一塊極大的鋼印滾，外裹呢布及橡皮布，將已經度濕水的印紙壓印於印版而將凸陷於紙版上而精細綫條印現於紙上，後即分隔印紙，偶一不慎，即易污損，除出後即可烘焙，即乃將印好之郵票分批送入電爐烘房烘焙乾燥，進行軋光壓平，經初步檢驗，查有瑕疵的挑出作廢，即付針洞（即郵票四周打成花邊形的齒孔，以利撕開），再經過複檢手續即行編號包裝，其間各部門工作均係嚴格，在手續，以防弊端，因郵票乃一種有價值券，非嚴加監督不可呢！

誰也想不到那小方塊郵票乃經如許大衆工程乃得製造完成，而集郵者之審美力亦極爲精細，如圖案如何，顏色如何，紙質如何（多爲白色紙，比外尙有用絹絲紙，條紋紙，有色紙及粉面紙等）齒孔如何，變體如何，（郵票偶因錯誤而印出的稱爲變體郵票，爲集郵家所珍視，即如郵票製造過程漏了打針洞的一二張——全一張爲百枚及二百枚，其價值比普通者高數十倍或數百倍不等，近年台北曾有集郵者購得二百枚一張未打針洞者，立即傳遍全省，集郵者無不以購得多枚爲快，該票之價值乃向直飛，物主乃發了財）郵識如何，印版如何，分門別類，備有顯微鏡詳細研究。稱之爲有閒階級的玩藝固可，稱之爲人類高尙生活之一種也可。

更正：本刊第六七二期「提供一個藝術觀念問題」一文，作者爲恨天先生，誤植「靳天」。

詩四首

自美國水牛市，往加拿大瀑泌市道經奈阿歌樂觀瀑。　・衞挺生・

美北五湖天下聞，平切大陸美加分。綠波浩瀚夢鳥落，晨夕煥彩照水雲。

稀世奇景不許平，頓教石破天亦驚。波濤萬頃自天降，地坼山崩雷霆鳴。

漩沫一瀉霧百丈，萬馬奔騰無比壯。谷風瀰洞珠霧飄，繚繞十里掛羅幛。

天賜純粹兩國珍，電化千里惠四民。美盛工商加農牧，分霑瓦市永睦隣。

海上學校

※中篇小說※

趙啼蕃

突然，鄒雲亭與酒店侍者怪嚷道，「呀，來了，五個擇選仔，一人一個！」

周曼石循聲抬頭，瞧見了五個花枝招展長辮的姑娘，由一個老人率領着，笑臉迎人，與大家點頭招呼。

「擇選仔」是那種……亭擺出了那種似老相好的神秘姿態，鄒雲亭惜地說，「娘兒們都愛唱幾句，你們實，一點也不含糊，鄒雲亭，你這小四字羅嗎？」他已唱了一下，將身，輕拍着。周曼石聞聲不覺，胖臉漲紅，似乎對這種事情很不起興趣，而正當此時，滿臉惟笑的婦人們，順屏氣般圍攏來了。明手快，挑揀了「擇選仔」幾個。輪，迅速地嘘志地伸手去捏一個，年青風騷的姑娘的肥屁股。那個姑娘的身子活潑擺動着，巧笑妄閃着兩顆黃澄澄的金牙。

有金牙齒的姑娘像一朵飄忽的落花，輕盈地跌進了周曼石的懷裏。一股廉價的花露香混和着肉粉與汗氣的味道，衝進了他的鼻孔。他覺得有種奇怪的鬱悶心情，一種精神上作嘔的情緒，在兩個身體輻射出來的熱量之上振蕩。這種難以形容的變幻心理，開始迅速地支配他，眩惑他，如同置身於風浪中的一葉扁舟，使他的頭有些發暈；有些轉動，他被捉弄得瞠目結舌，手足無措。

金牙齒瞟了他一眼，垂下浮腫的眼睛微笑着，用斜斜的明亮的眼睛望住酒杯。然後，將富有彈性的肉體蠕動起來，灑脫而熟練地端起了酒杯，湊近他的嘴唇邊。周曼石微微感到她顫動，並且禮貌地迅了一口酒。酒精在身體裏面強烈發酵，心臟像鍋爐一般沸騰着。

「這位是周大爺，好好替我陪酒，」。酒席筵前，揚播着一些字典上都不好印的語言。

「被損害的——不是她們，是我們自己！」周曼石想，但這話沒有說出來。濃重的被侮辱之感，使他的臉變得更爲嚴肅。眼睛停住，眉毛擡起。

「不滿意嗎？」鄒雲亭一面摸着一個肥女的白嫩的臉蛋，一面偏過頭來問。

「我覺得怪氣悶的，」他開言。

「鄒換換味口好了，」「老四備船！我同周大爺一船，你們另我一條。」

「是，是，大哥。」

「埋單！」鄒雲亭喝道。從皮夾裏抽去一張紅底，往桌上一甩。「不用找續了，多餘的是小費。」

「多謝，多謝！」跑僕的媚笑着。

兩艘船解纜出發了。目的地是上海上街。

周曼石已帶七八分酒意。額角上滲冷汗，心窩裏鬱集着一團流火，有一種東西老像躍躍欲出。他眼睛發花，視綫模糊，一個人頭變成了兩個，一條船看起來確實海鮮一道道上來了。又一道道撤走了。

是兩條！而擺渡艇的顛簸，益發增加了酒的份量。他覺得他有當場「下貓仔」丟醜的危險！

鄒船上，歪鼻子與血絲眼，正摟緊兩個姑娘蠕戲着。暴牙齒白粉道人與致更濃。他一面撫捏又黑又臭的香港腳，一面伸長脖子，打着尖促的蛋家腔調，嘶起喉嚨低唱「喊天九」的小調。從周曼石的惺忪醉眼裏看來，活像一隻咧嘴破聲的小雄鷄。

「天地人」牌分拆散呀，「梅花」全白落黃泉呀。

「嬰六」遇具常暗慘呀，「雜九」枉非慘斷腸呀。

「地八」分開常竊覺呀，「人七」無情分散開。

「鵝五」「大梅」歸地府呀，「至尊」開口嘆悽涼呀……

鏘鏘鏘，鏘鏘鏘——

他一邊唱，一邊嗅着指頭上殘留的香港腳怪味道，得意得連眼本都垂下來了。

（四九）

雜唸的經

往年在家時，常聽老年人愛說的一句口頭禪：「家家都有本難唸的經」。

從前實行大家庭制度，表面上看，熙熙攘攘，實際上，內部說不定潛藏着種種矛盾，有着難言之隱，這也就是所謂「一本難唸的經」。

一個剛進門的新婦，對於這種家庭環境的肆應，真是爲難！每房有每房的背景，每人有每人的立場；肆應得好，頂多落個「賢婦」的空名；肆應得不好，縱不打駡連朝，恐怕也祇有忍飢飲泣的份了。

多年前，筆者有位表姐出嫁，新郎是位富家少爺，有兩位母親，這兩位母親在家中勢同水火，因此那位表姐，眞夠她唸一輩子了。

周旋於兩者之間，受盡折磨。侍候好大婆婆，就得看小婆婆的臉色；侍好小婆婆，而又失歡於大婆婆，再加上小姑妯娌們。從中搖唇弄舌，無事生非。這本「苦經」

近年來，雖然大家庭已逐漸蛻化成小家庭；但小家庭中，也並非完全沒有「難唸的經」。

前天讀某君著的一本雜文，有篇題名「官窯」者，敍述機關小職員的「苦經」，筆觸豔飽，淋漓盡致；其處境之艱難，與大家庭中的小媳婦，殆無二致。其中有段說：「例如一件事，你做了落不是，不做也落不是。走一步路，都可能觸犯忌諱。」這就像把你甚在木籠子中，最好別動，動即得咎。」閱後，不禁掩卷嘆息者再，因爲筆者的面前，現在也正擺着這樣一本「雜唸的經」呢！

・小民淚・

自由人
THE FREEMAN
（第六八〇期）
中華民國僑務委員會
頒發登記證台僑新字第一第二號
中華郵政台字第五〇〇〇號
執照登記為第一類新聞紙類
（半週刊每星期三　六出版）
每份港幣壹毫
台北市售價台幣壹元
督印人：陳文華
地址：香港高士威道二十號四樓
20 CAUSEWAY RD. 3RD. FL.
HONG KONG
TEL. 771726
承印者：東南印務出版社
地址：高士打道六十四號
台灣總經理處
台北市西寧南路安樂里二號二樓
電話：四七三四六
台郵撥儲金戶九二五二
海外總經銷：友聯書報發行公司
香港：彌敦道中二十六號A二樓

理論反攻與實行反攻
這裏有我的一套看法

·左舜生·

由台北『自由中國』半月刊所提出的一個『反攻大陸問題』，無論在台灣，在海外自由人士所活動的區域，都討論得十分起勁。這個問題看起來好像很複雜，實際卻是很簡單：能不能反攻，這是一個事實問題；應不應反攻，這是一個理論問題。

照理論說，今天並沒有任何人反對反攻；照事實說，只要大家所看見的事實大抵一致，便不容許任何人得出一個不同的結論。三年以來，我對這個問題的看法，一直是站在『不能反攻』的一面的。現在就我所了解的事實，條舉一二於下，則究竟『能不能』反攻，讀者可以一目了然。

[illegible]

美國不能對自由中國設一例外

[illegible]

我們需要美國援助的方面太多

[illegible]

一種過分的樂觀

[illegible]

半週述評

中共向知識界開刀

[illegible]

恐怖手段救不了中共

[illegible]

匈牙利問題在聯大

[illegible]

聯合國席位問題

[illegible]

·李秋生·

為新加坡獨立前途奠基
林有福已面臨對共決戰階段

（新加坡航訊）[illegible]

·司徒釗·

日韓可棄嫌修好嗎？

胡養之

關鍵在：釋僑及賠償問題與歷史仇恨

日韓釋放僑民談判，本於今年六月初，當日首相岸信介訪美之前，雙方已達成廣泛的協議。迄八月廿日以非正式的方式恢復舉行，但由於日方堅持釋放韓僑同日本在韓財產要求及其他問題分別處理，致使談判中途停頓。

戰後邦交談判經過

戰後十幾年當中，日韓兩國的邦交問題，不知舉行過多少談判，可惜兩國關係始終沒有好轉。一九五三年日本代表久保田，因發言激怒了韓方代表，致兩國談判於同年十月即告停頓。其後日外務省前顧問谷正之，又以恢復日韓談判的建議，面交南韓代表團長金溶植，表示日政府準備撤回久保田的不愼發言，並建議包括如下各項：（一）在日韓間各懸案未解決之前，先由兩國簽訂友好協約，藉使兩國關係正常化；（二）戰時日本自韓運抵日本的韓方資產，其總數若干，將由日政府作一估計，然後由日方以同值的現款賠償韓方；（三）日本將以原屬於韓的古物歸還韓國，（該批古物刻陳列於日本博物館）；（四）戰時在日政府及日軍服役的韓人，尙未領到的欠薪欠餉，將由日政府補發；（五）日韓應儘速締結漁業協定。

關于賠償一項，當時南韓政府要求日本賠償其資產損失二千七百萬美元，而日本估計其在韓的資產，也値得三千六百萬美元，故主張互相抵銷。可是，南韓不肯接納。

韓人憎惡日本歷史背景

韓國始終不諒解日本，誰也知道是由於韓人對日本統治韓國時期的積憤太深，同時其中也有許多無法解決的基本問題存在。由於過去日本在吉田茂和鳩山兩首相任內時，政策的確也有些曖昧之處。因此，當時有人這樣說：對於日韓關係改善的未來展望，必須把它當作遠東反共鬥爭的一部份來看。因爲兩者之間有密切的關係，而且互有重大的影響。

誠然，日本當時的態度，好像要採取中立路線的樣子。一方面和西方國家交往；一方面又要討好共產國家，尤其是和北平政權，經常眉來眼去。韓國深恐日本軍國主義會再度興起，可能導致捲土重來，再度在韓國歷史重演。

李承晚險被日本殺害

韓人，凡在三十歲以上，曾經過日本人虐待的，大都憎恨日本。特別是八一高齡的李承晚總統爲尤。我們試打開他的歷史一看，五十多年中的革命流浪生涯，可說純粹是反抗日本。自一八九七年，他領導學生示威遊行，反抗政府，便被拘入獄，飽受酷刑。一九一〇年日本廢除朝鮮王，公開併呑韓國，李承晚返國領導地下工作，發動愛國宣傳及抗日運動，但因事機不密，險遭殺害！

後來，李氏逃到夏威夷，轉輾抵達上海，那時日本政府發出通緝令，並懸賞三十萬日元，企圖購買李承晚的腦袋歸案。好在當時中國政府很同情李承晚，於是李氏想了一個辦法，躺在一副空底的棺材裏，由密地由其同志運往上海英租界，得免於難。

一九五五年十月，當美國企圖促成東北亞聯盟的時候，韓國反對日本的情緒，差不多達於新的高潮。李承晚曾在許多場合中都說：「美國應採取步驟，以調整日本與以前曾受日本侵略的自由亞洲國家的關係，此事必須先行解決，然後方可希望有一個包括日本的有效的遠東聯盟。」韓國當時執政的自由黨，在同年八月十日也曾發表宣言：「如果日本繼續向大韓民國推行其帝國主義，則韓國也許不得不使用武力向日本報仇。」

棄嫌修好　非無可能

不過，韓國對日本固有強烈的攻擊，却也有和緩的語調。他們曾經否認過一個「仇日」運動，和否認曾對韓國兒童施行「仇日」的教育。因此，我們認爲：日韓兩國的僵局，不是沒有冰釋的可能。即使有些特定的問題如竹島，漁綫，韓僑和日本漁民以及財產的要求等等，也並不是無法找到一個解決的辦法。何況日本對韓國也並非沒有貢獻，如前年在漢城建築了一所現代化的印刷工廠，裝置了一經過改造及最新的日本機器，專門印刷學校教科書和政府出版物，對韓國教育及兩國文化交流，有過表現。

再從商業角度看，韓國一向倚賴日本的進口貨。據統計在過去幾年中，韓國由日本購入價値一億一千五百廿萬零五千美元的貨物。另一官方的數字顯示：一九五三至一九五五年間，韓國用於購買日本貨物的九千九百卅一萬八千六百一十美元中，百分之七十五是由韓國自備的基金付出的。同時韓國的出口貨亦然，日本一向吸收韓國出口總額中一個很大的百分比。一九四八年至一九五二年間，每年出口至日本的貨物，平均佔韓國出口總額的百分之三十五以上呢。（八月廿九日）

台灣點滴

台灣銀行業務繁盛，總行建築宏偉，雖屆，原已遠較一般機關用嚴涼爽百倍，最近全部裝置冷氣設備。

× × ×

台灣公賣局出品的新樂園香烟，不僅烟絲，近日烟紙變薄，發灰黑色，一支烟燃着，且有臭味，說公賣局偸工，變相漲價，烟竟成爲烟友常生活品。

× × ×

新主席周至柔邀台灣省立師範大學校長出任教育廳長，劉氏受徵時，很快而毫不的答應了，算是答覆最快的一人。師大校長出缺，然傳由教次吳俊升調任，一般預定長張其昀首放「走」也一發即臨的。

●李鸞●

× × ×

最近因省議員的質詢中建議廢止會考制度，教育當局在愼重考慮中，此制迄今十餘年，時行時止，旨在劃一學生程度，提高水準；教育廳決定對今年會考不及格學生，由各校自行補考，補考不及格則留級。由原校自行補考。這怎麼解釋呢？畢業考已經及格了，怎麼再補考？普通中學僅屬造就專才之準備，並不意味其爲專才，已六年培植得如此成績，甚礎有關，天資有關，豈僅留級一年可以意其培甚之功乎？倒不如由教育當局辦一公費職業訓練班，造成其就業技能，爲社會服務之爲愈也。吾人希望教育當局不必因質詢而有這類「穩健牌式」的辦法。宜研究合理可行之方案焉！

。詩書生。

讀者論壇

我們的論事態度

●台灣民營廣播電台●

台灣民營廣播電台新聞部來函，對本刊六七六期讀者論壇欄內所刊曉智先生的「有什麼就說什麼」一文，有所辯釋，並附來該電台九月一日星期聯合評論節目中播送「我們的論事態度」一文，茲將全文要點刊出如后，又關於此項論辯，後此不再續刊。（編者）

我們在上個月十一號播出一篇星期聯合評論，題目是：「有麼，就說什麼。」提到反攻大陸問題，提到「自由中國」雜誌那篇關於反攻大陸問題的社論。我們主要的是不同意「自由中國」雜誌根據所謂國際形勢和所謂戰爭必備的條件這兩項已有的知識和因素，就判斷反攻大陸可能的公算太少。我們認爲「自由中國」雜誌沒有把國內戰爭和國際戰爭加以區別，根本沒有注意到大陸知識份子和一般工農人民反抗共匪極權暴政的決心和行動；沒有適當地估計大陸內在情勢對於自由中國反攻所存在的價值和影響。我們對「自由中國」雜誌「是什麼，就說什麼」的立言基準表示贊佩，但是我們提出了補充，認爲客觀論事的態度，除了「是什麼，就說什麼」以外，還應該「有什麼，就說什麼」；否則，凡有利於自己論點的論據，是什麼，就說什麼，不利於自己論點的論據，儘管有，也絕對不說。這種以偏概全、獨斷的態度，是根本違背自由主義精神和原則的。最後，我們提出：反共就必須反攻，不反攻，只反共，甚至於用否定反攻的可能性來反共，是反不下去的；因爲士氣民心一消沉，台灣基地尚且不保，我們又憑藉什麼來反共呢？

我們那一篇星期聯合評論的內容，絲毫沒有意思替政府辯護，尤其沒有任何一句話，足以意味着是把政府不反攻的責任，推卸與論界對政府的批評，指責，潮笑和諷刺身上，更加談不到是對「自由中國」雜誌的什麼多面包圍，一點突破！

最近，我們在第六百七十六期香港「自由人」三日刊讀者論壇內，讀到一篇署名曉智所寫的，題目叫做「有什麼，就說什麼評議」的文章。我們不知道這位曉智先生是不是曾經看到過那篇評論的紀錄全文？

譬如說：反共，是反對共產黨，革命是「人民對某種不令人民要求的政權」的反抗，大陸人民起來反抗共產黨的極權暴政，爲什麼不叫做反共革命呢？爲什麼反共一加上革命就變成了所謂「架床疊被」了呢？再譬如說曉智先生認爲要一談到大陸內在的反共革命形勢，就是「孤立論者」：就是要把反共戰爭從世界戰爭抽離出來，就是否定反共戰爭的全球戰略，就是所謂「井蛙語天」。祇一心想着大陸內部的反共革命形勢，而完全看不見世界大勢，主張放棄從大陸革命形勢來反攻，是完全在毀滅反共戰爭的統治主權？又是一種戰爭什麼論者？何以我們在那篇星期聯合評論中，並沒有把反共戰爭從世界戰爭中抽離出來，並沒有否定反共戰爭的全球戰略，我們只是提醒那少數主張等待世界戰爭解決中國問題的人們，今天中國的反共戰爭除了作爲世界戰爭的一部份以外，也還有它作爲一種國內戰爭的特質。固然可以用世界戰爭解決中國問題，也同樣可以用國內戰爭來解決中國問題。在反攻復國戰爭的性質上，我們並沒有「井蛙語天」。

像以上所舉的例子，還有很多，我們不須再一一細說，現在僅再舉一個例說吧。曉智先生說：「有什麼，就說什麼」的論事態度，是什麼戰爭孤立論者的看法，而不是世界戰略論者所重視的，那麼戰略論者所謂世界戰略家所重視的論點，所謂態度又是怎麼一個論點，必須以一些採證，強迫另一個客觀的採證？難道中國大陸風起雲湧的反共抗暴革命事件，都是我們主觀虛構出來，強迫所謂世界戰略論者去採證的嗎？再退一步說：所謂世界戰略論者的立言基準，就是「是什麼」，那麼大陸人民反共抗暴是不是反抗共產黨呢？如果不是反抗共產黨，難道是以自己的生命作兒戲嗎？這些問題絕不是這位曉智先生用「不予置喙」四個字就可輕輕交代過去的。

人物評介

記僑領黃文甫其人其事

經他努力曾使加拿大移民例與香港難民入加境案作許多有利于僑胞的重大修改

●飄萍●

近半世紀以來，我們旅居海外各地華僑，被受當地國家苛例束縛及歧視排擠，筆難盡書。如民國二十一年間墨西哥排華，即爲最著者。

加拿大禁止華人入境，始自一九二三年七月一日施行禁止華人入境苛例，旅加華僑稱之爲「四三」苛例，並特定是日爲「僑恥紀念日」，每年於是日自動停止一切娛樂，亦不參加加國國慶會，而必集會紀念此僑恥，同時交換意見，通電加京請求撤銷此案，年年如此，從無間斷，經過二十三年之努力掙扎，至一九四七年（民國三十六年）加政府明令取銷，人謀之艱辛，可想見了。

然而舊案收銷了，新移民例如何修訂，以維護華僑之權益，近十年來，全加中華總會館，經常集會討論，向加政府提出改善條例，並曾公推該會常務委員黃文甫氏，先後八次晉加京請命，逐漸獲得改善華僑處境。黃氏的貢獻有足述者。

按：黃文甫氏廣東台山人現年五十六歲，體格魁梧，善交際，其尊翁爲旅加華僑巨子，黃氏九歲時到加，由宿儒授之以國學，故中文有根底，造詣亦深，其後畢業於英屬可倫比亞大學，爲該校初期之第一位華生。初任加政府機關傳譯員，中華總會館書記，外交主任，第二次世界大戰，任職加政府戰爭服務部，並兼華裔籍民會顧問，戰後主編域多利埠新民國華文報，及任中華總會館常務委員，連任九次至現在。他設餐館，業餘自創圖書館一所，珍藏歷史哲學書籍甚豐，公開借閱，受惠者不少。

黃氏內受祖國傳統文化思想薰陶，愛國觀念特重，當二次世界大戰時，曾發行英文刊物，宣傳祖國抗戰，喚起僑胞捐輸，另一方面鼓勵籍民效忠加政府戰爭，共同推倒軸心國家，並著有「制裁日本，援助中國。」「三年抗戰。」英文書，呼籲外人主持正義，援助祖國抗戰，深得加人重視，博得全加與論同情，使加政府對華人之歧視觀感，有重大之轉變，戰後加政府取銷歧視華人苛例，黃氏居功甚偉。

中華總會館的外交事務，戰時以迄於今，都是推由黃氏担任。當「四三」苛例廢除後，即有兩個大問題，待解決者，一爲現在僑胞平等權利之爭取，一爲僑胞之血親，姻親配偶，如何取得手續到加。關於前者，黃氏曾代表中華總會館請願，卒獲照准，自此華人享受公職權利與加拿大人無異，如近年來華僑鄭天華氏當選爲議員，其他公職及律師醫生亦已有不少華僑出任，此爲過去不准華人担任者。關於後者中華總會館於「四三」苛例廢除後，每年都公推黃氏代表晉加京請願一次，歷次所得重大成果如下述：（一）子女進口年齡由十八歲改爲十九歲，又由十九歲改爲廿一歲。（二）日前入籍要費兩年，今則申請入籍，祇需五個月可得公民證；（三）凡已報名入籍而內戰後回國省親未能領取公民證者，准其申請家眷來加；（四）照骨年齡准許前後三年；（五）既許男女家室前來，又獲得批准女亦能取丈夫及子女來此同居；（六）如有痛苦情事，子女由廿一歲以上廿五歲以下，其亦得申請入加。其他尙還有若干細節。

本年三月，黃氏第八次之晉京，使命八項，其最要之四項爲（一）准許華人青年之廿一歲以上獲得公民證者，申請取未婚妻來加結婚；（二）准許華裔加籍子女取未婚夫來加結婚；（三）准許未有加籍之華人子女享同等權利；（四）准許在香港之難民來加，得年五百名，以五年爲期。當經移民部長同月廿七日函覆黃氏批准第一項，即日有效施行。第二、三、四項現在黃氏仍與移民部長不斷的函電磋商中，黃氏在京時部長曾當面表示第四項之難民法案，在本年秋季作「有動作之考慮」。最近加政府改組，自由黨下野，由保守黨執政。新舊交替之際，無暇及此，以故香港難民案，須稍候數月，才有頭緒可見。

綜觀關於撤銷「四三」一案，其創開局面，諸僑領前輩實經無數之努力於前，謂黃氏爲接力發跑於後而獲勝利者，尙無不可。戰後劃時代之新移民法例修改，謂黃氏爲獨任長征，將以達勝利終止，又無不可。九仕常委，八次晉京，雖理想尙未完全實現，但其立心爲僑胞造福之精神，無以復加！

與加拿大比鄰之美國在第二次世界大戰時，華僑籍民亦參與美軍戰爭行列，僑領黃仁俊（台山人），周錦潮（中山人），曾渡度聯袂赴美京向參會及政府交涉，准許參與美軍戰爭之華僑，於戰後得帶全部眷屬到美團敍，卒獲成立法案，故戰後僑眷能相率順利過美國居留。此事亦值得在此附帶一筆。

美軍事評論家評論

美包圍政策不合時宜了

認為一九四七年採此政策不無理由 今天對蘇聯應改行積極的攻勢政策

・文鑑・

美國聖路易郵報軍事評論家裴立斯准將，最近在新共和雜誌上發表一篇文章，內容是希望美國不必繼續過去包圍蘇俄政策，應該利用蘇俄和中共內部的矛盾，以及其他附庸國家的反抗壓迫心緒，對共產集團改採攻勢。

如果包圍蘇俄十五年

裴氏認為：美國自一九四七年，對希臘和土耳其實施杜魯門主義的時候起，對蘇俄開始採取包圍政策。據美國外交家蘇俄問題權威肯南（前駐蘇大使）說：如果西方國家有本領包圍蘇俄十年至十五年的話，則蘇俄實力，將可能包藏「腐蝕種子」，最後或者實行腐化。肯南此說固有見地，可是包圍畢竟是個守勢的策略；守勢是任由敵人採取主動的。而肯南心目中的長期防禦，絕對不可能。因為敵人早晚會使用突擊或壓力，向某處若干點突破成功，全部防線將告瓦解。戰略上有句鮮明的解釋：「防守是等打敵人」。這只有因為本身實力未充足的國有措施。一九四七年，西方國家實力不充分，暫時採取守勢，不無理由。但是，縱使採取守勢，最好也應該輔以攻勢行動，使能夠迫令強國把力量移向弱國預行決定的方向。例如美國南北戰爭，實力較弱的南軍，採取多次攻勢，使北軍疲於奔命，因此支持了四年。

中國淪陷是民主國家失敗

軍事如此，政治行動亦如此。應付蘇俄，不要隨敵人壓力而轉移，西方國家應該選擇蘇俄弱點，自行施加壓力。過去的包圍政策，加上了蘇俄政策的錯誤，造成了幾次勝利，可是也有幾次失敗。所謂幾次勝利包括共產黨在希臘革命的中途而廢，共產黨在西歐陰謀之未遂目的，柏林封鎖的終於解除等。至於民主國家的最大失敗，便是中國的淪陷。

蘇俄由第二次世界大戰起，已經開始擴展共版圖。西方國家以為戰時軍事合作可以繼續實行於戰後國際關係，但是蘇俄不僅不與西方合力矯正戰後的不安定情形，反而利用各地的不安定情形去強化自己的勢力。

戰後蘇俄在遠東中東並進

如所週知，蘇俄戰後由於軍事佔領和實行共產，先後取得了波蘭平原和多瑙河盆地。第二步是側擊韃靼海峽，以求控制黑海通至地中海的要道；同時煽動希臘戰內戰，企圖擴張勢力到中東，隔絕土耳其與蘇彝士運河。第三步即鼓動英埃英伊的衝突，伊朗與埃及的改變，蘇彝士運河的危機，以及約旦和最近奧曼的叛亂等。

因此，有人認為：前者是蘇俄希圖排除英法在中東的勢力，取而代之；後者顯然是打擊艾克的中東主義。假如艾克主義在中東萬一失敗——失掉中東任何地區，其嚴重性似不下於在遠東方面之失掉中國。雖然馬歇爾計劃在西歐成功，恢復了歐洲的經濟，防止了法義兩國的共產化；然而，中國大陸的失陷，與其說是蘇俄三十年處心積慮的成功，毋寧說是美國政策的失敗。

應採四方面並進攻勢

蘇俄對德國和朝鮮，始終維持著分裂的狀態，企圖最後把她們全部共產化，這用心於侵略朝鮮之後完全揭露。但是侵略朝鮮卻是蘇俄的大錯，由於西方國家被其驚醒而重新武裝了，大西洋公約本來是一紙空言，竟成為領有龐大軍隊的軍事同盟。

同時西方國家對蘇俄的軍力平衡，現已將近均等。應該轉向地理、政治、經濟和宣傳四方面並進的攻勢。就地理言，捷克本來就是傾向西方國家的，將可能起而推翻共黨的束縛。如捷克歸附西方，則匈牙利以次均被包圍，亦將落到西方範圍。

附庸是蘇俄大國弱點

誠然，附庸國家是克里姆林宮最大的弱點——這些國家雖已一次又一次的清黨，可是蘇俄卻仍信不過傀儡，即使人們的暫時屈服，都是表面上的。而他們所缺乏的，是擺脫蘇俄統治的機會。假如美國不惜鼓勵戰爭，挺身而出，則被壓迫的國家，必起而共抗暴。這，也許是一個原則。

由於西方國家最良好的宣傳工具，是蘇俄附庸國家的經濟繁榮。西方國家又應該不停的對附庸國家們宣傳，創造並維持希望，解放鐵幕後方的諾言，將慢慢地兌現。

艾克仍未脫包圍政策範疇

但是上述的目標，卻不能以包圍政策達到，必須改採積極的政策——攻勢。須知蘇俄的傀儡系統，是其最大的弱點，很可惜艾森豪總統自從上任以來，對蘇俄的政策，依然沒有脫離包圍政策的範疇。

蘇聯的飛彈勒索

・曾旭軍・

美國參衆兩院原子能委員會主席，核子武器小組委員會主席，傑克遜說：蘇聯之宣佈已成功的試驗了一具洲際火箭，是一種「飛彈騙詐」。旨哉言乎。

「真理報」也言之泛泛

數日以來，蘇聯方面的「真理報」、「青年真理報」，及「蘇聯艦隊」等報紙，都是空洞的虛報，他們的飛彈如何可以影響西方人心理及政策，甚至蘇聯的第一流火箭專家普克羅夫斯基，祇是強調洲際飛彈出現後，美國包圍戰略局勢甚而無用。至於他們的飛彈，完全沒有具體的情形，欲以飛彈恫嚇瓦解西方的聯防。今之形勢，一言以蔽之，「乞求停止試驗」而已。蘇聯製「飛彈」以宣傳，淺乎淺矣。主要目的是恐嚇，試驗成功，彈，皆覺驚不安。而我卻不作如是觀。

令人難以置信

蘇聯發表此事，其工業水準低於美國，財力不及美國，完全不能從事改善。美國心於國際導向，雖然飛行造功夫而急功近利，專家因爲各種飛彈，構造複雜，什麼代價高昂，只要稍有差錯，與敷設飛彈，會使任何國家經濟上吃不消，因此方面因爲精密電子儀器不足，雖然飛行距離能達五千哩之火箭，真正「能準確的擊中」目標的飛彈，殊難令人相信。

美國是早由陸海空軍三方面研究發展，以及最後加以統一運用，所以對於飛彈到達目標地的導向問題，才能逐一改良。

蘇聯尚難解決的三個問題

我們不能斷定蘇聯的「一具洲際火箭，在極高的高度飛翔，於短時間內越過遙遠距離，降落在目標區」，便信其已具有了可用的洲際導彈。此種飛彈，如果能夠當作真正能擊中目標的，須先解決了下列的幾個問題：第一是遠程飛彈的導引問題，受到地球自轉的影響，及地球自轉的狀態；第二是重返大氣層問題，因爲與空氣摩擦，發生燃燒；第三是如何準確地擊中目標，非專家不可當，非放射與試驗，便未能獲得準確的方位地圖。所以我敢斷言蘇聯縱有了能夠飛越五千哩的火箭，但未必便有了真正能運用的核子彈頭之洲際導向飛彈。

只能騙沒有科學常識的人

現在我們不必管蘇聯的飛彈發展超過了美國與否，而蘇聯是否有了一顆有效擊中五千哩外目標的核子彈，蘇聯的飛彈只如何空洞的問題。這，毫不表示有解決的把握。那麼，這祇能騙騙普通沒有科學知識的人，殊難令美英科學專家相信的。所以蘇聯這次的宣傳，決不會收到其「乞求停止飛彈競賽」的效。

退一步來說，假使蘇聯果然有了五千哩的洲際飛彈，但須知美蘇的洲際飛彈競賽，其差亦相差至微。蘇聯縱然佔一時的優勢，亦決不能繼續維持下去，何況不免繼續在飛彈競賽中，以各國在飛彈競賽中佔有全盤的優勢。不論廣泛的戰術上或戰略上的，短距離的或中距離的，不論是大空或長距大空的，射向地面或射到地面，射向大空或射到水裏，各種的飛彈，美國件件皆有。蘇聯除推銷其恐嚇，拿一門的所謂「洲際導向火箭」嚇嚇人外，其他一無所有。

英國國防部桑第斯說得好：「在自由世界擁有核子力量表示必要時，不畏予以使用時，蘇聯縱然有核子武器，亦不敢輕於發動戰爭。」又說：「美國擁有龐大之原子及氫武器儲藏，且在全球擁有一系列之空軍基地，乃自由世界阻遏侵略之力量」。

蘇要求把裁軍問題移聯大討論

蘇聯出席聯合國裁軍小組委員會的代表佐林，表示毫不妥協之突然表示，只是合洲際導向飛彈宣傳的野蠻無理態度，本月一日，已要求蘇聯在本月十一日裁軍問題移到聯合國大會討論了。這是什麼用意呢？不外已知倫敦裁軍會議的西方外交家專家，毫不怕蘇聯恫嚇，彼等已無所施展。想到聯合國大會，向一般畏戰苟安的政客，施行其恫嚇手段而已。

美國陸軍部堅稱雖然蘇聯是否有了距離五千哩，而中率相當準確的洲際飛彈，尚不可知，但美國決定立即進行生產「丘神式」飛彈，去準備報復萬一，蘇聯的飛彈襲擊。因爲「丘神式」飛彈距程不過一千五百哩，但若設置於最靠近蘇聯的基地，則可在歐亞二洲發射，轟炸蘇聯四分之三之領土。美國最近必須頻頻試驗飛彈，決心與蘇聯一拚國力。

香港的法律特色

・祝修衡・

香港是一個法治社會，法庭審理案件，特別是有關刑事訴訟，高等法院在全案審訊尚未終結，法官不能認爲檢察官不擬控告，宣布被告無罪釋放。

且說陪審制度

不過，最近有過這麼一宗案件：一個商人被控謀殺罪，初庭根據控方申述案情，認爲表面證據成立，暫認被告有罪，詳解高等法院定讞。高院刑庭首先應由控方（檢察官）提供支持控罪的有力證據。可是，控方於陳述案情時，證據不能支持其理由，檢察官祇能宣布對被告不擬進行控訴。這時，法庭雖確認被告犯罪證據不足，更沒有理由需要聆訊被告答辯（如在初庭，法官可以還控方撤銷控罪，宣告被告無罪釋放）；但在庭審訊中，根據控方提出控訴認被告表面證據成立，高等法院必須循序審理，直至控辯雙方證供完畢，陪審員纔有權決定有罪與否；該案未曾審訊，控方既無意控訴被告，法庭必須即刻結束該案。於是，刑庭只有採取權宜措施：臨時邀請當庭的新聞記者及旁聽者充任陪審員，在承審法官引導下，決定被告無罪開釋。這是從來未曾有過的一宗刑事案件。

陪審員資格

就此一事件看來，陪審員的權力很大，陪審員的資格怎樣取得呢？條件很簡單：（一）香港出生或取得公民資格；（二）中英文必須有良好根基；（三）履行香港公民應盡義務；（四）過去並無違例紀錄。這是申請登記爲陪審員最起碼的條件。當任何一位陪審員經法庭抽籤選定後，法院通知他遵時出庭；如果他不事先聲明到時不能出庭，或不願參加此宗刑事案陪審；倘有逾時，遺忘，法庭有權對這位陪審員判罰現金五百元。這是每一位陪審員傷腦筋的事。有人認爲這個差事既然「有罰無償」，何必幹它？不行，香港法例規定：陪審員資格的公民，必須在當局每年宣布登記時，自動地去登記，不能規避的。

陪審員義務權利

然而，陪審員除了義務，也有權利。當一位被登錄爲陪審員的公民，他的姓名地址出身經歷，同時被列入於第一部選民冊內，得屆市政局民選議員改選，他們擁有選舉權、被選權。除此以外，他們出庭陪審，是純義務的。

「簽保」的律例

香港有一個舉世僅有的「簽保」律例。有人把它誤認係「交保」，毋乃大謬。「簽保」係自己擔保自己，而非上述令被告人找舖保。當年釐訂這一法例之時，律政當局考慮到香港市民處境：大多數人係自靠自的；一個無倚靠的人要找人担保，不僅事實上無此可能，即令有倚靠的，爲了避免牽連自己，很少願意担保。但是，法官考慮某一犯罪行爲，依例不能判罰，又不能不防他再犯，適當的處置只有令其「簽保」。例如：「責令被告簽保二百元；兩年內約束行爲。」這是表示法官令被告當庭簽立一紙書面保證，兩年內如果再有違法行爲，甘願受罰二百元，這二百元即歸「簽保」時的罰款，再犯另案辦理；假如到時無力繳款，法官將判被告入獄折抵；假如兩年中確能約束行爲，二百元「簽保」期滿撤銷。就律觀點看，一個被判「簽保」的人，能夠在兩年（或者一年）內能夠約束行爲，期滿之後，不會再觸法網，絕非容許期滿再犯含義。通常一個被判「簽保」再犯，往往受到重罰。就過去結案紀錄看來，「簽保」再犯率不足百分之一。

律政司的權力

此外，另一令人驚異的，殊莫過於律政司的權力。當一宗刑事案件在審訊過程中，倘律政司認爲被告被控罪名不合，可以下令撤銷，被告毋需答辯，無罪開釋。此類案件，幾年來祗有三宗，死者爲兩女一男，本年度佔兩宗，但均屬被控謀殺案。

除了律政司，港督有權赦免被判死刑的罪犯。這與其說是特殊法律條例，倒毋寧說是「民主櫥窗」的特點。

國際動態拾零

美國新聞周刊，獲得準確消息，波蘭軍隊，雖名義上裝備與蘇聯軍隊相同，但重要兵器，仍在俄人自己手中。減少波軍力量，俄人以爲可使東歐俄軍的補給減少威脅。

×　×　×

赫魯歇夫下一次之訪問目標爲敘利亞，大馬士革，開羅。同行者將代以朱可夫，時間定爲本年年底以前，據英國情報機關消息如是。

×　×　×

狄托將表現其在中東地位，而不甘於赫魯歇夫。狄托已接受邀請，行將訪問敘利亞，與納薩會議于開羅，並無意訪問葉門。

×　×　×

法總統行將接受其政治顧問的意見，于九月間訪問北非之阿爾及利亞，須在聯合國大會開會之前落止。藉以表示法國不肯退出其地之決心。

×　×　×

自赫魯歇夫與米高揚聯袂訪問東德之後，原來所掛赫魯歇夫與布爾加寧合拍照片，被棄除者，數百萬張。聞將易以赫、米二人合拍的照片。

・陶然・

見到想到

·外教人·

是社會更文明呢，抑是人心更向善呢。近年來宗教特別發達。在台灣，尤以耶（基督）教與佛（釋迦）教爲蓬勃。不知是同行生妒，抑是競揚教義，我們見到了的激烈宣傳戰。

在禮拜堂與菩薩廟中的互相詆毀，甚至佛徒與大法師當面辯論，已成司空見慣，且進而見諸于文字了。有一位煮雲法師，著了一本「佛教與基督教的比較」，自序中說因「邪說」橫行，不但不以佛徒資格出來「正」說了。內容全係指駁對象[illegible]。如說：（一）耶穌生下來就給世人帶來災禍，因爲希律王下令把當地所有未滿二歲的男孩殺光了（二）所有耶穌行的神蹟，都是誑語不合科學的。（三）耶穌在衆人面前向他的母親說：「你這個婦人」。[illegible]（四）上帝不造出太陽之前，就有了白天和黑夜。（五）上帝會指示摩西如何製造香料，對於模仿製造的人，都要處以死刑。（六）大衛爲了建築教堂，化費了金銀，比今天美國和英國全部化費金銀還多，試問上古時候金煉銀廠，設在那裏？如何會有那麼多數量？

全書的數萬言，對於耶教的「聖經」，斷章取義，曾無無遺。據說此書出版以後，曾經引出一段「插曲」；有耶教徒認爲了此書送給有權威能夠禁止出版的人（他是佛徒）要求下令禁止發行。後來交付「研究」，結果，便是「禁止發行」，于法無據，改爲勸告「不得再版」，然而我所讀到的一本，恰恰是「再版」了。可見「勸告」並未生效。

記得在大陸上的時候，兩教會保持「互不侵犯」的態度，無形中有了「君子協定」。比如佛徒走到一個耶教徒門前，化緣，只要客氣的說一聲「隔教」，那和尚就各自去了。也不會在公開的場合，聽見耶教徒大罵和尚，更不會聽到菩薩廟中去宣傳耶穌。正所謂各「事其「事」」的各「祀」其「祀」，沒有發生過不愉快的事件。

耶教講博愛，佛陀講慈悲，凡宗教都注意道德，乃繼法律之窮而補其不逮者，政府本對人民有「信仰自由」之保障。現在鬧到政府來「傷腦筋」，恐怕那些創立天堂到極樂世界的朋友們，都會啞然失笑吧！于此，令人想到十字軍東征時代！

詩話不可盡信

·田方·

詩話是評詩論句，或紀述詩人故實的書。梁鍾嶸的「詩品」爲最早的詩話之作，至宋代以後，詩話之作品大盛。單就清人何文煥所訂歷代詩話，收集已達廿七種之多，其餘另有專集者尚多。

詩話之中，有不少不可憑信之記載，或偏頗不當之意見。茲就翻閱詩話所見及的，類舉數端，以就正於同好。

阿其所好

陳師道後山詩話，對黃庭堅詩之過譽，即令人深有此感。他在詩話中頗有不滿白樂天詩[illegible]

濫讚名家

名家之詩固多名篇佳句，但不一定篇篇每句皆勝人，但[illegible]

隨意附合

[illegible]

無聊之譏評

[illegible]強以杜，蘇平凡之句，鴨先知」爲偏頗等，皆屬無聊，譏評。孟子有云：「盡信書，則不如無書」。詩話亦然。

人之喜好各別，仁智之見不盡同，評詩論句之詩話，殊難求其持平，亦更不可盡信。

鬼話連篇

·錢新重·

「不會談天說地，不喜咬文嚼字，一味「鬼噴蛆」，且向人間搗鬼」，放屁放屁，眞個豈有此理！

——張南莊：何典

報載，有一位半男半女的「人妖」曾秋懷，因扮鬼嚇殿一位七十二歲老媼，再度被捕入獄。新聞是這樣：「晚，月黑風高，老媼王陳[illegible]論於家中客樓上，十一時許，忽聞叩門有一咳嗽，甚爲淒厲。予問：你是人是鬼？若是人請趕快離去，我係一孤寡老嫗，或一無所有；若是鬼，中元節到了，我將替你唸佛消災，早你早脫鬼域，轉世投胎……老嫗話未說完，即遭受與擊……因而驚動四鄰，……曾秋懷當即被捕。」（民聯合報）從這段新聞看來，這個「吸血鬼」，腦筋竟動到這骨瘦如柴的老人家身上，眞是「鬼迷心竅」！

記得多年前，讀過南莊先生所著的「何典」一書（劉復註釋），深感他老人家筆下所刻劃的那個「鬼影幢幢」的世界，豈不就是我們活人的世界！你看他所列舉的那些甚麼黑漆大頭鬼，破面鬼，扛喪鬼，吝嗇鬼，白蠓鬼……個個鬼頭鬼腦，專門扮鬼臉，演鬼戲，使鬼計，懷鬼胎，[illegible]明……瀰漫着這些鬼花樣，居然腰纏纍纍，儼然鬼國大亨，享受無窮，眞是「鬼」通廣大！此外，還有那常鬼的貪污無賴，溜打鬼的白吃白嫖，臭花鬼的招蜂引蝶，賣弄風騷……不都是我們這個人世界的寫相，眞使人不禁感嘆一聲：「人之異於鬼蜮者幾希」！

孔老夫子一生絕口不談鬼事，大概也是得「閻王好見，小鬼難纏」，所以乾脆斷絕「往」。他的弟子曾經問他「何以事鬼？」也僅答非所問的回說：「未能事人，焉能事鬼？」其實，我想事人與事鬼大概沒有甚麼分別，曾經某君的「鬼們讚」一，堪可作爲說明。讚曰：「生就一張鬼臉，無妨到處嚇人，常常黑夜逐單身，石頭亂拋一陣。只要四兩錢紙，魚肉雞蛋三葷，包君災退福滿門，保你一帆風順。」哪裏是「見鬼」？簡直就是人間通行的送「紅包」啦！

崑山歸有光，生性怪僻，晚年於墟墓間，築屋資樣，與妻隱居其中。自撰楹聯云：「兩口寄安樂之窩，妻太聰明夫太怪；四鄰寥幽冥之宅，人何寥落鬼何多？」我們今日讀震川先生比聯，也深有「人何寥落鬼何多」之歎！

民卅二中秋之憶

錄新疆事變寃獄中舊作 四絕並東台北張志智林繼庸童世荃顧耕野丁慰慈羅家倫梁均默諸先生

·瓦斯·

愁思

[illegible]倍添愁，況是冤獄裏秋；明月不知離上意，夜深猶自照鐵窗頭。

幻覺

不是凡人總是仙，飄飄迎立晚風前；隔窗一笑伸雲版，遙指瑤池山外天。

遐想

走出天山欲上天，雲蹄飛踏萬峯巔；朔風不斷靈臺淺，直入蕭宮問赤仙。（讖識：宣當有路不逢天庭，欲尋上天之路，可問守天門之赤仙。）

悟性

遺莫人情淡和濃，聰明誤身是凝聾；堪嘆萬物原芻狗，但把禪心理霧龍。

海上學校

十一篇　小說

[illegible]入了神，一板一眼地拍打着[illegible]的渾圓的肥肩膊，慌裏的那個姑娘像泥[illegible]。

飫，糗粉勁，香粉味摻和着酒氣，頗動鄒裏亭的胃，頗動[illegible]手指頭下，有節奏地浪動。歌聲，浪謔，媚笑，輕狂，肉慾，酒，酒和肉慾，全混亂起……

兩艇並頭划上海上街的入口處，「打[illegible]」的娘兒們都三兩兩擺渡，[illegible]打情罵俏之聲此起彼落。繁花似錦的明燦的艇上，在[illegible]在醉眼裏游泳，七八分酒意增加到十分！

擺渡樂先後靠泊在一艘大住家艇的兩旁。鄒裏亭用爛醉後的粗暴嗓子，高嚷「擺簾，打樣！」踉蹌地拖過周曼石，跨上了住家艇的船頭。

竹布花簾子垂着。暗淡的紅色小電燈泡光，在鄒裏亭的花簾子背後透出神秘的光芒。不久，花簾被悄然揭起一角，[illegible]

「上帝的，歸還上帝吧，」周曼石揉揉醉眼，[illegible]

「沒有標準，嘩，哈哈，比有標準好得多！」他叫喚，「徐娘風韻勝驢（譏）年呀，」他含混地低低地打趣道。

周曼石一骨碌爬起來，攀着花簾，往船頭上亂竄，鄒裏亭想攔阻他，但船頭猛烈的顛簸了幾下，兩醉漢滾倒了一堆。

周曼石不勝酒力，嘩嘩地吐出一大口一大口的辛辣的東西，那些東西在海上飄浮着，在小電燈光下，幻化成一圈圈的霞彩。

鄒裏亭丟下兩張綠背票，將這位肥朋友抱下擺渡艇。船繼續朝上海上街的街尾划去。就在這個時候，遠洋的風暴吼叫着來臨了。

——第十一章完——

（五〇）

趙師喬

送何約翰留學西德序

王韶生

何生約翰既卒業於崇基學院，將負笈赴西德，入海德堡大學專攻歷史哲學，行有日矣，用片言，以壯行色。嗟呼！太史公其知之矣，嘗自序其著書宗旨曰：「究天人之故，通古今之變，成一家之言。」可謂探驪得珠。且史公以史記繼春秋而作，春秋者，夫子據魯史舊聞，論定者也，筆則筆，削則削，從而發揮其微言大義，蓋即夫子之哲學，不僅春秋二百四十四年之歷史而已。史記繼春秋而作，亦即此物此志也。今夫哲學者，思辯之學也；然憑空構想之思辯，不若從客觀事實而發爲思辯，則所獲論斷焉可也。歷史者，記述之學也；然祇從故紙堆中鑽取材料，而不加以思考作用，則所獲[illegible]糟粕也。故哲學而遠離歷史，祇有其游魂，歷史而遠離哲學，祇有其軀殼，非兩者融會而貫通之，吾未見其可也。[illegible]中國歷史界，仍囿於清代考據學派風氣[illegible]，以爲歷史家之任務，祇在故紙堆中[illegible]研，終身辛勤，而遺其大者遠者，夫何[illegible]何生好學深思，心知其意，既已貫穿[illegible]之書，更精通英德兩國文字，取西歐哲[illegible]著述以資印證，期以數年，鍥而不捨，[illegible]，必有[illegible]哉！何生[illegible]

專精之學者，遺棄世務，將不免貽四[illegible]五穀不分之譏，吾冀何生於治學之暇，[illegible]俗，周旋管婆，以識情偽，忠信篤敬以[illegible]經綸以處事，於平正篤實中，以求[illegible]分際，此則區區有望於何生者也，何生[illegible]！時中華民國四十六年九月三日。

題曾后希先生畫集

序詩

·王世昭·

長江浩浩萬餘里，餘波大白洞庭起。
山環水映出奇英，鬱鬱泱泱[illegible]。
湘鄉曾子字后希，克承先德光門第。
爲了抗戰去從軍，爲了戡亂甘流徙。
東遊滬宕北居庸，西抵滇蜀與黔[illegible]。
男女當爲天下奇，名山大川收筆底。
雲岡龍門入畫囊，鳴沙節竹供[illegible]。
曾以祝母壽十齡，寫成[illegible]。
馬鳴秋老協邊塞，[illegible]評第一[illegible]。
一點一畫世所難，而況手腕[illegible]。
我論曾氏師何師？云仞禪月大[illegible]。
更追唐宋上千年，下與造化同[illegible]。
心摹手追氣自充，不[illegible]荊關[illegible]。
南宗北宗殺笑人，追踪王吳大[illegible]。
「心與手手與心」，我非我兮你[illegible]。
謝赫論畫決心源，[illegible]論畫[illegible]。
[illegible]惜於今千百年，[illegible]人共窺[illegible]。
頹波誰爲挽狂瀾，[illegible]悲絲[illegible]。
文[illegible]百代懷[illegible]公，海若蒼茫[illegible]。
乾坤巨擘托胸臆，文學復興[illegible]。
天不誤人人自誤，風變聯，人[illegible]。
與君共此好江山，辨璞肖[illegible]。
高山流水知音稀，我聞君言[illegible]。
一年不復期十年，十年不復期[illegible]。
愚公之[illegible]堪移山，任爾滔滔[illegible]。

自由人
THE FREEMAN

（第六八一期）

中華民國僑務委員會登記證 中華郵政登記認為第一類新聞紙類

每份港幣壹毫　台北市售價每份台幣壹元

督印人：陳文華

社址：香港士威道二十號四樓
20 CAUSEWAY RD. 3RD. FL.
HONG KONG
TEL. 771726

承印者：南華印務有限公司　地址：高士打道六十四號

台灣經理處　台北市西寧南路　電話：四三七六六　台灣郵政劃撥儲金戶九二五二

海外總發行所：友聯書報發行公司

談英美批評元首事件

·陳克文·

（一）

上一個月內，英美兩民主國家同時各自發生一件有關批評國家元首的事件。那便是，美國參議員摩斯公開指摘艾森豪總統，和英國卅二歲青年貴族阿特靈漢公開發表文字批評女皇依利莎伯二世事件。這兩件事情，雖報紙都認為有點「花邊新聞」的氣味，其實它的政治意義是頗為濃厚的。我們從這兩件事的發生原因及其發展經過看，很可以看出民主國家和對元首或領袖的意識，它的觀念是和專制獨裁國家大有分別的。這兩件事，如果發生在專制獨裁的國家，我想它一定不會和現在這樣的發展及其結果，一定不會是一樣的；摩斯和阿特靈漢兩人，對他們的元首這樣的不留餘地的加以指摘批評，究竟有甚麼動機呢？在政治上又特發生甚麼作用呢？這些都是值得研究的。

（二）

摩斯指摘艾森豪總統，是八月初的事。事緣曾有若干報紙對艾氏的私人財產估計為一百萬元，皮裏陽秋，不免隱含諷刺；艾氏因此對記者表示，他並沒有這樣大的財產。跟着，摩斯便公開抨擊艾氏，說報紙評論「顯示艾氏政府容許不道德的行為」；更進而指摘艾氏曾接納牽引車，香烟打火機，高價公牛及其他貴重禮物，是「政治上的不道德」；是違反法例精神的；是「替美國總統建立了一個最卑劣的模範。」這樣嚴重指摘，牽涉艾氏個人的道德問題，這是對元首尊嚴大有損害的。可是，艾總統一點也不動氣，並不認為這是惡意誹謗，更沒有利用總統權力對摩斯施行報復，甚至給摩斯戴上甚麼「反動」一類帽子的話都沒有。他祗是平心靜氣，帶着微笑的對記者用事實公開答覆，他說如果有人估計他的財產一百萬，他願意以一百萬作交易。又說，他自己是選任官員，不受委任官吏的法例縛束。此外，同情艾總統的人也始終沒有推波助瀾，對摩斯加以若何攻擊。摩斯本人得到艾總統這樣率直的說明了事實和法理根據，也就再沒有甚麼話可說了，公衆似乎也都認為滿意了。

（三）

阿特靈漢批評英女皇，也是八月初的事。它的發展和美國事件有點不同，風波較大，英國人的反響也和美國不一樣，而且也見紛歧。不過大體上也還是遵循理智和法律而發展的，並沒有根本上的差異。阿特靈漢在他自己主編的八月份「英國評論」發表一篇文章，批評女皇的演說姿態，說「好像脖子痛的樣子」，又「好像一個自負的女學生」，這已經是對元首大欠尊敬的了。他更進而攻擊王室的保守氣氛，以及批評皇太子的教育失當。文章發表後，在英國立刻引起兩種不同的劇烈反應。贊揚的，說他的批評公正，猶之乎美國人有權批評總統一樣。反對的，說他侮辱女皇，有失體統，應該道歉。

不久，便出現一個六十四歲的退伍軍人，在街上給了阿特靈漢一個嘴巴，說他對王室評論有損英國威嚴。但是，這退伍軍人卻受到法庭的處分，判他犯「侮辱行為」罪，罰款一鎊。代表國家的法官更教訓他，說他的舉動「並非護衞女皇威嚴的正當舉動。」後來遠在意大利，還有一個武士叫做馬賓羅里的，竟隔海叫陣起來，聲言要和阿特靈漢決鬥，郵寄一朵象徵流血的玫瑰給女皇，表示願為女皇效忠。八月中，英國肯德郡一個居民，又為此事寫信給阿特靈漢，要和他決鬥。決鬥，是英國法律早在一百五十年前禁止的，自然不會實現。

這時候，另一個更年輕的十九歲貴族德利子爵，也在「新政治家」周刊發表文字，批評女皇，吐詞更為劇烈。不過，不久，他便自己公開道歉，說他年紀太小，不應該做這樣的事。

（四）

在一個月的許多擾攘情形中，根據英國憲法，女皇固不能對阿特靈漢的文字批評有甚麼表示。若干反對阿特靈漢的人，除了上述那個採取直接行動而受到法律處分的退伍軍人外，其他人士都祗是在文字上指摘他破壞傳統，批評君主，要他道歉。但始終沒有人給他以其它「莫須有」的罪名。自然更不會受到甚麼「交代」，「檢討」，「悔罪」，「清算」一類精神折磨，或人身迫害。他的刊物也始終照常出版，讀者也始終照常購買閱讀，不受到任何影響。不僅如此，到了八月底，他還發表了另一篇新文章，再度要求女皇對他的批評加以反省。並且痛駁一般人對他的攻擊，很堅決的說，「我所寫的每一個字俱有意義，我決不取消或修改任何一字一句。」

在以保守著稱，極度尊重傳統的英國，現在政府和社會居然能夠容許這樣一個向傳統挑戰的倔強青年，使他敢於放言高論，冒犯元首威嚴，我們不能不認眞佩服英國人民主精神的高度。

更可注意的，是這種容忍精神並不是消極的，而且是積極的。因為阿特靈漢的批評，現在已經對英國宮廷的改革，發生作用。據英國報紙消息，皇夫菲立親王，已因此決心計劃實行改革三件事：（一）查理斯皇子的教育；（二）皇族家庭朋友的選擇；（三）宮廷高級官員加入青年人，並調整王室和民衆的關係。可見這批評已經使英國王室的保守空氣減少，而漸趨於現代化。更可見容忍批評的精神，並不但求相安無事，苟且過日的。

（五）

這裏，我們還要提到阿特靈漢對於批評元首的理論。他說：「我們的君主是可以讓大家討論的，這便是帝制能夠保持得長久的理由。如果君主像宗教規定一樣，是神聖的，人民不得談論，君主便會倒台了。」這裏他指出元首或領袖是一個和普通人一樣的人，是有錯誤的，並不是神聖不可侵犯的，只有讓大家討論批評，才有益處，這是無損於尊嚴的，否則元首或領袖便要永遠陷於錯誤而不自知，終必陷於失敗而不可挽救的境地。我想，摩斯的批評艾總統也一定是這個道理。

阿特靈漢又說，「要改變宮廷的空氣，必須批評宮廷的主人，祗有主人才可以斥革惡劣的僕從。」這道理在政治責任上是很重要的。不止宮廷適用，一切掌握政權的人都同樣適用。共黨人往往把官僚主義，宗派主義，主觀主義等等罪狀一概推到幹部身上；高高在上，掌握實際權力的人，反覺得他自己一切都沒有錯，自己可以置身事外，不負甚麼責任，萬方有罪，罪在幹部，「整風」「清黨」一切都以幹部做對象。這祗是獨裁極權的政治現象，民主政治是決不應有的。摩斯和阿特靈漢之批評他們的元首，便是認為他們的元首有了錯誤，有了錯誤必須負責，必須接受批評，這是民主國家對元首或領袖的觀念。「天皇明聖，臣罪當誅」，是決不能存在於民主政治的觀念裏的。英國國家之所以能容許這樣的批評，其理由也不過如此。其實，歷史上的開明君主，對於直言極諫，也總是採取「言者無罪，聞者足戒」的寬容態度的。祗有昏庸剛愎的君主，才會覺得這是冒犯尊嚴，罪不可赦的。

因此，這一次英美批評元首的事件，大家不應該當作一段「花邊新聞」讀，應該當作意義深長的民主政治一課讀。（九月四日）

半週述評

國際局勢的焦點

目前的國際局勢，的確十分緊張；緊張的焦點在中東；中東的動盪出於蘇聯一再的挑釁。

如所週知，這次敘利亞與美國的糾紛，開始是由於敘利亞驅逐美國駐敘的外交人員而起。敘利亞採取這項行動，它的藉口是「美國企圖顛覆敘利亞政府」，這一口實「廣泛」「空洞」，對無論任何一個敵人，在任何一個時機皆「普遍適用」。換言之，敘利亞攻擊美國的這一口實是十分勉強的。

誰製造中東緊張

共黨的宣傳比敘利亞的官方宣傳更要離譜。共黨的宣傳說：由於敘利亞的陸軍參謀長換了人，所以美國製造了敘利亞的緊張。

事實的真相不容許顛倒黑白，是敘利亞先採取驅逐美國外交人員的行動，造成了緊張；繼之才有敘利亞左翼軍人領袖接任陸軍參謀長的事實的。

先安排了敘利亞與美國之間的緊張，孤立了敘利亞政府內還有若干民主傾向的人，繼之乘機奪取了敘利亞的軍事領導權，誰製造中東緊張？呼之欲出！

美國厚道而遲鈍

葛羅米柯與納蘇對美國的指摘是，美國積極支持以色列，美國企圖消滅阿拉伯的民族主義；美國的政策完全是為了美國人的利益。

這些指摘除了挑撥以外，並無特殊意義。平情而論，美國對中東的政策溫和而厚道，但過於遲鈍。甚至于一部份阿拉伯人士都在替美國着急，他們「認為美國對敘利亞局勢的行動，來得太遲了，他們認為，假如過去三年間，美國採取較警惕和較有眼光的政策，則可防止敘國危機發展到現在情勢。」（合衆社開羅八日電）

世界的十字路口

拿破崙曾經說過，中東是世界的十字路口。這一地區是歐、亞、非三洲的交通總樞紐，世界主要的海空交通綫無不經過這一區域。一旦新的大戰爆發，如果自由國家能夠充份利用中東基地，可能使蘇聯的烏拉山工業區，巴庫油田，以及南部的工業中心，遭受摧毀性的打擊。中東站在自由國家一邊，同時是蘇聯紅軍在歐洲戰場側翼最大的威脅。除了地理與戰略上的價值以外，中東的石油存量佔有世界四分之三，也是一個主要因素。這些說明一個事實，蘇聯何以處心積慮，奪取中東。

蘇聯的張牙舞爪

以上我們指出的是蘇聯對中東的基本政策。但在目前蘇聯張牙舞爪，加緊製造敘利亞局勢的緊張，還有以下一些因素：

第一、在聯合國大會討論蘇聯侵略匈牙利報告的指責聲中，蘇聯利用敘利亞的緊張局勢轉移世人的目標。

第二、在製造敘利亞的緊張過程中，加強敘利亞對蘇聯的依賴性，使蘇聯在中東對敘、埃有更大的支配力量。

第三、大半個中東傾向自由世界以後，蘇聯在中東的「威望」大受打擊，蘇聯企圖藉此鼓勵在約旦及沙地阿拉伯失敗了的左翼殘餘份子。

·司馬璐·

中東的赤色利刃

·瓦斯·

古戰場的敘利亞，目前成了蘇聯在中東十字路口之利刃；它代替了埃及地位，用以阻擋艾森豪主義之進入中東。敘利亞事件，可能是一九五五年三月以埃衝突事件的再版。

蘇聯消息報第一次發出露骨的警告，指美國正在「準備襲擊敘利亞」，認為這意味着一項「並非局限于近東方面的和平威脅」；蘇外長葛羅米柯更指責美國以以色列和土耳其冒險陰謀消滅敘利亞，將會演變成世界大戰。這是恐嚇，但嚇阻不了艾克主義。美國已表示如蘇聯唆使敘利亞掀起戰爭，美國願意，並且能夠以武力應付武力。最近美國第六艦隊駛向東地中海，土耳其及以色列軍隊亦有向毗鄰敘利亞邊境移動跡象。杜爾斯雖說希望和平解決，卻又指出仍有爆炸性的因素存在，因此有人以為局勢有演進而為熱戰可能。

但是，照東西冷戰的往例看，唯其美國有這種強硬表示，更足以消弭蘇俄在敘所製造的戰爭氣氛，因為蘇俄年來雖暗中以武力接濟敘利亞，不過是想在那裏樹立對美國冷戰中的戰略據點，以阻止艾森豪中東主義的進入。蘇俄在目前內外不穩的局勢中，是不能，也不願發動戰爭的。何況它在中東的形勢，顯然不如一九五五年以埃戰爭後中東正暴露真空的時候——納塞在莫斯科支持下拿着民族主義的幌子，以號召阿拉伯集團，幾乎使中東英雄盡入彀中。那時蘇聯尚且不敢發動戰爭；自從沙地阿拉伯王華府之行回來以後，形勢大變，尤其蘇俄策動約旦事變失敗之後，中東的幾個主要阿拉伯國家已成了沙地阿拉伯——約旦——伊拉克——黎巴嫩的西方陣綫，對埃及——敘利亞的蘇聯陣綫的形勢（也門現也已考慮接受美援）。納塞所挾持的阿拉伯同盟已爲巴格達公約分化而徒具形式，納塞成爲過去英雄，蘇俄雖極力想使敘利亞繼承埃及的頭號傀儡地位，但情形也今非昔比。顯然艾森豪主義已敲開了中東之門，再開一次事變，將會使艾森豪主義更進一步。

蘇俄所能祭出的法寶，祗是嚇阻的「和平攻勢」，即一面不斷製造糾紛，一面逼使美英法同意共同發表不干預中東局勢的聲明，好讓它和平滲透。然而今天的艾克政策不祗是美國片面的，而也是以往蘇俄所鼓惑的一部「民族主義者」國家的歡迎！最少是不積極反對；無論蘇俄的花樣怎樣再翻新，也不會再那麼順利的把「埃及版」再次推銷。

杜爾斯針對敘利亞展開的局勢，曾公開發表聲明：「艾森豪總統已決定如果局勢需要的話，即實施其反共的中東主義，實施國會所授的權力」，換言之，即艾森豪總統可于他認爲必要時給予中東以包括軍事的援助，我們相信這不止于一種姿態而已。因爲一九五五年以埃戰爭時，美國因爲顧忌觸犯中東的民族主義以及中東國家間如以色列與阿拉伯國間等內在矛盾而躑躅不前，今天一因形勢略變，一因過去經驗教訓，可能採取更積極的行動。

總看敘利亞事件所形成目前的中東局勢，美蘇間所採的政策，表面上似已達到尖銳的對比——在蘇聯言，這是蘇俄沙皇時代中東夢想的繼續；在美國言是艾森豪主義的推進。但所顧慮者，不是熱戰，而是在繼續冷戰中對政治經濟民族各方面政策競賽的後果。表現最具體的；在經濟方面，例如通過敘利亞境內有西歐經濟所依賴的兩條油管，西方有無辦法另謀出路，解決約旦油管的威脅，防止西歐油脈的中斷；在政治上，美國對敘利亞這把赤色利刃，有無更高明的手法，可以阻止它不致在中東再掀起民族主義反西方的赤潮。

所以艾森豪主義在中東對軍事的熱戰似乎較有辦法應付，對政治經濟民族各方面的冷戰，比較困難。

蘇俄是不會令敵方取其易而捨其難的。冷戰的要訣，將必是：一方面蘇俄擴大敘利亞的外向煽動力，或竟變之爲附庸，供其役使；另一方面西方面加強對中東各國的援助以孤立敘利亞。看來還將有一段期間，這個形勢，是要繼續下去的，因爲敘利亞在歷史上與受西方支持的以色列勢不兩立，在意識上向爲反西方的急先鋒，正好是蘇聯用以阻礙艾森豪中東主義深入的利刃。

海外通訊

緬甸政府增收外僑稅

華僑又遇到難題

·凌 冰·

緬甸聯邦國會衆議院本月七日開會，由議長糯巫旺主持，吾總理宇汝、副總理宇叫迎，各部部長，自由同盟議員、及反對派議員，少數民族議員和其他邦區議員出席。這個國會會議關係緬甸今後命運，以及華僑的命運甚大。財政部長精欽貌禮，除報告一九五七——五八年度的預算案，並提出一九五七財政法案。爲着彌補赤字，國會已通過提高關稅，香烟稅及借外債。外僑稅由二十五元增至五十元，居留稅增至一百元。

讀使華僑今後更難生活下去，外僑稅每年一人五十元，一家數口，就是一個大數目。有的華僑一月的薪水出入僅一百餘元，除了養活雙親及妻子外，生活本已困難，加上每人一月的外僑稅，就甚感吃力。本來一年廿五元外僑稅，已使外僑怨聲四起，現在再加一倍，使外僑之心情緊張，可想而知。他們祇有苦臉面對現實，但恐以後花樣更多，勢將非常難於應付不已。

香烟稅的增加，使主人顧客都感到難關。緬甸出產的香烟，每千售價四十五元，前政府抽稅是二十元，現政府欲增稅五元，抽稅超過半數以上。廠主無法，只得起價，運日本市（仰光）香烟也猛漲，有的漲十分錢（一元有百分）。這種方法，表示政府是專想在外僑身上打算。其實這是緬政府自己種下經濟困難的禍根。

在緬甸，一種事業，由外僑來掌握，往往可以發達，當歸國營時，則辦理一塌糊塗，如水廊，當鋪就是一個例。

緬甸有今日的成就，外僑應居首功，緬政府不但對外僑無好感，只想利用外僑，變本加厲，使數以十萬計的外僑，陷入危境。這顯直是兩受其害的下策。當地華僑莫不希望緬政府醒悟到這一點，否則未來的困難更多齊哩！（八月二十九日于仰光）

曼谷通訊

鑾披汶將放棄一黨專政

·祝君健·

中共顛覆陰謀敗露 反共決策益趨堅定

海外通訊

泰國否決了廢除防共條例及印刷管制法案以後，鑾披汶政府堅定的反共決策，益臻具體化，這是中共陰謀顛覆泰國敗露的結果。自由黨將因此組織一個委員會修訂黨章，使支持政府的黨派，跟自由黨「合龍」。披汶氏稱「合龍」有別於「合併」。這是意味着自由黨迫於情勢，放棄一黨專政的開端，政府中顯將允許與黨參加，使執政的自由黨組成一條「聯合戰線」，峻拒反對黨派問政。國家民主黨黨魁面碧親王宣布：向內務部要求撤銷該黨註册，移作慶賀披汶院長六十壽辰賀禮後，保守黨黨魁乃變，亦已辭卸國務院秘書職務。因此，自由黨爭取與黨非常積極。

不承認受西方思想

政府不准反對黨派參加？目的是要使自由黨內部團結。但是該黨揭示的理由，却說：「自由黨的章程中，沒有訂明在非聯合政府的組織下，容納異黨出任政府官職。」目前計劃修章，可能將這一條款修正。雖然有人認爲這種舉措，披汶氏受到西方民主思想的壓力，事實並不那麼簡單，不過他既不承認，也不否認，只說自由黨的黨章，並沒有指定他永遠擔任黨職，黨員中有良好表現的，在選舉中均有希望當選黨魁。個人絕不能一人包辦。同時，他呼籲廣泛的自由民主人士入黨。強調自由黨不是任何人的私產。並確信五年後泰國即可達到眞正民主的理想境界。披汶元帥之向國人開出那張五年實現民主支票，反映國內的輿論不夠健全，而不能不繼續執行防共條例，和印刷管制法案。一位政府官員說：「執行反共決策，是政府明確的政治路綫，管制印刷，檢查新聞，民意，並不背棄民主，健全的輿論，根本不需要管制。」就目前情況衡量，泰國的反共行動還不夠徹底，檢查新聞也不嚴格。舉例說來：大量中共物資侵奪泰國市場；中共藉函授方式將馬列思想輸入泰國；左翼黨派在泉家田，記者招待會，以及報紙上，無時不對中共歌頌，醜詆政府。這些反叛言論，假如認眞推敲，沒有倖免獲罪的。泰國政府這種容忍態度，披汶氏只能這麼說：「違背國族利益的言行，畢竟不是一位明智政治家應取的態度。抨擊美國經援，□署的結果，帶來了本國經濟上的困難；對援外國家說來，他們有何損失。」

對抗中共顛覆陰謀

泰國目前只有實行民主政治，纔能適合現階段的國際情勢，這一顯示每一受援國家，絕無採取「中立」路綫可能。因此，他堅決與自由民主國家攜手，合作反共；並強調沒有理由考慮承認中共。他說：同中共貿易往來，對泰國無益。

那麼泰國各地來自中國大陸的共貨，怎樣輸入的呢？政府官員指出這些貨物來源有二：一爲由當地附共商人以私人商行名義直接輸入；另一則爲自香港走私進口。這些共貨銷售之後，將資金移充共黨活動費用，計劃推翻泰國政府。

曼谷郵報一段驚人消息

英文「曼谷郵報」透露一則消息說：「披汶元帥已經獲悉一項陰謀活動，包括收買國會議員，設立若干行動小組，經費三千萬至四千萬銖，全部由商業利潤撥充。目的爲促成泰國政府高級人員分裂，然後支持其中一人發動政變，推翻鑾披汶政府。」該報力言政府已經偵悉這一個顛覆計劃，係由共黨幕後支持一個巨商出面活動，因此，披汶元帥於十六日宣佈：政府官員，能警告內閣時引起反感，若干內閣官員辭職，但未促成巨大政潮。據說，最近成立的一個政黨，係這一陰謀組織全力支持，擴大的吸收黨員，收買議員每名價格是五萬銖至十萬銖；已有少數向政府自首，並向披汶院長報告這一中共陰謀組織若干重要內容。

自由黨採取三項措施

因此，鑾披汶原先考慮一位內閣官員建議，要求泰皇拉瑪九世下詔解散民會——重行選舉民代的計劃予以擱置。認爲中共以金錢收買國會議員；國會一經解散，重新舉行全國普選，反對黨將昧於利慾，墮入共黨陷阱，自由黨現時僅有的優勢，未必可以保持。於是，採取了三項措施：一、爭取與黨「合龍」；二、揭穿共黨陰謀，注意共諜活動；三、促使顛覆組織自動解散，重申政府反共基本立場，絕不考慮承認中共；繼續執行防共、管制印刷條例。是否有效，尚待事實考驗。（八月廿四日寄自曼谷）

台灣點滴

報載：「台北縣爲了教員校長調動，機密外洩。縣議員漏夜至縣長公館，包圍縣長，各爲地方請命，要求挽留被調校長，使縣長徹夜無眠，窮於應付，縣太爺光火之下，把主辦之教育科長，人事室主任訓了一頓，……」這眞是「新聞」！校長教職員的調動竟勞動議員大駕，漏夜去說情，把一件原本是公的事而變爲昏夜的私求。校長教員們爲做人師表，也竟託人說情，走門路，大家如此的混，豈不把教育也打入了官僚的一樣作風？說什麼人民付託，講什麼人民表率！

至於據說縣長這一次總共調動了百多個教職員和校長，內中有無含有什麼個人的恩怨情感？憑着什麼理由？也值得注意。如果一本大公無私，找上門來，也應該閉門不納的，否則沒有話說了。

× ×

又報載：「新竹縣四十六學年度教育工作人事調動，尚未發表，而爲了竹東中學二重分校主任職務移交問題，演成一宗糾紛。原因是縣府所派任拒絕交代，認爲分校主任的調動，應歸校校長決定，此次縣教育科未經由學校，擅自派人接任，是一種違法行爲。」當然，其中內情複雜，多事，一團糟現象，也于此可以概見。

·賢·

台灣通訊

監察院提出十大方案 謀解決調整待遇問題

台灣軍公教人員待遇的調整，一直成爲懸案，政府有當人員，總以經濟困難爲辭，也常常以「克難」二字爲擋箭牌。從良心說，凡流亡海隅者，誰不願克難？惟克難得視「難」之程度如何而定，譬如汽車階級改乘三輪車，自然是能克難的，惟今一個人手無分文粒飯皆空之際，除非朽腹待斃，還能怎樣克難呢？

歷史上克難復國精神，恐無過於越王勾踐，越王之能十年生聚，十年教訓，端在越王與民同甘苦同樂，若果越王衙門內人皆不克難，徒令人民爲之，恐越王的歷史必然改觀。近者如抗戰時期，除了很少數的特殊階級外，大體上人人皆能同甘共苦，卒能克難復國，事例且在；而今呢？極要與貲的領薪金的享受，毫無克難氣象。如是，在上者安富尊榮，在下者奔忙終日，僅得一飽，生活於此懸殊之際，徒令在下者「克難」，如何可能呢？

局外人自然不知財政是否支絀，監察院已設專案小組調查研究，爲促進政府機關浪費之杜絕及軍公教人員待遇之調整，曾將所有調查資料整理及時提請行政機關注意改善。

監察院提出十大方案是：一、整頓稅收，杜絕欠稅及中飽。二、防衛捐用途之合理支配。三、糧食木材及其他物資之節用及增加輸出。四、由公營貿易機關取代進口貿易商獨佔頂讓之利益，並避免各項外匯開支。五、公營事業收支之調整及其轉投資之限制。六、裁併駢枝與重複之機構，並不再增設新機構或增加新人員。七、停辦一切不急要之政務及事務。八、實行精兵主義，並減少軍用文職人員，特別照顧職業軍人之生活。九、政府各級機關大興土木，應阻止，公務小汽車增加愈多殊不合理，如非必用則停用半數，即可節省一千二百輛，一年又節省五、六千萬元。十、透過財政政策，創徵暴利及不勞而獲，以促進社會節約並減輕國民負擔。

從此十項的調查看來，可見政府對於一般公教人員待遇，並非完全無法可想。以整個公務人員之待遇而論，尚有加級津貼、加班費、差旅費……等可資濟補；軍人之衣食住行四大事，由國家予以支給；教員，既無薪金以外之收入，待遇又薄，如何分別輕重緩急，分別等級先後，提高待遇，也該加以斟酌的。

這個懸而未決的方案，既經監察院提出，政府不應再事推拖拉了。（八月廿九日於台北）

人物評述

僑教工作者唐富言

·紹莘·

領導海外無數青年認識自由中國和中國文化偉大，發生向心力，爲這偉大的目標而奮鬥，這是僑教工作者神聖的任務。

在越南政府，強迫華僑歸化法令之下，越南的僑生今年更多的投入祖國懷抱，搭乘飛機返台歸國，在投考大學各科系的越南僑生有不少是來自西貢堤岸越南知用中學的，這一位艱若奮鬥，踏上成功之路的校長唐富言，很值得我們介紹，他在中等教育方面，尤其是在僑教方面，已寫下輝煌的一頁。

唐富言，字仰勛，湖南資興人。當他畢業於省立長沙第一師範後，即負笈來廣州投考廣東高等師範，肄業於文史部，受業於楊壽昌、黃樵仲、徐信符、倫達如諸老師之門，他的功課很好。他在肄業時，即以獻身教育爲職志。他對於教育統計，和教育心理最有心得。民國十三年，知用學社中人因發起籌辦知用中學，選舉他擔任首任校長。當學校開辦之始，經費支絀，許多教師是義務式擔任，專任的則支最低限度的生活費，這樣艱難維持下去。

他維持了一年之後，辭職赴南洋，擔任新加坡養正學校的教席。他是富有組織能力的，在星洲極力發展社務，並介紹譚維漢、梅雨天、蔡寶璐等加入學社，以爲辦教育必須網羅各方面的專才，不能見異思遷，這樣學校才辦得好。

他在星洲住了一年，知用中學需要他，請他立刻回來，從此他便以教務主任的名義，維持了知用的局面十多年，一直至抗日戰爭中廣州淪陷爲止。

知用中學數年之間大事發展，建築新校，充實設備，成爲廣州著名的中學之一（抗戰前教育部評定廣州知用中學、南海中學、佛山華英中學爲廣東的模範中學。）這是由於他肯負責，任勞任怨，提挈得起。

民廿八年，廣州知用遷校澳門，他在南海裏水結束了分教處，攜帶了一批公物文書，穿過了日軍封鎖綫，經大良，石岐到了澳門。那時他的精神有點疲乏，表示要辭職，休養一些時候。不久，他獲得香港知用中學的資助，借給他港幣八千元，到西貢籌辦越南知用，開闢新天地去。

當他到了西貢之後，和一般僑領接洽，報告辦理知用的宗旨和計劃，他們都很表示歡迎。有些僑領很興奮的說：「先前只有國內的教育家向華僑捐錢回國辦學，沒有拿錢到海外辦學，發展僑民教育，現在才看到」，於是，他便獨立發展，沒有其他掣肘。越南知用便一天天生根强大起來，到現在不僅有巍峨的校舍，而且有充足的設備，與廣州知用比，在伯仲之間，但他決不自私，把校產撥爲己有，年前在律師樓立字，將校產獻校友會。

他不僅是一位僑教工作者，而且是一位愛國者，他在民十三年已加入國民黨。他到了越南辦學，當時抗日戰爭，正是如火如荼，他在校內常常發表抗日的言論並鼓勵學生獻捐和從軍，不久日人勢力南進，並正式佔安南。日本的特務機關，指名要逮捕他，他藏匿在鄉間，沒有遭遇毒手，直到日軍投降，才敢露面。當第二次國難發生，政府撤退台灣，他復發表反共抗俄的主張，因此爲赤色份子所忌，民四十四年雙十國慶時，學校演劇慶祝，他在校長室內，給兇手用槍擊破頭顱，流血滿地，入醫院留醫，僑胞聞訊，到醫院獻花的前後接踵，可見他得人愛戴。他才到耳順之年，報紙說他年近古稀，這是不確的。以他的精神和魄力，相信他一定能夠爲國家奮鬥十年至廿年。

這一位湖南漢子，在三十多年前爲什麼會跑到廣東來求學呢？據說當他畢業長沙師範後，碰見一位相命先生，把他端詳看了一遍說，「老兄的相，愈往南邊走愈好。」於是，他決定來廣東，更南往越南，創造了他畢生的事業。有一年，他回家省親，剛巧碰到紅軍開始長征，先頭的部隊經過資興，把他帶走。這一惡劣消息傳到廣州時，許多朋友都替他擔心。他的親戚獎時亮尤爲焦灼，我於是替他起一卦，卦詞是「履道坦坦，幽人貞吉。」交詞是「履虎尾，不咥人亨」，我斷定他不久可以出險，後來果然應驗。他的生平頗富於傳奇意味者多類此，他先娶的一位太太姓獎，後娶的一位太太姓傅，日今兒女已在一打以上了，將來報國的機會正多着呢！

特稿

中國人與南越

●蘇子●

三百年來，中國人在南越，對於經濟開發，貢獻甚大，犧牲性命，流出血汗，捱盡艱難，從事開闢關土，功勞是很不小的。

遠溯往史，一六七一年，正是明末淸初，廣東雷州人莫敬玖，看到明朝大勢已去，便率領兩廣文人壯丁和眷屬四百多人，乘船出海，輾轉抵達高棉，輾轉進謁棉王匿翁禛，貢獻許多有利於高棉的計劃，棉王爲酬答他的美意，派他率領部屬往西部邊境的荒區名「蠻衾」，從事開發。經營不過三年，便使許多荒山成爲耕地，並且[illegible]當地繁盛起來。誰料高棉內亂，叛臣向暹羅借兵，[illegible]一六七四年，暹軍先向蠻衾攻下，莫氏被俘。暹軍繼攻陷棉都，棉王逃越求救，阮主派軍擊退，棉國危而復安。

莫氏留暹三年，[illegible]，明[illegible]陳上川等已在東部東浦地方，將城南開闢關土。一七一四年，莫氏便決定把蠻衾和附近高棉土地，奉獻越南。阮主高興不過，將蠻衾易名「河仙」，封他爲河仙總兵，定三年進貢一次，等於獨立的藩鎮。

一七三五年，他年八十一歲病逝，子天賜繼任，他比他的父親力量更強，興學設教，整軍經武，對地方更多建樹。曾屢次擊潰西棉和暹羅犯境的軍隊，穩定河仙。又經過他三十多年的續，河仙日臻於民康物阜之境，管轄的地區更爲擴張，包括現在南越的芹苴、迪石、薄寮、金甌、朔莊、東川、朱篤；和今日高棉的貢不，達咋叻、土城、白馬、雲壤等省份，儼然像一個小王國一般。這便是莫家父子開創南越西部的大概。

南越東部的開發是在一六六九年，當時明朝遺將高雷廉總兵陳上川，副將陳安平；龍門總兵楊彥迪，副將黃進，領兵馬三千，戰船[illegible]十人二十年努力經營，[illegible]不在話下是捱盡艱難險阻，尤其是明軍要應付高棉軍的多次進犯，雖然楊彥迪身死，黃進陣亡，但明軍却每次能打勝仗，終於使棉軍不敢再復啓釁。從此地方安靖，華僑來此謀生日衆，而越人也從越中越北源源不絕南下。東浦繁榮地區從嘉定、邊和、美拖，擴展到堤岸，土龍木，西貢一帶，而嘉定和美拖，更成爲東西各國商賈雲集的所在。

一六九八年，阮主經略，以南越東部土地人口日增，便派禮成侯阮有鏡南下，把地方劃分縣鎮，編定戶口，設官分職以資管理。十年後，適値莫敬玖奉獻河仙，東西兩部合併起來，面積總共達六萬四千七百方公里。計至一六七一至一八〇二年，阮朝嘉隆王開國止，這一百三十多年當中，開闢關土和安撫外族責任，都是由中國人領導與承担。原日是高棉領土的南越，在亞洲之有今日，不能不說是中國人手上所創建起來的。

在開創南越的時期，[illegible]如果無上川，敬玖，莫氏父子，要建立一個國家[illegible]。可是中國人並沒有政治企圖，也沒有領土野心，只知道怎樣去開發地方，使地方繁榮起來，讓當時的各種族人包括：華僑，越南人，高棉人，占城人，儂人等，都能夠相安地生存下去，便於願已足。不然的話，南越這一塊土地怎能留待今日作爲新興獨立的越南共和國的根據地呢？現在過去開發高棉荒區的中國人子孫，正遭受到空前的困難，享讀利已被剝奪，大多數人被迫拋棄其世代相傳經營的事業，甚至受到驅逐出境，竟除零用之外，一切資產不能帶走，這豈不是世界人士應予以極大同情的嗎？[illegible]

若說是阮朝嘉隆王對華僑的優惠。嘉隆之能統一全越，固然得力於法國人，但中國人也出過不少力量。嘉隆成功之後，爲着酬答華僑的功勞，特別准許華僑自己管理華僑的事務。繼嘉隆爲王的明命王，更仰承他的父親的意旨，即華越混血兒的明鄉人，也以定可以免服兵役。以後便成了習慣，到了南越成爲殖民地後，法人並不需要中國人當兵的，這習慣自然繼續存在。越南是最近才正式獨立，似乎不能一開口就說中國人不當兵的。因爲這是有歷史原因的。這一點也並不確實的論調。都知道越南政府每年的稅收，大部份是由中國人繳納的。中國人在南越除身份稅之外，本不再負担其他很多種稅項的。在西堤聯區，中國人正式領有商業牌照的商號，有八千二百餘，包括一百四十四類行業，經營着這樣多的正當事業，不能說中國人都是從事投機的，即使有投機份子也不過是少數，似乎不能以此責備全體的華僑。

三百年來中國人對開創南越的功勞，固屬很大，即中國在過去也一向是衛護和同情越南的。還且不說，在越南淪爲殖民地之前夕，中國會兵入越剿平越北由黃苗與黃崇英之亂；後來越王不堪法國人的壓迫，向中國乞援，他的表文尚有：「小國之恃大國，以其能救患恤災，不而人情勞苦倦極，莫不呼天反本……」的話，中國也因此而不惜向法宣戰。於此足見以前中越關係之感情深厚。

時至今日，自一九五四年奠邊府戰役，日法越政府簽署失敗，簽署了日內瓦協定，把整個越北包括河內與海防，和越中的四個省分劃，劃由越共胡志明統治，從此越南在十七度以北地區便淪入鐵幕。剩下來的南越中還有十二行省，（南越全部廿一行省，南越在阮朝之初，劃分六省，至今「六省」仍爲廿一省的通稱。）包括首都西堤聯區即西貢與堤岸，是自由越南統治的領域。當地大多數中國人愛好自由是與越南人休戚相關的，對於越南政府的反共是同心協力的。

撫今思昔，中越的傳統友誼，都該珍惜。中國目前遭遇，也不過是一時的事，有眼光，有襟懷的越南政治領袖，我想決不會不注意到這一點的。

鐵幕真相

大陸的『新五四運動』

——接力棒再篇——

●沈著●

平津「新五四運動」的火炬，燃至華中，同時燃至華東，華東學生有如接着接力棒，傳遍了全區。

交大反對遷校

最先起來的是上海「交通大學」。「交通大學」因爲曾被中共命令遷校西安，無形中成了導火綫。五月中旬，約佔百分之九十的學生宣佈罷課，公開抗議遷校命令，並對中共的黨委治校制度提出了尖銳的批判。據上海「新聞日報」事後披露，謂罷課持續了一星期之久，中共曾派「高等教育部」部長楊秀峯和副部長劉皚風到滬疏通，原則上允諾收回遷校的「成命」，風潮稍和緩。

復旦反對新聞政策

「復旦大學」導火綫是新聞系學生不滿中共的新聞政策，在該校副校長兼系主任（中共老黨員）王中的支持下，集會邀請非共的新聞從業人員公開討論新聞政策問題，對中共的新聞統制和辦報方式，猛加抨擊。據「新聞日報」透露，上海一些有名的反共新聞人員，如陸詒，顧執中等均曾參與其事。大有在上海創造一個新的新聞勢力與北平對抗之勢。

新滬的「鬧事司令部」

同時，上海「新滬中學」發動罷課，成立了一個「鬧事司令部」，準備連絡其他各中學掀起大規模反共運動。根據事後「解放日報」的消息，謂這個計劃曾有陳銘樞暗加支持，但因滬上聞風先行下手制止，計劃未能實行。

浙大的「春雷」

五月廿二日，杭州「浙江大學」約三千個學生（包括黨團員）發難，由學生史孝成、吳涇庭、李文偉、包德煒、蔣明等領導，一開始就宣佈罷課，封鎖了全校，並創辦「春雷」大字報，公佈「北大」學生寄到的「民主接力棒」，抨擊中共政治制度，包圍該校的副校長兼黨委書記劉丹，提出了有關黨委制度和學生政治待遇等十八項具體要求；又派出一部份學生向中共浙江「省人民委員會」示威，請願，一部份學生包圍「浙江日報」，要求改變內容，並刊載「浙大」罷課消息，鼓吹民主運動。

浙師翻起「浙江潮」

「浙大」發難後，杭州的「浙江師範學院」（即原來的之江大學），「浙江醫學院」、「浙江農學院」、「浙江師範專科學校」等十大院校亦相繼行動。

「浙江師範學院」以王承基、俞建華等八十二個學生爲中堅分子，並有該校非黨的副校長任善銘支持，在校內辦了「浙江潮」、「吼聲」、「齊放集」等三個大字報，對中共的官僚主義冷諷熱嘲，其中有很大的漫畫，將該校大腹便便的副校長兼黨委書記焦夢曉畫成了一隻肥大的德國種豬。

浙醫反對到工廠去

「浙江醫學院」以學生儲鋪鏡、張齊政、劉康、徐建華、王耀華爲首，張貼標語，攻擊特權學生（即黨團學生），反對畢業後到工廠農場去，反對馬列教條及俄化教育；還則包圍該校黨委書記林堯，並用暴力，將該平時一味獻媚共黨專打學生小報告的二十多個「積極分子」打得頭破血流。

浙農的「爭鳴快報」

「浙江農學院」以學生施亞夫、蔣震、陸定志、陳伯林等爲首，用暴力控制了該院的大字報，並另辦了一張「爭鳴快報」，攻擊中共的「農業合作化」政策，「統購統銷」政策，及生吞活剝的米丘林學說等，並將該院自院長兼黨委書記金孟加以下每一個重要的共幹，畫出了極醜惡的形相配上了極諷刺幽默的新詩或打油詩。

師專走曲綫

「浙江師範專科學校」學生，別開生面地以「擁護社會主義」，「保衛人民民主革命」的口號爲掩護，先在該校的大字報上將該校的黨委書記蔣蹇民和其他一些軍要共幹說成是「反社會主義者」和「反人民民主的假革命者」，然後採取行動，以「共產主義忠實信徒」的姿態出現，有計劃地將全校封鎖，將「警衛」繳械，並將該校所有共幹全加軟禁，從而名正言順地通知中共的「省教育廳」，要求對這些「反革命」的共幹撤換懲辦。此種戲弄化的反共行動，曾使浙江中共「教育廳」的負責幹部和該黨委書記蔣蹇民等都一時不知所指。

寗波響應騷動

在杭州五大院校學生掀起反共運動的同時，寗波「師範專科學校」學生正收到了「北大」學生寄到的「民主接力棒」，也收到了列出「北大」「民主牆」上譯文章的上海「文匯報」，即用粗大的紅筆大圈大點，張貼出來，立即羣情鼎沸，呼嘯集會，宣佈罷課，並準備遊行示威。寗波「師專」一罷課，寗波市內的其他三間中學立即響應行動。鼓動全市。

奉化亦掀起波瀾

消息再傳到奉化，奉化兩間中學和一間師範學校亦相繼罷課聯合遊行，高呼「打倒共產黨官僚」，「我們要升學讀書」……

讀者論壇

論拆除違章建築

●蔣山●

台北市違章建築，根據市警察局的調查表數字是三萬六千零十三間，其中一般性的爲九千二百五十八間，佔用人行道亭子脚的伍千九百零六間，妨害市容的一萬四千一百十四間，妨害交通的三千九百六十間，妨害防火巷的二千七百七十五間。以人口擁擠得像蟻窩般的台北市，這不能算多，也不能算太少。

台北市違章建築這麼多的原因不外由于：一、都市繁榮，大多數人要在這裏謀生，結果就發生了市房供不應求，房租直綫上漲，二、一般謀生者爲了要在這裏謀生，必須接受這種事實的緊迫，而入不敷出。

在目前的各行業中，對於員工的待遇，大都是根據衣着和食用的指數來定標準，並沒有把「住」也公平而合理的計算在內，所以一般薪水階級在現生活圈子裏，只可維持溫飽，而對於「住」感到頭痛。

因爲付不出高昂的房租而又爲了生活，他們就必須想法子，鑽空隙。

有一個朋友告訴我，他的親戚爲了付不出房租，不得已遷到一個橋洞下去，比起住在寺院廟宇裏，或者騎樓下的，更還不如。台北有多少寺院廟宇或騎樓下，以至橋洞下可供這些「無」「恒産」的人們住呢？于是有不少人們在典盡當絕再加上告貸湊上個少數目去冒險伯拆除危險搭個棚兒以作棲身之所。由此可見，所謂違章建築的人並非是有資財者，多是些可憐的人呀！

這些冒犯禁例的人們要是比起那些危害國家民族以及直接危害社會的人簡直是微不足道呢！

照市警察局的統計數字，就算平均以兩個人住一間，則有七萬多人住屋發生問題，設以三個人住一間，那就有上十萬人發生住的問題了，上十萬人這數字在台北市的總人口額中佔着一個不少的數目啊。

我們絕不反對拆除違章建築，我們希望在未拆除違章建築之先，如何使那些住在違章建築中的人有個棲身之所。筆者擬提淺見如下：

一、國民住宅興建委員會，與市民興建委員會合作多建平民住宅，並使建屋計劃普遍顧到各階層，而不以營利爲目的，以往那種純以營利爲目的建築的高價的房屋，對於一般平民的需要能力是不相稱的，並希望能興建五千到一萬元的簡單平民住宅優先供應現在居住違章建築的人。

二、放租市郊公地，勿像以往市政府把公地都放租給建築商，造成少數份子的壟斷房地產現象，並宜登報公開放租，每戶申請人必須取得市稅捐處證明在本市無房地者准給，放租十坪至十五坪建地，限制超額，以防營利。

三、舉辦貸款，凡興建平民住宅者，檢核准建築執照給予數千至一萬元之定期貸款。

四、未妨害市容、交通、防火巷之違章建築，准由管區警察單位證明向市政府申請或補辦合法修理或改建執照。

最後談到「拆除違章建築」這「拆除」兩個字就够刺激人心的，用武力或強制固然可以達到拆除違章建築的目的，但是無形中當然影響社會人心至大。好百姓是必須守法的，但是我們政府也必須給好百姓有一條安定的生活道路行走呀。

國際動態拾零

●陶然●

蘇聯宣佈試驗成功之越洲飛彈，時速一萬五千英里，射程五千英里。據美國情報所得消息，謂試驗期間經過兩個月，放射次數，至少有四次至六次，射程在四千英里以上。但準確性如何，還不知道，可能射中一間房子，或者射出目標以外數百英里。美國現有射程一千五百英里之木星飛彈，以海外基地可以射至蘇聯各大城，蘇聯不敢以越洲飛彈，嚇美國者以此。況且該項飛彈距實際生產之期，尚須三年，始可解決若干技術問題。美國現正減削一千五百英里飛彈製造費，以用於五千英里飛彈之研究。因此引起英國人不滿，美國早已答應供給英國以一千五百英里之飛彈，迄未交貨，以致英國國防未能加強。

×　×　×

美國五千英里之洲際飛彈，試驗過一次但失敗了。六月間數星期內，將再試驗，並將試驗反飛彈火箭，能于八百英里外高空，將飛彈擊落。防空火箭，亦可擊沉距海岸遙遠之潛艇於水底。

烏鴉續貂

·黃泉·

秀瓊先生談「烏鴉」從詩詞中已發掘了它的生活與特點，證明人對之善惡亦有不同。我亦知有關烏鴉二三事續貂于此。

秦時羽士王次仲，少有異志，到了弱冠之年，便主張「簡化字」，把倉頡的古字改變而爲隸書。那時秦政煩，公文多，因爲次仲發明的簡易隸書，頗合于應用，始皇以爲奇而召見他。殊不知三徵都不至（現代人還日夜在企圖召見以出風頭呢，眞是愧對古人）憤怒了始皇，下令捕他入都，囚于車中起解。這時他使出羽士的道法，「呀呀呸！」的一聲，就變成一隻大烏鴉由囚車飛上天空，恢復了自由。

唐時李義府初次進見太宗皇帝時，帝出了「烏鴉」爲題，命他作詩，義府即席揮毫云：「日裏揚朝彩，琴中伴夜啼，上林多少樹，不借一枝棲。」太宗嘉其才思敏捷說：「當全樹借汝，豈惟一枝！」遂拜爲郡史，李氏此詩，似乎胎顯曹操的「月明星稀，烏鵲南飛，繞樹三匝，無枝所依」而來。

還有一只樂府「烏生」曲，題辭是：「烏母生八九子，本在南山岩石間，而爲秦氏彈丸所殺。夫白鹿在苑中，黃鵠摩天，鯉在深淵，人皆得而烹之。則壽命各有定分，死生何以前後也。」

等而下之，見于今代歌曲者，如三十年前黎錦暉先生所編的烏鴉曲（？）其第一首云：「空枝樹，不開花，北風寒，夕陽西下，一陣陣，叫喳喳，何處喧嘩？原來是烏鴉。烏鴉呀！天已晚，你該還，忍住你的飢寒！忍住你的叫喚！我不是在鳥類之中偏偏的怨你呀！因爲你叫得人人生厭，又偶興嘆！」

他的烏鴉曲，倒好像給今日有一個「烏鴉主義」者的文人，作了預言，這眞是「巧合」？實在是他的「文章」叫得「人人生厭」了。不識「一烏鴉文人」還記得這首老曲的詞兒否？

鴻門宴

——歷史上最生動的一幕冷戰

·程鵬搏·

從古迄今，爭天下的人，最主要的任務是鬥智（冷戰），鬥力還是次要的。楚漢之爭，假使談鬥力（熱戰）劉邦實不是項羽的對手，但項羽終于烏江自刎，劉邦做了皇帝。這就證明項羽只能鬥力，劉邦除鬥力外還以鬥智取勝。鴻門之宴，乃楚漢冷戰白熱化的時候，也是楚漢成敗最後關頭。讀史至此，爲之擊破唾壺！

當劉邦既定關中，使兵戍守函谷關，謂其志不在據守關中，以與楚爭天下，雖使三尺童子也不能相信，乃劉邦膽敢從百餘騎來見項王，至鴻門，謝曰：「臣與將軍戮力而攻秦，將軍戰河北，臣戰河南，不意先入關破秦，得復見將軍於此。今者有小人之言，令將軍與臣有郤」這種甜言蜜語，而項王竟深信不疑，不但信之，並即日留劉邦與飲，且告之曰：「此沛公左司馬曹無傷之言，不然籍何以知之」此已說明劉邦陰險是刁，項羽顢頇無能。

漢有張良蕭何韓信所謂三傑，劉邦對於他們言聽計從，楚僅有一范增而不能用，鬥智之勝負已決。尤其當項羽既定河北，聞劉邦據關而守，遂移兵擊破之，這次鴻門，本可一鼓而擒劉邦，乃自恃其力，認聽季父項伯之言，事終不密，間諜日在左右而不察覺，以致鴻門宴會時項莊舞劍，項伯猶敢公開蔽翼劉邦，羽竟任其所爲。吾謂漢之間諜爲曹無傷，楚之間諜爲項伯，在劉邦則誅之，在項羽則聽之，莽莽神州，如此以逐鹿，成敗之數，此時更顯而易見。垓下之圍，烏江却渡，始痛無顏見江東父老，其智力已落後千里了。

鴻門宴會上置劉邦於死命，其勢正如探囊取物，此乃天予楚以機會，乃范增屢玦示羽者三，羽均默然置之，「天予不取，反受其殃」，當此千鈞一髮之際，羽仍以婦人之仁縱虎歸山。讀史者謂羽死於垓下之圍，吾則謂乃死於鴻門之宴。

當時劉邦語貌，謙卑遜順，有似不能勝者，志在使項羽心安，所謂宴安鴆毒也。樊噲則唐突闖入，髮指目怒，有似事出不測者，志在使羽氣餒，所謂硬軟兼施也。而且張良在項羽樊噲之間，從容介紹，亦若胸有成竹，神情輕鬆者然，於是樊噲責項羽以大義，使羽啞口無言，世之屠狗者衆矣，能够如此嗎？謂非張良教之，吾不信也。劉邦不辭而出，置車騎不動，脫身獨騎與樊噲、夏侯嬰、靳彊、紀信等四人持劍盾步走，從酈山下道芷陽間行，而樊噲竟以「人方爲刀俎，我爲魚肉」爲言，以刀俎譬項羽，自己爲魚肉，足見項羽所處境地，是如何優勢？劉邦所處境地是如何險惡？在漢的集團中，上自劉邦、張良以迄樊噲、夏侯嬰等，無不戰戰兢兢，戒謹恐懼，盡智竭慮，以求脫險。而項羽乃等閒視之，聽信張良「沛公不勝桮杓，不能辭」「聞大王有意督過之，脫身獨去，已至軍中矣」一幾句詭譎狡黠，令人氣阻的話，就不加過問，且受其璧而置之座上。此非項羽在冷戰中大敗的寫照嗎？惟英雄能識英雄，范增能不慨嘆曰：「唉，豎子不足與謀，奪項王天下者必沛公也，吾屬今爲之虜矣！」而不劍破其玉斗嗎？張良視羽如豎子，羽不知恥；范增嘗以豎子不足與謀，反墜今後項羽疑增之本。聽信離間，鬥智失敗，事實昭然，乃羽不知檢討，烏江之死，猶侈言「身經七十餘戰，未嘗敗北，乃天亡我！」僅知鬥力之功，而不知鬥智的重要，可謂至死不悟。

綜上數點，項羽之失敗，由於鬥智的失敗，劉邦之得天下，由於鬥智勝利，不待智者而可知。吾人讀史，以古證今，自由世界的力量，絕不遜于共產集團，乃代表自由世界力量的美國，竟凡事隨着蘇聯的脚步而跳舞，讀史至鴻門宴，能不令人不寒而慄！

奴才的嘴臉 ·楊有釗·

家書

·蓉之·

「烽火連三月，家書抵萬金！」——杜甫

可是呀！烽火不只三月，我的家書竟是訃音。

落拓江湖的人固然想家，流得窮風雲的人又何嘗不想家；即使把酒臨風的闊佬，得意之際，也會望着天邊的雲彩，吟「白雲深處是吾家」之句！

何況流落海隅八年的我，家書何止抵萬金？可是，我昨天收到一封家書換來的，却是我的一大把眼淚。當我捧着欲折時，兩隻手抖顫着，又驚又喜。

喜的是八年來這算是第一封家書，認爲總可以知道家裏面一點消息；驚的是，這封信一定凶多吉少。

果然，拆開一看，頭一段是這樣：「親愛的弟弟：我們八年沒有通訊了，直至最近才知道您的蹤跡，我們是多麼高興啊！我們雖然在這社會主義底下生活着，但是我們很難得吃到一頓乾飯。三年前您姐丈逝世之後，我帶着兩個兒女參加了農業合作社，由於天旱的關係，今年眼看到田裏沒有一粒穀子可收！……」

這還是好的，看下去，第二段是：「至於您的太太，已於一九五二年就病故了，兩個女兒跟着外婆不知逃亡什麼地方？迄今現在還不知道他們的音訊……」後面署名是您的姐姐。

我非常懷疑，我的太太怎麼會「病故」的，她今年不過三十二歲，身體很健康，而且是一個具有衛生常識的護士小姐出身。假如她眞是病了，那麼我那位白髮如銀的老岳母爲甚麼還能健在？我那兩個黃口幼兒也還能保全。正是「壯者沒而衰者存，強者夭而弱者全。壯而強者不可保，如此孩提者又可冀其成立耶？」

因此，我對于「病故」兩字，認爲其中大有原因。據一般熟悉鐵幕人士談，凡是被共黨槍殺的男女老幼，一律改稱「病故」，特別是對海外通訊如此。

雖然，現在我已明知她被害，可是我又有什麼辦法呢！我只好向那隻破皮包裏，找尋她們母子的照片，來作一個紀念罷了。結果沒有找到，只檢着一張兩個孩子的合照。

我們分離八年，對着相片，便覺他們兩只眼睛如像愈睜愈大，向我怒視！又好像在責備我不該逃避火線的責任，把他們活活地摔在鐵幕裏讓人宰割！我有必須逃避的苦衷呀！

不過回想當年離開的時候，一個是三歲，一個才兩齡，正是有衣不能自穿，有飯不能自吃，何況無衣無食呢！記得那時他母親見我整裝待發，曾經呆若木雞，哽咽不能成聲，但忍痛臨別贈囑：「今後一切責任交妳負起，孩子可以永遠無我，但不可一日無妳……」言猶未已，她已經哭成淚人，那種「生離死別」的痛苦，和「亂世兒女」悲哀，確非筆墨所能形容！

當時我拖着沉重的步子，踏出後門，時近黃昏，兩個天眞無邪的孩子，仍緊跟着我的背後，悲哽地叫着：「爸爸你到那裏去呀？我們也同去吧，要不然，你就快些回來啊！」這一叫，有如利刃刺胸！我生平本不易流淚的，惟此時再也忍不住了。我連回頭正視也不敢，任他們頓足大哭，……以後的一事便不知道了！這一遇竟成永訣，幾年心事，昨晚又上心頭，澈夜不能成寐，甫一合眼，則又夢見他們三三五五無家可歸的小孩，蓬首截道，面目憔悴，伶仃孤苦！醒後汗淚交流，良久乃已。憤恨共黨暴政，不共戴天，想起許多溫暖家庭，亦復如我，同仇敵愾，又當是必然的了。

中篇小說

海上學校

十二

三十九艘漁船，歷盡驚險返抵避風塘外時，已是第二天的黃昏了。風仍然怒嘯着。雨下得又大又急。風雨掃掉了黃昏與黑夜的界綫，昏黃暮色和初夜的暗夜差不多。

李太玄夫婦的醫藥船上，張長虹的呻吟聲，時斷時續。他失血過多，而顏慘白得可怕；兩眼深陷，充血，瞳孔放大。若不是太陽穴附近，還有粗暴的青筋在顫動；若不是乾裂了白皮的嘴唇，時時播送出一些輕微的呻吟聲；生命的活力，在他那纏繞紗布繃帶的軀殼之內，已剩餘得極其有限了。他顯然並不會覺察眼前人的溫良和大度，帶着一顆並不甘服的愛心，默然掙扎在陰陽界上。而李太玄和崔碧，却伴着他的間歇性痙攣，時而交替着哀切的雜亂的心緒。這心緒使這位名醫的心靈，搖擺在希望與絕望之間，並且，緊張着他全部的生命！紅鼻子尖端，老擺着幾粒汗珠。

黃阿水也在醫藥船上。她和張長虹比較起來算是輕傷。經過急救包紮，傷處已無大礙。因爲她右腿和臂部的傷，都只是表皮破損，消腫消炎之後，不會併發其它的病狀。這時，她已能昏昏沉沉入夢。而這個九死一生的小靈魂的睡相，依然相當甜美。

劉金忠的膀子，雖然掛了彩，但傷勢更爲輕微不足道。他繼續在蝦罟上把舵行船。

而此刻，蝦罟變成了喪船。正艙間的油布底下，硬挺挺地擺放着兩具大肚皮屍體——黃滿生和他的爸爸！另外還有兩條血肉模糊的不完整的大腿，一頂覆盆竹笠，一條繡着長命富貴字樣的紅布鑲邊背兜兒，是從礁叢中摸出來的！茫茫大海葬送了這個良善家庭，竟連一個未滿週歲的孩子也不會放過！

正艙間口油布低垂，顯得十分幽黯。悲劇的嚴肅之感，沉重地籠罩滿一船。無常的命運，不幸的人生，被損害被踐踏被折磨的民族，生和死，愛和恨，悲苦和不幸，像影子戲一樣在杜宇和貝比的腦際縈旋。

沒有說話，沒有悲歎，沒有眼淚，然而有某種深切的情緒從他倆的朦朧濕潤的眼睛裏流出，世界上畢竟還存留着這種情深於淚，哀溢詞的場合，這場合想一想也會令人發抖的！

鄺財寶是第三個伴靈的。他靠近杜宇坐着，一心只回憶黃滿生的好處。他想起了黃滿生曾借過三毫子給他買練習簿子，沒有把錢還給他，現在人已死了，不知如何還法？他想起了黃滿生忠厚老實的好脾氣，想起了他曾經做了許多對不起黃滿生的事情，譬如在學習氣象預測時搶去他的鴨舌運動帽，讓他光着頭曬太陽；在上唱遊課時故意踩痛他的腳；在夜海上實習天文航海術時，用勁推他落水，等等，等等，都一件一件地在他的悼念中復活了。他想到最傷心的地方就哭，哭疲倦了就詰詰巴巴講些什麼；這些話除開他自己心裏明白外，恐怕再沒有第二個人懂得。

杜宇撫摩他的頭，安慰他。一個鮮明的思想開始照亮了她的腦海。如何撫養遺孤，教育黃阿水成人的問題，佔據了她思想的全領域。她把這層意思向貝比說了，貝比也毅然點頭贊成。

船團駛進了避風塘。

崔碧攙扶黃阿水登上海上學校，早有[illegible]同夫婦接應，安頓在臨時辦公室內。周曼石拖着昨晚狂醉後疲頹的肥軀，倒茶送水，也忙得團團轉。而李太玄因爲要急救張長虹，吩咐把醫藥船搖向碼頭，他自己則冒着橫風斜雨，到岸上去打九九九，喚救傷車去了。

夜九龍醫院在風雨聲中。霓虹燈五顏六色的光芒，在急雨下閃爍着，像少女從美夢中突然睜開星眸，抒發出輕盈的甜美，然而這種甜笑，對李太玄而言，實在是遙遠的，多餘的，討厭的，他整個的心思，都集中於張長虹的身上，忘記了自己一身透濕，兩腿疲倦得像彈棉花。幸好在一刻鐘之後，白色的救傷車來了，他陪伴張長虹進了九龍醫院。

另一方面，漁民們在海上學校的教室裏面，正淒切地討論爲黃家舉喪的事。汗漿、烟臭、浮載着一股股短暫的欷歔歎息，使冷空氣中彷彿大量播散着傷寒菌的氣息。悲慟的情緒比歡樂的情緒尤其容易傳染給別人。漁民們焦黑的額頭上擠滿了皺紋，大多數人的眼睛都是紅紅的，潮濕的，有千百種深切的關懷，交流在相互的一瞥之中。（五一）

趙滋蕃著

自由人

THE FREEMAN

（第六八二期）

中華民國僑務委員會發給登記證僑新字第二號
中華郵政台字第五○○號執照認爲第一類新聞紙類
（半週刊每星期三出版）

每份港幣壹毫
台北每份售價台幣壹元

督印人：陳文蔚
社址：香港高士威道二十二號四樓
20 CAUSEWAY RD. 3RD. FL. HONG KONG
TEL. 771726
承印者：東南印務出版社
地址：高士打道六十四號
台灣總經理處：台北市西寧南路壹零號二樓
電話：四七三四六
台郵政劃撥儲金戶二九二五二
海外總經銷：友聯書報發行公司
香港：彌敦道中二十六號A二樓

毛澤東的苦悶

·劉實·

老實說，毛澤東能够敢於承認：「在我們的面前，有……敵我之間的矛盾和人民內部的矛盾。……」這算他能够正視了極權統治的危機。當然，那些矛盾情況，絕不止如毛澤東所說的那麼簡單。

一、

「團結——批評——團結」，是毛澤東處理內部矛盾的法則。但是，怎樣有效地去「團結」呢？萬一「批評——團結」還是彌縫老一套「思想鬥爭」，也不同嗎？就是這次特別提出的「百花齊放，百家爭鳴」的口號，要各黨各派和知識分子「知無不言，言無不盡」，儘量提出「批評」，幫助共黨整風。

本來那些名存實亡的各黨各派和久困自由之口的知識份子，有見於中共專政以來的矛盾局面，不獨佔天下利益，而完全不是當初許諾「長期共存，互相監督」的那回事，老早就如鯁在喉，久欲呼之；而「三反」「五反」的血腥未乾，胡風的殷鑑不遠，故此雖齊奮先有陰定，把「百花齊放，百家爭鳴」號鳴之於前，他們也只把它視作陷阱，而不得不欲言還止。及毛澤東再次發出號召，親口鼓勵大家「大鳴大放」，並保證「言者無罪」，他們的看法就比較大膽了，他們以爲共黨或許可能對「言論」開一條「自由」之綫，也或許經此既鳴且放就可能打開「言論自由」之門。那麼，好好把握可鳴可放的根據和材料來滿洩積恨，政治中國八年的結果實在太不像樣了。於是在黨外如儲安平、羅隆基、章乃器、葛佩琦等，就奪出向來中國言人的倔強精神，一不作二不休地，把中共統治天下的最黑暗時期，要「毛澤東滾下台」、要「共產黨下台」、要「從各級學校撤出黨委會」等言論，都是「鳴放」中最突出的響亮的聲音。不僅此也，在中共曾經延安整風運動而保有首領的老資格員如丁玲、彭子岡、林默涵、馮雪峯等，亦乘此「鳴放」機會，針對中共的領導政策的錯誤作正面的攻擊。這一切「鳴放」所指出中共的弱點，在中共本身當然不可隱諱的；而毛澤東對這些言論，殊不知毛澤東苦惱；自然，毛澤東可能並不辯護，也一定要理解到這一切人的「鳴放」意向，根本是對人民專政惡果的控訴。

二、

我們可以料想得到：毛澤東敢於放手讓大家「大鳴大放」的初心，實以自已爲自己曾經建立了的威信，還是使人羣之生長，就使大家「大鳴大放」，他們至多不過對「人」——官僚主義、宗派主義、主觀主義所形成的偏差提出發發牢騷，如此，正合乎他山攻玉的技巧，就乘此翻翻黨內的腐敗分子，也好藉以加強自己的領導權威。他們決不敢正面對「事」——馬列主義，人民專政，尤其社會主義道路，這些中共基本政策來挑撥，並且毛澤東來轉打：如果經過這次「鳴放」和黨的整風，以展示而完成所謂「整風運動」，則不但對內可以再次用「人民內部矛盾」的面目來鞏固，同時更可將把自己裝成中國自由的姿態，招攬國際，惑亂西方國家的觀聽。

但是，不料料而竟的，在黨外若儲安平、葛佩琦、章乃器、羅隆基這些知名之流；在黨內若丁玲、彭子岡、林默涵、張醒鐘這些老幹部，果眞就「知無不言，言無不盡」，以不怕死的口角，代表「馬列主義」道路和人民專政，「社會主義道路」，這些基本政策來挑撥，頂撞「領導」，而厚非黨心。他們不是要殺賊所懷的已不獨是官僚主義、宗派主義、主觀主義的三害——而是「社會主義道路和黨的偏差糾正」存廢問題，這不是要共黨統治連根拔起嗎？於是毛澤東苦悶了。

三、

毛澤東的苦悶，不是他殺不了儲安平、葛佩琦、章乃器、羅隆基這些人，而是他殺不了所有的儲安平、葛佩琦、章乃器、羅隆基這些人。請由學生羅隆基可以證明。也不是他殺不了丁玲、彭子岡、林默涵，而所有的丁玲、彭子岡、林默涵也是他殺不了的。張醒鐘這些人，而由工人張醒鐘可以證明，這並不是毛澤東對於殺人沒有經驗，也當然知道殺是最沒有辦法的辦法，原來殺也解決不了問題。

那麼對「鳴放」將怎樣作結論呢：我們所見到的他的第一手：所謂「鳴放」是馬列思想的法寶，已經祭起，給所有「鳴放」者扣上了「右派分子」的黑帽子，或羅織八股式的罪證了。但這種手法，而今又對付已泡製起來，不但不見得生動，或只是令人不服，相反的，只是徒見中共統治階級的頑固，更失掉黨內外進步分子的同情。如果毛澤東還稍有自知之明，他對這些情況和所發現的新問題，自不致忽視大意，斷然處之的。

雖然現在中共統治者以所謂「右派分子」或竊國之類的罪狀誣陷，將逐步入於安撫之手法，企圖窒息和汜濫「鳴放」洪流，但這並不就等於算是對「鳴放」的衡量和處理，「人民內部矛盾」的處理，「整風」作了最後的結論。由於「鳴放」涉及範圍的廣大和問題的深刻，這已顯示出後結論，將不只是意向，中共今後的領導將爲中共內部派別，而且標榜鬥爭的根本，以及團結、分裂是不是再容各黨各派共存下去？對於各黨內的政敵，是不是殘酷的整肅？是不是都能夠加以延安整風運動的結果，也許更毛澤東大爲躊躇這一番最後結論的作所以他才於月前手了，溜出「鳴放」核心的北平，暫時離開了這「鳴放」是非的漩渦，有關「知我者，謂我心憂」「不知我者，謂我何求」！「予豈得已哉」！毛主席，倒怪可憐的。

四、

至，毛澤東的溜出北平，可並不是他無視「內部矛盾」處理」，相反的，他所以要去到上海、常州、青島，正以至今仍特重視內部矛盾的深刻性、嚴重性，他到各地去深入觀察，可能是想要深入地體察一下人民什麼會這樣對共產黨深惡痛絕。同時，因爲由他自己親口承諾「言者無罪」，鼓勵各黨各派、知識分子「大鳴大放」；而「鳴放」洪流雖至於使出六標準，但以他惟我獨尊的地位，總不免好意地再用自己的鐵腕，去食言而肥，掃地而盡「鳴放」之罪「言者無罪」之言，雖然毛澤東向來「言而無信」，不講信用的。什麼所謂「右派分子」也被指爲罪的羊，已經了「鳴放」牢者，只是毫無疑義的替罪羔羊，那是不過的。可以斷言，無論毛澤東的殺了鋼，是硬收或是軟放，對極權統治之不畏死的人民，除非毛澤東放棄極權統治，還給人民自由，否則，「知秋」，必將葬送整個中共政權與人民距離日闊鴻溝。

半週述評

本屆聯大前途預測

第十二屆聯合國大會已於本星期二開會，這一次大會，會員國已由八十一國增至八十二國，將要出席的各國外長達四十人，至少有四個討論的世界大問題，如裁軍問題、中東問題、塞浦路斯問題、阿爾及利亞問題等，可說是世界最大一次的外交集會。

然而這次大會，能否有實際的成就，而不至流於宣傳，殊堪懷疑。例如匈牙利問題，雖以六十票對十票，十票棄權，譴責蘇俄在匈牙利的行動，要求蘇聯政府撤出軍隊，但蘇俄竟置之不顧，並說此問題是干涉匈牙利內政；如此，聯合國的決議，便無實際作用。其他世界問題，又如何有實際解決之可能？如此，十二屆大會之成就，亦屬可疑。印度代表拉瑪約向聯合國建議，將「中共出席聯合國」列入議程，此一建議，在目前國際情勢下，雖決無實現之可能。然其爲中立國貶損聯合國威望，使成爲國際聯盟的另一行動。事實到底如何？還要看以後的發展。此時判斷，不免言之過早。

印尼的新希望

年青新興的亞洲共和國印尼，這幾天正舉行政首長圓桌會議，謀恢復中央與地方的正常關係。領導印尼獨立的英雄人物蘇加諾總統與已經辭職的副總統哈達，共同發表了一個聯合宣言，中保衛獨立宣言，矢誠合作。這是日趨分裂，邊不安的印尼，將能重行統一團結的佳兆。

蘇加諾領導印尼獨立，其功不可沒。然而獨立後，在蘇加諾繼續領導下，印尼的建設成績實有限，這是人所共見的。個中原因雖多，蘇加諾的責任獨大。歷史上，能開創而兼能建設的人本不甚多，蘇加諾以開國元勳，自恃過甚，急求功利，惑於指導民主之說，實爲十年來印尼癥結之所在。

哈達爲指摘蘇加諾最力之人物，圓桌會議批評指導民主的法，革計劃爲違反民主，處處發揚這樣的宣言，似足表示蘇氏對過去領導方式，將改弦易轍。若然，則印尼之統一團結可期，民主制度可保，共產浪潮不至繼續高漲，這不能說是紛擾的印尼一個極可喜的健康轉變。然而

所望於張羣訪日者

國民政府秘書長張羣，以蔣總統特使資格，於本月十六日前往日本作半個月的親善訪問。張氏此行，一面爲答拜日首相岸信介前此的訪台，一面爲加強中日兩大鄰邦的友誼。意義自不平常。

國民政府在過去數年的外交活動卻有極大的成就，張氏此行自更非普通之酬酢可比。日本在中共蘇俄雙方不斷威迫利誘之下，仍始終不動搖其傾向西方，堅持其反共立場，此固日本有遠見的政治領袖，權衡利害得失，所定下的外交政策，然我國從旁鼓舞婉勸，亦不爲無功。張氏此行對中日反共政策之互相配合，應負更大之任務。

又近接我國大阪留學生函，不惟中國報紙，即中國留學生互相見面亦感困難。大阪爲日本二數大都市，情形如此，可見我對日的中文化宣傳工作，尚極爲欠缺。我們希望張氏此行，有機會多接觸我國僑民與學生，以體取彼邦的意見。此不惟對日文化有關，我國使領館活動，亦向來缺乏與僑民接觸的機會。張氏此行如能於百忙中注意及此，必對中日邦交，多所增進也。

·陳克文·

談中共「黨天下」

·何雨文·

中共的開放大鳴大放，目的祗在於誘致尾巴黨派把心中對中共的怨恨一古腦兒吐了出來，然後才掌握反抗情勢，施以毒辣的對策。這是「黨天下」的作風。

在鳴放中最使中共忍受不了的，是說它「黨天下」。周恩來曾在他的政治報告中，直說了出來，他指斥「中共組織退出學校，機關」，「黨不要政權之外再搞一套黨的系統」，「共產黨不在智識分子中發展組織」，「政治設計院」，「平反委員會」，「黨天下」等論調爲右派分子的謬論。當然，「右派分子」是敵人，而這些被指爲右派分子的論調，自然是反動論調。

但周恩來依然說：「我們的國家是工人階級領導的，以工農聯盟爲基礎的人民民主專政的國家，在我們國家裏，一切權力屬於人民，全國人民代表大會和地方各級人民代表大會是人民行使權力的機關。」

這才眞是違心的謬論。其實早已顯然。在今日大陸，統治人民的是中共。每一角落裏，都有共產黨的干涉。每一件事都受共產黨，共產黨要如何地去做，人民就要如何地去做，人民如果違反了共產黨，就不能生存下去，甚至不能生活。

所謂人民政府也者，也是完全由共黨控制。過去人民只覺得共產黨是幽靈地存在，神秘地活動，如今因爲共黨要於如此去做，太不簡捷，就往往直接來處理行政，直接統治人民，壓迫人民。

在中央，目前重大政策指示性質的決定，一定由「國務院」和中共中央聯合發布，否則就無法推行。周恩來也得承認這對於推行工作是有好處的，今後應該繼續採用。有人認爲這是周恩來與劉少奇爭權的折衝結果，其實，也還是制度本身如此。「黨天下」，自然是黨重於政，握得黨權才能握得政權。在中央和省，卻是黨政混一的，毛澤東是黨的中央委員會主席，同時也是僞人民政府主席，中央委員會四個副主席；劉少奇，周恩來，朱德，陳雲就分任「人代會常委會」的首長，「國務院」總理，副總理和「人民政府」副主席。這就是說黨的負責人就是政的負責人。董必武早在一九五一年「華北縣長會議」上就說：「中央政府的決策，都是經過黨的設計，推動，起草，不過由政府出面。」這一點，很明顯地表示中共「黨天下」的本質。

周恩來所說的，人民行使權力機關是怎樣一個情形呢？

一、廣東省共有一個市縣，一九五六年只有兩縣按期舉行縣「人民代表大會」，有三十四個市縣完全沒有舉行過一次會議，而有七十五個縣舉行過一次會議。

二、黑龍江省呼蘭縣舉行過一次縣代表大會，在會上由五個幹部分別作了五個報告，共歷六小時的人民代表大會，沒有討論就通過決議，和宣布「勝利閉幕」。武漢市一九五五年地方財政預算，拖到一九五五年十一月旬才交給人民代表大會通過。

可見各級「人代會」僅具形式而已。

在中央，或有總攬施命具形式，到縣市以下，就連到這種形式也沒有了。

在每個僞政府機關，都由黨小組來支配工作。自中央到縣市，部力子說：「黨在政府部門的領導，最好是通過黨組，一切重大問題，便能貫徹執行。」縣以下的施令，由黨組決定後，交由縣委決定。特別是縣以下的領導權，主要是由黨代政。一般縣民委員會各部門工作，均由縣委決定。

被看是小組一切，無論何種組織，都是非黨人士雖居首長之位，實質上都是由黨組管事，政府替行而下達，黨的秘書工作領導，幹部員的話（都不知道。）

事，早已說明了。所謂「黨天下」，以黨中共有早已……黨天下」，可見「黨天下」也是外強中乾的。

國家銓敍業務檢討過後

·公望·

台灣通訊

銓敍部四十五年度業務檢討會議，會於八月廿三、四兩日舉行，由部長雷法章主持。由於這個會議係公務人員的資格，人才的儲備，頗堪重視，特爲報導並略加以分析。

這個會議，計有三大特點：決定革新考核制度，積極籌辦職位分類，調查登記人才備爲國用，共分別檢討六點：

「職位分類」創舉尚待實施

一、積極籌辦職位分類：本年三月籌備，七月接辦職位分類計劃委員會業務，業已先行修改該部組織法，依法成立職位分類司，加緊進行籌備，俾於職位分類法完成立法程序後，付諸實施，革新人事制度。

我國數千年來人事之紛亂，迄未平息，既然職位分類爲我國人事制度之創舉，原來是並未實施，尚待完成立法程序，可見公務人員任用資格，專門職業及技術人員執業資格，是相當紛亂的，國家進入憲政時期，實行憲法已近十年之久，職位分類尚未實施，眞也可說是一大憾事了。故國家專訂人事制度，私的人事活動，爲害公務是存在的，此番決定革新人事制度，或可望成爲澄清吏治之關鍵！

從「備而不用」到「不予審查」

二、嚴格依法用人，勵行列冊候用制度：現行任用法規定公務人員非經考試及格或銓敍合格者不得任用，凡具有任用資格無職人員，均予列冊候用，編冊送各機關備用，今後各機關出缺，就冊列人員遴用，否則該部不予審查。以往就犯了備而不用，全以私人關係優先遴用，冗員膺愚之輩充斥機關，杜塞人才之路，今銓敍部以「不予審查」事權之執行，不啻一下馬威，要實際解決問題，必須一視同仁，從該部起不持受人事通融或主管長官力保之弊，否則未必一定保證有實際事功。

人事法規要注重保障中下級

三、從速制定重要人事法規：現將公務員退休法修正案、公務人員服務法修正案、雇員管理條例草案、保障法案等，由該部呈請修訂或制定，已完成立法程序，急待實施；次爲各項特種法規，如外交、教育、技術、公營事業等法規，爲全面革新人事任用制之必需，正積極與有關機關商洽擬定中。此項尤見重要，以往公務員無退休之制，縱至耳順之年，尚被迫任職或老馬戀棧，腐化風氣，由此而生；公務員服務法、保障法更屬重要，以往公務員服務，全以人事背景或與主官關係爲保障，其職位其待遇，均無保證把握，五日京兆之心，混一天了一日的風氣，均爲敗壞了政治風氣之切要。但望是項法規，不祗爲少數顯要保障，而要保障中下級公務員。

獎拔人才不可單憑主管考核

四、革新考核制度，獎進人才：健全人事制度以考核制度之完備爲基礎，依考核人才辦法，配合職位分類制度精神，並參照美國制度與該部辦理年考總考經驗，從速修正現行考績法，而俾獎進人才，提高行政效能。職位分類得以使公務員「學以致用」，發揮所長，以考核爲獎進，大可不必單憑主官之考核意見，倣傚軍隊人事評判會制，考評優劣，由機關之全體公務員參加，並規定簽蓋以負責任，庶合公平且較實際，否則徒爲主管長官延爲工具。日本公務員無考績之制，逐年加薪，是其無功勞尚有苦勞，爲公而付出苦勞，豈不應被忽視，該部似可酌採。

怎樣登記人才儲備國用

五、調查人才充實資料：爲配合反共復國需要，調查各級各類人才，備爲國用，以往行之未達既定計劃，今後決與有關機關加緊聯繫，積極推進。調查登記人才，只是儲備性質，只是人才之概略統計而已；但既認其爲人才，必須施以輪流訓練，業務、技術等等，否則到時用起來，未必符合實際需要，即使是一塊有用鋼鐵，任其擱置，也易生銹。所以，欲期儲備人才之儲用，專門業務、技術訓練，實不可少。

怎樣保障人事不同流合汚

六、健全各級人事機構，提高行政效能：各級人事人員遴用，明訂標準，以考試、訓練、講習、大專學校之有關課程等方法培育人事行政人才，提高素質，各個機關，事業機構一體設置人事機構。人事行政固有直系系統，惟配合各機關主管之用人，宜於保障其不與主管同流合汚，多加考核，人事制度職位分類制度，能否革新完備，有裨事功，實全賴人事行政人員之操守與精神耳。

人事應「超黨派」

銓敍部爲國家最高人事機構，掌理全國文、法、外交各官及其他公務員與考取人員銓敍事項，凡公務員之登記，資格審查、考績、任免、升降、轉調、俸給、獎恤等之審查事項皆其司也，憲法八十八條備載有責尚須超出黨派以外，依據法律獨立之行使職權。曾聞表列「黨籍」一項，並且黨員之黨內成績（考核之成績）列入年考，總考成績，似乎不當，國家應超政黨，公務應超政黨，才合公平。（四十六年八月廿六日夜）

人物評介

一位一生愛中國的外國人

——懷雷鳴遠司鐸並說到益世報

·式一·

在中國報紙中，益世報說得起純粹民營，它的創辦人雷鳴遠司鐸編讀卅多年不改作風。他逝世距今有二十年了，在抗戰初期，我在長沙還接到他最後一封信，多半說的儘是益世報的事情，足見他重視報業。他早年入了中國籍，不願有人說他是外國人，他一生爲中國服務，歿後得埋骨於中國國土——重慶歌樂山。

他不喜人家說他外國人

他一生致力於中國公教事業，貢獻頗多，尤其當天津老西開教案發生，他不惜觸怒教廷，據理力爭，從此中國教區才逐漸的有了中國人當主教。他久居中國北方，說一口流利的天津話，如果你聽他的談話，絕猜不到他是一個外國人，他說話常帶些幽默感，而且愛好掉文，能引用四書句子，用得恰到好處。他一生苦修，粗衣惡食，幾十年來安之若素，六十歲的高齡，短程往來，常以一輛自行車代步，有一次途中失事，幾乎摔斷鼻骨。

益世報辦得有成績，靠他知人善任，初期推劉濬卿任總經理，措施上雖盡如人意，有一部分股東說劉任用私人，遂目益世報爲劉家店，但是雷鳴遠始終信任劉，不惜年年在股東會上爲他辯護。而益世報亦賴劉之艱苦經營，終能在華北報界獨樹一幟。

他要辦的是眞正的報紙

益世報開辦晚於大公報十年，英斂之當年所辦的大公報、倒是一個純公教的報，後來變了質，成爲政治報刊、初非英所料及，雷鳴遠鑒於英斂辦報失敗，認爲公教要有一個眞正自己的報紙，遂創益世報，股東限於公教人士，而且須是中國人，有些教友受了雷鳴遠的影響力，甚至把大公報的股本撤出，投入益世報去。雷鳴遠是一個有自由思想的人，由於他曾去法國那一時期受到了革命的氣息，看見中國的政治腐敗，痛恨北洋軍閥政府，同情國民黨的北伐，那時中國的報紙，多多少少都受人利用，所以他主張一個報紙要站穩自己的立場，不能離開民衆，要有言論的自由，當時益世報就是他的理想的實行。遠在九一八以前，他就是一個激烈抗日者，而益世報的反日言論一向最爲突出。益世報創於民國三年，雷鳴遠是董事長、實際負責的是總經理劉濬卿。他知道吸收青年人才，報館的職位逐漸由一羣青年人接替下來，那時總編輯劉豁軒、汪佛生編要聞，胡漢野編國際版，唐棣清當了一個短期的翻譯，不久又出任副總編輯，他們都是南開大學畢業，朝氣勃勃，有一股子幹勁，這樣的幹了幾年，益世報也活躍起來了。

羅隆基當過編輯

大公報以社論出色，益世報千方百計的要趕在它的前面，於是不惜出每月五百元的高薪，聘請羅隆基執筆，羅的文章富於煽動力，一爲其演說頗能叫座，益世報的北平銷路原敵不過大公報，居然打開了學校的大門，激漲了幾千份，後來因羅利用益世報爲其政治資本，遂不歡而散。

有人認爲商業性的報紙，應遷就讀者的口味，當年天津的黃色刊物泛濫，一如香港，益世報因係宗教的報紙，絕不登誨淫誨盜的新聞，甚至連那一類的廣告亦拒接受，結果銷路並未受到影響，反爲廣大公正讀者所讚揚。

特出的改進

在二三十年前的報紙副刊，還脫不了資產階級的消閑品，益世報的副刊「世機」改爲「語林」，由馬彥祥主編，一變新的作風，不再是茶餘酒後消遣的東西，而是代表新思想的文藝了。他每日用「尼一」筆名寫一篇小品文字，諷刺社會，針針見血，尤膾炙人口。

益世報創辦「社會服務版」，可說是中國二十多年來別開生面，那幾年確爲社會盡了最大的力，博得廣大人羣的好評，吸引了不少的讀者，張恨里主持其事。後來別的報紙亦有仿效的，就差的太遠了。

于斌曾有過發展計劃

抗戰勝利後，于斌把益世報的責任放在自己的肩上。他有一套發展的計劃，天津版復刊了，同時又創辦南京版和上海版，他的理想要把益世由國內各地，擴展到海外。他曾揭櫫二個信條，就是提倡民主自由，擁護國民政府，不違反宗教，最後他還補充一句，只要不違反宗教，就是罵我于斌亦無關係。可惜，大陸不久陷共，他的計劃不能實現，而益世報亦根本毀滅了，前幾年，益世報在香港和新加坡一度復刊，僅曇花一現，原因所謀非人，還鬧得不歡，使他勇氣消沉，不敢再談此事了。

讀者論壇

所爲何來

·張弓·

台灣各師範學校，從四十三年學年度起，加授中國文化基本教材（四書），自四十五學年度，教育部又通令全省高級中學和高級職業學校一律加授；我對於這件事始終有些疑問蘊積胸中，自己無法解答，不得不提出來請問當代教育家：

（一）部令：「……使高中學生一律接受此項教材。俾增加其對本國固有文化之認識，增進其愛國家愛民族之觀念」又說：「增加上項教材講習之教學時間，每週於國文教學時數內勻出一小時以爲授課之用」。請問這本書究竟算是國文教材？還是文化教材？假如是國文教材，何不編入國文課本之內，而要印單行本？假如是文化教材，爲什麼要硬性規定必由國文教員擔任教學，而不能由公民或歷史教員擔任授學呢？

（二）學校國文程度漸趨低落，當局正在倡導提高，照高中課程標準之規定，高一二國文每週五小時，高三每週四小時，減文化教材一小時，作文平均計一小時。實際高一二每週祇能講授三小時，高三每週祇講授二小時。以一般學生國文程度之低劣，想在這短短時間內去提高，不啻「南轅北轍」，當局對此，難道未曾考慮嗎？

（三）「減輕學生課業負担」這句口號，在台灣非常流行。所謂「課業負担」，究竟是指那些而言？文化教材是講的修身，爲學、處世、以及齊家治國平天下的大道理，主要的必須學生懂，而且要身體力行，似乎談不上什麼「課業負担」，又何須乎大量刪減文教材，直接影響學生國文的學習呢？

（四）關於文化教材的進度和教法，照部頒辦法之規定：「論語每小時可講二百至三百字，孟子每小時可講三百或三百至三百五十字」，但如要「剖疑析難」，或「闡明底蘊」，就不能限定字數，顧此失彼；如時間不够，大可利用公民訓練或自習時間補授，以收實效。這種字數的規定，究竟何所根據？終不免令教者感覺困惑。

（五）學校加授文化教材，已經三年於茲了，實施收效多少？據我所知，似乎還無人注意。行政機關只顧下命令，其所派之視察人員，對於這一門加授課程，並未盡到考核督之責，學校校長奉到命令，照例移轉到國文教員，國文教員因爲問題太多，祗好敷衍了事。學生因爲它與考試無關，根本不肯學習。如此紙上談兵，不求實際，既無益於教育，又無補於國策，究竟所爲何來？

有人說：「你遇事都要打破沙鍋問到底，未免有點『予之迂也』！」是的，我不否認我是一個「莫名其妙」的人，但是我有一種看法，辦教育畢竟不是做官，必須要說實話，做實事；祗要合乎道理，「迂」固無礙，「傻」又何妨呢？

大阪短柬

·蕭始達·

（大阪航信）（上略）暑期中，我曾到京都名勝宮津遊覽，那裏的海浴場，風景甚佳，但海灘不及香港的石澳，宮津離大阪甚遠，火車要四點三十五分，才可抵達，大阪附近，雖也有海灘，但不很清潔，不如宮津，上月中，我曾到東京旅行，在那裏住了一星期，市內有名的地方，差不多都走過了，東京和大阪，表面上，沒有多大分別，但東京有皇宮的建築，高樓大廈，也比較多些。人口卻比較大阪多一倍半，熱鬧地方如銀座，新宿，淺草等區，都是擠滿人羣的，你走到街上，想快行幾步都是不可能的。彷彿在香港除夕的年宵擠一樣，眞是肩摩轂擊，踵趾相接。東京現有人口八百五十萬，再發展下去，便要成爲世界人口最多的都市了。從大阪到東京，從車窗外望，縱目所及，都是房宇和田疇，沒有一點荒地，可是日本人的糧食生產，還是不够的，據說全國的糧食，有四分之一，要靠國外接濟。

大阪的中國留學生甚少，我到大阪半年，還碰不到一個中國學生，中國書報在大阪也不易得，我帶來的中國書不多，有時要向懂中國語的日本學生借中國書籍看，這裏的日本報紙很少登載中國和香港的新聞，有時登載一兩小段，也是有頭沒尾，看不出發展的情形，及結果的。

我初入學校，攻習日文，教師爲利便那些不懂「漢文」的外國學生計，全用日本字母（不參雜「漢字」）教授，有些生字不易了解，即用英文解釋，也不能完全達意，我要求先生把這些生字所代表的「漢字」寫出來，但那些來自泰國和巴基斯坦等國的學生，因爲他們不懂「漢字」，便鼓噪起來，力加反對，並且說了許多憎恨「漢字」的話，當時我也沒有很好的理由，替「漢字」辯護，不好和他們吵嘴，最近，有些日本人和我說，日本平假名和片假名兩種字母全是從「漢字」簡化或演變出來的，於是當他們再說「漢字」壞話的時候，我立刻把這道理說出來，他們也就啞口無言了，現在，我們的教科書，中間插入許多繁複的「漢字」，他們也不敢有半句怨言了……（下略）

蕭始達九月七日大阪

一個新國家·兩個老問題

五千森林恐怖份子無法肅清　兩大民族歧見未能合理消弭

文鑑

馬來亞於八月三十日午夜成了地球上一個新國家，但其內部還有兩個嚴重的難問題存在着：（一）森林內的共黨恐怖份子還未剿滑；（二）種族歧視問題亦未解決。這個新國前途，要看上面兩大問題能不能合理解決。

陳平拒絕投降

據吉隆坡九月九日消息：共黨領袖陳平，經已拒絕拉曼代表獨立後的馬來亞所提出新的投降條款。共黨人員曾用複寫版印成的信函在馬來亞及印尼向人民傳閱，證實來自拉曼的最近大赦建議──把那些於本年十二月卅一日投降和背叛共產主義的任何殘餘森林的恐怖份子，均重新安置馬來亞社會之內；其他恐怖份子，將不加以鞫訊，便把他們押往中共區。儘管拉曼否認陳平已拒絕「最後投降建議」的報紙消息，可是事實上，馬共卻很不容易接受的。正如，業經退休的馬來亞剿匪司令鮑爾中將所說：恐怖份子一向欺詐，不會投降，他們只企圖摧毀馬來亞新國的生命而已！

十年剿不清的匪

馬共之不願意投降，因爲他們除了有中共作他們的強大背景，援助他們；同時共黨擾亂東南亞，差不多從沒有忽略過馬來亞。共黨對馬來亞人的煽動雖告失敗，但對星邦中的華僑卻做了不少威脅的工作。在吉隆坡的人口中，每五人便有三人是華僑；[illegible]

[illegible]說也奇怪，共黨恐怖份子，在任何一個時期，數目從沒有超過五千人，但要對付他們，就必須動員五十倍兵力──二十五萬人。除了六營英軍和七營廓爾喀兵以外，還有斐支兵，東非兵和沙勞越兵，以及六營馬來聯隊與新成立的一個聯邦團，其中有中國人、歐洲人、印度及巴基斯坦人。

困難的森林戰

這些士兵在森林中，往往一天中不能前進一里。參謀室裏的圖表會指出：搜剿的士兵常發現和搗毀敵人的陣地，但絕少與敵人發生接觸。就是找善於追蹤的婆羅洲第亞克士人來幫忙，他們也不能出其不意地捉着一個共黨士兵；原來一個營房的共黨恐怖份子，一聽到槍響，立刻就躲到林中預先準備好的藏身之所。

英國空軍曾想出過多種辦法。起初，在降落傘一面繫一條長的帶子，下面繫着活動的木箱，英兵就在這個木箱裏。降落下後，往往掛在枝幹上，但木箱因重量的關係，垂於樹枝之下，於是英兵安全地跑出。[illegible]雖則用了那麼大的兵力，可是九年來的森林剿匪戰爭，[illegible]

匪的國際背景

[illegible]

華巫之間

[illegible]

國際動態拾零

美國關于發展飛彈之經費，在一九五七年度爲廿一億美元，在一九五八年度爲廿二億至廿四億美元，尚嫌不足。因爲蘇聯所耗于飛彈者，超過此數甚多。

英政府估計，蘇聯將恢復冷戰，退出倫敦裁軍會議，並將分別與東西德締約，在約旦，伊拉克，沙地阿拉伯諸處製造混亂。

×　×　×

敘利亞左傾，迫納薩大爲失望。納薩本與尼赫魯，狄托[illegible]，以擴大中立國家之勢力。

×　×　×

十月間聯合國大會開會時，艾森豪將出席演說，報告裁軍會議經過，強調天空視察計劃，蘇聯本已接受，有記錄可憑，現則矢口否認。預料在二三年內，都是拖的局面。

×　×　×

蘇聯供給敘利亞之軍火：有T34坦克二百輛，SU—100[illegible]五十門，裝甲運輸汽車二百架，122mm野炮一百二十門，37mm高射炮一百門，152mm野炮二十門，85mm高射炮二十門，MIG15 17和噴射機七十架。

·陶然·

書刊介紹

現代思想巨人的巨著　吉拉斯寫的「新階級」

·旭軍·

[illegible]

把稿子送到國外

[illegible]

他認定人性不能改變

[illegible]主義四十年來想把人性改變，但其實是不能。他也不以爲共產黨徒本質上是比舊其他抱不同政治見解之人較惡。他的分析共產主義政治社會經濟的組織，比、析共產黨徒之思想較爲精詳。他特別注重「新階級」，他說：共產黨徒組成的新階級，享受過份的特權。因爲他們是政府，也是壟斷了生產與交通手段的所有者。他站在這個制度組織當中，純粹的不作感情衝動之批評。我們尚記憶：馬克斯對資本主義的批評，剝脫了良心問題，深信他的哲學，純依歷史方向移動，而且走正確途徑。現在吉拉斯以其人之道，還治其身，他就如此的批評共產主義。

他指證新統治階級特殊利益

自從馬克斯以來。資產階級自知其享受特權，共利益未必與社會一致。現在吉拉斯便指出共產國家的新統治階級之利益，正與他們自稱去代表的人民之利益正面衝突。

共產黨人對於其所謂集體主義的財產形式，並不尊重。集體財產，掩飾了官僚壟斷。他們看這些財產，好像是當然屬於他們的。同時把這些財產浪費得，好像是說：「這不是我的東西，胡亂揮霍也不足惜。」共產主義之必滅亡，就是爲了這個死症。共產黨人也不尊重他們自己稱爲合理有效的計劃。他們的經濟與社會制度，在實行上之無理浪費，此任何其他的經濟與社會制度更甚。

吉拉斯有一點的理論，是我們不能苟同的。共黨的「同路人」應該猛醒！就是他所謂共產黨統治階級，並非純粹寄生蟲。固然他們成爲一新的「特權階級」，但還有一些有用的功能。特別是使落後區域迅速工業化。

他也有似是而非論調

這種論調，實似是而非。共產黨爲了擴張政策，利用新科學加速去達成其野心，故而加強奴役人民，不管人民的死活，殘酷的榨壓工人農人，爲目的而不擇手段，不知化了幾多眼淚和腥血，造成所謂「工業化」。不知吉拉斯算不算這些冤孽帳？

又試問除了共產黨的皮鞭以外，果真是沒有其他方法可促成了迅速工業化麼？

統治者沒有半點和人民利益符合

吉拉斯到底和我們見解不相背。他不過是承認共產黨的利益，也偶然和人民的利益符合而已。所以他警告讀者道：不要隨便認辨。其實就中共來看，統治者和一般人民，沒有半點利益是符合人民利益而不衝突的！

俄國工人說及蘇聯政府，他們不說「我們」，而說「他們」。吉拉斯便發揮共產主義下的「我們」和「他們」的道理。他要擺破列寧（及狄托）主義。因列寧主義講說官僚與社會的利益是和諧的。這個問題挖到共產主義思想的根底。

詹保羅沙特說：對於馬克斯主義有貢獻的，是不在共產黨之內，旨哉言乎！吉拉斯證實這個論斷。甚至再進一步說：馬克斯批判精神，似乎在那些認爲無須自稱爲馬克斯信徒的人身上復現。

「新階級」的英譯本，已出版。現在陸續準備發行許多種言語的譯本。

總之，吉拉斯的「新階級」，不是轟動一時的風行書籍。而是一本劃時代的書。

爲下一代 一代人才 請命

·蕭平·

[illegible]

老同盟錢權氏壽慶

調景嶺難民營稀有盛事

·吳彥傑·

廣西柳城縣錢權秀齋氏，爲同盟會革命耆宿，曾參加辛亥三月二十九日黃花崗之役。其時[illegible]先鋒隊長，進攻兩廣總督署。氏[illegible]中山先生密令，潛回原籍，[illegible]後來的廣西光復，民國肇興，[illegible]討後護國、討陸、討陳乃至[illegible]參予，一生爲國事盡勞瘁。

共黨據廣西，氏已爲七旬以上的老人，憤共黨之橫暴，再領導地方愛國人士，從事游擊戰爭，與共黨周旋，前後年餘，[illegible]盡援絕，不得已將所部退集苗山，等待時機。他個人則偕夫人韓氏，暫時避難來港，寄居調景嶺難民營。至今已歷七年，雖生活艱苦，然時窮節見，老而彌堅！識與不識，莫不深致欽佩。本年八月三十日，爲氏八旬晉一華誕。調景嶺中學校長李汶氏及各社團首長，特邀約同志七十餘人，集資舉行公宴，爲錢氏壽。並推謝康氏撰寫壽序，以紀生平行誼。參與盛會者有謝康，戴學文，李汶，張任民，劉亞武，郭萬燊，張健中，廖福營，陳正鋒，王治平等共七十餘人。是日，在嶺營大禮堂，舉行慶祝大會，禮堂內遍懸詩軸及歌頌文字，公共慶祝壽聯爲『八十尚康強，佇看海屋添籌，允獲遐齡登百歲。一生惟救國，恆念生民憔悴，猶存壯志復九州』。足以簡括氏之生平及其行誼。筵開七席，觥籌交錯，歡聲雷動。席間，廣西宿將張任民氏，報告錢先生革命事略，歷時兩小時餘，爲年來調景嶺難民營中，稀有之盛事。謝康先生所撰壽序，另行刊載。──編者──

『宋皇台紀念集』編成集所采錄古今人佳句得七絕八首用志感槩

・簡又文・

天水蒼茫尚有臺（故方啟華）。紅花滿徑為誰開（今人鄺水心）。
一般亡國腸堪斷（故蔣杭）。裂破肺肝天地哀（宋鄭思肖）。

北來戎馬幸成功（故周文學）。正氣徒開烈士風（明張穆）。
吟遍天涯歸未得（明陳獻章）。傷心故國有無中（故蘇澤東）。

桑海遺聞臏此臺（今人于右任）。一成可作誓然灰（今人潘一磬）。
我來弔古石應語（今人俞叔文）。仰望青天夢鳥迴（今人易君左）。

時來□□亦成功（明陳獻章）。百感新愁此寓公（故梁甯），
奔走恥隨燕道路（明李東陽）。不簽降表矢孤忠（故蘇澤東）。
（按：首句，乾隆本「白沙子全集」原闕二字。）

問今多少張宏範（今人崔龍文）。漢氏存亡頃刻中（明陳獻章）。
一日未亡猶正統（明張鳴韶）。孤臣血淚灑南風（宋文天祥）。

書生守志定難移（宋陳文龍）。長向荒苔讀舊碑（晚明陳恭尹）。
白日青天照遺墨（明解縉）。西臺痛哭只編詩（故賴際熙）。

元宋興亡俱已矣（明夏寅）。九龍今又聚流亡（今人梁寒操）。
要知地盡心難盡（今人于右任）。萬古遺民此恨長（晚明屈大均）。

赤心報國一身輕（宋李春叟）。憑弔先朝一涕零（明陳邦彥）。
片石中懸猶有士（今人傅子餘）。一成一旅盼中興（故陳伯陶）。

美的禮讚

・陳永昌・

孔子曰：「色、性也」註

「美」，這個字多麼可愛，多麼使人陶醉，且每每會使人想入非非？世間的美男和美女之所以受異性追逐，並非無因的。一個貌如花，翩然而過的少女，不惹人注目者，幾希矣！這證明人類皆是愛美的。我相信柳下惠也覺會為絕美佳人坐懷不亂想必是另有原因的吧！世人即使是聖人，也是愛「美」的，因為聖人也說過「窈窕淑女，君子好逑」。這「窈窕」就是「美」，所以聖人也承認美女為君子追逐的對象了。

去旅行，為的是對風景的欣賞；到影院，為的是對影片美的悅目；為的是藝術靈感，為的是藝術美的陶醉；藝術家壓抑美而犧牲一切，往往把生命也貢獻在畫板上，日夜埋首塗鴉，四處奔尋取畫材，目的在找美的對象而收入畫布上，不惜再接再厲，一心一志，向「美」追逐。藝術家多是蓬頭垢面，不加修飾的，因為「美」已完全控制了他的內心，他只知道尋找更多更好的對象，而竟至看不見本身的怪模樣了！

成人愛美，小孩子也自然而然。如果有兩樣東西，擺在孩子面前，一美而一醜，他會很快的，便選取美的一件，撫弄在手，似在說：「好靚呀！好靚呀！」有人或者會說，世間至少有一種人是絕對不愛美的，那就是出家人了。他們錯了，出家人何嘗不愛美，不過他們所愛的，是大自然的美吧了，或者說他們怕「美」的誘惑吧了！

但有一種美，為世人所忽略的，便是「內在美」。其實，「內在美」比「外表美」重要得多。一般來說，男子擇偶的時候，恒注重女貌，因此女方也恒投其所好，所謂「女為悅己者容」，當然，誰也不喜歡跟一個滿臉豆皮，歪眼塌鼻的女子結婚，為的大半世人要對着這麼一個人，不嘔死才怪呢？所以，「外表美」原是值得驕傲的東西。但是，有了「外表美」，加上「內在美」，便覺牡丹綠葉，相得益彰。「內在美」是真、善、美的表現，全無虛偽的，世間最可憎恨的，便是虛偽，沒有虛偽的美，才是值得歌頌的美。

談到「美」的標準，它是受着時代空間的限制。曹雪芹時代，認為黛玉是美麗的。今天我們選世界小姐，就不會用黛玉型做標準。一位非洲美女，能使非洲男人色授魂與，可是到了白種人的地域，她能夠吸引白種人嗎？一定不[illegible]。「內在美」──[illegible]是沒有時間空間的界限。就算她[illegible]子吧！她的[illegible]也不過十年[illegible]。一個真正[illegible]福的偉大人[illegible]永遠為世人[illegible]許多心[illegible]主張找太太[illegible]對象，也不[illegible]的人做伴侶[illegible]男女他（她）[illegible]到父母的溺[illegible]士虛榮的奉[illegible]天得到的是[illegible]（她）們心[illegible]個觀念，[illegible]他們唯一的[illegible]（她）們的[illegible]持，他們[illegible]去了一切[illegible]的人都非常冷落[illegible]使他們受到[illegible]而激起反感[illegible]在說：「好吧[illegible]厭我；我要做一個[illegible]伙。[illegible]內心憐怕，真正討厭的[illegible]成功對象，所以男女選[illegible]只注重外表，還要[illegible]內心。孔夫子說：「以貌取人，失之子羽。」這是很正確的論斷。千萬不要用美麗的外貌去爭取對象啊。美麗決不能永久保存，[illegible]上帝沒有特別[illegible]只須[illegible]修養上下功夫，[illegible]同樣得到快樂的家庭幸福呀！[illegible]

閑談漫畫

・保羅・

[illegible]

中國的三毛及外國的米奇老鼠，都是[illegible]人物，作者藉它們[illegible]社會的形形色色[illegible]有諷刺有悲哀，但[illegible]歷史人物，也不會有[illegible]身世而出，指摘漫畫[illegible]漫畫的，也不會有人控[illegible]

使人容易接納，不易忘記，從歡樂中悟到真理。電影明星差利卓別靈自己就是漫畫式的人物，小帽子，八字脚，手拐杖就是他的代表。看過「城市之光」，大「獨裁者」，「摩登時代」，「尋金熱」等片之人，幾乎沒有不受感動，也不會不因此而悟出真理，歷久不忘的。一提到差利，差利的影子便立即呈現目前，宛如昨天才看過。有些連他的一舉一動都能背誦如流，影響之大，可想而知。這無他，乃因他給人的印象太深刻吧了。還有，他主演的影片笑料特別豐富，但[illegible]不喜歡沉悶的教育片，[illegible]過之後，你會很多人[illegible]立刻令人感覺之味。我們本是尋求快樂，以調劑生活的枯燥。差利是利用這類心理，用歡笑誘人明白真理，這是他的成功，也是漫畫的成功。

於今，漫畫在娛樂、宣傳、以至教育，都具其重要性，為的是它有以上兩點便利，無怪漫畫日漸流行了。

十中一篇小說

海上學校

談話帶着低沉的嗄啞的調子，在急遽進行。但七嘴八舌，完全不得要領。一些枝節的問題，還是諸如，請道館船好呢，還是請喃嘸；擇吉日開弔呢，還是即刻開弔等等，佔據了討論的全部時間。

杜宇見他們老在枝節問題上兜圈子，頗為着急。於是，把她心目中認為最主要的三點，——主辦喪事的人，開弔的地點，以及費用如何籌措，率直向他們提了出來。請他們先行決定。

鄺老頭扁起嘴巴不解地瞧住她。他覺得這都不成其為問題。他把這層意思告訴了她。

「鹹屍船就是喪事船；各姓族長就是主辦喪事的人；祖宗家法，不會有人反對的。」他說。

「費用呢？」杜宇追問。

鄺老頭苦笑着，詳細地解釋了這個原來，海上人家一生最重視兩樁事。一是男女的婚嫁，一是死人的安葬。前者他們組織了「女人會」，專門為婚嫁喜事服務。凡會員一家有男婚女嫁的紅喜事，都由合會的人臨時致送一定數目的賀儀，作為幫襯。這種會通常以百船為一組，不限年月，沒有會首，純粹是會員間的互助合作。後者叫「老人會」。專門為白喜事而設的。老人會有會首，負責保管會員每月繳納的月費。

「老人會」以二十艘（兩百船）為一組，會員中有人死了，就由在冊月費內開支治喪費用。而貨家是這個「老人會」的會員之一，[illegible]

[illegible]有了眼淚[illegible]或「道館船」的問題，再次被提出來討論了。[illegible]

[illegible]鬼，」劉全忠撫摩[illegible]冤氣不散，道館船恐[illegible]請和尚唸經做法事，[illegible]認為喃嘸比道館船[illegible]沒有插嘴。[illegible]信仰是屬於情緒的東[illegible]本信仰的問題，是無[illegible]明知這是迷信，帶有[illegible]力主張請道館船。他[illegible]的法力無邊，甚麼善[illegible]有甚麼分別。（二）[illegible]等後的生活，也得預[illegible]及這番話，表示同意[illegible]的提議顯然佔了上風[illegible]

趙滋蕃

錢公秀齋八旬晉一壽序

・謝康・

〔廣西柳城錢繼秀齋先生為同盟會老志士，曾參加黃花崗及其他革命運動，今年八月卅日為錢氏八十晉一華誕。由謝康先生為撰壽序如左。（編者）〕

蓋聞三祝肇自華封，多壽與福男並祝；三尊達乎天下，年齒與爵德俱尊：時無論古今，境不分順逆，尊尚年所以長其長，崇碩德所以表人倫，古已有然，如今為烈，況命耆老錢公秀齋者乎？公詩書果葉，壽星原是福星，立德兼而立功如革忠厚傳家，其先由潭州遷粵，復由粵遷桂，而定居柳城。時值太平軍起義金田，下永安攻桂林，公父金福公隨軍下南京，隸翼王石達開部，旋因諸王內鬨，率部入川，乃歸里務農，娶新會林氏，生公及兄林如，兄弟三人，均於光緒二十四年戊戌科茂才，入柳江書院，從宿儒謝三聘及王仲甫先生遊，學益進，復遊學桂林遜業堂，益奮勉。值清廷廢科舉興學，公乃於光緒乙巳赴粵肄業留穗廣西師範學堂，交遊益廣。忧於清政不綱，慨然有追隨中山先生驅除韃虜，恢復中華之志。丁未二月偕姚雨平劉古香二君赴香港加入同盟會，獻身革命事業，居恒聯絡同志，準備起事，辛亥三月二十九日之役，公奉黃克強先生命，率隊隨黃攻兩廣總督署，事雖未成，然全國震動，革命情緒高張，公率所部回桂再圖大舉，是年八月武昌起義全國景從，公與同志王冠三等於九月光復柳州，廣西全省底定，公與有力焉。翌年元旦，晉謁孫大總統及黃克強先生於南京，報告桂省光復經過，深蒙嘉許，迨南北議和成，孫大總統解職遜位，黃克強先生留守金陵，公受任留守府參議，旋奉命回桂與蒙民偉等成立同盟會廣西支部於南甯，樹桂省黨務初基，苦心勞劇，厥功偉。其後袁氏禍國，西南各省起義，公適在粵，任都督府參議，參與討袁之役，事敗，亡命南洋，旋奉命回港，設機關，曾受困於陳仔，為各省討袁聯絡護國軍開府肇慶，公出任軍官招待所所長，翌年，改任廣州大元帥府內衛隊主事。民十，大元帥興師討伐桂省軍閥陸榮廷譚浩明等，公受命參預戎機，桂省底定始返穗。翌年，陳炯明挾粵軍叛變，公曾隨孫總理赴滬，旋奉命入贛，說沈鴻英同師逐陳，沈亦柳城人，素重公，由韶關進取廣州，迎總理回粵，公仍追隨總理左右，任大元帥府參議。十三年，總理北上，翌年逝世，公於悲痛之餘，亦辭職返鄉休養。蓋以革命大業，總理已付托有人，而公以南北奔馳，戎馬餘生，宜於此時稍卸仔肩作林泉悠遊之計。然此時公之素志，而友好及鄉人亦以此望於公者也。二十六年，抗戰軍興，二十八年多，敵犯南甯，公年逾六十，猶攄鞍矍鑠，以柳州區民團副指揮官名義，出任維持地方治安，敵退後，始辭職旋里。越五年，湘桂會戰失利，柳州各縣多淪為虎狼窟宅，公情殷保鄉衛國，艱若不辭，出任柳城縣抗戰國民兵團團長，以游擊戰術與寇相持，時有斬獲。翌年，日寇投降，公亦掛冠歸去。是則公之高風亮節，見義勇為，足為後世法者也！惟雖者，厥惟二十八年共匪陷桂柳時：公以七旬高齡，毅然出而領導柳羅二縣人士，組反共救國軍，與匪搏鬥經年，直至彈盡援絕，乃安置所部入苗山游擊，為將策應反攻之助。乃化裝偕夫人韓氏潛赴澳門，子孫復以旅馳驅，非羣衆所能勝任，殊多，亦未能隨出。公旋由澳來港寄居調景嶺以迄於今。中央軫念革命功勳耆舊，稍加接濟，生活雖極端清苦，晏如也。居恒以忠貞自矢，忠義奮發，絕不以夷險易節，正氣浩然，足為後生矜式，亦今日毅然之魯靈光矣！公以光緒丁丑舊歷八月初六日降生，今年歲次丁酉，適逢公八秩晉一之慶，同人等心儀公之為人，且因避寇同客香江，朝夕承教，咸願於華誕之辰，升堂介壽，亦蘇東坡所謂託私於錢，聊以勸忠之意，對公表示敬仰之忱，並推康略述公之生平，學文恭楷書序，以為紀念，他日反攻復國，公益壽考康甯，同人等再度稱觴，是為公祝期頤之壽，鄉晚謝康拜撰序。長沙戴學文敬書。

自由人

THE FREEMAN

（第六八三期）

中華民國僑務委員會
頒發登記證台教新字第一零二號
中華郵政台字第五〇〇號
執照登記爲第一類新聞紙類
（半週刊每星期三　六出版）

每份港幣壹毫
台北市售價台幣壹元
督印人：陳文華
地址：香港高士威道二十號四樓
20 CAUSEWAY RD. 3RD. FL.
HONG KONG
TEL. 771726
承印者：東南印務出版社
地址：高士打道六十四號
台灣總經理處
台北市西寧南路壹壹零號二樓
電話：四七三四六
台郵儲金戶九二五二
海外總經銷：友聯書報發行公司
香港：德輔道中二十六號A二樓

大陸局勢新評估

·金達凱·

目前中共的統治政策，正愈變愈左。愈左愈多問題，愈多問題則愈左。在此惡性循環的情勢下，「反右派」的對象已愈來愈廣，從文教、新聞、司法、工商各界的清算，進到全體附庸黨派的整風；由農村的「辯論」，發展到廠礦企業職工的整風和全軍官兵的「大辯論」；形成一個全面性的整肅運動。有人烟處，即有鬥爭右派的瘋厲的呼聲。因而也造成全面的對抗形勢，加深統治階級的孤立。這個愈扣愈緊的死結，中共自身勢無法解開，毛澤東的權術亦止于此，其結果終必走上歷史上一般殘暴王朝滅亡的覆轍。

「統一戰線」的終結

「反右派」的第一個後果，是「統一戰線」的瓦解。中共政權的政治基礎，原係建立在所謂工人階級、農民階級、小資產階級和民族資產階級的四個階級的聯合之上，一九四九年七月一日毛澤東發表他的「論人民民主專政」的論文說：「中國革命理論和實踐的主要基本經驗，就是在國內結成四個階級的統一戰線，並以此爲人民民主專政的基礎」。這個統一戰線，自當時起至今年上半年止，一直是僞政權的理論原則與組織形式。因此，八年以來，中共一方面不斷地通過各種運動，通過思想的控制與經濟的榨取，以實行對小資產階級和民族資產階級的改造。另方面則時他們作爲御用的工具，在僞政治協商會議和爲人民代表大會中分配少量的名額，以發揮其工具性。可是，由於「反右派」運動的展開，他們所清算的竟全是小資產階級與民族資產階級，甚至工人農民也成爲鬥爭的對象，而這個統一戰線，已完全變爲敵對的戰線，中共再也無法自圓其說，乃索性宣佈統一戰線結束。「人民日報」九月十五日的社論特作此聲明，並直指資產階級爲「反動派」，其鬥爭的鋒芒又比反右派推進了一步。

消滅小資產階級與民族資產階級的理由，「人民日報」說明了兩點：第一是說在民主革命時期（即爭奪政權時期）資本主義還有一部份積極的作用，而現在社會主義制度已建立，生產所有制已經改變，資本主義的積極作用已經發揮完了，再不能對共黨有何幫助，反而成爲生產力的阻礙。因而「資產階級份子不但不能參加社會主義革命，並且成爲社會主義的敵人」。第二，是說統一戰線是在民主革命時期建立起來的，那時的共同任務是反對國民黨政權，所以要資產階級參加這個戰線，還允許他們在國共之間保持一個「中間道路」的假象，而現在連「中間道路」的名稱也不能成立。因而「當前的問題，在社會主義道路和資本主義道路之間，沒有折衷的餘地，彼此間的矛盾是對抗性的，不可調和的，你死我活的矛盾」。統一戰線的宣佈結束，說明了中共的政治路線之更向左轉，它將改建蘇維埃式的政治體型，形成更清一色的統治局面，以與蘇聯的政治基調作更密切的配合。

毛澤東的迷途

這一政策的轉變，總當是毛澤東的陰謀的暴露。他之回到北平，並親自到工廠去檢查整風，證明他的領導地位並未動搖，且是「反右派」的策劃者和主持者。不久以前，若干人認爲毛是主張「鳴放」的，同情右派的，而反右派則是劉少奇等主張的，與毛無關。因而把毛澤東視爲一個具有自由民主傾向的人物，掩蓋了他的醜惡的面貌，筆者很早就指出這是一種不健康的看法。我的最簡單的理由是：第一、毛澤東的專制慾極强，且又慣用權術，「處理內部矛盾」講詞的修正發表，已足證他的善變本性，毫無同情右派的迹象。第二、劉少奇只是毛的一個影子，一個打手，他在黨內的勢力完全寄托在毛的身上，正如馬林柯夫的依靠史大林一樣。他還沒有擊倒毛的力量。第三、中共的黨權取決于軍權，翻開中共歷史，自一九二七年在漢口舉行「八七會議」起，至一九三五年的「遵義會議」止，九年的時間，其領導權幾經轉移于陳獨秀、瞿秋白、李立三、陳紹禹、秦邦憲等人之手，但當時每一派鬥爭的勝利，[illegible]

[illegible]「鳴放」的失敗，毛當然要負政治責任，這在別的共產國家以至蘇聯都有先例可援，但毛澤東並不致因此下台，但他在黨內二十餘年來所培養的聲望則勢將受到損失，從而也影響其今後的地位，如一旦失去軍隊的潛力，則其命運也不會久長的。

內部危機的擴大

中共目前的主要問題，不是高層權力的爭奪，因爲高層權力的轉移，對他們還不會發生太大的影響。[illegible] 而中共目前最大的危機，則在于下列幾方面：

第一，是黨員的反黨。我們知道，中共的統治大陸，是以黨爲核心，[illegible] 不滿意共黨的極權統治，要求自由民主的生活，而在思想上和行爲上已經走上反共的道路，據九月十一日「人民日報」載中共中央組織副部長安子文的報告，僅據北平、安徽兩地的局部統計，黨內右派份子即有一百二十九人。其中如丁玲、艾青、馮雪峯、彭子岡、江豐、徐盈、蕭乾等都有二十年以上黨齡，而且都是共黨的優秀份子，他們的反黨，正說明共產主義理論的破產，與中共前途的沒落。

第二，是農民的反共以及工人和軍人的逐漸[illegible]，所謂企業整風和軍中的「大辯論」，正反映了此一反共的傾向。

綜上所述，在「統一戰線」瓦解，領導錯誤，及黨員反黨，工農兵離心的情勢下，大陸局勢的發展如何，是可以得出結論的。

半週述評

冷觀泰國政變

泰國的政變，在最緊要的關頭上，乃沙立僅以五分鐘的閃擊佔領了曼谷各級警察機關，解除了乃炮的警察統帥權；而鑾披汶的逃亡隱匿下落不明，和乃炮「自動」離境遠飛瑞士，充分顯示官僚政治集團之遲頑和缺乏警覺性。

目前一般人皆在担心乃沙立是否會比鑾披汶更能忠實於西方路線，繼續反共。筆者的看法以爲，鑾披汶政府，對泰國人民來說，並非是最受歡迎的最佳政府，雖然在對外關係上他親西方，但在內政上那一烏烟障氣，官商不分，與民爭利的腐敗現象，實非泰國人民所能長期容忍。

老實說一個反共的好政府，不祇在於他徒有反共口號，也不在於他能親美，主要的還是決定於他能否親民，有效率，和獲得本國人民的擁戴。因此，泰國的政變，是足以令人三省的。

乃沙立何以自處

從外電報導消息分析，乃沙立過去似乎也是一個擁護鑾披汶政權的人物。但從他宣示所謂政變是「被迫出此」而言，他對泰國前途，該有所打算的。何況泰王也支持他。因此，姑且可以說，今後的乃沙立可能爲了珍惜自己的羽毛和國家的前途，痛改前非，[illegible] 此，則他不僅能如其願望 [illegible]，還將 [illegible] 這次政變使他成 [illegible]，即使鑾披汶、乃炮不再 [illegible] 還將唾棄他。

反共而又中立乎？

就目前國際情勢觀察，[illegible]，實爲兩大壁壘間對峙的 [illegible] 出埃及、敘利亞的左傾「[illegible] 熱望在東南亞得手。泰國 [illegible] 想代理人。因此有人担心 [illegible] 想頗濃，盡管他表示繼續 [illegible] 係，但敏感的人士已在懷 [illegible] 不幸而泰國以反共而又中 [illegible] 南亞的局面是勢將改觀的！

聯合大演習的意義

東南亞公約組織，會否 [illegible] 看來是不會的，而且將會 [illegible] 加强其實力，美國當不會 [illegible] 實際上形勢已不容西方再退縮了。我們祗要放眼看北大西洋公約國家正在傾全力作二次大戰以來最大規模的海軍演習，即可證實。

根據倫敦的電訊觀察，此次演習是針對蘇聯 [illegible] 際，蘇聯的巡洋艦 [illegible] 維尼」號正在駛 [illegible] 西洋和地中海 [illegible] 大，同時蘇聯海 [illegible] 雙方相距僅三十四里！

此次演習的最大特色是有三百艘商船，包括 [illegible] 號等，均將與演 [illegible] 威力規模，則皆 [illegible] 之後展開，其意義更爲重大了。

毛澤東面對殘局

毛澤東終於在十八日午後回到了北平。但是 [illegible]，尚未有結論，[illegible] 礦職工的意見，[illegible]，在「十」、「一」[illegible] 的冷場出現，以 [illegible] 今年天安門前的景況，儘管依舊，但毛、劉等也會有「今不如昔」之感吧！

·李金暉·

可怕的民族「虎烈拉」

文鑑

自從大陸淪陷以後，我旅居東南亞各地僑胞的處境，便一天天的惡劣起來了，被各當地政府排擠和迫害的事件，幾乎接踵而至。

當東南亞各國先後獲得獨立之後，常常視華僑爲排斥的對象；同時，這種排華風氣，彷彿成了政治上可怕的民族的「虎烈拉」。東南亞各國因久受西方統治而一旦獲得獨立，自然是最易感受這種排外政策傳染的。

最早排華的國家是緬甸，當緬甸獨立不久，即頒佈了一項法令，將各種大企業收歸國營，對外僑的不動產轉移加以限制，並取消華僑的財產繼承權等等。其目的就是要打擊華僑的事業基礎，逐漸消滅華僑的經濟力量。因此，華僑的資產和商業均蒙受重大的損失。他們竟然忘記了：第二次大戰期間，如果不是我國拚命地打通滇緬路，把緬甸從日軍手中解放過來，則緬甸的命運，不問可知。緬甸排華，可謂恩將仇報。

接着就是菲律賓零售商菲化案的實施。這對我僑胞事業的打擊，比之緬甸尤爲鉅大。而菲國實施這種法案的理由是：中國人諺語有「說一句算一句」，所以憑信用可以購貨；同時中國傳統父債子還，子可以繼承父業，認爲這對于當地人不利。新法施行後，中國商人都變成不可靠了。因爲，對于前者有許多法規，如果犯了其中任何一條，便可以吊銷他們的經商執照；對于後者，一個人如果死於疾病，老年，事故，自殺，被殺或其他原因，都可結束其所經營的商業，也無法清償欠債。對零售商的信用因此馬上萎縮了。

其實，華僑之早在紀元後九八二年便開始和菲律賓經商。第十世紀時，菲國人口甚少；宋、元、明及清代初葉，中國商人如果願意的話，確可以成爲菲國獨立的威脅，相反的，他們以忠實的方式經營，以最友誼的作風對待菲人，他們也年年經商，帶來島民日常生活所需的東西，而且以爲期一年的信用貸給他們。他們當時尚且不做輕而易舉的事——菲國的獨立威脅；況今日的菲國，已成爲東南亞民主的共和國，無論其國防與教育，都有相當的組織和進步，而中國商人怎麼會爲當地人所認「威脅菲律賓」呢！這是怪誕的無稽之談！

其次是泰國華僑的「隨身證」，和印尼華僑領袖之被逮捕和遞解出境，以及最近柬埔寨土生華僑之被迫歸化等等問題，前此均已論及了。我們覺得奇怪吧！爲甚麼中國在精神上最肯支持亞洲國家的獨立，而她們反以排華爲報呢？

在表面上看來，這似乎不可能，而實際則有其原因在。由於分佈在南洋各地的華僑，起初多半都是赤手空拳創天下，所以未嘗學會西方國家那樣有「托辣斯」的組織，眞正從事經濟的戰爭。同時，他們也都祇能做些小本生意，或出賣勞力，固有因此而成爲巨富的，卻是鳳毛麟角。這種小本生意的謀生方式，在華僑們看來，認爲是最安份的，但實際上卻與各地土著民族，並無十分明顯的距離，所以很容易被他們誤會華僑已攫奪了他們的飯碗，賺取了他們的金錢，無形中對華僑產生了一種嫉妬的心理。

另方面，由於那些土著民族，一般文化都很低落，知小而不知大，見近而不見遠；他們看不到西方「托辣斯」許多獨立經營的厲害。他們祇知道華僑過多，將可能影響他們的生計，是故他們心目中的「經濟敵人」，未必是西方的「托辣斯」，而可能是華僑的雜貨攤。因爲「托辣斯」一年賺了億萬金錢，他們依然毫無所覺，但華僑雜貨攤則雖祇博蠅頭小利，他們反而大驚小怪，所以什麼「非化案」、「越化案」以及「隨身證」……一切問題，便容易發生了。

一般認爲：當此東南亞華僑面臨土著民族的排斥聲中，除政府當局應善盡其保僑責任外，華僑本身也應該隨環境的轉移，爲謀減輕這種壓力，不外如下兩個對策：

（一）在當地出身取得居留國公民權的有知識僑胞，應不避種種艱難參與居留國的政治活動，以求發揮在政治上的影響力。況且南洋各國的政府官員們，多半都混有中國血統關係，在先天上已富有擁護華僑的因素，加以後天的密切聯繫，處之有素便可水到渠成。

（二）已經積資致富，而且在事業上有所成就的僑商，應該本着取諸社會，用諸社會的原則，在當地多辦工廠，儘量僱用土著民族，首先消除他們與華僑之間在種族上情感的隔閡，然後再使他們的實際利害，跟我們華僑的利害完全一致，使他們明白任何排華的措施，都是和他們有利害關係的。這樣用事實去驅除當地人的嫉妬心理，積之既久或可減免東南亞民族性的政治「虎烈拉」普遍蔓延下去！

泰國又發生政變

乃沙立元帥控制了整個曼谷

由陸警兩派鬥爭演變成政變　可注意的是中共對泰的陰謀

。胡養之。

中共企圖顛覆泰國，早已有所陰謀，所以泰國的每一次變亂都為中共所虎視眈眈，一九五一年初泰國海軍策動推翻鑾披汶政府的一次政變，幸得從來短期間協力平變才把政局轉危為安，而不致為共黨乘機利用。

今據合衆社十七日曼谷電，泰國又發生了一次政變，一九五一年政變後得勢的乃沙立元帥成了此次政變中的主角，他已掌握了曼谷，完成一次不流血的軍人革命，並由泰王詔命負責曼谷治安。總理鑾披汶及其閣員下落不明。

顯然的這次政變原是上次政變後形成的兩大派系——乃沙立元帥與乃炮上將間的鬥爭，演變而為對鑾披汶的整個政變。

在政變之前，因為乃沙立要求乃炮去職而與鑾披汶面商而未得協議，到目前為止，乃沙立元帥已獲得勝利，看來鑾披汶將也要下台了。

本來，泰國政變，好似家常便飯，不足為怪。但鑾披汶政權是親西方的，今後如何發展，值得重視。以自由世界看來；泰國政變，是值得焦慮的事，因為每一次政變，莫不給予中共以利用機會。

所以在泰國政變中，我們且把共黨對泰國的陰謀稍加分析如下：

仰光報指控中共利用緬甸

前據仰光最大英文日報「民族報」，於本（九）月二日指控中共駐緬甸大使館，利用緬甸為「自由泰國」運動的活動基地。由於最近逃亡至仰光的泰共領袖，竟為中共大使館的「貴賓」，他們於逗留期間曾「擴展與當地各方接觸」。同時逃亡的泰國人，均都搭中共經營的飛機前往緬甸。觀察家認為：這些行動，將可能妨害緬甸與泰國的良好關係。假如緬甸政府沒有覺悟的話，應該採取主動，決不能容許這種嚴重的事情，讓中共將緬甸作為中共顛覆鄰邦目的的中心。

泰緬邊境治安問題

緬甸與泰國的關係是很密切的。她們只有薩爾溫河一水之隔，無論在生活，習慣和宗教上，也多半都是相同的，但是，中共如欲變泰國，在政治上必須先行滲透或赤化緬甸及越南，然後才能逐延至泰，或在軍事上先行佔領，或假道緬甸及越南領地，然後才能進攻泰境。因此，一九五四年，緬甸內務部長率同該國[illegible]曾訪泰國，討論泰緬兩國邊疆治安問題，結果進行圓滿。據當時泰國內政部方面公報：泰內政次長鑾警察總監乃砲，和緬方討論上述問題之後，接着發出了訓令，分致昌萊府，夜豐頌府，[illegible]，甘烹碧府，烏泰他年府，巴蜀府，干乍納武里府，叻丕府，光噴府等府尹，着令對邊區治安儘可能與緬甸合作。兩國人民各有發生小糾紛，則團酌量情形就地解決。當緬甸政府軍隊追擊叛軍時，倘叛軍逃入泰境，應立予解除武裝。此外凡接近緬甸境地區的政府機關，均應高懸泰國旗，俾與緬甸飛機出動時有所辨別。

中共顛覆泰國計劃

據一九五四年八月十三日曼谷消息：共黨[illegible]泰國的計劃中，[illegible]在北[illegible]預備，中共或許不會襲擊泰國，但卻會運用人所週知的共黨戰略去攻破這個國家。[illegible]是：（一）居住泰國的華僑約有三百萬之衆，就中[illegible]「祖國」服務的。據悉當時華僑會有不少人徘徊在政途上，並且其中有若干盲目地被共黨利用的；（二）在泰國人民中由於有若干反政府的人士，他們為了本身的政治野心，也可能與現政府的敵對提攜起來；（三）留在泰境的四萬越南難民，當共黨要侵入泰國的時候，他們是可以被利用做為一個橋頭堡；（四）尤其是一九五四年七月廿七日，北平無綫電台洩漏出來的危險訊號，說：泰國前總理乃比里主張推翻鑾披汶政府的計劃，便是準備先透過緬甸關係，再在泰國邊境生根。因為，乃比里的「自由泰國政府」，便是在雲南車里成立的。他與中共成立撥交其一部軍隊，改裝為「自由泰國義勇軍」的諒解後，並包括以下事項在內：（一）中共應負責裝備供應乃比里的部隊；（二）「自由泰國」應派遣其部隊，在雲南接受訓練，首批人數為五千名；（三）「自由泰國」軍成立，解放軍總部並歸乃比里指揮。

誰得到她便可稱雄世界

由於泰國是一個黃金半島，世界著名的糧食倉庫，其富庶遠勝於任何東南亞國家。它不僅在經濟上這樣；在戰略及軍略地理上，它也成為東南亞的心臟。加以泰國的東部北部與越南毗連，西與緬甸接壤，西南與馬來半島部份和英屬馬來亞相連，在西方國家佔有東南亞一部份地區為殖民地時，它仍保持獨立，誰得到它就可以囊括遠東稱雄世界了。正因為如此，所以共黨處心積慮必須得到這個果實而心甘！

共黨在泰國主持的機構，以前多由在雲南車里成立的「自由泰國」，最近則由新成立的「東南亞人民解放支援委員會」所主持。另在泰北地區組織中、越、泰、高、寮及緬共黨聯絡部，負責這幾個國家邊緣地區搗亂份子的聯絡事宜，由是可見共黨在泰國地下活動是如何積極了！

乃沙立簡略

這次主持泰國政變而又宣稱「本人與政治無關，祗是逼迫鑾披汶政府辭職」的乃沙立，是泰國軍人中最年輕的元帥。合衆社的曼谷電訊並稱譽他是反共的親西方的穩定人物。

乃沙立是職業軍人出身，對日抗戰期間，他在中泰邊境距離我國雲南省僅四公里的叢林中作戰，當時他僅是一位少校軍官。戰爭結束時，他在泰北主持受降事宜，其後重返曼谷，被委為御林軍第一團團長。一九四七年十一月政變時，他頭角大露，領導陸軍強制成立新內閣負責調查故王阿南大帝神秘死因。叛變敉平後，乃沙立即出任第一軍軍長，旋調升國防次長，再二年，出任國防部長。在他繼春哈旺元帥於一九五四年六月被任為泰國陸軍總司令後，不久即升任元帥，是為泰國歷史上最年輕的元帥。今年他才四十八歲。

乃沙立是一位嗜酒善飲，豪暢敏捷的典型軍人，他曾屢次對記者表示，「不喜歡成名」，而「祗要做一個軍人」。他予人一般的印象是坦白、熱誠、好交際。五年前他曾率領泰國軍事代表團漫遊歐美考察。

目前一般皆相信這位以五分鐘閃電政變成功的青年元帥，在對外政策上，將不致有大的變易。

（資）

也該「公算」的事實

反攻可以再延期下去嗎？

我們曾提醒「公算」論者先生們，以及政府當局諸公一個事實，那便是台灣的人口容納量問題。根據專家們的估計，台灣[illegible]可以容納二千萬人。而去年戶口普查的統計就有千餘萬人，已經佔了全部容納量的三分之二強。

我們現在再看看台灣近年的人口出生率：[illegible]沒有資料，無法確知。但根據上述的數字，每年的出生率大約總在千分之四十五左右。好了，就照這樣算下去，十年後，二十年後，……[illegible]

[illegible]許多社會問題，諸如就業，房荒，教育等問題已經感到棘手，假如人口一逐漸增加以後，這些問題勢將更趨嚴重，將又怎樣處理？這些都不是枝節的小問題，因為牽一髮可動全身，是不應該排出于「公算」之外的。

檔案改革的一段歷史

。李樸生。

「我們萬萬不可以為做得官大的人，骨頭就挺硬，就是國家的棟樑！我們萬萬不可以為在社會上碰釘子的青年就沒有出息，他會在國家危急存亡之際，挺身擁護正義，作後凋的松柏，振浩氣于人間的。」

民國廿四年，甘乃光氏主持行政效率研究，因局勢已展開，權力不足以配合工作進行，便商量從改善文書檔案的處理着手。因為文書檔案是死的東西，改善管理，沒有和各機關的人爭衝突，也不花多少經費，各首長易贊成。于是招考了何魯成等六名大學畢業生，先講習，再派到各機關調查檔案管理情形，再共同研究一套比較手續簡單而調卷容易的方法。

這時，行政院改組，蔣介石氏兼任行政院長；翁文灝任秘書長；蔣廷黻氏任政務處長，對提高行政效率，甚加倡導。便把行政效率研究會歸屬在行政院內，派參事徐象樞做主任委員，並派秘書張伯勉實際負責，我被派做行政院參議，做張的助手。由于蔣先生的威望，翁、蔣（廷黻）的學者地位，當時行政院的職員，倒很吃香，行政效率會的聲譽也增加了。關于改善檔案管理，我們便請行政院把舊檔案讓給我們試驗新方法。一天，蔣（廷黻）氏來，看到，認為比較便利，便要我們在行政院的檔案室全部實行。但有若干舊職員反對，認為小題大做，庸人自擾，冷言很多，我奉命同何氏（魯成）等到檔案室主持改用新方法的工作，既然知道有人反對，不合作，便特地去拜候他們，很委婉地說明，我們這四五個人是奉命試驗，不是要在檔案室長久工作，只要把一套規模建立起來，大家可照着做，我們便回效率會另從事第二個機關的研究。對他們的職業絕無影響。但事實上我們雖然勤慎地做，而在檔案室內連工友也指揮不動。試驗了一個月左右，規模也大概建立起來了。忽然報告說，在下班的時候，檔案室內失掉一個經濟部備案的原卷宗，是何（魯成）氏經手的。遺失檔案是一件大罪過，翁文灝不問明經過，即下條子免何氏職。我聽到，便和翁力爭。我說：（一）檔案室在下班的時候，是原檔案主任和工友負責的，我們祇是上班的時候工作。（二）整理檔案是我負責任，要免職是應該免我，不應該免何先生，因為沒有證據證明是何氏把卷宗遺失的。（三）這樣厚的一個卷宗，如何會失？又不是有秘密性的文件，如何有人來偷？這不是故意開頑笑嗎？翁說：條子已下，不能挽回，我另介紹何先生到別個單位服務罷。我見翁屈服于舊勢力，便辭檔案整理的工作。外面說，行政院的檔案已經改革失敗了。

我經過這一次的失敗，感觸很多，寫了一篇『行政改革的困難』，投在北平的『獨立評論』刊登出來，一時頗有刺激力。

我和蔣兼院長沒有見過面，更沒有談過話，但前一年在廬山海會寺有兩兩個星期的閑暇，我全讀過他所有的演講詞。我覺得他是真心勵精圖治，要把中國現代化的。回到南京，便寫了一篇『蔣委員長論用人行政的方法』，我們在行政效率委員會埋頭努力，也自以為是書生報國之道，不是『聊以自娛』。怎知道以蔣兼院長巍巍的威德，翁、蔣（廷黻）負社會之清望，改革這麼小的檔案管理，竟然夭死不疑。中國政治前途也不便樂觀了！當時翁文灝也在獨立評論發表文章，看到拙稿，即請我到秘書長室向我解釋一番。我適奉僑務委員會派往南洋視察僑務，便離開南京。

在我離開南京後，行政院的紀念周上，把拙稿特別提出檢討，大罵翁文灝辯護，並大捧翁一番，並說我不識大體，措詞不檢。好在我到南洋有五個月，回到廣州，又過了西安事變，返到南京，另是一番氣象，黃秋岳不再向我進攻，我也不和他辯論了。

黃秋岳素有名士之稱，詩古文辭都夠高雅，對古書畫尤有鑒別力。我們雖同在行政院辦事，尚沒有見過面。我從南洋視察歸來後，深深覺得海內外人士希望祖國之進步，快進步，極其股切。有愧勵精圖治的行政院長，也愧對喁喁望治的愛國人民。我又反省：做僑務委員做了三年，半月開會，一言不發，只領交通費（每月一百元），也覺得內愧，于是我便對僑教的改進，有若干建議，對僑委會組織的不合理，及當時僑政若干不適當的措施，有若干檢討。（都發表在「行政研究」）以期盡其在我。未有幾個月，七七盧溝橋事變發生，我國正式宣告全面抗戰，日軍進陷平津。黃秋岳發表「漢奸論」，係敘各朝代漢奸的慘痛下場，寫得非常透切，我讀了，非常佩服。我覺得抗戰初期，有兩篇文章是最好的，一是徐道鄰（現在台灣大學任教）的「敵乎友乎」，一是黃秋岳的「漢奸論」。

一天早上看報紙，黃秋岳[illegible]情報給日本間諜，被捕，經審[illegible]死刑。報上還描寫他[illegible]做漢奸，在卡車上父子相見，[illegible]的情形，使我大為震驚！原來[illegible]夠老，他在紀念周公開抨擊我[illegible]因他在汪任行政院長時，他曾[illegible]情報給日本。（聽說我封鎖長[illegible]告日方，日艦趕快逃出，他立[illegible]接任，翁任秘書長，把他調開[illegible]價值便低落了。他在無聊時，[illegible]的困難」做題目，大大捧翁，[illegible]復回機要室。他寫「漢奸論」[illegible]行為，要人不懷疑他。他在文[illegible]害，愈有愛國的聲名，愈可便[illegible]人之無行，黃秋岳真做到頂兒[illegible]

何魯成氏自從離開了行政院[illegible]，他對檔案管理方法的改善，[illegible]究，政府西遷重慶，他仍然在[illegible]管理，並在商務印書館出版一[illegible]中國雖然一向是官僚政治，而[illegible]核名實的時期很少。但衙門裏[illegible]頂綱，利諸胥吏之手。做主官[illegible]卷，常常受胥吏的擺弄。民國成[illegible]命即文失敗。政治改革，全談[illegible]恥于「政治智伎」之譏，政府[illegible]，地方上有揚暢卿先生在湖北[illegible]，推行若干興革，還有若干試[illegible]作風，取得時譽。惟中央則[illegible]徐象樞，都是沒有權力的人，[illegible]實際改革則辦不通，所以檔案[illegible]，也終于失敗。幸而何氏尚能[illegible]，中國從未出現過的研究檔案[illegible]們已經打開檔案研究之門了。

何氏現在香港，我[illegible]生意則賺錢不易，生活不好過[illegible]研究的興趣，常從報紙，雜誌中[illegible]的方法，很客觀的，析共黨在[illegible]能預斷其施政計劃的失敗，真[illegible]惜他為生活，不能專心於這[illegible]作。而想起翁文灝二十年來歷[illegible]無限感慨！翁文灝免他的科員[illegible]達的優遇，而竟自海外甘心投[illegible]蘇綠豆的小官，歷遭摧折，而[illegible]義不帝秦，從大陸跑到香港，[illegible]是翁何兩人問題，政府今後[illegible]性有誠的青年，挫磨（無論是[illegible]由於不認眞辦事的原因）於官[illegible]的課題。

我們萬萬不可以為做得官大[illegible]硬，就是國家的棟樑。中國歷史[illegible]求榮的人太多了！我們萬萬不可[illegible]釘子的青年就沒有出息，他會[illegible]際，挺身擁護正義，作後凋的松[illegible]的。（四十六年九月四日）

論蘇俄之農場制度

•鄭秀瓊•

在蘇聯又在進行革命性經濟改革（所謂擺脫中央化）的今天，看一看蘇聯革命初期的集權經濟政策，使我們對於整個蘇聯共產制度弱點的了解，是有幫助的。本文有足資參考的資料。——（編者）——

專論

一九一七年十一月七日蘇俄革命帶來人類空前的改革，當時是利用農民對土地的飢餓，以平分土地爲口號得到農民贊助而成功的。從此蘇俄農奴好像自沙皇時代受着壓迫後，[illegible]救主一樣，蘇聯所行新經濟政策是把工業國家化，及農業集體化，工業國家化的辦法是首先把全國大工廠，運輸，金融等機關變爲政府直接經營事業。農業集體化的辦法是將分散的地主的土地，用暴力沒收使之集中起來成爲國有農場及集體農場，最佔重要地位的是集體農場，問題發生的，也是集體農場。

蘇俄是地廣人稀的國家，每方英里的人口密度不過二〇．五人，遠較別國的密度爲低，工業化後，農業人口有顯著的減少（一九二八年農民佔全人口百分之七六；一九三七年降爲百分之六十二）。但在二億一千萬人口中只有八千萬人口居住在城市或半城市的社會裏，其餘佔絕大多數的一億三千萬人都是農民，故蘇俄與往昔一樣，依然是一個農業最發達之區，西伯利亞方面沿黑龍江與俄屬黑河地區一帶，有遠東糧庫之稱。糧食主要產地在歐俄部份爲烏克蘭，至於俄屬中央亞細亞方面因氣候，土壤及雨量關係，最宜種植棉花及培植果木，畜牧業不感，此外越向北部越荒涼，農業越不發達。

革命前的地理環境

在十月革命以前，可耕面積爲三萬萬六千七百二十萬公頃，不及全國土地面積八分之一。而其中約有一萬萬五千二百五十萬公頃比較好的耕地是屬于地主階級的。它的農業可以說是廿世紀形式的奴隸制度，蘇俄政府常以極低代價向農民徵收爲數可觀的農產品。至于農業問題從列寧執政時對農村沒有制訂像城市工業的發展起，便已隱伏危機，故雖在政府不斷擴大耕種面積下，其農業生產量多年來均未見顯著進步，始終不足提高人民生活水準，穀物的產量雖尚可勉強維持，但牲畜的產量，不但未隨人口比例增加且反而比帝俄時代下降，政府爲提高生產與控制農民及農產物以便「民有事」，容易把他們集中使用，于是迅速地推行農業集體化。

蘇俄農業完全寄托在國營農業與集體農場上，但蘇俄政府自知該國的經濟和文化的條件尚未足以普遍推行，所以不得不採取一種折中式的合作經營的集體農場，以爲由私營小農場到公營大農場的過度。

國營農場

一、國營農場——這是國家直接經營的大農場，原是最適合于共產主義理想的，可是這一政策如果實行起來，政府必須強制沒收農民耕地，農民對此說不定會反抗，因爲在俄國國營農場多半是利用從前貴族領地去設立。把它模範經營增加生產，對農民宣傳大經營的利益。其次國營農場多就未開墾耕地設立，因爲這個時候，沒有定著農民，所以沒有農民反抗的危險，因此一九二八年以後國營農場的設立，多半在開墾處女地的場合進行。其中特別有名的是一九二八年在北部卡島卡斯開墾。五十餘萬英畝（約合三百萬市畝）草地所設立的巨人國營農場。和一九二九年北高加索所設[illegible]試驗場，于谷物托辣斯國營農場，爲蘇俄有數之國營農場。自該農場開辦以來，勞動者即移往于此荒涼的中心，開闢水道，建築道路、工場、住宅、谷倉、學校應有盡有。從技術上看國營農場，也決不是能充分發揮農業生產力，因爲它費用大，工作人員情緒極低，也是當然之事，所以國營農場的設立和擴張，現在雖在繼續進行，但其數量與集體農場比較是少得多了。

至於國營農場與集體農場的區別有主要三種：一、國營農場係國有的產業，由中央政府直接派員去管理收穫物全部歸國家。集體農場則是參加合作耕種的社員所共有的產業。由入社的農民選舉出他們的職員作管理，收穫物全歸合作耕作的人依法分配。二、國營農場中的勞動者全是受僱傭的農工，而不是主人，集體農場中的勞動者一方面是農場的主人，另一方面又是受農場僱用的農工，故有選舉與被選舉之權。三、國營農場中的勞動者，故只有獲得定額工資的資格，集體農場中的農民既是主人兼僱工，故除獲得定額工資外，還有按工作日分取盈餘的權利。雖然如此，但我們一經翔細分析就知道現在蘇俄的集體農場已不復原來面目漸漸演變得和國營農場相同了。

集體農場

二、集體農場——集體農場就是中小農民集合土地共同經營的農場，由簡單的一部共同化的合作，漸次進爲複雜的全部共同化合作。這是以農業共同經營爲目的的合作社。蘇俄當局于一九二八年計劃開始時便決定積極推行，一九三〇年二月一日更通令全國推行農業集體化運動。

簡易集體農場

1.簡易的集體或稱共耕社在一九一八年共產黨革命成功時，他們所推行而曾風行一時的完全是這種簡易的集體農場，此爲社會化程度最低之組織，適合于農民傳統之私有習慣。所謂共同耕種合作社是僅使某種農業作業，特別是土地的耕耘，共同進行，其餘作業各社員仍個別進行，所以農民帶自己的農具，共同工作，耕完仍舊自己保管，其收穫物除交租稅以一部份作社中供給種子肥料等的代價外，其餘悉依各人所提供的生產工具和勞動的多少分歸各人所得。消費更未社會化。這種共耕農場，離共黨主義理想太遠，故其數量甚少。

阿特爾

2.阿特爾（Artel）或稱農業合作社這種農場是介乎簡易集體農場與共產農場之間的。土地及農具均公有公營，收益依社員所提供土地面積或勞動量比例分配。消費財貨則仍私有，即共同生產，別消費，各社員得在住宅附近保有少量園圃及禽畜，以供公耕，餘暇可以照顧個人經營，增加收入。此種組織是在公有中又略含私有氣氛，故頗爲農民所歡迎，蘇俄政府於一九二〇年決定以此爲建設集體化農業基礎，遂成爲今日最普遍而發達的一種集體農場。

農業公社

3.共產農場或農業公社——公社，是集體農場社會化程度最高之組織形態，社員提供自己的土地農具家畜等，一切生產工具與消費物全部公有公享，由生產以至消費，由工作乃至食宿完全採取合作方式，亦即共同生產，共同消費爲原則。至于農場收穫物悉依各人所提供勞力多少及其生活所需要而實行分配。蘇俄政府在一九三〇年以前，對於這種農場曾盡力獎勵，但因該國的經濟文化與夫教育水準未備，其設立的數量有限。遠不如阿特爾制農場之普及。

無法克服的危機

蘇俄認爲一切產業由國家作大規模經營與管理是增加生產的有效辦法，然自組織國營農場與集體農場，國營農場因費用浪費大，場員工作情緒低落，它的存在限制農業之正常發展，遂於一九三五年放棄以國營農場爲主要農業生產制度，從此許多國營農場變成了集體農場，到了一九三八年農產收入來自國營農場的僅百分之二十，其餘百分之八十則來自集體農場和拖拉機站。到一九四九年春將集體農場再行集體化而成爲超集體農場，其預定目標是將一九五〇年存在之二五四、〇〇〇農場單位減到九七、〇〇〇單位（新的農場土地平均在二千五百英畝以上，工作農民在二百五十人左右）農民則從其原有農村分散的居住遷到指定集中居住成爲農民城。從其宣傳上好像要使這一羣農民既有欣賞田園之樂又得城市之利。可是在這一番合併與遷居之後所有集體農場場員們若干年來所私有而寶愛的小園地差不多化歸烏有。他們也並不因機械耕作而節省勞力獲得較多餘暇，在農場方面既缺乏勞動力又以低價收購農產物，致使農民失去工作的興趣與發展創造力，造成農業生產直綫下降，整個農業的危機亦無法克服。

「民主櫥窗」下教育現象談

標榜「專設會考課程」是畸形發展 識字班的設立爲什麼如雨後春筍

•祝修衡•

香港學生程度不好，現已逐漸引起人們注意，有人這樣說：「學生讀書，只是在設計應付考試」這雖然僅限於小學生，但初高中小學教育，比初高中更重要。

偏重會考 忽視正課

據說，小學學生課程太多，日課、夜課的作業又多，精神負擔太重，限於時間，只求對付考試，忽略了課本內容。特別是公定的「作業簿」各校「必須」採用後，等於幫助學生擺脫一下。這種取巧訣竅，由來已久，祗是今年推行小學會考，比過去更普遍；問題是學生偏重作業問答，反而把正課置諸腦後。這情形，學校訓導方面不易知道，並且還會誤認學生成績「不錯」！

小學程度差到初中補救

小學畢業，初中的學業就應付不了。當然，維護校譽的負責任的中學，他們不忍學生荒誕就誤，只能於課餘義務替學生補習。在學校方面固然有教師以負担加重，而學生本身雖得實益，精神和時間到底是一筆很大支出。這種矛盾與錯誤的責任，究竟由誰負担？假如不是作業簿太多，也不會影響學生讀書的興趣。現時各小學學生作業，在學校要做，放學後也要做，在必須應付下，也就草率敷衍。更有少數學校，除推銷作業簿本和不必要的手工材料，在學生入學時，[illegible]一。雖然他們的條件依法不合，學童及其家長却甯舍正式學校，而投「地下小學」，問題是學費平、作業簿少，學生有實際讀書機會。「地下小學」在這一有利的發展下，註冊學校顯然難望招收足額學生，學費雜費收入減少，年度預算勢將打破。於是，只有出於請教育當局取締「地下小學」一途。這是不是有效的辦法呢？答案是否定的。幾年來，儘管當局取締私塾，迄今非但未見實效，反而較前大大增加。

識字班有壓倒私校趨勢

因此，假識字班之名興起的「地下小學」，如雨後春筍，一年比一年增加，今年數量更多，估計達一千七八百間之多，比私校之數目一千二百間還多出約三分之一。

有目共睹，誰都認爲以牟利爲目的之少數註冊學校，那種陳濕辦學方法是合理的呢？雖然，這些不良的學校並不普遍，由於此種原因，這些學校的畢業生，既無良好基礎，無形中加重了初中教師們的教育負担；但是初級中學並不是每一所都經常考察每一學生學業的，有些初級中學爲了招收眾多學生，不惜將課程降低，假如學生家長平常不加注意，那麼他們的子弟應屆畢業，只會拿到一紙「修業期滿」的證書。

拿到證書考不上學校

這些學生畢業試既不及格，投考高中沒有理由可望取錄。可是，香港中文學校雖有人滿見遺，也有不足額的，而且每屆會考其中有及格名額的百分比並不太差的。這一類的學校招收學生，大致都是投考著名高中入學試不及格的學生。但爲什麼他們參加會考，成績比一般學校好？「專設會考課程」影響不好

這正如它們標榜「專設會考課程」，學生除了牢記對付會考，其他問題可以不必顧慮。因爲：「只要一紙會考及格證書拿到手，就取得了『打王家工』資格。」這種會考制度實施以來久已存在的心理，迄今並未改變。無他，計劃升學專上院校的畢竟不多。這種可怕取巧心理，造成了今天香港學生學業成績不好的普遍現象。而且不僅會考成績百分比一年低過一年，此後投考台灣專上院校錄取名額減少，已成必然趨勢；本年台灣招收港澳區僑生，一千五百八十六名之中，僅取一千零六名，何況其中一百四十二名入先修班（留啟）。基於此種趨勢，我們固希望「地下學校」逐年減少；但是以牟利爲目的而貽誤學業的少數不良小學，也應及時糾正才是。

讀者論壇

爲大陸來台的人說句話

近年來，在自由中國基地的台灣，對於就業問題，曾經盡過一些努力，如大專畢業生分發就業，每年用就業考試，按其專長分發省縣各機關；如行政院有退除役官兵就業輔導的機構，爲退除役官兵專門解決就業問題；另外還有傷患退除役官兵的「榮民之家」，有不少獲得成家立業了，這可說是在大陸上現在和過去都沒有的。

但是，三十八年撤退來台的人數多，原有在大陸上服務于政府機關的人，來台後只有少數是因保持住工作崗位，大多數來台後都即已資遣，或者政府在大陸時根本就沒有參加機關任事的人以及由中央到地方「各級」民意代表，人數之多可以想見，其中有一部分「降尊紆貴」地去做小本生意，……好像是有了職業可以糊口。（其實這也是國家的不幸事）這些人學非所用，時間拖長了，仍然是個問題。

在台灣，爲了防諜，爲了緊縮開支，甚至還有了一個爲了減少國民負担，有一個所謂「人事凍結」的命令。我們平心靜氣的講，這個「人事凍結」辦法，當時確有它的背景，應該不失爲一個辦法，當三十八年人心慌慌的時候，確也發生過安定人心作用；但是到今天「人事凍結」成了一個阻礙了，台灣輿論界也有很多的評論，在這裏不必多說，現在必須要指出的，倒反是現在根本沒有「人事凍結」這回事了，這四個字今天成了一般官僚對付求職者一道符咒，前門緊，後門鬆，各機關的人事照樣變動，神不知，鬼不覺，每一個機關都是新人笑。尤其是下層公務員百分之七十是新的。沒有甚麼奇怪其理由是這樣：

一、各機關的主管，覺得從前大陸上政府機關做過大小事的人都是「腐化過的」，甚麼都懂，能力也得算有，不容易指揮，不如採用一批毫無世故的小孩子可以隨意應用。

二、有一種錯覺「靠山吃山」，專門要找當地有基礎的人。這些人還他們的得天獨厚的基礎，求職毫不費力，很快的就和官衙打成一片。

因此從大陸來的人大都只好養雞喂鴨，虛度時光。下焉者悒悒終日，不用說；上焉者家愁國恨，牢騷滿腹，生活鄉思，交織心頭，他們大都是知識份子！

因此我由這個問題。想到反攻復國問題的關聯性。政府當局，不管從考試，選舉，任用輔導任何方式都好，總要解決問題，安定人心。反攻大陸如果連台灣基地上的人也不能羣策羣力，還怎樣去號召大陸同胞起義，去爭取海外華僑歸心！這是一個就業問題，也關聯着一個心理建設問題啊！

•觀微•

談哭

南橋

「滿紙荒唐，一把辛酸淚，都云作者癡，誰解其中意？」

哭表示痛苦，憂愁，傷心，失望，是弱者的表現。但從科學的立場來說，遇有憤恨一類情緒要發洩時，哭一場是比較將激動的情緒壓抑下去更爲衛生，因爲眼淚，含有亞爾加里，性能撲滅紅眼病之小虫，同時吾人生存于大氣中，眼球如染灰塵，眼淚隨即分泌將它驅逐，並有濕潤保護眼球之用。

有時候，哭泣可以作爲一種武器與戰術，以博得對方的同情，以達自已的目的。過去劉備善于假哭不僅可以爭到小姐而且還可以避難。現代伊朗總理莫沙得也是著名哭總理，當他謀反失敗，因禁審判，老淚縱橫，也贏得國王憐憫減刑。某種女人枕邊的哭，更可使英雄氣短，豪傑轉心，其影響力的巨大，有時不亞于氫彈。至于小孩子對父母需索不遂，也往往憤得啼哭。但如不得其地其時與以擇其人，則縱令哭斷了肝腸，也于事何補！

許多人討厭哭聲，喜歡笑臉，小孩子天真爛漫的笑，固然逗人開心，但我有時候卻故意把小孩弄哭，這時候小孩哭喪着臉是別有一番天然的美。正如有人愛看女人的哭態，當做一種審美的享受一樣。

當哭泣的場面而不動心地流淚，能算是麻木的蠢者，甚至可說失去人性，所以曾國藩說：「讀諸葛亮出師表不哭不忠，讀李密的陳情表不哭不孝，」確是的論。

老殘說：「哭泣者，靈性之現象也，有一分靈性，即有一分哭泣，而際遇順逆不與焉」。他這種態度可以代表中國文人的哭泣，屈原哭泣于汨羅，王實甫哭泣于西廂，曹雪芹哭泣于紅樓夢，便所謂：「滿紙荒唐言，一把辛酸淚，都云作者癡，誰解其中意？」正是此類的典型。

歷史上哭的故事很多，左傳上有一段申包胥向秦廷乞師是著名以哭泣感人的成功例子，據說水漿不入口，哭七日秦師乃出。孟姜女哭夫也是一個盡人皆知的凄婉故事，她跋涉千山萬水，終于到達長城附近，卻不見其夫，便對長城終日哭泣，後來長城終給哭倒，吳榮以老母病篤，多月思筍煎羹食，無計可得，乃往竹林中抱竹而泣，孝感天地，須臾地裂，出筍數莖，持歸作羹奉母食畢疾愈。至於清代順治皇帝搶了弟婦，封爲董鄂妃兩情繾綣，不幸董妃半路死掉，順治哭得死去活來，在服喪期間，他還降旨「內大臣婦哭臨不哀者議處。」這眞是歷代帝王中空前絕後以哭哀寵的故事。

談古說今

試論蘇秦

張健

蘇秦周戰國之傑士，其說影響我國甚大，及今看來，乃縱橫捭闔政客者流之祖先也。然其于終立身處世方面，可得而言者至少有三：

一爲其發憤進取之精神：固也其最終於目的爲獵取功名；然懸梁刺股之自苦，非有剛毅堅忍不能出此。蘇秦不但知恥（不能說動秦惠王反爲所辱），且能雪恥，終於成功。

二爲自責之精神：蘇秦不得志於秦，蓬首垢面而歸，父母不以爲子，妻嫂視之如陌路，而能不旁責，不移怨，慨然嘆曰：「是皆秦之罪也！」即歸咎于自己不能說服秦王。

三爲交友不失其義：張儀與秦本同門學友，蘇秦得志之時，向儀落魄之日，不得已而投奔之。蘇秦不同世俗之見，故不肯畀以官職，且使耽於逸樂而不思進取，而故作厲色嚴辭，以激儀憤而走秦，終於得伸其抱負；張儀得友如龐涓，又豈得爲孫臏第二乎？

固然，蘇秦以縱橫之士遊說天下，干求利祿，其旨非以救天下之生民，爲韓非斥爲「五蠹」之一。然天下之士難得；秦雖不能如屈靈之疾亂世之溷濁，陶淵明之汙泥而不染，然較諸一般忘恩負義之徒，公誼私情，無一可取者，實遠勝多矣。

閒話繩技

張瘦碧

繩技表演，原不自今日始，遠在秦漢，就有這種玩意兒，張衡的西京賦裏曾說：「緣索上而相逐。」

據說此技在唐代民間尤甚，大都由少女們表演，文獻追考，則名之爲繩戲，可見當時是非常風行。

據我童年的記憶，表演此種技藝的，大半是屬於走江湖賣藝的特技，照目前新興名詞來說，應該稱爲馬戲團，和空中飛人，比較接近。表演亦驚險異常，毋怪某次國外一位女藝員演罷到後台向人說，在表演飛人時，心兒虛空，忘記一切，直到演畢，才如夢初覺。

我國走江湖的女孩子走繩，長距離約五十步左右。場四週圍着看熱鬧的觀衆，留一出入口，待觀衆入場，中途由看客隨意賞賜。表演的女孩年長的至多也不過十五六歲，年輕者，四五歲也有，大都纏着一雙小腳，[illegible]……較粗笨男人靈活，容易學得多，所以不論國外的空中飛人，和國內的繩戲，皆數女孩子家所獨佔的佳技。

人生

楊有釗

戰前的港報

永昌

香港戰前中西報紙甚多。英文者有SOUTH CHINA MORNING POST（南華早報）及HONG KONG DAILY PRESS（孖刺西報），每早出版，HONG KONG TELEGRAPH（士蔑西報）及CHINA MAIL（德臣西報）有午版，晚版，SUNDAY HERALD（禮拜西報）每星期日出版。

中文報紙以循環報、華字報歷史最久，次若華僑、工商資格亦老，餘如東方、珠江、大衆、國民、國華、越華、等均開辦較遲。自中日事變後遷來者有立報、大公、申報等，但申報不久便停刊。後期開辦有自建館址者，則有星島，日出晨報、日報、晚報三種。（工商亦有晨報、日報、晚報三種，但晨報名天光。）專出晚報則有中國、星報、現象等。此外如探海燈、先聲、人生、果然、天演、天文台、先導、石山、自然、等多屬小報性質。各大報如循環、工商、華僑、華字等篇幅較多，每份售價五仙，大公售價三仙，其他則多售一仙。

在香港辦報紙雜誌，以前只須找一股東商家作保便可，其後至戰前則須三千元現款作保證金（戰前港幣三千元相當於現在港幣三萬元），故不易創辦。

中篇小說　海上學校

趙師書

（廿一）

黃阿水的問題，始終橫梗於鄺老頭的心臆。他嘰嘰咕咕地和蘇登同耳語，蒼老的沉憂籠罩着他的瘦臉。

「船桅上多掛兩個藍燈籠好嗎，」蘇登同平淡地說。

「可以嗎？」鄺老頭捏緊老朋友的胳臂。

「可以的，沒有問題。」

「那就好了，」鄺老頭用枯手抹拭了一把花白鬍子。「全忠，明晚掛六個燈籠，四白兩藍！」他提高聲音吩咐。

劉全忠應諾了。大家開始相率離出。一宿無話。

第二天黃昏又來臨了。陣雨新歇，夜涼似水。海面上回復了往日的平靜。天色依然是黑沉沉的。劉全忠將蝦罟撐到了避風塘北面的空曠地帶。與道館船及林金蓮的擺渡艇並排下碇。由黃家的族長黃長庚、鄺老頭、蘇登同共同主持道場，海上學校的校長教員——杜宇、貝比、周曼石與崔碧陪祭。

四個白燈籠居中，兩端各擺列着一個藍燈籠。從夜海上黑暗的天穹透視過去，那種燈籠所抒發的色素和微光，是異常悲愴的！

道館船嗚嗚地吹響了法螺。接着，鎖吶，鐃鈸齊鳴。道士全身披掛，含糊不清地唸動了八字僞言，繞過船前船後，洒法水引路。劉全忠，鄺財寶攙扶着黃阿水，由鄺老頭從旁指導，跪拜如儀。以後，主祭的和陪祭的上場，拈香禮讖。尖銳的哭泣聲，開始從蝦罟向四方揚播。

海面上，輓歌之聲四起。幾百艘西瓜扁、橫水渡、擺渡艇、孖槳艇，載送着近千弔客，紛紛向道場集中。這些船頭上都插着一大炷香，燃燒着的紙箔的紅光，在黝黑的夜海上閃爍。

輓歌拖着哀怨的尾巴，與新起的歌聲遞接。正象徵着人間的苦難，永遠無窮無盡。

這時，黃阿水端正地跪在船頭上。她的一隻手臂，用繩索垂掛着。而她的面前，卻擺着她媽媽的遺物——鋁盆竹笠朝天放置，那個繡有「長命富貴」的背兜，卻疊置於竹笠裏頭。

小小的心靈，受不住慘痛回憶的熬煎，破碎了。她慟哭着。眼淚像無法節制的屋簷水，流過兩頰，流過發酸的鼻尖。淚眼裏，她第一次看到了眞正的人生！

弔喪船照例繞道場一匝。放一掛小鞭炮，焚一叠紙錢，然後，對正喪船行跪拜禮。輓歌在此刻是停止的，他們（或她們）的眼睛裏都漬滿了淚水。當她們淒切地默默，划開時，男人或女人都抓起一柔鈔槳，搖向鋁盆竹笠。輓歌離開道場兩三櫓水程的地方，仍尖銳地飄了起來。

一個純樸粗野的民族，就是憑着這種純樸粗野的同情，質摯的相互關懷；就依靠着這種純樸粗野的愛心，維繫着千年來的反抗傳統！上五百萬蛋民，團結一致，親如一家的，也就是這種純樸粗野的生活習慣！而在文明人的社會，是永遠盼望不到的，文明使大家彼此虛假！貝比倚着擺渡艇的艇蓬，默默地沉思着這件事。心頭沉重得像塞滿了鉛塊。「愛心是人間社會最基本的東西，」他想，「人類靠愛心纔有今天；如果喪失了愛心，人類會有一天，苦難！」他繼續思考。「愛心是本源，秩序不過是手段，進步纔是目的。然而，千年來的文明，對于社會的進步，究竟有多少好處呢？人人僅爲自己而生活，就叫做文明嗎？」發聾的思想悠然飄過耳際，一連串大大小小的疑問號，久久不散地在他的腦海裏打渾。……

送薛海天赴曼谷佈道序

王韶生

余讀唐玄奘傳云「貞觀初，往遊西域，玄奘旣辯博中華，所在必爲講論。在西域十七年，經百餘國，悉解其國之語。貞觀十九年，歸至京師，太宗見之大悅，與之談論，於是詔將梵本六百五十七部於弘福寺翻譯，廣召碩學法門五十餘人，相助整比，噫何其盛也。迨後象教凌夷，玄風不振。明季，耶穌會教士利瑪竇東來佈道，輸入天國福音與西洋科學智識，東土名公巨卿如徐光啓，李之藻之倫，咸翕然尊之。由斯以降，士庶信奉者，更繁有徒，蓋駸駸乎有取而代之趨勢。噫！此亦可以覘世運矣。薛生海天，嘗肄業浸會神學院，於宗教史，比較宗教諸科，既已析其源流，窺其奧義矣。復感於中國文化遺產之珍貴，入崇基學院治中國文學，從吾遊者閱兩載。今夏卒業，北美浸信會派生往曼谷佈道。生，潮人也；泰之華僑，潮人殆居首，語言通，禮俗同，則於佈道工作，翕然斯適，感然遂矣，吾知其必有合也。距今兩載，美國葛倍理博士在香港加山播佈道，環而聽者數千，葛氏具宗教熱忱，挾雄辯之術，妙緒泉湧，舌粲蓮翻，一夕演講畢，百數十人蓺趨座前，認罪領洗。噫！何其感人之深且切也。生此行，庶幾踐平素信愛宏宗旨，而不必爭一日之短長而譁之取寵。殆無疑矣。瀕行，鍾主任應梅偕何生約翰餞於楓林小館，吾叨陪末席。既別爲文以贈何生，復擷取斯語生，以求古人贈言之義云爾。

左右難之嘆

尤天怨

話說中國文字，自古以來寫法自右至左，及至民國以後，不知何人創始翻新的花樣，左右顛倒，察其原因，不外乎以下兩種：此公可能一時糊塗，左右不分，終久寫成習慣，反而出奇制勝，此其一；或者是此公寫慣洋文，信是學習歐風。賜字題詩，自然要發思古之幽情，情書寫給Darling的，卻又不得不學習文明。一個効法祖宗，一個貫通西中，不敢効法，此其二；揮毫，錯了大錯，此其三。不過妄自猜測耳！

經過數十年「各自東西」局面後，政府突然宣佈「統一」，恢復我國固有之「面」，一些高志花誘揚國粹，一些高齡「飽學之士」（限指穿長袍馬褂，尊公稱老者），不禁撫髯笑曰：「吾道不孤矣」！但是一般的青年學生，或因生性趨向摩登，不易改，還有一些商舖老闆亦復如此。余不知此是否屬于中西文化衝突之一類，不禁爲「左右」而浩嘆曰：

倉頡造字，李斯小篆，程邈隸書，世代相傳，數千年皆自右而左，而今方向突變焉。文分兩種，左右不同，一是發揚國粹，一他罵他荒唐，他說他混帳，誰是誰非，難分難解。當此之時，命令突降，自右而左，明定方向，統一式樣。大人先生聽之而大喜，青年學子聞之而心驚。執筆行文，往往錯了，迷失方向。神經緊張，右耶左耶？無法辨認，中文當自右而左，西文當自左而右，搞得頭昏腦脹，GOD寫成DOG，其餘更不堪設想。

報上廣告，更不理會有左有右，乃是宣傳技巧無足道也？店名與地址寫法不同，阿拉伯字更莫明其妙，有左有右，令人眼花撩亂。天地茫茫，左右不明，上下昏暗焉，嗚呼噫嘻！時也如斯，爲之奈何！

稿約

一、本報各版園地公開，歡迎投稿，來稿以千五百字至二千字爲最相宜。特約稿不在此限。

二、本報歡迎通訊、特寫、文藝、評論、書評、人物介紹、短篇小說、詩詞等，三五百字之短文尤所歡迎。

三、本報對來稿有刪改權，不同意者請於來稿預先聲明。

四、來稿請用稿紙繕寫，行文請勿過於潦草，不宜一紙兩面繕寫。

五、來稿請自行留底，請勿附退稿郵票，外埠郵票香港不適用，本報不負責退稿。

六、稿酬每千字由港幣五元至十元計算。

自由人

THE FREEMAN

（第六八四期）

中華民國僑務委員會頒發登記證台教新字第一第二號
中華郵政台字第五〇〇號執照登記爲第一類新聞紙類
（半週刊每星期三六出版）
每份港幣壹毫
台北市售價台幣壹元
督印人：陳文華
地址：香港高士威道二十號四樓
20 CAUSEWAY RD. 3RD. FL. HONG KONG
TEL. 771726
承印者：東南印務出版社
地址：高士打道六十四號
台灣總經理處
台北市西寧南路壹壹零號二樓
電話：四七三四六
台郵撥儲金戶九二五二
海外總經銷：友聯書報發行公司
香港：德輔道中二十六號A二樓

西方在中東所犯的錯誤

宋文明

經過一度戰爭和整整一年的糾紛後，現在塞德港口的那座引人的銅像已經變了，運河的旗徽亦已改樣了，埃及已通知聯合國今後有關運河爭執願接受國際法庭强迫裁決，前蘇彝士運河公司已向埃及提出賠償要求，埃及總統納塞也已現得心平氣和了。就運河爭執而言，一場大風暴幽已接近尾聲。此時來檢討一下整個的中東局勢，也許是非常適當的。

本文在檢討西方和美國在中東的錯誤時，並未忽視和否認西方和美國在中東的成就和勝利；同樣的這種檢討祇限於最近的數年，並不包括杜魯門時代及以前的事情。因爲祇有最近數年的許多重大決定，對於目下及今後的整個局勢才有現實意義。換言之，這裏所謂西方和美國在中東的錯誤，主要是指艾森豪政府對中東的錯誤而言。

一、

西方和美國在中東所犯的第一個錯誤，便是一開始對阿剌伯民族主義態度的偏差。從一九五二年埃及革命後，我們眼見一個激進的阿剌伯民族主義正在興起。在此時不論美國在中東有何種政策上的矛盾，致不能不顧及國內外猶太人的反應，對於這一新興的阿剌伯民族主義，應該採取一個諒解而同情的態度。由這種諒解和同情，去爭取阿剌伯民族主義對美國立場的諒解和同情，最後建立兩者的協調與合作關係。而美國在實際上，却反其道而行之。先則對這一阿剌伯民族主義表示懷疑與恐懼，繼之以疏遠與誤會，最後迫使這一阿剌伯民族主義在無可奈何的情勢下，去向共產主義尋求闖生的出路。美國的所以不能對阿剌伯民族主義採取一較積極的態度，眞正的原因還不在對猶太人的顧忌，而是由於艾森豪政府的中東政策，自始就缺乏一種積極的適應世界現況的思想方面的指導。

當一九五三年五月中旬，杜爾斯首次赴中東各國訪問時，艾森豪帶給當時埃及總理納吉培的一項禮物，並不是一本美國憲法，一本聯合國憲章或人權宣言，也不是一本林肯傳，而是出人意料的一支新式手槍。這一象徵便充分代表了美國現行中東政策的落後性和消極性。羅斯福是深懂美國對新興的亞非國家應採取何種政策的，現在美國的年青參議員肯乃迪和漢佛瑞，似也深懂這些；祇有美國的現政府不然。所以及至一九五六年夏，杜爾斯雖把他的政策修正爲「中間路綫」，即支持合理的民族主義和合理的殖民權益，結果整個情勢並未因此有何好轉。

二、

西方和美國在中東所犯的第二個錯誤，便是對一九五五年三月一日所發生的以埃邊境衝突事件未能處理得當。當天以色列以出其不意，公然挑釁的姿態，向埃及邊境守軍發動突襲，致造成埃軍近百人的重大傷亡。等到埃及向安理會提出控訴，安理會除了按通常邊境衝突事件予以平息外，並未感覺到其中所含的爆炸意義。

事實上，據後來一切證據說明，這一事件是近數年中東局勢的一個轉捩點。經這一事件刺激之後，埃及才決定重新整軍，以應付以阿之間的角度決戰。假若當時美國或聯合國能深切意識到這一事件的嚴重，予以色列以適當懲處與警告，並通過美英法三强重申一九五零年宣言，或聯合國立採如派遣警察部隊等重大行動，以保證埃及和阿剌伯國家的安全，則中東安定和平就可能長期保持。等到後來雖因美國的從中干涉，使英法以聯合所掀起的運河之戰未能擴大；但美國在這一爭執中所提供的「焦頭爛額」的貢獻，何若於早期的「曲突徙薪」？

三、

西方和美國在中東所犯的第三個錯誤，便是巴格達公約的成立。從最顯見的地方着眼，巴格達公約對自由世界所起的作用是分化的作用，而不是團結的作用；對美國的中東政策是一個包袱，可不是財產。當一九五五年二月二十四日巴格達公約以土耳其與伊拉克聯盟的初型首次出現，阿剌伯集團便開始一連串的反擊，一面紛紛指責與外界的締盟行動，一面又積極進行它們之間的新同盟，以對抗巴格達公約。於是當年九月二十二日，埃及便宣布接受蘇聯與捷克的軍火了。我很懷疑假若不是巴格達公約激怒了納塞，他是否會來這一手；我亦懷疑假若沒有巴格達公約分化了阿剌伯集團，蘇聯在中東，是否會有現今這種事實上的發言地位。

認眞說，美國原本是不贊成這一巴格達公約的。一九五五年初巴格達公約即已成立，直至一九五六年四月十九日，美國才宣布勉強參加這一公約的附設經濟委員會及反顚覆委員會；直至一九五七年三月二十二日，美國才宣布參加這一公約的軍事委員會。不過美國雖不贊成這一公約，但亦沒有設法阻止這一公約的出現。所以結果仍是一樣。至今爲止，這一公約除盡了分化阿剌伯集團的作用，對土耳其的中東領導地位捧捧場之外，對眞正的反共是沒有意義的。

假如爲了反共着想，爲了希望在中東有一個聯防組織，以塡補東西之間的罅隙。那麼照筆者看來，一個比較好最簡單的辦法，便是使伊朗參加北大西洋公約組織，或東南亞公約組織。這樣[illegible]巴格達公約有更多好處，而無巴格達公約的任何副作用。而誤稱具有第一流國際問題專家的威信，竟看不到這點，我確感到十分詫異。

四、

西方和美國在中東所犯的第四個錯誤，便是一九五六年七月十九日美國撤銷助埃建造阿斯旺高壩援助的決定。撤事後杜爾斯對他這一決定[illegible]一個燙手的熱山芋，[illegible]實行攤牌，暴露其眞面目。在今天看來，杜爾斯這種作法，不僅是一種外交賭博，而且簡直是一種兒戲。因爲這一決定的結果，並未迫使莫斯科攤牌，反而迫使納塞攤牌；並未刺激共產主義從中東龜縮，反而刺激納塞向殖民主義怒。可以說在那種情況，納塞除了硬着頭皮，斷然宣布運河收爲國有，以資繼續維持他的威信外，實在沒有第二條道路可資選擇。

五、

美國在中東所犯的第六個錯誤，是所謂艾森豪主義；至少說，艾森豪主義在中東祇付了一半。因中東今日所存在的問題不是一個簡單的公式所能解決和適應的，而艾森豪主義便犯了「一棍子解決一切」的錯誤。反對和阻遏共產主義在中東的侵略，祇是中東問題中的一個，而且事實上也不是最普遍的一個。

（下文轉第二版）

半週述評

聯大的「三齣頭」

如同劇中的「三齣頭」一樣，聯大每屆必有蘇聯集團表演的「中國代表權問題提案」。今屆支持我方票數較前增加，已使蘇代表葛羅米柯表演失色，偏有印度代表出來「跑龍套」——提案。看來，尼赫魯的中立主義，將必隨蘇聯集團的衰敗而趨于沒落。

胡適出席聯大

胡適氏接受中國代表職位出席聯大，對外對內均有影響。這可能予人以一種錯覺，聯想到他的政治主張與組黨問題，但我想，出席聯大是一事，爭取民主自由又是一事，更與組黨不組黨無關，因爲爭取民主自由並不意味着事事要與政府對立！

香港難民問題

香港難民救濟問題，在聯大不算新問題。一九五二年我國代表會經呼籲無效，原因是問題複雜；一九五五年聯合國難民救濟機構派專員韓伯樂（Hanbro）來港調查，結果是作成報告書送請提交聯大討論；據說這次大會已獲列入議程。

分析問題所謂複雜的原因不外：一、過去英國認爲是地方性問題而態度冷淡；蘇俄及其附庸國認爲是政治問題表示反對；美國看到問題太多，不願積極過問。今屆英美態度可能有所改變，蘇聯可能站在政治立場反對，問題在西方畢竟對他們的「人道主義」立場堅持不堅持耳。經費法理技術問題，猶在其次。

中共抨擊「兩個中國」

中共最近又抨擊「英國統治階級若干人士陰謀造成「兩個中國」」。

中共反對「兩個中國」，自由中國更其反對，不過兩者性質不同，前者只是一種姿態，後者乃是一種主張。

這在英國可能是一個希望，但這希望兩不討好，可以休矣。

艾登諾的勝利

八十一歲艾登諾的壓倒勝利，表示了西方在歐洲的一著王棋于今後四年中獲得保證；同時西德聯邦銀行公佈西德黃金儲備已超一百億馬克的空前數字，連同外匯儲備達二百三十億，更顯示西德的金融經濟獲得安定建設的保證。此刻縈旋于艾登諾腦中的，應是選民要求的全德民主統一。我相信這位老總理的信念是不會動搖的——要求德國眞正統一，祇有積極參加西方使蘇俄讓步，才能獲得。

社會主義形態歟

北平「人民日報」說去今兩年有十五個省份和地區，收不到指定的農業稅收額，認爲這是有些官員「不會積極地去勸告人民，教導人民進行社會主義而把[illegible]給國家」。

但這個「社會主義」國家的人民恐怕早已油盡燈枯，而國家却有餘富于萬隆亞非會議時答應在今後五年中給予錫蘭以七千五百萬盧比的經濟援助，此之謂社會主義的社會形態歟！紅朝權官除了搾取追收外，還有什麼方法能教導他們呢！

抽象的武器

孔子說仁，共黨曰：此是歷代封建貴族用來鞏固自己的統治秩序一種最有力的思想武器；西方講人道主義，共黨曰：此是資產階級用以攻擊共黨的武器——都是世界所沒有的抽象的東西。可是人性偏是歡迎這抽象的武器，而不歡迎共黨具體的階級鬥爭！

·林伯雅·

闢「人性」謬論

·瓦斯·

最近偶然讀到了上月大陸出版的「中國青年」刊物上「論人性」的一篇文章，覺得這似是而非的人性說法，可能予青年的影響，是不可完全忽視的。

共黨鼓吹階級鬥爭肆行清算屠殺，其所作所爲是違反人性，已是事實勝于雄辯的了；然而看中共的理論家却像變戲法似的居然也編了那麼一套。

在上述那篇文章裏，他們說：「資產階級右派說什麼共產黨沒有人性，說什麼黨性扼殺了人性……說共產黨爲了搞什麼階級鬥爭，連父母，兄弟姊妹，愛人，朋友之間，也要堅持什麼立場和原則，弄得六親不認……那是右派份子攻擊共產黨的謬論。」

對于這個「謬論」，他們的妙論是：

「人有兩種本質，一是自然性，一是社會性，所謂人性，當然就是人的社會本質……人性有一個社會範疇。在有階級的社會裏，階級性就是人性。」

這是共黨的辯證法則，這樣便由階級理論辯證到：「超階級的人性」是「陳腔濫調」，再沒有比「無產階級的人性」更崇高的了；也就是說，爲了階級鬥爭而「六親不認」，而三反三反……是最實在最合理的人性的社會本質，它顚倒了玄虛的不合理的人性的自然本質。

你要他們「六親不認」不合人性，清算屠殺不合人性嗎，好，他們會告訴你：「在家庭關係和朋友關係上應劃清敵我界綫，因爲互相敵對的階級沒有相通的人性；人情，同情心，人道主義，都是有一定的階級內容的」。

最後當然歸結到：代表無產階級的共產黨性，就是最崇高的人性，于是共黨殺人放火，六親不認，也合乎最高的人性。

好一個「黨性」，于是純理的人性論，便這樣輕輕地移到他們的政治陣地，變爲黨論了。

讀到這種妙論，我才恍然有悟于我會晤談過些年青朋友爲什麼沉迷于共產主義的一幕人類慘劇，而竟無動于中，還以爲中共這樣做是「其中一定有道理在」！

原來他們所信的「道理」，恐怕就是這一套妙論了。——共產黨的黨性就是最崇高的人性。

對于這共黨欽定的所謂人性，至少我們可指出兩點：

所謂黨性原是最大的，機械的，有時空限制的，是屬于局部人類的，是政治性的；人性却是與生俱來的，是自然的，是永恆性的，是與其他動物不同的人類共通性，是屬倫理範疇的。兩者本質根本不同，枉論黨性是最崇高的人性！

黨原是人類社會有了國家政權以後的產物；黨爭往往是與人性背道而馳，尤其共黨階級鬥爭的「黨性」爲然，所以堪稱共產主義者老前輩的無政府主義者，就根本否定權力，自然也否認黨的價值。共黨所信奉的階級鬥爭理論，原是馬克斯針對變態的社會而產生的，假定這變態的社會一旦不存在，鬥爭的黨性就不存在了，人性難道就不崇高了嗎？假定到了共黨理論家所謂「沒有階級的社會」，也就應該沒有黨性，難道人性就沒落了嗎？永恆性的「人性」眞理，也可以拿他們所謂「革命階段論」來解釋的嗎？

再言所謂人性的社會本質。共黨人把人性分爲自然本質，與社會本質兩者，又是另一種詭辯。固然人性善惡是萬年打不完的官司，但不論善也罷，惡也罷，人性就是人的本質，是「自然而然」的，若加上所社會關係去理解，變成了「應當如此」的，那就不復屬于人性範疇了。而共產黨人却虛構成一種主觀的所謂社會形態，然後倒果爲因把人性納入而名之曰社會本質，然後又把階級鬥爭說成最崇高的人性，如果那是人性，那祗能說是人工製造的人性而已。事實是人性就是人性，沒有黨，沒有共黨以前，自有人類就存在着的呀！何況共黨所造成的殘酷事實，除了少數惑于「黨性」的共黨外，凡是人，莫不感到殘酷，這也就是自然人性的抗議呀！

共黨御製的人性論，祇爲了辯護的殘酷的事實。正如林肯的名言，「縱可欺騙少數人民于一時，絕不能欺騙所有人民于永久」。

我們必須特爲之指出者，祗恐其欺騙于一時耳。

美記者談泰國政局

·胡養之·

時論選譯

泰國政變現已揭曉，在政變前美國名政論家阿爾索普氏，在紐約前鋒論壇報發表了一篇文章，大意是追憶他兩年前遊歷泰國時，對於泰局的三大觀感，並敘述泰國人對遠東大局的看法及該國政治經濟民生的概況，在泰國政變後讀此文，也不覺得明日黃花，且可作為政變的幕後分析看。以下是阿氏的看法。

他對鑾披汶的印象

第一、是阿爾索普氏在曼谷跟鑾披汶總理的談話。他說鑾氏在日本統治東南亞時期中泰國的獨裁者，在日本敗後下野，嗣又重獲得政權任「民主」泰國的內閣總理。鑾氏對于中國問題非常重視。他說：「越南！人人在談越南，但越南並不是遠東真正的問題；中國才是眞眞的問題呢！如果中共的勢力再膨脹下去的話，那末，這一帶的亞洲統統都完了。」他說如果越南落入共黨手裏，泰國處境將益感困難，也許至於無法維持……。中共急切地需要東南亞的富源，所以假定讓中共的努力膨脹到無法約束的地步，則東南亞的結局，將不堪設想！

預料乃沙立發動政變

第二、是阿爾索普在曼谷，和一位泰國老政治家的晤談，此人深通泰國政局的內幕。他說：「泰國政府正像你們有名的特拉羅瓦，每件貨物到紐約市，須抽稅五分，也是更廣泛地任何東西每件抽五分錢的。雖然如此，泰國依然富裕，人民相當滿足。」談到現下泰國的三頭政府，鑾披汶是首腦，乃沙立元帥主軍，乃炮上將主警。泰國的警察人數與陸軍人數相等，裝備也都是一樣的。因此，乃沙立和乃砲便成為泰國的兩個「強人」。所以那位老政治家認為：「乃沙立元帥或將由特拉羅瓦搖身一變而為變國英雄。至少，如果有人挺身為泰國一戰，十九必是乃沙立元帥。美國大使跟他交往這是很對的。不過話又得說回來，美國華盛頓的袞袞諸公，想必都很糊塗。請問你們放棄捷克和越南給共產黨之後，還肯替波蘭、泰國作戰嗎？如果泰國人民相信中共和蘇俄共產世界那一方面比美國及自由世界這一面強，你們還認為一個勇敢的首領，便可以挽回泰國的局勢嗎？」

東南亞的樂土不安樂

第三、不是在曼谷而是在一個小小的農村——司鎮，名叫「南坊」的地方。阿氏說他坐在馬車上，不到五分鐘便可穿城而過。可是市鎮上閙哄哄地肆應薈萃，車馬輻輳，酒館茶樓，人聲鼎沸。同時在那些百貨之中，有無綫電收音機、冰箱、手錶、縫紉機、各色各樣的絲綢毛織，應有盡有。這代表東南亞的富饒區域，人民天賦的和平、富足、和安樂。

我們希望不要忘記，泰國上下人人都覺得對日妥協是對的，事實上也只有如此。假定將來西方國家顯示弱勢的話，泰國對共產主義，也會依法泡製來一次妥協，雖然這是不對的。」

這個素有「東南亞樂土」之稱的泰國，雖然不像東南亞其他的地方那樣被共產帝國主義所帶給的痛苦、恐怖、和飢餓氣氛所籠罩；然而，近年來泰國時常發出政治危機，特別是最近幾天，泰國的緊張情勢急轉直下，政變已在眼前了。

台灣通訊

未來的院長和院士

·張文華·

已經擔任中央研究院院長十八年的朱家驊氏於上月因事辭職，聞已批准；依照法令，將於本年內由中央研究院評議員選舉院長候選人三人，送由總統圈定。此國家學術最高研究機關之主持者為誰？國內外人士當非常注意。依據人望，未來的院長候選人的選票或將集中於胡適博士（二十八年選舉時，胡亦曾膺選）。而現在教育部長張其昀氏因更深得當局信任，亦將為重要的候選人。惟張氏數年來居官，發表許多言論，多屬八股形式，為學術界人士所不同意者，故選舉時不無影響。憶第一次選舉院士時，戴季陶氏以深通中國哲學並考試院的創始主持者，與學術界關係深而且切，但院士提名為評議員所否決，即為例證。

自本年四月間決定院士選舉，八月通過院士提名後，「自由中國」十七卷三期即載有，「院士候選人的名單應當公開」的文字。該文作者於批評教育措施後云：「所幸，中央研究院的院士選舉，教育當局無權過問，所以我們還可以希望這次院士選舉不致於玷辱了『院士』這頭銜」，然後說「院士候選人已經由各學術機關產生了，據聞有三十餘人之多。這三十餘人當中，我們已知道了一小部份，其中有的人是夠格的，但有的人一望而知是費了一番鑽營功夫或利用權勢而取得候選人的。」結論是「為使現任的院士將來得以正確地投票，我們主張把院士候選人的名單全部公佈，讓國內外的學術界對這批候選人來做初步的衡量」。可見學術界對這事的重視。筆者頃閱（九月十八日）新生報九載研究院公告略云：「本院四十六年度院士候選人資格審定手續，業經依法完成，茲將合於提名之候選人名單公告於本院評議員外之機關團體及本院……處，特此公告」。當即往該院總辦事處，索得提名的名單如次：

一、數理組十五人——周煒良、林家翹、吳健雄、楊振寧、馬廷英、李政道、吳大猷、林致平、朱蘭成、顧毓琇、[illegible]、劉闓、朱汝瑾、王憲鍾。

二、生物組九人——梁序穆、趙連芳、杜聰明、李卓皓、王世中、汪厥明、柳安昌、[illegible]佑。

三、人文組十一人——黃建中、勞榦、陳大齊、蔣廷黻、姚從吾、蕭公權、錢穆、[illegible]武、何廉、蔣碩傑。

以上三十一人中產生本年度應選出院士十五名，即由

人物介紹

寫遊記的伍稼青

·杜琳·

他說：我雖沒有「安排寫集三千卷」的雄心，却還有「料理看山二十年」的願望。

寫遊記，不是一件易事，渲染逾分，則失其真；平鋪直敘，又嫌其俗。所以寫遊記的作者，除必備有探勝癖好外，文學上之修養，以及品藻之高雅，都缺一不可。否則寫的不是遊記，而是俗子的一篇流水帳了。「徐霞客遊記」「老殘遊記」之所以至今仍膾炙人口，其成就不是偶然的。

在台灣，中上級人士差不多都讀過伍稼青的遊記，七八年來，他的遊記陸續發表於「自由談」「暢流」「晨光」等雜誌，不下數十篇。追憶大陸的，台灣的，篇篇珠璣，深得讀者喜愛。他寫遊記中長處，是文中極富人情味，而且極有趣味性，有時興之所至，引述或撰寫幾首詩句，更使行文增色不少。四十二年春間，他將前後所積，選出二十篇，彙印「稼青遊記」一書，都十萬言，這集子裏都是追憶大陸名勝的遊記，他在自序裏說：「古人說行萬里路，我已數倍於此，然而除去多看到幾處名山大川和若干奇風異俗以外，又有些什麼成就呢？正如杜甫所說的騎驢卅載，到處悲辛。加以如今大陸沉淪，欲歸不得，放翁詩：『山河未復胡塵暗，一寸孤愁只自知』，我眞同此感慨。」其惓懷祖國之情，躍然紙上。讀集中諸篇，恍如重遊舊地，置身故土，令人緬懷低徊不已。

前年，稼青先生又彙舊作，交由自由談雜誌社印行一本「台島攬勝」，這書裏所包括的，只是台灣一省的勝景，其實即是「稼青遊記」的第二輯，凡寶島的名勝古跡，確已所至有記，絕不誇大，總保持其眞實性。此間有選勝尋幽者，常以此書為遊覽指南。同年，又為「錦繡河山」一書校訂，經月留連在圖書館，刻意揣摩，絲毫不苟。

他常說：「我雖沒有『安排寫集三千卷』的雄心，却還有『料理看山二十年』的願望。」又說：「談到遊，這是我興趣所在，也可以說是我生平唯一的癖好。我認為世間萬有，皆有可觀。就地來說，名山勝水與窮山惡水同樣值得遊；繁華的都市和偏僻的鄉村也一樣應該到。就時來說，春秋冬夏，朝昏晴雨，無一而不可遊，歐陽修所謂：『四時之景不同，而樂亦無窮』。東坡說：『水光瀲灧晴偏好，山色空濛雨亦奇』。善遊者一定要有喜雨、快雪的意興。就人來說，幾十個人的團體旅行有一種意義，三五友好聯袂而行又是一種情趣，一個人獨往獨來也別有一番滋味。假如和風趣人為侶，自然可以增加許多意趣，與年輕人在一起，也能多知道許多新鮮的知識；與老年人同行，他們會幫助你追回已經失了的青春。換言之，任何一地可以遊，任何一天可以遊，任何一人可與遊。我從來好遊，五嶽三山，固然不遠千里而往，即平時每到一處，不論其為勝而不名或名而不勝，也總得走一遍看一下。因為機會稍縱即逝，要是不能隨時隨地把握遊興，便永無把握機會。」可謂逸興遄飛。

他原籍江蘇武進，與筆者誼屬同鄉。避居台灣後，即辭謝宦海，在某律師事務所任中文秘書，現已年逾知命，風趣健談，鄉音未改，常以詩文自娛。他在自由中國已有徐霞客第二之譽。

台灣通訊

學生家長不滿聯合招生

·季鸞·

聯合招生令學子痛心 教育政策應加以改革

一年一次的大專學校聯合招生，確使每一位應考的學子惶惶不安，寢食難眠終日內，尤其是關心子弟前途的家長們更甚。其原因是：當局往往不能按其志願所填之科系予以分發。這次聯合招生業已揭曉，學子們有笑的也有哭的。

與「落榜」學生一席談

筆者曾親自向幾位「落榜」的學子詢問。有一位，數學很好，他十有把握似的會說考取理工學系是不成問題的；有一位國學根底甚深，他希望能進師範大學，另一位因「感染」半洋化的家庭環境，英語很漂亮，他的希望是進外文系，結果呢，他們都給分配到軍事學校去了，這不過是例舉的三位，還有很多「落榜」的學子，其心境之沉重恐怕很多的。

聯合招生不是辦法

大專聯合招生，此一方法久為人所詬病，說老實話，早應該廢除或改良的，不應每年使許多學子終身痛苦。本來，考試只不過是一種資格的認定，既然設立了一個統一及格的標準，則在及格以上的價值，大家也應該都是一樣的，都應該有依其本人的志願與環境，接受更高一階段的教育的同等機會與同等權利。

一個建議性的意見

筆者曾就此事與很多家長們談過，他們的意見多是建設性的，最好能夠使每一個中學畢業生，都能依其環境與志願去進大學，而不必再參加聯合招生，持其畢業證書，去自由選擇他們的學校和院系，如果教育當局能達到這一要求，則最好

歸併各院統一招生

然後分別舉行國立大學的統一招生，和各私立大專的聯合招生，既可以在統一管理之下，節省現有各院校的行政管理費用，更可以集中各校同院系的教授人才，使之專任一地任教，不致往來奔波，身心交疲。好把國立各大專學校如台大、師大、成功、及農學院、法商學院等，都統統併歸而成為一個國立大學，例如把理工科系歸併到台南成功，農學院各科系歸併到台中農學院，文法商各學系則歸併到台北的台大，另設華僑學院，專門容納歸國就學的華僑學生。這樣既可以免除各校的對立，同時還可以使投考及格的學生，都能依其志願環境，接受同等的教育。蔡元培先生長北大時，併入北洋的工科，北洋併入北大的法科，使其集中力量，便是一個很好的例證。

願我們的教育當局能夠痛下決心，由中國的教育前途着想，能有更好的成就，而將這一年一度使學子們傷心的聯合招生，自亦可隨此一改革而消失了。

澎湖小訊

·靜波·

去年年底，我奉召入伍，先在空軍預備學校受訓，今年二月底轉到空軍通訊學校，接受無綫電通訊訓練。七月初畢業後，如願以償到了澎湖來。此地雖未有火藥氣氛，但亦是前綫。

澎湖由七十餘個小島（一說招撫人居住之小島或礁）所組成，縣政府辦公處設於馬公鎮，馬公鎮也是全島最大的鄉鎮之一。此地居民生活較為落後，其他食糧全由台灣供給，全島是個丘陵地，高低不平，土產物最多為紅薯，因冬季一到，飛砂走石，猶如颱風一樣，令人無法行走，因此本地少有大樹，除了一些由馬公鎮及人家由建築物所阻止風砂而培植起來的一兩株榕樹而已，夏天的氣候炎熱，祇有海風可調節，否則令人無法忍受這種酷熱的天氣。本地男人都是從事漁業，用那簡單的十九世紀的捕魚方法，所收穫也是有限。田園工作是由婦女負責，每天太陽剛上山，或者下山的時候，在路上可以看到只露出兩隻眼睛的蒙面村姑娘，她們生活，刻苦耐勞。每逢星期例假，鎮上全是軍人和老百姓，如一家，可以說，馬公鎮上有今天的改進，是軍人所賜予的。鎮上有兩間電影院，所放影的片子甚富有教育性及充滿人情味的，這是軍公人員及百姓工餘消遣的去處。

稿酬

八月份全月稿酬通知單已分別付郵，惠稿諸君請憑單領取稿費為荷！

本報編輯部啓

從統計看 香港會考的結果

·文華·

香港中英文中學會考制度，實施已經多年，它的目的，不外促進學校教育的辦理，與提高學生程度的水準。實行以來，各方面時有種種批評，有人主張根本廢除，有人主張把辦法修改。但多屬表面觀察，缺乏事情根據。教育當局對於此項制度實施之結果，亦未有公開發表者，故欲知此一制度之得失利害，頗難加以臆斷。

今年的會考報告

筆者最近看到一本今年中英文中學會考的英文報告書，其中有許多統計數字，也有許多分析報告，並且附有各種改進的意見。筆者覺得這是一種研究會考制度的極好資料。可惜筆者看到的，祇是今年的報告，而且也沒有時間去詳細的加以分析。因此，對於整個制度的影響如何？還是不敢輕於置喙。

這裏，筆者想提出來說的，是（一）國文及中史兩科的報告，（二）歷年會考各科合格百分數的統計報告。因爲學生的國文中史程度不僅爲家長所關心，亦多少足以顯示現行教育制度是否能適應社會的需要。至歷年各科合格人數之百分數，更足以窺見會考制度能否對學生學業水準，發生促進的作用。

英文中學的國文

今年的會考報告，關於英文中學的國文科考生總數二八一一人，成績僅僅及格的一九六六人，良好的四〇一人，優異的九〇人，全部及格人數二四五七人，佔考生總數百分之八七·四。比去年增加八·五人。國文課試卷分爲試卷一（作文）及試卷二（中國文學問答），試卷一及格人數佔考生總數百分之九三，試卷二則爲百分之八〇·八。根據這幾個統計數字，今年的成績比去年進步，作文的成績比問答的成績好。不過報告書對於學生成績的意見，卻指出試卷一的『考生國文成績平均甚佳，但若干考生缺乏思考能力，其他則思想發表尚欠清楚有條理。』試卷二的『程度大體甚低，中文寫作極劣，甚少考生能作清楚可讀之文字者。』

中文中學的國文中史

關於中文中學會考，國文及中史科（兩科合爲一個試卷），據報告書指出，考生總數二七四六人，成績僅僅及格的二二六六人，良好的一八三人，優異的二二人，全部及格人數二四七一人，佔考生總數百分之九〇，比去年增加六·九。這樣，中文中學國文中史科及格人數雖比英文中學國文科爲高，但以去年作比較，則英文中學似乎進步多了些。

報告書又指出：『國文與中史兩項成績，均較去年爲優，因爲及格與優異兩者的百分數均已比較去年爲高也。』但報告書同時批評這兩科的學生程度說，『大部分考生祇能根據教科書實述一遍，而缺乏自己的思考與心得。最堪注意之共同缺點：爲『解釋錯誤，缺乏理解力，詞句結構有錯誤或軟弱無力。書寫欠清楚，錯字甚多，又欠整潔，既不準確，而又粗心。』』

根據報告書的統計和批評，我們可以說，今年中英文中學會考，國文和中史兩科的成績，雖較去年有了進步，但距離理想尚遠。

歷年合格人數的百分數

現在我們再看報告書的另一統計，這是一九五二年至一九五七年各科及格人數百分數的分別統計，及每年合格人數總數的百分數統計。（請參閱左例附表）根據這一統計，今年八科成績，五科比去年好，四科低落，數學和國文兩科及格人數的增加特別多，物理和化學及格人數的減少也特別顯著，就全部合格人數平均數說，今年也比去年多，不過增加得有限。

若以一九五二年爲基數，則今年會考，這八科的及格數除「國文中史」及數學兩項外全是減低的，物理及化學兩科減低的程度尤爲厲害，化學減低了百分之一八·二，物理減低了百分之四〇·九。合格總人數的平均數，今年也比一九五二年減低了百分之一二·五。各科合格人數的平均及合格總人數的平均，所以降低的理由，報告書沒有說明，但總不免給人以一種印象，會考制度能否對學生各學科的成績水準加以提高，實在不無疑問，至該制度對於學校教育的整個影響如何，我們因沒有充分的資料，可供研究，也就不能發表甚麼意見了。

（九月十九日）

各科合格平均數，及合格人數總平均數

	英文	國文	英文學	中國史	數學	初級數學	物理	化學	合格人數總平均
一九五二年	七九·五	九五·〇	八〇·一	七九·一	六八·八	七七·五	八三·七	七八·二	七五·三
一九五三年	七一·二	八八·六	七三·五	八五·九	七一·四	五七·六	五一·四	七一·九	六七·五
一九五四年	七八·四	八九·八	五七·七	八八·一	六九·〇	七七·七	六二·四	七六·四	七一·四
一九五五年	七三·六	八三·二	六八·九	八四·九	六五·九	六七·五	五〇·四	六七·〇	六六·八
一九五六年	六五·五	七八·九	六六·五	八三·一	六四·〇	六四·四	五三·二	七六·〇	六二·八
一九五七年	六一·八	八七·四	七二·五	九〇·〇	七七·八	六四·五	四二·八	六〇·〇	六二·八八
最後兩年的比較	減三·七	增八·五	增六·〇	增六·九	增一三·八	增〇·一	減一〇·四	減一六·〇	增〇·〇八
一九五二與一九五七比較	減一七·七	減七·六	減七·六	增一〇·九	增九·〇	減一三·〇	減四〇·九	減一八·二	減一二·四二

大彼得灣的風雲

大彼得灣拱衛着海參崴，對日本起着威脅作用，也對太平洋產生了警惕性的影響！它的戰略價值，遠在漁業之上，英日共同抗議蘇聯片面擴張該灣界綫並加以不法封鎖，雖屬無效，但蘇聯的野心却已暴露無遺了！

本年四月間，日本秋田、新潟、石川等縣的漁船隊曾二度在大彼得灣附近海域試行捕魚，首次是在四月十日至十九日間，第二次是在四月二十四日。第一次！也是日本漁船於戰後在該區初次捕魚工作，是順利的。但第二次，當船隊甫經駛抵該灣附近，即遭蘇聯巡邏艇監視，勒令撤離該海域；廿六日，日本漁船隊即在無可奈何下回航。

日本當局對於蘇海軍干涉捕魚事件，異常重視，透訓令由日本駐蘇大使門脇季光於五月三日向蘇聯外交部提出強硬抗議。迨至五月廿七日，蘇聯外交部始以備忘錄方式答覆該項抗議，謂，大彼得灣海域附近仍有覆設水雷之存在，對捕漁工作仍有危險，爲免發生不幸事件，逕「建議」日本漁船隊撤離該海域，並否認係出於命令方式。

就事實情況判斷，蘇聯備忘錄措詞所指大彼得灣仍有水雷是完全虛構的。第一、如該區仍有水雷，何以日本漁船隊在四月十日至十九日間首次捕魚時未有不幸事件發生，而第二次漁船在該區往還，也未有何發見或不幸；第二、就蘇聯七月廿一日宣佈封鎖大彼得灣之內容分析，顯然前後設詞矛盾，其主要目的實爲將公海劃作內湖，至於蘇聯是否在該區內另有它種軍事設施——例如飛彈基地等，雖非爲本文論述之重點，但究不能視此項封鎖爲合法。

七月廿六日，門脇大使訪蘇外交部副部長西米諾夫並提出備忘錄，指出大彼得灣並不具備內海條件，其片面之決定擴張界綫並實施封鎖爲非法，並謂該海域乃係日本漁民傳統之漁場，日本政府聲明將不受此項措施之約束，並保留有關此項之權利。但西米諾夫則對此宣稱，蘇聯部長會議之決議宣佈大彼得灣爲內海者，係因該海域在地理上，經濟上以及戰略上，早被視爲是蘇聯傳統之領域是爲蘇聯「歷史的」海灣。

英國方面，對此亦曾根據國際法一般標準向蘇聯提出抗議，但亦同樣爲莫斯科所拒絕。

就單純的經濟觀點言，大彼得灣附近盛產比目魚、鰈魚（鰨魚）及白腹鯖。從一九二八年日本在該海域實行漁場調查以來，即被視爲極有前途之漁場。一九三三年日本開始在該區內作大規模之捕魚工作，一直到一九四一年，從年產量七六，〇八九貫增長到二，三五五，八五一貫（註每貫合三·七五公斤）價值從一四，三二九日元，增值到一，三五九，四三三日元。而歷年前往該區之漁船亦由二十三艘增到一百三十二艘（一九四〇年），一九四一年則有卅至四十噸級的漁船九十八艘和五十至七十噸級的十四艘。

日本當局鑑於七月間對蘇聯提出之抗議，爲蘇方答以大彼得灣爲其「歷史的」海灣，乃於八月六日訓令門脇大使向蘇再度提交備忘錄，並抗議之。日本認爲一九四四年三月卅日，日蘇交換之公文，其中雖有同意禁止日本漁船在該灣捕魚的事實，但註明其爲戰時之臨時措施，蘇聯一直未曾有提出對大彼得灣有歷史性主張，而一九四四年之換文又全爲戰時之臨時措施，故日本認爲大彼得灣根本缺乏可認爲是蘇聯歷史性海灣的條件。

還次等待門脇的是外交部副部長庫茲涅佐夫，並允將日方抗議內容轉達蘇聯當局，但結果答覆仍未有絲毫改變。因此可以說，日本對蘇聯的交涉是難望有結果的。

若就蘇聯的外交副部長西米諾夫答覆日本門脇大使所稱的地理以及戰略上的關係研究，以蘇聯的海參崴（在大彼得灣內）爲扇軸，日本恰如一把展開的摺扇，從日本新潟到海參崴的航程是四五三浬；而日蘇間最短的航程，則只有四二四浬。目前，蘇聯對日本之崛起，既已心有不甘，則就大彼得灣對日本之地理形勢言，戰略上之重要性，也就遠超過了它的經濟價值了。因此，若就這樣的事實基礎來觀察日方對蘇聯的交涉，可以斷定是不會有任何有益於日本的進展的。

但是，也不可忽略，正由於蘇聯對外宣佈擴張了大彼得灣的內海界綫，片面的否定了國際法上一般公認的海灣十浬之寬度，並且也無形中破壞了一九三〇年英蘇漁業臨時協定，已吸引了所有反共國家的視綫，暴露了野心，大彼得灣實際上已對東北亞地區，產生了威脅，太平洋的形勢也因而受到了警惕性的影響。（韓）

國際動態拾零

自蘇魯曉夫訪問東德後，東德當局突趨緊張，並予特務人員以更大權力。東德共黨首領烏布利區（Ulbricht）親自控訴四位秘書，及一位工程部職員，謂其曾以東德建屋數字，給與美國情報機關。

× × ×

蘇聯運往敘里亞大批軍械，非僅供敘軍之用。並在大量儲藏，以供大戰爆發時，蘇聯降落傘部隊至敘時之用。蘇聯已組成受嚴格訓練之阿剌伯軍團，該軍團悉爲俄人，而能講阿剌伯語，約共有數萬人。

× × ×

蘇聯捷克之飛行員，刻在葉門，訓練當地人員駕駛蘇聯製造新運到之噴射機。

× × ×

莫斯科正在擬定反艾森豪主義的計劃。其目的在警告土耳其，伊朗，請其勿染指敘里亞。

× × ×

胡志明將被推翻，北越殘殺農民，壓平叛變之舉，殊爲蘇聯中共所不滿。繼任人將爲其現任總理范文同。

·陶然·

西方在中東所犯的錯誤

·宋文明·

（上接第一版）

目下中東危機眞正所在，一個是以色列與阿剌伯的仇恨，一個是新興民族主義對殖民主義的人怨，而艾森豪主義對這後二者，實在無能爲力的。就是從反對共產主義說來，艾森豪主義似乎祇適宜於應付公開的大規模的軍事行動，而這種行動又似並不一定會發生。也許這是爲了應付蘇聯的志願軍攻勢，但杜爾斯在國會的作證，所謂「志願軍不出邀請國領土以外即不報復」的說法，事實上也取銷了這一點。至於應付滲透與宣傳之類，更是渺茫不可期。試問蘇聯以經軍援助支持敘利亞左翼政權，擴大這一政權的國內外聲勢，艾森豪主義將何以對付？試問阿富汗一面接受艾森豪主義所賦予的援助，一面又接受蘇聯援助及大批技術人員，艾森豪主義又將如何？

所以筆者認爲艾森豪主義是一個大而無當，不着邊際的東西，對於中東眞正的問題完全是隔靴搔癢的。中東存在有三個性質迥乎不同的問題，要應付這三個問題也應有三種不同的方式和道路。一種用以應付共產主義的手段，斷不能同時應用於對於阿剌伯民族主義，和解決阿猶之間的長期爭執。最近的阿曼戰爭便提供了一個最好的說明。

美國在中東所犯的這些錯誤，並不是偶然的。同時除非美國對中東的根本思想和態度有所修正，這種錯誤將來仍將繼續。艾森豪政府如此，即令將來民主黨執政，由於新政府的親猶反阿傾向，可能亦將如此。在這種情勢下，今春參院外委會中東政策小組召集人漢佛瑞之親赴中東各國訪問，是否，未來的美國中東政策有所影響？

「謝謝法官」

·金暐·

一個寫了數十萬字的人，因未取得稿費分文，至對顧主不惜甘犯「傷害人身」罪，行譽守性的報復，在他固是出了口鳥氣，而在靠爬格紙爲生者的眼裏，其人固不失爲一時之英雄也！

但在法律面前，他必須受應得的懲戒，而在他也確認這是公平的，於是他躬身向法官頻頻爲禮說：「謝謝法官」。

「謝謝法官」，該是由衷之言，因爲他至少可以過一年不受剝削的安定日子，免爲飢餓「出賣靈魂」。

「出賣靈魂」（這是其人在法庭上的痛苦陳詞）對此時此際的知識分子，乃是時代的諷刺，靠爬格紙擂食，其心酸較之妓女出賣皮肉，無甚兩樣，值其不堪忍受者，當在中間人之重重盤剝！在這個商業社會裏，賺取佣金本是天經地義，然以「吃死人不吐骨頭」之姿態出現者，則尙屬空前創舉。

當然也有人可以保存靈魂貞操賺二塊錢一天推土拍石的硬骨頭，無奈骨頭再硬也敵不過山石灌頂，所以讓山石來埋葬的知識分子，八年來畢竟只有一位！只有那一位是帶着乾淨的靈魂進入天堂的！雖然他的軀殼已是血肉模糊了！

八年來，這圈子裏的餓鬼，是說不盡的，直到今天，有人挨了刀，有人坐了牢，才算是讓世人知道了一二。

至於還有那八九呢？且留待後日的人來寫新「儒林外史」吧！

閒話　簽名·蓋章

·陳曉風·

簽名，亦叫簽字，許是人有以字傳而不以名傳故也；蓋章，亦叫蓋印，許是人有以印信而不以章信故也。此所以「簽字蓋章」可以，「簽名蓋印」亦無不可。惟易有誤爲：名之文曰章，如「曾國藩章」；字之文曰印，如「曾滌生印」。故簽名必須蓋章，簽字必須蓋印。兩者手續，務求一致，於法始可生效，否則，[illegible]，但簽與蓋之必須「二位一體」，殆屬無可疑議。

尤其是官方文書如此，舉例來說：公務員履歷表上：機關長官、人事人員以及本人各欄，就是一律規定「簽名蓋章」。

其實，在一切講求「革命」，要求也應該力求簡化的今天，簽名蓋章，早就不應該有並存了，須知：簽蓋同是一種負責之表示，決不是表示雙層負責。明乎此，簽名可也，蓋章可也，兩可獨行其是，原用不着兩者俱備。

簽蓋簡化爲獨行其是之後，也有人會指出：有些人簽名，愛仿明星式似地在鬼畫符，如不以蓋章輔之，以資佐證，將無法看出簽者的尊姓大名；此殊不知有些人的章，出諸名金石家之手，鐵線篆在秦漢以上，古意盎然，較之鬼畫符的明星式簽名，尤難辨認。[illegible]何？反之，簽名亦說不出蓋章其所以然，此故不如予以規定：[illegible]

公道的說，簽蓋也並不到處並無所賓，遇事一搭一擋，是可不單獨行使的。但仍舍其事以令人，人就不得自由選擇了。譬如我在執行職務時，對傳票、聯單、公庫支票等，就得一定總「令」蓋章，自由簽名就不行了。[illegible]可以代表我行使權利和負責；而名在這種場合，[illegible]簽名也好，蓋章也好，事實上總以予人方便才是，[illegible]得體；如果蓋[illegible]人有不識時務[illegible]況，章易使人[illegible]一旦失手，又[illegible]簽名那樣隨[illegible]人借用。我之[illegible]如前所說那些[illegible]者，此之故也。[illegible]單……在應付[illegible]來者感覺結[illegible]嫌費時費力[illegible]濟。這在機關[illegible]如此。我營着[illegible]人員」——甚至[illegible]較繁的小主管[illegible]難的例行公事[illegible]章祗是爲了完[illegible]就都交由工友[illegible]。（較大長[illegible]書代勞，但[illegible]子，還是勞煩[illegible]此如必須簽名[illegible]不配代勞，通[illegible]固將於法未便[illegible]助了。如此，即使一個懂得分層負責，肯於授權所屬的長官，也得事必躬親，有的長官，自不屑此。此所以我又贊成蓋章故也。

臉譜

·陸墨夢·

「人心不同，各如其面。」所以舊劇有所謂「整臉」「碎臉」「三塊瓦」。人生猶似一台戲，既然非要上場不可，就得勾一個臉。朋友某君遭了一次不大不小的挫難之回來，向我說在患難之中，人有另一幅臉譜。我卻勸他不必因此氣惱。我們在春風得意的時候，一副臉譜也未必討人喜愛。人有似一面鏡子，你朝他皺眉，他就不會向你裂嘴。榮辱之間，才見修養，作人不是件易事。

麻衣相法把人臉分爲「威厚清古孤薄惡俗」八種，我認爲只分八種是不夠包括的，威者未必不俗，厚者未必不惡，古者未必不威，薄者未必不厚，同樣的鼻子眼睛，擺起來就各有千秋。上帝眞會消遣。

孫猴子會七十二變，因此保唐僧登上了西天。而今會變臉譜的人，當面一副，背過一副，與己有利者一副，無利者一副。己得變中三昧，登天不難。君不見功成名就諸公那一位的臉譜不是善於千變萬化？

悼亡作

·編者·

本刊作者胡蘊之先生，君子人也。逃亡海隅八年，思妻心切，近接家書，妻亡子幼，流落大陸，撫育無人，悲傷不已。承示悼亡之作，備極悽涼。聯云：

「四五載攜手驅車，北剿南征，甘苦共嘗，一別竟成千古恨。

二三子蓬頭載道，東乞西討，悽涼備至，重逢已是八年身。」

中庸試釋

·孫廣德·

程子曰：「不偏之謂中，不易之謂庸。」「不偏」！「不易」？

中庸是足以代表儒家哲學主要精神的一詞，首先爲中庸下界說的是程子：「不偏之謂中，不易之謂庸。」可是這個界說的易被人誤解。如對不偏解爲騎牆，折衷，中間路綫；對不易解爲頑固、保守、一成不變是。於是有一些自以爲能守中庸之道的人，都是鄉愿或頑固份子。現中庸一書所載諸語：第一章「擇善而固執之也。」第二章「君子之中庸也，君子而時中。」可知中庸絕非騎牆、折衷與中間路綫，亦非頑固、保守與一成不變。

程子的所說有半妥半不妥。他把中字解爲不偏，是恰當的。所謂不偏，即是恰到好處，無過之，亦無不及。無論對人對事，一人之思想作爲，在時間上，空間上，以及關係上，均須不偏。如避訟然，法官明乎自己所在時間，所處地點，在爭訟中之地位，而確定自己應持之態度，然後明乎爭執者所爭事件發生之時間、地點，以及爭訟者彼此間今昔之恩怨，而作恰當的判決，亦是不偏；如做官然，在衙門應理公務，對部下同事應持何種態度，說何種語言；在家庭處理私事，對父母妻子應持何種態度，說何種語言，均能做得恰到好處，亦復是不偏，便是能守中道。程子曰：「中者天下之達道也。」定謂道，就無所不通。

把「庸」字解爲不易，則稍嫌不妥，我以爲應改爲不奇。不奇亦是恰到好處。所以「小人無所不用其極」，「小人反中庸」。程子曰：「庸者天下之定理也。」是定理之特性有三：一是眞，二是普，三是適。若言「不易」，眞與普二義雖可包涵，然適字一義則被排出。若言「不奇」，則眞、普及適三義便均可包涵。同時以不易釋庸較難理解，不如「不奇」二字易明。

中是不偏，庸是不奇，不偏與不奇，恰到好處。凡事能做到恰到好處，豈非中國人爲人做事的達道嗎！

「一枝淡貯書窗下，人與花心各自香」

——朱淑眞——

「一老桂花開天下香」，這是于右任當年遊蘇州木瀆歸來口占的詩句，可見在江南一帶，桂樹，畢竟是遍地皆是，每年一到秋天，日高氣爽的時節，叢桂着花，到處一陣一陣的幽香，隨着微風，散佈開來，令人陶醉！想起家鄉的住宅，大部份有着很寬敞的大院子，俗稱三開間一個大所，那總是少不了的，庭中分植着金銀桂各一株，黃色爲金，白色爲銀，這些樹都是非常高大，冒出屋頂，枝葉蓬鬆，把整個院子上空的日光遮閉着，所以在夏天時候，在院中小坐，涼爽宜人，入秋則滿樹金黃，香味撲鼻。對月賞桂，小酌隨詩別有一種雅興。有人謂蟾宮折桂，是指當年科舉時代功名得中的預兆，有些書香門第，喜題其廳堂爲雙桂堂，或是折桂軒，亦爲自我陶醉之一種心理。等到幾陣緊急的秋風，便是落英滿地，一片金黃。桂花原可製醬，洗淨加糖，清香可愛！爲調配一般糕餅中的無上妙品。

清秋語桂

·張瘦碧·

按桂種有二，一曰丹桂，葉如柏，皮赤；一即木犀花也，一名巖桂，爲常綠喬木，葉爲橢圓形，對生，秋日葉腋叢生小花，花冠下部連合！庭院多栽植之。從前一般詩人詞客，常以桂付諸吟咏，在傳說上因爲月宮裏有桂樹，所以詩句中始終和月亮結下了不解緣。記得唐李嶠詩云：「未植銀宮裏，寧移玉殿幽，枝生無限月，花滿自然秋，俠客條邊馬，仙人葉作舟，願君期道術，攀折可淹留。」在短短四十字內，充滿了道家玄理，似不食人間烟火者，殊令人發遐思。尙有朱淑眞七言一絕云：「常在西風擅衆芳，十分秋意爲誰忙？一枝淡貯書窗下，人與花心各自香。」輕描淡寫，閨中別具心腸，想起如今流落在大陸上失羣的一般婦女，夫妻拆散，孤居寥寥，遇到清秋老桂吐芳時節，其情可想而知。再看謝懋的霜天曉月一詞云：「綠雲剪葉，低護黃金屑，占斷花中聲譽，香和韻，兩清實。勝地君聽說，當時來又別，試看仙衣猶帶，金庭落玉階月。」月下賞桂，格外有一種說不出的情懷。

記得當年旅居武漢，蛇山腳邊有一座抱冰堂，四週栽着桂樹無數，一到秋天，遠近人士相率登臨賞桂，尤其在有月亮晚上，雙雙情侶，桂下細語，一副濃情蜜意，忘記了人間傷感事。當此一年一度桂子飄香時候，撫今思昔，何以爲情！

海上學校

中篇小說

趙師善

悲哀的情緒，傳染到很遠很遠的地方。嘆歎聲裏，夾雜着號哭。當一個粗野純樸的民族，想到同伴的不幸，想到自己仍然面對這種不幸，想到千百年來祖宗所遭遇的不幸，粗擴的號哭是很自然的。因爲，這是苦悶的發洩。——勢如山洪暴發，不容許理性予以遏制。

吊船三三兩兩地來了，又去了。竹笠裏的鈔票，堆積到了船板上。

當最後兩艘船划走時，漫漫長夜正漸漸消逝，子夜已經過過去好久了。

三位主祭的老人，因年齡關係，再也頂不下去。他們蟄伏在蝦簪的後艙間，打起鼾來。杜宇和周曼石，守下半夜的靈，兩人不斷地對打着瞌睡。擺渡艇上，林金蓮與財寶與祖碧，早已沉酣入夢；但正輪值的貝比，因法器的不斷騷吵，卻輾轉不能成眠。

劉全忠年青力壯，不脫小伙子本色。他替黃阿水收拾好鈔票，將他安頓在杜宇的身邊，跨着健步，到道館船上幫忙去了。

死亡的氣息浸潤着蝦簪。幽明的燈像鬼火一樣，在夜風裏眨着疲倦的眼睛。

整個避風塘早已安靜下來。大海潮音代替了人間的喧囂。破曉前的陣黑，正低壓着桅桿上斜掛的六個燈籠。

避風塘上，這時有輕微的撥水聲音傳過來。聲音被海潮掩蓋住，無法捕捉。霧氣很濃。能見度不大。我們一時還無法辨別這是泅水者發出的聲響，或者是夜航船隻的槳聲。

貝比最先聽到了這個。其次是黃阿水。但他倆都並不在意。

撥水的聲音慢慢近了，愈來愈清晰。[illegible]開了，蝦簪向右舷頭劫了幾下，一個青面獠牙的鬼頭，突然從水面伸向船舷！

水面長明燈的幽火在打晃。死屍的陰影分外闃人。海風撲進竹篷破洞口，發出嗚嗚的尖嘯，彷彿置身於蛛網滿佈的鬼屋，其恐怖的程度，足以使人豎起每一根毫毛！

黃阿水雖然疲倦得要死，但並沒有睡熟。當蝦簪顫動時，她恐怖地睜開了發花的睡眼；而那個濕淋淋的大鬼頭，一下猛闖進她的眼簾，她驚懾得渾身一顫，嚇得吐出白沫，伸直的喉管斜扭着，迸射出一絲不清楚的聲響——半帶喊叫，半像白喉症患者的呼吸！她嚇呆了！

杜宇在睡夢中感覺到了這種顫抖，她是第二個睜開眼來的。而此刻，那鬆漆着五顏六色的醜怪面孔，正向她對直逼近，一雙血絲眼，暴睜得像兩粒牛卵子，喉核突出，上下滑落，赤膊，短褲，一身是水，狀至恐怖。

「嗚嘩，鬼……鬼！」她失聲怪叫，舌頭全不聽指揮。

醜怪兩孔做了個進撲的手式，已經竄進了正艙間。

周曼石被杜宇搖醒了。迷糊中他坐直了肥軀。

「賊，賊！……」他跟着嚷起來。「怎麼？老四！你……」他揉了揉眼，定睛盯住那雙血絲眼。

醜怪臉沒有答腔。他驟然抽出一枝短劍，一指，指住周曼石的頸子。即刻用迅雷不及掩耳的手法，伸出左手搶鈔票。空氣在這一刹那間像凍結了似的，使每一個面孔都改變了顏色！

擺渡艇上，貝比已聽到了鄰船的驚叫。但霧氣太濃，他看不見鄰船上發生的事故。當他戴好眼鏡，猛叫着爬到船頭上時，醜怪臉已退出來了。兩個人剛好打了個照面。

「四眼狗！注意！」海面上傳來一聲急促的呼喚。

「哧！看刀！」

貝比不提防有此一着，他就地一滾，短劍正斜插進他的小腹。同時，夜霧上嘩啦嘩啦作響，有兩道水紋，迅速指向濃霧深處。

道館船上的法器，戛然停止。慘叫驚呼聲裏，起了匆通匆通跳水的聲音。

「惡強盜，捉活的！」那彎擊是劉全忠的吼叫。他正朝向有水紋的地方個刺過去。

「注意暗器，」鄭老頭在水中招呼他。「傷人囉！」

「嗚鑼！」是蘇登同的聲音。

他正從船尾泅出去。「老黃，嗚鑼呀！」大銅鑼鏜鏜地播送着報警的訊號。夜海之上，手電筒光炬四射。有成百的壯漢，像打圍網一般，從濃霧處向池方急泳過來。最後，光炬交叉照射在一個目的物上，那是艘正在移動的小舢舨。

「是賊船！」一個人在喊。

「賊船！」「賊船！」另一羣人叫喊。

「賊船，不要放走賊船！」

「活捉老鼠！」

「提防水遁！」

「大家聽着：男人下海，女人把風！」……

「死要見屍，活要擎人！」……

海面上，盡是這些尖促的喊聲。

自由人
THE FREEMAN
（第六八五期）
中華民國僑務委員會領發登記證台教新字第一第二號
中華郵政台字第五〇〇號執照登記爲第一類新聞紙類
（半週刊每星期三 六出版）
每份港幣壹毫
台北市售價台幣壹元
督印人：陳文華
地址：香港高士威道二十號四樓
20 CAUSEWAY RD. 3RD. FL. HONG KONG
TEL. 771726
承印者：東南印務出版社
地址：高士打道六十四號
台灣總經理處
台北市西寧南路壹壹零號二樓
電話：四七三四六
台郵撥儲金戶九二五二
海外總經銷：友聯書報發行公司
香港：德輔道中二十六號A二樓

反攻問題之商榷

・伍憲子・

自大陸淪陷，國府播遷台灣，八年於茲。共產政權不能安定大陸之人心，於是反攻大陸問題，漸成爲人人心中所欲討論的問題。然不幸此偌大問題，產出無限糾紛，尤其是近數月間，爲此問題，各方變動意氣。甚者因「反攻無望」之故，致引出「反共不必」之怪論，此則影響復國前途甚大。本篇作者特平心靜氣，提出此問題，向各方商榷。

一

先從源頭說起。大陸既陷，政府如何存在，則第一責任，即當準備反攻。故反攻是天經地義。凡不甘心而倒向蘇俄，自毀其獨立國家之資格，低首下心做蘇俄附庸者，皆贊成反[illegible]貴，與中國人性文化之爲國家命脈，而不許暴力爲之摧殘者，皆贊成反攻。凡是明白世界大勢，民主政治日在進化中，斷不容有反民主之極權存在者，皆贊成反攻。除了投向共黨陣營來，對共黨尚存幻想，期其改變之一類人外，所有堅決反共之人士，對反攻大陸問題，絕無異議，異議之興，仍自政府方面始。我們不妨回溯八年來經驗，政府遷台之最初二年，喘息未定，當然說不到反攻。此時只聞中共狂叫「解放台灣」之聲，未聞台灣有反攻大陸之論。其後聯盟安定，反攻之說始漸起，但多是宣傳性質，未嘗有一確定之期，急欲一點，則說明年，然明年很容易到，到了，又說明年。人民望之心雖急，亦知政府處境之難。於是謹慎一點，又出之延長，三年或五年反攻之說，時出於政府負責人口中。甚而有說到反攻當待十年以後，乃至十五年者。由普通人心理觀之，不免有多少懷疑。加以共黨在大陸之虐政，人民之痛苦，一年比一年加深，而盼望反攻之師，又一年比一年之時間愈遠，正惟盼望之切，失望愈大，異議之起，原因在此。此是政府宣傳之章法太亂，實自召之。或者以爲反攻大事，所應預備者，斷非三年五年之短時間所能竟，古人說「十年生聚，十年教訓」，豈能操之過急。誠然，此論我表同情，我斷不以反攻太遲責政府。現在之持異議者，亦不以此責政府，而專注於內，而轉向於外，於是「反攻無望」之論出，此則政府所不能忽略，而應當細心體察者矣。

二

然不幸，政府又不能細心體察，以爲妄發「反攻無望」之論者，別有用心。其實他們用心，只是太注重外，而忽略了內。誠然，反共是世界之事，不是一國之事，尤其是以台灣一隅有限之兵力，反攻大陸，非得美國充分物資援助不能。今美國既不欲戰，更不欲負挑動世界大戰之責任，當然亦不欲台灣之單獨負起責任。此種論調，只是看人而不看己，只看人[illegible]，則其判斷未必一定有把握。因爲客觀形勢，可以隨時改變。見仁見知，亦不相同。許多觀察家，謂俄與美相逼太緊，終於演出大戰，只管俄美皆不[illegible]美亦不能戰，但自主，故一方而以不欲戰爲根據，其論[illegible]以爲反攻無望。一方面以爲大戰必逼出，是我們反攻最好時機，其論是出於想像。彼此皆注[illegible]我們知世界大戰之發生與不能發生，不是我們的中心問題，在反攻復國，不在世界戰爭。幸而適遇世界戰爭，配合我們之反攻，固是如天之福。萬一世界戰爭延宕，我們反攻責任，亦不能卸。蓋反共雖是世界之事，亦是中國人之事，而且是中國人之事。所以我們不能說世界大戰無望，就是反攻無望。[illegible]我們所能做到，我們亦不應推諉於外人，我們當然要督責政府。

三

說到此，我們應可明白，政府立刻反攻，[illegible]但我們促政府立刻反攻，是不可以不促政府準備反攻。既催促準備反攻，則「反攻無望」說，我們就不應說。我們數十萬大軍渡海之需要，未[illegible]準備，不能渡海，此公當知，我們更當知之。我們更當知，反攻復國之信心未確立，則數十萬大軍渡海之船已備，其勝算亦未必可操。故準備反攻，不只是要先充足物質，最要充足精神。故必須培養自家元氣，自力更生，以加強自信心。外力援助，只以[illegible]助，是我們反攻之最好時機，但我們不能[illegible]我們眼光，不要放在美俄之對俄步步緊逼，我們亦不要以爲大戰即可來臨。須知美對俄退讓，十年來之局面，亦可以因美之壓迫而示弱。彼強則此弛，已不止一次，俄雖一時張狂，亦不必幻想，謂美對俄緊緊壓迫，大戰就可發生。假令我們反攻之精神不充沛，即使大戰發生，未必對我們有利。因此我的觀察，是可以促政府立刻反攻，不僅促政府預備反攻。然必須催促，即使事實是不能反攻，我們亦要想方法，造成可以反攻之事實。我們不因爲我們事實的不能，就取消我們理論的圖富。我們要將理論與事實打成一片，不可使事實與理論背道，此就是充實我們的反攻精神。

（下轉第二版）

我倆情投意合謹訂於民國四十六年九月廿九日在台南市議會大禮堂舉行結婚典禮恭請

台南市長 葉廷珪先生主婚
台南市議長 辛文炳先生主婚
財政部鹽務總局 朱局長玖瑩
高等法院台南分院 程院長元藩 證婚特此敬告

諸親友

昌增勳
陳月娥 鞠躬

半週述評

創建反對黨問題

・左舜生・

最近一期的『自由中國』，因爲發表了一篇朱伴耘先生的『再論反對黨』，同時這篇文章的內容提要，又被合衆社用電報打了出來，於是自由中國的輿論界，好像又得到了一次『新鮮的』刺激；甚至連香港一份素以穩健著稱的日報，也就這個問題，發表了他們一些不同的看法。因此，我個人也願藉此機會在這裏說幾句話：

一、『中華民國憲法』第十四條，明明白白規定：『人民有集會及結社的自由』。這裏的所謂集會結社，當然包括組織政黨在內。假如大家眞有誠意擁護這部憲法的話，便無論任何人願意出來組黨，都值不得大驚小怪；不問你是公開的或暗中的去加以反對或阻碍，都於憲法的精神不合。

一、中國之有政黨，從清末一直算到今天，已經超出了半個世紀，可是我們一看國家當前的景象，便知道已往的任何黨派，都不能說對國家好好的盡了他們的職責，甚至說一切都是失敗，也一點不算過分。因此，我覺得不只新黨的出現確合於一般人民的要求，乃至一切舊有的黨派，如果不能切實加以整理，也實在對人民不能交代。自然，無論整理舊黨也罷，創建新黨也罷，在當前的環境和政治風氣之下，都不是一件容易的工作，我當然充分的承認。

一、說有了反對黨便會分散反共的力量，這個話是似是而非的：在第一次和第二次大戰的時代，英美法這些國家，都曾遭遇過空前的大敵，但何嘗因爲他們都擁有兩黨以上而妨碍了他們的團結對外呢？

一、拿美國這次削減援外預算，便指爲是他們有了反對黨的一種流弊，這種說法我更不能首肯；我覺得這只是由被援國家心理出發的一種看法。如果站在美國人民或美國納稅人的立場着想，美國歷年用作援外的大量金錢，難道眞的沒有撙節的餘地嗎？難道一一都用得很適當而絕對沒有濫耗嗎？換言之，如果加以更週密的設計，是不是可以以較少的金錢，依然能得着同樣或更大的效果呢？

一、胡適之先生日前在美表示『無意組織反對黨』，我相信這個消息是很正確的。以我個人所了解，胡先生有興趣，始終是治學重於從政，假如眞有人要挺身出來建立新黨的話，原不必對胡先生存着過分的期待。至於以胡先生個人的興趣，來衡量今天的中國有無建立反對黨的必要，當然更可不必。老實說，像具有胡先生這樣一種地位的人，與其拉他直接的牽入政治漩渦，還不如永遠讓他留在學術界，或於必要時請他以『二無黨』（即無黨無派之意）的資格，來一兩次客串，反而於國家有益。

一、『什麼是我們未來理想的政黨？』這個問題在我腦筋裏盤旋了半年以上，而且已經把我對這個問題的答案，向幾個朋友詳談過好幾回，最近因爲『無事忙』，同時又因爲答案中有三幾個要點，還不曾來得比較適當的解決，所以至今不曾寫出。現在既然大家對於建立新黨這個問題，發生了濃厚的興趣，我遲早總得把這篇文字寫出來向大家請教。不過我得預先聲明：在我腦筋裏所以盤有這一類的想法，只是我三十年來蓄成的一種結習，至於我對現實政治的興趣，却早已冷到了冰點以下。我現在只願意提出一點失敗的經驗，供一般少壯朋友們的參考，決不是說明我還有什麼了不起的懷抱。

展望政變後泰局

・祝君健・

泰國政權悄然遞嬗，轉眼已成歷史陳迹。兩大親美領袖鑾披汶和乃砲，被政變首領乃沙立一脚踢出後，披汶氏準備再度旅行歐美，他的太太在巴黎遇到變故，已不擬歸國，兒子及其親信僚屬如資深的空軍總司令乃芬元帥，無一不被解職。乃砲已抵日內瓦任使館參贊，全國軍警悉入沙立掌握。乃沙立原係披汶氏一手栽培，迄今爲止，他無意對披汶氏個人有所非議。事實上鑾披汶執政十年來，不僅是國際間享有崇高信譽，在國內也深得泰外人士信賴。

在大多數人看來，鑾披汶在國外就留不會過久；因爲他沒有犯什麼罪，沒有理由不回國的，這次的「逃亡」，充其量係逃避預見混亂的鋒鏑。

過渡內閣係由薩拉辛領導組成，這是沙立的聰明處。第一、假如他自己出任總理，不管任何人對他這次武力奪取政權，都是不予諒解的；第二、出任過渡內閣人選，以民主人物，人們以爲只有乃寬，但是乃寬黨魁有號召力人物，一經上台，不僅反對黨不免肆意攻擊，對乃沙立說來，在未來大選，顯有壓倒自己的聲勢；如果乃寬一經得勢，日久必跟乃沙立鬧翻，綜然在政治上協調，私人經濟與商務上的瓜葛，不免難以合作。故此，薩拉辛拜命組織過渡內閣，祇是沙立幕後操縱的傀儡。對內減少反對派的攻擊目標；對外表示他的外交路綫是親西方的，因爲，薩拉辛是東南亞（八國）公約的秘書長，曼谷爲該公約總部所在地。暗示西方國家對泰國的政策大可放心。

在西方觀察家看來，乃沙立這次發動的政變，是泰王拉瑪九世幕後支持的，實際不是那麼一回事。泰國實際權力在國會，國王對任何人執政均無扶擇的偏見。這一次倘使不是沙立先發制人，鑾披汶將把他們逮捕，然後請命國王發落，拉瑪九世也不會反對。因此，與其說乃沙立獲國王支持，毋寧說是泰王承認既成的事實，比較恰當。

拉瑪九世在國人心目中，是可崇敬的君主，除非共黨願獲得這善良的泰人無端推毁這一號稱東方「威尼斯」的法統。老年的泰人，年輕的學生，他們都很明白：泰國現時的規模，係一七六七年鄭信（潮人）擊退了緬人侵入毁滅之後，賴華僑（鄭昭領導）把兵復國重建的。少數泰人歧視華僑，純係爲虎作倀的左翼黨派搆煽結果；反共的人力言泰國從緬甸人的鐵蹄下解放出來，不圖當讓中共和過緬甸蹂躪佛土。雖然，共黨借左翼政黨之手向華僑苛捐，大多數華僑對於泰國政府的艱困處境，都能識大體，認爲只要政權不落共手，仍有機會改變對華僑的不平待遇。因此，中泰兩國人民，歷來合作無間。

今後泰國局勢如何發展，僑目前言之尚早，但大致都認爲他們樂觀。他們所持不易樂觀理由外：（一）乃沙立儘管已經統一了全國軍警，並沒有取得警察、海空軍各級將領的向心；（二）海軍警兩方面的摩擦，至少可能導致軍居間調和，如今已失支柱；（三）乃沙立在表面上是一位親西方軍事領袖，實際却是非左非右中間，而在商務上却是親共人物；（四）聯邦黨雖然是一個新成立黨，他的聲勢已凌駕自由、民主黨之上，後者係擁有廉政清譽的實業界鉅頭乃寬領導；聯邦黨的經濟來源，部分由彩票局（乃沙立之持）提供，另一部分係由中共支，內部除親共的乃沙顯（沙立之弟），多數係今年五月獲赦的共黨份子。現時民會已由泰王詔告解散，年終以前，可望舉行大選。

基以上述四點，未來大選競爭必烈，乃沙立雖已提出警告：任何人不得干預「民代」競選，就現情勢剖視，民主黨與非聯邦黨之其他小黨除非附託兩黨驥尾，根本沒有經濟能力可資支持競選；勢的自由黨，原由乃沙立任副黨長，乃砲因見忌乃沙立，却已辭職，不致再行領導，返國除非借，不可能與聞政治；鑾披汶如返國，以在野黨身分領導自由黨，該黨的聲勢將遠過往時；問題是披汶元帥經此刺激，未必有此勇氣與其作乃沙立的傀儡，毋寧退隱全清名。準此，未來大選，不僅乃沙立元帥成敗攸關，也是泰國國運的重要關鍵。（九月二十日寄于曼谷）

台省中等學校應展開一項「清潔」運動

季鸞

台省教育廳，去了一劉，再來一劉，原任廳長劉先雲自動辭職另就他職，師範大學校長劉眞對此很感胃口，躍然登上寶座。

台灣通訊

教令自教令

劉眞接長後的教育廳，第一道命令即爲規定中等學校收費標準，只許一仍舊貫，不得任意漲價。同時對積弊甚深的的學校「代辦」制度，也在代辦項目，程序，手續三方面予以嚴格限制，藉防巧立名目，中飽自肥。凡此，均爲針對當前中等學校弊端而發，致令人有新人新政之感。

學費自學費

教廳的命令公佈不久，全省中等學校紛紛開學，當學生家長前往辦理繳費註冊手續時，方知教廳規定儘管冠冕堂皇，對各校之收費標準，竟然毫無影響。在表面上，中等學校「學費」均未漲價，但學費的份量已被壓低到僅佔全部費用的十分之一，增增減減，或不增不減，全然無關緊要。而所謂雜費，家長會費，圖書體育費，代辦制服費，代辦保管費，衛生費，實習費，保安費，蒸飯費，補充講義教材費……等等，各項之多，花樣百出，較之上一學期，平均上漲了百分之一百以上，再加上一大筆完全由學校「代辦」的書籍課本費，使一個就讀於公立學校初中一年級的學生，入學之前，必須繳費五百元左右。這對於一個中等水準的家庭，實是一個極沉重的負担，至於收入微薄的軍公教人員，則更有迫令其子弟廢學的危機。爲此，近來各方已一致發出憤怒的抗議了。

這次中等學校的大事「調整」收費標準，對教廳的堂皇命令實是大大的一諷刺，也由此充份暴露出中等學校的積弊。

積弊在什麼地方

目前中等學校最大的毛病在於：第一，最少是大部份中等學校，辦學之重心已不在如何教育青年，而變成如何巧事聚斂。上述公立學校種種收費科目，任何人均知其中多屬巧立名目。學校主事者既然志在如此，待遇不高的教師自亦難免不順風氣之所趨，各顯神通，挹注薪水，上焉者，勸令學生課餘補習，收取額外束脩；下焉者串通書商，每期改換教科書，強迫學生購買毫無作用之參考書，坐收回扣，大當掮客，師道如此，青年學子耳濡目染，倘若青出於藍，後果何堪設想？第二，由於辦學者時間精神，均不集中於傳道授業之事，學校逐漸變成衙門，濃厚之官僚主義作風——敷衍塞責，因循應付，媚上凌下，自欺欺人，勾結學棍，朋比爲奸，挾「家長會」之名，例如問題學生，太保阿飛之日益增多，學校校長與教師以及教職員間之互相傾軋，種種悪習，層出不窮，愈演愈烈，悪因悪果不斷在學府內滋長。

上述均爲今日大部份中等學校最深之積弊，爲害之痼疾。如果教育當局仍然任其發展，實在是國家最大的不幸危機，我們鄭重呼籲直接管理中等學校的教育廳，尤其是劉眞廳長應該注意，拿出最大的魄力和決心，清除中等學校的沉重積弊，抑或展開一項中等學校清潔運動。

台灣點滴

台灣地方教育似乎有一種特性，據說國民學校學生無留級慣例，尤其女學生爲然。一遇女生留級特，家長便向國校當局，聲言女兒留級，將來影響嫁人；也有些家長爲了面子關係，而請求國校當局准其升級；這種家長觀念，有點莫明其妙，子女留級與父母的社會地位有啥關係呀！女兒留級又與嫁人有何影響？也是頗費猜想的問題，要是如此，乾脆不讀書，僞造一份大學文憑，維護父母自己的面子，女兒也嫁個有財（才）學的郎君，不是很省事的辦法嗎？不過，倒底國民教育是強迫的義務的，受完國民教育也算盡了一份國民義務，尚可說是情有可原的事。

更可怪的是：報載台北市中三百餘留級生，市議會竟准予過問，請市政府當局准予參加補考。雖議會中有人大聲疾呼，決不能通過此種貽害青年學生的提案，但竟無一人附議，而案遂於若干議員表示姑予通過的狀態下，由宣佈通過。

究竟學生留級何以不當，有人說是留級可能致其不知羞恥，更不用功，甚至有些太保太妹，問題少年皆由此而出，然乎，豈其然乎，眞不知其然也！而且教育學制，向有留級規定，議會又如何能隨便破壞法令規章，干涉校政呢？（太公望　八月廿日）

反攻問題之商榷（上接第一版）

伍憲子

我們要團結起來，催促政府，強迫政府，不得已時，亦可以改造政府。我們要造成可能反攻之事實，我們斷不能持反攻無望之言論。

四

然則如何能恢復信心，充實精神，其責任就在政府了。人民亦要負責督促政府，則責任又在人民了。孟子有言：「天時不如地利，地利不如人和」。以近代言之，天時，則軍事也，地利，則政治也，人和，則文化也。故軍事反攻，不如政治反攻，政治反攻，不如文化反攻。論語「子貢問政，子曰，足食，足兵，民信之矣」，此彙軍事政治文化而言也。明白此義，則情感不應屏棄於知識之外。知識與情感必須協調，此是人和之根本，亦是民信之基礎。否則單靠兵食，缺乏民信，單靠天時地利，缺乏人和，以此而談反攻，條件不夠。公算徒恃科學，是非常錯誤，公算不能離開民信，不能離開人和，離則失去人性。共產黨之一切行爲，其失敗就在此。故今日要反攻，政府急當自省，固然軍事重要，但有比軍事更重要者，在以政治收拾人心，在以文化發揚人性。要民信，必先信民，要人和，必先和人。共產黨所有憎恨心理，鬥爭行爲，挑撥離間之作風，皆當反其道而行之。共產黨之捧偶像，以壓抑人之心靈，死守教條，以窒塞人之思想，皆當反其道而行之。共產黨之只信其幹部，而不信人民，只發其特務，而委棄國家，只識一黨專政，而摧殘自由民主，尤當反其道而行之。如是，方可以取得民信，方可以取得人和，方可以壓碍反共，方可以負實反攻。我們可以督實政府，求其實踐者在此，政府所應自勉勵，實踐以報人民者，亦在此。

五

以上云云我再作一總結。第一、政府在八年來之宣傳，既起不了大作用，應深自檢討。尤其對反攻之宣傳，時間頻頻變更，致惹起「反攻無望」之疑慮，今後當亟謀補救。第二、反攻是中國自身之事，不必以等待世界大戰爲時機，古人謂「時勢造英雄，英雄亦造時勢」，我們應爭取主動，希望能成爲造時勢之英雄。第三、我們中國人到今日田地，無論政府，無論政黨，無論人民，皆應團結爲一，而後可以集中反攻精神。一切黨見，應當掃除，在未反攻復國之前，政黨都是負罪之身，無功可言，無政可爭。第四、外交非常重要，外援必當爭取，但要發生效力，必先我本身能自立自強。假令我們安心做小朝廷，雖暫時安全，只是寄人籬下，受人保護，[illegible]之大義，號召大陸，感動人民，乘中共人心離散之欲，暴力壓迫此失彼之際，未嘗不可以自造成反攻之機會，未嘗不可以轉移國際之視聽，使西方國家幻想與共產集團和平共存之妄念，有所變更。如此，則中華民國之招牌存在於聯合國，方有價值，台灣成爲生聚教訓，嘗胆之地，方可以中興。否則只知軍事，不知[illegible]

台灣通訊

台北一件違章建築的官司

龔屏化

案情涉及：記者、立委、部長、警長、鎮長，拆除大隊長……

違章建築在台灣，尤其是在台北，成了一個嚴重的社會問題。拜讀了本刊蔣山先生的「論拆除違章建築」，頗有同感，且佩服其卓見之第四項：「未妨害市容，交通，防火巷……之違章建築，准由管區警察單位，證明向政府「申請」或補辦合法修理與改建執照。」

因爲最近有一件因違章建築而引起的新聞記者與立法委員正在大打官司，事實是這樣的：

××週刊第四期刊有「立法委員爲違章建築而鬥」，內容乃是敍述有某立法委員爲了一座違章建築玩弄花樣，致使屋主遭受損失，至今還未正式營業，內中涉及內政部長，警察所長，鎮長，以及拆除大隊長……一些公務人員的行動，他們並無話說，這已證明所載係屬「事實」。但，那位未被完全指「名」的立委，卻以妨害名譽罪控告了××週刊的發行人，社長，主編。經過檢察官的偵查，傳訊了原告提出的證人，未傳被告提出的證人（即違章建築之新舊屋主）便提起「公訴」了。

聽說，第一個檢察官曾對於記者所刊，認爲「係本諸有聞必錄天職，且而文中沒有委員的『名字』頗有『略跡原情』處」，又鑒於那委員在法院的「態度」，曾有：「這兒是法院，不是立法院，在立法院中當然聽你說，在法院中就要聽我說。」警語。及至換了一位檢察官後，偵查一庭，便與前「不同」而提起公訴了。

在起訴書的開頭：「×××意圖散佈於衆，將不實之事項刊爲文字毀損他人名譽」……查該刊此文，純係捕風捉影故爲渲染有損×××名譽……應犯刑法三百十條第二項……」

官司尚在進行中，雙方勝負未定，聽說曾有一度「和解」談判，條件是：（一）被告說出指使刊佈此文者之姓名；（二）保證以後不得再有同樣文字刊佈；（三）約同撰稿人會面一次；（四）登報向原告道歉。

可是因爲：（一）社方不能出賣撰稿人；（該文不記作者姓名，應由社方負文字責任）；（二）發表該文的動機，是替小市民講公道話；（三）拆除糾紛爲原告所造成，乃爲事實；（四）文中即有攻擊詞句，亦係激于義憤，所謂「急不擇言」。

又聽說，和談最初是立委找了記者的朋友講和，記者還不允許，方興訴訟。後來則是社長拜訪立委表示講和，原告提出上面條件，約期會面而未果，大致還是要庭上見高低了。然而社方除第一條「指出[illegible]

因爲立委與記者皆爲社會的「代言人」，可以說是「一條戰綫」，何苦「箕豆相煎」呢？況且，即使此案記者服輸，焉知其不會另尋他事而又生枝節？[illegible]

比如：被告已提出了違章建築的新舊屋主出庭作證。那末！他們報導的文字，已是有事實根據的了。

讀者論壇

也談「人事制度」

張弓

銓敘部於八月中旬開業務檢討會議，是「以我國人事制度健全問題爲中心」。在該會六項中心議案當中，不論要推行那一項，必須先定法規，作爲依據，所以「從速制定人事法規」一項，是健全人事制度的先決問題。就制定法規來說，閉門造車固然不妥，完全模仿外國，也未必盡當。古人說：「法律不外人情」，又說：「徒法不足以自行」，這分明是說理論必須顧及事實，法治必須與人治並重。我認爲中國目前用人，一方面要遵守法規，一方面更要重視環境與時代；一方面考核現職人員，一方面更要重視人才之甄選與發掘。當此政治道德墮落之際，要想挽狂瀾，振頹風，對於廉潔有爲有守之士，更應該特別付予職權。何況爲要配合反攻復國，除了適當的才學，更需乎勇敢犧牲精神。假如徒然重視資歷而忽視這些因素，就很難打開局勢，關於考核方面，所有獎懲，升降，進退各種法規，僅適用於現職人員，對於無職人員成績既無從考查，其人之智愚善惡，也不得而知，政府如想收到甄選人才發掘人才的功效，就必須詳密調查，精選慎用，纔能免除「朝有倖進野有遺賢」之患。所謂調查，並非像已往僅令其本人填表或檢選證件，就算完了，必須要切實了解其過去事蹟，平日生活言行，以及現在之狀況，那就看政府的做法了。

國家要想施行良好的制度，必先剔除妨礙制度的弊端。我國已往在人事上有幾種根深蒂固的積弊，就是：（一）各級主管用人重私情，不重才德，既不擇事擇人，以致降低工作效率，貽誤公事。（二）尚鑽營，古人說：「士有所不爲而後可以有所爲」。賢能之士，富於自尊心，不屑奔走；無恥之徒，投機取巧，鑽營阿諛，患得患失，無所不至；遂使「黃鐘毀棄，瓦缶雷鳴」，小人道長，君子道消；用人如此，國家事尚堪問乎？（三）仗權勢，無才無德的如果有背景，有勢力，也能居高位，握大權，而且作奸犯科，肆無忌憚；今日貪污違法之多，何嘗非出於「有恃而無恐」？（四）任包庇，俗語說：「官官相護」，長官有過，部屬苟順之；部屬犯法，長官庇護之；上下勾結，沆瀣一氣，彼此彼此，心照不宣，此集體違法共同作惡之風所由成也。以上四點，是中國官場中傳統的弊端，積習已深，有一於此，便足以破壞人事制度，使政治不上軌道。

政府建立人事制度，無論是適應國情，或是仿效歐美，千言萬語，總離不了一個大目標，就是「選賢任能爲國器」。否則，縱然有了良法美制，還不等於具文嗎？我以爲今日之中國，人事法令儘管條文具備，而各機關用人，仍然脫不了昔日之窠臼。例如候用人員列册送各機關備用，於今已經兩年有餘始終是「候而不用」，這批候用人員當中，如果全是棄材，便不應列入册內；如果還有可用之材，爲什麼置之不理呢？才者多不見用，用者尚多非才；人事法規還不是「紙上空談」！

泛濫美南的黑白同校潮

·孫頤·

文明國度仍存難除的種族偏見　隔離問題不免捲進了政治漩渦

時論選譯

美國南部各地方，對黑白同校，慢慢表示讓步了，在黑人稠密的南方，拒納黑白同校，由來已久。

自美國聯邦高等法院下令終止隔離，迄今第四個年頭，最近學校開了課，頑固守舊的地方，也已被打破習了。

廿四個地區九月試行

據那士維爾（田納西州）南方教育公報社所編的統計，指出阿肯色，堪塔磬，馬里蘭，齊蘇里，北卡羅里納，俄克拉荷馬，和田納西廿四個地區，今年九月第一步試行黑白同校。有小石，（阿肯色）斯特克斯，柯雷（堪塔磬）以及那士維爾等五個地區，由法院下令執行，其餘地區則用政治方法。

南方中部牢不可破

遠在過去的州，黑白隔離的風俗，已成殘跡；可是南方中部的那些城市，仍舊牢不可破，在那裏所發生的暴力抗拒，日益加甚，在學校開課以前，就有許多好事之徒，打電話或去信辱罵學校人員，給他們以難堪，並且把點着火的破衣服或報紙，拋在那士維爾學校監督的房上，成千成百的人散發請願書。

有許多城市發生騷動

南方中部許多城市發生騷動，學校人員自己亦不贊成黑白同校，因為他們亦知道百分之九十的白人反對黑白同校。

那士維爾有十三個黑人小孩，在逐漸的黑白同校計劃下，已在第一年級報了名，如果真的實行了，可說是一個有意義的，不過迄九月九日那個學校還未開課。

那士維爾在法院命令之下開始第一年級黑白同校，願意隔離的家長們則利用該州一九五〇年學生選擇條例的一個逃避方法，各種族家長的孩子又可以到隔離的學校去。

市長打發六歲孩子示範

有一羣請願的人，約有一百多人，跑到市政廳，要市長批准他們的請求，但被拒了。為維持法律，市長他本人且為他的六歲孩子在黑白同校的第一班報名了。

小石市如此，卡羅德，以及柯梭斯巴洛，那些地方的學校人員，受盡來信和打電話威嚇的苦頭，甚至有些老朋友都不理睬他們，北卡羅里納的許多城市，那些隔離派曾向法院提出阻止辦法，但被拒絕。

黑人家長受到野蠻恐嚇

在那士維爾，有些黑人家長受到野蠻的威嚇，如果他們孩子進入白人學校，要被活活打死。

在阿拉巴瑪州黑白隔離問題，凡牽及地方政治運動，如州議員馬丁表示，候選人對黑白隔離必須有鮮明的立場，才有獲勝的機會。

隔離問題成為競選決勝

阿堪薩斯州今年秋天又加五個地區黑白同校，去年競選州長獲勝的法巴士，被對方強迫結束演說，以為他是絕對的隔離派，其實他不是的，總檢察長班納說：「我認為下幾年任何選舉中，隔離將是決定性的問題。」

在德拉瓦州，今年衛明頓城，兩黨對此問題均採閃避態度。

佛羅里達州不准黑人到公立學校或專科學校，州長柯林對種族問題，有一個中庸的政策，勝了民主黨。

喬治亞州的隔離派得勢，黑人領袖計劃在今年或次年以溫和的方法，終止公立學校的黑白隔離，黑人學生會要求准許入州立專科學校。

肯塔磬州禁止隔離已逐漸的成功，只有較少例外，最近百分之七十五黑人學生進入已經黑白同校或準備同校的學校。

路易士安那州，有一個學校人員說，「我們這一州可說是藐視最高法院的命令。」州方官員是堅決反對黑白同校的，天主教會則不聞不問。

有許多地區已終止隔離

馬利蘭州的二十三個郡中，有十九個郡終止隔離了，但是除了巴爾的摩爾少數有獨立關係的黑人上了混合班，十九郡中有六個郡。

密士失必州依然持反抗態度，雙方極端派仍有爭執，大多黑人與白人的生活之間，相處和睦。

兩黨爭取黑人選票

密蘇里州的公立學校八十萬學生，今年有百分九十五以上將進入黑白混合的學校，沒有發生過騷動，民主黨與共和黨均爭取黑人選票。

北卡羅里納州的卡羅特，格棱斯巴羅，和溫斯頓沙楞各地，表示遵照最高法院的決定，溫斯頓沙的政治領袖楞，卡萊爾主張黑白同校端要由第一年級開始。

也有黑白同校不成問題的

俄克拉荷馬州的半數以上學校現已黑白同校了，進行得風平浪靜，州長哥立說，在本州，隔離不是政治問題，人民已接受黑白同校。

南卡羅里納州的公立學校和專科學校，除非受了壓力，今年將實行黑白同校。

田納西州佛那士維爾和柯士頓實行黑白同校了，其他的地區，則在進行計劃中。

也有規定自由選擇的

德薩斯州的聖安多尼有四十八萬人口，是一個黑白雜居的城市，達拉斯，休斯頓，以及衛史堡仍然黑白隔離，州法律對黑白同校規定自由選擇，黑人大多數報了名，其他地方預料能夠結束隔離風習。

西維基尼亞州的五十五個郡，有五十三郡的黑白同校的學校開課了。（摘譯自新聞周報）

國際動態拾零

白宮顧問，鑑於共和黨劣勢，與生活高漲，深恐總統威望日減，將以謀世界和平為號召，佈置艾森豪海外之行。艾氏素以和平之保持者自居，尚欣然首道。其健康良好，亦足以勝任。

×　×　×

尼克遜好友希林，將競選加州參議員，以補諾蘭空缺。即使現任州長納脫出而競選參議員，希氏亦將奮鬥到底。尼克遜之政治勢力，正在暗中滋長，一九六〇年共和黨之總統候選人，彼似志在必得。

×　×　×

美國空軍已正在發展一種飛彈，專以擊毀敵人雷達與火箭基地為目的。該項飛彈，定名為奎爾（Quail）。

×　×　×

據說赫魯歇夫在去年六月，未往芬蘭以前，曾以將在列寧格勒大會上演說要點，給薛比洛夫，囑令起草。要點上提出如何攻擊馬倫可夫與莫洛托夫，但為薛比洛夫刪去，因此薛氏亦不免同受整肅。

×　×　×

南斯拉夫難民報告，謂南國曾有後備軍叛變之事。狄托照片曾被撕去，事敗被捕者數千人，其中以軍人與專家為多。

×　×　×

火箭基地，在中國沿海重要口岸多已建立。此外北韓亦有，北越則共五處。

陶　然

孔子精神與民族思想

—為孔子誕生二千五百零八年紀念作

·謝康·

二千五百八年壽，孔誕今添故國愁！
秦火六經哀大陸，春秋九世記同仇。
周遊心寄歸歟賦，浮海身如不繫舟。
共仰尼山存大節，攘夷合為管生謳。

記得少年時候，讀顧亭林日知錄論管仲一則，讀到其中的警句：「夫子之於管仲，略其不死子糾之罪，而嘉其一匡九合之功，蓋權衡於輕重之間，而以天下為心也，夫君臣之義，不及夷夏之防，則聖人之微義深矣！」這些富有國家思想民族感情的話，令我深深地受了感動。明末遺老亭林，梨洲，船山三先生的民族思想，謳歌全祖望一班文人所抱持的亡國之痛，史可法，張煌言，瞿式耜，鄭成功和南明若干忠臣的孤憤貞烈底精神，後來化為反清復明的若干會黨，終於透過太平天國而成功為中山先生的民族主義，這個主義正和似一張苦力竹攢裹面的中了頭彩的馬票，使他日後飛黃騰達，使靠它喚起了全民族的忠勇之氣，創建了民國，支持了八年抗戰，而現在又靠它支撐中華民國的播遷，鼓勵海內外人心士氣準備打回老家去，糾正那帝附庸「一面倒」的奴隸思想！只要我們的傳統的民族精神不死，這一天總會到來的！

「共仰尼山存大節，攘夷合為管生謳！」我要特別感謝顧亭林先生，在博大精深的孔子思想中，特別把握着「夷夏之防」這一點微言大義！

現在我們所處的時代，和鄭成功，顧亭林的時代差不多，而大陸同胞八年來所遭受的苦痛，還比三百年前加深了幾十百倍，作為中華文化方面的固有優良傳統備受摧殘，倫理道德被毀殆盡，尤其是從孔子到孫中山二千餘年繼承不斷的民族思想，在馬列主義「無天下」「工人無祖國」而以蘇俄為祖國的國際路線領導之下，絕對地排除民族主義，更為無可否認的事實。「俄共」「中華人民共和國」之所以異於南斯拉夫，毛澤東思想之所以不會走到狄托路線——民族共產主義，而必須永遠地讓「蘇聯老大哥」牽着鼻子走，其中關鍵就是俄化的國際力量，已經消滅了毛、朱、劉、周一批傢伙的民族意識和中華民族尊嚴民族自決為基本精神的獨立自由思想，使他們甘於做異族的傀儡工具，情願做石敬塘式的兒皇帝，效張邦昌的受册封，以「朝俄」為光榮，媚俄為心理，聯俄為政策，於是拜史太林「爺爺」，高呼「一面倒」的口號，而不知羞恥，悉率敝賦，卑辭厚禮以孝敬蘇聯，而不管人民的死活，不是中共如此，所有蘇聯的「衛星國」，其實無不如此。這是「無產階級國際主義」，使各族忘記自己的歷史，地位和尊嚴，相率俄羅斯化而朝拱於莫斯科，企圖造成以蘇聯為首的世界蘇維埃社會主義聯邦的陰謀，也是近年來在俄共指導下中共正施行的所謂「民族自治區」以消滅中國民族思想的詭計，並且為誣衊傳統的民族意識起見，中共更熱心響應蘇聯民族政策的號召，提出所謂「反對大漢族主義」「反對狹隘的民族主義」等口號，企圖加強國際路線，消滅民族路線。這和波蘭民族主義派共黨黨員佐錫（Wiktor Geosz）所說「各國人民間的真正友誼，祇能在擁有國家獨立繁榮的自由人之間纔能建立」的理想，固然談不到，而對於中山先生遺囑「聯合世界上以平等待我之民族共同奮鬥」以求「中國之自由平等」一層，也相差甚遠，平心而論，中山先生的民族主義，並不如中共頭子所詆毀的那些「狹隘」，也不是妄自尊大而輕視國內少數民族的「大漢族主義」的作風，中山先生以王道精神提倡「大中華民族主義」，而不是以霸道精神提倡「大漢族主義」，這一層在贊同威爾遜「民族自決」，認為就是國民黨的民族主義一層，可以看得出來他底種融合國內各民族，使其一律平等相處與愛合作的觀念，已超越興中會時代「驅除韃虜」和辛亥革命時的民族意識，他底民族主義隨時代潮流而演化，由漢族中心思想，擴大為五族共和，由五族共和擴展為國內各民族一律平等的「大中華民族主義」，不獨超越了尊王攘夷的管仲底民族政策，同時也媲美了孔子底以文化來判華夷的民族思想。

十九世紀德國民族哲人費希脫說得好：

「沒有一個人格高尚者，不想用他底思想與行為，使他底種族，達到不可破壞與無窮完美的地步。」

孔子在中華民族中——或者說在「諸夏民族中」無疑的是最能表現一個偉大民族優美德性與高尚人格的完人，他一生從政，教育，著書，立說作春秋寓褒貶，苦心孤詣，都無非是為治國平天下計，也就是為綿延種族生命，擴大種族生命計，因此在民族獨立的前提下發揚中華優美文化精神，實施王道的仁政，自屬孔子思想系統中的基本觀念，這就是為什麼在足食之後，要講究「足兵」，有文事同時也要有「武備」（國防）的道理。詩序稱「內修文治，外攘夷狄」，而春秋大九世之仇，內諸夏，外夷狄，口誅筆伐，貶夷狄，不與同中國，蓋已屢見而不一見，春秋紀齊人救邢，左邱明稱之曰：「戎狄豺狼，不可厭也；諸夏親暱，不可棄也」，釋攘夷之義，至為明瞭，要其旨歸，本諸聖人的微旨，宋儒胡安國著春秋傳一書，亦根據孔子遺教，揭櫫攘夷復仇的大義，當北虜披猖之時候，提倡加強夷夏之防，也與春秋的意思吻合。又孔子刪詩書，於舜典有「蠻夷猾夏」之語，於魯頌有「戎狄是膺，荊舒是懲」之句，孟子因有「用夏變夷」，而不「用夷變夏」的解釋，發揮周公精神，亦孔子民族精神流露之一個證據。書經又有「竄三苗於三危」，「七旬而有苗格」等語，堯舜周公，乃孔子生平最佩服的人，而記其言行如此，可知孔子祖述堯舜禹周公的淵泉，以來的微言大意吧了。春秋許齊襄公能復九世之仇，和論語憲問篇的讚揚管仲，以為「微管仲，吾其被髮左衽」，同化於夷狄，內此也就許可管仲是一個「仁者」，這樣重視夷夏之防，決不是偶然的呢。

但是，孔子的民族思想，雖然有「內諸夏而外夷狄」的觀念，可是也不是一種狹隘的排外思想，或自以為優秀人種而鄙視鄰近少數民族的偏見，例如論語說：「言忠信，行篤敬，雖蠻貊之邦行矣。言不忠信，行不篤敬，雖州里行乎哉？」可見孔子絕不歧視異族，認為他們也一樣是可以諭道德說仁義的。有一次，孔子欲居九夷，有人對他說：「九夷很鄙陋，如何？」孔子說：「君子住到那些地方，那還有什麼鄙陋的問題嗎？」可見他老先生一視同仁，決不討厭番邦文化的落後，他的意思是「遠人不服，則修文德以來之，既來之，則安之。」這一種以王道服人，而不以霸道撤凌落後民族的博愛精神更昭然若揭了。

根據上文所述，我們體會孔子稱揚管仲尊王攘夷，保衛華夏的功勳，和春秋，左傳，公羊，論語，詩經，書經諸書所流露的民族意識，認為這也就是孔子的國家觀念和民族思想之流露，值得我們在這動亂時代的中國人，特別引為借鏡和警惕的，凡是服膺孔子思想的人，都該重視這些寶貴的遺訓，把它們和孫中山先生的民族主義配合起來，從而發揚民族精神，加強反共抗俄的決心和力量，使整個中國擺脫斯拉夫異族的羈絆，而屹然獨立於自由世界，然後以孔子親仁善鄰的王道精神與並世各民族講信修睦，和平相處，扶持危弱，繼絕世，舉廢國，濟弱小民族，大家共存共榮於天下為公的大同世界。（四十六年九月孔子誕辰作於香港）

幽靈的聲音！

編者與讀者

周鑾先生：來函已悉。「論體化文字」等兩篇大作在本刊發表的年月日或第幾期，請查示以便照辦。（編者）

弔漢陽一中遇害三教師文

●劉宵●

中華民國四十六年九月六日，中共偽漢陽，判處漢陽第一中學副校長王建國，教導副主任鍾毓文，教師楊松濤三人死刑，當日執行槍決，以其領導學生千餘人遊行示威，搗毀偽漢陽縣人民政府，毆打中共當地主要黨員之故，而實則是抗中共統治政策之不合理也。

我曰：中共固甚忌知識份子，青年學生不滿情緒之揭發，致內部矛盾擴大，無從處理，有以動搖其統治基礎；王建國、鍾毓文、楊松濤，不幸中共之所大忌，而首出領導學生遊行示威，竊至於死，但爲知者所不取！噫！是特一偏之見，而不知義之所在不當以死生論也。夫「生吾所欲也，而所欲有甚於生者，死吾所惡也，而所惡有甚於死者。」王建國、鍾毓文、楊松濤殉難於中共八年慘無人道之統治，豈不知中共實爲我黃炎子孫之邪惡暴戾集團？而敢挺身領導學生作壯大示威之創舉者，固早置生死於度外，其意若曰：「我死而正義生，則死猶不死，而生而正義亡，其於生何有！」嗚呼！王建國、鍾毓文、楊松濤殉難矣！

王建國、鍾毓文、楊松濤君！其宜於死矣！諸君之死，宜其然矣！以邪惡不能與正義並存，諸君之被中共處死，亦固其宜也，以眞理尙不敵邪惡之勢也。然而，不塞不流，不止不行。不有中共之死諸君，孰知眞理之足珍？則諸君之死，實爲我黃炎子孫與邪惡暴戾集團鬥爭之所大成，繼諸君之死而起者，凡我族類皆是也，是尙可勝數哉！「死有重於泰山」，諸君尙矣。

王建國，鍾毓文，楊松濤君！「血是沒有白流的。」諸君爲爭取眞理而流之血，將浸潤着千百萬同胞的心田之中，日後將更壯大的頑強反抗奴役，反迫害，反黨團的怒吼，而神州大地，滋生的正義萌芽，百萬同胞以所流的鮮血之淚，浸潤着正義之心，日後將萌發，諸君其宜含笑九泉矣。諸君如其有知，亦當鬼以擬毛賊之罪。（九月二十日）

睡眠的藝術

●秀橋●

> 「忙人假寐，祇能睡眼，不能睡心，心不睡而眼睡，猶之未嘗睡也。」●李笠翁●

睡眠藝術的重要性，能感覺的人至今甚少。曾國藩說：「睡不必甘，寐斯睡而後爲佳，但能淡然無慾，隨然無累，閉目存神，雖不成寐，亦足養生，睡眠貴有一定時刻，戒其多思，尤其起居有恒爲主，故古人以有恒爲作聖之基，眠亦不多睡，但實得神凝夢甜，即片刻亦足攝生」。

當春風薰人欲醉，春晨最宜於睡眠，有時一覺醒來睡眼惺忪不覺間又呼呼入睡。孟浩然的「春眠不覺曉，處處聞啼鳥，夜來風雨聲，花落知多少」輕描淡寫已將此中的曲折與精蓄蓄情道出。而「大夢誰先覺，平生我自知，草堂春睡足，窗外日遲遲。」那位羽扇高臥隆中的諸葛先生也可算得春睡的前輩了。春是鳥語花香的世界，「以鳥鳴春」這句話是說在明媚的春光裏最適了鳥的輕美的歌喉，一種愉快，尤其是沙子的鳴聲清脆婉轉輕快流利，你在濃睡曉夢之中，臥床欲枕傾訴，會使你心魂俱醉，那是何等美麗的境界。

「夏日炎炎正好眠」，十分之九的人，在夏天裏需要午睡，陶淵明的「夏月虛閒，高臥北窗之下，清風颯至，自謂羲皇上人」，將名利置之度外，是最懂得其中之道的。當炎炎的太陽直曬着屋頂，路上的沙土已發生閃爍的光，許多狗拖了舌頭伸出來喘氣，我們就在揮汗如雨之中過去，這時如能移竹榻擱蔭下，擱臥涼風習習，則「一枕黃粱甜似蜜」，什麼升官發財，殺人放火，萬事都不過問。睡須要在身無罣掛之時，李笠翁說：「忙」與「閒」，其最不受用者，將睡未睡之一時，忽然想起某事未行，某人未見，皆萬萬不可已者，睡此一覺，未免失時妨事，想到此處，便覺魂趨夢繞，胆怯心驚，較之未睡以前，更加煩燥，此忙人之不宜睡也。閒則眼未闔而心先闔，心已開而眼未開，已睡較未睡爲樂，已醒較未醒更樂，此閒人之宜睡也。然天地之間能有幾個閒人？必俟閒而睡，則是無可睡之時矣。有暫逸其心以妥夢魂之法，凡一日之中，急切當行之事，俱當於上半日做完，有未竣者，則分遣家人代之，使事事皆有着落，然後湊床覓枕，以赴黑甜，則與閒人無別矣。」

現在得以入夜，把握睡眠來解除了一天工作的疲勞，進而享受睡眠的藝術，此時睡眠的愉快，非筆墨所能形容，而在當你的睡魂和夢遊時，那麼你從熟睡中醒來，看到東方曙光初露，窗外鳥鳴，那麼在你心頭浮出的，剛剛那一幅情景的圖畫，恍惚中看到了光明。

「生活大藝術家孔子從來是『寢不尸』即不要像僵屍一般的挺睡在床上，而必須善於睡眠，是人生最大樂事之一，睡覺的姿勢極爲重要，須十分適宜，方能達到身體上的極度愉快，和心靈上的極度活潑。我相信最適宜的姿勢不是平臥床上，而是睡在斜度約三十度的軟大枕頭上，兩臂或一臂擱在頭的後面，在這種姿勢當中，不論那一個詩人都能寫出不朽的佳作，不論那一個哲學家即能改革人類思想，不論那一個科學家即能有劃時代的新發明」（林語堂生活的藝術）懂得上面所講的睡眠藝術，方不愧爲懂得生活。

秋陽暖如三月天

●楊有劍●

稿酬

八月份全月稿酬通知單，已分別付郵，惠稿諸君請憑單領取稿費爲荷！

本報編輯部啓

讀瓦斯先生「民卅二中秋之憶」有感，爰步原韻，就政高明。瓦斯先生大作，載本刊九月十一日第六八〇期四版。

丁酉仲秋台北　吳石仙

愁思

佳節聲中佛也愁，金風掃地萬山秋。團圞明月今猶昔。海外離人半白頭。

幻覺

江湖落拓類詩仙。斗酒澆愁花月前。醉詠霓裳曲罷後。恍如身在大羅天。

遐想

鵬飛萬里薄雲天。振翼崑崙百尺巔。濁世知難酬壯志。入山合去訪神仙。

悟性

當年豪氣十分濃。無補時艱學啞聾。曾記佛云不可說。焚香讀易悟潛龍。

傑克的幽默

●鐵髯●

近數年來爲了我和傑克先生過從很密，所以對於他，認識得更加清楚。原來他十八歲就在廣州報紙供職，著寫駢四儷六的文字，不但短篇寫得好，長篇寫得也好，因此，四十年前玉梨魂作者徐枕亞還在廣州某報寫作的評名、詞，能作白話小說。此外，他能作白話詩，能寫自成一家的白話小說。更有說到他的政治修養，有自己的一套，曾琦、張君勱二氏，都是他的老朋友，談起中國的社會問題，都以社會理想與社會運動，他的見解也曾得國民黨的讚勵，他的從事政治，也曾受知於唐繼堯，繼而與當代某巨公過從，只因志不得展，所以不得已從事寫小說，思以小說的力量來改良社會與匡人心。去年到台灣，有些人以黃天石的名字過於陌生，頗多驚訝。在西南各省以及南洋混久的人多知道他。記得他正當唐繼堯代表奔走於各地的時候，正是少年英俊，還不到廿五歲，那時我才十七歲，在雲南某縣政府當副收發員呢。

當他女公子劍珠還在的時候，不少青年男女學生都借劍珠爲介。有時爲了人數太多，除了一一握手之外，他很幽默地說：「你們老遠的跑來，我還不是和你們一樣，有一個腦袋，一雙手，一付會走路的大腳板動物哪！」引得大家哄堂大笑。

他做人達觀說話很輕鬆，很幽默。昨天我碰到他，想向他幽默一下（他的夫人也在座）我說：

「恭喜！恭喜！易君左說你走桃花運，所以某女侍一見傾心，今年我們要吃你的喜酒！」

他笑說：

「君左記錯了，那是另一小說家，也叫作傑克的。」

我說：

「收個『女弟子』也好！」

他說：

「我的淨女弟子祇有一個，現在台灣；此外，我的女兒是跟着我學過詩的。」

我說：

「那麼君左是開你的玩笑的了！」

他說：

「你問我的太太！」

他的太太對我說：

「易先生大概希望我們兩夫婦打個歐，表演全武行，讓他又找到了「我和我的朋友」的新材料了！」

海上學校

中篇小說

趙滋蕃

「喂，船不要開！」這是另一淒哀的含糊的聲音。

「一鍋煮嗎？」艙板上的人咒駡着。雙槳濺打起浪花。

「孬仔，天羅地網，跳不脫的！」海裏的人氣忿地吼

「不行！」船繼續划動。

「碰碰運氣吧，老四！」雙槳拍打得更急了。

「瘋賊！逃到……屁眼裏……去！」劉全忠拖住了水賊的一條腿，往水底急沉。海面上咕嚕咕嚕地泛起一陣水泡，兩個人頭又浮上水面。

「救……救命！」……

電筒光掃射過來，照見了翻攪成一堆的兩條黑影。劉全忠在這場生死搏鬥中顯然佔了上風，他正用餓虎撲羊的姿勢，將水賊的頭按下海水裏。水泡又像鍋爐裏的沸水一樣，咕嚕咕嚕亂響一通。斜刺裏，另一個水賊想上來接應，他手上擎着的那柄短劍，在電筒光下閃閃映動。

「個對個，老規矩！」鄺老頭踹水迎戰。

短劍劈面砍來，鄺老頭一個鯉魚翻身，避過這一招，並順勢迅速滑下水底。使出雙龍抱柱絕技，從背後合抱水賊的兩臂，一縮，兩個人同時不見了，海面上佈滿了一道道波紋。水裏打成兩團，一個一個打敗的死了活的！蛋家的粗野習慣就是這樣。一切按着這古老的習慣進行。

三四十條壯漢，用手圍成的包圍圈，開始慢慢縮小了。電筒光的照明，也愈益集中了。但見浪花飛濺，赤膊翻波出沒，滾做兩團。死生之際，可謂間不容髮！劉全忠敏捷地揪住了他，猛然揮出右掌，對準紅眼睛的鼻子。用「攪尾雀」一發招。紅眼睛掛了彩，哼唧着，一面向後仰，成仰泳的姿勢；劉全忠突然改用「槍鰻躍水」的招式，將身子撲上，運足丹田的力氣，朝海底急沉。海面上又發出咕嚕咕嚕之聲。再次起水時，紅眼睛已翻白，並且有了劇烈的嗆咳。但劉全忠並沒有放鬆攻擊。他用兩手抓緊紅眼睛的頸部與腰部，一下「鯉魚翻圈」，一下「鋼人滑水」，一下「纍纍疊動」了數十次，紅眼睛的肚子，反灌滿海水，脹得像隻鹹鴨蛋。他的手腳，雖然在抽搐，但生存的希望，確實已消失了。劉全忠把手一按，屍身沉向了海底，而且永遠不再活着起水了。決鬥中，劉全忠贏了第一仗！

包圍圈外的兩個蛋民，潛泳進包圍圈內，左右開弓，托住劉全忠的胳膊，朝道場划去。他疲倦地吐着氣，覺得手腳有些酸軟，然而，他的心卻是興奮的。因爲，他喜歡用這種直接的辦法，來對付惡人！讓人血的必被人流血，罪惡的代價乃是死！他緩慢地向前泅動時，他模糊地想起了這個。

另一場戰鬥，此時，也已捲進高潮。

鄺老頭雖然熟諳水性，雖然有時近七十年海上的鍛鍊，但他畢竟老了，氣力已比不上後生小子。何況，歪鼻子手上還有一把短劍，他雖嗆了好多的苦海水，但短劍依然抓得緊緊的。當鄺老頭的「雙龍抱柱」鬆勁的時候，短劍割開了他的肩膊的皮肉，有一縷縷的鮮血，流滴在浪花之上。

鄺老頭不吭氣。他沉着應付這場生死搏鬥。而包圍圈上的壯漢，卻發出了噓噓的呼聲！情況很危險了。假如不「個對個」不是祖宗的家法，一窩蜂的戰鬥，馬上就要開始的。

電筒光炬聚成焦點。對準歪鼻子的眼睛。他眼前一陣昏黑，被鄺老頭乘虛直搗，手一鬆，短劍掉到水裏去了，勉強鬥了幾個回合，只好保命唯一武器——高舉雙手，亂喊「投降」！於是，大夥人分別架及歪鼻子，泅向道館船。第二場決鬥就此草草終場。

在濃霧紛紛揚揚的遠方，船戰剛好遭遇接觸。

船戰也是一對一。船頭上挺篙的是梁阿根，船尾划槳的是他的老婆。而賊船的船頭，白麵道友老四也死命拚活命抖擻精神應戰，船尾划槳的，卻是鄺雲亭！這一對的道友霞篙尖點破了肚皮，而且通腸子都拖出來了！他慘叫一聲，滾倒在海裏，海水泛起一片緒紅色。屍體隨着篙尖，咬咬地大聲叫喊。當篙尖直指揮鄺雲亭的鼻尖時，船戰結束了。鄺雲亭舉起雙手，高喊「饒命」，被梁阿根生擒了。在電筒光下，他的臉色像死魚的肚子，大耳朵不住地顫抖，而削尖的下巴被絕望的恐怖拉長得像一根長矛！（五五）

自由人

THE FREEMAN
（第六八六期）
中華民國僑務委員會登記證僑新字第一一〇二號
中華郵政台字第一〇〇五號執照登記爲第一類新聞紙類
半月刊　星期三出版（大張）
每份港幣壹毫　台北市售價台幣壹元
督印人：陳文蔚
社址：香港高士威道二十號四樓
20 CAUSEWAY RD. 3RD. FL. HONG KONG
TEL. 771726
承印者：南華印務出版社　地址：高士打道六十四號
台灣總經理處：台北市西寧南路壹壹號二樓　電話：四三七六
台郵劃撥儲金戶九二五二
海外總經銷：友聯書報發行公司　香港：德輔道中二十六號A二樓

論社會主義矛盾與中共的變

·王厚生·

這裏，我所謂「社會主義的矛盾」，當然是指共產黨人所自稱的所謂「社會主義」，與其他各派的社會主義無涉。

今年六月十九日，毛澤東的「關於正確處理人民內部矛盾的問題」發表了，我翻覆細讀數回，發現毛澤東在思想上有着很多的矛盾和錯誤，於是動筆寫了「論毛澤東的錯誤」一本小書，現已出版，朋友中對本書發生興趣的不少。

不過，在一個很重要的點上，也是基本的問題上，我覺得還應該多說幾句話。這個重要之點或基本問題是什麼？就是本文所要討論的「社會主義的矛盾。」

一、

毛澤東把社會上的矛盾分成二類，敵我的矛盾，是對抗性的；人民內部的矛盾，是非對抗性的。我說這是毛澤東所犯的基本錯誤。凡矛盾都是對抗性的，天下沒有非對抗性的矛盾。

毛澤東所以要將社會矛盾作那樣的分類，也是有他的用意的，因爲他要將「社會主義社會」中的矛盾說成是非對抗性的，將資本主義社會中的矛盾說成是對抗性的，進一步，就可以說，在「社會主義社會」中沒有從事階級鬥爭的必要了，而在資本主義社會中正需要從事大規模的階級鬥爭哩。

正因爲矛盾有對抗性和非對抗性之分，所以，「社會主義社會」中的所謂「人民內部矛盾」可以通過社會主義本身的制度逐漸獲得解決，而資本主義社會中的所謂「敵我矛盾」就不可能通過資本主義本身的制度求得解決，唯有社會革命，才可解決資本主義的矛盾。

然則，社會主義社會怎樣通過它本身的制度去解決「人民內部的矛盾」呢？毛澤東說，「團結——批評——團結」就是解決人民內部矛盾的方法。

毛澤東的文章完全是根據主觀上的願望以能自圓其說而寫成，實際上是不是那麼回事，他全不考慮。

我以爲，在毛澤東這篇如意想法的文章中，有幾點，是我們可以同意的。譬如，毛說「團結——批評——團結」的方法是可以解決矛盾的。這是一種和平的討論的方式，而不是鬥爭的清算的革命流血的方式，爲什麼不可以同意？在我們主張民主政治的人，當然另外有一套說法或理論，譬如試驗和改正之類，用的言語不同，其精神還是一致的，即和平的、討論的、妥協的精神。這種精神不是共產黨人所應有，所以，這是毛澤東作爲一個共產黨人所犯的錯誤。又譬如，毛說社會主義社會的人民內部矛盾可以通過社會主義本身的制度逐漸獲取解決，這種話，我們何嘗不可以同意？不過在我們，需要補充一點和毛澤東剛剛相反的理論，就是說，資本主義社會中的矛盾也是可以通過資本主義本身的制度而獲得解決的，如果說，解決資本主義社會的矛盾需要社會革命，則解決社會主義社會的矛盾也同樣需要社會革命，不可能有例外。這是毛澤東的另一錯誤。

毛澤東的在社會矛盾這一點上的其他錯誤是把「人民內部的矛盾」看成說成是非對抗性的，這和辯證法的精神不相符，共產黨人豈可持此見解？不可，就是手的錯誤了。

在文章中，毛一面說人民的利益根本一致，一面又高論人民內部矛盾，說「人民內部的矛盾，是在人民利益根本一致的基礎上的矛盾」。這和唯物論的精神不相符，共產黨人又豈可持此見解？不可，就是毛的錯誤了。

二、

我說毛澤東犯基本上的錯誤，是以共產黨人的眼光，或者說是以辯證唯物主義者的立場和觀點來說的，我以爲毛既爲共產黨人，既爲馬列主義信徒，不應犯那些基本上的錯誤。如果我以一個反共人士的立場，或以反辯證唯物主義者的觀點來看毛的論調，毛澤東未必就在「基本上」犯錯，我最多只說毛的思想凌亂而已。

按實，凡矛盾就有對抗，大陸鳴放人士的言論對共產黨的專政和由中共領導的社會主義路綫表現成爲矛盾，這一矛盾，說它沒有對抗性，連毛澤東自己也不會相信。「反右派鬥爭」不就是矛盾是有對抗性的最好說明嗎？

就共產黨一向的革命手段來看，「右派分子」早已按反革命分子治罪了，現在，好些爲首的「右派分子」僅僅是悔過認錯而已，要求自新而已，原有的政治職位未有改動，這是爲什麼？這是毛澤東把「人民內部的矛盾」說成是非對抗性的緣故，致使中共不好對這些「右派分子」即下毒手，在中共，手中握有權力，要下毒手爲何等方便的事，只因毛澤東不願自毀其理論，不便動作而已。

那末，九月六日中共鎗決漢陽事件（今年六月十二、十三日漢陽第一中學學生千餘名示威遊行，搗毀共黨機關，綁架和毆打共幹）有關的王建國、鍾鏞文、楊煥堯三人又爲什麼？其他四名爲首的被判五年至十五年徒刑又爲什麼？這是因爲「鬧事」，毛在文章中說過，「鬧事」的人，「必須給予必要的法律制裁」。「右派分子」只有反黨反社會主義的言論，說嚴重一點，有推翻中共統治的陰謀或意圖，還沒有見諸行動的「鬧事」，儘管「右派分子」的言論在中共聽來痛恨，但「鬧事」的人對中共來說是造反，恨之更深，特別在漢陽事件中學生們揭示了「歡迎國民黨回來」的標語，「雖有今日局面不如舊時國民黨局面之意，但歡迎國民黨回來的話，還沒有人講。」這是中共不殺「右派分子」而先殺漢陽事件爲首者之原因。

中共果眞不殺「右派分子」嗎？這個問題很難作直截了當的答案，我只好如此說：將來可能要殺幾個，但總不能將全部「右派分子」殺盡，且於事實上，「右派分子」也殺不盡，殺了一批，又來一批，殺不是解決矛盾的辦法，「團結——批評——團結」才是方法。至於殺那幾個，是不是爲首的幾個，這也很難答，爲首的幾個都已紛紛悔罪認錯，已不能殺，因爲中共要求他們自我改造，重新做人，不要自絕於「人民」，現在，他們一一照辦，怎能殺？在各省各角落，的確有不少「右派」的硬漢，不認罪，不屈服，一味「反黨反社會主義」，到底，這些人，是中共所要殺的，而且已經開始在殺，殺了不少。

三、

我常想，對於大陸上最近幾個月間所發生的一連串問題，應作較新的看法，而不是呆板的老看法。中共會垮，何時垮，這些是大問題，大和將來的問題。大和將來的問題不能不談不想，但有時候，我覺得小和眼前的問題更不能不談不想，而且較起來想起來更有必要和更有價值。什麼是小和眼前的問題？

中共爲何要提出「百花齊放，百家爭鳴」、「長期共存，互相監督」這幾個口號？自毛澤東在文章中補充了六條政治標準之後，自各民主黨派經中共而實行整風之後，這幾個口號的意義已大打折扣了，但原初提出時的意義仍可重視，不因事後的結果不良而忽視它們。

（下轉第二版）

半週述評

艾契遜妄談對華政策

在杜魯門總統任內後期任國務卿的艾契遜，現在主持民主黨政策研究委員會，日前曾對記者表示該委員會準備檢討美國對華政策。也許在現今民主黨政客中間，艾氏是一位在外交政策上有經驗的人才，他在外交方面的運用和表現，似乎比他的前任馬歇爾和後任杜勒斯更有所遜色，但若論及對華政策，則首先應反省的是：遠東方面淪陷，近幾年來國際局勢的敗壞，主要是由于中國大陸的淪陷，而中共侵佔大陸的成功，卻是美國政府所促成。我們並不是說中國政府的崩潰完全誤於美國政府的政策，但當時美國政府的政策，卻無形中促成中共的成功。特別是一九五〇年初，艾契遜明白表示美國西太平洋防線是從阿拉斯加日本沖繩以迄菲律賓，實無異告訴共[illegible]

[illegible]國承認中共之際，爲何他的立場也不與他國一致呢？

美現政府對華政策的得失

在韓戰發生後，美政府在對外政策上的表現，似已逐漸彌補前一時期的錯誤。[illegible]

另一方面，美國現政府的對華政策，自然也有許多地方貽人口實。[illegible]似乎在骨子裏美國當局仍依違在「俟塵之清」的政策。在國際間，美國往往表現成爲各「友邦」的尾巴，而不能擇其正確的領導，這種依違兩可的政策確實不能永遠拖延下去，只是照艾契遜的說法只會使美國一錯再錯而已。

中國當謀所以自處之道

·李秋生·

我們知道：像這一類的爭論，主要用心還是着眼于下屆選舉的需要。但也足以促起我國上下的反省。[illegible]不足以扭轉國際間的逆流，而不是僅靠一滴的外交工夫所能爲力。在大陸可以守成，在海島則非有遠大的發展不能在驚濤駭浪中謀生存，無論軍事，經濟，特別是政治方面，都是如此。

答匈牙利記者問

——關于聯大中的匈牙利問題

·瓦斯·

最近讀到紐約一家匈牙利逃亡人士所辦的週報Magyar Hirlap一封徵詢信，附有「東方經濟學人報」（Eastern Economist）分析聯大五國委員會六月廿日關于匈牙利事件報告的一篇文章，想知道大家對這篇文章，也就是對于聯大中的匈牙利問題，有什麼反應。

我們讀後第一個感覺還不是這篇文章的法看如何，而是匈牙利人不懈的奮鬥精神可佩。

去年匈牙利事件，是鐵幕史家所公開的「反共革命」，可謂突出的例，對世界反共局勢影響之大，也爲莫可比擬。匈牙利志士一個個在俄帝槍彈下倒下去短短幾天的壯烈事蹟，卻予人以永新的印象。它對于最近我國大陸上的「反共革命」運動——青年學生的「新五四運動」，民主黨派及一般智識份子的鳴放運動，以及農、工各界的反抗潮，自整個世界看來，簡直是一個運動的延續。從一個反極權的中國人立場言，是應該對匈牙利人表示萬分敬佩的。

聯大上屆（第十一屆）對匈牙利的譴責案，原是聯合國于當時蘇聯拒絕由匈牙利撤兵後以拖延爲下場的一項空頭決議；最近的調查報告書也是基于那項決議且經過加速後製成的一紙空文，後面並無若何制裁的行動。這是全世界重視聯合國憲章的人士所都感到失望的。

就報告書本身言，經過將及半年的時間，搜及各項原始資料，集攏許多證人，內容是十分詳盡的；而其所得的結論「蘇聯武裝干涉[illegible]

這事實，但當聯大要證明這個事實爲值理時，蘇聯卻早已造成新的既成事實，而聯大對這既成事實又是無可如何！

我們以爲事後聯大找了許多證人，有共黨，有非共黨，有智識份子，有教授，學生，軍人，工人，其中有被蘇俄逐走而逃亡的，這樣足夠的人證所製成的報告書，卻給蘇聯一筆抹煞，視爲「一紙謊言」，甚至認爲五國委員會爲失卻獨立性的非法組織，爲干涉匈國內政；眞是秀才遇着兵，有理說不清了；簡直是筆桿與槍桿之爭，充分表示聯大憲章，決議，報告書，在蘇聯眼中已成廢紙了。

因此我們覺得聯大目前似乎有作成報告書的力量，而無力進一步執行決議的決心，是非常令人失望的。

至此，我們想起日本侵華時在我國東北製造「滿洲國」一件事。「滿洲國」明明是一個傀儡組織，而當時的國際聯盟卻派遣李頓調查團，實行拖延政策，遂致演成日本大規模侵略的後果。我們有這一個慘痛歷史，看今天聯大的調查匈牙利事件，印象特別深刻。而且在聯大中，事理自明的匈牙利事件之推拖調查，一決再決，決而不行；也正和不成問題的「中華民國」代表權問題一拖再拖，[illegible]可爲浩嘆。

我們和「東方經濟學人報」的看法一樣，[illegible]

自由中國社會百態

駱駝化身

公教人員生活什景

在台灣，公教人員的生活，極似沙漠裏的駱駝，任重負遠，默默的勇往直前，又像萬花筒裏的玻璃晶片，角度各異，反映出多采多姿的圖面。

「棗核式」的待遇

談生活，就無法不涉及待遇問題，目前的公教待遇是束緊腰帶的待遇，除了實物配給，一般公教人員月支薪俸大都在新台幣五百元左右（折合港幣數十元），大學教授可以拿到千元之數，低級公務員及中小學教職員則僅三百元或不足三百元，今日公教人員之所以還不到飢寒程度者，一是氣候溫和，二是食米豐饒，尚不致於啼飢。該不該調整是題外之文，若以嚴峻的眼光來看現行公教待遇，很可喻之謂「棗核式」待遇，棗核上尖下細，中間肥大，頗相彷彿也。

當前之待遇施行的統一薪俸，從中央到地方表面一層無多大懸殊，微妙的是脫了表皮，還有其他種種「待遇」，棗核式待遇就是這些

•牛嶠•

「種種」因素而形成的。

廿年前，人人羨慕中央級待遇，起碼的小科員也是居有室出有車，念載風水輪流轉，現在談機關地位中央級還可沾沾自喜，談待遇杯水車薪，區區之數，可讓商人笑掉大牙。

住與行中央不如省級

中央機構駐節台北，形同陪都，機關林立，人口密集，中央公務人員遷台之初首先被房荒所困擾，敵產雖多，早年即由台灣省政府分配所屬機構員工，再不就是被省公產管理處陸續拍賣，迄目前爲止有的仍未脫離「自費租房」的窘境。省級的就不同了，他們得天獨厚，都能幸運的分配到相當寬裕的房舍，有的竟將公家所配房舍出租，並且是租給中央級職員。寬敞的出租一二間，每間以三百元計相當增加兩個公務員收入，誠是不可思議的怪現象！

竹草頭也要屈尊大巴士

行的問題，中央級更是相形見絀了，除了特字號官員有小汽車代步，簡，荐，委都是以大汽車（公共巴士）屈尊，一乘三輪車是夢想不到的。省縣級又不同了，委任科主管以上以及什麼市營菜市場主任之類都擁有嶄新三輪車，而且附帶家裏還加「配給」個把「下女」使用。

縣以下與中央同病相憐

地方鄉鎮公教人員與中央的「甘苦」很可比擬，無論衣食住行都是「同病相憐」，差堪維持。不過，在鄉鎮的好處是人口稀疏，物價便宜，生活程度低，交際幅度狹，收入雖少，開支也不大，反較中央級人員來得實惠。在邊遠及偏僻地區的公教人員大都分配到一幢房舍，臥室會客室廚廁水電俱備，院落寬大的還可養豬種茶植香蕉作爲副業，數年積蓄都變小富翁了，有時趁空到台北一遊，囊中之壯，反比都市中公務人員來得揚眉吐氣。

「暗盤待遇」心照不宣

各級機關學校的公務人員，除了拿統一薪俸之外，還有一種「暗盤待遇」的事實存在，實際上問誰誰也不敢承認，大家心照不宣，肚裏有數。這「暗盤待遇」有所謂「加班費」「出差費」者，已經是不公開的公開化了，但是仍有令人摸不到邊際的「暗盤的暗盤」（譬如有收入的財政、建設、公路、稅捐、銀行、港口、交通、郵務、水電、煙酒、林業等省縣市管理單位）這些「額外恩俸」是中央及鄉鎮公教人員「無福享受」的。難怪有許多中央級公務員千方百計活動下降地方上工作，形勢比人強，迫得人才下鄉了。

何日釋重負

•尹震•

不怨天不尤人

在公教人員中，最值得稱道的是各級中下層公教人員，他們一天到晚等因奉此埋首工作，一日到頭耳提面命薪火相傳，待遇低，生活苦，從不怨天尤人，越是遠離都市的越把生活享受視同罪惡，他們但是在那裏按步就班的，勤勉不怠的，在苦難的環境裏從事卓絕的工作，看內在的活力，看內在的光明，看民族的生機，看反攻復國的力量，可以從他們身上找到過半數的答案。尤其數年來，大專畢業生年年增加，從上到下，各級政府學校都有「新血」參加基層工作，這一批批的新血輪，給各個機構帶來了新的澎勃潮氣。

台籍公教人員增多

近年來各級政府學校，台籍公教人員日益增多，一掃日據時期台籍人士不得從政的厄運，他們在台籍同胞各種行業中最能瞭解時勢，最能吃苦，最守本份，與內地籍公教人員能夠水乳交溶。

可惜談「囍」色變

公教人員之生活，最感迫切的除去衣，食，住，行，還有婚姻及娛樂，獨身的公教人員，在婚姻生活上可說是遭遇到空前的困難，收入少，女性少，房子少，三項問題扼殺豐富力壯公教人員，眞所謂談「囍」色變。據統計中央級「鰥孤道寡」的單身漢約佔十分之七，省級約佔十分之五，縣級約佔十分之三。去歲南投縣有一位「婚騙」冒充女人徵婚，詐取郵滙，大多以爲公教人員，可見問題嚴重之一斑。娛樂是生活調劑也是人生不可少的，公教人員想起娛樂，就不快樂；多看幾場電影，就得準備彌補荷包裏的赤字，看馬戲團，看溜冰，看黃清石歌舞團，聽斯義桂音樂豈敢夢想？又遑論其他！

可敬的「駱駝」

公教人員的生活是駱駝化身，萬花筒裏的晶片；走的是漫長路程，負的是沉重責任，吃的是乾癟的草，喝的是胃裏的水，如此而已。

——可敬的「駱駝」，可悲的「多采多姿」。

台灣點滴

自卅八年大陸淪陷後，政府爲安置文教界忠貞，儒雅人才起見，特令教育部設置特約編纂，特約編審九十八名，凡由陷區來歸大專教授，均可特聘爲特約編纂或特約編審，八年以來，所聘人員甚多，惟其待遇薄，生活苦。近因教育部忽從該項特約編纂編審員額九十八名中，移撥三十六名於該部編制之內，以之遞補該部額外人員，特約編纂編審等認爲不合規定，不應改變，分向中央有關各機關呼籲。（翁遜）

寶島經緯線

•季鸞•

△九月中旬台北市南昌街發生的太保殺人案，引起了社會重視。治安機關捕獲了疑犯十四名，其中多爲十七八歲之中學生，原都是可造之材，但平時卻習於結盟組幫，闖禍鬧事，由來已久。

△行政院長俞鴻鈞九月十九日在立法院作施政報告時，指出：「四十五會計年度內追加支出及額外緊急撥款仍多，以致預算差額仍有增加尚有待進一步的開源節流」。

一般認爲要求全面上下厲行節約，不如先從政府節約做起。可得而言者，至少有兩點：第一、社會浪費現象，固不能說絕對沒有，究竟多數人民還未能爭得合理生活水準，而政府駢枝機構與沉員仍多。第二、社會再要節約，稅源更無法培育。

△各縣市議會選和縣市長舉行「拍馬」競賽，有向周至柔主席獻金賀台灣模型一事，雖受報紙的評擊，似仍有按照原計劃進行不變跡象。

這是政治風氣問題。

△台灣位於北緯二十二度至二十六度之間，正是所謂「貿易風」的氣候區，無怪乎一般學校，不論公立私立，都染上流行的重商主義，在神聖的教育事業之外，兼營貿易，代客賣買，經銷書籍、簿册、文具、服裝……種種學用品的「包辦業」，而且形同霸王開店，硬性派銷，不得拒購。此次各校開學，正是霸王店開張，硬逼學生一口氣買一一學期所需的（其實其…多是不必需的）學用品，否則不予註册，對於小學生藏匿小竹槓，且不去說，對於中學生，名目繁多，價碼亦大，每人均須納費三百元至五百元，一般家長爲此傷透腦筋，弄得焦頭爛額，令人不解莫不作「校門八字開，無錢莫進來」之嘆！比種變相的「學店」，確使每個家長們痛心。

△前些時期，內爲華僑投資輸入其他物資頗爲世所詬病，政府有意取消此項規定，僑資來台一律按僑惠滙率折付，確是一項新猷。但聞僑務當局卻認爲輸入其他物資，對台省市場，可維持平穩，頗有不贊成取消「其他物資」規定之意了。其實，要華僑投資的目的是在興建工業之發展（如僑領章勳義在台創辦工廠即是一例），倘對「其他物資」的輸入，反會影響全台工商業之生存，且亦使大量外滙輸出。這是台工商界引爲憂慮之事。

齊白石周璇之死

畫人齊白石與藝人周璇，同樣是被中共磨折而死的。不過，大約他們的「剩餘價值」已經利用完了。周璇曾一度自殺，表面說是爲了經濟問題，中共醫生謂爲到香港時受到刺激所致，其誰信！正如齊白石老人在死前的情形一樣，當人們與他談到有關他本人的事情時，他往往大發牢騷；可是，當人向他質疑時，他卻又清醒過來。從這兩句報導來看，就可知老人在生前的心情爲如何的了！（自聯）

中共偷運黃金入緬

•凌冰•

仰光航訊

中共之所謂和平共存」，在緬甸人士或華僑早就曉得根本是一種花言巧語。中共之派特務潛入緬甸進行地下工作，手段本高明，很少失手，但是最近卻一連失手數次，而今又有一次。

本月五日，緬北眉苗市，破獲一批數目驚人的黃金走私。共搜到八十七條黃金，價值緬幣三十餘萬，經偵探偵察，發覺黃金係由雲南邊境偸運入緬的，此項消息一傳開來，震動全緬，緬政府對此感到憤怒異常。

這次緬當局破獲黃金走私也仍查不出潛在緬甸的中共的政治活動機關，在搜得的大批文件中全是指示各分部應如何進行活動，如何破壞緬甸的金融，文字雖然寫得清清楚楚，但是並沒有寫分部的住址及負責人。

不過由此可知中共的陰謀是第一、以走私黃金，從事政治活動，及援助緬境裏的叛軍和反對黨；第二、是破壞緬甸的金融，希望緬甸日趨衰落，以便爲其控制；第三、欲以黃金買通緬甸，使用緬共來顛覆聯邦政府。

中共爲了顛覆聯邦政府，不惜花了大筆的金錢，在雲南與緬甸交接的區域，設了一個侵緬的機構，訓練了大批的幹部，裏面以女性爲多數，常潛入緬甸下線緬人，從事作破壞活動。這個機構，已分設了好幾分部，當局已查出分設的地方在仰光、曼德禮、景棟、臘戍，密鐵拉，眉苗等，但是沒有查出地址及負責人，所以緬政府，猶遲遲難於下手。

這些都是中共侵緬的鐵證，一般認爲緬政府不應純以普通走私視之。如不採取強硬的手段，中共的走私是會越發猖狂起來的。將來緬共如受了中共的援助，那麼聯邦是更難安寧。緬甸目前正在進行「四年計劃」，這計劃就等於烏有。

緬甸位於雲南邊區，受中共威脅甚大，所以雖然看破了中共的陰謀，總是不敢公開指斥中共，這一來使中共更是目中無人，從心所欲了。緬甸之被中共攪得雞犬不寗，全是採取了錯誤的觀念。

論社會主義矛盾與中共的變

（上接第一版）

•王厚生•

毛澤東爲什麼要將「人民內部矛盾」說成是非對抗性的？爲什麼要拿「團結——批評——團結作爲解決矛盾的方法？

即以「反右派鬥爭」而論，中共不以行動對付而要「右派份子」，這是爲什麼？

當然，我們知道，中共內部有着很多很大的困難，逼使中共採取以上的措施。就「右派分子」的問題來說，廣大人民對他們所發表言論的擁戴，支持和響應，也迫使中共不得不採取較寬大的態度。但是，我們不能永遠把中共和毛澤東看作是被動的，而忽略了他們的主動性。如果把天底下的諸般問題都看成是被動的，就有走上任外力擺佈的機械主義和唯物主義的危險。我們對問題不能這麼看這麼想，這種單純的被動論是看不中間內的根本竅門的。

四、

我認爲，觀察大陸問題，應同時考慮到中共和毛澤東的主動性。主動性和被動性的界綫很難劃分，例如說，有中共的財經困難，原材料嚴重缺乏，使中共採取了自由市場的措施；有台灣島上的自由中國存在，以及六十萬的精壯復國軍隊，使中共不得不維持龐大的軍隊編制和軍費開支，爲了撙節軍費，縮減兵額中共又不得不想盡種種方法——和平的或武力的——要「解放」台灣。主動和被動之間不易劃清界綫，卻有「自覺」作爲聯系，有「自覺」的，本來處於被動的地位，也可一變而改處主動的地位；無「自覺」的，對於外界的挑戰麻木不仁的，就永遠處於被動的地位，不會有主動的作爲。「自覺」有程度上的差異，有靈敏和遲鈍的分別。完全沒有「自覺」的，可以說根本不能在今日的社會上立足，競爭中取勝，「自覺」較靈敏的，主動的時候多，反之就較少，而被動的時候多。

（下轉第三版）

中東風雲譎變無常

艾森豪主義在敍遭挫折　阿拉伯家國在共商政策

●楊明●

以對抗中東共黨陰謀為主的「艾森豪主義」，自今春提出之後，首在約但國王清除左翼勢力事件中獲得重大勝利，最近則在敍利亞局勢面臨重大考驗，雖然迄今尚未證明失敗，卻至少已稍受挫折，因而暴露其一部份弱點。

敍利亞危機的形成

敍利亞危機的形成，牽涉兩個主要因素：一是月餘以前敍利亞與蘇俄成立協定，接受蘇俄價值五億元的軍事及經濟援助；一是最近政府局部改組，親共軍官取得軍隊的控制權，進而控制政府。

西方的焦慮是在於敍利亞可能成為蘇俄附庸國，而使莫斯科在中東取得最強大的立足點；同時，亦認為敍利亞的鄰國均有個別理由對該國局勢演變表示不安，例如大西洋公約會員國土耳其；親西方而與敍國磨擦已久的約但、伊拉克、黎巴嫩；阿剌伯國家的死敵以色列。甚至埃及亦可能担心敍利亞的傾向蘇俄，足以威脅納瑟成為「泛阿剌伯」領導者的野心。

華盛頓的初步反應相當謹慎，除表示不安之外，曾採觀望，另派副國務卿中東專家韓德遜親赴中東「實地考察」，再作決定。韓德遜上月初返華府後，宣佈敍利亞局勢「極端嚴重」。美國對敍態度亦隨之趨於強硬，公開強調美援軍火立即空運馳供約但，以對抗敍國左傾政權獲得共黨軍火所構成的威脅，而美國對黎巴嫩、土耳其、伊拉克的軍事援助，亦決加速供應。艾森豪總統且曾中止羅得島的假期，趕返華府，與杜爾斯、韓德遜商討新對策。

否認引起不利反應

在此緊張氣氛中，杜爾斯又發表正式聲明，謂艾森豪總統「希望國際共產主義不會驅策敍利亞採取任何侵略行動……」。這一聲明立在敍利亞引起激烈反應，其政府領袖紛紛指責美國企圖製造衝突，以為復用「艾森豪主義」出兵中東的藉口；且攻擊美國第六艦隊駛入東地中海為挑釁行動。華府雖極力否認第六艦隊的活動與敍國局勢有關，但敍國的神經戰攻勢已在阿剌伯鄰國間引起不利於西方的反響。據說黎巴嫩、約但、伊拉克三國當局都表示，敍利亞左翼軍人的得勢尚不足解釋為該國實際已成為蘇俄的附庸；而阿剌伯國家的主要敵人是以色列，敍國縱與鄰邦發生政策衝突，當不會甘受共黨利用，對阿剌伯國家採取侵略行動，以致自絕於阿剌伯世界。約但外長且曾公開闡明此種立場。傳親西方的沙地阿剌伯國王紹德又由外交途徑勸美國避免採取任何足以助長中東蘇俄勢力的冒險行動。

聲明被認為「退縮」

在這種壓力下，杜爾斯九月中又發表一項聲明，表示美國軍火空運約但「並非緊急性質」，美國也絕對無意武裝干預中東，而敍利亞局勢，「相信亦能和平發展」。這一聲明，國內外都認為代表美國立場的「退縮」，其理由可能有二：一、杜爾斯或以為前此美國的強硬行動反足迫使敍利亞更形親共；二、阿剌伯國家的反響已使杜爾斯相信韓德遜的報告未免將敍國局勢預料過份嚴重。

政策躊躇不定

美國立場的轉變，無論其理由如何，已表示其政策的躊躇不定，初步的強硬，固造成了以色列的震驚及阿剌伯國家反感；而稍後的軟化亦不能扭轉敍利亞的左傾，適足授與共黨以爭取阿剌伯國家的宣傳口實。

艾森豪主義的原先目標，是在遏阻共黨對中東的直接侵略，但除非中東國家自行請求，美國即無法提供武力支援；而對共黨的透滲顛覆活動，艾森豪主義更無法發揮其作用，敍利亞事件已證明這一面的弱點是限制。

「聽任」無法避免新紛爭

到目前為止，美國尚未提出任何新政策，以彌補艾森豪主義的缺點，其當前路線似為聽任「塵埃澄清」，由中東親西方國家如約但、伊拉克、沙地阿剌伯、黎巴嫩自行探求對抗埃敍兩國的左傾勢力，但蘇俄自然不會容許中東「塵埃澄清」，避免挑撥新的紛爭，以葛羅米柯最近攻擊西方外交政策的聲明，特別側重中東一點而論，即可證明。

美必須有個強有力的做法

在可以預見的將來，中東仍將繼續為東西冷戰的重心，蘇俄亦必然將全力擴展其已經建立的據點。中東親西方國家自然亦了解危機，沙地阿剌伯國王紹德目前之訪問埃及總統納瑟，與伊拉克國王費瑟爾下月之訪問約但國王胡辛，無疑均為共商對策的行動，但美國自亦需要提出強有力的新政策，才能補充艾森豪主義的不足，予中東親西方國家本身努力以積極支持，以粉碎日益激烈的共黨滲透陰謀。

國際動態拾零

蘇聯宣傳，洲際飛彈，業已成功，行將停製重轟炸機。據最近自蘇聯來者言，重轟炸機之生產率，並未減少，與其宣傳，不無矛盾。

×　×　×

英國駐歐軍隊，上年已減少二萬七千人。據國防部長桑第斯計劃，本年又將再減一萬五千人。

×　×　×

最近蘇聯陸軍，大被整肅，波及此約七千人其中有上將一人，將官數人，如此軍權可以更為統一，朱可夫權力，益形擴張。

×　×　×

衞星國改善外交關係。本來禁止美人前往保加利亞，現已取消此項禁止。阿爾巴尼亞，亦將准許美人前往訪問。對保，阿兩國之外交關係，且將恢復，並提議與烏克關互換使節。

×　×　×

外援四十四億，被國會減削十億。大約以現代武器交付大西洋同盟國，以及南韓、南越之軍費，行將延期。以軍援十五友國之經費，本定九億，現減為七億二千五百萬。受影響者將為台灣，南韓，南越，土耳其，巴基斯坦。經援依原計劃進行，但無新計劃。

陶然

論社會主義矛盾與中共的變

（上接第二版）●王厚生。

中共所統治的大陸是整個國際大環境中的一面，毛澤東處在共產集團多事的氛圍中，他當然不是麻木不仁的。我們常說，中共和毛澤東要作掙扎，這話就包含一個意義，即承認中共和毛澤東是有「自覺」的，他們是處在一個要失敗的被動環境中掙扎求生存求主動求出路。

我們知道整個國際局勢在變，共產集團的內部形勢尤其在變，自去年波蘭和匈牙利的變動發生後，共產黨的領袖們都承認這一點，毛澤東在二萬五千字的文章中，提了六次匈牙利革命事件，也說了匈牙利革命對大陸人心和局面的影響。在這個形勢中，說中共和毛澤東不想變不會變，恐怕不會有人置信，問題在於怎樣變，怎樣變而能通。我們說他們變也不能通，這是另外一個問題，是將來共黨失敗的問題，此刻，我們所注意的，是他們在變的眼前問題。

鳴放和整風以來，「右派分子」的言論，民衆對「右派分子」的熱烈反應，以及繼起的「反右派鬥爭」和民主黨派的整風，這一切大概使毛澤東頗為失望，因想變而變壞了。在九一八之前，有很長一段時間，毛澤東不去波蘭，徘徊在上海和青島之間，擺脫了「北京」的政務，似在醞釀一些新的東西，至少是在思索一些新的東西，因為毛是個肯思索問題的人。至於醞釀什麼，思索什麼，不能憑空說，不久自會分曉。但是毛仍有想方法變，是可以斷言的。

五、

怎樣變？我仍不妨依自己的觀察作假預測。我以為「反右派鬥爭」到一個適當的時候將會停止，談不到是澈底的鬥爭，繼之而起的是「社會主義思想教育」運動，被指為「右派分子」者都要參加。如果這個運動進行得順利，中共何嘗不可容許有限度的齊放、爭鳴、共存、監督。這是對內來說，對外來說，中共將加緊活動，而以聯絡美國為最終目標，其步驟將是慢和穩健的，以不太刺激老大哥為限。九月中旬，赫魯歇夫對英國工黨外交發言人貝萬懇談，表示要弄好和美國的關係。中共為什麼不可以這樣做？史大林已死，莫洛托夫被黜，中共已能做，且於事實上需要這樣做。狄托倡於前，波蘭仿於後，中共也必跟上。這不是中共狄托化，自史太林死後，這叫做國際主義的新關係。中共能否搞好對美國的關係，決之於下列因素：時間上能否容許中共從容拉美國關係，大陸民衆何時舉起義旗，爆發匈牙利式革命，自由中國何時反攻大陸；中共的態度，從毛澤東於九月十八日及時趕到北平，當晚接見印度副總統拉達克里希南一事看，中共會相當遷就；美國的態度，自韓、越戰停頓和日內瓦會議以來，美國政策始終搖擺不定，前些時候，杜爾斯在舊金山說中共統治是過渡局面，近在十月份外交季刊上撰文，謂內部壓力將迫共產國家改變。只要共產國家有改變，美國政策即可修改，尼克遜、杜爾斯、諾蘭雖主對中共強硬，國務院但在輿論壓力下終於准許記者訪問大陸，可見形勢仍比人強。若問：大陸人民容許中共這樣變嗎？一個反問是什麼人不容許中共親美而要繼續一面倒呢？另一個反問是那一個共產國家的人民不反共？倘中共朝此方向變去，再拖一個時期，也未嘗沒有一點可能性。如拖到一九六〇年後，美國總統改選，民主黨萬一上台，局面就要大變了。（全文完）

鐵幕真相

現階段的大陸反共運動特點，是中共黨內掀起的巨大反黨浪潮。根據現有的材料，可以歸納為同情反共者與[illegible]心反黨兩方面。

同情反共者的情勢

就同情反共的中共黨員而論，他們非但同情或支持「反叛」的「同志」，而且也同情或支持黨外的所謂「右派份子」。其人數之多，實出想像之外。以中共「新華社」最近就湖南一省所作的統計為例，謂該省的黨員在大鳴大放期間「思想模糊或附和右派言論」者，佔有該省全部黨員總數的百分之九十。其他地區如何？雖未見中共統計發表，當不難推敲。「人民日報」也承認了

中共黨內「反叛」情勢剖析

●沈秉文●

中共中央曾於七月二十八日正式宣佈在黨內展開所謂「反右派鬥爭」，經過了半個多月之後，中共發覺絕大多數的黨團員都有不[illegible]和清算黨內「右派份子」現象。以致此項「鬥爭」無法普及深入（見八月十六日「人民日報」社論）。後來再經一個月考驗之後，最近更爭說黨都充滿着「溫情主義」和「右傾思想」，對那些已暴露目標，被指為「右派份子」的問題，固然「鬥」得有氣無力，「不像樣子」；對那些尚未暴露目標的所謂「叛黨份子」，更是眼開眼閉，視若無睹（見九月十五日「人民日報」社論）。這就是說：從最近中共黨內的政治現象去觀察，也覺得中共黨內所謂「右派」的聲勢非常浩大，其消極反共者的人數之多，簡直不可勝計。

「新華社」也有統計

在中共黨團機構及工會組織中骨幹份子反黨者，計有共青團中央委員陳宗緒，共青團機關報——「青年報」——總編輯劉賓雁，共青團雲南省委書記董學隆，中共中央高級黨校指導員王譚，中共總工會高幹劉流，四川省「工會聯合會」宣傳組長范碩默等三十餘人。

在中共行政系統中者，計有「農墾部」部長助理劉培植，安徽省「司法廳」副廳長陳仁剛，「交通部」專門委員俞[illegible]，「對外貿易部」歐州行情研究所主任嚴文杰，「地質部」政策研究室主任薛毅，四川「工業廳」研究室主任范碩默，天津高等法院審判員蘇習林等五十餘人。

在各地高等及中等學校中者，計有武大校長徐懋庸，北京師大教授穆木天夫婦，中共瀋陽市府委員兼東北工學院機械系主任王爾助，「中央財經學校」主任耿志，及北大學生譚天榮，「人民大學」學生林希翎，河南農學院學生會主席姜卓康，以及用鋼學生暴動而最近被殺的漢陽第一中學副校長王建國等，共六十餘人。

老黨齡的丁玲等在內

在文化界者，計有中共「作家協會」副主席「文藝報」社長丁玲，「作協」副主席、「人民文學」社長馮雪峯，「美術工作者協會」副主席、中央美術學院院長江丰，上海「作協」副主席王若望，安徽「作協」主席戴岳，「長江文藝」總編韓李煌，東北「作協」藝術部長[illegible]，「旅行家」主編彭子岡，以及有名的「草木篇」作者流沙河（余勛坦）等八十餘人。

在新聞界者，計有復旦大學副校長、新聞系主任王中，「大公報」總編輯于振瀛，[illegible]（女），「浙江日報」[illegible]，「[illegible]報」主編蘇辛濤，「重慶日報」記者游仲文，「新華社」記者戴煌等四十餘人。

在出版界者，計有「人民出版社」副社長曾彥修，青海「人民出版社」副社長[illegible]，上海「新知識出版社」[illegible]，「通俗出版社」[illegible]編藍鈺，廣東「人民出版社」[illegible]，「美術出版社」組長曹辛之等三十餘人。

老黨員為什麼也反

這許多業已在中共黨內取得地位，特權，並且均具有十年至三十年之久的歷史的黨團員，所以「反叛」中共，是由於他們已知，對於中共政權種種倒行逆施的作風業已到了不可忍耐的地步。他們所反對的，包括：無恥的向蘇「一面倒」政策，殘殺無辜的「肅反運動」，無法無天的「審判制度」，封建性的「幹部政策」，恐怖的黨委統治，民不聊生的「統購統銷」政策及「合作制度」，奴化的教育方針，扁狹的出版路綫及文藝政策，以及死氣沉沉的新聞統制等等。他們因此有的以有力的言論批判這些基本政策，有的組成黨內的反共集團從事反抗活動，有的與黨外的反共人士結成聯合陣線進行所謂「政治顛覆」活動，有的更組織地下反共黨派，從事最實際的反共革命活動。但不管他們所採取的反共方式各有不同，而其基本的願望則完全相同——希望在大陸也製造一項匈牙利式的革命，推翻中共的極權統治。

「反叛」黨內必然激成政治巨變

就目前而論，由於中共還掌握着大量的武力和一個嚴密的統治系統，這種內部的「反叛」當然還不足於推翻它的政權。但其黨內的「反叛」情勢，至少已動搖了它的黨的根基，削弱了它的這個控制力。最近中共對黨外的「右派分子」的「鬥爭」之所以迅速收歛，及本月十五日「人民日報」社論宣佈對那些反共人士之所以一般都只稱「右派分子」，而不稱為「反動分子」者，即係此種趨勢的具體反映。

肉麻當有趣

馬五先生

中共在大陸上的「反右派份子」惡作劇，弄得天怒人怨，鬼哭神號之際，適臨秧歌王朝的所謂「國慶」日，爲表示他們的政權是得到人民眞誠擁護，內部並無敵我之間的矛盾存在，藉以詐騙世人起見，今年更要舖張一番的。

可是，在大陸上的芸芸衆生，內心深處儘管具有「及汝偕亡」的反共恨共思想，然受着暴力壓迫，今天亦不能不把那面「汚腿旗」懸掛出來。

海外的華僑都享有自由人權，沒人相信羊上樹的，尤其是今年，連過去抱有親共意念的人，也對秧歌「國慶」視爲民族汚點了。據說，共黨亦深知此情，會使用利誘威脅的手段，教那些經常包做「土產」生意，賺取厚利的「華商」們破鈔醵資，作爲慶祝費用；同時又迫使他們負責策動所屬的行業中人家，必須張出「汚腿旗」，以防淒涼情況之出現。

共黨消遣魔術，玩到海外來就常常當場出彩，有如粵語所謂「鈴鈴都丟埋」。譬如現在香港的大陸「公私合營銀行副董事長」吳倫，他就表示決計不再回共區去享受洋房汽車的配給生活，情願旅居海外作一個尋常百姓，共產仁兄要想威脅他今天出來起帶頭作用，歡祝秧歌「國慶」，行嗎？其他素來在海外自由生活的中國人，更無論矣。

共黨目前正對着大陸上的青年學生厲行洗腦工作，今天每一個在國內的青年學生，必被迫大力慶祝他們心目中所認爲醜惡可恥的「開國紀念」，毫無疑問的。這種憑暴力脅迫而表演出來的「愛國」行爲，雖村婦鄉愚亦知其爲不值一哂也。

一面以人民爲奴役，爲芻狗，不斷地清算鬥爭，勞動改造！——一是皆以整人爲本。一面又要這些奴隸們歌頌功德，歡祝「偉大的國慶」，這叫作肉麻當有趣，只有共產黨人纔優爲之哩！

台語片現象談

·江南·

（台灣通訊）台語片從前年發展到今天，關於它前途的榮枯已看得出一點端倪來了。三年來，從事這方面工作的人，有的固已經發了財，一躍而爲富翁，有的瀕臨破產心猶未甘，尙在百尺竿。就我所知道的，拍「鳳嬌會李旦」以及「金姑看羊」的那兩家，早已關門大吉。早先有人拿台語片來比養來亨鷄，謂行行有苦經，也有好處。

台語片有市場

目前對台語片仍抱觀樂的，其理由是：（一）觀衆多，依估計，台灣九百萬人口有七百萬觀衆；海外一千三百萬僑胞中，還有不少台語的僑胞。（二）成本低，利潤大。講生意眼，算盤是合得來的。一部片子三十萬成本，台灣全省淨收入，起碼可以保本，理想中還可賺進一二十萬，外銷就可以賺幾萬港幣。但是，我個人以及電影圈中若干朋友們的見解，對此頗有疑問。我們的擬議：假定台語片還保持初期的水準，實不足以圖存，因爲觀衆比以前進步了，必須要有進步的內容；其次，外銷除了內容以外，更有不少技術上的困難，何況台語片如以香港的廈語片爲假敵，更棋逢敵手了。

爲什麼走下坡

事實證明：目今台語片已走下坡，最近市商會與徵信新聞計劃着舉行台語片影展，力圖挽救，但這仍非是一種正本淸源的辦法。最多也祗是幫助少數人，發現一條賺錢捷徑。

我個人的看法，台語製片人宜大家集思廣益尋求問題所在。譬如說：

（一）主題內容：過去台語片的題材，多襲民間故事或歌仔戲以「善惡果報」爲千篇一律的主題，極少推陳出新，或從社會衆生中發掘創作對象。因此，凡台語劇本，都是大同小異，像「周成過台灣」「鄭三部之多的翻版，就有兩三部之多，令觀衆厭煩；像最近的「基隆七號房」「雨中鳥」，就可說創新紀錄，即屬一例。

（二）攝製技巧：初期的台語片，用最原始的方法，最簡單的設備，光求向觀衆介紹故事。其後雖有所進取，可是，經不起投機商人算盤的影響，仍然沒有大長進，我見到的幾部片子如「邱罔舍」「得妻失妻」等，簡直是令人不忍卒睹。

（三）編導與演員：明眼人知道，要想提高台語片的水準；是必須借重國語片方面人材。可是，目前的台語製片人，仍不惜鼓勵少數的「天才家」，像一位外行的戲院女老闆，也來手執導演筒，有些報紙且盲目捧之爲「天才女導演」。一個連便條都寫不通的歌仔戲演員；可以變成編劇能手，那些，似乎皆是一夜內的事。

（四）器材設備：目前台灣也存不少民營片廠，但所謂設備云云，都可以令人笑掉牙，有的僅僅一架「愛姆」攝影機出現，有的祗是倉庫改裝的影棚，仍不能捨公營廠而單獨出片，向公營廠租場攝片，又不願出稍昂的租金。要是民營公司自己合資籌建一影廠呢？大家却又都躊躇不前。

客觀環境的限制

其次屬於客觀環境方面限制的，至少也有下列兩項：

（一）膠片方面：政府規定得一部電影使用正片二六·〇〇〇呎，底片一五·〇〇〇呎，同時禁止自行買賣。老實說，這是不合理的，膠片固賴外滙進口，不宜浪費，然要想提高影片水準，最起碼的是膠片供應，怎麼可以這樣硬性限制的，何況一部影片的正常膠片使用，這個限額是不夠的。

（二）檢查標準：很多台語製片人對檢查標準，都感到不滿。認爲在西片與國片之間，往往厚彼薄此，譬如，西片可任意擁吻，但台語片中男人摸摸女人，有時也認爲有傷風化。令人不解。

針對上列觀衆，今後台語片如期不能有所改絃換轍，發奮圖強，大家一時鑽在牟利的牛角尖裏，我覺得台語片前途，還是十分黯淡的。遑論外銷，連內銷一樣的有問題。

還有若干人把一部份的責任，單面歸咎於政府的不扶植以及苛責公營廠的不合作，這也是不公平的，因爲已立而能立人，台語片自身不爭氣，是不能怪誰的。

抱犢

有這麼一個故事

「某農夫，他每天早晨抱了犢跳過溝渠去耕作，晚上又抱了犢跳過溝渠回家。如此未嘗間斷。過了年多，犢兒已日漸其大，並漸其重。差不多已是大牛，但農夫一點也不覺得。有一次，農夫停止了工作，約乎三四天，再抱不動這頭牛了。當他勉力抱着跳過溝渠的時候，終被其壓死。」

這農夫當然是愚的，却沒有愚公移山那樣幸福能得天神相助。這牛犢有似人類的生活，我們忽略了隱藏在時間內的變遷，終不免身殉此犢。就算明知其日漸其重。又有誰能夠放手。

報載軍公教人員又要調整待遇了。我不免聯想到物價的上漲有似半犢的漸重，日常的案牘勞形，就像農夫每天跳溝。政府關心「民」隱調整待遇，也就是給這些「農夫」們增加點氣力。對於生活的鴻溝，大亨們用不着跳，小職員們只要夠氣力爬過去也就知足了。若果眞有一天爬也爬不過去，到身殉此犢的程度，豈不彼此都有損失。

·陸夢墨·

怪事往談

「李三小姐」

現在我所談的「李小姐」不是一個女人，而是一品大員的武將，你說奇乎不奇？

在今日六十歲以上之曾在滿淸末葉或民國初元，服務於廣州軍政界者，無不知有紅頂花翎、煊赫威武之李三小姐其人。伊何人斯，即前淸光緒末年之頭品頂戴，賞戴花翎，果勇巴圖魯，紀錄十六次，署理廣州協鎭，李世桂是也。他的地位，等如今日民國陸軍編制中少將階級，李身軀宏偉而不高大，面部略長而色微紅，眼雖有些媚態，而翎頂戎裝，望之儼然也，但發言時則聲音嬌囀，媚眼斜來，搔首弄姿，恍如女性的表現，讀者意爲此即所以稱爲李三小姐乎？否否，當另有一怪緣也。

李爲武纓世家，其父亦軍功出身，號稱李百萬，當李出生時，即請乾腰（即姑媽）濕腰（即乳娘）各一人以撫育之，其乾腰陰謀遠慮，用術以固其職，所謂術者，手術也，當抱李嬰時，常以手指蘸口唾刺探其糞門，搔之癢之，久而久之，非以手指刺搔其糞門，必啼哭不休，他人不知其秘而代抱之，必無法以止其啼，於是乾腰之職位得以鞏固矣。自孩童以及少長，猶依依不捨棄其乾腰。

及其長也，父命從師習武，師覺其異態而詢知其秘與之狎，由此積染成癖，雖位至一品大員，仍不能除，一時面首十數人，爭權爭風，時揚於外，成爲公開秘密，故李三小姐之名，不脛而走遍羊城。傳當時綠林文武，兩廣總督部堂之張鳴岐，廣東水師提督軍門之李準，均有斷袖癖，相得益彰，故醜聲四播。未幾而革命軍興，淸社遂屋，此之謂「國家將亡必有妖孽」歟？

·浩然·

戲改杜詩

「朱門酒肉臭，路有凍死骨。」

這兩句詩，是杜甫自京都赴奉先詠懷五百字詩中的名句。雖祗十個字，却把富貴和貧賤兩極端，形容猶致。所以傳至今日，猶膾炙人口。

但，現在亞熱帶的中國情形，又非往年可比。這兩句詩，有改兩字的必要。那就是把「臭」字改爲「香」字，「凍」字改爲「餓」字。爲什麼呢？詩是描寫情景之作，而情景貴乎實在。

試看今日我國富貴之家，都會享受歐美科學發達的成果，因此這些富貴之家，皆有電氣冰箱，他們吃剩下來的酒肉，放在電氣冰箱裏，不獨不會臭，而且變成肉凍，又是另一種可口的香味了。

居住在亞熱帶的人，不容易凍死，祗有失業貧苦到餓死。縱有凍死的，也因飢而寒的結果。所以如果把他改爲「朱門酒肉香，路有餓死骨。」不亦較妥乎？

詩聖之作，豈敢妄改？故命題爲「戲改杜詩」。以供同好一粲。倘杜工部九泉有知，當知筆者戲改此詩，並不違背原作的意思，而情景在現時看來，較爲眞實，也會掀髯一笑吧？

·陽明山人·

海上學校

中篇小說

趙滋蕃

劉全忠一上船，還來不及脫換衣服，便躍進擺渡艇，探視貝老師的傷勢。貝比的傷勢不輕。短劍雖早經拔出，但血並不曾完全止住。崔碧藩他的傷口包紮好的綳帶，依然有濕漬的血水滲透出來。他目光呆定，神智迷糊，絞腸絞肚的陣痛使他難以抵受。冷汗，衰弱的呻吟，煩躁的情緒，正困擾着這個不幸的年青的天算學大家熱切地盼望破曉。但黎明仍覆沉埋在陣黑之中。

劉全忠漠然問起了經過情形。周曼石扼要問他提出了解答。受傷是簡單的，它的表面現象不過是一個傷口破裂而大量流血；但受傷的原因却很複雜，它包括了許多罪惡的活動，以及隱藏在這些罪惡的活動之後的心理動機和思想根源。這些都超出了劉全忠所能理解的範圍。憤憤不平的情緒，使他渴望報復，強烈的破壞的衝動，顯然在他的心靈之中佔了上風。

而，恰當此時，歪鼻子老二被押解回了。劉全忠一眼瞥見他男舅赤膊上奔流鮮血的，一眼瞥見歪鼻子那張塗滿古怪油漆的醜惡面孔，一把無名火冒起千丈！他一語不發，猛然挺起擺渡艇上的撩篙，對正歪鼻子鬼伏的胸膛直搗過去！鮮血開始冒湧！歪鼻子縱脫地滾倒在蝦罟的船頭，嘴裏亂嚷着「救命」！

周曼石剛站起，想制止劉全忠的兇性。但撩篙已經閃電般亂戳在歪鼻子的赤膊上，十多個窟窿同時濺血！最後，歪鼻子不動了，死了。另一撩篙把他挑向海上，激起了一陣浪花！屍首在海面上打了幾個圈圈，隨即向海底沉沒。

「衰仔！下海！」歸老頭頓足喝斥道，「把屍首撈上來！你敢謀殺？」

劉全忠楞住了。頭開始低下去，撩篙掉到海裏。

「下海，撈上來！謀殺犯！」歸老頭重複着。「衰呀！快，快！」他怒不可遏地命令。「眞是目無王法！」

「王法？」劉全忠驅嘴咁辯駁。「雷阿壞人，害死……好人！」

「我不管，殺人抵命！好漢做事好漢當！」

劉全忠瞓曬跳進海裏，開始打撈。

濃霧裏隱約地飄浮着歎息，稍遠的地方，電筒光炬聚集在一艘擺艇上，慢慢向蝦罟靠攏。梁阿根的「西瓜扁」最先抵達。解纜繫船之後，將尖下巴鄒雲亭從擺艇上活提上來。鄒雲亭一臉寂然，全身索索發抖，連兩隻大耳朵也在顫動。

「鄒雲亭，你如何搞的？」周曼石把他拖到擺渡艇上。「你看貝比的傷勢！」

鄒雲亭木木然爬進艙間，當他目擊着貝比那一大片鮮紅濕膩的綳帶時，他的眼睛潮濕了，他的戰慄加劇，抖得像北風裏的幾片枯葉。

「貝比，貝比，」他急促而低沉地呼喚着。

貝比稍爲偏轉了一下暈沉的頭。算是回答了呼喚。他的牙齒咬得鐵緊，他正在強忍陣痛的煎熬。

「貝比，我眞該死……」他說，有兩行眼淚掛下來。

「唉，嘖嘖……」貝比咂舌頭。「雲亭，我知道的……」痛苦使他那呆定的目光，變得稍稍靈活了。「任何罪惡的行動……都是可以原諒的，行動可以爲惡，也可以爲善，唉，啊唷……」他繼續說，「該死的是……行動背後的思想和制度！人與人間，有甚麼仇恨存在呢？人可能有過失，但人性……總是善良的！我，我深信這道理……不假……邪惡的思想和制度，纔是悲劇啊！」痛楚掩蓋住他的喉管，他的喉管裏和眼睛裏都有了淚淚，底下的話迴旋在上下滑落的喉核上，低沉得沒有人能夠聽得清楚。

「貝比，原諒我！原諒我的下賤！」鄒雲亭絕望地哀號道。

「哦，雲亭，每個人都是高貴的，假如……嘖嘖……」陣痛使他的話頓住了。「假如他不拿……就別人的思想……當做自己的思想；拿人的行動，當做自己的行動；奴隸，假如，他不做任何制度的奴隸，他必能是高貴的！他永遠是『人』，哦，是自由人！」他斷斷續續地說。「人有賦給人的權……人當彼此相愛，不能仇恨他們同類的……」

鄒雲亭注視他那抽搐痙攣的蒼白面孔，熱淚縱橫也滾滴下來。他還想再說話，但杜宇禁止他再說下去。

「人……我……會忘記抬頭看天呢？」貝比們……「人類！爲甚麼……爲甚麼你在痛苦楚與極端迷糊中說的話就位在原子與宇宙……恰好擺在原子與宇宙人的位置：……人的渺小……爲它偉大；原子的重要，却因爲它的……隨便被人自己取消呢？」……

（第十二章完）

（五六）

自由人

THE FREEMAN

（第六八七期）

中華民國僑務委員會登記證僑字第一〇二號
中華郵政登記台字第五〇〇號
執照登記爲第一類新聞紙類
（半週刊每星期三六出版）

每份港幣壹毫
台北市價台幣壹元

督印人：陳文華

社址：香港高士威道二十號四樓
20 CAUSEWAY RD. 3RD. FL. HONG KONG
TEL. 771726

承印者：東南印務出版社
地址：香港高士威道六十號
台灣總經理處：台北市西寧南路貳叁號二樓
電話：六四三七六
台郵政劃撥儲金戶九二五二
海外總經銷：友聯書報發行公司　香港彌敦道四二六號二樓

能再讓中共過關嗎？

如果反共的力量能團結起來

・李金曄。

這是罕有的現象，今年的「十、一」節後，中共黨政方面的首要，均未發表公式化的講話。沉默，反映出自毛澤東以次，整個中共中央，正陷於困惑狀態中。

一、

八年來，中共以不擇手段的方式解決了若干困難，然而新生的困難，却似幾何級數跳躍地增加。北京政權，實質上的脆弱和危機，遠超過了世人所能想見的重大。

不過，歷史上任何腐朽的政權，當其在最後崩潰前，必須承受一決定性的打擊，這最後的一擊，也必須是武裝攻擊。不經武裝攻擊而瓦解的政權，歷史上實未曾有。

因此，儘管中共今日在政治、經濟……各方面皆有極嚴重的病症，有其必然瓦解的因素，但當他的武裝部隊，尚未有動搖迹象前，亦即這個政權，尚能有相當時間容其繼續爲禍。

作爲一個極權形態的政權，主要用以維持其政權的，即特務與軍隊。在特務與軍隊之間，特務分子的權力，也遠在部隊長之上。

以此次中共鳴放事件爲例，中共軍方政治部所屬文化系統，自始即反對鳴放，固不論軍中文化系統隸屬中共黨內那一派系統率支持，却顯現出中共用以維系其黨和政權的工具——武裝部隊，在軍中特務的控制下，感受鳴放風暴的影響並不大。這樣的事實也顯現出了在中共部隊中任職的知識分子，對當前大陸上政治形勢所了解和認識，是不够的，覺悟性是不够的。當然，也可以說，這批軍中知識分子對中共的政權脆弱是深知的，由於他們習於特權的享受和習於奴役人民，自知若一旦鳴放不可收拾時，必將發個危及政權根本，故極力反對和壓制鳴放。所以，短期內大陸上如不能繼續鳴放風暴而出現另一反黨反共的政治高潮，所謂「右派分子」的活動，在經過這次壓制後，有可能將出現一個相當時期的沉寂局面。

由於中共軍中知識分子享受特權利益較多，對於黨和「政府機器」的依賴需要尤切，他們動搖或叛黨的可能性，自亦較之一般具有黨籍或非黨的知識分子爲小。同時也必因爲受今次知識分子在政治上所作反黨反共活動的影響，而加強其對部隊的監督和控制。因此，如果中共政權不受外在力量的打擊，軍隊內鬨和叛變的可能性，將因軍中知識分子的勢死而減低。

從整體的反共形勢著眼，我們應該承認上述事實，更有必要繼續——注視其發展的趨勢——主要是他們今後對中共政治文化圈和黨中央的影響。

也由於這一事例，使我們對極權政治的認識更深了一層。那即是說，一個極權政府的垮台，必須它的政治上層結構和基層結構，在同一時間內，不期而然的同時達到腐朽脆弱的程度，才有可能性。這是就其主觀因素言。在容觀因素方面，一個新生的新興力量，就現得更爲重要了。缺少一個新生的新興力量，去與極權政治作一明確的比較，或者是此一力量不能日新又新的壯大，也不足以使極權政治下的人民對之懷抱希望，產生信心，擴大其對極權政府的失望和厭棄，使在極權統治下的每一成員，對其統治者，發揮破壞性作用。

二、

縱觀今年的「十、一」情況，不論是海外或大陸，皆有一共同的特徵，即中共政權擭備之態，已表露無遺。雖然「右派分子」反黨反共的形勢受到了一定的壓制，但對中共政權的威信言，即使這一仗中共全勝，其勝得來也慘！人民固減少其對中共的畏懼，即使每個共產黨員心理上的打擊，其陰影也將經久難以消滅。在這一陣仗上，也儘管軍中文化系統得到了優勢，但中共的暴政，不能使所有的軍中文化工作者昧着天良贊同的。特務的控制權力，能在特定的條件和時間，具有過人之長，然亦究難經久維持不墜。

因此，我們可以有絕對的自信：中共必敗——且已敗象畢露，但中共之敗若無外力打擊，也應該認識到將不是短期內的事。此即說，在中共自身雖已具備了必敗的主觀因素，若反共的力量不能以日新又新的姿態，從各個角度對之窮追猛打，也將因而影響延長其最後瓦解之到來。

在鳴放之後，大陸上的形勢出現了新的面貌。中共的弱點固已爲我們所洞悉，而中共必然力謀彌補善後之道，當亦爲我們所能想及。如果說，我們不諱言，我們也應該承認在反共的方面，還依然存在着一些令人難以解答的問題，例如：朝野之間對於團結問題之難以達致協議；政府在庶政方面尚應作大力改進者尤多；對外宣傳之有待加強；經濟上的安定自足等等。這些問題，表面上好似不够作爲一系列的嚴重問題看待，但若深一步觀察，我們迄今不能對外和對中共展開大規模的宣傳和政治攻勢，能說是與團結問題無關嗎？

三、

前文會提出，在中共最後瓦解的客觀因素上，（也就是我們反共的主觀因素）必須要有一個新生和新興的力量，去和共產極權政治作明確的比較競爭，如果說當前軍事行動尚不能達到完全可以採取主動的地步，那末，政治上之應求進步是沒有問題的。尤其是對共鬥爭的政治新形勢的創造，更是刻不容緩的。

就對中共政治鬥爭的最高目標說，在軍事行動前，（即使是將來在軍事進展中也一樣）必須要能從反共陣營的這方面，不斷產生足以動搖中共內部的吸引力，而這又怎能不先謀諸於朝野的團結？可惜，我們至今尚只能駐足在討論團結的階段，而還不能實現。無形中阻礙了集中朝野上下全力對中共展開政治攻勢。雖然，當前我們有最好的最有利的時機。即此一端，即已足够朝野雙方深自檢討的了。

中共是必然要垮台的，我們究竟是靜待其自行瓦解呢？還是在其行將瓦解之際加以重錘，早早結束這黑暗的時代。如果，我們還選擇後者，必須即速團結起來，加大加重這個鐵錘，一切黨派或個人的恩怨和私利，都應該在此時捐棄。

八年來，中共已經度過了一些困難，當然困難還會緊隨着中共，在所有的緊要關頭上，皆足以致共政權於死地，只要我們能適時地給以一錘。在我們反共的方面，當然不能說沒有困難的，但是就當前的形勢看，團結該是我們第一個困難也是最後的一個困難，爲什麼我們不能解決它？這也該是我們的困惑吧！

我們還該讓中共過關嗎？

（四十六年、雙十前）

半週述評

毛澤東與卡達爾

天愁地慘的「十、一」，在北平的天安門上，站着兩個幽靈——毛澤東和匈牙利的卡達爾，這一雙難兄難弟，他們雙雙地同時出現，這是多麼富于諷刺的場面。

卡達爾是蘇聯坦克上的玩具，沒有匈牙利事件，沒有蘇聯紅軍的血洗布達佩斯，就不能有卡達爾政權。在中國大陸，也出現過小匈牙利事件；中共又曾經挺身爲蘇聯的屠殺匈牙利人民加以辯護，所以，毛澤東與卡達爾，他們眞是一對難兄難弟。

五十萬人大遊行

中共的宣傳中說，在「十、一」這天，北平有五十萬人大遊行。

這算什麼，去年十月廿三日的晚上，在布達佩斯，鏡頭要比這更要壯闊得多！不要忘記，那一次的遊行，起初也是由共產黨組織的，但頃刻之間，羣衆的遊行變成轟轟烈烈的反共示威了。

毛澤東早年說過，羣衆如水，可以載舟，亦可覆舟。六月「鳴放」期間，有個「人民大學」的講師說：「鬧事要架機關槍，這是可以的，麻煩的是怕機關槍倒過來打。」

機關槍倒過來打

豈僅匈牙利如此，豈僅中共政權如此，一遇大風暴，蘇聯也是「泥菩薩過河，自身難保」的。人們還記得，二次大戰初期，五十萬蘇聯紅軍投降希特勒的故事嗎？

蘇聯目前的宣傳，今天說他們核彈好，明天又說他們有了洲際飛彈，不管這些宣傳，可靠性如何，即使武器眞有什麼了不起，又算什麼，事實上，掌握武器仍要靠人，如果一個制度有問題，人人靠不住，「機關槍倒過來打」，又怎樣呢？

人民的道義力量

在共產極權制度之下，一切所謂「羣衆組織」和「武器優越」的宣傳，都是不可靠的東西。

二次大戰期間，巨頭會議時，邱吉爾提議應該與梵蒂岡合作，史達林問：「他有幾個師？」誠然，梵蒂岡是沒有一兵一卒的，但是今天顯赫一時的希特勒和史達林都倒了，梵蒂岡却仍然是自由世界一支有力的精神領導力量。

人民的道義力量，往往是肉眼所不易看到的，却是無敵的。

胡適先生的啟示

胡適先生在聯大的演講中說：「對於生活在共產暴政之下的中國人民，最使他們興奮的一項，就是那個殘暴的匈牙利共產獨裁政權，經過十年的絕對的政治統治和思想改造，竟于一旦之間，爲武裝缺乏的學生和工人的自發革命所推翻。」又說：「有些人說，中國共產政權已經抓住了青年人的思想和情感，那是絕對不確的。」

胡先生這項啟示，是很重要的。

・司馬璐。

從南韓與南越說起

・文鑑。

南越總統吳廷琰，在訪問南韓三天當中，曾與南韓總統李承晚舉行六次，吳氏雖在記者招待會中聲明南越不能與他國訂立軍事同盟，但一般觀察家却認爲李吳之間曾談及軍事問題。由於李吳兩氏作風相似，兩國處境相同，同被分裂爲南北兩部，可能有軍事上的密契，而不一定出諸訂立軍盟的形式。同時兩國中倘有任何一國發生南北衝突，則遠東大局立將發生變化，屆時整個亞洲的自由國家，包括中華民國在內，勢必發生軍事上的行動。

所以李承晚與吳廷琰於九月廿一日晚發表的聯合公報雖只稱兩國之政治、經濟與文化關係將予加強，並未提及軍事，但已重申兩國對抗國際共產主義的決心。

韓越兩國，一個是被困於朝鮮半島的一部份；一個是被困於中南半島的一部份。假定她們沒有外面的援助和互相呼應的話，隨時都有可能遭遇共黨顛覆的危險。不過這兩個半島，並不是局部性的問題，而是整個亞洲問題的一部份，共黨是不敢冒然作軍事行動的。

南韓與南越事實上不易單獨揮軍北進，所以南韓早就主張中、韓、越三國的軍事聯盟。李承晚總統於去年六月廿五日，在韓戰爆發六週年紀念中曾透露此意，他說「我們雖然放棄以戰爭統一全韓的政策，但必須與自由世界領袖合作，尋求世界和平的解決方法。」：意即主張中韓越軍事聯盟。李氏認爲：祇有這樣，韓越的統一才有希望；當然中華民國的反攻，才有前途，亞洲前途才得光明。因爲按照地理的形勢，韓國在台灣的北，而越南在台灣的西南，三國互相呼應；如果戰事一旦爆發，韓、越都是毗連大陸的半島，等於兩把尖刀，隨時可刺入中共的心臟；加以台灣數十萬裝備良好，訓練成熟的生力軍之渡海反攻，選擇大陸共軍最脆弱的一點，集中火力，給它一個立體戰術的「中央突破」；韓、越兩翼同時猛力夾擊，剛好形成一種「鉗形戰術」，自然可望事半功倍。

否則，中共軍還有幾十萬駐在北韓，足以阻止南韓的任何統一方法；同時北韓本身的兵力也正在增強中，且有隨時南侵的可能。前美第八軍軍長佛烈特也認爲北韓可能發動戰爭。理由是：（一）北韓（中共軍在內）現有最新的噴射機五百架，其中還有若干架能投擲原子炸彈；（二）最近可能由蘇俄運來飛彈；（三）北韓地面部隊亦有種種最新式的武器，包括原子武器在內。

至於越南呢，也有同樣的威脅，由於越共與韓共同出一轍，完全得力于中共的支援。過去，因交通關係，中共以戰略物資接濟越共，極爲緩慢，故有滇越鐵路的建設。其侵略野心實不自今始了。

美國前空軍參謀長史巴茲上將曾在新聞週刊發表關於韓越兩國的論文，認爲韓戰是一場糊塗戰，是一次不准進又不准退的有限度戰爭；而越戰亦屬錯誤的戰爭，美國之不參加越戰，是由於獲得韓戰的經驗和教訓。

美國難以介入越戰的原因是：（一）在越南作戰的供應補給，存着嚴重困難。補給綫最近的菲律賓亦達一千英哩，與日本相距二千五百英哩，與夏威夷相距六千英哩。但韓國戰時前綫，和日本相距只有一百五十英哩；而且越南也沒有如在韓國的釜山似的優良港口，軍需供應祇能在河內及西貢的淺水河岸起卸；（二）如果要維持越南北部，最低限度亦須動用五個師美軍，否則沒有效果。如要守住整個越南，則非動用十個師美軍不可，假定中共軍要干預越戰的話，就勢必再動員幾十師的美軍；（三）主要是英國拉腿，一九五三年四月十八日杜爾斯從巴黎會晤過皮杜爾之後，回到華盛頓，即邀英法和另外七國，舉行「聯合行動」會議，但英政府拒絕參加。

而且韓國目前的經濟危機還沒有完全渡過。美國對援助韓國，不能說不多，但關于一九五三年五月，美韓簽訂一項清算聯合國軍先借韓幣的償還協定，但由於雙方對比率意見的衝突，先後開了幾十次會，拖到一九五四年二月，好容易才獲得協定，所以也不是完全沒有問題。

軍援方面，美國一直沒有配給南韓軍以原子武器及飛彈等，直到今年五月八日，美國將部有門牛勇士式導向飛彈運抵台灣的時候，南韓陸軍參謀長李亨根將軍還向美國緊急呼籲，希望美國以同樣的新式武器供應南韓，所以也不是沒有限度的。

照上述各項情形看起來，中韓越之合作，惟自力更生才能使遠東[illegible]勢有出路。

數月來漸趨明朗化的：省府疏遷工程舞弊案

·諸葛望·

傳說數月來的省府疏遷工程舞弊案，很可能又是一宗官商勾結竊盜政府資財的大案。筆者略加提要報導，並分析情節如下：

台灣通訊

扣押官商三十餘人

這項舞弊案，經前主席嚴家淦手令視察室澈查，嗣因查出疑點而未獲確切的證據，所以沒有結果。上至機關下至里巷無不竊竊私議，傳說紛紛；自周至柔上台後，乃手令保安司令部從嚴查辦，毋枉毋縱，迄至本月廿四日已告明朗化，於嘉義縣、彰化縣、台中市、台中縣、南投縣、及台北市等，經二十餘日之日夜偵查結果，前負責疏遷工程之建設廳營建處副處長兼台中辦事處主任沈普霖，廠商台中營業公司董事長黃文連，建設廳前廳長黃啓瑞之姪黃火電，承包此項工程之五十七家包商，四十八家負責人均被傳訊，二十餘被扣押，計共被扣押官商近三十人。

涉嫌舞弊情形

涉嫌舞弊情形，黃文連係以劣質紅磚抵充甲等紅磚；黃火電承包土木工程部份，已查出盜竊水泥二千包以上，減低建築物中水泥成份；甚至監工、包工、工頭、工人等二百餘人均被傳訊；並發現可疑之點：（一）承包工程之包商，於參加投標前夕，始向建設廳完成營造廠登記手續。（二）中興村自來水工程之發包，係當天登報公告投標，當日下午投標後開標，由第一點看來，建設廳營造處與承包商，顯係有串同嫌疑；由第二點看來，一切均係預謀，洩漏標底，時間匆遽，致令其他投標者無法染指。至此為止，該案澈查，只不過是第一步驟。保安司令部已聘大批工程專家到中興村勘驗建築工程，檢查規格及圖樣，並準備抽折中興村房屋數幢，按圖樣複驗，與原定規格加以核對，[illegible]情形外，對五金部份所用鋼筋[illegible]規格不符。

可能又是官商勾結

據悉：前建設廳長黃啓瑞，可能也涉及該案，[illegible]凡大舞弊案之後面，多入於化境，尤其是官官相衛與包商勾結，凡是貪污舞弊案，在上者皆表示澈查，其結果是雷聲大雨點小，大多成了一句「公事話」，迄無下文，而民間之私議，卻沸騰不止。此一舞弊案，又可能是一組織龐大的官商勾結集團。

且看第二步驟將如何

台灣省府疏遷中部是一件大事，關係八百萬人民的視所，並且影響政風至大，自非等閒可比。要悉，此一官商勾結舞弊嫌疑案牽涉範圍甚廣，舞弊集團一切開支，均付出同一戶頭之支票。保安副司令李立柏與台中地院檢察處周熾諒首席檢察官，邀集中部四縣市及嘉義警察局長舉行會議，檢討案情，根據綫索，偵查及追究有關人物，決定第二階段的工作步驟。此案真象，且看未來的破案結果。現在不便多加推測。（九月廿七日於台北）

台灣采風錄

△「徵聘教員：本市某中學聘請英語博物數學體育教員專任兼任者可請將履歷及希望待遇函寄波西街七一號楊君收轉恕不面洽」云云。徵聘教師，待遇有規定，何用「希望待遇」？豈非黑市中學徵聘黑市教師乎？聘教師竟可面議，怪怪。「徵婚」方式此中有妙用哉！

△「啓事：×兄×女謹訂於一九五七年×月×日在美國×州×城舉行結（訂）婚典禮，特此敬告諸親友×××同啓」云云。既在美國訂結婚，而在台灣報紙刊登啓事，[illegible]國人不承認乎？此風甚覺[illegible]，可洋化驚人！

△某公共食堂[illegible]

·閒民·

新聞人物

牽入台省疏遷工程舞弊案的 青年工程家沈普霖

台灣省政府疏遷工程舞弊案中，有一位本屬無名而現在成為新聞人物的軍要嫌犯，那人就是一位青年工程家沈普霖。

他現年四十一歲，福建安溪人，曾在菲律賓大學及廈門大學土木工程系，及美國密西根大學研究院畢業，曾在加里福尼亞洲一間飛機製造廠及英國一間工廠擔任工程師；年富時出身名門，家在南洋爪哇一帶經商，學得優良技術，所以不僅他的主官倚畀甚重，屢次擢升，即國際人士對他也曾另眼看待。

四十四年九月一日台省府建設廳成立營建處，他任副處長，未幾復兼任台中工程處主任，再任土木科長，飛黃騰達，總攬人事經濟大權，實在是易如反掌的。他不善交際，且無不良嗜好，勤肯好學，可惜環境移人，聞者惜之。

省府疏遷目的地南投縣中興村的工程，由他綜其成，無論承包與建，監督指揮，悉由他一人負責，近兩億元興建經費支付大權落在他手中，自是[illegible]諂媚，百般逢迎，於是酒、美人、金錢，各種貴重禮物，都是進攻武器，[illegible]身陷誘惑而不自拔。終於他被控的罪名是：接受五十五家包商的賄賂，甲級工程落於乙級營造商之手，沒有營造廠的包商不無有份。事前某些老油子告訴他，收回扣、介紹包商，只是行政上的順水人情，此種公開的秘密，無不享受一些禮物，對包商之考核不再嚴格，待他發覺，已為時已晚，作繭自縛，已騎虎難下了。

[illegible]於廿四日下午，交待一切，攜帶簡單日用品，到台中地方法院檢察處投案，待庭論收押時，他已熱淚盈眶，深自慨嘆，四十年若學奮鬥，如今毀於一旦，一念之差，身繫囹圄，實不禁使人有浩嘆之感。（四十六年九月廿八日於台北）

·嚴樹清·

妙聯

·小記·

「十」足可憐看整風血跡刀光兔死狐悲猶未已；
「一」籌莫展數偽慶鞭絲帽影蛇神牛鬼也無多。

可稱為最好的人物評的是寫「周恩來」一聯：

「恩」怨莫分半世衣冠禽與獸；
「來」歷不分一場粉墨丑兼生。

最好的人物評的，又切合大陸寫實的是寫「劉少奇」一聯：

「少」壯到白頭奉馬恩列史衣鉢，四十年行亦主義坐亦主義；
「奇」功宜赤化斷士農工商頭顱，千萬顆過在斯人罪在斯人。

我對「社會軌律」的看法

——兼答王布儒先生

·牛嶠·

讀了自由人第六七九期王布儒先生的「社會有無軌律可循」一文，內心甚為沉痛，雖然涉及拙稿「自白另一章」之處，頗多斷章取義，不過，瑕不掩瑜的，是將近月來幾篇自白性的文章正本清源，找出問題的關鍵——社會有無軌律可循，這到是我所欽佩的。

我之寫作「自白另一章」，乃鑒於「近幾代」的人們在中外，新舊，善惡，清污，往返，矛盾理論及現實中掙扎」（蕭立坤先生語），有感於我們這幾代[illegible]精神，又無煥發的朝氣，[illegible]都好像丟掉了樣[illegible]大學生在生活態度上及道德觀念的種種現象，[illegible]主要的意思是想引起警覺，也許由於辭意晦澀，引起王先生的誤解。

王先生在他的大作中說：「天啊！我們不知[illegible]」從何來……少年時父兄師長教我們一套[illegible]似乎在生活上與社會格格不入，師長教我們一套「仁義道德」……[illegible]我自覺一無所知，今天看到牛嶠先生的指責，[illegible]（中間擱置社會不合理的部份……）[illegible]浮世相[illegible]這些究竟是屬於老前輩告訴我們的那一條呢？……至於牛嶠先生所指出的『經商的滿腦子斤斤計較金銀銅鐵，幹文化事業的搜腸刮肚為了稿費』我卻覺得用本錢博小利，用腦汁賣錢，似乎天公地道，沒有什麼不對，倒是滿口仁義道德，滿腦子男盜女娼的人才真是可惡，反反覆覆的才是小人，『盜亦有道』也比他們好！」最後結語是『疑惑，徬徨，社會有無軌律可循』。

他的意思重心似乎是說：老一輩的不少滿口仁義道德，而多行不義，社會現象是如此的浮滔，又何獨怪部份青年學生「吃酒，跳舞，博錢，女人」叫我們向那裏學好呀！

在這裏，我應該自我檢討一下我的「自白另一章」，嚴格說來，在文中的意識是消極的，結論說：「不能承接上一代，領導下一代」，是錯的，誠如瓦斯先生在自由人第六七〇期所說：「歷史又不像打籃球，一個 Pass 便可以推卸責任」。這句話，夠我們這一代人警惕的。

反過來看一看王先生的一篇，我很同情他「疑惑，徬徨」的論調，因為年青的一代對老一輩的把戲，正如他說：「自覺一無所知」。

王先生在「社會有無軌律可循」一文所寫的，我有佩服的，有不的。佩服的是他的感歎如「許多日本鬼子該殺，後來提到了遣服袁戰犯在內卻說該放，甚至舉杯互祝，以前大罵朱毛為大的人，匪變成皇帝之後，卻有不少人叫他東方太陽，他自稱殺了八百萬人，還有人以為我皇聖明，人民當誅」……。不佩服的如「……為什麼似乎好的大都沒有辦法，壞的人倒有辦法呢？」（筆者按語：我想不同意這說法的人大有人在，）「看歷史，奸相總比良相多」（我懷疑這份估計的正確性），「看現在『社會』紳士名流據說大都有一段不可告人的歷史」（有一段不可告人的歷史的，在現社會豈止紳士名流），「不好的人到了有錢勢就會變成好人」（這只是錯覺，其實有錢的娼妓館老闆到死還是烏龜甲魚，有勢的希特勒死後也無人稱他是聖人，兔兒帶金釧，始終是個畜生）。

王先生又說：「……至於牛嶠先生所指出的『經商的滿腦子斤斤計較金銀銅鐵，幹文化事業的搜腸刮肚為了稿費』我卻覺得用本錢博小利，用腦汁賣錢，似乎天公地道，沒有什麼不對，倒是滿口仁義道德，滿腦子男盜女娼的人才真可惡，反反覆覆，才是小人，『盜亦有道』也比他們好！是嗎？」

在這一段文字，我要特別聲明的，王先生把我的原文引錯了。原文是：「從商的錙錙斤斤較量，一腦門金銀銅鐵，幹文化事業的餓犬搜索枯腸千方百計在錢上打主意，卻都有一個共同之點，就是金錢變成崇拜偶像，有則興風作浪，無則頹唐離沮。……」意思是說三十歲這一代人由於未完成小中大學教育者居多，以致無氣節，道德，良知，變成社會「時代垃圾」，所指從商的乃指炒金投機，放高利一類自私無恥之徒，並非指小商人「用本錢博小利」，後者，那有能力去「興風作浪」呢？所指「幹文化事業的」，請注意「事業」兩字，賣腦汁爬格紙能算什麼「事業」呀！至于王先生將「在錢上打主意」有意無意的寫成「為了稿費」以致與原意相差十萬八千里。用腦汁賣錢，當然天公地道，但，你見過以「文化事業」作幌子千方百計詐騙的嗎？你見過一腦門金銀銅臭的商人對慈善事一毛不拔的嗎？你認為滿口仁義道德，滿腦子男盜女娼的人才可惡，我卻以為人分三等，第一等人講的仁義道德，行的仁義道德，第二等人講的仁義道德，行的男盜女娼，第三等人，講的男盜女娼，行的男盜女娼。講仁義道德的二等人他總算還在講，假設社會上全是講男盜女娼，行男盜女娼，還成個世界嗎？是嗎？

仔細分析王先生的想法也不能算是不合情理，社會百態雜陳，光怪陸離，超出想像的情事很多，社會究竟有無軌律可循？也確是值得研討的重要課題。

我以為社會是有軌律可循的，我的看法是外在的是法律，制度與風俗，內在的是「心律」，由內發乎外的是道德及倫理。社會是人與人的結合體，不能藏諸山野獨自生活相互間就免不了往來，互相往來，就免不了糾葛，有了糾葛，社會就免不了秩序紊亂，道德，法律等就是維護社會安寧，人與人在理智，經驗判斷下產生的軌律。道德與法律不是神賜或天賦的，它是人為的，它也不是一成不變，它是人類各個民族社會陳陳相因，隨着時間空間的變化迭有更新的。法學家耶令納克 Jellinek 會經說過：「法律是最低限度的道德，不能守法的人根本不配談道德」，可見法律與道德淵源很深聯貫一致，都屬社會軌律。

然而社會何以如此動盪混亂，在幾份自白篇中所述的不良現象都依然存在呢？我卻認為這牽涉到人性消長的問題和蔑視道德倫理有關，文化「中落」更是助長「社會軌律」破壞的要因。其他的民族不談，單以我們的社會而論，「社會軌律」的破產，形成了近一二十年史無前例的大動亂。

翻開歷史來看，那一個朝代太平盛世久，必是固守道德倫理綱紀，必是文化發揚，那一個朝代杌隉不安，戰亂迭起，必是道德淪喪，文化歸於淡，社會軌律渙散。社會的模子有了缺陷，鑄出來的人也走了樣。

中國固有的傳統文化與道德倫理，本是良好的「社會模子」和軌律，雖然「模子」毀了，軌道破了，但仍有軌跡可循，近代的人犯了「疏而不察」，「明知故犯」，「倒行逆施」的大毛病，所以纔有不道德的，無氣節的，逆倫常的，無人格的，反反覆覆，男盜女娼，口是心非等等病態出現。

目前我們的社會固然對應循的（社會軌律）尚未完全「倒行逆施」到如同共產黨徒社會的地步，可悲的是風氣所趨，蔑視道德，倫理，人格，良心的現象也到了驚人的程度。

王布儒先生疑惑徬徨的說：「社會有無軌律可循的呢？」我直申我淺薄的看法，回答是有，不過不爭氣的人不朝「軌律」方向走，以致鬧出「時代症」來罷了！不過社會病象如此的糟，不是痊癒便是死亡，不是復興便是崩潰，那完全要看「承上接下」處於轉形期這幾代的自省與警覺。

英議員遊俄所見的 蘇聯經濟生活新貌

旭軍譯

時論選譯

莫斯科人民獲得生活資料比紐約難得多 牛油要多花十倍工時麵包也要多化一倍

下面是英國議員李澄布洛克旅行蘇聯所見的摘譯。（譯自本年九月二十五日倫敦「每日電訊」報）說到蘇聯經濟有驚人的改變。

八月廿七日，我（指李澄布洛克）在基輔和該區經濟局主任談話，得知蘇聯有兩個顯明的經濟大改變。

第一，是中央集權分散到一百一十區。在莫斯科的許多部門已完全廢除。職員們回到本省任職，或到莫斯科外圍的工業及工廠工作。蘇聯的經濟生活，需求不斷的超過供應。自然沒有生出政治結果的失業問題。

經濟中央分權，對於共產黨統治集團的影響之問題，已被漠視了。這種新計劃受一般人歡迎。

有重大的改變

我聽到一個例，據說農業部兩個附屬機關，其中一個建立一發電廠，係爲秋季收穫甜菜而設，經兩月後任務完成，另一附屬機關想，利用這發電廠於春季，協助製乳酪業。但遭拒絕了。

第二個重大的改變，是眞正廢除了集中的或甚至分區的「控制主義」。從前計劃和進度目標，是由中央政府的部製定。在邊區可憐的環境中，亦不能不勉强應付。有許多有充份理由不能達成任務，也受政治上的重罰。其他間或偶然獲超額完成，純是幸運得來。

互相妬忌，是發生磨擦的原因。而且依照政治思想分別管理。現在新的計劃，係從基礎開始，換而言之，就是在工廠本身計劃的。改變或調整，係由爲各種不同的工業，而就地設局擬定。再由分區經濟局批准的。

資本主義優點被認識

我敢說他們不以此階段爲滿足。日用品工業發展愈快，則他們改變計劃愈快。直至他們認爲計劃幾乎是不必要爲止。我說及這一點時，他們微微笑，聳一聳肩。但我感覺若干資本主義的優點，正開始被認識了。

我在八月廿八日早，乘汽車兩小時到達莫斯科的奧勃寗斯克。克拉寗教授迎接我，帶我去參觀他所謂「世界第一間原子能發電廠」。這是在一九五四年完成的。其生產電力僅五千基羅瓦特。祇是一個單條石墨節制的反應器。用水傳熱，置於有五倍大氣壓力的壓縮器，蒸汽熱到攝氏二百度。

九月二日，我們參列寧格勒，訪問一間典型的普通學校。這是兩年前建立，但是非常陰沉的四或五層的大廈。好像一般蘇俄學校，是男女同校的。課室內的雙人椅桌，是男女相間而坐。

兒童七歲入學，十七歲畢業離校。他們上午八時上學，下午二時放學。當中進膳一餐。每班人數三十至四十人左右。

英文是唯一外國語

功課包括有生物學、物理、化學、心理，木與金屬的工藝，圖畫和音樂。英文是唯一的外國語文。

至十五歲開始作專門的研究。雖然有若干的學校，與集體農場等機關，有連繫。在那裏較早停止學普通科課程，但普通到了十七歲以後，才作特別或技術的訓課。

上世紀的服裝款式

最近學生們的服裝，復興上世紀的八十年代的款式。男學生們穿着膨脹得好像囊一般的褲，上衣長而圍着一條帶。女學生們披着漿硬的麻布胸圍、有掛肩帶、和綢摺的緣邊。樣子好像英國查理士箔根描寫的侍女。

紀律大部份是由年長的男女學生組成一公開法庭主持。

我們被引帶到那招待者的友人家中。主人是電學工程師，在蘇聯是受厚待的人物。他和太太與兩女兒一兒子，都替國家服務。

住所很清潔，傢俬有白布鋪蓋。窗門上陳列着常青樹的盆景。製茶的銅壺被蓋着。這是古老的而非時興的東西了。

聽收音機怕費時間

他們有電、煤氣、和煤用。也有無綫電收音機與電視機。但他們夫婦不常看，他們說『這是很費時間的』。租金連帶燃料是二百盧布（五鎊）一月。他們告訴我們：這一家人並沒有爲我們準備。並且剛剛吃過了早餐。我們自己本來也吃過了。然而仍擺出裸麥酒、乾漿菓、冷肉、菓醬這厘和鷄卵打成泡沫的食品，以及乳酪。我懷疑在英國工業區，和這位電學工程師相當的家庭，能有這樣的鋪張炫耀。

一般人生活很艱苦

然而在蘇聯一般人的生活，是很艱難的，試將一九五四年四月，紐約市人和莫斯科人，換取食物及衣物所需的工作時間作比較便知了（見附表）。

物品名	需工作時間 莫斯科	紐約	莫斯科工作時間對紐約的百分比
裸麥麵包一公斤	二五分	一三分	二〇〇
麵一公斤	一五分	二．五分	六〇〇
牛肉一公斤	二五七分	四九分	五〇〇
普通牛油一公斤	五四六分	五七分	一〇〇〇
糖一公斤	一八五分	七．三分	二六〇〇
牛乳一夸特	四二分	八分	五〇〇
蛋一打	一六八分	二一分	八〇〇
茶一安士	五四分	二．五分	二一〇〇
棉衫一件	二二小時	一小時	二二〇〇
人造絲襪一對	三小時	十二分	一〇〇〇
男裝黑色牛皮鞋一對	十二日	一日	一二〇〇
男裝羊毛衣一件	四十七日	三日	一六〇〇
女裝皮鞋一對	八日	五．三小時	一二〇〇
女裝棉衣一件	十八小時	二小時	九〇〇
六眞空管收音機一架	三十二日	十三小時	二〇〇

談中國文化的力量

——從「我不識字的母親」說起——

・李樸生・

前年，我六十歲的生日，追懷昊天罔極的深恩，便把俗例請客的錢，用來出版一本『我不識字的母親』，贈送友好，作爲生我劬勞的紀念。想不到出版以後，蒙國內外的朋友給我不少鼓勵。在刊物予以評介的，我看到的有香港上海日報成人（黎晉偉先生）「讀李樸生先生新著我不識字的母親書後」；香港天文台移齋先生「讀李樸生贈書」；香港自由人懷冰先生（王韶生老同學）「讀我不識字的母親」；香港星島周刊，老驥（葉少修先生）「李樸生刊行回憶錄」；香港工商日報南薰（任畢明先生）「與李樸生許叔娛兩先生再談儒家精神的適用問題」；香港新聞天地卜少夫先生「我不識字的母親」；台北海外月刊，湯正平先生「我不識字的母親評介」。越南西堤銷路最大的遠東日報，因麥思源先生任編輯，有所偏愛，把我這本書分日轉登，會來台觀光的符林英先生每日把牠剪存。我又接到一位半工讀，做街頭小販的西堤馮祥先生來信要我送他一本。由于各報刊雜誌的銷路大，我接到不少相識的，不相識的朋友從遠道來函取閱，如南斐洲的鄭瑞華先生，閱後給我詳細校正錯字。中美洲黎加拉瓜的曾練策先生閱後對中國宣傳工作上發表許多高見。美國的鄺榮舟先生閱後轉送朋友，而黃浩然先生則託台灣大學教授許永綏先生在台北的書店購買。泰國許炎先生向泰國書攤書店偏找不着，總很客氣地寫信來索。去年我到菲律賓，參加中國國民黨總支部的代表大會，楊金指先生代表總支部致詞時，竟宣讀新聞天地中一段介紹拙作的文字，使我感到慚愧！

中美倫理問題的辯論

老同學指正拙作錯誤的有兩位，一位是梁寒操先生，一位是在澳門的劉萬章先生。他們指出我說張漢卿先生九一八跳舞那首詩，是馬君武先生寫的，原稿且曾製版刊良友畫報。梁先生又說大學『物有本末，事有終始』等句，不是朱晦庵先生講的。囑我更正。有位先生在自由人批評我對『美國的家庭』的看法，以爲他沒有看到拙作，因爲這些話是我走馬看花的『皮相之談』，不知我曾說明是鄭子展先生告訴我的。鄭先生原任廣州中華書局的總經理，搜集中國古版書籍很多，對中國學問是有研究的。他的公子留美多年，他和他公子同住，對美國的風俗習慣，我想不會太皮相。近讀潘煥昆先生的訪美紀行有一段『童年歡樂晚景凄涼』也談到這個問題，我要特別介紹的是劉伯驥先生的大著美國華僑教育一本書，裏面論到華僑子弟，華僑家庭與美國子弟，美國家庭有若干不同情形，分析得很實際。劉先生留美多年，得博士學位，現主三藩市國民日報筆政，他是好學深思的學者，其著作決不會濫泛泛的觀察對弱裔前途作杞人之憂。

唯平凡能得好感

拙作絕不是因爲文章寫得好，使人發生好感，而是因爲我不作修飾的鋪排，誇張，很素樸的描寫我的平凡而不識字的母親。她有缺點，如歡喜打小牌，打小親。她沒有過人之處，如能斷機，教秋的賢母。她絕不會想到在我的背上刺『精忠報國』的警語。她只是庸德庸行，是大家日常在自己家裏所習見的母親而已。唯其平凡，容易引起朋友們想到他自己的母親，有比我母親知書識禮得多，有比我母親勤儉能幹得多，有比我母親慈愛和藹得多。他懷念他比我母親好的母親，不知不覺就對拙作有好感。這在吳沈先生致查良釗先生（台灣大學教授）的信上可以看得到：『適值母親節近，承賜閱李先生所著，我不識字的母親一書，得有兩日時間仔細誦讀，極感眞情勃勃，實在可歌可泣。弟年來未嘗流淚，讀是書，難禁熱淚奪眶而出，因追念先母及先母均多辛茹苦，當弟留學里時，即負債甚多，論及原因，皆由借債周濟窮困所致：此即我國母性之平凡偉大也』。

詩經蓼莪之作，李密陳情之表，都淺白，沒有什麼文采，而至情流露，自然動人。除卻孤兒，人人都有一個慈愛的母親，人人都會想念他們慈愛的母親，由于母愛瀰漫于人心，一有機會，容易發生了普遍的同情。如果一個人把父母『鞠我育我』都看得毫無意義，認爲這不過是他們的性慾衝動，只是一筆風流債，如共產黨理論所說，並且在小學裏就教兒童不要愛媽媽，不要愛爸爸；還要組織小鬼，做他們的小報告，清算媽媽爸爸，鬥爭媽媽爸爸，以博『前進』，『英雄』之名。其做法是要毀滅人性，使成爲禽獸！但人性甘成爲禽獸麼？禽獸可以成爲一個國家麼？支持得久遠的麼？共黨政權的必然覆亡，從人性的不甘成爲禽獸，禽獸終不能支持一個國家，就可以決定。

拙著所以能夠得到這許多賢貴的友情，旣是由于大家心裏懷念着無限溫暖的母愛，這是中國文化在中國人心中最根深蒂固的力量，也就是我們必然可以光復大陸的力量。我們推翻共匪政權，最可靠的科學現已走到核子原子彈爆炸，當國際又走到階級鬥爭，侵略，反共的邊緣，救世的精神，唯有基督的精神與中國文化。在西方，基督教發揚基督精神，在中國，中國文化，寶在我們發揚！

朱九江先生說：『天命民彝不可一日絕。不絕，則必有所寄。寄斯鈕者，恆在好古修學之儒也！』（引句記憶，也許有錯，不會過）此時此地提到好古，不會發生復古的誤會？孔子是『好古敏以求之』，求是求什麼？求其精粹的部分，求其合于時代之需用，所以他主張『行夏之時，乘殷之輅，服周之冕，樂則韶舞。』並不是呆呆板板地全面復古。他從歷史上選擇好的，合于正德，利用，厚生標準的材料，供給

中國文化的貢獻

我們當前進步的需要。如果孔子時乎今日，則會說陽曆已是世界通用，除了中秋賞月，不必行夏之時。飛機與汽車很快過，周游列國，如能夠旅費，一定要搭飛機汽車，不要乘殷之輅。所以孔子寫社論，也一定用『51』型的鋼筆，不會用毛筆。這纔是大成，纔是聖之時者也！但

今日世界的紛擾，是因科學的發明已走在前頭，社會科學，尤其政治哲學，人生哲學沒有趕得上去，做控制科學，爲人類幸福而用的主人，弄到人爲物用所迷惑，人爲物的奴隸，而人與人，國與國間，失去正義之道的標準，失去互相之道，成爲爾詐我虞，互相殘殺，人將相食的世界。所以，今日世界緊急需要的大問題，是人與人，國與國如何相處，能在這科學進步的今日，不是得到物質的進步，不致謂物質幸福。中國研究科學，是落後的，我們要不造物，可諱言，不可自欺。但中國教育對人與人相處的道理，却有與國與國相處的明的道理，研究得極簡易的方法，又是極用數學幾何的方法，一步一步由淺入深，如數學幾何，由自明的公理公式的方程，經過演繹進到千變萬化。例如，他們有無窮盡無根據的『孩提之童，無不知愛其親也』的天性，推到『老吾老，以及人之老；幼吾幼，以及人之幼。』推到『幼有所長，壯有所用，老有所養』，再推到『貨惡其不出于身也，不必爲己；力惡其棄于地也，不必藏于己。』再推到『生而不有，爲而不恃，長而不宰。』再推到『既以爲人，已愈有；既以與人，己愈多。』乃至于『天下爲公』，民胞物與，國與國間，到此境界自然講信修睦，還用什麼原子彈，所以中國輕不打仗，來打仗的？以孝治國，道德教育以孝爲先，中國理想以爲歸，後人都謂之是做得到，可以行今日人，單得到，什麼理想人總會指導之，救世界的思想，人性一日不減，懷念母親之心，人性一日不減，在人之中，充其之，足以保四海，親親，以致于天下。

現世界有識之士，不少人努力在道德方面發現，我們決不應該力在原子彈所不能，飛彈，最厲害的是越洲飛彈，破壞面積的道一個大都市，運動勸孝的飛彈却能在全面，世界一個人的心中命中，如果同時四面八方的人心，類不顯作數以億計的大屠殺，大戰，一時不用頭，第四次世界大戰的石頭，我願以孝道消滅世界之禍的口號貢獻給讀者：（四十六年九月十二日）

國際動態拾零

外交界傳聞，布加寧此次未被黜的原因，是朱可夫說了話。朱可夫之在黑海岸渡其放逐生活，是布加寧結束它，而叫他回到莫斯科執政的。而馬倫可夫，莫洛托夫，則爲放逐朱可夫的策動者，故獲其報復。

×　×　×

美國五角大廈最高當局，大騰史塔生，他對一切都肯讓步，只要裁軍會議繼續開下去。蘇聯針對其弱點，故意將裁軍會議結束，而且認爲是美國脆弱不安全的徵候，所以在中東開始試探了。

×　×　×

傳說蘇聯與敍利亞當局，不惜用種種手段，甚至暗殺，以對付親西方之阿剌伯集團領袖。約但之赫辛王尤爲對像，伊拉克與沙地阿剌伯國王，則爲其次要目標。

×　×　×

以蘇聯勢力之在中東擴張，美國打算派一支艦隊于印度洋，以與地中海之第六艦隊遙相呼應，藉使中東均勢，得以平衡。

×　×　×

兩星期前，英外相勞特，訪問南斯拉夫時，狄托曾告以波蘭將獲較大限度之獨立，而匈牙利隨後多少亦將減少管制，俾邁于獨立之途。原來波匈在狄托眼中，現在尚非完全獨立國家。

・陶然・

自由談

談中日外交

馬五先生

自由中國的特使張岳軍先生，這次報聘日本的情形，頗受彼邦朝野人士的歡待，這當然值得慶幸。他至少在日本多識得一些朋友，也不致如普通前往日本訪問的中國大員，常常現損相，鬧笑話。

可是，儘管岸信介首相與張特使的聯合聲明，內容說得怎樣堂皇有致，日本大多數政治人物的內心深處，對我們究竟抱着甚麼意念？據我國人的體察所及，實在不敢樂觀。翻開日本近代史看看，自明治維新時期以來，一直到二次大戰敗績，它的立國之道，完全是以模仿德國，崇拜強權的現實主義爲其基本。明治維新伊始的政治制度等憲章，原是竭力仿效英國的，繼見德國維廉第一，俾斯麥統治強盛之勢，如是乎，又趕忙採行德式的軍國主義了。現在他們對中共表示柔和姿態，決非爲着貿易，大陸上的貿易情形今非昔比，日本人殆較我們更爲瞭解，所謂「貿易出路」云云，外交詞令的成份爲多，實際還是崇拜強權的現實主義思想而已。我在東京旅居半月，經常接觸彼邦的文化界人士，深深地體認到他們十九都是懷着嚮往大陸的心情。老實說，日本在經濟上若非有求於美國，在軍事上對美國猶有依賴的話，它的外交政策，老早就向尼赫魯看齊了。

這意思並不是說我們就無須跟日本從事外交工作了，而是認爲只靠外交工作，乃事倍而功半——結果或許尚不及半。必也我們自己有不落恆蹊的作法，以配合外交行動，庶幾可望獲得中日合作的實效。上月我在東京晤見那位自由中國的好友蔣治隆一先生，他很感慨地說道：中國大陸上正鬧得烏烟瘴氣，人心大變，台灣方面卻好像在睏覺呢！忠言逆耳利於行，我們應該知所警惕，有所作爲，莫教親者痛才是！

更正：上期本欄「肉麻當有趣」文題，趣字誤植作「趨」，特此更正。

燈下偶拾

文人頌

「爲愛名花抵死狂」——陸放翁

「亦狂亦俠亦溫文」——龔定庵

陳永昌

無論古今中外的藝文作家，都總沾有一些神經質的，尤其是詩人，畫家，因爲他們需要運用靈感，思想便常會受到外界的刺激，這樣一來，便把他帶到一個完全幻想的領域去。因此，這種人常有一種癖性，無論在某一方面，他的觀點都與普通人不同。

狂，但是這種偏僻個性的表現。在醫學上來說，狂是一種病態，但在文藝作家方面來說，卻是靈感的維他命，含有一種強烈的意思。凡放恣不羈的文士，我們都可以名之爲「狂士」。

古

翻開我國歷史來看，除了道學家之輩外，凡是詩人，詞客，書畫家，多少總帶有一些疏狂的成份，米南宮之顛，黃子久的癡，倪雲林的潔，以至明朝的唐伯虎，祝枝山，歷來的揚州八怪（華新羅、金冬心、李晴江、汪近人、邊壽民、鄭板橋、李復堂、羅兩峯），都是一代的狂士，李白的恃才傲物，醉中命高力士脫靴……士，民初的蘇曼殊，更以「狂僧」見稱一時。所謂「狂」原也是有胸無城府，絕無半點裝腔作勢的，但如果是有意要做狂士，那便不是眞正的「狂士」了。

今

社會上有不少自詡的「狂士」，表面上似乎很風流瀟脫，但骨子裏卻俗不可耐，有些人是靠曼殊的崇拜者，因此一舉一動也要仿效曼殊，甚至連名號也改用跟曼殊相似的字，他以爲這樣便是曼殊那樣狂放不羈者了，但實際上這只是以狂放來掩飾自己含昧的行爲，那是不值一哂的。

中

陸放翁詩：「爲愛名花抵死狂」，這「抵死狂」三字是何等的天眞無邪，絕非那裝腔作勞之輩所能做到的。而龔定庵詩：「亦狂亦俠亦溫文」，更把三者運在一起來說，卻「狂」總須兼有「俠」與「溫文」的成份，逐臭之夫，既不俠，又不溫文，又怎能稱作清逸疏放的「狂士」？

古來眞名士之狂，並不是爲名，爲衣食，而是因生活在「白日何短，黑夜何長」，「人生若夢，爲歡幾何」的感覺下，便想以「開瓊筵以坐花，飛觴醉月」的享樂方面去，而「處世若大夢，胡爲勞其生」，這是文士狂放思想的出發點，至於道學家所謂玩世不恭，則又另一回事了！

外

在外國，文人狂放之士也很多，但跟若創作的文人，亦屬不少。法國著名心理學家列榮脫，在未寫作之前，必先到後園散步，使身心舒適，才能觸發靈感。德國大哲學家康德，在動筆爲文時，照例要散步一次，不許任何人近前和他講話，否則他的靈感就要窒息。巴爾扎克在做學生的時候，他的功課被評爲劣等的，同學都取笑他是「蠢才」，但他並不因此自餒，仍舊過着艱苦的學習生活，結果成爲法國最著名的寫實派小說家。可是，他成了名以後，下筆更加審慎，往往一篇小說出版時，早已經過多次的改正和改印，單是這一筆印刷費，就佔了著作利益的大部份，而他卻一點也不覺得可惜，足見其負責精神。

大發明家愛迪生說：「天才是一分的靈感，和九十九分的出汗。」這句話，最可玩味，所謂天才，實即努力的別名。例如，哥德努力了六十年的精力，才完成了他的「浮士德」。托爾斯泰寫「戰爭與和平」，參考了七百多本的歷史書，七次易稿，才完成這一百幾十萬字的巨著。左拉每天早晨不寫一千五百字，這樣不倦地埋頭寫了二十年，才完成「盧貢麥卡爾叢書」。果戈理寫「死靈魂」，費了十六年功夫，第一部寫了六年，第二部試寫了十年，結果因不滿意而親自焚燬了。由此，可知著作之難了。

福洛貝爾寫「布法與白居謝」一書，除了許多的旅行外，看了一千五百多部參考書，化學、醫學、農學、都去讀，筆記積有八寸高。普式金寫「甲必丹的女兒」，除了到卡山，辛比斯克，奧倫堡各城市，及烏拉爾草原調查了外，還在政府機關內看了許多關於蒲格喬夫叛變的檔案。俄國名小說家迦爾洵，時常一面寫小說中主人翁的苦悶，一面就會自己哭了起來。法國名作家龔古爾兄弟，爲了研究人物的精神狀況，故意設法使自己失眠，好經驗一下長夜不眠的滋味。福路貝爾寫「波華里夫人」時說：「我今天弄得頭昏腦脹，灰心喪氣，我做了四個鐘頭，都沒有做出一句來。今天整天就沒有寫成一行，雖然是除去了一百行。這種工作眞難……」。於此可見眞正的寫作並不是一件易啊！誰說文人易爲呢？

知音

·楊有釗·

萬竹樓隨筆

李提摩太與李佳白（上）

從民國二年秋季開始，到六年的暑假，我在上海的震旦讀過三年的書。就在這個時期，我見着了英美在中國有名的傳教士兩個人：其一是英國的李提摩太（Timothy Richard）；其一是美國的李佳白（Gilbert Reid）。其時我只曉得他們兩位的名字，並不知道他們究竟在中國辦過一些什麼。

李佳白在上海公共租界的愛而近路辦了一個「尚賢堂」，房子很高大，門前有兩三畝大的一片草地，四週圍以鐵欄，我們從鐵欄門進去，要通過這片草地，才能進入那所高大的房子。其地離我讀書所在的震旦，只須坐十分鐘左右的電車。我不記得是那一位朋友告訴我說尚賢堂每星期照例有一次講演，主講人就是李佳白，所講的內容不是傳教，而是談中國和國際的時局，附帶的也表示他們一點政治意見。這種講演無限制，任何人都可以自由參加。我爲一種好奇心所衝動，不久便成了尚賢堂的經常聽講的一員。其時期約在民國三四年之交，大致延續了一年左右。

李佳白的年齡大致是六十左右。我看見他的時候，他能說流暢的中國普通話，略帶一點山東口音，這大概是因爲他以長老會教士的資格在山東做過長期傳教工作的關係。我覺得他的態度是溫和中而帶有幾分和藹，他一面講演的時候，使人感到他爲了他的事業，確實是抱着一種熱誠。有一次，他的講題是「總統制與內閣制的比較」，他所講的是中國話，但他手中拿着的是用英文寫的講稿。他每次講演照例有一份寫好的講稿，決不是隨隨便便就上講壇去瞎扯的。這次講演的內容如何，我已經不記得；以我當時對一切政治制度的常識，對他所說的種種，也無法加以批評；但我知道：其時正是二次革命結束不久，袁世凱以一個大權總統的姿態，掌握着中國的命運，中國已暫告統一，而帝制運動還不會起來，他這話決不是無所謂而發的。他在這次講演結束以後，說了幾句題外的話，卻給了我頗深的印象，他說：『上海這樣大的一個地方，人口多到幾百萬，但每天究竟有多少人能伏案讀讀書，對中國當前的重大問題能加以一番研究，我卻完全不知道！』言外似乎表示着一種十分惋惜和慨歎的樣子。

尚賢堂內這間講演廳，並不太大，至多只能容得下六十個坐位，而每次來聽講的也從來不會超出四十個。這裏面包括了寬袍大袖的老者，着學生裝的青年，可是就我記憶所及，好像從來不會見到一個女子，這也可看出民國初年上海的那種風氣。

·舜生·

中篇小說

海上學校

十三

張長虹因左腿膝骨化膿，腓骨與踝骨碎損，無法補救後，經周太玄簽字同意之後，將左腿鋸掉了。那是輸血急救風暴造成的自然災害，在醫院裏也可以找出來。當張長虹從催眠針下醒轉，喞忍着身體的酸痛，側一下而不可能的時候，他聽到了大病房中許多哼哼唧唧的聲音，他朦朧地意識到，遭受這種不幸的人，並不止他自己一個。

陣黑已退，天剛放亮，救傷車將貝比載到了九龍醫院，隨即開始診斷，止血。並將他安置在大病房之中，也恰恰與張長虹爲鄰。這自然是巧合。但這種巧合，和昨晚鄰床一個重傷者的送進殮房，至少是有關連的。

貝比仍然停滯在昏迷不醒的垂危狀態之中。

張長虹除酸痛難捱，眼睛冒火花，頭脹欲裂之外，他並沒有注意到貝比的存在。咫尺天涯，各不相認。人生以鬧劇始，以喜劇終，這古老的劇情，往往不斷地重複。

而急診室外，周太玄卻意外地碰見了杜宇。他們淒切地打了招呼。並簡短而低沉地交換了張長虹的病況，以及貝比昨晚受傷的經過。

「唉，眞是屋漏又逢連夜雨啊！」周太玄說，下意識地摸了摸酒糟鼻子，從走廊上踱進草坪中。

杜宇的臉上，愁雲密佈。她陷於焦灼的紊亂之中，沉默着，沒有講話。

「沒有生命的危險吧，」他繼續說，小步子擦着草地上的砂石。「但願朋友們，不要有甚麼破損纔好！」他低沉地添說。

「我也這樣盼望，」她說，聲音打顫。

「傷口在甚麼地方？」

「大約……很，大約在小腹上。」

「深不深？」他突然急切地發問。

「這個，我不大清楚，」喑啞使杜宇的話中斷了。「也許有七八寸深，」她用纖手比劃着。「這麼長一把短劍，除劍柄外，幾乎完全插到了他的肚子裏。」

周太玄濃眉緊鎖，站住了，忽然轉過身子。

「這麼長？」他用手照樣比劃，對直地瞧住她。

「是的，是的，我想是的。」

「不會傷害到小腸吧？」他焦急他說，用手背拍擊着掌心，「腸子如果割斷了，性命可能保不住哪！」他添說，又開始踱踏不安地繼續走動。

杜宇乘機說出了她心坎裏的話。她願意馬上得到貝比的消息，尤其是關於傷勢的。她說這些話的時候，大眼睛裏漾動着淚水，美麗的手指頭，不自然地強烈地彎曲着。

「放輕鬆點吧，杜宇，」他安慰她。「吉人天相，並不是全無道理的啊！至於看看貝比，那總歸可以設法。」

「這個時候不能嗎？」杜宇用哀懇的語調說。

「假如老朋友們當班，也許，」他說，迅速地穿過草坪，走進正門。「也許可以通融。」

杜宇跟隨他進了正門。紅鼻子將她安頓在大廳的長椅上，逕自到總診室那邊的過道上去了。

他找了好幾處地方，但都撲了空。總診室的門，多數是緊閉的，「老朋友」們還沒有上班。而當班的那一位疲倦的胖醫生，他卻認不得。在晨光的笑臉之下，他頹喪地退了出來。交涉沒有成功，他苦勸她暫時忍耐，並邀她到附近小吃館中勉強進些早點。杜宇無奈，只好相陪。

他倆離開不到一刻鐘之久，警車開到了草坪裏。

鄒漢亭從警車上跳下來。他手上有鐵銬，行動遲緩，神態頹喪。後面有探目跟隨。大約是差館得到了醫院的聯絡電話，認爲貝比的傷勢嚴重，且危在旦夕，因此趕到這裏來辦理認人手續，與紀錄原始證供的。

貝比的病床，靠近大窗。此刻，臨時圍起了布屏風，作爲訊問的場所。

醫生再替他打了強心針。麻木的傷口，有些膨脹發痛。他感到這個，但連呻吟的力氣也沒有了。他正微睜着那雙迷糊的白眼，呆望着一張洞開的門。在虛脫狀態中，他隱約地聽到一連串樂音，縈迴耳際，那旋律是親切地，慈和的，奇妙的，彷彿就是天使們的合唱。……

（五七）

趙滋蕃

自由人

THE FREEMAN

（第六八八期）

中華民國僑務委員會
僑發登記證台教新字第一零二號
中華郵政台字第五〇〇號
執照登記爲第一類新聞紙類
（半週刊每星期三　六出版）
每份港幣壹毫
台北市售價台幣壹元
督印人：陳文華
地址：香港高士威道二十號四樓
20 CAUSEWAY RD. 3RD. FL.
HONG KONG
TEL. 771726
承印者：東南印務出版社
地址：高士打道六十四號
台灣總經理處

本報啓事

本報爲慶祝國慶，本期增出特刊半張，共出紙一張半，並不加價。

事實與主義

——民國四十六年國慶日的感想

陳伯莊

「採得黃花作錦囊，曲屏深枕悶幽香。喚回四十三年夢，燈暗無人說斷腸。」

既然紀念國慶，至少也該引用岳少保「八千里路雲和月—重頭收拾舊山河」的壯語，爲甚麼一開頭却引了陸放翁的情詩呢？古人說：「哀者勝矣」；「哀」並不同於「頹」。田單即墨之歌，發動燒牛之兵，何嘗不哀。

而我引用陸詩，是由一段回憶觸起的。還記得民三四之間，袁世凱謀帝制，聘了日本的有賀長雄和美國的古德諾兩位學者當顧問。古德諾教授雖無劇秦美新之心，而有劇秦美新之實，說中國不適宜於民主共和。其時我還在哥林比亞大學讀書。古德諾教授是哥校的名教授，他自中國回校後，好些同學們氣憤極了，幾乎想打他一頓。這往事大概有四十三年了。於今以「事實與主義」爲題，仿佛是直採黃花作錦囊。

豈但中國，全亞洲新建的獨立國家，都在社會狀況與時代思潮相互矛盾中。時代思潮在人心之趨向。積了相當普遍，便成了社會動力之一，也就是社會事實之一，與社會一般狀況之爲社會事實無殊。古德諾沒有認清楚當時在中國的時代思潮，他低估了智識份子的心理趨向。

然而社會狀況既與時代思潮互爲矛盾，自然又是荊棘載途。

甚麼是社會狀況？略言之，這是種種謀生的需要導演出來的種種謀生方式的大雜會。試舉往事來說明其一端。

在清末變法圖強的大運動中，南皮張之洞不能不算是溫和穩健的進步派中之智者。而促成清室之覆亡者，恰在他廢止科舉一奏之奉准。何以言之呢？他把久已制度化了的知識分子之進取方式——從某一面看出也是謀生方式——打破了。於是「黃河改道」，齊流了日本東京去留學以求新出路。於是集天下之豪俊於一爐，以供革命領袖孫中山先生之號召，之驅策，而清社以屋。革命既成，約法既定，舉行國會選舉，於是當時的國民進步兩大黨紛於各省各地設立黨部，招收黨員，於是當時各省各地的有知識有勢力的分子又紛紛入黨，紛紛競選。「賜同進士出身」，或「留日法政畢業」，或「榮選國會議員」，其方式雖極不同；而隨之以遂其進取之此種種方式則同也。

久已去世的一位朋友盧信（字信公）最愛談蘇東坡（志林中戰國任俠）一篇（俗稱養士論）。誠然，那些智勇辯力役人以自養者流，總是興風作浪的。不了解蘇東坡的養士論，不能讀通中國歷史；這是就知識份子所扮演的角色而言。

「石人一隻眼，挑動黃河天下反。」於是而由韓山童引出了韓林兒，到郭子興，再到朱元璋。不了解神棍和江湖，也不能讀通中國歷史。這是就老被上層踐踏的勞苦大衆而言。「水能載舟，亦能覆舟。」從「載」到「覆」其轉變點不一而足。總算共產黨聰明，殺盡了關起門來自稱「皇帝」的神棍之後，還設立了「御用」的道教會，佛教會，希望拿這類「香花」來對抗「毒草」。雖然，轉變點不一而足，「盡敵而返」，敵可盡乎。」

人是既要講道理又要遂私鬥的動物，所以凡事總有一底一面。尊其面，安其底，於是乎天下之理得矣。還有那衆心如一的私鬥，只要說得通，便會浮到面上成爲道理，民主就是這樣來的。假如這衆心如一的私鬥，被剝削踐踏過甚，點起憤火來，自然有哲學家政治家替他們說法，創出一番大道理，而主義亦由是起。這樣的通理達道，不限於一國，亦不限於一時。事之常序是爲理，順理而行以適其變是爲道。理與道是抽象的。理與道寓於事實之中而非事實。具體的事實則時時不同，國國不同。

主義是一套理想，一套意諦羅基 Ideology。它涉及常人所能了解的道理，適用理想，給以特殊的配搭和組織而成爲一家之言。自既要講道理又要遂私鬥的人視之，如覺得其說得過去而又正中下懷，這套理想便能不脛而走。既然中了下懷，自必騰爲口說，自別人視之，則這一套意諦羅基成爲其人的意識形態。（附註祇有硬說階級意識支配一切的共產黨，才譯Ideology爲意識形態，只有他們硬說歷史進程依辯證法而進，才有所謂「正確」，有所謂「偏差」，不相信馬列主義的人不用這套字彙。）亦即其人的信仰系統。究其是不是爲認知，判其好不好爲評價，而信仰則必兼認知與評價兩成分而有之。信仰爲心之所之而導範其行動。既成爲這樣的信仰，則入了人心的主義，亦臻於社會事實之倫。

如果民族獨立，政治民主，社會公道這三大要求乃三民主義的核心要義，至少這核心要義已深入人心，成爲強有力的社會事實了。

其最輝煌的表現，誠如代表我國出席聯大胡適之先生所舉出的兩事：（一）本年五月四日北大發起的八千學生集會，公開攻擊共產政權，（二）本年六月十二日漢陽中學千餘學生罷課遊行示威。「佈地黃金敎歌舞，謝他前度風和雨。」

也許讀者會指責我，「民族獨立，政治民主，社會公道，可以說是私鬥嗎！如此說，簡直侮辱了主義。」且慢，本來對「主義」的概念有兩個；左傳上「義以爲利」和董仲舒的「正其義不謀其利」是正面相反，而側面相成的。

（下文轉第二版）

大團結與辛亥革命

毛以亨

一，大團結之必要條件

辛亥革命，是全民族大團結，以驅除外族統治的成功。與今日反共抗俄之環境，有點類似，故有許多事可資借鏡。但大團結須合乎若干必要條件，而今日反共之大團結，尚未能成功，以未能履行其必要條件故。

從宣傳上講，所說的話，不可太多或太少，尤不可重複與欺騙。太多與重複，流爲無內容的官話，與反共八股。如反攻大陸，是須以行動來暗示而不宜多說的事，何必發得那麼濟驗，甚至規定幾年限。共柄反方面，以算力比較與登陸艇太少，而證明共不可能，是很本取消我們反共的前提。可用孫中山「革命黨人是一以當百當千」，與精神要在前方打勝仗時去拿這些話去否定牠。而辛亥成功，則從以少可以勝多，以無可以勝有，事實證明來否定牠。宣傳太少則大家易起誤會，而認爲另有黑幕，如說蔣經國有代表在北京，孔祥熙走私到大陸之類，已見于美國報章，還該提出有力反證來否定。宣傳而說假話，則不僅爲空話，而爲引人入陷穽的統戰，自然要避之若浼的，何能藉假話，來收團結之效？

但革命是拿自己頭顱來玩的遊戲，這是儒家殉道精神與西方爲國家犧牲合德。必須炸彈到處響，烽烟到處起，革命志士到處流着血跡着，始能感召前仆後繼之精神以底于成。現在中共內部雖不安，尚未至如滿清末年之紛亂與瓦解程度。今日之反共者，徒希望美國，與實備台灣。距辛亥革命由自身做起之精神，直相去不可以道里計，豈非此一必要條件尚未成熟之有力證明？

抑尤要的條件，爲化小敵爲盟友，以共同對付大敵之精神表現。曾國藩等爲救護中國人之生命，不惜相率仍向大清稱臣，以滿漢合作，摧毀太平天國之暴力。辛亥革命爲推翻外族政權，形成中國人大合作的局面，甚至擁護滿軍統帥袁世凱爲臨時大總統，亦所勿較。國民革命，孫中山先生非不知張作霖，段祺瑞之不可靠，尤非不知日俄兩國對中國有野心而尚甘與合作。後竟以國共合作，達推倒北洋軍閥之目的。不料今日仍有罵曾國藩爲漢奸，革命黨上了袁世凱之當，與孫中山因容共而召禍之言。實不明政治有階段，而得一階段，祇能完成其本階段之目的，否則主意不定，其宗旨已亂，必不能有成。他日反共而能展開，我們必須不辭與美國，台灣，及在大陸共黨中人合作。亦必有人罵我們爲美帝走狗，台灣特務，與共黨降將，概須不爲所惑，拿定反共宗旨才成。我不知今日以反共自命之領袖，有此心理準備，而不至畏首畏尾否？如其仍然彷徨歧途，則反共之主動力量，尚未產生，徒有失敗者抵抗之反共的被動力量，如何有濟！

二，辛亥精神之消長

辛亥革命精神，單說化小敵爲盟友，以共同對付大敵之精神，使團結力量展開，以達全國一點，已足爲我們取法。首義之「日知會」，爲革命團體，而黎元洪不與，乃「日知會」不立其自己領袖，而擁將來共和黨之理事長黎元洪爲鄂督。黎元洪豈不以武漢革命政府爲中央政府，而與獨立之各省，共組中央政府于南京，以國民黨領袖孫文爲臨時大總統。此爲革命改良兩派之互讓與合作，最後則推擁前清全體中國人之合作。與革命黨對壘的滿軍統帥袁世凱，竟於促成清帝退位後，以被擁爲臨時大總統，以代孫文。遂使辛亥革命，三數月而成功，爲一種不流血的革命。

但袁世凱竟欲自立爲洪憲皇帝，挾有全國擁兵數十萬人，國民黨人多上表稱臣者，此爲革命精神之最低潮時代。但孫中山另組革命之新勢力以抗之，而倒袁者爲僅持五千疲卒之蔡鍔，與手無寸鐵之梁任公。當時以維持共和國體，爲大團結之號召，以致各派系均來參加，以支持而成功。即袁世凱部下之馮國璋，段祺瑞，陳宦，湯薌銘等，亦聞變附義。此後北伐，免與吳佩孚作戰，和北軍不攻武昌之情形相似，與辛亥革命時代，北軍不攻。孫文民國十三年之改組合作，乃以打倒北洋軍閥爲共同目標。今日之反共，而共同目標，亦爲反共。革命之反共抗俄，與曾國藩之反太平天國，亦以反對極權暴政的力量，甚至的，故革命精神復由潮流趨于高潮。

三，如何使反共大團結邁進第一步

辛亥革命之成，由于閩粵之反清精神激蕩數十年，直接之革命運動數十年。反共祇有八年時代，罪惡未著，發太平軍之在永安州，民甚不反共的，這就熟可以人爲縮短，但最原可以人爲縮短，但時間爲反共爲全民族生死存亡所繫，即現在共黨中之所謂右派人士，亦都有分。自然首迫毛澤東，周恩來，劉少奇，朱德等數人之外，大陸數千萬人之血債，但至少不許其參加。但至少今日大陸所謂右派人士，應在可合作之列。較們的號召，當然已經做了我們更要爲有效的宣傳，不管其真假，他們已經開了反共的第一步。再如中智識分子與中下級公務人員，是我們沒有把他們撤退，而他們亦無力撤退，致陷于共，此實不可抗力，自己不能負責的。倘如抗戰時代，凡文官薦任以上，武官校級以上，爲敵僞工作者，即以漢奸論罪，是對一般有反共意識者深閉固拒的辦法。等于自己不願擴大其自己的反共的力量，而大業亦終于難成。我個人且反對開反共救國會議，而尤希望在共黨敵人陣綫中，找出我們將來的反共領袖，這也許是我個人迷信辛亥革命教訓的偏見。

半週述評

人造衛星的新成就

本月四日，蘇俄把她的第一顆人造衛星放入太空，使得了成功，這是一次人類科學在不斷進步中的又一次新的大成就，因此舉動了全世界人類的極大注意。

然而，這一成就，雖表示蘇俄在這方面的研究，已經略爲佔先，但並不表示蘇俄今後可以獨佔這個成就。因爲，美國的研究也已經將近完成，明年也要放出她的人造衛星了。

至於美蘇兩方面的成就，究竟那一方面在科學上更有價值，各自的優劣又如何，那是要待今後的事實證明的。過去，在原子武器及其他科學發明，美國會多倍領先地位，然而不久，蘇俄和其他國家也都跟上來了。遠一點說，英國工業革命，首先發明機器生產，但是英國曾禁止機器和技工的輸出，但不久工業革命的科學應用，也就普及其他各國了。可見科學的發明，是無法獨佔的，人類的智慧都是大體不相上下的。領先發明，決不是人種的優越。

美國這一項的研究，爲甚麼竟落後了一些呢？據說是值得一談的。美國著名物理學家馬玆說，「政治紛爭，及時莫定，」使美國落後了。這可說是民主有時比獨裁缺乏效率的又一證明。然而這不足爲民主詬病，如果因此便歌頌獨裁，則希特勒早已成功了。希特勒時代的科學並不落後，今日蘇俄的成就，還是靠德國專家的力量呢？

我相信，民主國家的科學，決不能以這一次的落後，便斷言今後永將落後，更不能以蘇俄這一次領先，而歌頌共產獨裁，以至動搖我們對民主的信心。民主雖有時似乎缺乏效率，終竟不會阻塞科學發展的。

中日邦交非徒托空言

蔣總統特使張羣此次赴日，爲中日邦交增進了極大的和睦和合作精神。跟着，中日合作策進會，集合中日彥碩，在台北開會，討論今後雙方共同努力的方針。在會議中，中國代表主張「中日合作，總從高處大處着眼，爲兩國百年大計打算。」又認爲「必須基於互信互助的立場，從事政治經濟及文化的合作」。日本代表則呼籲，「共同抵禦共產侵略，維護自由亞洲的自由與繁榮」。這都是至理名言，無待深論。

然而，外交必須先能盡其在我，我現時在日的外交機構，是否組織完善，運用得當。駐日外交人員，是否人地相宜，才能傑出，爲日本朝野所敬佩。今後策劃或辦理對日外交的後起人才，是否已有有計劃的及時訓練和培養。平時的國民外交是否能選拔優秀人才作有計劃的不斷推進。這些都是我們必須首先切實檢討，切實努力的，否則所謂百年大計，互信互助，實在無從說起。

這些問題，據我們在海外所接到的許多報告，不僅我國關心中日邦交的人士，認爲大有問題，即素來愛護和仰慕我國的日本友人亦多有嘆息失望之詞。這是今日高談中日邦交的我國人士與我駐外交當局所宜特別虛心考慮的第一重大事件。否則徒托空言，決無實現理想的希望。

波蘭學生的暴動

波蘭首都華沙的學生五千人從本月四日起，連續發生暴動數次，到了星期天（六日），已經有擴及其他市民的趨勢。

這一次暴動，是起於波蘭共黨政府封閉學生出版的「前進」報，這是一家銷路十萬份，讀者約達一百萬人的大報紙。而且是一家勇敢直言，反對史達林主義，傾向自由民主的人民喉舌。這樣，共產黨政府自然視「前進」報爲眼中釘，必須加以封閉而後甘心。

在共產黨軍的殘暴高壓之下，暴動雖繼續了幾天，看情形是終然要被屈服的。

不過爭自由的運動是永遠不能消滅的，而且要一次又一次的萬壯起來，非到了極權專制的共產制度消滅後，是不會停止的。

過去的工人暴動，現在的學生暴動，都表現了波蘭共產黨統治終無法消滅波蘭人爭取自由的力量與決心。

陳克文

全國四屆美展巡禮

•禾子先生•

台灣通訊

教育部主辦的第四次全國美術展覽會，於九月二十八日在台北省立博物館展出，規模相當宏大，所展美術品共五百八十一件，分爲國畫、西畫、書法、工業美術、攝影、木刻、篆刻、雕型、漫畫等九類，堂堂皇皇占滿了全部博物館及圖書館。在量的方面而論，爲自由中國藝術運動空前的紀錄。作品方面亦較歷次展覽爲佳。至於各派權威代表作家全部出齊，海外名作家亦紛紛萬里外遠寄作品歸來，足見人心之一班，茲將所見介紹如左：

國畫

出品共二三一點，其數量可謂已登飽和高峯，出品之水準大致均極爲嚴肅，惟如萬山林立，求一突出之奇峯亦不易找，只好求諸名作家之林了。因報載，張大千萬里寄傑作歸來，故觀衆無不先睹爲快，張氏之作品「觀畫圖」，畫長約三尺，上繪古裝老人坐讀，詡詡如生，其仿宋之素描，用筆秀健，復以錯綫烘托，更顯得古香古色。在張畫左右兩旁爲何勇仁之「烟山漁欸」及「寒枝鵲影」二中堂，其工力與張平均春色，而何所作花鳥，靈宗八大，山水靈宗石濤，在筆調秀健之外，尚空靈深遠，該山水乃爲清詩人梁鴻如之「江邊」詩，其有佳句云「長天下獨鳥，落葉起微波，時見捕魚者，臨風發棹歌」，畫與詩同讀，更覺得引人入勝。

大千之畫亦有佳詩題於其上，詩云「隔宿看書便便忘，老來昏瞶更無方，從知又被兒曹笑，十月終能下一行」，可謂幽默有趣。筆者所見，傅狷的「棕櫚」，程芥子的臨康石舟人物本，季康的仕女，素雅的「紅樹溪堂」，高逸鴻的「八哥」，定山的仿元人畫，朱雲的指作「石梁觀瀑」，仰高的「鷹」，大步的「術葡」，李曼石的「草蝶」，玉山的「臚」，認樂民的「牽牛花」，中銘的「牛」，均各有千秋，而另有五件使我有較深印象的，即爲丁衍鏞的「芭蕉雙鳥」，靈宗八大，韻味甚深，黃君璧的「雲山浩蕩」，在他年來的作中，這算是上選，梁鼎銘的「飛黃騰達」所作的馬，作風比前躍進一步，綫條極爲秀美，構圖亦佳。溥心畬的「山水」工力可追古人。馬壽華的「竹」畫宗柯九思，隨意揮毫，但一筆不苟，竹葉姿態變化甚多，而從未發見任何破綻，其工力可見，今世自稱畫竹聖手者甚多，當亦讓馬走先一步否？足見自我陶醉，不如多下一點功夫吧！

西畫

出品共一〇九點，其中最可貴者爲由萬里寄來的潘良玉的「敵視」及「人體」，趙無極的「無題」，潘乃畫壇老女將，久未讀其畫了，其出品二點均佳，尤以「敵視」最爲有吸引力，不僅線條生動，而其內容乃以揭開假面具爲題，尤是迫人耐味，趙無極昔曾執教國立杭州藝專，抗戰勝利後赴英深造，經某次畫展，一舉成名，其作品以中國色調見稱於時。朱德羣乃台灣師大教授，去歲赴法深造，曾於沙龍畫展中獲獎，爲自由中國在海外後起之優秀畫家，此次出品「人物」作風甚新，但未見有何特點，僅運用色調比前進步了。台灣西畫家在自由中國畫壇原占頗重要的位置，惟此次所表現者均極平凡，如廖繼春楊三郎等雖均有出品，而僅爲數衍塞責的作品而已，內也有家則設爲認眞，可哀摳憤的「馬尼拉灣」，色彩氣韻俱佳，林聖揚的「鷺絲」畫法甚爲嚴肅，林克恭的「九分風光」構圖甚佳，孫多慈的「蘆構橋之役」，劉獅的「惠州城之役」均爲八尺巨製，雖爲宣傳油畫，但作風極爲純正，且盡勾心鬥角之能事，可惜乎稍守舊了一點而已！

其他各部門

書法共一〇七點，其中以于右任的長橫批最爲精彩，卓然草章，宗孝忱的篆書，王壯爲行書，陳其銓的草書，均頗有看頭，其他名手亦多有參加，但均多爲敷衍之作，反而錢大鈞及幾位從未見諸經典者卻大獻身手，且相當不錯呢！攝影部門共五三點，于薩生的「青城日出」王琥文的「波光帆影」「晚浴」，徐德先的「日出而作」周志剛的「漲江曉泊」，均爲精品。雕塑部門共十點，以闕明德的「李石僧像」爲最佳，工藝美術品七九點，其中以艾森豪總統的繡像，福州漆提木屏風所刻之百人同樂圖等爲精彩，篆刻五二件，選品稍濫，以王壯爲王孫之出品爲最佳，其他木刻計二八件，漫畫計三三件，其中不少精心之作。

全國第四屆美展可以說是成功的。其比之第一二三各屆雖不能說勝過之，但在大陸淪陷情況之下，損失如許多人才，仍有這樣豐滿的展出，確爲不易的。

事實與主義

•陳伯莊•

（上接第一版）

個中的複雜和由此複雜而起的理論爭辯，只好暫不置論。本來「事不關己」並非利與不利之可言。不過，人不只是一個個人，同時也是一個團體的份子，一個國家的公民。不利於共之事，總不能算非不關己。罷，不過間接一些而已。間接的關係當然沒有直接的關係那樣明顯，人們常常感覺不到，即感覺到也會以爲太遠，顧不了那許多。增加其感覺認識，乃至認得非顧到不可，不但要顧，甚至要抗拒而爭取，是有待於外在之變遷的。外在的變遷可分爲（一）誘導，與（二）壓迫。請政府多多做些誘導的工作，讓共產黨多做些壓迫的工作。

從人之爲一個國家的公民，一個民族的分子而言，民族獨立，政治民主，社會公道，沒有一樣是「事不關己」的事。不過，未到事臨頭，便不打緊罷了。民族獨立，政治民主，社會公道，都是被壓迫者的要求，只有與施壓迫者大的衝突。一個人一旦被壓迫者作正面衝突的利害，在這裏是和全社會的利害是一致而共同的要求，衆心如一的私的要求即成爲社會的正義貢獻，是義以爲利的正義。「橋樑消滅而爲積」，這是得一非純物理性的文化事件從其創造社會之時，當時當時便生另一社會的變化。凡涉及社會狀況的文化事件，涉及

如民主政治制度乃至哲學思想——一部傳統史要發生這樣的變化。傳變化便是社會狀況和時代的合流，也是一種創造。整合，不過橋橋而爲積橋甜積酸而一語意變改不甚恰當罷了。如果改說文化事件 A1 傳後，A2，更不帶褒貶而更廣泛地適用了。橋樑積同共類屬，文化之轉傳不是「雀入大水爲蛤」而已。

時論對民主自由的公開主張，多屬直接抄襲西方的主張。一到暗言一室，赤顯顯談政象，又是一個經驗派的縱橫家。這慣習遂是變衣不可外露，冠雖散不加以隱那種意識的傳類，這一慣習所產生的距離，是促進民主的障礙。

依着成了信仰的主義而活動的行動是追求一定目標的行動，但這行動無可避免地不爲社會狀況所左右。存於理想的 A1 之終於演出 A2 正因這兩者之交織而互爲影響。這才是實際問題之所在。問題是正視實際，不諱言實際，從而探討其錯雜，指導其種種之複雜，使其演成比較滿意的 A2，則四十六年之徑的艱險，不爲虛設突。

自由人慶祝中華民國四十六年國慶特刊

雙十節之歷史談

伍憲子

雙十節到四十六年，似乎是短短時間，其實已將及半個世紀，青年人，只是聞而知之，談及雙十節歷史，許多全不注意，或爲傳聞所誤，習非成是矣。茲當紀念之日，不妨一談當年事實，亦所以存信史也。

鐵路國有闖出大禍

以今日眼光觀之，鐵路國有，是一件很平常之事，不能算是罪惡。但在當時，竟闖出大禍，此是雙十節造成之原因。據宣統三年四月諭，清廷宣示鐵路政策之，「幹路收歸國有，枝路准商民量力酌行」，此時郵傳部大臣盛宣懷，向英德法美銀團借款英金六百萬磅，以爲建築漢粵川鐵路之用，必要時，得續借四百萬磅，並奏請特派端方充督辦粵漢川漢鐵路大臣。此諭既下，川湘鄂粵諸議局紛電反抗，御史趙熙等劾盛宣懷借款賣路二十大罪。五月，湖南巡撫楊文鼎代諮議局奏請湘路自辦，不准。署四川總督王人文代諮議局電奏，請緩接收鐵路，亦奉旨申飭。於是羣情憤激。七月，四川人民組保路大會，諮議局長蒲殿俊羅綸出席主持，決議罷市，罷課。將軍玉崑，總督趙爾豐，聯名奏請川路暫歸商辦，遭清廷申斥，並命端方自湖北帶兵入川查辦、趙爾豐遂將諮議局長蒲殿俊羅綸等拘禁，羣情愈加憤激。於是川中民變紛起，端方奉旨刻期帶兵入川，事勢益急，八月十九日，遂逼出武昌之變。

各省諮議局與新軍

川省民變爭路，何以能逼出武昌之變，要明白此事，當知各省諮議局之來源。自戊戌維新失敗後，維新之勢力，仍不能阻遏。於是設各省諮議局，練各省新軍，派各國留學生，派大臣出洋考察憲政，一切措施，立憲黨仍分途佈置。故諮議局多立憲黨人，新軍亦多立憲黨人，諮議局之聯絡尤密，因爲經過幾次請願立憲之團結。故川省之諮議局長蒲殿俊等既被拘，鄂省之諮議局長湯化龍不能坐視，而且端方自鄂帶兵入川，情勢已急，正是蒲羅等之生死關頭。湯化龍因此運動工程營發大難，於八月十九日起事，縱火焚攻督署，以牽制端方帶兵入川。用意原非革命。不料總督瑞澂，提督張彪無能，聞變倉皇，遁入兵艦，全城無主。湯化龍乃與新軍協統黎元洪商決，推黎元洪爲都督，以諮議局爲都督府，成立中華民國軍政府，宣告中外。二十二日，漢口各國領事團承認之爲獨立團體。其後各省諮議局，各省新軍，各省民軍，紛紛通電獨立響應，而雙十節之爲革命紀念日，遂由此造成。蓋夏曆八月十九日，即西曆十月十日也。

孫中山海外歸來

夏曆十一月六日，孫中山海外歸來，抵滬，蓋距八月十九日武昌起義之日，已將及三個月矣。革命老人黃三德告我，武昌起義之日，中山在美國之芝加哥，日夜與談武昌城李元亨之事。蓋是時西報譯黎元洪爲李元亨，中山亦未知有黎元洪也。黃三德催中山取道日本，急返歸國，中山要取道歐洲，謂擬向英國借款一千萬磅，爲革命軍軍費，此是中山遲遲歸國之最大原因。然在此將及三個月當中，各省革命之展開，亦相當驚人。湖南、江西、山西、雲南、貴州、江蘇、浙江、廣西、安徽、廣東、福建、四川、山東、奉天等省，均在夏歷九月十月之間，次第宣佈獨立。惟都是諮議局與新軍人員居多數，如雲南之蔡鍔、湖南之譚延闓、浙江之湯壽潛、江蘇之程德全、山西之閻錫山、福建之孫道仁、山東之孫寶琦、奉天之趙爾巽等，平時皆不甚倡排滿革命者，臨時結合，號令不能統一。而且軍餉非常困難。聞孫中山海外歸來，挾借款一千萬磅之聲勢，於是數日之間，由十七省民軍代表舉出孫中山爲臨時大總統。

袁世凱要把戲

自武昌起義之後，各省紛紛獨立，清廷旁皇無主。當夏歷八月二十三日，武昌起義之第四天，即起用袁世凱爲湖廣總督。九月五日，又授湖廣總督袁世凱爲欽差大臣，節制各軍。十一日，又以袁世凱爲內閣總理大臣，於是袁世凱之權勢日盛。袁世凱本是戊戌新黨人物，然爲自己權勢慾太盛，致於出賣戊戌黨人，培植自己功名。今次武昌起義，清廷起用之，又是袁氏擴張權力之最好機會。袁氏先令馮國璋率兵南下，攻取漢陽，以威脅武昌。但不許馮兵渡江，特留武昌以壯革命黨聲勢。猶恐武昌聲勢不足，又命張勳退出南京，讓革命軍入南京。南方兩個重鎮，皆在革命軍手中，袁氏因借革命聲勢，以迫清廷。袁氏尤忌君憲派，當夏歷九月十二日，二十鎮統制張紹曾、與第六鎮統制吳祿貞等，逼清廷頒佈十九信條之後，資政院已奉諭起草憲法。不幸十六日吳祿貞即被刺死於石家莊，當時袁氏實受最大的嫌疑。故武昌起義之後，至袁氏就任大總統之前，此半年時間，都是袁世凱所要的把戲。—

南北從此多事

當袁世凱受命組織內閣之後，孫中山尚未歸國之前，即夏歷十月十八日，袁氏已委任唐紹儀爲全權代表，與革命軍議和。其計劃就想借南方之口，提出條件，逼清帝退位。果然，中山就臨時總統職後，西歷一月二十二日（自此改用西歷）即提出條文，交調和代表伍廷芳轉達袁世凱，請清帝退位。袁世凱遂於二十六日使北洋將領段祺瑞等四十七人聯名奏請清帝退位。於是二月十二日，清帝退位之詔果下，袁世凱總算告厥成功。十五日南京參議院開臨時大總統選舉會，十七省代表以十七票全票，選出袁世凱爲中華民國臨時大總統，黎元洪爲副總統，而孫中山遂不能不退讓焉。蓋袁世凱挾兵力以操縱之，無可與爭，亦不必諱言也。革命黨對袁既不相信，乃派汪精衛蔡元培宋教仁爲專使，到北京，歡迎袁南下，在南京就大總統職。結果，亦遭袁拒絕，藉口兵變，不肯南下。國民黨成立後，對袁成見更深，南北之爭十餘年，未嘗不由於此，此誠國家之不幸也。

痛定思痛今後如何

今者袁世凱已矣，北洋派亦已矣，然雙十節依然存在。袁世凱與北洋派，固不能挾之俱去，即湯化龍黎元洪，亦不能挾之俱去，打倒袁世凱之梁啓超蔡鍔，亦不能挾之俱去。然則誰能挾之。或曰，第一任臨時總統之孫中山，與提倡革命之國民黨，可以挾之。我們敢下堅決答語曰，不能，不能。蓋挾之則有私心，有私心就不能創造，四十六年來，民主共和，只是一個空名，所謂五族，而今安在。蒙古早已入俄，西藏今亦喪失，東北滿洲，西北回部，皆脫節矣，漢族本身之大陸，尚得爲故國河山乎。倘令四十六年來，大家知創業之艱難，南北是一家，立憲與革命，相倚而成，共爲國家柱石，則袁世凱即欲播弄權術以自私，亦不可得。國民黨北伐成功之後不專政，共產黨即欲利用國民黨而搗亂，亦無所施其技。今當雙十節紀念之日，我們應速自檢討，深察過去之失敗，在排他性太重，奪功心太強，故失去團結，致雙十節黯然無光，四十餘年矣。今共產黨之爲民主共和敵，其力量比袁世凱強，非合大羣不能勝之，反攻復國之責任重大，非陶醉於慶祝雙十節之一瞬間所能了事也，倘深知歷史者，其長思之。

驕傲與恥辱——紀念與信心

今逢國慶，凡我炎黃子孫，一提起這個偉大中華民族的燦爛古國，都禁不住發生一種珍愛驕傲情緒。

比盤石還要古老

由於中國是一個歷史悠久的民族，擁有最大的領土和人類中最久遠的文明。五千餘年來的政治和文化的整體迄未間斷，這紀錄是全世界任何國家所不能匹敵的。當古希臘還在極年青的時代，中國人已是老大了；在亞歷山大大帝或凱撒之前幾百年，中國便已產生了一個孔老夫子；當歐洲還是一個中古時代的屠場時，中國就已經有了燦爛成熟的文化。中國的歷史至少可以遠溯至紀元前三千年以上。儘管沙羅門之生，蘇格拉底之死；耶蘇之誕，查理曼之沒；牛頓之出世，俾斯麥之逝世，任憑世事滄桑，中國始終還是一個民族，許多外國人，都很奇怪中華民族的起源。有史以來中國就一直在那裏，似乎比盤石還要古老。

空間廣大與人口衆多

假定把中國的地圖印在北美的地圖上，而將重慶置於芝加哥，則北平靠近魁北克，東北位於[illegible]布拉多。中國的南疆，大抵沿由尼斯省；新疆的西端，恰恰接觸着熱海峽。在西北、外蒙古和蘇聯間的邊疆、便達到撒曲喀潰等地。中國的總面積，把新疆、西藏和蒙古計算在內的話，起碼達四百萬方英哩以上；而歐洲全部的面積，也祇有三百八十萬方英哩左右。

所謂「中國」的中字的意義，即其由地理上的位置而來的；且又含有中庸的意思。中國究竟有多少人口？從未得到一個正確統計。據一九三八年的「英文年鑑」記載：中國人口爲四億二千六百六十萬零三千二百五十八人；又世界歷史的記載則爲四億五千七百八十三萬五千四百七十五人；抗戰時期，我政府曾公佈爲：四億七千萬人；現在共匪却說是六億人。無論如何，總在全世界人口總數的五分之一至四分之一之間。而且這些繁殖的中國人，生於其廣大的領域之內，雖有漢、滿、蒙、回、藏五個種族的區別，却是一個緊密的整體。蒙古人與西藏人都遠於中國本土之外，回回人與其說是代表一個種族的範疇，毋寧說是代表一個宗教的範疇。所以中國內部在種族上，可說是極其同一的。

現代的中國人，即是中國本土原住民族的後裔。因此，從未被外來民族征服過。由於五千餘年來，具有同一的社會制度，以及宗教[illegible]和文字。雖元朝的蒙古，清代的滿人，以及日本的倭奴……它們祇有征服了中國的土地，擄去了中國的財物和鑛物，殺害了中國的無數同胞，而始終沒有征服中華民族的精神及其文化。

俄帝以華亡華毒計

國父孫中山先生領導國民革命，於民國元年（一九一二）的今日，推翻滿清專制政權，成立中華民國，實行三民主義和五權憲法，及聯絡世界上以平等待我之民族共同奮鬥；而竟忽略了那個虎視眈眈的俄帝國主義者，故於民國十年（一九二一）七月一日，便有中國共產黨的成立。它們自始至終就絕對信奉馬列主義，服從共產國際的命令。蘇俄征服世界的野心，早經決定從亞洲開始，尤須先從中國下手，它併吞中國的毒計分爲三個步驟：第一是「以華亡華」，即竭力策動共產黨全面叛亂，用中國人打中國人，不須自己出面，而收不戰而勝之效。於是毛澤東沐猴而冠，傀儡登場，凡際明眼要掉中國人民四分五裂，等於拿起中國同胞的頭顱，向蘇俄主子邀功，又變心病狂地摧毀中國教育，毒化青年，硬把茫茫神州，變成文化上的沙漠。實中國五千餘年來從前所未聞。比張獻忠屠四川的「七殺碑」和秦始皇的焚書坑儒，其殘暴之殘暴，其如小巫之見大巫！

分而治之與逐步侵略

第二是分而治之，不許有一個統一而強盛的中國，務必使其四分五裂，以便操縱控制。唐努烏梁海便是一個樣本。這裏面積等於山東全省的地方，於民國十三年先脫離外蒙古，成立「拓瓦人民共和國」，到三十四年併入蘇聯版圖。現在外蒙的表面還是一個附庸國，實際上，而東北、內蒙和新疆，都已分別形成獨立的形態，步外蒙的後塵。至以東北爲例，經濟則由鐵道管理都已自成系統，體制也是分立的一」，非北平僞政權所能過問。最近，俄帝又控制了七個港埠，表示北方各省已經統一於一切要着，俄帝國內定的時間表。

第三是逐步侵略，即是從蘇俄的勢力由北向南，步步進逼。從東北向華南，由平津使中國人民作進退攻東南亞和侵略韓國而全世界的先鋒。周恩來曾說：「中國共產革命，即爲與美國帝國主義作戰」，可見中共絕對沒有絲毫自決自主的餘地。

光復曙光在望

我們流亡海外的同胞，今天都以沉重的心情來感懷這個不平凡的日子，也可說是紀念國恥的日子。我們在這十年來的偉大犧牲，現在我們那四百萬方里的錦繡河山，和四萬萬五千萬同胞，雖在水深火熱中，但鐵幕崩潰之跡象已呈，國際風雲激變，勝利的曙光已在望了。只要我們海外人士團結，上下一心，配合自由世界所有人民，配合大陸未死同胞的奮鬥，我們有最大信心，相信我們以完成民族的歷史使命的！

·胡養之·

國際動態拾零

西班牙之加拿第群島，蘇聯提議租借。最近之蘇聯與西班牙貿易談判，目的即在此。蘇聯表面是爲便利其商船航行，實則用以監視大西洋各國之海軍聯合行動。

×　×　×

葡萄牙人民苦況，變本加厲，十二至十六歲女孩，要在街上賣淫，始能維持其家庭生活。就中以去年參加叛變之子女爲多，在極權國家以此爲懲罰手段。

×　×　×

東柏林消息，蘇聯已勸埃及放棄建造亞斯旺水壩計劃，蘇聯前曾允予貸款，其目的在引誘印度，錫蘭，印尼，緬甸，使參加中立集團，現在則無此必要了。

×　×　×

美國海軍得國會支持，使原子潛艇，配備原子彈頭的火箭，搜尋敵艦，如此可避免第二次珍珠港事變，因爲很難被發現，位置，蘇聯可以測到，而潛艇則隨時移動。

×　×　×

哈馬紹當選聯合國秘書長，任期續五年。傳蘇聯曾須允支持他，以求過份忙。希望哈馬紹以後能幫蘇聯之忙。

·陶然·

小啓：

本期稿擠，後到之鴻文多篇未及同時刊出，謹請作者讀者見諒。

編輯部啓

陳著「報人張季鸞」讀後

·羅七·

最近有二本關於報人傳記的新書出版，即「新聞圈中四十年」與「報人張季鸞」。前者是王新命先生的「自傳」，後者則是陳紀瀅先生的大作。據稱本年度新聞界珍貴出品。現在我先談一談「報人張季鸞」。

所謂報人就是一般人說的「新聞記者」。一個新聞記者死了有人爲他作傳，是其「報」有特殊之處，「人」亦有特殊之處，張先生服務最多時間是大公報，在中國民營報紙中執牛耳，當然是特殊了。張先生是一個非常淵博的學人，自然也與普通人不同了。像張先生那樣的新聞記者，堪稱「一代報人」而無愧。

在本書中附帶論敘了胡政之與吳鼎昌二先生。他們與張先生同爲大公報之三鼎足。關于胡吳二人之事，雖屬一鱗半爪，然人亦多知大公報之張胡吳乃三位一體。作者以張爲經，以胡吳爲緯，撰著此書，可謂殊聯璧合，相得益彰。這種體裁尚屬創見，然而恰到好處，予人以非常切貼之感。

比如言張季鸞報人事而不涉及胡政之與吳鼎昌，則等于言胡政之與吳鼎昌二人事而不談張季鸞，同樣感覺缺陷。所以作者如此取材，而斐然成章，良可貴也。

作者是大公報之一員，對於張氏不但耳聞者多，而眼見者尤多。因此，在他的筆下，把張氏的學問，人品以及對於中國報業的貢獻，如數家珍般侃侃而談，不加雕琢，不加粉飾，洋洋灑灑數萬言。

在附餘七篇張氏重要論文中，可以說又是張氏的別傳式的自傳，自傳式的別傳。我們若用本書來做報人的鏡子，試問今日的報人有幾個堪與張先生相比呢？報紙有報格，報人有報人人格，學問且不談，技術暫勿論，即以張季鸞先生的報人人格而言，也足以爲我們的楷模了。

本書雖不能稱爲純粹的傳記，然而對於張氏的報人生活，思想及行爲，已刻劃得非常鮮明，比之那些用傳奇式的寫法，又高多了。本刊曾披露過作者的「自序」，他說：「這本小冊子專爲紀念季鸞先生逝世十五週年集成」。可見乃是一種「紀念」性質的作品。初非欲以「傳記」張氏事蹟而出版，然實乃張氏「傳記」之一部份，由此一部份傳記，亦可以推知其全部也。

最後，我覺得今日的報人們，尤其是任主筆撰論文的報人們，文之能如張氏者有人？人之能如張氏者又有幾人？只是自鳴得意，目空一切之流，却多之不可勝數。紀瀅先生此書之出，實是一面照心現形的「寶鑑」。其用心是大公的，其貢獻於報業是很大的。

自由談

公憤與私憤

馬五先生

公憤是出於爲大衆抱不平的義勇心情，乃無我相。私憤則完全基於個人的利害恩怨之見，殆如楊子的爲我主義。前者容易博得人們的同情贊許，後者徒然供人訕笑鄙薄而已。

治世的社會現象多見有公憤發生，亂世即恰恰相反，人慾橫流，生計艱困，猜忌抑鬱的情緒特別熾烈，會瀰漫所謂「舉世滔滔，欲求一攘利不先，赴義恐後之士而不可得」，正是亂世的寫實語。欲期撥亂反正，端賴對社會具有領導潛力的知識界中人，以天下爲已任，高瞻遠矚，遺大投艱，隨時以無我的精神，發抒公憤作用，激勵人心，轉移風氣。

抗戰末期，我目覩一位國民參政員（姑隱其名）偶在傅斯年的書桌上，見着當時行政院長孔祥熙的請客帖，即怫然道：「噢！他請參政員吃飯，不請我，我明天就要在參政會議席上抨擊他！」這就是亂世私憤流行到了頭家的例證。諸如這類的私憤，又以幹政治生活的人最爲擅長及嫻熟，吾爲此懼！

我們現時遭遇着亘古未有的國難家仇，一是皆應以復國救民的公憤問題爲本，個人的生存且懍懍危懼，還有甚麼唯我的利害恩怨之可言呢？假使反共不勝，復國不成，漫說我們此生終必客死異鄉，即下一輩的兒女們，亦將載胥及溺，無復自由生存之望。言念及此，能不寒心！至於居留在台灣地方的內陸同胞，尤以少發私憤爲上，如果隨時吵鬧一些與國計民生無關的瑣瑣問題，除了給當地同胞笑話以外，毫無裨益的！

「頑固」釋「中庸」

談「不易」「不奇」

·吳稚明·

「中庸」是處世之道，是行止之規矩也。人不能完全作到中庸，只可近乎中庸之道。

庸還是「不易」

「庸」是一成不變，絕對保守，不能替換這是不能否認的。

例如男人要娶女人作太太，女人要嫁男人作丈夫，這就是庸，也是不易的。是一夫多妻，是一妻多夫，是老夫少妻，是老妻少夫，是一夫一妻，還是年齡相配，我們先不談。但總沒有男人討男的作太太，女人嫁女人爲丈夫的，五千年來是如此，再過五千年恐怕還要如此。但要如何嫁如何娶，那就如何爲「中」了。一妻多夫爲中，還是一夫多妻爲中，還是一夫一妻是中。是老妻少夫爲中，還是老夫少妻爲中，還是年齡相配爲中。我以爲一夫一妻，年齡相配，也不算是完全的中庸，只是近乎中庸之道而已，假如有人說，如何都不是完全的中庸，乾脆不嫁不娶算了，也許『中庸』是如此，假如此的話，不但未得着中，連庸也失去了。

再如，國民一定要盡義務，這是定理，也就是庸，要如何的盡法，是多盡，是少盡，那就是中的問題，絕沒有說國民不要盡義務，只要享權力。國民要盡義務，這也是一成不變的。

假如強要誤解庸是能變的話，也就如：兩人爭欲姦淫其妻，而曰隨誰都可是和解；別人欲強佔其往宅，而曰一家一半是折衷，是一樣錯誤的解法。

至於說不易包括「適」，這是愚者（筆者）百思不解的，我們知道不易（不變）才是定理，而這定理包括眞、普、適，而不易包括適，不知要如何舉例說明。

「不奇」非定理

從前女人的服裝，把下體遮得一點不露，這是不奇；以後有人暴露一點，也是不奇，現在幾乎完全暴露，也是不奇。難道庸是不奇，就是如此的說法。不，這就是人同此心，心同此理，却不是定理。

假如說不奇是「沒有錯」的解釋，但「沒有錯」也不一定是對。例如：一部機器，分甲，乙、丙、丁四部，甲部銜接乙部，乙部要銜接丙部，丙部要銜接丁部。現在使其各不相接，甲也沒有錯接到丙，丁去，丁也沒有錯接到甲，乙上去，雖沒有錯接，但它是不對的。也許要說不相接就是不對，就是「奇」，那又不如說「易」爲好，因爲它總是變了呀！

「中庸」不可能也

「天下國家可均也，爵祿可辭也，白刃可蹈也，中庸不可能也。」完全的中庸，既是不能的。但不偏不奇是能作得到的，好像不深合本義，不是嗎！

中秋夜作

·刁抱石·

浮雲忽散月昇天，仙鏡無塵夜寂然。又起鄉心憐皎潔，長依旅眼看團圓。漂棲何止三千里，消活堪嗟八九年。濁酒難銷江海志，猶思待且漫居先。

掌故趣談

怪記者

·浩然·

黃魯逸是香港小報的首創者，也是粵謳的泰斗。光緒末葉，他創辦「唯一趣報有所謂」於本港荷李活道，是八開小報，月費三毫，零沽一仙，內容莊諧並錄，一紙風行，不一月而銷達萬餘份。閱者尤愛讀黃魯逸所撰之粵謳，酒後茶餘，無不人手一張，高歌幾唱。當時最古老之華字日報及世界公益報，亦以人心趨向，特闢粵謳一節目，由黃主撰其事。其後廣州現象報、南越報皆爭聘之。

黃作粵謳時，必獨在房中，將房門緊閉，雖叫不應。時人怪之，從房隙窺之，不禁咭咭笑聲不絕。窺者云，黃在房內脫得一絲不掛，或叉腰，或背手，或仰首，或俯首，繞房慢步踱行，頻頻點首吟哦，有時更撫弄其勢。詢諸今日尚存之老記者，亦稱確有此怪事。

黃一生衣布衣袍，戴黑棉紗笠帽，治之如一鄉下佬，所穿之襪，從不脫洗，破爛則另換新襪。

黃雖有怪癖，但頭腦清醒，思想亦開通，嘗倡辦優天影志士班，招考中小學程度青年爲劇員，延鄭君可爲社長，以粵語白話，以鄭君可（男性）武生姜魂俠爲台柱。後鄭君可與某太史妾畢再逼其飲一樽[illegible]色藥水，始縱之去，鄭死，黃哭之慟，出殯之日，黃揖幡引導，痛哭流涕如孝子，旁觀者莫不咄咄稱怪。黃之怪癖，亦怪得天眞，視之今日之故作怪態以驚世獵名者不可同日語。

白雲盡處是吾家

·尹震·

萬竹樓隨筆

李提摩太與李佳白（中）

·舜生·

我看見了李提摩太。這大概是我到尙賢堂聽講半年以後的事；在這次以後，便不曾再見過他。他的年齡已在七十左右，肥碩，不太高，已顯得有幾分老態，這一天，他半坐半靠的坐在一張靠近講台沙發上。當李佳白講演到半途的時候，有一個名詞不知道在中國話應該如何翻譯，乃向他請教，他從容的站了起來，說這個名詞有兩種譯法，他把他認爲比較妥當的一個向李白和聽衆作了一番解釋，可看出他的態度是鄭重而誠懇的。

李提摩太是廣學會的主辦人，從光緒十七年（1891）開始，他便一直担任着這個職務。據我揣測，大致在我看見他這次以後不久，他便退休回國，因爲他寫得有一本『李提摩太留華四十五年回憶錄』，是一九一六年（民國五年）在倫敦出版的。

廣學會創辦於光緒十四年（1888），最初的創辦人是英國的教士韋廉臣（Alexander Williamson），一八九一年韋死以後，才由李提摩太接辦。這個會對於中國的啓蒙運動會有過不小的貢獻：他們出版了不少的書，還出版了一份月刊叫『萬國公報』。在他們出版的書籍中，如李提摩太譯的『泰西新史攬要』（即麥根西的十九世紀史），林樂知（Young J. Allen）編的『中東戰紀本末，』都很有名，此外次要一點的，還不下數十種。他們出版的書籍，在最初的幾年很不容易銷行，可是經過了甲午戰爭以後，便顯出了一種突飛猛進的景象。據廣學會一八九八年的統計，一八九三年他們收回的書價還只有八百餘元，以後便逐年增加，到一八九八這一年，竟超過了五年前的二十倍，有一萬八千餘元了。而且這個數字，還不足以表示這類書籍流行的眞象，因爲各地自動翻版的可能更多，根據該會的調查，單只四川一省，便翻印了他們的書籍一十九種，假如不是有多數的讀者要買，一般書賈是不會做這種賠錢的買賣的。

李提摩太不單是經營了這樣一個出版機構，以謀『啓發中國一般有學有位者的新知』，同時他還以行動推進了中國的改革運動。光緒二十一年（1895），正當馬關條約訂立不久以後，李便在北京有所活動。這一年，康有爲曾領導一般在北京會試的舉人舉行了一次大規模的公車上書，一個有名的『強學會』，也在這一年先後在上海，北京，杭州，南京，武昌，天津等處成立。這個時候，中國正當新敗之餘，不問在朝在野，一般比較開明的分子，確實都抱得有一種發憤圖強的心理，對於李提摩太這樣一位素以贊助中國改革著名的外國人士，便自自然然的都以另眼相看。因此，李這次在北京居留的期間，不僅先後會與翁同龢孫家鼐，李鴻章等見了面，即一般在野的維新志士，包括康梁在內，也與李有了初步的結納

中篇小說

海上學校

趙滋蕃

警探把鄒雲亭帶到他的牀前，問他，認不認識這個人。

洞開的門關閉了。泛白的眼睛眨動了幾下，嘴唇微張，却沒有發出聲音。

鄒雲亭驚悼地凝立在一旁，他抑制不住懺悔的淚。一夜之間，他顯然消瘦多了；失神的眼睛凹下去，使大耳朵和尖下巴更爲畸形，變成了一副十分醜怪的面孔。

「認識他嗎？」探目輕言細語地問。

「……」貝比微張着驚惶的眼，點了點頭。眼角上，有兩滴淚水流淌出來。

「眞的認識嗎？」他追問。

「老朋友——唉，」貝比歎了口氣，將眼睛閉上。

「昨晚出事時，他在場嗎？」探目指着鄒雲亭，很緩慢，很清晰地問。

貝比沒有回答，閉攏的眼睛露出一絲絲小縫。

「他在場嗎？聽淸楚了嗎？」探目提高嗓子說。那種腔調，活像是外國人說中國話。

鄒雲亭的神經，突然緊張。左邊的頰肌抽搐着，一直波及到耳根。冷汗沁出，鼻樑發黃，手和腳都不自覺地抖動。他茫然直視着貝比，彷彿眼面前有一顆定時炸彈，時候已到，炸彈正在冒煙！

「不……沒有……在場，」貝比說，把頭搖搖。

鄒雲亭長長地吁了一口氣。熱淚，在緊張的情緒變得稍爲疲頓之時，隨着內疚與懊悔，收攝不住，沿發酸的尖鼻子滾跌下來。

「這句話可以記錄，當作證供嗎？」

貝比將下巴收縮了一下，點頭應允。蒼白的臉上，泛漾出一縷幾乎察覺不到的苦笑。似乎這位患「被逐狂」的天才，臨危之際，精神已經不再分裂；而死亡不獨替他敲開了天國之門，並且塡平了他在人世所遭受的一切迫害，一切創傷！在死亡之前，他畢竟是一個強者！

「這個人——」探目指着鄒雲亭，拖長聲帶說，「有對不起你的地方嗎？」

貝比沒有回答他。他生硬地重複了這句話，並且增加了一些解釋。

「感覺不到，嘖嘖，哎喲……」痛苦使他的眉毛皺結在一起。「個人和個人，並無恩怨……他，他是……好人，和我們……一樣……」

探目吩咐記錄這段話。

「我恨，哦，誰也……不該負責的。要負責的，該是……那些……罪惡的……思想、制度！人，不過是……思想、制度的奴隸，思想、制度，不過是時代的……奴隸！個人……應當負……甚麼樣的……責任呢？歷史有了沉澱，這沉澱……能够分得清……他的，你的，我的嗎？誰該爲……一個……不公正的時代……服刑呢……」

「我承認，我該服刑！」鄒雲亭突然急促地說，「我——」

「不准說話！」探目喝止了他。「你沒有得到允許！」

「但是，良心允許我！」鄒雲亭衝動地說。「我是主使的人，良心要我這樣招供。我謀殺無辜，在鑾署裏我是這樣供認的。我要對他的死負責！」

貝比在極端痛苦中，極力否認了他的供狀。

「他的話在法律上無效！」鄒雲亭悲愴地說。「他有過神經病，有精神病院的記錄可查。」

「但……此刻，我是清醒的，」貝比用抖顫的手，指着自己的心。

探目吩咐把糾紛兩造的話，分別記錄入卷。由記錄，唸完了這些記錄，然後，由兩人分別了押。證供完畢，在屏風撤走，鄒雲亭一干人等，相繼退出。

「貝比，願你不要忘記，我的罪惡和我這個人啊！」鄒雲亭默禱着，回過頭來瞥了瞥臨窗的病床，淚水汨汨滿溢出來。「難道我這個人的影子，永遠不配再在正直的心靈中存活嗎？……」他想。

探目把他推了一把，手銬碰響着門框，一拐，不見了。

病房內的呻吟聲，又顯得壯大起來。

張長虹低沉地呼喚貝比的名。但音調是嘎啞的，和呻吟之聲沒有兩樣。貝比聽不見。閉目喘息，而闔攏的眼皮，將兩行淚水擠落在枕頭上。

張長虹極力掙扎，想把身子稍爲挪動一下，好將頭抬高些。可是，他沒有這麼大的氣力了，石膏、繃帶以及因失血過多而異常虛弱的傷軀，都使他喪失了達成這份願望的精力。他提高嗓門，直起喉嚨喊叫，而醫生却禁止了他。他喘息着，停止了這無望的掙扎。

（五八）

從中共公佈數字看大陸生活苦況

緊隨着蘇聯放射人造衛星之後，中共也不免歡喜若狂一番，從各個角度，從各個宣傳機器大肆宣染，並且同時公佈了「第一個五年計劃」期間四年半的各類生產成果，其中輕工業產品一類，根據「新華社五日」的報導是：輕工業消費品總量，預計可比一九五二年增加百分之七十九；其中紡織品增加百分之卅三；食品增加一倍；日用品增加百分之八十一。

但在大陸人民實際所得又如何呢？在同一個資料中是：「五年計劃的前四年半，全國六億人口平均每人得到棉布一一．六七尺，食糖一．一斤；食油一．六斤；鹽八十四斤……膠鞋平均得三人兩雙，鋼筆每三人一支，自行車每四百人一輛」。

就這些具體的數字，加以平均，每人每年所得棉布是二．五七尺；食糖每年是〇．二四五斤；食油每年是〇．三五六斤；食鹽每年一八．六斤。如再用十二月加以平均，則更可以見生活之苦況了。至於三個人四年半穿二雙膠鞋，用一支鋼筆，集四百人之力纔能買一輛自行車，那更是笑話了。（齊）

「五年計劃」下的「成果」是：每人每年得棉布二．五七尺；食糖〇．二四五斤；食油〇．三五六斤；食鹽一八．六斤。三個人四年半穿兩雙膠鞋，四百人才能有錢買一輛自行車。

新加坡破獲地下組織

星洲航訊　·司徒鈞·

逮捕數十人中多為華校青年學生　學校與家長須合作防止共黨煽惑

新加坡政府最近破獲了一個共黨地下組織。在九月廿五日一天中，逮捕了四十八名（其中兩名女性）涉嫌陰謀顛覆活動分子。他們都是（年齡十五至二十歲）的中學學生，肄業於華僑、南洋（女子）、中正、育英等高、初中學校；華僑中學高、初中部佔最多，其次為中正中學。中正中學校長莊竹林亦遭被捕繫獄。當局宣布：此舉純係維持星洲法律秩序，並不含有任何歧視華校意向。各校自經此次搜捕之後，依舊照常上課，和平常並無不同。這是不是說明了被捕者之中，確係誠如當局所說：「其有顛覆活動」的重大嫌疑，而且已經一網打盡，無人可以確言。

搜獲許多證據

從新加坡政府所搜獲內許多證據中，抓一能否認係共黨所支持者。五百二十五本油印歌譜，全屬顛覆政府的煽動歌曲，並有「裝好了槍彈打死牠」的恐怖詞句。這對於最近若干名流所接獲的「打單信」措詞，幾乎同出一轍。被在搜獲的屬共機關報「自由戰線」上，更有態度強硬的馬共宣言，不僅力斥其馬教育法案的不當，同時鼓勵學生起來，反對學校接受津貼；在被捕學生家中，及其攜帶的書包中，都搜出了以書籍封面偽裝訂的共產黨理論書籍，及宣傳小冊子。警方將上述文件加以研究之後，認為足以支持當局此次搜捕「公安條例」逮捕的學生之合法性，亦證明新加坡政府雖已明令解散了「華校中學聯合會」之後，這個組織的地下機構，迄今依然存在。

學生活動方式

被捕四十八名學生的活動方式，過去分為兩種：一為利用課餘，留在學校課室，上另外一堂課，以灌輸赤色思想，並阻止教師入課室；另一為周末假期，舉行郊外野餐，檢討各人對於共黨的思想，與顛覆活動的工作步驟。雖然，郊外野餐，星馬各地也很盛行，大體說來，不外兩種：一為共黨顛覆分子；另一為對當地政府無所謂好惡者，他們的中心理論既反對共黨，又不滿合灘。這些行動，警方罷在報告中，均有極完整的紀錄；因為後者對星馬尚無充分證據構成對星馬具有任何敵意，故未採取行動。

中共滲透活動

這次被搜查的學校，均係接受教育部津貼者。雖然當局並沒有說明對私校應否採取同樣態度，不過可以確言：不管私立或津貼學校學生，如果被發現對政府含有敵意，陰謀顛覆活動，可能有被隨時檢查；祇是當局對於津貼各校管制較嚴，今後將更為嚴格，督學委理倫已分函各校校長，凡一九五八年度新生及插班生，及其家屬或監護人，非領有新加坡居民證，及當地華校離校證明書不得收容。這是預防過去在大陸受過共黨訓練的學生回來，滲入各華校活動的一項重要措施；至於教師的任用，中共大陸陷共後，即已存在了一項不成文規定：不准華校向大陸共區延聘教師。

未涉及學校教師

教師中是否存在着顛覆活動分子，當局現時無意說明，正如過去在白皮書中，未曾涉及學生一樣；在未曾發現具體的顛覆活動證據之前，不擬透露消息。由於這次四十八名學生被逮捕之後，潛伏境內的共黨分子，除非離開星洲，企圖如已往那樣向馬來亞暫避，目前已無可能，馬來亞的警察、移民廳、關稅職官均已奉吉隆坡通令：隨時注意有關星洲華校學生，企圖進入各邦的行蹤。同時，馬來亞立法議會亦通過了一項法案，擬定星洲的校學生，要求轉入聯合邦學校攻讀時，事前必須經過詳細調查，除非教育部對於呈繳的轉學證件認為滿意，並予批准，不能收容。

學校須與家長合作

這些管制學生辦法，不論是星洲或馬來亞，都是治標的，並不是治本的有效良方。如所周知，中國大陸淪陷之後，中共即已積極地向南洋發展，馬共在有力支持下，以政治滲透，武裝地下，製造恐怖，屠殺善良；再加上往時馬紹爾的親共姑息政策，左翼政黨構煽結果，助長了由來已久的容共氣氛。現在，林有福經過去年十月跟共黨一次大規模戰鬥之後，容共氣燄雖已稍斂；一個健全正確的輿論，仍有待於各方合作來建立，才是積極有效措施。嘗聞過去有甚多學生私自出走，經家長發覺追回；學校與學生家長倘能通力合作，隨意注意學生課外活動，也就不易誤入歧途。在目前，建立一個健全正確的輿論，已是不容久待的了。（九月三十日寄自星洲）

阿拉伯國家不欲美國用武敘利亞

蘇聯欲乘時加緊滲透火中取栗　納撒亦欲乘機攫取阿拉伯霸權

·式一·

據美國國務院某些高級人員不欲透露的意見，認為今天世界上最危險的地帶是敘利亞；由于中東的局勢動盪不已，艾森豪總統宣布，美國「關懷」敘利亞情勢，於是美國艦隊之開入東地中海，空軍地球霸王揚威安曼，又以軍火供給約但，此舉很難使其他阿拉伯國家相信，更觸怒了敘利亞的民族派，復使敘利亞的鄰國宣佈他們阿拉伯兄弟國家團結一致，在廿四小時之內，美國的每一阿拉伯世界同盟國家，又靠攏敘利亞一方面了，阿拉伯有一句古語，「兄弟鬩於牆，外禦其侮」，不啻是此事的寫照。

黎巴嫩

黎巴嫩外長里克在阿拉伯政治家中，是美國的最忠實朋友，他感覺情勢迫脅，乃宣布黎巴嫩反對使用武力對付敘利亞，阿拉伯沙地阿王紹德為了打圓場，奔走於貝魯特與巴登海之間，其想法亦是一樣的。這會使美國國務院一度憤怒，拒絕紹德國王私人訪問艾森豪政府，雖然後來又放棄了。拒絕却是有其事的。

伊拉克

馬里克外長飛往美國，顯然奉國王之命，取得紹德國王同意，向艾森豪和杜爾斯國務卿給敘利亞使用武力的保證。伊拉克是唯一曾與西方國家締約的阿拉伯國家，而締約的阿拉伯國家了，巴格達的阿拉伯聯盟，美國敵視敘利亞，要把敘利亞的錯誤。

約但

約但外長瑞費常使中東國家感覺，他是美國的傀儡，他在接受美國軍援以後，曾說，「干涉敘利亞的國內事務，我們認為不當的」，當時他又暗示：約但可以使用那些武器抵抗侵略，包括以色列在內。

杜爾斯軟化

這時，顯然的沒有一個阿拉伯國家願意跟敘利亞開戰，杜爾斯國務卿有一次在記者招待會上，對敘利亞問題，語氣已顯然軟化了。

納撒乘機復起

埃及總統納撒現在看到有了這樣的機會，要攫阿拉伯世界的領袖，就絕不能猶豫的介入了。他答應無限制的和無條件的支持敘利亞，有一次他對民衆演說，斷言美國在敘利亞製造人為的騷亂，使以色列免於威脅，而分散阿拉伯的注意，把中東變為有利於美國政策的地帶。

蘇俄又乘機來了

蘇俄亦看到他們的機會來了，用不着冒險，就可插脚進去。外長葛羅米柯在記者招待會上，攻擊美國主使土耳其軍隊開到敘利亞邊境，總理布爾加甯亦發出一封信，警告土耳其，攻擊敘利亞是冒險的事，敘利亞總理阿沙立要求葛羅米柯保證對敘利亞的「僅有的莊嚴」，大馬士革的報紙以自我陶醉的語調，宣布聯合的勝利；「敘利亞和蘇俄引導世界人民走向自由和平」。

共黨利用兩種情緒

將來，阿拉伯世界可能想像的是：（一）事實上阿拉伯世界已被共黨滲入；（二）這種甜言蜜語的援助，增加不了阿拉伯民族派的希望。顯然蘇俄已成功了利用阿拉伯世界統治者兩種情緒；民族主義憎惡以色列及不願接受西方國家的保護；社會主義派憎惡特權和統治階級。那兩種情緒是如此有力的使阿拉伯當局不敢公開的違抗他們，否則他們王位也要動搖。（滴譯新聞周報）

國際動態拾零

美前總統胡佛，曾秘密對人批評，小石鎮黑白人同校事件，政府措置欠當。用聯邦軍隊，足以激起西方之一致，而判決此案之法官台維斯，為北方人，亦欠斟酌。他認為這是有些共和黨人，想得黑人選票手法，但恐不能達到目的。（按指尼克遜）

×××

艾森豪屢離白宮，往他處休假，頗引起批評。他雖已感覺到，但不能改變。因為遵醫囑，要預防心臟病復發，不再損害其健康，必須繼續運動、休假。

×××

美國兩種五千里飛彈，一名亞脫落，一名狄勝。狄勝力量較大，上升力較高，外皮較厚，導向亦較進步。

×××

波蘭上年要求三億美援，而僅獲得九千五百萬。聞本年增至一億七千五百萬，波蘭人私謂他們決不利用俄國輪船，來撼此款。

×××

蘇聯中央執行委員會，將開會討論馬倫可夫諸人被驅逐以後的各事。許多中央委員，已預感到赫魯歇夫的壓力，與上次馬倫可夫等被驅逐時差不多。

·陶然·

自由談

無謂的慌亂

馬五先生

由於蘇俄放射了一枚人造衛星，以美國爲首，西方列強頗爲驚慌失措，恍惶如有所失，寢饋不安，而聯合國亦急急討論裁軍問題，美國務長官且邀請俄共代表葛羅米柯「光臨寒舍」，密談裁軍計劃。同時，西方列強又預言蘇俄成功了人造衛星，勢將對裁軍問題採取強硬態度。

假如此慌亂情形，實是可哂極了。爲了一枚人造衛星，西方列強便如大禍臨門，奔走呼號，不可終日。然俄帝在地球上製造了若干傀儡衛星國，它們却若無視，而且爭着要予以承認，至少亦隨時希望跟那些衛星政權從事交易，這不是奇怪的事兒嗎？

聯合國的裁軍討論案，當然不會有甚末成就的——除非美國被人造衛星嚇破了膽。否則蘇俄的強硬態度早在意料中，而且英法各國又相繼聲明在最近要試放人造衛星與長程飛彈，大家想藉武器來嚇住對方，誰也不需要驚慌的。懷這種心情來談論裁軍問題，實非笑話！

蘇俄的人造衛星無論成功與否，對西方列強總是一大刺激。今後美國對俄帝表示軟化，則赫魯雪夫之輩，基於武器優越感和敵情的錯誤估計，很容易闖出大禍。如其美國不服氣，一定要跟俄帝較量新武器發展能力的高下，則軍備競賽工作，必然更爲激化，結果也是不祥的。[illegible]戰，皆視現在這種不生不死的局面爲佳。因此，我並不討厭俄共集團對人造衛星作神話式的宣傳呢！

褪了色的家書

李仲侯

秋到台北，似乎比往年早了些，中秋剛過，太平洋的卞門颱風以及追蹤而起的另一颱風黛拉小姐，都在台灣東南海面盤旋，帶來台北連日陰雨，冷颼颼來，秋意全被冲淡，厭煩得帶點初冬意象，我去衣箱中取出一領毛線衣禦寒，無意中在箱底抖出七年前吾妻寫給我的一封家書。

這封信無端勾起我卅九年夢想還鄉的一段往事。這是吾妻在卅九年舊曆十月廿五日用了五頁彩色信箋寫給我最後的一封親筆信，通篇約近百字，但娟好的字跡，仍歷歷然上目，紙雖約略褪了色，但觀物思人，突然興起一種莫名的悵惘。

信中敍述那時家人生活頗評，惟言及鄉間故舊近況，則吞吐半吐，[illegible]長女已於六月廿五日出閣，次女接着於廿六日嫁與傅姓，都未辦嫁奩，現在衣食難，生活甚苦，最後囑咐我：如在外生活勉強能過，儘可不必回家，[illegible]下而抵禦內又補上一句「頂好還是以不離故鄉爲上」，滿紙充滿了矛盾。

當日我接讀這信，頗覺詫意，那是卅九年上半年，大陸淪陷未足半年，清算土改，[illegible]兩個女兒，長年二十，次年十六，同時在同日出閣，[illegible]我們的家鄉習俗，最重婚禮，除男女一方有血親長輩，患病危篤，爲避免服內喪婚，所謂急急忙忙過門外，從未見有這樣慌張的婚禮。[illegible]他那時[illegible]在職的一位省議員，弄到衣食難週，這樣寒酸，當年長女與他家訂婚，曾以取得我同意，但轉瞬間就成了這樣一個破落戶，女兒過門後難以當活，尤其女方，從幼嬌生慣養，是我最所痛愛的，她還未成年，我妻竟[illegible]，這事竟不先向我徵求同意，却敢冒然斷然給她辦了，這信其何以這末糊塗，隨隨便便把我掌上的明珠丟了，最感奇怪的，屈指一算我和妻離別了七年，我們想及孟姜女尋夫那是民間故事，知道從古女子渴想和一個久別的丈夫見面，是可泣悲壯動人，即「萬喜良」人至今還聞；「謹[illegible]夜去眠」那首唐人絕句，[illegible]出一個妻子知道遠征的丈夫歸來，也是何等喜悅萬分，我們「鶼鰈夫婦，恩愛久不渝」，數十年從未有過勃谿之非，這次大陸淪陷，她明知我是從共匪的叫囂死裏逃生好容易才擠上一架敗命飛機來到台灣，飄泊海角，思歸正切，她來書所示，明明是拒我於千里之外，當時我寄居在友人家，正處窮寬無聊，讀了這封書，更不舒服。

之後，大陸行土改，展開一連串清算，鬥爭，勞動，改造，迫害屠殺，故鄉逃出一二漏網人士，才知道我們一家的親故舊，一個個都被共匪淘汰了。鬼蜮，把負責的家鄉已侵成爲黑暗地獄，大共我那原有的溫家早在卅九年已做了土匪犧牲品，這才恍然大悟，我感激妻心，那時想還鄉，簡直是等於書呆子的天真夢想，後來證實妻不要我匯款的緣故，因爲我家住：鄉下，自大陸淪陷凡在外匯款回家的鄉，經過共匪所組設的鄉農會檢查，對匯款的人都要窮根究底，迫家人寫招降書，否則列入特種戶口視爲反動份子，從那時起。知道除非政府提早反攻大陸外，我們人的還鄉計劃業已徹底被其粉碎。七年了，從未接過家人的片紙隻字，家的存亡，妻的生死，也無從問訊，在砭骨的冷風中，打開這封已經褪色的家書，重復展讀，不禁淚隨俱下。（九月十二日于台北）

驚覺的小貓

・楊有釗・

讀陳紀瀅先生編著

報人張季鸞感賦　史次耘

錚錚一報人，榆林張季子。耿耿盡忠孝，愛國靡長衷。公誠直如虹，筆傳遺偉旨。著論見奇才，議正傾萬紙。謙謙君子風，詞出若出水。報國兼詞[illegible]，忠孝兩自矢。昊天竟不弔，斯人久逝矣。倏忽十五載，議論涼風起。一代仰宗師，陳君撰文紀。海內爭自由，屹立如嶽峙。鐙下誦遺編，詩[illegible]淚[illegible]史。

萬竹樓隨筆

李提摩太與李佳白（下）

[illegible]何改革，而且常常[illegible]第二年（一八九六）春天動身離開北京前一天，翁還親自去李的住所去回看，同時給李幾仟，在李提摩太一眼中，一位中國的[illegible]，其態度[illegible]，這種態度是以前不會有過的。因此，李不讚對翁印象，[illegible]而且他還向翁提出了一個改革中國的書面建議，在這個建議裏，李主張中國的皇帝應該用兩位外國顧問，中國政府中也可以容許有外國人參加，此外如改革幣制，開礦築路，創辦學校，[illegible]報紙，以及其他[illegible]的建議，[illegible]得相當的具體，這確實可以代表當時一般對中國抱有好感的外國人士的意見。

李這次回到中國的南方以後，不久便回英國去了，等到一八九七年底（光緒二十三年）他再到上海，其時中國的維新運動，確已表現了一種蓬勃的氣象，當時一個最顯著的現象，便是[illegible]報紙，在三年之內，已出了十九種，[illegible]十種；而且上海也居然有了一所中國人自辦的女子學校！

在一八九五年（光緒二十一年）十月十七日，[illegible]第一次見面[illegible]，從此以後，[illegible]李[illegible]密切的關係，[illegible]，也[illegible]光緒帝[illegible]戊戌政變[illegible]光緒帝[illegible]。戊戌事[illegible]。

戊戌政變發生，[illegible]當時一個最顯[illegible]正法，命令到了上海，並附有康的照片，請求上海道[illegible]英領事[illegible]予以協助。其時英國駐上海總領事白利南（B. Brenan），他不僅沒有接受清廷的這一請求，却斷然採取了一個相反的行動，通過他的領事館派員遣出吳淞口外，把康從「重慶號」救出，改乘另一英輪，並且派了一艘英國兵船，把他一直護送到了香港，這是康有爲戊戌政變[illegible]的實際經過。白利南在當時主所以採取這一行動，既不是奉了北京英公使麥唐納（C. Mac Donald）的訓令，也不是由於白的自動，實際是由於他接了李提摩太由北京打出的一個請求援救的電報，他曾根據李宣向倫敦向沙士勃雷（Salisbury）內閣請示，得到了沙侯的許可，他才採取這一斷然處置的。這件事李提摩太在當時是諱莫如深，因爲他怕清廷知道了對他在華的傳教事業將有妨礙；同時我們還應該知道：白利南正是廣學會的會長，（他們當時叫會政）李對白提出這一要求，居然發生效果，也並不是偶然的。

・舜生・

海上學校

中篇小說

醫生替貝比注射了催眠針，想叫這位一生坎坷不幸的人，在最後還留之際，有一個平安幸福的夢。——一個短夢和永恆的安夢，鉀綏成一體，再也不分離！

張長虹覺得胸口上塞滿了炸藥。全身每一個氣孔，都在冒烟。他咬緊牙齒。新起的陣痛使太陽穴兩旁的青筋，凸顯得高高的。醫生掛起聽筒，替他診斷了心臟，病歷上寫了一些什麼，然後，囑咐護士小姐替他注射。他取下聽筒在手掌中扳了幾扳，安詳地踱到別的病房中去了。

五月的晨風，用它那溫暖的手掌，輕捲着窗帘。陽光的金箭，不斷從微捲的窗帘中流洩進來。

接近晌午時分，李太玄終於找到了那位值班的老朋友，經過他的特准，並且由他親自陪同，李太玄和杜宇進了大病房。

天氣炎熱。病房裏，石炭酸氣味撲鼻。呻吟之聲雖已略減，但汗水却在病者身上與時俱增。

比時，貝比正昏沉入睡。他睡相醜怪，像條死狗。嘴眼歪斜，額頭上，沁着汗珠，喉管裏頭，響着痰塊，呼吸之間，發出一種冰河解凍時的幽咽之聲，聽來分外淒愴。張長虹傷口的陣痛，因麻醉而暫時消失。他沒有睡意，只閉目養神。當他時，他睜開了充血的眼睛，杜宇默然點頭作答。

醫生[illegible]病歷，仔細端詳了病況，李太玄[illegible]好久，然後用顫抖的胖手，分別掛上。貝比最大的汗珠不斷從他的額頭滲出，滾過滾燙的腮上，悄然跌落在柚木地板上。他力持鎮定。職業上的長久訓練，使一個做作得自如。但面對着一樁一個嚴重的現實，究竟有些地方包瞞不住——酒糟鼻子抽動着，有淒清的冷水，從鼻孔裏不自禁地掛下來！

杜宇兩眼含淚。風韻[illegible]可憐。她的手腳發冷，心臟強烈收縮，因而全身都有了輕微的抖動。透光的年華，在飄散的長髮下掩落一抹美麗。淡淡的陰影，流注於瘦削的兩肩。她的希望破滅了，心也碎了。她呆呆地直視着貝比蒼白的容顏，開始了輕泣。她的心在血液轉動。透過淚濛的淚眼，她彷彿覺得自己置身於萬丈斷崖之上，而滿眼秋山落寞，黃葉飄零，而身體正向無邊的深谷下墜。……

李太玄一把扶住她。立刻在「人中」上，施了簡單的手術，然後，把她挾抱着拖離病房，抬進樓下的急診室。

經過診斷，並注射了興奮劑，她的神經漸漸恢復。主治醫生叮囑李太玄送她回家靜養，千萬不要讓她再受刺激。李太玄一一點頭答應。

[illegible]貝比僅走了這一對形容憔悴的探病的人。但生離和死別，却用千絲萬縷的深情，將彼此的掛念牢牢地糾結着。也許，生離者的哀痛，要千百倍大於死者！因爲生命在休止符上的意義是旋律的沉寂，是一切的平而化，是把一切的活動安頓在上帝的手裏，悠然入靜；而生命在間斷符上的意義却顯然兩樣。它帶有若干情緒波動時的顫音，它挾帶着若干深切的心聲，它焦灼地期待着新的開始！這些都是人間的謳歌者的雲雀樂章，儘管人們願意以懷舊的情緒去演奏鳴着它，然而這個感情的重担，畢竟太難於挑起的。此刻，杜宇心靈中幻變的複雜的情緒，正是這種擔心的！……

林金蓮送的擺渡艇，將杜宇送到了海上學校。海上學校，停泊在船上，其他的人——包括應老頭、劉金忠、周曼石、梁登同夫婦等——都往碼頭等候[illegible]訊去了。除[illegible]碧與廖財寶守

李太玄招呼杜宇進了總辦公室，又起行軍床，攙扶杜宇躺下，安慰她，叫她不要焦心，然而，她的鼻子也一拱一拱的，淚眼相對，彼此都感覺心傷與絕望。

四天來過度的疲勞，終於將杜宇牽進了睡鄉。醒來時，夜已深了。太海横躺在微微的霄漢上，月色如霜，在海面，紛揚着一層銀白的閃光。在霜下，裸露着大海紺青色的胸膛，人聲肅悄，擺渡艇的款乃之聲，特別清晰。

突然，有一陣急促的喊聲傳來：

「杜宇大姐！杜宇杜小姐！」……

杜宇一怔，吸鞋走近欄干邊，回答：

「喂，我？你沒，甚麼事？」

「醫院送通知來的，」那人遞答，隨即吩咐擺渡船。

杜宇接到了通知，提着馬燈，湊近急讀。他眼前發黑，幾乎栽倒。她強自抑住悲傷，搖醒了伴睡招呼的崔碧。兩人匆匆登船，飛速趕赴九龍醫院來。

（五九）

趙滋蕃

自由人
THE FREEMAN
（第六八九期）
中華民國僑務委員會頒發登記證台數新字第一零二號
中華郵政台字第五〇〇號執照登記爲第一類新聞紙類
（半週刊每星期三六出版）
每份港幣壹毫
台北市售價台幣壹元
督印人：陳文華
地址：香港高士威道二十四號四樓
20 GAUSEWAY RD. 3RD. FL.
HONG KONG
TEL. 771726
承印者：東南印務出版社
地址：高士打道六十四號
台灣總經理處
台北市西寧南路壹零號二樓
電話：四七三四六
台郵撥儲金九戶二五二
海外總經銷：友聯書報發行公司

本月五日第六八七期本報，因港台機位擁擠，至未能如期抵台，諸希台省讀者垂鑒　本報謹啓

美國戰略思想發展趨勢

——有限戰爭哲學復興，核子僵局觀念打破，其將有利於吾國乎？

·黃煥文·

地面派與空權派合流

美國戰略思想之研究發展，年來進步甚大，從善如流。殊值得吾人注意者，莫過於戰略上『彈性』(Flexibility)之把握，及『局部小戰』觀念近來更加瀰漫華府高階層，因此，美國各軍事首長時常強調說：不惜以核子武器從事局部小型戰爭。這似是一種好趨勢，好現象。

去年普林斯頓大學國際問題研究中心出版『軍事政策與國家安全』一書，其中彙集各專家，學者八篇專題論文，討論有關（一）嚇阻政策；（二）核子戰略；（三）空中防禦；（四）有限戰爭；（五）經濟戰爭潛力；（六）冷戰外交；（七）大西洋集團；（八）實力外交諸問題，大體上獲得三個結論是：『一、相等的核子力量，本身不能預防戰爭。二、根據此種發展，修正美國防禦觀念。三、在均等核子力量形勢下，還有同時準備普通戰爭及原子戰之必要。』這個結論是正確的，健全的，故其影響乃與日俱深。

今年四月，美國政論權威刊物『外交季刊』發表一篇命名爲『戰略與組織』專文，批判美國戰略，立論公允，語語中肯，入木三分，而且創見甚多，發人深省。此文即爲六月出版『核子武器和外交政策』一書之摘要，作者是一位國際問題和美國外交政策研究專家吉新階博士（Henry A. Kissinger），他強調一個優秀的戰略思想，實比技術優勢和物質力量更爲重要。當此核子標富，兵器至上時代，吉氏此種高見，誠不愧爲暮鼓晨鐘。他主張美國合併陸空兩軍，保留海軍，將全部兵力合組爲戰略與戰術兩大類型部隊，以便從事有限戰爭云云，這眞是鳳鳴高崗，不同凡響，難怪美國軍政要員大家一致贊佩不置。

當然，這種局部小戰，有限戰爭觀念之流行，除若干學者專家的研究倡導而外，尚有其他因素，大體上，可以看作美國地面部隊派戰略思想和空權派之合流。吾人處於太平洋反共前哨，就全球戰略安全體系而觀，作爲逐次阻止共黨侵略或推翻共黨之統治，一種新型局部戰爭的思想基礎，不僅是絕對必要而且似乎還是一個先決條件。

有限戰爭哲學復興

筆者曾在拙著『世界兵學與全球戰略』中指出：『一個新型有限外圍戰爭觀念，乃形成當前全球戰略思想之主流。』（見該書第七頁）本質上，此是西方兵學大師克勞塞維茲的『有限戰爭哲學』之復興，目標有限，地區有限，使用普通武器或核子武器，予以適度的打擊力量，達成某項政治目的。換言之，不是長戰，不避戰，軍事行動，適可而止，大有『三分軍事，七分政治』的意味。如果不[illegible]有限戰爭哲學，那麼，對於今日美國種種發展所謂『清潔氫彈』（Clean Thermonuclear Bombs），[illegible]

[illegible]

核子僵局並不存在

[illegible]

在參議院外交委員會中曾這樣說：『我們有能力把蘇俄所有一切軍事目標全部予以毀滅，請不要相信有何僵局存在。假使蘇俄已有等於我們美國百分之五十的核子毀滅力，如果他要發動全面大戰，仍然要考慮到蘇俄自己會被毀滅的後果。即使蘇俄具有美國百分之一百力量，當然可以使我們遭受重大的損害，但蘇俄本身要面臨毀滅卻是一樣的。甚至假使蘇俄擁有美國百分之二百的力量，還是仍然免不了自身毀滅的危險，所以，從嚴格的軍事觀點而論，我們報復嚇阻之力量，其性質是「絕對的」而非「相對的」。』（請注意絕對性質之深義——作者。）

諾斯達德將軍這一個解答太好了，令人有拔雲霧而見青天之感。足見美國戰略思想發展，逐漸由『報復政策』及『有限戰略』、『彈性戰略』而以融會貫通，勢將由理論步入實踐之階段。歷史本爲人類所創造，處此形勢，自由中國實居戰略先鋒之地位，想我戰略天才家必不致等閒視之。

半週述評

新的政治號召

[illegible]，保證其去逆效順的安全和利益，當然爲國人所樂聞的政治號召。

這種新的政治號召之能否發揮大效，在政府尚未實行反攻，國軍力量尚未進入大陸以前，是看不出來的，此時只是給大陸同胞一種「[illegible]蘇」的心理感召而已。政府今後的急務，就在以各種事實來證明[illegible]樹之風聲。軍事問題固然重要，政治問題尤其關係鉅大。

譬如：政府既然保證在大陸上的共黨分子和附共人士，[illegible]

消除苟安與恐共心理

[illegible]爲安樂之老的所在，有護衛，姜太公在此，百[illegible]自然害怕容納外來的[illegible]，固然實任重大，扭當[illegible]胞集結到寶島，也會增[illegible]手續繁雜，挑剔備至，[illegible]，而別人不勝其繁擾，[illegible]麻煩，尤其量不過是終[illegible]已。如果是大陸逃出來[illegible]象，認爲這情形跟他所[illegible]，即難免爲之洩氣了[illegible]項保證，能不齎生不良[illegible]理，才可以擴張肚量，[illegible]行蔣總統所倡導的新的[illegible]以大信！

·雷嘯岑·

我對反攻大陸的看法

鄧仲豪

自從自由中國半月刊揭出單獨反攻大陸不可能論之後，海內外人士對於此一問題引起了高度重視，展開了激烈的爭辯。有之對自由中國的論點持否定態度，有之表示同情，特別是左舜生先生在自由人第六八〇期發表了一篇文章，支持自由中國的持論，表明他對反攻大陸的一套看法。

我認爲此時討論此一問題，似乎是不大適宜的，不過既已公開爭辯，因此我願把個人一點浮泛的看法寫出來。

大體言之，反攻是一種行動，何時反攻乃屬於時機問題。不能選擇時機抹煞反攻的正確性；相反地，在時機沒有成熟之前，我們一味唱反攻，那也是一種多餘的事。古人從事復國運動者，如勾踐沼吳、田單復齊，是以「臥薪嘗膽」、「勿忘在莒」的精神雪恥復國，此一精神是「忍」與「恨」充乎內心，絕不徒託空言。

自由中國半月刊糾正空洞的反攻論，不能說沒有它的理由；但一概抹煞反攻的可能性，無論就邏輯或未來局勢演變上講，恐怕是沒有根據的。

我們理解，自由中國政府所以一再強調反攻，是爲了闡明國策，表明決心；這雖然在某種角度看是一種空言，原也不應過事苛責；不過也應針對面臨的境況以及輿論的反應，確實反躬自省加以檢討，究竟如自由中國半月刊這種觀點，有沒有可接納的價值？即使它的論點容或有偏頗之處，其中所舉事實有幾分可作改進之參考？即使是少數人的意見，也應予以尊重。

論到反攻大陸這一問題，我的看法，不必斤斤計較可能與不可能之爭持。說可能，按事實必須加上某種可能的條件；說不可能，或許因某種影響因素，促成可能的事實。這事情，雖掌握人類命運的最高權力者，也無法作斷然的解答，更不是什麼公算所能判明的。

我們回憶當第一和第二次世界大戰發生時，誰也不知由於斐迪南太子一彈殞命掀起人類的浩劫；誰也不知日本軍閥竟在珍珠港偷襲闖下人類的大禍。再說到我們的對日戰爭，我曾記民國二十四年，已故丁文江先生在天津大公報發表了一篇星期論文，標題大概是「蘇聯革命的經驗及其教訓」（恕我一時忘記原題）文章的內容是說，蘇聯當時在列甯領導革命之際，與德國作戰敗北，德國提出割地賠款的要求，外交代表托洛茨基，不願接受對方的苛刻條件，列甯爲了顧全革命的成敗，說服托洛茨基，他並以堅定的口吻說，必要時不惜以退到堪察加的精神加以容忍。丁先生寫這篇文字的主旨，是主張容忍退讓，甚至主張到不得已也應有退往堪察加（指雲南、貴州）精神，此文一出，全國輿論爲之譁然！記得附和丁先生主張者，有胡適先生，他也在大公報發表了一篇星期論文，那時還在大學讀書，看了丁先生的大作，十分憤懣！乃在大公報發表了一篇專論駁斥，引起了不少的同情，我所以引述這一段經過，是說明以丁先生那樣學養豐富的先進時賢，當時竟不主張對日抗戰。可知那時深研中日兩國國力的人，內心大都認爲「抗日必亡」！誰知到了我國被迫抗戰以後，內因情勢之轉變，以及敵人攻戰兩略的錯誤，給予我們許多有利條件，我們居然堅苦支持了八年，最後畢竟獲致勝利。

回看今日反攻大陸的形勢，誠然我們依靠台灣一點力量，不能對敵作戰，殊不知這中間變化多端，形勢會給我們條件，敵人會給我們條件，大陸本身也會給我們條件的。所以反攻必須加時機因素，同時我們應知過去的抗日是被迫，今日的反攻是主動。被迫無從選擇時機，主動必須選擇時機。

爲了維持政府的威信，我主張重行考慮我們的政治口號，避免應用行動性的號召。嚴格的講，口號與號召不同，口號有伸縮性，號召必須立即行動。反攻大陸是號召而非口號，況反攻又屬一種軍事術語，何時反攻應該機密，我們居然把它當作口號呼喊，實在應該加以考慮。

老實說，今日我們需要團結海內外人心，擴大反共的政治圈，以「忍」與「恨」的心情埋頭苦幹，到了反攻時機成熟，一經號召，自能展開英勇的行動。倘若我們誇大自滿，不思在整個做法上力求改善，自以爲力能匹敵，那是國家的不幸！

台灣通訊

形同殷台公司的「中國輪胎公司」

・華民一・

歷經五年的「中國輪胎公司」騙局，今應揭穿，內容梗概，有些類似殷台公司，頗富戲劇意味。

資本一千二百五十萬台元

中國輪胎公司的誕生背景，緣於公路總局、交通處、鐵路局等機構，感於每年須向外輸入進口汽車輪胎數萬套，耗費外匯太多，擬於省內設廠自製；但在無資金情形下，轉念吸引僑資設立輪胎公司，嗣後有香港回國工商考察團長祝鳳樓，及陳良軍回國赴東南亞考察工商業與官商各界磋商結果，於四十二年二月經行政院特准設立，經濟部命准中國汽車輪胎公司正式設立。當時申請資本額爲一千二百五十萬台元。

利用華僑投資特權

祝鳳樓負了吸引僑資之責返港後，經各方籌募並不理想，乃將公司之興建權於四十三年轉讓出頂給另一有錢的僑商劉酒霖，而劉却醉翁之意，想藉華僑投資特權，申請進口物資圖利，並以申請到的進口物資自備外匯，向省內商人獨資結匯權利，即以核准進口物資憑證，向省內工商業界先行抛售物資，收取預付之定金。先後經核准進口物資，計有日光燈、開關、奶油、煉乳、車胎、棉毛織品等，出售總價約達四百萬元左右，依照規定專案存入台灣銀行，以備公司正式興工及購置廠地，建築材料，人工開支，建築費、資金週轉等項下，向台銀申請動用。而過去兩三年之內，以人事費之需，以少報多」、「以無報有」等方式，紛向台銀支取，高達二十萬元左右，結果結存款項，已是微乎其微，而建廠却依然無具體進展。

轉賣結匯兜售空頭物資

其中其他一些人，主政府核准進口物資後，除利用轉賣結匯權，賺取佣金外，並另以一部份非准進口物資，向工商業界兜售空頭物資，以自收可得之物資代替進口物資，收取預定物資價值百分之三四成定金，所得已數百萬之鉅，而已進口物資於高價出售後，再申請提及官價外匯進口，獲利更屬可觀。台北市新生大戲院很顯，先以廣告進口精良放映機爲其開幕亮之宣傳，結果只以日製者應付，即其一例。

再轉讓建廠經營權

到本廠不成之際，將公司建廠經營權再度轉讓給另一華僑黃常，乃重新改組，黃任董事長，劉酒霖仍任總經理，資等於四十四年向經濟部申請辦理登記手續。主管部門爲獎勵僑資，但經某要人說項，始准其再度出讓，經濟部才批准的。惟黃常與劉酒霖者，却又有索取出讓權利金作價，以至轉移登記，遍遲未能辦妥。新董事名單，列有陳鳳元、黃常、劉酒霖、李麗生、[illegible]培元、劉懷槍、朱成基、陳霖、劉自溪、黃撼清、劉賀彬、陳齊濤、李伯堯、黃春生、郭友擇、林孟章、江德潛、柳富德、陳國槍、伍茶、黃銀當，發起人黃某並未負實際責任，僅爲名義性質，仍由劉酒霖實際負責。

第三次改組轉讓

該公司自四十二年成立以來，於不久前又再作第三次改組轉讓，事實存在外欠債有增無已，結集九百餘萬之鉅（公司本身債七百餘萬），目前司布告者，已詳見該公司於本年六月二十五日在中華日報分類小廣告欄所登載於理欠債物件上。

申請美援獨出心裁

該公司因此黃某，於是乃有富商華僑陳鳳元、陳國鈞、陳樂元、徐朝鳳及本省籍黃、福源公司負責人徐鳳和投資支持，聯合向該公司，另行改組，加入新人，經陳鳳元同意，黃常及劉酒霖均退出董事會。將清理欠債之數百萬元列入資本支出，公司資本額達三千七百萬元。前向申請之美援，該公司宣佈業已獲得核准貸款一百卅餘萬元（但美援實際上只核准八十萬元）。但該公司申請美援，可謂別出心裁，一般皆取由下而上方式，該公司却由上而下，利用英文技巧，直接向安全總署申請，由安全總署通知安全分署轉知美援會照辦貸款。

要人說項獲准立案

關於第三次改組之該公司，主管之經濟部曾堅持依法執行撤銷登記並解散之組織，又因某要人從中說項，主其事者，外國人及華僑投資事業審議委員會，召集有關機關人員組成。據經濟部言，目及該員則由有關機關派員組成。准該公司進口一百五十三輛大貨車，在台出售，以爲該公司建廠及所需之費用。但其時有二附帶條件：須清償該公司前欠債款，或以等值債券作抵押，免動建廠資金，由該公司負責請辦理。劉某却將債權人零債務，移向官實準中的「大人物」門上，自己却逍遙法外。

有五個謎底

該公司的戲演到此處，却有些問題，令人猜測如：一、該公司一再延遲建廠，主管方面一再寬容處理，是否怕一百餘萬美援貸款落空。如果該公司一直拖延下去而不建廠，政府主管當局又如何處理？三、對該公司如此優容，是否其中有人包庇？四、該公司建廠地皮購置費及廠房建築費估兩千三百六十萬元，此中預算之大，進口物資之多，是否值得研究？五、該公司請求刊登之廣告小字登出，尚有多少債權人未及見者，是否還該弄個清楚？以上五個謎底，由誰來揭出，誰又有揭出的責任呢？

兩案無獨有偶

前有殷台公司以勾結外商，「盜取國家資財」引起各界抨擊，今茲中國輪胎公司又另來這一套。可謂無獨有偶，一百餘萬美援款項，是援助中國的經濟事業的，如何能置國家於不顧，落入少數幾個人私囊呢？（四十六年九月卅日於台北）

流行性汽車煩惱

遍及政府、議會、老百姓與輿論之間

台灣通訊

・牛嶠・

社會上流行着一句一反一正的俏皮話：「大人物坐小汽車，小人物坐大汽車」。這句「格言」，在生活水準高的歐美國家人士看來似乎莫名其妙，但是在咱們這個國度裏，却是其妙在此。這幾年在台灣「汽車煩惱症」相當流行，其程度不亞於流行性感冒，遍佈於政府，議會，老百姓之間。

外也愁內也愁

政府官員對於汽車的煩惱不一而足，較著者是外來的輿論詬病，內在的分配難勻。有錢有勢的機關，自己可以撥支經費直接由國外輸入，無錢的機關，除了機關首長有小汽車可乘，低級職員或許有一部大汽車上下共同坐坐，如果是那老爺車，常常進「醫院」，只好修理，勞動自己「十一號」雙腿汽車了。

「徵車」惱人不敢言

有的機關上級窮，下級富，上級長官沒有汽車坐，就向下級機關「徵車」，甚至能夠扯得上一點縱橫關係的機構，祇要主管有苗頭，一紙公文也可借調幾輛車子，名雖借調，實際上多是有借無還，被借調機關「敢煩惱而不敢言」。公家小汽車看來很多，但派用場的時候又嫌太少，即以這幾天在台北舉行的亞盟第一次理事會而言，徵運各國代表的車子，是向營業車行租來的，在各機關的車子竟調遣不動，實在不可想像。

「長鋏歸來出無車」

近來議員先生們對大小汽車的煩惱，三起三落，蔚爲壯觀。首先值得一提的是國會議員之一的立法委員，依「大人物坐小汽車」的「格言」來說，應該乘小汽車，在立委中擁有小汽車的不能說是沒有，不過鳳毛麟角而已，「長鋏歸來兮出無車」自然是立委的煩惱。不料小汽車煩惱未已，大汽車煩惱接踵而來，上月秋祭國殤，立委們乘大交通車赴圓山公祭，硬是被警衛人員擋駕（小汽車例外）使立委身受大汽車乘不得也之痛，引起全體憤怒，「罷祭」而返，其煩可知。

「望車興嘆」

國會議員的另一半監察委員們，對小汽車的煩惱也有難言之隱，不久以前監察委員會提了一個糾正案，糾正政府各級機關及公營事業購置使用小汽車無統一限制辦法，造成不合理現象，消耗外滙，浪費公帑，違反提倡戰時節約之旨。結果，政府雖也訂定了用車管制辦法，然而有錢的機關對小汽車頗爲愛好，競講成風，形成了諫者自諫，購者仍購，目前在馬路上稍爲留意小汽車的牌照，單是（15）的牌照就已發到九〇〇〇號，資字號尚不包括在內，怎能不使監委們憂心煩惱「望車興嘆」呢？

「異軍突起」

立監委員從不同的角度對汽車都有了煩惱，更未想到「異軍突起」，省議員對汽車的煩惱也來了，而且造成了個月「流行性汽車感冒最高潮」，第一陣省議員諸公爲了每個位要一輛小汽車問題，在神聖議會裏吵面紅耳赤，在社會上也鬧得風風雨雨，有一位議員爲爭車問題「侃侃發言之餘，還遷怒記者，罵某些評論件事「不當」的人：「沒有良心」！另有位議員對汽車最堂皇的理由是「向官老爺看齊」，他又說：「官老爺的公用汽車，官太太可用之上市場買菜，送官少爺上學堂，難道眞正爲人民服務，爲人民說話的省議員就不能坐汽車嗎？」這些也算言之成理的話，也還眞能使確有其事的官老爺爲之語塞。

譽爲「慘案」

省議員的爭車案，是以二十票對十一票多數通過（在場三十一人，全體六十六人）請議長黃朝琴計劃辦理。會後引起全國輿論一致嚴厲抨擊，譽爲省議會本年通過最大「慘案」，假如省議員在會後冷靜三思，能不汗顏而煩惱。

大百姓愁小汽車

老百姓中的大人物（富商），對小汽車的限制進口，煩惱很大，可是有辦法的可以向美軍眷剩餘物資打主意，牌照可以求諸黑市，牌照黑市的頂讓生意興隆，一塊牌照頂價高達二萬元以上，從外國買不進小汽車是「老百姓」的煩惱，能在台灣買到八成新的車子又有買黑市牌照的小煩惱，但乘上風馳電掣的小汽車，立刻身價十倍，這些煩惱也就烟消雲散了。

小百姓憂大汽車

做小人物的老百姓，只有對大汽車有煩惱，想不到又增加一項小汽車的新煩惱。公共汽車本是小人物代步的恩物，自從由五角漲到七角，負担加重了是個煩惱，公共汽車漲了價，仍是沙丁魚罐頭擁擠不堪，更加煩惱。現在民意「代表」們已經在要求兩個人一輛汽車，很多做主人的也想要求每個人都有一輛汽車，假定可能的話，有些不耐煩的主人翁，已經在報端公開向省議員質問。車的煩惱越來越多了。

輿論界替人愁

輿論界的報紙雜誌與廣播，緊跟着政府、議會，老百姓之後的「車子煩惱」也煩惱起來，這煩惱是爲此花費了紙張與乾口舌，然而「成績單」尚未打上分數，輿論界責任盡到了，正煩惱着等待着這些複雜的「汽車煩惱」澄清。

如是我聞

・洪荒・

△在某一個「會報」會議席上，一位先生提出大陸失敗資料說：「昔日協商會議，實際是一個三人小組會議。此三人者除共方外，則爲馬歇爾與張治中，馬爲袒共者，張爲投共（暗中已久勾結）者。如此的三人小組而討論「國共合作」問題，其不利于國民黨，豈非天經地義。

△某新任大亨，端坐主席寶座上，仰頭看看天花板，若有意若無意的「聽取」他的部下作專題報告。部下聚精會神，侃侃詳詳歷二小時，至于舌敝唇焦，氣喘吁吁才告終結，這位大亨，也似理非理的還着部下說：「對不起，我是外行，你報告的我一句也不懂，拿回去改爲簡短節略書面交來看看再說。」部下聞之，倒抽一口冷氣而下台。

△主管處對於「淨化」社會新聞辦法，擬從一些渲染淫盜社會新聞式家的報紙作勸阻式的開始。公文去後之第二日，該報竟以全版刊出一條有淫有盜的更爲大肆渲染的社會新聞。處長閱後，嘆曰：「只求報紙的銷路，不顧新聞道德，此時此地，如此如此，奈何奈何！」

淨化，淨化；奈何奈何！

△某顧問處的販賣部，有個女職員，爲了差錯三元（美鈔）而被「留職停薪」處分。該女士曾致函那位「經理」說：「我已供職三年，無分文之斷送，無半天之失職，此次差錯三元，不是買主少給，便是我會多找。斷不能說我「揩油」我偷竊，賠償之責我應負，偷竊之名我不甘，職務之去留不足輕重，名譽之好壞需弄清楚。」又聽說：若不徹底解決，也要與經理涉訟法庭了。

但，由側面消息傳出，乃是該經理對那位女職員「另有所圖」未遂云云。

寶島經緯線

・季鷺・

△台北市的個人戶稅，市政府又易名爲「地方自治」稅了。國民黨的中央黨部副秘書長黃啓瑞出馬競選台北市長時，曾向七十萬市民開出空頭支票；如果他當選，決對廢除不合理的個人戶稅，以減輕市民不必要的負担，說老實話，黃這一支票對爭取選民而言，已大大收效。結果呢，黃躍登市長寶座後，戶稅照征不誤，雖則「戶稅」兩字改爲「地方自治稅」。戶稅是一種不合理的稅捐，亦是貧寒之家無力負荷的。而老百姓也最恨政治上不兌現的空頭支票。

△台中市稅捐處，又鬧出張冠李戴的笑話，農民張備樓，竟接到催繳舊欠的通知單，其中包括營業稅，一類所得稅，共計金額四百餘元，且已移送法院，限期繳納。等張備樓到稅捐處詳細查訊一下，才知是將商人陳備樓的欠稅，「誤列」到他頭上來。

△關於軍公教人員待遇調整一事，醞釀甚久，院長俞鴻鈞在答覆立委質詢時，說是兩三週內可向立法院提出方案，但不能確定什麼時候實行。

軍公待遇的調整，誰都知道苦於財源的籌措。有人說，擬議中的調整，須增加國庫支出九億元，目前尚差四億元沒着落。當然，這四億差額不是小數。不過，一如過來輿論和民意代表所指出，只要政府，減少若干純乎浪費的支出，取消若干巧立名目的人事費用，甚之精簡機構，裁汰不必要之冗員，即可省節出這筆差額，有人甚至精算，還有剩餘。只是，這種辦法政府也明知應該這樣做，但却總是遲遲不肯實行，究其癥結，在不肯開罪既得利益者。

尼赫魯游說日本

●胡養之●

他自承曾向岸信介「建議」日本承認中共　他的中立主義只是基于一種極荒謬的自信

曾經訪問過莫斯科，北平，各蘇聯東歐附庸國，開羅，布爾格萊德及萬隆等地的尼赫魯，現在也訪問日本了。

尼赫魯這次訪問日本，起於今年五月日首相岸信介訪印的邀請。

報聘呢，游說呢？

在表面上看，尼赫魯訪日是報聘性質，但從他最近在日本各種場合中的言論，却似乎帶有游說性質。尼氏在日本五日，他與日本官房長官愛知揆一會商兩小時，尼氏發言最多。會商分析國際問題，包括停止核子武器試驗，裁減軍備，中東問題，巴格達公約及印、巴問題等，特別是對共黨表示關懷。他說：「依余之見，印度，由於共黨……個人自由，不賞道義，慣採暴力行動……」

如果這是尼赫魯的由衷之言，那是非常樂觀的。可是如果你檢看一下他過去在國際上所做的事，如替中共奔走效勞，對韓戰，越戰雖然以調人自居，力袒中共，公開反對東南亞公約，反對巴格達公約，聲援埃及反英反法，和拉攏亞非國家反西方運動，挑撥非洲殖民地的騷亂，向葡萄牙挑……，那麼，你對他上面的話，該作何感想？

「建議」而非「勸說」？

據他自己說，他這次訪日，已向岸信介首相「建議」日本承認中共，但並未加以「勸說」。不但如此，尼赫魯也曾向日本聲明，印度決不加入任何軍事集團，也不歡迎任何外人干涉。他的所謂中立政策，只是基于一種荒謬的自信，自以為印度有傳統的反對武力思想，一定能夠以道德上的力量，緩解別國的破壞和平行動。

尼赫魯常覺得印度是一個農業及經濟落後的國家，必須依賴工業先進國家的援助，倘若在國際外交中有所偏袒，那末就會妨害其援助之來源。……所有的印度領袖，都認為共產主義不是非洲國家不可避免的主義。尼赫魯說：[illegible]……也用不着全部拒絕一種外來的主義。尼氏在抗英時代，「便把共產主義當作新文化的先鋒」，目前倒也看穿了蘇聯政府，還進行一條國家主義式的擴展政策。

可能的說詞

我們認為尼赫魯訪日的作用，是在於拉攏日本，使日本脫離與美國的聯繫，走上中立的政策。因為尼氏很怕，如果日本倒向美國，在亞洲方面與印度分庭抗禮；而且他認為日本應以印度的政策，作為日本的榜樣。尼赫魯的說詞是：(一)日本和印度都是獨立不久的國家，大有後來居上的態勢，但缺乏實力，不能穩定，未能踏入國際間的糾紛。倘若加入了聯盟，在經濟上所受的損失太大，……寧願於必要時才出來說「公道話」，那時對國際和平更有貢獻；(二)批評蘇聯是一回事，反對共產主義又是一回事，不一定有連帶關係的，印度經濟落後情形，有許多地方和一九二〇年蘇聯相似，蘇聯實施共產主義的功效，未必不是印度的榜樣；(三)不能不懷疑美國財政援助亞洲和援助……的用心，……印度人民也不要美援，如果存心這麼樣，那就亞洲人民寧願不要美國的援助。

利用日本弱點

尼赫魯……的日本，正積極要與亞非國家……，日本……東南亞……，在……中共……。[illegible]……（十月十一日）

國際動態拾零

[illegible]……萬夫婦遊覽克里米亞……見的談話。

×　×　×

……府人士，逃至土耳其……二百五十人。他們……流亡政府。

×　×　×

……多職業煽動家到東……教徒，的地方都帶……

×　×　×

……朱可夫訪南事件……軍事合作，左傾……希望蘇南……國辦法，……

陶然

關於人造衛星

△球形的人造衛星，裝置在火箭頂部，射出去之後，在最後一節火箭推進下，以每秒約八公里的速度與地球表面平行地運動。

△衛星的軌道是接近圓形的，其焦點之一為地心。周期性地改變其飛行的高度，最高度約一千公里。

△因為地球自轉，因此，衛星每轉一圈移動的位置大約相隔經度廿四度。在赤道一帶位移約為二千五百公里。

△在十月八、九日前後，衛星旋轉周期為一點三十六分鐘。蘇聯用「六十六個光學觀察站和廿六個業餘無線電俱樂部」進行無線電觀察。

△衛星在天空運行的平均速度是每分鐘一度。

△衛星的直徑為五十八公分，重八十三點六公斤，是用鋁合金製成，表面光滑，體內裝置各種儀器，在發射前體內還裝滿了氮氣。

△衛星體外面裝有長二點四至二點九公尺的桿狀天線四根，在發射衛星時，天線桿是緊貼在衛星上，當衛星發射後，天線桿即自動轉自己的接頭。

△衛星上裝有兩具無線電發射機，不斷發出訊號，頻率是二〇點〇〇五和四〇點〇〇二兆周，波長分別為十五公尺和七點五公尺。

△衛星上的電源僅能有限，在無線電發射機停止工作後，祇能用光學方法和雷達來觀察。

△衛星最後的命運將是像隕星從宇宙墜入地球大氣層時一樣燒毀。（資）

從『資本論』到『新階級』（上）

●司馬璐●

「新階級」著者傑拉斯因為此書受審，本書內容有詳加介紹的價值。（編者）

南共早期的領導者之一，狄托長期的左右手，南斯拉夫前副總統傑拉斯，不久前在美國出版了一本震動世界的著作「新階級」，又名「共產制度的分析」，這本著作的可貴之處在乎：

第一、著者不僅是前共黨員，而且是南共過去最高領導者之一，所以他的「著作」不僅生動，而且極有意義。著者在該書「序言」中說：「我是這個世界的產物，我曾對它有所貢獻，而現在我却是它的一個反對者。」

第二、如所週知，傑拉斯今天還繫身狄托的牢獄中，而本書的出版和它底價值，就更不平凡了。有人說，這書的出版，等于在共產世界投下了一枚炸彈，絕非言過其實。在鐵幕內有這樣勇敢的置個人生死于度外的「鬥士」，如非基于理念的澈底覺醒，那也是絕不可能的。傑拉斯在該書的「序言」中又說：「我是逐漸而有意識地擺脫共產主義，而達成本書中所敘述的境況與結論」。傑拉斯對于共產主義的制度得到些什麼重要結論呢？

「絕對化」與「主宰者」

共產黨人在觀念上把他們自身看成是這個世界絕對的主宰者，這種絕對性是他們一切觀念的基礎。

傑拉斯說：「由于自始便假定唯有他們知道主宰社會的法律，共產黨徒們遂得到一個隨而不科學的結論；唯有他們有權改變社會，並控制其活動。這實在是他們的制度之主要錯誤。」

傑拉斯指出，這種絕對性甚至不是早期的馬克思主義者的本來面目。傑拉斯說：「馬克思的革命理論原是有條件的，並非放之四海而皆準的；可是一到列寧，就變成了絕對的與世界「一致的原則」。所以今天甚至連「原始的馬克思主義」，差不多已經蕩然無存了。在西方，它已經死亡或者奄奄一息；在東方，由于共黨統治權的建立，馬克思的辯證法與唯物論不過祇有一點形式主義與教條主義殘餘着而已。」這種「形式主義」與「教條主義」的「殘餘」，其作用是鞏固共黨政權。今天，共產黨人，特別是一批掌握政權的共產黨人，普遍墮落，在先天的基礎上，與這個觀念的「根」是有直接的關係的。

在這「絕對化」與「主宰者」的「根」的基礎上所產生的共產主義的制度，當然是一個保護特權階級的制度。因此，共產黨在「消滅階級」的口號下，創造了最權威的「新階級」。為了保障這一新階級的掠奪和特權，所以，共產黨的暴力，就成為不可避免的手段；共產黨的專政，也成為不可避免的制度。歷史上的革命，尤其是屬于表現小資產階級狂熱情緒的革命，有時也出現恐怖的手段，但在革命行動終止後，便立刻會注意到個人自由的建立，但在共產黨的革命之下，這種恐怖是永無止境的。傑拉斯說：「以前的革命的手段潑辣：思想專橫，獨佔權力等現象大多隨着革命的終止而終止。但共產革命則認為是一個集團專取專制制度，極權的權力是第一個步驟，很難預料該種權力的期限，」所以「共產黨自始即排擠任何『它』獨立的政治團體或黨派，」「同時亦要求一切觀念的統一。」

在共產主義制度下，特權者，黨，財富之與國家是一個東西。傑拉斯又說：「每種事物都是在國家的名義下並通過國家的約束而完成。」「特權者通過黨控制着國家各項」安排。」「特權者通過黨控制全國收入和全國物資。」因此，在共產主義制度下，全國人民全是這一制度的敵人，共產黨人不僅和正面的敵人作戰，也在和潛在的敵人作戰。」

傑拉斯在這本書中最具代表性和創造性的理論是「新階級」的分析，這一理論的發現，其價值遠超過馬克思在「資本論」中所闡發的「剩餘價值論」。傑拉斯承認，一般

「新階級」的出現

政黨的出現或當權，他們都不外代表一定的階級利益服務。但是，共產黨的出現或當權，不是代表一個階級，而是創造一個「新階級」。傑拉斯說：「其他階級也都經由革命途徑，將妨害他們的政治社會和其他秩序破壞之後，才取得他們的勢力和政權。然而幾乎是毫無例外的，都是在新的經濟狀態在舊社會中形成之後才取得權力的。共產主義制度下『新階級』當權情況並非與此相反。它……建立了新的經濟秩序，而是在建立它本身的過程中，它就建立了其控制社會的權力」。

共產主義制度……通過一批特權者的專政而創造的，此種權力「新階級」的共產主義制度之下，……以政治或經濟……種種……可能成為……而受到他人供養的一種「理想」。在共產主義制度下，一切「有形財富」，逐漸都被收歸國有，但事實上由于新階級有權使用、享受並處理這些物資，這些物資遂變成黨內一個階層的官僚的財產。既然，這種「新階級」最主要的特性是權力的獨佔，……代表黨內矛盾與排斥異己，也就成為無可避免的。傑拉斯說：「黨的控制權力與支配的權力是相輔相成的。因此，權力好大喜功，逢迎諂媚，鈎心鬥角等情形既無可避免。官僚主義無可救藥，也是共產主義的疾病。由于同時黨員變成了老闆，對階級，對黨必須效忠主義，……社會物質上的享受，權力與好大喜功的生活方式成了一種重要……，與發展共產主義的主要手段。「因此，在共產主義制度之下，在共黨政權與人民之間，常處在一種潛伏的鬥爭狀態之下。」陳獨秀等人在晚年都有一可貴的意見，史達林創造了獨裁制度，而不是獨裁制度創造了史達林。」

傑拉斯說：「在共產制度下，立法，行政，司法權是不能分開的，……這個辦法是南斯拉夫的黨的堅持。一黨的制度，……是一個專制政府的基礎，……在國際上……掌握着一切財產，……它本身產生……必然……，以及個人在黨內的地位。……官僚制度，……免除其建立極權，但其本質特性，決定了共產黨的道路，雖然不可能如史達林所用的殘酷方法，但其總體是一樣的。」在共產主義制度之下，國家和政府的主要原動力，根據傑拉斯的解釋：第一，是個人獨裁。「由寡頭獨裁乃是一種不可避免的趨勢。」……的鬥爭，和這種制度上層人物的需要，全是走上個人獨裁的路子」。傑拉斯說：「在歷史上，沒有一種政權比共產黨的獨裁更能對付其反對者，更可能是有效。也沒有一種政權比共產黨政權引起了更深更大的不滿。對人類的良知摧殘愈甚，則制度生存的機會愈少，人們的不滿也愈烈。」

稿酬

九月份上半月稿酬通知單，已分別付郵，惠稿諸君請憑單領取稿費為荷！

本報編輯部啓

自由談

革命的民主

●馬五先生●

報載：中國國民黨正在舉行八全代表大會，對於黨務與政治問題，皆將有新的研討和設施。既是全國代表大會，海內外凡有黨員的地區，當然都有代表參加，而這些代表亦應該多半都是由黨員推選出來的，這是普通常識。可是，區區這個備數的黨員，在海隅旅居八年的時間，躬逢過幾次的全代大會了，從來就不知道誰個是我們的代表？平時除了依章履行義務以外，對於選舉代表這點起碼的權利，亦爲之蕩然無存。即令不需要我們這類備數的黨員來選舉代表，而別用簡單方法產生，但臨事亦應該通知一聲，仰即查照可也。否則黨員實若路人，對黨務不識不知，連代表自身去到大會「表示意見」的代表人是張三，抑是李四都莫明其土地堂，那又需要黨員幹嗎？所謂「鐵的紀律」，又教別人怎樣遵守法呢？

國民黨的黨章上，規定「本黨爲革命的民主政黨」，大概因爲現在是革命階段，爲着「革命的」利益，就乾脆連「民主政黨」的形式亦不必具有了。所以，代表大會的代表人物，也就不讓黨員知道，遑論過問？

我自從離開學生生活到現在，三十年來，未曾幹過黨務，自認絕對沒有作代表的資格，也不敢存此妄念。但以一個黨的「羣衆」關係，而本黨又說是「民主政黨」，踫着這種極無民主氣味的作風，不免憖然心憂，引爲咄咄怪事。政治上要官不要民，大家認爲都是不合民主原則的官僚主義，黨務上亦如此。這就難怪一般從政黨員之口稱民主而行倘官僚的現象了。因此，我希望這次大會中，最好把黨章上「革命的民主政黨」那條規定去掉，比較合理也。

生活情趣

要能「悠然」，甚麼環境下都可以「悠然」，如果天天採菊東籬，眼見南山，又有甚麼「悠然」之趣呢！

●陳永昌●

中國人最愛談什麼閒情逸致，尤其浴浸在舊思想裏的那些所謂「騷人墨客」；生活，對于他們似乎只是吟詩，寫字，作畫，偶爾興到，還來一個即席揮毫，那才是够風雅，够瀟灑；如欣賞古董，字畫，略懂得一些皮毛，便儼然成了收藏家或鑑賞家了，於是言語行動，都未免有些做作。許多人都在閒情逸致中，度其悠然的生活，終其身並不想爲了現實社會，幹一些工作。在動盪的時代裏，那本是不容許的。

忙和閒，大致說來是一苦一樂，但也視乎心境。心境好，忙也覺得樂，心境不好，閒何嘗不是苦事呢？

閒的苦，有時會比忙的苦更苦，有點令人吃不消。所以，應付忙，也許比應付閒爲容易。忙僅一頭大汗，忙過就完了，閒呢，左也不是，右也不是。「念天地之悠悠，獨愴然而淚下」，這個「獨」，是何等難堪之事，身閒心不閒，精神浮泛漂渺之閒，無所附麗，像這樣的閒，是枯寂無聊的閒，簡直是可怕的閒。

閒要閒得有趣，唯其有趣，才獲得眞正閒的享受。與其閒來兀坐斗室，或者索性躺着胡思亂想，倒不如負着手，踱踱步，看看天上的雲，看看地下的螞蟻，還有意思得多。但講究稱無聊，要有聊，假如你可以竹話，大可以栽花補竹養魚飼鳥，於生趣活趣中找你的閒趣。即使極忙的人，他們也有閒的時候，既有閒暇時候，就有各種各式的消閒方法，而消閒方法，主要就得有趣。栽花種竹養魚鳥是有趣，玩骨牌是有趣，等於小孩們砌積木，奏七巧板，踢毽子，拋石子，方式不同，其趣則一。

趣味的生活，也即是帶有人情味的生活，在生活原素中間是少不得的。有人說，這是生活的藝術，有人說，這是懂得幽默的生活，我們不想去談這高深的哲理，我們只知道精神的受用，便够了。感覺精神的受用，就是生活上的自由。

在不罪惡的原則下，生活的方式，是可不自由選擇的，嗜好習慣，因人而異，嗜好如果不是抽大烟，習慣如果不是隨便放臭屁，秦始皇希特拉也不會禁止的，何况是閒中生活？一匹牛於放下犁耙之後，你管它走一樹蔭去或是吃草去，或是到河裏沐浴去，這都要干涉，未免太不「牛道」了。人生少不得趣味，沒有趣味的人生，我眞不知道爲什麼要做人？

「採菊東籬下，悠然見南山」，不是隱者，不會有這份閒情逸致。但我以爲太閒便會失掉情，適多了，反而沒有致，猶之頓頓吃肴飽魚大翅，有什麼味道？同樣，天天的「採菊東籬下」，刻刻的「眼見南山」，又有什麼「悠然」之趣呢？生活沒有變化，像一池死水，隱者的生活，本來是不得已的，把「己」活活鎖起來，不是把自己生活變了一池死水嗎？豈止不會「悠然」，有時倒會感到情緒悄然憮然愁然寂然彷彿然呢。

要悠然，什麼環境下都可以悠然，山林可以，朝市可以，陋巷木屋可以，高樓大廈可以，千鍾粟可以，五斗米也可以。要不悠然，東籬下，南山前，東山上，南窗畔，也不會悠然的。悠然與不悠然，固與動境有關，主要還是心境，「存在決定思維」，這話未必樣樣說得通。

在情緒上，總是應該有一點享受，這種享受是自我的，也是崇高的，既不妨害任何人，又不受物質上的威脅，任己之所欲，把心靈之扉打開，從古今中外漫遊着。讓情緒散步，可以說是最美，當你默坐深思中，可以把往事回憶一下，有的確實可愛，有的確實可恨，有的使你面赤，有的使你驚奇。你會不相信你的人生史是那麼偉大曲折，然而你如果想到未來，不管是空洞的希望，不管是實際的計劃，都是那麼可喜的。因爲你決不會想到失望的事情，是你這樣的人所能遇到的，當然也算是最美的事情。

情緒的散步，很廣泛，很隨便，不要太緊張。因爲如果太緊張，那就不是散步，而是跳舞了，而且過份緊張又有什麼好處呢？這總應該歸在情緒的一個部門，只要情緒安息下來，用愉快的心情去接受自然的氣氛總不會落得無趣的。

散步不是跳舞，也不是賽跑，而是散步，慢慢的很輕鬆的走着，當然在情緒上也沒有激烈的必要，滿可用溫和的平淡的態度來處理你的情緒，甚至於忌，恨，怒，恐，都可置之度外，專心致志的獨善其身，只求情緒上的輕鬆和安慰，因爲你已經沒有與人競爭的必要了。

同時，情緒的散步，是散步呀，並不是如趕着上班或趕上火車那種急急忙忙和必得如比的必要，那麼，你很可以當做一種享受，能够走到那裏就算是那裏，能够有多大的力量就用多大的力量，決不必勉強的，只要有益於你自己的情緒，其餘就可以不必多求了。

秋月詞語

●張瘦碧●

「素月分輝，銀河共影，表裏俱澄澈，妙處難與君說。」

昔人常謂：「月到中秋分外明」，其實十五的月亮，在一年四季中，始終非常清瑩，照樣明朗無比，不僅八月爲然。只以俗稱中秋爲人月團圓的佳節，便對月亮發生出特別好感。不過天上人間，終究不同，處此亂離之世，月圓人不圓的事兒，正不知道有多少，加上秋色秋光，秋風秋雨，一股冷靜的氣氛，很易使人們，不由己的思往事，憶從前。一絲一縷的瑣事，也都從心坎深處泛溢出來。舞文弄墨的人，更容易對月生愁，因秋寄意，借此發洩內心的苦悶！

想起了張擴有一闋漢宮春詞云：「銀床露濕涼柯，屏掩香銷，忍猜羅，燎驛梅邊，吳江楓畔，庾郎從此愁多。草蟲蟋蝴，料催織迴文風梭，相思遙夜，簾捲翠樓，月冷星河。」

張氏爲西秦人，居於臨安甚久，眼看大好河山，被金遼猖獗作亂，很多人離鄉背井，隨着宋室偏居南都，當時的執政諸公，言和言戰，又復莫衷一是，以致南北隔絕，音息不通，彼此形同異域，在這秋月生輝的日子，北望家鄉，要感慨係之，就像附身草蟲，也不住地在那裏訴出一番淒涼音調！

陳允平有唐多令一詞云：「歸來醉抱琵琶睡，正酒醒春濃漏移，心事寄題紅，畫樓滿水東。斷腸人無奈秋濃，回首層樓歸去路，早新月，挂梧桐。」描寫的雖是眼前平淡的景色，絕不露出愁眉苦臉來，讀者細心領悟，却別有一番滋味，所以名家手筆，即景生情，由情寄慨，弦外之音，平淡中含有深意。就是最負盛名的「床前明月光，疑是地上霜，舉頭望明月，低頭思故鄉。」短短二十字中，寓意深遠，幽懷畢露。

尚有縱情山水的張孝祥，有一首念奴嬌云：「洞庭青草，近中秋更無一點風色，玉界瓊田三萬頃，着我扁舟一葉，素月分輝，明河共影，表裏俱澄澈，妙處難與君說。應念嶺表經年，孤光自照，肝膽皆冰雪，短髮蕭騷襟袖冷，穩泛滄溟空闊，盡吸西江，細斟北斗，萬象爲賓客，扣舷獨嘯，不知今夕何夕？」秋江夜會，明月在天，眞是氣象萬千，豪情橫逸，句中「孤光自照，肝膽皆冰雪」，仍屬一片忠誠，爲國憂憤！此外如孫惟信的南鄉子一詞云：「斂小紅樓，燈得火叢懨游，露冷闌干天似水，揚州薄倖聲名總是愁……」寫出人情，變幻，迢遙如繪。

出國

●陸夢墨●

「不見片雲從北去，滿天星宿向西移。」

「你看某人眞有辦法，又出國了。」這句話包含羨慕，嫉妒，及無可奈何等多種情緒。我不知唐朝的玄奘去懷着什麼心情去佛土，或不外是智慧、菩提、進化、淨土一類的玄想。看來古今人類的心理似乎沒有多大改變，「西方極樂世界」一直是我們黃帝子孫所憧憬的樂土，只是美金代表了菩提，摩天大廈代表了淨土而已。

在某些機關裏出國是好機會，只是有的人機會多，有的人機會少，有的人乾脆今生就休存奢望。這全看你的所學所用以及關係而定。所以自問具備比種條件的幸運兒，莫不勤讀英文，以期有一天能够西天取經，滿載而歸，發家的發家立業，有家的改善生活，一生的轉換俱在此一「出」。當然我們不能說現代的玄奘們在外國只吃牛排不喝墨水，但和他們那些只吃老米青菜的同僚比起來，有機會吃牛排喝墨水，而且拿麥克麥克的美鈔薪水，稱得上是天之驕子了。

聽說社會上也有打着什麼考察或參觀旗號出國的，我不知道地球是圓的，因此我們的腳下還能找到中心，當然我們對於那些有「出」態的人士也無可厚非，就是連十幾歲的中學生，也懂得拍洋神父馬屁以期能借教會的力量放洋。好出之風，可謂盛矣。

朋友自港寄我一首詩，我讀到「不見片雲從北去，滿天星宿向西移」的句子，不由嘆口氣了。

海上學校

中篇小說

●趙滋蕃●

此時，貝比已昇進急救室。醫生與護士們盡了最後的人事，相繼悄然引退。杜宇和崔碧漣同時，只有李太玄侍立一旁，低首默禱。

「貝比，啊，貝比！……」杜宇絕望地哭喊道。

在彌留之際的貝比，似乎聽到了她的喊叫，他微張着嘴，用盡最後的精力，吐出了一連串並不清晰的話：「彌讀……讀學吧……」他咽了口氣說。「可憐的……孩子們……，孩子們啊！」底下的話，留在喉嚨裏！

「安心吧，貝比，再也分辨不出來了！我們會照着做的！」李太玄哽咽地代答。

貝比嚥下了最後一口悠氣，面露着笑，死了。杜宇哭得死出活來，淚落如縻了。崔碧也一面拭淚，一面從旁苦勸。李太玄將她稍爲清醒的時候，塞了一個紙團在杜宇的掌心裏，說：「這是貝比的遺囑，唉！寂寞的好人！」

十四

不幸的天災和人禍，並沒有把海上學校擊垮。反之，海上學校卻因這種種遭受的不幸，而更趨堅強，更能得到多難民的同情與愛戴。學生人數，由一百九十多人增到兩百多人；校舍由一個船擴展爲兩個船；就是明證。

貝比死了。他的遺骸化成了骨灰。但他的遺言仍舊活着。杜宇把他的遺言牢記在心頭，她承擔了他的責任，她對孩子們的熱愛，超過了貝比還生存的時候。日以繼夜的工作，黝黑而消瘦多了；李太玄夫婦尤其替她担心。但這種清瘦對杜宇而言，卻是唯一的慰藉。一方面，她無暇追懷過去，將永恒的悲慟，長埋在寂寞蒼涼的心底；一方面卻把生命化作油膏，將文化的光亮徹照着人間。黑暗，她要把愛心飽飽滿滿地傾注於孩子們的性格之中。她把生命的新跑道上，開始了新的里程！

一個月過去了，兩個月又過去了，日曆已撕到七月下旬。她依然是沉默而堅定的，沉默堅定，就像一座千古的古墟，用寂寞的淚眼，默守着潮汐的歌，謹禱私語。但她對孩子們的誘導和督促，從不肯稍爲馬虎。

今夜，月色皎潔，海上有涼風，但海面上瀰漫着魚腥味，熱氣。夜班的學生相繼走了，總辦公室內，只留下黃阿水一人，在燈下溫習功課。杜宇坐在一旁相伴。

「杜老師，」黃阿水打了個哈欠，用小手掌捫住嘴巴。「不早了，您早些休息吧。」

「孩子，你該休息了……」她伸手撫摩着黃阿水的秀髮。

「不，杜老師，我要您陪我，」黃阿水眼勾勾地望着她。

「好的，好的，」杜宇凄楚地點頭答道，潮濕的大眼睛裏，流露出一片慈母的光輝。

「張老師的傷，」黃阿水一面收拾作業簿，一面問道。「好了些嗎？」

「快復原了，大約明後天可以出院了。」

「眞好，」她的小臉上擠出了一絲微笑，「我一生一世，都忘不了張老師的。」

「孩子，你能記住這一點就好了。」

「我怎麼會忘記呢？我，我長大了，一定要學張老師！」

「孩子，你眞有志氣，」杜宇輕拍着她的小肩膊。

「還有貝老師，他是個好人！」

「是的，孩子，貝老師眞是個了不起的人。」

「爲甚麼世界上只留壞蛋，不留好人呢？」

杜宇把她攙扶，並用抖顫的右手，整理她的狩辮。她一時無法回答這個問題。

「好人都是短命的嗎？」她繼續追問。

「不是甚麼說的，孩子，」杜宇一面偷偷拭掉淚角的淚水，「好人會活在我們的懷念裏的！」

「做好人錯了嗎？」

「不，並沒有錯。錯誤的是整個的時代，好人的日子還沒有來！」

黃阿水聽不懂杜老師的話。她見杜老師流淚，她自己也跟着流起淚來了。

杜宇替她支起行軍床。送她躺下，並小心翼翼地替她用毛巾蓋住腹部，免得受涼。

「好人的日子快了吧？」黃阿水仰起小頭顱問。

「快了，唔，我想快了。」杜宇苦笑着，將頭偏過去，又一次偷抹着眼淚。

「是誰告訴您的呢？貝老師嗎？」

「也許，也許是他。」杜宇說，嗅着哭酸的小鼻子。

（六〇）

自由人

THE FREEMAN

（第六九〇期）

中華民國[illegible]協會會員
[illegible]
（半週刊每星期三六出版）

每份港幣壹毫
台灣每份新台幣壹元

地址：香港告羅士打道二十號四樓
20 GAUSEWAY RD. 3RD. FL. HONG KONG
TEL. 771726

承印者：東南印務出版社
[illegible]

看中外的外匯金融政策

陳式銳

世界通貨膨脹的形勢，必然的促致各國經濟財政金融政策的新措施，而自由中國的病徵保守成性，不願變，要亦不切實際，俞院長外匯報告過份樂觀。我們以為要改善經濟貿易政策，應從外匯本身下手。目前台灣經濟，偏重民營企業始有[illegible]途，故應採行民營出口的「外匯保有制」。台灣缺乏資金，必須使外資與出口外匯一同內流，始為正常途徑。有自由市場經濟，才有健康的通貨；台灣經濟可慮，乃管制不合理的結果。

第二次大戰之後，世界經濟有「顯然底轉變」，共產社會之乘機擴大姑不論，非共國家在戰後的重振經濟，一般政大或小地從事於公共事業的施設與新舊工業的擴大投資，就業趨向增加；因此，一方面工資追逐提高，也且不一定依隨於生產力的增長，物資供求失調因而形成通貨膨脹。十年——一九四七至一九五七——來貨幣購買力的貶落，全球各國幾無例外，美元貶下二〇%，英鎊三七%，法郎六三%，西德馬克二四%，芬蘭馬克五九%，墨西哥幣四七%，巴西幣七二%，智利幣九四%，印度幣一八%，日幣六五%。另在國際收支方面，外匯大多短缺，如以美國為中心，則形成一個缺之美元底局面；這一局勢，一九五二年以來曾見和緩，去年秋却又開始逆轉了。自去年第四季至今年第一季，美元收入增加者僅西德、澳大利亞、委內瑞拉、及伊朗等，其他以外匯短絀而致黃金外流之國家，急增起來，而英法於蘇彝士運河一役尤受影響。

各國政策的新調整

伴隨而來者，是各國經濟、財政、金融政策的重新調整，藉以適應這一新底世界情勢，不過所採的方法不同而已。法國於八月初旬採行新金融政策，一方面變相地貶值法郎，同時把利率由四分提高至五分。法國戰後依賴美援及旅行事業的收入以為財政及國際支付的彌補；自美援停止暨旅行收支發生逆差後，法國就陷入困境了。此次法國新措施的目標在增加出口，限制進口，力求國際收支的平衡；其辦法，輸入品除燃料及若干主要原料外，一律照滙率加捐稅二〇%（一美元由三五〇法郎提高至四二〇法郎），輸出則由政府給予津貼二〇%（一美元亦由三五〇法郎增加至四二〇法郎），外國遊客購買法郎亦由政府予以同等優待，預計年可增加外滙一億一千餘萬美元。

英國雖不若法國嚴重，但以所得增加超過於生產力，其所造成底膨脹則不能不予阻遏；一方面，她不願採取英鎊貶值，其於法國新措施之後卒於九月中旬銀行利率由五分提高至七分，其主旨在恢復英鎊的幣信，[illegible]

[illegible]

有關各國面臨此一局面，無不急謀對策，藉以維持經濟的平衡；而

我們病在保守成性

回來看自己的國家，[illegible]

所採取的方法，不管治本抑治標，亦多向有效底方面邁進。[illegible]

[illegible]六月廿九日宣佈自七月一日起停止支付進口許可證三個月。

今年開始第二個四年經建計劃，[illegible]

（下轉第二版）

[illegible]元；其次，米的輸出增加了一百八十[illegible]。至其他輸出——民營方面——增[illegible]，而總額却減小[illegible]六十餘萬美元。[illegible]國際市場況竟好景[illegible]現已下跌），糖[illegible]土地之限制，殊少[illegible]餘地；倒是民間富有彈性較大之[illegible]擴充品，但在[illegible]策之下，却又無法[illegible]緊縮。俞院長的樂[illegible]，所包藏的內容[illegible]難怪有人指出「[illegible]生產和輸出，幾乎[illegible]句空話。」

不切實際的外匯政策

而台灣社會普遍缺乏資金，[illegible]所謂融通資金[illegible]外銷貸款」，惟[illegible]及手續繁重，貸[illegible]限之至；只問[illegible]貸出若干，就可[illegible]所以今日欲改善[illegible]易而不從外匯本[illegible]，可謂不切實際[illegible]種措施就算有效，究仍抵不過[illegible]外匯的損失達二九[illegible]

半週述評

戰雲籠罩中東

中東形勢，又陷入暴風雨的前夕，戰雲密集在土敘和土蘇邊境，大馬士革正式宣佈埃及陸軍部隊，已於十三日在敘利亞的拉達基亞港登陸。

在埃及軍隊到達敘境前，赫魯歐夫十月七日對到訪的紐約時報外交記者賴斯頓說：「土耳其把部隊開向敘利亞邊境。它甚至把某些同蘇聯接壤的地區的駐軍也調走了」。我不想說埃及部隊入駐敘利亞是直接受了赫魯歐夫談話的刺激，可是這話的內容本身就是矛盾的謊言。土耳其要調軍隊到邊境上去，一定認為是有增加邊境國防之需要，因為敘利亞在蘇聯軍援之下「壯大」到足以威脅鄰邦；但土耳其也一定知道北面紅軍的戰力遠超過了敘利亞，土耳其的軍事當局豈能愚蠢到如赫魯歐夫想像的那樣，要把土蘇邊境的軍隊南調拱衛土敘邊境！

蘇聯要使用火箭

同時，赫魯歐夫說：「土耳其正在準備對敘利亞進行戰爭。」並謂這是某些美國人推動的。緊接着，更恐嚇地說：「美國遠離中東，而我們却是鄰居。如果大砲在那裏開始轟擊，那末要停止就困難了。事情可能會從自動槍和大砲進而運用火箭」。赫魯曉夫的話，顯然是表露他有決心要在中東點火，他必承認了「我們不能被動！」但問題是，如果土耳其與敘利亞間眞有以戰爭相見的必要，這應該是土敘之間的糾紛，那末，「吹縐一池春水」，又干底蘇聯什麼事，而竟要以主動者姿態出現，表示「不能被動」，和要「使用火箭」！赫魯歐夫的姿態和中東的形勢，已經指出了「冷戰」範疇，瀕臨於「戰爭邊緣」！其發展有二個可能：一、小打；二、敲詐。

小打的準備，我相信蘇聯有；眞打的決心（指蘇軍介入夾擊土耳其）我却信其無。因此，蘇聯製造中東緊張局勢的目的在於「敲詐」，運用這一情勢來延長「冷和」的僵局。

裁軍·共存廿五年

蘇聯是欲以不斷製造緊張延長「冷和」而達到「共存」，這一「共存」的時期也或許正如印尼副總統哈達在「北京」所說的要促成美蘇簽訂廿五年的和平共存協議。赫魯曉夫對紐約時報記者賴斯頓也說「願意立刻與美國總統艾森豪威爾締結雙方都可以接受的，有利于世界和平的協定」。並且進而達成有利於蘇聯的裁軍協定。在另一方面，莫斯科也當然希望能經由長期的「冷和」使「北京」政權和所有的衛星國政權穩定下來。此一意向赫魯曉夫對賴斯頓談話中表示一切可經由談判解決，「為了達到這點，祇要一樁事情：就是承認歷史的事實，即承認蘇聯作為社會主義國家存在着，承認中國（中共）作為社會主義國家存在着，承認其它社會主義國家的存在。」

豈能默而自甘忍受

由冷局勢的緊張，國際間非戰主義者的活躍益見頻繁，哈達之到「北京」，尼赫魯之到東京，以及今年倫敦東京間先後傳出英國官方有意在明年促成毛政權進入聯合國，並希望日本在一着上做個幫手，眞可謂怪陸離之極，儘管這些僅是少數國際政客間勾當，但是大局長期拖下去，不能謂對「中國問題」不發生影響，雖然莫斯科可以出其要求之一承認歷史」，承認所有共產集團附庸衛星政權之存在，而美國亦可置諸不理，但作為一個自由的中國人，我們又豈能默而自甘而忍受長期的僵局狀態！

·李金曄。

印度走到社會主義的牛角尖

·旭軍。

三年前，印度要人和外國記者談話時，都表示印度要行社會主義。但最近記者們說，那些要人也已判若兩人，說印度應「轉」向資本主義了。他們說，『你不要注意尼赫魯的話。他們是不讓人知道他們弄糟糕的事。現在對經濟決策人，已覺悟祗有資本主義，才可以挽回印度的生命。』

印度的財政，商業，工業部長們，現在全力支持私人企業，因為所謂社會主義的模範國營工廠，竟全路由官僚主義弊病和生產低落，政府主管的工業太遲緩，效率太低，支付浩大，而事事失敗。印度第一個五年計劃，因為很簡單，易收效果，大部份集中力量於農業。到了第二個五年計劃致力於工業，便處處踏入了共產主義國家的覆轍。

印度財政部長克里希那馬查里，和工商業部長迪西，都是保守派，而講求實際的兩人。都是德尼赫魯的擁自由措施。尼赫魯雖然還是口口聲聲要行社會主義，但覺於危機的威脅，現已暗中支持向右轉。對社會主義的不信任，是因最近看見莫斯科和中共報告中的失敗。

尼赫魯曾領引赫魯曉夫及周恩來，參觀在喜馬拉雅山腳的大發電水閘巴克拉南格爾，尼赫魯厚顏的獻媚說：這是印度實行社會主義的偉大成功。

其實建巴克拉南格爾水閘建成的，是美國的哈維洛琴，一加利福尼亞人，世界最著名的建水閘專家。

建造巴克拉南格爾水閘去發電及灌溉水利，是印度多年來的夢想，可回溯至本世紀初，英國時作時輟，直至印度不惜答應斯洛琴的極端的條件，才讓他主持去建成。

現在印度的鋼業，全靠印度的資本家塔達，要求美國的一間公司去協助擴張其鋼業。塔達堅稱：鋼業是必須由私人經營才能成功。事實已證明他的遠見，國營鋼業已經和其他的國營工業一樣的糟糕。

塔達獲得保守派的支持，向世界銀行借款二千五百萬元，造成極成功的私人大企業。他已和美國的該撤機器公司訂了合同，從事於擴張此印度最大的工業，使塔達鋼鐵廠生產能力增加一倍。

印度的共產黨在經濟實行搗亂。印共勞工領袖，許多是工程師，他們對生產問題甚為注意與活躍。乘着勞資雙方在糾紛上的問題陷入拖延僵局之際，他們對資方說：如果容許共產黨領導的工會存在，他們便可以協助資方解決困難，回復生產，用仲裁的辦法，使勞資雙方終能合作盡量增加生產。例如工人要求增加工資兩盧皐，共黨可設法折衷以增加一盧皐作解決辦法。他們對工人說：今天的一個盧皐是現實的，總好過無把握的兩盧皐。

最奇特的現象，是印度幫助資本家謀利潤，和資本家攜手，去反對社會主義的政府。這是對印度前途估計的一個問話符號所在點。

尼赫魯的國大黨太老大了，守成，自滿，不思進取，腐化叢生。最近的一次普選，印度的克勒拉省居然推選出一個共產黨的政府，令到印度政府和人民大為震驚，因為這是自由競爭中，共產黨得到政權的世界創舉。

尼赫魯現在企圖肅清國大黨的腐敗份子，加強實力。但他的成功，在各方面人士看來，將很有限。他的「社會主義」的招牌已黯然無光了。印度共產黨由於最近的成功，已受到鼓勵，利用國大黨的弱點，在勞資兩方均實行滲透。現在危險所在，是一旦印度發生經濟危機，共產黨勢力伸張，他們便主張要實行蘇聯和中共的警察國家辦法。

尼赫魯在國際舞台上，儼然以中立集團的領導自居。以實行社會主義取媚於共產黨。但看清其底蘊，便知道印度經濟的一團糟。社會主義的路早已行不通，而欲回復到資本主義的路。甚至有賴於美國挽回其破產的命運。

自由中國社會百態

乞丐皇帝

——文化人生活什景——

（台灣通訊）前些時台北有一家電影院上映名片「乞丐皇帝」，盛況空前。劇情是寫英王路易十四被叛逆所困，兵臨城下，絕望中得一「叫花子頭」解圍，因而贏得宮主美人心，摔擁乞丐爲帝。得朝野歡頌。當前的文化人在朝野間也有正反兩種歡頌，有人說是「無冕之帝」，有謂「叫花子生涯」，有的指爲「四害之一」，洋洋乎大觀，正與「乞丐皇帝」稱號暗合，是爲正名。

「文化人」

「文化人」似乎是一種混合體的稱謂，大概其可以包括報社、雜誌、通訊社、出版社、資料供應社、書店的老闆、主筆、編輯、記者、撰稿，以及作家、詩人、畫家等等，身份既然各異，生活上自然也就像「孫悟空」的一撮毛，千變萬化了。

報刊、書店

在台灣各公私營報社、雜誌社、書店老闆，[illegible]收入較少，生活上變化多端。下焉者乃有一通訊社或刊物[illegible]，生活到也過得[illegible]。

[illegible]闊的生活，都是一等一的優越，（當然也有例外，但不在此例）他們不靠「待遇」活命，本領都夠得上「呼風喚雨」，在其他文化人眼裏，是「超凡入聖」的一羣。

不同的文化機構，不同的編輯，記者，交織成不同的生活形態。幾家大報及書店雜誌社的主筆與編輯，每月收入約在一千至一千二百元之間，[illegible]記者們的待遇約自八百至一千元，生活都在水平以上。[illegible]

在台北，南部，中部，有的報社雜誌社薪津高，有的[illegible]，花蓮，台東[illegible]多。發不出薪[illegible]報社，雜誌社編輯，記者們不到薪津，大多數靠找業務或廣告維持佣金來彌補，十足「超等文丐」的影子。

·牛皤·

記者羣

記者羣中也有仆從服務單位不同，品質參差不齊，生活上也最是大大，大體上可分三六九等，上焉者如有些官營通訊社及台北各公私大報的記者，人品精選，待遇高，生活優裕。中[illegible]

出版行業

這幾年出版行業文化人的生活，有兩種狀況：[illegible]出版的書籍，以教科書、反共叢書、小說、大學參考書、工具書、翻印古籍爲最多。另外一類，是游擊式出版商，也無資本，完全家庭工業式自己動手，有時看準「冷門」或「熱門」的書名人傳，工商名鑑之類，推銷一下，再或翻印絕版書籍，開支少，利[illegible]

資料供應社

所謂資料供應社者，更是等而下之了，除了在台北有很少數是具規模外，大多數不算通訊社，也不算報刊，[illegible]或工商行號推銷訂閱，按月收費，美其名曰「資料供應」，[illegible]「天曉得」了。近來，各社團[illegible]

作家羣

作家，在台灣是旣清高又清苦的一行，[illegible]

詩人羣

[illegible]

畫家羣

[illegible]

非常時期的反常現象

[illegible]

讀者論壇

「機密！機密！」

·駱方舟·

在民主政治下，官吏之處理公務，原是該不作麼機密的，有也少之又少。[illegible]

[illegible]罪？所謂機密，傳了許久，才經政府透露公佈出來，但那已便成爲明日黃花的新聞了，茲以幾件事例證機密也者，是怎麼一種新鮮的解釋。

[illegible]「孫立人案」之「匪諜郭廷亮」，[illegible]無罪，而郭廷亮是否有[illegible]「企圖顛覆政府者」之[illegible]是機密之事，隱瞞郭廷[illegible]其爲「孫立人領導」之[illegible]既然無罪，郭廷亮之供[illegible]了。久已宣佈，記者亦[illegible]，算是那一種治制度下的法律？追問起來，又犯「洩漏機密」之罪。

另外一件，是最近發生的「匪情研究」一書，發行於書肆已久，可是最近卻被最高情報當局入於「洩漏機密」之罪，據聞該書是一些幹部學校的研究「匪」情單位內幾位研究者所撰文結集，該校爲反共最堅決之軍事學校，該單位負責人亦係「蘇俄問題研究專家」，此書曾呈准該校而出版，不久前就將該撰文者交軍法審判，現在則由該校記大過一次。

首先，該書內容重在批判，並非純粹介紹共黨。共黨的批判文字，自不受限制；「匪情研究」究竟「機密」是屬於敵國抑係本國？如果洩漏敵人的機密與洩漏本國機密，同樣犯罪，豈不是笑話？

該書並未作者，批判共黨是文化作戰，是反共行爲，「記大過一次」也太不公平，難道與共黨文化作戰有罪，吾誠不知引據那一種法律？作何解釋？

吾人常聞美國聯邦調查局工作人員，限以專科以上院校畢業者，再受專業訓練，使其知識、能力與道德心，不致以其特殊身份使用其特權爲工具，而使案件處理公平正確，至少是不致抹煞人權，亦不致危害人民之安全感。反觀三四十年來中國人，凡不滿現實，發牢騷，洩漏機密等等而遭遇類此不幸者，何可計數！言之實深痛心！國家之名器與神聖賦予，竟爲少數特殊身份者濫用，豈非可笑可憂之事乎？

「機密！機密」多少有權者假汝之名以危害人民的安全感！

看中外的外匯金融政策

【上接第一版】

應行民營出口的「外匯保有制」

法或外匯不足，就對進口外匯變相的提高匯率二〇%，對出口外匯則同等的補貼二〇%；這在術語上名乎「差估幣值，提高匯率」。我們與法國所異之處就是我們有美援關係；亦即美援貸款的濟價及美援進口物資的折價有問題，當局因此不敢觸及匯單一變動。但是許多學者及大多數輿論不斷地提出民營出口「外匯保有制」，意即出口可以保留若干外匯，用以自行（或轉讓）進口，讓後者的盈餘以補償前者的虧損。如此措施，美援折率不受影響，且政府又掌握大部外匯可以左右市場，可說有失。看台灣經濟的發展，偏重民營企業乃有前途，而此制之行正朝此一正確底方向，還何待遲疑？

開放私營銀行問題

西德當其資金缺乏之時，就提高銀行利率，伴隨着出口開展乃有今日，充裕外匯；過了某一時期，始將利率降低，近貸予世界銀行的七千五百萬美元，不過其一週的收入而已。英國一感其英鎊準備下降時，亦採提高利率辦法，用以挽救其逆勢，這些都是衆所週知的實例。台灣向來缺乏資金，當局自三十八年以來，調整利率達二十四次，意在降低利息；其用心固無可厚非，但其效果則未覩蓄出來。蓋當銀行利率與黑市利率相差過鉅，則儲蓄及游資不入銀行；利率越降低，則其離心更遠；另一方面，銀行又無足夠資金可以供應工商界，以消滅黑市金融。所以很多方面主張開放私營（或華僑）銀行，且在外匯方面並予改善，使外資得以有利進口。我們若先採此適當步驟，早日拉平一個利率水準；而這一水準可能的較外國爲高，那時在正常底功用之下，外資自不難與出口外匯一同內流。此一正常途徑，既有實例可繩，何妨一行？且今日之片面地降低利率，類乎巧婦作無米之炊，大家當待幾時才可充飢？

西德復興的好例証

陳式銳

抑有進者，西德由一廢墟重振起來，以政策的正確，已由債務國進而成債權國，與美國遙相媲美於歐美兩大洲；所謂政策之正確，有人論及西德經濟部長艾爾哈特氏，他說：「西德的復興，係全體人民苦幹的結果，但亦因其配合有明朗底私人企業經濟政策，它給予勞力公平底酬報而且導其入於生產底途徑。自由市場原理應用的地方，其經濟富有生產力且有較高底生活水準；任何地方處自由市場經濟，必將有健康底通貨而無須予以操縱，反之，市場功用愈爲政府計劃所取代，則生產力量及個人主動被窒息的危險亦將愈甚；西德優良經濟制度所產生之效果與東德官吏計劃經濟制度所給予之災害，可爲明證」。

台灣經濟的可慮

由學理顯出的啓示，自由經濟爲常，管制經濟爲權；權臨時而常爲恆久，且祇應當以常爲目標。自由中國管制經濟已有年數，其措施原不無其適當理由，行之既久惟恐習權爲常，生產力益難免流於浪費而經濟從業人員則被動成性。觀察台灣經濟趨勢，就國民所得一項言，近年國民所得的增率已顯遲減，每人平均所得的增率亦已變減率，購買力由是日趨薄弱，市面四季大呼減價，而工廠時聞倒閉或停工。台灣表面看來是物價安定，事實上已形成滯銷或停滯；再僵持下去，將不免衰落或波動。此亦即當局多年實施管制所造成的局面，我希望以東西德的實例爲鑑鑑，從速改善方向，逐漸放寬束縛，以私人爲經濟主體，讓其自行建立自由市場經濟，藉以恢復經濟的生機。

面對現實採適當政策

世界經濟在變，各國的政策都隨時在作有效適應，適者生存，殊無僥倖可言。本年九月廿三日華盛頓舉行第十二屆國際貨幣基金及世界銀行年會，艾森豪威爾總統於開幕時即提出舉世所最關心底膨脹問題，年會年報對此亦提出警告；今後各國當將就自己的實際情況採行適當底政策，以解除其經濟困難。最近南非洲經濟學家馬萊斯氏以爲好些象跡指出世界基準底金本位可能恢復；他說國際金融的安定，只在金本位再被採用而世界終止繼續貶值以解脫金融政策作爲政治的犧牲時才能獲致。此一問題或將爲世界銀行所研究，實行與否當待時間證明；但各國不能不面對現實而有所措施，可謂不辯之事，自由中國自也不能例外。我愛我的國家，我不能作無補實際底頌詞；反之，我還當就事論事以求有所改善。千言萬語：只是速變以求適應。（十月二日）

公雞會晤老鴨

紐約時報記者 賴斯頓與赫魯曉夫談自由

十月七日，美國紐約時報的首席外交記者賴斯頓，要求晤見赫魯歇夫的請求被批准，他倆進行了相當長時間的談話，其間「關於自由」的問題，彼此的談話是這樣開始的：賴斯頓問：「你是否預見到，在貴國給予更大程度的政治自由的現行政策，將在今後兩代的生活中繼續下去？

有更大程度的各種思想和平共處以及更大的發表不同意見的自由？你是否會像來看蘇聯在今後兩代中的首路？」赫魯歇夫卻以教訓的口氣說：「你的這些問題，證明了你對馬克思列寧主義了解得很差」，然後他以一套教條理論來說明，「到共產主義的時候，將有真正的自由」。赫魯歇夫也承認了，彼此間「對於自由有着不同的概念」，而完全避免了正面答覆賴斯頓所提出的問題。

賴斯頓對於赫魯歇夫的答覆尖刻地又提出了質問，他說：「我當然應該多多地了解這門學說（按指馬列主義）。不過，無論如何不能理解，我尤其在注意到你對未來懷着堅定的信心的時候，不能理解爲什麼在蘇維埃政權建立四十年以後的今天，當貴國人民已經取得了如此程度的物質進步的時候，你們還不容許國內有更大的自由。例如你們的詩人，作家和音樂家，在他們的創作中遵循一條狹窄的路線？例如，爲什麼我在紐約可以買到「真理報」，而我的同行在這裏卻不能買到「紐約時報」」。賴斯頓並說：這些就尤其不可理解了。

赫魯歇夫的回答很妙，他祇是說：「我們的人民感到需要看美國的報紙。」再而對美國的報紙加以汚蠛說：「你們的報紙刊載許多不眞實的情況和假消息。」至於對作家，詩人的創作自由問題，卻以「顯然你對他們的創作工作的看法是完全不正確的」。來答覆賴斯頓。

這位從紐約到莫斯科訪問的所謂名記者，在他走出克里姆林宮的時候我想也會覺得此次是完全失敗了，兩個完全不同概念的人，作一次「政治性的談話」，豈不等於「雞同鴨講」！（華）

波蘭知識分子覺醒 共黨政府基礎動搖

十月三日和四日整個華沙陷入了動亂不安狀態！

根據波蘭通訊社所發出的官方公布分析，起因是由於知識分子不滿波共中央委員會命令報業管理局迫使「直言」周刊停刊。

「直言」周刊事實上是一個完全由波共黨內知識分子所掌握的宣傳機器，它的編輯部是由黨員所領導的，但是這些紅色的知識分子，正如中共黨內的知識分子一樣，不滿於黨，波共中央書記處說：「直言」雜誌，「許多個月來一直在進行反對執行黨所通過的決議的活動，採取一種無益的，消極的態度，用錯誤的觀點來敘述我國（波蘭）的實際政治和經濟狀況，散佈對於建設社會主義的現實的懷疑，並在許多問題上宣揚資產階級觀點。」

儘管波共黨中央曾予以一再警告，但在九月份的一期上，「直言」雜誌以「非常囂張和挑衅的方式攻擊（波共）黨和政府的政策」！「直言」雜誌被迫停刊後，十月三日，學生們自動地在「納魯托維茲廣場集會。由於警察無理干涉，遂展開了格鬥。此時，居住在宿舍裏的學生，則向警察投擲石頭和玻璃。學生們並散發「華沙學生」報和傳單。四日，動亂仍在擴展中，「下午六時，華沙理工學院的一羣學生不顧校長的禁止，在大禮堂集會」，旋即整隊開向波共中央委員會大廈，途中雖曾遭遇武裝軍警的暴力干涉，但人羣越聚越大；聚集在大街上的羣衆皆拾起了礫石保衛着這支請願隊伍，並在「憲法廣場」與強大的軍警隊伍展開了戰鬥！結果，學生和羣衆在催淚彈和槍托下被擊散，無恥的工奴則乘機毆打學生！

波蘭的知識份子，主要的是黨內的知識分子的覺醒，和堅決的反對黨的行動，已促使波蘭廣大人民羣衆的覺醒。戈慕卡政權，如果不能進一步滿足人民的爭民主自由的要求，雖然他去年的表現是有益於波蘭的，那也只是一個過渡的政府，波共政府的信譽正由它之不能擺脫蘇聯牢籠，它的基礎已開始動搖不定了。（資）

波蘭再度動亂後的情勢

時論選譯

羅玆南暴動領袖在想：「匈牙利事件在波蘭重演？」史太林派與反史派間的攤牌可能在下年之內揭曉。

式一

在上星期的一個夜間，一片嘲笑聲向着停在華沙工藝學校前面滿載六輛卡車上頭戴鋼盔的共黨警察。警察要驅散一羣倔强的學生——數約二千人，學生站着不動，嘲笑如故。後來警察揮舞橡皮短棒，徐徐前進，人羣才往後退讓，嘲笑的歌聲繼續發出。

催淚瓦斯發射出了，許多學生疾忙走入附近正在舉行彌撒的聖雅各伯教堂，另外的人則以拳和石頭抵抗，暴動於三小時後就平息了，但是最大的一次當夜又爆發了，直至週末，沒有和平中止。

暴動剛一開始，是抗議共黨停刊一份學生周報，那份報紙曾領導波蘭報紙批評蘇俄，要求更多自由，當暴動繼續以後，學生的抗議變成了對警察暴力的控訴。

由於暴力發生于民主的落後地區，是必然要增加不滿情緒的。學生當中，有許多人在一年以前不顧蘇俄的反對舉行示威，幫助莫戈卡東山再起出任共黨領袖。自由的嘗試曾鼓舞他們更大的慾望。

戈莫卡首先值得人民支持的，是一個愛國者被史太林監禁四年之久，後來他以三大讓步，擴大他的支援，佔波蘭本土二千八百一十萬人半數的農民，獲准解散集體農場，擁有百分九十五人口的天主教堂，已由壓迫中獲得自由，秘密警察亦解散了。

但是由於學生幾乎公開背叛，現在鬧事的是工人，一九五六年羅茲南暴動的領袖們因此抓着主要問題——匈牙利的工人和以後的士兵是跟着學生走的，匈牙利事件要不要在波蘭再演？

華沙觀察家認爲工人不滿的目的是——戈莫卡主政以後，對於增加工資的三十億元，因爲通貨膨脹，一個沒有了，工資被凍結了，迄今一雙鞋仍要兩星期的工值，許多波蘭人要幹兩個工才能活下去，

羅茲工人的不安已在九月爆發而爲電車罷工，不久被軍警所平息。另外還有一個在醞釀着罷工的威脅。史太林派和反史派之間的攤牌，可能在下年舉行的共黨第三次大會揭曉。

納粹和蘇俄蹂躪十八年以後，戈莫卡從東西兩方面獲得經濟援助，以復興波蘭破碎不堪的經濟，他對華盛頓已準備一個新的索價，要求一億七千五百萬元，但是他需要的太多，而得的少。冬天快到了，波蘭的前途是黑暗的。（摘譯自十月十四日新聞周報）

國際動態拾零

蘇聯放出之人造衛星，其本身重量爲一八四磅，裝有電池及無線電設備。放射的三級火箭，其重量可能有四十萬磅。其軌道爲北極至南極，繞地球而行。

× × ×

美國原來設計的衛星，本身纔重廿一磅半與四磅半。放射它的三級火箭爲二萬二千六百磅，祇完成其第一級試驗。軌道是繞赤道路偏，且預備放棄此小型衛星，放射較蘇聯爲大，甚至可到月球的火箭與衛星。

× × ×

美國所憬惑的，是美國所設計的衛星，直徑爲廿一英寸，而蘇聯所放射的，直徑爲廿三英寸。兩者的直徑相差無幾，何以蘇聯衛星重量幾超過十倍？蘇聯則謂內部僅無線電設備，美國疑心其至少有照相設備，攝取美國國防秘密。

蘇聯科學院主席，勃萊可納武夫（Blagonravov），與其十五會員，是設計放射衛星的。他白髮蒼臉，身材短小，而有神經質。其襯衫亦極不稱身，當接見美記者時，有兩個助手，在遠處監視着。

× × ×

何以蘇聯在人造衛星與越洲火箭佔先，現已得到平易的解答。蘇聯對此已專心研究十年了，美國僅于一九五四年開始。越洲飛彈，美國開始了三年，然已用去四十億，兩倍于二次大戰的原子彈費用。然經費尙嫌不够，所以美國急起直進，不會再減削軍事預算了。

陶然

中共軍中的反共思想

（上接第二版）·張六師·

全文中以「黨和部隊用共產主義教育我」爲起首的哀痛字句十段以上，可謂極盡悲傷。此外痛責「軍閥主義」的罪惡，更是暗有所指。他說：「……如強調軍人高於一切，軍隊高於一切，用軍事力量壟斷政治，經濟，任所欲爲，在軍隊內部，養成官僚威獨重，自視爲神聖不可侵犯，軍階愈高，權威愈大……在人民解放軍中，現在提出反軍閥主義口號，和各項政治步驟，使軍閥主義不能移殖到我們的軍隊中來……。」這更是中共軍隊中的嚴重問題。假如共軍眞已有此傾向，不僅內部已有問題，在此次所謂「思想改造」，「批判糾正」，和「各項政治步驟」……之際，今後所埋伏的炸彈就更多了。高饒事件以後，繼之爲林彪放逐莫斯科，四野政委羅榮桓擡頭。以後劉伯承，葉劍英等的失勢，羅榮桓的下台，廣西「陳漫遠事件」的處理（原四野十三兵團司令員），譚政，蕭華，洪學智……等爬起來。今年久處冷門的徐海東又出現，康生也活動起來過問到軍隊的教育問題。我們預料在此次俄國最高蘇維埃代表團阿里斯托夫等首要二十五人和平和「大使」尤金回任以後，對「黨」，「團」，「軍」的秘密整肅，必有極嚴重的影響。一個政權的核心組織和高級到中下級的幹部成員，已發生這樣的思想問題，而還須要不斷的整肅（不可忽視幕後的蘇俄參與的因素和影響力。）即雖無「外患」，其「內憂」也就足夠使自己的堡壘逐漸崩潰了。

註一、參看今春各期「解放軍報」和「人民日報」。

註二、五月三日及五月二十日人民日報，五月四日中國青年報。（全文完）

從『資本論』到『新階級』（下）

·司馬璐·

強迫勞工與思想偏見

在「絕對化」與「主宰者」的基礎上產生「新階級」——特權階級；同時也就必然產生強迫勞工，思想偏見與共產黨人自身墮落的現象。

生活在資本主義制度之下，工人可以在許多個僱主中，從較好的條件選擇；生活在共產制度之下，由于全國只有一個僱主「新階級」，工人祇有接受這個唯一的僱主的條件，強迫勞工與奴工營制度就成爲不可避免的事實；但是，由於近代科學技術發展的結果，「近代科學技術需要工人享有大量自由，它和強迫式的勞工或獨佔所有權及共產主義的政治極權主義，在基本上互相衝突。」因此，「強迫勞工已經給共產政權帶來政治上的困難，」因爲一方面沒有自由的奴工不可能掌握近代科學技術；一方面管理與監視奴工的行政及特務費用往往遠超過奴工本身的消費。

在共產主義制度下，千萬人在勉強的心情下勞動，人力是最大的浪費。傑拉斯說：「在共產主義制度下，盜竊及濫用款項的情事是無法避免的」，因爲在這樣的國家，「所有」的觀念實際已很模糊，統治者的宣傳說是一切財富屬於黨，屬于國家。但是，事實上甚至連統治者自身也認爲這些財富不屬于任何人的。

如所週知，共產黨人思想上先天的是有排他性的。傑拉斯憤憤地說：「共黨遏制各種不同的思想，並爲了防禦他們個人利益的目的，專橫壟斷思想，將使共黨被釘在歷史的十字架上。」

傑拉斯指出，共產黨人的思想歧視較階級歧視偏見尤深，「控制心靈的暴政是最徹底最殘忍的一種暴政。」「思想歧視，其目的一方面是禁止其他的思想；一方面是武斷地以其自己的思想強人相信。」

在共產黨人的偏見中，認爲宇宙萬物，小至原子，沒有馬克思主義和辯證法唯物論的指導與黨的控制，它們的活動全是不可能的。在藝術上，除了阿諛少數特權者以外，已經不可能產生任何有價值的東西。

傑拉斯說：「在共產主義制度下生活的每一個公民，經常受到良心痛苦的壓迫，並發生他已犯錯誤的恐懼，他經常處於恐懼中。他必須時時表明他不是社會主義的敵人。恰如在中世紀，一個人必須經常表明他效忠教會。」這是共產主義制度下的知識份子最生動的寫照。

傑拉斯承認，不少初期的共產黨人有理想，有熱情，有犧牲精神，有救世抱負。但是，「在共產黨人逐漸獲得全部政權及成爲所有權者的全部過程中，這一切也慢慢凋謝，崩潰和淪喪，所留下的不過是毫無實質的形式而已。」

傑拉斯勾畫那些取得政權後的各種共產黨人的面貌是：「唯唯諾諾的謀士」，「機械式的官僚集團」，「胸襟狹窄」，「不用思想」，「奴隸根性」，「個人生活全被控制」，「歧視婦女」，「自我中心主義」，「機會主義」，「偏狹和僞善」，「要手段和卑屈」，「沒有理想沒有同志的懦夫」，「拋棄榮譽，名譽，眞理和道德的傢伙」，「毫無品格的流氓」，「愚蠢的墨守成規」，「謊言，諂媚欺騙和挑撥，已逐漸成爲這一新階級黑暗的，不容異己的和無處不達的極權政治的必然伴侶。」

傑拉斯又說，共產黨人的革命「起初用平等博愛等等最動人而原始性的人道思想作爲它的指導原則」；但是隱在「這些理想的背後，不擇手段的建立起控制地位。」

傑拉斯說：「共產主義必須是極權的，排他性的，和孤獨性的，就是因爲權力是共產主義最主要的成分。」「當代共產主義澈頭澈尾的是權力的化身。」「權力幾乎是共產主義唯一的目標。」因此他又解釋爲「當代共產主義是現代極權主義的一種類型。」

這項權力的範圍，包括壟斷國家一切財富和全體人民的勞力與思想。

共產帝國主義

傑拉斯指出，蘇俄不僅對資本主義國家表現出帝國主義行動，就是對共產國家也是如此。「在蘇俄國內，所有政府工作不是僅爲了共產主義，而同時也爲了大俄羅斯蘇維埃的帝國主義。」

蘇俄帝國主義從它自身的需要，在什麼情況之下對它自身有利，而採取不同的政策，「國際共產主義」或者「國家共產主義」，「解散共產國際」或者「建立共產情報局」，完全是根據蘇俄帝國主義的利益而決定的。傑拉斯說：「共產情報局較共產國際更爲愚蠢，後者雖然受莫斯科的絕對控制，至少在形式上還代表各地共黨。共產情報局是在蘇俄的眞正的和顯然的影響下發展出來的。蘇俄與南斯拉夫的衝突，已經顯示出共產情報局係用來使共產國家及各地共產黨聽命于蘇俄政府的。」

由于蘇俄帝國主義之面目愈益顯著，由于狄托主義在東歐的崛起，因此今天「國家共產主義」的觀念，已在共產世界處于十分微妙的狀態，他們與蘇俄之間，有時爭執，有時妥協，有時合作。今天世界共產主義運動的特點是，蘇俄的偶像地位已被粉碎。「共產思想的世界中心已經不復存在；它走進全面解體的過程，世界共產主義運動的統一性已經受到致命的打擊，恢復的希望非常渺茫。」

傑拉斯說：「無論如何，世界是要變的，朝着更多的統一，更多的進步與更多的自由之方向變。」在傑拉斯所作的結論中，認爲今天自由世界與共產集團的衝突，本質上是制度的衝突，思想的衝突所以絕無共存的可能。傑拉斯所指的「統一」，意即不是民主主義戰勝共產主義，就是共產主義戰勝民主主義。但是他同時又承認民主主義有更多的自由，有較高的科學技術與文化，因而在這場決鬥中，有更多的勝利的機會，傑拉斯有一節話，可能是特別針對南斯拉夫共產黨人而說的，他說：「如果一個階級，政黨，或一個領袖完全漠視外界的批評，或掌握絕對的權力，則它（他）對現實所作的判斷，無可避免的要發生不切實，自我陶醉與自欺欺人的現象。」

傑拉斯的若干見解，可能不是我們所能完全同意的，例如他對于南共優于俄共的說法，例如他對于中共某種「獨立性」的說法等等，我們都持之以保留的態度。但無論如何，我們承認，這是一本在共產主義制度的泥土上生長的好書，傑拉斯分析「新階級」的產生，科學發展的要求使人類對於自由的慾望提高，他所採用的思想方法基本上仍是接近「唯物史觀」的，傑拉斯從「唯物史觀」得出的結論，說明共黨絕無前途。

馬克思「資本論」的「剩餘價值」的學說，以及他的種種「預言」——無產階級革命首先在工業先進國家爆發，經過無產階級專政的階級消滅及國家消滅論等等，歷史證明這些「預言」已完全破產。傑拉斯的「新階級」則在思想方法上繼續沿着馬克思主義的道路，根據世界共產主義運動新的事實，回答了馬克思當年所不能回答的問題。所以筆者願爲特別向左傾的知識份子和共產黨員們建議，希望你們平心靜氣的讀讀這本書。（完）

稿酬

九月份下半月稿酬通知單，已分別付郵，惠稿諸君請憑單領取稿費爲荷！

本報編輯部啓

自由談

談宣傳

馬五先生

宣傳工作是一項重要事業，且賦有高度的藝術性。國際間不論平時或戰時，大家總是特別注重宣傳的業務，勾心鬥角，極盡五花八門之妙。

要使宣傳發生預期的效用，第一是方針，其次是技術，二者相輔相成，互爲因果。就方針而論：宣傳的目標應該是外向性的，上焉者化敵爲友，或引敵入彀，使其相信我的說法是眞理，至少亦是合理的，因而影響其原有的觀感，下焉者亦能在無形之中，博得社會大衆的同情共鳴。如其僅屬內向性，祇求自我欣賞，不管外界的反應怎樣，那就失了宣傳的意義，決無作用之可言。說到技術，宣傳不是玩魔術，也非專以說謊爲能事，即令有時爲着策略目的，不得不發些謊話，亦須持之有故，言之成理，看來像煞有介事。在現代交通這末方便，通訊設備這末完善的環境中，羌無故實的撒謊宣傳，沒有不被人識破的。

報紙是最重要的宣傳工具，若不遵守方針與技術，效用即等於零。像共產黨的報紙，除了當局的說話，千篇一律，而且不顧事實，獨自瞎說，結果是連一張傳單的作用也不如。近年來，中共在海外辦出許多僞裝中立態度的報刊，就因爲傳單式的宣傳無效用所使然。

它在大陸上拚命致力於宣傳工作，已有八年之久，就一般知識份子的反共心理却日益加強，終致演成「反右派」的悲劇，此無他，專門發謊的宣傳，徒然引起社會大衆的反感而已。

因此，我希望自由中國主持宣傳業務的人，把現行的宣傳方針和技術，仔細檢討一番，予以改進，尤其是官辦的宣傳刊物，更有此必要。首先就得摒棄內向性的觀念，這一點工夫做不到，則不如以「政府公報」代替宣傳刊物之爲愈也。

談「拖」！

陸夢墨

我生平有過兩次拖的經驗，一次是人家拖我，一次是我拖人家。書報攤商買我的書，開了張支票，臨到取款，才發現是拒絕往來戶。問罪之餘，答應付我現款，拖了半年多，零零碎碎的付了一半，另外一半則拖到現在不見分文，最後連人影都不見了。爲了討債不知生了多少氣，跑破幾雙鞋。要動武吧又沒氣力，想控告吧又不願打官司，只好聽其拖下去，這是人家拖我的一次。

我爲了印書欠印刷所的債，就等待這筆「拖賬來還。人家對我當然也是函電交催，一次一次的心驚肉跳，寢寐不安，如果要還，當褲子也不够。後來想開了，反正書商拖我，我也只好拖他，好在這家印刷所是朋友的東家，怎麼也不好意思翻臉。這一賬一債，也就這麼拖下來了。

經過這兩件事，我深知「不解決而解決」的道理自有其妙用。

中國人似乎是最懂「拖」的哲學，比如揚×公司的案件，當時鬧的羣情鼎沸，但是案子拖上幾年，也就不了了之。這點美國人就要呆的多，像雷諾那麼難辦的案竟然速判速決，其挨打受辱，良有以也。

吳三桂請清兵對付李闖，結果清兵進關就賴着不走了，這樣一拖拖了二百多年，在拖之爲用上，可算是登峯造極了。

九一八事變，日本人那種速戰速決的兵法，却被我們八年拖得半身不遂，以致在中國戰場牽制了大量日軍，無法全力以赴太平洋的戰爭而敗北，與其說是原子彈炸垮的，不如說讓我們拖垮的。

有人埋怨當局爲什麼坐失反攻良機，幾時不去反攻，我認爲這位先生沒有瞭解我國拖的哲學。當局一再昭示的「時機一到」，胡適說的「想是總有其妙處」，也許拖延之計有其妙用，我們且拭目待之。

洗秋　·楊有釗

和朋友們清談，總覺國家興亡，匹夫有責，莫不以反共復國爲己任，恨不得馬上捲袖子就幹。這些朋友來台時的鬚子是黑的，到現在是花的，依然兩肩扛一嘴，拿小飯包，住大宿舍，頂着臥薪嘗膽的勾踐。因爲再拖鬚子就白了。

提起筆來，本想閒聊瑣事的，沒想把話說的這麼遠。我腦中有張老子青牛的靈像，正象徵我們民族的哲學與耐力。地球總是要轉的，儘管口頭上說「拖不下去了」。可是日子也一天天的過下去了。殊不知道這「光陰」比我們更能拖，它把滄海拖爲桑田，英雄拖成朽骨。把我們從青年拖到中年，然後又緊拖着往老年跑。如果青春眞能够等待，等上個若干年後，說不定有武陵漁人發現我們，那時不知「秦」亡，亦不知有漢魏晉了！

縹緲孤鴻影

用亡友吳霜崖自度曲

友人來談反攻事，慨然成賦。

·王沉裴·

看繁華世。嬌綠嫣紅，熙攘過市。更誰作，臥薪嘗膽計。此間樂，恩獨似無意味。

朝朝轡約縹盟事。怕多情，未免多才費。

新亭獨恨誰理。興亡之責，只怕人心死。

歎流落天涯，眼中今古，秋風又起。

反攻偏待鄰邦美。莫容拋，名士過江淚。

萬竹樓隨筆

詩人白居易（772—846）（一）

白居易字樂天，晚年自號香山居士，因爲他在洛陽做過七年的太子少傅分司，後世一般對對他表示敬意的人，也往往以「白傅」稱之。其先爲太原人，自從他的曾祖父溫徙居下邽（故城在今陝西渭南縣東北五十里），照今天看來，他實際已由山西人變成了陝西人，不過在他自己的詩文裏，仍自稱『太原人白樂天』就是了。

樂天生於唐代宗大曆七年壬子（772），卒於武宗會昌六年丙寅（846），活了七十五歲，他的前輩詩人李白活到了六十二，杜甫只到五十九；和他同時，而且是他最親密的詩友，如前期的元稹（微之），便只活了五十三（779-831）；後期的劉禹錫（夢得），本來和樂天同年生，壽數算是很高的（七十一），可是仍先樂天四年而卒（772-842）。樂天在中國詩史上的地位，是一位有數的多產作家，一方面固然是由於他的寫作之勤，另一方面他的高壽，確也與他的作品數量，有着密切的關係。

從唐代的政治史看白居易，他沒有什麼了不起；反過來從唐代的文學史看白居易，便可發現他確實具有一種突出的重要性。不過話得說回頭，白居易的政治生活和他的文學生活却不是可以截然分開的，因此，我們對他的服官經歷，以及他的重要作品寫作時期，必得同時了解一個大概。

樂天以德宗貞元十六年（800）進士及第，十八年拔萃科入等，授校書郎，他這個時候的年齡是三十一歲。憲宗元和元年（806），樂天應才識兼茂明於體用科策，入四等，除盩厔尉，他作品中有名的『長恨歌』，便是這一年寫的，其時他的年齡是三十五。

元和二年爲集賢校理，同年十一月授翰林學士。三年除左拾遺。五年改官，詔聽自擇，除京兆戶曹參軍。從元和三年到五年的三年間所寫的重要作品很多。如『新樂府』五十首，『秦中吟』十首，便都是這一期的產品。

元和六年丁母憂，樂天整整四十歲，乃退居渭上。九年再入朝，拜太子左贊善大夫。十年，以言事爲宰相所惡，貶江州司馬。江州有匡廬之勝，柴桑栗里又是詩人陶淵明故居，處在這樣一種環境，樂天雖不無遷謫之感，但他寫詩的興會依然很高，他的另一傑作『琵琶行』，便正是他到江州的第二年寫的，這時候他的年齡已經四十五了。

元和十三年十二月，樂天由江州司馬升調忠州刺史。忠州位於長江上游，在萬縣以南，鄷都以北，從江州溯江西上，旅程是相當遙遠的。可是因爲他在江州留了四年，已多少感到厭倦，因此他對這次遷調，頗爲高興，第二年春天，他便攜着他的弟弟行簡（字知退，也是一位頗有名氣的文人）首途赴任。三月，行到夷陵，剛巧遇着元微之從通州司馬轉虢州長史，也從這裏路過，於是他們三人便在當地歡聚了三天，飲酒，賦詩，無意中又在附近發現了一座幽邃玲瓏人跡罕到的石洞，他們好容易攀援了進去，盤桓了一個下午，每人還做了古調詩二十韻寫在石洞的壁上。（元白集中此詩已不存）他們三人自認是這個石洞最初的遊客，因此把它叫做『三遊洞』，樂天還寫了一篇『三遊洞序』以紀載他們這次探險的經過哩。

舜生

張天翼砲轟丁玲

丁玲，曾以得「史大林文藝獎金」，而成爲中共黨內唯一踞高位的女作家。她的「太陽照在桑乾河上」，是她最近期的作品——也恐怕是她一生中最後的作品了。

丁玲早年以「莎菲日記」成爲名作家，但現在，這部作品，成爲她早年「反黨」思想的有力根據，張天翼也正在據以向她作攻擊的火力。

丁玲在「反右派運動」中，遭受無情的打擊和凌辱，她曾哀求讓她回到「桑乾河畔」去了其餘生，看來也是希望甚渺。

丁玲一生的遭遇甚慘，但在她的早年認爲跟着共產黨走去却是光明，如今她該有何必當初之慨了！

（人）

中篇小說

海上學校

「做夢的時候嗎？不——我也做夢的。」

「不是做夢的時候，是貝老師死的時候。」

「人死了，嘴巴閉緊了，怎麼會告訴您呢？」

「哦，哦，孩子，早些睡覺吧，有好多的事，要長成大人了，纔會懂的。」

黃阿水失望地瞧了瞧杜宇若痛的臉色，停止發問。她轉過身子，用低沉的含糊的語言，詢問着自己：

「聽說貝老師寫過遺囑的。是的，是的，遺囑上一定寫過的，是的，不是的嗎？」

「唉——」杜宇長長地歎了一口氣，「早熟的孩子！」

燈下，杜宇第一百次再讀了那張遺囑。那是一張天書，在世界上恐怕沒有第二個人會了解到其中的意義。它神秘得就像死神自己！如果說：世界上無人能解答死亡，同樣，世界上恐怕也無人能解答這張遺囑！

他的紅腫的眼光停滯在這張遺囑上。淚水，像燒融的蠟燭，流滿一臉。

她渴望瞭解，她覺得她有責任，將這張遺囑解釋清楚，然而，她所有的努力都落了空，連整個海上學校師生的智慧，都無法揭穿這個謎底。足智多謀如李太玄，深沉通洽如周曼石，在這張遺囑上努心苦思過，也終於都打了退堂鼓，以無法解釋，搖頭作結。

貝比的遺囑好像一組密電碼。或者，也許根本不是甚麼遺囑，而是他最後一次神經錯亂，所隨意塗寫的東西。第一行用鉛筆橫寫着一個阿拉伯5字，打了冒號。下面也橫寫着一個阿拉伯數字——2.44，打了個驚歎號。底下是貝比的簽名式。像蚯蚓爬出來的，很不容易辨認。發明遺囑就是這點東西，除非把這位天算學家起死回生，否則，這組神秘的密電碼，確實難予猜測了。

然而反之，杜宇却深信此中含有深意。她深信一個掙扎在死亡邊緣的人，一個在生前靈光四照的科學家，決不會留下毫無意義的符號的！——死數字中一定含有活意義，她深信這個。

月光悄然溜進總辦公室的窗口，滑過她的長髮，洒滿雙肩。她陷入苦思，不時有輕微的咳嗽和低低的太息。

淚眼迷糊了她的視覺。她看見每一個數字上，都昂然挺立着一個貝比，漸漸擴大，向她的瞳孔裏直跳！她不斷擦着濕濕的眼睛，她不斷回想起這位不幸的天才這位被大大小小的「洞」嚴密的包圍的科學家，在這不幸的時代中所遭過的迫害。他寂寞地來到塵世，寂寞地跨過三十個頭的路程，又寂寞地死去。但他留下了太多的理想，給渴望自由的人們，雖然，他的一生，在太不自由中度過！

「愛是豐豐富富去想，愛是實實在在去做，」杜宇自語着。「愛與上帝同在，而上帝就是愛！」她迷亂地猛搔着髮絲，「宇宙之心啊！褊狹能算得甚麼呢？」……

酸痛的聯想打斷了她的回憶。

她想起了一個星期以前的事。鄒雲亭在刑庭審判的情景，又從她的聯想中捕捉回來。

當檢察官用英語讀完了「長篇提起公訴的大文之後，當辯護律師提出了一大堆廢話堆砌成的問題之後，當證人台上作證的人，一個接連一個表演完畢之後，被告鄒雲亭却一口咬定他自己是謀殺犯，他的良心催迫他向庭上要求一樁事情——處以環首絞刑！他說：「這是謀殺無辜者，最公正的補償法則！」弄得審判，陪審，聽審的人，都相顧愕然。

可是，經陪審員退席裁判的結果，他們根據貝比的預始證供，一致主張無罪釋放。而鄒雲亭却苦苦哀求，聲淚俱下。

他大聲抗辯：「陪審員的裁判太苛刻！殘酷得使良心發抖！」他又說：「死並不比生艱難，當生存的意義消失時。死是了結，死是放下，……環首絞刑並不可怕，可怕的是無罪釋放！因爲，我是有罪的！」……等等，等等。這個頑梗不化，半生驕傲的人，就會這樣藐視法庭！而藐視法庭的結果，他被送進精神病院徹底檢查。同時，却替各報紙的本埠新聞欄，增添了花邊新聞的資料！

杜宇想起了這段經過，她也彷彿感到了某種不可見的力量，在鄒雲亭的血管內鏘聲；而那種力量是無法抗拒的。「人性既非全善，當然也不致於全惡，」他想，將遺囑珍惜地摺叠起來。「但使環首絞刑，變得並不可怕的東西，究竟是甚麼東西呢？

（六一）

趙滋蕃

自由人
THE FREEMAN
（第六九一期）
中華民國僑務委員會
頒發登記證台教新字第一零一第二號
中華郵政台字第五〇〇號
執照登記認為第一類新聞紙類
（半週刊每星期三　六出版）
每份港幣壹毫
台北市售價台幣壹元
督印人：陳文華
地址：香港高士威道二十號四樓
20 CAUSEWAY RD. 3RD FL.
HONG KONG
TEL. 771726
承印者：東南印務出版社
地址：高士打道六十四號
台灣總經理處
台北市西寧南路壹壹零號二樓
電話：四七三四六
台郵撥儲金戶九二五二
海外總經銷：友聯書報發行公司
香港：彌敦道中二十六號二樓

中共軍中的反共思想

——主要的中共軍事危機

·張六師·

年來共黨所自認的各種「矛盾」中，對於他們軍隊中的矛盾情形，是一向諱莫如深不輕易對外公佈的。但自去年共軍總政治部主任兼總幹部管理部長羅榮桓去職，訓練總監部長劉伯承，武裝監察部長蕭勁光……等失勢，譚政，蕭華，洪學智，粟裕……等對於軍隊整理訓練的結果。中共自己的文字所顯露出的軍隊中的矛盾，普遍出現下列諸現象：

「軍官與士兵間矛盾」，「軍隊與人民間矛盾」，「上級和下級間矛盾」，「部隊裏農工份子和知識份子間矛盾」，「黨員和非黨員的矛盾」，「個人和集體的矛盾」，「民主思想和集中思想的矛盾」，「重視技術（新裝備）與重視政治（黨性，階級性，國際性）的矛盾」，「軍隊教育水準和軍隊歷史與實用的矛盾」，「學校出身與部隊出身的矛盾」。（見譚政八全大會報告及羅榮桓前年八一節「繼續發揚我軍光榮傳統報告」與中共軍事教育檢討會上的透露。）

手忙腳亂的整風教育

再就今日中共對他們的軍隊所發出的整風五項教育原則看：一、農業合作社優越性教育，二、糧食和其他農產品統購統銷教育，三、工農關係教育（按共軍中對工農待遇不均致生普遍不平現象。）四、遵守紀律和改善服役態度教育，五、官兵關係改善教育。則今日共軍內部的思想問題，其嚴重程度，已超出一般人想像之外了。

過去十年，中共對軍隊是專從1馬列主義，2反美教育，3擁蘇教育，4階級教育，這是思想教育的軍點。這是因內部無法大矛盾問題，故只從對外侵略，與所謂「和蘇聯團結」的思想教育著手。時至今日，情勢要求已與前不同了。在此次「鳴放」「反右」以後，對軍隊思想問題，是已退到忙於對內「補疤」的工作，而事實上還是扶得東來西又倒。在今年所謂三十周年紀念上所暴露出來的問題，而為中共至今一字不敢公佈的還多。（見後）

激盪不已的「鳴放」暗潮

一年以來，毛澤東在大陸提倡「鳴」「放」運動，但對軍隊則摒除於「百家」之外。從今年二月起，雖然所謂「百家」也者，都在「爭鳴」了，但軍隊方面仍一直在學習「整風文件」，以後改為學習譚政的「八大」文件，（即去年譚政在八全大會的發言：「建軍階級中政治工作的若干問題」（見去年冬解放軍報。）學到今春，各部隊反應愈壞，甚至要求對領導上方面的官僚主義，宗派主義，主觀主義也學其他機構一樣進行揭發矛盾和批評——就是也要「鳴」「放」。於是中共慌了，趕快改變口吻說：「……軍隊整風運動是既嚴肅又認真，又和風細雨的思想教育，要用文件把自己武裝起來……」（解放軍報二〇號社論），可是軍隊中的怒火仍按不住，軍人紛紛向「解放軍報」投寄「讀者來信」，要求總部由上級起整風。這樣中共急了，先後才由四月份起在北平召開會議，討論「如何在軍隊中展開整風運動」，五月三日又召集駐平各軍事單位負責幹部，舉行座談會，徵詢意見。五月八日到十五日更召開各軍區，各軍種，兵種，軍事院校的黨委和政治機關負責人聯席會議，討論部隊整風問題（註一），中共中央并派軍委大員分別率領檢查團到各大軍區檢查（註二）。但是這樣便解決了問題麼？事實的答復是否定的。甚至「矛盾」的思想的發展已牽涉到一、「黨」對軍隊的領導問題，二、「輕視」與「不滿」「無產階級祖國」、「社會主義先進」，「老大哥」的蘇聯主子身上。

「黨」「政」控制的動搖

在大陸共報所載許多「黨」「團」員和「右派」份子反對「黨」的領導，和「不滿」「輕視」蘇聯專家。事實上，機關，軍隊裏也和學校，工廠一樣，有此情形。甚至軍隊裏發生同情人民生活的痛苦，與不滿統購統銷，農業合作化，社會主義工業化的暗潮。

中共為了要軍人消除此種嚴重的危險思想，於是在這次「建軍卅周年紀念」就由中央到地方各大小軍區的軍事首長都發表千篇一律的紀念文字和講話，但內容中心無不集中於下列範圍：一、「黨」的絕對領導，二、「無產階級」思想的重要性，三、「統購統銷」與「農業合作化」的絕對「優越性」。此外則藉迫一般苟延殘喘的文人如王芸生之流代寫反對「落後的國家思想」和「封建民族主義觀念」……等文章，自責「過去的愛國主義是資產階級殘餘的錯誤觀念」，來配合中共以「國際主義」作掩飾俄化蘇俄的「思想教育」。（這個教育計劃的重點，祇是強化「精簡」歷史，地理，加重階級教育與馬列主義，聯共黨史……等）。

在大陸所看到大陸的各地各種報紙，從七月三十日到八月初旬，所登載有關中共「建軍紀念」的社論，專文和軍要們的講話，使一目了然。其中代表性的言論，首為朱德、彭德懷，其次為分別登載蘇俄紅星報和中共「人民日報」（七月三十一日）代中共空軍發言的劉亞樓的專論，和被譽為共軍中「最懂得文化」和「對文化素有愛好」的陳毅的一篇專論，還有代表共軍全體發言的「解放軍報」的社論（七月三十日）。這些是發表得最先而具有示範指導性的代表作，拿此後在各大軍區，各省軍區所發表的軍事首長言論來參證，即知篇文字的公式，即可了解其後的安排，也不難明白中共軍隊內部一面所醞釀，站在相反立場的思想內容是什麼。

用甚麼思想教育軍人

在共報上所發彭德懷的講話，最觸目的大字標題便是「人民解放軍必須保持共產黨的絕對領導」，內容強調：「黨在軍隊中建立重要的各種制度，黨委集體領導與首長分工負責相結合的領導工作制度；和作為我軍生命綫的政治工作制度。通過軍隊用英勇：…模範，領帶和團結全體軍人。」毛澤東三十年來迷信「以槍桿子製造政權」，到今天他的「槍桿子」竟然發生「必須保持共產黨的絕對領導」的問題，則內部思想上的危機已到了什麼程度，即可想見。但如所週知「黨」是超越「國家」之上的，乃共產國際的一個支部，——它最高中央是在莫斯科——如果黨而屬於國家之下（或之內）而是獨立於莫斯科之外（——如南斯拉夫）而情形就要大變，猶在中共是不可能的。

（下轉第二版）

本報台灣南部辦事處遷移啓事

本報台南辦事處自四六年十月十五日起遷往台南市西門路七巷（即第五信用合作社對面巷內，又稱無尾巷）廿號辦公，讀者諸君，以後請移玉新址接洽。

一週述評

一連串的會議

國民黨八全大會已閉幕，事前據傳黨內將有新的改革，誠然黨外也希望執政黨能創出新的作風來。不過此時此地人對于任何黨事，都已厭聞，倘仍是陳腔濫調，唸唸有詞，確已無法團結人民負起「歷史任務」了。跟着華僑救國會議又即將于二十一日召開。且不問這些會議的代表何自來，我們祇希望這些會議不是一個聽訓式的會場，而是真正代表民意的會議，否則我們殊不願見能對國事亂獻讜詞。

為什麼依然無動

國人要知道的是「喻聽」「鳴放」「思想批判」後，「我們的任務」怎樣達成，大陸鳴放後展開的有利反攻的形勢，是不是可以把握，什麼時候以把握？外國不少觀察家常疑惑我們為什麼面對時機還是依然無動。外人奇怪，國人何嘗不然！

一顆人造衛星

且不論美國科學是否超越蘇聯，但蘇聯的人造衛星却拔了頭彩。人造衛星的出現，至少在冷戰中是收效的。它可以靠來阻嚇[illegible]，威脅中東的土耳其，鼓勵埃及和敘利亞，促使趨向西方的阿拉伯國家的信心動搖，影響擺于中立主義左右的各國態度，助長尼赫魯一流中立主義者叫囂，這是必然的。相驚伯有，人類心理所不能免。于是赫魯曉夫又有新的和平攻勢了；于是尼赫魯所謂「四面體」思想的調子，也乘機振振有詞了。

赫魯的新和平攻勢

隨着蘇聯人造衛星發放及中東形勢轉變而來的，是赫魯曉夫新和平攻勢——他分向英丹法義比挪等西歐國家的社會黨領袖呼籲結成聯盟反對所謂美國和土耳其攻擊敘利亞，但這攻勢，畢竟是新的。雖然結果是自討沒趣，

民族主義這武器

最近中東形勢又一轉變。沙地阿拉伯王沙特仿美國所造成的有利局勢，經不起敘利亞事件的試驗，又變成了一百八十度的大轉彎。由民族主義的刀柄——敘利亞又握在蘇聯手中，而埃及的再度出頭，顯示了這一轉變的角度。不管這是由于納撒與沙特王之爭取阿拉伯領導權，還是由于阿拉伯對西方怨宿之終難泯除，看來中東的反西方主義的成功，除了金錢武力之外，還要把這民族武器爭取過來才行。

蘇聯及埃及雖都強調土敘危機，表示強硬態度，却祇是退在觀戰下，得中東優勢，評判員仍是中東的民族主義，誰得了它，誰佔優勢。

尼赫魯大放厥詞

尼赫魯訪日，顯然是避免。這個不受歡迎的人物，過港時在訪問的記者羣中，大放厥詞，說人家是「用三面體的腦筋去想四面體的事情」，似乎祇有他才是所謂「四面體」的看法。他說蘇聯人造衛星厲害，我們祇能用倫理道德觀念去消除「暴力」和「仇恨」；但我們不明白為什麼他不把「四面體」的觀念去對付印度共黨，反而宣佈印共活動為非法，甚至拘捕他們，却祇叫人去遷就蘇聯，承認中共呢！

池田鍛羽而歸

以自由民主黨議員池田正之輔為首的日本貿易代表團，與中共關于貿易協定的談判，已陷入僵局，原因是中共已明白表示政治問題如不獲解決，貿易談判不會有結果。據說日本貿易界人士已「開始」悟得「中共醉翁之意不在酒」——不在貿易而在政治。其實這早應是了然的。貿易固可互利，但加上極端對立的政治關係，却是不可能互利的。難道岸信介不懂蘇聯的[illegible]中立主義還具有莫大的引誘力！

林伯雅

馬來亞建國之坦途

·司徒鈞·

馬來亞立國不久，正邁向艱苦的建國旅途。首先自然是確定它在國際間的地位，這一點，當聯合國安理會接受它的申請加入聯合國後，已建立了基礎。其次為結納與國這一點，仍在考驗中。在「共」與「反共」之間，馬來亞如果確定它的外交路綫為中立，在英國、澳洲跟馬來亞合作防衛基礎上，那是絕不可能的；至少也需保持泰國那樣的形式，除與反共國家為友，不擬與共產集團論交。

雖然中共曾在馬來亞獨立前夕表示承認這一新興獨立國家，吉隆坡政府却始終未曾有過任何反應。相反，鴨都拉曼首相，於堅決征剿馬共恐怖匪徒聲明中，却特別強調願意同中華民國政府建立邦交；不久，中國外長葉公超亦宣稱願意跟馬來亞建交。在吉隆坡、檳榔嶼、馬六甲各地有地位人士看來，那是必要的。他們認為中馬建交問題，已分別在政府（中馬使節）與吉隆坡（僑團）進行非正式談判，希望早日完成，俾有助於解決華僑國籍問題。

根據馬來亞憲法規定，在馬來亞的外僑，不准擁有雙重國籍。二百多萬華僑，在年底以前，必須自己選擇他們的國籍；就理論上說來，馬來亞的獨立，原屬華巫合作下共同的目標，華人的公民權沒有理由被剝奪；雖然在中國歷史文化及其傳統觀念上，熱愛祖國是中華民族的唯一特質，如何抉擇，綢然深感困惑。不過，今天甚多取得異國公民權的華僑，對祖國精神物質上的支援，也未始不是愛國表現。

過去，馬來亞政府反對「華僑」這一名詞，據說是被人以反台灣，同時也反大陸的宣傳，墮入一大錯覺，認為台灣與大陸，同樣具有顛覆性質。經過長時考驗，使鴨都拉曼確信兩者不能相提並論。他說：「中華民國政府在大陸時代，曾准許中共有合法地位，並願意與中共合作，採取共存政策；但結果在中共勢力膨脹後，反將中華民國政府逐出大陸之外。」他力言：「中國情形如此，越南情形也莫不如此，故此中、越兩國均可視同馬來亞的殷鑑；使馬來亞政府知所警惕。」於是，跟馬共不再存有幻想，對華人的親切感也就大大提高。他很明白：馬來亞的開發，有賴於華人的財富。但是，華人所要求的，現在說來，幾乎只要政治地位平等。這一點，我們有理由相信：在華僑的公民權確定之後，當可迅速獲得解決的。其次，馬來亞政府比此更重要的正多着呢！

例如：先就國防建設言，這是赤禍泛濫的今天，新興的獨立國家，如果沒有國防，無異開門揖盜，儘管英國現時尚未放棄協防馬來，到底不能長期倚賴盟國；這次英國國防大臣山茲東來，決定使新加坡在九年前建立的一支海軍（官兵六百人），括有十艘艦艇，無條件移歸馬來亞政府接管。這一支會由新加坡政府提供一千八百萬叻幣養成的兵力，在馬來亞的巴生港基地築成之後，將成為該國國防建設的開端。這是不是星馬合併的徵兆，現時雖難確言，拉曼與林有福之間，至少已有默契，那就是說：馬來亞同新加坡政治上的並立，並不妨礙精神和防禦上合作。

再談到經濟建設，馬來亞的經濟開發鎖鑰，實際掌握在大多數華僑手中，華巫在政治上能獲平等待遇，經濟建設上的合作，當無任何困難。假如戡亂不能完成，經濟、社會建設，均受阻礙。先決條件，殆無過於肅清恐怖匪徒。依照現行法律規定，馬來亞境內約共黨及其同路人，只要華巫兩族切實推誠合作，不難如期肅清。因為法律的條款，其峻嚴為世界任何反共國家所沒有者。如：任何藏匿馬共傳單宣傳恐怖行動者，法庭可處以十年徒刑；任何人如確知馬共行蹤不向當局報告者，處以十年徒刑。這是對付馬共同路人者，倘能貫徹，它的效能比對付馬共的軍事掃蕩，將要有力得多。十年來馬來亞未能如期終止緊急狀態，一方面固屬中共挾持馬共壯大，同時也因共產同路人在恐怖氣氛中飛揚拔扈的結果。後者如加忽視，戡亂等於白費心機。如今，立國已具規模，建國工作亟待開展，華巫合作，清除障礙，自是急不及待。

（十月七日寄自新加坡）

有關反攻的三個問題
——與法女作家拉班夫人一席話

·谷懷·

編者按：谷懷先生是個青年黨朋友的筆名，這篇文字雖不是代表青年黨的看法，但至少是一個在野黨人的看法。

反攻大陸，是既定的國策，是一切軍事措施的最高指標，本來毫無問題。若說不應反攻，就等於否定自己的反共立場。若說不能反攻，就等同解除自己的精神武裝。這都是「不可說不可說」的。我現在要說的，不是應不應與能不能的辯論，而是法國社會黨著名的反共作家拉班（Laben令譯賴賓）夫人提出的有關反攻的三個疑問。這三個問題，都牽引到美國身上。

拉班夫人因日本出席世界筆會之便，來台觀光。她對政治有深刻的認識，且具有「廣長舌」，口若懸河，所以在亞盟招待席上和法比瑞同學會與中法文化協會聯合舉行的歡迎會上發表演說，都博得好評。她以新聞記者的姿態出現，作多方面的接觸。她知道青年黨是在巴黎成立的最早反共的政黨，特意來一次友好的訪問。

她提出的問題很多而且很廣泛，如「青年黨的政策與國民黨有何異處？」「少數黨在立監兩院是否能發揮反對的意見？」「在台灣是否有充分的言論自由？」……等，並要求舉例作證。這些，都經我們給以純客觀的而令她滿意的答覆。最使我們感到困難的，是她提出如下的問題：

一、美國如不同意，中國是否會反攻？

二、中國如要反攻，是否能說服美國？

三、倘大陸發生匈牙利式暴動，台灣是否派兵赴援？如派大軍登陸，美國是否支持？

在座的朋友對這三個問題，都發表些意見。我覺得這些問題，應向在朝黨或政府提出，較為切實。她對我們的訪問，先於國民黨，也許她想知道在野黨的看法，作為參考對照。我認為這些問題，對外實不宜多談，多談會出毛病，所以趕快作一個簡括的總答覆：

關於第一個問題，是國際條約關係。中美防衛協定，是雙邊的，且是有關雙方利益的行動，都要相互取得同意，並不限於某一方或某一問題。反攻與防衛，是兩回事，可以不受條約的約束。其次，在中美共同利益上，如能抓住一個有利於反攻的時機，相信能說服美國。倘大陸如發生抗暴革命，政府必派兵救援。這是我國的內政問題，美國無權干涉。美國為自身利益計，可能給我們以精神的和物質的支持。答案似嫌籠統，但我們是站在在野黨的立場而說的。

拉班夫人提出的三個問題，有一個中心想法，就是力的問題。她似乎不好意思合一三的設問：「美國如不援助，中國是否有力反攻？」所以她才技巧地把中心問題，分而爲三。自然，我們更不好意思在這問題上作力的比較，因爲力的公算，是算不出所以然的公式來，只是自己丟臉！「以一當千」，「一旅興夏」，「三戶亡秦」，「一人發難，萬方響應」，這不獨僅重物質力量的西方人不了解，甚至重視精神生活的中國知識份子也有不相信的。記得八月中，和兩位友朋談話，一位說：「還是有洋人幫忙計算。」我聽了這話，不僅是要免不了悲觀，只是在心中感慨。我不知道閉關時代所用的是甚麼，從甚麼地方請洋人來幫忙？我更不明白爲甚麼中國人這樣沒有自信心，反而富於自卑感？

因此，我頗願回過頭來，打一打我們自己的算盤。只要我們有堅強的自信心，有崇高的自尊心，那末，反攻大陸的如意算盤，是一定打響的。我們的算盤，要我們自己來打，不能讓外人越俎代庖。我們要創造反攻的時機，要幹就幹，不能等待國際的變化，也不能單看美國盟友的臉色。中美關係，是雙邊關係，不是主從地位。否則，力的中心問題，也變成一個時機問題了。先澄清一個觀念：反攻不是建築在美援上。

辛亥革命，起於武昌一地；討袁之役，發自雲南一隅；北伐之師，出自廣東一省。這在當時，均非敵方可比的力量。然而，共匪的殘暴，超過清朝萬萬倍，而今日台灣的力量，也大過當時的武昌、雲南和廣東。得民者昌，失民者亡，事實證明大陸人心已變，敵之薄，我之厚也。暴政必速亡，歷史並無例外。

（四六，九，二八，於台北。）

哈達訪平後印尼局勢
共黨密謀一夕間取得統治全國權力　容共原則是不協調癥結

·華仁傑·

海外通訊

印尼「政協」結束之後，哈達（去年十二月辭副總統職）隨即訪問中國大陸，全國局勢陷入混沌。物價飛漲，幣值再跌，以及爪哇西部各島糧荒；傳說五百萬括有農民、工人共黨分子正由國防軍手中取得武器，準備武裝起來，奪取中央政府，統一全國各島。中央陸軍參謀長納蘇蒂安即刻下令逮捕不穩分子；北部蘇島朗達達遜，亦已發生叛亂，十萬居民被戰火包圍；雖然戰後已回復平靜，任何人都不能

全面性叛亂在醞釀中

當三名高級軍官被捕解赴耶城之後，北馬在醞釀擴大中。理由是：（一）共黨在爪哇的政治上已獲控制政府的實力；（二）具有強烈民族意識的國防軍內部已醞釀全面的叛變；（三）將近一年的混亂局勢，已使中央政府的威望一落千丈，這三大主要因素也就促成了中央政府傾危的危機。

如所周知，印尼共黨首領艾迪幕後策動以武力攫取印尼全國，在目前，不僅無此力量，且有自招消滅可能；倘使僅取得了主島爪哇，即令外島不予反攻，在資源貧乏與經濟困頓中，亦將窒息欲死，難免苛延生命，發動內亂，因此，艾迪採取「統戰」手段，以哈達為號召，同時籠絡各黨派及各首長，不斷發動政治上的號召，遊說蘇加諾與哈達合作，在中央與地方首長間，互不信任的氣氛下召開經濟、軍事協議，合作不能達成。

印尼共策動蘇哈復合

「政協」上月召開的基本原因，從表面上看，那是蘇加諾總統邀請哈達復合，意見既而重歸統一，分裂局面重歸統一；實際並非如此，乃係印尼

這是很明顯的，最大的癥結，無過於地方政府主張：政府中不容共黨分子參加；及願望蘇加諾與哈達在政治上合作，但不希望有「雙頭政權」出現，在必要時倒有一個新領袖來替代。這是說明強烈的民意反映：需要一個負責任的中央政府；蘇加諾與哈達的意旨不能久合，兩人主政終難有明確政策。於是，會議畢竟在蘇加諾主張容共原則下，無法一致協議，儘管後以依據一九四五年憲法作了結論，各省首長只能抱持觀望態度，靜觀將來的局勢發展，根本無協調可言。

各方懷疑哈達行動

全國性的「人民諮詢委會」信任表決。這種決定，在全國人民看來，總算差強人意；予共黨却是當頭一棒，如果蘇加諾堅決遵守憲法的話，是哈達赴北平之後，新憲何時制定，似乎無人對此表示樂觀，是不是會有變化，且看哈達回國之後再說。然而，哈達離開中共區之後，將赴日本訪問；日本同印尼之間的外交關係迄未建立，此次突然於歸國期間訪日，負有替中共籠絡日商？抑係純爲本國利益出發？各方均表懷疑。雖然哈達過去以積極反共見稱，在他沒有返國，以及返國後的言行表現之前，沒有人可以斷言他仍是一年前的哈達。

哈達北平之行

這次哈達北平之行，據悉北平有意想促成他同蘇加諾及艾迪間的三角關係，以使未來的新政府能夠在「三角合作」下使印尼全國統一。但就印尼共黨現行態度看來，哈達這次北平之行，對印尼共黨今後所處地位，並未提供任何諾言，且可以相信哈達訪問北平之結果，對印尼共黨將有更多顧慮。因爲，中共區的表面儘管安定，內部不安正隨着遍地飢餓而來；這情形，已可在印尼萬隆市獲得結論。八月間印尼共黨在爪哇東西部選舉獲勝後，在共黨控制下，民間生活已經大不如前。雖然，去年蘇島宣佈脫離中央政府之後，爪哇經濟受到深重打擊。

「美援」與「蘇援」

迄今爲止，蘇加諾指望世界銀行貸款無望後；蘇俄承諾一億美元解救，不獨未見到來，中央政府轄區的經濟嚴重情況更向前邁進一步。現在看來，蘇聯的「經援」，顯然不會交與蘇加諾，而係準備於印尼共黨取得政權後交付與共酋艾迪者。艾迪的想法：假如現在攫取爪哇與落處的中央政府，不啻自陷全國戰亂，殆將自食苦果。於是，他密謀武裝五百萬工人、農民、學生、閣於一夕之間取得了統治全國的權力。（十月八日寄自耶加達）

讀者論壇

「這是什麼旗」？

·華國民·

東海大學，是帶點國際合作性質的大學。說也奇怪，人們的國家意識，常常是在國際性的交往中最容易顯發出來。去年雙十節，東大冷清清的過去了，一般教職員的心中，總覺得有點歉然。今年雙十節的前兩天，由教職員，臨時提議，自己掏腰包開一個慶祝的茶會，並招待十多位外國的同事，以表示我們對在若籍中的國家的個摯愛戴。

會場佈置一新，茶會開始，外國朋友到得很踴躍，賓主彼此祝賀了一番，相當的熱鬧。有幾位外國朋友在會場陳設的旗中，特別把幾面顏色有點不同的旗幟牽開看看，我以爲這大概是爲了表示中美聯歡，所以在自己國旗之外，又加上了幾面美國國旗，因此引起他們的興趣。臨到要散會時，在中國教了二十幾年書的一位美國先生，從我面前經過，順便坐下來指着後面一面旗問我：「這是什麼旗」？我經她這一問，一時楞住了；牽開一看，自己也倉卒認不清楚，只好答道「我不大認識」。傍邊一位同事趕快的說，「這也是我們的國旗」。我覺得這種答復不妙，只好接上一句，「這不是國旗吧」。那位同事小聲向我耳邊說，「這是救國團的團旗呀」！可是那位外國先生，還接着問，「蔣總統玉照下面的長方形旗，又是什麼旗」。我此時已記起那是團旗了，但覺得在國慶中的蔣總統，他是國家的元首，而不只是一個團體的領袖，似乎不好用一面民衆團體的旗子去表徵他的地位，所以依然答應不知道。會散後才知道我們許多先生都遇着了同樣的問題。我問佈置會場的先生，爲什麼在這種場合要把救國團的團旗和國旗同樣陳設出來呢？他帶幾分生氣的說「這是我們救國團的工作，陳設團旗決不算錯」。是的，也許這位先生並不算錯。但是有幾點，我還希望藉此機會多得一點了解。

（一）當國民黨訓政的時候黨旗國旗，總是陳設在一起。自從實行憲政後，除了國民黨自身的活動外，一般的節日，陳設國旗而不陳設黨旗。救國團在今日何以能超國民黨的黨旗而上之，在國慶紀念日，把自己的團旗與國旗平列起來呢？

（二）各校救國團的負責人，是各校的活動中心，東海大學救國團的負責先生對雙十國慶，事先毫無打算。經教職員臨時發起，這無非是出於對國家的感情。爲什麼救國團的先生們一經手佈置會場，便可以把紀念國慶的意義，轉變爲團慶的。

（三）五月廿四日台北打美大使館的暴動後，有十幾個人民團體（救國團也是其中之一）以人民團體的名義宣言表示對美國的友誼，救國團之名居然在國慶日與國旗並列，這是不是對國家有點輕視？由此而引起友邦人士的詫異，你們究竟置國家於何地？我們都尊重救國團。但有了國家的尊嚴，才有國家內各個團體的地位。你們這樣的舉動，是合理的嗎？

（四）台中紀念孔子誕辰時，在國父的大遺像下面，掛了一幅小的孔子畫像，只向國父遺像行三鞠躬禮，而對於孔子遺像一個鞠躬也不鞠。司儀者的解釋是「這是內政部規定的開會儀式」。於是誰也無話可說。救國團的團旗，除了多出三條橫線外，其他大小規格和顏色和國旗完全相同，這不怪外國朋友認不出來。

以上四點，未必都對。但總值得寫出來。國家觀念的愛國者，在歷史上在世界上，決找不出來的，假使有，也一定是等於曹操的挾天子以令諸侯而已。近代極權主義者口裏的國家也正是這樣，一個人假借愛國的詞彙來欺國家。所以救國團的先生們，在我的理想中，總該懂一些愛國的意義，但對於如何提高國家觀念似乎還應該作一番考慮。（寄於東海大學）

中共軍中的反共思想

·張六師·

（上接第一版）

所以他們得一套理論之內，都必加「無產階級」和「國際主義路線」，或「國際主義精神」等字句，便輕輕地和蘇俄連接一起而成爲「牢不可破」了。這次劉亞樓的文內便露骨的說：「由於蘇聯共產黨，蘇聯政府，蘇聯人民，高度國際主義精神派來大批有各種先進經驗的這些專家們，在工作中表現了高度的愛國主義精神，（愛中國？）（？）（俄國？）劉亞樓說明，但意指俄國。」關日

杜夫，包括雷巴等蘇聯空軍英雄的事迹，已成爲我們空軍軍人個個稱道的，是中國人民所不能忘的大哥，我們要繼續向我們老大哥學習……。使每個以官兵都受到實際一致育，以求打一戰。看這篇文章步……中共空軍的劉亞樓代表雖然黑頭髮黃面皮還未改造得過來，但思想的俄化共擴通了。中共空軍目前就是正在接受這種「實際教育」中。

嚴重的軍中反共思想

但幕後整個中共軍隊的思想變化，却正在逐漸向着反共的道路走，代表全體共軍的「解放軍報」中反映出來。七月三十一日（「八一」前一天）「解放軍報」的社論，已經露骨的說：目前部隊中存在着對於統購統銷、農業合作化、工農生活水平、肅反等問題的錯誤觀點，糊塗思想，以及思想上的個人主義、自由主義和無政府主義，平均主義，宗派主義和官僚主義，應該嚴重的批判和糾正。」在這篇社論中，我們已不必另去找尋證據，中共軍中官兵已自我坦白，說出軍中的反共思想如何嚴重了。現在他們正在嚴厲的「批判」軍隊中不滿統購統銷、農業合作化、主張工農生活水平一致，不滿肅清反革命等思想，這些都是反共的思想，中共能否加以消除呢。

軍隊人事新變化

當然，其中最嚴重的是無政府主義的思想，中共建軍三十年，今天還在回頭走培養[illegible]

而不可忽視的是這次軍隊階級思想意識的老路「進行了幾次的政治思想……」而澤東引誰的話……中共最重要的「第三次國防委員會會議……」……份交遞藏中國新聞社記者訪問黃埔武的記載……元帥」之一「陳毅在八月份的「解放軍文藝」的專論：「人民解放軍如何的教育了我」，文內詞句，和對「黨」感激零落的調子。其中「黨和部隊所共產主義教育我，使我們認識和掌握社會發展規律，和知識向：……這中國在世界的……主義的世界觀……使我們免除永思想，建軍的政治原則仍然是以共產主義世界觀爲教育部隊的基本，過去是，現在是，將來這是不可變更的。」

（下轉第三版）

自由人
THE FREEMAN
（第六二九期）
中華民國僑務委員會頒發登記證台新字第一〇二號
中華郵政台字第五〇〇號執照登記爲第一類新聞紙類
（半週刊每星期三六出版）
每份港幣壹毫　台北市售價台幣壹元
督印人：陳文寧
地址：香港高士威道二十號四樓
20 CAUSEWAY RD. 3RD. FL. HONG KONG
TEL. 771726
承印者：東南印務出版社
地　址：高士打道六十四號
台灣總經理處
台北市西寧南路壹壹零號二樓
電　話：四七三四六
台郵撥儲金戶九二五二
海外總經銷：友聯書報發行公司
香港：彌敦道中六十二號A二樓

從一個人看未來二十年
——介紹美國新政派的新一代

宋文明

美國羅斯福總統逝世至今已經過了十二年，美國民主黨失掉聯邦政權，也已快近五年了。可是羅斯福所遺下的一項寶貴遺產——新政的理想，不僅未因這許多年的歲月而告暗淡，反而隨着人類歷史的演進而日益光大。就單從新政派在目前美國國會內的影響及勢力說，這股自由與進步的力量並不比羅斯福的黃金時代遜色。

（一）

一九五六年美國大選揭曉的一剎那，民主黨的總統候選人史蒂文生在女眷們的悲泣聲中宣佈：我們又失敗了，但我們的理想仍將勝利。一九五七年艾森豪總統所提出龐大預算，就被一些美國的保守份子們指責爲是新政派的預算。這些事實已清楚說明，不論今後美國政府是共和黨負責還是民主黨負責，不論今後美國的經濟是繼續繁榮或趨於蕭條，美國的根本道路無可避免是新政的道路。而自由世界要想加強自己的政治地位與道義地位，準備與共產世界作長遠競賽，其所依靠的主要憑藉，亦非其他，而正是這種新政。所以羅斯福的這一使先進資本主義迎合世界最新潮流的理想，不但有繼續延長下去的趨勢，而且有輸出國外的趨勢。

（二）

正由於新政是一種理想，所以要推動這一運動，需要一個堅强的政治組織，和一個偉大的領袖人物。堅强的政治組織，可使這一運動變成一個羣眾運動，偉大的領袖人物可予這種運動以象徵的力量。沒有羅斯福就沒有新政，即有新政，也沒有這種聲勢。從羅斯福逝世直至現在，美國民主黨並沒有一個政治領袖能完全繼承羅斯福的衣鉢。雖然杜魯門和史蒂文生曾先後爲民主黨領袖，但他們個人始終缺乏羅斯福所具有的那種特殊的感人魔力和氣質。所以他們個人祇能說是一種過渡性的人物，而不是美國新政的新一代。假若說美國即將產生眞新生的一代，堪稱爲羅斯福的眞正的繼承人者，這並非史蒂文生或哈里曼，而是來自美國中西部明尼蘇達州的參議員漢瑞佛（Sen. Hubert H. HumPhrey）。

這位藥劑師出身的現年四十六歲的年青參議員，在今日美國政壇，正如一道慧星一樣，光芒四射，不同凡響。一九四五年，他以最大多數票子，當選爲明州般那政利斯的市長。一九四七年，又以同樣情形獲得連任。所以及至一九四八年當他宣佈競選參議員時，這位年青政治領袖，在當時民主黨中已頭角崢嶸，獲得黨內自由派的一致推崇。該年民主黨芝加哥大會，這位剛從崛起的新型人物，便以民主黨正統新政派的立場，發表激勵的主題演講，並以推動進步的民權政綱，致引起南部保守派公開分裂。時至今日，漢佛瑞當年在芝加哥這一表演，猶爲美國政壇上所熟記的一大歷史性事件。

一九五四年，他不僅自己獲得參議員連任，而且還支持他的黨人獲選明州州長。現控制該州政治的一個勞工與農民聯盟組織，事實上也就是漢佛瑞本人的競選機構。一九五六年，他率領着明州代表團，在芝加哥進行民主黨副總統候選人的爭奪。結果這一目標雖落在凱佛威的手中，但漢佛瑞在民主黨內的影響，反而日益提高。及至現在，漢佛瑞參議員不僅爲參院外交委員會內的主要發言人物，而且還兼任該委員會內裁軍小組及中東政策小組的主席。換言之，攸關世界和平的裁軍問題及美國今後的外交政策，漢佛瑞參議員是有很大決定力的。除此之外，漢佛瑞參議員同時也是美國新政派的最大組織A．D．A．的（Americans for Democratic Action）主要負責人之一，對於全國性的新政派的一切活動與計劃，担負着直接的領導。他現在雖還不是新政派的正式的領袖，卻已經是新政派的靈魂，策劃者和實際領導者。新政派的一切政策路綫離不開他，新政派的一切成就自然也是離不開他的。

（三）

漢佛瑞參議員的所以會成爲美國新政派的領袖——今日爲事實上的領袖明日即爲正式的領袖——並不單是由於他的思想完全和羅斯福的中間偏左的思想一致，也是由於他正和羅斯福一樣，具有作爲一個偉大領袖人物的才具和氣質。他才氣非凡，精力充沛，聰明敏捷，而思想深沉。他能講、能寫、有理論體系、有實際經驗，尤其具有如羅斯福一樣的對羣眾及他人的魔力和對一般羣眾心理的深切體驗。他有如羅斯福一樣的政客才華，同時也有如羅斯福一樣的政治家抱負及風度。他的幽默感也許不如羅斯福豐富，但他的機智和迅速把握問題的能力，也還比羅斯福更快。羅斯福的幾句談話可能說服一個人，一篇演講可能改變一個問題的趨向，這位漢佛瑞參議員同樣具有這種能力。假若說一位偉大的政治家需要冷靜的話，漢佛瑞就具有這種冷靜；假若說一位偉大的政治家需要有熱情的話，漢佛瑞眞是熱情洋溢。

美國民主黨人才輩出，領袖人物也屢見不鮮；但今日沒有一個領袖人物，堪與這位漢佛瑞參議員相比。杜魯門，哈里曼州長，參議員格林，道格拉斯，茂斯，柯維茲等已經老了。史蒂文生有智慧而無魔力，而不夠深沉，人緣亦不佳。凱佛威參議員有魔特，和紐柏格都是書卷氣太重。薛明頓參議員非常優秀，但缺之理論修養。參議員史巴克曼活力不夠。柯爾參議員有活力，而缺乏堅定的信仰。曼斯菲爾參議員有學養，有見識而無野心。紐約市長澤格納，參議員康乃迪有野心，但進步中都帶有保守氣氛。紐澤西州長邁業爾並不煊赫。密執安州長威廉姆斯派氣太重。賓州參議員布萊克爾諾尚未大著。在新政派的所有領袖人物中，從理論到實際，由高級決策到下層黨務，由承接上代餘緒到團結新時代的羣眾，眞正能負起全國性責任，領導今後的新政派者，環顧美國政治玷壇，實在祇有漢佛瑞參議員一人而已。

不僅在美國如是，就是在整個自由世界中，像漢佛瑞參議員者，亦並不多見。法國的前總理孟德斯朗士，是近年來在國際政壇上最煊赫的人物，其才具、氣魄與魔力，完全是與羅斯福同一典型；但在反對任何個人英雄色彩的法國，像孟德斯朗士這種猶太人是很少有發展機會的。義大利的前總理及現任基督教民主黨秘書長的范法尼，也是一個有理論修養，有組織天才的不凡的政治家，但缺乏對羣眾的魔力。

（下轉第二版）

半週述評

張金衡懸樑自殺

本月十七日，本港工商日報載着一篇台北通訊，說一位原任台北地方法院推事，現任該院民庭公設辯護人的張金衡，突於本月十四日在該院宿舍懸樑自殺。在死者的絕命書裏，指出了一個平日以『勾通法院同仁從中漁利詐財過活』的『歹徒葉劍鋒』；還指出了一個台北法院領袖趙執中，說他『自到任以迄於今，得到的贓款不下數百萬。』死者並說明他自殺的目的，在『以挽司法界之頹風。』

關於台灣司法界的風紀問題，我們平日聽到的閒言閒語已經不少，尤其監察院本年度的年會檢討，有幾位委員關於司法部門的檢討，說得更爲澈底。現在既然出了這樣一件事，假如能使台灣司法界藉以得到一次澄清，也未嘗不可使這件壞事變成一件好事。

可是話雖如此，將來這件案子究竟如何了結，目前也很難說。據趙執中說：張金衡之死，『可能由死者生病多疑，』以及『不滿調職及被命更換住所』。司法行政部長谷鳳翔也說：『可能由於死者身患肺病，情緒欠佳，因而厭世；』其另一原因，則爲『死者在大陸的家屬，最近情況不明，致意志消沉，因而輕生。』如果趙院長與谷部長所說，則張金衡之死，可能只是『多疑』與『不滿』，也可能只是『厭世』與『輕生』，則凡在他絕命書內所說的種種，一切都是無的放矢，絕無損於台灣司法界的絕風清！究竟是否如此，我想我們的監察委員立法委員們，近在咫尺，一定能夠就他們平日的見聞所及，對這件事追求出一個水落石出。我在這裏，只想提出兩點，希望我們的監委立委諸先生注意：第一，大凡搞司法的人們，他們總多少懂得一點法律，尤其善於咬文嚼字，即令他們犯了罪，你們要拿到他們的證據，確也不大容易，這種地方，便眞要有一點革命精神；第二，死者既是還有家屬留在大陸，大家對這件事總得認眞的辦一辦，否則難免不給予共匪一個最好的宣傳機會，又爲反攻復國的前途投下一道陰影。

胡適之暫不返台

上月二十六胡適之先生在聯合國一篇演說，不僅在會場的反應良好，中外報紙普遍登載，乃至美國一個有力的反共團體『百萬人委員會』，還在紐約時報的國際版把他的演辭節錄，用整頁的廣告地位登出，以提高世人對中國大陸情況的了解，這確是對自由中國一個有力的貢獻。

據一位這次曾列席聯合國的朋友告訴我們，胡先生在這次出席聯合國演講的前一天，因爲連日檢閱有關大陸情況的資料，寫定講稿，以致把病後尚未復元的身體，又弄得高度發熱，臨時打了幾針把熱度降低，才勉強出場。我覺得他這種精神，尤其值得一般青年學習。

據本月十九日泛亞社根據台北『聯合報』所登的紐約專電說，胡先生最近在紐約對記者表示，他無意於組黨；並且說到他的『四不主義』（不拜客，不回拜客，不鋪張請客，不向政府推荐官員）也與組黨極不相宜。最後還提到他因爲健康關係，不能出席下月初在台北召開的中央研究院評議會。看樣子胡先生是預備暫不返台了。

據我所聞，國內並沒有人眞正希望胡先生出來組黨，即令眞有人想要組黨的話，聽說他們也願先從基層做起，決不願預先物色一位領袖，以作爲組織新黨的張本。胡先生的身體既還有待於休養，自然以不走動爲是，至少美國的醫藥條件要比台北的好得多。我們一想到王寵安，梁任公，丁在君的往事，不能不希望胡先生爲國珍重。

左舜生

「狄托主義」驗明正身
——從南國承認東德說起

·瓦斯·

最近南斯拉夫承認東德，引起了西方國家的「遺憾」。承認一事說明狄托與共產集團有着終不可分的血緣關係；「遺憾」二字卻道出了西方國家的心事——狄托主義幻滅的悲哀！

其實這原是不足爲憾的事。狄托原是一個左右逢源之技巧的平衡者（引用紐約時報評語）。一九四八年他因反對史太林而脫離俄國附庸地位，更乘機縱橫捭闔于東西集團間。於是狄托的名字在國際上遮掩了南斯拉夫；他的主張與論調居然成爲一家言，在馬克斯主義的禁區內，居然與蘇聯的史太林主義並列，在西方的觀念中被視爲一個可與西方接近的民族共產主義者，直到今天且形成了西方幻想中一個擺脫不了的觀念——所謂狄托主義。

狄托主義之所以能迷惑西方，大致是基于下面幾個觀念。

一、由于狄托原是一個老牌共黨領袖，他的叛離可資利用以打擊共產集團，加强西方力量，于是美援單上也赫然有狄托之名。

二、由于蘇南間公開論爭「共產國際」與「無產階級專政」的異同，以爲投向西方援助便可使之傾向于資本主義，脫離共產主義的畸範。

三、由于蘇南兩國間政策上利害之爭，使西方認爲史太林統傳的「蘇聯盟主政策」是與狄托的「兩國平等關係」的主張根本不相容的。

四、由于一九五二年南共已改名爲南斯拉夫共產主義聯盟，並將政治局改爲執行委員會，以爲南共已與共產國際從此絕了緣。

五、由于一九五三年東德暴動，以及一九五六年波蘭及匈牙利的革命運動，以至整個東歐附庸國的叛亂，是受了狄托主義的鼓勵，已結下蘇南不可解的深仇。

顯然，這些假定的基礎是非常脆弱的。

自從去年秋赫魯曉夫逼于形勢突然屈尊到貝爾格萊德去，接着狄托又有克里米亞之行；兩度「蜜月」，歸于好。雖然彼此仍在「平等」與「主屬」之間各具心腸，後來事實上卻說明了蘇聯對南國「持殊地位」的容忍與狄托對「有限度的自由」的感到相當滿足。這是時勢利害所推移，也是先天的血緣關係所決定。蘇南關係那時已顯示了新的轉變。其實一九五五年前蘇聯也曾向南國認錯，早把過去一切交惡責任推到死鬼史大林身上去了；今天之承認東德乃行動上的露骨表現，但並不是偶然的。

在去秋赫狄晤談後，貝爾格萊德負責官員即已透露，南國對於德國統一的立場在過去若干年來比較接近莫斯科，不過當時較爲澈底倒向蘇聯——它主張必須由兩個德國自行解決其命運，而不應舉行自由選舉。據說狄托此一轉變所得的代價，主要的是蘇聯保證不干預南國內政，並且恢復已被取消的二億五千萬元以上的蘇聯貸款。所以狄托承認東德是早在預料中的（紐約時報早曾作此推測）這也許是西方國家今天只覺得「遺憾」，而沒有感到極端「失望」「驚異」的原因吧。

從根本上言，狄托利用戰後國際微妙關係而有今天的地位，復運用今天地位以提高其在共產集團的聲譽而返本歸原，這也許在狄托是心願已償了。

但今天的狄托與一九四八年的狄托，經已早變了質。當年的狄托主義自非今天的狄托主義了。如果西方政治家腦中的狄托主義依然是九年前的狄托主義，那是會令狄托本人笑掉大牙的。

西德之表示對南國絕交，那是以統一德國爲基本國策的阿登諾政府的必然措施，也應是西方國家認爲天經地義而予以支持的。

我們以爲西方對南國之承認東德而表示的「遺憾」，是多餘的；可遺憾的卻是一些西方國家，甚至非共的國家，毫不掩飾地與共產主義國家大講其邦交！大談其貿易！

在過去九年來沉醉迷惑于西方政治家腦中的狄托主義，今天已驗明正身，可以一大解脫，不應再讓它的鬼魂在西方世界任何一個角落出現了吧！

西貢航訊

國民黨的海外文化工作

·阮文德·

海外通訊

越南堤岸擁有相當讀者的華文遠東日報，於前年夏間，因某一篇文章經人向越南當局檢舉，至遭封閉，剛巧在這個時候，台灣方面來了一個從事海外文化工作的人員，有志在越從事文化宣傳工作。於是遠東報的老闆——朱聞義先生與這位先生商量之後，疏通了中越兩方有關人員。

結果，該報的主筆和經理都換了人 終於恢復出版。辦理復版的經過：華方領導沈蘊薌先生與越方新聞部長范春泰先生，出力甚多．據悉：該報爲了復版這一事件，所費不少，共用去百多萬越幣。

這一件事，在台灣當局看來，當然是一件很值得高興的事，經手辦理的人，自不失爲有才幹有志氣的忠貞人士。可是，事實上就註定今後的失敗了。因爲當時僑社即有人說：「與其說是台灣的人掌握了遠東報，毋寧說是遠東報收買了台灣的人。」

果然，好景不常，不出兩年，到了月前，越文「北訊週報」一度控告朱聞義，及鄭某黎某等三人爲共黨文特份子。後來以理由不足，控告撤銷。

經此事變之後，在遠東報內的台方人物，地位便不同了。本年四月份已停止他們的家用津貼，八月份繼續停止他們的薪金，到了九月間終至被迫遷出報社了。台灣認爲得力的海外文化工作人員，也就一籌莫展了。這雖未能正確地認爲是遠東報的老闆利用各方人員，也許台方人員在工作也有不對的地方，也未可知。但總不能不說是國民黨在越南的文化宣傳工作的一個不大不小的失敗。這是國民黨要切實加以反省檢討的。

另一方面，范春泰因爲遠東報復版這件事不滿。也爲他的最高當局不滿。在遠東報復刊後不久，已被免職。後來曾到台灣觀光，但回越之後，已久不聞聲息。他是否因此而受到越政府當局的懲戒，則不得而知。

總之，遠東報復版一事，在中越兩方，似乎已留下了些不痛快的感覺。有關的人物也給僑胞社會以一種不大好的印象。這是今後談及邦合作，不容忽視的一次教訓。

據本月五日「自由人」報載，日本嘉治隆一與馬五先生的一席談話：嘉治先生說，「中國大陸上正鬧得烏烟瘴氣，人心大變，台灣方面却好像在睡覺」，寥寥數語，確是慨乎言之。

此間憂時之士，也認爲台灣駐在此間人員，多烟瘴氣，使僑胞離心。台灣還在睡覺，此間也有此感覺。再證諸外長葉公超十一日在立法院公開說：「中越因國籍問題，發生磨擦，其原因是報導不正確所致」。也就可知駐在此間的人員缺乏能力，缺乏遠見，隨意打報告，使當局朦在鼓裏，悄同睡覺未醒了。

此間的國民黨，實在起不了甚麼領導作用，長此下去，還要更誤事的。今後如何健全派往海外的人事，如何健全全國民黨以挽回海外人心，亡羊補牢，實未爲晚。海外形勢是未可樂觀的。

（十月十五日）

私交無助於外交

馬步芳任駐沙國大使，國人一再在紛紛議論評擊。

馬步芳出任大使職是錯誤的

馬步芳之爲何一再被國人評擊？據筆者向各方面接觸所得，國人並非有意「清算」馬步芳，而是因其沒有一點足以符合外交官的條件；因爲今天的外交官，不但要瞭解國際事務，長於儀表，而且隨機應變的天才，並且有高度的國際智識，然馬氏這些條件一無具備。

葉公超曾答覆得很微妙說：「中東局勢非常微妙，政府在該地區握有此一微妙形勢，須任用適當環境之人。」馬步芳與沙國國王私交雖篤，宗教信仰相同，在政府當局眼光看來，也許正適當其選。實則，今天外交絕不是單純私交能完全解決的問題，倘若問題是如此簡單，那我們只要選擇幾十位與各國有私交的人分別擺在大使館即可，豈不解決了嗎？這眞是今日中國外交上的大笑話。

葉公超又說：政府爲完成此一連串的目標，才使馬氏使沙。試問這一連串的目標馬氏完成了幾項？而沙國這次在聯大的表現，證明馬氏未達成使命，更證明私交與外交無關，私交無助於外交。　季鸞。

論共產國家的文藝

張君勱

——覆雲門先生函——

承示以蘇俄文藝界情況，心感之至。勱亦偶讀曼哲斯德衛報，其中敘杜廷則夫氏「不僅麵包」一書之銷數，原在文藝雜誌分期登出，共銷十四萬冊。一月後印成單行本，出售達三萬冊。杜氏因此成名，稱爲自由作家。此外青年詩人意凡爾森哥（Evtushenko）氏，年僅二十，已被屏於少年隊門牆之外，黨部威嚇之。意氏答覆之語如下：

「世間可怖之事，莫過於智識不進，專以評判員自居，誣陷純潔青年以志氣不純潔。要知過度之疑人，有害無益。盲目評判員，徒害人民而已。認敵作友固可怕，然不如以友爲敵之更可怕也。」

曼哲斯德衛報更有評語曰：「蘇聯領袖勢將強迫此等自由作家停止寫作，否則惟返於昔日之屠殺政策。以云令此等自由作家永遠不寫文章，乃不可能之事。然屠殺政策所以促成蘇聯社會主義之崩潰，正與自由作家力圖避免此事之意相反者也。」

吾人研究俄情，知六個五年計劃之下，物質生活已大進步，然物質之進步，正所以促成精神自由之要求，人民決不以飽食暖衣爲已足，而不爭自由者也。況吾國四千年歷史，潛滋暗長於「帝力何與於我哉」之觀念下，豈中共數年統治所能斬草除根者哉。我與兄流亡海外，有家歸不得之者，然吾信共產主義之命運，不過秦政隋煬，吾人盡其心力，廣播自由種子可矣。專此覆頌著祺。

張君勱手啓八月中旬金山

（轉載再生什誌）

國外通訊

我文藝作品不出國門？

我國文壇自五四以來，在新文藝的創作方面，人才輩出，不乏其膾炙人口的文藝作品，尤以年來在港台兩地的自由文藝作者，其努力的成就，足可與歐美各國文壇媲美，舉凡小說、詩歌、散文以及戲劇，可說都已達到國際性的水準，這是一件值得欣慰的事。

然而，所感遺憾的是，被稱爲我國的精美文藝作品很少有被廣泛地介紹給國外去，反之，外國的文藝作品，却大批地被翻譯成中文。究其原因，不外乎兩種：一則因爲文字問題。咱們的中國文字，已被外人公認爲最艱深的文字之一，所以流傳不廣（國力的衰弱當然不無影響）；二則因爲近數年來的戰亂，致使我國人士，在各方面均失去其自信心與自尊心，換言之，就是一般均有極深度的自卑感。在文藝界方面，當然亦不例外；以爲歐美各國作家的作品，都較自己國內的作品要好，沒有勇氣將自己的作品拿出來與外人相比，這種不正常的變態心理，是應當加以糾正的。這當然不僅限於文藝界，其他各方面亦應如此才對。

西班牙通訊

從「王平陵將訪西班牙」說起

·謝文源·

忽然看到一篇介紹文

筆者來歐將屆六載，去歲方自法國轉來西班牙研習藝術，除藝術外，對文藝亦甚愛好。最近，忽然看到此間權威文藝雜誌「黑夜與黎明」（Blanco y Negro）上，刊登一篇介紹我國文藝作家的文章，題目爲『中國名作家王平陵將訪西班牙』，文中並提及其著名歷史小說集「殘酷的愛」將自十一月起，在該刊連載，此一歷史小說集共包括八個短篇，第一篇將發表的是「英雄與美人」。該介紹文作者爲西班牙目前研究古典戲劇權威學者，名叫華京、思德爾拔沙瓜（JOAQUIN DE ENTRAMBASAGUA），據他在該介紹文所稱，王平陵先生將應西班牙新聞，文化界之邀請，于明年春天來西班牙訪問。

我的印象

王先生據說現在台灣，爲我國文藝界久享盛名的老作家，數十年來始終站在文藝的崗位上，努力於自己的工作，從未移動一步，其精神委實令人敬佩。記得筆者在中學時代，就已拜讀到他的作品，給我印象最深刻的，是其長篇小說「歸舟返舊京」以及其文藝論文集「新狂飆時代」。前者是描寫抗戰勝利前後，其艱苦與歡樂的心情，作一比較性的細膩刻劃，讀後感人至深，允爲我國抗戰時期一部不朽的名著，後者爲一本立意精確，見解獨到的文藝理論專著，對於初入門的青年作者，讀後可得到無數寫作技巧與經驗，實有事半功倍之效。當今因共黨竊據大陸，此兩本書不易購得，實在可惜。

文化專約要行動

目前，中西兩國訂有文化專約，兩國之間均希望文化人士彼此來往訪問，藉以疏通中西兩國的文化關係，俾使此文化專約付諸實際的行動。我們熱誠地在此地迎候王平陵先生的光臨，屆時料必使西國文化界爲之轟動。（十月十二日夜于西班牙巴塞羅那城）

讀者論壇

談華僑先修班

·陳天笑·

[illegible]先修班修業期滿學生五十一名，經教育部分發台灣大學免試入學。台大當局核對名單時，發現其中僅二十五人爲貨眞價實之僑生，其餘二十六名却有了問題。據教育部的答復：此二十六名中，有十八名確是港澳華僑而持有身份證明；又一名乃山地學生，因去年參加聯考不及格由部令分發僑大先修班修業期滿，教部體念山胞，故亦一併保送。其他七名中有五人原係海空軍官校學生，因身體不合格中途停訓，轉入僑大先修班修業期滿分發。另兩名，均係空軍官校停訓入僑大先修班過渡後，呈請教部援例保送云；但未說明該兩空[illegible]改變初衷，分發師範大學及政治大學。

據教育部負責人對此事所持的理由，是第一，山地學生和海空軍停訓學生均訂有優待辦法，他們都合乎彼優待的條件，第二、全國祇有一個僑生大學先修班，並無另外一個先修班性質的院校班系，所以只好一起通融分發到那兒去。第三、根據規定，在僑生大學先修班修業一年期滿成績及格的學生，就可以免於考試分發到大專院校就讀。據此三點，教育部反指責台大當局不諳教育法規；弦外之音，若怪其多事挑剔然。

作者對此事不無疑竇。

政府優待僑生，自有其難言之隱[illegible]經明令規定修業期滿成績及格學生一律免試分發大專院校，顧名思義則絕對不容許「非僑生」混迹其中，否則這個漏洞是太大了，徒讓有權有勢的子弟多了一個混水摸魚的機會，使本來已欠完善的僑生教育問題，增添更大的困難。「非僑生」之入僑大先修班，是否有別規定加以限制，抑任何人均能經該校入學考試或教育部之推薦而得入校？疑竇一也。海空軍官校停訓學生優待辦法，是否須一律經過僑大先修班然後分發，抑僅此八人特別通融？如係特別通融，這個通融是太大了。此疑竇二也。海空軍官校停訓學生之優待免試分發大專院校，是否視其停訓理由確係因不可抗拒之先天條件，抑不拘任何理由，如係後者，影響甚大，此疑竇三也。

從一個人看未來二十年

——介紹美國新政派的新一代

·宋文明·

（上接第一版）

英國工黨的貝凡雖才華卓越，很能把握群衆心理，但他是一個社會主義者，而非屬於新政派類型。所以就從世界範圍來看，像漢佛瑞參議員者，不僅是現時新政派領袖人物中少有的一個，也是僅有的一個。在眼見的將來，我們還看不出有什麼人物比漢佛瑞更優秀。

（四）

漢佛瑞參議員現年四十六歲，再過十年之後，才不過五十六歲，二十年之後，也不過六十六歲，並不比現今各國當政者的年齡更老。不過他現在雖祇四十六歲，可是他却已經有了十幾年的從政經驗，而他對美國實際政治所發生的影響，更非其他和他同年的人們所能比的。根據美國政治現況，他不可能成爲一九六〇年的總統候選人，可是很有機會成爲六四或六八年的總統候選人。即令他永遠不會作美國總統，他亦是一個越來越重的國會領袖，和美國民主黨的全國性領袖。不論他作美國總統或作美國的國會領袖，未來二十年的美國政治及外交，總要受他的安排的。假若說未來二十年是決定世界前途的一個重要時代的話，那麼其中至少有一部份，將取決於美國的這位年青的漢佛瑞參議員。事實上，世界局勢今後的演變，與其要看現在艾森豪要作什麼，不如要看一九六〇、六四年以後的美國總統要作什麼；與其要看赫魯雪夫要作什麼，不如要看赫魯雪夫以後的蘇聯領袖們要作什麼。在今後這一新時代中，漢佛瑞參議員無疑是居於一關鍵地位。

未來二十年的世界鬥爭，不是李加闊和馬克司密斯的理論對馬克斯主義的鬥爭，而是新政主義或「新」新政對新共產主義的鬥爭。由於漢佛瑞參議員是羅斯福新政的正統嫡系，把新政鍛鍊得更偉大，以迎合一個新時代，所以祗有他才能領導自由世界以應付未來的挑戰。對自由世界說，今後二十年期中，每個國家的命運都和這個人有關係；對共產世界說，今後二十年兩大集團鬥爭的變化，亦與這個人的想法和作爲有關。因此不論美國國內外對這個人的觀感如何，不論這個人是工作在美國國會大廈或白宮，全世界勢必對這個人加以密切的注視。

英記者筆下的大陸農工慘象

·風行譯·

「港商莫謂中共起碼已經幹點成績出來，須知那是數以百萬計的奴工血汗代價」。

時論選譯

下面是倫敦泰晤士報記者的報導：（見該報十月四日每週評論）

我在上海到「中國銀行」兌換一張十英鎊的支票，看着這一束褐色的「人民幣」，我便想到這就等於一九五七年普通中共農民一年的收入了。但在我規規矩矩的使用，也只能支持數天罷了。

農民每年收入七十元

在北平一位官員告訴我道：『現在我們普通農民每年的平均收入，仍然是人民幣七十元（約等於十英鎊），在落後的山嶺地區，還僅只有四十二元而已。』中共消滅了富農，而未消滅貧窮。

百分九七農民入「合作社」

中共五億的農民，在「高級合作社」工作的佔百分之九七·四，其中有若干區是十萬社員耕五萬英畝。中共很狡猾的用「合作社」，（個人仍在名義上擁有土地）轉變為「高級合作社」，和完全集體農場沒有分別。

合作社是法定地主

今天法定的地主，是「合作社」，（不是國家），每一「高級合作社」農民，有一證書，表示他捐了若干土地進去。在理論上而說，他有權退出合作社，事實上中共多處亦有人退出合作社。

工人收入優于農民九倍

中共政府感到最嚴重的苦惱在合作社。去年中共政府承認農民因不滿收穫的分派而暴動。鄰近大城市的許多農民，離去合作社而逃到城市，希望獲得較好一些的生活。因為中共農民平均每年的收入是等於十英鎊，但工廠裏的工人每年收入是九十英鎊。

劉少奇說不用農業機器

英國的工業家還幻想，在不久之將來，可以大量的拖拉機售給中共。但劉少奇最近曾說：『我們現在實行農業合作，是不用農業機器的。』中共的集體農場是不用機器的，成千成萬的農民的工作工具，不外是一條扭竿，一雙籮筐。他們用建造金字塔的方法，來建造『新中國』。

實行節制生育

中共目前厲行節制生育，「衛生部」的車，甚至駛到遙遠的合作社，載着若干的藥品，用盡一切可能的辦法。

中共目前是一大勞工營，不能自由選擇職業，祗有奉命受差遣去工作。上海當局告訴我說：成千成萬的人被差遣到新疆去。中共直說是硬派遣去的。不敢假藉「志願」的字眼了。這是目前中共的基調。雖然自去年較為和緩，但迄今仍是在恐怖時的氣氛中。

八十萬人所建水閘

中共的殘酷是不可理喻的。他們的建設不知用多少淚汗血換來的。水利部副部長偶然談論在河南省三門峽建造大水閘的工程時，說已將八十萬的居民遷徙至遠處，並且使九個縣城被沈沒水中。我又詢問上海的副市長：『農民遷湧入城市，你們有什麼辦法阻止他們呢？』他回答道『簡單得很我們對現存人口限制糧食供給，便可以了。』

遷墳墓建工廠

我常聽聞人說：中共政府如要在某地設立工廠，假如廠址是墓地，祗須叫一聲：『把你們的死者墳墓遷去別處。』他們不必費錢財去僱人挖遷，要老百姓自己動手，毫無補償的，便奉命唯謹的完成了。

看看中共的「收支對照表」

中共自詡有動力的經濟建設，具有什麼秘訣呢？一言以蔽之是用一種類乎奴隸制度的辦法。——拉長工作時間，抑低工資。中共的工人沒有假期，一年到尾，每星期工作六天，每天八小時，（編者按：據我們研究中共資料，平均工時均在十小時以上。）還有數以百萬計的強迫勞工，其勞苦是沒有酬報的。

用奴隸制度建設

有些在香港的英國商人，好像持有高見的說：『中共起碼已幹點成績出來給人看。』但人們必須看看「收支對照表」，中共為建立及穩定其政權，已殺死了論千萬的中國人。政權既立，他們消滅自由，在馬克思主義狹窄的短衣的束縛中，藝術及科學的生機喪盡，日趨枯萎。但共產黨奪去人們的自由，卻祗給他們以遠景的憧憬。

國際動態拾零

美國務院將增設非洲司，而以荷姆（Holms）為助理國務卿，專司其事。他曾與史塔生出席倫敦裁軍會，前為參議員喬治副手，出席聯合國。

×　×　×

麥美倫繼續主張裁削兵員，會引起蒙哥馬利元帥的反對。蒙氏將辭去出席聯合國軍事代表一職，以示抵制。

×　×　×

蓋羅潘將軍為西德海空軍基地，現已付出九千萬美金代價，作修理費。並定購大批美國海魔式63號噴射機。

×　×　×

十一月間，狄托有遠東之行，訪問錫蘭與緬甸，他希望中共會邀請他。他欲以不同路綫，到達社會主義之說，說服毛澤東。

×　×　×

有人主張拉攏納薩，因為他與蘇聯在敘利亞接近，則納薩在敘勢力會消減。但杜勒斯反對，他認納薩不可靠，美國曾于蘇彝士運河戰役救了他，他仍然反對美國。

·陶然·

蘇聯強調土敘邊境危機用意何在

蘇聯藉人造衛星成功宣傳企圖打開南進大路

博斯普魯斯與韃靼兩海峽是蘇聯垂涎的目的物

·文鐵·

這次美國第六艦隊出動大批艦艇在土耳其海峽演習，是深具意義的。因為，蘇俄如欲援助敘利亞，無論從陸路必經過土耳其的博斯普魯斯和韃靼兩海峽。蘇俄最近要使敘利亞和埃及對付土耳其，其目的無非藉人造衛星與洲際飛彈成功的宣傳，企圖解決土耳其問題，以打開南進的大路。赫魯曉夫於十月九日曾悍然說出：「蘇聯與土耳其相近，如戰爭爆發，土耳其可能於一天之內被粉碎！」

如何通過韃靼海峽

這固然是蘇聯的恫嚇，但另一個迫在眉睫的危機，已出現于黑海的博斯普魯斯和韃靼海峽了。由於這兩海峽，是地中海的東端門戶。假定東地中海一旦發生新戰爭，那末蘇聯祗有通過韃靼海峽，才能從黑海出兵援助他的阿拉伯盟國——敘利亞和埃及。目前泊在黑海之內的，有一枝強大的蘇俄艦隊（其中約有潛艇一百艘）和全國商船隊三分之一。此外還有羅馬尼亞和保加利亞的商船。

蘇聯怕「不宜的干涉」

蘇聯若由空中運輸現代兵器和志願軍，前往敘利亞和埃及頗不容易。由於蘇聯的飛機要越過西方的封鎖綫，北大西洋公約組織的前方空襲警報制度，是西方防務的最有效部份。因此，無論任何一個「不宜的戰爭」，都可能引起北大西洋組織的空軍很多「不宜的干涉」。

同時敘利亞在地理上與韓國不同，韓國由配備齊全的中共正規部隊能從東北越界潛入韓國，但敘利亞卻是有許多近東國家隔絕的。尤其敘利亞缺乏能供巨型運輸機之用的現代機場，而且容易受到以色列和設於土耳其及伊朗的西方基地的空襲所摧毀。敘利亞甚至於不能作為停飛機歇站之用。

蘇對兩海峽的企圖

蘇聯要想積極援助敘利亞，就必須設法通過上述兩個土耳其海峽，進入地中海。但是，這樣很可能引起一個正式和整體的戰爭。據軍事觀察家指出：蘇聯的部署，具有神偽進攻這兩海峽的性質。因為俄軍現在控制正對保衛這兩海峽的土耳其堡壘的陣地。

本來蘇聯奪取這一咽喉之地的企圖，遠在十八世紀初期，蘇聯在彼得大帝統馭下成為帝國主義的海軍時候，就開始進行了。沙皇統治下的俄國在後來的二百五十年中，由於採行東南進政策而引起了大小十二戰爭，卻始終未能取得這兩海峽的控制權。在第一次世界大戰結束後，土耳其喪失掉了這兩海峽。幸而他們的領袖凱末爾利用英國人的厭戰心理和俄人的衰頹，才保全了歐洲的立足點及這兩海峽。然而，按照一九二三年締訂的洛桑條約，這兩海峽卻成為非武裝區。歸土耳其和一個國際委會共同管理。

蘇將要求海峽國際化

後來在一九三六年締訂的蒙特勒條約，把這國際委會撤銷了，准許土耳其軍復在這兩海峽設防，並且把全部主權交還土耳其。當時英國在地中海恢復了海軍優勢，又和法國聯盟，已不復懼怕蘇俄，因為蘇俄那時還未成為一個大海陸軍國。直到一九四六年，蘇聯便表示它的帝國主義野心，不隨沙皇制度而殞滅。它大聲疾呼地要求協同土耳其共管韃靼海峽，和在博斯普魯斯海峽建築海陸基地的權利，但顯然把蘇俄高加索的卡斯和阿達干兩省交還土耳其作為交換條件。現在有一個跡象，證明蘇俄或可會要求國際化這兩海峽。尤其是蘇聯在去年八月九日發表的一個聲明，要求西方解釋為什麼在一批重要性相同的海峽和運河中，只單單標出蘇彝士運河作為一個國際化的目的物。這一聲明在當時只被解釋為一種支持納薩封鎖蘇彝士運河的宣傳口實，然而在目前的形勢看來，蘇俄這一立場實有更不祥的用意，還有的觀察家相信蘇聯可能用海陸空軍作後盾，要求國際化博斯普魯斯和韃靼海峽。據一般盟國人士說，能派飛機轟炸韃靼海峽的蘇俄機場，多於盟國的機場至二十與一之比。

考驗艾克主義

對這兩海峽的政治和外交的瞎爭，最能供給蘇俄一個絕好機會，可以考驗英、法和美國在地中海的勢力和意志。這樣的瞎爭能使西方國家面對一個比蘇彝士運河更困難和更重要的海峽問題。由於英法勢力退出中東和艾森豪主義宣佈之後，這兩個海峽的重要性，逐漸增加。因此，敘土、蘇聯近來不斷製造敘土、敘黎的邊境危機。蘇聯對敘利亞問題特別強調緊張，事實即企圖藉口進入敘國，對反對力量施行高度鎮壓；同時埃及軍的在敘登陸，顯然也是這個作用。

西方國家對於蘇聯此項伎倆是很明白的，尤其美國方面指出：「蘇聯雖公共恫嚇土耳其，但蘇聯並無計劃襲擊土耳其的跡象。」不過切勿自我招致災禍，蘇聯對土耳其控制下的博斯普魯斯及韃靼海峽，卻是垂涎三尺的目的物。

書刊介紹

新版歐陽修詞及納蘭詞

·訒庵·

我在這裏介紹新出版的兩部舊書，一部是歐陽修詞，一部是納蘭成德詞。納蘭成德詞以前是有單行本的，而且有許多版本。而歐陽修的六一詞，——或稱醉翁琴趣外篇——則由後人輯在同叢書刻裏，罕見有單本流傳；現在中庸出版社把他從宋六十名家詞裏，抽出單獨印行。這對于愛好歐詞的人，會感到莫大的方便。

中庸出版社過去出版的書如陶淵明詩、李義山詩、今體詩鈔等，確是慎重將事的；態度非常謹嚴，編校非常認真；甚至書印好了還發現有一二誤字，並不作勘誤表，另印零字，把一本一本書裏一個一個的誤字，也要黏貼歸正。此次新出版的歐陽修詞，納蘭成德詞，是重行編排，把各書全部的詞，區分為小令、中調、長調，順序編排。這種編排法，至少有兩種好處：一、詞調界限分明，具有詞譜的作用。二、對學人偏嗜，最為方便；無論偏嗜小令、中調、長調，他都集中在一處了，不須再向間雜中尋找；同時又把倚每一調所填的詞，集攏在一調之下，順着原書的先後次第編排。這種編排法，對於學者研讀，好處是更多的：在比較方面，可以知道這位作者慣用某一調；長於某一調，短於某一調；而在某一調當中，也較容易選出那幾首為優，那幾首為劣。至於窺探作者的風格和技巧，在這種編排下，也是很方便的。而在多詞的一調中，更容易看出作者風格的變化，和技術上的稚幼與成熟，或巧或拙。若確定了作者的風格和技巧，再利用牠來和別的相似的作家比較，也可以決定這調的這一首詞，是這一位作家的作品，或是那一位作者的作品。從另一面說，作者在某一段生活環境裏，表現如何？成就如何？也就瞭如指掌了。

歐陽修的詞，在北宋為一大宗，近世大詞人王靜安先生最推崇他。而在王之前，馮蒿庵論詞，有「歐陽文忠與晏元獻同出南唐，而深致則過之。疏雋開子瞻，深婉開少游」的話。王靜安先生則說得更為具體，他說：「古今人詞之以意勝者，莫若歐陽公」。又說：「歐九浣溪沙詞，綠楊樓外出秋千，晁補之謂：只一出字，便後人所不能道。余謂：此本於正中上行杯詞，柳外秋千出畫牆，但歐語尤工」。

梁任公先生說過：「清代詞學界的頭兩把交椅，都給滿洲籍詞人坐上了。清末一個是鄭文焯叔問，清初一個便是納蘭成德」。成德，淹貫經史，能詩詞，工書法，兼善騎射。性情深厚，篤於友誼；愛才好客，多與當時的俊異文士交游。嘗從衛清聖祖西登五台，東北出榆關，南到江浙一帶地方。他的詞集，名側帽、飲水，傳本甚多，以許增榆園叢刻本的納蘭詞為精。現在中庸出版社出版的納蘭成德詞，就是據許增本重行編校的。

納蘭成德詞，造詣很深，而尤長在小令。歷來評論其詞的人很多，歸納起來，大概可分為兩方面：一方面是就境界上說的，另一方面是就感情上說的。不錯，納蘭詞的成就，的確是在這兩方面。周貞觀說：「容若詞一種淒惋處，令人不能卒讀；人言愁我始欲愁」。又說：「所為樂府小令，婉麗淒清，使讀者不知所主」。陳維崧說：「飲水詞哀感頑豔，得南唐二主之遺」。謝章鋌說：「納蘭容若深於情者也，固不必刻劃花間，俎豆蘭畹，而一聲河滿，輒令人悵惘欲涕」。這些都是就感情方面而說的。至王靜安先生，則又極力推崇其詞的壯觀境界。他說：「明月照積雪，大江流日夜，中天懸明月，長河落日圓；此種境界，可謂千古壯觀。求之於詞，惟納蘭容若塞上之作，如長相思之『夜深千帳燈』，如夢令之『萬帳穹廬人醉，星影搖搖欲墜』差近之」。又說：「納蘭容若以自然之眼觀物，以自然之舌言情，……故能真切如此」。樊志厚亦曾於人間詞乙稿序中作總評說：「至於納蘭侍衛（成德官衛），以天賦之才，崛起於方興之族，其所為詞，悲涼頑豔，獨有得於意境之深，可謂豪傑之士，奮乎百世之下者矣。同時朱陳，既非勁敵，後世蔣項，尤難鼎足」。這和前人擬之於花間、南唐二主，都是很允當的。

歐陽修是北宋詞家的宗師，納蘭成德是清代詞學復興的鉅子。他們的詞集，他們的作品，在詞學界，乃至於文學界中，都是非常重要的。現得中庸出版社精審編校印行，可以說是踵美增華，彬彬益彰了。

談「屍諫」

馬五先生

台灣有個姓張的法界中人，以「屍諫」方式來揭發司法人員的貪污瀆職情事，目前舉人評，言之鑿鑿。被檢舉的嫌疑人犯，業經撤職或停職，依法偵訊在案，一切且看異日的下文再說，此刻所欲言者，在彼不在此也。

所謂「屍諫」的行爲，只有在君主專制社會生活中，政治腐敗，奸邪當道，下情壅蔽莫通，所謂「八表同昏，天路伊阻」的黑暗時代，某些忠耿義憤之士，當目睹時艱，冀以一死引起君王的警覺，才不得已而爲之的。時至今日，政尚民主，居然還有此封建社會的政治現象，能不令人驚訝慨嘆而長太息？我見報紙上刊出「屍諫」二字，即不禁毛骨悚然，愧恥難安，誠不知一般行政紀綱與號稱民主法治的袞袞諸公，作何感想？這是人類的悲劇，卻是國家的恥辱！檢察官汚而出以「屍諫」行爲，而且構成了普遍性，上者不能說，不敢說，這表示。假使在民主社會生活中，輿論有監督制裁之力，官吏懍以身試法之戒，政府亦能綜覈名實，讓親貴，繩愆糾謬，信賞必罰，而人民代表更能恪盡職責，無所忌憚，又何至有所謂屍諫的怪事發生呢？

我不重視那兩個被指名檢舉的嫌疑人犯，是否罪有應得？只爲發佈自由中國的政治本質而憂心忡忡，憤慨不已。假如官吏人因不堪貪殘背吏的勒索，遭當自殺，徒歸社會，如今又有此事。哀莫大於心死，難道一般政治人物的良心竟已死滅，血性竟已涼透了？

粵俗談往　周公之禮

・浩然・

廣東四十年前民間婚嫁習俗所謂周公之禮，是很富戲劇性的。

一般是先通過媒人遞向女方取得待嫁者的年生八字，送往男家擺在祖先神位前卜休咎，如三日內無不吉之事發生，（打爛茶杯倒瀉油等亦算不吉）是認爲初步合式，再經過占卦算命佬推算過，如與男命無尅，能旺夫益子者更佳，是爲第二步合式，然後由男方女家長去相睇。（即睇待字女子之謂）都合了，則三書六禮隨之而來。

三書者，即文定書，大禮書，成婚書，是也；六禮者，即文定禮，大禮禮交拜天地祖宗禮，合巹禮，洞房禮，歸寧禮，是也。又結婚起轎之時，必要往張王爺廟求籤指示，並領「張王爺座鎮」的封皮一紙貼在花轎前，謂之鎮煞。

當大禮做過後，在結婚前約七日，於一個黃昏的時候，霹靂一聲，悲劇就開始了。

該悲劇是由待嫁女兒的母親導演的。導演前，先檢拾一個房間，鋪陳一切用具，並約定年長的姑嫂輩坐候，然後由她的母親呼喚待嫁之女兒入房，將她抱住，即告知她快嫁了，不要出房外亂跑，她當然驚哭起來，迭呼「我唔嫁，我唔嫁」，於是預先約定的一班姑嫂輩魚貫而入，並將房門關上，對她這樣說，女大當嫁，人人如是，今晚便是「開嘆情」（即哭之謂）七日夜的開始，不能避免。女子聞之，必驚惶亂走，奈爲姑嫂輩合力捺住，動彈不得，久久，哭到力竭聲嘶，唯有忍受姑嫂輩的指導。這時候她母親預早約定的一班陪哭的姊妹輩，亦都入這房間來了。

原來「開嘆情」亦有規矩的，不能任意創格，其定例第一句要哭告祖先，第二句要哭告父母，第三句要哭告尊親屬，這樣哭聲與死人的哭聲一樣，其聲尾係有押韻的駢文聯句，像唱南音（粵謳）差不多，第二日後可自由哭唱，具有天才的女兒，往往借着此哭的機會，就把自己的悲鬱心懷，乘機哭唱出來，這時候，當眞哭起來了，淒厲的聲音，很感動人的同情。哭到第七日夜就收聲了。在收聲時的哭，也有定例，那就是哭罵媒人，例如「媒人婆係豬狗髗呀，一代媒人三世「折磨」呀」。如係下智識的人家，就「留你命」，「撲街死」，「搵×臭×」等汚穢言語，也聽得出口了。如此這般，她先哭告太公太婆，次哭告父母，哭告各親屬，哭自己，哭以往，哭將來，哭到媒人收尾。

講到男家這方面，親迎之日，花轎一到來了，新郎有踢轎門之例，係以堂倌二人左右扶持新郎到花轎門前，用力一踢，即匆匆走入大廳，企高在預設的椅上，手持紙扇，用扇向新婦頭頂上一擊，俟新婦入新房換了大紅禮服後，即出大廳，聯合新郎拜堂，先拜天地祖先，次拜父母叔伯及各親屬，一起一伏連續數十次之多，體弱的新婦，有當堂暈倒，不能支持的。入夜即舉行「食暖堂飯」典禮，與加笄典禮略同，新郎新婦坐中央，陪坐者輪唱四句讚詞（四句即有說有唱之類）食暖堂飯後，又例有「玩新婦」之舉，任何玩弄侮辱，新郎新娘均不能發怒，俟客人滿意後，始能許新郎新婦入房行其洞房之禮，否則辜負了一刻千金的良宵，亦有寃無路訴，本縣（筆者）曾經此苦也。

鬥蟋蟀

噫，此秋聲也！

・張瘦碧・

江南地方，每到秋天，一些遊手好閒者，總愛養蟋蟀，作爲賭具，準備孤注一擲，希望能夠過一個無愁無慮的冬天。鬥蟀的日子，爲時甚短，多半只在農曆霜降節氣的前後三五天，幾場之後，即定勝負，他其時候，都是在養精蓄銳。所以養蟋蟀要比鬥蟋蟀麻煩得多。歷史上愛這玩藝兒的，不乏其人，最爲人熟知的，就是南宋賈似道，他身爲當朝重臣，不理國事，每年秋天，把全副精神，都放在蟋蟀的身上，終於誤了南宋江山。有不少達官，顯宦，往往爲了蟋蟀着迷，一般吃白食朋友，便隨時利用機會，獻蟋蟀取媚。每逢捕捉了上品蟋蟀，或者看到「精巧的瓦罐」，便借腳上地，走門路，找熟人，作爲引線，登門講斤頭，做交易，所謂一次生，二次熟，嗣後每到秋季，便成了同好者，官家子弟不屈尊也居然「十分投契」。如果遇到蟋蟀鬥贏了，當然更有意外的收穫，至于找幾個另碎錢花用，更是不成問題的事。

民國以來官府雖一向嚴禁鬥蟀，認爲跡近賭博而且在良莠不齊的人羣中，容易滋事，但是他們總是神出鬼沒，把鬥場隨時遷移，不是個中人，是找不到鬥蟀場地的。記得在我幼年時候，會跟着他們秘密去參觀過——一個僻靜的寺院——間很寬暢的客堂裏，放着好幾張方桌子，東也團着一堆人，西也擁着一羣人，捧着蟋蟀罐子，穿梭其間，彼此對於罐子裏的蟲兒，品頭評足，滋滋有味，得意之狀，逸于形色。在開始鬥前，先以蟋蟀驅入預製的小紙匣內，秤重量，編號，列表，分別紀錄，相鬥的蟋蟀，份量必須相等，以示公道。接着便是論價，他們有一種切口，名之曰花，有五角一花，或一元一花，皆須事先議定，鬥一次以十花起至數十花數百花不等，換句話說，以五角計十花就五元，百花就是五十元然後另外以竹籠爲爭鬥工具，中有一小門隔絕，各將蟋蟀，放入籠內，鬥時即將中間隔絕之物，抽去，由專司執鬥草者，輕微撥動，等到兩雄相遇，即奮不顧身彼此撲鬥，只要聽到誰在振翅作鳴，那就算牠戰勝了，反之，一聲不響，便是輸了。事鬥以蟋蟀來戰鬥工具的人們，實在不少，有時從早至晚，連着數十場，有勝有負，等於一場大賭博。說不定因此而傾家蕩產，不算什麼奇事！

荷葉杯

・吳石仙・

又是今年離十，鄉里，歸去尙無期！
海天遙望淚如絲，方寸有誰知？
惆悵半生書劍，收起，孤島寄萍蹤，
勞人心事托鱗鴻，無語立秋風。

半竹樓隨筆　詩人白居易（772—849）（二）

樂天任忠州刺史不到一年，便被召還長安，拜尚書司門員外郎，轉主客司郎中，知制誥。次年（穆宗長慶元年）加朝散大夫，始着緋；又轉上柱國，除中書舍人，知制誥。在這裏可以附帶說明一點：樂天的『琵琶行』最後一句，『江州司馬青衫濕，』我們平日泛泛讀過，往往不加注意，可是在作者卻不是隨便寫下的。原來在君主時代，對於服色是非常考究的，依照唐代的制度：『文武三品已上服紫，四品服深緋，五品服淺緋，六品服深綠，七品服淺綠，八品服深青，九品服淺青。』唐代的江州潯陽郡，本來列入上州，上州的司馬，官階是『從五品下，』然則樂天在做江州司馬的時候，應該便可以着淺緋（即銀緋），爲什麼他只可憐巴巴的穿上一領『青衫』呢？原來按照唐代的官制，穿衣服的顏色，不是看他的『職事官，』而是看他的『階官，』當時樂天所做的江州司馬，只是『職事官，』而他的『階官』卻是一個『將仕郎，』『將仕郎』是文散官的最低一級，『從九品下，』樂天的『階官』既是九品，當然他便只好着青衫了。君主時代的這些『過節』異常瑣碎，假如不是經過當代研究唐代史的權威陳寅恪先生給我們以指點，像『江州司馬青衫濕，』這樣一句尋常的句子，我們便可能至今還不能得到正確的解釋，讀書眞不是一件容易的事啊！（參看陳寅恪『元白詩箋證稿』第二章）樂天這首『琵琶行，』原不一定是爲着一個彈琵琶的商婦而發，無非借題抒寫他滿肚皮的牢騷，以一個做過翰林學士，左拾遺，贊善大夫的清貴，而年齡又已四十以上忽然被貶謫來充當一名州佐，安能不挑動他的淪落之感，乃至聞江上琵琶而掉下他的眼淚來呢？文學研究與文學欣賞，儘管重點不同，卻並不是可以截然分開的兩件事，如果只側重欣賞而過度忽視了研究，則對作者的實感必無從體會，所謂欣賞也將流於皮毛。像陳寅恪先生的『元白詩箋證稿』，是那樣的分析入微，在一個對唐代史和元白兩位詩文不曾有過一番接觸的人，看起來或不免感到沉悶，可是陳先生的這本書，不只告訴我們如何讀文學，同時也告訴我們如何研究歷史，大學裏中國文學系的學生，研究到了元白這個時代，我覺得對這本書總得有參考參考的必要的。

樂天回到長安不到兩年，眼見當時內有朋黨的傾軋，外有藩鎮的跋扈，他對於政治與軍事雖屢有建言，可是總不見用，他覺得與其留在中樞難保不惹麻煩，反不如退到地方去來得妥當，因此仍求外調。這次總算幸運，居然一求便准，而且所給他的既不是江州司馬那樣一種卑秩，也不是忠州刺史那樣偏僻所在，而是叫他到東南名勝之區的浙江做了一任杭州刺史！

・舜生・

海上學校

中篇小說

當一個人被惡毒的權力控制時，人性消滅，獸性開始；而當他拚命反抗權力時，怎麼會突然接近神性呢？這突然轉變的力量，是從甚麼地方來的呢？」她想着想着，覺得思緒好像一綜亂蔴，越理越理不出個頭緒來了。

第二天一大清早，李太玄就叫醒了杜宇，告訴她張長虹今天上午十時出院的消息。他想舉辦一個歡迎會，歡迎張長虹重回海上學校執教。杜宇也表示同意。於是，在總辦公室召開了個臨時會議，商量歡迎辦法。

崔碧想起這學期馬上要告終了，不如舉行結業典禮，順便歡迎張長虹。她微笑着把這層意思說了。

「但是，海上學校還沒有舉行過開學典禮呢，」杜宇輕鬆地提醒她。

「兩個典禮一道舉行好啦，」周曼石說，「槓直海上學校怪得出奇，這一點也算不得甚麼。」

「那麼，歡迎張長虹與追悼日比，也可以一並舉行囉。要拚，就拚大一點囉。」紅鼻子鄭重其事地提議。

「這當然，當然可以的，」周曼石首先點頭贊成。「不過，海上學校還沒有這麼大一個地方，一次容納得下幾百人！」

「曼石，這也毋須過慮，」紅鼻子說。「參加開學、結業、歡迎、追悼大會的人，並不都是游泳來的，他們都有船，一些人在學校，一些人在船上，不就得了嗎？」

會議到此打止。大家開始分頭辦事。

崔碧杜宇負責佈置。周曼石負責通知。李太玄攜同荷阿水，負責到醫院迎接張長虹。

黎時，蘇登同，鄭老頭兩家的船艇出動了。也得到了訊息的學生，陸續搖船趕過來了。海上學校，頓然熱鬧非凡。爲追悼日比，海上學校下了半旗。

船愈泊愈多，人也愈聚愈多。船頭船尾盡是人，談話，聲震耳。太陽的霉刺，火一樣淬向海波。大海喘息着，亮開了寶藍色的胸脯。海上學校四周，千艘橫繫，甚是壯觀。純樸的蛋民們，帶着感恩的笑意，帶着焦渴期待的心情，佇立在船頭船尾，等候張長虹的到來，等候海上學校的「典禮」開幕。臉，成了紫豬肝色，汗珠在油膩膩的臉上，輕巧地滑跌下來。

十一點正。林金蓮的擺渡艇，載來了張長虹等三人。船剛有了騷動，驀然響出一條航道。而歡呼鼓噪之聲，從各人的心底湧出，透過喉頭，擴散成一片聲海。張長虹柱杖挺立，身影隨船頭顛簸動搖；瘦長的馬臉，攢滿了掩飾不住的甜笑。太陽彎集在他的亂髮之中，髮絲上浮起一圈圈光暈。他親切地和蛋民們點頭招呼，但感情的風暴，在他的心底激盪。其強大威猛，有如海洋！

擺渡艇緩緩地泊於海上學校的短梯旁。周曼石李太玄攙扶張長虹上船。其次，荷阿水滿眼含淚，手捧骨灰匣，凄然登梯。空際浮漾着啜泣之聲，跟縱在她的身後。一個複雜的，包含各種含義的儀式，正式開始。

萬殊的人生，各種各異的而相悲歡離合，生榮死哀，渦始終結的場界，難以理解地展露着，滑疊錯，交融着，滌蕩着。每個參加的蛋民，還他們（或她們）的快樂的直覺，還他們（或她們）的正直的良心，都能分享到一份快樂，一份悲哀，但決不是全部。

晴空如洗。天宇透明。半旗獵獵，低吟起生命之歌。杜宇在「典禮」中講了話。

她宣布了「有教無類」的理想。她宣布了繼續開學的決心。她解釋了文明和教化分離，所產生的惡果。她的語氣是平和的，但時時振顫的音色裏，卻注滿了孤憤！尤其當她那美麗的白手，觸摸到放置在講壇上的日比的骨灰匣時！

「人生好像戰場，生命就是戰鬥，」她說，用明亮的含淚的大眼睛，注視着孩子們。「小雞啄破蛋殼，嫩筍撑破泥土，開始有了獨立的生命時。他們已經置身於戰場之中。……」

她反覆說明了這段意思。大教室裏，鴉雀無聲。孩子們尖起耳朵，聚精會神聽着，忘記了暑熱蒸人，酸汗侵鼻。

「戰場上，最勇敢的人首先倒下！」她提高了聲調，堅決地說。「然而，每個時代的凱旋的歡聲，卻爲他們而唱。歷史將以感激的心情，紀念他們生時的努力，死時的犧牲！」她頓住了，那撫摩骨灰匣的白手，強烈地顫慄着。（六二）

趙滋蕃

自由人

THE FREEMAN
（第六九三期）
中華民國僑務委員會頒發登記證僑台報字第一〇一二號
中華郵政台字第五〇〇〇號執照登記爲第一類新聞紙類
（半週刊每星期三六出版）
每份港幣壹毫
台北市價每份台幣壹元
督印人：[illegible]
社址：香港高士打道二十號四樓
20 CAUSEWAY RD. 3RD. FL. HONG KONG
TEL. 771726
承印者：[illegible]

關於「國民黨政府」的稱謂

·王厚生·

平時，在談話或寫文章的時候，常將自由中國的政府稱爲「國民黨政府」。本來，這是一種很平常的稱呼。而且就事實來說，稱之爲「國民黨政府」，也沒有錯的。可是，有時由於某種心理，在說的人，說話的人，或寫文章的人，對於這個稱呼，似乎有意存輕視的感覺。在同情當前這個政府的人聽來，這個稱呼，是不大願意接受的，自然會表示討厭。在不滿意或反對國民黨的人，則因爲已往二十餘年，國民黨執政成績不好。不願意把目前國民黨主持的政府，看做憲政的民主政府。仍以「國民黨政府」呼之。意義自然另有所在。

一

這種心理的產生自有其歷史背景，不是憑空而來的。不過，將今日自由中國的政府稱呼爲「國民黨政府」，實在並不算錯，因上述心理而產生的各種不同反應和感覺，只可算是附隨現象（Epiphenomena）。事實上，我們稱在台灣的政權爲「國民黨政府」，是並沒有什麼不對的。

我們撇開上述的心理反應不談，「國民黨政府」這個稱呼並沒有絲毫不對的地方，對國民黨也並不包含輕蔑的意味在內。因爲，政府的確確是由國民黨組織起來的，我們當然稱它爲「國民黨政府」。打個譬喻來說，美國今天的政府是由共和黨籍的總統艾森豪氏所組織的，因而我們稱它爲共和黨政府，而羅斯福或杜魯門政府爲民主黨政府。不僅我們這樣稱呼它們，就是美國的報刊也是這樣稱呼的。凡關心美國政情的人，Democratic Administration或Republican Administration二詞經常掛在口上，從未有甚麼覺得不妥當的心理存在。

二

近閱報紙，得悉台灣有一些人有一種錯誤觀念。他們說，行政院雖然是國民黨人主持，但是立法和監察院亦有非國民黨籍的委員在內。這樣，就不能說國民黨包辦了政府，更不能說政府是國民黨把持的。換句話說，「國民黨政府」這個稱呼是不妥當的，國民黨不願承受這樣一個不好聽的稱號。

這觀念是錯誤的，國民黨包辦了行政院，就構成了「國民黨政府」了。立法監察兩院有非國民黨籍的委員在內，或說有民青兩黨的委員在內，這是與「國民黨政府」不相干的。因爲在三權分立的政治制度之下，只要某黨獨力支持了行政權，就足以構成「某黨政府」的事實。立法權在眞正民主自由的競選制度下，絕對不可能有一黨包辦的事實，必定有各黨各派的代表包含在內。這種立法權的分任，與行政權的單獨主持，在性質上是兩回事，不能混爲一談。在英國，內閣由議會的多數黨組織，則議會中有少數黨存在，或者無黨無派的獨立分子存在，是顯然的。多數黨既受命組閣，則內閣就是多數黨的內閣。今天，保守黨在英國議會中佔了多數黨的地位，則英國今天的內閣就是「保守黨」內閣，我們通常稱之爲「保守黨政府」，雖然，議會中還有少數黨如工黨自由黨存在，但是這是議席的分佔問題，與內閣不相干，無損於「保守黨政府」的稱呼。在美國實行總統制，行政權和立法權的獨立性更明顯，議會中固然主要有二黨的議員，而且有的時候，行政權在一黨手中，而立法權卻在另一黨（在野黨）的控制之下；更有的時候，國會中二院有一院是在政府黨的控制下，而另一院卻在在野黨的控制下。但是，這一切情形和變化，都無損於行政權的獨立性，行政權如在共和黨手上，則國會中議席無論怎樣分配，民主黨無論怎樣在國會中佔上風，我們仍稱美國的政府是「共和黨政府」。

三

根據中華民國憲法，行政權是內閣制和總統制的混合品。中國政制設總統，總統由代表民意的國民大會選舉，其地位爲國家元首和全國陸海空軍大元帥，這是近似總統制的地方；但中國政制另設行政院院長，由總統提名經立法院同意而任命之，行政院對立法院負責，立法院可請行政院總辭職等項規定，這是近似內閣制的地方。總之，中華民國憲法既以五權分立爲基本，則行政權由國民黨獨力主持，就已構成「國民黨政府」的事實，與立法院中代表權的分配問題不相關涉。即使國民黨在立法院中是少數黨，因行政院院長由總統提名經立法院同意而任命，只要能想法徵得立法院滿意，仍可組織「國民黨政府」。民青兩黨儘管在立法監察二院中佔有若干議席，但如不積極參加行政院工作，仍算在野黨。

無論就理論和實際來說，認爲「國民黨政府」這個稱呼，不合理，或意存輕蔑，都是錯的。想避免這稱呼，也是不必要的，而且是不可能的。如果有人想這樣做，只是庸人自擾而已。

四

我以爲，「國民黨政府」這個稱呼，不能說不妥當，它只說明了今日自由中國的政府是由國民黨主其事的，這與共和黨之主持美國政府和保守黨之主持英國政府並無二致。

不好的倒不是「國民黨政府」這個稱呼，而是另一個稱呼：「國民黨中國」（Nationalist China），英國廣播公司在新聞節目中提到自由中國時，就是這樣稱呼的。這個稱呼的壞處是一望而知的，即將中國和國民黨混淆起來，國民黨代表了中國，像徵了中國，這給世界有識人士的印象是好是壞，是不言而喻的。在英國廣播公司或許並非有心要將中國說成是國民黨的中國。他們這樣稱呼自由中國，莫非是要表示自由中國與「共產黨中國」（Communist China）或「赤色中國」（Red China）有所區別，俾使他們的聽衆們不致弄錯。但是，站在自由中國的立場來說，這個「國民黨中國」的稱呼究竟是不好的，因爲這種稱呼傳播得廣了以後，使世界各國的人民對「中華民國」的觀念逐漸淡漠起來，日子一久，人們的記憶中只有「國民黨中國」，而沒有中華民國了。在自由世界中，有了國民黨一黨代表中國的惡劣印象之後，我們就休想人家對自由中國發生好感，更休想人家支持自由中國光復大陸。就宣傳的效果來看，沒有再比「國民黨中國」這種稱呼更壞了！

我們沒有證據可以說英國廣播公司有意要破壞中華民國的聲譽，但是我們不得不想一想，爲什麼人家不採用其他的名稱而偏要採取「國民黨中國」這一稱號呢？在自由中國方面，尤其是在國民黨方面，是否有影響人家採此稱號的實際情形呢？這是要加反省的。

半週述評

國民黨八全大會

此次中國國民黨召開八全大會，最重要任務是制訂反共復國方案，其具體表現見之於所通過的政治綱領。年來海內外人士不斷籲求，希望制訂一項共同政治綱領，以加強一切反共力量的團結。此次所通過實施的雖只是國民黨政綱，但由於國民黨是執政黨的關係，可視爲今後政府復國大計的根本路綫。

一個初步印象，覺得政綱第三部分，即有關對大陸政策的部分，是全部重心所在。在過去，反共復國只是一句抽象的口號，這政綱產生後，纔有了一個具體方案，這一點是值得特別注意的。在第一部分的基本綱領方面，如第一條團結一切反共力量，與第二項貫徹實施憲法，保障人民基本自由，都是海內外人士最關切的問題，仍有待於更具體的闡明與規定。

關於政綱的內容，也許還有補充餘地，其所包括的原則可說一般都很正確，今後的問題，第一是如何去具體運用，付之實施。政綱中每一項規定都括有繁複艱著的工作，並不是一件簡單的事。另一問題，是如何再進一步，擴大爲基礎更爲廣泛的政綱。必須那樣，纔能發揮宏大的號召作用。

中東危機的嚴重性

這次中東危機，居然關係重大，可以說是再荒謬不過的事。明明是俄共與敘利亞野心軍人包藏禍心，大量輸入軍械，要在中東製造變亂，卻被一口咬定是美國和土耳其威脅敘利亞安全，甚且言之鑿鑿的說美土定期要做軍事進攻。而實際上受着俄敘威脅的各阿盟國家，竟也義憤填膺似的表示不惜爲保衛敘利亞的安全而戰。這決不是民族主義的勝利，而是克里姆林宮麥契維利式陰謀的成功。

蘇俄顯然在脅迫土耳其，那不只是西方眞正足以制俄死命的軍事基地所在，而且還控制着黑海門戶。廿三日晚間，莫斯科突然宣佈：由過去波蘭掌握國防大權的羅科索夫斯基元帥派赴跳近土耳其伊朗國境的高加索任軍區司令，顯然是在軍事上對這兩個巴格達公約盟國施以沉重的脅迫。

蘇俄對土進行要脅已有長久的歷史，但這次卻是利用了阿剌伯的民族主義，和各國對奧吐曼帝國的歷史嫌怨。在這樣的夾攻之下，土耳其是不易招架的。白宮當局應該拿出最大的決心和魄力了，顧忌多端，履進履退，決應付不了俄共陰謀。

提防亞非集團陰謀

配合着俄敘陰謀，亞非會議也要捲土重來，二十二日在開羅召開的預備會議已公然發表宣言支持敘利亞「保持獨立團結的英勇鬥爭」。看那出席的單位，除阿盟與若干非洲國家外，有蘇俄中共和外蒙在，則此項會議的性質已不問可知了。

近三年來國際間許多不幸發展，例如中東危機和美與中共在日內瓦的會談，都是萬隆亞非會議的後果。在那次會議中土耳其伊拉克巴基斯坦的代表縱然義正辭嚴的譴責俄共，卻未能阻止所謂亞非集團變成俄共的同路人。照這情形，在消極方面，日本菲律賓泰國都應斷然退出該集團，不再做尼赫魯納塞爾的與台；在積極方面，爲什麼亞洲東部這些立場相同的國家，有如中日南韓菲越泰等國，就永遠不能締成集團，與蘇俄的外圍對抗呢？

·李秋生·

本報台灣南部辦事處遷移啟事

本報台南辦事處自四十六年十月十五日起遷往台南市西門路七巷（即第五信用合作社對面巷內，又稱無尾巷）廿號辦公，讀者諸君，以後請移玉新址接洽。

華僑會議應談什麼？

·文鋌·

華僑總會代表大會，於十月廿一日在台北揭幕，討論三大中心議題：一爲華僑救國聯合總會組織章程修正草案，一爲華僑反共救國綱領草案，一爲華僑救國聯合總會工作綱領草案。

這三大議題，自然都與促進反共救國有關，當然目前一切全面性的會議，都莫不與反共救國有關，不過華僑關係反共救國大。因此我們對於華僑會議也特別重視。

由於華僑散居世界各地，其生存和生活所受到影響如何，完全以祖國的強盛與否爲轉移。自從大陸淪陷以後，各地華僑多半受到各地的歧視與迫害；尤其是東南亞一千一百餘萬華僑中，大部份都備受各地的虐待。例如（一）緬甸政府對各大企業的收歸國營，及對外僑不動產轉移的限制，使華僑自然蒙受重大的打擊；（二）泰國華僑的「隨身證」問題，有的是申請不到「隨身證」，有的是繳不起「隨身證」年費的，曾有四百多名華僑，先後被逮捕和分別被逐出境；（三）印尼華僑章勳義、朱昌東、陳興硯、邱元榮等的被解出境；（四）菲律賓政府對華僑的菲化案；（五）越南政府對華僑的國籍問題及越化案等，言之印象尤深。探厥原因，由於這些國家多半是懼共而採行中立態度，難免不拿華僑做犧牲品。正如我國駐金邊領事許紹昌所說：旅居高棉境內的廿六萬華僑，因受當地政府中立主義的影響，處境痛苦，但僑胞的內心，卻堅決擁護自由中國政府，忠貞不二。

這是由于僑胞深明唇齒相依之理。必須反共然後才能救國；必須救國，然後才能得到生存與合理的生活。

目前整個東南亞一千一百餘萬華僑之絕大多數都是擁護中華民國的，其抵抗現實遭害的心理，是自己養成了的。用不着冗詞勸說，其所以未能發揮更大作用者，無非由於未能取得僑居地政府和人民的諒解與充分的合作而已。故會議的主要任務不在告訴僑胞應該反共，而在聽取僑胞意見如何解決當地困難，與政府配合運用這是事實問題是方法問題。

據吾人所了解，民主國家與共黨集團在東南亞各地的工作策略大不相同，知己知彼，這是要加以檢討的。

（一）民主國家過去的錯誤，是以英國人領導馬來亞與印緬；以法國人領導越南人；以荷蘭人領導印尼人。這種不脫離殖民主義的作風，增加了亞洲民族主義的不滿與憤怒，直接助長當地排華主義的傾向，間接增加華僑的困難。

（二）共黨集團利用當地人心理的弱點，鼓吹大亞洲主義，標榜以亞洲人領導亞洲。進一步便是蘇聯利用朱毛共幫領導亞洲，朱毛又分別利用金日成領導北韓，胡志明領導北越，乃比里領導泰國，其餘對馬來亞，菲律賓，印尼等地採同樣手法。這樣，共黨拖住了當地人，當地人又拖住了華僑，打擊華僑，製造地區糾紛，打擊中華民國的威信與地位；並在和它有邦交的地區則運用當地政府的力量，對華僑加以逼害；在和它沒有邦交的地區，則運用撒謊和虛偽的手段，實施統戰攻策，進行滲透與分化。

（一）關於僑胞處境困難的原因，我國還沒有一個有助的解決辦法。緬甸、印尼、越南的僑胞發生共黨利用國籍問題打擊僑胞；同時又暗中發起而利用華僑反對當地政府，進一步煽動當地政府打擊華僑的反共政治活動，和鼓勵華僑要求祖國解決困難而利用當地政府和僑胞一齊來打擊中華民國，此種「一石三鳥」的作法，我們應該怎樣對付呢？

（二）自二次大戰之後，東南亞若干國家先後獲得獨立，在政治方面亟須擺脫殖民地位，在經濟方面亦急須走上民族本位經濟，可是由於狹隘民族主義的作祟和時代的認識不夠，形成了政治和經濟的排外思想，故我僑胞的權益，我們有什麼辦法挽救？

（三）由於僑胞環境的限制，其文教工作非常落後，所在地政府又有不合理的教育法令限制，我們雖空言「無僑教即無僑務」，但實際上恐無補於事，辦法何在？

以上這些我們認爲應是本次會議的主要議題。

司法眞該整頓了

——台灣通訊——

·丹心·

如謂司法還不該整頓，請讀本月十四日屍諫案中台北地方法院公設辯護人張金衡之絕命書吧！中云：「台北法院領袖人物之中，凡案有人請託，則轉命承辦推事巧爲設法從中取利，不負實際責任；如前海軍部與大同公司因案有特牽涉訟，只求不問執行，朋分廿萬元，表面上無影無蹤，故其自到任以迄於今，贓款得到不下數百萬元，路人皆知，尤其法界清晰，伊愬良心週不認是言爲攀誣，國家之敗由官邪也官之失德寵賂彰也。今台北法院貪污之風甚熾，賢者不免，應當嚴厲察魁，始能風平浪靜，若徒以貧夫偷食黑犬遭殃本人爲懲治對象，有何裨益於國家，昔耶穌死在十字架上以救世人之靈魂，本人死在斗室中以挽司法之壞風，原我罪我，聽諸當道和社會，本人已矣，來者足戒。」

胡爲「怨聲載道」

自由中國雜誌第十七卷第一期社論「今日的司法」，劈頭就說「近年來司法界之腐敗和審判之不獨立，眞是怨聲載道的事情」，「不僅是些街談巷議而已，而一年一度的監察院年會檢討，今年對司法部門之檢討，比對任何其他部門都特別認眞，表現得慷慨激昂情形熱烈，而監委們悲憤塡膺之情，則充分的溢于言表，于此可見司法的腐敗已到非加整頓改進不可的時候了」！接着引述監察委員們的發言而加以論列。台灣高等法院發表書面聲明否認，好像監委們還藉其對外不負責任的保障，吹毛求疵，社論執筆者迹近誹謗了？十月十五日台北地方法院前任推事現任公設辯護人張金衡自殺遺書發表了坦白自認是貪污的一頁，足見執筆者及監委們立論，並非無的放矢。但可惜者似乎僅是「慷慨激昂」而已，尙未提供具體建設性的整頓辦法，筆者懍「匹夫有責」之義，敢貢芻蕘之見。

以泱泱大國的濟濟人才治理三萬六千方公里，九百餘萬人的蕞爾寶島，照常理判斷，應該「易如反掌」；何況台灣交通方便，消息靈通，監督易周；人民又向極守法，尤最敬畏司法機關和官員，每過法院門前，乘騎者必下，必恭必敬地走過去，是司法原有優良的基礎，絕對不應該于光復後十一年光景，變成「怨聲載道」了！

所謂「司法配合國策」

國策未經立法程序制定法律，公佈施行，法官無遵守和援用的義務。七年前竟有司法行政當局提出「司法配合國策」的口號，其實是提倡行政指導司法的巧妙說法，使「司法」成了政治的工具」，摧毀五權分立精神，沿襲至今。自由中國雜誌編者指實爲「他們爲了要做官，而不惜破壞司法獨立」，眞是如見肺腑。居高位的官吏，若藉口「司法配合國策」，指示法官，偏私護短，指示法官審判，上行下效，「講人情有貪污」的事，焉能杜絕？「以身教者從，以言教者訟」，千言萬語的堂皇告誡，不如現身說法。所謂「司法配合國策」，誠不可以爲法！

司法行政部的改隸

提出「司法配合國策」口號的根據，是以爲監督全國檢察事務及二審以下法院的司法行政部隸屬于行政院的緣故。監委們會提請司法

五權分立的原則及憲法第五十三條第七十七條規定的。有極少數人抬出總統指示「在現階段中，各機關之組織權限，如與爭取反共抗俄勝利無甚關係者，不宜多所變動」，來做擋箭牌阻止改隸，也是說不過去的，因爲司法的合理化，那能與反共抗俄勝利無關！

此外尙有藉口司法部隸屬行政院，可以寬籌司法經費，更爲大謬不然，則其所不隸屬行政院的各部會也可以改隸行政院了。毋怪有人說，所謂司法部改隸行政院，無非因爲行政院內各部部長每月至少可領萬元特支費，其他四院部長階級的首長僅有一千元而已。評雖似苛，也並非全無因，否則前項監院提請解釋案，經年擱置，應作何解釋！

司法部之隸屬于行政院，係依據行政院組織法第三條第一項第六款規定，根本是與現行憲法相悖的。立委們似亦有提請修正的職責。

法官超出黨派問題

「法官須超出黨派以外，依據法律，獨立審判，不受任何干涉」。憲法第八十條已有皇皇的明文規定了，可惜自開始行憲至今，視同具文。所謂「法官須超出黨派以外」，嚴格解釋，法官不應該有任何政黨黨籍，或派系關係，即從寬解釋，法官可以加入任何政黨或派系，但不應該參加黨務工作或曲從黨的決定。我國現狀似乎應該採取嚴格解釋，方能貫澈司法獨立精神，決不宜援引美國並未禁止法官入黨爲詞從寬解釋，識者了然，毋待詳釋！

法官除必要不可免的酬酢外，當儘可能減少的交際來往，以免徇情枉賬，雖屬法無明定，却也是屬法官所須自檢的。此外近來國民黨八大次全國代表大會之召開，很多法院院長首長當選爲初複選代表，無異是[illegible]出于人心傾向，抑或出于利用權位，難免或多或少，影響司法獨立的精神，也有考慮的必要的。對于曲從黨的決定左右審判一點，民青兩黨年來攻擊多端，雖不盡屬可信，確也值得警惕反省。

賞罰何以不能嚴明

目前社會風氣普遍墮落，[illegible]專賣法界。不過司明是非辨善惡判罪刑代表國家的梟梟法官，其情形更爲嚴重。至于法官薪給待遇菲薄也絕不能作爲原諒貪污的理由。何況當此國庫萬分支絀的時候，當局特籌鉅款，優待法官，除照支應領統一薪津外，還提高補助俸，簡任四百元，薦任五百元，等于中級公教人員一人全部薪津收入。是無異變薪。法界風紀的腐敗，不能完全推委于人心不古，而法制的未謀善美，以及當局之姑息養奸，實有以促成之。「譬如高官犯法，不免官官相護，小官犯法，了或粉飾太平，不揚家醜，或內循私關係，瞻徇顧情，不依法處罰，甚至于反予升遷。使者安有不橫行無忌。善良者也將必「利令智昏」同流合污了。

關鍵在那裏

整飭吏治移轉頹風氣，在于司法行政有關當局之有無誠意魄力和決心。今日全國法官不過數百人，何人廉能，何人貪腐，當局諒早已瞭如指掌，所患者不能盡法獎懲耳。

保障法官爲終身職，係爲保障公正廉明的法官，並非保障貪污玩法者，爲今之計，一方面須廢止限制法官改業律師的禁令，使法官于撤職後，立可就業，于嚴厲整飭風紀中，仍存厚道；一方面羅致各方堅貞廉能的人才，從事補充，法界也斷不致于陷於青黃不接吧！

雖日積重難返，但如何改進制度，以及如何才能使賢明的司法官在位，確是當前急務，高層當局是不該像學假作聾啞的翁姑，坐令敗類猖行，爲自由中國的司法界羞的！法治澄淸，世風丕振，其在斯乎！

讀屍諫之張金衡先生遺書，不禁擲筆三嘆！

時乎不可失　·尹震·

台灣采風錄

·獨步·

△此間女人最吃香，凡人事徵求者十之七八限爲未婚女性；尤其是「家庭教師」之徵聘，恐怕要達到百分之九九點八是限女性，教小學彙及稚嫩者可，任教初中英數亦可，惟高中英數理化也限爲女性者，大有疑問，對高等英數理化皆可任教者，依一般中學教員統計，有此項全才者，恐千不得一，此中是否有寡女孤男嚶鳴求偶之意，大堪細味。

△近來徵婚之風甚囂塵上，每見男方僅三十多歲，有高尚職業，積蓄，月入二千餘元等語，此種年齡正是一個人事業的始期，積蓄約爲「闊少」，何「闊少」之多，實不解也；據此間薪水級計，特任官僅八百餘元，除洋機關外，此爲不可能，是否騙婚？殊有文章在焉！

△爲修改稅法，財政部兩位高級官員大打出手；該部專門委員楊必立草擬所得稅預收分得兩次案，經賦稅署署長陳琮核稿爲一次，商談不果；楊則以茶杯擊傷陳之唇齒，經已告到法院，唇齒關係的同事，竟鬧成口舌之爭，同爲百姓謀福利，竟然傷了和氣。

△高雄市婦女習藝所所長孫子芳近爲學生舉行徵婚，迄今已收到應徵者五百餘件，地區計遍及金門，馬祖，年齡自廿四至五二，職業是五花八門；有位男士用血書詞兩幅：「爲人造福」（送所長者）「唯仁者能好人」（送其理想之小姐者），並有兩位台籍啞男，詞句中有「恨不得將心肝挖出來」一語，可謂至誠開金；同時國校教師，有相當社會地位者，均請求該所「玉成」好事。怨女曠夫之多，可以想見了。

△十二日晚間於台北市南京西路「孔雀酒家」門前發生之許遠安血案，果不及一週已迅速破案，疑兇有吳楚、吳永鄉、陳金淮、羅振和、黃財火均已緝捕，報載爲黑社會之仇殺。據悉爲某治安機關人員之火併，內情尙未公布，此案由該治安機關辦理，自是手到擒來之便，無怪乎破案之迅速焉！

海外通訊

（本報馬尼拉航訊）菲律賓政府對華僑待遇從未改善，這幾年，中國政府對菲國的「禁僑」交涉，致無大成就，備受各方非難，且迫得更調駐菲使節。陳之邁大使就任以迄目前，大部分時間花在華僑事務上面的努力，亦屬有心無力。

一度傳說九名水牢中的難僑，可望於中秋節前夕恢復自由；直到十月二日，却只有一名被准許交保。這個在五年前被捕，在水牢囚禁將達九月的商人李文允，本來是一個茁壯的中年人（現年三十八歲），現在已被磨折得瘦骨支離，非刑斷手的殘廢者，且又病危。

這次要不是藉於病危理由，和他的家屬付出五千元保款，並交出人壽保險單，以及算淸四百八十六元水牢中的伙食費，恐怕還不易恢復自由。像他這樣的傷病，治愈之後，也不能再有作爲，因爲他的神經已失正常，矯正很難。這種慘刑竟加於沒有罪證的外僑，原本就不應當，而他的生命苟延了五年之久，還得拜菲律賓一些官員們的貪污所賜，假如他的菲籍妻子包緊一些，他的命早被斷送。如然，伴侍他病榻旁的，只有髮妻和兩子一女。

從水牢難僑說起

菲朝野黨派爭取華僑政治投資

中菲懸案又須寄望于下屆政府

·諸葛明·

水牢中尙有蔡滑德、林景安、洪天泉、李水波、黃則池、潘西姑、李雲[illegible]、和蔡振聲八人。他們同是在今年一月五日被押入水牢的，但他們的牢獄生活，均有五年。這期間，他們隨時都有死亡的威脅，全額金錢維持殘喘。這八名難僑中，蔡振聲年紀最輕，他是經營土產生意的；五年來非但早已宣告破產，而且使他的婚期一誤再誤，迄於無望。

想到「零售商菲化律」

從這些例子中，不難想見難僑的遭遇，他們除了財物賄賂，什麼也談不到，由此，更可推想到「零售商菲化律」（法案）迄今仍無從改變。這一擱就三年，華商抗訴的「違憲案」，自從今年五月三十一日菲大理院以十對一表決華商敗訴後，僑領繼續據理抗爭，並逐一駁斥該院的判決理由。經過兩個多月來該院選辯結果，在九月二十五日表決中，仍遭九對一票否決。但並不對華商陳述的違憲理由，提出任何解釋（政府律師的辯護理由）。顯然這個「菲化律」在菲律賓共和國憲法中也並沒有明白規定。原告律師遞憲法抗爭，大理院沒有勇氣說是違法，但爲什麼於總統訴訟中否決違憲呢？這個理由很簡單：大理院大法官爲了顧全政府命令，及菲律賓人的利益也。另一面，又圖維持大法官的尊嚴和地位，上一次十對一票（反對），這次九對一票（反對）；有人認爲是表示對於這一違憲案否決未盡同意。再就大理院書記長馬計斯聲明看來，大理院的態度是「拖」。「拖」過大選後再見風駛舵。馬計斯說：在大理院否決這項華商請求的十五日內，原告可再提出請求重新考慮的申請。

華僑財力被視作人家競選資本

在目前菲國各黨派正忙於進行競選下屆總統時，國民黨早已提出諾言，保證於取得政權後解決中菲間的懸案。這麼一來，醞釀中的「僑生菲化」不得不暫時擱留，現距菲律賓大選僅一月間，不論在朝在野黨派，爲籌競選經費，紛向華僑富商巨賈進攻，希望利用中國人財力，成全他們的政權。於此，我們於此時不能不提醒當地的華僑：「禁僑」，「菲化」以及一切排華的慘運暴案，固然希望迅獲解決，但這希望寄託於下一屆的政府。菲國朝野黨派，有賴於華僑提供經濟上的力量，而在華僑看來，畢竟賴同賭注；作政治投資，何如靜以觀變，應特別審慎。（十月十四日寄自馬尼拉）

吉拉斯著書被判刑

港文教人士提抗議

（本港訊）本港文教界人士包括丁文淵左舜生毛以亨謝澄平等二十八人，爲南斯拉夫當局判處「新階級」一書之作者M・吉拉斯氏七年徒刑，致書狄托，表示抗議。文曰：

「南斯拉夫，偉爾格勒狄托總統閣下：我們對於M・吉拉斯先生，因著作「新階級」而被判處七年之徒刑，表示抗議。希望貴政府尊重言論出版自由之神聖人權，立即釋放吉拉斯先生，並盼閣下所領導的反蘇聯統制的「社會主義」運動，能澈底革新，藉以獲得自由光榮之發展！」

中東緊張局勢幕後談

蘇聯敘利亞提備忘錄

·金曄·

敘利亞及蘇聯外長向聯大提出外交文件，捏造美國、土耳其聯合威脅敘利亞，進而表露蘇聯準備出兵「鎮壓」土耳其之野心！

中東的緊張情勢，一度曾因沙特阿拉伯國王居間調停而和緩下來，但不旋踵，大馬士革又復表示「拒絕任何調處。」土耳其當局，則並無如同敘利亞一樣出爾反爾的舉動。刻土敘之間的爭端，在沙特王調解失敗後，聯大將以召開緊急會議加以處理。

敘利亞政府的主要分子，既多是親蘇的，大馬士革的拒絕任何調處，就並不是奇怪的事情了。

敘利亞指控邊境射擊

就整個情況的發展觀察，居於導演此一緊張局勢的蘇聯，實無意於讓中東真正地能夠安定下來，這僅以外交場面上的「指控」活動，即可窺見莫斯科居心之一斑。

中東局勢之所以引起聯合國的注意，在於敘利亞外長比塔爾致聯合國秘書長哈馬紹的一封信。（比塔爾就是拒絕沙特王調處的有力分子）在這封信裏，比塔爾以備忘錄的方式對土耳其和美國加以「指控」說：敘利亞之遭受「威脅」，「已經繼續了一年多。最近兩個月，特別是最近兩週，這種行動變本加厲了」。備忘錄指說，現在，由於土耳其把幾個師的兵力集結在土敘邊境上，並「佔據着預示最近就進攻的陣地」，擴大了對敘利亞的威脅。備忘錄更說，「土耳其向敘利亞境內的武器攻擊，邊界上的衝突和射擊，以及其他諸如此類的行動經常發生。」

更嚴重的「指控」是說敘利亞國內的政治陰謀罪犯，在「企圖以暴力推翻政府」失敗後，「逃往土耳其去集合」，繼續進行活動。

葛羅米柯極盡挑撥

姑勿論敘利亞當局給聯合國的外交函件內所「指控」的事項的真實性如何，但至少可以看出敘利亞的現政府是一個親共的政府，並不為人民所擁戴，而蘇聯為了製造緊張局勢來維護這個兒皇政權，不惜盡力地給予武器，在外交上的運用，也極盡了詐謊之能事，偏就在敘利亞外長比塔爾的信（和備忘錄）到達哈馬紹手裏的同一天，十六日，蘇聯出席聯大代表團團長（也是蘇聯外長）葛羅米柯，也致送一函給當值大會主席孟羅。葛羅米柯的信對土耳其和美國加以「指控」和造謠的言論上，比敘利亞更具體，說「土耳其總司令部與美國軍事參謀人員共同製定了土耳其進攻敘利亞的詳細計劃」，還肯定地說「準備在十月廿七日土耳其選舉以後，立即執行」。在這裏，我們不禁要問，如果土耳其真有意要以行動對付敘利亞，像這樣的軍事秘密怎會輕易洩露出來，而葛羅米柯所知者，尚不僅至於此，他的信上更捏稱「到目前為止，在那裏（土敘邊境上）已集中了以土耳其哈塔伊機動部隊為名的大批土耳其軍隊。這個部隊包括二個步兵師（其中一個憲兵師），四個獨立步兵團，三個裝甲旅，將近五百輛坦克，自動砲，飛機和各種炮。土耳其軍隊現在繼續在土敘邊境上集結，到目前為止，已達五萬人」。五萬人和五百輛坦克，這數字正是蘇聯血洗匈牙利的兵力，葛羅米柯用他自己國家附庸施行暴力的兵力來「指控」土耳其，其想象力真是已達超人程度！

蘇聯表示不惜動武

在長篇的捏造指控之後，葛羅米柯表示了克里姆林宮的真心話，他說：「鑑於中近東地區戰爭危險日益增長，以及必須採取有效措施，……蘇聯不能袖手旁觀……如果土耳其破壞敘利亞邊境的和平……不是像戰爭那樣，而是要以軍事來擴大戰爭。」」於是他緊接着表露了蘇聯帝國主義態度，說「他代表蘇聯政府聲明，蘇聯準備派自己的武裝部隊參加鎮壓」的「準備」和「決心」，說明了它對土耳其的野心，製造土敘緊張的真正目的乃是在於威脅土耳其，在使蘇聯威脅土耳其。至於說土耳其威脅敘利亞，則完全是莫須有。那末，敘利亞政府先則一度接受沙特王的調停，繼又加以拒絕，亦無非是敘利亞的買國分子聽命於莫斯科的圈套有反應。

聯合國再次面臨考驗

聯合國的價值，在葛羅米柯的面前正等待又一度嚴重的考驗。中東的緊張局勢，究竟是讓個別的「聯合國會員國」來用武裝「鎮壓」呢？還是由聯合國以集體力量來調處呢？在以埃爭端上，蘇聯因為鞭長莫及無從出力，現在糾紛是在鄰近蘇聯的地區發生，因此，與其將視線集中在紐約的成功湖，還不如將視力放在黑海，注視蘇聯的動向更為適當呢！

（按：發稿時，已有消息證實俄元帥羅柯索夫斯基統軍壓迫土耳其邊境。）

法國在北非年耗軍費七千億法郎

法國，已將一個月沒有政府了，最近幾天內閣的垮台，問題的關鍵，就在阿爾及利亞。

阿爾及利亞的戰爭，把法國經濟拖到山窮水盡的邊緣。據聯合國歐洲經濟委員會公佈的數字，法國一年消耗在阿爾及利亞戰場的軍費是七千億法郎。專家們為法國列了一張賬單：

「一般軍費」開支是一千七百億法郎。

「非常軍費」開支是三千九百億法郎。

工業與農業的戰爭損失是一千四百億法郎。

法國右翼政黨不滿於內閣對阿爾及利亞的軟弱，左翼的政黨主要的當然是共產黨，則根本否定在阿爾及利亞的用兵政策。在左右兩派的共同夾擊下，就在這矛盾中，「缺」了錢來，走中間路線的內閣除了垮台之外，就無第二條路可走。

更嚴重的後果還使法國陷入了「無政府狀態」！巴黎號稱世界花都，但現在又確定了大罷工。法國正是成了「黑暗世界」了！（貢）

國際動態拾零

目前蘇俄的人造衛星，並不可怕。惟如將來可發展為偵察機與轟炸機之用，則真可怕。裝上照相，可傳真于地下；裝上炸彈，可在任何地區轟炸。此不過技術問題，亦就是僅為時間問題。

×　×　×

有一位美國火箭專家說，蘇聯人造衛星，已被認有一架無線電，可以將空中天氣報導于地下。但真理報透露，還有一架感光器。蘇聯專家薛朋（Sherban）在南斯拉夫演說時透露，謂人造衛星經過地面時，可以測量地面的高低，則已間接證實有感光器之說。如此可以製造比現在還要精確的軍事地圖，而美國全部暴露于蘇聯空中觀察之下。

×　×　×

蘇聯人造衛星之政治影響；使非洲，中東，遠東本不能有所作為的民族，纏迴「反帝」；使歐洲國恐懼而守中立；逼美國就範，與蘇聯開和平會議，而依從蘇聯條件。

×　×　×

蘇聯專家們同意，將現有人造衛星力量，減去三十磅，每秒速度即可增加二英里，就可到達月球。下一次新衛星的放射，較現有者大二三倍，將載狗與猴。如證明生物可以生存，而且可望至地下，即將載人。

·陶然·

論中國畫的當代潮流

·王世昭·

中國近世畫海有三大潮流，其一是萬變不離其宗的傳統中國畫，其二是取西方之所長以補中國之所短的中西合璧畫，其三是參東洋人學自中國的新畫風加入中國畫的系統裏的一種，我無以名之，名之曰中日混體畫。

而其主要的潮頭，仍是中國畫，但西洋畫與日本畫，則向中國畫皈依，另外造成了中國畫旁枝的一種新風貌。

一

可是中國畫的傳統究竟從那裏來呢？當然要追溯到印度和波斯。粗壯的線條，沉渾的大紅大綠，中國人自己寫不出，祗有向南亞和西亞兩大文化都邦去擷英咀華，造成了有唐一代空前的偉大的新畫風，造成了中國畫完全獨立的新風格。因此，我們今天要談中國畫的傳統，不能不追溯到唐宋元明清五個朝代。

這五個朝代的畫，以佛像人物開其端，以山水花鳥竹石繼其緒，以草蟲魚藻殿其末，使中國畫的世界擴大起來，使中國畫在世界藝術壇坫上，開出芬馥的花朵閃耀着無比的光輝！

而其旁枝的兩個支流，西洋化則自清初郎世寧起，現代乃由徐悲鴻，林風眠、劉海粟揚其緒，目前還在發展。至東洋化的，則以高奇峯，高劍父（劍父晚年略受印度影響），傅抱石、陳樹人、飽少游啟其端，繼起的人似乎不少，但能追上前人的恐怕還不多。這是中國畫海的現狀，不可不略為一述。

中國畫的藝術價值在那裏？就在以明淨的點和線，光和暗，采和色，造成了宇宙，社會，人生，宗教，種種不同而和諧的畫面，使它成為生活上不可缺少的一種東西。

我們走到西洋人或日本人的家裏，也許有一瓶鮮花，或盆景也就夠了。可是我們中國人的家裏，不管是不識字的老百姓，最少大廳裏總有一幅中堂，一付聯對。

因此，書畫對於中國人的需要，與酒米油鹽醬醋茶幾乎可以等量齊觀。中國畫之所以存在，之所以發達，之所以能向更高的地方發揚，是有其客觀的重要性的。

二

論畫，最難的是山水，因為山水是綜合的藝術。論工力最難的是人物，因為人物和山水都有同等的複雜性。故欲求山水人物畫得好，必須從人、物、木、石、花、卉、禽、魚、山、水、蟲、獸、亭、台、樓、閣、屋、宇、都做過工夫；而做工夫中最重要的是人，人如果畫不好其他即使畫得好，不能算是上選。蓋畫人最難，古有明訓。即使西洋人論畫，也是以人體寫生放在第一位的。

不能從全體性做工夫的畫家，即使成功，只能算作名家，不能算作大家。從中國有史以來所有的大畫家，如王維、吳道子、大小李將軍、荊浩、關同、宋徽宗、米元章、李成、燕肅、范寬、巨然、牧溪、石恪、梁楷、趙孟頫、以及元代四大家，明代四大家，清初六大家（其中只王石谷畫山水不敢填人物，多請其學生楊晉代筆），無一不是全能的畫家，所以叫作「大」。

名家是專精一門或數門，不能成為大，只算是出了名。出名的方式亦多，於此不為列舉，讀者可於想像得之。但名家之能出名，也多數是由博返約，絕不是由約略博的。如果要我舉例，如現代的齊白石，晚年專攻蟲魚花鳥，遂以蟲魚花鳥出了名。又如徐悲鴻，從中西合璧畫中，創造了走獸飛禽與花卉，也以走獸飛禽花卉出了名。黃賓虹則以山水著。但，他們是名家，不是大家。

若論中國畫近代大家，從日本和印度畫打滾出來而成為中國畫大家的，一位是高奇峯，一位是高劍父。他們似乎各體俱工，但畫面太變態，缺乏偉大的創造力，最多只能寫到八尺中堂為止，故與古人不能相比。

上面所舉的都是現代古人，大體上可以蓋棺論定，高氏兄弟創作入能品，齊白石入能與妙之間，徐悲鴻與齊白石差不多，似乎成就還要高些，黃賓虹可入妙品。可惜高奇峯命短，徐悲鴻五十八歲即與世長辭。高劍父卒年七十三，黃賓虹卒年九十三，齊白石卒年九十七，他們比較得天獨厚，但也沒有打破古人的紀錄，似乎猶有遺憾！

現在讓我來說活着的，活着的大畫家，以品學德藝四者俱高邁步於藝術壇坫的當然是溥心畬先生。這一位先生，似乎宜於小幅，不宜於大幅。山水畫到了今日，不能不讓他老先生高視闊步。日本人總算眼力不差，把他的潤格定為每方英尺一百元美金，無疑的，這是一位現代的惲南田，可算中華民國的國寶之一。

張大千先生當然也是一位大家，收藏既富，畫藝亦好，畫法頗為人所重視。可惜近年以來，他似忙於奔走，創造力也許會受影響。不過，在日本所印的四大畫集，卻有功於藝林。但我外行人看來，那些是好的，那些是真的，那些是偽的，卻如進了故宮博物院，只見滿目琳瑯，大飽眼福。

此外曾后希先生的畫，也是無所不能，而尤專於人物與山水，稱之為中國現代一大畫家並不為過，若論寫佛像，紙魂維摩，前年在怡保陀造像，高三丈六，闊依他的工力，我相信唐……從他的筆底甦醒過來。

三

為什麼我不憚列舉古今諸名家及大家的成功與各種具備的條件呢？因為成功不是偶然的，高名不能倖致。一般學畫人的心理，是常常希望一舉而成名，就以為急就可以成章，無佛可以抱腳，於是來一個半年速成，七八月可以展覽。這種風頭主義深入人心，把藝術看作登龍捷徑，這是大錯而特錯的！畫藝這一門工夫，必須要讀書做起，書讀好了，要學寫字，字寫好了再來學畫也不遲，讀書是作畫的基礎條件。否則修養不夠，學問不夠，就是有高度的技能，只能算一位畫匠，不能算是一位畫家。因為中國有史以來畫人就是這樣一步一步地爬上來的。

如果要言其次，那便是畫人門下工夫要從那裏做起？最低限度要門門懂，色色能，以後纔能專一門，或人物，或山水，或花卉，或竹石，或草蟲，或魚藻，或走獸，能做寫生畫家，如果他們生原原本本做工夫，通天地之造化，達之神明，纔能開來繼往，人亦得以某某畫家目之，但歸於大畫家——藝術家一等。又次，只會死做工夫，不能通於學問，其才足以使筆，其學不足以通大道，或精於一門，或涉獵多門，毫無雅俗氣，這叫作畫匠。

今日之畫家，比比皆是，能為畫人者百不得一，能為畫家者千不得一，能為大藝術家者則萬不得一，衡諸當代作者，可謂難之又難者也。（上）

狄托並無慙德

馬五先生

南共狄托政權承認了東德共黨政府後，美國當局乃表示要停止對南共的軍援，並將正在進行中的援援談判亦予以終止了。這時作不見棺材不掉淚，充分地表現着西方列强那種阿Q精神，僞態可掬。我不知發明「狄托主義」的英國政客們，作何感想？是悲哈，抑是苦笑？

狄托並不諱言他是正牌的馬克斯主義者，當年只是爲着個人的權力之爭，而與史達林發生齟齬，又害怕史魔要尊除他，這才向英國送秋波，通過工黨的關係，彼此表示很親近的姿態。但狄托始終沒有變易其共產極權統治方式的意念。英國的政客們視狄托爲寶貝，以爲在歐洲得到了一個可以替它打頭陣的反俄大將，恭維備至，援助有加。甚至還在史達林未死時期，尚具有少許政略上的意義與作用——雖然狄托仍係狂熱的共產主義者。

史達林死後，狄托接受俄共的拉攏，重復和好，且於波蘭與匈牙利事變中，狄托明地表示站在俄帝的一邊，依然同惡共濟了。然而，英美當局還是自作多情，要繼續以物力財力，援助狄托政權；美國政府且不顧國會議員的反對，於今年五月尚由艾森豪總統「乾綱獨斷」，決定以噴射戰鬥機等戰略物資，贈援南共。

如今狄托用行動來證明其共產政權的堅强本質，美國才感到幻滅的悲哀，而不得不聲明停止對南共的援助。假如按諸常理，這些援助，祗有給狄托暗中好笑，英美方面殷殷惓惓，與惰性觀念十足的紳士和大少爺們，太不成材了。

共產黨人是遇事只講辯證，不管信用的。狄托的態度與行爲都不失其爲馬列主義信徒，並無慙德之可言。可憐的英美政客們，竟已成爲西方式的阿Q式的執政人物而已。

談姓

・陳曉風・

談過名字後，不曾把姓併在一起談；蓋有鑒於「有名無姓」，不配稱爲「完人」故。此所以又來談姓也。

從「百家姓」談起

談起姓，不能不提到「百家姓」。該書作者何人，史無所載。名固未肯流芳，而「露姓起家」，竟也不惜把自己的姓都「漏」了。宋本如此，清本亦然。（有說係康熙御製）。語云：「明於謀人，拙於謀己」，當如是乎？奇怪是清本在後，反而失傳。據說，作者爲拍大宋趙家的馬屁，故列「趙」爲百家姓首。

姓有多少

姓，究竟多少，言人人殊。近有人在「中副」上發表過統計，說有四千零六十六。這數字，不知何所據而云然。我就「百家姓」點數，合複姓八十在內（似又夾有單姓，未予分計。）才四百八十有八。縱使有若干姓漏列，或係後起之姓未趕上編入，但亦似不會有幾達十倍之差。

「百家姓」以外所謂若干姓漏列，以不見於「百家姓」，故俗稱野姓。野姓的「野」，等於政治上在野黨的「野」；也就像「百家姓」上的「姓」，等於在朝黨的「官」一樣，只是相對論，並非「野者，不登禮也」之謂；相反的率多詩禮傳家。如：自宋以來，即世爲茂族的如皋冒姓（明末有名士冒辟疆）亦在「百家姓」外也。再所謂後起之姓，除了極少數的「創作」，大都原屬一體，以後來因故化整爲零的居多。例如自古已然的姬姓：一、周公第三子伯齡封於蔣，子孫以國爲氏，即今之蔣姓是也；二、周厲王子友封於鄭，後子孫播遷陳宋間，即以國爲氏。鄭其姓矣；三、……又如左傳有說：「虞、虢、焦、滑、霍、楊、韓、魏，皆姬姓也。」……舉一以反三，當可推想今之百姓，去古原多「四海一家」。不過於今不烈罷了。

且說「卯」姓

類此情形，向有一卯姓，俗係內本姓劉，相傳劉姓族人，在某朝之亂，因逃亡異鄉落戶時，爲了避禍，故去「劉」字之卯，而以「卯」爲姓。似乎今日各機關裏的臨時人員，久不歸屬，很多就會變爲正式的了。——以筆者故鄉「同宗」來說，更是信而有徵，卯劉二姓，不僅攀份同宗，合祠祭祖；而且也像他姓一樣的嚴守「同姓不婚」之禮。

再談複姓

姓，也像名一樣有單雙之分。複姓亦叫複姓，除「愛新覺羅」，多達四個字外，它只係由兩個字組成的。如所熟知的孔明先生複姓「諸葛」是也。

姓也分貴賤

姓，原無所謂貴賤。有之，則係因人之社會地位所造成的。就如治世來說，南史侯景傳載：「景請娶於王、謝，帝曰：『王、謝門高非偶……』」良以王、謝乃世代簪纓，鐘鼎盛戶的侯景，帝知其不會看上眼故也。如此自我尊貴而賤視他姓者，王、謝可說驕傲到極頂。惟盛極必衰，遭變故，故士不能生存，要貴乎決不是不世業。不然，豪貴處優的「舊時王謝堂前燕，」怎麼也不會「飛入尋常百姓家」的。

還有雜姓

姓，比較不大雅聽的叫做雜姓。但這並不是說有人眞的姓雜，而是說任何一姓在某一地方太過少於某一姓之家時，就會受到「雜」姓之譏。例如甲鄉趙錢孫李姓居多，對其極少數的姓周吳鄭王四姓，或係由乙地遷入，率多以雜姓視之。以其「寡不敵衆」也；有些地方，有所謂「客家」，可能就是雜姓之變形好說。

不就本音讀的姓

姓，有不按其本音讀的。我平時說到有江姓的朋友，……何以故？外人讀之，恐怕其「內人」亦莫明其妙。……我要知道「萬俟」，而不是讀作「萬侍」的。

當姓其所當姓

姓，任何一姓都好，只要姓其所當姓，否則——難免要用句粗俗話××來說了。開明的說，姓不眞的來自爸爸，也並非概欠光明正大，如養子的姓雖不眞，但能出身淸白，過戶換姓，又經過法定手續，自非來歷不明的私生子及高度保密的偷生子寃，所堪比擬。大名鼎鼎的曹操，就不是眞姓曹，而是復姓夏侯名嵩生子，過戶爲宦官曹騰養子，才因而曹姓的。一個人的成敗，家庭環境自有相當影響力，曹操如果不作養子仍跟他親爸爸姓，歷史上的「一世之雄」，不會有個夏侯操的。

再還有賜姓的

類似養子之姓非自姓尚有一種賜姓。賜姓係帝制時代產物，一自帝制爲人所共棄，它就與之俱逝了；惟尚有一種平民化「賜姓」在流行着。譬如說，有女不嫁，招夫入贅的東床之選，就是改受岳丈入賜姓的。——改姓不比改名自以爲有大丈夫氣的，很少肯爲一婦人而改受他姓之賜的。

名而不姓

姓，改固不是，更不應該扔掉不要，憾以唯「名」是圖的人，却都把姓看做包袱似的中途扔掉，（筆名不冠姓者，應作別論）昔人有的是：春秋時的名女人西施，漢末時的名歌姬貂蟬，像由天上掉下來的，姓祗有天知道了。今之藝人，如是，多喜扔掉姓而祗要名，其例俯拾即是。

假洋鬼子

一些假洋鬼子，他（她）們愛把自己的姓，移殿其名之下，表示不同凡響。人誰爲之扶正，就會說她（他）們目爲土包子。而事實上那一點洋腔，乍聞（見）之下，反而使人有何若「倒行逆施」之感，怪不舒服；我中國人的姓，一直取法乎上，如此「倒行逆施」我是不願再談了。

燕竹樓隨筆

詩人白居易（772—846）（三）

樂天以長慶二年十月到杭，四年五月解職，離去前他有一首『留題天竺靈隱兩寺』的詩，所謂『在郡六百日，入山十二回，』便正是指的這一段時間。其時他的年齡是五十一到五十三，這一年多的生活，大概在樂天一生中算是過得很愉快的。我在下面還有機會談到他的古體傳，在這裏我只想錄下他五首描寫杭州生活的律詩，以提高青年們對故國的懷念，同時也借以說明一個詩人的成就，與他的生活環境是有關的。

餘杭形勝四方無，州傍青山縣枕湖，繞郭荷花三十里，拂城松樹一千株；夢兒亭古傳名謝，教妓樓新道姓蘇；獨有使君年太老，風光不稱白髭鬚。（餘杭形勝）

湖上春來似畫圖，亂峯圍繞水平鋪，松排山面千重翠，月點波心一顆珠；碧毯線頭抽早稻，青羅裙帶展新蒲；未能拋得杭州去，一半勾留是此湖。（春題湖上）

征途行色慘風烟，祖帳離聲咽管絃，翠黛不須留五馬，皇恩只許住三年。綠藤陰下鋪歌席，紅藕花中泊妓船，處處回頭盡堪戀，就中難別是湖邊。（西湖留別）

盡日湖亭臥，心閑事亦稀，起因殘醉醒，坐待晚涼歸。松雨飄藤帽，江風透葛衣，柳堤行不厭，沙軟絮飛飛。（湖亭晚歸）

可憐風景浙東西，先數餘杭次會稽，禹廟未勝天竺寺，錢湖不羨若邪溪；擺塵野鶴春毛暖，拍水沙鷗濕翅低；更對雪樓君愛否？紅欄碧甃點銀泥。（答微之見寄「時在郡樓對雪」）

我所以錄這第五首，是要說明樂天到杭州的第二年多天，元微之也恰相到了浙江，以觀察刺越。這兩位詩友一旦會合，詩戰乃愈演愈烈，『爲向兩州郵吏道，莫辭來去遞詩筒，』樂天這兩句詩，便正是說明他們唱和的頻繁的。微之嘗向樂天誇耀他的州宅之美，禹穴蘭亭之幽，鏡湖若邪之勝，而且在一首詩裏還正面的調侃樂天說：『孫閣虎寺隨宜看，不必遙遙羨鏡湖！』意思是說：『奉勸老兄就在西湖邊上那些私家園子和虎跑寺隨便走動走動好了，不必遠遠的羨慕我們這裏的鏡湖啊！』樂天氣得很，回答說：『一泓鏡水誰能羨，自有胸中萬頃湖！』意思說：『誰羨慕你那個小小的鏡湖，我這裏有大到一萬頃的西湖哩！』兩個老朋友做詩，好像吵嘴，可看出他們的心情是何等愉快啊！

淸末一位主考的名士，討了一個江山船娘，便得自劾去官；唐代一位杭州刺史，却可以『綠藤陰下鋪歌席，紅藕花中泊妓船；』可以『回頭招妓飲，分火送歸人；』妓女們還可以『席上爭飛使君酒，歌中多唱舍人詩；』而且猶不止此，據『全唐詩話』說：當樂天解職去杭的時候，他還攜帶了幾個杭妓同回洛陽，但不久却又送回杭州了，劉禹錫有詩調侃樂天說：『其那錢唐蘇小小，憶君淚點石榴裙，』這是說這般被送回杭州的妓女，對這位白使君還不勝戀戀哩！大致這種風氣，在中國已經是此風不古，只有吸收唐代文化最多的日本，還保存一二，只要看看東京或西京那些高等藝妓，便可體會到她們多少還帶得有幾分唐味。

看看上面這段紀載，大家不要誤會白居易只是一位飲酒做詩的風流太守，實際凡是他做過官的地方，老百姓對他都十分歡喜，他在杭州一年多，爲了開發杭州的水利，曾疏濬了久經堙塞的李泌六井，還在湖邊築了一道堤以備水救凶，我們今天所知道的『白堤』，便正是他當年的遺跡哩。

舜生

小說

海上學校

趙滋蕃

「教育，不過是經驗的延續，改造，擴大。它通過新來的一代，重演整個民族的過去的歷史；它通過過去的經驗，來創造新的一代，保存着社會的各種努力。死去的一代，使教育成爲偉大的事業！不可少的事業！……」

細君，用心聽着。「我們要取得經驗，第一步是用眼睛，所以，最偉大的教育，莫過於拿自己來做榜樣。現在，孩子們，你們看！」

她的端正的小鼻子一陣發酸，連忙用雪白的小手巾揩拭着眼淚。「這是張老師的腿，和且老師的小匣！這是生和死的兩個榜樣。這兩個榜樣，都是值得我們大家來學做的！……」

黃阿永的黑臉，也起了紅斑。孩子們先後哭出了聲。哭聲穿透教室的牆壁，飛過窗，一直延到了千萬個小船之上。

張長虹强抑住悲哀，一拐一拐地跑上講壇，說了幾句安慰的話。他說：「一條腿站着的人，更容易接近你們。」他又說：「我將更辛苦，更快樂，因爲你們都親密地包圍着我。童年的影子攫住了我，我不後悔，幸福也離不開我。」孩子們淚眼巴巴地盯住他。他却自然這滿意地笑着。孩子們的心，好像得到了慰藉，哭聲停止了。

李太文見大家的情緒不佳，天氣太熱，教室裏的空氣，又異常悶濁，站起來，正擬宣布散會，一陣急促的腳步聲，突然傳來。大家側過頭來，還祗看教室的門，搜長的影子一閃，一幅憔悴的滿嘴鬍鬚的尖臉，伸到了教室裏。那人就是鄒雲亭！

他扶着竹竿喘息，兩眼發直，額頭上，蓋滿了青筋和黑麻汗。「老師們，」他枯樹皮臉上漾開了一絲苦笑，「能夠容許我講幾句話嗎？」

「滾開，陰險的人！」杜宇還來不及說話，鄒老頭已搶先開腔了。「滾開！」他揮動着瘦臂，像個瘋瘋癲癲的鄒雲亭吸血的蚊子。鄒雲亭的瘦臂如鐵爪一樣，紅赤的眼淚汪汪地，在無力地伸張，像蝙蝠的雙翅。「好吧，我們容許你！」杜宇終於作了決定。

鄒雲亭虔敬地走向只比的灰匣前，行了三鞠躬禮。然後掉轉身來，用嘶啞低沉的聲音說：

「老師們，同學們，我是海上學校的第一個不可救藥的學生！」他用指頭點着瀏尖的鼻子。「然而，海上學校像一面鏡子，照見了我自己的過去，那是一付醜惡的奴相！我悲痛得連悔改都來不及了……」

「任何悔改都不會太遲的！」李太文皺着紅鼻子，打斷了他的話。

「現在，開始散會吧，」他鑽到講壇上，大聲地說。

孩子們相率離坐。小船向四面八方移動了。雄壯的合唱，從近處飄浮到了很遠的地方。

「沒有起點，沒有終場，
這就是神秘的海洋！
永遠是澎湃駭浪，
永遠是月色如霜，
永遠是金黃的希望，
我們在藍色的海上！」……

歌聲送走了天眞的孩子們，也送走了鄒雲亭。他軟攤攤地斜欹在擺渡艇的油布篷上，頭像胡椒研子一般提動。海風輕拂着他的蓬鬆亂髮，從遠處還可以看得淸楚。

「眞的，任何悔改都不會太遲的，」他想，「唯一的希望，不是在孩子們的歌聲裏嗎？」

（六三）——全書完——

自由人
THE FREEMAN
（第六九四期）
（半週刊每星期三六出版）
每份港幣壹毫
台北市價每份台幣壹元
印刷人：陳文華
社址：香港高士威道二十號三樓
20 CAUSEWAY RD. 3RD. FL. HONG KONG
TEL. 771726
承印者：東南印務出版社
地址：高打士道六十四號
台灣總經理處
電話：四七三四六
台郵撥儲金戶九二五二
海外總經銷：友聯書報發行公司

中共政局新動向

·鄭竹章·

毛澤東自棲遲青島二月餘後，於上月十八日重返北平。毛抵北平後，即連續召開三次重要會議，由九月二十日至十月九日，舉行中共八屆三中全會，出席者有中共中委，候補中委及重要黨工作部門負責人四百一十六人，會期歷時凡十九天；十月十三日召開「最高國務會議」，由各黨各派首領六十一人參加；十月二十日又召開「政協」及「人大」常委聯席會議。這一連串會議的舉行，說明毛正力圖收拾「鳴放」的殘局，並設法恢復其一度下墜的聲望。

收拾「鳴放」殘局

在上舉三項會議中，自以中共三中全會最為重要，因為後二會議祇係中共三中全會的傳達。根據中共所發表的簡單公報，其三中全會的重要論題，有鄧小平「關於整風運動的報告」，陳雲「關於改進國家行政管理體制問題和關於農業增產問題的報告」，周恩來「關於勞動工資和勞保福利問題的報告」。會議上並基本通過「一九五六年到一九六七年全國農業發展綱要的修正草案」，通過「關於工業管理體制的規定」，「關於改進商業管理體制的規定」，「關於改進財政體制的劃分中央和地方對財政管理權限的規定」，以及「有關工人，職員的勞動工資和勞保福利問題的規定」等。可見討論問題相當廣泛。但由於鄧小平的報告列為第一項，並將其報告全文於本月二十日單獨發表，可推見這次三中全會的召集，最主要問題還是整風問題。

根據鄧小平的報告，毛於本年六月由上海至青島後，七月間曾在青島召開一次部分省市委書記會議，「對於整風運動和反右派鬥爭的性質和情況，作了全面的估計」；而「近四個多月來運動的發展，完全符合中央和毛澤東同志的分析」，證明中共內部對鳴放及反右派問題，確有過尖銳的對立。毛的由北平出走青島，可能是在智識份子正面攻訐中共後，其鳴放政策受到黨中央實力派的阻撓，因而轉為反右派鬥爭。但毛始終認為統戰格局不可廢墮，右派智識份子不能消滅，因而到青島後立即召開省市黨委書記會議。由於這次會議，決定繼續整風與鳴放。因而七月廿六日中共國務院首先通過「關於國家機關工作人員參加整風運動和反對資產階級右派的決定」；八月八日中共中央發佈「關於向全體農村人口進行一次大規模社會主義教育的指示」；八月十日「人民日報」發表社論，要求在農村中展開大鳴大[illegible]。都說明毛的鳴放與整風方針，最後仍佔取上風。這次三中全會的召集，一方面在追認七月在青島召開的省市黨委書記會議的決定；另一方面則在收拾「鳴放」與「反右派」的殘局。

對「右派」及智識份子的決策

鳴放與反右派鬥爭，不但造成智識份子與中共的決裂，而且使其統一戰線陷於破產，為挽救這一殘局，鄧小平的報告中，宣佈了四項新的方針：第一、對右派份子採取分化與改造政策[illegible]識份子，是國家的重要財富，社會主義的建設[illegible]，都需要他們的[illegible]」。因此對右派智識份子，「要用大力團結、爭取和改造他們，糾正他們的錯誤觀點，幫助他們實行自我改造，用安置而不是粗暴的方法，使他們[illegible]中間狀態，站到工人階級方面來」。其具體的步驟，是推行分化政策，將右派份子劃分為極右派份子，右派份子和中右份子三類，凡認為[illegible]可以改造的右派份子，仍容許其改造。這[illegible]，亦足見其對智識份子的力量仍不敢低估。第二、建立新統一戰線：[illegible]民主黨派仍有其[illegible]，因此鄧小平[illegible]要建立一個[illegible]社會主義的統一戰線」[illegible]統一戰線，[illegible]標準（指毛澤東六月十九日所宣佈的六項標準）的基礎上，貫徹執行長期共存，互相監督的方針」。其新的統一戰線，必將以各附庸黨派的左派份子為對象，以加強對各附庸黨派的駕馭與控制。第三、加強對文教部門的控制：鄧小平聲稱「要加強文教戰線的領導骨幹」。據十月二十三日「人民日報」報導：中共中央已決定從中央一級黨政機關中，抽調一千名高級、中級黨員幹部，派往大、中學校和若干科學文教單位工作，以加強黨對文教戰線的領導，其中有副部長級幹部五人，部長助理十人，司局長一百二十二人，這是中共進一步控制非黨智識分子的重要措施。第四、培養「紅色專家」：鑒於資產階級知識份子的反叛和離心，中共宣佈要「建立工人階級自己的技術幹部隊伍」；「要有自己的教授、教員、科學家、新聞記者、文學家、藝術家和馬克思主義理論家的隊伍」。因而規定「全黨的幹部，凡是有條件的，都必須造成又紅又專的紅色專家」。同時要「加強從工人農民中培養知識份子的工作，並有計劃地吸收優秀革命知識份子入黨」。這是吉拉斯所謂「由奴隸羣中選拔人才」的辦法，亦中共準備將來大規模清除右派智識份子的前奏。

對付農村危機

對右派智識份子既決定「鬥爭從嚴，處理從寬」，其所謂「反右派」鬥爭，看來已告一段落。目前鬥爭重點已轉移至大陸農村。因為毛澤東瞭解其大患不在城市資產階級，而在人數廣大而個人主義根深蒂固的農民。

最近一年來，大陸農村反共情緒不但升漲，其具體表現，如農民的集體隱瞞產量，抗繳公糧，反抗統購，富農及地主的展開「倒算」，以及有組織的武裝暴動不斷發生等，均說明中共在農村統治的已趨動搖。而更嚴重的是農村基層幹部對中共失去信心，逐漸與農民合作，開始同情並庇護農民，因而中共在農村的搜刮計劃，大部無法完成。

為挽救這一危機，中共對農民採取三項對策：

一、是展開所謂農村大辯論：要發動農民「大鳴大放」。照鄧小平的分析，這一運動的目的是：（一）堅定農民走社會主義道路的信心和決定；（二）批判富裕中農的資本主義思想和個人主義思想；（三）揭露和打擊地主，富農及反革命份子的破壞活動；（下轉第二版）

本報台灣南部辦事處遷移啓事

本報台南辦事處自四十六年十月十五日起遷往台南市西門路七巷（即第五信用合作社對面巷內，又稱無尾巷）廿號辦公，讀者諸君，以後請移玉新址接洽。

半週述評

朱可夫突被免職

蘇聯紅軍領袖朱可夫元帥於他奉命出使南斯拉夫[illegible]，便突然宣佈免去國防部長的職務，[illegible]

[illegible]一黜，還是另有更[illegible]致，從這消息宣[illegible]被貶黜的成份居多。如[illegible]以要在朱氏出國期[illegible]氏回國之後頒佈[illegible]另調新職的暗示[illegible]任何補充說明[illegible]的。朱氏下臺時[illegible]情形。又美記者從[illegible]報導，也說「從一[illegible]故朱氏被貶黜的[illegible]。

朱氏為甚麼免職

[illegible]朱可夫是曾經拯救赫魯曉夫，使他免於失敗[illegible]也是二次大戰最有勳名，最受蘇俄人[illegible]人物，為甚麼這時候，竟為赫魯曉[illegible]而突然被免職呢？當然，莫[illegible]惟一足與赫魯曉夫抗衡的祇[illegible]林。朱可夫一日不去，赫氏便一日不[illegible]，狡兔死走狗烹，朱氏之被貶，在[illegible]獨裁制下，是很自然的。也許，最近赫[illegible]侵略政策，有發展為三次大戰的可能，朱氏老成持重，可能加以反對，或因[illegible]早已剪除朱氏的決心，亦未可知。[illegible]朱氏之被貶，不管為蘇俄威脅世界和平[illegible]

朱氏免職後，不問今後作處如何，也許會有新的虛銜，然而從此剝去軍事實權，則恐已成為定局。赫氏又完成一次大膽驚人的傑作，亦可無疑。然而過去貝利亞之被殺，莫卡思謝之被貶，均出於紅軍之力，赫氏今後能否完全掌握紅軍，安坐大寶，仍為未可知之數。過去史太林控制紅軍，所恃者為特務。特務勢力在貝利亞死後，已大為衰落。赫魯曉夫能以一馬倫諾夫斯基（新國防部長）之力，便很如意的指揮紅軍嗎？紅軍會不會也有一天要和赫魯曉夫算賬呢？總之，在蘇俄這樣的國家，政權轉移是沒有一定的常軌可循的，一切訴之於陰謀狡詐，流血鬥爭，今後的演變如何，自亦難以常理推度。

新史太林將出現

四個月前，莫[illegible]，謝比洛夫，被排[illegible]去[illegible]京郊紅宮內部[illegible]一幕最劇烈的衝突鬥爭，現[illegible]，這說明赫魯曉夫儘管以個人崇拜為[illegible]林，而他本身所走的路線依然是史太[illegible]，換言之他要成為蘇俄的新史太林。[illegible]之後，新史太林也就快可以出現了。[illegible]出現，不僅是蘇俄內部要恢復過去那[illegible]苦日子，也是世界和平的一個大[illegible]是自由世界所應特別注意的。

赫氏能掌握紅軍否

如此蘇俄文化

蘇俄人造衛星試放成功後，赫氏洋洋得意，誇耀於世，以為這是無產階級制度的優越，這是蘇俄文化的成就。兩三星期來，赫氏這一宣傳，確已震動一時，淺見者且不免因此而感到[illegible]。現在朱可夫免職消息內宣布，大可以使全世界對於所謂蘇俄制度，所謂蘇俄文化，能夠從多方面加以觀察，藉以得到更清楚和更深刻的了解。

·陳克文·

談「反攻有望論」

·方丹·

自從「自由中國半月刊」提出「反攻大陸無望論」後，引起了「反攻有望論」的論爭。平心而言，不論有望無望，台灣的近千萬人以及海外一千三百萬僑胞，所以就於克難者，莫不是為了反攻大陸一件大事。此種時際，提出「反攻無望論」，確實令人心冷，惟年年日日說反攻，而卻毫無反攻跡象，也的確令人失望。

我以為反攻有望論，倒不該是一句阿Q式的空話，它的最有力的事實根據，是大陸抗暴運動的勃興，目前確實是形勢比人強。毛澤東在「正確處理人民內部矛盾問題」中，指為人民反抗極權統治，而產生矛盾，其實是人民自由的根本問題。其次是爭學術自由，知識份子在他眼裏「秀才造反，三年不成」；殊不知千古以來，不論貴族革命也罷，平民革命也罷，乃至「無產階級」革命也罷，又那一次不是知識份子「一齊入傳之」，象燒人傳之」的呢？本質上大陸抗暴運動，是由於憎恨中共的極權暴力統治，到了「時日曷喪，予及汝偕亡」的地步，藉着「鳴放」機會，由大學教授等高級知識份子來點火而燃燒起來的。不少人確實置生死於不顧，帶着濃厚的「殉道」精神，把它提高到「辛亥革命」的烈士，或者說是「新五四」運動，那還是持平的說法。

這種抗暴精神擴大到整個大陸各地，由言論到行動，並且不僅止於「右派份子」，連中共老輩的黨團員也參加了，這是中共政權有動搖可能的一種運動，是稍縱即逝的時機。不能不說是反攻的一個大好時機。不過如果將它與「五四」或「辛亥革命」作同等估計，而坐觀其發展，任其自生自滅，而不善予實力支援，實在是一種重大錯誤。

何以呢？雖然今日大陸人心仇恨中共，與昔日仇恨滿清帝制相似，而其相異之處如中共的組織力量以及龐大的軍事力量，與昔時豈可以論比？儘管抗暴形勢已成普遍狀態，惟他們手無寸鐵，赤手空拳如何與中共的組織力，軍事力對抗呢？如果我們善用這種抗暴的優勢，使與反攻勢力相合，用武力對抗中共，聲勢之壯當然又是一番氣象了。他們的抗暴與反共的激烈而擴[illegible]，實在比我們留身海外的人強得多，不過實際的力量，還須靠海外支援，徒然用精神支援的方式，如空投一些傳單書刊之類，終是隔靴搔癢，形同兒戲，有何補於事！

武力支援，舍有困難；我們如果能有小型的[illegible]行動，也可以打鐵趁熱，水到渠成，說不定中共的軍隊也會和我們的軍隊結合起來了。但我們也沒有這樣做，只坐在海外為他們加油打氣，好像他們把中共政權推翻，[illegible]共產黨徒才發動六十萬大軍收拾破碎的河山。如果真的到了那樣地步，大陸同胞還為什麼要歡迎我們反攻回去呢？那實際不是歡迎而是把我們請回去了。

現在是甚[illegible]年[illegible]，中共正在[illegible]整肅和鎮壓[illegible]「反右派」的[illegible]高級知識份[illegible]悔過認罪[illegible]不認罪，不屈[illegible]下，赤手空拳[illegible]是可以想像到[illegible]否蔓延，蔓延[illegible]不可以想像的[illegible]舉行擴大祭悼[illegible]有何實際意義[illegible]

用兵不如乘[illegible]樣呢？雖曰武[illegible]反攻行動要受[illegible]們明明聽到我[illegible]攻，部份反攻[illegible]又歸結到能不[illegible]麼時機才「能[illegible]

今年年日日[illegible]何反攻跡象，[illegible]當如何向人民[illegible]向大陸上的反[illegible]不在多書，什麼[illegible]也好，「反攻有[illegible]及時努力，實[illegible]來呀！

自由中國社會百態

岳飛再世

——軍人生活什景——

•牛嶠•

在台灣，軍人在精神生活上，只有一個理想「反攻」，正如岳武穆所說「還我河山」；只有一個信念「復國」，正如岳武穆所云「精忠報國」。

他們在物質生活，像詩人一樣的「淡泊」，濃咖啡一樣的「苦澀」，生活實質上的表現，比公教人員更簡樸，更艱苦，然而「淡泊」也能「明志」，苦咖啡也帶點香甜。

「天馬行空」趣味盎然

飛將軍（空軍）是軍人中的「天之驕子」，也是軍人中最活躍的，是青春活力的象徵，也是女人崇拜的偶像。他們的公生活是「天馬行空」有冒險，有刺激，他們的私生活同樣是「天馬行空」，又活潑，又輕鬆，時常花樣翻新，趣味盎然，多年來，空軍始終是站在最進步最開明的一面，待遇也是較公平而合理的一家，近來當局對飛將軍的衣食住行尤爲關切。衣、空軍是最漂亮的，食、空軍的最豐富，住、每位有眷屬的空軍都可分配到小幢精美住宅，行、空軍有的是吉普車代步；康樂活動，自備京戲、話劇、雜技、電影，輪流欣賞；體育設施，籃球、足球、排球、棒球，更是遠征異域。台灣各縣市都有空軍新生社的設立，跳舞更是空軍健兒的拿手好戲。精神食糧，空軍自辦刊物不下十餘種。無怪大專高中學生拚命投考空軍，而以考不取爲憂呢！有人寫了一首短詩描述空軍生活說：「晨飲東方白，暮會日紅，神鷹穿霧過，壯士出雲中」。又有人說：「不登高山不知天之高也，不當空軍不知空軍生活之樂也」，這些都是空軍生活的簡單寫照。

「白衣武士」有用「舞」之地

自由中國「海上鐵王」（海軍）的軍中生活，神奇瑰麗，海洋的浩瀚，雄壯而溫柔，有時平如砂鏡，有時如波濤，有時平靜，有時緊張。高雄、基隆南北兩港，海軍健兒的「天下」，只要假日，只要讀些「白衣武士」蜂擁，娛樂場所，風景區，稱處密集都有他們的蹤影。海軍中也有不少「舞士道」，南部左營的「四海一家」（海軍軍用舞廳）就是海上英雄們用「舞」之地。

海軍中的衣食住行、康樂、體育生活一如空軍般的重視，各種活動從不落於人後，最出色的是「四海」籃球隊，參選手幾乎爲海軍所包辦，最近海軍參選選手興高采烈，由於海軍的生活在海上是緊張的，陸上的生活是輕鬆而愉快的，豐富的生活，也有蕭灑軍的負擔。

陸軍比較苦

自由中國的陸軍，兵員的龐大，生活上的差異也就特別顯著，一般的說來，陸軍的待遇是最苦的，一個普通軍官的月薪不過三百元，一個中級士兵的月餉不過二三十元。但目前國家總預算百分之八十五以上是軍費，政府爲財力所限，陸軍的待遇，再想提高也提不上去，所幸軍人都能瞭解這個事實上困難。

也盡視聽之娛

軍人生活在待遇方面固甚菲微，在娛樂方面卻是頗不落寞，國防部康樂總隊轄有話劇隊、電影隊、雜技隊甚多，川流不息至各部隊演出，各個部隊本身也都有京戲、話劇、豫劇、粵劇、球隊，自設茶室、撞球場，美國新聞處組有電影巡迴放映隊十隊，隨時至各個部隊慰勞，他們放映的多彩色關係最新劇情片，有時外間尚未上映，在軍中已是放映多時，海外各地僑生，台灣各縣市民間團體與各學生以及婦聯會等也時組織歌舞勞軍團到軍中慰問，朝來夕往，迎送不暇。

起新陳代謝作用

除服兵役入伍的不算，近年來，台籍人士志願從軍的風氣很盛，有些因年齡或家庭關係不許可的，也一再上書國防部請求特准，這個現象的由來，是台籍人士因於日據時期無服兵役的權利，（日本人當兵只准台人習工商教育，不許參加政治及軍事）現在他們認爲服兵役是光榮的事情，所以每當子弟從軍時，常是鑼鼓喧天歡送入營，如同辦喜事一般，這種愛國的信念很使人感動。因此在軍中台籍人士愈來愈多，很起些新陳代謝的作用。

生產、互助、合作

自由中國的陸軍，散佈各地，各個部隊都是自[illegible]，自行養豬種菜，以自已勞力改善副食營養之不足，多年來克難成果竟已收穫過剩，不僅可有餘銷市場，每餐由二菜一湯，逐漸改進到五菜一湯，甚至七菜一湯，質與量實飛猛晉，大家都吃得壯圓心樂，紅光滿面。日常操作之餘，常協助當地農民收割稻谷，智識程度高的成爲農民義務「文書」，與當地農人之融洽實前所罕見。

結婚較中頭獎還難

國軍現今也仿照美軍施行休假制度，官兵在服役期間，除去國定假日，例假，公假，病假，事假，婚喪假外，規定軍官每年給假一個月，士官十天，士兵七日。火車，公路車對他們都有優待辦法，只可惜待遇微薄，有假期無法充份利用。目前最使軍人困惑的也是最難解決的是婚姻問題，每天雖然都有軍人結婚，實際上那不過是「太倉一粟」的幸運者，有些軍人認爲結婚較中二十萬元特獎還要困難，微妙的是一二十萬特獎卻時常落在軍人頭上。

軍中作家日多

近些年來，陸軍文化水準普遍提高，每歲國軍政治大考，文士人才輩出。在各個角落都可看到手不釋卷的士兵，各縣市報攤書店士兵變成主要顧客，每個英文補習班士兵修課佔着驚人比例，尤其可喜的是各個部隊都有自辦的報刊，多數是鉛字印刷，一掃過去痼習，內容編排都相當新穎。軍中作家也日益增多，其作品不但在軍中刊物披露，也常常在社會上各種書報雜誌發表，最負時譽，而且馳名台港的一位軍中作家是公孫嬿，在前綫砲火中不斷寫作，可算是軍中作家代表人物。

新龜兔賽跑　•尹震•

物價

軍公待遇

中共政局新動向

鄭竹章

（上接第一版）

（四）改進幹部作風，改善黨羣關係，並宣佈在農民中不提反右派鬥爭口號，不戴資產階級右派份子的帽子，以打擊農村中的右傾思想。

二、改變合作社組織及制度：九月十四日中共中央頒佈「改進農業合作化三項指示」，其主要內容，包括縮小農業合作社及生產隊規模，容許農民擁有私有牲畜，容許富裕農民對菜園魚塘暫時私有等，都含有對農民遷讓的意義。

三、通過十二年農業發展綱要修正草案：這一「草案」自去年一月廿五日「最高國務會議」通過後，即一直無下文。這次三中全會中又舊事重提，十月十三日的「最高國務會議」與十月二十二日政協與人大常委會聯席會議，均通過這草案爲主要目的，並於十月二十五日予以公佈。中共在此時此際通過這一綱要一方面在爲農民鈎畫出一遠景；一方面在表示其對農業的重視，以穩定幹部及農民情緒。

毛東澤的新賭注

綜觀鄧小平「整風報告」中所透露的各項要點，表示中共在結束城市反右派鬥爭後，正集中全力來應付農民問題。在過去二年中，毛澤東曾親自主持兩項運動：一、是一九五五年下半年製造農業合作化高潮，驅五億農民提前十年走上集體化；一是今年上半年的「鳴放」。這兩次運動，由於事前估計錯誤，結果皆闖了大禍。農民躍進集體化的結果，是生產情緒的低沉，副業生產的停頓，與反抗心理抬頭。而「鳴放」的結果，則是智識份子的公開反叛與黨員的離德離心。這些情形都不是毛澤東事前所能料到。

但由於毛的剛愎自用，儘管這兩次賭博都告失手，他仍然不肯認輸。這次三中全會所宣佈的農村鳴放，顯示毛仍企圖貫徹其鳴放的方針，而「農業十二年發展綱要」的舊事重提，則是繼續其躍進集體化的政策。毛的不惜再加籌碼，一方面固然與威信有關，另一方面表示他已計窮智竭，搞不出什麼新花樣，究竟毛的賭注會不會全部輸光，事實的發展，將是最佳的答案（十月廿六日）

台灣通訊

「屍諫案」的發展

•嚴樹清•

司法界一再聲明法紀嚴肅，絕無貪污舞弊等醜事。雖然有人指出有瀆職守之事，一經聲明，莫不矇蓋完事。現在因爲張金衡自殺案，各級司法機關徹底嚴查，這可謂司法界一大諷刺！

台北地方法院公設辯護人張金衡於十四日上午二時許在其重慶南路宿舍中懸樑自殺致死。他死前曾以絕命書致送各報，書中除提及其患三期肺病外，並揭及台北法院內貪污情形。「如前海軍總部與大同公司因特產涉訟，只求假執行即分十萬元」等語。且有「被歹徒葉劍峯誘惑，偶犯錯誤，深悔莫及。」之詞句，並留有關於其遺產處分的遺書，據張的同事周叔厚武忠森兩推事說，他於自殺前並無消極的表示，更無自殺的迹象；據死者之友說張平日爲人正直，做事負責，待人很好，對於問題也喜歡作深入的研究。

張金衡其人

張金衡於三十三年前自香港來台，初在花蓮地院服務，旋調台北地院任民庭推事，於今春轉調現職。現年五十四歲，湖北通山人，服務司法界已數十年。死後所遺財產，計美鈔八十元，及金戒指、新台幣共約有五、六千元。

對於張金衡所特別提及台北地院的貪污情形，何以不在生前檢舉，獨於遺書中提出？這是在現行司法制度所病之處，現行司法人員是採取委任制，如果張在生前檢舉，恐將影響其職位也。

司法界對該案的反應

再看各級司法機關對張所提及台北地院內貪污情形，所表示的態度：台北地院院長趙執中，對地院貪污情事「至表驚異」，當即親請上案澈查；至所謂海軍總部與大同鐵工廠訴訟一案，因大同廠不服地院判決，現正向高等法院上訴。可見貪污情事，不得謂絕無矣。

谷鳳翔謂不顧「背景關係」

司法行政部對張遺書中所指各節，已令高檢處「尅日儘速澈查嚴辦。」部長谷鳳翔（十五）日表示：將不顧任何背景關係，進行澈查，惟對死者所指未能列舉事實證據，殊表遺憾。由「背景關係」一語，可以見出司法界不無受「背景關係」影響判決之公正情事。

遺書內容三要點

最高法院檢察長趙琛，於昨日在該署召集檢察官會議，決定對死者所指各節已令檢察處代首席檢察官夏維上即刻進行調查；據權威人士分析，遺書內容約有三點値得調查：一、海軍總部與大同機械公司的纏訟訴訟中，台北地院人員是否有貪污情事；二、遺書所稱「黃犬偷食，黑犬遭殃，以本人爲對象」等語，是否係指死者在生前曾遭受冤屈逼迫而言；三、葉劍峯勾通法院同仁，誆詐財情形是否屬實。可見死者生前是含有冤屈而自殺的。

能否因此來一次「清潔運動」？

台北地方法院檢察處主辦該案的檢察官周定中，表示曾發現死者遺書，內容與各報所載僅有文字上的一點出入而已。高等法院院長史延程對該案表示凡牽涉到的有關人員，將進行個別廣泛的調查，如發現有觸刑責部份，將提交高檢處辦理。司法界能不能因該案而來一次清潔運動呢？等着看吧！

其次涉及地院貪污情事之大同機械公司董事長林挺生表示，「該訴訟案，本係誤會，四十一年以來，對簿公庭至今，實爲遺憾，現在工廠機器，房屋、土地被查封中云云。」

立法院的質詢

立法院於本屆會期第九次會議中，立委劉贊周、王開化、劉崇皓三人，對張案先後提出質詢，由部長谷鳳翔及査良鑑次長分別答覆。谷部長表示澈底查辦，但謂遺書，未舉出事實，追查頗感困難。立委劉崇皓追問，張金衡數次調派工作是否出於其自願，據次長查良鑑答稱，係張自己請調輕鬆的現職。

趙執中停職

司法行政部十六日宣布台北地院院長趙執中被停職由王明炎暫代，十六日宣佈：關於該案關係最大者葉劍峯，已於十六日由地檢處被傳訊，葉以五千書而保證在外候傳。據葉所云他與承辦海軍總部與大同機械公司訟案的王金貴推事只係同事，與趙執中院長亦無特殊關係；傳訊葉劍峯極爲秘密，傳票發出及至出庭時間均甚迫促，承辦檢察官據悉爲一位最資深的檢察官，可見檢察處對該案之重視了。

一批人被傳訊

最高檢察署檢察長趙琛表示，至於該案所指趙執中及葉劍峯涉嫌有不法情事，希望如有被害的人可檢舉。葉劍峯所工作之律師事務所律師詹聰義亦曾被傳訊，將涉及該案的若干推事，書記官，律師，以及當事人，趙執中之被傳訊，也是意料中事。據悉葉與死者結怨的原因，及其出國留學的經費來源，均被訊問，葉對與死者結怨一點未能切實說明。

舊案重查

趙執中對於承辦海軍總部與大同公司訟案之王金貴推事，曾報請記大功一次，據趙云係王推事辛勤努力工作，以此爲嘉獎，據其報請記功原文，指出該案僅卷宗即有一五七册，各種文件有一九八件，證物與扣物等有五八册，該案判決書全文四萬二千餘字，所以可折合普通程序案八十件。而報請記功一次，遭到駁回，所以是一件可疑的事。

至於該案眞情，全看各級司法機關的擴大而澈底的查辦結果，司法界的不十分清潔，由其內部人員揭出，實在是台省光復後十二年來的首次。總之來一次司法界的清潔運動而建立威信，也是有十分必要的。（四十六年十月十八日夜於台北）

時論選譯

蘇俄要攫取土耳其

孫頤

從最近赫魯曉夫強硬的談話中透露了土耳其，能是蘇聯次一目標。

常赫魯曉夫會見紐約時報記者瑞斯頓時，暗示蘇俄可能做的事，「如果戰爭爆發，我們靠近土耳其，而你們則否。」他說：「剛一開火的時候，火箭就能馬上起飛，以後的事難以想像」，他又警告：「土耳其在這樣的戰爭中，是禁不住一打的」。

赫魯曉夫言外之意，是說九月間美國副國務卿韓德森出使中東的真正目的，是要先鼓動約旦和伊拉克，最後是土耳其，以攻打敘利亞，故土耳其是聽命在敘利亞邊界集中大軍的。

前幾天蘇俄外長葛羅米柯在杜爾斯寓所談話，說了許多與中東發展情形有關的事情，邊界的衝突，與敘利亞對土耳其「挑戰」的責難，使華盛頓想起過去杜爾斯先任國務院顧問留駐韓國時候所引起蘇俄怒目張弓的情景。美國反應是迅速的，通知了蘇俄，不惜為保衛它的同盟國家土耳其而戰；對赫魯曉夫責難的話，認為「荒謬」。

土耳其的目前情勢，華盛頓有以下的看法：實在說，對于土耳其突然進軍以對抗蘇俄準備，敘利亞軍隊的威脅，鄰邦希臘與幕後的美國軍事顧問均相信：如果敘利亞採取相似戰爭的行動，土耳其必定迅速的採取攻擊戰。韓德森的使命，決非為赫魯曉夫所認護的話，他是為了安定土耳其，並進而對威脅中東的壓力，謀取非軍事解決的方法。

為什麼蘇俄憎恨忽然集中在土耳其呢？

作為北大西洋公約中東合柱的土耳其，是軍事強大而經濟力弱的西方國家夥伴之一。過於理想的工業擴展計劃，把得年八千萬元的美援，一點一滴的用在巨大的水力發電和港口的發展上。國外貿易是那樣的枯竭，進土耳其人最愛喝的咖啡全不能輸入，國外負債已達十二億元，每年出口僅在三億元。

赫魯曉夫的軍事威脅，與過去對土耳其的[illegible]，[illegible]一千萬元建立一所[illegible]工廠—[illegible]的蘇聯攻勢下，在強硬的談話配合甜言蜜語的蘇聯攻勢下，預料在土耳其十月舉行的大選中，親西方的政府可能要倒下來，土耳其與北大西洋公約及巴格達公約的聯系也因此可能有被拉斷的危險。

但蘇聯一向目標之一——是要控制韃靼海峽和地中海出口，然離成功還有一段遙遠的路程。（摘譯自新聞周報）

美國會終止援助南國嗎

胡養之

美國務卿杜爾斯，經已決定暫行停止美國對南斯拉夫的援助。這由於南國總統狄托承認東德共黨政權後經美國參議員布里吉要求的結果。據外交界權威人士稱：此項決定，最低限度必有下列各種後果：（一）美國武器，包括噴射戰鬥機在內之運往南斯拉夫，必須暫停；（二）原擬之伯爾格萊德與南國代表舉行經濟援助計劃會議，亦必將取銷；（三）經已運交南國之美國武器，其零件可能繼續供應。

國務院人士認為：此項對付南斯拉夫的行動，是測驗狄托與蘇聯及與西方國家關係的立場，並判斷狄托意欲採取之路線。

關於美國是否繼續援助南斯拉夫的問題，去年十月也曾討論過，國會方面認為政府達成此項決定時，必須考慮狄托是否仍遵循不受克里姆林宮控制的外交政策，抑是完全投入國際共黨的陣營。

但照美國會議員的態度，有贊成援助南國的，也有不贊成援助的。

贊成援助南國的理由是：繼續援助將不致使南國完全倒向蘇聯。美國以結合的盟主身份，必須學習和各種各類三教九流的人物，同床而不必同夢。狄托和美國同床的資格，並不遜於西班牙的佛朗哥，或沙地阿拉伯國王沙德。他們覺得狄托至少可以代表南國人民擺脫任何來源的外力統治的決心，以爲成爲團結的民族自決原則，到現在還是有力量。對克里姆林宮的結合，必須容納民族自決和容納為民族自決而奮鬥的人士。

可是不贊成援助南國的議員們，卻也有其充分理由。他們認為：狄托雖然是個有價值的同盟夥伴，但南斯拉夫究是不共西方國家的友邦？美國對於戰時所產生的種種友誼，已經吃到了不少的教訓。美國和蘇聯的同盟，曾產生不少的幻想，辛苦幾年才打破。現在對南斯拉夫應特別小心。內為南斯拉夫[illegible]蘇聯，並不是美國援助的結果。當時美國人員還盡量避嫌，以免南國共黨對於西方國家發生懷疑。美國之援南斯拉夫，目的固在促其改變；但事實上狄托根本沒有改革南國的能力。由於南斯拉夫共產黨有八十餘萬共產黨員佔着軍、政和特務機關，且負有建立共產社會，要縮致府制度的任務。

上述是美國應否援助南國的意見。然則美國政府將來是否決定停止援助南國，據一般人的看法，是要予以援助的。而目前的暫行停止援助，還是測驗狄托的態度罷了。但是西方國家希望[illegible]維持南國的經濟，卻不使南國建立龐大工業，可使南國[illegible]的需要。[illegible]世界大戰以後，有[illegible]龐大的重工業建設計劃，[illegible]計劃的結果，南國工業化[illegible]工廠修蓋了一半之後，只有一堆堆黃石灰磚[illegible]，[illegible]卻寥寥無也，連一副機器都沒有。

自南斯拉夫與共產集團關係[illegible]以來，美英法對南國的援助，都是維持南國的經濟需要，[illegible]在共產黨的國家培植一個強大工業基地[illegible]信。[illegible]人士，對於援助南國的程度，仍有不同的意見，狄托的反覆無常，不敢輕信。美國為甚麼不給予南國的工業援助呢？因為南國政府已宣佈分權化，必花耗經濟和財政，來培植美國所不願看見出現的某種工人和農民呢？再假如美國僅僅站在政治立場來考慮，那是絕對不會援助南國的。由於狄托迄今日始終是做一個道地的共產主義者。其實在軍事方面的價值，卻又值得援助狄托。以為援助了他，使他中立，若東歐戰爭，當可以吸住一大部蘇聯的兵力。（十月廿四日）

國際動態拾零

東柏林消息，蘇聯之原子飛機將成功。一萬鎊，可以飛行三十七萬英里。

× × ×

匈牙利將大赦政治犯，因為大部分技工均已逃亡，在流亡的十七萬人中，估計有二萬人願意回去。

× × ×

馬倫可夫曾自殺多次，為蘇聯經理所監視而未能成功。有人在外蒙見到莫洛托夫，謂已瘦老得多，無復當年頑強風概。

× × ×

敘利亞事件[illegible]，無疑是中東的艾森豪主義的破產，[illegible]易被戰敗的，民主黨領袖有詞，將加強其攻擊。

× × ×

赫魯曉夫以美國不應干涉社會主義國家的內政，其目的在各播消息美國之背，[illegible]匈牙利事件，與其未說畫的反史太林說全文，完全中了西方宣傳之毒。

× × ×

依美國預算署，顯是美國政府沒有從事飛彈裁軍，而成為[illegible]于威爾遜（前國防部長）去年維持乳酪價格之支出預算高八千萬，而人造衛星之預算，僅有九千二百萬。[illegible]現代科學須集體研究，美國完全從事此種研究者，僅三萬人，而蘇聯人數則十倍於此，又加以[illegible]，[illegible]國會內之數噪云。

•陶然•

論中國畫的當代潮流（下）

王世昭

（續上期）

四

到了今天，我不能不慨歎中國大畫家的缺乏，因為沒有大畫家，所以不能產生偉大的創作，因為沒有大畫家，所以不能產生出類拔萃的人才。唐宋元明清五代大藝術家之產生，或由於政府，或由民間，今日則宗之於學校，學校所出之畫人亦多矣，但能具備吾所附列諸條件者，殆鳳毛麟角。而在野之畫人，亦多只知一鱗半爪，抉寸以鳴世，抉自炎為與日月爭光，豈不哀哉！

五

然遠的地方且不說，即以香港而論，足為中國畫人所取法者，曾后希也，林大鵬也，李研山也，與千深也。后希自唐以下，大鵬自宋以下，千深、研山自元以下，皆曾作過甚深之工夫。此外林千石亦能以印章，書法，通於畫理，林湯電、黃蠡與徐熙，皆不愧中國正宗之畫家。二高之門人在香港，鮑少游以麗精畫院鳴世，斯又中國畫之富於東洋色彩者也。徐悲鴻之門生偏佈於中國大陸及馬來亞，林風眠、劉海粟系統亦多寄於內地，斯又中國畫之富於西洋色彩者也。齊白石有一千能畫，又有一學生曰郭大維者，前寓北美，今居歐洲，斯可稱之曰為李復堂系統有八怪（揚州八怪）之餘風。

中國畫除上列三大流派之外，又有一支流曰漫畫。可得而述的，豐子愷屬於捐俗，葉淺予屬於雕莊，黃家唐屬於清俊。豐子愷有日本風，葉淺予有法國風，黃家唐則屬於中國風。此外又有曹涵美以西洋規矩寫成的中國式浪漫畫風。

西洋畫在過去我記得有位李鐵夫先生，許多人都推重他。二十年前住在九龍城，我和陳宏先生（已故老友）曾往拜訪一次，徐悲鴻也極恭維他，現在不曉得他那裏去了。

（中華民國四十六年九月十九日脫稿於竹居。）——完——

共產黨好不好？

不好！

反抗！

大陸嚴重缺糧 上海人要吃山芋

根據來自上海的消息，七百萬的居民正面臨嚴重的糧荒！上海的中共機關報「解放日報」，在本月八日發出了要「大家吃山芋，節約主糧」的號召。由於去年的嚴重水災和今年夏秋以來的苦旱，糧食的[illegible]上將大打折扣，以目前情況言，四個月未曾降雨的地區計有：河南、山西、陝西、山東、安徽、福建、江蘇、浙江、湖南、湖北等十餘省，這些地區的久旱不雨，間接更促進了上海市的糧食緊張狀態！在發動吃山芋運動時，上海中共當局，已先令全市一千多個機關學校等大伙食團領頭；其次則勸令公營和合營的飲食店和攤位，少供應米飯和麵食，多供應山芋食品。總之，今後上海人必須多吃山芋，少吃米麵。同樣的情況，也正在江西，安徽，四川等省推行中。（賓）

自由談

自作之孽

馬五先生

大陸上的共產政權，最近決定派遣一千二百名共幹，担任各級學校與文化機構的主要職責。這是「鳴放運動」的「陽謀」揭曉，表示共黨心目中最害怕的階級敵人並非「章羅聯盟」，而是一般知識青年。因而使用特工方法，遣派共幹去嚴密控制各個文教團體。

共幹多是些無知無識之徒，越是老幹部，越就顯得無常識，教這類人物去領導知識份子，決不會有好結果的。但如不揀用可靠的老幹部去担當這項使命，貽患更將無窮，實進退均無可如何。這才是「人民內部最大的矛盾」，只有愈演愈烈，終至迫出敵對性的生死鬥爭而後已。

共黨對待知識份子的方法，就是所謂「思想改造」；所用以厲行「思想改造」的武器，即爲暴力脅迫。這種是要以意識決定存在的魔道，決無繼續效用可言。然除此以外，一籌莫展了。共黨原是以煽誘和利用知識青年起家的，如今知識青年乃成了共黨生存發展的重大梏桎，可謂自有報應，將來搞垮秩歇王朝的最大力量，也就是現被控制奴役的知識青年無疑。

因此，我深深地感覺到：對於知識青年祗有設法滿足他們的求知慾，讓他們在學術自由環境中，發展個性，表現天才，現實政治生活最好是教他們少所沾染。過去利用青年學生作爲政爭工具，其利害得失所在，看看現在大陸[illegible]。我們必須反其道而行之，才是反共的上策。今人每夸言教育不能與現實生活脫節的理論，固也。青年學生不妨接受政治訓練，却不宜參預政治活動。共產黨栽培青年學生參加實際政治活動，結果怎樣呢？

玩盆景

・張瘦碧・

中國人很懂得尋求恬靜的生活，就以欣賞花草而論，所謂「花事逐人忙」，一年四季，不斷的變更，隨時增加興味。室外有花圃，屋內有古玩盆景。花圃裏的花，祗有青枝綠葉，也常感單調，玩盆景並不一定必需要讓牠[illegible]利興致，假如能使形態變成奇古典，尤能令人發出思古之幽情，記得從前小時候，曾到過一處專門研究種植盆景的一座小庭院，住着一位攘沓白的老人，他每天很早或傍晚，總是在院裏不住的親自整理着盆景，幹若干種專門的技能。

[illegible]寬敞的天井中，兩邊放着幾條木架，把不同的花盆，和不同的小盆景，都很有秩序的排列在架子上，四季[illegible]的氣候，因爲須些[illegible]枯枝，從來沒在逐續初期，已經下過一番細別功夫，而且大部份經常需要的[illegible]，對於盡數有充分的抵抗力，再不然在入冬以後，有些東西，把牠放入暖室，以防凋謝，有些不時注意牠們的營養，水份，陽光，都有適當的調節，故各種盆景能滋長出優美的姿態，保持永恒的生命，那屬一種[illegible]

普通一般選作盆景用的，大致不外乎楓、檜、榆、柏等一類的老樹根，但是必須要牠本身的形狀怪奇古，方爲上品，[illegible]樹根，都是經常隨時抽條生葉，但求稀疏，不要過密，[illegible]然後再一番苦心了。往往經兩之後，抽條特別快，生叶也特別盛，這時是最要注意牠的形狀，以獨具的匠心，作周密的設計，看準了之後，然後再下手剪裁，須能古意，不求凡俗，胸中缺少邱壑的人，是決不能有此手腕的。

當以梅椿爲第一，盆景種着蒼曲的老根，長着三五枝條，開着十朵八朵的花，放在書桌案頭，能陶治性情，能清心養神。此外月季、玫瑰、海棠、迎春、臘梅、秋菊之屬，[illegible]專玩枝葉的盆景，要省力得多。假如有庭地，那末平時當可種在地上，候着花的時候，再移入盆內，花謝之後，仍讓牠在地上生長，終年在盆內，是極易削弱下去，不大相宜。但是玩盆花也得經常修剪，隨時注意牠的形態，尤在着花之前，祗能留得頂上的花蕊，枝幹四週如有小蕊，則一律必須摘去，能使頂上之花龐大肥碩，譬如一盆秋菊，最多不令開出三五朵，如此才能使之肥美嬌豔！

不論玩花也好，玩葉也好，盆的選擇，也[illegible]

萬竹樓隨筆

詩人白居易（772—846）

自杭州解職以後，樂天以左庶子分司東都，便在洛陽住了好幾個月，而且在履道里買了一所房子。（故散騎常侍楊憑宅）地方相當大，約十七畝，居室佔三之一，水五之一，竹九之一，以島，樹，橋，道間之，他在杭州所剩下的一點錢，便完全花在這所房子上，不足，把兩匹馬也賣了。其時樂天的年齡是五十三，終老洛陽之計，大概在這個時候已經確定。北宋李格非（字文叔，女詞人李清照的父親）所寫的『洛陽名園記』，還提到樂天這個住宅，但後來經過了兩百多年，當時景象，已不復存在，惟水竹之盛，仍爲洛陽諸園之冠就是了。

敬宗寶曆元年（825），樂天出爲蘇州刺史。他在童年的時候，便羨慕蘇州的韋應物，也很喜讀韋的詩，他到蘇州，距離韋刺蘇的時代，已經是三十多年了。韋有一首『郡齋雨中與諸文士燕集』的詩，樂天覺得非常『警策』，當他到蘇州後，也寫了一首『郡齋旬假命宴呈座客，示郡寮』的五古，而且他把韋詩和他自己的一首，同時刻石。現在我把他們這兩首詩錄在下面，不僅對這兩位詩人的作風可以得到一個最好的比較，也可以幫助我們了解在唐代做一個郡守，過的是怎樣一種生活。韋詩云：

兵衛森畫戟，宴寢凝清香，海上風雨至，逍遙池閣涼。煩痾近消散，嘉賓復滿堂，自慚居處崇，未覩斯民康，理會是非遣，性達形迹忘。鮮肥屬時禁，蔬果幸見嘗，俯飲一杯酒，仰聆金玉章，神歡體自輕，意欲凌風翔。吳中盛文史，群彥今汪洋，方知大藩地，豈曰財賦疆。（一說此詩僅十六句，最後四句是後人加上的。）

白詩云：

公門日兩衙，公假月三旬，衙用決簿領，旬以會親賓。公多及私少，勞逸常不均，況爲劇郡長，安得閑宴頻。下車已二月，開鑑始今晨，初黔軍廚突，一拂郡榻塵。既備獻酬禮，亦具水陸珍，萍醅箬溪醑，水鱠松江鱗。侑食樂懸動，佐歡妓席陳，風流吳中客，佳麗江南人。歌節點隨袂，舞香遺在茵，清奏凝未闋，酡顏氣已春。衆賓勿遽起，郡寮且逡巡，無輕一日醉，用犒九日勤。微彼九日勤，何以治吾民？微此一日醉，何以樂吾身？

樂天說他的這一首和韋的一首相比，『雅俗不類，』這雖是照例的謙詞，但就史迹說，韋詩自出白詩之上。白對於音樂似乎了解得更多，所以他的『歌節點隨袂』以下四句，我覺得還是很美。

『自慚居處崇，未覩斯民康』這兩句，和韋在另一首『寄李儋元錫』七律中的兩句：『身多疾病思田里，邑有流亡愧俸錢，』都是一種溫柔敦厚的自然流露。今之作地方官者，希望他們能把向人民勸業得來的涓滴歸公，已經是鳳毛麟角，至於人民的疾苦，那裏還在他們的話下啊！

（四）

從白的這首詩裏，我們可看出唐代的刺史衙門，每天也是分兩次辦公，每十天照例有一天公共假期。一個做刺史的長官，和當地一般知識份子，似乎相當接近，像白老先生，則不僅約他們來吃吃飯，喝喝酒，做做詩，甚至還要叫一班歌妓來跳舞一番，和大家在一塊快樂，這和今天的黨老爺，隨時板起面孔，騎在人民頭上，而自命爲『民主』，豈可同日而語？

・舜生・

動物的靈感與智慧

告訴你幾個故事：臭虫避災，老鼠逃難，狒狒組織家庭，水獺建築堤堰。

・古月。

動物與人類，同賦原始的本能，所能別的祇是程度而已。俗語說：「人爲萬物之靈」，不錯，但有時人的靈感和智慧，且不及動物，甚至虫類。

民國初年，據傳湘南有個小縣──甯遠，事前，城廟遭了一次大火，事前，城內所有的臭虫（木虱），統統都逃出到城外西門約里許的五拱橋下，集結成簸箕般大的餅子，其數量多至不可勝計！一天正午，有一個老太婆到橋下洗衣，才發現這塊碩大的臭虫餅。消息傳出，街頭巷尾，大家都以爲是臭虫怕熱，特到橋下乘涼的。可是不到兩星期，城廟遇着空前的大火。

抗戰的前一年，衡陽城內的老鼠，數以萬計的成羣結隊，扶老攜幼，連夜搬家，並冒險渡過湘江，逃往東岸。當時江畔的觀衆，莫不嘖嘖稱奇，他們以竹竿或石塊等物擲於江中，意圖阻撓或擾亂它們的隊伍，但是那些鼠羣不顧一切勇往邁進。這事發生一週後，衡陽河街和鐵爐門一帶，都被大火燒光，無一倖存。

至於動物的智慧，如南非狒狒的舉止動作，頗似人類；它們的家庭組織，是一夫一妻制的，如果丈夫死了。雌狒狒才能改嫁。同時它們很愛護幼小者及其年青的後代。它們爲了兒女輩，可以不惜犯險冒難，赴湯蹈火。當一頭狒狒不幸死去，母狒所表現的痛苦，簡直比人類尤有過之！它們也有強烈的社會本能，每逢餘暇大家坐在一堆，用它們的臂互相環繞着腰，眼睛也互相望着眼睛，表示熱愛，並且衆聲吱吱，有節拍地唱起歌子來。

此外，還有水獺築堤的事實，它們爲了工作便利起見，無論在任河一條急流中，必須建築堤堰。本來在水太急流的地方，人工築堤也不是一件容易的事，何況不能使用工具的獸類？可是說也奇怪，它們事先也懂得邀集大會，推選出富有經驗的老水獺，主持工程，其餘的工作水獺，都能絕對服從命令，聽任指揮。它只用尾巴拍着水，那末所有的水獺便紛紛忙過不休；有的去拆赤楊樹，有的拉曳泥土，把這些材料堆成堤壩。主持的老獺，不斷地在它們的工作中間巡來巡去，並不動手，彷彿是工場中的監工一樣。

短篇小說

浪子

程外

我現在是十手所指的人物。凡是認識我的人，不管是長輩或是平輩，甚至是晚輩；是親戚或是朋友，還是子姪；看到我都把眼掉轉過去，也不正眼看我；我好像在他們的眼光裏是最不吉利的東西，又彷彿是垃圾堆里一塊骯髒的骨頭。我這樣的被他們蔑視，咀咒，我曾暗地裏痛哭過一些時候。我搖搖頭，我頓足，然而，現在習慣了，我也就不去理睬他們，免得討沒趣，說得漂亮一點，他們又是什麼東西？

現在，我所有的財產：一把胡琴，一件穿在身上補了又補的骯髒得有一股腥臭氣味而發光的長衫，（我怎麼知道它有腥臭氣味？看到別人和我談話都捏着鼻子，說話的聲音很濁，好像重傷風。）僅有一套換洗褂褲，鞋子已經有幾個洞了。我現在過一日三餐都混不到嘴，偶而有一位好心人，給我吃一個飽。我躲避風雨的屋子也沒有了。那裡和從前相比：我家的房屋還不是幾進幾廳，花園，亭閣；現在還在。不過，它換了主人。也是我把母親氣死以後索性變賣的了。想不到我越過越倒霉，晦氣是老跟着我打轉呢。夜晚睡在土地廟裏的一角，稻草堆裏一鑽了事。明天如果還活着再說下文。我一想起細軟的棉被，藤繃的大床，雕刻的床柱，光滑的擱板，我那夜就不能安睡了。所以，我樂得不想過去的一切。反正，我現在改變不了我的生活。我今天身邊多幾個錢，跑進陳長樂的雅片館多吸兩口烟，精神抖抖，談啦，笑啦，……：如果今天背時混不到一文錢，別說笑了，路也走不動了；但是，白飯不吃可以過，雅片烟不吸那怎麼成呢？癮發了，眼淚鼻涕一道來，兩條腿也軟了，渾身打抖擻，……：我只好縮着身子，去和陳老板娘說盡好話，賒一口雅片烟吸吸。看吧，老板娘臉色變三變，然後，她懶懶的說了：

「你連這幾個錢還要賒欠，沒有出息！好吧，明天還！」

「沒有出息」，這句話很刺耳朵，也傷我的自尊心。我還不是有出息過的。使我心想：當年我有出息，到了她家門口，她就眉開眼笑的朝着我，嗲聲嗲氣的叫我：『大少爺，請坐！』烟呀，茶呀，……統統來了，服侍我好極了；惟恐我不上門，她叫得我骨頭都酥了，然後，眼睛向我直瞄，身子向我懷裏靠，故意的裝做若無其事的在我的懷裏揉，捏我毛手毛腳的摸啊，臉上，身上，……陳老板看到了這情形，別過頭去，裝做沒有這回事。但不到轉眼間，她對我又是一副面孔了。她只瞧了我好多錢，分明値一文，硬要我三文；分明欠她五百，她算了五百。我那時還不在乎，就喜歡她在懷裏揉來揉去的調調兒，錢算什麼。她也樂意我欠賬呢。

我不敢往回想下去了——

然而，我幼小時，媽媽把我慣成一條龍，這就使我成了現在的禍害根苗，也不能怪媽媽。媽媽懷我的時候，爸爸已經過了四十歲，他說，媽媽再不懷孕，他要另外娶女人了。果然，媽媽在那年懷了我，生下一個男孩，那能不喜歡呢。就是爸爸一向不常笑的，也歡喜得嘴也合不攏來。

爸爸做了兩任縣長，回到老家買了田地房產，可以過個舒適的晚年。爸爸媽媽的希望都寄託在我的身上。恨不得我快點長大，來繼承他老人家的事業。據長輩們說：我七八歲的時候，特別聰明，啊呀，這就更惹媽媽愛我，爸爸疼我；我要啥有啥，我要上天，媽媽也會搬梯子的。媽媽的生命不及我的生命值錢，糟就糟在這裏。我結交了壞朋友。當然，好的事難學，壞的事不用教就會了。他們看我家有錢有勢，巴結惟恐巴結不上，於是，他們勾搭我去逛窯子。我那裏肯去呢。我還記得第一次去窯子裏，啊呀，好多花枝招展，漂亮的娘兒們，都嘖嘖的，笑迷迷的，向我飛媚眼，打趣我。我坐也不是，站也不是。她們都在那裏胡來了。我當溜走了。奇怪，那夜，我的腦子裏一直在放映那個熱情的場面，一夜也不會閉好眼睛。第二天晚上，我偷溜了。我去那家窯子，還了一個叫小桂花的姑娘，人生的真够標緻，我愛上她了。於是，我三天去兩次，五天去三次，這那能不碰到熟人呢。

「你原來是假充正經人啊！」那個第一次同我一道去窯子的胡飛說。

我笑笑。

以後，總是我形影不離的好朋友。（一）

自由人
THE FREEMAN
（第六九五期）
中華民國僑務委員會登記證僑台第一二二號
中華郵政台字第五〇〇〇號執照登記爲第一類新聞紙類
（半週刊每星期三星期六出版）
每份港幣壹毫
台北市售價每份台幣壹元
督印人：陳文奎
地址：香港高士威道二十號三樓
20 CAUSEWAY RD. 3RD. FL.
HONG KONG
TEL. 771726
承印者：東南印務出版社
地址：高士打道六十四號
台灣總經理處
台北市西寧南路壹登發二號二樓
電話：四七三四六
台郵撥儲金戶九二五二二
海外總經銷：友聯書報發行公司
香港：德輔道中二十六號A二樓

從朱可夫到馬林諾夫斯基

·黃震遐·

蘇俄最近去掉了朱可夫，以馬林諾夫斯基任國防部長，赫魯曉夫這一着引起了西方的不安。朱可夫一向被認爲是艾森豪的友人，代表蘇俄的職業軍人派。西方的政治家們一直希望朱可夫得勢，以便多少免除俄共中央的教條狂熱性，在外交上好打交道些。某些天眞的英美政客們更幻想朱可夫會有一天便成一個保守的拿破崙，由此結束國際共黨的非法陰謀，及其明知故犯的「革命總路綫」。不幸這個希望幻滅了，赫魯曉夫先把朱可夫開掉。

朱可夫是否明昇暗降，還是從此被打倒，而還將發生蘇俄的盤軍運動，目前尚不可知。這些有關個人成敗的演變，政治上已不重要，重要的是，朱可夫是否代表一種穩健的國防政策，而赫魯曉夫則代表某種不切實際的冒險主義，或者是情形恰好相反。我們需要注意的是這個時代的關鍵。

一

根據蘇俄最近「飛彈外交」的狂妄作風這一點看，朱可夫可能有些幕後作用，至少有關飛彈和征空這一類大事，不能與國防問題無關，朱可夫是不能不過問的。但從政治方面看，則俄共一切有關科學戰備的秘密研究工作，過去並未交給職業軍人負責，而是由黨中央實成特務系統直接掌管的。國防部充其量祗能了解科學工作的進度，與科學戰備在蘇俄的世界戰略上所佔的地位，卻無權指揮科學研究機關。當史達林在時，製造原子彈的工作是貝利亞的事，目前製造越洲飛彈和「人造衛星」的秘密工作則是色洛夫的事，這是蘇俄原子軍備內幕和美國不同的地方。

蘇俄共產黨決不信任它的國防軍人，史達林和赫魯曉夫都要把蘇俄武力的最大法寶緊緊地把握在自己的懷抱裏，以便鞏固黨的極權統治。我們如從這方面看，則朱可夫又可能根本不是「飛彈外交」的發動者，甚至於是它的反對者。

其次，朱可夫是紅軍戰略大師夏波希柯夫的得意門生，夏氏一派的戰略思想，基於帝俄的軍事傳統，精思實際，不同於共黨的空想。夏氏認爲俄軍的本質，不宜遠征作戰，出國必垮，過去數度侵略西歐，莫不大敗而回，但守土抗戰，遇變國傳統若門，則有特長，因此夏氏所擬定的蘇俄國防戰備藍圖，根本與共黨的世界革命路綫相背。結果，夏氏的戰略救了共黨，救了蘇聯，把希特勒拖垮。蘇聯在第二次大戰中的領兵大將，大都是夏氏（一度任參謀總長）的學生，他們集體的軍事思想奠定了蘇聯的國防戰略，變成共黨擴張的陰謀保障。共黨要打破這道障碍，使其列寧教條和軍事戰略配合一致，因此發展原子時代的攻勢主義觀點，變成俄共總路綫的必要，而俄共要有一個新的國防學派，即非打倒夏波希尼柯夫的偶像及其遺留下來的國防派不可，這樣朱可夫就非走不可。

二

又次，在朱可夫，哥涅夫，蘇柯洛夫斯基，羅柯索夫斯基，馬林諾夫斯基這些人中，雖然皆出夏氏門下，亦皆爲夏氏國防論者，但這五人的人事淵源不同，政界背景各異。朱可夫與布爾加甯關係最深（德蘇戰爭時，布氏爲朱可夫方面軍的政委），哥涅夫則接近赫魯曉夫 [illegible] 同時把羅柯索夫斯基南調土耳其邊境，擔任高加索方面軍司令（在政治上是充軍），而在 [illegible]

三

[illegible]

日軍武裝建軍，從而奪取中國大陸；（二）一手建立了北韓金日成的現代化的武力，發動韓戰；（三）完成了中共武力的通盤俄化。一言蔽之，馬林諾夫斯基是俄共中央的冷戰王牌，在冷戰過程中，朱可夫之流皆無甚表現，僅餘偶像作用。祇有馬林諾夫斯基一人一直都在實地執行俄共的擴張侵略政策，負責俄共在東方的全部戰略陰謀，事實上，馬林諾夫斯基已搖身一變，不是夏氏的干城，而是俄共兵不血刃攫得遠東大陸的工具。此可說明何以馬林諾夫斯基會被擢爲國防部長。[illegible] 朱可夫是否「被踢上去」，擔任布爾加甯的角色，去做些無關重要的冷戰外交活動（爭取艾克的「友誼」之類），實際已無關宏旨。老國防派已被拔掉了。赫魯曉夫可以放手建立俄共的新國防派了。

四

新國防派的中心人物馬林諾夫斯基是怎樣一個人物呢？他是蘇俄的頭號劊子手，洗劫匈牙利、奧國，和我國東北的匪軍頭子。[illegible]

[illegible] 蝗蟲似血洗劫了匈牙利和奧國，姦殺數以萬計的婦女，大掠匈京和維也納。一九四五年八月，馬林諾夫斯基的血腥隊伍被調返遠東，參加對日本關東軍作戰，從赤塔一直掃到旅順，我東北的空前浩劫，由是造成。我們的機器給連根拔走，東北人民慘遭蹂躪，不算，馬林諾夫斯基還把日本關東軍的武器，拿來武裝了林彪徒手前來的共軍。遠東冷戰的陰謀由此開始。

韓戰實際是馬林諾夫斯基指揮林彪和彭德懷打的，中共和北韓的作戰計劃，莫不取決於某一由馬氏親信部下擔任參謀長的「聯合作戰參謀部」。在韓戰中，馬林諾夫斯基暗中供給中共和北韓軍的作戰武器，共達大炮一萬五千門，戰車二千輛，汽車二萬輛，數百萬噸的彈藥，和米格機二千架。馬匪並曾於一九五三年夏，親任卅八綫督戰。

就是這一個人，現在要在赫魯曉夫的特務和科學家監視與協助之下，開始計劃蘇俄的「飛彈時代戰略」了。這個人是沒有人性的，但和毛澤東卻有血肉不可分的關係。他一上台，毛澤東馬上便要到莫斯科去，遠東緊張起來了。

半週述評

東歐蘇軍不穩！

「駐在捷克的蘇軍，現正開始叛變中！」這個消息 [illegible] 朱可夫被黜的鏡頭，也較蘇聯的人造衛星引人入勝！

[illegible]

軍人何以反黨叛國？

[illegible] 東歐紅軍的潰降，是史大林 [illegible] 而這一時期正是史大林 [illegible] 軍隊絕對服從黨委領 [illegible] 能挽救紅軍的命運。 [illegible] 於諾曼地登陸前後， [illegible] 甚至於像有「沙漠之狐」 [illegible] 最後也參與了反叛謀刺 [illegible] 於這兩個事例，不能 [illegible]

在極權統治的國家，軍人的榮 [illegible] 勒可以當衆羞辱他的 [illegible] 邱之路。因此在歐洲 [illegible] 也是完全不同的。赫魯曉夫必須利用朱可夫的英名來打擊政敵，但最後朱可夫祇落得聽候赫魯曉夫來「量才任用」的下場！從史大林時代到赫魯曉夫時代，朱可夫的命運並無絲毫的不同！因爲這兩個領袖都是瘋子。這不是朱可夫的悲劇，問題是，爲什麼軍人會在重要關頭上叛黨、叛國和反對他的領袖，能說這與蘇聯政治制度無關嗎？

赫魯曉夫——精神病患者

由於朱可夫的貶黜，狄托稱病不參加本月七日的蘇聯四十週年慶典，看來共產集團的團結尙難實現，而在東歐的蘇聯駐軍又有不穩情況，因此，我們更能了解蘇聯之必須與美國「和平共存」的意義。至於土耳其的緊張 [illegible]

李全畔

欲知中立半靠攏國家如何　且看緬甸

·華永儁·

緬甸在過分倚賴蘇俄及中共的投注結果，已使國民經濟窒息，國家預算失常，明年度的歲入，只有出於增加「外僑稅」一途。經濟上的困難；政治上的歧見；軍事顛覆危機；以及邊界上的爭執，一連串的問題，已使這個標榜「中立」的「社會主義國家」十年前「英緬協定」帶來的獨立光輝，逐漸斑剝殆盡。這是宇努頻年迷信「中立」幻想「共存」釀成的困惑。

經濟上的困難原因，是國內的生產萎縮，共區物資大量輸入，在無法履行「易貨協定」之下，必須改爲現金支付，此項結欠國付款項，迄今年九月底爲止，結欠中共四百三十餘萬英鎊，欠波蘭六萬餘英鎊；欠保加利亞一萬餘英鎊；只有羅馬尼亞倒欠緬甸十餘萬英鎊。這些欠人人欠的數字，係逐年積累，無法以白米沖銷；過去兩年間，中共對緬甸取得白米僅廿六萬二千二百三十噸；緬甸自中共取得工業設備，建築材料共一百三十萬零三十四英鎊，這筆新帳係自去年八月開始欠下，用於修建實際由中共操縱的直通紡織廠。

新的年度預算，原則上是維持治安，鎮壓叛亂（緬共）的擾亂。警察費普通開支，比去年增加二千萬元，及一般投資三千萬元；國防費增加二千五百萬元；政務費用仍維舊貫，其他教育與國民衛生，醫藥方面，亦比去年增加。那龐大的國家預算，有待於假設稅收維持，在正常稅項之外，關稅增三千萬元，一千枝香煙的稅率，將自廿元增至廿五元，貿易稅原自一百萬元（貨值）起征，將減低至五十萬元；外僑登記稅（人頭捐）增加一倍（由年征每人廿五元增至五十元，外僑臨時居留稅，由五十元增至一百元；總收入比上年度增加了九千五百萬元，整個稅收預算假設，共爲九億八千萬元；比對盈餘四千萬元。此外，尙有印度借款一億元；美國借款八千二百萬元；世界銀行借款三千三百四十萬元；日本賠償款一億五千萬元；蘇聯贈與折合九百萬元。這些可以預計的收入，均被列入政府投資項下。對於人民生活的改善，國民經濟開發，均未加以考慮。四年建設計劃，過去既無成就，且使政府內部三大派系（宇努、宇巴瑞、宇叫迎）交相指摘，始終爭持莫決；宇叫迎（副總理兼經濟部長）媚共心理作祟，不圖促進國內農、工生產改良發展，一味寄望於擴大國際貿易，以米糧、木材去同蘇幕後面交換軍火、工業產品。以宇叫迎夫婦爲首的「友好與經濟考察團」，已於十月二十日出發，取道英倫，還赴捷克、波蘭、蘇聯（並參加十一月七日「十月革命四十周年」紀念）、羅馬尼亞、保加利亞、外蒙、及中共爲時兩月。

政府內部的歧見，並不是基於單純的經濟困窘，即就戡亂的國防計劃，亦未盡同意，「彪蘇鐵」（民兵）軍事計劃，對於防止城市共黨恐怖活動，阻遏武裝共軍侵入城市等等，未見其利，已弊端百出，綁架勒索與姦淫民婦，洗劫村間無所不用其極；同盟政府與人民間的積怨，使左翼政黨獲得有力支持，緬共的猖獗更加無法無天。宇努雖然一再證實緬共，力言緬共不獲人民支持；但在另一方面卻極力跟共產國家靠攏。捷克製的俄式米格十五型的噴射戰鬥機、直升機、輕型轟炸機、運輸機、大砲，以及各種小型式武器，彈藥，將大批運至仰光；在今年七月緬捷仰光談判中，捷共軍代團長柯客上校，曾經承諾在仰光設置一個軍火工廠。因此，有人懷疑捷共援緬甸，實際有助於緬共推翻同盟政府。

關於中緬邊界問題，中共要求割取片馬、古浪、崗房三個戰略要津。在去年十一月，周恩來訪緬時，原已迫使宇努就範；後來，此項談判內容經緬甸報紙披露，迅即激起全國忿怒，首先是與上述三地有利害關係的吉欽邦反對。他們認爲同盟政府不應迫於情勢，犧牲邦土地。於是，迫得宇努於今年二月二十二日赴滬，要求中共重新「考慮」；直至最近，宇努於訪問北平返國，只說此行係向中共解釋仰光新聞界洩漏國家機密，談判仍未達成協議。然則，中共爲什麼要割取上述土地，原因無他，吉欽族是緬甸聯邦中最強悍的一邦，割裂該邦之後，中共顯將進駐重兵，以藉口支援緬甸政府進剿叛軍，企圖將緬甸象徵民族主義的吉欽族軍消滅。

欲知一般所謂「中立」而實際半靠攏的國家情況如何，且看這就是緬甸！（十月廿五日寄自仰光）

大選前夕的泰國政局

◦祝君健◦

海外通訊

乃沙立患的是什麼病症？
親西方政權能否保得住？

泰國臨時政府成立已有一月，以沙拉信為首的二十七名新閣員，都是乃沙立提名的一色新仕版。這個過渡時期內閣，在理論上說來，該是一條由軍人獨裁，通向民主憲政橋梁。現距大選已不足兩月，許多事實反映，看不見有任何新氣象。那顯然是局部戒嚴尚未盡除，全國局勢還沒有澄清。

三大政治主流

從表面上看，各黨派均在策劃競選。廿六個大小黨派，在自由黨（前執政黨）無形解體後，只有標榜中間路綫的「聯邦黨」，右翼「民主黨」與左翼「經濟人黨」三大政治主流；其他弱小黨派，經濟上既無提供大選力量，且無任何實力後盾，除了就上述三黨之中，擇一倚附，很難找到適向獨立途徑。

三黨實力比較

「聯邦」、「民主」、與「經濟人」三黨的實力，可以說勢均力敵。聯邦黨的財力，既有「彩票局」支持，且有來自中國大陸的物質支援；人力尚有乃沙立的槍桿，潛伏地下的共黨勢力，跟「經濟人黨」的顯著顛覆活動，以及藉「統戰」手段收買輿論，使民主黨為之失色。民主黨在泰國人民心目中，雖然有足夠號召力，而且有龐大的財富作後盾，再加該黨領袖乃寬，過去擁有廉政清譽，就今年二月間大選結果看來，民主黨是一個深孚人望的政黨。下屆大選如何戰勝上述兩黨，取得政權，顯然並不輕易；但乃寬使用於未來大選經費，在變產得來的二百萬銖（約合十萬美元）中，現已短去四分之一。這一筆投資，在乃寬看來，縱不能換得全票，至少在民會中可保持過去票數。

未來大選形勢

現在，乃沙立一度患肝病休養；策劃未來大選全由乃巴博一手包辦。這一位在政變中的次等角色，現任內政部長兼第一軍軍長，掌握首都京畿權力。他一再強調臨時政府決不協助任何政黨或個人競選，並宣佈一項「確保清潔選舉」方案，內容包括：（一）負責選舉事宜的每一小組，由學生代表各政黨代表與一名三等級的官員組成，以保持其選票；（二）授權選舉小組在投票時，可以隨時抽查投票者的身份，以驗其是否具有投票資格；（三）派軍隊駐守投票處，以維持秩序治安；（四）印發選舉方法及候選人名單，逐戶郵寄，使人民充分瞭解，選擇較為便利。過去選民投票是否便利、無弊，現時言之過早。但現時張貼選舉須知，似乎也嫌過早。

政府需「聯邦」「民主」兩黨合作

就現實情勢看，巴博的話倒並不是唬人的謊言，因為政府在此時無從抉擇；總該協助那一黨派或個人。迄今為止，聯邦黨的態度依然曖昧，乃沙立主持下的「彩票局」過去對該黨許下經濟支持諾言；沙立爭取政權後，尚未考慮另組新黨，顯然需要聯邦黨作他的政治資本。但是他，該黨的政綱政策，面臨時政府的內政、外交未盡符合。顧慮將來該黨在民會一經得勢，使政府遭遇極端困難。於是，在沙拉信看來，最好的辦法，只有希望於聯邦、民主兩黨合作，使政府在這兩黨之間，起有調和作用。可是，沙立與巴博對於這些問題，始終難以決定。乃寬則已否認兩黨合作。

另一方面，沙立的病據說是「肝硬化」。現在雖已返京，病情卻未加證明。敏感的人對沙立這次突變的病症，很少表示信任。一般認為他正患着嚴重的「政治病」，企圖以託病囊意來靜觀全國的政治局勢。這是很可能的，第一、他不是一位政治家，政變成功之後，一直就很困惑，不知道怎樣幹才對。第二、沙拉信僅不過一位名義上的統治者，他沒有獨力執政的魄力，遇事必先徵詢沙立；沙立又缺乏果斷能力，找巴博從事三角會商。結果，為了避免引起崩潰，也唯有依循過去披汶氏的舊路子走。因此，傳說沙拉信將掛冠。

沙拉信是泰國親西方現政權的唯一特徵，在大選以前，無論任何勢力，沙立必然要保持他的政治地位。因為，泰國的經濟、國防與社會建設，仍須美援支持，不然，勢將陷於停頓。反對派，特別是經濟人黨，於沙拉信領導組成新政府後，一直抨擊親西方政策的「不當」，醜詆沙拉信是美國的「走狗」。雖然乃沙立曾經一再強調，沙拉信政府不追隨美國。但孔力言「英雄」有強健的體魄」。

事實上泰國的過渡內閣，正遍呈病態，美國繼續援助下仍無起色。經濟人黨所以要選擇臨時政府，旨在使前政府留下繼續未竟的各項建設停擺，使全國陷入混亂，他們可以混水摸魚。這，正是乃沙立最擔憂的一件事。因為，政變的成功，迄今尚未使他的政治基礎確立。成功失敗，有待於未來大選來判定，展望大選，簡直令人不寒而慄。（十月二十五日寄自曼谷）

寶島趣聞

叫化子拖到蕭局長

據說前此不久，文人國防部長俞大維，曾偕同外籍友人到台灣中部參觀。在火車上，外籍友人和俞大維聊天，順便提到在台灣各地尚未發現有乞丐而表示驚異，但俞答得很妙，他說「台灣自實施耕者有其田以後，農村水準提高，農民也漸漸富裕起來，加以工業突飛猛進，人民就業機會日多，乞丐自然消失了。」車抵台中，不料他們剛剛走出車站，就有一個乞丐伸手上去向外籍友人討錢，這場面使俞大維非常尷尬。不久消息傳至周主席耳中，特令台中市警察局嚴加取締，警局奉到命令後，即嚴格執行。不料事情相當不巧，未幾周至柔有一次到台中車站去送朋友，也遇到乞丐向他的朋友伸手討錢，主席一怒，警察局長蕭紹文也給被調差了。

在台灣警界裏，蕭紹文是個有名氣的人物，他從四十年六月接長台中市警察局一任做了六年四個月，是全省各縣市警局長任期最長的一個，向有「蕭不倒」之稱，想不到竟給一個叫化子拖倒了。

這個有趣的故事，目前正流傳為佳話呢！

◦季鶯◦

台灣通訊

據省新聞處報告，目前台省新聞出版事業，共有報紙廿八家，通訊社卅九家，雜誌五百卅餘家，出版書店三百八十餘家。其中半數以上集中於台北市。照形式上看，以擁有九百萬人口的地區能有如是之多的出版機構，大概可以說是世界文化發達之地區；但其內情如何，乃是引起一般人重視的問題。

至於發行情形，報紙方面全省各報總計每日發行約四十萬份，與全省人口比例平均為廿五人讀報一份，雜誌方面，省有五百餘家，經常出版者約三分之二，換言之為三五三家之內，銷行較廣者為中小學生閱讀刊物，每期約銷二萬餘份，次為純文藝性刊物，一般性刊物每期平均四、五千份。書籍方面，據一九五四年聯合統計，我國為亞洲僅次於日本者。現有電台四十家，公營者廿三家，民營者十七家；電影製片，略而未計。

報業一斑

台灣的報紙或者說文化的中心，是在台北市，廿八家報紙中，除台北市的「中央」「新生」「中華」三家公營報外，民營的「聯合報」銷數頗高，「公論報」限於條件不夠，僅足以維持現狀，其他各縣市報紙多為地方性，無論印刷、編輯等條件均不夠水準，其銷路僅限於台北各報訂戶繼續處以及臨里的推銷，均無甚足觀者；台灣的日報有一共同特點：即是各家一樣，有時連標題也很少出入，社論也大致相似，不少所採觀點多部份相似。關於晚報，因台北市是擁有七十餘萬人口的商業都市，所以三家晚報，始終以民族、大華兩家以同樣觀點編輯的關係，銷數估第一位，除如對開一張的「自立晚報」以印刷欠佳，廣告太多太大等關係，銷數較差。

讀者論壇

在台接受了自由中國助章　抵港卻謂美應與中共接觸

——紐約時報發行人的怪論——

◦鄂達如◦

世界性權威報紙紐約時報年來剖析中共政權，立論尚稱公正，惟其報導鐵幕的專文，大體說來，自亦取得廣大讀者的重視和信任。該報的發行人蘇爾茲保格，原係一老報人，備受各方的注視與崇敬，理固宜然。他最近訪問自由中國，在十月中旬結束其在台北的行程時，曾獲得了蔣總統特頒的勛章。一般中國自由人自然也對他表示敬意。

意外得很，蘇氏由台經港，竟也認為美國應該與北平進行外交，文化及非商務性的各種接觸，雖然他反對和中共做買賣。

這種論調和紐約時報一向的主張，有很大的距離，實在令人懷疑。事實上，蘇氏當對紐約時報的社評政策，肩負責任。該報年來，尤其自韓戰發生後，力主正義，不憚煩地向國外讀者不斷說明美國以維護世界和平為己任，不會採取權宜之計，以與暴力妥協的。雖然蘇氏於首程轉往馬尼剌之前，恐怕香港讀者誤會，曾致函虎報，聲言他在機場匆匆，言有未盡，絕對不贊同美國此刻承認中共，只主張美國承認中共的那件意念而已。（編者按：蘇氏在港談話及致虎報函，未見全文，姑照作者引述列出）。

蘇氏既然不贊同美國現在就承認北平傀儡政權，而又認為英國只承認而非贊同共黨國家的見地甚對的；這就令人摸不着他的用意所在？因此有人懷疑蘇氏之所以主張與中共進行非商務性的其他接觸，包括文化與外交的關係，是因為心中敢欲使他的紐約時報記者儘早進入中共區之一念有以使然。

他認為「民主是由全體人類所保護，而其[illegible]報導，以[illegible]交換記者，學生和藝術家等……」實用世區從來不准非共國家人民自由觀察訪問，祇許有那些安排好了的事[illegible]一切都有共幹[illegible]，根本不可能採知赤區的真象，更談不上文化交流。難道蘇氏會不知道？倘知道而仍作此談話，豈不令人費解？他一到馬尼剌，便說他在香港的談話給記者引用錯了。如果他的話受到誤解，自係有失公平，該予更正。可惜他並沒有更正，而且在致虎報函中，聲言他贊同英國承認中共並非認可共黨之謂的那種概念，卻不贊同美國處理中共問題的辦法。殊令讀者，尤其是香港的自由中國人感到非常遺憾！[illegible]氏片面之詞，語不及其主張與中共交換學生、報人及藝術家的談話，似有替蘇氏保留了不少地步，我卻以為對于吾人平素崇敬的人如蘇氏者說一類的話，值得追求其意向所在，也就是了解美國人之道！

寶島文化鳥瞰

•杜方步•

雜誌一百七十餘家

雜誌方面，至少有一百七十餘家既未出版，登記又未吊銷，大多以不能出刊理由，呈請新聞處及內政部而得以保留，凡此皆係辦得不好，發行人特此以待轉讓，收回以往損失的補償。由此原因推論，合省規定申請登記資金須有四萬五千元以下各地不同之規限，所以申請人每以借用銀行（或金庫）戶頭謂其的證明書應付，實在甚金太少或竟赤手空拳。據照新聞處辦核其承轉之申請登記，亦有多留難之處，同時辦雜誌者的動機亦有分別：有的以辦雜誌為出風頭或作政治資本；有的以牟利為目的，如各色內幕性刊物者然；有的卻是真正的文化人，只有心做點文化事業；前二者的主持人，失之外行；後者則失之不善經營；然皆以廣告困難，大多勉強維持；有些利用關係，由軍友社或美國新聞處，僑委會等機關每期訂購若干份，以作維持刊物的經費；就整個五百多家雜誌看，不論定價若干，很少見其份數日增者，其理由是同行太多，競爭激烈，一般人的文化食糧購買力日低。

其次是內幕性刊物因很多刊物流入此途，定價僅一元至二元不等之低，銷路仍不見旺，前聞聯合數家內幕刊物出刊者，截至目前止尚未果行。而各家皆在封面印刷上競爭，以致受影響即虧損者多。

只有公營刊物不虞匱乏

依現實情形看來，只有公營刊物尚能維持，[illegible]雜誌，經費不虞匱之，加以分技機構員工訂閱，雖然銷路有限，也還能站得住，惟其風格，宣傳氣味過濃，多不合一般胃口。一般雜誌最大困難，[illegible]，能銷行海外者，恐百不得一，印刷、編輯，甚至內容均趕不上香港刊物，加以海外僑胞對漢文程度較低，以至無法接受，寫在海外的鄉土讀者數太少。一般說來，雜誌事業前途，堪十分可憂。

出版社書店盈虧不一

關於出版社書店，二百餘家中，盈虧不一，出版社的發行網不大，發行技術亦不夠，故較書店差得多；書店中除公營或較有發行及讀書者最好，香港即以學生為對象，出版各級學生的參考書，課外補充讀物，至於出版書籍，計有影印古籍，或是准影印已日銷路會被禁止之翻譯名著，其目的無非牟利，很少出版學術性巨著；總言之，合計出版社書店，對於文化的影響，其功並不太大。

真正職業文化人為數甚微

由出版事業而看文化人及其作品，真正的職業文化人，作家，為數甚微，大多兼有職業，撰文只是副業，以賺稿費生活貼補，是凡讀書人，不論老少，都爭先恐後地撰稿。由於寫作水準之低，不夠水準的文章造成風氣，真正的好文章或有學術性者，倒不受歡迎，其次學術性著譯，不是偏於「大綱式」就是「簡譯式」，論著作可以如陳振漢抨擊中共經濟論文所言：「百分之五十是引文，百分之四十是不用引號的引文，只有百分之十是作者自己寫的。」真正的著作少而又少，五十萬字以上的著譯，幾均無人敢於出版，也很少人問津。

出版機構十九是「鐵幕主義」

再者台灣的出版機構（包括新聞機構）十有九家是鐵幕主義，大談島內有小鐵幕，園地上經常由少數人輪流，來源文章之好，如果沒有人事關係打不進鐵幕，即使原是名家，未為此間知名前，也無摸不着門的，可以由此多「名家」，因其某種地位，或有某種地位者為之背景為證，真正靠作品成家者，真正能出人任何一家鐵幕者，可謂百不得一。擠入鐵幕對於稿酬上也分三六九等，大概，有地位者千字高達一、二百元，被約之文章千字百元，有地位者介紹之文章千字七、八十元，純粹投稿者，三十元至四、五十元之間。很少一視同仁，或者以作品好壞計價分等者。普遍情形是為稿費而寫稿寫書，而名家亦多以稿費高低，各以適當性優劣不同的文章應付，一切皆流於商業性。至於「爬格紙」而出賣靈魂者，也不得謂絕無。

關于黃色刊物之類

出版誨淫誨盜刊物者，固應予以行政處分，甚至吊銷登記證，為文化清潔而出此，亦無過分之處，出版內幕性刊物，固無論是否牟利，至少還是以出版品收入一元、一元五角的成本，還算比較好的；卻還有某些人，出版關於總統的單薄書刊，定價動輒一、二百元，也有些所謂名人之作，高及三、五百元一冊，利用人情關係，向商家推銷，或者向回國觀光，參加國慶，觀禮之華僑推銷，那實無異敲竹槓了。

（四十六年十月廿日於台北）

巴黎赤色「僑衆」報 法政府已勒令停刊

大鵬劇團即將到法演出

（巴黎短柬）四年前在巴黎，出現了一張「僑衆」報，這是由中共出錢支持的一張紅色的「僑報」。這張報紙專以刊載宣傳大陸的消息，並間接隱晦地攻訐法國當局，和挑撥中法友誼。

現在，這張報紙，受到了應有的懲處：八月卅日法國當局勒令該報停刊。停刊後，該報仍於暗下活動，尤其是該報的編輯人員屢次作政治煽動而干擾社會秩序，九月十三日，法國當局即對該報及編輯人員加以搜查和拘捕。法國政府當局毅然決然地行動，表示已深知左傾的華僑中實有中共地工分子在作領導，儘管法國議會外交委員會在今年四月間通過了「要求政府承認中共的議案」，但是政府當局却以斷然地行動來作事實性的否定。同時更不可忽視，此項行動之執行正值法國前任總理培納和政要等相繼訪問自由中國之時，而在英國演出的大鵬劇團，也將於十一月間到巴黎演出，這些情況正顯示了中法間之友好關係在不斷增進中。（裕十月廿日寄）

整風下的農民

何雨文

鐵幕真相

鄧小平在整風運動報告中說：「農村情況是好的。」他指出好的原因，不外乎三點：合作社基本是鞏固的，糧食是增產的，幹部作風也有了進步。其實農村情況的不安乃至極度混亂，是有目共睹的事，就是鄧小平在整風運動報告中也列舉了出來：

混亂情況

1，富裕農民中間有不少，用各種方法，少賣餘糧和其他主要農產品，某些人甚至進行投機和活動。

2，富裕中農的絕大部分因爲大勢所趨加入了合作社，但是他們中間的大部分思想上是動搖的。或者在被迫入社之後，帶頭搗亂鬧退社，或者在合作社外進行破壞合作社的活動。他們也是農村中抵抗統購統銷政策，從事糧食投機的主要勢力。

3，「反革命」分子和地主，富農分子也乘機進行破壞活動，製造「反動言論」，散佈謠言，鬧退社，搞賭博，搞倒算，煽動鬧事，甚至建立反革命組織，假造暴動。

這種情況不僅是不好，並且表示着危機嚴重，要想消除這種危機，鄧小平肯定說：這是鬥爭，需要很長時間，才能取得徹底勝利。中共面對這種嚴重的情況，在整風中採用的方法，是夠毒辣的：

受欺騙

1，第一種是欺騙的辦法「在農民和其他勞動人民中，一概不提反右派鬥爭的口號，不戴資產階級右派分子的帽子。」「已有經驗證明，惟有大鳴大放，才能大爭，惟有大爭，才能暴露反社會主義分子的言行。」「惟有大鳴大放，才能使羣衆暢所欲言，對於幹部的缺點或錯誤提出批評。」欺騙的目的，是在使農民暢所欲言，沒有隱蔽，才可以揭發反抗的整個情況，便於作嚴懲的準備。

受刑罰

2，第二種是嚴刑峻法「對於農村中『反革命』分子和『壞分子』，必須給予堅決的打擊。」「被判刑的『反革命』分子和『壞分子』，在刑滿釋放之後，如果又犯罪，必須再捉再判。」「對於各種破壞公共秩序，嚴重違法亂紀的罪犯以及公衆認爲『壞人』，必須堅決懲辦！」「必須堅決取締道門，禁止賭博。」「輕罪重判不對，重罪輕判也不對，目前時期的危險是在後者。這種偏向必須在各級黨委的領導下，加以糾正。」照上面列出的各條，我們可以想像到了中共對於釋放的政治犯，必將加上莫須有的罪名，重行判罪，並且要判重罪。

被剝奪權利

3，第三種是剝奪人權「各地農村中有一些『大法不犯，小法常犯』的『不良』分子，對於這些人，如果由地方法院處理就不勝其煩，但是不加處理，對於生產秩序和社會秩序又有很大的妨害。可以考慮由社員代表大會或者鄉人民代表大會定出相當可行的公約，由上一級機關批准，加以約束，並且建立調處委員會負責執行。違犯這些公約的，可以授權合作社或者鄉政府給予適當處罰。」實行了這個辦法，不難想像到：一、中共將大興冤獄，合作社或鄉政府都可以有司法審判權，都可以隨時逮捕人民，直接處罰人民，人權的保障完全沒有了。二、一點極小事情或者只是有關生產事項，都可以擴大，動輒得咎，這種侵害基本人權和黑暗辦法，中共勢在必行。

被斷絕生路

4，第四種是斷絕反抗者的生路：如對於堅決鬧退社的，可以在批評他們的錯誤言行和剝奪他們的政治影響之後，開除他們出社。又如對於自留地，個人開荒，個人經營副業和農村自由市場活動的傾向，加以限制。又如對於城市的企業和機關學校要在農村招收臨時工人的時候，應該經過合作社的介紹，不許自由錄用合作社社員和單幹農民。

跳不出魔掌

這些辦法實現之後，農民除掉服服貼貼聽從中共幹部的指揮，沒有另一條生路。如果不甘爲農奴，想退出集中營本質的合作社，可能要經過嚴酷的鬥爭，而且想拋棄田園，改作工人身份，也要獲得合作社的准許。總之，合作社就成爲主宰農民命運的魔鬼，無論如何，終跳不出合作社的掌心。

可倫坡國家會議上 越南僑青提出呼籲

△越僑盼通過該會議獲得世界同情▽

（西貢通訊）越南華僑國籍問題，迄未獲得解決，使旅越五十萬華僑青年極感彷徨。因拖延日久，各方均感困難。此次可倫坡國家會議於十月廿一日在西貢集會，我旅越僑青，曾爲此事致書出席該會之各國代表，除陳述目前身受之痛苦外，並有所申訴，希望能通過該會之同情，使他們的呼籲能獲得全世界文明國家之同情與支援。爰將該函摘譯列出如左：

「我們代表五十萬沒有選擇國籍自由之華僑青年致書於出席哥倫坡會議的各國代表們，陳述我們身受的苦況，請求同情的援助。

年餘以來，越南政府要我們加入越籍，雖經我國政府提出交涉，但無效果。爲此我們，曾於今年四月三十；五月四日及六日數度向我國駐西貢大使館表示抗議，但越南政府並未接納我們的要求。

我們認爲：

一、越南政府之措施是不合民主文明國的慣例。尤其有違聯合國人權宣言的宗旨；

二、外僑在僑居地出生，照例於成年時有選擇其國籍的自由；

三、每一民族有其自尊心，如果人權應受尊重，則此種民族觀念，亦應同樣受尊重。

四、越南政府對上述基本人權，顯然尚未能加以尊重。

五、強迫外僑入籍之措施，只施用於華僑子弟，而不施之於其他外國僑民，亦係不平等待遇。

根據上述理由，我們希望通過各位代表們的同情，向自由世界呼籲，並向聯合國有關機構提出我們所呼籲的問題。

對於你們底正義及人道精神，我們寄予很大的希望。」（十月廿二日）

年輕人的小說

孫旗

巴當等十八人作「亞洲短篇小說選」第四集

讀完這十八人小說選集以後，我覺得日本作家菊池寬說的：「二十五歲以前不要寫小說」那句話，已失去其真理性了。這十八個人大都是在廿五歲以前，而他們的作品內容、風格、寫作技巧諸方面，也不乏上乘佳作，和職業性作家較，亦毫無遜色之處。

每篇小說都感動我，他們都在「孝」與「愛」的人性下，抒發各別的思想感情，以不同的生活體驗，以清麗的文筆完成文學創作，尤其對於真善美的發揮，最爲深刻。首先，他們因爲生活體驗的限制，都以「我」爲中心的感受與發揮，大抵不出母子、母女、父子、父女、爺孫之間的天性和孝的精神，完全誠摯而充滿情感，沒有虛僞，沒有模倣，確乎是創作的作品。

由於他們多在學生時代，對於詩與散文的語文吸收得多，所以文筆帶上抒情色彩，表面是美麗的詞藻，這是每位作家創作的初期特有的風格。

在創作立場上，有九位是「第一人稱」的視角，只有一心的「孤兒」一篇是第三人稱立場寫的，第一人稱較第三人稱有親切感，實際上在他們僅有的生活體驗範圍，這種限制也不可能用第三人稱，第三人稱的先決條件是生活體驗範圍的廣泛。而我對採取第三人稱手法的「孤兒」特別欣賞，她祇是一個十七歲的女學生，足見其才華所在。

以他們如此成就而言，無遜於報紙雜誌上經常發表小說的作家，爲殷切希望他們有光明的文學前途，我不揣淺陋地爲他們提供開拓前途的一些意見如后：

第一、擴大和加深生活體驗的範圍和深度，從觀察父母爺爺，姊妹，到所接近的任何人，從家庭擴展到學校乃至社會，深刻地觀察人的性格和生活現象與本質，隨時速寫和記錄，蓄積儲存題材，因爲先有生活而後才有創作，任何偉大作家，都是對生活有興趣，投入生活猶如入山取寶的；否則，必至「江郎才盡」，枯竭寫作源泉而浩嘆不止。

第二、從書本知識感，逐漸形成人生觀，時代感，宇宙觀，變化主題，才能使你們從「孝」、「愛」的主題變化無窮，世界文學史千百年來，猶似「滾滾長江東逝水，浪花淘盡英雄」，凡是能作中流砥柱，在某文學時代還發過光還被人牢記的，都因他的哲學思想及於當時大多數人的影響，沒有一個是倖致的。否則，必至「八股式」「公式化」，顯得每況愈下而後止。

第三、博讀世界文學名著，歷覽理論，看看文學思想流變，風格技巧的流變，是那一種傾向趨勢，從熟諳思想決定你個人的風格，美學思想決定你怎樣創造，融匯貫通，而後表現創作的風格；否則，必至模倣抄襲，一生了無成就可言。

第四、博讀人文科學，自然科學，認識生活，認識人，必須從經濟、社會、心理、哲學、生理等十百種學問，作爲你開發生活的礦山，神質性的人之斧斤工具；否則，走馬看花，撿拾生活表象、人物外形輪廓，浮雕淺薄，一生了無成就，遺留給下一代。

小說不僅是文字故事人物而已，它是十百種學問的凝結的晶體！我願意向十位以及其他青年作家提供上面幾點意見。

陳銘樞反共

「民革」集會鬥爭

由十月廿三日至廿五日，北平「民革」中央「集幹部」五百人舉行了三天會議來鬥爭陳銘樞。這次會議由「民革組織部長」朱蘊山主持。李濟深首先以「煮豆燃豆萁」姿態，向陳銘樞算帳，並說他「企圖篡奪民革中央領導，控制民革地方組織」。據「民革中委」李世璋的「批判」，陳在一九五六年底起草了一套向中共進攻的綱領，主要的目標是針對中共老黨員，他說：老共產黨員是「自封山頭，閙宗派，主觀臆斷，徙倚官僚」，至於那些小共產黨員，則是「唯唯諾諾，趨承揣摩」的廢物。李濟深攻擊陳銘樞「控制民革地方組織」，以便篡奪「中央領導權」的口實是基於陳銘樞利用其親信于「神州國光社」，和他在上海、山東、青島、北平等地組織了「老朋友」、「一覽亭」下」的活動。

在陳銘樞周圍參與其活動的計：上海地區：羅海沙、趙鐵錚、余岩南、經海亭，他們都是前神州國光社成員而現在任教職者，這些人的罪狀是「在學校裏搞大民主，趕走共黨支部書記，籌劃民革上海市委領導機構」；在山東地區，則聯絡了「民革山東省主委」范予遂「青島主委」徐一智及王桂潭等，在北平方面，曾爲陳銘樞的密友而現在又反叛他的羅偉之，供稱一九五六年十一月陳在北平用「秘密方式」寫「反共萬言書」。羅偉之並謂他是陳銘樞授意搜集「霜草」的走卒，要他「找出中等學校官僚主義方面的材料，缺點，包括黨員受過種種的人，評工資評級有問題的人等」。羅並供稱，陳銘樞曾在他家裏召開過兩次教師座談會，參加的計有：王之南，曹任遠，樊曉歌等」。

陳銘樞在連續三天的鬥爭會議後，終於屈服承認了他過去有「反共陰謀活動」，並要求「悔過自新，重新作人」。

陳銘樞被鬥爭的事實，不僅顯示了中共對他加強了壓力，更主要的是暴露了「民革」內部的矛盾和對立。但從另一角度來觀察，則也反映出了陳銘樞的活動雖則失敗，而他的影響力則爲共黨所重視。（寶人）

國際動態拾零

蘇聯人造衛星放射站，在裏海之克雷辛夏鎮附近。美國駐土耳其之空軍雷達站，測得其種種。

×××

國防部五頭目出席參議院作證，謂美國于兩年前即可放射人造衛星，並將木星洲際火箭延後六個月至九個月放射，因急需進行更有效的火箭計劃。國防部並透露了若干消息，蘇聯人造衛星得以成功。

×××

美國本年度七百十八億預算，艾森豪將于下年度減至六百九十億，多亦不使其到達七百億。國防預算，現在不過占支百分之五至七。五而重點在火箭。但尚不至于進行減稅，預防蘇聯火箭過度發展，使美國能夠迎頭搶先。

×××

民主黨的攻擊美國火箭落後，共和黨反擊之詞，則爲民主黨浪費金錢于B三十六型飛機，致無錢發展火箭。火箭計劃，在杜魯門時代是沒有的，使開始于艾森豪時代，還于蘇聯八年。

×××

美國四十八洲民意測驗，咸欲趕上前且占先火箭競賽。有人謂不惜增稅，有人謂欵項已足，祇要不浪費就成。這是賭博，全在太空之多寡，樂觀，艾森豪是適當的做此人選。據說艾森豪已下令製造放射到月球的火箭，白宮尚未承認，又未否認。一般人預料美國現在之火箭與人造衛星計劃，不是追上而是超過蘇聯。明年實現，將使全世界放心云。

×××

南斯拉夫承認東德，與朱可夫表示友好態度，殊使美國國會議員們不快。諾蘭，勃里克諸人，均主張停止對南國的美援，已得兩黨多數之支持。

陶然。

自由談

用人的觀念

•馬五先生•

「爲官擇人，不可造次，用一君子，則君子皆至；用一小人，則小人競進矣。」唐太宗這幾句話，並無深奧的道理，世人皆能知之，能言之。尤其是掌握着用人權力的政治大亨們，這類話經常掛在嘴上，成爲口頭禪。可是，事實十九皆反其道而行之。我想任何一個居高位的人，沒有不希望得賢人君子以相輔弼的，顧結果多見其親小人，遠君子，有如王荊公所謂「雞鳴狗盜之徒出其門」，其故安在呢？

區區的愚見所及，認爲此中最大癥結，不在於君子與小人之難於鑑別，而在於用人的觀念上。一般擁有用人權力的政治大亨，口裏說是要物色人才，選賢與能，內心上却得得甚於「所識窮乏皆得我」的觀念，把用人視爲個人市恩示惠的特權，說得通俗一點，即是賞你一碗飯吃！頤指氣使，作威作福，經常擺出一副「施主」的面貌。但在稍有才學與品格者的觀念中，他之置身仕途，乃是爲國家服務，他所佔有的名位，原屬國家公器，所取得的俸祿，亦係人民脊血。他是爲要忠於國家，才不能不恪盡職責，爲以報用我者的知遇之恩。因此，即不能將其所居的職位，視爲主管私人的恩賜品，既不欲降身辱志，蠅營狗苟以求其得，亦不屑奴顏婢膝，阿諛逢迎以防其失，用舍行藏，一是皆以禮義法度爲圭臬。小人則異是，患得患失，無所不爲，但求討取主子的歡心，表示對個人的忠貞感戴之言色，至於國家民族的利益，與夫官常官箴，皆非所問。這兩種觀念，前者非遇着唐太宗一流人物，必然不合時宜，後者却適合一般人士的下意識，到處容易受歡迎。唐太宗型的英明之主固不多覯，而庸俗的政治大亨滔滔皆是，此政治上之所以小人充斥也。

誰能够悟澈此理，改變其市恩示惠的用人觀念，誰就是治國平天下的大政治家！

鋸箭與補鍋

•黃泉•

善鋸善補就可以博得大政治家榮銜，無如箭頭留在體內，鍋縫被敲長了何！

在官僚作風中，辦事多用的手法是鋸箭與補鍋。（臉皮厚與心子黑）的李宗吾，對此頗有說明，特就李說引伸而言之，未敢掠美，先說其源。

有人中了箭，請外科醫生治療，醫生只將露在內皮外的箭桿鋸下，即索酬金。問他爲什麼不把箭頭取出？他說：「那是內科的事，你去尋內科醫生治療好了」。

官僚們辦公事，多是採取此法，如批呈詞：「據呈某某等情，實屬不合已極，仰候飭該縣長查明嚴辦。」其「不合已極」一語是鋸箭桿，「該縣長」一語是內科。或是「仰候轉呈上峯核辦。」那「上峯」一詞，也是內科。

補鍋法也是笑話！某人煮飯的鍋漏了，請補鍋匠來補，補鍋匠一面用鐵片刮齊鍋底的煤烟，一面對主人說：「請點火來我燒烟。」他乘着主人轉身進屋之際，用鐵錘在鍋上輕輕的敲幾下，那裂縫就增長了許多。主人拿火來了，就指與他看，又說：「你這鍋破縫很長，先前是烟灰蓋着了看不見，現在我把烟灰刮光了，才現出來，非多補幾個釘子不可」。主人埋頭看說：「果然不錯，今天不遇着你，這個鍋子恐怕不能用了。」及至補好，主人與補鍋匠皆大歡喜而散。

我們在歷史中找例證，也是有的，管仲就用這種手段。狄人伐衛，齊國按兵不動，等到狄人把衛國滅了，它才出來做「興滅國繼絕世」的義舉。這是補鍋法。鄭莊公縱容其弟叔段，使他多行不義，才舉兵征討，這也是補鍋法。

還有召陵之役，齊國不責楚國僭稱王號，只責他包茅不貢，這是鋸箭法。那個時候，楚國的實力，遠勝齊國，管仲敢于勸桓公興兵伐楚，可以說是把鍋敲爛了來補。及到楚國露出了反抗的態度，他立刻「鋸箭」了事，所以是役也，以補鍋法始，以鋸箭法終。

管仲把鍋敲爛了能再補起，所以稱爲「相才」。放眼一覷我們的國家，在官僚作風中，亦有不少鋸箭補鍋之流的「大才」。無論那一件應得獎勵社會的事情，都不出乎他們的鋸箭與補鍋兩種手法，也就「天下太平」了。

最近讀了幾個「政治報告」。其鋸補術之高明，不亞于古時齊國的管仲，其箭頭尚在體內，其鍋縫故意敲長，都是有目共睹的事實。然而因其善鋸與善補，公然博得了大政治家的榮銜。彼亦飄飄然自我陶醉。無如箭頭在體中，非經內科徹底施行手術不能痊癒，鍋縫被敲長了，已經無形中多了損失（補工費）。總之，吃虧的是民衆，不是官，是政府而不是私人，在官僚的心目中，早已「當伊無介事」，「好官我自爲之」了。

詩人白居易（772—846）

（五）

樂天作蘇州刺史的時期不長，大致只一年多一點，而且請假的時候佔得很多，到文宗太和元年（827）三月，便被徵爲秘書監。是年十月，他奉命與沙門義林及道士楊弘元講論於麟德殿。樂天的思想，本來是以儒爲體而以釋道爲用，平日和他交往的和尚道士多，他之參加這次講論，自然是具有相當的資格的。

太和二年，樂天作了刑部侍郎，但第二年即以病免，改以太子賓客分司東都。其時他已五十八歲，而朝廷的朋黨之爭更趨激烈，因此他退居洛陽，不復再出。雖說在太和五六七這三年之間，他仍出任過河南尹，但這只是就地應付，既無跋涉之勞，也沒有捲入黨爭的危險，可是到他六十五歲的時候（開成元年），再叫他去做同州刺史，他便正式謝絕不幹，於是改任爲太子少傅分司，且進封馮翊縣侯。他在這樣一個名義之下，悠閒的度過了七年，一直到武宗會昌二年（842）他七十一歲，才把少傅的名義免去，而以刑部尚書致仕。再過四年，到會昌六年的八月，他的生命終告結束。計自太和三年到會昌六年，樂天退居洛陽的時期，共有十八年之久，其間在他六十八歲這一年（開成四年），因爲患了風痺之疾，乃把所蓄的幾個歌妓放歸；在他臨死的前一年七十四歲，他和胡杲（八七）吉皎（八八）劉眞（八七）鄭據（八五）盧貞（八三）張渾（七七）七人組成一個七老會，後又加入一個一百三十六歲李元爽，一個九十五歲的和尚如滿，繪爲九老圖，一時傳爲盛事；而樂天在這九位老人中，還算是一位最年輕的小弟弟哩！

後於樂天約二百年的另一位大詩人蘇軾，他對樂天一生的『安分寡求，』非常敬慕，樂天在忠州刺史任內，有兩首詩題爲『東坡種花』，一首題爲『步東坡』，另兩首題爲別種東坡花樹兩絕，子瞻四十五歲到黃州以後，始自稱『東坡居士』，便正是因爲崇拜樂天而受了他這三個詩題的暗示（『容齋隨筆』）至於樂天晚年居洛的一段生活，尤其爲子瞻所豔羨，當子瞻五十六歲第二度離開杭州的時候，寫了三首小詩，其中一首說：

出處依稀似樂天，敢將衰朽較前賢，便從洛社休官去，猶有閑居二十年。

以天才而論，無論在文，在詩，在詞，在書畫，其興趣之廣，成就之大，以及對中國文壇影響的遠且深，子瞻實較樂天有過之而無不及；可是就個人的福命來說，則子瞻晚年謫英州，貶惠州，遷儋耳，漸徙廉永，其在儋耳時，甚至願得一官屋居住而不可得，及徽宗建中靖國元年（1101）遇赦北歸，年已六十有六，即以是年死於常州，其一種顛連困苦的情況，却不可與樂天相提並論了。

•鋒生•

秋風庭院

•楊有釗•

生活小品

痛苦

•陳永昌•

人世雖然有很多地方不平等的，但至少有一樣東西是平等的，那就是痛苦。人不論貧富也不能逃避得佛家所提出的「生老病死苦」。

有人懷疑人生既然痛苦，爲甚麼還要留戀它？那知在你要擺脫它而未到「極樂世界」之前，你就要先受了「死」的痛苦！

莫說成人，就算小孩在扶持學行呀呀學語，在在也免不了感覺痛苦；那末，成人腦筋複雜痛苦之多，可想而知了。

有些人埋怨造物弄人，可是他們也錯了，實在是造物給人以痛苦，是一件極有價值的禮物，人若沒有這件禮物，生活則味同嚼蠟，成功便毫無價值可言了。

孟子說：「天之將降大任於斯人也，必先勞其筋骨，若其心志，餓其體膚。」天下偉人，不多是從痛苦中熬來的嗎。林肯總統倘不爲解放黑奴，當然不至被反對黨暗殺；他的名字也可能與草木同腐！印度的甘地生前受盡窮苦，最後竟至與林肯先後同其命運，但因此才成爲聖雄。高爾基在少年時代若不生在窮若的家庭，嘗過痛苦的滋味，他當不會生動地描寫出貧苦階層人物的生活。基督耶穌若不飲上帝所給的苦杯，世人將不會「得救」了。

世事若樂看似矛盾，實乃自然之理。你看，青年人有失戀的痛苦，但嘗過了這滋味而戀愛成功，那圓滿的婚姻將是何等的甜蜜。中年人爲事業失敗而痛苦，但成功後的愉快，却非筆墨所能形容。老年人恐懼死之的來臨，因而倍覺生命的可貴，因而也倍覺生活的快慰。

是以怕痛苦而圖求暫時安逸，或竟思逃脫，那是懦夫。人生來是要與痛苦爲敵的。痛苦就是人生力量的試金石。

短篇小說

浪子

這那能瞞得太久，媽媽聽到風聲了，心裏急的不得了，又不敢對爸爸講。於是，那晚爸爸被人家請去吃酒，媽媽把我叫到房間裏去，低聲的問我，還把女佣人支走了：

「孩子，如果你爸爸知道會氣死的！你胡鬧，這麼小年紀！」

起初，我照例的推說是謠言，不承認。可是，媽媽的眼淚直流，哭了。我心軟下來，我招認了。並且，我發誓不再去窰子裏鬼混了。我發憤讀書，有很久時間我不去小桂花家。雖然，小桂花託胡飛帶口信給我。雖然，我的腦子裏存有小桂花的瓜子臉兒，銀鈴的笑聲，和溫柔……。我強忍住了。

這該怪我的決心不够，日子一久，又想起小桂花來了。當然，我去窰子，小桂花待我比從前更溫柔，更體貼，更好。

就在這當兒，媽媽四下找人做媒，像我家的門第，一開口，送來年庚八字帖子足有二十家，請算命先生台婚，犯冲的，犯尅的不要；當然，合得來的有幾家，但是，媽媽不能獨自做主，如爸爸相攸。爸爸嫌人家門第太低，不配結親。媽媽一再追問，爸爸煩了：

「孩子太小，慌什麼嗎？過幾年也不遲，就是你一個人急的抱孫子！」

媽媽被堵了口，秘密的話不敢說，怕爸爸氣急了打我個半死不活的。

我則樂得不聞不問。

可是，我的功課太荒疏了。有一天，爸爸忽然興緻上來，要查問我的功課。糟糕，文章寫的毫無進步，書又念的不熟。對的對字簡直胡扯，做的詩也是一兩糟。爸爸板起面孔問我：

「你看你的功課越來越糟，不用心！又長大了！怎麼得了！」

我打抖。

「你再這樣不用心，我趕你出門！」

「是。」我的身子仍然打抖，心裏有數。

幸虧媽媽來救了我，爸爸停止追問；我揩着額上的汗水，好險！我壓根兒就不讀書，幾乎整天在小桂花家裏混日子。

我花的錢，有的是媽媽給的，有的是向人家借的，有的是偷媽媽的「私房」。甚至，人家借錢給我，要我寫個借據，以田地房產抵押。他們的眼光遠大，硬是容忍等我爸爸死後還錢。否則，就賣給他們。因爲，我怕爸爸，同時，要錢用時沒有，好急人！

這都不算糟啊！最糟的，是我從此抽上雅片烟了。初初和小桂花聊天，抽口大烟，很有趣味；而且，我的精神有時不够用時，抽雅片烟是提提精神，實在有效。以後，我常常抽烟，抽上癮了。不抽烟那難過的味道說不出來的。於是，任何條件借錢給我，我都樂意接受。

親事沒有下文。我突然向媽媽提出事：

「我要娶小桂花！媽媽。」

「孩子，你昏頭了！快別說，你爸爸聽到會氣死的！」

「你們不要我要，是我娶親嗎，也不跟你們過一輩子的！」

媽媽急的哭了，狠淚打不動我的心。最後媽媽向我說：

「你和爸爸去講吧！」

我知道這一關最難通過的，爸爸聽也不聽，氣的瞪眼：

「小桂花是那家的姑娘？」

「是娼家的！」

媽媽哭着說。

「啊，好大膽！」爸爸搥桌子：「畜生！你胡來！討妓女，除非我死了！我家的門檻決不讓她跨進的！侮辱我家的祖宗！你快去死！我寧可以絕八代的！」爸爸氣急了，拿起硯台向我摔來。我躲避不及，恰巧，打在右邊的腦袋上。（現在還有一個疤痕。）血直流。「死！死了乾淨淨！不爭氣畜生！」

我出生以來第一次看到爸爸這麼大的脾氣。我揩着頭，血淌在衣服上。媽媽捨不得我，關照佣人請醫生，又用藥包紮傷痕。

爸爸氣得躺在椅子上，好半天沒有說一句話；臉色蒼白，仍浮着慈愛的光輝。

從此，爸爸病了。

三個月後，爸爸死了。

從此，我家數我最大了。我還怕誰？媽媽是好對付的。小桂花在爸爸死後不到半年跨過我家門檻。（二）

•程外•

由朱可夫被解職析　蘇聯黨軍間的鬥爭

•文鏡•

鐵幕真相

朱可夫被解除國防部長的職務後，世人議論紛紜。有的說他將升任總理；有的說他將出任駐外使節；有人說朱可夫已被軟禁，或將明升暗降。……這些，姑置勿論。朱可夫為甚麼會被解職呢？這裏試加分析：

沙王傳統下的軍人

從沙皇時代傳統下來，俄軍將領都是驕縱專擅，好大喜功。但因俄共革命及革命後，缺乏軍事人才，不能不借重沙皇時代的大小軍事領袖，所以俄國軍人的傳統氣質，始終存在。俄共一開始便暗防明鬥，始終用而不信。所以完全不懂軍事的俄共頭子如列甯，托洛斯基、史達林等都親自領軍，圖收直接控制軍權之效，惟其結果，由於軍人不願受外行人指揮，不斷鬧出黨軍鬥爭。可是一遇到危難時期，俄國卻又不能不拉攏軍人。如是，俄共與軍人的關係，時好時壞，合作與鬥爭更番下去。

今年七月三日，赫魯曉夫驟肅馬倫可夫，莫洛托夫，卡岡諾維奇及謝皮洛夫等人的時候，原是借重朱可夫的紅軍力量作後盾，才能反敗為勝。朱可夫也因此做了國防部長。

列甯的手法

俄共一向是善於利用軍人的。俄共革命後，列甯、托洛斯基都曾極力壓制將領，貶抑軍人；史達林上台亦照樣幹。然而，二次世界大戰爆發，蘇俄軍事逆轉，節節敗退，史達林便不能不起用將領，推崇軍人，甚麼元帥頭銜，金碧輝煌的制服，閃光燦爛的勳章，特殊享受，應有盡有，都拿出來獻給將領。但至大戰結束，史達林對將領和軍人又不放心，紛紛加以貶抑。朱可夫此次之被免職，也不外此。

列甯為了制止軍人至上主義的發生，曾訂下政治部的制度，讓政治去控制軍事。這並非新鮮的見解，法國革命後，也曾用過這辦法，以保政權的安全。蘇俄當時所組織的紅軍中，由於革命期間，沒有辦法訓練軍官，因此，中上級軍官多是老牌，特別是中級幹部，非借重老人不可，同時祇有利用政治部派忠實的黨部幹員去充當主任。

紅軍與政治部

但是，政治部在軍中的地位後來一天天低落，一九三七年間，政治部與部隊長之間，便有顯明的分裂，政治部逐漸淪於參謀部中的一科，這一來，史達林便改用軍人去當政治部主任。例如蘇俄陸軍政治部主任加曼納克，便是一個不折不扣的元帥。

一九三七年間，史達林與伏羅希洛夫元帥會商之下，將政治部改由克姆林宮直接節制，不再受參謀本部指揮。但部隊長中仍多不歡喜受政治部干預，以為史達林干預軍政，他甚至也是一件可憾的事。

從一九二二年德俄簽訂拉普羅協定之後，一直到希特勒興起，俄德陸軍都有友好的接觸，一個時期，德國陸軍總司令淳姆史坦上將曾到俄國親自指揮俄軍大操，因此當時杜格齊斯基元帥，加曼納克元帥等，傳說曾向德軍方面呼籲暗中支持反對史達林的控制作風，後來史達林知道了，便以迅速秘密的手段，於一九三七年六月初，把杜格齊斯基等人拘捕。除加曼納克先得情報自殺身死外，其他都以叛國罪被處死刑，並株連紅軍軍官竟達百人之多。

朱可夫的手下

此次朱可夫元帥被貶抑，據消息靈通的「西德日報」說：朱可夫被撤職，因為反對赫魯曉夫的反美政策，並謂朱可夫友好多人，亦將被撤職。倫敦「每日快報」記者預料蘇聯將有更多的政治人事更動。

由於朱可夫的軍事天才地位與獨立的個性，使他在部下，同僚以及一般大衆中間都獲得極大的聲譽。可是，在政治上，朱可夫卻是孤立的。在他的左右，沒有一個有組織的親友。在戰時他曾提拔過少數矢忠于他的僚屬，但當一九四六年他被廢黜俄軍總司令職務時，那些人都被遣散，他以「光榮的流放」，先派到敖德薩，後又派到史維爾德勞夫斯克。從那時起，他的左右都是布爾加甯的人了。

可是布加甯與朱可夫，曾有過許多個失。一九四一年當莫斯科保衛戰的時候，布爾加甯在朱可夫之下任政治委員，朱可夫要求史達林把他調離該指揮部。所以兩人間的恩怨到今還是沒結束呢。

朱可夫被清算後　蘇政局重回史太林主義路綫

南共與蘇共將難復合

朱可夫終於被清出了蘇聯國家和黨的最高機構，罪狀是他違反了「黨在紅軍的政治路綫」。

如果蘇共黨的政治路綫是正確的，蘇聯共黨在軍隊中控制權是有力的，則在鞭屍斯大林，清算貝利亞，驅逐莫洛托夫、馬倫可夫等人時，黨務的力量處理凌駕軍隊之上。但當時蘇共內部作大規模清算鬥爭，而軍人竟能站在反史的一邊，可見在當時蘇共黨實已式微到相當程度，同時，如果沒有像朱可夫這樣有威望的人物出而支持鞭屍和清算貝利亞集團，赫魯歇夫實難有成功之機會。因此，有理由相信，朱可夫和更多的蘇聯軍事領袖們，他們的反黨並非是反對黨內的某一些人物，而是激底的反對黨的政策及路綫，對整個的黨政軍制度關係採取了否定的態度。

具有像朱可夫這樣認識的軍人和黨政首要，相信在蘇聯的統治機構中為數甚多，此即為在清除朱可夫時，曾引起內部激辯之原因，也為事後必須要派出黨幹部向各級機構及蘇聯民衆游說之原因。

極其繳然，南斯拉夫的狄托對蘇共此舉是甚難同意的，他直指此項行動出於「史大林份子」所為，而基本上狄托是反對史大林路綫的，不僅此，他也曾表示過，南共思想不能與蘇共意識形態一致（這時狄托與赫魯歇夫會晤後公報所披露的）。而這種態度也與朱可夫的思想意識相接近。

另一方面赫魯歇夫一派的共黨領袖，也已覺察到朱可夫的這次訪問南斯拉夫是完全失敗了。

因此，儘管朱可夫之訪問南斯拉夫是代表了蘇聯政府的，但迅速地解除朱可夫的職位，可以使朱可夫與狄托之間的任何商談結果化為烏有，也可使朱可夫與狄托之間的任何非正式的諒解和協議，無法在蘇聯國內的統治機構中起任何影響。於是狄托抵制的抗議，終止了他赴莫斯科慶祝蘇共四十周年國慶節。

蘇共對朱可夫所加的另一罪名是他傾向於英雄崇拜主義，這更是莫須有的了。又如謂他是戰爭的冒險主義份子，則赫魯歇夫之狂妄遠在朱可夫之上。

朱可夫之被犧牲，也正反映了赫共內部正醞釀着史大林當年奪取政權的篡殺在發展。（潮）

國際動態拾零

小石鋪事件，南方民主黨參議員支持地方政府，仍然反對黑白人同校。自由派之民主黨議員，因此不滿，擬與共和黨投一致票，使共和黨得以控制國會。而南方議員則予一九六〇年，總統選舉，擬另組第三黨，讓共和黨取得勝利。×××

莫斯科消息，軍隊中之黨細胞，十一月將舉行大會。擁朱可夫為中央黨部主席團主席。惟朱可夫自己，殊不願為有政治性之軍人。×××

阿爾及里亞叛徒首領，現拘于巴黎監獄。那些使以前的特務，策動其釋放，經費為二萬五千美金。×××

英女王訪問白宮時，艾森豪致詞，提用各國科學家合作，以免人力財力之浪費問題，並擬原子彈之理論，及得外國科學家之助。「我們有的是錢，但須在一起」。大西洋公約國不是一部軍事同盟，而是把人力，資源，工業集中的方法。×××

蘇聯策動敘利亞之動機，因係西方油管多經過敘利亞，其實在土之間，蘇聯開路北河，彼此邊界長四百餘里，頗不易防守。這是四百年來，俄人對土傳統野心的後話。

•陶然•

工潮冲擊岸內閣

在日本工人的「秋季鬥爭」和左翼政黨的「議會鬥爭」下，岸信介屹立中流。

•許競•

東京特稿

在日本與中共間貿易談判失敗聲中；（編者按：此項談判於十月廿九日在北平作最後一度之九十分鐘商談後，無結果散場，日本政府與貿易界合代表團暫緩返國，但前途仍甚黯淡。）在岸信介由美反國道訪問自由中國，堅定地表明了他的政策之後，日本爆發了空前的大罷工！大罷工的另一意義，則又是為了支持左翼政黨和日共，使在十一月初國會特別會議開幕後，對岸內閣作最大的進攻！

大罷工的政治背景

參加大罷工的各業工會計有：鋼鐵；造船；煤礦；國營鐵道；沿海及遠洋船塢的海員運輸；甚至連浴室業和專賣公社的工人也捲入了工潮！

這次的秋季大罷工工潮的幕後主力，北平方面特別透露，是由「日本工會總評議會」，中立工會、農民、婦女、學生、和平團體和社會黨，共產黨等聯合發起」！

因此，這次的大罷工，工資問題實非主題，政治意義遠在經濟生活問題之上，左翼政黨和共黨要集中全力來考驗岸內閣。岸信介則認為自七月間組閣以來，由於對美關係的加強和對亞洲非共反共國家間關係的協進，也自認岸內閣是鞏固的，對於社會黨企圖奪取其政權之威脅，有恃無恐，並曾鄭重考慮不惜採取行動解散國會。因此，左右兩方陣營在政治上的鬥法，實為促成此次「秋季大罷工」的背景！而內閣迄今為止，亦並無對工潮讓步的跡象，就內閣對全國國營鐵路工潮所取之態度觀察，內閣官房長官愛知揆一的聲明「不擬調處」，即為最好之說明。

岸信介的苦心與決心

同時，岸內閣在事前似已逆料秋季工潮勢將難免，當其由國外回國後，即制定了「刑事特別法」，專用以對付不法之工人活動，對於違反日美行政協定而參與「砂川鬥爭」的一些左翼不法分子，和參加今年「春季鬥爭」的不法工人領導分子，均加檢舉繩之於法。日本政府多年來敢於以強硬態度對付左翼分子者，亦以岸信介內閣為首，簡要言之，岸內閣對左翼工會的鐵腕政策，也是激起「秋季工潮」因素之一。目前的情勢，可以謂是雙方鬥法的攤牌階段。如果岸信介不能善其後，那末對現政府將有極大的危險；反之，則很有可能使左翼政黨和工會，在今後相當時期內「奉公守法」。顯然的，如果岸首相不採行鐵腕政策，因循的後果，終將使其擴大對外貿易和增強日本財經地位的理想胎死，無法實現。所以，這次工潮，可以看作是日本左右兩黨間的殊死戰！

當了然於「秋季鬥爭」的背景後，再來回顧工潮的發展，將更能使我們的視線較為清晰。

卅萬鋼鐵工人高呼倒岸

十月八日，「秋季鬥爭」的擂打響了，首先揭開工潮序幕的是十萬鋼鐵工人，他們在「鋼鐵產業工會聯合會」的領導下，舉行了「二十四小時的全面罷工」，提出了「大公司增加工資三千日元，中小公司增加工資二千日元」的要求！於是三十家大公司的八幡、富士、日本鋼管、川崎製鐵等全部停工，劇團的鋼鐵業陷於癱瘓。三十萬五千名參加了「維護生活和權利國民大會」後，發表了宣言，鼓勵全國鋼鐵、造船、國營鐵道，在遊行示威中，並高呼「打倒岸內閣」的口號！在同一日，川崎的日本鋼管，川崎製鐵所，鶴見製鐵所，大阪的住友工廠等工人也一齊罷了工。這一天，僅以八幡、富士製鐵、日本鋼管、住友四大公司的損失就超過了十億日元以上！所有全國參加罷工的工人則數逾三十萬。繼之在十月十日和十七日，又開始第二波和第三波的全面罷工，每次均為四十八小時。

造船運輸業相繼罷工

十二日和十七日相繼罷工的有「日本造船工會」所屬十五家公司的約六萬名造船工人和通運公司工會」所屬七萬六千名運輸工人的罷工。他們的目標也是要求增加工資。

煤礦工人作癱瘓性罷工

「日本煤礦工會」（煤勞）的三十萬工人，則早在八月二日起，即已展開了不停的罷工，從那性據點罷工，持續了八十多天！這工杵島開始，及至九月底，各地十三家主要煤礦先後參加了「同情罷工」。岸內閣即發佈了「同情罷工是違法」的緊急命令，但無效，他們的目標除了增加工資外，要求增加退職津貼，一直到十月十七日工會更發佈了再度下令所有煤礦工人全部參加不定期罷工，可謂空前的最大的惡化，為日本歷史上工潮之顛峯。

鐵路工人要求集體談判

在今年「春季鬥爭」中，日本的國營鐵路工人，在「國營鐵道工會」（有三十七萬會員）」和「機車工會」（有五萬三千名會員）的鼓動下，會使日本陸上運輸系統陷入癱瘓，予日本國民不便而被指責，未得同情，因此，這時國鐵工人也紛紛脫離左翼工會，另行組織了「第二工會」。但在這次罷工中，左翼工會於九月廿六日發佈指令，向政府提出了「集體談判」要求，其目的在實行增加工資和增加人員。而內閣對於此項要求，則採取了不理睬態度。

海運史上最惡劣的罷工

十月廿六日，「日本海員工會」屬下有四萬五千工人投入了罷工潮，不實是火上加油，先期實行四十八小時的罷工，使一百五十八家船公司的數約四千八百艘船舶擱置在日本十八個港口中！廿日又開始了第二波的時期五天的罷工，是為一九五三年以來的最嚴重罷工。此項罷工潮，影響將是無法估計的，工人的要求是每月平均增加工資五千八百日元，（約合美金十六元）但船東方面僅准增加二千日元。第二波罷工開始後，參加罷工之海員激增至八萬四千名，港口堆積了貨物，竟至拒絕談判，是為日本海運史上最惡劣之罷工後，於是第三十日又一波之延長罷工了五日，以十月三十日一天之損失言，即共計五萬日元（合美金約九萬元）則其損失數已超過四億日元，在第三波罷工開始後，凍結船舶將再七百四十餘艘，噸數達四百二十萬噸！

岸信介沉着應付

就日前看，工潮似尚未可能全面終止的跡象，前後約計三月的大罷工，已危害了日本的經濟秩序，各業工人分期作波狀式之罷工，予日本經濟之打擊甚重，主要的工業城市，均成罷工，左翼政黨乘火打劫，形成三月之社會不安現象，在「秋季鬥爭」與「議會鬥爭」下，岸內閣則正以最大的容忍和最大的決心在沉着應付，社會黨和日共似乎已決心必倒岸內閣，在政治上影響很深，設若岸內閣因此垮了台，社會黨便得了執政的機會，那末，這不但是日本人民的不幸，影響所及也是亞洲人類的不幸！（十月卅一日）

自由談

法蘭西的悲劇

馬五先生

法國內閣被議會擺垮了台，迄今歷時逾月，尚未能物色一個受議會多數贊同的新總理，以致總統葛提聲言要辭職不幹了。

國內的困難問題重重，國際間的情勢又緊迫異常，然不能使那「國民會議」中的十三個黨派諸政客有所警惕，引起一點相忍爲國的意念，依然斤斤於黨派權利之爭，並且還有人組織新黨，自稱爲「革命變國黨」。」我看法蘭西共和國，勢非斷送於黨派林立，自私自利的多黨議會政治制度不可的！

當二次大戰初期，納粹大軍快要打到巴黎了，而達賴第與雷諾兩派的火拚醜劇，照樣地熱烈演出不已。我們讀過莫洛亞所寫的「法蘭西悲劇」和「法蘭西罪人」兩本小冊子，不禁掩卷太息，詫爲這歐洲文明先進之邦的文化精神，墮落到無可救藥的地步了。一個民族的知識份子如其沒有一些自愛自重的精神修養，把個人利益經常放在國家民族利益之上，而悍然表示着「天命不足畏，祖宗不足法，人言不足恤」的唯我主義，且美其名曰「民主自由」。這種民族國家的生存前途，就很難免於黯淡衰敗的結局。

十三個黨派組成的議會，結果已如此，將來再加上一個「革命變國黨」，顧名思義，對於法國的政治現象，眞教人不堪想像呢！在法政客們的心目中，反正有北大西洋聯防總部的原子武力駐在法境，天塌下來亦有長身漢頂住，俄帝若進攻，自有美軍打頭陣，無憂無慮，樂得關起門來爭權奪利，國家事，管它娘！

今日尚有倚靠外國武力協防，而僭然植黨營私，孜孜於私人派系利益的國家乎？爲我告曰：法蘭西在前，可以知所取鑑矣！

張子房與諸葛亮

•燕廬•

覆讀朱子語類，見其論歷代人物，對張子房及諸葛亮，均頗有微詞，而反因推崇王仲淹（通），以爲他「事事理會過來，當時若出來設施一番，亦須可觀」。朱子只以爲子房之學，源于黃老；諸葛之學，出自申韓。黃老重術，跡近詭詐，如躡足致高祖封韓信，及咬牙封雍齒之類是。申韓重法，病在煩苛，所謂刑亂國用重典，法行則知恩之說，以致含淚殺馬謖，及成都禁酒，藏有釀具者如獲罪之類是。

朱子崇儒抑法，貶黃老。原是極自然之事，晚年因國運日蹙，著通鑑綱目，踵事春秋尊王攘夷之旨，申劉備而黜曹操，乃忽而對「鞠躬盡瘁，死而後已」，如臥龍先生者，亦深致不滿，豈朱子竟未讀「漢賊不兩立，王業不偏安」之語邪？于此見所謂宋儒，實在過于拘迂，大抵自二程子以下，即不免如此，宋孫升孫公談圃載：「司馬溫公薨，當明堂大享朝臣，以致齋不及奠，肆獻畢，蘇子瞻率同僚往，程頤固爭，引論語：「子於是日哭則不歌」爲證。子瞻曰：「明堂乃吉禮，非歌之謂也。」頤論司馬諸孤，不得受弔，子瞻戲曰：「頤可謂鏖糟鄙俚叔孫通」，」今按：論語祇謂是日哭則不歌耳，未云今日歌則不哭也，果如頤所推論，則是日歌罷，忽聞父母喪亦不奔邪？拘儒之見，終覺窒礙難行，實則此類爭辯，與「居喪者不宜吃紅米飯」之說，同其可笑。因想儒流中原有拘泥瑣屑一派，多見其不能開物成務也。又胡銓上書請斬秦檜之（檜），被貶海南，十年始放歸，途次長沙，未能忘情于一歌女，朱子曾作詩諷之，其詩曰：「十年浮海一身輕，歸對梨渦尚有情，世上無如人慾險，幾人到此誤平生。」憶童時就學，習聞塾師講四書，輒曰朱文公、程夫子如何如何之語，即凜然如見一正襟危坐，望之可畏之偶像，此念至今不忘。爲道而離于天下，其去王也遠矣」。此輩儒生，大抵亦不免于爲莊周所笑耳。

張良、諸葛亮、是否爲純儒，不必置辯，但是否可以一概而論，則頗有問題，就吾人所知，張良生于戰國末期，父祖以上，五世相韓，秦滅韓，虜韓王；張良世爲韓臣，自應以報仇復國爲己任，故不辭毀家求刺客，于博浪沙中，冒險作其一擊，後來看大勢于復國無望，轉而借漢高祖之力，以遂其亡秦之素志，於人情原極自然，在張良言，秦亡則大事已定，後來之招四皓，安劉氏，封留侯，辟穀；均屬其生命中之餘波，實已無足輕重。至于諸葛亮，原爲臥龍尚上一耕夫，當漢之末世，以「不求聞達於諸侯」自矢，後來之所以出山，不過爲「先帝不以臣卑鄙，猥自枉屈，三顧臣于草廬之中，由是感激，遂許先帝以馳驅」耳。對于漢室，原亦漢不相干，而東漢士大夫，又有一種朋友私恩，重于朝廷名爵士的風氣，其所以感激，只不過「知己之感」，使其不得不「死而後已」。但彼既以報劉備，使自然盼望劉備成功，劉成功亦可以謂之曰興漢室，故其聯吳抗曹，不激昂事理，取益州，用重典，顧劉璋死活，只求國富民強，其目的在西向宛洛，了其心願而已。後儒以其學出自申韓，即謂其立身大節，豈非較申韓，表示不滿，隱約間尤爲嚴峻乎？「危微精一」，終無濟于「四海困窮」，故清儒顏元、李塨之徒，即大言曰：「多一分程朱，即少一分孔孟」。此雖過于激切，亦勢有以迫成之者。嘗記歐陽修因救范仲淹，被貶夷陵，致尹師魯書，其中有句曰：「往時砧斧鼎鑊，皆是烹斬人之物，然士有死不失義，則趨而就之，與几席枕藉之無異，有義君子在旁，見其就死，知其當然，亦不甚嗟賞也」。後之論者，即以此等見解，屬于宋人過高之論，豈朱子亦蒙此影響邪？往者曾有人謂：「黨錮興則東漢亡，理學盛而南宋滅」。此亦一種激切之論，但黨錮可使士氣消沉，理學能導人于迂遠曲折之途，則確爲事實，處疲弊之餘，務在收召散亡，生聚教訓，而忽視人之大節，但斤斤焉拂剔其小疵，則東漢、南宋，正可爲殷鑑而已。

萬竹樓隨筆

詩人白居易（772—846）（六）

•瑩生•

依上所述，關於樂天服官的經歷，和他的重要作品所產生的年代，已算有了一個輪廓。但這只是一種縱的敍述，我所根據的資料，不出樂天本人三部編次微有不同，同時在內容上，也小有出入的集子，新舊唐書兩篇樂天的傳記，陳振孫汪立名所寫的兩種年譜，以及涉及他的幾種筆記，而陳寅恪先生的『元白詩箋證』，則爲啓發我細讀白氏全集寫這篇短文的主要動力。下面我想再用橫的方法，談談這位詩人的若干故事，他的性格和態度，乃至舉例談談他主要作品的內容，這便不免雜有我個人的主觀，與上面那種純粹『述』的性質，自不能不有多少的差別。

樂天名居易，太原人，實則陝西人（下邽），可是他自己生在河南（新鄭），死在河南（洛陽），在他一生的七十五年中，大概也以在河南度過的時間爲最多了。

樂天生有宿慧，據說他出生六七個月的時候，乳母抱他立書屛下，指『之』『無』二字示之，便能默識，百試不差。現在說人識字不多曰『略識之無』，便是用白居易的這個典故。

他五六歲便學爲詩，九歲已諳聲韻，到十五六歲，詩已經寫得不壞，據說他初到長安的時候，便正是這個年齡。他拜謁當時一位名流顧況，顧是當時一位詩人，性喜恢諧，見人輒加以嘲謔，看見樂天這樣小小的年紀，便拿着他的詩文來班門弄斧，有心要開他的頑笑，因見樂天名居易，乃對他說：『長安百物皆貴，居大不易！』及至讀到他的『離離原上草，一歲一枯榮，野火燒不盡，春風吹又生，……』乃大驚，『啊！您能寫這樣的句子，居天下也不難，老夫前言戲之耳！』因爲延譽。這可看出樂天在少年時代已爲前輩所重視如此。清末民初那些北京候差的『災官』，和親友通信，訴說他們生活的困苦，最愛掉這兩句文：『長安居，大不易，』實際也由這個故事而來，不過不見得他們都知道罷了。

樂天的天分雖高，可是他其所以能成爲一個有成就的詩人，也還是由於他的苦學。他在江州給元微之的一封信上提到：『十五六始知有進士，苦節讀書，二十已來，晝課賦，夜課書，間又課詩，不遑寢息矣。以至於口舌成瘡，手肘成胝，既壯而膚革不豐盈，未老而齒髮早衰白，瞀瞀然如飛蠅垂珠在眸子中者，動以萬數，蓋以苦學力文之所致，又自悲矣！……』古今中外沒有一個可以僥倖成名的人，從前中國一位有成就的文人，其應該下工夫去學習的範圍，原不算太大，可是其艱難已經如此；今天學術範圍的廣博，何止百倍於從前，一個人不凝饋於一方面確有所得，而又能突過前人，即根本無成名之望，這還不值得我們大加警惕嗎？

生活小品

希望

陳永昌

時光把一個個的希望掉在後頭，卻把另一些新的希望放在前頭，領着人們大踏步的前進。[illegible]

如沒有希望，世界更會枯燥乏味，世界更會變成死寂。只要你會想，你便[illegible]

[illegible]響；老年人希望能上天堂，好叫死後靈魂得救。

你不會把希望看成奴役了人類的東西嗎？且慢！它畢竟鼓勵懦夫，安慰失敗者，使得住在木屋裏的人住了高樓大廈，使得爬格子的人成了大文豪。它是慈祥的，它是窮人與失意者的最好朋友，少了這位朋友，窮人失意者便要孤零無依。人們有了它，才有生存的力量，職員希望升級，所以勤作不倦，以討經理的歡心；主持眞理者希望眞理能實現在這世界上，所以他們不斷爲眞理而工作；正義之士希望正義能在人和人之間存在着，所以他們不惜捐軀爲正義而戰。

因不得而求其得，這是人之常情，未得時則患得之，既得之，則又患失之，既失之，則又患得之，所以得未必就是眞得，失也未必是眞失，這正是人類心理的強點，有了這強點，永遠不會絕望。雪萊說：「冬天來了，春天還會遠嗎？」冬天，不就是春天的前夕嗎？冷酷，不就是溫暖的前奏嗎？只要我們不在冬天倒下來，明天就是我們的春天，春天的生活多寫意，多陶醉，我們去追逐它吧！爲了要追逐它，我們便得維持在冬天裏不倒下來。

人唯其有希望，就有了無限的力量。

短篇小說

浪子

我是一文也不會賺的，媽媽手裏的錢越來越少，我就借債，瞞過媽媽，還像花起錢來不受限制，用不着向媽媽討了。小桂花在我家過了一段好日子，我愛她，媽媽萬事不管，常去親戚里散散心。她成了我家的女主人。可是，我家的財產開始變賣了。起初，媽媽心痛捨不得，後來看開了。我說：「媽媽，我會再買回來的！」我騙過媽媽，我有什麼掙錢的本領。

後來，媽媽索性不管了。媽媽憂鬱成疾。爸爸死後不到一年，媽媽閉上眼睛，永遠的。臨終時，媽媽微笑的對我說：「孩子，你太不爭氣了！我死後，你要改邪歸正！不然我死也不放心啊！」我安慰媽媽，一定遵照她老人家的吩咐。可是，我此刻落拓無聊忘了，只要生活舒[illegible]

[illegible]

本領。不過，這個本領不吃香，討幾個錢，着實吃力！還得看人家卑視我的臉孔。

我的親戚朋友都不沾我了，說良心話，我向他們討錢的次數太多，誰有力量長期養閒人。而且，我討錢不做正經事，專抽雅片烟。這又是他們討厭的一件事。

我已經成了親戚朋友規誡子女的活榜樣：「你看他表哥就是不學好，討飯了！」

我現在和乞丐有什麼分別嗎？我只有做那個「化子拾金」的美麗的夢，也只有那樣我才能過舒服的日子啊！

我也曾發過若干次的誓：我要振作起來從新做人，把過去的骯髒一概抹乾淨：然而，這僅僅是一個在腦海里三分鐘的念頭，轉眼又像肥皂泡似幻滅……。

現在，又落雪了，好冷的天；我瑟縮在稻草堆里，就怕我將要餓死了……

「明天天晴嗎？向那里討！」

我茫然的等待明天。明天在我看來好渺遠啊。（三）

程外

談北平「王麻子」

•陸夢墨•

前兩天和幾位同鄉談天，談到北平前門外王麻子剪刀舖的趣事。一條街有好幾家，掛的招牌都極力吹噓自已是眞字號，這些字號現在想想還能夠記得。有所謂「老王麻子」「眞正王麻子」「眞王麻子」等等不一而足。而且還互相漫駡攻訐，門口掛着大牌子，上寫：「冒充本店字號，男盜女娼」等等的字樣。

但是那一家的王麻子是眞字號呢？眞的王麻子剪刀舖座落在順治門外菜市口街附近，三間門面，已經是幾百年的老字號了。招牌上面只有「王麻子」三個字。也不漫駡那些假牌子。但所做的剪刀，就是與衆不同，老北平沒有人不知道這家是眞字號，用不着吹噓宣傳。

雖然這只是個商業上的信用道德問題，若是推諸世事，也是一樣。我們有幸生在這個五光十色的時代，對於欣賞金字招牌，已感疲勞。既然貨色眞，字號老，不怕人不知道。只要出品合於信用道德，勝似在門口掛滿了招牌。

當然在廣告術尖銳發達的今日，我的說法有點老了，但是廣告是介紹貨色的，不是代表貨色的，眞的王麻子所以之受歡迎，就在其出品與假的不同，而不是相同。人們承認的究竟是貨色，絕非廣告。

自由人
THE FREEMAN
（第六九六期）
中華民國僑務委員會登記證僑報第二零一號
中華郵政登記台字第○○五號執照登記為第一類新聞紙類
（半週刊每星期三及六出版）
每份港幣壹毫
台北市售價台幣壹元
督印人：陳文華
地址：香港高士打道二十號四樓
20 CAUSEWAY RD. 3RD. FL. HONG KONG
TEL. 771726
承印者：東南印務出版社
地址：香港高士打道六十四號
台灣總經理處 台北市西寧南路
電話：二五二六四
海外總經銷：香港

分析章士釗的詩 解剖章士釗這個人

左舜生

章行嚴（士釗）最近在香港住了半年以上，見過不少的人，也做了不少的詩，這些詩我看過一部分，大抵沒有什麼，不過表示他一點垂暮的心情，（他今年已七十有七）在有意無意之間，也多少發幾句牢騷就是了。一直到上月二十四，我才在香港大公報看見他一首答張君勱的詩。這首詩不是寫把張君勱看的，是寫把毛澤東看的，也是寫把一切共產黨人看的，質言之，他這次在香港住得太久，見了許多他不應該見的人，也說了不少他不應該說的話，中國人無所謂秘密，關於他的言論和行動，自然大陸上早已有了不少的報告，假如他不做這樣一首詩向毛澤東去交卷，即令不會馬上遭到清算，但在他未死以前還想出來走走，總難免不有問題。他寫這首詩的動機只是如此，詩內所包含的種種說法，原也不一定就是他的由衷之言，這好比一個當律師的人，既已接受了某方當事人一筆出庭費，便不問某方有理無理，他總得有爲某方辯護的義務。假定他這首詩僅僅只寄把張君勱，而不在共方報紙上堂而皇之的發表出來，我們原也可以置之不理，放他過去；可是現在他已經拿來發表了，而章行嚴確實又是一個長於咬文嚼字的人，不愧第一等的訟棍，如果不給予駁斥，讓他以這種狡辯來顛倒黑白，淆亂是非，我相信難保不仍有若干人爲他這種似是而非的議論所迷惑，最低限度，像章行嚴這類的幽靈，更難保不在最近的將來，依然會要在海外出現，我很了解，像顧杲陳貞慧等的一篇『留都防亂揭』，誠然不見得有救於南明的滅亡，可是明之亡不亡是另外一件事，但爲天地間保留一點是非羞惡之心，爲讀書人保留一點正誼感，像阮大鋮這類的人不能不加以口誅筆伐，却是等於『箭在弦上，不得不發！』

現在我把章的原詩逐段錄下，逐段加以解釋和糾正。

第一段：

七年不見張君勱，一紙飛從美西岸，強嫗勉強語惡喧，吐棄獨戮如噴飯。憶自束髮十八九，爾我登壇始論難，政見縱或洞一垣，躬行至多才及半；即此一半又潰裂，南北紛紛半動亂，從知吾無治國能，已既無能團截斷。截斷柔流濾疏濬，大禹功成絕水患，成功在人已亦利，萬事何必由己辦。

這一段是說張君勱有一封信給他，信上痛責共產黨的獨裁專政。然後說到他自己和張君勱在清末民初很年青的時候便以言論自見，可是後來毫無結果。表面雖是責備自己無能，重點却在諷諷君勱的無能也正和他一樣。自己既已無能，至少便應該閉口勿言，總還別人去幹。至於『成功不必自我』的一番說法，這也無非是一個去死不遠的落魄文人，在充滿一種自卑感的時候，借這個話來遮遮羞，其言似壯，其心實哀。

第二段

君言寧倒不可耐，須知大國形勢散，六萬萬人期久安，軍興勞能戰誓叛，一家哭何如一路哭，老儒之言何侃侃！民勞祗在改革始，勢大直擬雪埋覆，荊公妙句我高吟，放得春回功可按，于今正是春回日，大浸稽天直悖慢。

（原註：王荊公詠雪云：『勢大直疑埋地盡，功成才見放春回！』此純爲己行新法招致民怨設想，與今日形勢正同。）

這一段直是喪盡天良，他簡直說共匪在大陸屠殺兩千萬人（毛在北平公開承認殺八十萬，章本人在香港對人說殺一百八十餘萬，當然都不可信。）完全是對的！他的惟一理由，便是說中國這個國家太大，人口太多，不用『重典』大大的血洗一番，他們便會要隨時造反，換言之，就是說大陸人民根本不贊成共產，共匪其所以要大施屠殺，完全是爲了他們鞏固政權的一種方便！試問：共匪所殺的這兩千萬人，大抵都是有身家的，每人的親屬最低以五口計算，今天在大陸上便直接有一億人受了共匪的損害！怎麼可以拿『一家哭何如一路哭』這句鬼話來輕輕鬆鬆的搪塞呢？至於他在這裏扯上王安石的兩句詩，完全是因爲下文他還要提到王安石的新法，乃先在這裏伏一筆，至不惜把今天大大陸的水深火熱，比之於大地春回，就詩論詩，這自然是章行嚴的得意之筆，可是他該懂得和阮大鋮的『詠懷堂』詩和『燕子箋』劇本，豈不甚高出章行嚴？可以逃避當時和後世的唾罵嗎？

第三段：

[illegible]國力大強盛，未料民主也燦爛，保民[illegible]能，自由抹煞[illegible]君不見令行直[illegible]，蕩滌污濁成[illegible]十年來濫上海[illegible]中灑巴濮。綠[illegible]蘊拾，日新自[illegible]。蓬生麻中蓬[illegible]語心誠今眼看[illegible]殺妄傳耳，編[illegible]可恨，僅耳風[illegible]，東坡舊巢故[illegible]

（原註：海外妄謂張東蓀、梁[illegible]殺，君竟誤信如此。）

這一段居然說到中共也有民主，眞是匪夷所思。所謂『保民』，難道把無罪的人民，不用審判，一卡車一卡車的拉出去鎗斃，這叫做『保民』嗎？難道把成百萬的人投入韓戰的火海，從事侵略，這叫做『保民』嗎？難道奴役幾千萬的人民，去建築邊區幾條毫無經濟價値的鐵路，架上幾道鐵橋，以加強蘇聯對中國的控制，以便利蘇聯將來在大陸的作戰，這也叫做『保民』嗎？說到『富國』，更可笑！把人民以血汗經營的工商業，一律收去，美其名曰『公私合營』；把人民勞力換來的農產，半買半搶的一律搜括，美其名曰『農村合作』；把人民所掌握所加工的土產，一律以廉價收購，又一律以廉價向海外傾銷，美其名曰『爲國家爭取外匯』；今天一般逃出大陸的難民，可以在香港嘗到既甜且熟的哈密瓜，可以喝到既醇且香的茅台酒，也還可以吃到金華火腿，天津梨，奉化桃，天台橘；……可是大陸的人民怎樣呢？除極少數的共產貴族可以盡情享受以外，一般的善良老百姓，却連一個，一杯，一片也不得到口！他們一年所購的布，不夠添一件新衣；在一個月所購的油，不能在鍋裏擱上一點太極；在農村所剩下一點極少的糧食，不夠一個農家吃兩頓飽飯；這一切一切的現象是爲了什麼？爲了『富國』呀！國富了又怎麼樣？去到國際上充胖子；去大開鷄尾酒會，跳舞會，以其招待他們的國際朋友；以去購買更多更新的武器到天安門示威；去援助他們的友邦，準備爲人類帶來一次更大的災禍；去養活無數的共幹，特務，一直把老百姓逼到死！章行嚴還記得『一家哭何如一路哭』這句『老儒之言』，但何以獨不記得另外一位老儒說過的這句『百姓不足，君孰與足』呢？好吧，大家等着瞧，看他們這種所謂『國富』，究竟富到那一天！

不錯，五十年來的上海，確實是『濫上海』，可是『濫上海』之所以濫，總不能說與上海黑社會那種『包娼』，『庇賭』，『販烟』，『運毒』，『綁票』的猖獗行爲，沒有相當的關係吧？從前有不少的無恥文人，包括黃炎培，楊度，章士釗這般大文人在內，確曾一一投入黑社會領袖之門而爲之點綴，爲之張目，能說上海之濫這般文人不應負相當的責任嗎？據說中共已經把上海的黑社會完全肅清，果然如此，自然算是一件好事；

（下轉第二版）

半週述評

俄帝的示威舉動

在慶祝「十月革命四十週年紀念」的前夕，俄共一面對內進行肅軍運動，把素來被尊爲軍事泰斗的國防部長朱可夫撤奪其本兼各職，同時又對天空放射第二枚人造衛星，這是比第一次放射的還要重大，這完全是冷戰上的示威，也是對美英國家所侈談的「嚇阻政策」之一種強力反擊。

俄帝的第一枚人造衛星射出後，西方國家早已張皇失措，心氣如焚，它乘機大吹大擂地再來一次，用意就在利用西方列強所謂「原子僵局」的觀念，加強其苟安求和的心情，而對俄帝實行妥協。從此以後，西方列強那類無亞實實的玩笑，即成爲無足輕重的事情了。

西方列強的對策如何

「嚇阻政策」既已失去宣傳效用，「科學同盟」又尚在空談階段中，西方列強如不從政略戰路上，澈底更改其現行的原則與作風，即令美國急起直追，也放射幾枚人造衛星，然對於冷戰作用，也就大爲降低了。最要緊是以行動來表示其強度，使自由世界的人心，不致爲俄帝的示威舉動所震懾。

英國一貫地專爲本身利益設想，處處要跟美國爭領導權，搞平行政策，至今猶抱着守歐棄亞的計劃，昧倡「亞洲狄托」之說；美國畏首畏尾，陶醉於原子優勢，而期待鐵幕自行崩潰。這都是使俄帝坐大，終致構成了自己犧牲自己的尷尬狀態。敘利亞問題一發生，俄帝聲色俱厲地發出好戰言論，而美國却聲明「艾森豪主義」並不「擴張」到敘利亞，不啻自認「艾森豪主義」是一張紙老虎，這怎能防制自由世界的人心不趨向於中立親共路綫呢？

美國當局對於俄共的肅軍運動，認爲這是它們內部存在着緊張的政爭情況；對於俄共放射了第二枚人造衛星，說是「這與我們的飛彈和人造衛星計劃，並無影響」。我們亦不否認這種觀感。可是，西方列強時時認定鐵幕內部不安，天天宣傳中俄共將告分裂，事實證明英美對俄帝除却採取退縮政策外，一籌莫展，經常隨着俄帝所奏音樂而亂跳亂舞，連宣傳戰亦永遠居於劣勢，這算甚末領導作風呢？

今後局勢的推測

毫無疑問，美英由於俄帝的人造衛星刺激，一定迎頭趕上，加緊飛彈發展計劃，等到自認爲滿意時，如果俄帝也口頭上多吹幾次「和平」哨子，美國又將創造「飛彈僵局」的理論，主張「走到半途上」與俄帝攜手言和。只要俄帝不實行進攻西歐，有如希特勒之佔領巴黎，圍炸英倫，西方國家苟安且夕，期待鐵幕自行崩潰的惰性觀念，還是不會改變的。

果若是，自由世界的弱小國家，勢必紛紛離心離德，走上中立親共之途，讓俄帝將自由世界經濟市場，縮成一個小圈圈，而美英現時的安全繁榮生活，也就隨着經濟恐慌而化爲滿目瘡痍。這時候，又以「自由運動」的口號來發動別人從事戰鬥，結果不免於一場大戰，但其代價却驚人了！

●雷嘯岑●

從李·楊成名說起

瓦斯

他們打破了科學上「宇稱守恆定律」同時也打破了社會上幾種牢不可破的觀念。

李政道與楊振寧兩青年科學家以打破三十年來支配自然界的「宇稱守恆定律」而獲得了一九五七年諾貝爾物理學獎金，成爲世界獲此項榮譽獎金最年青的人，成爲亞洲人獲此項獎金的第三次（一次爲印度人拉曼，另一次爲日人湯川），成爲中國人獲此項獎金的第一人。

這當然是中國人値得驕傲的事。上一代的顧維鈞博士留學美國大學時，曾以流利的詞鋒替學校迎獲幾屆校際演說競賽冠軍，留給西方人士一個深刻的印象，至今猶傳爲美談；胡適博士曾一度被美國學術界權威公認爲當代十年內世界最優秀哲學思想家之一，爲中國學者取得了殊譽。今天李楊兩氏以三十上下的年華，高踞了美國名大學的講壇，已屬難能可貴，而且百尺竿頭，更進而在純理科學史上創出新的一頁；那雖不能斷爲後無來者，也可說是前無古人。這更是眞刀眞槍，過非如「以男人扮女人」爲藝術的梅蘭芳之獲得美國贈送博士虛銜一類所能同時而語，自不待言。李、楊的成名，實爲中國人對西方人士傳統性的種族優越感一種有力反擊。

這也是對中國社會一種富有意義的新啓示。

自從五四運動抬出德先生（Democracy）與賽先生（Science）以來，我們中國人眼見西方不斷有新的發明，新的進步。今天已到達了原子時代——原子彈，氫氣彈，人造衛星……層見叠出；我們自己呢，對德先生且不說；在賽先生的領域內通汽車，電話機，電冰箱，……也還是從外國運來。老一輩的似乎還是喜玩升官圖，不但自己向官場鑽，而且逼他們的後輩也向那裏擠。執政者大都祗知利用青年，似乎以教會了青年呼口號爲盡了教育責任，把一些有志關在試驗室，圖書館裏的青年視爲書呆子，而且也不肯在他們身上多花幾個錢（戰時固如此，戰前又何嘗不如此），在這環境下，已不知埋沒了多少個李、楊。這種趨勢今天雖有點改變，但傳統意識還未拔根。李、楊的成功，提示了這社會形態應該澈底改變了。

這又可以說是中國青年本身的一個事實抗議。

在我們這個國度裏，老一輩的心理，總以爲年青人少不經事，無論在任何一個圈子裏，都把青年擠得喘不過氣來，很少給他們一個發展才華的機會。我們老一輩的似乎特別老當益壯，非到了行路也鞠躬如也的地步絕不願把比較重要的位置或事業讓給年青一輩的來一試身手，甚如國際學術獎金候選人的提名一類事，似乎也非「敬老尊賢」不可。孔子也說過三十而立，但事實上除非命運注定，像宣統那樣三歲就登基，中國人却很少有像尼克遜三十九歲做副總統一類的機會。李、楊以及與有李楊榮譽的中國女科學家吳健雄氏等的一舉成名，不啻事實上說明過去這傳統作風，是不合理的。

這更是中國青年的一大鼓勵。三十歲上下的一代雖然是生長在動亂時期及青黃不接時代，大可以把一切不長進的責任推諉到不合理的社會與時代上去，但李楊也是在大動亂中長成的，戰時他們還在西南聯大做學生，戰後到現在僅隔着十年餘的一段期間，由一個普通的學生走入世界科學界權威之林，十年不算長，也不算短，但他們教育基礎仍和別人一樣是在戰時培養的。天才不是超人，只是人類智慧在若干程度上的超越。李楊當年如果不是靠自己的努力突破環境的困難，也不會是成爲今天的李楊。李楊的成名，因此實也開拓了青年自發的進取心。

當我們看到全世界物理教科書上今後增加新的一頁，寫着「李、楊定律」；或者這樣地說着：原子之父愛因斯坦的核子物理對等定量律在過去三十年來一向被認爲自然界的基本定律，于一九五七年給兩位中國青年科學家給推翻了；此時我們至少會發生上述幾個感想吧！

我們不應乾對着西方的核子時代，徒作臨淵羨魚之想，倘因李、楊兩氏的成功退而結成科學的網，進而認識這是科學的世界，這是青年的時代；那麼，自中國人說來，別的且不說，祇此已足爲兩位青年科學家邀功了。

監院副座的逐鹿

老御史謂「競選苦于求官」，有所不爲，甘戲彷韓愈文曰：「冀提名，伺候于權要之門；求賜票，奔走于同儕之途。汗雨涔涔，風塵僕僕，足行久而蹣跚，口說多而囁嚅；極自卑于言笑，再乞靈于酒肉。」

台灣通訊　監察院副院長梁上棟逝世後，副座一席虛懸至今，繼任人選，遲遲不決，成爲此間衆所矚目的問題。

數月間，副院長「選局」情況，一直是沉寂冷落，悄無聲。時光是最好的考驗，長期的拖延，無助於問題的解決，有意問鼎學號之士在最近躍躍欲試，由靜而動，從低潮趨向高潮，已經接近競選前哨戰了。

自行憲以來，按照監院推選副院長的慣例，附課者必須年高德劭，在社會上有崇高聲望，在院內能獲委員愛戴，一般認爲在目前能符合上述條件的人物，有張維翰、陳肇英、劉百川、丘念台、李嗣璁、金維繫、蕭一山等數人，淸喪而陶、丘、金、蕭皆似無意競選，其中以陳肇英、張維翰、李嗣璁呼聲較高，奇怪的是在他們應該緊張活動之時，表現的卻很灑脫輕鬆，非僅「不爲」而且「隱跡」；以「西南一布衣」稱譽社會的御史張維翰更似淡然視之。此一情勢，本來隱隱有所重心的格局，似將一變，這一「事，端賴匠心佈署，在在郊熊費苦心。競選活動一展開，[illegible]更所難免，在上次選舉副院長時，就有人負債纍纍，尚不知何時還淸，「御史台」是個淸苦職位，本身已夠清寒，耗資，借債而競選，確是使人頭痛問題。

在此次副座選局中，有一位原也是被認爲適當副院長候選人老者，實告對競選興趣索然，曾有其友好數人前往訪晤，促其出馬，不必謙讓，而此老竟以亦莊亦諧的詞令婉謝，他說：「今日之所謂競選，若於昔日之求官。昔日求官之苦，如韓愈送李愿歸盤谷序中所說，可謂形容盡致。今日競選之苦，實猶甚於求官，大家近幾年來在台灣所見所聞，關於競選的種種瑣事，恐比韓文所描繪者還要光怪陸離得多。姑戲仿韓文一段曰之『冀提名，伺候於權要之門，求賜票，奔走於同儕之途，汗雨涔涔，風塵僕僕，足行久而蹣跚，口說多而囁嚅，極自卑於笑貌，再乞靈於酒肉』諸如此類的條件，自揣百不具一，況於昔日之官，向非出於自求。顧於今日之選，何若還要去競。年既就衰，戒之在得，但願站在崗位，照常執行，發言不至落人，行無悔於激民，這也就是我們的本份。至若轉武之職，多關肆應，宜讓年富而興盛者，順乎自然情勢，出面競選，庶乃風憲之光。」此老這一番有趣之談，寓意深長，當時博得諸訪客不斷笑聲，亦寄予無限同情。此亦監院選潮中一段趣妙插曲也。

·董杰·

變不惟使局外人覺得迷離撲朔，事中人也是目迷五色。

政治風氣，飄邊不定，在監院許多有足夠條件競選副院長的老監委，大都「按兵不動」，而許多躍躍欲試的「黑馬」卻活躍非常。十月，是五院十兩、年來氣暖的季節，也是監院躍角逐副院長實際冷熱揮的一個月，「有志一同」的「各路諸侯」試探性的拜訪，聯誼性的邀宴，接二連三，好不熱鬧，期免「全軍覆沒」自費精神。前哨戰雖然揭開序幕，但何時「定於一」，看情形還需候以時日。

監察院的選舉，顧與中常複雜，全體委員不過兩九十餘人，但如欲將選票有把握的控制到十分之六，殊非易

吾國與吾民　·阿斗·

馬來亞的「默迪卡」
——一個歸國升學僑生的話

金恒杰

去年八月間，我是以一個馬來亞歸國僑生的身份回祖國升學。這個暑假爲了補習功課，沒回家省親，所以就在今年八月卅一日，馬來亞人高呼「默迪卡」（馬來語自由[illegible]一瞬間，我也由華僑變爲馬來亞合邦的公民；由一個歸國僑生變爲自由中國留學的馬來亞學生了。這戲劇的改變，[illegible]有目，但[illegible]似的聯合邦在認爲各民族的[illegible]神未能趨於一致，爲最嚴重的問題，[illegible]排華運動外，始終未發生重大的衝突。今天，馬來亞終於成爲獨立聯邦的一員。

[illegible]馬來亞海峽時報（STRAITS TIMES）的獨立專刊中所說：「馬來亞獨立之日，所面臨的最重大問題，——馬來亞統一公民意識的概念已在生根，但一共同國家思想尚未萌芽。」讀後更令我[illegible]的人感慨萬千。雖然，馬來亞民族由華、巫（即馬來人。注意，所謂馬來亞人乃指馬來亞各具有公民權之民族而言，不可與通稱的馬來人混爲一談）[illegible]

我於去年途經香港轉赴台時，對香港大部居民不諳國語大感不解。馬來亞絕大多數的華僑能說國語。僑校的國文爲重要課程之一。可惜的是高中國文師資的欠缺，使中國文化未能更進一步的發揚。原因並非教員待遇低，而由於人材太少。一個高中國文教員，月薪可拿到六百元叻幣以上僅次於醫生與工程師，可謂不薄了（叻幣一元兌港幣一元八角）。因此往往高中才畢業的學生成績優良者留校教初中國文。在新加坡等大城市，閩籍華僑過粵籍華僑咸以國語爲談話工具。走遍通衢大道街路弄巷，國語沒有人聽不懂的。獨立後的馬來亞雖定馬來語爲「國語」，但由於客觀形勢，各種言語在學校裏乃是等量並重的。

除了各民族有待協調，一個新的國家觀念有待建立外，馬來亞的共產暴徒，確是棘手的問題之一。幸而自一九五五年大選以來，以陳平爲首的共產暴徒，不能再借着「「打倒英國帝國主義殖民政策」的旗子從事搗亂了。他們已被公認爲民主自由的聯合邦的盜賊。被堅強的聯合邦陸軍森林巡邏隊搜索圍剿中。

最令人難忘的是馬來亞溫良的氣候，最冷的溫度不降到七十度以下，同時有海風的調節，感又也鮮有燠熱不堪的苦楚。我初來台北，只帶一條毯子便以爲能禦夜寒，後來才花了二百餘元購買棉被，至今仍爲同學們的笑柄。

馬來橡膠樹名聞世界，極爲富庶，錫礦也非同小可。最近警察與保安軍已能與森林中的土人直接接觸。在今年八月份的倫敦新聞畫報上還可以看到裸着上身而塗鮮艷色彩的阿波里吉那（ABORIGINAL）的少男少女。他們歌舞於遍地黃金的橡膠樹林中，享受着可愛的氣候。生活悠然，真令忙忙碌碌，熙來攘往的都市人爲之嚮往呢！

分析章士釗的詩
解剖章士釗這個人

（上接第一版）

·左舜生·

可是他們『不揣其本，而齊其末，』過去那般供黑社會利用的文人，他們却又一一收爲己用，而且凡黑社會一切『殺人越貨』的行爲，共產黨又無不一一優爲之，而這般文人之爲共匪張目，爲共匪辯護，也無不格外努力而變本加厲，形式有變而實質不變，一切災害依然是落到老百姓的頭上，流毒更推廣及於全國，然則上海一處在表面上有些變動，如何便值得這樣誇耀？『蓬生麻中，不扶自直，』根本靠不住；共產黨有天大本領，也無法把鴉片烟一律禁絕，至少還有不少的人照常抽烟，這類事別人可能不知道，章行嚴總不能說不知道，更何必閉着眼睛瞎說呢？

不錯，張東蓀梁漱溟我們也知道還沒有死，但早已失了自由，從前有一位風流皇帝曾實行縱囚，到期被縱者依然一一回到牢裏去，今天的毛澤東卻只能擺出一個他認爲確有把握的章行嚴到香港來走走，如果他能把張東蓀梁漱溟羅隆基這般的釣章乃至儲安平之流也一一縱出來走走，我便衷心擁護把雙手承認毛澤東確實是超越漢唐宗的『千古風流人物！』

第四段

吾儕書生殆無用，畢生辛苦親斧鑕，晚節幸見太平年，向來服善又何憚？我來香港已半載，且暮習聞市井怨，大抵負販與女傭，內渡荒荒生謗訕；傭紳謂是見聞切，心與耳叶鼓日論（原註：張向華謂余曰：內地人民太苦，吾家老媽子親眼所見。）；食力上進一是撫，櫃爛生涯都可讚。（原註：香港老媽子以主人好賭博能多抽頭爲好場面。）

縱退一萬步承認張向華家裏的老媽子不足以批評共產黨；也可以承認這般擁東老媽子所看見的只是廣州附近的一隅，不足以代表共產黨所推行全國的善政全貌；難道在這次鳴放期間，久在中共政權下做到部長的章伯鈞，羅隆基，章乃器；各大學內教授和學生；各日報和定期刊物的編輯或記者，乃至在共黨內部積有多年黨齡的開明分子；他們所發表的反共言論，也可與張向華家裏的老媽子等量齊觀嗎？還有，這次在長江大橋的旁邊，領導漢陽中學學生反共，因而慘遭殺戮的王建國，鍾毓文，楊松濤三位教師，難道他們也是『食力上進一是撫』的人物嗎？我一面希望台灣方面能把王、鍾、楊三烈士的神主，以盛大典禮，恭送加入圓山的忠烈祠；一面我也希望『阮囊子』於煙癮過足之餘，把頭腦清醒清醒，不要『盲目』的把這類鐵一樣的事實，加以一筆『抹煞！』

第五段：

吁嗟乎！男兒立說須自主，舊調過去同夢幻，英倫近已淪附庸，憲章聊可作清玩。昔聞新會論政體，力言今制不可換，諒君不作湯武思，建言焉嚴冰與炭。晚年靖共第一念，絕使英雄絕羈絆。海道以還士夫起，士夫功罪難逃判。幾人奮發泥沙中，克己化人真好漢！已不能忌人有，自惟怕入斗箕算。

這一段已正式進入對君勱個人的統戰，我想君勱先生自己可能有嚴正的答覆，用不着我多來越組代庖。但在這裏他要拾梁啟超，意在以梁啟超來壓倒張君勱，說梁在前清主張立憲，入民國以後，在洪憲與復辟兩役，他卻是堅決的維護中華民國。可見梁還是承認現實，現在的中華民國既已被共產黨一筆勾消，你便來擁護『人民共和國』好了。這種地方可見章行嚴決不了解張君勱，君勱最能堅守原則，其性格剛剛是與章行嚴相反的。

最後一段：

君今避地已有年，晉窗騰來百姓勸，吾詩匪是北山移，忠言庶當左手券。任公低首宋新法，新法天折心憤惋，今人手提新法來，節節打通物非腭，此中不同在何處，睜眼瞪制得冰泮：宋人用君不用民，成敗利鈍爭一寸，名流不附設黨綱，不解談戰亦枝蔓。此事作始寬太簡，吾徒識者何顯預！任公善變天下知，一語揭開勝交象。此公而在不心服，吾賭以頭學巴曼（原註：比用隱典故）！君知梁先強過我，何能背友作狀奧。

王安石變法是以中國人變中國之法，今天中共的這一套，乃是『一面倒』在蘇聯懷裏，而以附屬黨態度一切惟蘇聯之命是聽，與王安石相提並論，可謂擬於不倫。任公是一個國家民族觀念極強的人，戊戌一役，任公以日人之救，避地日本，大隈等也對他講過備至，可是後來大隈組閣，向中國提出二十一條，當時反日的言論，也以任公最爲激底。任公一生，在學術思想上誠有不少的變化，但在國家民族的立場，他卻是謹守宗旨，堅持原則，雖百變也不離其宗。任公生前，已發表過最透闢的反共言論，假定他今天還活着，一定站在反共抗俄的一邊，我敢相信他絕對不[illegible]章行嚴[illegible]加以青眼，[illegible]切惟毛澤東的馬首是瞻，可憐亦復可笑！章行嚴自己要變，這是章行嚴的自由，一切由章行嚴自己負責，反之，掉轉頭來，利用一個死無對證的事實，厚誣前輩，這卻太不應該，你就提一百個頭來賭，我們也決不相信。

章行嚴這次在香港，不僅有詩答君勱，也做了一首長詩送我，我現在只錄出八句，請大家與答張君勱的一首參看：

『……龍性吾不具，歲時先見馴，格仍襟未退，幸見太平年，媿傍九方歎，曠覆徒傷神，鯆比一夕談，堪謝眼中人。……』

所謂『龍性吾不具』，是表示他自己原沒有堅強不屈的個性。所謂『歲時先見馴』，乃是說過着這樣一個不好的時代，他實在支持不住，只好首先馴服了！這當然也是一句假話。『格仍襟未退，幸見太平年』這兩句，是回想他清末在上海和章太炎，張溥泉，鄒容等鼓吹革命的那一段光榮歷史，以及民初在[illegible]和他自己辦的『獨立週報』及『甲寅雜誌』的黃金時代，[illegible]大[illegible]作九方歎[illegible]『比未務散[illegible]』[illegible]些老朋友，[illegible]談，堪謝眼中人』[illegible]內容，[illegible]便可知道[illegible]這八句詩[illegible]比較，其精神的分裂爲何如，這實在是一大悲劇，我也不願再說下去了。

本報台灣南部辦事處遷移啟事

本報台南辦事處自四十六年十月十五日起遷往台南市西門路七巷（即第五信用合作社[illegible]）[illegible]辦公，讀者諸君，以後請移玉新址接洽。

國文教學問題拾零

教學經驗談

——教學工具書的若干紕繆——國文教科書應加以整理

·曲齋·

有關中學國文教學的文字，我自己曾寫過不少，但都可以說是很少有反響的，這大抵是教國文的先生們，都有他們自己以爲「要得」的一套，尤其是目前，一切都爲了會考，正有類于昔日的科場，只要「朱衣點頭」，亦即所謂「自古無場外的舉人」，必須考取了才算文章有價，于是擱筆，不復再有所言，另一方面，自己又忙于謀食，愈懶得懶了。

（一）

最近因一位朋友！在一家中學教初中三年級的國文，他告訴我，晉書祖逖傳，述祖逖與劉琨：「相謂曰：若四海鼎沸，豪傑並起，吾與足下，當相避于中原耳」。其中避字，當作避亂解，我不以爲然，以爲只宜作避讓解，與左氏春秋僖公二十三年晉公子重耳對楚成王曰：「晉、楚治兵，遇于中原，其避君三舍」之避字同義。另外一位國文先生，也聽到了我們的談話，他則以爲兩說均不安，以爲避是分手之義，隨着他拿出了友聯書店印行的活頁文選爲證，這是某些國文先生的法寶，因爲是語文對譯的，那上面的譯文是：「如果天下大亂，英雄豪傑都一道興起，我和你就應當在中原分手了」。我不敢說這些字句譯得不對，書上的原文無注，如要爭論，很難有個結果，但我想提出一點意見，作爲解說的參考。如果作避亂解，似乎把祖逖、劉琨這兩個人的氣質，和他們所生存的時代看差了。因爲他們自身，本來就以豪傑之士自許的，所謂並起，事實上已經把自己算在帳上，他們這種人，只會想到乘時建立功業，至于打算逃難，那只是一般老百姓們的事，對于他們，是極不相稱的。例如後漢末年，曹操、袁紹、公孫瓚、韓遂……這一批人，當時都在洛陽，而且都還年青，那時中國的局面，也正是豪傑快要並起的機運，他們日常，也曾有過相類的談論，彼此說出假如大亂時，自己的抱負與作爲；可知後漢魏晉時代的士大夫，原就有一種意氣自負的風尚，三國志曹操語劉備：「天下英雄，唯使君與操耳」。亦屬此類。可見解作避讓，才恰當些。至于活頁文選上的翻譯，以爲避即分手，恕我固陋，實在尋不出什麼理由。

爲了這一句我查看香港文化服務社出版的初中國文教科書，對祖逖傳的注釋也疑有錯誤，首段：「每至田舍，輒稱兄意，散穀帛以賙給貧乏，鄉黨宗族，以是重之」。注：「輒稱兄意，言稱合其兄之意」。味其意，稱當讀去聲，（按原注無此聲明）其實不然，因前文並未提及其兄行誼，則此只在表現祖逖的輕財好俠，而不欲居其名，欲以美譽歸諸其兄耳。說明白些，就是他散穀帛時，必聲明這種舉措是出自其兄的主張，詞意十分顯豁，似不宜解作「稱合」。

（二）

說到翻譯，也有些地方值得指出的，高中一年級的課本上有虬髯客傳，記紅拂化粧逃到李靖的寓所時，時份是五更初，她入室後，脫去衣帽，李靖才認出她就是楊司空府中的歌伎，於是才「瞬息萬慮不安」，下一句「而窺戶者無停屨」，這個窺戶的人，原當是李靖自己，問題是他怕立刻有人來追捉。但大公書局出版的中國文選語譯，却把下句譯作：「剛剛在門口偷偷地張望的人又往來不絕」。友聯書店的活頁文選則譯作：「而外面不斷有人到門口來偸看美人兒」。就字面看，這樣的譯法也不見得怎樣大錯，但我以爲應該想到，紅拂逃來時是深夜，又已經化粧爲男子，除了室內的李靖，誰知道她竟是個女子？從那裏招來那末多的人來「偸偸張望」？甚至說「看美人兒」呢？假如說這沒有錯，那末下面的「數日」二字便很有問題，因爲當時（五更初）已經有不少人在旅店房門口外往來不絕地張望了，如此哄動，第二天那些「追討」的人，不把他抓回去才怪呢？這裏大抵爲了拘泥於者字的習慣用法，以爲「窺戶者」爲一代名，不知者字亦可用作停頓語的虛字，如韓愈答李翊書：「如是者亦有年，猶不解」，即屬此類。

又高中二年級，選讀孟子論四端一章，末句：「非惡其聲而然也」，舊注：聲，名也，意即並非因爲想避開不仁之名才如此做，但目前在本港流行的四書讀本（啓明書局印行），有蔣伯潛的新注，把聲字釋作小兒驚啼聲，我們眞不曉得小兒的驚啼聲有何可惡？又論語論學：「君子不重則不威，學則不固」。固，朱註作堅的解，原甚穩切，又與行文語氣相合，但港大的中國文選竟棄而不取，獨偏引集解孔安國語：「固，蔽也」．及曲禮鄭玄注：「固，謂不達于理也」。義雖亦通，卻與語氣的自然有礙，因上句不重則不威，是直述語，固作堅固解，則一氣而下，不若作蔽解須繞一道彎也。此則近于故炫博雅，亦殊無謂。本來人的才力有限，註書終不免有錯，原是應該諒解的事。

（三）

這裏也不是存心挑剔，因爲古來的權威註家，如郭象、王逸、顏師古，以至朱熹，均所不免，但均在詞意隱曲處才出毛病，不如今日之濫。目前有些人註書，只在註其自己的意念，語譯則尤多師心自用或望文生義之處，問題很簡單，這些教科書的銷路很大，書賈委託註家，要趕市道，又要做得好看，才適合他們的商業條件，在這種情形底下，最利便的方法，就是抄和剪，爲了要好看，則又不憚其多，以致目前中學國文課本的註解，都到了臃腫或膨脹的程度，教起來固然很費事，其實也不討好，因爲那些作者生平，以及有關文學史，思想史的資料，甚至板本常識，也有了，共總是一大堆，給先生參考不相干，但有些拘泥的教師，竟叫學生死死背熟這些東西，像這樣的比填鴨更可怕，依常識推測，填鴨也須揀些容易使畜牲啃得下的東西，不能瓦片石子都塞牠一肚子，譬如以詩經爲例，中文中學選了[illegible]，凱風，蓼莪三章，這三章詩，對于全部詩經，只算九牛一毛，但教起來時，起碼要學生懂得詩產生的時代，十五國名稱和故地當今何處，另外又有四始，六義的界說，齊、魯、韓、毛各家的師法，以至存亡的經過，就做學問說，原該如此，但對於目前的香港青年，叫他們不討厭國文，倒眞是奇蹟哩！如果以爲這樣算作注重國文，實在是：「非徒無益，而又害之」。

（四）

就所知，香港近年出了不少關於國文教學的工具書，分析、研究、詳註、語譯、整本的、活頁的，多到難以指數，去年教育司舉辦了一次國文教學展覽，許多人又嚷了一陣，還有兩個教師會，都照例開會，請名流演說，或作示範教學，這些我們都明白，印了書可以賣錢，做官或做社會的頭子，又總須做些事給上司或會衆看看，于是弄得熱鬧起來，其實亦是常情，但這種工作，除了可以使官員或會長之類，的記上一項勞績之外，其實效果是微乎其微的。我以爲教育司署每年辦會考，也花去不少金錢和人力。因爲特別看重國文，已規定會考國文不及格的學生不得畢業，是否也值得花一筆錢，僱用一些專門人才，讓他們埋頭工作一年半年，先把教科書弄像樣一點呢？（十一月二日）

朱可夫被黜事件種種

·曾旭軍·

朱可夫之突然被黜，乃自史達林逝世後，克姆林宮爭奪政權未嘗停止過的繼續階段，是爲特務警察、黨、軍三權的傾軋變化過程之一部份。赫魯曉夫始終掌握着黨權，打擊政敵，已令貝里亞、馬倫可夫、莫洛托夫等紛紛倒下，今又輪到爭俄人衆望的朱可夫。

據十月二十八日倫敦泰晤士報通訊員謂，南斯拉夫鐵托元帥已對記者說：朱可夫已爲蘇聯眞正的統治者。「因爲他已握有秘密警察之權」。赫魯曉夫在史達林逝世時，雖然和朱可夫以及當日的紅軍參謀長，索柯羅夫斯基三人有默契協定。但到了今天，赫魯曉夫不能再鼓勵朱可夫增長勢力了。

在今天表面上是赫魯曉夫握有最大權力，但事實上並不然。他祇是握着名正言順的以黨治國的優勢，但潛勢力遠遜於朱可夫。朱是二次大戰挽救俄國（注意「俄國」並非「共產蘇聯」）的大英雄，至今民衆與軍人依舊崇敬他。這是衆所周知的。但筆者要引出鐵托的意見作論證，是有其巨大之意義。

除上述泰晤士報所載之外，早在史達林逝世時，狄托便立即對全國人民說道：「大家須注意朱可夫元帥和紅軍，他們要和政客鬥爭的」。

這回朱可夫被免國防部長之職，正值朱可夫到南斯拉夫與阿爾巴尼亞游說成功歸來。這是值得注意的，否則正當十月革命四十週年紀念盛典快臨的今日，蘇俄應強調團結，爲何不惜妨礙此種宣傳而毅然將爭衆望的朱可夫黜貶？朱可夫此次居然能夠把南斯拉夫與阿爾巴尼亞多年宿怨消除，並且能使南斯拉夫不惜觸怒美英及西德諸西方國家，而悍然與東德恢復外交關係。這當然是朱可夫與鐵托有了默契。朱可夫如掌握政權，必把蘇聯對附庸國及南斯拉夫的所謂「民族共產主義」的關係作相當的修正。因爲朱可夫的基本勢力在軍人農民。他們不熱心於共產主義制度，而傾向於保護民族利益。諸附庸國與南斯拉夫亦願在赫魯曉夫與朱可夫中間抉擇朱可夫。因此在國內外兩方朱可夫的潛在勢力大。

或曰，爲何朱可夫始終默爾含忍，並無行動呢？

因爲，蘇聯權力鬥爭的決定因素，並非佈在國內，大部份在國外。尤其是美國。我在美國「記者什誌」的一篇文章，見它討論蘇聯是否快要有一個「拿破崙」出現的一個問題，有一段很深刻的論斷，說：因爲美國在史達林逝世時，還是堅持「圍堵主義」，因此克姆林宮在國內維持共產黨政權，也採取「圍堵主義」。這就是對政、黨、警、軍，各方面持均衡，不容有一個漏洞，給一個特殊的單方勢力突出。假使艾森豪威爾採取解放政策，那麼軍人的勢力，便立即抬頭。

在這裏，我們對「抬頭」二字可以作許多種解釋。可以說實力派出來担當應付戰爭。也可以說具有實力的軍人凌駕俄共黨權之上。據說此次朱可夫被黜原因之一，是他力爭要驅逐紅軍中的政工人員，但爲克姆林宮中若干黨政有力份子反對特別是布加寗。布加寗是史達林時代遺下的一個政客，並非行伍出身，在紅軍中遭受鄙視。但當日史達林利用他作工具去控制紅軍。朱可夫和他勢成水火。現在赫魯曉夫不顧朱可夫的紅軍勢力增長，也正可利用布加寗。但這祇是內部問題。

朱可夫的助手尼赫拉索夫，在替代貝里亞秘密警察的「國家安全部」掌握軍權。另一助手，凡斯利夫，主持該部政治調查工作。現在秘密警察名義上由塞羅夫任首長，事實上是集體掌理，自馬倫可夫等被黜後，朱可夫立即將馬莫卡的人，換上國防部的。所以秘密警察之權，朱可夫佔大部份。

因此可以大胆說一句：朱可夫之不能抬頭，更是國際形勢所限。他不能妄動，不動則已，動則不許失敗，失敗便完結。因爲在此東西對峙核子均衡勢力之中，許多將領不願給西方國家所乘，恐怕有同歸於盡之虞。這是朱可夫不能不含忍的原因之一。

但我們從朱可夫事件，更清楚的看出蘇聯國內相對峙之矛盾存在。蘇聯的軍人在二次大戰時，拒絕作戰的共有二百五十多萬人（這是蘇聯自己宣佈的）。大戰後，整個紅軍部隊不准回他們的家鄉，他們要受「再教育」，要走到共黨所謂「志願流徒」，進去比奴工集中營較好一些的集中營。在蘇聯臨到危機時，這種不滿份子佔很重要地位。新的軍人亦對共產主義不滿，朱可夫事件，很顯明的證明克姆林宮當局恐懼因朱氏之個人地位提高，醞變成軍隊不受黨之控制。

朱可夫事件是對蘇聯統治者極不利。中共在朱可夫免職的消息初傳時，即急替主子掩飾，說朱可夫將任更高的軍權重職，其惶恐之情，使人對蘇聯整個共產主義制度受着分裂之威脅，更看得清楚了。

「民盟」主要分子葉篤義亦遭清算

從一九四九年開始他參與了張東蓀的反共活動和「章羅聯盟」，搞第三勢力。

葉篤義，他是現在大陸上「民盟」的「中央副秘書長兼辦公廳主任」；也是「政協副秘書長」；同時，也是一個「一直沒有放棄反共，反社會主義的立場」的知識分子。

照十月廿九日北平「民盟中央第十次整風擴大座談會」上清算鬥爭葉篤義的情況看，他是「章羅聯盟」反共的要角，早在一九四六年，他就是國社黨張君勱和羅隆基的助手。因此，在這次鬥爭會上，連他過去做過張君勱先生的私人秘書，担任張氏與馬歇爾、司徒雷登會談的譯員，以及他是張東蓀的得意學生等，都被羅織成爲主要的罪狀！

但就總的鬥爭口實分析，葉篤義之所以爲中共所憎恨是他參與「搞第三勢力，與中共對抗」！葉篤義對此不僅未加否認，而且承認他「由追隨張君勱到追隨羅隆基，在對外關係上走親美路綫，在國內問題上走中間路綫」，主張西方民主制度，是「張君勱、羅隆基思想上的共鳴者」。

在毛朝成立後，於一九四九年，「他就參加了包括張東蓀在內的羅隆基反共集團，成爲這個集團的核心分子」；一九五六年章羅聯盟形成以後，成爲該聯盟的主要分子。

在「鳴放」期間，他向中共開砲，主張中共黨團組織退出機關、學校和企業組織，並且提出解散民盟、民進、農工、九三這四個黨派，另組一個知識分子政黨，而此二項提議，遂構成他在思想和行動上反共的具體罪證。

另一項比較爲中共憎厭的行動是，葉篤義與羅隆基曾企圖利用僞政協接待外賓的工作機會，打通對外直接聯系的路子。

在這次鬥爭會上，主要發言人有：張雯鈞、宋安、薛博民、呂光光、辛志超、千家駒和姚鴻南等。（資）

國際動態拾零

十二月艾森豪將去巴黎參加大西洋公約國各元首會議。但不能空手前去，所擬提出的方案如下：

1.將聯合大西洋，巴格達，東南亞公約各會員國，推舉一位軍事最高統帥。

2.原子武器，由新組國際委員會管理，俾將英美原子秘密，公開給各會員國。

這是艾麥會談的結果。也許將討論到關稅同盟問題，與共同防禦之詳細計劃，但細則迄未協議。

×　×　×

英國國防計劃，爲減削人力，代以火箭，然尚未足以應付國防。據麥美倫語人，美國所允與的火箭，仍依原定協議，於一九五八年交付。

×　×　×

朱可夫被免職的消息，事前美國中央情報局，自承一無所知。還是白宮新聞秘書，先以消息，用書面給與總統，其時艾森豪方在看足球。莫斯科美國記者，看到黨報社論，責備黨攫最高權力，始知新鬥爭已經開始，但消息延期到達。

×　×　×

朱可夫去年暑假到列寧格勒，羣衆歡迎之熱烈，較對赫魯曉夫爲多。最近演說，常提到外交政策，又要控制特務。十一月間軍隊黨組織將開大會，擬擁戴他，所以赫魯曉夫，不得不先下手爲強。馬林諾夫斯基，與科納夫及索絡夫斯基兩元帥，都是朱可夫的心腹，而實際掌握軍權，此次竟出賣朱可夫。朱可夫被認爲是不主與西方宣戰要緩和中東局勢緊張的人。

·陶然·

談調整待遇問題

自由談

馬五先生

立法院最近決議調整國軍中下級人員的待遇，指定以「國防附加捐」一收入的三分之一，作爲調整待遇的經費來源。軍中生活之應該改善，毫無疑問，而以國防附加捐來供應國軍的生活費用，尤爲名正言順的事，沒有可說的。

不過，中下級軍官的待遇固然非調整不可，一般士兵的給養，又何嘗不需要增加？軍人生活雖苦，其他的行政人員亦不例外。還有服務於教育界的教職員，尤其淸苦異常。基於正義與公道的觀點，政府都應該一視同仁，設法調整他們的待遇才是呢！然這末一來，國庫每年增加的支出，恐怕至少亦在台幣三十億以上，要籌措這筆龐大的開支，良非易易。如果各種民意代表也同樣地要求提高待遇，那更不得了。

所以，政府當局如不否認立法院這項決議的必要性，則對於一般公教人員的待遇問題，亦得統籌併顧，有所準備，而且要着，祇在開闢財源。說到這兒，我認爲自由中國現行的財經政策和法制規章，皆得重新檢討，加以損益。尤其是財經上的人事現狀，非澈底改革不爲功，一般久搞財經和金融業務，而毫無績效表現的蛀蟲式人物，若不一律淸除，任何改革，都是廢話！我決不相信自由中國的財經情況後決予再搞好些，問題就在能否掃蕩蛀蟲式的官僚份子而已。

據說，立法院指定將「國防附加捐」一部分撥作調整軍人待遇開支的理由，是因爲有若干「於法無據」的機構，皆靠這「國防附加捐」來維持的。果若是，何不更明白地指出某些「於法無據」的機關，將予關閉呢？

我贊成調整文武公務人員的待遇，但須先在財政上有開源的辦法。這應該是號稱「財經內閣」的拿手好戲，我們等着瞧罷！

談平劇出洋

•張瘦碧•

書畫家的出國展覽，音樂家的出國演奏，以及電影片之出國放映，平劇之出國演出：其主要的目的，自然是在文化藝術交流，甚至善也。

不過書畫家祇須攜出品件，音樂家更簡便，電影片也並不太累贅，獨有平劇這樣東西若要出國，不但人頭多，而服裝道具也不少，每一劇目，各有其應用物品，加上文武場面，多一人無所謂，少一角就玩不起來，出國又比不得在本土，在技藝上更要選擇超越人才，不能隨便湊數，所以惟有平劇出國，在人力，物力，財力，三方面均須有充沛實力。這還祇是屬於先天的一部份條件而已，尚有後天若干枝節問題，如演出的場地，和捧場人物，臨時收入支出的預算，都要煞費苦心的籌劃，而且在收入問題，也無法預先估計，腳色的優劣，劇本的鬆緊，以及劇情編排，是否適合彼國人士口味，這都需要有一個較長時間的縝密思維，不論公家出資，或是私人取款，要組成一個浩浩蕩蕩的班子，想跑出國外一獻身手，實在是件非常吃力的事，有些不淸楚事實的人，總認爲出國便可淘金，其實能夠不被碰得頭青面腫回來，已屬萬幸，如果不賠本，藉此向國外遊歷一番，便是天大恭喜了。

大鵬是一個公家的康樂劇團，過去赴菲、赴泰、赴韓，如今又赴英，赴愛，或者留須赴巴黎……這一連串的出國費用，在演員方面有薪津，有時尚需備着公家的交通工具，據聞在菲韓行程中，還是蝕了本的。如果目的是爲了營利，那一定是失策的，那又不同了。所以若我私人組班出國演奏，問題多困難重了。這次金素琴劇團出國演出，其壯舉，報載越南僑胞已經私人捐輸出了新台幣二十萬元了，那末率領了兩批四五十員的人馬，就是每天食宿的消費，已經是夠驚人的了，那眞是值得叫好！同時醞釀出國赴越的張正芬劇團，不幸竟觸到了暗礁，尚有許多問題，拍不攏來。所以我說平劇出國，比較其他一切藝術出國要困難，如何安排十分要緊，兵在精而不在多，人員少，角色支省，少演繁劇，多演輕鬆戲，避免大場面，場面大，分場反而吃力不討好。

萬竹樓隨筆

詩人白居易（772—846）（七）

此外還有一個故事，說樂天每作一詩，一定問老嫗能解不能解，能解，他便留下；不解，便去掉。這大致是當時不滿於白或嫉妒他享名太大的人所故意造出的謠言，想藉此以形容白詩的俚俗以爲快。就實際講，說樂天作詩力求平易，不願以艱深文淺陋，容或有之；但說他的任何一首詩，眞的老嫗能解，其惟一的可能，除非這位老嫗自小就是在樂天家裏或在他身邊長大的，其欣賞詩的能力，且較鄭康成的詩婢有過之而無不及，否則決沒有這種事實，我們不可輕易爲古人所欺騙。

我在前面已經提到樂天的生活態度是以儒爲體而以道釋爲用的。以儒來說，樂天在初期服官的時候，態度確實是相當的積極，不僅對時事他是充直敢言，便對他所寫的詩，對於當時許多看不順眼的事，他也不惜露骨的加以諷刺。及至因爲碰了釘子而謫貶江州，乃漸漸走到道釋的路子上去；關於這兩方面的書他曾多所涉獵，道士和尚們他也隨處結納，甚至連茹素參禪，鍊鉛燒汞的事他也幹過。他愛喝酒，愛種花，自己能操琴，也特別愛好音樂，無論到什麼地方，總歡喜把自己住的地方佈置得非常妥帖，尤其以廬山的草堂和他晚年在洛陽履道里的住宅，屢屢見於他的詩文。所與遊者，大抵不出酒徒，詩客，山僧，道侶，而樂僮歌妓也隨時隨地點綴其間，總而言之，他的興趣是多方面的，一切一切都只在使他成就一個詩人，而對一切一切也都無所陷溺，無所迷戀；知止知足，役物而不役於物，這不能不說是他個人在修養方面的一大成功。他在六十七歲的時候，寫過一篇自傳式的『醉吟先生傳』，雖篇幅稍多，不如『五柳先生傳』那樣簡撲高渾，但不失爲他晚年生活的一種寫實。

『凡有井水處，即能歌柳詞，』據說這是北宋一位西夏的歸朝官，形容柳永所作的詞，流傳得如何廣遠的俊語。樂天自己說：『自長安抵江西三四千里，凡鄉校，佛寺，逆旅，行舟之中，往往有題僕詩者；士庶，僧徒，孀婦，處女之口，每每有詠僕詩者；……』（見樂天的傳，『……』）元微之爲樂天寫的『白氏長慶集序』，也說：『二十年間，禁省，觀寺，郵候，牆壁之上無不書；王公，妾婦，牛童，馬走之口無不道。……』甚至『雞林賈人，求市頗切，自云本國宰相以百金換一篇……』我們試想：像白詩柳詞這類的作品，在作者生前根本便不會印刷，尤其沒有加上美觀的封面，定就送到路邊的書攤上，或拿在日報上作爲頭條新聞去登，乃終竟一般讀者自動的代爲傳播，便能博得這樣多數人的愛好，這還不值得現代作家們加以深切的反省嗎？

•舜生•

農圃道漫步

爲圃爲農兩不如。抗顏何意說詩書。食功食志尋常事。壤壤橫流未復初。講肆不須鄰馬廐。機聲偶聞逐相呼（讀平）。佐盧沮溺神凝治。應有文章日月光。

凌晨搭車赴新界口占

大風吹水作微瀾。春不能朱鏡裏顏。歷歷襟期誰可訴。倚窗無語對寒山。

夜飲市樓賦呈某公

如椽美酒堪殷勤。恢學奇財張一軍。忍道神州今板蕩。海濱猶尚有斯文。

•懷冰•

釋•「如是我聞」

•白源•

本刊六五九期洪荒君之「如是我聞」篇題，照現在人的解釋，即「我所知道的像這樣」，算是一句「倒裝文法」，或解爲「如此這般是我所說的。」

但，此語出自佛經，解作「如」，意譯相「近」，而實相「遠」，如學佛的袁中郎則解釋爲：「心境合一曰如，超于是非兩端曰是，不落眼耳鼻舌身意曰我，不從語言文字曰聞。」而釋家另一說又有不同：「如者如如不動，謂當人本具之性體。是者當下即是，一切凡夫雖此心當下即是，而生滅剎那不停，並不如如者何也，我執爲之障故耳。故必破其小我之執，而會歸于大我。大我者所謂一法界，即心佛衆生，三無差別，常樂我淨之我也。此中我字，當如是會。聞者返聞聞自性也。將欲會歸，必當返聞。」況上面那樣的一大段字有「謬」的大道理呢！

準此，則梵文原意，恐怕也只是「我所聽到的是這樣。」或者「如此這般是「我所說的」而已。然而佛家弟子們爲了闡發佛理而長乎其說，以炫其淵博精湛，無怪乎外教人「望佛經興嘆」了。

短篇小說（一）

O型的家庭

王百谷

我因爲高興下象棋，便將象棋棋子的名字來稱喚我的兒女，作爲我兒女的乳名。長女叫阿車，次女叫阿馬，三女叫阿砲，長男叫阿兵，次男叫阿卒。本來，四女可以叫做阿士或阿象的，但士象是守衛的棋子，我下象棋經常採取攻勢，不喜歡固守，所以四女便不再使用象棋的名字，而稱之爲「笨瓜」。「笨瓜」是在台灣出生的，多了一個「笨瓜」，我的家庭便更加熱鬧。我在三十三歲之時便有車、馬、砲、兵、卒，五個女兒，實在是心滿意足了，原不想再增加一個「笨瓜」。但當「笨瓜」出生而參加我的家庭時，我確是熱烈的歡迎。涂今我還是最鍾愛這個「笨瓜」。

回憶民三十八年秋，上海淪陷以前，我的太太帶着五個兒女，和我的內兄匆促地乘船來台灣。兵荒馬亂之時，兒女衆多，而且都非常幼小，拖男帶女的逃難確是很艱苦的事。在途中，幸得內兄細心照料，抵達台灣後，這位內兄免不了時常向我丑表功一番。某天的晚上，我的內兄又照例在丑表功。並說，兒女像眼眉毛一樣，沒有眉毛不大好看，有眉毛又似乎是多餘的。我的內兄至今尚未有一男半女，便時常說這些話來解嘲。

在抗戰時期，我屢次帶着妻子兒女輾轉奔走，那年，我太太又帶着五個兒女逃難來台灣，聽了內兄又說兒女像眼眉毛的話雖然不贊同內兄的見解，但亦自認爲我實不適宜再添孩子了。

我忽然像有新發現的說：「我有很靈驗的方法，可以不再添囊小孩」！內兄表示懷疑的態度，我更裝成莫測高深的模樣，遲遲不肯說出來，內兄急不及待的催促着。我隨意的說：「在我的蚊帳頂上貼一張紅紙，寫兩個字，便可以不再添囊小孩」。內兄又焦急煩燥的催問，「是兩個什麼字」？我像魔術家班把戲的說：「是『客滿』兩個字」。這兩個字，當然使內兄哈哈的大笑。

不過，我始終沒有在我的帳頂上貼上一張寫着「客滿」兩字的紅紙，於是我的「笨瓜」在民三十九年出生了。今年，我的「笨瓜」已在幼稚園畢業，現在是小學一年級的學生。

我的「笨瓜」其實並不笨，而且非常聰明，很會撒人高興。在她小的時候，常有人來逗她，她很奇怪天眞的說：「媽媽的眼睛，很得意的說：「媽媽的眼睛裏有我的頭呢，這樣，媽媽才呀」。我不禁吟起：「秋水變瞳，不須明鏡照蛾眉」的詩句，「笨瓜」這樣細小的年紀，說話竟然很有阿兵跑過來湊趣的問：「你想想，你的眼睛裏有着誰呢」？毫不思索的說：「我眼睛裏有笨瓜呀」！阿兵只好驚她一頓走開。」從此我便叫她爲「笨瓜」。

最近我才知道，我的血型，我太太的血型亦是O型，六個兒女的血型，就是O型。這樣的O型的家庭，還不自嘲到晚年吵吵鬧鬧？不過我認爲不是爭吵，這是熱鬧！（一）

今世奇觀

出洋相二三事

•西門崗•

凡是由大陸到台灣來的人，照國仇家恨說起來，都應該努力奮鬥去渡海峽（台灣海峽），而不「必」奮鬥努力去渡海洋（太平洋大西洋）。八九年來，適得其反，即想設法渡海峽之人，僅是少之又少，而想設法渡海洋之人日見其多，並且渡海洋已成了風氣。只有一些無法無力渡海洋之人，才望「洋」與嘆。然而那些出洋的人，往往大出洋相（弄醜）。最顯著而惡劣者是毛邦初，不是出自己私人的「洋相」而是出國家民族的洋相，最近又有出「半公半私」的一個洋相國體，名義是什麼代表團。他們的份子中，出過洋的人很少，尤其出西洋的人更少，到了西洋之後，洋相都出夠了。

據說，其一，他們到聯合國參觀而旁聽。當時正是極權附庸國的代表們發表大肆攻擊，自由中國的演講。他們很禮貌的正坐靜聽（其實就是挨罵），那一段完了，即離席而出。殊不知下一個演講的乃是我國的蔣代表。在他大聲疾呼，振振有詞反駁別人的時候，我們的那一「團」人，一個個不在座中了，氣得蔣代表深怪自己人不捧場，只是「挨罵」。

恰巧那一團人第二天有個集會，邀請蔣代表參加演講。蔣氏以聯合國大會的演講稿，卻換了那一團人的駡。事後他們的團長與蔣氏晤面說及此事，蔣氏正式指責他們何以只會挨罵而不捧場。團長答道：「他們不知道那一節目是你演講的。」蔣氏憤憤的說：「在秩序表不是印得有的嗎！」「他們」團長赧顏的說：「……英文呀！」

其二、那一團的國粹，晏覺而不早起之類，到了美國依然如故。招待所的各國代表到餐廳去早餐。而那一團，還是在床上（好夢正酣），招待所的侍者把早餐送到，依枕曲肱而食之。侍者只是在收拾餐具，「微笑」，這是表示敬意，只有懂洋規矩的人才明白，至於私人的出洋相，事能說「罄竹難書」，也可說都有。只好「下在話下」。既在這種渡海洋的風氣無已，而渡海峽的精神呢，吾欲無言！看來這班人的精神到是該先整一整呢！

自由人
THE FREEMAN
（第六九七期）
中華民國僑務委員會登記證僑台字第一零二號
（半週刊每星期三六出版）
每份港幣壹毫
台北市售價每份新台幣壹元
地址：香港告士打道二十四號四樓
20 CAUSEWAY RD. 3RD. FL. HONG KONG
TEL. 771726

俄局舊劇新觀

林伯雅

朱可夫被黜後，莫斯科赫魯曉夫的傳聲筒不斷發出「朱可夫破壞了列寧主義」，「犯了史太林個人崇拜」「走向拿破崙主義」……。這些極權舊戲重演的台詞，原不能看成戲骨，卻有一點：即此次作爲主角倒下去的，不是黨棍子或特務頭，而是當紅的職業軍人領袖，是「蘇聯寶座後的力量」，其影響蘇聯政治內層，自較以往爲大，很可能使史太林的三大遺產——黨特軍間的關係進一步趨于破產，根本動搖了蘇維埃政權的基礎。至其及于「和平共存」政策的影響，卻看不出有什麼決定性改變的可能。

一、

蘇聯的「黨治」政制，實質上是：黨支配特務，特務控制軍隊，軍隊支持黨。這連環合治的走馬燈，在以共產主義爲外衣的大俄羅斯主義軸心轉動之下，幻成黨政軍三位一體的形態——其實是一體三位，一體祇是一種幻相而已。這走馬燈一有了毛病，就會發生動亂現象——在一羣刺殺，砍殺之後，必然出現一位勝利的人猿泰山來，脚踏踐在地上的失敗者，手拍着突出的胸部，口發出震動山岳的原始呼嘯。

沙皇的傳統是：英雄主義，專制暴力。革命後列寧祇是替英雄主義加上一件黨的外衣，黨又借列寧建國元勳的老牌子，染上一層神秘性的色彩，于是黨權代替了皇權而統治蘇聯。列寧逝世後，黨權也就逐漸失了神秘，英雄主義復顯現原形。

一九二八年黨魁史太林放逐托洛斯基，那是黨爭的序幕；一九五三年三月史太林神秘死亡後，黨內明爭暗鬥的結果，繼承者仍是黨棍子馬倫可夫，一九五三年六月貝利亞的被清算，雖爲黨棍與黨特之爭，實質上依然是黨內之爭，勝利者又仍爲黨棍子馬倫可夫；一九五五年五月，馬倫可夫第一次的被黜，仍爲黨權之爭，勝利者赫魯曉夫自然也是黨棍子；獨有此次朱可夫的被黜，勝利雖然仍爲黨棍子赫魯曉夫，實質上却表現而爲黨爸與軍爸之爭了。這是一個大轉變，倘惡化下去，很可能影響蘇式政權的命運。

二、

今年七月赫魯曉夫藉朱可夫的力量挽回了黨爭敗局，却造成了今天軍黨鬥爭的局勢。朱可夫的被黜，傳是由于軍部政治委員向克宮的控訴，說他反對軍中的政治委員而不甘受黨的指導，朱可夫之訪問南斯拉夫及阿爾巴尼亞是克宮爲了防變而事先安排好了的。事前蘇俄陸軍的紅星報，黨的眞理報發表關於黨與陸軍關係的評論，咄咄逼人，即預示這一齣戲即將上演。

目前朱可夫丟了國防部長及黨中央主席團職位，勢必接受第二次失勢的命運（第一次是史太林時代），已成定局；問題是：赫魯曉夫能繼續以黨的靈符，控制愛國重于愛黨的紅軍嗎？

從列寧到史太林，黨早已失去靈魂，祇餘下特務的實質；一九五三年清算貝利亞以後，特務勢力也趨于支離破碎，軍人勢力便隨朱可夫地位上升而抬頭。現雖赫魯曉夫可以將朱可夫的黨政職位解除，却無法即時把他的社會聲望和軍中潛力消滅。因爲目前的朱可夫已是一種社會力量，是職業軍人魂，不是隨意給他帶上「反黨」一類的帽子，就可以打垮的。註在捷克蘇軍之開始叛變（十月卅日意大利報載），即爲事實的說明。根本上，軍人反黨意識的潛在，就是俄共的危機，去了一個朱可夫，軍中當還有無數的朱可夫。這是克宮對朱可夫黜後安排之所以會議通宵達旦無結果及赫魯曉一再觀望風色而躊躇不決的原因。

三、

再次，歷史又不能重演，赫魯曉不能再像列寧，托洛斯基，史太林的當以「軍事天才家」的姿態，親自統領紅軍，祇好設法去鑽軍人集團中的矛盾空隙，捧出一個馬林諾夫斯基，當了國防部長，並且拉攏特務軍人掌握國防科學。有些軍人雖也未嘗不願意靠黨（赫魯曉）發達，但他們不會忘記他們的軍人前輩曾經受盡黨的屠殺！[illegible]

[illegible]朱可夫被黜，心中自不免生兔死狐悲之感。換言之，去了一個朱可夫，並不是一個馬林諾夫斯基補上，[illegible]

四、

[illegible]

如果蘇俄要發動戰爭，也不會先犧牲「蘇俄寶貴的力量」——員大將，[illegible]

半週述評

蘇俄革命四十年

一九一七年俄國十一月革命成功，建立了歷史上第一個無產階級專政的政權，[illegible]

且在經濟上，農業上，和工業上都[illegible]是，赫氏跟着又說：「[illegible]超過他們」，而[illegible]內可以超過美國的生[illegible]儀要以資本主義的美[illegible]上或超過者，也[illegible]

其實，蘇俄[illegible]樣，則赫氏便不顧[illegible]權變而爲地方分[illegible]行共產制度最力[illegible]諸人了。蘇俄過去[illegible]？他們對於蘇俄[illegible]

赫魯曉夫陰[illegible]把最有力量的政[illegible]造衛星試放成功[illegible]

西方何以自保存？

[illegible]

法國政治危機結束了

[illegible]

·陳克文·

人造衛星是暮鼓晨鐘

——喚醒西方國家記取歷史教訓

·劉實·

二次戰後十多年來，最顯著的事實，是俄共一直在實施顛覆政策，製造動亂，陷整個人類於恐怖不安，其赤化勢力迄在有進無退的發展；最可遺憾的原因，則是西方國家對俄共顛覆政策之縱容姑息有以助成，却始終無所警覺。今天面對着蘇聯放出的人造衛星，西方國家總該有所領悟了吧！

爲維持世界和平計，俄共的擴張矛頭，原應早該受到正義斧鉞的制裁了。只是爲自由人類所屬望的西方國家，不斷令人失望；除最初一任東歐諸國及中國大陸被俄共併進鐵幕外，繼則爲苟安心理所迷惘，以致對韓戰應勝而不勝；對越南不應分割而分割，對東德、匈牙利……的革命義舉應該助成而不助成。於是俄共乃得因利乘便，鐵蹄橫行，放心發幹，更陰謀促動亞非地區中立集團的誕生，並利用之以爲共產集團到處張目，世界便從此更多事了。

西方國家於二次戰後，曾讓不少屬國獨立自主，此固順應民族運動的潮流，然亦莫非爲獲致世界和平而努力。照着西方國家這種容忍、開明的步趨走，理應能夠使世界和平之光芒四射，給人類顯示出無慮恐怖的前途。然而不然，西方國家剛從諸地把勢力撤出，填補眞空的，不是新興民族的民主自由力量，而是俄共的侵略勢力搶先。這樣一退一進，不但完全抵消了西方國家所作和平的努力，而且在俄共的挑唆下，更煽出當地民族仇恨西方的怒火；算不清的歷史舊債，益之以俄共的添碼加碼，使西方國家無所措手足，于是殖民地的獨立，並不能如所預期的爲和平鋪路，反而不啻爲蘇俄開路了。這並不是說，西方國家不該把勢力從殖民地撤出，而是說西方在這些退出的地區，始終沒有一項有效的政策，扶助當地民主力量，使能站在西方一邊，摒除和平的敵人。

多年來的時間和經驗，證明和平共存只是俄共以退爲進爭取有利時間的詭辯術語，但仍爲西方國家所迷惑。在西方，尤其是美國，方將與蘇俄交換電視、交換農業技術，並自動宣佈先自裁軍兩次二十萬，對和平共存作深入嘗試之際，而俄共則已爆出越洲飛彈、人造衛星的科學優勢，乘機大量軍援埃及、敘利亞，並進而策動中東變亂，宣傳攻勢，咄咄逼人，以向艾森豪主義挑戰了。

西方國家尤其美國應記取的教訓太多了。在科學武器上，由原子獨佔，而原子僵局；由原子僵局，而飛彈落後，而衛星不如人，曾幾何時，竟使俄共以科學獨步，不可一世的眼光傲視世界了。美國是否眞不如人，尚待時間的證明。但嚇阻、報復政策，從此至少要劃上一條新的問號。

在與國上，原圍繞於自由陣營周圍的亞非伙伴，已多見紛紛中立，而且由中立而偏左，甚至有由偏左而倒向俄共，致蘇俄勢力，無孔不入。這一切，在數年以前都是不可想像的事，在今天似已習見而不以爲怪了。這都是西方國家政策的顢頇有以致之。

但是事實儘管如此，而自由陣營對共制勝的基本形勢，並未倒轉。艾森豪總統曾謂今日自由世界，正從事于一種大規模之總體戰，在此戰中，自由世界所擁有之全部資產，實遠出于共對手方之上。這話令人想起第二大戰初期，納粹勢力咄咄逼人，處處使西方勢力處于不利的形勢；乃不轉瞬而形勢大變，西方逐漸發揮無上的潛力，直至盟軍在諾曼第登陸，卒將納粹力量打垮，取得最後勝利。這個歷史的回憶，實令人相信艾森豪總統的話，不是沒有根據的。那麼，領導自由陣營的美國，祇要能夠懲前毖後，乘此優勢尚未落後，拿出一種新的領導氣魄，在政治上迎擊俄共的顚覆政策，在科學上取得優勢迎頭趕上人家的人造衛星：……，就能堅定自由世界人士的信心，轉移世界中立國家的傾向，扭轉整個世界局勢了。

那就要看西方國家能否共同記取上述一些歷史教訓。如果因爲今天蘇聯人造衛星的出現喚起了西方人士的記憶；那麼，蘇聯的人造衛星，可說是西方的暮鼓晨鐘了。

有民主政黨才有民主政治

•文莫•

由於各國政治制度，各不相同，所以各國政黨發展的情形亦不一樣。在什麼性質的政治制度下，總有其同性質的政黨，才對國家政治有利。這就是說，民主國家需要有民主政黨，極權國家需要有獨裁政黨，二者的關係，絕不容混淆的。否則，政黨的功用，恐要招致相反的結果，政治前途堪虞。

一、

我國自清季（一九〇八年）憲政編查館起草憲法大綱以來，已有五十年的憲政史，政黨運動亦早發生於宣統二年（一九一〇年）資政院時代。以言現代民主政治的規模形式，時間不算短了。民國初年，政黨的發達，如雨後春筍，其時原來革命的同盟會改組爲國民黨，以普通政黨地位，與第二大黨進步黨堅壁對壘，在國會中從事政治鬥爭，有聲有色。嗣袁世凱摧殘憲法和政黨，進步黨助桀爲虐，然國民黨奮力抗爭，中國政黨史仍寫下了轟轟烈烈的一頁。最後國民黨又演化爲革命政黨，民十二以後，青年黨和國社黨等先後起來活動，曾有若干領袖表現了政黨政治家的風度，仍爲中國普通政黨保存了若干民主氣氛。

然從另一方面說，中國的憲法和議會政治，雖具形式，但事實上，政黨的責任內閣制可以說從沒有按照民主國家的常道，切實運行，過去數十年的政治，都是不倫不類的。至於政黨的發展，在過去漫長歲月中更是變化萬端，大有莫可究詰之勢。最初大小黨派林立，鬥爭分化不已，其間聚散離合，多是爲了一時利害，甚少政見可言。大體上都是寡頭政客集團，所有爭論，亦不外乎本身利益問題。國民進步兩黨，雖一時形成兩黨制，然兩方面的內部，衝突分化，層出不窮，加以袁世凱從中利用壓迫，以致兩黨制的基礎，卒告瓦解。後來，國民黨大部分南下革命，其他大多數黨人，只好掛着招牌，聊在武人努力之下討生活而已，其間穢聞醜行，不堪言狀。

由於袁世凱和北洋軍閥的破壞壓迫，民初的議會政治破產，國民黨乃再恢復革命運動，中國僅存之一大黨的性質，遂又變成了一個革命團體。迨國民黨改組聯俄容共，中山先生鑒於過去政黨的失敗，爲促使革命早日成功，採取了蘇俄共產黨的組織性質，革命政黨以期強化陣容，發揮組織功能。以上的演變，後來對中國政黨的發展，乃至民主政治的推進，所關殊大。因爲從此以後，所謂民主集中制，所謂革命的民主政黨，含義頗多問題，對於政黨性質，政黨政治精義，議會制度的推行，皆發生了影響，迄今尤多爭論。

二、

根據以上簡述，中國政黨過去的問題，最堪注意的有三點：第一、各黨大都沒有社會基礎，沒有民衆支持，黨的領袖，除極少數如中山先生等外，多爲官僚政客。其行爲不但不能代表人民，甚至在黨內連黨員的意志亦不能代表。故那些不健全的黨，只是少數人自謀建樹的場所，不是民衆的黨，亦不是黨員的黨，而祇是黨魁或巨頭之黨而已。第二、勢力依然支配於政黨以外的武力，政黨不能有正常的發展。第三、甚至原是民主的政黨，亦因政黨政治的一現，瞬即轉入變亂動盪，則發生變質，使民主國家應有的民主政治終於夭折。中國政黨遂走入了歧途。

三、

最近聽到有關反對黨的理論甚多，就現代民主政治制度的通常的理論來說，這本是通常的一種常識。不過有些人論及中國政治的現狀和政黨制度，認爲中山先生生前曾主張一黨專政，主張以黨治國，以爲中山先生並不贊成政黨政治，此點頗值得說明。我們研究中山先生的政治思想，應很清楚認識他的基本思想是完全屬於現代歐美民主的。祇要稍爲注意他民初所發表的言論，便可明白。那時他的言論，完全鼓吹民主制度，其中可爲代表並且說得最透澈的是民國二年三月一日在東京對國民共和兩黨支部等的演詞，他說：「蓋一黨之精神才力，必有缺乏之時，而世界狀態，變遷無常，不能以一種政策永久不變，必須兩黨在位在野互相替代，國家之政治，方能日有進步」；觀此數語，可概其餘。他的基本思想既如此，所以他對黨組織的最初宗旨，亦是採用民主精神的。因此他所作黨員紀律的演講，多數是民十三以後的事。當然，他在晚年思想曾起變化，對政治主張建立革命民主集權制，對黨組織主張採取政權，但這並不能解釋爲他在基本上放棄了民主，實行專制，只不過是在革命期中的一種權宜方法罷了。當時法統不存，全國處於無政府狀態，黨的基礎亦散漫動搖，與今日迥然異勢，因此他採用革命手段，乃時勢使然。這是我們現在應特別留意的。

現在當前的基本任務，爲推翻共產黨專制，重建國家，很顯然的如果不依照現代民主制度，鞏固和發展政黨政治，將無以奠定國家的百年大計。無論暫時的變化如何，中國既列於民主國家之林，總要步武歐美民主先進國，再不能固步自封了。

四、

在形式上，中國現在並非沒有反對黨，並且還可說已有政黨政治。但實際情形，以及現代民主制度的政黨運用，我們與各民主國家的精神比較，相距甚爲遙遠。我們今天各政黨的現狀，無論其所表現的作風，及其內容，較之民初情形可以說還差一籌。政黨的基礎不健全，運用不民主，已成一種通病。以此種樣子的政黨，欲用之以達到眞正民主政治的目的，豈有成功之理。然無論如何，我們是個民主國家，民主國家要有民主國家的政黨。欲實現民主國家的政治體制，保障憲法的尊嚴實施，必須要有配合得上的政黨。準是以言，我們沒有貫徹民主政治的決心則已，否則，全國上下應共起展開政黨新生運動。此種運動，不僅指反對黨組織的自由，尤其促進今後政黨基礎的羣衆化，政黨制度的民主化，這樣纔能洗滌過去的失敗，適應現行的民主體制。

冷戰中一大嚴酷考驗

寮國竟悄然變色

美在東南亞顯又遭受挫折

寮國通訊

寮國自一九五四年與越南、高棉同時宣告獨立後，寮北豐沙里，桑怒兩省，根據日內瓦停火協議，承認由寮共首領蘇發努馮統治。幾年來，寮共雖然沒有顯著軍事活動，政治滲透卻已遍及全面，特別自今年三月二十一日蘇發努馮長兄蓋叻，終結了流亡泰國的十載放逐生涯，回返寮都永珍後，還其異母兄弟蘇渥蒲瑪貴爲中央政府總理關係，出任攝寮大臣，事實上他的歸國，具有雙重任務，他那兩個掌握不同政權兄弟，均曾派員敦促，請他回國原因，截然不同。

蘇發努馮要求蓋叻離開泰國，目的是要調和他們三弟兄間的政治關係，要求蒲瑪跟他組織「聯合政府」，終結反共鬥爭，然後於普選中將非共（本質上反共）的寮國，全部落入共黨之手；蒲瑪邀請他的長兄回來，參加中央政府，目的是要穩定國內的政治局勢，遏制其弟的顛覆活動。誰知蓋叻返國之後，王國的政治危機只有加重，未嘗稍見鬆弛。原因不外國民議會對蒲瑪政府缺乏信任，以及蓋叻託辭博訪民間，實際卻在暗中與幼弟蘇發努馮接頭。故此五月二十九日蒲瑪在國會信任投票中垮台；全國陷入了無政府狀態。共黨的叫囂，大有以武力奪取中央政府之勢。至八月八日，蒲瑪重獲寮王西沙文旺提名組閣（未獲國民議會承認），勉強組成兩黨聯合臨時政府。

這一次蒲瑪政府，跟其弟（寮共首領）的談判達成協議，事先既無任何徵象，事後各方均感驚詫。過去的談判「失敗」，共方歸咎於美國阻撓。但在表面上看寮共這次獻出其北部所控制的兩省——豐沙里、桑怒，與六千名武裝部隊，並以蘇發努馮爲首的高級共幹，擔任中央政府次要職位，表示要求統一寮國的誠意，和達成寮國人民獨立的願望，中央政府固沒有峻拒的充分理由，何況兩個不同政權的首領，畢竟是異母兄弟。實際上蒲瑪卻已墮入了乃弟以退爲進的圈套，忽略了「聯合政府」正是共黨陰謀內部顛覆的手段。

人們也許詫異，共黨爲什麼不以武力奪取政權，而採取內部顛覆的手段呢？原因不外：（一）寮共雖受中共、越共支持，但其實力畢竟有限；中共、越共不擬以投注於這一蕞爾小國，是怕招惹國際間的譴責，所得不能償失。（二）中央政府的武力足以敵制共軍；政治上的潛力儘管寮共已經掌握全面，軍隊仍效忠中央政府。因此寮共不得不於此時滲入政府，策劃於明年一月國會選舉中，以「正當」手段將非共政制推翻，建立共產政權。

這種必然的趨勢，正說明了美國連年的努力，等於白費心機，每年七千四百萬美元的代價，作了「聯合政府」的犧牲。這七千四百萬美元（一年）的成績是：一支擁有二萬五千名新式裝備的陸軍，這一方面每年分用了五千萬美元；次爲每年用於警察及治安費七百萬美元，建立了一支漂亮的警察；另外七百萬美元支持行政費用；二百五十名美國技術人員，分去了一千萬美元。據說，中共已向寮國提出軍經援助代替美援的保證。準此而言，這次寮國悄然變色，處此東西冷戰緊張聲中，美國已在這一地區受到了重大的挫折。

消息傳到曼谷，泰代理外長迅速發表聲明，對寮政策將重新考慮。顯示泰國鑒於寮共參加政府，深感怔忡危懼。其結果可能基於安全要求，必然宣布廢止一九二六年「湄公條約」，該泰法簽署的邊界協定，規定泰寮兩國邊境設立一條十五哩非軍事地帶。據說泰國目前最感苦惱的，厥爲湄公河全線四百多個島嶼地位誰屬，尚無明確規定；今後如跟寮國進行邊界談判，問題可大可小。湄公河爲寮泰國界，其寮國變色，泰國即使以不受寮共威脅，實非怪事。（十月廿五日寄自永珍）

•持平•

只在此山中　雲深不知處

尹雲。

讀者論壇

敬質於王內長者

•何日中•

醞釀已久的開放新聞報紙登記問題，昨天又被王內長輕輕地予以否定。王內長說：爲了戰時節約用紙，目前尚無開放新聞報紙登記的計劃。至於雜誌的出版，除「發行旨趣爲目前需要者」外，亦將不予登記。

王內長的聲明，澄清了多日來不少的傳聞，也使不少人的希望歸於幻滅。筆者不敏，有以敬質於內長大人者：

一、開放新聞報紙登記問題，我們以爲內部縱使仍然堅持不放，但起碼也該給我們提出一個新鮮而成其爲理由的理由，但事實並沒有。姑不論新聞報紙之登記，是否應予開放。僅就內部所一再申述的「節約用紙」的理由，實使我們不敢恭維。用紙的數量，可以代表一國文化的發展，與文明的進步。我們從未聞爲「節約用紙」，而甘願讓文化萎頓，文明阻滯者。如果這眞是內部所認爲的理由，誠乃是因小失大的不智之舉。更何況節約何止限於新聞報紙？其他方面對紙張的毫無意義的浪費，內部何竟不予節約？譬如各級機關，輒見爲毫毛小事，而竟以寶貴之紙張，爲連篇累牘之公文。難道這不該節約嗎？

二、社會之進步，貴乎有公平競爭之機會。限制報紙之登記，是使新聞界失去此一機會，則簡接形成其不景氣之現象。固然，台灣現有之報紙，爲數已經不少，各業務上之競爭，也很激烈。但這是有限度的，何況多數報紙，皆爲官營，或半官營，或暗官營。從業人員，「辦公事」之心理頗重，怎能使報紙有理想之進步呢？就是純爲民營的報紙，也常受官報之影響，以致形成目前新聞界甚多不起之沉痾。這也是非有新的刺激，無以獲得新生的。

三、據熟悉內情者言，「節約用紙」，僅是一藉口而已，其實原因，在便於管制言論。此言似有其道理在。果眞如此，那我們除去暗地傷心而外，無話可說。

四、關於雜誌部份，王內長的答覆，誠是妙不可言。這更使我們似懂非懂地以爲：目前街頭上，日見有「創刊號」出版的黃之又黃的雜誌，莫非就是王內長所說的「發行旨趣爲目前所需要」的東西嗎？如其不然，那內政部又何以核准發行呢？這樣看來，堂堂內長大人，似乎也是「黃色讀迷」了。難怪有的正當刊物的申請，反而百般留難，吹毛求疵，這大概是因爲不合內長「需要」的緣故了？否則就難洗縱容黃色刊物，麻醉人民；限制正當出版，愚化人民的譏責。王內長其三思之。

（十月廿七日於台北）

吳在民先生八十晉四壽言

王韶生

廣東國民大學校長，老教育家吳在民先生，今秋八秩晉四壽辰，民大旅港校友定本月十日爲先生設宴祝嘏，崇基大學教授王韶生先生爲撰壽言，縱述先生生平，特爲探錄如左：

夫國家當屯艱之際，正貞下起元之時；於斯時也，必有鉅人長德，克享大年，出而轉移風氣，撥亂而反之治，若師尚父之時維鷹揚，衛武公之懷抑威儀，此徵之於詩可覩也。現代若邱吉爾之於聯合王國，李承晚之於南韓，阿登諾之於西德，斯三人者，雖年登大耋，然康強逢吉，神識不衰，均以一身繫全國安危。雖然！政治之事，脫斧柯假手，機緣相湊，則賢者爲之也不難；然一時之功業，未若教澤之孔長也。昔孟軻述仁義，道性善；墨翟倡兼愛，主非攻；均年過八十，講學授徒，著述不倦，其有功於人心世道，瀰久而彌存，夫豈可以道里計哉。我校長在民先生，於淸末畢業於京師大學師範館，即以服務教育爲職志，凡數十年。其間嘗出任廣東高等師範教育長，廣西教育廳廳長，及廣東臨時參議會議長，然不久即捨去。生平精力，以盡瘁於我民大者爲尤多。先生之爲教，不怒而威，不言而成，溫良樂易，稟而有之，藹粹然儒者氣象也。抗戰中期，民大一遷香港，再遷曲江，三遷陽春之春灣，先生實終始主其事，以視孟子之轍環兩國，墨子之繭足救宋爲尤苦，其貞固有如此者。已丑以後，黃楊閏厄，先生隻身來港。未幾，隱居北婆羅，以著述自娛，發爲詩歌，則悱惻有合於古詩之義！其世之憂深，救世之切，迄未稍已也。今秋，適先生八旬晉四，民大旅港校友，聯合爲先生祝嘏。余既承同人之屬爲之序，爰著其大者於篇，依於戩穀難老之義，以代侑觴。民大同人，念河汾之教，庶幾黽勉，冀致太平，則所以爲先生壽者更重且大矣。時中華民國四十六年十一月十一日。

西貢的炸彈案

·文鑑·

十月二十二日，西貢三枚定時炸彈，已引起一個新問題：「反美情緒，是否已在滋長？」美國務院官員說是：「炸彈案並非反美的表示」。但同時，又傳美國現設法使其對南越的援助，取得較大的信譽，俾消除反美情緒的滋長。……勵所使然。這不是無因的。

美援與反美

在西貢炸彈案發生後，美國宣傳計劃已在重加研討中。據一位反對派報紙編輯，綜合許多外交人士包括美國人士在內，所談有關炸彈案的意見，認爲：越人在私人方面，並無反美情緒，但當他們[illegible]南越政府困難之時，他們知道美國現正支援吳廷琰。同時，大部份越人無法[illegible]美國的援助，[illegible]他們以爲援助[illegible]直接惠及[illegible]，[illegible]美國政府決意作新的宣傳設計，逐漸向越人解釋美國如何對南越援助，其實，[illegible]炸彈案的形成，也可能是共黨份子從中[illegible]。

懷特的聲明

可倫坡計劃會議，是宣佈二十三日在西貢揭幕，而炸彈案卻恰在[illegible]。美國代表團團長懷特[illegible]，我們會見各國代表，[illegible]。共黨[illegible]設計，自由國家[illegible]，[illegible]不容[illegible]。

所以如果美國的「宣傳設計」成功，能讓越南人明白共黨這種卑劣陰謀，必能增加南越人民的憤慨，及對越友邦的關係。

美國的駐軍

共黨對於南越這塊自由土地，無時不在虎視眈眈。所以，有美國駐在西貢的官兵，便越南政府感到寬慰。美國官兵住在南越，是受到物質上的享受的；而日趨於南越的人民，也有些認爲美國人，以及西貢的[illegible]，正因爲很多頭街，有許多[illegible]的夜總會，以及妓院，都有他們的[illegible]和[illegible]，[illegible]的資料，在同時，今日的西貢，在共黨攻擊美國的資料，在…

北越難民羣

共次就是由北越逃往南越的難民，其中有一萬五千人是華僑，一萬三千零八十七人是由中國大陸逃到越南的，他們出於大陸淪陷後，他們義不帝秦，毅然投奔，歷盡艱辛，輾轉流徙到達北越，可是赤禍泛濫北越，又慨然二次踏上流亡旅程。他們這種精神，値得欽佩，但是這一萬三千零人的籍貫相當複雜，包括三十個省以上，職業也很廣泛，其中是否有共黨份子參入，是誰也不敢保險的。

（十一月五日）

美國援助土耳其　撥款數額如上年

中東反應極佳　考慮追蘇其下一步行動

在中東緊張局面下，美國的援助在這一地區內將重心放置於土耳其。從本年七月開始的財政年度中，土耳其將得到一如去年相等的美國經濟援助，而並不受美國外援計劃緊縮的影響。在本年度，美國對土耳其的經援是八千萬美元；另外尚有二百八十萬元的援助和七千萬美元的剩餘農產品。總數是一億五千二百八十萬美元。美國援助，對土耳其現政府[illegible]，[illegible]中東形勢[illegible]好反應，[illegible]對土耳其支援的決心，迫使蘇俄必須慎重考慮其對土耳其的侵略行動。（資）

紀朱可夫的两位舊搭擋

繼任國防部長的馬林諾夫斯基

調任高加索軍區司令的羅柯索夫

·戎馬書生·

蘇聯國防部長朱可夫免職後，由副部長馬林諾夫斯基升充；另一副部長羅柯索夫斯基則調任高加索軍區司令。黨與軍的衝突，表面雖暫時平息，但必然的，還有下文。兩人均爲朱可夫的老搭擋，赫魯曉夫爲什麼這樣安排呢？此二人者，這裏值得一紀。

馬林諾夫斯基是聶斯德河下游，黑海之濱的敖德薩人，今年五十九歲。在十月革命時，他是沙皇軍官以正投降的，旋被送往伏龍芝軍官學校受訓。羅柯索夫斯基是蘇籍的波蘭人，一八九七年生於波蘭的[illegible]城，今年剛六十歲。他的父親是曾任火車司機和小學教員的波蘭貴族，他幼年父母早亡，以當工爲活。一九一五年投身帝俄軍中，廿三歲參加波蘭之戰，後來也被送往伏龍芝軍校受訓。他們兩人都是第二次大戰時，從馬上打出來的紅軍英雄，都曾隸朱可夫元帥麾下。

一九三八年日蘇兩軍在張鼓峯，諾門坎衝突時，馬林諾夫斯基任騎兵，在朱可夫指揮下，和板垣師團在塞外作戰，予日軍以打擊。德蘇戰爭爆發，朱可夫西調莫斯科，與提摩盛科分任中路，南路軍司令，保衛紅都；他就繼任朱的遠東紅軍統帥。一九四一年，[illegible]參加史達林格勒保衛戰，率五十萬遠東兵馳援。史城大捷後，復與康納夫指揮伊柴夫少將等十個師，攻克卡爾科夫，擊潰了德日耳曼師團所組的SS軍團。一九四三年參與反攻，他任烏克蘭第二戰線司令，奏捷聶伯河，旋復羅馬尼亞，進軍羅馬尼亞。一九四五年三月九日又東調關對日作戰。參戰三日，關東全部投降。他就大肆劫掠我東北機器設備，總值逾六億美元；並將關東軍三十萬餘存的武器，明目張膽移交中共林彪部隊，多方阻難我接收東九省。韓戰爆發，他又坐鎮赤塔，暗中發號施令，驅中韓人爲砲灰。因此有人推測他的繼任國防部長實於遠東局勢不利。一九五二年他當選候補蘇共中委，四年後升任正式中委，復繼柯涅夫任紅軍總司令，並兼國防部副部長，以迄此番扶正。

羅柯索夫斯基，是「史達林格勒英雄」，是頓河前線部隊的司令官，原是由紅軍參謀長夏波尼柯夫推薦的。朱可夫保衛莫斯科時，他是朱麾下的驍將；後來由史達林格勒苦鬥十個月，名遂大噪。一九四三年八月五日，史達林復親下手令對他及同役參加所謂「解放」奧勒爾和比爾哥羅德之役的鮑波夫上將，索科洛夫斯基中將，瓦圖丁大將，及柯尼夫中將大加讚揚。一九四四年他任白俄羅斯第二戰線司令，與羅拉齊斯基「波蘭」聯軍第一軍團進佔華沙，西克坦能堡，清掃東普魯士，一度出任爲蘇駐德佔領司令。一九四九年被派往波蘭任國防部長，兼波軍總司令。當時巴黎的新聞記者拉·[illegible]克斯曾說過下面的話：「如果我們法國也任命美人或英人作國防部長，那末，我們法共自己的共黨報紙，將怎樣自圓「說死」？」現在羅柯索夫斯基在波蘭滿染血跡的雙手，又放在高加索高原，想乘機漁利，覬覦土耳其和伊朗了。他的出任高加索軍區司令，無疑會增加了中東風雲的緊張。蘇聯的魔爪日漸伸入近東，美國定挺身而出，決不置身事外。

國際動態拾零

最近美國內閣之總檢察官，行將易人。新檢察官爲羅傑氏，僅四十二歲，爲最年輕的閣員。他是尼克遜的朋友，足見艾森豪對尼氏信任的有加無已。一時估計，一九六〇年總統候選人，尼克遜之可能性大增，至少艾總統有此打算。

× × ×

美國人造衛星專家，提出一種計劃，將攻射雷達衛星，有自動攝影機，並可轉送消息至地下。而三天把蘇聯全境照完一次，要之四年時間始能完成，需款三十五億。

× × ×

尼克遜行將訪問波蘭，爲美國最高官員旅行鐵幕以內的第一人。但因需做準備，現已延期，乃緩歐洲之行。

× × ×

艾森豪在下屆召集之國會，信譽將提高。因他有援土的決心，而且反應迅速，使蘇聯不敢輕舉妄動。他又主張大西洋公約，合力發展原子技術，尤得民衆良好反應。足見美國民意，怕打仗的心理業已過去。而爲如何防禦的想法了。

× × ×

一九五八至一九五九年美國援外預算，行將大增。現在起草中的預算，至少有四十五億，其增加本年度則祇有二十八億。其增加項目之最顯著者，爲撥給以最新武器。然國會不甚贊成，欲在大錢方面，用更多的錢。

陶然

新書評介

學術與政治之間

乙集自序

·徐復觀·

繼「學術與政治之間」的甲集後，又選印出這部乙集，完全是出於中央書局的朋友們的好意。在乙集裏，學術性的討論，超過了政治性的討論，這說明我個人生活的環境與心情，正在天天的演變。倘由此而能够使我將我的餘年完全埋葬在書齋裏面，這將是人類對我所作的最大恩典。我希望能得到這種恩賜。在乙集裏面，也收有若干在情調上和全書很不十分諧和的文章；這純是留作個人生命歷程中的紀念，希望讀者與以原諒。

對於政治的知識，每個人都是很貧乏的，[illegible]；對於[illegible]的人生境界，每個人都可以[illegible]下自覺，但同時也會感到有仰之彌高。自己所能有研究到的知識，隨時可以保留；自己所沒有達到的人生境界，應虛誠地加以尊敬；我覺得這是作爲一個學人所必須具備的良心，也是「道並行而不相悖」的思想自由的基礎。自己所不知道的知識，便要獨斷地加以打倒；自己所未達到的人生境界，便要武斷地加以踏平；每個人覺得自己就是知識世界的全體，自己就是人格世界的全體；像這種精神中的各個極權王國，若不設法把它敞開，則人類的文化，個人的生命，都將感受到窒息，而失掉談文化，講思想的真正意義。

許多精神現象在理論上說之所以形成，我懷疑它和今日的政治問題，有其共同的心理因素，即是作爲一個中國人的[illegible]，在現實政治中[illegible]的人，[illegible]。但有的人，在[illegible]之下，一樣可以得到光榮的證明；可是他們面對社會，面對世界，發出許多自相矛盾的虛偽證語，以求達到欲蓋彌彰的反民主自由的目的。

在他們的各種說法中，決找不出可以作爲反民主自由的任何根據；然則原因何在？恐怕祇是由於在各個人念慮的幾微之際，有一種「滿身污穢」的自卑感覺，因而只想躲在黯暗的角落裏面，不願照見民主自由的太陽。此種自卑心理的未能解除，結果造成了國家和政治，各個人自身的不幸，是非常顯而易見的。

在今日，既有人以「滿身污穢」的自卑心理來面對政治問題，也有人以「滿面瘡痍」的自卑心理來面對文化問題。在此種人的心目中，覺得祇有咒罵自己的歷史文化，才能減輕作爲一個中國人的罪孽感；這恰和共產黨要許多人寫了「丟掉歷史包袱」所作的坦白心情，是一般無二。[illegible]中國不合於自由民主，[illegible]口頭上反自由民主者口頭上的理由，是把個人承當不起自由民主，即是承當不起自由民主的自卑心理；投射在整個的國家身上。文化上，以歷史文化爲[illegible]的口頭理由，是說不打倒自己的歷史文化，西方的文化便走不進來；把這一代人的陰暗頹退，一雜寫在自己的歷史文化身上。其實，人類文化，都是由堂堂正正的人所創造出來，都要由堂堂正正的人所傳承下去。只有由平實正常的心理所形成的堂堂正正地態度，才能把古今中外的文化，平鋪在自己面前，一任自己理性良心的評判，選擇，吸收，消化。滿面瘡痍的自卑心理，使一個人在精神上抬不起頭來；因而不能正視自己的歷史文化，同樣也不能正視西方的歷史文化。在此種情形下，縱然有少數人能認眞做一部分西方文化的研究工作，但其內心深處，很不易爲國家得到結婚生子的結果。何況抱著此種心理的人，多半是東張西望地混過一生，最後還是對文化交白卷。

因此，人格尊嚴的自覺，是解決中國政治問題的起點，也是解決中國文化問題的起點。一個人，一旦能自覺到其本身所固有的尊嚴，則對於其同胞，對於其先民，對於由其先民所積累下來的文化，當然也會感到同是一種尊嚴的存在。站在人類共有的人格尊嚴的地平線上，中西文化可以彼此互相正視，互相了解。在互相正視，互相了解中吸收西方文化，有如一個像樣的民族的資本家和外國工商業者作經濟來往一般，到底能做出有規模有計劃地以有易無的開利生意。我不相信在買辦式地精神狀態下，能有效地吸收世界文化以發展自己的文化。同時，西方人要了解東方文化，也同樣是非常可悲的事。

十年來在學術上我和時賢所發生的爭論，其非出於個人的好勝之心，是想用我的學問去證明時賢的學問；我很坦白地承認自己並沒有學問；我只是從時賢的態度中，引發我上述的感觸。把政治上的壓力，[illegible]，但把文化上的[illegible]感觸寫出來卻相當不能抑制自己，寫出了[illegible]的感觸。只是從學問中，[illegible]一個人在[illegible]，在形式上似乎很難，而在精神上卻很[illegible]。在形式上[illegible]，在精神上都[illegible]。[illegible]一個人在[illegible]中，無法自拔，若非不幸而完全沉淪在[illegible]，以自甘孤立，這種時代感觸之中，而可能變成的壓力，不是不斷，不斷，不悶？假定我所感觸的，[illegible]此一時代的心靈相感通，則我辯駁切磋的時代，只不過是讓人無病呻吟的謬見，以讓我們的時代，常常不免對人用上過當的辭氣，至於我在討論中，我們人的修養，還無法克制在激論時的心情，露我把這種辭氣照原地保留下來，藉此表示我內心的愧疚。

當我忙於授課的時候，省立農學院的高希均同學，背自動爲我細心校正印稿，因此使我得節省不少的時間精力；這和中央書局願出力印行此集的朋友，是同樣值得感念的。四十六年雙十節徐復觀誌於東海大學宿舍

（再本書由台灣台中中正路九十一號中央書局出版，香港九龍太子道四二六號二樓人生雜誌社代售，每冊定價台幣十六元港幣二元五角——編者）

批評的態度

最近我在本刊及其他的刊物上，偶爾對於海外黨務與僑務上某些處不合理的現象，有所批判，自信還是符合蔣總裁在八全大會中，教黨員以「自省自責，互相批評」的訓示。然而，這項批評却不爲有關人士所接受，招致了強烈的反感，並且對其他刊物的負責人加以壓迫，大有興師問罪，禁止發行之勢。我基於責任感，不能讓別人代我受過，自有嚴正反省聲明之必要。

第一：我老早跟實際的黨政工作絕了緣，與人無爭，憑着文化人的立場，就事論事，決無絲毫的個人好惡恩怨或派系利害觀念存乎其間。今天批評某些事情不對，表示痛惡，明天如果見着某些事情改良進步了，一定讚揚擁護，以求其心之所安。這是我一貫的批評態度，有事實可資舉證的。

第二：我所批評的問題如其不是事實，關係者儘可反駁糾正，我只有拜領教益，深爲感悚。假使要吃官司或坐牢，亦決不逃避，無論在任何地方，我若不敢束身司敗，就算是賤格懦種！然我所批評的問題如係確有其事，那就任何人亦不能剝奪我的自由人權。何況我以一個國民黨員的心情，說話時已經有許多瞻顧保留之處，跟一般在野的反對黨派人士有別呢！

第三：受到批評的關係人物，如其既不能辯正我的批評爲虛誣，又沒有「自省自責」的雅量，文過飾非，而欲以一手掩盡天下人的耳目，動則濫用權威，箝制輿論，那我尚有「不相信羊上樹」的革命黨人氣質，不惜敞開來暢所欲言。今天我們嚐受國破家亡，流落海外的慘毒生活，孰爲爲之，孰令致之，不就是一些瞞上欺下，營私作惡的僞忠貞份子幹的好事嗎？我只是服從眞理，也循守做人的份際，但決不接受無理的脅迫，否則大可不必屈身於革命黨人之列，反抗共產極權主義了！

馬五先生

該哭不該笑

——吳稚明——

驚整個自由中國的人們，正在高興歡欣楊李二位博士獲得諾貝爾物理獎學金應該是笑的時候，而我說要哭，未免有點「那個」，也許有人說是神經病。但各人的想法不同，我總覺得是應該一哭的。

我有我的理由呀！

「錦上添花」和「雪中送炭」這兩件事，誰都知道，應該「送炭」，不應該「添花」。但就楊李這件事情看起來，人們還是喜歡添花。院長，部長們的賀電，教育部的聚餐慶賀，楊李親屬的特邀寵召！這不是錦上添花是什麼？儘管這是應該的，無可議之處，但在另一角度看，總算是錦上添花，不是雪中送炭。

我們記得，當盛沛霖未成名以前，幾乎飯碗被砸掉，而沒有去安慰、鼓勵、和幫助他。多虧愛因斯坦幫他一步忙。假若不是愛因斯坦發現他或是愛因斯坦早死兩年，恐怕現在早已沒有飯吃了，去美國那恐怕只有作夢。但盛沛霖的科學成就，證明不是沒有天才呀！但是我們爲什麼當時不做些雪裏送炭的工作呢？爲什麼不在貧困的時候助他一臂之力呢？也許要說，我們沒有發現他有這樣的天才，爲什麼沒有發現呢？是他沒有向他們呼求吧？爲什麼又會被外國人發現呢？于此不禁想起韓文公的感慨之言：「世有伯樂，然後有千里馬，千里馬常有而伯樂不常有，故雖有名馬祗辱於奴隸人之手，駢死於槽櫪之間，不以千里稱也。」每讀至此，不禁廢書三歎，韓公以「匹夫而爲百世師，一言而爲天下法，」「曠世之才，」而至於「冬暖而兒號寒，年豐而妻啼飢，」心之隱痛可以知矣。能不發此感慨之言呢？若公能逢貞觀開元之治，不遇皇甫鎛、李逢吉之輩，早已居高位，握大權，爲萬世繼絕學，爲萬世開太平，不必發此牢騷了。

雖然「或生而知之，或學而知之，或困而知之，及其知之一也。」但這種知，只限於普通的「知」，高深的「知」，非學困而可知的。例如楊李二博士之推翻「對等律」，但他發現以後，別人也就知道了，但當他沒有發現以前，使一般普通的人，再學十年，也是不能知道的。假若楊李沒有這樣的環境，恐怕也是沒有這樣的成就的。由此我們知道，人才淪爲駑才可，而駑才絕不可能成人才。現在正是國家需要人才的時候，大家不多做一點送炭的工作，而專做錦花的幫助，能不令人哭嗎？

再：楊李二君，是稀世之才，爲甚麼我國要用才不能用而被外國利用呢？在春秋戰國之時，各國互相競選人才，而得人者稱霸，失人者滅亡，斯言當三復之。

我這樣哭，不管是屈原之哭，是賈誼之哭，或是阮籍猖狂之哭，但確是心有所懷之哭，發自內心之哭！

萬竹樓隨筆

詩人白居易（772—846）（八）

樂天的詩，在中國全部詩史上應該給以何等的地位，這是很難說的；假定今天有一個像樣子的文學團體，要從中國歷代詩人中，選出三十位作爲中國詩壇的代表人物，我想讀般投票者的意見可能極不一致；即被選出的這三十位詩人，其每人所得票數多少，也可能大相懸殊。這個道理很簡單：因爲關於文學欣賞，依於各人的性分，年齡，時代和環境，以及每一個人對於文學賞鑑的基本能力，各有不同，當然不免雜有若干主觀成分，確實無法強其一致。

我讀樂天的全部詩作，得了一個概括的—也許是並不正確的印象：我覺得他在五十以前的作品，確實表現他精力彌滿，而才華煥發；例如我在前面所提到的『新樂府』五十首，『秦中吟』十首，以及在盩厔所寫的『長恨歌』，在江州寫的『琵琶行』，都算是他前期的代表作，他之所以成爲中國有名的詩人之一，其基礎似乎也奠定於此。他後期，尤其是在洛陽閒居這一期的作品，也許在技術上更顯得爐火純青，態度上更表現雍容不迫，乃至他在這一期所寫的五律七律，使人唸過了還想唸唸的確也不少，可是求如他前期那樣一種蓬蓬勃勃的氣象，却已減色了許多，甚至有一部分可能會使讀者微微感到單調。

關於『長恨歌』，我想凡肯賜閱我這篇短文的，都早已讀過，這裏略去不談，關於『琵琶行』，我在下文談到樂天在詩中所表現的音樂時要提到，這裏也暫時擱下。『新樂府』五十首，一首有一首的意境，都是針對當時耳聞目擊的事實發言，他自己說是『爲君、爲臣、爲民、爲物、爲事而作』，裏面的好詩確實很多；爲一般人所樂道的，不過『折臂翁』，『賣炭翁』，『上陽人』等幾首，並不足以表現作者寫這類的詩確實是對當時社會上了多方面的注意：例如『杜陵叟』一篇，閔農民爲重稅所苦，他描寫當時那般奉命收稅者的凶橫：『剝我身上帛，奪我口中粟，虐人害物即豺狼，何必鈎爪鋸牙食人肉！』『繚綾』與『紅線毯』兩篇，都是描寫那般織繚綾織毯的男女工人的苦況的，他在『繚綾』篇中說：『……織者何人衣者誰，越溪寒女漢宮姬，……異彩奇文相隱映，轉側看花花不定，昭陽舞人恩正深，春衣一對直千金，汗沾粉汙不再着，曳土踏泥無惜心，……絲細繰多女手疼，扎扎千聲不盈尺……』『紅線毯』是當時宣州進貢的一種絲織地毯，用來鋪在跳舞的殿上的，殿大到寬逾十幾丈，毯子也與地面同樣大小，作者用很美的句子描寫說：『綵絲茸茸香拂拂，線軟花虛不勝物，美人踏上歌舞來，羅襪繡鞋隨步沒！』然後他再用很重的句子抗議：『宣城太守知不知，一丈毯，千兩絲，地不知寒人要暖，少奪人衣作地衣！』此外還有一篇『縛戎人』，是寫一個身陷吐蕃的漢人，忍痛拋棄了蕃中的妻子，好容易偷偷逃回祖國，可是仍爲邊境的兵士所捕，懷疑他是吐蕃遣來的間諜，與所捕得的吐蕃同等看待，一律遣送南方，蕃中的妻子是丟了，回鄉的目的依然達不到，一個若變作兩重苦，寫來惻惻動人，我好像看見當前也正演着這種活劇。

●舜生。

「內幕新聞」

它胡爲乎來哉！
它何以禁不絕？

藍流。

在敵人的陣營中，是用「鐵幕」遮掩着，我們無從看見其內幕新聞。在自己的陣營中，也有不少的內幕新聞，以其非「鐵」，所以常常被人掀開或窺破。凡是用幕來掩遮的，一定有不可告人之處，或者有不願示人之處。然而一般人的好奇心理，是歡喜看內幕的。應運而生的「內幕新聞」什誌產生了。

內幕新聞所以有人愛看的原因，乃因它有人隱密，詭怪，稀奇，汙濁，以及各種曲折。我們不能否認在今日社會各階層中，沒有這樣的內幕新聞。可是，看在市面流行的內幕新聞，其眞實性却多令人懷疑的。大抵捕風捉影，道聽塗說而加以誇大描寫，捏造出謠言，並且側重于揭惡與攻擊。這類東西在法令取締下，撰述者仍撰，出版者仍出，愛看者更愛看，是什麼原因呢？無他，因它能讀「鐵」」固它越禁越神化，等于禁止娼賭及走私一樣，永遠是難於澈底禁止的。

政府之技已窮，轉而求之于文化界之肅清與勸，會見過不少義正辭嚴的宏篇鉅著，加以誅伐；這種神義的責備與規勸，結果與政府的法令一樣的「技窮」，利之所在，古人趨之，犯法受罰尚且不懼，良心的譴責，當然「管它的」了。

豈眞的無法也哉？是又不然。命令與譴責都是治標，掉頭來圖當治本，何謂治本呢？這就是要有資格被列登內幕新聞的人物，不製造內幕新聞的材料。只要社會人們與政府官吏，所言所行，既不外慚淸議，亦不內咎神明，凡事都可以公開，無絲毫之淫亂，貪囂，欺騙……試問「內幕」又從那兒說起？可惜呀！這些內幕新聞人物又不做到！

因此有一些內幕新聞的報導，誰不能一概以「胡說八道」了之，天天在喊道德重整，可見世風日下，天天在講肅清貪污，可見官吏多劣。最近一個走官，鬧出了「屁謊」的軒然大波，使整個司法界蒙羞，這不是好好的而又實在的內幕新聞嗎？走筆至此，不禁嘅世紀末的風氣也不行！如此一般的混下去，還談什麼？

〇型的家庭

短篇小說

（二）

我的六個女兒，很自然的分爲兩黨，在家裏時常吵鬧，這兩個黨，一個稱爲一三五黨，另一個稱爲二四六黨。因爲老大是長女阿車，老三是三女阿砲，老五是次男阿卒，面孔都瘦一些，面貌較爲似我，而且脾氣都急燥偏狹，相反地，老二是次女阿馬，老四是長男阿兵，老六是四女笨瓜，面孔都肥白一些，面貌較爲似我太太，而且脾氣都隨和開展。剛巧，每黨都是兩女一男，勢力平均，大家這樣的分爲兩個黨，大家認爲是很有道理。

我對於兒女們的兩個黨，眞可說是一視同仁，確實絕無偏袒。而且，我採用很有效的鼓勵辦法，使兩黨作合理的競爭。各人每月在學校小考的平均成績，在該黨內加起來，再以三來除之，作爲與另一黨成績的比較。學期考試的成績，亦用這方式來計算。優勝的一黨，便有獎品獲得，因而引起兩黨的激烈競爭。

內兄存着無可避免的偏見，認爲二四六黨的阿馬，阿兵，及笨瓜，面孔肥肥白白，很像外甥，便較爲疼愛二四六黨的外甥。兩黨發生爭執時，內兄竟然干涉我的內政，捲入黨爭的漩渦，挺身支持二四六的政見。我的兒女們對政治的認識，不能不說是够深刻。兩黨互相爭吵至相持不下之時，便雙方指罵：「你們是共產黨，壞東西」。但是雙方都不肯承認是壞東西的共產黨，便來向我的太太投訴，指責對方誣告陷害，我，太太當然是禁止使用這種危險的字句來爭吵。從這一點來看，台灣的國民學校教育，確是很成功的。

屬於一三五黨的阿卒，前年暑假時，學期考試獲得全班第一位。回家吃晚飯時，竟然神氣十足，要他的媽媽拿錢買一罐鳳梨給他添菜，又發牌氣罵姊姊哥哥們不勤力讀書，又罵用人燒的菜不好吃。這天的晚飯，屬於二四六黨的阿兵，他奇特的態度眞使我莫明其妙。這時我才知道阿卒獲得第一位，嚇得不敢回家吃，逃到我內兄家裏去避難，由我內兄深夜陪送他回來，我始知道阿卒這次神氣十足的道理。

兒女們兩黨的對立，時常吵鬧，甚至翻天覆地。老大的阿車較老六的笨瓜年長十一歲，亦會因爲爭一枝鉛筆而吵鬧的。阿車時常罵笨瓜是小妖精，笨瓜時常罵阿車的話：「你看過『女大不中留』的電影沒有」？

去年暑假時，阿卒自動的每天寫一篇作文。某天，他說想不出題目。我說：「以我的哥哥作題目罷」。他想了一會兒，便下筆寫下：「我的哥哥……」十幾個字，剛巧阿兵怒氣沖沖的回家，阿卒不敢再寫下去，速忙將作文紙撕去，自言自語的說：「還是寫『我的妹妹』罷」。他開端便寫：「我的妹妹是小妖精，驕傲橫蠻，自高自大，自己以爲很聰明，其實爸爸叫她做笨瓜」。這回，不幸又給笨瓜看見了，當然又是一場激烈的爭吵，再掀起兩黨的糾紛。

（三）

在我的家庭中，照兒女們的看法，我太太的權威比我大得多。因爲我太太對兒女管教嚴格，賞罰嚴明。我呢，我太太時常指責：「你老是在兒女們面前做好人」。兒女們時常似唱山歌一般的唱着：「我不怕爸爸，我最怕媽媽」。我始終沒有禁止兒女們，不許兒女們這樣唱。

有一次，笨瓜上過我的當了，但吃了虧便聰明，僅是上過那一次。我問她：「你愛爸爸，還是愛媽媽」？她說：「我愛爸爸的」。我又問：「你愛不愛媽媽」？她說：「我愛媽媽的」。我再問：「那麼你究竟愛爸爸多一些呢還是愛媽媽多一些呢」？她想了一會兒，雙手捧着我的臉，附着我的耳朵輕聲的細說：「我是愛爸爸多一些的啊」！我更問：「眞的嗎」？她很天眞的說：「確實是眞的」。我很得意的對我太太說了，笨瓜當時就神色突變，並且表示非常懊悔的樣子。我以後再問她這些話，她聰明了，總是說：「我愛媽媽多一些」。

台灣的小孩子們，很流行下跳棋，簡單易學，所以樂此不疲。我曾買了一副跳棋給兒女們消遣，有時，我和我太太在晚飯後亦來下一盤玩玩。兒女們又站在旁邊唱山歌，幫我太太做啦啦隊：「媽媽贏，爸爸輸，媽媽贏，爸爸輸」，我的腦筋給唱昏了。而且我的跳棋技術是初學的，兒女們既然都偏在我太太的一邊，遇到重要關鍵之時還指點我太太的着法，我當然屢戰皆北，全軍覆沒。有時，我很焦急的說：「阿兵阿卒，男孩子快來幫爸爸」，他們都毫不理會，竟然袖手旁觀。

家裏自從買了一副跳棋，兒女們爭吵的機會更多，並不是兩黨對立的爭吵了，而是彼此間互相不停的爭吵。兒女們爭吵各不相讓之時，便前行投訴，不過，總不向我投訴，總是向我太太投訴的。「媽！大姊胡賴，不跳了一步」。「媽！二哥欺負我，圍着我一隻棋子，不給它跳出去」。我太太：「你們告訴爸爸罷，我管不了這些事」。結果，兒女們總是把棋子一掃，不歡而散。

不過，每週的星期六及星期日，兒女們都倒下我這邊了，這兩天我最受兒女們的熱誠擁護。笨瓜雖然是小學一年級學生，但識字很多，台北市各電影院這兩天的廣告都看得爛熟。吃飯時，她便爭先的坐在我膝上，將報紙刊載的電影廣告唸給我聽。她最喜歡看的就是美國西部片，認爲殺人愈多的便愈是好影片，看電影時總是留心記着殺了幾個人？待映看完以後，她便撒出欺負我的手腕來了：「爸爸，我口渴了，怎樣辦」？「我很高興吃……」，這都是姊姊哥哥們預先商量好再教她說的啊。（二）

●王百谷。

自由人
THE FREEMAN
（第六九八期）
中華民國僑務委員會頒發登記證僑台新字第一一二號
中華郵政台字第五〇〇號
執照登記爲第一類新聞紙類
（半週刊每星期三、六出版）
每份港幣壹毫
台北市售價台幣壹元
督印人：陳文都
地址：香港高士威道二十號四樓
20 CAUSEWAY RD. 3RD. FL.
HONG KONG
TEL. 771726
承印者：東南印務出版社
地址：高士打道六十四號
台灣總經理處
台北市西寧南路衡營壹號二樓
電話：四七三四六
台郵撥儲金戶九二五二
海外總經銷：友聯書報發行公司
香港：彌敦道中二十六號二樓

論「民主社會主義」的矛盾

高叔康

「民主政治」與「資本主義」原是老搭檔，「集權制度」與「社會主義」僅是不可分家；其相互間關係，在事實及理論上，是否可變？這在政治經濟社會各方面整個變動的世界中，是一個正在展開研究的時代課題。本文可作爲一種張看，也可作爲這問題的再提出。（編者）

從吉拉斯的「新階級」說起

前南斯拉夫副總統吉拉斯所著的「新階級」一書，大都認爲是分析共產制度極深刻之作；其實這書作者並沒有提供剷除共黨政權的具體意見，只在自序中透露其傾向民主社會主義。從全書來看，其中有三四處提到社會民主主義運動與共產主義運動的不同，並認爲赫魯曉夫所強調的「今日議會可以過渡到社會主義的一種方式」能適應現實要求；以及主張所有權國家化等等，都不外表明他的民主社會主義思想，以刻劃共產制度爲一個官僚政治，獨占財產所有權，歷史上最浪費的經濟體制，他之沉淪在社會主義的迷惘，頗與其觀察共產世界所作出的深切分析不相稱。

我以爲民主社會主義本身實存着不可解的矛盾，如果實行，不是社會主義推翻了民主政治；便是民主政治取銷了社會主義，二者不能併存，理與事實，皆可證明，茲試略論之。

再說社會民主主義

民主社會主義一詞是二次大戰後開始流行，即是以民主政治方式而推行的社會主義，一般用指英國工黨的社會主義而言；雖然它與社會民主主義的主張大體相同，但其淵源各異。前者是根據英國格林理想主義的國家觀念論而發展的，後者是根據馬克斯理論而出發的。吉拉斯對二者沒有加以嚴密區別。原來社會民主主義名詞，在第一次大戰前，作爲馬克斯主義同義語。第二國際的創設便是當時各國社會黨的社會民主主義運動的聯盟。其理論的指導者，如考茨基，希爾弗丁之流，主張勞動階級以政治鬥爭爲經濟鬥爭的前提，爭取在議會的勢力增大以遂行其不流血的社會革命。第二國際瓦解後，各國社會黨專致力於國內議會政治鬥爭的，最突出的，就是英國的工黨；它們時而單獨執政，時而聯合其他資產派組閣，企圖折中於資本主義和共產主義而建立中間路線；然而無論過去，抑或現在，各國社會黨的社會民主主義運動，都沒有成功，這是衆所周知的事實。

民主與社會主義不併存

從資本主義轉變爲社會主義，既不運用革命手段，而採取和平的政治方法，且以民主的議會政治來推行，實近於空想。因爲民主政治是以個人主義，自由主義爲內容；社會主義是以集體主義，均等主義爲目標。以個人主義，自由主義爲內容的民主政治，使之建立集體化的社會主義經濟，計劃化，公有化，根本不可能。即是說，民主政治的進展，必然違反社會主義的要求；社會主義的存立，必否定民主政治的實質，二者勢不兩立，決不能相容併用。

民主政治是政黨政治，各政黨的政策主張，不相同而相反，同一政黨之內，也因意見不同[illegible]治，由意見的分歧，互相牽制，互相砥礪，以爲推進的動力；社會主義，有既定的方向，須齊一步伐，一致動作，如用民主方式，討論，批評，反對，不易於決行，且民主政[illegible]解違。民主政治的政[illegible]更迭，執政的政[illegible]更迭，政黨隨之[illegible]而執政時期又有[illegible]論三年五年更迭[illegible]在此短暫時期，[illegible]使資本主義轉化[illegible]主義，不但不可[illegible]變革帶來社會新的混亂，[illegible]可知社會主義不能從民主政治中建立起來。工黨理論指導者如里斯[illegible]斯所著的「建設社會主義的政治問題」及拉斯基所著的「民主社會主義」中，都一致强調民主與社會主義不併存，尤其是拉斯基教授，後來變成一個馬克斯主義者，走向偏急的道路，都可以想見此中沒有相反相成的道理。

共產主義不會變民主社會主義

[illegible]民主，非我們所謂民主，自不是眞正的民主，只是「集體領導」，也就是根本沒有轉變過來。吉拉斯也說，當蘇俄迫南國時，南國領袖與社會民主黨人接近，從共產主義演變爲民主社會主義；然而未能就是能，狄托的共產主義依然不變。

蘇俄在革命初期（十月革命前），何嘗不是各民主黨派，組織政府，反對恐怖主義，採取社會民主主義？但轉瞬即被推翻。米契爾所著的「社會主義」一書中最後一章結論，曾論到克倫斯基所以失敗和列寧所以成功，歸結到民主與獨裁之別，眞是不刊的名論。如克倫斯基採用獨裁，不屈服於議會政治，可能繼續掌握政權。反之，列寧如採取民主社會主義，一樣的失敗。可知無論實行任何社會主義，終必歸結到獨裁。只有民主社會主義轉變爲獨裁共產主義，斷沒有獨裁共產主義轉變爲民主社會主義。今日蘇俄共產黨所造成的新階級，還不是由當初社會民主主義轉變而來？

我們不需要什麼社會主義

無論獨裁共產主義也好，民主社會主義也好，實質上必是獨裁，自不需要什麼社會主義；但這絕不是忽視勞動者的利益，反之勞動者的利益可由民主政治得到保障。美國在政治上沒有社會黨和工黨的活動，但對於勞動者利益的保障，並不遜於其他有社會黨和工黨的國家。然而我們所需要的民主，不只是當作政治手段，而是手段與目的的一致。如果民主只當作政治手段，則民主必然變質。所以我們要反共反獨裁必須從一切社會主義的烟囪裏走出來。

半週述評

從聯合國說起

爲了使各國代表能在聖誕節前返國渡節，日來聯大正在[illegible]本屆結束工作。這兩個多月的會期，可說一無成就，不只[illegible]待處理的裁軍，韓國統一[illegible]及塞浦路斯，塞島與西新幾內[illegible]題，無一不是異常棘手，[illegible]辦已告一段落的議案，有如匈牙利問題，以不了了之。會員國的數目在直線增加，今天的聯合國已現的機能卻一直一萎縮，今天的聯合國已[illegible]維護安全和平戰止侵略的可靠機構了。

但這一國際機構儘管未能發揮積極功[illegible]至今還能表現着國際間的正義，從最近一[illegible]事件看來，一方面不直英法對埃及的用兵，另一方面，對於蘇俄武力干涉匈牙利罪，也[illegible]實，而蘇俄[illegible]想利用聯合國以打擊[illegible]其的陰謀，則並未獲逞，都算是差強人意[illegible]所不可忽視的，是俄共一直包藏禍心，[illegible]的南韓南越還加盟爲聯合國會員國的決[illegible]格於蘇俄在安理會中的否決權而無從實現，蘇俄[illegible]所一手造成的附屬物，則隨時都在爭取使其混入的機會。隨着會員國中「中立集團」增加的趨勢，前途的隱憂是不言而喻的。

兩件值得警惕的事

中華民國在聯合國中的地位，至今屹立無恙，但每年聯大開會之際都要經過一番激盪，[illegible]

最近有兩件深値吾人警惕的事：一件是緬甸[illegible]

近年來政府在外交方面的運用非常努力，在拉丁美洲和中東都有顯著成效，但這並不是絕對可喜，國際間一道較大風波便會把此等成就完全淹沒。國際地位與國家實力永遠成正比例的發展，能有重大成就，使世人耳目一新，自然不會有再被輕視；如果總是泄泄沓沓，碌碌無所表現，便自然會要謝下去。不進則退，執政者應該知道怎樣從事。

人材的培植與浪費

由於洲際飛彈與人造衛星的落後，美國朝野大受刺激，日來正在加緊運用，籌謀補救。知恥近乎勇，正是這種年青的國家可愛之處。

回來看看我們自己！無論李政道楊振寧的基本科學教育是否是在國內完成，如果不是在美國那樣的研究環境與條件下，他們決不可能有今日的成就。而我們國內大學畢業生，年來由於分發就業的困難，有些竟分配到鄉公所工作。我們不否認基層工作的重要性，但可能就有李楊同樣的人才被埋沒在戶政役政的案牘勞形中。

使人盡其才是立國基本，忽視了人才的培植與運用，決不是個現代國家。

•李秋生•

也從章士釗的詩說起

燕盧

昨天讀到左舜生先生「分析章士釗的詩，解剖章士釗這個人」一文，記憶中浮起了不少零星的往事。

我知道有章士釗這個人，大約是民十以後的事，他那時是北京政府的教育總長，爲了女師大的風潮，魯迅被撤職了，在雜誌上寫過牽涉到他的文字，後來讀太炎先生集，又知道他同太炎先生是拜把弟兄，太炎先生在文字中提到他，往往就說「吾家孤桐」，還說話，曾與「我的朋友胡適之」一語，傳爲美談。民廿五年，陳獨秀被捕，章士釗義務先當他的辯護律師，報上登出這一新聞，我才知道他做了律師，抗戰時，他到桂林，印過一本「長沙章先生詞鈔」，分送給當時的貴要，依我看，他的詞填得並不好，但也有一些清客們替他游揚，因爲自己本來外行，也不大加以留意，綜括起來，我過去心目中的章孤桐，是個老革命黨，退休的總長，躺在鴉片烟榻上講邏輯的文人，大律師，如此而已。

一九五〇年冬天，大陸丟掉了，我逃到香港，偶在報上看到了章士釗好幾首詩，又不知道怎樣，竟，其中一首抄下來，題目記不起了，詩是七言的律詩，其辭如下：

蕞爾中原迹熄時。
國無檮杌野無詩。
二千年後羅青史。
一個臣令照碧眉。
名以陳王張楚大。
論嫌賈誼過秦卑。
郫台百世慮南面。
首出從今祗作師。

我當時很怪詫，想不到像章士釗這一流人，竟然會受到優容，尤其想不到，像章士釗這一流人，竟然也會做詩歌頌和自己氣類迥別的共產政權，但終于我也明白了，中共得志之後，仍然免不了要在御座上供養一點擺設，以示其「宗廟之美，百官之富」，聊爲自娛。那末，像章士釗這一流人，自然就是最好的材料了。

詩無確詁，我不知道是否解釋得正確，按：跡熄，當然套用「王者之迹熄」的意思，檮杌楚史書名，國無史，野無詩，亦即是「王道衰、禮義廢」一類的慨嘆，不外以爲中華民國之世道衰微而已。「二千年後羅青史」當指毛澤東的得志，不在話下，「一個臣」，引尚書「秦誓」，以喻其忠貞不貳，臣心如水。「陳王張楚」，以陳涉亡秦的大業喻毛氏稱尊，「賈誼論卑」，以見賈生的無用，最後還搬出（荊合）破有此之天荒，出了個大皇帝，首出庶物，作之君，作之師。但是善于頌揚，難怪左先生要說他工于「咬文嚼字」了。不過，像這樣的詩，也只如「我們的太陽」，「我們的鋼」一樣，屬于「頌聖」一類，是起不了搖惑的作用的，孔子曰：「不仁者不可以久處約，不可以長處樂」，像章士釗這樣的年紀，「推遷塵事，淡倒浮生」，攀龍附鳳，實已太遲，其實倒應該有吳梅村那樣的心情才對。吳在入清後，曾有句曰：「浮生所欠只一死，塵世何由識九還？我本淮王舊雞犬，不隨仙去落人間」，但他不然。他也知道，寫給張君勱先生的詩，不過自欺欺人，骨子裏只是不甘寂寞。但有一點是特別不能原諒的，就是他的詩裏，把梁任公先生也拉了進去，叫他做「死干證」，以爲梁先生如其不死，也一定會贊同今日的局面，其實梁先生生前，早曾致書與張東蓀討論過社會主義必不適于中國的問題，而梁先生當時之所謂社會主義，都是理論式的，絕非今日大陸上那副殺人如麻的可怕現象可比，他尚且以爲絕不適宜，假如他不死，我們固然不便武斷他將持怎樣的態度，但，照他反對南海先生贊助復辟，以至冒死抗議袁世凱稱帝的風骨，他會不會像章士釗所說，「必定心服」呢？

我們中國的知識份子中，流行着一句說話，就是「一爲文人，便無足觀」，這話是否完全正確，我不敢說，但文人自來工于文飾，重于衛德，即是鐵一般的事實，章士釗一生，有過多少變化？他給予國人的印象怎樣！

明亡，龔芝麓降李自成之後又降清，仍如常做官，一個後輩贈詩給他，有句曰：「生不並時憐我晚，死無他恨惜公遲」，我們對於章士釗的想法，也正復如此。

中興村走馬巡禮

·季鶯·

台灣通訊

自台灣省政府「搬家」遷徙中部中興村之後，甚早即想抽一時間去巡禮一番，難得任職於省府某高級機構的老友之邀，獲得一個機會。在中部逗留有一天，下文就是筆者遊後的印象。

此一台省的「司令塔」——中興村，原是中部最偏僻荒涼的山村，人烟寥落，交通不便，當局之選擇此處爲台省府所在地，主要是疏遷。目前的中興村已大大改進，房屋建築，無論是辦公大樓或職員宿舍，依照目前台灣公家房屋的標準來衡量，可說是絕對一流的房舍。漂亮的新式洋房，現代化衛生設備，清新的空氣，幽靜的山居環境，在居住方面來講，確實比喧囂的都市要強得多。如果說有缺點的話，應該是蚊子過多，漂亮的洋房沒有紗窗紗門的配備，使在酷熱的氣候裏，不得不緊閉門窗睡覺。在車輛往來或是有風的時候，就塵土飛揚。此外在房屋四周和道路兩旁，缺少花草和街道樹的點綴，使這些新式洋房，好像是排列在沙漠裏的帳篷，雖然漂亮却不夠優美，正像是一具美麗的模特兒，擺在荒涼的墓地裏那樣不調和。

中興村卻現在還沒有一處娛樂場所，省府本身康樂設備也很缺乏的，有眷屬的職員下班之後，可以回家享受天倫樂，單身漢卻苦悶了，業餘時間簡直無處去，散步吧，就是那幾條塵土瀰漫的砂石馬路，晚上連路燈都沒有；更談不上「華燈初上」的情調，距離附近的市鎮是草屯，那裏僅有台灣歌仔戲和鄉下電影院，映的都是三流影片。電影場是悶熱的小黑屋，排着硬繃繃的木櫈上潛伏着的吸血臭蟲，簡直就使人望而却步。可以遊一遊的地方是台中市和南投，但往返的車費和耗費的時間，均非目前窮公務員經濟環境所容許的。許多單身漢大嘆苦經說：在這個與世隔絕的環境裏，眼睛看到的女人，只有省府所僱來的少數女工，是同他們年齡懸殊的女孩子，看起來要光桿一輩子了！

主婦們也大嘆苦經。中興村預定建築三個市場，現僅落成一處在營業，雖然日用的東西大致都有，但是缺乏的東西實在太多了，蔬菜的種類就少得可憐，每天總是從南投搬運來的那幾樣，主婦們早已吃厭了。南投是一座山城，蔬菜種類不多，如果從台中買蔬菜來供應，加上運費會比台中菜價貴上一半，所以省府職員只能抱怨遷地不良，不能怪南投蔬菜太少。其它日用品也都比城裏貴，譬如一只炒菜用的鋁鍋，在台中、台北也不過九塊錢一只，加上一個木質鍋蓋三塊錢，一共是十二塊錢，可是中興村一只鋁鍋就賣十五元。而事實上在中興村包生意做的人又都蝕本，原因是運費太貴影響貨物成本，同時銷路又少得可憐，可是受了合同的限制又不能關門不做。當初人人爭取，現在人人嘆苦經，聰明的商人不打如此算盤了。

台省府遷往中興村，總共花了將近三億新台幣。有人計算，約可造兩幢像台北總統府這樣的建築物，此時此地浪費如此財力，實爲政策上之一大失措，「省府疏遷與遷治」這一問題，在省議會上曾引起廣大的質詢，問題是所耗去的財力是否收到了預期的效果？

無靠山有骨頭者的出路

本人誠徵補鞋助手一名 須大專程度

修補破鞋

需

地面推行國語 空中流行方言

讀者之聲

台灣自光復後，當局竭力推行國語，十二年來，確實收到很大的效果；大中小學生會說國語，公教人員會說國語，交通人員會說國語，工商界人士會說國語；乃至窮鄉僻壤，受了教育的影響，也有很多人會聽，會說國語了。

在這復興基地台灣模範省，大多數人能說國語，便於推行政令，加強團結，實在值得大家歡欣鼓舞的！

想不到地面上正在加緊推行國語的時候，空中卻大用其方言；任何時間，撥開收音機，總會聽到用台語（亦稱閩南語）在報告節目，報告新聞，爲商家宣傳，或者唱台語歌曲戲劇。

據說各電台爲便於一部份台灣同胞收聽起見，所以撥出時間改用台語；我們並不主張從此廢止方言，可是就經驗所得，今日台灣的電台不用方言，也並非是什麼嚴重問題；而且有幾座小型電台（其名不易知）簡直沒有應用國語的時間，更不知是何原因。這豈不是使此十二年苦心推行國語的成果，付之東流？杞人之憂，良有以也。（四十六年台灣光復節）

關於黃效先案宣判：司法審理應該公平抑或徇情？

·嚴樹清·

台灣通訊

曾經轟動北關的黃百韜之子黃效先殺人焚屍一案，經台北地院一審宣判死刑，不服而上訴高等法院二審維持原判，復上訴最高法院，今已經三審駁回。並將判決書送達最高法院檢察署，呈報司法行政部核准執行。據司法行政部發言人表示，待接獲黃效先判決書，將僅就黃效先是否有刑事訴訟法第四百六十九條第一款規定「受死刑之諭知者，如在心神喪失中，於其痊癒前，由司法行政最高官署命令停止執行」的情形，如果沒有，即可批准交檢察機構執行。但據法界人士分析，至此本案已告定讞，黃家的辯護律師石美瑜、劉學恒正謀求挽救黃效先案非常上訴是否可能，即提請求總統特赦。

國大代表曾有表示

據云，今年春間黃效先首次上訴最高法院時，國大代表何成濬、錢新之、李宗黃、錢大鈞、劉峙、羅卓英、趙恒惕、秦德純、賀衷寒、滕傑等三百二十三人曾聯名呈請最高法院，就人情法理以及政治上各種影響，爲黃效先乞命。並因尊重司法獨立，不使「領袖」有所不便，惟待最後定讞，如仍不能免死，則將請求總統特赦。今日最高法院定讞黃效先死刑，可見司法機構是依法不能徇情，當然這班國大代表中不乏政、軍、黨（國民黨）各界有地位人士，司法機構未必故意忽視他們的請求，當然是經過與徇情中經過慎重考慮的，尤其國大代表所云「政治上各種影響」，便似有用政治影響司法的意味了。

忽來「讀者投書」

以上係三日來的新聞，社會各界人士俱甚注意，惟今日有趙班斧向台北市各家報紙「讀者投書」，認爲黃效先宣判有失公正。趙讀者投書內容，投書目的有二：一、希望上達於總統，爲黃百韜將軍之遺孤乞生命；二、希望能博取社會各階層人士的同情，爲先烈之後裔請命。此種用心，於情至足贊賞，惟於法，却又不然。

趙氏投書理由

趙班斧認爲黃效先宣判死刑爲不當，其理由有二：一、黃百韜將軍是戡亂期中高級將領慷慨成仁之第一人，如他不死也不致黃效先因失教而犯罪，所以現在政府應該幫一點忙；二、黃將軍追悼會有總統頒旌字第一號旌忠狀，文曰「功在民族」、「榮及子孫」，黃效先今日之家庭，總統頒贈也沒有真正的價值了。就說法，令人不能苟同。黃將軍成仁取義，彪炳史冊，總統之贊其「功在民族」，「榮及子孫」，也沒有一點錯；但就說來，像黃效先這樣的子孫，已蔑視黃先烈的榮譽，自然也失去「榮」族的資格了。

情理與法理

如果這件殺人焚屍案，依照上述理由就不依法辦理，則司法的失其公正獨立的特性了。趙班斧謂如黃效先得以免死，使可使三軍將士以及社會各界人士，得知黃將軍「功在民族」，並對激發忠貞愛國的風氣，有其積極作用。我以爲於情於理，那只是說對了一面。反言之，難道三軍將士以及社會各階層人士會因黃效先定讞而否認黃將軍，「功在民族」嗎？也能因此而不會激發忠貞愛國的風氣嗎？同時「太保太妹」的學風，也可以昭炯戒吧？

高院的判決書

二、最高法院判決書，顯明二事：一、黃效先並不是大惡不赦的謀財害命者。二、黃效先並無卑鄙下流的同性戀行爲。此二事並不涉及黃效先的判決不當，真正的罪惡却在殺人焚屍，於法有據。趙班斧認爲黃效先殺人手段行爲，並非殘忍，實在並不太公道。二、三審機構引用法理不是；那麼，究竟是否引用，那是一個問題，司法機構審判有無錯誤，那也需要有司法機構的權利、義務、責任的問題。

比之張水發案

趙氏以張水發用硫酸毀容傷害人且傷二命較之黃效先一命殺人更其殘忍得多，張可減刑，獨黃不可？所以張、黃二犯全是量刑輕重，關係作判人一念之差，而令犯法者的幸與不幸，所以黃效先之定讞爲不當。其實，張案並未轟動一時，黃案恐已震撼台灣的聞聽了，案情各有不同，豈刑輕重，各有分寸，司法的各階段審理人，是否關於一念取決判案，也唯有司法機構才有答覆或解釋的責任。

對司法界的考驗

究竟黃效先案，應該如何判決？無期徒刑，抑或死刑？還是遵法院依法審理爲準，我們並不希望判決黃效先由減刑抑或應死刑；但張班斧所提出的理由，乃純就人情而言，究竟司法審判應該繩之以法，抑或徇之以情，可以說是對司法界提出一大考驗了！（四十六年十一月四日於台北）

印尼反荷運動如火如荼

·胡養之·

耶加達出現骷髏標誌 企圖索取西新畿內亞

印尼爲索取荷屬新畿內亞而發動的反荷運動，日來非常激烈。印尼首都耶加達會不斷地出現「骷髏」標誌，其旁尚有「殺死荷人」的註語。據印尼情報部長十月卅一日稱：目前僅爲收復西里安省運動的第一階段；等到十一月十日的時候，即將進入第二階段；聯合國大會討論此案時，再推進第三階段。

同時，泗水總督向十萬羣衆行示威運動的青年發表演說稱：「如吾人在聯合國對於收復西伊里安羣島之鬥爭宣告失敗，則吾人將以另一項辦法獲得成功。」

那末，印尼、荷蘭的作戰風潮，將可能繼續高漲。因爲，目前市面上所有的房屋，商店，汽車以及舉凡可以寫字的地方，無論荷蘭爲何人，多半都被用漆油抹上「殺死荷人」，「驅逐荷人」等標語！

荷統治三百五十年

印尼爲什麼這樣激烈地反荷蘭呢？因爲：（一）荷蘭曾經統治印尼三百五十年，二次世界大戰結束後，獲得美國的大力支持，和英國的居間調停，才迫荷蘭退出印尼；（二）西新畿內亞本來是屬於印尼的，但是印尼現在已經獨立十年了，西新畿內亞卻仍在荷蘭的掌握之中；（三）爲了要索回西新畿內亞，印尼曾數度向聯合國提出；（四）近幾年來，由於印尼走上了中間偏左的路綫，同時蘇俄與荷蘭又是不交好的邦交，從中煽動印尼擴大反荷運動，造成東西的裂痕和擾亂聯合國。所以印尼與荷蘭所爭執的西新畿內亞問題，始終沒有辦法解決。

西新畿內亞介於印尼和澳洲中間，西部原爲荷蘭管轄，東部歸澳洲管轄。十年前，印尼脫離荷蘭而獨立，荷蘭並蘇門答臘，爪哇，婆羅洲三島移印尼新共和國，可是却不肯讓出西新畿內亞。其理由是西新畿內亞的一百萬居民，與印尼人民種族和文化上都沒有相同的地方。後來印尼獨立協定載明，在一年之內召開荷印會議，解決西新畿內亞的主權問題。

澳洲袒護荷蘭

一年以後，會議雖然依約召開，可是雙方照舊堅持自己的意見。印尼嗣後聲明：不承認荷蘭對西新畿內亞的統治權。

印荷兩國原定於一九五一年再開會議，修改荷印聯邦條約。印尼於一九五一年十一月十日致照會與荷蘭，要求把西新畿內亞問題，列入議事日程裏頭，與聯邦問題有相等的重要性。但荷蘭堅持拒絕，並說雙方意見相距遙遠，就用不着在聯邦會議中討論。可是，荷蘭答覆於聯合國大會時候，由其外相斯狄克和印尼外長蘇班德約會晤談。

居第三者地位的澳洲，在印荷交戰時候，是同情印尼的。後來忽然轉變態度，偏袒荷蘭。理由據說是爲了西新畿內亞是澳洲的屏障，與其落于印尼之手，不如仍由荷蘭掌管。遠在一九五〇年八月，澳洲外長斯濱德，已經通知荷蘭說，假如荷蘭有意久駐，澳洲願意予以經濟上的援助，並且協助荷蘭鞏固防衛。當時斯狄克外相不敢接受，意思恐怕妨害印荷談判。

至於澳洲新外長凱西當時再度在聯合國大會對斯狄克表示支持，與澳國當兩人並且分別與美國當時的國務卿艾契遜及英外相艾登會談好幾次。凱所提出的條件頗爲具體，等於建議由荷澳二國共管西新畿內亞。

巴黎會談的結果，非常滿意。凱西同時遍赴瑞京海牙，面晤荷蘭首相德萊斯，外相斯狄克，殖民地部大臣彼斯等，西新畿內亞問題既然有那麼多強國關心，印尼自然沒有插咀的餘地了。

印尼轉趨強硬

可是現在印尼的態度強硬起來了，它知道擁有新畿內亞另一半地區的澳洲，是幫助荷蘭的，所以印尼外長蘇班德里約在西貢開會時，曾向澳洲外長卡賽提出警告稱：「若印尼運用武力以奪取西新畿內亞，則可能威脅整個亞洲，亦可能導致世界大戰。中東問題不需再予澄清，若西新畿內亞案件不即予解決，且對印尼不利，將發生嚴重後果。」這問題將可能提交國際法庭去解決。（十一月一日）

朱可夫的反黨罪狀

李金暐

根據蘇軍的另一元帥科涅夫的指控，身爲國防部長的朱可夫，「執行的路綫是收縮黨組織，政治機構和軍事委員會的工作，取消黨、黨中央委員會和政府對陸海軍的領導和監督」。「把蘇聯軍隊看作自己的獨立王國。」朱可夫並且不理會蘇共的對外政策，成爲政治上的不穩份子。

但是我們所理解的朱可夫，當然絕非是一個叛國份子，作爲一個職業軍人領袖，他要求有完整的獨立的統率權和指揮權，他企圖打碎黨套在紅軍頸子上的枷鎖，擺脫從屬於黨的奴隸地位。同時，他是一個眞正的反對個人崇拜者，因此不見容於赫魯曉夫。四十年來，他是敢於向蘇聯共黨索取完整權力的第一人。朱可夫再度被黜的案子，將長久地影響蘇聯黨、軍間的關係，鬥爭將會延續到長遠！

△朱可夫▷

朱可夫終於在赫魯曉夫黃袍加身後，再度失去了他的英雄光彩，像夏夜天空掠過的隕星一樣！

在斯大林時代，沒有人敢對朱可夫的貶黜表示過問，但在斯魔死後，克里姆林宮裏的大梟雄——赫魯曉夫，首先注意到了這個失寵的紅軍寵兒，並且迅速地恢復了失去的榮譽，在蘇聯人民的心裏和紅軍的眼裏，元帥的光芒還在政治新貴們之上。

赫魯曉夫深知，朱可夫能在鞭屍斯大林，和鬥爭清算斯大林份子時所發揮相互利用的力量，絕不會成爲忠心效死的政治機器。因爲赫魯曉夫自知他自己只是一個假冒僞善的反對個人崇拜者，而朱可夫才是一個澈底的實行家。如果讓朱可夫的力量繼續發展，赫魯曉夫將難逃公道，成爲斯大林第二。

要剪除朱可夫不難，難在要一網打盡他的同路人，同時他是一個在國際上享譽的紅軍英雄，他要找一個在國內醜詆他的和他相等的人來毀謗攻擊他，並且還要有一連串最具體，最動人的罪名。

十一月三日，在莫斯科的「眞理報」上，以元帥科涅夫的名義，發表了一篇題名「蘇聯陸海軍的力量在於黨的領導在於同人民不可分割的聯系」的文章，實則該文系根據朱可夫缺席的蘇共中央全會的決議寫成的。在同天的「眞理報」上，蘇共中央全會也還發表了「關於改進蘇聯陸海軍中黨和政治工作」的決議全文，是爲朱可夫全部罪狀的起訴書。

在科涅夫的文章裏，他宣佈身爲國防部長的朱可夫，其所執行的路綫「是收縮黨組織，政治機構和軍事委員會的工作，取銷黨、黨中央委員會和政府對陸海軍的領導和監督」。他的一系列的錯誤，是他「把蘇聯軍隊看作自己的獨立王國」，在政治立場上表現出不穩，「對蘇聯外交政策最重要任務的理解和對國防部的領導都有冒險主義的傾向」。（筆者按：此處所謂「冒險主義的傾向」，實非通常所意識的對外用兵冒險的傾向，而是說他根本不去理會配合蘇聯的外交政策，發揮對西方恫嚇的相應作用；是指朱可夫輕視西方軍事壓力的一種「冒險主義」。因此，若將此「冒險主義的傾向」誤解作朱可夫好戰而欲對外用兵，就無從理解朱可夫貶黜的全盤眞相了。要了解朱可夫和他的軍事思想，可參閱本報六九五期黃震遐先生的「從朱可夫到馬林諾夫斯基」一文。）同時，由於科涅夫的文章和蘇共中央全會的決議，並未提到蘇聯空軍，可知這個國防部長的權力，只局限在陸海軍方面，也可以說，他的職權是不完整的。

從列寧建軍奪取政權以來，無人敢反對以黨治軍，以黨領軍的原則，但是東山再起後的朱可夫，卻在他短短的任期內，佈署進行了以圖一舉推翻此項舊傳統的制度的工作。根據列寧的教條，從一九一八年開始蘇聯紅軍和一切軍事機關的政策，必須像所有其它機關和機構的政策一樣，「應當在黨通過它的中央委員會所頒發的總的指示的準確基礎上並在黨中央的直接監督下實行」但是根據科涅夫的文章分析，朱可夫的實際作爲是：（一）在治軍和練軍方面朱可夫的思想超脫了列寧的教條，擺脫讓黨中央來直接干涉的任何機會，削弱軍中黨幹部的權力，建立職業軍人的工作系統。（用科涅夫的話來說即：培養那種深刻理解自己軍人職責的有覺悟，守紀律的軍人的工作，常常被一些單純的行政措施所代替……）（二）分析科涅夫指責朱可夫「政治錯誤」的具體表現則有：

1. 不按照黨的原則領導蘇聯武裝部隊，更具體地說，朱可夫對於蘇聯「現代化的武裝部隊複雜的有機體」，在基本上作了激烈的變動了，並且從上到下地削弱了黨組織，政治機構和軍事委員會的工作。

2. 被削弱後的軍中黨組織，不再具有對「作戰技術」和軍紀、軍制的最後決定權，黨組織不再是一個獨立的工作權力中心，貶低到成爲「純粹教育機關的地步」。

3. 在教育和培養軍事幹部的問題上，朱可夫「曾經特別粗暴地歪曲了黨路綫」，易言之，即不讓黨組織插手干涉生長中的新軍事幹部的教育工作。對於頑固的將軍和軍官，朱可夫對他們採用了「行政措施」。

4. 削弱了軍中黨幹部權力之後，再以「行政措施」來隔絕各地方黨組織和共靑團組織，以及企業機關的黨團組織對於駐在當地的部隊的聯系，軍人與企業、集體農莊「舉行軍民聯歡晚會」甚至建築工地的先進人物，也經常見而禁止。科涅夫對此指控爲「使陸海軍隔開黨的傾向」「破壞了優良傳統」。

5. 破壞軍中政治機構和駐軍所在地黨委間的聯系關係。

6. 朱可夫廣泛而深入地，在各軍事學校和有關[illegible]科學工作，他的思想和理論，據科涅夫的指責，「他所犯的錯誤，在蘇維埃軍事科學和武裝部隊建設問題上所發表的某些毫無根據的意見愈形嚴重，甚至在軍人條令的作用問題上，他也造成了很大的混亂。」朱可夫認爲陳舊的傳統的條令，皆出諸於黨幹之手，「教育指揮只中起了消極作用，不能促使他們發揮創造精神。」

△馬林諾夫斯基▽

綜上所述，可見朱可夫企圖將蘇聯紅軍由黨軍實質改變成爲眞正的國防部隊，所作的各項措施，的確是相當精細深入，而已具成效的。正由於此，也可見在紅軍陸海軍裏，擁護朱可夫的思想和政策的軍人，爲數不少，且已形成了一個新軍系統。

爲了打擊朱可夫在軍人中的威信，科涅夫以同爲二次大戰前綫的方面軍指揮官的資格，進而攻擊朱可夫在參謀總長任內和任第一烏克蘭方面軍指揮官時期的諸種錯誤，甚至欲抹煞朱可夫率軍攻佔柏林的戰功。但是，科涅夫也不能不承認，整個對德戰爭的最大失敗因素，是在於受了斯大林的干預影響，斯太林在當時也正像希特勒以一個伍長資格的軍事常識在左右最高參謀部的作戰計劃，甚至干涉到前綫指揮官的權能，既有斯大林的獨識專斷爲前提，作爲一個職業軍人的朱可夫，雖然是紅軍的傑出軍事天才，也不能不受到嚴重的影響，更何況決定每一戰役的勝敗，因素甚多，（下轉第二版）

國際動態拾零

朱可夫訪問南國時期，赫魯曉夫已決意黜他的兵權。米高揚代表蘇共去南斯拉夫與狄托[illegible]，馬林諾夫斯基代國防部長，[illegible]次長後至土耳其邊境，[illegible]列寧格勒軍區司令官，朱可夫返莫斯科[illegible]未之知，蘇聯南大使則不使其與人會面，俾消息不致外漏，並爲政府命令，促其赴阿爾巴尼亞，藉以拖延時日。而蘇共黨則在黑海沿岸[illegible]，竟不[illegible]，故朱可夫[illegible]爲軍與黨的多年衝突，問題[illegible]繫於個人之成敗，故赫魯曉夫[illegible]能安枕。

×　×　×

敘利亞與土耳其糾紛，似可引起戰爭者，現在聯合國會談，乃知其內容僅爲少數[illegible]與少數邊界走私問題，[illegible]反土口號，竟叫得滿天飛，有人認爲是故意放出煙幕，以便對朱可夫下手。惟蘇聯已貸給敘國四億美元，使敘經濟不得不倚賴蘇聯。

×　×　×

朱可夫下台時，曾擬使代伏羅希洛夫爲蘇維埃主席，俾好好將其遣職，但朱不肯。繼被逐者，聞將爲葛羅米柯。表面理由是爲消弭土敘糾紛，實則仍是蘇共傾軋。

×　×　×

中共亦將效法蘇聯以黨領軍，九月十三日中執會開會，鄧小平在報告中提出了軍隊三點：一、忽略共黨理論；二、將領之個人野心太大；三、軍與黨太無聯繫。

×　×　×

蘇聯經濟情形極爲惡劣，赫魯曉夫之工業分散制度，收效極少，農產收成，亦不好。

陶然

藝苑

徐青藤其人其藝

·萬香堂·

自評：「字第一、詩第二、文第三、畫第四。」

文藝派別作風之興衰，完全跟着時代思想風尙而轉的，如淸代之崇尙文沈及四王，今代之推崇白陽、靑藤、石濤、八大。徐靑藤曾自評其藝以字第一、詩第二、文第三、畫第四，此當乃自知之言；惟以今日之大時代眼光視之，其畫當爲升格爲第一，此非靑藤所能預料，亦非明淸兩代畫家所能預料的呢！

徐渭，山陰人，原字文淸，更字文長，號天池，晚號靑藤。生於明正德十六年，天資超絕，六歲入小學，能「一授數百字，不再目，立誦師所」（靑藤自爲墓誌），八歲即能文，其師推文云：『昔人稱十歲善屬文，予方八歲，校之不尤難乎！噫，是先人之慶也，是徐門之光也，所謂謙之實樹者非予耶！』十歲會見山陰知縣劉公昌時，出題「居其所而衆星共之」命作，測其才乃否虛譽，靑藤隨手草呈，其中竟有佳句「天不言而星之共之，非天諄諄以命之共也，星亦不言而衆星共之，非衆星諄諄以約之共也！」劉公昌大爲激賞，賜以佳札好筆，以資鼓勵。靑藤乃庶出，食由苗宜人撫養，他自己說「報導苗宜人滑稽也，教愛渭甚，世所未有也！渭之身，以報也！」他十四歲時苗宜人即病逝，當斷病時他曾磕頭出血，三日不食，其孝道可見，廿歲其兄潞又贅，卒於貴州，自此靑藤家庭衰落，是年他入贅潘家，父簿宙東陽江縣簿，乃隨前往，一連住在陽江數年，至廿四歲始隨潘家回鄉，廿六歲潘氏婦死，從此後屈居無聊，不赴試，仍然不敗北，三十七歲入胡公幕，三十九歲入贅杭之王，據他說「劣甚，始被詒而誤，秋，絕之，恨不已」翌年和張氏女結婚，四十六歲犯殺妻罪下獄，一連坐了九年獄，至五十三歲（萬曆二年）始獲得自由，以後其晚景更爲淒涼，七十三歲便是他歷史最後的一頁。

綜合其一生跌宕不堪，爲潦倒文人之寫照，傳他常有精神病，而其每試爲文甚快，多餘時間，常於試卷背後作評語或繪畫，致屢遭犯規落第，一代大天才家落場如此，眞可悲呢！據徵「刻徐文長佚書」作序之張汝霖說：『余素知文長者，謂其人政不盡於其文，文長懷霸王之奇，負孔北海之高，人盡知之，而其俠烈如豫讓，慷慨如漸離，人知之不盡也！』的確是靑藤知音之言了。至於何以他的精神病日益加厲，據他深刻細膩觀察說「文長見寵於制府少保胡公，酒子美所不能得於嚴武者，當世廟時，人主好文，少保以白鹿進，其表故文長之筆也！上覽之大悅，以是愈益寵少保，少保亦以是愈益重文長矣！時上方齋醮，而文長知少保急靑詞，柄政者來聘，其後少保以縱騎收，文長不恐遂，遂作狂，縱酒即罪，居常痛少保功而讒死，冤憤不已！」後來他的精神病時愈時發，脾氣來得更爲古怪，如一既以狂殺之獄，先文恭力救得出，出而並自放，間脅入長安，若不耐禮法，遂去走塞上，與射鷗者馳逐於塞騎，爛醉所出沒處，縱觀以歸，歸而戶不肯見一人，絕粒者十年許，挾一犬與居，人謂僵寒玩世狂奴故態如此，而不知其自別有得，雖以世諦測也！」靑藤一生失意，滿肚牢騷，生時缺乏知音，與狗伴，死後名大震，畫稱散僧入聖，中幅小條，亦變成貨金，徒爲收藏者增加暴利，而天才家鬱抑而死，未得絲毫享受，又爲天下才子爲人同聲一哭！

靑藤自許其字爲第一，自有其道理，其書法源乃仿米，加以其性情怪僻，及參以繪畫的奔放形態，故更見其精神入化。近廿年來所見眞蹟精妙品不少，但多有殘缺，獨廣東香氏所藏者爲最新，近二年在台北展會中亦曾見數件，論其精可比香藏者爲佳，惟版底之新即不及之。（說者謂明代書畫脂有陳舊之氣氛，如太新，即屬破綻之處。）

靑藤之詩，各種體式，無所不能，惟偶一撲讀，覺得其中有用人意料之處，然細讀下去，或細想下去，則覺其另有風味的，如其所作「古意」說：『淚竹小籬扇，斷續卓氏閣，鏡鼻認奇，鸞鏡無定飛，好收絲客綫，去衲出家衣，不見驚鴦底，荷花拔錦泥』是有點不平常的。我喜歡的還是他題畫詩如題「雪裏梅竹」云：『雲間老檜與天齊，籐六寒威一手提，折竹折梅內底事，不留一葉與山谿』。題「芙蓉」云：『一花浮來著畫邊，五十芙蓉二月還，側水籬生初試鏡，啼紅嬌殺未笄年，蓋藜黥棘穿根間，大柳深江凝瘦眠，戲此世間閨閣事，羅題霜色屋深懸』

靑藤之畫雖自列爲第四，其實他自己對畫道乃半路出家，以後他的作品不及當代行家的名畫家，嘗料自「畫中郎錢梟其詩文，一時莫陶石簣先生以柯日之，一時不飲祖光者」（見章實所著夢遇）以後，他的畫名乃突起，其所作山水、人物、花蟲、竹、石，靡不超逸，說者謂其中歲始學畫花卉，不經意，涉筆瀟灑，天趣燦發，于畫法中，可稱散僧入聖，以現代畫學理論來看他，他更偉大了！他的用筆蒼老，構圖奇突，所作乃在意像之生動，不拘於寫實之固執，實爲現代繪畫之前驅宗師，今日舉世欲狂崇拜其畫，實與時代之思想相關連呢！

據章實所夢見的靑藤乃「肥且揚，綠巾麾折，黑衣裳或」凡乃無髮者，後章訪見靑藤之孫網徐枳，會見靑藤之小像，乃廣有疑者。抗戰勝利後，筆者在廣州曾見靑藤畫冊中有一乃靑藤之自畫像，乃繪其醉態者，上題有「一月二十九日醉，一萬一千六百年文長」等字，余說其醉態入畫，極爲有趣，會告藝之以爲參考，刻仍存手邊，他日有機，當刊出，以請我讀者。

自由談

司法獨立一例

馬五先生

已故國軍名將黃伯韜之子黃效先，殺人被判死刑案，最後由國家元首依據憲法規定，予以特赦，減爲無期徒刑了。關於這樁事，我認爲各級法院皆表現了司法獨立的精神，値得稱贊的。

當本案正在初審期間，即有民意代表幾百人聯名致函司法當局，主張顧念黃將軍忠勇殉國的史績，對其後裔加以矜全。這完全是站在政治與人道觀點的說法，固屬未可厚非，然與法治精神不無違悖。所以，今年一月間我在台北時，有友人徵求簽名爲黃效先向法院說情，我就祗可婉辭了，論人情，我與伯韜將軍結交廿年，友誼甚厚，應該挺身營救其遺孤才是。但想到世人常常要求司法獨立，反對以政治力量干涉法官審判權的法治主義，（尤其是我輩新聞記者，提倡更力。）受着理性的驅策，却未敢以私害公。我們攻擊別人妄干司法爲不當，難道民意代表就可以例外不成！

可是，各級法院竟未採納這幾百名民意代表的要求，照樣地依法究處，毋稍瞻徇，確屬難能可貴的現象，誰說我們的司法界沒有獨立精神呢？現在黃效先由總統依法特赦減刑，可謂兩全其美。法院祗能援引法律以論究犯罪行爲，他非所顧；總統根據憲法而施行特赦權力，並不妨礙司法獨立的尊嚴性。夫是之謂法治憲政國家。

因此，我感覺要促進法治生活，必須各界人士皆能遵循法律軌道以行事。例如民意代表請求矜全黃效先的意見書，如果只是遞給國家元首，而不是向法院說項，我想簽名的人還要多，事情也就很漂亮了。每憶政治上有許多措施，始意未嘗不善，但以忽於法治軌轍之故，往往予人以口實，阻礙橫生，甚至弄成相反的結果，關於黃效先案的經過情形，可以領悟矣。

相面

陸夢墨

江湖上有所謂「相術」，就是一個人的命運，皆可從面部的部位斷定之。諸如龍眉鳳目則主貴，豆目鼠眼則主賤。那一年走那一步的運，似乎有一定的軌道。事實上這些臆測都是無稽的，荀子說：「相人古之無有也，學者不道也。」因之我們不能斷定一個人終其生食膏粱之供，就是因爲生着一隻豬樣的嘴，雖然「嘴大吃四方」在相書上是言之成理的。

記得幼年也曾被家母拉着去相面，相者言我的命運是天街走馬，過了二十歲就步步交運，以至富若陶朱。果然我過了二十歲就交運，第一部運是災，第二部運是病，以後就一步比一步倒霉，如今落到半饑不飽，沒有像樣的衣服，進而的職業，憔悴青衫，其若圈可以相見。「問道於盲」，足見別人的話不可輕信，但是惟有一件事情那個相者「瞞」對了。他說我必需離開父母，看起來「詛咒」倒是比「祝福」容易實現。人到中年，就越以這種應驗爲憾了。

但只有一次，一位飽學的耆宿指點我此生命運，至今難忘。

那位耆宿姓徐，乃家父同窗之友，我嘗稱之爲徐二太爺，前清時中過舉，頗有文名。我在十二三歲的年紀愛讀詩詞，不喜歡玩耍，記得那時他看了我的詩詞只是搖頭嘆氣，說我的作品有「才」而無「氣」，並非壽徵。後來父母就不再讓我讀詩詞一類的東西。猶記得那時所寫，不是悲秋就是傷春，多愁善感，人自然體弱而不長壽，由此想來老先生的話媽媽經也自有其科學的道理。我右眉間有痣一顆，黑如墨，大如豆，老先生常說我此痣藏於眉中，其名爲「草裏藏珠」，猶似明珠藏於荒草，終生不得發達。這話似乎有一直應驗下去的趨勢。但是藏於荒草也罷，却又勝似做貴人之飾物了。

我每下筆爲文，就想到老先生的話，不知現在的文章是否有「氣」了？我想「才」或沒有了，「氣」到是一肚子，休問它是才氣也好，火氣也好，自問是一肚皮骨氣吧，於是我找到命運的答案了。

文抄公贊

張健

公，當代之篤士也。博覽群籍，不聞而誌之；才如海量，學比山岳。余拜讀其文久矣。速、多而僻，乃其執筆三守則。至「述而不作」，公居之無愧矣！

公之齋，風雅甚，署其名曰「三絕」，蓋祗取「禮義廉恥」之首三者也。又其座右銘云：「天下文章一大抄」。見者聞者，莫不歎爲觀止，信乎天下之筆者皆出乎其下也。

公之寶有三：一曰剪、二曰糊、三曰紅筆。公之爲人也勤，爲學也博，故採取諸子百家之說，惟恐不及。而具胸襟，益足欽仰：蓋無視於門戶之見，而能溶百家於一，實所謂「推陳出新」，又豈得以「改頭換面」括之哉？

嘗聞公與人對質於庭，蓋有人誣公竊文之罪也。然公坦然處之，彼原告者卒拱手而去，此無所不敢爲者矣。噫，大哉公之德也，美哉公之才也！

余讀公之文，未嘗不歎息也。吁嗟！世人何其愚也？如公者，豈斤斤於名利者儔哉？然名山之來也，若無翼之鳥；居之無愧，又何卻焉？

嗚呼！公生之中，名滿天下，而死而無怨矣！倘天不假年，公之文迷雖，追思公之生平抄襲，當必謚之曰「文抄」。公其不朽矣乎！

短篇小說　O型的家庭

（四）

王百谷

長女阿車，今年十九歲，今年暑假便高中畢業，同時亦要考大學。在台灣投考大學，與全部考科一樣重，投考人多而錄取的名額有限，放榜之日，各報紙出號外，廣播錄取的姓名。某家子女考取了，戚友鄰居都來道賀，大有捷報貴府少爺小姐的氣概。阿車爲了要準備投考大學，早就每夜十二時以後才肯睡覺，就是星期日亦不肯休息。不過，她每夜在溫習功課完畢以後，總要畫一個電影女明星的畫像，自己欣賞一回才肯睡覺。

次女阿馬，今年十六歲，今年暑假時便初中畢業，同時亦要投考高中。但是，她對甚麼事情都不求甚解，各科功課的成績僅能及格，不足動懷的神氣。在家裏，時常伏在床上看馬騎，更提造一些神話或鬼故事講給弟妹聽。她最喜管小孩子，希望將來做一個幼稚園教師。因爲她是老二，我的內兄說她很有些脾氣。不過，她總是不睬不理的消極抵抗，有人責備她，她總堅持自己的成見。

三女阿砲，今年十四歲，讀初中一年級，讀書雖然勤力，但最好管閒事，當然更時常與弟妹爭執。每因一些小事爭執時，叫出尖銳的怪聲，很容易使人驚跳，姊弟妹們的傷風咳嗽及一切流行的感冒，她都傳染不到，大概傳染的細菌亦不敢接近她。她好管閒事的性格，連家裏的零星雜務也要管，桌椅上物件偶有不整齊，地板上有碎紙破物，甚至吃飯後的碗碟筷子，她都自動的收拾。

長男阿兵，今年十三歲，今年暑假時小學畢業，便要投考初中。他的志願是要當兵，做軍人保衛國家。他最高興看飛機大砲，能繪畫各種軍刀機、米格機、高射砲、平射砲以至機關槍、自動步槍手槍的式樣。他最高興的日子，便是雙十節的國慶日，那天可以看到國軍檢閱的雄姿，可以看見各式各樣的武器。他的性格是快樂活潑，軒昂強項，今天帶幾個同學回家玩耍，明天便打架不來往了。他過去誤解着，認爲做軍人祇要會打仗，不必讀書及不需要學問，現在他知道了，做一代的軍人要有高深的學問及智慧。

次男阿卒，今年十一歲，讀小學三年級，沈默深思，甯靜好學。但是，他有外柔內剛的性格，而且相當的發霸。在他讀幼稚園的時候，有一次，阿兵偶然唱一支幼稚園時唱過的歌，阿卒便發脾氣了：「這歌是我的，不許你唱」。我從前與內兄同居一屋，阿卒那時剛學說話，內兄教他學話：「姓劉虫虫咬，姓王吃糖糖」，阿卒還是說：「我姓劉」，「我姓王」。內兄是用左手使筷子吃飯及執筆寫字的，又無法糾正。後來，我遷居了，才把阿卒從內兄學會的那一套調黯過來。

四女笨瓜，今年八歲，讀小學一年級，她是我家裏的女霸王。她自出生以後，夜裏從不哭鬧，日間常露笑容。初學步及會說話時，便知道騙人高興，姊姊哥哥都喜歡她。雖然時常與姊姊哥哥們爭吵，但總是甘讓她的。她自幼即富於思像力，會自作聰明。她說沒有她便沒有姊姊哥哥們了。因爲在媽媽的肚內時，是她用脚把姊姊哥哥們一個一個踢出來才出生時，所以她應該第一才對。她表示，不希望再有別人把她的「第一」搶去。

這樣的六個兒女，構成這個O型的家庭，我太太就是正統的O型，而我呢？內兄曾說過，我早已變化氣質了。

紫竹樓隨筆　詩人白居易

（772—846）

（九）

有人恭維唐代另一位大詩人兼畫家的王維，說他『詩中有畫，畫中有詩，』我讀樂天的全部詩作，有一個異樣的感想，覺得他『詩中有音樂，』而且『有跳舞』。他的『琵琶行』有一段描寫琵琶的演奏說：

『……轉軸撥絃三兩聲，未成曲調先有情；絃絃掩抑聲聲思，似訴平生不得意，低眉信手續續彈，說盡心中無限事。輕攏慢撚抹復挑，初爲霓裳後綠腰，大絃嘈嘈如急雨，小絃切切如私語，嘈嘈切切錯雜彈，大珠小珠落玉盤，間關鶯語花底滑，幽咽泉流冰下難。冰泉冷澀絃凝絕，凝絕不通聲暫歇，別有幽愁暗恨生，此時無聲勝有聲；銀瓶乍破水漿迸，鐵騎突出刀槍鳴。曲終收撥當心畫，四絃一聲如裂帛，東舟西舫悄無言，唯見江心秋月白！……』

這不是明明描畫一個女子，當月白風清之夜，已涼未寒之天，坐在船上，懷抱琵琶運用她那十個活潑潑長的手指，在絃上上下連續跳動，把一種有節奏的琵琶音響一一送入我們的耳鼓，也一一打進我們的心坎了嗎！這眞是千古絕調，我只有去年兩度聽金羽彈鋼琴，才有過這種快樂，我希望一般寫白話詩的青年朋友，能有勇氣接受他的這種挑戰！

在他的『新樂府』一首『五絃彈』，也有一種類似的描寫：

『……第一第二絃索索，秋風拂松疏韻落，第三第四絃冷冷，夜鶴憶子籠中鳴。第五絃聲最掩抑，隴水凍咽流不得，五絃並奏君試聽，淒淒切切復錚錚，鐵聲殺，冰聲寒，殺聲入耳膚血慘，寒氣中人肌骨酸，曲終聲盡欲半日，四座相對愁無言。……』

這正可與上面引的『琵琶行』一段參讀，以研究作者不同的描寫手法。

『新樂府』另一首『胡旋女』，是寫音樂而兼寫跳舞的：

『胡旋女，胡旋女，心應絃，手應鼓，絃鼓一聲雙袖舉，左旋右轉不知疲，千帀萬周無已時，人間物類無可比，奔車輪緩旋風遲。……』

這簡直是把我們送進一個現代舞場，去看『牛仔舞』，『喳喳舞』一類的胡鬧了。

另一首『新樂府』『驃國樂』，有四句描寫另一種跳舞：

『……毛螺一吹椎髻聳，銅鼓一擊文身踊，珠纓炫轉星宿搖，花鬘斗藪龍蛇動！……』

這不正是教我們欣賞電影或舞台上的一種『土風舞』嗎？

可是我們的詩人畢竟是愛好古典音樂和古典舞的，請容我再引下面一段『霓裳羽衣舞歌』，一段『小童薛陽陶吹觱篥歌』吧。

『……千歌萬舞不可數，就中最愛霓裳舞。舞時寒食春風天，玉鈎欄下香案前，案前舞者顏如玉，不著人家俗衣服，虹裳霞帔步搖冠，細瓔纍纍佩珊珊。娉婷似不任羅綺，顧聽樂懸行復止，磬簫箏笛遞相攙，擊擫彈吹聲邐迤。散序六奏未動衣，陽臺宿雲慵不飛；中序擘騞初入拍，秋竹竿裂春冰坼。飄然轉旋迴雪輕，嫣然縱送游龍驚；小垂手後柳無力，斜曳裾時雲欲生；煙蛾斂略不勝態，風袖低昂如有情；上元點鬟招萼綠，王母揮袂別飛瓊。繁音急節十二遍，跳珠撼玉何鏗錚，翔鸞舞了卻收翅，唳鶴曲終長引聲。……』（上『霓裳羽衣舞歌』）

『……潤州城高霜月明，吟霜思月欲發聲，山頭江底何悄悄，猿聲不喘魚龍聽。翕然聲作疑管裂，詘然聲盡疑刀截；有時婉軟無筋骨，有時頓挫生稜節；急聲圓轉促不斷，轢轢轔轔似珠貫；緩聲展引長有條，有條直直如筆描；下聲乍墜石沉重，高聲忽舉雲飄蕭。……』（以上吹觱篥歌）

樂天懂音樂，自己能奏古琴，能歌歌舞，所以他寫這類的詩能突過前人。在他的全集中，像這種涉及音樂和跳舞的詩，何只四五十首，我把它們作一比較研究，覺得眞是寫得好，這一點我覺得很眞切，大概也算是我，次談白詩的一個小小貢獻了。

舜生

秋依懸燈高樓瑟瑟讀又文方家集古今弔宋王臺句無一字不是孤臣孽子心中語也即步原韻八首並希郢政

・張宜幼詩・

山飛海立弔遺台。縱有秋花不忍開。今日一襟餘涙雨。孤忠聊借宋王哀。

吟哦已戒史臣功。落落如君國士風。海外獨孤同一哭。百年榛莽亂山中。

萬疊紅射宋王台。片石終愁作劫灰。蒼莽海天人獨立。涙乾惟見暮鴉迴。

君臣渡海論誰功。大義昭昭信國公。後有千秋天更老。嘔心唯欲表純忠。

干戈不在書生手。閱盡興亡石火中。已並蕭條歸異代。有人涙灑海門風。

漢家陵谷幾遷移。日月依然草木悲。今古離離黍意。漲天唯託七言詩。

飽看雲收雲也後。漁樵依舊話興亡。首陽無復栽薇隊。吟到江山恨始長。

遊觀江山一擲輕。琴書何恐暫飄零。無如說到憂天事。秋氣蕭森挾浪興。

代郵：西貢阮文德先生，請示通訊地址。

稿酬：十月份全月稿酬通知單，已分別付郵，惠稿諸君請憑單領取稿費爲荷！本報編輯部啓

自由人
THE FREEMAN
（第六九九期）
中華民國僑務委員會登記證台字第…號
每份港幣壹毫
地址：香港高士打道二十號三樓
20 CAUSEWAY RD. 3RD. FL. HONG KONG
TEL. 771726

數十年來的中國科學運動
——李楊二君獲得諾貝爾獎金有感

毛以亨

一、西南聯大與李政道

抗戰時期的西南聯大，可以說物質條件歷來最差的一個時期。中英文的教科書都還未來，乃發起讀古典書的運動，儀器毫無辦法補充，乃有自己製造儀器的運動。運動的效果，往往比閉門研究大得多，因爲可以振奮人心，可以大衆化，於是無形中把研究者與研究對象擴大得多。在最壞的環境下，往往比物質優裕的環境，更易于產生傑出的人才，所以西南聯大之人才，似較平時的北大，清華，南開爲衆。

當時我避難在昆明，常與北大舊日同事往還，談及學術問題，輒懷念我們數十年所從事的科學運動。對于李政道，當時固不認識，但常提及李政道的老師吳大猷，因爲吳大猷爲最年輕的物理學教授，故又常提到吳大猷的物理老師饒毓泰。饒先生於民國二年我們在北大預科時，就當物理學教授，至西南聯大時期，仍在教物理學，已當了四十年教授。然而論及現代物理，饒先生對之，多爲不熟識的新觀念，且於其固有的舊觀念，老是放不下，總是轉不過來。吳大猷與之相反，正是能把握新觀念的人。因此我們曾有一句笑話，說現在饒老先生，要掉過來轉拜吳大猷爲師纔對。

我們常說「文章發少年」，少年人有力量做原創，開是非用盡平生的力量不可。奈端三定律，爲其廿八歲時的發明，愛因斯坦的相對論，亦是廿多歲時從實驗得到證明的。那時有一位同事就說，要在物理上有大發明，三十餘歲內與大猷還嫌太老，因奈端、愛因斯坦三十歲以後，就一無成就了。（愛因斯坦的普遍相對論，可以說是其特殊相對論的引申，不以發明論。）況且現代物理，不如數學之有方程式可循，要靠天才與心地之境界來領悟。如果不能懂他的話，無論經人如何解釋亦不會懂的，與哲學實在差不多。

我們時常關懷中國自然科學的進展，中央研究院的朋友，謂中國數學物理進步之速，人才之多，遠較地質學考古學爲過之。我出席印度泛亞會議，遇獲得諾貝爾獎金的拉曼，他以爲物理學實驗，祗靠若干玻璃管已足。我笑謂王星拱曰，未知拉曼的物理，與我國的吳大猷相比可如？當時不過說及饒毓泰與吳大猷而已，不料這些談話，實針對西南聯大不知名的李政道，與西南聯大以外的楊振甯而發。科學環境，既經培養成功，李楊諸科學家，是會出現的。

二、科學運動中心的北大

大家多[illegible]新文化運動之中心，在五四以後的北大，而常忽略五四文化運動實以科學運動爲骨幹。文化一詞之在中國，決不如在歐洲之有高度宗教意味，而實涵科學意味。蔡元培先生長北大以後，把中國學問，作提要鈎玄的總結，使學生得以實驗間，作近代科學的探討。此意蓋仿諸十九世紀德法之教育方針，縮短希臘拉丁之研究時間，俾有餘力以研究現代科學。[illegible]

[illegible]

三、今後科學運動如何展開

廿世紀的科學研究，是集團的而非個人研究的，[illegible]

[illegible]

疑，蓋花了許多錢，仍然毫無效果之事甚多，美國在香港的文化工作，毫無效果便是一例。

蘇聯人造衛星所以最先成功，是集團研究與發展軍事科學之因素所造成的。蘇聯以黨化科學，與落後之生物學玩笑，迄不敢與物理化學開玩笑。然自由思想總是科學所促成的原動力，且蘇聯之科學始終在種種控制之下，與自由發展有大礙的，故蘇聯之科學進展，總是有限的，因其絆腳石不能完全去掉之故。

自由中國之科學運動，式微已極，集團研究與儀器設備均說不上，無怪歸國教授多嘆氣了。[illegible]

[illegible]我對此等辦法頗爲懷疑[illegible]做切實的領導，是否[illegible]果會好點？

半週述評

科學熱化了冷戰

蘇聯一枚人造衛星的出現，給美國的反應是慌亂而緊張。初則官方承認已遲在人造衛星方面趕上蘇聯，開始進行與制訂科學合作計劃。繼則艾森豪發表接受科學挑戰的演詞；郭爾斯（美副國防部長）宣稱美擁有五千里射程的飛彈，因不願妨礙飛彈計劃而未發射衛星；同時美科學家也指出美國在越洲飛彈發展上已換況並超過蘇聯，如果美國肯用一個較大的軍用火箭，也許已比蘇聯更早把人造衛星射入太空。這無非表示西方仍然掌握科學軍事優勢。[illegible]

學力量，畢竟是蘇聯強？還是美國強？現在還是一個謎，在大戰爆發前也不能說，因爲在目前，這還是劃時代的冷戰宣傳。

冷戰從地面到天空

[illegible]

從科學回到政治

[illegible]

太空狗與赫魯曉夫

自科學本身言，可能是英國博士所稱「瘋狂」（我們可稱科學宣傳狂），冷血地不計費用去達成，共科學價值[illegible]

林伯雅

印尼排荷的歸趨
——西伊里安終將出於自治一途

華仁傑

耶加達充滿着火藥氣味。從表面上看，印荷爲了「西伊里安」歸屬問題，如果在聯大得不到要領，終將出於戰爭一途。實際上印尼卻缺乏跟荷蘭作戰條件——國家經濟、與全國軍隊調動均感困難，再加上各省軍政經濟既無法結合，共黨復有顛覆中央政府的形勢。蘇加諾之向聯合國恫嚇，適足反映出他已處於困境。

荷蘭現已跟澳洲在西新幾內亞（西伊里安）軍事與經濟通力合作，根本就不怕印尼在聯合國叫囂，因爲這個土地的歸屬問題已經遷延了十二年之久；更妨礙印尼於此時訴諸武力；至於基於商業利益，僑居印尼各省的五萬荷人，生命財產是否會遭印尼奪取，根據「荷印同盟條約」，印尼具有保障他們權益義務。

反荷運動的起因，先是印尼共黨策動的，貼標語，鼓勵學生、工人遊行，狂嘯；蘇加諾本來有意於「收回航權」（現由荷人把持）以解決倒懸的經濟困窘。他們到向世界銀行貸款無着；蘇俄經援涉不可即；國家銀行黃金儲備直線下縮；物資缺乏，物價飛漲；全國無法團結，這一連串因素，促成政府與人民距離日遠。於是，利用共黨裹脅發起反荷運動，由執政的國民黨領導，組織「解放西伊里安省行動委員會」，企圖藉此刺激人心，挽救中央政府既失的聲譽。

這個策劃收回荷屬西新幾內亞的機構，不管形式和內容，任何人都不否認是印尼共黨用來統一全國、和奪取政權的利刃。在共黨安排下，要把現政權的軍事、經濟和人心歸納起來對付荷人，軍事方面使這個委員會擁有指揮調動的權力；經濟上則爲鼓動人民對荷僑採取不合作，以及困斃荷人政策，例如「不賣物與荷人」，「不替荷人僱主工作」，「佔有荷人的資產」（實際美國人的資產亦遭印尼人竊佔、搶奪、偷竊）。於是，耶加達在這瘋狂爲害之下，一經出門，輕則挨罵「狗」、「猴」、「魔鬼」，重則受到危及生命毆打。經過十天來的考驗，中央政府的排外政策，在大多數安分的印尼人不予合作下失敗了；五萬荷僑無言的抗議，卻取得了廣泛同情。

隱忍已久的荷蘭政府，於獲得澳洲有力支助，態度突轉強硬。這是荷蘭海外部長瓦德斯特近訪澳，取得澳洲對荷更有力的合作保證的結果。當然，澳洲也很明白：荷屬新幾內亞的動靜，間接牽動澳洲神經，印尼直接對荷蘭採取行動，最後亦將以同樣手段對付澳洲；何況澳洲與荷蘭的戰略地位，地略形勢適然不同，澳屬新幾內亞（東南部）及（東北部）委任管治一經喪失，不啻使澳洲北部門戶打開。因此，荷蘭既不願放棄這一海外的資源，澳洲自無由輕棄這一戰略要津。

基於上述因素，[illegible]卒於十一月六日發表[illegible]。此，中央政府對收回的希望，實際已告破滅，而不得不改變初衷，由積極的措施轉爲緩和主張的消極抗議。這顯示「解放西伊里安省行動委員會」，允其量是個[illegible]機構，[illegible]後，總理朱安達於[illegible]，呼籲國人在排荷運動之時，如[illegible]其目的殆係朱氏已預見[illegible]另一個高潮掀起時，必然的流血慘劇；必然使印荷爭執更難解決[illegible]印尼全部人民，對[illegible]已全部喪失；而荷[illegible]的安全，必然會採取[illegible]對策。

今後局勢演變，大致看來，因護僑促成印荷衝突，或者不易避免；印尼要收回西伊里安，[illegible]，恐怕西伊里安只有出於自治一途。綜觀印尼脫離荷蘭以來，全國統一有名無實。如果荷蘭要免除帝國主義之譏，則該將西新幾內亞三十九萬五千[illegible]公里土地，交與七十萬人民自己管理，相信這將是最後必爲聯合國考慮的途徑。（十一月七日寄自耶城）

中央研究院易長經緯

·張文華·

台灣通訊

九月二十五日本報第六八四期筆者曾在「未來的院長和院士」一文中，報導中央研究院於十一月改選院長時，選票將必集中於胡適氏。本月三日該院評議會果於第一次投票中全票選出胡氏，其餘二人爲李濟與李書華氏。

新任院長胡適在荐賢自代中

此次這冷機關的主持人改選，海內外人士都深切注意，在台灣自中央日報等日報至各晚報，均著論發表意見。其所以如此，一因新膺選者爲享譽世界的著名學者；二是在改選前後適青年學者李政道、楊振寧兩氏開我國歷史紀錄獲得納貝爾物理獎，和美蘇火箭競賽的趨於高潮等際遇的湊合，使這最高學術研究機關的動靜，爲大家所矚目。

胡氏爲理想人物

改選結果，曾由蔣總統即致長電促胡氏回國接任，同時召見李濟氏託代轉達殷切期望之意（李與胡爲老友），並告李氏政府當撥三十萬元爲胡氏在南港建一住宅。自中央研究院報告選舉經過到總統府，由圈定，電告並明令公佈，時間不過半天，其迅速程度可稱罕見。惟胡氏接電後回電婉謝，並荐李濟氏以代（另一當選人李書華氏與胡同在紐約，亦無意此職）。胡氏甚早要在研究院所在地築一宿舍，以便返國時寢書有所，乃今次選任院長，復擬不接受，據一般人士分析，其個人之健康是原因之一，再者如何使研究院做得有異常貢獻亦缺乏把握，三者渠與朱家驊氏多年老友，似亦不便驟然來台接替。惟胡氏之朋友及學生們不斷敦促（朱氏亦去電誠懇勸行）故一般預料如他健康好轉亦可能接受，咸冀胡氏爲理想人物。至李濟氏因胡氏辭選，在學術的號召上更可堅倒中共在大陸劫收中央研究院而改稱的「科學院」院長郭沫若，無論公私，亦甚盼胡氏來就的。

研究院成立到現在

國父孫中山先生於十三年北上時，即主中央研究院爲最高學術研究機關以立革命之基礎。十六年國民政府定都南京，就推蔡元培、李煜瀛、張人傑等任籌備委員，嗣後推蔡氏爲院長，並由蔡聘楊銓任秘書長（後改稱總幹事）。二十六年抗戰發生，研究院西遷的研究所，已有氣象、地質、物理、動植物、社會科學、心理、歷史語言、工程、化學、天文等十所。抗戰時期，雖物力維艱，但等到復員，動物和植物已分爲兩所，又新增醫學研究所而達到十二所了。不過，大陸淪陷，隨着中央遷到台灣來的，完整的只有歷史語言研究所（因所長傅斯年時正出任台灣大學校長，在台灣有了據點，搬遷較便的原故），後來借台糖公司的設備而恢復植物研究所，借台灣大學而恢復數學研究所，都已昔比。學術研究的基礎非一朝一夕可以建立，故後來籌備的近代史、民族、經濟、化學等所，自都還談不上有何成績。

就以往看，儘管蔡院長自楊銓總幹事於二十二年在滬遇刺後就不大顧問院務，而總幹事如丁燮林、丁文江、朱家驊、傅斯年（担任時蔡已去世）、葉企孫、李書華、薩本棟諸氏都才知俱佳，所以研究工作還算開展（大陸撤退後的總幹事先是本年病故於在美講學時的周鴻經，現在是楊樹人）。

朱家驊請辭原因分析

朱家驊氏二十九年以黨、政紅員，主持該院，對于當時研究所分別撤退在廣西、四川、雲南各省，曾盡過不少貢獻。現在時事不同了。據說最高當局在今日認爲軍事第一，要研究和軍事配合，希望集中力量先成立現代化學研究所，而朱則並未注意及此，且接受了「亞洲協會」（The Asia Foundation）代表狄大衛博士（Dr. David N. Rowe）的意見，注意于前此開始籌備的近代史研究所。又據說，最高當局在四月間出席院士會議後，對研究院有了印象，因此八月間（星期日）下午六時去作軍隊檢查內務式的視察時，見院內既無招待之人，書報等又有凌亂，後來便在宣傳會報上提出指責。再則朱氏本人對外情緒本不甚高，要如軍事機關樣的去幹實不大可能。就一般分析，這些種種，是促使朱氏請辭的原因。

感慨與殷望

中央研究院是網羅學人研究學術之所，故應知其基本組成人員的陣營。在中央研究院於三十七年三月第二屆第五次評議會年會中舉行第一次院士選舉（以前都是評議員決定研究方針），選出胡適等八十一人爲院士。自這次選舉後大陸局勢逐漸變壞，今天在自由中國的院士祗朱家驊、凌鴻勳、李先聞、李濟、王寵惠、王世杰、董作賓（現在膺聘在香港大學任教）等七人，現在歐、美可以聯絡的陳省身、吳大猷、李書華、吳憲、袁貽瑾、陳克恢、汪敬熙、林可勝、胡適、李方桂、趙元任、蕭公權等也不過十九人。這幾年來所知道逝世的有傅斯年、吳敬恒、胡先驌、梁思永等。至下個月要增選十五人以充實陣營（依規定每年增選十五人）。由於鐵幕，在國內不易有新學人的造就，所以台大物理系主任戴運軌氏於李政道、楊振寧兩氏得諾貝爾獎金後喟然嘆息「假如[illegible]科學家不去美國而在國內的話，相信他們絕不會有今日之成就」！環境如此，而教育行政當局的措施，更在急功近利未切實際。所以，大家希望胡氏歸來，就是希望使海內外學術界，學術人士能打成一片，促使學術研究走向正途發展。

「能」？多勞！

台南事

·昌增勳·

最近台南市議會第三屆九次大會閉幕，別開生面的是市議員「砲轟」省議員，指責省議員有人在省議會提議「請准每一省議員免稅進口一輛小包車」，是爲有錢的省議員着想。又因省議員有人說：「漏稅是台南市人人都有的事」，更引起市議員的憤怒。

×××

市長葉廷珪在第一屆任內，由市府發墊公款台幣伍萬元，爲一元獻機運動，省府不予核銷；此次葉氏再度上任前（第三屆），私人經費償還該款。該款拖延將近五年，最近省府又核准由市府預備金項下開支。市議員指責市府主計人員，認爲支付該款，亦應通過議會。

×××

南市三輪車於總統壽辰日發動全體九百餘人，舉行義踏一天，以全日血汗換來的工資勞軍。總計得款新台幣一萬三千餘元。（十一月七日）

立法院擬冤獄賠償法

·獨清·

台灣通訊

最近立法院開始研擬冤獄賠償法草案了，這是一件值得報導的事。

我國三、四十年來冤獄之多，實無法統計，對人民權益之受損，甚及生命之無辜犧牲，而于政府卻無絲毫之損，實與近代民主政治的精神不符。年來冤獄賠償未列入法條，及冤獄屢屢出現，已有煩言。莫不以刑法之先行拘捕，再行審訊、判決，結果宣判無罪，倘須交保始得釋放，若無保可交，則延長拘禁時日，至爲不當。人權之損失，若毫無補償，則有權勢者可以藉此欺壓民百姓；法律之所謂保障人民權益，尚有何意義可言。故保障少數權勢者非法權益，並損害絕大多數人的合法權益，絕非民主法治下之法律。所以凡主張民主政治者，莫不認爲政府權力應降至最小限度，人民權益之擴大到最大限度；[illegible]冤獄忽視，此實爲政治民主之一大諷刺，無怪乎屢有煩言了。

本月七日立法院民刑商法委會舉行研擬冤獄賠償法草案座談會，並邀請院外法學人士參加。到有鄭華、陳顧遠、鄧公玄、趙琛、朱煥彪、李學燈、端木愷、徐傑、李琳彰、張且平、陳幾士諸氏，不過意見各有不同之點。關於名稱問題：認爲須加以考慮研究，如用刑事補償或使害人罪賠償法等名稱，較爲適當。其次的適用性質問題：認爲軍法案文（未經公佈）尚須加以修正或刪減，軍法司法應一併包括在內；亦有認爲軍法須予劃出者，也有認爲適用範圍，須包括拘提在內。最後，關於該案提出的時間問題：認爲在目前情勢提出本案，是否尚早，財源亦成問題。關於法律價值問題：認爲本案如即通過施行，當爲司法界一帖治癌良藥。可見冤獄賠償法案，尚在初步討論時期，至於上述各問題，名稱之決定的重要性較次，適用範圍甚爲重要，用否包括拘提等執法行爲可以說是該法案的關鍵，它是包含凡有公民權，人權者之保障及賠償意義在內的，軍法之劃出似未妥當，蓋軍人隸屬公民，雖服兵役（一公民義務之履行！）仍未消失其公民身份及公民權，如遇人權之侵害或冤獄，當有享受賠償之權利；至於認爲該案提出時間及財源問題，認爲過早者，殊不知該法案應與政治民主制同時產生。或謂戡亂時期或反共情勢，應予考慮，吾人以爲惟其在戡亂更應力行尊重人權之法案，才能發揮反共精神，又此項全部與人民有利的法案，人民當樂於負担其財源更不宜以財源爲理由。司法界的情形，週來已有未合職權之徵象，該項法案對司法界實給予新的刺激與鼓勵。

台灣點滴

·聞氏·

△高等法院民庭通譯劉永添，担任一件民事債務訴訟通譯時，包攬訴訟，收受當事人陳士珍五萬元，今由陳向台中地檢處指控詐欺，被傳訊收押，又是執法犯法之一例焉！

△高雄市婦女習藝所所長孫子芳，前爲該所學員公開徵婚，待將數百封信件及照片付諸學員選取時，學員却謂無此需要。嗣後又有菲律賓、越南等地華僑小姐，紛紛請求代辦徵婚之事，孫氏可謂「月老明星」了。

△因海關任意扣留書刊所引起之煩言，行政院特令教育部、省新聞處派員會同澈查，結果計僅積存萬餘冊，包括中外文八千餘冊，日文一千餘冊，被扣原因有五：一、違反海關規章；二、進口數超出申報數；三、逾期不辦報關手續；四、無人認領；五、利用書刊夾帶走私。似乎責任全在人民不關政府機構了；究竟還有沒有不遵法而被非法扣留的書刊呢？當然是在五因之外！

△旅法僑領劉金富最近爲[illegible]，招募女店員廿名赴巴黎工作，據報紙所刊，皆女大學生或女通譯，高中留學，公費留美均已停止的今天，自費留學又爲力所限，合同期限三年，在對於心慕出洋的此輩女子，可謂一個大好機會。

△「中國文藝界聯誼會」於本月五日宣告成立，不分新舊詩人，作家，畫家，計共五十餘人，舊派的計有于右任、賈景德、梁寒操、馬壽鈞、李漁叔、曾今可等；新派的計有陳紀瀅、李辰冬、王藍、覃子豪、魏希文等所組成。推出于右任、賈景德、張道藩爲名譽會長，梁寒操爲會長，陳紀瀅爲副會長，曾今可爲秘書長，魏希文爲總幹事。每月舉行聯誼會一次，要旨爲打破各立門戶，互相攻訐之文人積習，並計劃發行「中國文藝」月報乙種。

朱可夫的反黨罪狀

（上接第三版）

當能要朱可夫一人承担全部錯誤。（反觀聯軍在西綫開闢第二戰場後，英美高級指揮官屢有失誤，但並未構成日後羅織政治罪狀的內容。不僅此，從英國名史學家波爾韓脫（Chester Wilmot）所著的「歐洲爭奪戰」一書（紐先鍾譯，軍事譯粹社出版）之所見，從「諾曼第之戰」到步向「柏林之路」的諸戰役中，從艾森豪威爾、蒙哥馬利到前綫的各軍團指揮官，幾無人無錯失。但決勝的主要關鍵之一，卻在於最高統帥能尊重前綫指揮官的意見和他們有充分發揮指揮作戰才幹的可能，而絕不受任何政治性的干涉影響。）

因此，可以斷見，朱可夫這次之遭受最大的排擠，主要的還是克里姆林宮內政治權力鬥爭結果。當然，我們沒有任何理由相信朱可夫改革紅軍的最後目的是在叛國，或是叛黨，但他作爲一個享譽國際的職事專家，以一個職業軍人的身份，在他飽嚐了黨人干涉軍事的痛苦後要乘機在東山再起，掌握實際權力之時澈底改革紅軍，使職業軍人的職位和榮譽獲得應有的尊重的心理要求是可以理解的。客觀地說，朱可夫的思想和作爲，恰如其分的符合一個愛國軍人的身份，他的最高要求，也無非是想從此讓蘇聯的軍人由從屬於黨的奴隸地位，和政客們鬥爭工具的地位，一躍而取得獨立的地位。

朱可夫的謀算，畢竟敵不過根深蒂固的蘇聯共黨組織失敗了，但是我們相信，如果初時朱可夫不得人心，不獲紅軍中若干將領和他的基幹的擁護和支持，他的謀算根本便已胎死腹中，現在儘管是中途夭折，朱可夫也可能從此永不錄用，但我們能確信此案件所留下給蘇聯紅軍的影響是久遠的，黨與軍的矛盾鬥爭，也將繼續地發展下去。

自由人
THE FREEMAN
（第七〇〇期）
中華民國僑務委員會
領發登記證台教新字第一零二號
中華郵政台字第五〇〇號
執照登記爲第一類新聞紙類
（半週刊每星期三、六出版）
每份港幣壹毫
台北市售價台幣壹元
督印人：陳文蔚
地址：香港高士威道二十二號四樓
20 CAUSEWAY RD. 3RD. FL.
HONG KONG
TEL. 771726
承印者：東南印務出版社
地址：高士打道六十四號
台灣總經理處
台北市西寧南路壹零號二樓
電話：四七三四六
台郵撥儲金戶九二二五二
海外總經銷：友聯書報發行公司
香港：彌敦道中二十六號A二樓

由李楊成名說到中國哲學

・伍憲子・

讀者看到此題，或感驚奇，爲什麼不由李政道楊振甯兩博士說到西方科學，而偏要由李政道楊振甯兩博士說到中國哲學呢？我當然不敢誇說我有我的道理，但我不能自禁止我有我的感想。如此，我不妨說出來，向關心此事者請教。

一

李政道楊振甯之領得一九五七年的諾貝爾物理學獎金，金額爲美金四萬二千元，是兩人合作所獲得，其消息發表於斯德哥爾摩，傳遍於全世界，自十月三十一日起，至今半月，李楊之姓名已不脛而走，世界皆知。據聞李氏上海人，今年三十一歲，一九四六年赴美，入芝加哥大學，得博士，現任芝加哥物理學教授。楊氏安徽人，今年三十四歲，一九四五年赴美，初入芝加哥大學研究，後入普林斯頓研究院，現任該院教授。二人在國內時，原已相識，赴美後，舊雨重逢，故共同研究。今次獲獎，是對於物理學基本定律之一之對等律，將其推翻。關於推翻之理論，各報之報道尚未得其詳，我非物理學專家，亦不能細說其故。然據哥崙比亞大學及國家標準局之初步實驗，證明久已知其作旋轉運動之基本粒子，現在必須將其旋轉方向，作爲其內在特性之一，必將基本粒子分爲右旋轉性，和左旋轉性的兩類。這重要發現，就已打破核子物理學中的對等律。在過去三十多年來，被公認爲自然界的基本定律，今後得一個重要進展。物理學家對於原子內部活動的混亂情形，可以重行找出某種可以理解的秩序。此就是李楊兩博士十年來苦心研究所得之成績，今次所以獲得諾貝爾獎金之原因。

二

以兩個青年博士，有此驚人成績，尤其是中國人，科學比西方落後，今次不只是個人的光榮，實在是國家的光榮。無怪半月來，自台灣以至香港及海外華僑所辦之報，皆歡欣鼓舞，備極頌揚，此實爲中國科學振興之一個極大刺激，我當然不能例外。但我有一點信心，我覺得就科學言科學，固然離不開智慧，而智慧之啓發，必有賴於精深之哲學。我們中國人，感情太衝動，常其趨新也，則一瀉千里，有不能制止之勢。同時對於固有之優，並其優美者，亦棄之如遺。故情感與理性，不能協調，一若科學萬能，數千年文化無一足取。觀於新文化運動後，提出科學與民主口號，將賽先生與德先生請來中國，自空一切，掉臂獨行。並中國哲學之老祖宗孔子亦受欺凌，狂呼「打倒孔家店」。此就是感情太衝動，不能與理性協調之錯誤。所以經過三十餘年時間，科學與民主皆無所成就，孔家店亦未能打倒，然經此一陣狂風，已使人民之天性日瀉，無形中已替共產黨徒做開路先鋒，爲蘇俄鋪平道路入中國大陸。此禍闖得不小。我們今後總當明白，提倡科學應該，但同時不能丟棄我們數千年來固有優美哲學。李楊兩博士科學之成功，吾不知其對中國哲學之興趣如何。但聞李博士之母道其子，謂自幼即好學深思，孜孜不倦，除書卷外，似無所知，俗人笑爲書獃。似此情形，李博士之意念，斷不會「打倒孔家店」，此則極可尋味之事也。

三

即以物理哲學言之，愛恩斯坦之相對論，衡以大易之理，則兩儀之說也。兩個半規形合而成圓，兩個半規形，亦相對也。然相對之理太呆板，於是追源到太極，「易有太極，是生兩儀」，太極之奧妙，則原子放大爆炸力，得以保持團結之理也，亦即將基本粒子分爲右旋轉性和左旋轉性兩類之說也。故以事物之形言之，太極之形與兩儀之形不同。宋儒圖太極者，分爲黑白兩面，以象陰陽。然不作半規形之黑白，而作螺絲式之黑白，左方之黑，必向右旋轉，以入右方之白；右方之白，必向左旋轉，以入左方之黑。此稍通易理者皆能言之，此是表明陰陽之用，不能分離。判別而不分離，方能互相維繫，而團結之力始大。今李楊兩博士之推翻對等律，是否從大易太極悟出，不得而知，亦許兩博士未讀易經。然宇宙間之理，公理也，人人可自選，藉其智慧，自領略得之。西方人近來科學之發達，亦自有其憑藉，吾弃擇中國哲學，以自我陶醉。吾所憂懼者，國人自卑心理，數十年來已甘於墮落，一若中國學術，絕無可取也者。今日應自悟而振起之，蓋科學不能與哲學斷絕，而況中國哲學之精深，我們今後需要科學，應不能鄙棄哲學。不試社會科學如是，自然科學亦如是。

四

科學足以改善人民之生活，滿足人民之欲望。但同時亦可以增加人民之痛苦，助長人民之罪惡。即不然，亦容易虛耗有用之金錢，枉費寶貴之時光，精神浪用，成不急之務。故必須有高深之哲學，陶冶人民之德性，提高其人格，充實其智慧，而後科學方有益於人羣。今後世界正競爭原子武器。最近蘇俄人造衛星之放射，使美國朝野上下，精神爲之不寧，紛紛鬧會，討論研究。而且三軍互相咎責，不甘落後，急起直追。此無他，其眼光就只注於科學，而不知尚有高深之哲學，足以提振人心，比物質力量，效用更大者。循此途以競賽，其前途非常危險。一星期前，艾森豪總統向美國人民發表談話，仍斷斷誇獎美國之原子武器，無論質與量，均遠勝於蘇俄。此話當非說謊，我們亦相信美國能佔優勝。然既然如此，何以聞蘇俄之放射人造衛星，又爲之旁皇不安。此就是科學心理作祟，哲學之精神不足以鎮攝之。一隻太空狗之宣傳，即不免引起搖惑，以爲蘇俄倘可於最短時間，佔領月球，豈非庸人自擾。近英國有人民周報者，且懸五萬磅英金，獎給今後十年內，能到月球探險之人。此種舉動，吾無以名之，名之曰「科學狂」。此種科學狂，就是恐懼大戰之原因，亦是不斷擴張軍備，積存原子武器，製造世界大戰之原因。

五

我之爲此言，並非反對科學，我極期望科學之進步，一日千里。但無論如何進化，當有步驟。以宇宙之大，我們科學之幼稚，與其作不急之務，不如爲切近之謀。今人類災禍，亟待消除，福利亟待振興，正當運用科學。農田水旱如何弭，航行風霧如何消，冰山猝來，如何禦之，地震山崩，如何救之，電火爆焚，如何阻之，瘠地如何變膏腴，海洋如何變淡水，飛機遇險、如何安全下降，凡此皆人類目前之至需要。科學家之智慧，應先運用於此，而不當遠求之登陸月球。而且科學亦不能解救人禍，以美國原子武器生產之多，宜可以解決一切，然最近北大西洋機構軍事報告，指出蘇俄之威脅，不能藉原子彈之報復力量應付之。同時對英美之措施，表示不滿。此報告書主稿者，爲比利時代表傑爾達，與荷蘭代表卡爾十五梅雅，爲北大西洋十五盟邦之中，竟有此不協調現象，斷不能歸咎於科學力量之欠缺，應澈底一想，是否哲學智慧之不充分。是觀察世變時，苟能了解斯義，則我寫此文之說到中國哲學，似有相當理由。於中國哲學，似可得一結論，今後之科學世界，不團再挾西方之功利主義以運用之，應用中國哲學依仁蹈義之精當以支配之，否則大劫之來，同歸於盡，其受病仍在倨之蚩蚩也。

半週述評

西方盟國重建互信

蘇聯第二顆人造衛星放出后，對西方國家的刺激強烈，美國的民主黨，和英國的工黨，皆曾表示了積極的主張。使下月將在巴黎召開的北大西洋公約理事會的各國意見能更趨一致。美國共和黨政府，爲表現其闊大的襟懷，艾森豪已正式邀請民主黨領袖史蒂文生，出任外交政策顧問，以顯現出美國兩黨外交政策的優越性。而艾森豪更虛懷若谷的表示，在去巴黎之前，希望能和民主黨的衆領袖們舉行會議，作深入的廣泛討論。針對艾森豪所發表的「科學競賽」意見，史蒂文生除表示支持外，進而謂，此並非係對現時蘇聯明顯挑戰之有力答覆，認爲必需重建美國與吾人盟國間之互信心理。西方盟國間的互信，由於彼此長期的利益衝突，早呈動搖，現今「大難臨頭」，勢非共謀團結之道不可了。誠然，蘇聯科學上的成就足資警惕，而更可怕的還是盟國間的歧見！

人造衛星的最大作用

在共黨國家內，是否也有歧見呢？有的，不過從表面上看，卻是呈現「一團和氣」而已。

如果不是共產集團內部存在不可一致的歧見，相信蘇聯不會連續的放射人造衛星，以科學成就向西方示威的作用，遠在他向衛星國家作鎮攝的價值之下。

就這次莫斯科的「盛會」觀察，赫魯曉夫和毛澤東間的相互吹捧，也正足以反映出東歐衛星國對莫斯科的離心日甚，抬高毛澤東的地位，也正是爲了要充分利用毛澤東，讓毛澤東去東歐代爲安撫。

應請尼克遜訪東歐

因此，吾人認爲，站在領導自由世界立場上的美國，除了必要與蘇聯作科學競賽外，更重要還是在貫澈解放鐵幕後政策。與其在天空去擊落蘇聯的人造衛星，何如在人間擊破鐵幕，解放共產主義下的奴隸！

現在，艾森豪應該適時地放出他的懸星——尼克遜，公開向莫斯科要求讓尼克遜訪問蘇聯及其衛星國。

匪諜案與兇殺案

在台北，這些日子來，有二件值得注意的事，一件是新聞界裏出現了匪諜嫌疑案，一件是中央銀行公庫副理張昌年慘遭兇殺。

如果就公論報社長李萬居氏在十一月十四日該報的「敬向讀者致歉」一文言，承辦此案的機關，似應盡速將本案處理眞相據實公佈以昭告世人，以釋羣疑。不然，在自由中國竟有「實際也沒有人敢於執筆」寫社論的報紙，豈不是爲今世奇聞。至於站在同爲報人的立場，我們對李萬居氏的處境，深表同情，希望李氏能相信當局對本案的公正處理，因爲本案已經成爲舉世所矚目的案件了。豈容當局稍有疏忽。

至於張昌年被兇殺分屍一案，雖然經已破案，然年來兇殺案件屢屢發生，正足以說明社會問題之嚴重。不論是就法律的觀點或警政學的觀點，類此之兇殺案，皆表露法律之對人類行爲之拘束力，業已鬆弛，我們固不欲說今日的自由中國是「亂世」，（當然也不是亂世）但對此類案件之罪犯，不繩之以重典，究不足以平公憤，各級治安機關，似也不應以能「迅速破案」而沾沾自喜，倒是更應該多注意注意社會的陰暗面才是。

李金疇

中國學者與儒家精神

——民主時代的學者像貌

・陳斧・

顧名思義，學者是終身研究學問的人，其地位是知識界的領導者，所以他的「出處進退」「辭受取與」是時刻爲人所注視的。因而社會對他的要求有二：其一是關係他個人的風度；其二是後之來者的榜樣問題。後者暫且不談，茲祇就前者言之。作爲一個中國的學者，無論如何是不能超出儒家的精神傳統，似不因當今民主思想時代而改變。

就儒家的精神傳統而言，學者即使進而爲仕，明知其不可爲而爲之，正其誼不謀其利，明其道不計其功；當退而於隱野之際，「人到無求品自高」，則於道德文章方面，形成其知識界的領導地位；學者的可貴處即在於此。

但是，知識份子出常求變之始於何時，難於考察，那就是爲仕或退隱，總是處於待價而沽的狀態中。「孔子之識丈人，謂之「不仕無義」。孟子荀卿皆譏陳仲；一則以爲「無親戚君臣上下」，一則以爲「盜名不如盜貨」。而荀子復述太公誅華士事，由其「不臣天下，不友諸侯」。所以然者？若心力學，約處窮身，心求得誼，而後意像。故曰：「沽之哉，沽之哉！」「不「沽」」，則「吾道窮」矣。」（章太炎：諸子學略說）愈老則愈急於脫出「聖無法」的作風，做個踏腳石；等到名譽已高，年紀已大，「疾沒世而名不稱焉」，就非趕快賣身投靠不可了。一時作不到「經筵講官」，先「爲諸文臣講經史」也可，只要再進一步，便成。反正「曾子居武城，子夏居西河，還安受着貴族的蔭庇和綠養，反對貴族，生活上還是同樣的要依賴貴族的。此等行徑，自古而然；而無可奈何」。儘管他們學說上，知識份子每與政治權力糾夾之際，其現象尤足觀者，姑以「文起八代之衰」的大文豪韓愈看，他竟說「臣罪當誅，天王聖明。」不過爲斗米俸祿，竟視天王者皆聖明，眞也叫千古以來的知識份子，在其學說與政治衝突之際，精神上先打了個寒噤，人格上矮了三尺，令人扼腕長太息焉！

再看看聖明的天王待知識份子又是何等態度，有人敢言：正當「科學」爲「選妃」，「應辟」爲「游龍戲鳳」，「出仕」爲正式老婆，未經「出仕」爲姨太太，或收進房的丫頭；對於退隱的知識份子，被「賜宴」或「請吃飯」，在聖明的天王看來，你說是像什麼呢！所以，知識份子對於聖明的天王，猶之乎妻妾之爭寵鬥勝，作賣身投靠的進一步態度。儒家的道統，積漸而趨於蕩然，能不令後之來者寒心嗎？

從近代知識份子的爭寵活動現象看，別的姑且不說，魯迅之甘作中共收買的「左翼作家聯盟」寨主，兩點之間擺動的動物郭沫若；擬沾於「秧歌」政權，乃至於大大小小之賣身投靠的知識份子們，處處爲「唯物論」作證據。再從自由現實看，堂堂的「學者」爲邀寵而爭撰的事，還不是常見，而見者心照不宣嗎？

當然知識份子的「學者」並非一定需與政治爲敵對，然作爲政治附庸品，保鏢者之際，頂好以「幕僚長」「宣傳家」「發言人」身份而出世，至於「學者」權威，還是疊疊收起來爲是！因爲站在學術園地看，學說不是「學者」的私有財產，而是屬於整個人類的，也不好當着貢品，獻之於政治權力者個人。學術園地沒有權威，「學者」也沒有權威的特賦，若果身爲政治權力的附庸之時，仍然以「學者」自居，擺擺權威，實際上已被學術園地驅逐出境了哩！

中國文化百丕待振，百衰待啓，瞻矚來茲，惟知識界的領導人學者是依：而千百年來的儒家傳統精神，以及知識份子的節操，於今幾近蕩然不存在；故我們爲發揚與生發中國文化之殷切，不得不要求知識界的領導人，能夠有無畏的勇敢，作到「獨立蒼茫世所發」而鄙棄「待價而沽」的「奴顏卑膝」的那種榜樣，才是時代所需要的民主的學者，才能發揚儒家精神傳統的光輝！

謀財害命・分屍滅跡 央行公庫副理張昌年死得慘！

兇殺案不斷繼起反映社會問題嚴重

・鹿觀・

台灣通訊

中央銀行公庫部副理張昌年於本（十一）月一日失蹤，隨其同時失蹤者尚有央行庫存二萬元美鈔，這件神秘而複雜的案件，業經完全破獲，原係張之密友汪震爲謀財而殺害，並支解其屍體埋藏；不啻反映社會風氣之澆薄，筆者爰加以評述報導。

大辟之罪不容減刑

汪震案與黃效先殺人、並毀屍滅跡案頗多相似之處；黃案已經[illegible]汪震案繼之出現；黃效先爲謀財害命，汪震亦然；黃效先與楊七[illegible]，汪震與張昌年同鄉，六年同窗，十五年友誼；黃效先槍殺楊七榮並以汽油焚屍，汪震勒殺張昌年並支解其屍體爲四塊，埋藏地下。黃效先獲總統明令減刑，而汪震案又已震驚各階層人士，一致認爲司法當局應處以大辟，當然不希望再予減刑了。

死者張昌年，浙江奉化人，現任中央銀行業務局出納科副主任，與汪震爲同鄉，又是當[illegible]波商業職業學校六年同班同學，是時情同手足，無話不談；畢業後張入社會工作，汪入英士大學深造，但友情仍然保持；主犯汪震、賈麟書、金明時，從犯單嘉猷、戴如田、談森源均[illegible]，[illegible]於今天社會人心，俱不足重視，[illegible]無非爲兩萬[illegible]美鈔，此人心之險惡，實使人嘆歎不止。

黑吃黑預謀殺人

上月六日晚張昌年妻莊森濃於其衣服上搜出巨款美鈔二萬元，[illegible]萬元爲票面百元，餘爲五十元及十元票面，經妻詰問後，因[illegible]內，故謊稱此款係與汪震合作經商，以新台幣八十萬元作週轉，買賣黃金牟利，以美鈔爲抵押品，中間人可從中抽取巨額佣金；五日張昌年與汪震於小狀元樓吃飯，張昌年以二萬元美鈔，欲請汪代爲保管，汪以責任太大，未敢答應；十五日[illegible]汪震找到獄中結識的友人金明時及賈麟書商量和金商借設法，來取得此二萬元美鈔，並云張之巨款來路是黑道，大家黑吃黑，諒張也無可如何，決定先害死張再拿錢比較好，這次一步才會同賈麟書爲廿六日，擬定殺張的具體計劃。廿七日汪以月出六百元代價，租得台北市公館萬盛里一百二十五號房屋，佈置爲殺人現場。預謀殺人，已成定案，無人道心理，至此已經喪盡天良，完全緊乎二萬元美鈔。

張昌年貪財落圈套

汪震一棧惡毒對付

[illegible]下的圈套。汪震之用心如此可怖，實屬驚人。汪震的次一步是「殺鷄取卵」，故與金、賈決定，由他們分別冒稱上茶房及事務長，並告張昌年時將破內情；並告張昌年謂：正在洽偷渡走私的船隻，後又告張已接洽妥當，一日乃是促張前往接洽，亦即外傳張昌年失蹤之時；行兇前，決定由汪震導演一切，殺人、分屍、埋屍等實際工作，由金、賈二人分別執行。金、賈二人分別購置兇器，殺人用木棒，長[illegible]五公分，上月廿日買自羅斯福路王家瑞木器行，以六元定製；勒頸用棉繩，長十一尺，上月卅日購自萬盛里五金店；分屍用剝骨尖刀，上月底以卅五元購自延平北路徐長吉刀店；吸血用藥棉，軍八[illegible]得，在博愛路永華西藥房購得，現場及兇器均已齊備，就是靜待張昌年攜二萬元美鈔到來就死了。

購得巨宅藏埋屍體

一日上午汪震約張在美而廉吃點心，並約午五時在朝風咖啡館會面，汪囑張馬上即去[illegible]館接洽上船事，並囑其攜二萬元美鈔，再在朝風會面後，即同乘西路公共汽車（上述地點均很近），當時張將一萬二千元裝入口袋，八千元包在報紙內拿在手上，汪云免得「引人注目」，由他裝入袋中。抵達萬盛里一百二十五號房屋，金、賈偽稱爲船上茶房及事務長，寒暄與接談；不轉瞬間，賈麟書自廚房（隔壁即是會客室，張背對廚房壁）取出木棒，對張當頭一棒，並未倒下，連打數棒，仍然不倒，金明時即以棉繩與賈二人勒緊張頸，拖他倒地，再拖進廚房吊起來，由賈用剝骨尖刀進行分尸；然後金、賈二人將碎尸用布包好，放進廚房小浴室內儲藏。現代最殘酷的殺人行爲至此已告一段落，此僅是初步目標，最後目標是瓜分贓，所以在分尸前進行分贓，金明時在尸體內搜出一萬二千元美鈔（八千元仍在汪衣袋內），汪提出隨分一半（六千元），金、賈各得三千元，但金、賈以負責大而得錢少，表示不服，故汪乃予金、賈各得元鈔三千五百元，另三千元用作埋尸滅跡之用。

剩下的問題，是尸體的善後工作，殺張之次日，賈探得和平東路三段六二巷一七號住宅出售，當以三萬三千五百元用其十八歲女兒賈玲名字買下，當晚用一大木箱將張之碎屍裝運新宅於宅後掘一三公尺深的大洞，掩埋完畢，加舖水泥，殺人工作，始完全成功。其全部殺人過程，處理得如此乾淨俐落，足見此等人不太「平凡」，較之黃效先實高明多多，同時也令聞之者慄栗不已。

案中牽聯頗廣泛

二、三兩日張妻及央行先後向刑警總隊報案，該隊研究結果，認定汪震嫌疑重大，八日始在高雄縣小港鄉捕獲汪震，經數度提放，最後一次汪始供出疑犯，十二日上午於台北市奕園茶室緝獲賈麟書，至其和平東路新宅，聞得腥味始發掘死者尸體，十三日下午在舒蘭街雷鋼中少將家中捕獲金明時；從犯戴爲田與汪震爲鄰居，包庇汪之行蹤；台北市稅捐處科長單嘉猷爲汪之密友，遺一皮箱於單家，內藏美鈔一萬一千元，黃金二〇兩及其他零用品，單因該箱未曾交警方處理，有藏匿贓物，湮滅證據罪嫌；衡陽街珊瑚銀樓老闆談森源，汪[illegible]所得美鈔由其脫手，汪曾以美鈔二千元購黃金四大條，二條已成交；各從犯均被捕在案。據「聯新社」報導，贓物中尚有黃金八條，各重五兩，合共四十兩，刑總從汪震追出美鈔一萬一千〇廿一元，黃金廿兩，支票三張共新台幣七萬五千元，其中一張五萬五千元，兩張各一萬元；從賈麟書追出美鈔廿元，和平東路兇宅（買進時合三萬三千五百元）；從金明時追出美鈔二千八百六十元。珊瑚銀樓之二千元美鈔正在追查中。

此等人不顧同鄉，同學情誼，慘無人道，爲二萬元美鈔，蔑視人道，輕視生命，社會一致輿論，不管主從犯各人有何背景或原因，再不能減刑，否則謀殺之風，無可截矣！

四十六年十一月十五日夜於台北

日本政黨大鬥法

自民黨以循迴演說迎擊左翼政黨

岸信介決不考慮承認中共

日本臨時國會由於反對黨社會黨的要求而召開，純粹是社會黨對岸信介的一次考驗，因爲上屆國會時岸信介只是以代理人身份代理石橋答復質詢，所以在岸重新組閣後必得要在國會裏名正言順的表演一番；岸信介也毫不猶疑的就答應了。社會黨在全國遊說時是打着打倒岸內閣的旗子，大張其辭的攻擊執政黨——自民黨，其目的顯在奪取其政權；可是自民黨也在全國各地舉行循迴演講，岸信介與各縣市多方面接觸，隨時發表演說，獲得喝彩，頗能獲得日本國民的信心。

因此，這次臨時國會的舌戰可說針鋒相對，一箭一槍，最主要的課題就在日本國防與外交兩方面。社會黨在關於日本承認中共的問題上，這次索性正面要岸信介回答「是在甚麼時候承認」，而不是什麼「能不能承認」的問題了；而岸信介這次也和往常採用規避其詞的答法完全不同，以肯定的語句答稱「日本不能承認中共，除非中共在國際間取得了信譽，成爲國際組織一份子」。這足見岸信介於訪問東南亞各國及訪問美國以後對國際情勢已有了深一層的認識，也是現內閣對中共有了進一步的認識。目前岸首相又將作出國之行了，就實際情況言，日本經濟出路，才是最大的問題呢！（游十一月十五日寄）

日本再軍備與美軍撤退

觀游

「駐在日本的美軍五萬人可能將在明（一九五八）年六月底以前撤離日本」。這是華府傳出的消息。當然美軍的撤離，本乃是必要而正常的，然而從日本的國防力量尚未建立足以防禦[illegible]襲擊的時候，美軍之撤退，已成爲日本朝野注目的問題。

站在社會和經濟觀點，在那些美軍駐區及其鄰近的地區，祇[illegible]將有很多日本人會因美軍的撤離而失業，商店的營業收入必大減特減，房主將因房客的離去而無法再找尋可以出租的對象，還有那些被美軍雇用的人員更要大批的失業了，所以也有人說美軍的撤離對日本的一個打擊，此話雖也不是過甚其詞的。

在二次大戰後，美軍對日本的貢獻不少，儘管是極少數美軍個人品行與失德的行爲曾引起若干不愉快，但大抵上日美關係是正常的。所以日本與美駐軍之間的感情是存在着的，有些美軍調防到別處以後，甚至仍等待機會希望再被派到日本來，有些幾乎是以日本爲第二故鄉了。

美太平洋艦隊司令史敦普上將曾向日方當局提出他對撤軍的看法，詳情雖未經公開，但不難想像史氏一定是要日本增加自身的保衛，要日本積極建立，有足夠的軍事防衛力。尤其在蘇俄人造衛星的誇耀宣傳，中共擴軍到三百萬人和共黨的佔據北韓，在在刺激了日本的安全感，日本是非有足夠應付緊急事變的防衛力量不可。關於日本再軍備，在日本一般有兩種意見：一種是贊成的，一種則是反對再軍備的；事實下沒有任何一個國家可以不要國防的，於今在美軍將要撤離的前夕，日本人民應該澈底覺悟使其政府妥慎的周密的設計良善的防衛計劃得以實現，否則，環繞日本周遭的軍事情勢是隨時可以向日本伸展的。亞洲的形勢對日本並不有利，共產黨也決不會因爲日本不再武裝而延緩其赤化滲透，左翼政黨的領袖（除共產黨分子外）似乎也不能再閉着眼睛說了！

海外通訊

（曼谷通訊）泰國總理乃侯，於十一月十一日舉行記者招待會時，強調：「泰國不能到處向人家求援，亦不能自任何人的手中，接受援助。吾人與美國業經建立長久之友好關係，美國協助吾人之時，並未要求吾人有任何報答。」

乃侯接着又舉出幾個例子，他以隱含但又非常明顯的語調，影射埃及稱：「某國企圖從兩個國家手中取得建築水壩的援款。這一國家，先向一個國家進行接洽，問其出得起多少錢；然後又向另一個國家接洽，迫其中一同表示厭倦，另一國亦分文未給予求援者。」同時又稱：「甚至南斯拉夫的亦恐懼蘇聯的滲透，而放棄向蘇聯求取援助。」他並且強調：一個國家在和平時期，絕無中立之可言，凡在平時大喊中立者，都有政治作用。泰國決不肯從[illegible]隨他國，而係力謀本身的安全與幸福，一些政客要求泰國中立，又要求承認中共，更要求退出東南亞公約國。這種連串式的要求，使人一望即知其幕後策動人不在國內，而在國外呢！

泰國的隱憂

王樹民

暹羅的「延安」

泰國遵守這個立場，是非常明智的。泰國目前更應該注意的是國內的隱憂。

這裏所謂的「隱憂」，不完全是指泰國這次政變和政治經濟不穩定而言，而是指共黨無孔不入的滲透而言。例如：

（一）泰京曼谷，早就有一個呼作「暹羅的延安」的地區叫做「黃橋」。那裏便是中共和泰共聯合的機關報——「全民報」的所在地，泰國雖然沒有承認中共政權，並且曾一度宣佈封閉華文報館，可是對於這一家「全民報」，卻還未加干涉。中共看中了泰國政府這一弱點，便積極地做着宣傳和滲透的工作。他們組織了起卸工人，旅館侍役，甚至收買了一些舞女，經常供給他們所需要的情報。在「黃橋」一帶的中共和泰共黨人，是相當橫行無忌的。曾經有一家小商店的老板，偶然在店內拿着一份被視爲「反動」的報紙來看時，居然就有幾條大漢闖進去撕毀他手上的報紙，同時警告不要再看。

龐大的蘇聯使館

（二）這個「暹羅的延安」，泰共產人和這家報館以及那些中、泰共產人員，統統是歸蘇聯駐泰公使館全權指揮的。二次大戰後，泰國與中國早已建立了邦交；同時也跟蘇聯建立了邦交，互派使節。中國人替泰國建立了皇朝，和開拓了荒地，歷史之久，僑民之多，派一個大使駐在那裏，是萬分應該的。但是蘇聯的僑民，就只有不多不少的兩個，而公使館裏面的職員卻有二百五十餘名。而且泰國的駐蘇公使，早已經因費關係而撤回了，可是蘇聯駐泰國使館仍然維持着。其中原因，不難想見。

蘇聯與泰國，根本沒有密切的關係，尤其在商務上更絲毫無往來的。如果單遵敦睦邦交而設立使館的話，那末，使館的規模就用不着那麼龐大。由此不難看出所謂俄共的駐泰的公使館，根本就是個地下的指揮機關。

政黨如雨後春筍

（三）二次大戰後，泰國的新興政黨，有如雨後春筍，在泰國內政部正式登記的，計有：勞工黨、青年黨、唯國黨、東北黨、農民黨、社會主義黨、自由民主黨、海德行動黨……等二十五個黨。此外還有未登記的大大小小的黨派，尚不知有多少。

在二十幾個政黨中間，有大部份是左傾的。據接近乃沙立元帥的聯邦黨說：左傾的經濟人黨魁乃錢，自去年訪問中國大陸歸來後，即拉攏社會主義黨，自由民主黨、海德行動黨等，共組「社會主義聯盟」，對內主張實行社會主義，對外則標榜外交中立，但言論行動，處處露出親共反美的姿態。

加以去年自中國大陸返回泰國的乃比里舊部乃切，泰國當局不僅沒有根據防共條例，治以應得之罪，而且還允許他在國內組織所謂「大同黨」，自任黨魁，頭戴八角帽，身着列寧裝，招搖過市。至於乃切組黨的經濟來源，以及其作用何在？泰國政府也從未聞問。同時今年夏間乃比里的太太和他的兒子也先後返國，當時左傾報紙長篇累牘，盡是她爲中共宣傳的文字，而且乃比里的舊部更忙着奔走於她的門下，藉她的私邸，作秘密的集會，當局亦未採取有效措施，加以制止。這，在在都是泰國的隱憂！（十一月十四日）

上策乎？下策乎？

論艾克的科學競賽

曾旭軍

此次蘇聯發射兩人造衛星，使令到西方政治家爲之震驚失措，是何故呢？難道事前不知道蘇聯發展人造衛星麼？不是的，地球物理學年美蘇都有人造衛星計劃，而美國的『科學服務』什雜早已說明美蘇雙方要發到月球的企圖，甚至美陸軍部已有六個衛星封存在阿勒巴馬州的亨特斯維之儲藏庫。本來美蘇雙方在暗中猜忌的。意料不到的是蘇聯的搶先放射，和蘇聯的宣佈其第一人造衛星重一八四磅，第二衛星重一一二〇磅之多。換言之是：一、不甘讓蘇聯坐收宣傳之利益。二、是毫無保留的相信蘇聯所宣佈其人造衛星之情形。從其重量便推測蘇聯已造成洲際彈道飛彈。於是美旅反對黨更利用此事件作攻擊執政黨的資料，又因美國陸軍部與海軍部在人造衛星發展計劃，早已有權寶之爭。今因蘇聯的領先放射，更互相埋怨。

嚴重的惰性自滿

爾今最大的隱憂，是西方國家的世界觀仍未改變，仍以和平繁榮爲滿足，無視蘇聯世界革命的目的，流於嚴重的惰性自滿。蘇聯共產集團絕不能和平轉變，而與其他不受其奴役之國家共存。戰略源自政略，而在今天奴役與自由兩大陣營對峙中，政略則源自哲學。共產黨的基本宇宙觀，是自私的唯物與迷信的唯心交相選用，其終極目的非整個社會幸福，而是爲目的不擇手段，遂其一已，統治世界的野心。蘇聯未放射人造衛星之前，美國不計及蘇聯經濟獨裁壟據的力量，低估其奴役經濟力量。復以西方執政者看不透這種兩個世界基本宇宙觀之差異，妄信蘇聯的「和平共存」詭語，則戰略與政略必然着着落後，而成爲被動性的所謂「圍堵政策」與「嚇阻政策」。

今艾森豪威爾總統的『科學合作抗蘇競賽』的『競賽政策』，仍不脫過日軍備競賽的窠臼，恐怕依然將吃虧。

蘇欲藉衛星控制全球

美國如要破蘇聯的計謀，還談以設法援助鐵幕內緊束腰帶的人，反抗奴役爲上策。若只知不惜與蘇聯鬥國力作科學國防競賽，則僅屬中策。如裝腔作勢，但實際上謀與蘇聯妥協求勢力均衡以茍安，則爲養虎貽患之下策矣。

蘇聯的人造衛星現階段，仍純屬心理戰的宣傳攻勢。然而也不能否認它含有非常重大的軍事意義。我相信蘇聯實有欲藉控制太空以控制全球的野心，否則她不會冒着國家經濟之破產，招攬如此多的科學人材，和動用如此多的金錢，去發展征空利器。人類作宇宙旅行，並不如一般人所想像的遙遠。北美航空製造廠正製造一火箭推進飛船『X十五』號，在二十萬呎的上空，以每小時四千哩的速度前進。蘇聯科學家說：在三十年內決可旅行月球。艾森豪威爾總統說『控制太空之國家便可控制地球。』是眞實的理論。因爲未來的戰爭，不祇限於三度的立體戰爭，而是進而爲四度的『空間加上速度』的戰爭。能控制太空幾可不戰而屈人。

蘇聯的人造衛星，未收到宣傳效果，而反刺激西方的警覺，實克姆林宮中人所未預料的。艾森豪威爾總統的「科學合作對抗蘇聯」是正確的計策。但祇能說是有防患之策，而未能滅患。

上策爲解放東歐衛星國

在科學國防的競賽，非如理論上的簡單，勢必引起加重人民經濟負担。富強如美國，尙不免潛伏有許多難題。其他國家更感困難。若謂比賽可鬥垮蘇聯經濟，引起內變。但不如眞正實行解放鐵幕的計劃來得有力。亦爲萬全之計。

萬全之計爲何？即一方面團結鐵幕外的自由國家力量，一方面積極援助鐵幕內的人民，裏外合應，摧滅共匪奴役政權。

[illegible]

關于重建中山大學

我偶讀中大校歌，使我們發生一些感慨！紀念國父孫中山先生的中山大學，現在因中共竊據大陸，已經破壞無餘了。受過中大薰沐的青年，自然更感到萬分悲憤！

鄒海濱校長在他的回憶錄中曾說及創辦該校的經過。

他說，『總理對我說，現在廣東的教育不但瀕於破產，而且未能接受本黨主義，還是你出來担任改進吧，他立即任我爲國立廣東高等師範校長』。

鄒先生奉命做高師校長，就是將來辦中山大學的張本。他當時曾有詩記云：『藍縷篳路啓山林，寸寸山林盡化金，樹木樹人象樹穀，規模擬託百年心』。

在他的回憶錄中，寫着：

『十二年冬，總理召我往見說：你辦高等師範數月，成績很好。現在廣東教育，還沒有完整的計劃，我想把國立廣東高等師範，廣東法政大學，和廣東農業專門學校等三校，合併起來，組成國立廣東大學。總理立刻委我做籌備主任。

『總理命我創辦國立廣東大學，不僅是爲國家培植專門人才，更重要爲黨訓練革命人材，所以本校實負雙重使命，一是西南的最高學府，一是本黨革命人材的大本營。』

光看這幾句話，便知中山大學創辦的目的了。

鄒先生又在他的「國立中山大學新校舍記」上說，『中華民國十三年春，吾黨總理孫中山先生命魯創辦國立廣東大學，是年秋成立。總理以原有校舍散處市區，不適藏修，尤難發展，復命魯擇定石牌爲新校址。甫事經營，而總理薨逝，本校遂易今名，以資紀念』。猜是中山大學得名的由來，正是『黌舍縱橫入望中，十週剛屆慶竣工，從來締造非容易，合我低徊國父功』。

現在黃埔軍校已在台灣鳳山重張旗鼓，準備發揮當年北伐和抗戰的革命精神。惟有中山大學尙沒有復校的消息，難道人們已忘了國父文武並重，創辦廣東大學的原來理想了麼？

所以現在我們要在自由中國的重建中山大學，恢復中山大學，以紀念孫先生。我以爲這是自由中國大家，爲完成當年國父的教育理想，都該有這一份責任。

鄒先生在抗戰時期，因敵人蹂躪中大校舍，曾經很憤慨的說過：

『現在我們中大的石牌新校舍仍在敵寇蹂躪之下，回想當年建設的艱難，誠然有無限的悲愴！但是我們相信，我們如能本着國父的精神，努力奮鬥，非特國父所手創的學校不致毀壞，並且一定能擊潰敵人，復我失地，復興我們理想的中山大學』。

所以爲了反共抗俄，對于重建中山大學，我們也有這份責任的。

‧吳壽頤‧

加西亞蟬聯總統後

菲對外政策不變

‧文鑑‧

菲總統加西亞已當選聯任菲律賓獨立以來的第四屆總統，自由黨候選人馬卡巴格當選爲副總統，雖然，菲律賓從未有過分屬兩黨之正副總統，但是加西亞和馬卡巴格爾兩人，均直截表示要加强美菲關係。

記得今年三月十九日，當加西亞繼任總統，就職典禮演說中，曾向菲國人民保證：『今後決不改變麥格塞塞的對外政策。』所謂麥格塞塞的外交政策，便是盡量在自由世界反共國家間建立友好關係，對於堅決的反共國家，菲律賓所要求的，是軍事上和經濟上的密切合作；對于所謂中立國家，菲律賓也願促進其貿易聯繫；至於共產國家，菲律賓就不與它任何往來。

特別是菲律賓的對美外交，爲其整個外交關係上最主要的一部。由於美菲兩國間歷史上的扶持之下，由於一個新興國家所面臨的安全及經濟發展的需要，及其所受到的共產主義的外來與內在威脅，在在都是菲律賓與美國維持着一種兩個獨立國家之間所可能存在的最密切的關係。

[illegible]

鐵幕眞相

中共的「黨所員有制」

何雨文

[illegible]

國際動態拾零

陶然

[illegible]

自由談

去惰性！

馬五先生

日本首相岸信介最近所發「調解兩個中國爭端」的狂言，立即引起聯合國總部方面「甚感興趣」的臆測，可見岸氏的狂言係有所為而發，最少亦是揣摩到西方列強的心理，才敢於作此投機議論的。我們政府至今當伊唔介事，不見予以指斥抗議，何故？

鬥嘴固然於事未必有濟，但岸信介以在任的行政首長，並非普通政客，日本又與我忝為友邦，無論從任何方面設想，對於他這種失態欺友的言論，決不能默爾而息。忍辱負重的義理，在這樣的場合中絕對用不着，否則我們即無異默認「兩個中國」之說為無關宏旨了！

假設「兩個中國」的邪說一旦成為事實，結果我們將求如現時的偏安局面，亦必不可能。若說可以，那除非俯仰由人，不作復國之想，然人心沮喪，大勢可知。因此，我更慨歎「反攻無望論」之予人以口實，不啻為「兩個中國」之說作註疏也。

盱衡國際形勢，如其俄酋赫魯雪夫不發瘋，依然施展其冷戰策略，大局決不致有突變的情況發生，而日內瓦的美、毛勾當，亦就不會中止的。目前實為關係我們生存競爭前途的嚴重階段，非有新的作法不可了。軍事行動固不能不顧及客觀的環境，政治行動的全權是操之在我的，為甚麼不能表現一些團結人心的新猷呢？光是接待一些海外的觀光團，再敘一般僑領來開開會，宣言擁護祖國，這是陳年老酒式的「新猷」，搞多了只有發生反作用而已。要把蔣總統在今年雙十節所宣示的反共六項目標與三項保證，以及國民黨八全代會決議的政綱，擇其急切者見諸行動，才是堪以振奮人心的新猷。我們常常指摘英美對反共問題惰性十足，自己的惰性能讓它潛在嗎？

由章士釗想到吳稚老

◎西門◎

最近談了左舜生，馬五先生幾位最近指責章士釗的文章，吾有感焉。

我在這九年來，一直對於那一批北上的「和談代表」，個個都變成了打狗的肉包子「有去無回」，很想當時我們派「半個」忠臣之士去要沒有？倘若成了代表「叢擁團投降黨」，丟盡國民政府「不識人」的大醜。假使在代表團中于和談不成之日，能有殉國而死之士，至少，在面子上也過得去一點兒。

現在那個叢擁團投降黨中的一個章士釗，到香港後，連「居然吾鄉成豐沛」這種「民詩」都出來了。

因此，我想起民國十四年八月三十日北平的「國語週刊」第十二期，反章專號。吳稚暉先生為章士釗所發的訃聞：

> **友喪**
>
> 不友吳敬恆等罪孽深重，不自殞滅，禍延敝友學士大夫府君：府君生於前甲寅，病於後甲寅，無疾而終。不友等親視含殮，遵古心喪，䏻（非苦）塊昏迷，不便多說，哀此訃聞。

當年章在段祺瑞之下任教育部長，於民四十四年，又辦所謂「老虎報」的「甲寅週刊」，反對新文化運動及新文學運動，所以「訃文」有生於前甲寅，病於後甲寅之說，（指甲寅月刊與週刊）雖屬惡作劇之諷刺文章，亦可見吳氏之不欲與章某同立于「陽世」之意。

在吳先生去世前發病之日，我們談及章某之事，他說的「半死半生」，「行將死」之章，當時沒有觸死伊「兒皇帝的罪臣」，在座者大笑，吳先生卻言下猶有怒色。

假如稚老健在，今日看見了章某給張群勸降的這一首民詩，不知又有什麼潑辣的諷刺文章攻擊這位「歷事昭」仁兄了。「讀聖賢書，所學何事？」如章某者，誠可嘆也。

蒼竹樓隨筆

詩人白居易（772—846）（十）

我寫這篇短文，關於樂天的詩文，只參考了白氏三種編排不同的集子：（一）白氏長慶集，商務據宋本影印，前年由大陸文學古籍刊行社出版；（二）白香山集，商務萬有文庫本；（上兩種均包括詩文）（三）白香山詩集，中華四部備要本。

中華這種本子，是清康熙間經汪立名整理過的，把樂天全部的詩，都二千八百餘首，分作四十卷，計長慶集二十卷，後集十七卷，別集一卷，補遺上下各一卷。卷首附有陳振孫汪立名所編樂天的兩種年譜，及『舊唐書』樂天的本傳，都是讀樂天的詩所必須參考的。全書用做宋四號五號兩種字排印，很醒目，我全部圈點一過，發現的錯字不超出十個，校對可算不壞，我覺得這是今天研讀白詩一種可用的本子。

但商務的影宋本也確有長處，例如：『琵琶行』中的兩句：『間關鶯語花底滑，幽咽泉流冰下難，』前舉（二）（三）兩種本子及其他選本，大抵均作『幽咽泉流水下灘，』經陳寅恪先生引段玉裁之說，並參照樂天及元微之其他與這兩句有關聯的句子，乃確證『冰下難』不誤；因此下面緊接的兩句：『冰泉冷澀絃凝絕，凝絕不通聲暫歇，』『冰泉』兩字也決不能作『水泉』了。影宋本『冰下難』的『冰』字雖仍作『水，』但『難』字不誤，『冰泉』也不誤，這確是很難得的。

又如『新樂府』『折臂翁』一首，中有兩句，宋本作『臂折來來六十年，一肢雖廢一身全，』汪本，萬有文庫本，及其他選本，均作『此臂折來六十年，……』這大概是後人覺得『來來』連文不可通，因而把它改了。但陳寅恪先生在『全唐詩』中找出一首段成式『嘲高侍御』的詩，卻證明『來來』連文乃唐人常用語，對樂天這句詩並沒有改的必要。段成式這首詩是這樣的：

百媚城中一個人，紫羅垂手見精神；青琴仙子常教示，自小來來號阿師。

這也可看出宋本的好處。以上僅是隨便舉出這樣的例子，其實樂天全部的詩，在各種刊本中，字句小有不同的地方還不少；又豈僅樂天的詩如此，凡古人的著作，大抵可看出後人刪改的痕跡，改得好的自然也有，但無知妄改的也決不能免，古書之不容易讀，這也是原因之一。

樂天的詩，在他生時已經流傳很廣，可是經過輾轉傳抄，無意的訛誤與有意的刪改，自然都是有的；樂天由於對自己作品的責任感，在他去世以前，已經把他的全部詩文，分別寫定幾份，以一份交他的姪子龜郎，一份交外孫談閣童，又於東林，南禪，香山諸寺，各貯一份。朱竹垞說這是樂天的『好名』，我覺得太過苛責了。假定一個人對自己的著作且不負責，你還希望他能保存別人的著作或細細研讀別人的著作嗎？（完）

◎舜生◎

秋日陪叔儀先生登島上高峯賦呈並簡同遊邵鏡人王韶生楊容聽諸公

◎鍾應梅◎

其一

不作蓬萊客，天涯喜再逢。仙蹤來紫氣，[illegible]。三秋海上峯，卅年彈指過，此日興無窮！

注：余與伍公別二十七年矣

其二

舊侶王楊輩，同遊樂素心。天風鳴萬籟，雲影蕩層陰。趣共清言發，涼添海氣侵。河山真錦繡，懷土動高吟。

謝謝老人家的祝福

◎楚江秋◎

往往在宴會後、酒酣耳熱之餘，年高的長者會突然向我們端起杯子說：「來，為你們年青人的一代祝福。」

我們知道這句話是誠懇的。當他們抹着那一把銀白的長鬚時，我們只能乾了面前的酒作無言的感謝。

但，我們知道：這杯酒有點苦澀。而且，我們的心也有點蒼涼。

處在這個亂世時代，戰爭早已把我們年青人磨練得更老成練達了，老一輩的人往往喜歡從回憶中取一切，但我們年青人所面對的是冷冰冰的現實，這其間的距離，他們又能夠知道麼？

當然，我們會體會到老人家的意思，他們所指的：我們年青人有值得驕傲的青春，向前看，有輝煌的事業正待開展，向後看，累積的文化、歷史由我們這一代繼往開來。

這樣，年青人自然值得令人期望，我們身為年青人者，似乎也有着可以期望的理由了！

但實際情形是怎樣呢？我們會體會到：我們這一代的年青人有一半屬於過去，有一半屬於將來。

屬於過去的，青春已曾在戰爭、流亡中打滾，人生的信念和堅持的勇氣已被摧毀得有點消沉了，能夠保持着傳統的道德、觀念和現實作倔強的鬥爭的人，已被視為「落伍不化，」而且在「適者生存」的原則下，將是一個被時代所淘汰者。

顯然的，由農業社會過渡到工業社會，時代的本質經已不同，「真善美」的標準過去如此，現在不如此。於是，思想的衝突使這一代的年青人莫知所從，過去，明知是好的，但現實卻不是好的；現在，明知是不好的，但現實是好的。

向現實抗爭，需要極大的勇氣，然而最需要的還是「生活」。

向現實低頭吧，那麼投機取巧，角逐鑽營，你搶我的飯碗，我爭你的地盤，說不定大家來個「同歸於盡。」

這是矛盾，也是悲劇，然而最可悲的：「為了生活」，已是這一代年青人作自己最好的辯護了！

屬於將來的呢？年青人很幸運，一踏腳就踏進了工業文明的社會，對西方的文明，物質生活，有了無條件的羨慕與崇拜，農業社會過去傳統的那一套，沒有發生影響。

唸洋文，出洋，走洋人的路子，是年青人一認為創造輝煌人生唯一的出路。

於是，毛筆字是最落伍不過的東西了，四書五經，這勞什子唸它則甚！

在學校，課餘時「蓬拆」一番，算是「時髦」之舉，作為這些子弟的家長，對於「太保太妹」的名詞，已經不可能「觸目心驚」的了！

因此，我們這一代另一半的徘徊，有的邊緣，有一半勇於作工業社會的[illegible]，我們的文化，我們的歷史，就這樣[illegible]來吧，謝謝老者們，謝謝你們為我們年青人祝福！

馬來亞獨立頌

代作　◎王韶生◎

維西曆一九五七年八月卅一日，馬來聯邦宣告獨立，融和民族，混一車書，人民謀利，載在憲法，茲建國蘇丹殿端，受任主持中樞。國務總理兼外交部長東姑鴨都拉曼以次，若副總理兼國防部長阿都拉利，財政部長李孝式，內政兼司法部長蘇里曼，工程及郵電部長沙頓，交通部長阿都拉曼達立，教育部長左夏里，勞工及福利部長翁毓麟，衛生部長辛般達，工商部長陳修信，天然資源部長巴哈門等諸公，秉執國鈞，頒布新猷，是用馬來新國，回亞洲之王道樂土也。竊嘗論之，馬來民族，生息於半島，猶高廬民族活躍於洪爾西大平原也。中印民族及歐亞混血種，航海梯山，移殖於此，猶乘座五月花號往北美之移民也。當日者，篳路藍縷，以啓山林，其堅苦卓絕之精神，有足多者。迨西力東漸，歐人踵至，開發斯土，財富遞增，膠錫之利，遂擅天下，生活水準與文化水準誠提高矣，然殖民地位未改也。及第二次世界大戰結束，民主潮流，民族獨立，彷若洪流，勢不可遏；經當地首長與英倫政要，迭次協商，獨立實現。詩云：周雖舊邦，其命維新，寧其然乎！爰抒蕪詞以頌之曰：

鴻濛初闢，宅土茫茫，建侯[illegible]，各啓封疆。維此馬來，炎州樂土，含生之倫，爰居爰處。巫華各族，異流同源，歌斯息斯，生齒以繁。西力既漸，白人東來，與我巫華，共闢草萊。厚生利用，物產宏開，金錫膠漆，衍及八埏。衛生有獎，疫癘不作，泉甘土肥，水土非惡。乃興文教，普設學校，近代文明，是則是效。設邦分土，選民會議，作息有恆，何帝力哉。試問興廢，悠悠百年，大戰以還，況潮民權。聯邦自治，來布憲法，獨立權柄，如箭在弦。幾經折衝，憲法頒布，民主基礎，於焉是固。各邦首長，英倫會議，連翩文書，坦誠相見，周旋壇坫，奚用征戰。法國革命，骨嶽血淵，美洲獨立，烽火連綿，以此視彼，功同多矣。鴻業八月，金風送爽，成為新邦，協和萬邦，大赦元首，民榮且康，謹頌。

順手拈來

捕蠅紙

◎張健◎

一張紙片上，加着甜膠汁，它的作用卻相當於一位衛生警察。它不動聲息的躺着，等待那些攜帶毒素的敗類來自投羅網。

但捕蠅紙究竟不同於警察，因為它沒有機動性。好在他的對象也只是無知的一羣，因此經常斬獲累累，倒頗有些「無為而治」的意境。

「以靜制動」是它唯一的哲學。一個警察在執行職務時往往流盡血汗，費盡功夫，最後也許還不幸殉職；捕蠅紙則不然，可是在「舍己為人」這一點上，捕蠅紙實在毫不遜色，或者殆有過之。君不見：每一張捕蠅紙完成它的畢生任務後，便與那些敗類齊入焚火之中同歸於盡了麼？

夏天去了，捕蠅紙也都退隱了，它似乎深明「可以進則進，可以退則退」之理，比一般熱中的人們高明得多！

更正： 上期本版張宜叔詩，第一行「秋依」，為「秋夜」之誤植；詩第三首「旋灰」誤植「劫灰」，特此更正。

自由人

THE FREEMAN

（第七〇一期）

中華民國僑務委員會
頒發登記台教新字第一零二號
中華郵政台字第五〇〇號
執照登記爲第一類新聞紙類
（半週刊每星期三六出版）
每份港幣壹毫
台北市售價台幣壹元
督印人：陳文華
地址：香港高士威道二十二號四樓
20 CAUSEWAY RD. 3RD. FL.
HONG KONG
TEL. 771726
承印者：東南印務出版社
地址：高士打道六十四號
台灣總經理處
台北市西寧南路壹零壹號二樓
電話：四七三四六
台郵撥儲金戶九二五二
海外總經銷：友聯書報發行公司
香港：德輔道中二十六號A二樓

東歐醞釀聯邦運動

——有關蘇聯「四十週年」後鐵幕國家聯結動向的歷史分析

宋文明

近來在國際間有一個越來越明顯的跡象，便是蘇聯和它的東歐鄰邦還在推動一個東歐共產主義聯邦運動。過去數年，波蘭、捷克和東德三國的議會代表，曾就合作問題舉行過幾次會議。狄托屢次訪問蘇聯，也已接觸過東歐的各國全面合作的問題。本年八月二日赫魯曉夫與狄托在羅馬尼亞會晤，據聞對這一課題曾有鄭重討論。

本年九月十日，波共第一書記戈慕卡偕波總理錫克維茲訪問南國，是東歐北部集團領袖國與南部巴爾幹集團領袖間的一次重要聚會。本年九月十四日，羅馬尼亞總理斯托加奕致函保、南、阿、希、土各國總理，要求共同召開一次巴爾幹高階層會議，商討加強友好關係，並簽訂互不侵犯條約。對這一建議保、阿兩國立表接受，狄托也表示有益。事實上據後來跡象證明，羅馬尼亞這一大胆外交行動，不但事先已獲得狄托的完全贊同，而且還出於狄托與赫魯曉夫的共同決定。因此對羅馬尼亞這一舉動，可視爲蘇聯與其巴爾幹隣國的一項有計劃的行動與安排來看。

（一）

赫魯曉夫和羅馬尼亞總理斯托加都很清楚：今日要想土耳其與希臘兩國與它們簽訂一項互不侵犯條約，是不可能的。那麼它們何以故作這一姿態？其眞正用意顯然是希望藉此積極促集一個非共產主義的巴爾幹聯邦。由於這一聯邦的成立必構成對土希兩國及其他南歐國家的威脅，會引起自由世界特別是土希二者的嚴重反對，所以便先來一個要求締結互不侵犯條約的建議。這就無異告訴土希兩國說：「我們已邀請過你們了，不願意的是你們，還怪我們什麼」？

巴爾幹聯邦原是巴爾幹各國各民族的一個共同的古老願望。尤其對巴爾幹各地共產黨人，這是它們奮鬥的最重要目標。第二次大戰結束，巴爾幹各地共產黨人都興高彩烈，以爲它們的聯邦理想就要實現了，甚謝很成熟的共產黨人如當時保加利亞的季米特洛夫和狄托之類，也都不諱言這一想法。可是史達林深恐一個聯合的巴爾幹將會對蘇聯對抗，終使希望幻滅。隨着來的是：史達林對東歐各地共黨凡具有少許民族殘餘思想者的徹底整肅，並建立一個東歐共黨情報局，來實行東歐各國互相監視；最後我們便看到狄托與史達林公然鬧翻了。

史達林死後，赫魯曉夫和布加寗對狄托的道歉，就包括對這問題在內。現在蘇聯已允許狄托自行其是，允許東歐各國自走其社會主義的道路，當然也允許狄托和東歐其他國家自行決定其相互間的關係。一個「異端的」狄托並未脫離共黨的基本道路，一個聯合後的巴爾幹，亦不會脫離這一基本道路。狄托經過一度反抗並未成爲蘇聯的威脅，聯合後的巴爾幹當亦如此。所以赫魯曉夫很以爲：使狄托領導一個巴爾幹聯邦，提高他對蘇聯的平等感覺，不但不會造成巴爾幹對蘇聯的疏遠，反而可以大大增加狄托對莫斯科的効忠和聯繫。

按照上述事實，狄托在南部搞聯邦運動，而戈慕卡在北部亦同樣搞。波、捷、東德間幾次國會代表聯合會議的詳盡情形，我們無法知道；可是根據零星報導，它們曾討論過有關廢除關稅、護照，及加強文化經濟聯繫一類問題。換言之，它們實際早已向聯邦途徑進行多時了。等到巴爾幹聯邦初型成功，這一北部的小聯邦也出現了，然後再在這兩個聯邦之間，逐步進行合作，最後便結合成一個東歐共產主義大聯邦。本年九月戈慕卡一行的訪問狄托，以及本年十月十五日南國的正式宣布承認東德，便爲這一未來的結合奠下第一塊基石。

（二）

不過促進這運動加緊進行的一個最大內素，既不是共黨趨向於自行結合的傳統想法，亦非由於蘇聯改變了對狄托的態度，而是產生於近年來在東歐所發生的一連串的殘酷的現實。這就是說，蘇聯現在所以願意眼見一個東歐大聯邦的出現，是由於接受了柏林暴動，波次南暴動，波蘭事件，和匈牙利革命的教訓的結果。

東歐這些事件的接連發生，使蘇聯察覺過去東歐政策的錯誤。過去蘇聯以「大國沙文主義」的態度，輕視和虐待這些小國，一面又用國際社會主義的藉口，對它們實行經濟上的不等價交換。可以說過去十年蘇聯對東歐各國的政策，是史達林國內民族政策的擴大和翻版。史達林的一生努力大半集中在蘇聯國內和黨內的鬥爭，根本沒有治理一個共產國際社會的經驗，所以當戰後局面一開，他竟然完全忘了這些國家的民族傳統。在沒有反抗機會以前，這些國家忍氣吞聲，爲史達林歌功頌德；但機會一到，它們即奮起要把這種賣弄「先進經驗」和大擺「老大哥」姿態的蘇聯勢力設法趕走。所以說史達林是一個「一國社會主義」的能手，是「多國社會主義」的笨蛋。

現在史達林的繼承者，由於親身嘗到血的教訓，正積極修正這一政策。它們知道：東歐各國終有一天要完全脫離蘇聯的節制，終有一天蘇聯的軍隊必須要從這些國家完全退出，到那時，假若東歐再發生匈牙利一類的事件，問題就嚴重極了。同時它們也知道：東歐國家中有的雖發生過問題，有的卻統治得很穩，假若今後仍讓東歐各國各自爲政，其中有些就難免不再發生變故，假若讓這些國家聯合一起，那就可以互相牽制中把局面穩定下去。於是它們便認眞想到東歐聯邦的這一作法。這作法實際就是要把東歐這些動蕩的石子設法裝在一個籃子裏，免得它們再個別滑出去。沒有這一聯邦，未來東歐各國一如流星羣，會隨時隨刻脫離東歐；有了這一聯邦，東歐各國便成了一個新的太陽系，可以維持互相的吸引與平衡，防止第二個匈牙利革命的發生。因此可以說，這一東歐聯邦的想法，是現實環境所逼出來的，不得不如此的，並不是共產黨人理想主義的產物。

（三）

西歐有北大西洋公約，東歐有華沙公約；西歐有歐洲協會，東歐也有各國議會代表會；西歐有支付同盟和共同市場計劃，東歐也早有這一類似的計劃；現在西歐正推行聯邦運動了，東歐也有了這類運動了。看情形，東歐聯邦運動很可能要走在西歐聯邦運動的前面，如是這一聯邦運動的對整個世界局勢特別是歐洲局勢要產生一種重大的影響。其主要者：

一、這一聯邦將鞏固蘇聯的東歐盤據，以截擊自由世界的和平解放政策。

二、這一聯邦將加強蘇聯的外交談判地位，以抵銷西德重振及西國經濟復興所造成的優勢。

三、這一聯邦運動將對西歐帶來一種政治上及心理上的壓力，擴大西歐的中立主義氣氛及東西歐互不侵犯的要求。

制服這一東歐聯邦運動的唯一對策，便是在美國積極領導下，先行造成西歐聯邦及加強整個北大西洋社會的共同合作。

東西集團的新形勢

本月初，各共產國家及各國共黨代表，乘慶祝蘇俄革命四十周年紀念的機會，羣集莫斯科，舉行歷時頗長的共產國際會議，公報雖尚未發表。但東德共黨首領布里奇廿日的演說，已透露其內容一斑。他說：「各國共黨及工人黨代表在國際工人運動中心開會，已重行加強彼此間兄弟般的團結，此事實具有重大歷史意義」。繼莫斯科會議之後，歐亞共黨首領現又在捷京舉行爲期五日的會議，討論中心爲「十月革命對工人運動及各國發展的影響」。

凡此足以說明，世界共產黨正努力從事加強其內部的團結，以期成立新的國際組織，貫澈世界革命的計劃。

西方國家下個月的巴黎巨頭會議，亦將以英美兩國爲首，重振北大西洋公約組織的聲威。使西方盟國結成整體，以互賴的觀點爲基礎，犧牲其一部份的主權權利，成立「公約聯軍」，從事核子武器競賽，建立歐洲導向飛彈基地。

兩三年來的原子僵局形勢，從此又進入一個新局面，在新局面是雙方更加緊其內部的團結，以從事軍備，政治，經濟，文化與外交的競賽，而更以軍備的競賽爲中心。這競賽爲冷戰方式，然而對立更爲尖銳，破裂的危險更是愈來愈大的。

印尼華僑的處境

印尼總統蘇加諾自提出所謂「指導民主」的方案後，兩年來始終不能解決內部的紛亂不安局勢。現在突然對於多年未能解決的問題，表示不惜訴諸武力，發動大規模的排荷運動，這顯然是欲借對外以解決對內問題的冒險舉動。這一問題和喀什米爾問題一樣，都是國際問題之一，吾人自無作左右袒之意，但應處的，是我們有三百多萬華僑散處印尼，池魚之殃過去幾經飽嘗，排荷之不免連帶排華，現在萬隆華僑已有人受到口頭恐嚇。僑領之有遠見的，都感到僑胞處境，如坐火山頂上。此對我外交與僑務當局所急應注意，預爲對策，慎重應付的問題。須知新從殖民地解放未久的國家，積暴之氣，充滿朝野，往往是無理可講的。於此，我們更不得不籲請印尼僑胞，謹選自持，消慮自守，凡事謹慎，甚至有時要有逆來順受的精神，方能[illegible]。

岸信介此行如何

日首相岸信介於本月八日離日，率領隨員十二人，作第二次的東南亞訪問，爲期三周。此次訪問的國家爲南越，寮國，柬埔寨，高棉，馬來聯邦，印尼，澳洲，紐西蘭，菲律賓等國。岸氏前次的訪問所得結果如何？此次訪問能否比上次更好？若干方面，此次所訪問地區，多少與日本尚存芥蒂，多爲第二次大戰受日本荼毒最甚的國家，此在心理上實增加岸氏建立「東南亞開發基金」計劃，期以日本的技術與美國的資本，配合運用，以提高日本在東南亞經濟的地位。此次岸氏已不再強調此一計劃，其原因當出於美國之並不熱心。然除此之外，岸氏在此次訪問之前，議表言論，意謂日本是東南亞各國之首要，以調停兩個中國，[illegible]一千多萬華僑所不顧，故吾人預料岸氏此行，其所能得之結果，決不會比上次爲更多。

・陳克文・

大陸知識份子成敗論

・劉實・

自中共內部的頑固份子以阿Q式的衛道神情向大陸上進步的智識份子反擊，展開「反右派」運動後，跟着所謂「右派份子」黑名單的發表，一幕鳴放活劇，到現在已演近打烊，也可能就此將不鳴金而收兵了。

現在試來總結這一仗，我以爲：就表面看，知識份子是不勝亦不敗；就內涵講，共產黨是全軍盡墨。這可分別說明如后。

一、何以說知識份子是勝敗參半呢？我們看到：在這次戰役之中，教授和學生，記者和編輯，作家和藝人……都是以死且不怕的精神，把自己的心聲——要民主、要自由、要麵包，要人道的呼聲，震徹整個中國大陸，且傳遍世界，這顯已造成了一種勝利的形勢。其所以不曾收到澈底的勝利成果，固然是由於中共擁有着正規軍，保安警察、政治特務，以及無數的牢獄和勞動集中營等之圍堵與鎮壓；而主要的乃因他們甘冒危險所進行攻擊的東西，只是共產主義及共產制度下所產生的若干罪惡和缺點，以及若干共幹所犯的罪行或過失，而且是片片段段的攻擊或批判，却未能有系統的提出新的政治哲學和路綫，對馬克思主義的自身及其實踐性的理論和路綫作摧毀性的批判與否定。

及中共發覺有反攻的必要，即公式地確定着：誰反對社會主義，誰反對共產黨的領導，誰就是阻止中國社會的發展，誰就是妨碍中國歷史的前進，很邏輯地誰就是反動的右派份子。因此，大陸知識份子不能在這一方面有所準備，於無可奈何的情勢下，不得不採取認錯賠罪的戰略，暫時撤退以自全。

但是中共所加於知識份子的懲罰上，却亦曾表露其極大的遲疑和顧忌，到現在爲止，只是給扣上「反黨反社會主義的右派份子」的帽子，勒令認錯悔過而已。而且一些與倡導鳴放有關而曾是被指爲右派份子之著名人物，於僞政務院改組之後，還曾赫然保留大名。這只是說明中共在了解到不可能把中國知識份子趕盡殺絕，同時也是爲了要自救，不能操之過火。

二、何以說中共全軍盡墨呢？被勝利衝昏了頭腦的中共黨人，一向就犯着嚴重的自大狂。在這次戰役之前，他們幾乎每個人都相信着，他們是懂得馬列主義的聖徒，都頭上閃耀着進步的光圈，而沉迷於天下沒有不是的共產黨，而絕不相信在他們背後還有堪與他們相對抗的人。

但自經過這次戰役，一與被其統治的廣大人民短兵相接，竟都遍體鱗傷，並且成了被革命的對象。這也很邏輯的使共產黨人認爲可以永遠騎在人民頭上的甜夢，已被人民「要共產黨滾下台」的呐喊，呵成縹緲的縷烟了。

這也就是說，七八年來，隨中共宣傳而流行於大陸上的一種政治迷信——中國共產黨乃中國歷史上空前了亦絕後了的前進勢力，唯他們能夠，也應該統治中國的政治迷信，遭遇到了中國人民的疑問和詰責，而已瀕于破滅。

隨着這類政治迷信的破滅，中共在中國實行一黨專政之不容置疑，亦其神聖不可犯的政治的亦倫理的基礎，亦與之相隨地開始不穩，開始動搖了。

或者有人會說，倘使爲中共設想，假如毛澤東要不促進鳴放運動豈不甚善？不，不，因爲現在中國大陸的情況，促動鳴放教人民透怨毒之氣，正是毛澤東的高明處，乃中共的錯誤，不在他促起鳴放，而在他無法控制鳴放。假如他眞能利用鳴放給人民一些自由，在國內國外必將會發生催眠作用，可能會成爲人們對中共再認識的重要轉捩點。大抵中共因爲本身的癥疤太多了，一經人民揭發，就忍耐不過似的，嚷起來：收呀，收呀，而諱疾忌醫，甯抱癰自戕。

我們從這裏也可悟出一些道理來：狐狸只能作祟，決不能變成光天化日之下的美麗女郎，牠也祇好在那又黑又濕的陰溝裏悄悄冥行，決不敢站出明光大道之上昂首闊步，與人競走。由於鳴放活劇的如此收場，而知勢所必至，理有固然的中共要背負着不可剋治而亦不願剋治的痼疾走進墳墓。

這自然也在昭告着中國大陸人民：要民主，要自由，要麵包，要人道，不可能向中共乞求，祇有走向推翻暴政這一條路。

「東風」眞的壓倒「西風」麼？

蘇聯目前尚不能製出有效的洲際彈道飛彈 放出人造衞星並不足以證明蘇聯科學領前

●曾旭東●

蘇聯發射了兩人造衞星，自詡科學戰勝美國，乃「社會主義制度之優越性」。其奴才隨即謂：「東風壓倒西風」。其實放射衞星，不一定足以證明蘇聯的科學領前，更不足以證明蘇聯已有洲際彈道飛彈。產生有效的洲際彈道飛彈，不知難於發射人造衞星若干倍！

茲就（一）生產、（二）火箭推力、（三）重量、（四）導向方法、（五）復返地球五方面，略述蘇聯飛彈競賽實況如下：

（一）生產

飛彈之製造，甚為複雜，有其一連串的活塞湊合藥料，再闖製道管計算儀、彈簧、推桿、電錢等，其中稍有不妥，便牽連導致整個失敗。美國的試驗都是公開的，失敗也是免不了的。事後也公開宣佈。如活洪之源，開門擊[illegible]不妥，均坦白言明。但蘇聯落不宣佈，無人能知其失敗了幾次？九月上旬，莫斯科廣播電台發出簡單的報告說：『一個超級長距程多階段的洲際彈道飛彈，已被射出，此次所獲結果，表示可以發射飛彈至世界任何一部份』。寥寥洞洞幾句話。迄今沒有絲毫的證據。

美國洲際彈道飛彈「擎天神式」的機件，和「雷坦神式」的機件，已開始製造，其失敗與修正，瞭如指掌，在兩三年內，可大量出產，此兩種之洲際彈道飛彈，屆時必遠超過蘇聯。縱然蘇聯用強迫勞工手段，及降低人民生活的方法，也無法趕上，是可斷言的。

（二）火箭的推進

火箭推進，均利用噴射反推的原理。一磅燃料的推動力，視乎其燃料產生的氣體速度而定。換言之，燃料「燃燒」如何迅速，及需要若干的熱力，噴射的氣體分子愈輕，發生噴氣速度愈快，則推進力愈大。美國洲際彈道飛彈計劃用的燃料，是液體，比噴射機的燃料動力大。據估計洲際彈道飛彈的發動機產生卅萬磅的推動力，有效百萬匹馬力，蘇聯說他們的第二個人造衞星的推動力，為一百萬磅，比上述的大三倍餘。科學家發生疑問：（一）當蘇聯科學家是否改良其燃燒氣劑，使發生高壓力或（二）用更富能力的燃料。

現在知道富能力的燃料，是硼、氫、鋰及其他金屬混合的燃料。最近知能力更大的燃料，是化學上所謂「自由根」的元素——從分子或原子碎裂出的小片。更大及更速的火箭用核子能。美國雙方在都討論利用核子能，在飛彈推動，輕的氣體用反應器燃料。據權威界人士斷定：蘇聯尚未有核子能推動火箭。假如蘇聯所說他們的第二個人造衞星重一千一百二十磅是真的，他們可能有新的燃料，但這不是神秘莫測的東西。美國是可以製得出的。

（三）重量

蘇聯自稱：其第一人造衞星重量一八四磅，第二個重一一二〇磅，都沒有證據。姑妄聽之。但在飛彈前部是否[illegible]核子[illegible]，無法解答的問題，是彈頭之重量如何？這也許是今日世界上的軍事秘密。在空中的氫彈爆發之方法是核子「分裂」——綜合——分裂——的方式。有一層鈾作外衣（鈾比鉛更重），此種彈頭如火車頭一樣的重。怎樣調配火箭[illegible]？也許[illegible]代替核子武器是輕的？[illegible]洲際彈道飛[illegible]是彈頭核子的彈頭，[illegible]解決。[illegible]蘇聯第二衞星重一一二〇磅[illegible]的一一二〇磅[illegible]家縱然發射一個[illegible]的衞星，未必能用同樣的火箭，去發射一個核子彈頭。

（四）導向方法

美國洲際彈道飛彈「擎天神式」的長一百呎，重一百噸，我們不知蘇聯的火箭如何大。

[illegible]向星球發射的導向方法，名「天體導向」[illegible]，洲際彈道飛彈[illegible]需精密的機械[illegible]測[illegible]成問題。[illegible]八千哩[illegible]的距離[illegible]錯誤[illegible]。但人造衞星[illegible]射到[illegible]高度，第二節[illegible]其後到[illegible]後，火箭傾側[illegible]最後一節火箭[illegible]每小時一萬八千哩的速度[illegible]度飛去[illegible]不過[illegible]地球[illegible]星之[illegible]而已。[illegible]國既能發射火箭到[illegible]千哩之高，如正確角度，便成為繞地球人造衞星了。

（五）復返地球

[illegible]了空氣極少的高度，才開始以太速度環繞地球[illegible]蘇聯尚不能製出有效的洲際彈道飛彈。迄[illegible]

在發射人造衞星[illegible]衞星與飛彈之難易，不可同日而語了。蘇聯科學家，祇是[illegible]

今語者仍然維持這句話「東風壓倒西風」，但是存心欺人。

悼伍瑞錯先生

●唐富言●

伍瑞錯這個名，在廣東教育界服務過的人，想必不會十分陌生。至於越南的華僑教育界，相信也有不少人是熟識的。

筆者認識他，遠在民國十七，八年春季。那時候，他還在中大唸書，同時又在廣州市立中學擔任一班初中一年級國文。當時他給我的印象，是勤學，好動，不喜歡隨便發表議論的一個同事。

自從他在中大畢業後，便離開了廣州，而且逐漸地顯露他研究教育行政的才幹，被省教育當局連續委任為省立中學或師範學校校長。民國廿四年，筆者受廣東教育廳委派[illegible]講習會[illegible]，講師[illegible]師範學校校長[illegible]王校長[illegible]見面時只詢[illegible]講習會亦即舉行結業禮，三日後彼即返入[illegible]竹的工作者，不像一般[illegible]

[illegible]不遺餘力之舉。

抗戰中[illegible]廣州淪陷，筆者於民國廿八年春來越。至民卅八年秋，[illegible]

[illegible]他的年歲家屬以及師友[illegible]

[illegible]脈流血過多而死。嗚呼慘哉！

[illegible]少死，死於自殺，自殺據說是弱者的行為。究竟瑞錯是不是弱者，我想會懸自殺？大概一個隻身居留異地的人，都不會說他是弱者。那末不免要嘗到物質的和精神的種種不幸因氣候不適而生病，尤其是不生的病如瑞錯所患症候，既[illegible]看護；又要人服侍，有錢還可以住，可是這些不窮不致於的人有這種福氣！瑞錯既無此福份，易治的病症，病愈久則愈窮，愈[illegible]深，求生不可能，就不得不設法此瑞錯之所以一而再再而三的自死也。總之自大陸被匪共竊據後[illegible]萬的文教工作者，不少隻身飄流[illegible]其中與瑞錯同一命運的人，恐也[illegible]。是則瑞錯之死，乃貧病交迫中[illegible]。嗚呼瑞錯！你的身軀可被迫而[illegible]的教育工作的成果，是不會隨着[illegible]亡而喪失的。你還是瞑目地去吧

（十一，八，于越南）

馬來亞立場堅定

除共黨爭與國

爭取與華人合作

在馬來亞獨立之前，從巫人角估[illegible]劃分了「巫人政治」[illegible]兩大不同壁壘。這[illegible]獨立狂歡的夜晚，[illegible]時候，顯然[illegible]迪卡萬歲」，同時[illegible]自世界各地人士一[illegible]露；一方面對不公[illegible]出不同時表示失望[illegible]雖無論戡亂，建設[illegible]作；面對這一現實[illegible]五年，但是不能因[illegible]的東姑阿都拉曼，[illegible]。於是，祇有以友好合作。

觀念的改變

[illegible]也並不因回教為[illegible]的基本人權。[illegible]一千零九十四個社[illegible]教公民權大會上五[illegible]歸政策，已不再堅[illegible]要成見。

堅定的內外政策

馬來亞的內政外交[illegible]依然循何種路線？[illegible]立前後，阿都拉曼一直強調：堅持中立。人們也以為獨立後，可能走上尼赫魯的路子，或者像泰國那樣的形式。但在現實考驗下，揣測顯然不對，馬來亞正走上一條全面反共道路。政府內外官員，在這一方面的表現，言論和行動都能一致。例如馬來亞出席聯大代表，在第一次參加投票中，反對中共加入聯合國；和不支持印尼討論西伊里安的議案。雖然事後招致若干顯。對內反共，對外標榜中立，實際偏左國家及共產集團的攻擊，但是它那自主獨立的外交精神，卻已贏得國人喝彩，及聯合國多數會員國讚揚。對內說來，九年來的剿共，聯合邦和英國都曾提供了龐大的金錢與人力，有一個時期——一九五一至五二年間，每天用於剿匪經費多達五十萬元。現在白區擴大，森林匪徒的活動地區也已大大縮小，過去的努力，並非完全沒有成就；相信繼續努力，緊急狀態必能如期結束。

禁止中共貨物輸入販賣

馬來人都很明白：馬共迄今仍未剷除，絕不是馬來亞官民反共戡亂不力，而係中共策劃製造變亂的結果。在這一原則下，馬來人採購來自大陸的貨物，不啻接濟了馬共來殺戮自己。為此，馬來亞國防部前日頒佈一項緊急法令，不准大陸上的中共貨物繼續輸入，同時禁止中共貨物自法令到達日起，不准任何商人在境內販賣及使用。政府解釋這種印有中共「五星旗」或五星徽章以及蘇俄國際共黨徽章貨品禁銷的原因時，力言這些貨品的傾銷目的，並不旨在謀利或物資交流性質，而係藉貿易途徑，達到宣傳目標。

逮捕顛覆活動分子

接着，對於潛伏全馬各地顛覆分子，援引法律及緊急法令，於十月二十九日及三十日，採取斷然行動，將全馬工廠及普通工友職工會的四名要員逮捕。國防部長阿都拉曼首次解釋說：「這四名籍工運從事宣傳共產主義分子，以達到顛覆目的。政府決心保護聯合邦，使其不受顛覆活動的危害；有意採取步驟，為保護各個合法組織，將毫不猶豫對顛覆活動分子予以逮捕。」就上述行動看來，不論對內對外，今後取締共黨顛覆分子，殆將更加積極。顛覆分子一天存在，挑撥離間與煽動人心，畢竟是禍患之源；取締共貨為引導工商各業邁向繁榮發展必循途徑，且能由此切斷了中共提供顛覆活動經費路線。對外將必可以在國際樹立獨特的良好楷模，爭取廣泛衆多的與國，是可以斷言的。（十一月五日寄自星洲）

●司徒鈞●

寶島經緯線

△司法風氣之敗壞，久為人詬病，御史先生曾在本月中旬監察院院會中再度指出。

在歐美各國之法官，凡在担任法官任內均停止其黨派活動，以維護司法獨立的審判。而我國目前司法官，反受黨派的影響力，更受到行政院方面的干擾，司法行政部早就應改隸於司法院，然而現在還未能。據說在這次國民黨八中全會中，法官競選代表極為激烈，這是什麼現象？

△「財經內閣」，最近又遭監察御史砲轟。主因是俞內閣未列席監察院的院會，解答關於調整軍公教人員待遇問題。

御史先生的論據是：杜絕浪費以調整軍公教人員待遇。

陶百川委員說：監院有很多彈劾案和糾正案，送行政院，往往石沉大海。如此，還要監院幹什麼？倒不如叫監察院早日關門。

△殺人案近年來在台灣層出不窮。最近轟動全台的中央銀行出納科副主任張昌平被歹徒汪震等謀殺，劫其二萬美金，將屍體砌入六塊之慘事，不但人人驚心，遇採慣社會新聞的外勤記者，也大搖其頭，認為這是自台灣光復以來最慘絕的駭聞。

在十一月份中，張案曾佔去台北各報很多篇幅，汪震與張某原係浙江商職小同學共事卄餘年，且為總角交，竟下手如此，這確實是一件不簡單的社會大問題。

△影人黃河，自投奔自由後，先來台灣後到日本養病，旋又返台，兩月前曾返港，九月下旬他又悄悄的來台了。來台後住在環球旅社，平日他不是與兩三友好談心，就是獨自散步，情形至為悠閒。

黃河說：他是個飽經憂患回到祖國懷抱的影劇人，今後的一切，仍有待祖國的安排，他自己不願多做主張云云。

○季鸞●

港台毒品偷運門路
——寫陳檢查當局參考

。祝修衛。

聯合國指摘中共以毒品禍患世界，並說香港是「白色恐怖」的轉口站。若加否認，則從香港運毒往台灣；藉郵遞寄到美國；已經不是稀罕的新聞。就年來許多具體事件看來，毒販經由香港輸往台灣數量恐不在少，但在台灣港口、機場被揭發的案件卻不多見。這是一項秘密，並不是完全由於海關檢查人員的疏忽。撇開政治背景不談，單就毒販利用輸運手段，輸往世界各地，加以簡單分析：

郵局之路不通

據在兩三年前，走私運毒的門路，幾乎只有利用郵局，從香港投寄包裹，郵局照例要寄件人固封黏上郵票，跟寄往世界各地「耶誕禮物」一般，香港郵局並不知道包裹內夾帶海洛英毒品。

當郵件到達目的地後，郵局通知收件人憑單領取。於是毒品開始泛濫。美國發覺最早，不僅在郵包中發現毒品，即新聞紙、雜誌、書籍中，亦有檢獲。台灣對於境內毒品來源，警方不過認為由海空走私進口，檢查疏漏。這美國、加拿大先後揭破香港寄毒的郵包藏有毒品後，也就對郵包注意。但是，直至去年破獲了一個嚴密機關後，纔知道台北郵局有幾個郵工涉嫌包庇走私運毒。

轉到赴台旅客身上

當這一秘密公開後，毒販顯然不敢再度嘗試。目標移向由港赴台的旅客身上，以及藉出版物做工具。

年來港台間旅客往返頻繁，貿易聯絡、觀光、僑生升學等人數衆多。毒販就把他們當作獵害，攜藏毒品。如所周知，港澳僑生之中，大多數均屬清寒子弟，毒販以選索手段，藉託帶舊衣物爲名，將毒品暗藏於西裝襯肩，西褲暗袋之中。青年學生多數急公好義，認爲既是舊衣物，不妨予人方便，何況委託者願意補助一部分旅費，到了目的地且會有人到取，毋待按址轉遞。於是，海關人員耳目卒被避過。

引起疑竇

後來，甚麼海關方面察覺許多僑生歸國升學總是攜帶舊衣進口，頓生疑竇；試一檢查，即刻揭發涉嫌運毒。後經治安機關詳加研訊，詢明僑生係一時受愚，未予追究。因此，僑委會鑒訂僑生攜帶自用必需品入口須知，個別通知升學僑生注意。

又利用出版物

此後，利用僑生帶毒這一條門路卒被堵塞；毒販們又轉而利用若干書報經銷商人，收買報紙、圖書、雜誌，紮成一綑，以爲可以購通海關人員，並沒有知道上述出版物沒有內政部的內銷證（報紙僅申請一次，圖書雜誌必須每次進口申請給證一次），特由海關扣留，以待辦齊手續具領，毒販們對於此項手續並不明瞭，幾次檢扣，終因情慮不敢具領；海關方面絕未想到那些截扣的書籍之中，約有八成給挖了個大窟，包裝甚分兩不輕的毒品；直到塵封已久無人認領，秘密揭穿。當然，檢查人員疏漏難免，僥倖瞞過的也有不少。但毒販們爲爭取時間，也不利用這些手續麻煩的工具了。

又利用球隊僑團

然而，私梟販毒的巧設心思，又已利用入出境關係，滲入球隊，或僑團，以及交由僑團攜帶。他們知道台灣機場、港口海關檢查人員，會奉當局對旅客不得留難命令；對出入境中外旅客，均持簡化利便態度。故此，海關檢查人員，於某次檢獲皮球中暗藏毒品，並不即刻將人證物證檢扣，任其通過，同一面俟其攜帶進口，同時通知警務人員暗中監視；後來，販運過關雖經破獲，涉嫌運毒主犯則予免究，任其離境。

又利用「觀光」之類

自此以後，香港運毒的若干歹徒，格外無法無天，不是藉「觀光」名義組團赴台，乘機偷運毒品，就是滲入僑團，或以貼津旅費爲餌，託人攜帶；雖然間有被海關查獲，當局可能基於避免打草驚蛇，或是面子原因，對攜毒入境旅客，特別是僑團採取明放任、暗監視態度，以致發生毒案並不多見。

弊多于利的緝私辦法

證以最近台灣港口海關發生弊端，可能少數會利貪或者遭私梟利用，任令毒品進口，並不通知警方查緝，致使台灣「白色恐怖」無從根絕。本月一日、十一日分在機場、港口檢獲兩宗走私巨案，台北警方對於過去緝毒措施，認爲弊多於利，不能不採取斷然行動。

「白色恐怖」係共黨征服世界的另一手段。筆者落筆至此，自應聲明：本文願供緝毒當局參考；司法人員亦能引作定案參證。

國際動態拾零

在蘇聯第二個衛星未放射以前，美國決定由陸軍先放衛星之公文，已送至白宮簽字。國防部從數百衛星計劃中，選出十數個，而以陸軍計劃之衛星，置於第一號。其中有一計劃，衛星重一千五百磅，（蘇聯第二號衛星一千一百二十磅；第一號衛星一八四磅，）裝有電視，能向地下拍照。

×　×　×

三軍對於衛星之競爭與嫉忌，因知火箭爲將來主要武器，取以火箭領導地位，即以間接取得軍事領導地位。現艾總統已聘麻省理工大學校長豈林氏爲白宮助理，專管火箭發展，而直接於總統。

×　×　×

豈林氏兩年前曾警告美國當局，謂蘇聯火箭研究，已經領先。促政府撥款多作理論研究，並呼籲三軍勿再競爭。豈林在麻省理工大學校長任內，將研究員從七百人增至六千人，從事國防部交給研究之雷達及原子瞄準器。他現年五十三歲，喜歡收藏古版畫，繪畫及彩色照相，並係虔誠教徒。

×　×　×

艾森豪統演說，盛稱美國軍力，足以摧毀任何強敵。空軍已試驗五千哩火箭司耐克，命中率極高。美國科學家已解決升高數百英里之火箭，重入大氣問題，而蘇聯至今仍不能解決。美國有三次試放火箭升高自二千至四千英里。潛水艇亦已配備裝原子彈頭之火箭。

×　×　×

美國將設立科學技術部，科學研究院，與科學情報部，及駐外使館之科學專員。美國現有技術研究室，工作人員僅三十五人，蘇聯類似之機關，工作人員有二千三百人。

陶然

門爭黃紹竑
北平「民革」集會

黃因揭發廣西省災荒餓死人事件被指爲「有意挑剔」；並控其爲「皖南事件」之主角。

在鬥爭了陳銘樞之後，「民革」又鬥爭黃紹竑。

「民革」中央，於十三及十四日接連召開了兩次大會，以七百多人的場面，清算黃紹竑數十年來的反共行爲。

黃在投共後，一貫表現甚「積極」，但在這次「鳴放」期間爲中共「陽謀」所乘，他因揭露廣西平樂專區因災荒餓死人之事件，爲中共指爲「有意挑剔」；又因對中共司法工作之不滿，而被指爲「同情反革命份子」，有意爲反革命份子喊冤」。兩「罪」併發結果，「惡意地企圖根本否定共產黨和人民政府的成績」。

在對中共取消廣西省改設「廣西僮族自治區」之措施上，黃紹竑是堅決的「反對派」。

基於這些事實，爲加重黃之罪刑，在兩天的鬥爭大會上，有人指責他在過去反共和剿共時期的罪案。

實則黃之被清算門爭，早在八月間即已開始，當時主要的是秘密的偵詢，和要黃寫坦白書。但是在八月卅一日，黃所交出的坦白書上，堅決拒認「皖南事件」和「殺害中共浙江省委書記劉英事件」，並推說該二案與彼無關。但在中共指示安排下，「民革」跟隨黃多年的姜聊雲當衆作證，並要黃紹竑「低頭認罪」。

在這次門爭大會上，參與指控的有：李濟深、張治中、衛立煌、邵力子、朱蘊山、劉仲容、許聞天、翁文灝、羅翼之、劉孟純等。（簑）

我們需要理想的國文課本

教學經驗談

·許漢釗·

本刊六九七期「國文教學問題拾零」一文，由齊先生提及希望當局編輯一本像樣的國文課本，凡任國文教席的，當有同感。我想在這裏提出理想國文課本的編輯，應具備下列條件：第一、編輯人應具備教學經驗。[illegible]

想的國文課本的編輯，一定要有充裕的時間，否則縱有第一流編輯人才，也無所施其技的。

香港出版界有一種特殊現象，就是出版一本書不需要校訂者。即使有，也是聊備一格而已。現在坊間出版的一部國文課本，筆者忝列爲校訂者之一，可是書店在出版之後，才把一本樣本送來，筆者也第一次看見這本書的內容。這便是一例。

一部課本最主要的是教材，但香港的教科書教材是由教育司署規定頒行的，儘管所頒佈的課程有些地方值得商榷，但不打算在這裏討論，故本文不討論教材問題。教材之外，主要部份是註釋。註釋本來可分兩種，一種是註明課文中的字或詞，或句的出處典故。第二種是用淺近文字解釋課文較艱深，或易生歧義的詞或句。後者比較前者更爲重要。坊間的課本註釋，往往只注重前者。例如高一國文教材，汪中漢上琴台之銘，中有「自奉簡書」一句，簡書一詞的註釋爲：『詩小雅出車篇：「畏此簡書」，毛傳：「簡書，戒命也」。疏云「古者無紙，有事書之於簡，謂之簡書，以相戒命也」。』這麼一來，只註明簡書一詞的出處，但學生依舊不懂什麼叫做簡書依舊茫然。依註釋引毛傳說，「簡書，戒命也」，然則什麼叫做戒命？註釋再引疏曰「以相戒命」，然則什麼叫做「以相戒命」？這便愈註釋愈糊塗了。這種註釋對大學生也許切實用，對中學生顯然不能符合需要。如果用淺近的文字註釋：『簡書就是古代任用官吏的文書，也就是現代所謂委任狀』，「自奉簡書」一句用語體文譯出來，就是「自從做了官以後」。學生看了便可無師自通了。

『自奉簡書』之後，接着一句是『久忘在御』，有些課本註釋爲：『在御，詩鄭風「琴瑟在御」，毛傳：「君子[illegible]

[illegible]「三十」二字藏去。這裏也是根據藏詞格，以「在御」代替「琴瑟」，「久忘在御」一句的大意就是說「很長久忘記鼓琴瑟了」。

理想的國文課本註解，起碼能達到上述兩例的標準。就是不祇以註明詞句出處典故爲已足，要更進一步說明句中引用這些詞句的意義。又課文中的詞句往往有許多歧義，可作此解，亦可作彼解，註解應該[illegible]，或加按語，認爲某說較妥當。

課文之後附有題解，這是需要的。但坊間課本，或失之煩冗累贅，或失之簡略失當。例如乾文言一課，題解釋易之義，今古文易的派別，太極兩儀四象，爻辭卦辭彖辭象辭文言……等意義，爻辭卦辭十翼的作者問題……等都是應該有的，但引用漢方士易宋道士易之說，有之無關緊要，但捨之也不足以淆亂學生視聽。又如舊唐書玄奘傳，課文僅節取其中一段，題解應說明節取此文的目的，不在考證玄奘西行之路線和西域地名國名的沿革，而在藉此文以明佛學之東傳，爲什麼佛教在中國魏晉以後能大行其道。往西域取經的，玄奘之前，曾有法顯，兩人對佛學傳播之功績有何不同。這些材料都應該在題解中說明。一方面可以引起學生學習此文的興趣，另一方面把課文與文學史學術史之間作密切的聯繫。課文是點，文學史學術史是綫，每課課文不是孤立絕緣的，而是互相聯繫的。把課文與文學史學術史發生聯繫作用的，就在每課課文之末的題解。（如果缺少課文的題解，在題解中也應作相當補充，如全部教材欠缺「樂府」一體，在古詩十九首的題解中即宜略涉及之）

課文之末，作者生平一節不可略。但應側重作者與作品之關係，如作者的思想背景，作者的文章風格等。作者曾任何官何職，何年中進士，何年致仕，無須逐一記敍。[illegible]

出版的高中國文課本，每冊之末，附有文法要略，修辭要略，和選輯要略，這是值得取法的。理想中的國文課本，最好能附編這三項要略，而且盡可能採用課文裏面的詞句作例。

現行高中國文教材，有一缺點，就是學習寫作技巧的範文太少。容易使講授與寫作間脫了節。教師應該在這方面作補救工夫。最好在每課課文之末，附以練習題，比較與研究。在作文命題方面，宜多與講授作密切聯繫，如翻譯課文爲語體文，作撮要，寫讀後感。批評課文中的思想，則對學生學力所限，不易下筆，除非教師供給參考資料。

說到參考資料，友人某君現正着手編輯一部高中國文課本，每課課本之末，把有關的資料，全部附錄。例如梁任公「論小說與羣治之關係」，把有關小說資料，如胡適論短篇小說，歐洲文藝思潮發展史略……等都放進去，某君徵詢筆者意見，筆者不敢苟同。因爲參考資料是需要的，但不應放在課本裏面。因爲學生對原有教材已感不易消化，再加上較課文多至十倍以上的參考資料，學生因畏而生畏，教者須對篇幅繁多的參考資料作更深入的研究，以備學生隨時質詢，但爲教師也是不易應付的。同時幫助一部分優秀學生進修，於課本外，另編一參考手冊，仍屬需要。筆者曾擬宏願想編輯一本這類的小書。如漢書藝文志諸子略，可參考胡適之諸子不出王官論，書評洪範，可參考劉節洪範疏證，讀[illegible]書，可參考修辭學發凡中論風格一章……如果能把這些參考資料輯成一冊，實利己而又能利人。教育當局，或高才碩學，如能編輯一本完善的國文課本，並附編一本供教師用的參考手冊，則受惠者多矣。（十一月十四日）

自由談

談思想訓練

凡是讀過可斯勒（Arthur Koestler）等六名老共產黨員所寫「破滅了的信心」那本名著的人，對於俄式共產主義思想，及其組織與作爲的各種荒謬思想內容，沒有不切齒痛恨，視爲洪水猛獸的。由過來人，說箇中事，洞切可聽，如數家珍，可說是現代人類生活的「大義覺迷錄」。

最近又有兩個著名的共產主義者，發表他們從經驗中得來的結論：一是南斯拉夫共黨第二首領吉拉斯所寫的「新階級」；二是美共名作家法斯特所寫的「赤裸的神」。前者把俄式共產黨人由「政治的壟斷」和「經濟的獨佔」，而構成超資產階級剝削壓迫的新階級——即官僚集團——之所以然，從思想上予以徹底的闡述，深刻中肯，發人猛省。後者將自己對共產主義所體驗的各種失望情況，合盤托出，深表懺悔。

這些著作都是言之有物，情文並茂的，對於自由人類的心靈，給予很好的警覺和啟示，允稱不朽之作。我認爲這些名作應指定爲中學以上各級學校學生必讀的參考書，而擔任社會科學教程和訓育課程的老師們，尤須人手一冊，詳爲研究，以便向青年學子多所啟迪誘導，這比機械式的教學生背誦各種八股文章，效用良多。

若干年來，我們搞思想訓練工作，總是教一般受訓者背誦反共八股，受訓者味索然，甚且發生反感。如果是爲着做官而「思想訓練」，心裏當它是做戲，敷衍了事，然無効，甚而覺得無聊。過去許多一再受訓的人，……思想訓練工夫完全失效也。

思想訓練決非說教，世界上許多反共理論的傑作，大可一用，倘有那套方法如不改變，無論如何也是事倍而功半的！

馬五先生

「餘殘的優越感」

•陳風曉•

最近，在台灣聯合報上，拜讀過若子女士大作「殘餘的優越感」。若女士筆下的幾個美滿家庭，其中總有一點不合式，結論爲：這無非是一點兒男性的「殘餘的優越感」在作祟云云。

我讀後頗覺，此一問題應本男女平等，相提並論才公平。

以筆者說，有的是類似若女士所描繪的美滿家庭——太太同我一齊上下班，一個剛滿一周歲的又壯又胖而逗人喜愛的兒子，敝夫婦出門時，拉着保姆逐呼「擺擺」；一入門時，就飛奔迎上，「爸爸，媽媽」歡呼個不停。誠如若女士所說：「……那才是人間一大樂事，即使有點不愉快，也飛到九霄雲外去了。」敝夫婦之所以很愛我們這個家。遺憾的是美滿中又總有一點不合式。

我檢討過，我對男性「殘餘的優越感」，一點兒也沒有；有之至多也只是爲若女士筆下所寫的一點罷了。

我的美滿家庭之不合式處，我自己容或有應改進之處；可見我太太的「不合式」處，也應當取消才是。談出來雖怪得情，爲免高人齒冷，我只能輕描淡寫：

一、每當我輕輕拍一下兒子屁股，警告他不要頑皮太過時，我太太便責以教育不當，硬栽我罪，說就是「體罰」。但當我恭認她「母教有方」，而兒子偏對她教育相應不理，甚至給她難堪時，她就又說是「養不教，父之過」，推卸責任了；

二、她向不接受我的意見，但遇事偏多請示。當我發表高論時，她又痛加駁斥，所以有過幾次我聽着悶聲，她又說我不禮貌。我很想質詢她：我連一個不講話的自由都沒有麼？怕又引起「愛的糾紛」，我還是緘默到底；

三、她的衣著及款式，我是沒有置喙餘地的；「而我的衣著如何，她則硬代我決定。理由是：我的審美眼光不如她遠甚。此外，她還管制我的腸胃，她不愛吃燒洋芋，她偏在桌上，提倡營養，把洋芋硬向我碗裏堆，並命令吃下去。還有，我不愛吃巧克力，她又說我是「土包子」，洋罪可受夠了。例子不勝舉，我也適可而止了。敬詢讀者諸公，嫂夫人如果像內人（我不敢說「賤內」）這樣對付閣下，閣下能認爲合式，不一肚子氣麼？並請諸公公論，我說這是女性的「報復性的「優越感」」一詞，……冠詞容有商酌，但凡此優越感者，過隔自以爲是而不肯接受他人意見，是男性的主觀太深毛病，該是男所犯的毛病，當然也不是我男性所能「包」病得了的。是嗎？

爲求美滿家庭之無不合式處，我贊成若女士的看法：已婚的男人們，收拾起你們「殘餘的優越感」吧；但筆者爲求其平，也希望已婚的太太們，同時收拾起你們「報復性的優越感」吧！

秋憶虎皐

—張瘦碧—

「虎心何日歛？獅首幾時回？」

記得過去當我每次登臨虎皐，慢慢地踏進了擁翠山莊的三椽大敞屋，正中抬頭一望，即可瞥見這一副行草的楹聯。在莊內倚閣遠望，但是一抹山色，其中有一處突然凸出，據說獨名叫獅子山，而着頭面對虎皐，所以當地人士有「獅子回頭望虎皐」的一句俗語，而這首聯句推敲起來，也殊令人深思。

遊覽虎皐，堪稱四時咸宜，尤其在秋高氣爽的時候，滿山紅樹成林，疏落黃花片地，一般雅士騷人，都愛登臨到那裏去。……

樓，屬於虎皐寺的一所別院，緊靠着大雄寶殿，有時書軒內小憩，一到斜陽西墜的時候，小步歸去，十分情趣。寺院鐘聲，把遊人迎從第一步石級，直送到最後一級，這也有一個名字，叫做「五十三參」，因爲共有五十三步石級。

千人石，二仙亭，生公說法，頑石點頭：……都在山寺的下端，據說當年呂純陽，李鐵拐，曾路過蘇州，寄息於此，二仙亭的名稱，就是這樣來的。傳說生公，是一位高僧，佛法無邊，在此講經說道，面前許多大石塊兒，也能領悟，紛紛向他點頭合十。比說直到現在，還有遺跡，還有一塊較大的點頭石，直立山側，道旁另有一個月洞，這裏有一行峭壁，一泓池水，名爲劍池，入秋寒氣襲人，兩邊有兩處遺跡，都是墓，右邊是鴛鴦塚，左邊是眞娘墓，用石磚砌成，墓前有碑有記。前者是一位淪落風塵，不幸短命而死的才女，後者則爲一對墮入情網因禮教束縛爲愛犧牲的一對青年男女，其當秋月黃昏，常有夜鳥悲啼，附近的人便附會到那些傷心故事。

生活談片

釣魚樂

•陳永昌•

小引：近日港九垂釣之風甚盛，且不乏有釣魚比賽，特爲此文獻給垂釣諸公，想是合時之作。

釣魚是一種最好的陶冶心情和人格的辦法，……

……但是，此外，釣魚還有釣魚的樂趣。凡是釣魚的人，……這是釣魚樂趣之一。……

……漸復得，亦未可知。患得患失的心情，是人生常事，賭博亦即其一端，人生與賭博的得失，關係重大，較之釣魚的得失，自不能同日而語，釣魚的一失，有如仙境裏的得失，無足動人心作，釣魚更使人暫時脫離現實，這是釣魚樂趣之二。再者，釣魚一有收獲，便會使人歡喜若狂，但是這是本少利大的事，怎會不生快樂呢？還有一點，垂釣的人幻想海裏的美人魚將垂青，你，說不定跳上岸來給你一個香吻，這種意外驚喜，可以無拘束地自我陶醉！釣魚的樂趣，豈不融融！

啼猿淚影

自度曲，九十一字，用上夫韻。

•王況斐•

秋盡夜開雨感賦。

薄寒中酒情緒。江天漠漠，秋盡猶連雨。若心如許。滿廊黃葉多少纏綿，而今付與。欲落還飛，相斂作語。芳蹤渺何處。幾回夢裏追尋，岐路亂山無主。婚遊地，與懷聽昔，佳期無數。偏是惹人記取。晚滄江，蘆荻竹苦。琵琶捲得怨魂去。

短篇小說

蒲雪列夫（上）

•蒙齒•

莫洛托夫剛開哈爾濱的一天，我在道外一家旅館大同公寓樓上遇見了蒲雪列夫。

在這充滿了神經質的哈爾濱的春天，遇到他，比我格外的吃驚。他冷笑着，帶有諷諧意味的嘴角，翹着鬍鬚看我。

「你怎麼在這裏？」他問我。

「……」我幾乎被他的手掌震懾。

我剛從下江來，兩個月的時間，對於我非常殘酷，一切的變幻都帶着殘峻的，揶揄我的臉孔。

「可不是？」我鎮靜一下，像和一個天天見面的人打招呼，我告訴他！我到十四道街去看朋友，事實是我要到南崗，他笑了又笑，滿臉汗毛也被他的笑聲震動。

「可不是，看你穿這麼多的衣服」。

我心裏有些疑問，這是幾個月來我常有的。我無置答，我只是說：老朋友，還是這麼關心我。寒暄了幾句我就匆匆地走出去，他倒像很寫意地站在那裏，一直微笑着目送我到大門外。

× ×

我到南崗朋友家去，一直到按完了門鈴，等候開門爲止，都在猜測着，蒲雪列夫，這個人三年前是不是這樣怪誕，我由他的面容，裝束，以至於到出現在公寓院內的時間，循環地推測，都沒有一個完美的答案。

從朋友家裏，出來蒲雪列夫的疑團仍然是紋在心裏的。

我和蒲雪列夫並不熟，三年前，我認識他，只知道他是一位很有哲學興趣的音樂家，和許多哈爾濱地下室酒吧的白俄一樣，吃酒，彈琴，過着貴族的而文雅的流浪生活，他……某一個樂隊的第一小提琴手，……就這些了。還有他教提琴，以後就不見了。……

晚間的天氣陰冷，我在馬家溝坐斗子車回來，好像走遍了哈爾濱一直到天黑，纔回到旅館，首先忙着去問問賬房，蒲雪列夫是不是住在這裏。

賬房遲遲鈍鈍的告訴我，說他不住在這裏，可是翻了翻帳簿之後又說他在這裏定有房間，而且是早在兩個月以前，並不常來住，只是有時候來玩玩，房間號是二○四，我住的是二○三，就在隔壁。

我很耽心。

可是好奇心擾着我，把恐懼縮到最小的空間，雖然，這一夜時間都在注意二○四號的動靜。

據我所知道的，那時候的哈爾濱市，雖然政府早已接收，但是事實上在人心裏明白的那是一個充滿恐怖氣氛的角逐場所，就以白俄來說，以前他們是流亡者，紅軍進駐以後，有好多白俄被捕，紅色樓樓之內，從裏面往外看滿天都是紅色，於是他們不再是流亡者，而是蘇軍的前哨骨幹，一切都變了。

大概在早晨七點鐘，我剛剛起床，蒲雪列夫走進來了，我以爲是僕歐，一回身我看見他的又寬又大的睡衣。

「怎麼？你也住在這裏？」我問。

他點頭笑笑，表示他不該突然來打攪我。

「你很好嗎？」我讓他坐在暖氣管旁的沙發上。

他坐下，突然很嚴肅的又站起來。

「你是不是做了官了？」

「我還是教書，你呢？」我注視着他。他搖搖頭。

坐下。好像很失望的樣子。

「我們在這裏遇見是想不到的。」

「我，我看你還是不要瞞我，」他說。

「教書有甚麼值得瞞人的呢？」我反駁。

「那麼你爲不肯說了，今天你能賞光嗎？午間？」

「謝！我考慮一下。」我說。

× × ×

因爲多吃了兩杯威斯忌，蒲雪列夫的嘴和他的提琴一樣，表露了很多天才，他說他當上了蘇軍的情報人員。認眞的說起來，他這樣說我倒反而不大相信，我的猜疑：他要眞是情報人員，不能這麼隨便。我根本不相信，但是自從我和他這次談話之後，至少我知道他的生活很充裕，和他個人的生活確實也有不太諧調的地方。

自由人
THE FREEMAN
（第七〇二期）
中華民國僑務委員會頒發登記證台教新字第一零二號
中華郵政台字第五〇〇號
執照登記爲第一類新聞紙類
（半週刊每星期三六出版）
每份港幣壹毫
台北市售價台幣壹元
督印人：陳文華
地址：香港高士威道二十號四樓
20 CAUSEWAY RD. 3RD. FL. HONG KONG
TEL. 771726
承印者：東南印務出版社
地址：高士打道六十四號
台灣總經理處
台北市西寧南路壹壹零號二樓
電話：四七三四六
台郵撥儲金戶九二五二
海外總經銷：友聯書報發行公司
香港：彌敦道中二十六號A二樓

台灣拘押記者案平議

雷嘯岑

最近台灣方面有兩個新聞從業人員——「公論報」主筆倪師壇，「新生報」記者路世坤——被治安機關拘押了，因而引起海內外輿論界的驚異，指爲蹂躪人權。在這些紛紛評論之中，又多對倪氏特表同情，代鳴不平，而對路氏似乎較少注意，大概因爲劉氏服務的新生報是官辦的文化事業吧！實則「人權」原係人人平等享有的，決不宜因人因地而有所輕重，如認爲倪氏不應該隨便拘押，難道路氏的人權就可以隨便損害嗎？

世人甚於爭取言論自由的理念，聽說有新聞記者被官府傳訊或拘押的情事，即不問內容如何，認定還是政府的非法行爲，嗤然抨擊，這是未免失之偏激，問題在要先把事實弄清楚，不必逞快一時。假使新聞記者果有犯法的事證，又豈能藉言論自由之說作護符，而爽然逍遙法外乎？這是我對於本案的觀點，也就是批評的態度。

法治精神必須尊重

根據官方對於本案內容的簡略聲明，只說是倪君等過去曾經參加共黨的組織。究竟罪情如何，治安機關或許認爲尚未到公佈的時候，還是可以諒解的。但迄今旬日，未聞將嫌疑人犯移送法院訊處，路氏扣押三日後，即已交保，而倪氏仍在押，這就難免更招致輿論攻擊了。依照現行法令，祇有危害國家安全的「匪諜」案件，才可以援用軍法審判的條例。倪氏如其沒有從事匪諜工作的證據，而只是過去在大陸上曾參加過共黨的組織，即不能構成「匪諜」罪行，應由法院偵訊裁判，是否予以起訴的處分？我們跟倪師壇等素昧生平，固不敢說他們是無辜的，但據與倪氏共事十年的公論報負責人李萬居撰文聲述：「他是個內向型的讀書人，平時不作任何活動，也不喜歡應酬。卅八年正當共匪即將大舉渡江，由原板蕩之際，他倉皇返閩，把家眷全部遷台。就這點看來，他可算是忠貞人士的領先者，其忠於中華民國，應爲無可置疑的事。」彼得方面既然有人替他作此有利的證言，治安機關更不能不鄭重將事，一切尊重法治精神，依法處理，俾免予人以口實，是是非非，公諸偉嚴的法律壇前，無枉無縱，這才是民主憲政的常軌。所以，我們所注視的，就是倪等犯罪事實如何，官方的簡略聲明決不足以解各方面的疑團，夜長夢多，且適以誘致其他的謠傳之詞，影響政府信譽。

中國人過慣了奮時代的生活，官吏隨便妨害一下人民的身體自由，滿不在乎，人民亦就儘量忍受。例如一個警察派出所或地方自治的鄉鎮公所之類，動則可以拘押人民，習以爲常，這在西方民主法治國家的心目中，實爲駭人聽聞之事。四年以前，美國共和黨名人杜威訪問台灣後，曾對人說台北市有七個特務機構存在，細問之下，乃知道他把警察局和派出所等，皆列爲特務機構，理由是這些機關可以隨便拘押人民啊！就美國人的生活習慣設想，杜威的非法並非故意過甚其詞，對我們有甚末懇求的，而是還應法治憲政的尺度來衡量我們的政治措施，以致發生這項誤會，我們能不特別警惕自勵，滌蕩積習，以表現法治國家的本質嗎？倪師壇路世坤案件，即應從速移送法院公開訊理，如果倪氏沒有其他的犯罪行爲，而僅係追究他過去在大陸上曾經參預共黨組織這回事，尤應先行交保。因爲這種情況縱係事實，亦屬於思想問題，充其量不過是沒有自首而已，並不構成刑事責任，即無長期拘押的理由，否則難辭蹂躪人權之咎了！

在最近的六七年以來，我覺得政府有許多事情眞是應該那樣做的，然結局多見其有理弄成無理，徒然給海內外人士以不良印象，甚至資爲攻訐政府當局的有力證據，癥結就在不尊重法治精神，講究法定手續，任意行事，充分表現着人治——亦可說是官僚主義的作風，實在令人焦急慨歎，惄然心憂。爲甚末大家遭遇到國破家亡的危難環境，尚不知革面洗心，力求言行一致呢？撇開民主自由與法治憲政這些道理不談，如果僅是一個具有責任感的公務人員，今天只有以臨深履薄的心情，戒愼恐懼，奉公守法，決不會稍存擅作威福之念頭的！

人言可畏

本月廿一日，合衆社由台北發出一項關於倪案的電訊，說是「一般報界中人竊竊私語，係相信倪氏被捕原因，係由經常發表苛刻社論以抨擊中國政府」；而其近因則爲倪氏於本月初著論指摘一般官員，「佯裝忠貞服從而隱匿事實眞相，他們不是撇開問題不談，即虛構昇平之謊言以朦蔽蔣總統」。此項言論發表數日之後，倪氏即被捕了。合衆社的電訊詞句是否有出入，固不可知，但其消息即或出於道聽塗說之談，也就反映着國內輿論界對於本案的觀感所在了。

無論古今中外，一般文化人的筆下，對現實社會生活總是表示不滿的，縱然不問政治的人，亦復如是，若抱有黨派觀念者，對於他黨的政治措施，更好作苛刻的批評，這是常態。倪氏主持在野黨人所辦報紙的筆政，其言論態度之必不平常，殆可想見，站在言論自由的民主憲政立場，殊不足異，如其超越了言論自由的應有限度，涉及造謠誹謗，或危害國家安全等情形，儘可依法訴究。倪氏平日在報紙上的言論，果如合衆社電訊所述情況，那麼沒有甚末不可容忍之處。據說治安當局對於倪氏的思想言行，前幾年即已發生疑問了，祇因公論報社長李萬居認爲必須拿得證據，方可究問，以致忍讓未發，這次既然實行拘捕，想必發現了確證，決非純粹的文字獄。但由於合衆社這項報導，政府爲澄清國內外的觀聽起見，似有從速宣佈案情眞象之必要。合衆社是代表美國官方立言的機構，通訊網遍佈全球，如果不以事實求反證其消息缺乏正確性，對於政府的信譽，影響實非淺鮮。

蔣總統今年雙十節向全國人民指示反共救國的六項目標與三項保證，以及執政黨近召開八全大會後，所揭櫫的政綱政策，都是劃時代的政治新猷，而其重心皆在以民主憲政生活，團結全國各黨派各階層的反共力量，共同奮鬥，復興中華民國。爲着要使這項新的政治號召收信於人，發生預期的效用，對於拘捕新聞記者這類事情，尤其不可掉以輕心，孟浪從事，否則將給人們以「前面賣生薑，後面蛻不辣」的印象，因小失大，太不値得了！古人說：「天下有道，則庶人不議」，又謂「止謗莫如自修」。新聞記者以「庶人」的資格，批評時政得失，還在君主專制時代，亦常常爲統治階級所容忍的，在民主社會中，這是個人應有的權利，非依法即不能隨便抹煞。如上述倪師壇在公論報所寫的社論，固未越出言論自由的軌範，若因此而獲譴，那我們就不算是生息在民主社會之中，又何以自解於國家元首與執政黨所揭出的政治號召呢？有一點現代的普通常識，政治人物每多狃於積習，不能理解，即担負實際政治責任的官吏，隨時得忍受一些悶氣，沒有這點雅量，便不足以當天下之大任。

人言是可畏的，衆口足以鑠金，積非且能勝是，要想使「人言」趨於合理化，唯一方法就是疏導。因此，我們迫切地希望政府對於拘捕倪路案，作迅速而公開的處理，昭大信於內外，不要又像過去若干聳動世人觀聽的事件，有始無終，令人莫名其妙，實深企幸！

半週述評

共產情報局的復活

全世界共黨渠魁莫斯科的集會，並未重建一個共產國際或共產情報局，但這只是就形式上的組織而言。在事實上，本月十四日到十六日舉行的十二國共黨會議無異於一九四七年九月的華沙會議，十二國聯合宣言也就等於一篇新的共產情報局成立宣言。那篇宣言本身，全部是共黨濫調，在共黨文獻中也是最下乘的手筆，論價值還不如三十年前布哈林寫的共產主義ABC。但那一宣言的發佈，其主要意義在於強調共產世界內部結合的加強，與蘇俄對所有各附庸政黨的控制和領導，至少在精神上，一個新的共產情報局已告復活了。

所謂「和平宣言」

至於六十四國共黨所簽訂的「和平宣言」，實際是一篇和平攻勢宣言；表面上在強調第三次世界大戰的可怖，呼籲反戰與和平，在骨子裏卻是利用蘇俄最近在新式武器和征服太空方面所取得的一點優勢，向全世界施行恫嚇。誰也知道自由世界人民不只不希望爆發戰爭，而且非常害怕戰爭。蘇俄自己到處在製造戰爭危機，同時企圖藉和平攻勢解除自由世界武器。預料在最近將來，蘇俄在全世界一定會大舉運用和平攻勢，利用中立國家和反殖民主義運動加緊打擊西方，蘇俄則繼續在各處挑釁放火。未來的國際大局無疑更趨向緊張和危險。

狄托的微妙立場

引起世人驚異的，是南斯拉夫代表並未參與十二國共黨會議，並且拒絕在十二國宣言簽字。聯想起日前狄托突然臨時稱病中止赴俄朝賀，於是又引起紛紛議論，認爲南共與蘇俄裂痕又將加深。然而在六十四國「和平宣言」中，卻又赫然有南共代表參加在內，顯然說明在總的政治路線上，南共與俄共或任何其他國家共黨之間，並沒有不同的意見存在。這情形其實無足驚異。自從狄托疏離西方而與俄共親近以來，他一向採取這樣的立場。在政治主張上，從反對北大西洋公約到主張中共進聯合國，南共完全支持共黨集團的主張；在組織關係上，他卻處處要表示他的獨立立場，不同於捷匈保羅，甚至不同於波蘭中共，表示南斯拉夫不是蘇俄附庸。就政治立場而言，狄托已完全背離自由世界而向蘇俄投降，然而赫魯歇夫三番五次的遊說，都未能使他做形式上的低頭，或恢復一九四八年以前的俄南關係。這是狄托狡獪之處，對於俄共，似乎倒也沒有什麼壞處。這並不是値得自由世界欣慰的事。

「多重心」的幻滅

近頃研究共黨政治的人們，每好使用「多重心」的術語，做爲所謂由不同道路通達共產主義的註腳，具體說來，就是認定貝爾格拉德，北平，甚至華沙，都將形成一個與莫斯科平行的共黨重心所在。這種說法卻被此次莫斯科會議所否定。毛澤東在莫斯科大學的中國學生演講說：「社會主義陣營必須有一首領，那首領就是蘇聯。各共產工人國家也必須有一首領，那首領便是蘇聯共黨。」這話恰好與他八年前所強調的「一面倒」後先輝映。甚至波蘭的戈穆卡這次也曾表示：「蘇聯是同等者當中的首位」。包括中共在內——把曾經萌芽離心趨勢的附庸體系——重再結集在克里姆林宮周圍，是此次莫斯科會議收穫之一。只有狄托，他雖置身在這軌道之外，卻依然不失爲一顆衛星。

●李秋生●

馬來亞接受新挑戰

——惡性學潮與「和平談判」

馬來亞，正接受新的挑戰——惡性學潮與「和平談判」，使世人感到困惑，東姑阿都拉曼怎樣運用才智去應付難題，已面臨一新的考驗。表現于惡性學潮的內奸顛覆活動，是拉曼堅決反共，和願意跟馬共首領陳平再作談判嘗試中的一個突如其來的壓力。不論從任何角度去看，這是不可能使拉曼就範的，未來談判，仍難達成協議。

這次馬來亞全國性的學潮，開始于十一月十四日，檳城四間（韓江、中華、鍾靈、檳華女子）中學先後發動的；全檳七千多男女學生，大約有二千人參加行動。鼓起風潮的唯一理由，厥爲反對當局禁止超齡學生入學。隨即有吉隆坡華校學生採取同樣行動，中部怡保亦被捲入漩渦，蔓延罷課，遍及全國。誰都不能否認：這種簡單的「超齡學生」入學問題，照理該由學生家長向當局交涉，沒有理由要讓學生「打抱不平」的。但就這次以非法行動表示抗議看來，參加學潮的學生，實際僅佔百分之二十，其餘百分之八十，並不參加亦不支持。正如英文名記者巴特萊特所說：這次學潮係共黨策動的；假定不是共黨策動，趨勢不僅不致如此嚴重。然而，共黨爲什麼要在此時掀起學潮？答案很簡單：共黨藉糾紛造成華巫分裂，有助於阻撓馬來亞華巫團結合作。

本來，馬共的計劃，原打算利用「聯合政府」進行內部顛覆的，自從前年華林談判破裂，希望也就破滅；又一行動準備以新加坡地下武裝，策應森林匪徒，於馬來亞獨立前夕，企圖藉武力奪取現實政權，享受獨立果實，結果因赤區被封鎖，星馬邊境禁止自由出入，及新加坡當局適時採取行動，使馬共陰謀全部失敗。

最近事態的發展，吉隆坡政府雖然表示繼續與馬共談判，但同時也表現反共的具體事實，顯然使中共、馬共無隙可乘。而共黨對於現政權談判的一貫伎倆，不是藉軍事進攻的壓力增強談判聲勢，便是製造工潮、學潮增加現政權困難，引起社會不安。

這次學潮的背景，顯然是馬共要倒拉曼威。因爲馬來亞政府取締顛覆活動分子，禁止中國大陸貨物輸入，以及峻拒蘇聯技援和建議，無一不是剃共黨的眉。共黨顯然欲使學潮擴大、持久，以壯聲勢、助宣傳；可喜的，馬來亞政府這次應變的技術，使共黨大感錯愕，能在不傷人命僅捕領導煽動分子，與封閉學校的措施下，使這次惡性學潮趨于失敗。

當然，一九四八年六月二十日緊急狀態以來，馬來亞政府及人民所提供，剿匪軍事，可從如下的數字中，獲得跟共黨不能妥協的答案。迄十月底爲止，殉職的一千八百五十三名保安部隊成員中，職官達一千三百四十一名，警察和士兵佔五百一十二名；慘遭屠殺的平民，竟達二千四百六十二人；英軍及英駐聯邦高級專員葛尼爵士被暗殺，尚不計算在內，英馬以及人民提供的財力、經濟上的損失，且難併計確數。對這血腥數字，不論政府人民，絕不能忘懷，而甘心跟「森林之虎」坐下來談的。

就陳平致拉曼簡函譯意看來，對馬來亞現實的政策，可說是一大污蠛，他的信中說：「我謹通知閣下，我準備再度與閣下舉行會談，結束這場戰爭。」這意思是說：陳平需要取得適當的權位，不然，無法終止戰爭；同時，不自承是一個罪魁，而暗示這戰爭的責任是雙方面的，又說：「關於此事，希望此項會談，能達成使我們雙方滿意的協議，因此，我建議我的代表與閣下代表舉行一次初步會談。」（下署馬共書記陳平）。顯然的，陳平這封信最現實的意義，是通過談判來延宕馬來亞的剿共軍事，折磨士氣。在有利的時間因素下，完成他們顛覆準備。不然，馬共永遠無隙可乘。爲了馬來亞建國順利開展、人民自由幸福設想，馬來亞政府與人民，不致爲陳平的巧言所惑。大勢所趨，陳平日暮窮途，除了投降贖罪，別無生路可走。（十一月二十日寄自星洲）

●司徒鈞●

馬德里通訊

「馬後砲」式的贈款賑災

·牧人·

事半功倍的事爲什麼變成事倍功半呢？原因是：「須俟開會決定後再行辦理」

前此，日本九洲大水災，我政府曾以食米百噸捐贈賑濟，但日本報紙對此極少報導，而泰國捐贈食米三十噸，卻爲日本輿論一致重視和宣揚。此非日本輿論界薄我而厚彼，實乃我捐贈食米抵日時，水災已成過去，「濟人之急而不在節骨眼兒，等到事過境遷才着手，效用當然要遞減的。」（引自馬五先生「贅贅錄」，「我所見到的日本朋友」一文。十月七日「上海日報」）

此次對西班牙捐贈救災，又有類似情事重演，致對西國水災之捐贈，亦成爲「馬後砲」。

固不論主管當局用何種理由解釋，似皆難辭延誤之咎，也足見今日之行政效率仍未臻理想，且亦影響發揮國際宣傳之效。

往者已矣，來者可追，前車之鑑，足資警惕。（編者）

行政效率太低，常常會做些吃力不討好，爲人瞧不起，甚至被人誤認爲無聊的工作。老百姓們看了，不但不以爲是德政，反而會認爲糟蹋物力和財力。

從一件小小的事情，會被看透泱泱大國之政治作風。

十一月十五日，西班牙瑪德里各大日報上可看見一則蔣總統代表中國政府和人民向西班牙政府和人民表示同情西國瓦陵西亞這次的水災之消息，在同一電訊中還提到中國紅十字會捐贈該災區三萬元西幣（合五百美元）等情。這件事，西班牙政府之看法如何，暫且不管，最少在中國人圈內則皆認爲：「我們的行政效率實在太低，假如這件事在一個月前的今天表示出來，一定會有事半功倍之意義」。

拿錢給人家還會無聊嗎，「無聊」抑「有聊」暫且不必加以評論，我們且看事實。

西班牙瓦陵西亞之水災，是上月十日左右發生的。災情之慘重，實屬罕見，佛朗哥自己也坐不安，寢不眠的去視察一番。損失財物，以近百億西幣計。全西班牙之人民從其政府到老百姓，從其教會首長到每個信徒，莫不盡其可能予以援助和救濟，整整的風聲鶴淚緊張的忙了一個月，到現在救災之浪潮已逐漸成了尾聲，負責當局已計劃如何重建這個被水淹沒過之城市了。

當水災發生後，各國表示同情的絡繹不絕，於今也已屆尾聲。我駐此間使館，當時曾即時電外交部，請示如何表示一點同情，並請轉知中國紅十字會在物質上作一點表示，得到的答覆還是：「俟開會決議後，再行處理」！事情一拖就一個多月，等到一切均近尾聲，才向人家表示同情。試想在人家收到千千萬萬封大同小異之電報後，再收多一封同樣的官樣文章，比如在一個月前即有同樣的表示（因爲快慢都得表示），其意義將有多大分別，我實不願再說下去了！表同情應當表得及時，否則，不是表錯了情，就會被認爲是表冷情啊！

做事情有無效率的分別，就是事半功倍和事倍功半。我們雖然不是期望做任何工作後都應得報酬，尤以表示同情人家的善舉爲然，但是，任何有時間性之事拖了之後才去做，不是吃力不討好，以後還要遭老百姓之不滿嗎？何必自討沒趣呢！

老百姓的話當然不會很悅耳的，但他期望的是：口號標語可以少貼，行政效率卻不可不多多提高；國內如此，國外更如此，因爲我們今日需要的，同樣是國際間道義的支持。禮尚往來，我們若對人家不關心，怎又可怪別人不講道義呢？（一九五七年，十一月十五日燈下于馬德里）

「人造衛星」 ·尹震·

岸信介再訪東南亞

爲日本經濟前途舖路

·觀游·

（東京航訊）現在是「遊說」外交世紀，各國首腦之會談以及各國首要之互相訪問，大有如我國春秋時代之風，日本戰後自去年復歸加入聯合國爲會員國及今年當選非常任理事國後，又有在國際舞台上大顯身手的趨勢，諸如外交，一面與自由世界陣營聯合，一面又要與共產國家貿易，自居東西間的橋樑，與尼赫魯一拉一唱，互相標榜；更要大唱擁護人道，禁止試驗原子彈，一面對於在日本降落的原子輻射雨及塵士加以抗議，而卻又毫無辦法。

岸信介在第一次訪問各國後，接着又於本月十八日起程作第二次東南亞之行，並且附帶要訪問澳洲及紐西蘭，據日方透露，澳洲對岸之訪問反應不太好，一般人甚至以岸爲戰犯有不予歡迎之意，日本報紙亦曾有「岸信介之悲哀」小評，對此外務省曾電飭其駐澳使館對此事之繼續發展特別注意，並向澳洲各方解說，以免臨時發生僵硬場面。

此行岸的目的，一言以蔽之不僅是在增進與各被訪問國家之友好關係及解決懸案問題，更重要的還是經濟關係。除了高棉，柬埔寨聲明放棄要求日本賠償外，越南與印度尼西亞及菲律賓第二年之賠償問題均屬縈縈大者，更有如菲律賓限制日本遊客到菲及拒絕延展日本在菲之貿易商之居留期限等，亦須在此行提出解決，至於訪問馬來亞、新嘉坡則純粹是生意眼，要想打開南進市場，當然，對新西蘭的着眼點也在於此。尤其在對大陸貿易發生滯呆後，經濟南進，已是唯一之途了。至於澳洲，日本是想繼續在 ARAFURA SEA（亞拉佛拉海）採捕珍珠。澳洲曾於一九五三年九月提出要和日方合作採捕珍珠，但遭日方拒絕引起不快，雙方遂將此案提交國際法庭，迄無結果，所以形成了懸案。是以表面上岸信介訪澳係答訪孟齊斯之訪問日本，實則有此一大問題亟待尋求解決。

擺在岸信介面前的問題，對日本的經濟前途是生死攸關的，現內閣以經濟外交標榜爲其主要特色，岸信介如不能運用外交輔助經濟發展，或不能運用經濟關係以打開外交僵局，此不僅爲岸氏個人或一黨之成敗，且關係日本未來前途。因此岸氏此行只許成功不許失敗的。（十一月廿日寄）

向美國敲詐不遂

埃及軍事代表團朝俄

阿密爾代表了納薩全部野心

納薩一面在向西方表示改進彼此經濟關係，一面則又和蘇聯發生更不平凡的關係，派遣了國防部長阿密爾訪問蘇聯。蘇彝士運河的國際化，是具有歷史性的，但現在蘇聯公然表示支持埃及國有化。

阿密爾是以納薩的總統代表組成訪問團的，在莫斯科的會談中，廣泛的談及經濟政治和軍事關係。蘇聯現在已經對埃及承諾於經濟和軍事上全力支持。

爲了呼籲埃及代表團訪蘇，納薩在開羅又肆意攻訐美國，謂美國事用壓力使埃及孤立並聽命於美國。但是納薩也說出了肺腑之言，就是：他需要軍火，需要金錢，而美國不肯無條件的給他。

美國有什麼理由要無條件的贈予軍火和金錢呢？除非美國願意讓埃及和驕倔的中東成爲火藥庫。美國既已阻擋了英法聯軍攻埃於前，又豈能食言讓中東國家的火藥庫爆炸。埃及的敲詐不遂，於是阿密爾的代表團就啓程朝俄了。阿密爾的任務就是代表了納薩的全部野心。

台灣通訊

監察院提出省府疏遷糾正案 浪費千餘萬元類似變相貪污

·關新民·

省府疏遷中興村之措施失當，業經監察院內政委員會第一一一次會議通過，提出詳細糾正，其浪費與舞弊，亦屬驚人，茲摘要報導，以明其內情梗概。

監院提出糾正案，計分四點：一、疏遷兩年耗費兩億餘萬元，僅可省府全部員工三分之一（一千五百人），實屬浪費。二、省府最高機關分作兩地辦公，行政效率減低，難於集中處理；三、疏遷計劃草率，未能全盤籌劃，倉卒興工，大批購料足致物價高漲；四、興工諸方式不當，官商勾結，串同舞弊，公家遭受損失。依監察法提出的糾正，細摘臚列如後：

疏遷經過

第一、疏遷經過：始於卅九年的初步疏散計劃，迄四十二年秋完成，已費不貲；四十三年行政院通知省屬各廳處及所屬機構，均遷中部；四十四年經總統府電催，及行政院電飭實行，乃成立疏遷機構籌備，定於本年六月底完成，預算經費三十億元，嗣以改爲現地中興村，於四十五年列入疏遷費五千萬元，分期興建辦公室宿舍，未幾奉總統府電令限二周遷中部，乃先遷往三分之一員工租用民房辦公，因另加建築物，追加預算一億二千餘萬元，內一億一千三百四十餘萬元向合銀透支，以售出台北宿舍價款分期付還，餘款七百七十餘萬元作爲遷運、租賃、修理、員工生活津貼，傢具購置等費用，此爲兩期疏遷工作情形。

建築工程

第二、工程建築：原定全部建築費中材料費六、七成，包工工資約三、四成；至本年六月底大致竣工，惟招標手續，一則爲時太短，二則投標時未經審計處派員監察，以致工程一再轉包，層層剝削，流弊甚多。

此項糾正案乃就違法，措施失當，浪費等三部份詳細列舉。營建處台中工程處違法部份：一、違法收支閩表費：四十四年十二月起征收，四十五年二月七日奉建廳營建處福利委員會指示「閩表費按總價提福利費一%（由工務組負責辦理）。」先後合計實收閩表費三七三，七九三‧三九元。該款項既未送經主計室入帳，復未解庫，自行開支，前後達一五六，八二二‧四〇元。餘款存入彰化銀行生息；該閩表所用材料均在事務費內開支，征收之閩表費依法應列入正常經費項下，不得作爲福利金之用，顯屬違法。

偷工減料

二、偷工減料部份：該包房屋工程費共一億餘元，總計偷工減料，最大亦在百萬元左右。足徵代表業主之省府疏散工程處有關人員及建廳所監驗人員，不無串通包商圖利之嫌，否則亦難免失職之咎。三、承包工程價款及購料部份：

轉包價高于市價

甲：轉包價高於市價，顯屬於市場不合，官商有關合約八六件，均未經審計機構派員監視，僅查十六件中第一至六號各項工程部份，合計應減四六八，四五九‧五一元，該款項當係營建處與包商共同分贓公家財物。乙、轉包之弊：台中工程處營造記帳廠共九家，實際經知名者只者僅六家，該處公告規定由各廳處介紹者十一家，依建廳公告規定凡級營造商承包工程限額，乙等五十萬元以下，丙等二十五萬元以下，該處不依規定，丙等得一工程總額有在七五萬元以上者，顯有圖利之嫌。四、超付工料款：嘉大廠先後未扣明扣還三四，九〇四元；中台營造公司未交三十萬磚，借支五萬元，與預付總價七成條件資交濟結付之原約規定不合，顯此顯有便利商人以圖利之嫌。

措施失當

措施失當部份：一、各機關人員並未實際參加工作，分別每月支領四百元至二百元交通費，計有十七人，實際變相津貼開支。二、施工雜費支給標準不合：共請雜務人員一〇五人，每月多發薪差旅費共二萬六千餘元，此項雜務費劃分等級，且失同工同酬之原則。三、招標辦法之不合理：刊發招標廣告以一天爲限，六百餘萬水電工程，僅刊台中民聲日報三日，令北部南部甚至中部各商，均趕辦手續不及，與法不合，顯係便利有關官商圖利。四、修工購料監工集中於一人：建廳關係長張命紹兼土木科長，復兼工程處處長，集設計施工考核於一身，與行政三聯制設計、執行、考核之相互制衡精神不合，滴至於今大舞弊案之成焉。

浪費

浪費部份：一、疏遷前後共購辦傢具費一百一百三十餘萬元，台北原有傢具集中不用，且二、省府宿舍職員，民意代表之寓所均爲大廈，需費千萬以上，在倣效美國衆議院會議大廈，均無行政院節約之精神。

員工疏遷津貼

第三、發給員工疏遷津貼：工友、單身及有眷職員（多，寡）月支一五〇至四百元各等，至本年四月底止，實付二，八〇四，二九〇元，此案僅呈請行政院備核，如不獲准，將在經常費內勻支；又津貼費經行政院核准在宿舍組內開支，至六月底止共需四百六十八萬八千三百七五元，似嫌浪費。

不辦公代簽到

第四、職員出差辦公情況：遲到一、四〇人，到者九六三人，代簽到，上午遲下午，各廳處只三，五人處理職務，多不辦公。出差爲由，藉此回台北家中，周五、六至次周一、二爲期，變相出差，每月換十換一次不等，實有這宗嗎！檢討省府疏遷之得失，減低行政效率，送致貪污舞弊，浪費千餘萬元，公（低級者），我人員借過之調整，政府卽輒以財源籌措不易爲詞，觀此不當之浪費巨款，真叫人要無話可說了嗎？（四十六年十一月十六夜於台北）

時論選譯

爲了生活 波蘭人要澈底反共

風行譯

下面是英國女記者某迪李斯托威，最近自波蘭旅行歸來的報導。說到該蘇聯東歐衛星國家人民的苦況。

也許英國有人每天工作十四小時，甚至十六小時，但他們的辛苦是懷有希望的。他們要儲金錢，購買房屋，洗衣機，或電視機，或希望在休假日與家人過着快樂的時光。但在波蘭，人人都被強迫作十四至十六小時的工作，僅能過着悲苦的生活。波蘭的主婦不得不出家庭外工作，因爲她們的丈夫，不論怎樣辛苦，也賺不到維持一家生活的入息。大多數波蘭家庭，起碼有三個兒女，波蘭是生育率最高的歐洲國家。

（一）

在一九三九年及一九四四年，華沙的房屋幾乎完全被德軍摧毀殆盡。『給我任何的掩蔽所！』是人民的呼籲。我的朋友奧爾迦說：她丈夫在一國書館工作，每月薪金一千斯洛特——官價等於十五鎊——此款僅能勉强支持家用十天。因此在下午四時後，還須幹另一份工作，修補靴鞋，每月多二千斯洛特的收入。如此才能使一家七口免於飢餓。星期六及星期日晚，在大學實驗室工作。加之奧爾迦因會說西方國家三種語言，故在旅館任招待，每月獲一千斯洛特。夜間做翻譯工作，因此每月大約有五千斯洛特（約等於七十五英鎊）一家的衣食住，才勉强過得去。奧爾迦的一家，算是波蘭人少有的幸運者的了。

（二）

自從戈慕卡任黨書記長以來，給予人民若干有限度的自由。奧爾迦說：『現在我們可以自由談話。我們可以閱讀外國的書報。假如我們有親朋在國外，能替我們支付費用，我們還可以每年出國旅行一次。我們不再怕有人拍門了。人民對他多少還有好感。但他到底還是一個共產黨徒。他堅持國家應有一切的生產工具，集中計劃經濟生活。共產主義制度不能實行在像波蘭這樣貧窮的國家。這就是我們生活不能改善的原因。然而我雖不滿意於共產主義經濟制度，但戈慕卡好過其他屈伏於俄國的政權。』

奧爾迦說：他大約每月到電影戲院一次。我問她：『是不是像購買牛油一磅，要擺長龍二十分鐘呢』？出乎我意料之外，她回答道：『不，在波蘭我們在禮拜堂擺長龍。但電影院，常有許多空座位。』其實並不奇怪。購買力弱而精神苦悶的波蘭人，當然趨向宗教者衆，趨向娛樂者少。

（三）

次日是星期日，我目覩實情，方信奧爾迦的說話沒有誇大。三間的禮拜堂都有人滿之患。有許多留在禮拜堂戶外。男女老幼都是很虔誠的禱告和唱詩。我在西方國家未嘗見過這種情形。

再過一星期，我因見朋友們日中忙於工作，便自行走到華沙的商店，看看衣服的貨色和價錢。這實令我吃驚。一雙的婦女鞋，價錢總在五百至一千二百斯洛特之間，（即七鎊五先令至十八鎊之間）。男子的鞋更昂貴，每雙總在七百至一千四百斯洛特之間，（十鎊五先令至十九鎊）。質地很劣的人造絲綢，每碼標價二百八十斯洛特（四鎊六先令）。一件女人的衫，索值在七鎊五先令至十八鎊不等，一件羊毛衫標價二千五百至三千斯洛特，（即三十七鎊十先令至四十五鎊）。

但波蘭有一種國營的公賣場（Komis），這就是凡從外國得來的禮物，可以拿到那裏，自由開價出售。國家抽佣金百分之十。在那裏買的東西品質較好，而價錢較廉。

（四）

奧爾迦和她的丈夫的薪水，代表波蘭的白領階級。我遇見一個初服務的醫生，月薪八五〇斯洛特（十二鎊十三先令），他的妻是受過看護學訓練的護士，每月七百斯洛特。會計員，教師，及律師（波蘭的律師完全受政府聘用）以及牙醫，每人每月平均收入僅一千斯洛特，（十五英鎊）。波蘭青年人知道西方青年人的生活較他們的優越得多了。他們因沒有享受得到許多應享的權利。所以很憤懣。他們感謝戈慕卡上下給他們自由說話，和可以到國外旅行。但正因如比，他們看見了西方人的舒適和富裕，他們更猛烈抨擊共產主義的經濟制度。

在本年八月，那有『波蘭之曼徹斯德』之稱的羅特斯棉織工人和電車工人，因要求加工資而罷工。工資提高百分之十。爲了輿情的壓迫，也將醫院的看護提高工資百分之十。但戈慕卡對其他的工人說：在目前情形下，無法令他們增加收入了。

更壞的，是通過了新的徵稅法律。凡從私人額外工作收入的，均徵收『懲誡稅』。如每月收入超過一百二十鎊的，都被沒收。換而言之，在波蘭男人或女人的辛勞，每月不得超過一百二十鎊，生活艱苦，而毫無希望的人生，普遍在一切的共產主義國家，這是無可掩飾的事實。

國際動態拾零

一九六〇年民主黨的總統候選人，以新近選出之紐澤西州長梅耶納氏最有希望。紐澤西州久屬共和黨，上次梅氏始當選爲州長，此次復被選聯任。×××

據赫魯曉夫對人民許願，謂可增加房屋與消費品，允許衛星國各就不同之路途到社會主義，並以之爭取中立國。毛澤東固表示擁護，即狄托亦謂共產黨人應當大團結。×××

在眞理報撰文，向朱可夫開第一砲者，爲齊兒托夫。其人前任紅軍政治部主任，官階爲少將，現已升爲元帥。×××

日內瓦消息，毛澤東兩次均助赫魯曉夫，前助其倒馬倫可夫，現助其倒朱可夫，均有代價。蘇聯允代中共建立數處工廠，包括原子設備在內。×××

西德至一九五八年底，將有噴射機九百架。但爲駕駛員祗訓練到一六〇人，青年們對服軍役，均不感興趣。×××

艾森豪允許盟國共同享有原子秘密之咨文，聞國會將不予同意。美國公衆，甚至不願將原子秘密對英國公開。理由是如果工黨當政，外交部長必由貝萬擔任，他喜歡蘇聯，不喜歡美國。

陶然

張君勱論中美協防條約

我國反攻問題，被釘住在「中美協防條約」上，這是一般人普泛的概念。最近留居美國的張君勱先生對於這個問題根據原約有深入的分析。茲根據本月十五日他在「再生」雜誌發表的原文，摘刊如下。張氏對于這個問題的結論是：「反攻權明受限制」。最後張氏提出「補救之道」是：

「今後反攻大業，當以實行下列各項爲開步之始：（一）由民間在海外組織反共團體；（二）由民間團體告美政府以兩個中國不能解決中國問題；（三）由民間團體告世界以民主政治爲中國問題之唯一解決方法；（四）此項運動必需表示反共人士之一致。台方政府盡力於現行憲法應有之民主政治，不必宣傳今日或明日反攻，至於國民黨不與民間反共團體爲仇，而與之協力，吾信以上四項誠能實現，不患一千五百萬人之呼聲不成爲世界輿論而有以促成反共復國之大業也。」這是值得國人共同警惕與努力的。（編者）

葉公超對反攻問題的解釋

「一九五四年十二月美台相互防守協定，官方譯之曰中美協防條約。究竟此項條約准許台方反攻大陸乎？抑不許反攻乎？此爲今後台灣外交政策之大關鍵。不可不求一正確解釋，以期今後國是趨向之明瞭也。

據美聯社十月廿七日電：葉公超氏在立法院宣稱：如國方反攻大陸，不須先獲得美國之同意。該條約只關於守衛上述之雙方領土，（台灣澎湖及美國在西太平洋區域之土地）國方反攻大陸，乃完全另一問題。

凡條約之解釋，自有共守之規則，非單方所能確定，當時美衆參兩院與英國外交部長艾登氏均有解釋該約意義之明文，非今日葉氏在立法院中對於「須先得美國同意」云云加之以否定，便已確定吾國有反攻大陸之自由也。

吾所欲問者，該條約既正名曰協防，與攻絕然兩事，不可混而爲一。美國務院用一防字，意謂中共來攻而後台美起而禦之之意也。

該約全文計十條，第二條云兩國各以個別能力與集體能力以抵拒攻擊與共產推翻活動。第五條云兩造承認對於西太平洋中兩造領土受武裝攻擊爲有礙於和平，須依照各個憲法順序共同抵禦。約中攻擊字樣指中共方面之來攻，至於美台兩方均用抗拒或抵禦字樣可知攻在對方，而台美任務爲守衛而已。此種條約最注意者爲攻守範圍，其第六條明文規定所謂領土，在中國方面爲台灣及澎湖列島。在美方面爲西太平洋中之各島。此項範圍既定，即金門等島如美總統認爲可以讓中共奪去，台方因第六條範圍之規定，亦且無奈美何。豈有美國關於金門防守，尚有保留，乃讓台方超過金門以外而攻大陸者乎？不特此也，該約之要旨在於中共攻台澎之日，台美兩方根據該約共同抵禦，倘中共不先攻，美國即無共同防禦之義務，假令台方在中共不先動作之日，遽攻大陸，而謂美所準備之海陸空軍可以供中國之自由調遣，有此可能性乎？

吾以爲台方處極困難之境，不反攻，無以維繫人心。欲反攻，即受美國牽制。與其政府人民之間互相欺朦，不如誠實揭開內幕之爲得矣。

中美協防條約的拘束性

「一九五四年中美協防條約商議之日，有人議論將介石氏如果眞有胆識，則不需訂此種協定。以台灣處於日本與菲律濱之間，爲美所必爭，決無讓中共佔領之理。即無防守條約亦不怕美不來助我防守。奈蔣氏以爲與美訂約，則台灣與美有盟約，更可有恃無恐。然不知訂約以後，美不欲因約文而引起反攻之禍，乃於約文中加以種種拘束，如約文名曰防守，如地理範圍之確定，皆所以免去蔣氏藉口條約以圖反攻之禍也。吾人細考條文，除所已論述之第二、第六兩條外，尚有限制兩項：第五條之第二項曰：「此項武力攻擊及其所採之抵禦方法，應立即報告安全理事會，安理會採取維持和平辦法之際，此項抵禦方針應即停止」。讀此條文後，當知台灣即能與美並肩訂約，然非一個完整獨立而有作戰權之國家，其地位略如南韓越南。假令安理會議決停止戰爭，各守防地，雙方放棄武力以談判解決之，美政府自將樂於化大事爲小事，則台灣與自由中國所希望之反攻，由何而實現乎？台灣而從安理會之請，即無反攻可言，台灣而不從安理會之請，則背道而馳，如何而能作戰乎？此時之台灣，指天誓日，有滅此朝食之決心，又有何用乎？

第五條第二項所想像之遠景，不外乎中共侵犯台灣之日，尚可挽出安理會爲調人爲縮小戰事範圍之計，然不止此也，約文中尚有第八條曰：「本約不影響於兩造在聯合國憲章中之權利義務，且不影響聯合國維持和平之責任」。此條之意，不外乎告人以美雖與台灣訂盟防衛台澎，然此約不防礙美國根據聯合國憲章，提出停止戰爭辦法。即令美國自身不與而提出此議，聯合國自身維持和平之責任，可根據憲章，起而調停，試問以英法兩強之地位，因蘇彝士運河問題進攻埃及之日，尚且因聯合國之議決，而不能不撤兵以退，豈有以台灣孤島之地，而有反攻大陸之自由乎？

總之，依吾人所見，關於反攻大陸問題，台灣不得美國同意，即無反攻之可能。即令美政府同意以後，美政府仍可根據憲章，在聯合中提出停戰辦法，如韓國戰爭之往事，能反攻乎？不能反攻乎？望全國上下本誠心誠意思之討論之。

條約對軍隊移動的限制

「葉公超氏在立法院宣稱：如國方反攻大陸，不須先獲得美國同意，葉氏爲訂約之經手人，其言宜屬可信。然證之美國國會議事錄，而有以知其不然。此事之所以應求一正確解釋者，非欲與葉氏爭辯也，乃因吾國是否有反攻之自由？爲民國軍事外交與夫復國大業之關鍵也。

該約中第一條聲明兩造遵守聯合國憲章，放棄武力使用。第五條承認對於西太平洋區域有武力進攻，然後以動作抵禦此項共同危險。此兩條既已明白規定此約只爲守勢而不爲攻勢之用甚爲明顯。第四條又明言兩造經由其外交部或其委派人隨時商量此約之履行方法，兩國既訂同盟之約，豈有發生軍事動作而不先行協商之理？依常識言之，既有第四條之規定，安有反攻大陸不先與美協商之理？依常識言之，既有第四條之規定，安有反攻大陸不先與美協商而得其同意者乎？安

況乎除本約十條外，尚有換文一項：其中有言曰：「按照本約中兩造之義務，彼此同意於武力使用爲相互同意之事項，但受自衛權緊急性之限制」。所謂自衛權緊急性之限制，即中共攻擊之際，台灣須立刻發動自己保護自己之權利，此類立時之報復，自然無須先行通告美國。至於大規模之反攻，照此換文之意，如葉氏意認爲可以解釋爲由台決定，不須獲得美國同意，吾恐世界任何外交家無法同情於葉氏之解釋也。換文中更接一句曰：「兩造協力建成之軍事元素，如無相互同意，不得自第六條所規定之領土上遷移，以減少此項領土上之防禦。」此一句可以解釋爲美國軍力不得離台，同時中國軍力亦不得離台。但吾人可以揣想此句定由美國務院提出，以防止蔣氏運大部軍力以至大陸，此項換文關於台灣以軍力反攻之所受限制如此之嚴，而謂台灣之反攻，可以不先得美國之同意乎？而台灣因此中美協防條約而得到安全保障，自爲事實。然亦因此約而反攻主權明受限制矣。吾人不應對葉氏訂此約而責其疏忽，然反攻權之明受限制，應誠實向中國民意代表明白言之，不應曲解約文之意義以造成國人反攻即在目前之迷惘心理也」。

自由談

政治人物的醜劇

馬五先生

南美烏拉圭卸任總統柏勒斯，與其僚屬陸軍部長立己斯將軍，因在報紙上互相發表文字，爭論過去的人事任免問題，各持己見，攻訐對方，憤激之餘，相約決門於數千觀衆之前，彼此皆負傷，民衆為之譁笑不已。烏拉圭的法律，允許人民因事可以採取決鬥手段的，所以，這兩個行年六十以上的大老官，爲着舊有政治恩怨，乃不惜拚其老命，一見高下。

凡屬決鬥者，都是淘氣的要人，而且已經走近人生旅途最終點的邊沿了。然忌忮之心猶存，恩怨之見未泯，還要當着民衆表演五步流血的醜劇，可見政治生活最容易使人墮落下流，而其癥結即在權力中毒。他二人在位時，對於軍中的人事進退，一定爭執很多，彼此都要布置黨羽，掌握兵權，因爲南美那些國家隨時發生政變，誰能得到軍隊的支持，即能奪取政權。這情形，跟亞非地區一般落後民族的政治生活相伯仲，專爲植黨營私，把個人利益置於國家利益之上，一是皆以爭取奪利爲本。中南美各國明着地理環境之光，共產黨不易潛蹤作亂，並且仗有美國保鏢，一般政治人物的權利慾尤爲強烈，因而私人利害衝突亦甚甚了。

由於權力中毒之故，即不得不以任用私人爲主，認認「自己的人」一定忠貞可靠，倚爲心腹之寄，遇事能够說私話，不怕洩底。實則這種天下爲私的觀念，就是失敗之根源。一遇患難來臨，相率倒風轉向，蟬曳殘聲過別枝者，多半都是些平日視爲忠貞之士的自己人，史事昭彰，不勝枚舉。人皆有自私的天性，你既以徇私爲用人行政的方針，人亦自然應之以私，這是必然的現象，古今中外皆同然的。烏拉圭那兩個大老官，失敗下野之後，尚未能忘情於任用私人的往事，竟至持劍決鬥，至死不悟，政治上權力中毒之貽禍於人，殆與嗎啡紅丸一樣，可懼也夫！

大小兩案

趙石山

頭戴方帽子的汪震要行兇謀財，踏三輪車的張國治卻拾金不昧。前者在新聞處理上用大字標題，後者祇能在不當眼處用不受注意的四號字……！

這幾天，報上的社會新聞，披露了寶島大小兩案：一件是受過大學教育和曾任基隆市稅捐處秘書因貪污而垮台的汪震，公然立志做大事，如今，投閒置散，大而無當目的謀財害命，殺死他二十年的老同學張昌年，被刑警偵破拘辦；另一件是，台北市三輪車小組長張國治，在中正路口拾得新台幣三萬元，仍然原封不動的送請派出所主管「失物招領」，得到一袋麵粉的報酬。

我把上述二事，說成「大小兩案」，是頗有道理的。自其大者而言：人命關天，這天大的命案，當然非同小可！再者，汪震是戴過方帽子的大學生，早年曾

祇在弄幾個錢，手段是殺個把人。如果刑警不多破案，他是亂世中的多金紳士；案子破了，他一躍而登新聞的尖兒頂兒，成爲「亦當遺臭萬年」的「大丈夫」！——哈哈，大丈夫，當如是耶？當如是也！還有，兩萬元美鈔，論黑市可換得新台幣七十多萬元，這個數字也夠一般升斗小民吃喝的了。

這「大」字號，哪裏像張國治這種小人物，小心眼，小到連撿來的三萬元新台幣都不敢消受，乖乖的報請警伯去「失物招領」！失主也看準了這位福薄的小人物，不能享有「陽宿之福」，更多一層了會遭暴客，從此送掉老命，恰如其份的送他一袋麵粉，就表現了這一「偉大的仁義」。某報的編輯先生更高明，把張國治這件拾金不昧的小人小事，用很謹慎的四號宋字做標題，很謹慎，排在一個不當眼的地方。

請注意：這種「小事」，報上可不能太當眼，萬一被做「大事」的汪震看見了，那才會笑死呢！笑死汪震，又是「關天」的大事一件，這也球可能因不勝負荷而要脫軌了。是嗎？

有人問：假使張國治招領的財物，正是汪震主謀殺人分來的一萬二千元美鈔，汪震該拿什麼東西謝他？

我對曰：一袋麵粉。又問：他不嫌它太微薄嗎？

這已經太厚了！我想：汪震可能會像舊小說中的草莽英雄，穿上「夜行衣靠」，拿把刀子，乘黑夜趕到張國治家，對準張國治那顆不曾設防的腦袋，勇敢地手起刀落！然後，我們的「英雄」，攜帶那袋麵粉，高高興興的搭公共汽車回家。

應梅尊兄見示登島上高峯兩律。爰綴古體奉酬。並簡叔儒，韶生、睿聰諸君子。

丁酉秋日　邵鏡人

高峯攬萬里，飛動詎無心。抱膝固足樂，何如此登臨！長風振林壑，靈籟發清吟。倜儻有伍叟（叔儒），短髭如鐵鍼。（韶生、睿聰、）一笑寄古今。鐘先萬夫繼，廖建安壘，常談足雅音。王楊亦卓犖，英，（應梅）揮毫四座驚！所志亦非小，起衰宏夏聲。大道已陵替，幾人天柱擎？走也無所似，執轡惟心傾。撫掌發長嘯，山光忽西征。屠龍應試手，碧海掣長鯨。

破襪

李仲侯

因為我這付腳，生就有點像香港腳，長日像有些擾似的，一下辦公，就想脫去鞋襪，把它擺過痛快，往往抓得水汪汪，須敷些藥，才可平復。故我常以著革履為苦，遇到穿西裝，還得履聲橐橐，掙扎出神氣畢挺的樣子，內心尤其難於掩飾的痛苦，如遇閒暇，總好披上一襲老布短衫，換上布鞋，讓中國便服，舒適輕鬆，寬衣博帶，又可使其腳趾自由。雖進化至原子時代，一切爭趨洋化，我還是喜愛這種中國的風度，惟有吾人間。

妻對我了解最深，民國卅六年我遠遊西康，她還手做了兩雙布鞋和兩雙襪子，從遙遠的鄞縣寄遞到西昌，襪子不算上品，但襪底和襪跟，都是用好幾層白布疊成，並用針線密縫過的。四十九年，倉卒南奔，脚上穿着那雙襪子到了台灣，長期擱在我的箱中。

獨妻寄的那雙始終未忍捨棄，故七年來，隨我北逃南奔過了台灣，所有衣物又來一次曬晾，這一雙襪子，出了霉，已經破爛不堪，我仍不忍捨棄，心中，我忠近各方主張反攻大陸之聲，如果是金上，妻經過大陸之身，經過大陸淪陷，與我睽隔已有八年，我和她離別十載，人世滄桑，她的頭髮都已白了，破襪之出示，使我難以忘懷，或許博得吾妻瞭然一笑吧！

短篇小說

蒲雪列夫（下）

他是音樂家，向來是沉靜的，柔順的，常常愛談一些支想，吃酒，醉一些：拉赫琴，幼貓曲之類的東西，他說這些歌詞不像俄國上流社會所喜，聽調子上是好的。

「你的琴呢？」他仍然不答，眼睛望着窗外，我不自覺的把橫放在樂譜上的提琴拿過來，有很厚的灰塵，沒有弦，沒有弓子。

或粗礦的舉動。果，他現今生活中好像有一件使他憎恨的東西，我以爲那不過就是他自己的生活本身，可是這種生活形態，不能不說是流浪貴族生活形態之一，據我個人的判斷，不僅過去就有的；而且這一點和他的目前工作以至於生活也有強烈的差異。

他的房間就在二〇四號，裏面有一支馬琴，和一些亂的樂譜堆放在一個牆角的小茶几上，此外顯得很零亂。

「蒲雪列夫！」我忘記怎樣稱呼他，我喊他。

他不答，他先注着熟悉的情者，以他美麗而多鬆口形唱出俄國民謠來，靡靡柔和而憂傷。有時他唱

我不敢出聲，把琴又悄悄地放下，我彷彿已體驗到冰冷的事實，蒲雪列夫到底是怎樣一個人呢？另外俄歐也告訴我蒲雪列夫的離落輾轉，但大多是些猜測的話。

一天晚上，我正整理雜物，我的門外突然響起一陣腳步聲，蒲雪列夫走進我，我開門蒲雪列夫挽着一位女性走進我的房間，我們的神情非常緊張，蒲雪列夫把那是一件最好的衣服，那位女性的濃妝打扮，告訴我那是他的未婚妻安娜。

他們兩人面對着我，安娜像一個被不可知的命運擺佈的孩子，瘦孔上毫無表情，只有慘白的顏色，身材很小地站在那裏，燈光裏顯着蒼白的影子。

「蒲雪列夫，你們是要我證婚嗎？」我驚奇地問。

「老朋友！」他點點頭說：「我現在把她就交給你的了，請你……承担起來，協助她，她會告訴你一切……」他的話幾乎是一個字一個字吐出來的。

安娜突然回身撲到蒲雪列夫的懷裏。

「……」

我預感到嚴重事件的來臨，蒲雪列夫抽身走了，我想喊住他，然後我張開兩臂，呆呆地望着他：

第二天北平報上有共匪李毓上嘴，安娜正俯在我的床上抽搐，那是一位韓國女那是一件普通的新聞，另外，是一位韓國被捕，兒子是一位新聞被捕大新聞，在上面卻列有蒲雪列夫的名字，說他是偽裝進步份子的俄國人，就是這樣簡單的消息。我想他是被推到恐怖的深淵裏，對於我恐怕也是意外的災禍。

我必須離開哈爾濱，草草的到學校去辭去我的教書工作，注意她的安全，我只能告訴她，她卻是堅決的注視着自己的安全，她說：

「我還必須留下來，」

安娜走了，我望着她的背影，消逝在馬路上行人的浪潮中。

那是一個春天的三月末——完——

蒙齒。

龍鳳配？

游污瀆

平劇中表演劉備到東吳招親那一段故事，劇名「龍鳳呈祥」亦名「龍鳳配」。意思是以皇帝爲龍，皇后爲鳳，因而蛻變到一般人則以龍爲男性，鳳爲女性，比如平劇中表演正德皇帝在梅龍鎮玩酒家女，亦名「遊龍戲鳳」，鳳指李鳳姐，龍指正德皇。亦爲他遊歷梅龍鎮調戲鳳姐之意。

其實，是錯誤的。鳳之性屬陽，鳳性之才爲陰，假若真把一隻鳳凰配與一條龍，即使勉強「交尾」絕對不會產生「太子」的。因此說來，龍鳳原來「不」配了。可是積非成是，誰也不否認「龍鳳呈祥」或「龍鳳配」的意義是屬于兩性了。

龍鳳二字運用，在古人也有，但不是性的男女代表，如：南史王僧虔傳：「王家門中，優者龍鳳，劣者虎豹，」——是喻才德之優異。

唐太宗記：「……方四歲，有書生見太宗曰：龍鳳之姿，天日之表，」——是喻貴相。

李白與韓荊州書：「龍蟠鳳逸之士，皆欲收名定價于君侯，」——是謂懷才不遇者。

他如「鳳鳴龍躍」，也是稱讚人的才氣之類，見于史冊者，總無以鳳屬於女人的。古人爲什麼把龍鳳看得如是之高貴呢？因爲它們的長相太不平凡。

龍有九似；「角似鹿，首似蛇，眼似蝦，項似蛇，腹似蜃，爪似鷹，掌似虎，耳似豹。」

鳳有十似；「鴻前麟後，蛇頸魚尾，鶴額鴛腮，龍文龜背，燕頷雞喙。」

龍之爲物，屬于鱗虫，連毛也不生的，鳳之爲物，屬于飛禽。虫與禽配，古之所無，那兒可以說是「龍鳳配」呢？倒是它們的「長相」，就在鱗虫中，鳳在飛禽中，都是極端奇異而已。

龍鳳已久不見于世，然我們當信其必有。若是無此二物，則書籍中常無此二字。不過，也有人說龍在今日，還是有的。雲南人常常說：「每年可以見一次或數次『龍吃水』，即由天上伸首下地，吸引泉水」。這也有事實（？）爲證：年前某君說：「玉敬五君我：民國十九年間某日出漢口，京漢火車到，在蒲江附近突聞車中人，驚呼有龍，咸仲首窗外觀望，見天空現一龍首，大若巨甕，騰雲曳霧而下，如中國所繪形狀，尤以巨睛光耀，炯炯逼人，殊覺可怖，其鼻孔噴白氣二條，長千數百丈，直射湖中長江，或言爲吸水，頸以下悉爲雲遮，未見全身，良久始滅。」首不見尾。至於鳳凰，則今世沒有人說誰人曾過它的。湖南某朝的蘇軾，則看過一次「鳳」，謂之鳳凰，是五色的，他也不敢確定。他說：「海南有五色雀，常以兩翔集，止必隨焉，俗謂之鳳凰，云久旱而見，輒雨，潦則反是，吾卜居於耳，或南，嘗一至庭下。」

文學與神話

慕容羽軍

讀書劄記

文學的始源，在社會學家看，那是產生自勞作生活的苦悶中，從他的所呼出的聲音，進一步凝聚而成爲一種表達嘆息與願望的歌謠。日本文學家也有所謂「苦悶的象徵」來解釋文學，他們以爲文學就是人們心靈所存在的困惑或苦悶，藉着文學的形式來發洩。

「歷史與神話」、「文學三位一體的地方。

（巴黎費嘉羅報列出中國作家馮奕袞的一篇論文），把歷史，神話，文學三者結成一個連環扣，列舉了許多中國、希臘、埃及、印度等文化深厚的國家底神話作爲佐證。他說：遠古，文字的功能未能完全表達形象，歷史的流傳，便靠「歌者」歌謠「紀錄」（並不是有意的「紀錄而紀錄」）荷馬史詩，藉歌頌英雄勛業而流了事蹟；像中國的詩經，藉里巷的風頌，流傳了當時社會的形式與風尚……這些神話、歷史

看我們的山海經，搜神記，從神話中覓出了歷史的影子，而神話的素材，便是更遠更遙的人類傳述的文學素材。神話是導源于一、恐懼：對天文現象的無知所引起的恐慌；二、景仰：對自然現象產生的力量感覺驚奇與信服；三、初民口語單純，對人類現象的傳述發生錯誤的誇張，而產生了人間的神蹟。

自由人
THE FREEMAN
（第七〇三期）
每份港幣壹毫
台北市售價每份台幣壹元
地址：香港高士威道廿二號四樓
20 CAUSEWAY RD. 3RD. FL. HONG KONG
TEL. 771726

香港人士看台灣

夏濤聲

在三十八年廣州撤守之前，我曾抽空來香港耽擱數日，時光易逝，轉瞬已逾八年。此次再來，香港頓是面目一新。由於大陸的淪陷，香港人口已從一百餘萬增至二百餘萬，可見大陸同胞厭惡極權統治奔向自由之情緒熱烈。若非此間加以嚴格限制，我想現在也許已經超過千萬。又由於南洋各地僑胞遭受種種排斥，資金更是源源流向香港，不僅矗立雲霄之高樓大廈，觸目皆是，多如雨後春筍；而各項工業之發展，及其產品的繁多與優良，都是超出了我們的意想。

香港是繁榮了。從這種繁榮中，我們可以隱約看出大陸同胞的悲哀和海外僑胞的艱困！

來到香港以後，已看到了不少的新知與舊友，並已參加過幾次座談會。從大會接觸，他們總要我談談台灣的情形，或就報紙所載，向我提出詢問。他們對台灣是如此的關心，即使是一件極其細微的事，他們也往往希望得知其詳細。這真使我窘極了。因爲我雖然住在台灣，關於時事消息，我也祇完全憑藉報紙，因此，我所知道的東西，並不比他們多；而且有若干事情，還是來香港後才聽見的。我怎能副他們的希望呢？

在這種窘迫情形之下，我遂心生一計。就是：每當這種場合，我總是說：「關於台灣情形，因我所知無多，實在無可奉告；我倒想知道你們對於台灣的看法或感想」。從此我不但應付裕如，而且獲得了不少的珍貴意見。以下所說，就是這些意見的整理和申述。

香港人士一個最普遍而又相同的看法，是認爲近幾年來我們政府對於僑務工作雖然很重視，但並沒有做好。因爲香港是南洋一帶的樞紐，各地僑胞來往頻繁。對於南洋各地的僑情，他們知之最悉；對各地僑胞處境的艱苦，他們極具同情。他們覺得各地僑胞近年來日趨困境，大部份的原因固然由於各新建國家之民族主義的高揚，但我政府應付未盡妥善，實亦不能完全辭其咎。如關於國籍問題，他們認爲政府應該早有決策，鼓勵各地僑胞取得當地國籍，而不應鼓勵僑胞內遷。因爲僑胞一經返國，不但生活失其憑依，而且根本喪失了意義與作用。假使政府早有決策，若干越南僑胞，即不致陷於今日進退維谷的困境。而且他們認爲今後南洋各地僑胞，也將或遲或早的要遇到類似問題，希望政府能亡羊補牢，或尚可收桑榆之效。其次，他們認爲近年來僑務工作，多喜歡做表面文章而未能替僑胞解決困難。如華僑回國投資條例，早經制定頒行，但華僑回國投資有種種障礙，並未予以解決。以致華僑資金流入台灣的尚不及流入香港的千百分之一。「爲什麼不能引導這些僑資入台從事建設呢」？他們總是這樣關切的詢問。這固然不能由僑務機關獨負其責，但總覺得政府各部門關於此一問題並未能密切配合。而在另一方面，他們認爲關於觀光旅遊工作，卻未免做得過於起勁。那些回國觀光旅遊的先生與女士，固然不乏有聲望有地位的僑胞；但由於求多，有時就難免失於濫，於是人品不齊，想藉此走私發財自然有人了。而最近此間各報刊出某一觀光團人員竟挾帶毒品在機場被搜獲的消息，更給香港人士的刺激很大。此事發生後，他們總是愛問：「這種人究竟是誰鬧去的？這不僅使我們僑胞丟臉，還不值得政府警惕麼」？

其次，出入境證問題，也是他們最感關切的問題之一。在目前情況下，要台灣完全撤銷出入境管制，自然事實上不能辦到，也無人作此主張。但他們認爲再作若干改進，並不是不可能的。放寬尺度與提高行政效率，固然大家有此希望，但最重要之點，還是希望能照規定的辦法不折不扣的執行。他們覺得依據現行規定的辦法，有些人應該可以出入的，但竟不能出入，有些人不一定應該出入的，但却來去自如。這其間，除人事關係外，再加上一些「特准」或「特不准」的例子，遂不免使人有無所適從之感。舉例言之，如滯留此間的若干立法委員，他們的反共態度，是百分之百的堅決，但竟不能去台灣。數年以來，立法院同仁爲了此事不知提出過多少次的質詢，然問題迄未解決。筆者此次來港，也會見了一部分，他們本人對此事雖都毫無怨尤，可是別人一提及此事，我們總覺得難於回答。

最近公論報總主筆倪師壇和新生報記者路世坤先後被捕，也是此間人士所常談論到的一個問題。而新聞界對此事件，似尤爲注意。各報除刊載了這一消息外，星島日報並把公論報社長李萬居「敬向讀者致歉」那篇文章摘要登出了。工商日報與中聲晚報都曾爲此事寫過社論。綜合各方的意見，約有下列幾點：（一）倪路兩人，究竟爲什麼遭受拘捕？逮捕機關，爲什麼不公布眞相？（二）在現行制度之下，新聞言論自由，均受到憲法保障，如無切實證據，政府是否可以任意拘捕報人？（三）對自由中國的言論自由，因此更深懷疑慮；而對於這種事件的發生，則表示惋惜。由於政府未公布事實眞相，更由於對於李萬居所申敘的各點，政府未嘗提出反證，以致對倪氏被捕的原因，更是傳說不一。最初說他的被捕，係由於公論報有篇社論對特赦貪效先表示不滿；而合衆社台北二十一日的電訊，則又說他「於被捕前六天，曾撰述社論，提出坦率之指摘，謂蔣總統之左右，均不敢向此七十高齡之自由中國領袖直切說明中華民國政府刻已面臨各項之眞正事實」（見本月廿二日工商日報）。倪君的被捕，究竟是否由於上述的兩篇文章，他們自然無法斷言，但他們認爲如果祗是這兩篇社論，實不足構成逮捕的充分理由。而政府又未公布其他事實，這自然無法使他們相信這種拘捕是合法而且必要的了。他們都希望自由中國今後不要再發生此類事件，萬一發生，也必須公布不得不加拘捕的眞相與證據，使自由中國政府維護人權尊嚴與尊重言論自由的事實，可與天下以共見。於此不得不附帶說及的，就是關於書籍和報刊進入台灣的問題。他們一致的意見，第一希望政府的尺度放寬，關於一些純學術性而又具有價值的書籍應該准予進口；第二希望對於已經准許進口的報刊，不要隨時任意扣留。

他們所談論到的事情，自然尚不只是上述三點，但因篇幅所限，筆者實無法一一道述。

最後，筆者必須鄭重說明的，就是他們之所以談論這些，都是基於善意，對台灣表示關切並懷着期望，假使在這篇短文裏，未能把他們的這種意念表達出來，那祇是由於我的文字技術不夠。（四六、十一、二四、於香港旅次。）

半週述評

巴黎首腦會議的厄運

環繞着白宮，許多世界性問題，因爲艾森豪總統的病而感到棘手，特別明顯的是對于下月十六日在巴黎舉行的北大西洋公約國首腦會議。

北大西洋公約國會議，向由各國外長出席，也許最近由于蘇俄人造衛星的發放，莫斯科十二國共黨渠魁會議的舉行，六十四國共黨所謂「和平宣言」的發佈等一連串白熱化的攻勢，引起了西歐國家的疑懼不安，故艾森豪決破例親自出席並邀集首腦會議，使該會具有異乎尋常的特殊意義。

他之不能親自出席，會議雖仍然是首腦，但其重要性必然會打了折扣。

艾森豪總統的病

艾總統的病，據白宮醫生史奈德的診斷，尼克遜的談話，以及紐約股票的跌而復漲，目前縱或不致危險或因此退休；祇是在國際現勢下，爲對抗共產集團緊羅密鼓的團結運動，西方國家勢須促進全球性聯防合作。杜爾斯也曾認爲像北大西洋公約組織，巴格達公約組織，東南亞公約組織，南美防禦機構等各自爲政的區域性組織有進一步聯繫與合作的必要。這類艱巨，需要領導國家擁有極高國際聲望的領導人物出來，才比較容易推動。這就是自由世界對艾克健康感到關切的緣由。

法蘭西的病

和過去蘇彝士運河事件造成英法與美國間的裂痕一樣，今天英美「供應軍火與突尼西亞」事件，又引起兩國與法國間的裂痕。

英美供應突國軍火，是爲了鞏固突國的治安與國防，俾有對抗共黨及折衷調解阿爾及利亞叛變問題的力量，却引起了法國的猜忌。英首相麥米蘭與法總理蓋勒德經八小時會議的結果，公報上說「兩國政府深信法國仍應繼續負起其對北非的特殊責任」，也僅屬外交詞令，顯然未曾觸緒裂痕。巴黎的英美大使館而且有示威羣衆大呼「絞死麥克米蘭」，「美國人滾回去」。這又必然使未來巴黎首腦會議蒙上一層陰影。

這表示了法國對世界性問題的短見與自私，與艾森豪總統的健康，都是自由世界可憂的病。

北非之患

摩洛哥對于阿爾及利亞，其地位不亞于突尼西亞；摩王的訪美，對于北非問題極其重要。艾克的病，時間是很不利的。

北非問題，顯非法國的方法和力量所能單獨解決；但英美的插手，又遭法國的疾視。法國這種作風時代表了自由世界一些國家的弱點。埃及的驅共附共以及若干國家之傾向蘇聯，實爲西方國家這些弱點暴露的結果。

東南亞反「顛覆」的弱點

東南亞公約國八國代表在碧瑤舉行四天的會議，討論共黨「顛覆」問題。

「反顛覆」正是東南亞自由國家的主題。如馬來亞正接受了在顛覆陰影下懸性學潮的不斷挑戰，寮國業已形成顛覆政策實施中的聯合政府，印尼在共黨幕後安排下掀起反荷潮……這些事實顯示了東南亞有擴大加強反顛覆活動必要的客觀形勢。

但是東南亞公約組織祇包括八個反共立場不完全一致的國家，並未包括所有東南亞主要反共國家在內，將拿什麼去反「顛覆」呢？組織本身與基本立場，顯然是一個先決問題。

冷戰攻勢轉向

蘇聯人造衛星的宣傳威力，在美國宣佈發放直射太空人造衛星後，已大大減殺。據美國人造衛星創造計劃主持人漢根博士在國會作證，指出美國先放射衛星計劃在國防部被人擱置，致被蘇俄搶先。這些話在美國本身是指責，對蘇聯却是攻勢。

但是，蘇聯的冷戰攻勢，似已從宣傳轉到組織。這更顯示由世界領導中心的白宮及白宮主人的重要性。

林伯雅

談香港難民問題

祝修衡

難民救濟與難民移殖，似是兩椿事，實際爲一件事。或是一事，又畢竟是兩回事。等待救濟顯然是一個待決的問題，申請赴美儘管即可以兌現，却不是每一難民都能辦到的。今後香港（應當括有澳門）難民的救濟，到底交由何種機構負責，以及如何救濟，誰也無法確定。一個最基本的問題：難民的定義，至今也仍被社會人士忽略。

狹義一些說：大陸逃亡無依無靠的流亡者，無可否認的，他們是眞正難民。這批眞正難民，也許正是時人所謂七十萬這一數字。假如依照「國際難民」構成條件來統計香港難民，再加上幾倍恐怕還不止哩！因此，這一個眼前看來「不成問題」的問題，將來勢必引起爭議，現在似應及早考慮！

香港難民處置問題，遠在一九五二年間，中華民國政府曾向聯合國呼籲，要求視同「國際難民」，給予平等待遇。去年中美兩國代表，均曾參加日內瓦國際難民組織會議，並提供了現實的有力資料；雖然未經作成決議，香港難民的本質，爲國際難民，已屬無可否認的事實，以此才引起國際人士重視。繼以這次中華民國的提案，在聯大社會委員會五十對九票壓倒多數通過，顯示俄共集團的反對，適足反映自由世界各國對共黨的迫害，益添警惕，而給予香港難民同情與支援。

聯合國現在既義不容辭的起了救濟責任，香港難民該視同國際難民；歐洲難民的救濟，目標爲移殖難民。那麼，香港難民的最後處置，當然也不例外。中國難民是否也從也是一個值得顧慮問題。但是這些問題似乎爲人們忽略。那是過去主持救濟機構並未想到：流亡香港的難民，竟然就留了這麼久，不但無法估計幾時重返大陸，而大陸上的難民，年來却繼續設法冒死滲入香港。

香港難民的實際數字（一九四九年一月一日自大陸逃出者均可視同難民身分）無人曾加統計。去年春間，香港曾出現兩個類似救濟難民組織，都保證準備聯合起來向聯合國請求救濟。除了在報紙上刊登號召難民登記廣告，並以表格分送難民填報；這兩個機構且曾向香港政府申請註册。結果，當局既不表示接受又疑主辦者係政治「棍徒」，亦不加以拒絕；而大多數難民並不踴躍，也就無形解消。

是以香港的難民，除港九難民救濟委員會，及美國援助中國知識人士協會之外，並沒有可考數字。上述兩個機構，所登記的難民，幾並不包括在內。將來，是否依據它們的統計數字，作爲救濟的對象？現在却已產生一個問題，那是這兩個機構登記的難民中，大多數是調景嶺的難民。調景嶺隸屬於港九難民救濟委員會的。該會的實際支持者係中國大陸災胞救濟總會及香港政府；美國援助中國知識人士協會，則爲周以德支持的美國民間組織。後者的援助範圍很窄，大致多屬曾經向該會登記的知識人士，而該會的目標，且非消極地援助，乃爲移殖，但是該會協助從從的，寥寥無幾。原因不外：申請者並非移殖對象，而符合移殖條件的，却無要求移殖意向。最近該會願自由中國退伍軍人會之請，徵召總護理人員赴台；可是，應徵人數不足預額，是否由於準備參加香港政府甄別試，則無從確知。而申請登記赴美的，更絕無僅有，若干具備移殖條件者，大致都認爲與其赴美，倒不如去加拿大研究一年，回來可以申請註册。

因此，救濟香港難民，困難問題仍多，處理並不簡單：第一、散錢絕非救濟難民最徹底的辦法。「救濟」與香港政府逕年在經濟上的負担，已至非請聯合國支持不可的地步；而聯合國救助的基金（去年終基金會已聲明並無的款可撥），一時籌集，爲數有限，顯然不能長期援助。於是，只有從置，使難民從事生產。第二、就過去情形而言，大多數難民對於消極式的被從生活，似乎倦之興趣；不然，他們早已設法往台灣，從事開發地下資源。像這一類的難民，除了寄希望於反攻大陸，既無意去台灣，更不欲從別處。第三、對於這類難民，聯合國願難強迫從遷，最後途徑，只有商請香港政府協助輔導生產，或撥給荒地開發資源使難民生產自給。

基於上述三大因素，負責處理難民問題，該由聯合國設置專門機構辦理，過去的救援組織，應當適時結束。而新機構成立之後，首先必需確定難民定義，明定救濟對象；然後，須重新登記，視其出身經歷、年齡、性別、家庭狀況，及其志趣與最低限度的要求，並顧其緩急，決定先後予以統籌設法解決。救濟事業，向來易落物議，即令做到「公平合理」，受惠者未必認爲滿意。但願未來救濟組織，本「盡其在我」之旨，以竟事功，此外，還有什麼話可說呢？

中央研究院的今昔

·余又蓀·

我來港後不久，與徐訏兄邂逅相遇，席中有一位意大利的朋友，他向我問了許多中央研究院的問題。當時使我甚為驚異。因為我國一般人知道中央研究院情形的很少，甚至不知道他是一個什麼樣的機關。但中央研究院（Academia Sinica）在國際學術界是馳名的。各國學術界都知道Academia Sinica是中國最高的學術研究機關。

這個月初，因為該院有易長問題，而胡適之先生又被任為新院長，於是香港各報又大談及這個久已被人忘記了的學術機關。

我新從台北來，而且過去在該院又住過很長的期間，所以對此間各報所載有關該院的報道和評述，差不多都讀過了。其中以「自由人」十一月十六日所載「中央研究院易長經緯」一文，比較詳確。

一、

中央研究院自成立以來，其發展過程，可分四個階段來講。

一、自民國十七年成立至二十六年西遷，可稱為第一階段。按該院之設立，係遵照中山先生的主張。民國十三年中山先生北上時，主張全國設立一最高學術研究機關。及至民國十六年國民政府奠都南京，中央乃遵照中山先生遺志，着手籌備，定名為「中央研究院」，十七年成立，由大學院院長蔡元培先生兼任該院院長。旋大學院改為教育部，蔡先生不再負教育行政之責，專任該院院長，並決定該院直隸國民政府。

是時該院成立評議會，評議員由全國各大學教授及各學術團體人士中選出。評議會為該院之立法及評議機關。院長出缺時，評議會選舉院長候選人三人，由國民政府遴選一人，特任之。該院之研究方針及各研究所之增設及合併，亦由評議會決定之。

中央研究院組織法及評議會組織條例，均經完成立法程序，由國府公佈施行。（行憲後該院改為直隸總統府，組織法及組織條例無多大修改。）

成立初期，該院頗有一番新氣象。先後在南京及上海成立十個研究所，修建院址，充實設備，羅致全國研究學術之人士，頗極一時之盛。地質研究所及歷史語言研究所之成績，早已斐譽各國。

在二十六年抗戰發生以前，吾國學術研究已由萌芽而成長；如果長此安定發展，必將放出鮮艷之花朵和收穫豐富之果實。不幸日本侵華，時局大變，國勢危殆，生氣蓬勃之學術研究工作，遂遭受摧殘。

二、抗戰發生，中央研究院一再向西南各省播遷，各研究所分設於昆明、桂林、遵義，以及四川之李莊、北碚等處。總辦事處則設於國府所在地之重慶。民國二十九年蔡先生病逝於香港，評議會依法選舉胡適，翁文灝，朱家驊三人為院長候選人，經國府特任朱氏代理院長。三氏均曾任評議員，朱氏曾任該院總幹事，翁朱兩氏在黨政方面，均任要職，而胡氏則任駐美大使，遠在海外。胡氏非國民黨人，且聲言不做官，時人謂政府任朱氏代理，即以待胡氏卸任返國，即畀以此職。抗戰期間，人力物力維艱，該院各所分散於各地，朱氏對院務確費了一番心血，功不可沒。

此期研究工作既未嘗停滯，且一度增至十四個研究所（數學、物理、化學、天文、地質、動物、植物、氣象、心理、歷史語言、社會、工程、醫學、體質人類學等十四研究所）。

三、三十四年抗戰勝利，該院隨政府復員，由西南遷返京滬。時薩本棟先生任總幹事，襄理院務，擴充院址，決定新的研究方針。如籌備成立院士會，及從事現代物理學之研究等是。

三十七年院士會議成立，選舉全國學術研究之著有成就者八十一人為院士（Member of Acadimia Sinica），院士為終身職。從此院士會議決定國家學術研究之方針，評議會則仍主持該院之研究為行政方針。

四、三十七年為中央研究院進入另一新發展之起點。但不幸時局驟變，大陸淪陷，研究院不僅未得按計發展，反從此陷於艱苦之境地。

復員之後，該院仍將體質人類學研究所併入歷史語言研究所，共計十三個研究所。政府遷台，十一個研究所未隨之東遷。僅歷史語言研究所之設備全部遷台，人員約三分之一隨往。數學研究所之設備全部遷台。數學研究所為數學界前輩姜立夫先生所創立，吾國數學人材缺乏，該所之研究人員本不甚多。遷台之後，舊日人員，全部先後出國。現在該所人員皆為新人。植物研究所因有研究員在台，亦保留該所的名義。故遷台時，號稱有三個研究所。

遷台的最初四年，是該院最不景氣的時期，史語所困處楊梅，數學所則設在台灣大學之內。植物研究所附設在台糖公司之內。近數年來，又呈現新的生機。在南港新建院址，除將各所集中一處外，並增設了民族學，化學，近代史學，經濟學等四研究所籌備處。今後倘有充足的經費和多數的研究人員參加，前途是很有希望的。

二、

今春朱家驊氏請辭，該院定於十一月三日召集評議員，選舉院長候選人。近幾月來，台北盛傳有幾位要人對院長一職，頗感興趣，事前曾作種種活動。又傳將由黨部指定選舉某某人。台北輿論對此頗為注意，甚至傳說海外的評議員因此不肯回國出席，評議會將不足法定人數，不能開會云云。依照評議會的選舉規程，評議員可記名通信投票。在美國的評議員，沒有一個返國出席，但都將選舉票寄到台北。故十一月三日的評議會，投票者共計十九人，胡適以十八票當選為候選人之一，其餘二名則為考古學家李濟、物理學家李書華。結果總統于五日明令發表特任胡氏為院長。

外傳胡氏以病為辭，請於其他二位候選人中擇一任命。據出席此次評議會返港的一位評議員說，胡氏是可以接受此職的。

以胡氏的聲譽而出長中央研究院，自然是該院的幸事，而且對自由中國在國際上也會增加好評。但今後中央研究院，是否能順利發展？研究工作如何纔能獲得良好成績？實有討論的必要。

以胡氏在學術界的地位，羅致研究人員，是很容易的。但如何安定研究人員的生活，以及如何使研究人員有足供研究之用的設備，這是必須首先解決的。這兩個問題，主要是靠有充足的經費。

三、

至於今後中央研究院的研究工作，究竟以那方面為中心？這也是各方面所注意的問題。關於這個問題，大約有左列幾種意見。

（一）現在各大學都設有研究所，大學教授負有學術研究之任務，而且各大學的研究所都具備有相當的設備和研究人員。所以有人主張中央研究院今後的研究工作，應避免與各大學的研究工作相重複。依照這種說法，則中央研究院設立研究所，譬如物理、化學之類，都沒有設立之必要，因為各大學大概都有了的。持這種論調的人還說，過去中央研究院之所以有成就，有聲譽，也是地質，考古和語言學等科，這幾科都是普通大學所少有的，而院專門作這方面的研究，所以有特殊的成就。

（二）上面這種說法，似乎有其理由。但是有人又說，大學教授雖負有學術研究的任務，畢竟因為兼作教學，難以收專業之功。中央研究院為專門作學術研究之機關，研究員應具終身致力於學術之志，其設備亦較大學之研究所為佳。而且中央研究院有學術合作與指導研究之辦法。如果中研院的研究所研究的學科，是許多大學都有的，則這一學科既已普遍發展，中研院如善於合作領導，更易收研究之成果。

（三）目前應用科學甚為發展，政府和社會，都希望吾國能迎頭趕上各先進國家。但應用科學是純理科學之用。如不注重理論科學之研究，而只圖求應用科學之發達，是不可能的。今後中央研究院如何善於處理這一問題，也是大家所關切的問題。

四、中央研究院現已有三個研究所和四個研究所的籌備處，都亟需充實研究人員和設備。今後究竟是先把現有的規模整頓好了再添設新的研究所呢？還是再添設必需的研究所，而平均的發展呢？

以上所述，都是關心中央研究院的人所常談到的問題。自然在胡適接任院長之後，定有他的高見，我們且暫靜待胡氏新的方針的發表。

失題

·台灣通訊·

軍公教人員待遇調整已決定

武人希望一半實現　文職人員仍被輕忽

·文人·

關於軍公教人員待遇調整，本（十一）月十三日立法院四委會聯席會議時，行政院俞院長報告：武職人員尉級增加現有統一薪俸六成，將校級增加三成，官兵每月增加副食費拾元，文職人員增加三成，年需五億二千餘萬元，軍公教受薪人員，本已熱望於調整待遇一事，及至是項消息傳出後，雖則希望實現了一半，而另一半卻成為失望了。

「希望在明年」

今（廿二）日行政院公佈：一、國軍官兵之薪餉，自四十七年一月份起調整，每月增加支出二千二百萬元。支給標準：士兵約照現支薪餉增加六成，士官長約增五成，尉官平均約增四成，校官平均約增三成，將官平均約增二成半，均仍照現行辦法，全年發十三個月。二、中央及地方文職人員，自四十七年起，照現支薪給加發一個月，即全年發十四個月。三、所需財源，中央係以防衛捐之節減支出及增加收入暨追收欠稅款充用；地方所增支出，由省政府就省縣市地方收支，自行考核籌劃。四、照現行實物補給制度，所有國軍官兵副食費，本年不敷數額，另案撥補，自四十七年一月起，每人每月一律增加副食費拾元。前據說自四十六年會計年度起調整待遇，今則只是「希望在明年」了。

低薪公教人員仍被忽略

關於是項待遇調整，軍公教三等增加支給標準，軍務人員較優，那是應該的；惟文職人員尙未注意其等差關係，公務員中需要增加待遇者也分為有差旅費可支領與無可支領之別，當然支領特支費者是不在乎這點增加的薪津。受薪的低級公務員與教育人員的等差也被忽略了，公務員尙可有加班費、差旅費；而教育人員則並無之，他們實際生活貧窮的懸殊，竟被「聽而不聞」，眞是一大憾事！「國家百年大計」寄諸教育？以中學教員待遇說，月支三百餘元至四百元，待年增發一個月的薪水，每月只夠給孩子買件衣服，或者往返學校的車費（尙須享受有優待折扣的月票！）與生活上的補助有多少，談何安定生活呢？

此次調整的效果

關於是次待遇調整，至少是增加受薪階級生活的協定，否則意義不大。再則如果以安定軍公教人員生活為待遇調整的目的，則應以現在的生活指數為計算之標準，始得保證其實效；徒以貨幣數字計算，有避重就輕之嫌，政府既未管制物價，而物價素來即是隱然有漲無跌，待遇軍公教人員增加待遇予以一次漲價機會，因此待遇微少增加引來物價太多上漲，這次待遇調整的反效果立見了。

所以待遇調整，仍須要考慮求其平，又要求其實。

文人不平之鳴

我們之所以對此次文職人員待遇之未能公為調整，表示遺憾者，緣於古謂「百無一用是書生」的觀念，仍然無形中存在；尤其中三、四十年所重視的待遇之貧苦，恐將列世界之最矣。但是文人豈眞可輕視者！（四十六年十一月廿二日午後於台北）

寶島經緯線

△台省教育廳長幾月來曾到各縣市去視察，拒謝了任何學校校長的招待，寧願與隨同人員到小館子去喫客飯。

這雖是小事件，卻是值得喝采的新作風。這些消息刊在報上並不顯著，但能引起很多人的注意，足見人心注視的是什麼了。

過去曾有不少人倡導節約，也有長官拒絕下屬之耗費公帑以宴長官，均為時下之病態公害，而不能澈底。毋怪人民對此認為新作風而予以特別注意。

△最近又有台灣省政府擬邀請中央地方有關機構，與民意代表專家等集會，研究是否可以把營盤口的中興村發展成為一龐大的新型都市。

吾人以為，省府這次的疏遷，支出國庫的費用已達二億二千七百萬元，正在繼續中的一二級機構之疏遷中部，又需三四億之鉅，這在政府今日財政拮据的情形下，實在是一筆沉重的負担。如果再進一步把中興村發展為一新型都市，支出之數目更可觀，實在是一件值得考慮之事！

△六十萬官兵仰望已久而最關心的待遇調整案，終在十一月廿一日的行政院會中獲得通過。消息證實後，每一官兵均有說不出的愉快和興奮，確實等於打了一針興奮劑。

這可以說是立委們成立專案送與行政院「吵鬧」而獲到的結果，值得寫上一筆。說實話，軍人之待遇實在太清苦了，尤其是一班軍眷的生活更是有目共睹，早就應該調整的，這次政院通過的決議是，共加六成，士官加五成，尉官四成，校官三成。但新聞前面還加了個「約」字，看來這還不能成定案。

據說，立委們曾接到不少官員的致謝信，其實這是立委們的職責啊！

·季鸞·

涓滴之水

軍公教人員的待遇，在只聞樓梯響的聲中，總算姍姍的下來了。當初樓梯響的重，總以為體重不輕，沒想到這位千呼萬喚始出來的先生竟是位弱不禁風的瘦子。但究竟給翹首而望的人們鬆口氣，這要比光教你聽響兒強多了。

莊子上有這麼一段：莊周家貧，故往貸粟於監河侯，監河侯曰：『諾，我將得邑金，將貸子三百金，可乎？』莊周忿然作色曰：『周昨來，有中道而呼者，周顧視車轍中有鮒魚焉。周問之曰：「鮒魚來，子何為者耶？」對曰：「我東海之波臣也，君豈有斗升之水而活我哉？」周曰：「諾，我且南遊吳越之王，激西江之水，而迎子可乎？」鮒魚忿然作色曰：「吾失我常與，我無所處，吾得升斗之水然活耳！君乃言此，曾不如早索我於枯魚之肆。」』

筆者的身份屬於薪水階級，而這個階級的待遇一向是遭受社會的同情的，自憐之餘，難免不忿然作色曰：「余，東海之波臣也！」也常常譏到「西江之水的」安慰，所謂又攻回去之後，便如何如何。但明天有隻雞，不如今天吃個蛋，當然這是人類的隨性，我們賴薪水過活的人，承認有個缺點，預計此次調整之後，筆者平均每月可多支新台幣六十元之數，能購九包雙喜牌的香烟。有幾天香烟吸，雖非升斗之水，也有涓滴之恩了。古人云：「涓滴之恩，不可忘報。」是為文、以誌感激之忱。

·陸夢墨·

赤燄蔓延中 寮國速寫

文・莫

近月以來，世界的視綫，多半投射於共黨首要在莫斯科的活動；但正在此時，他們在東南亞却完成了一件躊躇滿志的事。那就是本月十九日，寮國成立了容共的聯合政府，將在東南亞有了藉政治鬥爭以從事大規模深入滲透的基地，因此燎起東南亞各國的新火燄。

從地圖上看，寮國的面積祗有二十三萬一千四百平方公里，不過和廣東省差不多的大小，交通不便，現代交通工具，全付闕如，其在經濟上的價值，亦是微不足道的。然從另一角度看，它是中共伸入東南亞的前爪，它的動向，一舉而使緬甸、泰國、高棉、南越以至馬來亞皆立受嚴重的影響，其於東南亞反共主要軸心的泰國的安危，更有不可分的關係。職是之故，自共產黨的志於寮國以來，自由世界各國對東南亞的前途，頗爲關憂，對寮國的情形和發展，益加注意。

寮國的地勢，東連越南，南界高棉，西接泰國，西北和正北東北與中國大陸爲鄰，這是對中共南進最有利的地形。寮國人口，沒有正確的統計，一九四九年的推定，爲數約有一百一十九萬人現在約爲二百六十萬至三百萬之間。人口密度，每公里約爲十人。至於居民的族別，寮系寮族是主要的民族，約佔全人國的三分之二，此外有印度尼西亞系的一族，蒙古利亞系的孟族及畧阿族，其文化程度甚低。另有越南族約一萬五千人，華僑約一萬人。至寮國語言，則與泰國語言同屬一國系統。

寮國的民族，其歷泰族之一種，泰國的即現在形成泰國的泰族史的一部分。泰族在我國古史上有稱撣族，寓有自由高貴之意，其最初披源，始由中國雲南南下，至十二世紀之末擴地至萬象地方。十四世紀中葉，有羅彥氏在現在的王都，是爲寮國有獨立王國之始。十五世紀，寮國對安南皇帝承認宗主權，十六世紀成爲暹羅屬地，嗣後三度受緬甸侵略，其首都遂至萬象之地。後分爲二國，安南、泰國爭之，但至一八二八年，二者均爲泰國所奪。十八世紀以來，寮國從沒有成爲全土統一的國家，始終爲周圍鄰邦的爭奪物。

一八九三年，法國根據曼谷條約，使泰國對寮國放棄宗主權。一八九九年，法國將寮國併入法屬印度支那聯邦，現在寮國的行政區分，即以此成立。一九〇一年，曾有最初的反法運動發生，但旋被鎮壓。迨三十年代，由於安南的影響，頻頻發生反法的革命運動，有地下運動及各種秘密結社的組織。一九四五年三月，日軍南進，旋佔據寮國，並曾發表所謂「獨立宣言」。二次世界大戰結束後，日本戰敗退出，法軍還未進駐時，寮國形成政治真空狀態。當時，共產黨首領蘇發努旺（即此次赤燄蔓延的中心人物）在永珍的寮國新政府中任職，並組織所謂寮國「解放委員會」，從事於國際的陰謀活動。……一九四五年十月十二日，立臨時抗戰政府，發表立國之宣言，而……法軍以武裝力量，再入萬象，……臨時政府轉入泰國境內，並在越南地區設立寮國抗戰委員會，繼續從事武力鬥爭。迄至一九五〇年八月，蘇發努旺在泰國北部召集全寮國國民代表大會，樹立抗戰政府，自任總理。他就是現在聯合政府的共黨軍副領袖。此外，蘇發努旺又組織所謂寮國自由民族統一戰線，自任領袖。（上）

官僚主義中毒已深 中共整風流於行式

「鳴放」被壓制以後，中共內部的「整風」繼起。爲什麼要「整風」？這是因爲「鳴放」期間，反共的知識份子無情地揭了共產黨的瘡疤。中共自詡是實行「社會主義」的，但甚麼是「社會主義」？這條路怎麼走，中共中央內部固意見分歧，而其幹部則更是盲人騎瞎馬。但更具體的事證，則莫過於中共「國務院」秘書長習仲勳所說的「這個問題，……就以國家機關的工作人員來說，不見得每個人都是一心一意爲共產主義事業負責的。」

我們固無須過分重視他的話，但由於此話是習仲勳在中共「國務院直屬機關及國務院各辦公室的幹部大會」上所作的報告，可以想見問題當非一般所知的那麼簡單。

「整風」事實上未見有何成效，主要關鍵是因爲「用官僚主義的辦法來克服官僚主義」，形式和方法既是「官僚主義」的，在理論和原則上自然無從擺脫「教條主義」，因此，儘管像北平中共中央一級機構「目前已經張貼了二十二萬多張大字報，提出了三十八萬多條意見」，但也無非是雞毛蒜皮一類的小問題。基本上也正如習仲勳所說「真正的大問題涉及得還不多。」

一個政權，一旦墮落了，也就必然官僚主義化，「整風」未必能起死回生，結果就像本版轉載的漫畫那樣，流於形式。（資）

形式主義！

上海人口激增

上海自中共攫取以來，曾數次發動「還鄉生產運動」，以減輕人口之壓力。但近年來因外地生活艱難，流入滬市之人口年有增加。

據中共「上海市人民委員會」本月十六日公佈，到今年九月底止，上海人口已增至六百廿五萬人。去年六月前中共曾經實施强迫疏散，當時人口已被壓縮到六百零八萬，比對一年間增長了一百一十七萬人，其中自然增加人口則爲約三十萬人。

爲激底壓縮人口，中共已硬性規定各機關各行業不得再自行僱用外地流入之勞動力。（文）

納撒答記者問
從他口中看中東與西方關係

時論選譯

當中東情勢緊張起來，納撒又要投機了。他在阿拉伯民族份子背後，仍然保持勤力，而且他仍然是一個猜不透的人。有一天他似乎準備與美國做朋友，過一天他說出反美的話。

最近納撒又發出反西方國家的專篇演說，動機何在？以下是新聞周報記者旅行中東時，與納撒談話獲得他對答問題的解答：

問：你們是真正希望與美國關係友好呢？

答：並不一定，埃及有與美國良好關係，但是，如果我們的主權和尊嚴，受了影響，我們就不打算了。

問：美國有什麼要求，才與你們的主權和尊嚴有衝突呢？

答：使完全受美國束縛，使埃及孤立，美國用經濟壓力，協定合作，有意破壞我們的政府，並且利用謠言宣傳，使我們人民反對政府，和反對我。

問：論者說你們許多作爲都像共產黨的宣傳，你們不是中立，爲什麼你們的政策不像中立呢？

答：中東的一些地方被英法統治，所以我們爲獨立而戰。蘇俄不是統治者，所以我們不能反對蘇俄。美國、法國、英國，特別是美國，把武器給了以色列。蘇俄供給我們武器，並願意參加阿斯旺大水壩的投資；美國卻以撤援的方式，撤消援助。蘇俄支持蘇彝士運河國有化，美國則支持英法。

問：美國已開始了一個新紀元了。我們缺乏……

答：我向兩國表示了，你們拒絕了。你們要求我們以美元付款，你們以前付了你們的美元，那意味着美國不能在危機中援助我們，我們請求蘇俄，蘇俄的小麥沒有存餘，但是小麥送來了，醫藥和石油等等亦是一樣的情形。

問：你對艾森豪主義有什麼感想？

答：艾森豪主義對於我們而言，其目標與英法的侵略一樣。一直到去年五月，我們希望和平關係，我們與美國大使與美國友好，結果你們是消極的。你們的看法，以爲這個政府過不了六個月。

問：你真的相信美國要你下台嗎？

答：他們不顧埃及，替我們……

問：關於敘利亞呢？敘利亞的境遇是相同的，但……

答：是敘利亞領袖們覺醒他們有受暗殺之虞，這一來激勵了，他們是有力量的，他們要保衛國家和生命。

問：敘利亞與蘇俄接近，是把自己束縛住了，是聰明嗎？

答：他們曾向其他國家要求武器；你們和其他國家一年半以前，我請求英外相勞合供給他們六架飛機，他拒絕了，可是供給了以色列。敘利亞打算向世界銀行請求借款，但是不能獲得公平條件的借款。一個國家不能停頓下來，所以敘利亞與蘇俄達成協議，提高他們人民的生活標準。我不相信這樣做就意味着把自己叫別的國家束縛住了。我毫不猶豫的採取同樣的步驟。我不要等待美國摧毀了埃及。

問：你看最近將來改善埃及與美國的關係，有希望嗎？

答：主動在你們了。

問：你們爲什麼不呢？

答：我們試着……許多……

情，我希望良好關係，美國拒絕了。你們不說話，只是聽。

問：你是不是要願意……西方友好的中東政策呢？

答：第一、阿拉伯國家，你們打算是把他們成爲你們的朋友，我們則要保持他們的友誼，但亦不使他們成爲你們的敵人。和敵人，破壞約但政府，和企圖顛覆敘利亞政府，就是你們。

問：但是與談話的阿拉伯領袖則說，你企圖顛覆他們呀！

答：他們從地說。我說，他們應該跟我說，你們應該看開的說……看我們的政體和社會發展，有些阿拉伯人不願跟他們的人民一致。

問：如果你已中心致力於國內發展，是不是可獲得更好的人民愛戴的反應？

答：我以爲不就是這樣。使一個國家與世界隔絕起來，是不可能的。你們憂慮國外的侵略，我們則要自由，和阿拉伯國家。我們人民多疑，使任何新的殖民主義，……開始，一九五五年初，巴格達公約是分裂的希望西方國家供給武器，我們……何協議合作防禦。我們直到一九五五年，和阿拉伯國家有一項以色列國防部專有以色列侵略加薩以後，我們要求武器。美國我們，我們又要求蘇俄，你們……動荣。（譯自新聞周報）

國際動態拾零

陸軍火箭負責人梅大利少將說，木星越洲飛彈有機動性，使敵人事前不能測得其位置。而蘇聯越洲火箭的位置，無論事前事後，都被美國在土耳其之雷達站探測無遺。國防部長將于明年初下令，木星型越洲火箭，與空軍之梭雷式火箭，可大量生產。

×　×　×

海軍將試放直徑六英寸半之地球衛星，先定期爲珍珠港事變日（十二月七日）現將提前放射。惟用木星C式火箭所放射之衛星，約在二百磅以上，較大于蘇聯的第一號衛星。

×　×　×

美國訓練科學人才的方法，爲將大學二年修滿或中學畢業之學生，選予以二年之嚴格訓練，凡與火箭電子有關之學科，概須修習。其成績優良者，將拔爲火箭軍官。

×　×　×

美國之路易士，最近曾與英工黨領袖談話。覺其思想須大加修正，始合現代。美國當局，深明下屆工黨之執政，現正考慮原子秘密，不向其公開。

×　×　×

蘇聯人造衛星放射之結果，使美國會不再作減稅運動。艾總統可予取予求，甚至將來增稅計劃，亦會同意。美國國債已達二千七百五十億，亦可能增高。

陶然

出版消息

幸福畫報第廿七期（十一月號）已於昨日出版，內容精彩。彩色封面爲影星林翠。漫畫有黃堯的教育漫畫「牛鼻子」，古畫有：石濤畫蹟山水與花卉，撰文者爲王世昭。現代畫有：周慰姬女士的朱竹和墨竹。「詩人與海」一文爲海洋文學的傑作。國畫節花卉有菊花及詩。長篇連載小說有：「玉麗哀史」。各地風景寫眞與美術傑作有：「印第安人的藝術」，「勵植物珍聞」，「石林奇觀」，「花花公子」，「高棉的古典音樂」，「今日的越南」，「蘇丹公園」。時事攝影有：「馬來亞的獨立盛典」。劉藝攝影則有印尼增友劇團主演的「孔雀東南飛」。

又該報副刊幸福電影第十一期亦已出版。

稿酬

本報十一月份上半月稿費通知單已分別付郵，請惠稿文友，憑單領取爲荷。

編輯部啓

自由談

艾克又病了！

艾森豪舊病復發，即使沒有危險，也得休養相當的時間，而且在今後兩年多的總統任內，勢必以少管事為攝生之道。美國的政體是總統制，艾負有領導自由世界的職責，當茲世界局勢艱危之秋，教一位病夫來綜攬全局，實行「臥治」，眞是一樁玄事兒！

再看美國所恃為國際政治左右手的「強大盟邦」英法兩國，為着供給少量的機關槍和來福槍於突尼斯一事，即內訌不已，無從協調。法國成了自由世界的赤字預算科目，英國在集體安全的反共產帝國主義運動中，亦只是發生一些絆脚石的作用。西方國家的「龍頭大爺」——用諺所謂「舵把子」——忽然長期臥病，這不糟糕嗎？

環顧西方列強之中的政治家，像羅斯福那類雄才大略的人，固已不復可見，即剛毅有為的邱吉爾退休之後，亦繼起無人了。滔滔者盡是些患着高度近視眼疾的二三流角色，希望這些人物來領導自由世界，跟俄帝鬥智制勝，簡直是「螳臂擋車」的大笑話哉！

英美輿論界推測艾克基於個人健康和國家的利害關係，可能宣告引退。果然如此，那倒是自由世界的幸事，至少可使美國內部的人心安定，意志集中。否則曠日持久，形勢日非，坐在克里姆林宮大言炎炎的那一莽漢赫魯歇夫，說不定認為有機可乘，先下手為強，眞的放射幾枚火箭到西歐大陸上，而漫天烽火從此引發，將使「和平總統」艾克先生大驚失色，以致脈搏增加，心臟衰弱，豈不要命乎？

我贊成艾總統帶着舉世豔稱的盛譽和名望，回到自己早已佈置的農莊去，怡養天年，何必扶病另在白宮活受罪呢！

馬五先生

紅葉和詩

·士珪·

江南此時正是：「十里白雲如墜海，半天紅葉欲燒樓。」

時序已入深秋，寶島的樹木，仍是青翠茂盛，如果在江南這時節霜降，木葉多半凋零，山麓陌頭的楓樹，烏桕和楝樹經霜變赤而轉紅，嬌艷如醉，正是「十里白雲如墜海，半天紅葉欲燒樓」的景緻。

我們望見漫山遍野絢麗的紅葉，一方陶醉於那迷人的景色，另一方面卻勾起愁情與懷念。張繼的楓橋夜泊：「月落烏啼霜滿天，江楓漁火對愁眠」蘇曼殊的：「烏舍凌波肌似雪，親持紅葉索題詩，還卿一缽無情淚，恨不相逢未剃時」。西廂記的「曉來誰染楓林醉，總是離人淚。」都是說明愁情，而蘇曼殊看見一片紅葉卻又思念着遙遠的友人，其詩云：「誰憐一闋斷腸詞？搖落秋懷只自知，況自異鄉乘日暮，疏鐘紅葉墜相思。」

關于紅葉題詩的香豔故事，據太平廣記：「唐僖宗時宮人韓氏以紅葉題詩：流水何其急？深宮盡日閒，殷勤謝紅葉，好去到人間。」于祐遊御溝下見有紅葉上詩亦題云：「曾聞葉上題紅怨，葉上題詩寄阿誰？」置之溝上流，恰為宮女韓夫人拾得，後祐與韓夫人竟成婚，婚時夫人又作詩云：「一聯佳句隨流水，十載幽思滿素懷，今日卻成鸞鳳友，方知紅葉是良媒」。

我國紅葉景色馳名的地方頗多，北京西山這時漫山落紅遍地，使人流連忘返，南京棲霞山每屆仲秋賞葉遊人如鯽，所以古代的詩人墨客們總徘徊欣賞美景，吟成許多贊頌紅葉的佳句：「紅葉晚蕭蕭，長亭酒一瓢」（許渾詠紅葉散句）「野外白雲迷古寺，紛前紅葉落青泉」「停車愛看楓林晚，霜葉紅于二月花」「好是日斜風定後，半江紅葉覆鱸魚」寫得江南景色多麼雅緻。

唐吳融詠紅葉詩：「露染霜乾片片輕，斜陽照處轉烘明，和煙飄落九秋色，隨浪泛將千里情，幾夜月中存鳥影，誰家庭際伴蛩聲？一時哀怨無多恨，看看春風剪綵成」。宋張玉田亦有紅葉的綺羅香詞：「萬里飛霜，千山落木，寒艷不招春妒，楓冷吳江，獨客又吟愁句，正船艤流水孤村，似花繞斜陽芳村，甚荒溝一片淒涼，載情不去載愁去，長安問誰倦旅？羞見衰顏借酒，飄零如許，漫倚新妝，不入洛陽花譜，為回風起舞樽前，盡化作斷霞千縷，記陰陰綠遍江南，夜窗聽暗雨。」

我們獨留海外，讀了這些紅葉詩句，自別有一番秋思！

狗

在報紙上時常可以看到所謂純種小狼犬出讓的廣告，聽說每隻約值八百元。這和買一個窮女的數字來比較，身價究竟不低。但是血統很重要，不然的話，也祗是香肉舖裏的貨色。可見得生而為狗，也有幸有不幸。血統與譜序似乎是古代用以評定貴族身份的，但是將相本無種，今天貴人們的身份是以權勢與黃金來評定了。只有狗，還遺有世族的遺風。

在街上常常看到狗坐在汽車裏飛馳而過，或是人像狗一樣的在垃圾堆裏打滾。覺得世界是混亂不清了，有的狗吃得到牛肉餅乾，有的人三月不知肉味，這就說明了為什麼有的人願意學狗那樣的搖尾巴，貴人們似乎是都喜歡這一套。自古至今，無論說法怎麼變，只有一個道理不變的，那就是能控制人們飯碗的人是貴人。所以有狗格的人吃飽了；有人格的人，儘管你是人才，抱着空碗去清高吧！去憤世吧！為今之時，「狗彘食人之食而不知檢」，孟子的話，良有以也。

·陸夢墨·

以正視聽

·樂世仁·

豈可「視而不見」，不能「聽而不聞」，安得不「正」之哉！

△▽　△▽

最近台北連續發生了幾樁駭人聽聞的命案，已詳見上期「自由人」，使有些憂世之士，對此「殺氣沖天」的社會，認為是精神道德敗壞之徵，據個人默察，筆者卻以為未必盡然。安居在寶島的人民，大多數都是不敢「亂說亂動」的人，治安秩序確是十分良好，良好得靜如止水，只有麻木人心的作用，沒有振奮人心的事情，法律到了有「條」有理的地步，打官司已是奢侈的行為，沒有人不抱着「必也無訟乎」的安份守己的心理，誰還敢提刀砍人？開槍殺人？至於那些官場中人的偷雞摸狗，已早見諸當年魏德邁報告書，自古已然，只是於今為烈罷了，算不得新聞，有何可資憂疑傳播的？

但是，筆者卻承認僅有少數的人，敢於作奸犯科，待其東窗事發，一查背景，都是得天獨厚之輩，替大人們惹下麻煩，若非大事化小，早已相趨少理。譬如著火自焚的張昌年，不是位居「要津」，怎能黃金美鈔，隨便收攬？事後竟勞監委老爺亡羊補牢，要查究保管責任，其實怎好太輕罪中央銀行，張昌年提出此馬來頭大，如果他還信不得，還能相信誰？而況我們這個「人事社會」，只要信賴其背景何自，邀着「跑了和尚跑不了廟」的不成文「體制」，自也無庸過問其他了。

至於汪震其人，乃是先天惡性，眞正「危險份子」，蓋其身為英士大學學生，舅父又是倡仁敦禮作育英才的教育領袖，這種春風化雨竟化了不了自己甥兒的逆性，反而被他認為「其勢可恃」，幹下傷天害理，絕滅人倫的案子，也眞是始料所不及，大家都在恃勢行險，行險得不戰自焚的地步，有何可說？

還有，前些時在孔雀酒家門前鬧的開槍打死人的事件，當此治安良好的首善之區，能夠隨便「帶槍」的，也不是等閒人物。筆者所以舉例而言，無非證明寶島社會的秩序，確是良好，人民也都知守法，例外的例外反而是知法犯法自居於特殊的人物。

反之，像[illegible]這樣窮到踏三輪車，在四顧無人之下，眼看等於港幣五千元的花花鈔票，居然不為所動，逕自捧向警局，踏車就走，即使唐虞之世的子民，也不過如此！聖人有云：「……在上位不陵下，在下位不援上，正己而不求於人，則無怨；……故君子居易以俟命，小人行險以徼幸。」那位三輪車夫無勢可恃，便不敢「行險以徼幸」，也就所以成為君子人，深恐海外人們撫拾一二罕有故事，淆亂是非，合亟略述種種以正視聽！阿們！（寫于台北）

次韻奉和應梅尊兄秋日登高兩律

·王韶生·

其一

登瀛懷學士。海鷗喜相逢。天末橫征雁。風雷起蟄龍。蜿蜒經石棧。兀律數奇峯。攔望青如黛。茲游興未窮。

其二

幾疊龍山侶。盟鷗證素心。滄瀾多起伏。象鬱異晴陰。理共環中得。愁從鬢上侵。松風吹颯颯。助我動微吟。

「漏洞」集首篇

·布衣客·

司法行政部長谷鳳翔為張金衡「屍諫」案答覆立法委員質詢時有云：「遺書所列只能算是一種綫索，而不能視同一項證據。在遺書中所稱台北地院院長趙執中受人關說，從中謀利一節就有關案卷及主審推事報告詳細查考，並無「漏洞」，亦無違法之事，但無論如何，現已發生如此不幸事件，自當詳細查明，如有證據，不論何人，必予嚴辦。」此一段書面式談話，可選為「官話」文選，全文妙處在於「並無漏洞」一語，實道出知法犯法者之嘴臉，發人深省。然張金衡自縊身亡的「屍諫」事實，在司法界上顯然是一大「漏洞」，不知部長大人有何「補洞」之法！這「漏洞」警語，卻為我招來靈感發見所謂「漏洞」也者俯拾即是，為寫「漏洞」集，這一段似可列為首篇。

短篇小說

南中國海的戀絲

張放

「丹妮，水手是最懂得愛情的。你回去吧，如果你一定要向我解釋，那豈不是要我受痛苦麼？讓我們永遠留下這一段美麗的回憶吧。」

一、

越向南航行，海水越變得深藍；我的心也隨着這艘軍艦越飄越遠了。……

我們是在半月以前從基地開航。那天，巴士海峽風平浪靜，預料這次遠航南沙群島是會順利的。誰能想到在三天以後的航途中，卻遇到了熱帶的季候風暴，軍艦在狂風駭浪裏掙扎着，搖蕩着，……這煩困而寂寞的遠洋旅程呵。

艙內的嘔吐聲音開始了。眼前的景物都是一片灰黯的顏色；天空、浪濤甚至水手們的臉孔。每一個人的瞳孔都放大了，焦灼、渴念、那無數雙劃着顫抖而傾斜的眼球呵。

於是，我撇着嘴，又開始了對海洋的詛咒。睡在床舖上，我懷念森林，懷念陸地，和那被風吹散的春天的戀絲，……最後，我噙着淚水悄聲地告訴睡在我房間的一個伙伴「回到陸地，我要眞正去尋找愛情，前天，我剛過了二十八歲的生日，我可絕不能像過去那般荒唐了。」他向我淒然一笑，眼睛似在回答我的話：「哼，這是你第十一遍的誓言，鯊魚才會相信你的話。」

窗外的浪花，冲斷了艙裏的碎語；這裏一切又恢復了灰黯，和那顫抖而傾斜的形狀綫條相同。

我們軍艦就這樣在南中國海裏飄泊着。

第九個夜了。

風越吹越緊，浪越來越高；南沙群島滿海暗礁，而且登陸艇又不能冒險登陸。離開台灣，我們航行了一千多浬遙長的海程，現在淡水快完了，蔬菜，水果，許多主要食品也發生了恐慌。

終於，艦長接到了台灣發出的命令：冒着南中國海七級的風，我們向菲律賓方面航行，到北呂宋島的蘇比克灣避風。

二、

今天晚上，朦朧的月光，照着這一片寧靜的沙灘。兩個頎長的人影，在椰樹底下搖曳。……

面前蘇比克灣平靜的海水，邁着豪壯的脚步，湧向那黑暗的遠海，港內寂靜得很，祇有那十幾艘中美艦艇的機器聲，散發在濃厲的夜風裏。

「你甚麼時候走？」她那秀長的頭髮遮蓋了她的眼睛。從奧蘭卡達鎮走出來，她的頭一直是低垂着的。

「祇要風暴過去，我們就會立刻啟航。」

「以後還來麼？水手？」我知道她埋藏在心底的仍是火熱的感情。她的聲音充滿了別離的淒涼。

「丹妮，我也許再來這裏，但是，……」

「但是什麼？」她截斷了我的話。「是不是永遠向我道別？」「嗯！永遠！」我說。

她開始了咆哮似的哭訴，緊摟着我的臂膀，捶打着，怨斥着；我彷彿變成了一匹溫馴的山鹿，像是為了偷食了她家的菜地，如今正受這個菲律賓女人無情的鞭笞。

等她的感情風平浪靜過後，我才拾起椰樹下的帽子，向她和藹的道別。

「再會！」

「Jacinto」這是兩年前我們初識的時候，她替我取的名字。「你在向我道別以前，不能再考慮一下麼？」

「我永遠忘記這個荒唐的夢。丹妮，我這是最後一次向妳請求，情人！妳趕快回家罷。妳的丈夫是個富有的菲律賓工程師，我祇是一個孤獨而平凡的水手。聽我的話，夜深了，妳快回家，我也該回艦值更了。」

「如果你不讓我解釋自己，我終生會懷恨你，詛咒你的！」

我在朦朧中看到了那一張美麗的淚臉，輕輕走近她的身邊，我用雙手撫摸她的頭髮，輕聲的說：

「丹妮，水手是最懂得愛情的。妳回去吧，如果妳一定要向我解釋，那豈不是要我受痛苦麼？讓我們永遠留下這段美麗的回憶吧。」

她從我緊抱的雙臂間，抬起了眼睛；她並沒有說話。

「這次在南中國海上航行，我非常想念妳，丹妮，當我無意之間打開收音機，聽到熱帶土風舞曲，那時，我是多麼狂想着我們過去的戀情啊！」

「Dacinto」她激動得喊着我的名字，她淌出了晶瑩的熱淚。

「我告訴妳，丹妮，我在一星期以前，渡過自己二十八歲的生日。……我也曾向一位伙伴許下了誓願。」

「是不是不再愛我了？」

「丹妮！」我鄭重的對她說：「並不是我不愛妳，因為我不能再愛妳；即使妳現在沒有結婚，我對妳的追求也終歸是幻滅的。」

俯在我的肩上，她幽咽地哭了起來。

「丹妮，不要哭，因為明天是我開航的日子。」

這是我故意在警告着她，等她止住了哭聲，我卻又感到了無限的愧疚，我說：

「明天別再進港尋找我了，因為讓別人看見是會成為笑料的。」

她默默地點着頭，似乎應允了我的要求。

（一）

自由人

THE FREEMAN

（第七〇四期）

香港政府登記爲新聞紙類
中華郵政台字第一五〇〇號執照登記爲第一類新聞紙類
（每週三、六出版）

每份港幣壹毫　台幣壹元

社址：香港高士打道六十二號三樓
20 CAUSEWAY RD. 3RD. FL. HONG KONG
TEL. 771726
承印者：東南印務出版社　地址：高士打道六十四號
台灣總經理處　台北市西寧南路一百十號二樓
電話：四三四六六　台北郵撥儲戶二五二

評共黨聯合宣言

李秋生

史達林死後這四年間，俄共在政策和組織兩方面都呈現一種搖擺不定的情態，特別是從聯共第二十次代表大會以後，史達林的偶像倒下去了，一個新偶像還沒有建立起來，爲了緩和內部不安和發展對外和平攻勢，過去的嚴刻控制不能不稍有鬆弛，結果又引起波蘭政變與匈牙利革命，懷疑和不滿情緒佈滿鐵幕中每一角落。在一年前此際，可說是俄共統治最動搖的時會。然而另一方面，在國際方面的擴展卻有意外成功。由俄埃軍火交易而引起的中東危機，一直向着利於蘇俄的方向發展，赫魯歇夫竟實現了在沙皇時代寤寐以求的迷夢，在中東獲致立足的據點。西方世界的影響和勢力一天天削弱衰退，代之者是親俄親共的趨勢增強。洲際飛彈與人造衛星的發射成功後，更使西方世界相形黯然──雖然並不一定就是眞正比俄人落後。在此時期，赫魯歇夫憑藉深沉的國防與黨部的實力，把所謂反黨集團領導中的敵對人物逐一淸除，唯一可與抗衡的朱可夫也被驅逐。短短的四年間，赫魯歇夫已建立起史達林以十餘年時間和大量屠殺纔獲得成功的個人獨裁統治。在此等條件之下來擴大舉行慶祝十月革命四十週年紀念，無疑是克里姆林宮鞏固共產世界內部關係與從新展開世界革命政策的良好機會。

一、

這次全世界共黨首領齊集莫斯科，是共產世界一項空前盛會。自今年一月間，據可靠消息，俄共已在準備重新建立一個新的共產情報局，以加強蘇俄對各附庸國的控制，防阻其離心趨勢，當時曾建議發刊一種新的國際共黨刊物，以代替去年四月與解散情報局同時停刊的「爭取持久和平，爭取人民民主」。趁着目前蘇俄在國際間聲威正盛的時機，如果此次在莫斯科宣佈一個新的共黨國際或共產情報局的誕生，無疑是足以加強共產世界──特別是俄共對各國共黨控制的一着棋。然而這個計劃並未實現。這可能是由於某些共黨國家反對，也可能是要避免予非共世界以更大刺激。代之而起的是兩項宣言：十二國共黨代表的宣言，與六十四國共黨的「和平宣言」。此次所公開表現的黨際組織，不管是否有形式的組織存在，共產世界的政策路線已在蘇俄領導下趨於統一，對於各附庸國家的控制，至少已有一個精神上的共黨情報局存在的性質。

這兩篇宣言，前者屬於政策方面，包括對國際局勢的估計，共黨國家的任務，思想鬥爭與組織問題，以及行動的要點；後者則只是一項和平攻勢宣言，括有世人所耳熟能詳的現階段共黨政治口號。後者主要用心在於宣傳，簽署者不只是鐵幕內外所有各國共黨，連公開表示對十二國宣言不能同意的南共也表示一致態度。

二、

從這兩篇宣言可以看出：現階段的國際共黨總政治路線仍爲和平共存攻勢，但却特別強調了「和平共存」（中共譯文都以「和平共處」代「共存」）──特別強調侵略及不侵略之分。蘇俄在中東和新型武器方面的成就，顯然已使克里姆林宮的市價較前提高。而這種新的和平攻勢也與三年以前甚至一年以前具有本質上的差異。彼時蘇俄在國際間處於絕對劣勢，只求放鬆壓力和緊張。時至今日，蘇俄已改守爲攻，特別是在中東和北非，那些行動都是冒進，而自由世界任何一種防禦措施，都被指責爲侵略或挑動侵略戰爭。宣言中號召全世界共黨和社會黨、中立國家和一切愛好和平的人民聯合起來阻止戰爭，其骨子裏的用心，就是要讓蘇俄放手去做，而阻止被侵略者的自衛。宣言中強調「消除軍備競賽，禁用原子武器，撤除外國軍事基地」，誰也看得出西方國家的軍備是在蘇俄龐大軍備下被迫而然，而核子武器至今仍爲自由世界遏阻蘇俄大舉侵略的有效武器。在對國際局勢的分析中，則全部充滿了欺騙和謊話。沒有人不知道蘇俄之從俄國擴展到歐亞兩洲大陸，是一半靠武力，一半靠滲透顛覆。連蘇俄本身在內，沒有任何一個共產國家是由人民的自由選擇而產生的。[illegible]正是所有極權國家的眞實寫照。我們只看見共產制下的工人由失望而鬥爭，却絕少見有自由世界的工人以社會主義爲出路。至於所謂「生產力與生產關係之間的矛盾」，「現代科學技術的進步」[illegible]，那只是照抄古典著作原文，却不管今日實際情形，早已根本不是那樣。

三、

關於各共黨國家的共同任務，在宣言中特別強調了團結，這可以說是此次莫斯科會議的中心任務。在史達林死後，共黨陣營[illegible]。波蘭雖沒有脫出鐵幕，匈牙利的反抗也卒被壓平，但這影響却深入鐵幕人心，甚至連一向對莫斯科最爲恭順的羅馬尼亞共黨，也居然提出巴爾幹聯盟計劃，那是兩面有刃的利劍，雖可藉以分化北大西洋公約在東地中海的團結，也足以促成丹瑙河各附庸國另成體系（狄托與狄米特洛夫的巴爾幹聯盟計劃是南俄決裂的導因之一）。宣言中用「團結在統一的大家庭裏」來號召，甚至用「團結一致是獨立與主權的保證」的話來威嚇，可見蘇俄亟謀消除各附庸國的離心趨勢，要使彼等重行結集在莫斯科周圍，甚至不惜宣稱「各國間完全平等，尊重領土完整，國家獨立與主權，互不干涉……」然而有匈牙利的實例在，這些空話的功效是有限的。

繼而又在團結的大前提下提出思想鬥爭問題，表示要加強馬列主義教育，克服資產階級民族主義，與「沙文主義的殘餘」，抨擊「誇大民族特點作用」和「脫離馬列主義社會革命和社會主義建設的普遍眞理」。宣言中把修正主義與主觀主義教條主義並列，而集中指責修正主義的種種表現，表示要堅持馬列主義的統一，不許有破壞集團的存在」。南斯拉夫何以不在十二國宣言上簽署，這是重要的線索。至於毛澤東與戈穆卡，他們內心作何想法不得而知，但二者都正遭受嚴重經濟困難，要仰望蘇俄解救，在政治地理條件上，二者也與南斯拉夫不同，他們無法擺脫蘇俄軍事政治的控制。

宣言中並未忘記世界革命計劃。對於赫魯歇夫過去所提出的議會政策，此次未加否認，但却同時強調「非和平的過渡到社會主義」，這就是說「羣衆須採取暴力」！

經過國際共黨此次結集，我們可以理解今後共黨集團的整個動向──那不只是對自由世界威脅的加強，那是準備斷然征服世界的新訊號。

半週述評

可憂的亞洲現況

目前，整個亞洲地區正陷入困擾中：在中東，共黨的滲透，已獲得若干預期效果；在東南亞，共黨的活動亦導致泰國的不安；印尼的局面則猶如即將爆發的火山；日本雖是看來穩定，其實內部正潛伏着政治和經濟的動盪因素；星加坡、馬來亞則爲學潮和工潮所浸襲。香港的地位看來牢固，但目前自倫敦宣佈決定關閉這裏的海軍船塢後，一般的看法也有了修正，今後香港只能倚存於東西經濟戰的夾縫中，戰略上的價值已大爲削弱。

至於東南亞公約組織，除了繼續依賴大國的實力政策外，分子國却正各自做其與中共溝通貿易的好夢。異夢同床的微妙，已使菲律賓外長裴拉諾不能不承認彼此「並無團結一致的立場」。於是南韓外長又鄭重呼籲必須締結東北亞聯盟，但是水既未到，渠成自非指日可待。

西方沒有統一政策

十多年來從中東到遠東，局勢的發展一直是不利於自由陣營的。亞洲各國的政治、經濟之嚴重，固爲演成今日局面結果之一，而西方一直未能有同一的政策以對抗共產國際，實爲最大因素。前此，英法抱怨西方對中東沒有統一的政策，而這次我外長葉公超氏訪問中東歸來，亦謂美國對中東政策舉棋不定，致引起阿拉伯民族的普遍不滿，助長了共產集團的聲勢。實則，西方國家壓根兒對亞洲就沒有一致的態度，何獨是對中東。現在，英國外相勞合，已表示了英國不擬在美蘇間以第三勢力自居。如果英國在十年前就採取這樣的態度，在對外政策上早作深遠的決定，亞洲又豈會是今日這樣的局面。西方的重歐輕亞，與莫斯科的重亞輕歐，在這十多年來的「競賽」中，其痛苦又豈僅祇爲亞洲人所身受。到今天，當英國的勢力逐漸被形勢所迫將完全退出亞洲時，才有這樣的覺悟，但是已誤盡了天下蒼生！

所謂「兩個中國」活動

但對中國來說，更值得注意的事是，美國朝野却似乎正有人在進行醞釀做成「兩個中國」。據中央社華府一日專電稱，董顯光大使在電視節目中表示「自由中國絕不同意『兩個中國』的方案，作爲解決東南亞共黨問題的辦法。」以董氏駐節華府而公開發表這樣的議論，當然是有根據的，可見問題決不簡單。設非美國好事之徒在擴大進行「兩個中國」之活動，豈會產生具體的方案，以之「作爲解決東南亞共黨的辦法」。以「兩個中國」來解決「中國問題」，已屬謊謬，今且欲以之來解決東南亞共黨問題，豈不更是天方夜譚。但是國際政客之主張「兩個中國」之活動，由來已久，時至今日，更足資吾人警惕。

因此，我們主張，當局應從速蒐集有關資料，作有力的反擊，庶能冲散此一謠諑活動的暗潮。

●李金畔●

岸信介面對的困難

——生意難

●文鐵●

岸信介二次訪問東南亞，英文日本時報作者羽仁翹著文稱：「岸信介在推行其東南亞發展基金方面時，圖取得中華民國和華僑資金的協助。」這是羽仁翹在最近訪港期間一些中國朋友向他指出的。因此，他認爲中國如參加開發基金，就成了岸信介的一宗資產。由於這些華僑不僅有可投的資本，而且了解在東南亞各國經濟政治的錯綜情勢。如果日本獲得中國資金，日本就要成爲美國的買辦，因而陷於美國在東南亞所遭的同樣困難。如果日本以其本身資金進行這個計劃，就會引起當地的反對和疑慮，而認爲二次大戰時「大東亞共榮圈」的死灰復燃。

當然，對于華僑的資金，也會引起當地的批評，說「資金是從剝削當地人民和資源聚攏過來的。」不過，由於旅居東南亞的華僑約一千一百餘萬，比世界任何一區爲多。假使日本能夠獲得華僑資金的協助，其對外貿易的困難問題，當可解決大半。

這不是說，日本對外貿易此外就沒有困難；因爲她除了基本上的不利之外，還須各國存在着許多特殊問題。例如：

最大困難，就是她仍然未有獲准加入世界關稅及貿易協定。她雖被許臨時加入，却沒有正式會員國所享受的特惠稅率。

其次，日本對外貿易尤其是對東南亞，橫着一個賠款問題。日本對緬甸和泰國賠款問題，雖已先後分別解決；可是對菲律賓、印尼和越南的賠款問題，却依然存在。有些重大的市場，依然限制着日貨的輸入。

再次，日本在中東雖抱有很大的希望，但必然會遭遇到強烈的競爭。中東對于日本消費商品，並不是一個理想市場。因爲中東正在力圖開發它本身的資源及自行建立輕工業。日本所能進行貿易，恐怕只有拿機器去交換一些國家如土耳其的小麥和煤罷了。

還有，日本外貿易最理想最佳的地區，是英鎊區，自輸入限制撤消後，在剛結束的財政年度內，日本對英鎊區的輸出增加至五七九・〇〇〇・〇〇〇美元，較日本對美輸出還要多一些。是故在一年之內，日本就能夠從他對英鎊區的貿易入超二三三・〇〇〇・〇〇〇美元，轉變成爲二五五・〇〇〇・〇〇〇美元，日本是否能夠繼續增進對這區域的輸出，實在不能逆料。

至于日本對美貿易，龐大差額，已大加縮減。截至去年三月爲止的財政年度內，日本對美的輸出，增加至五三〇・〇〇〇・〇〇〇美元，和減少輸入減至一・〇〇五・〇〇〇・〇〇〇美元，已使貿易差額從七〇七・〇〇〇・〇〇〇美元，減至四七五・〇〇〇・〇〇〇美元，這區域的貿易雖然抱着樂觀，但是美國關稅及其他限制可能阻礙日本輸出進一步的增加。日本只有用新的產品和新的貿易技術了。

此外，日本也不是沒有內在困難。據新聞文指出，列東京辦事處主任柏堅漢曾爲文指出，日本並沒有資本的聚積，在二次大戰的時候，公司和個人都喪失了他們的儲蓄。戰後大企業的被分解，更增加了此項問題的嚴重性。在韓戰期間，從美國軍需品定單上所獲得的利益，迅速地消耗在一陣虛僞的繁榮裏，而並沒有用來購置新機器。日本雖然是一個「低薪」的國家，可是工廠雇用于工人身上的費用却是很高的。工廠大都沒有工人宿舍，同時供給工人以娛樂、教育及其他的服務。高級文員大都由公司供給住宅和汽車，因此，公司和工廠花在僱員身上的費用，往往較工資的支出爲高。

日本需用原料，原料是很昂貴的，她所需用原料，大部分向工資很高的國家購買而來。日本所需要的棉花是向美國購買的，羊毛是向澳洲購買的，鐵礦是向加拿大購買的。可是她用從高工資國家購來的原料，所製成的商品大部分是要向低工資國家推銷。如果有實際可行的辦法，以消除這些障礙而又不致影響到日本產品的質素，才可使輸出的定價降低。

在這種種的艱困之下掙扎，有許多小商行沒有辦法繼續支持下去。在盟國佔領下被解散的日本大貿易公司及一些大財閥的企業組合，爲了渡過目前的難關都要重新組織起來了。因爲在美國軍用品定貨單減少以後，日本必須增加輸出以資彌補。而這些輸出又不是像基本原料的輸出那麼簡單，這是需要做生意的技巧的，並且還需要有一個廣大的貿易網，才能夠作靈活的運用。

岸信介急于要爲日本找生意，看他有什麼法寶打破這些困難吧！

台灣通訊

嚴重的全省性黑市金鈔案

反映出金融與社會問題的關聯性以及現行管制法令的矛盾性

·鹿觀·

最近一周來，引起此間最注目的兩大事件，其一爲富商胡洽乘失蹤之謎的揭出；其二是破獲全省性黑市金鈔案。因後者涉及台省金融及社會問題，故特爲文評述於後。

從管制法令說起

現行經濟管制法令，本身即有矛盾之處，譬如規定出入境可攜帶黃金美鈔數量；又規定境內人民對於金鈔可以贈與、借貸（但不得買賣及抵押），即不准金鈔移入貨幣流通內，滙出者須向台銀交付，或以新台幣購買外滙，無持滙證之私人不得購買；滙入者亦須向台銀按掛牌官價折付新台幣。台灣銀行、金庫、合會等錢業機構不准抵押，而民間則暗行買賣，抵押，亦有其黑市牌價，較官價爲高，持有者自不願向台銀兌依官價折付之台幣，而向黑市買賣。至於金鈔買賣，台幣較港地價格爲高，先兌換美鈔再購黃金輸出，此種圖利，若依貨幣單位言，不過台幣一、二元利潤而已。其次，美鈔流通於世界各地市場，故只有官價而無暗價，此間不准流通於市場，故黑市流通，亦自設牌價。若果此間能允許黃金，外幣流通於市場，則自不會有黑市金鈔產生之可能。同時台省金融也不致混亂了。

再因此間生活一天一天趨於困難，若干不成爲職業的職業，往往爲圖毫末之利，而無顧於經濟法令。黑市金鈔買賣，因此勢難禁絕。

該案內容一班

就警務處對破獲黑市金鈔案的公佈看來，若不是因張昌年被謀殺案偵察嫌犯談森源，恐不致允許經濟警察化裝黑市金鈔買賣人至現場捕獲人犯，該案涉嫌「金鈔非法買賣」人犯計有汪儂、談森源等十三人。其職業爲商人八人，無業三人，福昌煤礦職員一人，工人一人，以經營黑市金鈔牟利者爲主，大皆無業者冒險從事容易牟利行爲，工、職者爲生活伎者所迫。十三嫌犯均在押，特於周內依妨害國家總動員法移台北地檢處法辦。

被破獲之黑市金鈔中心機構有四，利用法令上的空隙，成交時所採方式，多用暗號，慣以工礦，農林兩公司股票作代表資金價，以紙業，水泥兩公司股票價代表美鈔；在台語中，則以「啥嘴」代表「黃金」，以「澤波」代表「美鈔」；或者在三輪車、汽車、咖啡館中從事交易。以中心機構而言，都在台北市，而實際是全省流通的，以台北衡陽街，基隆市基隆碼頭，高雄市七賢三路爲其各自中心；大別省內情形爲：北部吸美鈔吐黃金，中南部吸黃金吐美鈔。

自張昌平被殺案前後，黑市金鈔非法買賣案，發生不知多少次，金融之被擾亂情形，可見一斑了。

政府是持法令破獲黑市金鈔案，同時亦將以「擾亂金融」國家總動員法移送法院辦理，這是治標的手法，根本問題是在於如何能避免產生黑市金鈔買賣不再發生。

（四十六年十一月廿七日午於台北）

取經圖　·尹震·

讀者論壇

從香港平民大廈談：台北房荒

·何易容·

港報載：上月二十五日香港北角流離街平民大廈落成開幕典禮，該大廈將爲最壯觀的屋宇工程計劃之一，佔面積六英畝半，共十二層樓，九五五居住單位一，九五五個，可供低薪人士一二，〇〇〇人居住，租值每月六〇元至一三八元不等。該地區內有廣大空地和多處操場，又有一十八個班可容八百名以上學生的小學，和學生診療所，街坊診療所及可容五百人以上的會堂一間。大廈樓宇地下有商店位置以便利居民，此外該處還設置郵局一間，巴士總站及停車場各一處。該批樓宇係香港屋宇建設委員會最先完成的屋宇建設計劃。

同時稱爲「平民大廈」的縫餓冷鐵物照片，亦見諸報端。這不禁使筆者想到台北市的房荒問題。臨時首都的台北市，因爲近年來人口的膨大，超過了自然定律的增加，房屋供不應求，於是乃成了擁擠，發生了違章建築的問題，又隨着發生了佔用民房，頂讓住所，民房糾紛，被敲竹槓，讓取利，等等不可調解的問題出來，結果所至，安分的人民的住的問題仍沒有妥善解決。

本來，美援也有助建平民住宅這一項目，不過，一般性協助的執行過程中，中央級的民意代表和中央級的公務員，他們的比例很大，第一先照顧他們，同時，各縣市也要分占才能算公平，於是力量分散[illegible]的縣份建了實[illegible]切，有權者知[illegible]地皮搞啥啦，[illegible]使社會風氣，[illegible]於民居！[illegible]迦了解決房荒問題了？然而查省府的疏遷，化了四億巨款的建築費和旅費，[illegible]生了營辦舞弊，自廳長、處長、科長和各商號遷二百餘人（許多工程技術人員也包括在）調遷近一年的省府，因而拖入貪污，標售了職員宿舍不滿十戶，其情形可見一斑。台灣省府完成疏遷，還要化幾億新台幣，到現在實際上只是行政院[illegible]解。

得到了辦公地，於民居則毫無補益。由港府的措施（大批僑資也在香港興建大廈，所以港報的廣告篇幅，也幾全爲「××大廈分層出售」的啓事所佔），返顧台北，很可作一檢討。筆者常聞台北市的興建房屋爲了土地問題而煩惱，不禁念及大陸時期，政府有接受民間意見以市區營地交換郊外土地，一方以市內營地發展工商，一方以價值較高之土地換來價值較廉的農地，使建築和擴充同時解決。在今天，台北市上海路幾十分之八是營地，新生南路二三段間也有半數是營地，如政府以便民言，由中央在這種地區興建像港府所建的「平民大廈」，或和地方政府（招僑胞投資亦可）交換郊外山地，同時作立體發展，那麼，福利人民，減少社會糾紛，樹立政府信譽，豈不可以迎刃而解。

學童克難到了露天　建廟祀神一擲百萬

高市議員良心話：「如何對得起露天上課的學童」！

在人類衛星飛行太空的今天，台灣卻還顯現着兩種畸形的現象：神權凌駕於教育，祀神重於勞軍。一個例：高雄市近年來爲了推行「興學」與「勞軍」，傷透了腦筋！捐資興學，原定勸募二百五十萬元，興建教室一百間，以解決國校教室荒，進行得龜行蛙步，緩慢異常。至言勞軍，四十六年高雄市捐款勞軍，原定目標是一百廿萬元，一年易過，目前所得的捐款還不足廿萬。而建廟祀神則大大相反，形成對比，像鼓山區新建的「代天宮」，畫棟雕樑，金碧輝煌，就化掉了一百五十萬，鹽埕區「文武聖廟」也化了一百多萬、苓雅區「佛教堂」，預算工程費六百萬，建了四年，尚未完工。捐款簿遞到豪富戶手上，一出手就是十萬廿萬，興建教室則避不見面，大嘆窮！

迴看今日台灣的教室問題已不是一縣一地之事，二部教學已成一制度，而且早經全省「一同」，學童沒有教室克難到了露天，走廊，樓梯也成了教室，撫怪有心人慨嘆：「中國未來的李政道、楊振甯他們現在都沒有教室了。」

話得說回來，高市議員總算良心未泯，投「神聖一票」的人，事緣市政當局最近爲了安置妓女戶，曾擬定一個一百五十二萬元的計劃，內包括新建一派出所，一診療所和病房，堅築一條利便嫖客行走的馬路，計劃當局週到，但進入議會即告擱淺，還正如某議員所說：「我們通過了此案，如何對得起露天上課的學童！」

（晉）

編者按：某議員的話，確是良心話。台灣省的教育基礎，比之過去大陸上的任何一省爲好，可惜八年來的進步還無法趕得上實際的需要。此種發展過程中的脫節現象非不可免，惟就目前嚴重之情況言，教育當局似不能也不宜再忽視了，如果教育當局拿不出有效辦法，社會又怎能協助興學呢！

人物介紹

他在西貢寓所裏的客廳，掛着名畫多幀，而其中一幀「竹景」，恰足以代表他的風格；他的言行，告訴我們他是自由中國之友。他在越南的工作，更說明他是中越邦交的橋樑。

雷震遠神父訪問記

雷震遠神父是一和靄可親，慈悲爲懷的忠厚長者，他是自由越南共和國吳廷琰總統的「老友」，也是吳氏的政治「顧問」，屬於吳氏智囊團人物之一，同時，對于自由太平洋的新聞，文化，教育事業，積極倡導，不遺餘力，他領導一批追求自由熱愛民主朝氣蓬勃的青年，主辦一家通訊社，一個月刊，和一間書院，業務有聲有色，深得一般旅越華僑的擁戴。

雷震遠早年畢業比利時魯文大學，繼則深研哲學與神學。他對於言語學問，造詣極佳，拉丁文，中文，英文，法文，西班牙文，德文，荷蘭文，均極精通，還有對我國文化精粹的四書，尤爲嫻熟，他每到任何地方，身邊總攜有一套四書。

他生平著述甚多，「自由太平洋雜誌」每期差不多都有他的作品。此外自由中國的報章雜誌，也常發表或轉載他的言論。他與愛蓮，巴科利，寬台著的「內敵」（英文本），中文譯本是「中國赤潮記」又名「內在的敵人」，其法文譯本曾獲文學獎金，另還有其他意大利、印度、西班牙、德國、荷蘭、日本等文譯本。聽說越文本亦將於最近面世。他對于中越邦交的聯繫，貢獻尤大。

他在我國多年，「功德」甚多，他經創辦了四十所小學，此外，尚有農業學校，當時聘有德國專家，開挖「自來井」，改良植物的種子，增備工業化的工具。一九三七年，值沙眼症流行，患者甚衆，他立即建立「診所」，親自出馬，醫治了五萬人。更難能可貴的，就是爲身走進監牢，安慰犯人，勸勉犯人，曾在監獄中設一間小學。幾年來，他曾幫助了不少中華民國在歐美的留學生！

目下全世界天主教徒約爲十萬萬，在越南則二百萬，西堤則七十餘萬，越南信徒我們約數千人。

雷神父曾嚴正指出：「公教與共產主義是合不來的，因爲共產主義毀滅人性和極端蔑視國家，共產黨只知有黨而不知有人，是以人作爲工具。共產主義的人，而宗教則是一種理想，宗教在鐵幕內，經常遭受殘酷的壓抑。」

雷神父曾應越南吳廷琰之邀，來到西貢，對於新生自由越南的艱難，運籌帷幄，厥功甚偉。同時，雷氏爲中越兩國僑下情得以上達，消除了許多隔膜，解決了若干困難問題，在一般僑胞心目中，他的確可以是仁盡義至的「中國之友」。

雷神父是此間太平洋學術機構的最高領導人，他自由太平洋協會所創辦的，並非欲使各國文化交流，互相了解；其辦自由太平洋通訊社及月刊，無非欲闡揚正確思想，傳播精神文化，造福中國，造福越南自由太平洋！

他在西貢的寓所，是一座幼雅的小巫洋房。他的客廳，掛着名畫多幀，而其中一幀「竹景」，恰足以代表他的風格。

（本報越南航訊稿）

化外滙

近年來，台省打鬥之風益熾，爲了禦「蠻」打殺一番，故，一言之不合，以「分」、以「殺」……此風豈可長乎。

[illegible]門精神的浪潮，有關當局特邀東南亞各國三山五嶽的打手，（其中有美國的拳擊好手）以「世界拳王」爲名，角力冠軍爲號召，請到台灣一顯身手，在三軍球場大打出手，雖售價一百元，仍人山人海，[illegible]

的表演，只要警察不加干涉，訂下「規矩」，則角力比賽誠然可行，[illegible]由我們自己的國術表演，提倡國術比賽，亦可使大家大飽眼福，又何必請洋人打架，而浪費國家外滙？

記者在「黑白集」裏的外滙，[illegible]

寶島百態

看打架

表示意見：「要打架，我們的馬路上經常有精彩的「……打！打！打！」打得頭破血流，愈打愈精彩，愈是精彩合算，惟恐掉了外滙，由於他們打來打去，均無關大陸，無關心長，[illegible]」

晉

印尼危局醞釀巨變

·華仁傑·

蘇加諾陷入赤色陷阱有遠因近因 本身武力不足解決問題勢成騎虎

海外通訊

大政聯委會對西新畿內亞問題，已接受括有「亞非集團」十九國建議，促進荷印兩國，就主權誰屬重開談判（按：聯合國大會二十九日表決，未予通過）。耶加達方面，一度因荷蘭、澳洲發表聯合聲明，反荷運動轉趨緩和。朱安達總理曾經呼籲「不作過激行動」，並且逮捕了張貼標語的極端分子四十餘人。這種措施，反映出印尼將循外交途徑從聯合國處理。但在莫斯科舉行（十二國共黨）圓桌會議，以及公布所謂英國頒發印尼「外交秘件」後，態度遽行激烈，出爾反爾的搖擺不定政策；顯示蘇加諾幕後有人安排，並非主動，他已墮入共黨陷阱，背棄人民，與任令共黨坐大，尚不自覺。遠因不外四年前國民黨親共，近果實為蘇氏於訪俄時，帶回了一位俄籍夫人；雖然，這一被人目為「秘密夫人」迄今未嘗露臉，她的魔力足以影響印尼內外政策。

就現實趨勢看來，反荷運動較前已經邁進一步。如所周知：印尼沒有空軍，也沒有海軍；全國各省陸軍未必能夠動員。以武力「收回西伊里安」，跨海進攻，雖有把握。然而，只會叫囂，並不採取實行動，反而暴露弱點，蘇加諾當然很明白。因此，他不能不專設一支渡海新軍。這支動用了國庫七百萬盾經費組成的「建設西伊里安師」，以蘇里國中校相任師長；一萬五千官兵中，三分之二係自現役陸軍抽調，三分之一為共黨青年。他們揚言只要蘇加諾一聲令下，全軍出動進攻。不消說，這麼一支雜湊部隊，滋擾有餘，對敵不足。

不足對敵的基本因素，誰都可以明白：荷澳兩國的強硬聲明發出以後，對西新畿內亞的防衛，必然已有準備。他們相信印尼沒有訴諸武力的條件，即令抽調部分陸軍進攻，不待登陸，早被荷澳海軍殲於海邊，何況印尼跟荷澳交戰，必然引起國際間強烈反應。這次「建設師」忽促組成，幕後如無國際背景，蘇加諾不致冒險，假如蘇加諾真的揮戈進攻，中共縱不藉口支援，進兵耶城，印尼共黨勢將乘機搏亂，屠殺境內荷人，掠奪荷僑財產，使爪哇陷入混亂，國民黨政權勢難保全。然後，蘇俄中共出面干涉；因為，荷蘭逼得採取護僑措施，派軍進駐耶城。

然則蘇加諾這種「撲」的冒險，已使印尼全境人民惶悚危懼，國民黨內部開明分子，已開始跟馬斯友美黨、神學會策劃善後對策，團結各階層人士，聯合各省軍政首腦，準備於可以預見的將來，採取有效的討伐行動。因此，當前對國民黨吹捧助勢的共黨報紙，最近已不載執政黨活動消息，大部分篇幅均為煽動反荷文字佔有。當然，印尼共黨對國民黨內部分裂，與反共黨派合作，不會懵然無知。這是可以就其不敢公然出頭，而在幕後策動青年、工人集會、罷工等各種行動上獲得證明。另一方面，中共正向菲律賓收買美軍械彈藥，經泰國港走私進口，用以武裝爪哇共黨。而回教狂熱分子亦在擴張地下武裝，他們是專為對付蘇加諾個人者。八月間曾圖暗殺蘇氏未遂（按：十一月卅日爆炸案，蘇氏倖免於難，可能係彼等所為）。

如所周知，印尼中央政府財源已而窘涸，預計可以徵收的「人頭稅」九億盾，迄今歸庫的尚不足半數，百萬華僑卻已不堪苛擾，面對現實，他們寄望於自由祖國政府，在聯合國處理西新畿內亞問題上，最好置身事外，以免他們今後處境更加惡劣。六月四日陸軍參謀長宣布「國籍法」後，中共已經一再向印尼要求重開「雙籍」問題談判；印尼政府卒因經濟困窘，以及「西伊里安」之爭受阻。五萬荷僑處境，比華僑更為困惑，國民黨的「蘇蘇報」於十一月二十一日，指摘荷僑已抽調資金移星，準備於必要時向新加坡撤退。於是，共黨叫囂，要政府調查荷僑資產，以後收作為恫嚇交出「西伊里安」手段。

蘇加諾倘能逆取順守，他的政治生命也許尚能苟延一時，如今內外交爭，官員稅吏上下貪污，庫空民貧，各自營謀。這個四分五裂的局面，他自己幾乎也不知道：過了今天，明天如何？哈達去年十二月一日辭去副總統職後，一向採取「冷眼旁觀」態度；蘇加諾原期於哈達訪問北平歸來，為他收拾殘局。然而，經過三次會談，哈達始終未提復出條件；假如蘇氏出國遠遊，哈達或有復職可能。現在蘇加諾勢成騎虎，大勢已去，哈達縱有雄才大略，亦難力挽沉疴；何況，原先擁哈的反共黨派，[illegible]，也就不存奢望。[illegible]（十一月二十日寄自耶城）

名演員石揮反共被鬥爭

石揮，是個著名的電影和話劇演員，但是他思想意識上一直是傾向共黨的，[illegible]

須今，在中共的「反右派」分子名單中，石揮也榜上有名，據上海「新聞日報」廿八日的消息說，石揮的言行和文藝路線，是反動的反共的。因此遭受到了鬥爭。

石揮所不滿的是警察特務控制了電影工作，他甚至說中共的「電影局是警察局」，因為[illegible]

滬共各機構混亂一片 幹部受各方攻擊圍剿

在上海，中共的各級機構裏，目前正呈現出混亂一片，這混亂是由所謂羣衆的力量掀起的。實則，也正是「人民內部矛盾」戲劇化的暴露。

羣衆的攻擊對象，主要目標正集中在各機構的高級共幹身上，他們對「官僚主義」加以無情的評擊。

普遍存在的怪現象是各級的負責共幹對其所屬的職工視同陌路，各不相識，雖彼此相處有年。同時，在同一機構中，又普遍存在着領導幹部的不相容，和上下關係的衝突，於是形成了「政治思想上的衰退；相互之間的不團結，個人的特殊化等等傾向」。另一種現象是，各級機構類多是臃腫現象，大而無當，以至人浮於事，既無公可辦，於是辦公室變成了俱樂部，下棋，打橋牌，看小說，織毛線，而圖書館裏則更是坐無虛席，有的甚至整個機構，是不務正業狀態！

此種狀況之形成，中共承認是由於各級共幹多年享受特殊待遇所造成，於此也足見特權階級——新階級形成後，對集權政治所引起的紊亂，實良有以也。（人）

一般現象是：

職工相見不相識　笑問君從何處來

領導幹部不團結　難唱一曲將相和

辦公室無事可做　圖書館坐不虛席

寮國速寫

赤談蔓延中

·文莫·

一九五四年七月，法國得不到美援助，致其與胡志明的休戰協定，不得不成立，並有日內瓦協定，寮國從此進入了政治進攻的階段；寮共盤據北部，[illegible]

天上 · 人間

國際動態拾零

[illegible]

·陶然·

稿酬：本報十一月份上半月稿費通知單已分別付郵，請惠稿文友，憑單領取為荷。

編輯部啓

自由談

看熱鬧有感

馬五先生

最近我們的監察院和行政院互相發表聲明文書，爲的是監察委員對於會經科學建議的「杜絕浪費，調整待遇」問題，請行政院長到院報告執行情形，並聽取質詢意見，而行政院長不應命。如是乎，監察委員們「冒火」了，認爲行政院長依法並未享有不受查詢的「豁免權」。我國監察院相當於美國的參議院，美國參議員要政府大員到院「作供」時，除總統一人以外，就沒有敢拒絕的。

監察委員之冒火不平，良有以也。

一方面是要打破沙鍋問到底，一方面是饞媳婦害怕見翁姑，口舌是非自然就多了，我對於雙方爭執的，不願多所饒喙，那是纏夾二的問題，說來話長。只覺得O．K．俞院長，素來是以涵養功夫深著稱的，即應召赴監院，代替所屬各部會首長接受一場「疲勞轟炸」式的質詢，說幾句敷衍場面的話，那又何妨呢？總知道：受氣挨罵，乃是作大官的應有代價，否則倒早不必廁身於黨國要人之列爲佳。這是作官哲學，不可不徹底領悟的。

其次是民意代表對於官吏糾舉彈劾，旨在整肅政風，即或未必盡然，亦使聞者足戒，但要實行處分，却須以事實爲圭臬。行政當局如其查無實據，自可據情聲復，而不能認爲就是蔑視民意機關的監察權。假使官吏一墨吏議，便成罪犯，亦未免有失公允，決非整飭紀綱之道。至於民意代表行使法定的質詢權時，無論怎樣說法，對外固不負任何責任，然亦有其一定的份際與風格。如果出之以的「公審」的心情，務對方過於難堪，也就大可不必。求全責備乃至於吹毛求疵都無妨，但須彼此尊重對方的人格和體面，才是民主憲政的優良表現。

吵吵鬧鬧，原屬民主政治的常有現象，不足爲病，最要緊是大家皆有毋固，毋我，毋必的精神，遇事控制着感情作用，不致流於衝動橫決的境地，則爭論逾烈，氣象即愈明，那就無傷大雅了。

談書信

秀瓊

寫信是一種藝術技巧；欣賞書信，是一種樂趣。有時寥寥數語，逸趣橫生，令人悠然神往。至如秋水軒，雪鴻軒一類尺牘，堆砌調調，却不足爲訓。

書信可以使人從憂寂中獲得歡愉，從冷漠中得到溫暖，羅蘭特爾說：「書信是人生安慰」。的確，當我們接到綠衣使者送來一封熟悉而可親的字跡，如同發掘到寶藏似的歡樂，尤其新婚夫婦勞燕分飛，天各一方互訴衷情，或家園荒蕪寥落，或摯友南北奔馳，彼此頭白，人事栗六，各述甜酸苦澀的滋味，令人感慨萬端而意味無窮。

書信古時叫做尺牘，又有尺一，尺素，翰牘，書翰，書簡，書啓，書札，簡牘，牋啓等名稱，它的產生是根據人類日常生活的需要，社會愈進步，人與人間的關係也愈複什，書信運用的範圍也隨着愈寬闊，現在馬路上有代筆先生專替目不識丁的人代寫書信，至於達官貴人，因公務繁忙，來往信札又多，應酬無暇，往往叫人代寫代覆，過去的所謂書啓師爺，現在的所謂私人秘書，也就應運而生了。

古時交通不便，書信傳遞的方法有藏魚腹鷹足，文選飲馬長城窟行：「客從遠方來，遺我雙鯉魚，呼兒烹鯉魚，中有尺素書。」稍後用驛馬傳遞，已算是進步了，現代則有郵電機構代勞，有輪船火車飛機，電報爲傳遞工具，更不可同日語了。

書信寫作須具藝術技巧，而欣賞書信却是一種樂趣。書信中能敘述生活與流露個性就能不呆滯而饒異味，有時雖寥寥數語，逸趣橫生令人悠然神往不釋手。

我國古來書信中傳例很多，而在此道中最稱能手的首推蘇東坡，東坡書札，無一不佳，想學寫好書信的人，不可不仔細揣摩。如：「步千盡矣，風雨蕭然，紙窗竹屋，燈火青熒，時於此間，得少佳趣，無由持獻，獨享爲愧，想當一笑也」情趣多麼飄逸。如吳穀人尺牘極動洗鍊，秀麗清新，最宜研讀。如：「舟抵荻港，蘆風蕭蕭，四無行人，漁子拏小舟而出，遠赴夕陽中，欸乃一聲，山水綠，此時此景得足是倪（雲林）小筆寫之，便可千古，李到岳麓一枝，伏讀賜札，宛如一幅淡遠之江上風景圖，着墨不多而韻味雋永。至於一般人所熟知的秋水軒雪鴻軒尺牘，那不過是堆砌爛調不足爲訓了。

近代作家中如冰心女士所著寄小讀者，就是用書信的形式寫成的記敘文，文筆晶瑩，風格溫柔，極婉約之能事，最負盛名。朱光潛的給青年的十二封信，也是用書信的體裁寫成的論說文，其說理的透澈，亦知名於當代。

在西洋最有名的書簡作者爲服耳泰、格雷、科伯、拜倫諸人作品，極爲文藝界所重視，他們的書札，一半固然由於文學修養到家，一半也因他們的獨特個性和生活表現在書札中而容易引起人們的愛讀。

談到趣味，書信比日記更多，因爲日記是獨語，而書信却是對話的了。

談到書信，當以家書爲首，因爲無論久客異鄉落拓江湖的人，或是飛黃騰達的人，都無不想家，尤其在這動亂時代，乍然接到家信，那就不勝雀躍，又容易引起濃厚的鄉愁，所謂「烽火連三月，家書抵萬金。」曾國藩家書情辭懇切，久已膾炙人口，其治家方法以勤儉二字，諄諄告誡，足以發人深省。鄭板橋家書文詞自然，毫無矯飾，文字接近口語，所謂雖係家庭瑣事，內涵哲理，親切有味。而林覺民與妻書，報國心切伉儷情篤，慘慘悲絕，不忍卒讀。

談到情書使人憧憬於甜蜜香豔的故事。愛情雖然不必視爲生活的重心，但是生活許不能缺乏愛情來調劑，當你會逢一位年輕貌美少女，姿態婀娜，一見鍾情，但是羞答答難啓齒，惟賴一紙傳情，所謂片言來接，寸箋先開是也。五四時代當時徐志摩的「愛眉小札」與郁達夫的「日記九種」及後來章衣萍著的「情書一束」，曾經傳誦一時，而蕭伯納與拿坡倫的情書尤爲世界名著傑作。（本文有些文句係從某篇中直搬過來，不敢掠美，順便聲明）

興安的飛來石

·文鑑·

民國卅一、二年間，我曾隨軍旅次廣西興安，先後駐四閱月。因此，縣城附近約二三十華里的地方，我們都去溜達過。

興安距離桂林約二百餘華里，屬桂北一個二等小縣，人口不過三十萬。但，它却是湘桂鐵路和公路貫穿的中心。

考廣西省誌：「秦平南粵，湖湘而至，欲通南海漕運，命史祿將軍鑿於桂北，興安之東，湘灕二水之發源處，灕湘同源異流、湘北，灕南，厥功有焉。」灕湘分流雖告成功，但史祿將軍却竟積勞病故於興安！

現在湘灕二水分流的中間，還留下兩個具有充滿離奇神話的遺跡：一個是「分水村」，另一個是「飛來石」。據傳史祿將軍未死之前，便在分水灕邊架了一座木屋，爲工作的休息場所。後人爲紀念史祿，便擴建爲一個村莊——「分水村」。

至於「飛來石」的神話，據說是由於史祿的「鞠躬盡瘁」，精誠感天，該石才由靈川附近的海陽山飛來的，作爲「湘灕二水分號」的天然界石。

「飛來石」落地生根，卓然獨立，高約十五公尺，圍廣約三十公尺，長方其形，遠望活像一頭正在遊水的大象；近看又像一座沒有頂的洋樓。石頭的四面，現在還遺留着不少古今名人的筆跡。

正名論

·張弓·

本刊六九三期有陳曉嵐先生「談姓」一篇，序文說：「談爲名字後，不會把姓併在一起談；蓋有鑒於『有名無姓』，不配稱爲『完人』，故此所以又來談姓也」。他的「談姓」，從自家姓的來源一直說到假洋鬼子把姓名倒置，很爲詳細。我不打算再來「畫蛇添足」了。

不過，我讀後却有點感想：中國人姓名合起來往往代表一種意念，一個人既然掛了名字，就有他的取義；可是事實上却有兩種矛盾現象，使人看了不順眼，聽了不入耳，一種是「無其實而取其名」，一種是實已至而名不歸」，例如堯、舜、周公、孔子，古聖人也，很多平凡鄙碌乃至無才無德之輩，偏要取名「則堯」，「希舜」，「從周」，「學孔」；張良是一位歸棄名位，導隱辟穀從赤松子遊的高人，而醇酒美人爭權奪勢的人，偏要自稱「超良」；其他雅俗混淆，文武顛倒，種種不切實際的名字，實數不勝數。又如中外合參的混血兒，照理應該用中外各半的名字，珠聯璧合，總適如其分；事實上却有的祗用中國名字，或是祗用外國名字，似乎都嫌「偏而不全」。更有些生長在中國的人，表面看來，似乎還是中國人，實則整個人格已經與中國人絕緣，假洋鬼子，他們的取名曰「彼得」「查理」，倒無足怪，怪的是他們竟也依然用中國名字！

「名不正則言不順」，我以爲應該「名符其實」，不可使「名存實亡」以免淆亂視聽！

至于向俄國「老大哥」一面倒的，更應該「上帝的歸上帝，凱撒的歸凱撒」。因此我特鄭重向國人建議：從今以後，將中共頭子的姓名混同，一律改以俄式，稱他們爲：「毛大林」、「朱德可夫」、「恩來斯基」、「少奇諾夫」……等」，大小嘍囉，也不例外，以示「屏諸四夷，不與同中國」！

讀書隨筆

猥褻與道德

·慕容羽軍·

中國的習慣，最諱言的是性問題的任何名辭。據說在台的美國人正在作瞭解中國民俗的努力，未知有無告誡大兵們口頭上的粗鄙否？本來，儒家的精神，把「食」「色」相提並論，觀念上頗爲開通的，還是宋明理學家把它嚴肅化了。相傳有許多嘲笑理學家的故事，對于夫妻敦倫的行爲，也要先拜聖賢，默禱一番，捧出「爲蓋孝道」的大道理然後行動，這些雖是笑話，却可以反映理學家的作風。諱言性問題，就是宋明以後的產物。

舊小說常用「那話兒」三個字代替任何有關性問題的字眼，這三個字讀起來十分傳神。靄理士那本「性心理學」，一向被被認爲是一本權威的學術著作，他引用了一些民俗現象，頗值得一提的，他說：猶太人說到性器官的時候，常用「足」字來代替。他對舊約「以賽亞書」裏的一段：「那時，主必用大河外賃的剃頭刀，就是亞述王，剃去（你們以色列人的）頭髮和腳上的毛，並要剃盡鬍鬚。」所稱的「腳上的毛」，即是陰毛的諱稱。

歐陸中世紀嚴謹的宗教，代表了保守的一面，其情形有如我們的理學家，在道德上有過成就，也曾把人類自然的心意擠迫得拼出火來。歐洲中古道德的墮落，和宋明以來所產生的淫褻小說對照，正足以作爲一面歷史上心靈約束與心靈解放的鏡子。從這兒看，推行道德的方法並不能約束行爲，只能疏導行爲。

短篇小說

南中國海的戀絲

·張放·

三、

次日，我們並沒有開航。南中國海的風暴仍未平息；我心底情感的浪濤也未平息。

直到傍晚，蘇比克灣剛籠罩在晚靄裏的時候，丹妮竟然悄聲來了。

「請你們通知何方上尉，我是安妮，我的丈夫邀請他到我家去渡週末。」

她站在梯口上，正向兩位値更戰士講着英語。坐在官廳內看報紙的我，已經清晰地聽見了她的聲音。我急忙戴上軍帽，從官廳裏跑了出來。

「晚安，安妮太太！」我慌張的向她迎喚着。

「你好麼！上尉！」她忍不住笑了。我這時也恍悟了剛才的錯誤稱呼。

走出美國海軍軍營門，便是通往馬尼拉的公路。丹妮的汽車便停在門口那裏。

我們不久便駛向了蠻綠的原野間。

「妳想把我帶到那兒去？」掏出紙烟，我燃着吸了一口，便向身旁的丹妮打趣的問。她正緊握着方向盤，朝那窗前的公路瞭望。

「送你馬尼拉法庭去，我要控告你欺騙罪！」她那輕脆的笑聲，蕩漾在沿途的椰林裏。

「我從來沒有欺騙過任何一個友情或愛情，安妮，我不願意聽到妳這種負心話！」雖然我的聲音是沉重的，嚴肅的；然而她却深深跌在快活谷裏去。汽車在公路上風馳，電掣般地向前奔，她一髮絲散飄着，她的每一顆細胞都充溢着青春的跳動的音符。

「水手，您不是昨晚告訴過我，今天開航麼？」她仍是堆滿了笑的嘴角。

「這是軍事上的一個秘密，像女人的不可告人的隱私一樣。」

「但是我却從來沒有騙過別人。」轉過頭來，她嬌嗔的瞟了我一眼。她說：「我這個女人呵，從來沒有什麼秘密，我和你們中國女人是不同的。」

我凝神向她凝望，那對明亮的眸子裏，蓄藏着的是無限情感的海洋。她今天穿着一件淡綠色的紗衣，緊着白底紅花格的圍裙。我看見她烏黑潤光的鬢髮上，插着一朵野花。那兩隻銀白的耳環，搭在她那斜的紗帽肩上。她的胸脯，象徵着熱帶豐富的情感和果實，——我不禁湧出來欲渴的慾望。

「到聖他，那舞廳去跳舞好麼？上尉。」她向我商議今晚的節目。

「不，我太疲倦了。還是到闊茵去喝咖啡吧。」

她似有躊躇，便立刻對我說：「好吧，就去闊茵！」

「如果妳願意去跳舞，我仍會遵從妳的意見的。」

「何必這樣客氣呢？」她滿意地笑了。「你們中國的女子是要永遠順從男子的。兩年前，記得我跟你在碧瑤划船時，還曾辯論過這個問題呢？」

我緊抱着她，激情地說：「安妮！我求妳忘記過去吧，過去只是一個荒唐的夢！」

「是的，這是我心靈深處的期求。兩年來，我在海洋生活的寂寞裏，偶而也回憶着她，但总禁不住剎那間又被風吹走了。當軍艦剛駛進蘇比克灣的時候，我曾懷着一顆矛盾不安的心情：怕她見到我，甚至不敢想起她的影子，越是這樣約束自己，越會增加對她的渴念。人是個情感的動物，雖然長年生活在海上，而我畢竟仍是來自陸地的。

「過去我不應該迷戀上她，」我想。這簡直是像克洛馬妄想佔有我們的南沙一般的荒唐呵，我悔悟自己的錯誤，那是我盲目的走進這個愛情的狹谷，我將怎樣解釋自己呢？

「既是荒唐，你爲什麼這次剛進蘇比克灣，便又匆忙的來找我？」

但我在我的懷裏的她，用那柔和的信任眸子，向我笑着。我陷入了一種茫然的飄忽境地裏。

四、

兩年前，也是這樣一個八月裏的黃昏，我獨坐在一個幽靜的座位上，吸着呂宋雪茄，暮思着遠洋的夢。

直到晚上，這間闊茵咖啡廳裏，除了我一個中國海軍以外，整個房內的座位都是空的。

（二）

自由人
THE FREEMAN
（第七〇五期）
每份港幣壹毫
督印人　陳文華
地址：香港高士威道二十號四樓
20 CAUSEWAY RD. 3RD. FL. HONG KONG
TEL. 771726

美援及外匯減少將如何

陳式銳

美國政府公佈一九五八年度對台灣的援款，防務支持計劃五千七百萬美元，技術援助計劃三百萬美元，共六千萬美元；比較申請數額減少二千九百萬美元，較去年援款則減少二千三百七十五萬美元。另一方面，本年下半年國際糖價下瀉，出口趨於萎縮，有人預測明年外匯收入可能減少近三千萬美元。兩者合計，數字超過五千萬美元，在國際支付上占了近四分之一，其影響之大就可想而知了。

這消息一經發表，第六期（十一、十二月份）民營進口外匯的牌照頂讓便「風熾」起來。茲就報上所載第五六兩期牌照頂讓價格，擇要比較如下（單位：新台幣千元）：

品類	五期	六期	高漲	比率%
機器	二二．〇	三七．〇	一五．〇	六八
五金	二三．五	三五．〇	一一．五	四九
化工原料	二〇．〇	三三．〇	一三．〇	六五
奶粉	二〇．〇	三一．〇	一一．〇	五五
西藥	二六．〇	三一．〇	五．〇	一九
中藥	二三．〇	三〇．〇	七．〇	三〇

政府對援款六千萬美元的運用計劃，據查初步擬訂爲物資方案三千九百萬美元（去年度爲四千九百萬美元），建設方案一千八百萬美元，技術合作三百萬美元。物資方案中，二千七百五十萬美元採購美國四〇二號剩餘農產品，五百萬美元採購一般物資，六百五十萬美元採購一般通用物資。再在所擬物資方案金額，較吾國所計劃者約減少七百萬美元，而建設方案金額則較原計劃減少二千二百萬美元；所以當局對本年度的建設援款將用作較短期性底建設之用及未完成之計劃的延續性援款，重要計劃或較長期性之建設資金，則寄望於美國爲援助亞洲各民主國家新設底三億美元開發基金。

再看我們的二次「四年經濟建設計劃」的建設基金，據外匯貿易委員會副主任委員錢昌祚十月三十日對記者稱，就資本外匯支出需要，假定年平均六千萬美元，其中擬賴美援計劃型貸金三千五百萬美元，外來投資五百萬美元，政府指撥外匯一千五百萬美元（按：尚差五百萬美元之支出不在計劃之內）；他指出美援援額不穩定，且每年的進口物資計劃，必須賴出口收入達到目標，及進口消費水準的控制，「故經濟建設計劃中之外匯來源，必須增加出口，妥洽美援，爭取外來投資及節減匯出匯款，須多方並進，方冀外匯來源有着落」。他進而列舉一九五〇年以來外匯支出在資本設備、農工原料、消費物資三方面有顯著底適度增減；資本設備自一九五〇年的一三．三%增至一九五六年的二五．二%，農工原料自四〇．七%增至五二．二%，消費物品則由四六%減至二二．六%，用以表明當局的推行建設政策（台北十月卅一日聯合報）。

就上述情況加以檢討，最明顯底一點是：美援及出口外匯即將雙重減少之下，當局的措施，當可減少建設投資，用以維持消費物品的供應。財政部長兼外貿會主任委員徐柏園十一月八日對記者表示：「如果本會計年度美援非計劃型援助減少，明年政府外匯預算，對必需物資的進口配額，將予增加」（台北十一月九日中央日報），可以見之；而當局所持之理由，以爲物資的減少，可能導致社會的不安定（台北十一月十六日徵信新聞）。我不知道這一行動是否仍受所謂「安定中求進步」一意念所支配？然而，建設投資的減少，並不則如徐柏園氏同時所謂「工業建設爲之稍緩或延後」那麼簡單，因爲經濟開發的中止，對全社會所起深刻底不良影響，不亞於消費物資的減少，其不安定可以想像，而不進步尤可斷言。而且這一措施，將置第二「四年經濟建設計劃」於何地？

美援運用委員會於十一月十四日由兼主任委員俞院長鴻鈞主持之下舉行會議，對此一問題加以討論。據透露：席上意見以繼續爭取美援爲第一；其次，關於建設方案金額的減少，則轉向爭取較多之開發基金貸款（按：即美國援助亞洲國家開發基金三億美元）。而物資方案方面，將循外交途徑，爭取四八〇號農產剩餘農產品，以作補充；且在研究利用去年度以及前所未及使用的剩餘金額，改換方式重新進口物資（台北十一月十五日聯合報）。美國援外，着眼於全球，有一定底辦法與手續，且競爭者多，政府的爭取，其成效殊難以肯定。至開發基金的對象又限於民營企業爲主，而台灣成規模之民營企業所占比率，較公營事業小得隔售。它們一向又在資金缺乏的窘態之下，向外借款多賴黑市金融市場，過去向銀行借款，曾有所謂中間人的利息「回扣」，則外銷貸款中，亦傳有所謂「對半使用」；對美援貸款，以弊少僧多之故，這些弊病亦不無傳聞。政府今後對民營企業之申請建設基金，倘不出以新精神，我對效果一點，仍抱疑慮，抑有進者，台灣接受美援已有年數，第一次「四年經濟建設計劃」的目標原爲達到無美援底「自給自足」；時至今日，我們依賴美援有增無已，其心理猶如是其切；今減少及四分之一，就如此惶惶，倘一旦停止，則又將如何？

今日金融外匯在經濟中爲一重要環節，國無分大小，咸要有適當之政策予以調理；這一點，我曾在「看中外的外匯金融政策」（本刊六九〇期）一文加以討論。政府一向未曾有一個全面底打算，所以在枝節應付，台灣經濟迄未全面打開，一切努力多在浪費或互相抵銷之中銷失掉了。我在本文曾提到法國當美援停止與國際旅行收支發生逆差時，不夠之處，就採取新措施；新總理蓋拉氏（Felix Gaillard）受任命之後，再於十一月十六日對國會提出「穩定財政法案」，除增稅與節約開支外，以放寬管制及給予出口商信用來鼓勵輸出及國際旅行，並以調整市場、價格、行號以調節物資之供應。我們今日的遭遇，其逆勢不亞於法國；我們不能再多乞靈於美國的援助，而應有獨立自處之道。執政黨國民黨第八次全國代表大會在「建設台灣、策進反攻」之前提下，曾決議：「確立適應發展國民經濟之財政金融政策，建立賦能課稅制，健全銀行體系，合理調節外匯，促進國際貿易，鼓勵僑胞及外人投資」；這些，總是從政黨員秉承的原則，以之轉變爲政府執行的政策，方符政黨政治的常規。尤其要者，乃在制訂具體底方案，譬如政府迫於明年的對外貿易情勢及美援的減少，將如何採取有效的措施，藉以刺激出口及節省內流，以增加外匯之收入，用以供應進口之所需，不是當務之急嗎？

牌照頂讓，爲現行外匯管制必然的結果，儘管外貿會「查獲實據者極少」，它已是公開的新聞，亦成爲正式底行情；這一期「頂價」在經濟人敏感之下，其漲度自三〇%至六八%，有如人身的發了燒，醫生必將診斷其出了毛病。我不同意徐柏園氏對美援減少「於一般外匯調度方面不致有何影響」（十一月八日對記者談）的說法，因此非面對現實的話；另一方面，我並不反對美援運用委員會繼續對美國爭取美援，但我總覺得這一依賴行爲有早日改變的必要。（下轉第二版）

半週述評

倪案

最近因爲台北公論報總主筆倪師壇和新生報編輯路世坤被治安機關拘押，至今罪狀不明，頗引起海外輿論界的注意，尤其是公論報，該報社長李萬居，年來曾陸續接過五封恐嚇信，每信照例附有一顆子彈，總是問他『要死還是要活？』李接到這類信件以後，照例送交治安機關，可是從來不會破獲過一次。還有一次，李社長的住宅起火，起火的原因，至今不曾查出，似乎與多次的恐嚇信也不無關係。我們把這類事實和倪主筆被拘合起來看，眞是感慨系之。

公論報自來被人誤認爲青年黨的機關報，其實除掉李萬居是一個青年黨的黨員以外，該報與青年黨並無如何了不起的關係。以我所知，辦報的經費，除出自李萬居個人外，大部分來自李的台灣朋友，因此說公論報是一張純粹的民營報紙，卻是當之無愧。以台灣的現狀，居然還有如公論報這樣一張民營日報，至少總還可以點綴點綴民主，我不了解當地治安機關何以獨不肯對該報稍稍加以維持與愛惜，而一聽其被人壓迫非陷於關門不可！

倪初被拘押的時候，據說他的罪名是『曾在大陸加入共產黨』；事經一月，又說他『確有共諜嫌疑』，『共諜』『共諜』『共諜』，一直在台灣鬧了快要十年，究竟『共諜』是一種什麼東西？何以永遠沒有肅清的希望？我們期待台灣治安當局，這次能把倪案的證據充分公布，使大家有個清清楚楚的認識。

提倡科學！

自從楊振寧李政道兩位因爲在科學的成就上得了一次國際最高的榮譽，好像『提倡科學』已成了自由中國一個最爲時髦的口號，至少這總是一個較可樂觀的現象。

中國人感到科學有提倡的必要，少說一點，總也有了半世紀以上的歷史，對於以往的成績，我們決不願一筆抹煞，可是與一般科學發達的先進國家一比，究竟還是落後得不成樣子。何以提倡儘管提倡，成績總還是有限？原因說來很多，姑舉幾個最主要的如下：

一、研究科學要花錢，而且要花很多的錢，在最近五六十年來，我們看見那個政府，曾撥出一筆像樣子的經費，專用以發展科學？

二、研究科學的也是人，一個對任何學問從未入門的人，只要住上一兩年訓練班，便可搖身一變成爲新貴，受人恭維，受人重視；一個搞科學的人，用下十年二十年的苦功，往往無人理會，甚至求一噉飯之地而不可得，社會的風氣如此，除掉極少數篤志之士而自身又具備有相當條件者外，究竟能有多少聰明才智之士樂於向科學的一條路上跑？

三、科學的發展，從應用到理論，都與環境有關，五六十年，我們忙於革命，忙於內爭，忙於搗鬼，一個適於科學發展的環境，始終不曾看見在任何地方出現；一個從外國學得有相當成就的人，回國後幾乎除掉教書便無事可做，而一般大學科學研究的設備，又往往貧乏不堪，請問何處是這般人的用武之地？

四、科學的能否發展，關係國家民族的存亡；科學是人類公有的學問，無分於所謂『中學』『西學』；今後就要研究一點中國東西的人，毫無科學的素養，也將不能開口；假如這種心習不正確的養成，豈不依然要成爲科學發展的障礙？

總而言之，提倡科學是對的，但科學決不是空言所能提倡得了。

左舜生

東南亞組織的重整

——堅強重于擴大

雅斯

最近隨着北大西洋公約組織將由外長出席改爲首腦會議的決定，東南亞公約組織也傳將邀請自由中國，日本，馬來亞，及南韓參加。這雖然是針對蘇聯由科學攻勢轉向組織以後西方的一項反應，同時也是受了共黨在寮國，印尼，馬來亞，緬甸等國家顛覆活動刺激後的結果。

這原是自由世界的好現象，可是事實上，目前亞洲國家間存在着的弱點，比暴露在歐洲自由國家間的大得多。在亞洲，除了像歐洲充滿中立觀念外，連像北大西洋公約那麼一個並不算完整的組織也沒有。像在中東巴格達公約組織之祇成了英國維繫中東國家的一個機構，而不發生積極作用，東南亞公約組織更是七拼八湊，其中半數且不是亞洲國家，連主要反共的中，韓，越也不在內，嚴格說來，並不算是區域性的反共組織。

照理，這種區域性組織應以該區域的各國家爲主體；且所謂東南亞其實與東北亞是不可分；事實上則東南亞是虛有組織而東北亞竟連組織也沒有，祇是由美國對于南韓，對于台灣，對于日本個別的締結條約，與東南亞組織不相關聯，而在組織中的澳，紐，也還賴美國與之締結三國共同安全協定才放心。因此東南亞，東北亞，澳洲各國家間的聯繫，實際乃以美國爲中心一線聯繫起來的。這個別聯繫的形勢，雖曾經過不少醞釀，要形成一個太平洋共同防衛組織而始終無法實現，這顯示其中有難于解決的矛盾在。

最近，中，韓，日，馬各國在傳出被邀參加東南亞公約組織後所以不感興奮而且有表示不願參加，至少可以代表兩種意見。自日本與馬來亞言，反映了中立路線下對反共採取保留態度一些國家的意向；自自由中國與南韓言，實又反映了一些國家對沒有堅決反共立場的機構一種失望心理。

關于東南亞組織會議既以反顛覆爲主題，當然不是打算由中立主義者用圓桌會議與共黨密談的。負起反顛覆反侵略任務的東南亞組織應該是一切東南亞反共國家的聯合，除了一些世界反共的領導國家的參加是順理成章外，非亞洲國家的中立主義者，大可以退出去。所以目前的東南亞組織不在如何要從外延求擴大而是要從內團謀淨化堅強，樹立共同的反共立場。否則一個同床異夢的組織愈是擴大愈容易增加行動上的束縛與困難，無補于實際，故倒不若反共國家站立一起組織起來，兩個，三個……也好，總比較能夠發生倚基的作用。最近美國願促進中韓軍盟，可視爲一個切合實際的健全觀念下初步的組織方案。

所以自亞洲人的立場言，東南亞，東北亞各國既是由美國的關係分別聯繫起來的，這些國家中自然祇碍在若干程度上有共同的立場的，自然希望美國在其中扮演一個重要的角色，負起推進聯繫的責任。在目前至少我們可以指出，台灣，南韓，南越，菲律賓是可以組成一個反共的公約組織的。我們相信在美國協助下，這個組織必能發生若干影響，甚至對于消弭亞洲國家的恩怨矛盾，進而促進全亞性反共組織，必有很大貢獻。如復興的日本的中立主義傾向，如新興馬來亞的保留立場，以及一些國家的不鮮明態度，如果在亞洲有了一個反共的中心，加上時間與努力，是可望改變過來的。至若菲律賓，越南等許多國家對日本的歷史仇怨（例如馬尼拉市長最近在亞洲市長會議中曾預言目前威脅亞洲者爲共產主義，但今後二十年日本將向亞洲進攻，以解決人口問題及工業原料急需），對中華民國的誤解（例如印尼蘇總統哈諾也竟說「國民政府在蔣總統退休後即會變爲共黨」），也可逐漸消弭。因此美國認清這方面的援助，是不會白費的。

這是西方在亞洲防衛上的一條出路，是值得美國出頭促成的，當然這更需要亞洲國家的自覺，尤其主要反共國家中韓菲越等國的共同努力。

自我中華民國言，這更是一條出路，應該用全力去爭取，不放棄任何機會——當然，要以「爭取」代替「等待」；要從參加「集體防禦」逐漸轉變爲「攻守同盟」，在公約上不受任何反攻上的束縛，才有機會，是不待言的。

從任卓宣獲獎說起

●社衛之●

·台灣通訊·

近年教育部爲提倡學術，設置了幾種獎金，每年都發表一批受領人名單。卻由於主持者看法之不同，遴選方式之欠完善，使這些名單成爲物議的目標。譬如關於某一個詩人獎金的論戰，就曾經十分熱熾，一直到現在，餘火未熄。惟獨這一次任卓宣得獎，並沒聽到各方說一個不字，並且大家都希望從此可爲各種學術獎金樹立一個楷模，在消極方面使國家的榮譽不隨便送人，在積極方面使那些埋首從事研究的眞正學人得到一點安慰。

任氏獲三民主義獎金

任氏之研究三民主義，實爲士林怪事。他不以三民主義作幌子，作獵官的捷徑，作忠貞的標記，只是切切實實地做研究工作。因此這方面的著作，超過了政府及黨部各種研究機構產品的總和。爲了印銷便利，他獨力開了一個帕米爾書店。生意儘管不好，可是一直在苦撐着。

根據憲法，三民主義是立國之大道。政府理應在研究方面有很多措施。但實則不然。我可以舉二件小事來證明這方面的缺點。三民主義迄今沒有一部完全的英文譯本。現在某官方當局所翻印的一本是一個美國教士節譯的，從前在大陸且曾被人舉出謬誤之處，想不到現在又大量發行了。其次，關於三民主義的教本，從前風行一時的是周佛海的「三民主義理論之體系」。那書寫得翔實，條理分明，文字也很流暢。迨周佛海當了漢奸，那本書以有唯物史觀的觀點，而予以查禁，迄今還沒有一本能够代替它的書。何以在三民主義底研究著作方面形成眞空，這或許因爲一般人把它視作黨政當局的專利研究，而不復作個人研究。

當然任氏對於名利向來無所謂，但這一次獎金之頒賜，總算表示政府對他並未忘記。今天在台灣，像任氏那樣的肯于傻幹，埋頭研究的，爲數不少，政府如欲倡導風氣，似不能再對他們忽視不顧。對此，我願提供一些具體的意見：

因此提供三點意見

第一、國家的各種學術獎金，應該絕對公正，以鼓勵眞正的自由學人爲目標。有些位居要津的大員，或略有貢獻的研究官員，政府對他們眷顧實已無微不至，實在不應再分享受這一點獎金。至於名爲文藝獎金，不給文藝作家，更易引人不滿。現在官場裏，盛行所謂「自己人」圈子，但獎金儘管由一個部主管，其對象應該超出這些圈子，而普及全國。從前張道藩氏主持文藝獎金，外間的批評就很多。現在那筆獎金取消了，大家對張先生的閒話，也消失了。可見設置獎金本是好事，措施不當，反成病累。

第二、在消極方面，如何給學人以研究學術及發表論文的自由，也是獎勵學術的一大要務。金錢與自由，在讀書人眼裏，後者之重要尤勝於前者。現在對於思想活動，有形的箝制雖不多。但是有許多事情，可能使有思想的人，發生一種敏感，因而緘默起來。譬如，最近發生的倪師壇案，如果他平素不寫社論，一旦被捕，社會對他不會如此關心。現在，就不能不令人涉想他之被捕與他的言論有關了。再者，今天在台灣的文人，百分之九十九是公教人員。換句話說，他一家姓名都是在政府的餉冊和眷糧、眷屬津貼的名冊上，大家說話怎能沒有顧忌？所以必須政府確實能保證說話與職務無關，不會因說話不小心而影響生活，這樣才能自由的言論，以及學術上的眞正成就。

第三、做學問，本是良心的活動，應不受任何外來勢力的影響。如果由政府定一個大綱，叫大家遵循去研究，去著述，縱然有所得，也都是自欺欺人的貨色。現在的熱門是自然科學，教育當局也已一再強調今後將注重科學教育，將以產生更多的楊振甯李政道爲理想。可是，天才不是命令逼出來的，也不是任何官員辦得到的。必須在自由的學術空氣裏，才能發展科學，發展一切學術。再說，學術是多方面的，不能因爲楊李二人得到諾貝爾獎金，爲國爭光，就抑定了這一門，非讀不可。難道政治學不重要嗎？做官之道並非政治學，政客們的腦子裏也沒有政治學、難道教育學不重要嗎？當了教育官，未必立即成爲教育專家。難道哲學不重要嗎？難道藝術不重要嗎？……訂定一國之教育方針，已是難事，定一國的學術研究方針，實爲不可能之事。最簡單的辦法，是讓大家自由的去研究，放胆的去研究。我們這個國家，在學術上太貧乏了，樣樣都缺少，所以只要有人肯研究，樣樣全都需要。

除此三點而外，本文別無結論。我內心裏只是十分興奮，深願因任先生之獲獎，使一般學人看到了光明，因而齊心努力，蔚成新的學風，使自由中國在學術上在思想上有更大的成就。

美援及外滙減少將如何

（上接第一版）

我們爲着我們的經濟建設，爲着我們的物資供應，我們應該從積極方面早作自主之計；趁尙有多少美援之時，立下一個全盤底有效政策，希望達到有舒適的一日。錢昌祚氏對建設計劃資金來源的說法，比較合理，但我不知道他的話是否可作爲外貿會的態度；倘屬可以，那才有話可說。蓋美援會的爭取，給予與否在人；外貿會態度的改變，在人事及現行財經行政結構之下，實乃操之在我之道。譬如台灣民營出口的困難或減少，其在國際原因者少，在本身的因循苟且者多；徐柏園氏十一月八日對記者說：「政府現已注意及此（按：即外銷減少），除已在資金融通方面，實施外銷貸款辦法，另對若干外銷滯有困難之產品，正考慮採取補貼及保留外滙方式，予以有效協助」。我希望這是由衷之言；而且進一步，我要求他迅速訂出一個全面而有效底鼓勵出口辦法，在某些原則（如保留外滙或進出口連鎖制）之下，一般產品皆可自由推銷於國際市場，而不必仍有逐案須向外貿會申請決定者（我知道某一企業爲省產外銷請求保留外滙，經過八個月尙未獲得解決），時到如今，唯有放寬貿易管制，才能讓有眞正作爲底個人或企業在國際市場顯現身手，此乃是爭取外滙的正常而有效底途徑——我期待着這一措施！（十一月廿一日）

讀者論壇

聽了台灣教育廳長的意見後

——有關改進目前教育辦法

台灣新任教育廳長劉眞氏最近在立法院教育委員會報告台省教育實施情形中，認爲本省目前一般教育的推進，存在有兩項癥結，即「人事未上軌道及經費短絀。」因此他就根據這一觀點提出改進辦法，第一，關於人事方面，國校委派教員，必須通過校長，校長要由教導主任中選拔，教育科局長由國校校長或督學中選拔。中等學校由一般教員中選導師，由導師中選教學組長，由組長中選主任，再由主任中選校長。第二，關於經費方面，他主張採用日美各國義務教育經費由當地籌措的辦法，成立各地國教經費管理會，讓地方人自行籌措其經費。

劉氏提出的意見，是值得研究的。

就劉氏人事經濟兩大政策來說，校長由教員中層層選拔，義務教育經費由各地方自行籌措，雖是合情合理的辦法，但是現在各級學校校長的本質和來歷，如加以分析，以謂「選拔」云云，就不無問題。如果現在校長原由選拔而來以教育爲職志，他所聘任的導師、組長、主任，當然是合於標準的；否則就現有現象來選拔校長，豈不是「換湯不換藥」。例如往年各級學校所報的「優良教師」一校長能不徇私情名符其實的，究有幾人呢？談到地方自籌經費，第一要找來源，第二要看地方政治社會的環境，第三要問主持者是否得人？如果條件具備，環境許可，省籌縣籌，統籌分籌，皆無困難；否則縱有良法美意，也只是止於空談，無補事實。現在地方教育缺點甚多，我們認爲最大的癥結點在「不得其人而治」，所謂人事制度，經費來源，不能說沒有影響，但也不算頂嚴重的問題。

此外，我們有一點重要的意見。教育的基礎，建築在國民教育上，這是大家共同承認的；國民學校的校長教員，要以師範畢業生爲主體，又是教育法令所規定的。那麼，師範教育，無疑地是一切教育的根本了。可是現在的師範學校，在制度上，列爲中等教育，在實質上，師資、課程、經費，也和普通中學差不多；以十四歲至二十歲初中畢業的青年，受了三年高中教育，讀了幾本簡單淺近的教育書籍，能否擔任教育國民的重責，本來大有問題，再加因陋就簡，草率從事，試問教育基礎從何而奠定呢？請看一般中等學校的學生，不肯求知，專門應付考試，錯字連篇（包括日本人改變的中國字），用日本文法說話作文，且積習難改，使國文教員大感頭痛；不僅禮節，生活浪漫，言行失檢，致學風敗壞，使訓導人員望而卻步；這些惡因，是否種在國民學校？究竟應該誰負其責？希望教育當局澈底研究，弄個明白。

我們以爲要改進教育，必先提高師範教育的水準，奠定教育基礎，才是根本的辦法。如「不揣其本而齊其末」，儘管辦法如何良好，結果恐怕仍然是「表面文章」，難收實效。

最後，辦教育和做官耍政治截然不同，絕不容許誇張朦蔽，必須要說實話，幹實事！教育廳派出之調查視察人員，不是和學校負責人談談話，看看設備，填填表册，就算盡了責任；廳內人員也不能徒然坐在辦公室內看報告，做統計，向外宣傳成績！如果眞想改進教育，各級人員，必須深入下層，才能明瞭各學校所幹何事。尤其要和那些學養不太低劣的教員，以及聰明純潔的靑年學生多所接觸，然後才能得到眞情實況，革除敷衍推諉的壞習慣。（十二月一日於台北）

張弓

讀者來書

香港高中學生致李政道楊振寧兩教授的公開信

編輯先生：我是本港一間高級中學的國文教師，也是貴報的長期讀者。上月李政道和楊振甯兩教授獲得今年諾貝爾科學獎金的消息發表後，我爲着測驗香港青年學生，對這一件事的心理反應，曾向我教書的三班高中學生，以「賀李楊兩教授得諾貝爾科學獎金」爲題，要他們在一小時的作文時間內，寫出數百字的短函。我讀了一百多篇的作文卷子後，心中大爲感動，現在我從這些卷子中，選出七八卷足以代表一般青年的意見和感情的，節錄其中要點，送請貴報發表。這些文字，雖略經潤色，原意絕未改動。我相信，不獨足以代表一百多個學生的情意，亦足以代表本港，乃至全中國大多數高中學生的情意。但我此舉，純爲使國人明瞭今日青年學生的共同反應，別無他意，因此本人及學生姓名，請勿披露爲感！此頌

撰安

讀者陳××敬啓十二月一日

（來函作者陳君係本港一位高中國文教師，兹循陳君之請，名從略——編者）

△以下爲各同學原函節錄▽

『你們收到這封信，一定會覺得很唐突罷？因爲寫這封信給你們的，是你們所素未謀面的中學生。

『你們獲得本年度的諾貝爾物理獎學金，眞使我覺得萬分興奮！因爲從今以後，中國人也許不會再被外人輕視，認爲沒有科學頭腦的了。

『你們推翻了各國科學家共同承認的對等性定律，而你們却是向來被外人認爲科學落後的中國青年學者，你們把把科學先進國家的科學家所公認的定理推翻了，爲我國科學界放一異彩，爲我國人爭光』。……（曹××）

『……你們眞是空前偉大的科學家，不但對整個科學世界有新貢獻，就是我們中國人也因你們的成就而覺得驕傲！中國科學向來落後，現在有了你們的成就，我們對中國的科學前途，已不再像從前那樣悲觀態度了，這眞是令人興奮的事呵！』（譚××）

『我聽到你們榮獲一九五七年的諾貝爾物理獎金，眞是歡喜得要跳起來了。我雖然不認識你們，仍然掩不了我的歡喜。相信每一個中國人都會像我一樣，爲你們的成就而歡呼的。

『你們的成就好像一支強力的興奮針，直透進了每一個中國人的心，使我們能從新估量我們自己。我們可以說，中國人到底不是弱者呵！

『你們的成就應該提醒了那些在位執政的人，他們應知道，欲使科學倡明，國家強盛，不是爭奪政權的事，國家必須統一，政治經濟必須穩定，科學才有進步之可言。不然，我們黃帝子孫縱有過人的才智，也要托庇異邦，才能有吐氣揚眉之日。

『你們現在已成爲中國青年的模範，中華民族可能因你們的成就，從新振奮起來。』（盧××）

『我們雖是素昧平生，現在我覺得我已分享了你們的光榮，一種衷心的感激和欽敬，令我不得不寫給你們這一封信。當我想到你們的光榮，心中便有一種親切的快樂，好像得獎的是我自己家庭中的一份子，雖然我沒有和你們見過一面，也是毫無分別的。

『你們給中國青年以很大的鼓舞，喚起了我們的信心和希望，與不甘後人的意志。我們將從此更加努力，使中國科學追上時代，使世界各國對我們的科學刮目相看。』（黎××）

『你們的成就，給與後進的青年以一個研究科學的模範。一個在科學界已有相當權威的對等性定律，你們竟有偉大的勇氣加以懷疑，而且有毅力去研究實驗，終於使你們的理想獲得證明，而推翻舊說，這種精神眞是令人萬分欽佩的。（陳××）

『你們得到諾貝爾科學獎金的消息，和蘇俄兩次放射人造衛星的消息，一樣驚動世人，這是多麼令人興奮及感覺光榮的事呵！

『我們不只爲你們的光榮而高興，更爲我們中華民族的光榮而高興！全中國人都因爲你們的成就而得到新的光彩了。你們不讓一切科學的榮譽全歸外國科學家，使世人知道中國人的智慧也是不弱的，中國的科學精神將由你們的成就而振作起來了』。（潘××）

『我覺得遺憾的，是我們的國家沒有好的科學設備，和適當的環境，給你們以在國內發展天才的機會，你們要遠適異國再求深造。不但你們如此，還有不少有志之士，也和你們一樣，要走遍世界各地，自己努力掙扎。』（李××）

『你們的成就，使我們了解到一個科學的理論，往往在某一時期被世人認爲是不變的眞理，但是經過科學家不斷的研究，最後竟成爲錯誤的理論，這點啓示了我們，學習要有懷疑的精神。』（王××）

『以中國人的立場來看，你們的成就，却有更大的意義。你們是最先獲得諾貝爾科學獎金的中國人。中國自五四運動提倡科學精神以來，你們才是眞正能把學科精神充分發揮出來的愛國學者。

『有許多寶貴的科學原理，例如羅盤針，火箭等本源於我國。但因國人缺乏良好的條件和適當的教育，以至失去在本土發展的機會，竟由外國科學家發展利用，這是何等可痛惜的事！』（蔡××）

南美洲的赤潮

養之

美參議院準備小組委員會，十一月廿一日在費城舉行偵訊會議時，在西德總部的地下反共機構主持人波藍姆斯基博士曾出席報告稱：蘇聯駐墨西哥大使館，實為蘇聯赤化南美洲的總指揮部，其中擁有工作人員九百名之多。他並舉出印尼共黨之赤化運動，近日進步甚速，由於該處的蘇聯大使館，亦擁有工作人員五百餘名之故。

同時，該準備小組會的主席伊斯特蘭也說：他們很想查明南美方面共黨的活動，是否足以威脅美國。

在墨西哥指導卅二個小組織

墨西哥城的蘇聯大使館，是中美洲的共黨總部。它正指導着三十二個拉丁美洲小組織的工作。中美和加勒比海島，都在它的管轄之下。墨西哥共黨近年雖已失勢，然而現已重建與政府黨若干領袖間的友好關係。

此外，拉丁美洲有二十萬共產黨員，差不多在每一個國家裏都設有很活動的單位——不論是合法的或違法的。比方：設在危地馬拉的副總部，負責主持中美的共黨活動；南美的總部，便設在布宜諾斯艾里斯的捷克公使館內。

每年大概有一千名拉丁美洲的共產黨員和同路人，來往于拉丁美洲與鐵幕之間。這數字較一九五三年大約增加了兩倍以上。甚至以鐵堅共產主義自稱的古巴政府，也准許共黨領袖到鐵幕國家旅行。古巴政府雖曾宣佈共黨為非法組織，但是，它們對各重要工會控制頗為鞏固。所以，最近古巴的叛亂份子與政府正規軍曾三大交戰，據說還是共黨在幕後支持的。

危地馬拉恐怖事件

一九五四年四月，蘇聯由波蘭港口載運兩批軍火估計約二千噸，全部接濟危地拉共產黨，鼓勵叛亂，蘇聯當時認為：如果赤化了危地馬拉，則解決其他中美各國，將如秋風之掃落，非常容易。危地馬拉雖是中美洲一小國，但其人口差不多等於中美其他五國人口的總和——約二百萬人。因此蘇共正需要這種繁密的區域來發展。假如當時不是美國劍及履及地採取行動，也許美洲的情勢，更不堪想象了！

由於危地馬拉共黨勢力日趨強大，已引起舉世注目。共黨以充分裝備供給危地馬拉的陸軍，使之較任何其他中美國家強大了幾倍。同時共黨又在危國國內造成了許多的恐怖。今年七月廿二日晚，行刺危國總統雅瑪斯之後而立即自殺的衛兵兒手山契茨，據查悉的確與國際共產黨有關。當時尼加拉瓜總統蘇慕薩曾說：「他相信殺害雅瑪斯總統，是共產黨威脅中美洲的龐大恐怖計劃的一部分。」

蘇聯在危地馬拉的基地，僅先獲得古巴和墨西哥基地的輔助。當危地馬拉發生革命與政變時，美國已獲得若干正式文件，證明蘇聯在西半球建立橋頭堡，和離間美國與拉丁美洲邦交的陰謀。

洪都拉斯尼加拉瓜

與危地馬拉接鄰的洪都拉斯和尼加拉瓜為此大感恐懼，曾要求美國用飛機趕運軍火接濟他們，以防止危地馬拉第五縱隊的活動，以免洪都拉斯的罷工潮死灰復燃。據傳洪都拉斯的自由黨，經常獲得共產國際局的金錢和印刷品的接濟。該黨擁有一個與危地馬拉相似的綱領——包括「土地改革」。如果執政黨的國民黨一旦分裂，則自由黨的行將崛起，大有可能性。至於英屬洪都拉斯內，危地馬拉人跟當地的左翼份子的煽動工作，也早已積極展開。英駐當地總督最近獲得緊急權力，以阻止這一殖民地步齊英屬圭亞那的後塵。一九五五年春，在加拉加斯舉行的泛美會議，出於美國的堅力，曾經通過一項反共的決議案。正在這協商進行當中，便傳尼加拉瓜國內有人謀刺該國總統的謠言。同時在尼加拉瓜海灘上，又發現一宗秘密的軍火，據蘇慕薩總統說：這批軍火，可能是蘇聯製造，而用潛艇載運來的。今年五月二日，洪都拉斯與尼加拉瓜為了爭取邊疆一個千人口的小鎮，也曾發生過激烈的衝突。在表面上看，這一衝突是爭奪一個小鎮，但事後，才發覺是共黨從中挑撥起來的。

國際動態拾零

據情報，蘇聯五千英里越洲飛彈，將于一九六〇年大量生產。美國已決定於一九六〇年前趕上蘇聯，否則安全受威脅。美國防部長對此頗有樂觀口吻，以為不成問題。

×　×　×

美國科學武器問題在三軍對立；陸軍要求給以研究飛彈之三年預算，共六十億元；空軍則反對之，認其無能力做到，即可能亦殊少軍事價值。國防部現正預備生產一千五百英里之中程火箭，空軍梭爾式似有優先製造權，但亦不排斥陸軍之木星型的製造。美國軍備，似改為以空軍為主力，而陸海軍為輔助，故以梭爾式居先。現每月產生二個，以為實驗之用，但實驗完成後，每月即可產生三十個以上。越洲飛彈，海軍有波拉斯式，陸空軍有阿他拉，狄登二式，正在試驗中。

×　×　×

尼克遜在其副總統辦公室，會見海陸空火箭專家的結果，知道越洲火箭方面，有若干地方，美國落後蘇聯三四年。但重返大氣問題，美蘇皆未得解決。相信這是高度技術問題，差不多可以趕上，並且可以超過蘇聯。

×　×　×

美海軍雛形人造衛星，將于感恩節放射。按紐的榮譽，將不給與任何名人，而給與只長久的工作人員。

陶然

同光風雲錄

邵鏡人著

．文華．

「同光風雲錄」是江蘇邵鏡人先生許述清末同治光緒（一八六二——一九〇八年）兩朝風雲人物的一本歷史掌故新著作。書中文字，曾以夢山樓筆名，在過去一年多的本報，陸續發表過，備受讀者注意。最近由邵先生再加整理，交由自由出版社刊成專書問世。全書三百餘面，都十萬餘言，售價每冊港幣三元三角。

本書談及的人物，以中興名臣曾國藩為首，以帝制未成的袁世凱為殿，共七十五人。

邵先生寫本書的旨趣，他在本書例言中，說得很清楚：「因此兩時期爲中國劇變之秋，前一期則轉移滿人政權，漸取歐美新法，後一期則開啟救國之風，功雖未成，而其影響甚鉅。」又說：「是書就百年來，擇其對政治，軍事，教育，學術，文辭等有所樹立者，以簡要之文，分章記載，間加斷語，亦力求平恕。」是邵先生此作，固不僅以摭拾掌故，藉資談助爲已足的。研究我國近百年史，不能不了解此等人物的思想言行，乃至彼等的遺聞軼事，必如此，才可以言知人論世。馬端臨自序文獻通考說，「凡論事則先取當時臣僚之奏疏，次及近代諸儒之評論，以至名流之燕談，稗官之紀錄，凡一話一言，可以訂典故之得失，證史傳之是非者，則採而錄之，所謂獻也。」本書亦近百年史之獻也，其價值在此。

劉百閔先生對本書的序言說：「是書：記述事迹略備，又間及遺聞軼事，以見名賢豪俊義俠節烈志士秀才梟雄猾傑以及文人學究精神志趣之所流露，如聞其聲如見其人，簡而潔，要而不繁，即殷殷乎奄有史公列傳之奇矣」則本書文字的優美風趣，意旨的高遠不俗，亦可概見矣。

十五屆工展開幕　港督建議組織工業總會

（本報專訊）十五屆工展會於四日下午四時，在尖沙嘴填地隆重舉行開幕典禮。本港軍政首長、各國領事、商務專員及各界名流等被邀蒞臨觀禮者，凡千餘人，情況熱烈。

港督伉儷於四時蒞臨，接受禮物後，隨發開幕詞，謂：自一九四八年起，本港在此十年內之工業發展，為世所共知。回憶在一九四八年之展覽中，本港最新之工業出品有二種陳列而已——塑膠器具與棉紗。

各位知道英國關夏之紡織工業界已採用壓力而其目的係使印度巴基斯坦及香港出產之棉紗及布疋輸入英國受到限制。本年十月英國貿易部次長抵港時，本人已有機會與之詳細討論此事，英國政府已明確表示，不願意限制殖民地出品輸入英國，而本人亦明白表示，香港政府將不考慮實施此項輸出管制。

本人以為本港工業發展至一個階段，亟需一個團體，可以代表全港各主要工業與工程部門，本人感覺到本港現在亟須組織一個「香港工業總聯會」，無論大小工業，不論其廠主為何人，或語言，不拘其商業方式，皆可參加為會員。在有等國家，工業聯合會不過為一政府機關。但此非吾人之方式，蓋吾人信仰自由企業，更能有效地推進工業。本人相信，工商業管理處之官員亦有同感。自由企業，為何不綜合起來，自己集體推進工商業，有如政府推進行一般，而由政府現在負起只有政府方面能進行之工作？誠如是，則自由企業，須要組織一有力、有全體代表性，無束縛，無區別之專家團體，而此團體足以代表全港工業之需要，而又必須得其會員，社會人士及政府承認。此團體須能在管理訓練，找尋工業地區發展，海外市場及與之設立關係等各方面上，積極輔助本港工業，此團體並須能替會員迅速及準確地搜集消息，在本港及海外市場，宣傳本港工業之成就，及有力地更正任何不正確之報導。此團體又須與出口商合作，或有效地揭發不合商場道德之手段，或甚至對不能符合正當標準之會員，取消其會員資格，此團體既要負起上項責任，則必須有能幹優厚之長期性職員，其費用亦須充份。雖然本人不能夠肯定聲明，但本人以為此團體在初期組織時，是值得政府津貼及行政上予以幫助。本人希望所有關懷香港工業前途之人士，能認真考慮本人之獻議，本人離港後，能將之變成事實。

琴氏藝術館的明日

〈陳琴華〉

香港現在已由轉口商埠成為工業城市，在新興工業中而佔有藝術地位的即為琴氏藝術館。琴氏藝術館創立於一九五四年，短短四年內，不僅出品暢銷世界各地，並且成為東西藝術的溝通和交流站，它的成就遠超過商業經營。

本社記者，專訪了琴氏館主陳琴華女士後，綜合所談各節，備悉其未來發展計劃有下列六點。

（一）開展國際藝術品之交流　西方藝術家紛紛東來，搜集中國文物，關於藝術品之介紹，寄售，鑑別等項的服務，多委托琴氏。今後琴氏擬專設一部門，以開拓此一業務。

（二）美術工業之培養　本屆工展會後，琴氏已計劃設立傳習所，廣爲造就人材。

（三）增設美洲歐洲分廠　琴氏出品，如骨雕，模型等均已暢銷世界各地，並已在印度加設分廠，一九五九年，將再在支加哥及西德設廠。

（四）一九五八年設置琴氏藝術首飾廠。

（五）開展旅遊服務　配合港政府旅遊事業，建設計劃，增闢一旅客服務部，服務項目除藝術製品之介紹，鑑別，寄售與代向本港文化藝術人士之聯絡。

（六）擬於一九五八年增加一新聞圖片供應部。

自由談

老成凋謝！

馬五先生

畢生盡瘁於國民革命事業的前輩志士胡毅生先生，日前在台灣溘然長逝了！享年七十以上，兒孫滿堂，福壽全歸，就他個人來說，應該是含笑而去，殊少遺恨的。

我不識胡先生，但知其爲忠於中華民國的三民主義信徒，而且是率先反共，百折不回的革命元老，忽聞下世，不禁邦國殄瘁之思，非關私誼也。據中央社電訊：胡先生晚況貧困，身後蕭條，歸終治喪，尚待親友之力。不過一生從事革命，又在本黨執政數十年之中，而碩果僅存的老黨人如胡先生者，猶是當年亡命時期的生活現狀。這原係革命黨人的美德，值得後死者敬仰效法，然愚因之更有感焉，一個政黨之生存發展，必須尊重歷史和勞績，方足以激勵來茲，使天下智勇辯力之士，嚮往歸心，樂於效命，尤其是負有革命任務的政黨，必須具備着這種資質。否則大家視黨部如傳舍，以黨籍爲營求富貴利祿的敲門磚，相率趨炎附勢，爭奪高位，誰復願意埋頭苦幹，甘作無名英雄呢？而所謂嚴格的紀律，也就等於廢話了。

有歷史與勞績的黨人，可以減少或退出實際工作，讓後進的壯健同志們名符其實，以承其乏，這才是發揮一般有歷史勞績的忠貞老同志的真正作用。但不能把老黨人置之於不顧。據政治可以講利用，只問今天，不管明日，辦黨卻不能如此。國民黨總理孫公在生之日，對於同盟會老同志，凡是沒有變節的，始終倚爲決策領導的股肱，所以能成其大也。

共產黨對人只講利用，視同工具的，然對於具有歷史勞績而未變節的老黨人卻異是。美國人最鄙視衰老者，但共和黨的胡佛，民主黨的杜魯門，行年皆在七十以上，對於黨務猶享有絕大的發言權呢！

同盟會的老黨人健在的已不多，居留台灣的更稀少，如今胡先生又悄然長逝，落得身後蕭條的結果，豈僅痛感老成凋謝而已哉！

神工鬼斧的「性吸引」

陳永昌

孟子曰「人之所以異于禽獸者幾希」，若單從「性」之觀點看，畢竟是異中有同，同中有異，著墨處仍在一個「希」（稀）字。

這年頭我們常常聽到關於「性吸引」的談論。那是說有些女人，並不特別的美麗或特別的聰明，可是她們在男人的社會中受到普遍的歡迎，據說，她們具有天賦的「性吸引」（SEX APPEAL）。

有許多女孩子們，長得够漂亮，也聰明，可是她們終於獨身無閒的渡過黃金歲月。有時確是因爲她們眼界過高了，但每每也是因爲她們缺少這種上述那種奇異的天賦。如果你僅「性吸引」的奧秘，你就不覺「紅顏多薄幸」，並非奇事了。

雄蜂與蜘蛛

我們不知道是怎樣的吸引力使雄蜂在牠的結婚飛行中和女王蜂結合，以致即時力竭死之，也不知道爲何雄性蜘蛛情願投入較牠自己強大得多的雌蜘蛛懷抱裏，情願等她從興奮清醒之後，充她的大飧。

魚類的性吸引力如何，因爲比較上我們對於魚類的知覺機能知道得很少，所以更難於了解。也許牠們和陸上獸類一般的屬於嗅覺的，但我們不清楚魚兒是否具備嗅覺。

白楊魚

一條雌性的白楊魚慢慢地在河水裏游着，一面在產卵，在牠後面不遠，每一邊有一條雄魚。幾時牠找到一些適合的水草，牠就在上面產一些卵，這時候兩條雄魚在旁邊護衛着，不讓其他的魚兒侵犯。然後牠們之一或是同時在這些卵子上面佈精，並用牠們的胸鰭將水草撥翻轉來，以保護新生的卵子。這個程序一再地繼續着，直到她的卵子產完。可是究竟雄魚從這種過程中得着如何的滿足，我們很難明瞭。

雄魚們在平時可以聚在一處，過得很好，但一遇到附近有這樣情形的雌魚出現的時候，他們就在互鬥起來，甚至於殺傷。在養着鬥魚的水族箱裏，我們常常看到這種情形，顯然雄魚們急切的要佔有雌魚。

較高級的動物中，嗅覺是吸引的知覺，雌性的尾部有一種腺，當生產時期臨到時，這種腺開始活躍，產生特殊的氣味，使雄性的同類受到強烈的性刺激。

從鼠到象

這種情形最常見到的是犬類，凡是有脊椎骨的動物多數如此，從最小的鼠到偉大的巨象，這裏面包含有性學家無疑議，但我們也常見到兩頭動物互相愛好到不能分開的程度，而牠們有時屬於同性，甚至於牠們並不是同類，如綿羊和山羊。當然，動物中也有因爲愛。可是我們並不能確實地證明多數的動物性關係中存在着兩性的愛情；可能例外的是有些鳥類。

鳥兒是動物界中的一個大的類別，牠們的性吸引並不依靠嗅覺。因爲嗅味在空中無法追蹤，而且鳥類行動的速度太快，嗅味的媒介在起有價值的作用，和人類一樣的，牠們的性吸引祗有依賴視覺和聽覺。

孔雀和雉鳥

孔雀，天堂鳥，和雉鳥美麗燦爛的羽毛，刺激起雌性同類的性慾，有許多種鳥兒，其雄性所有的美麗羽毛，要到生產期才長得豐滿到極頂。雄麻雀在一年中的大部時間和雌雀無從分別，惟有在春季，牠們的羽毛上才長出花紋來，使牠們易於吸引異性。

雲雀和夜鶯

另一些鳥兒則以鳴聲作性的吸引。如雲雀和夜鶯的歌聲，斑鳩與喜鵲的喧嘩聲都是用來表達雄性的興奮和吸引力。也有些鳥類以動作來表示性的興奮的，有一種水鳥，以鞠躬及互相贈送樹葉，或者表演潛水及游泳術爲能事。這和一些非洲土人的跳舞爲主要的求愛技術，非常相似。

到底鳥類的愛是否和人類相似是難以知道的，但至少（和多數的哺乳動物爲同）雄鳥常常參加保護卵及幼鳥的安全，並協同飼喂，而且牠的伴侶是忠實的。已經證實的有許多成對的鳥在若干年相終不易。這種情形看來近似人類的愛和情感。

鳥類是有家庭生活的，這一點也有些像人類的家庭生活。

由此看來，可知「性的吸引」要經過幾段階層，有好多種方式的表現，而且包括不同的知覺。

巴黎的時裝店

對於人類，它成爲一種十分複雜而難以分析的事件，使我們不容易正確的給予定義，但在人類生活中，它佔着極重要的地位。甚至對於商業和企業界，它也有極大的影響，試看，構成倫敦，巴黎，紐約等大都市中所有大商業區裏三分之一的內容是屬於時裝店，帽店，裁縫店，美容院，理髮店，香水廠商等，其營業的基本性質都由於所謂SEX APPEAL。

不會發生的事

設若男人不再對女性的儀容感覺興趣，不再注意她們的化裝和衣飾，對於廣大的商場將造成不景氣，並將在整個文明世界裏引起一種商業的革命。

但這是永不會發生的事，人們爲了給女性們增加美麗，直接或間接的每天在增加着費用。「性的吸引」是永遠存在的，現在美人較之古代的西施或克里奧柏差拉需要更多的裝飾哩！

就珠海講席有作

遁翁

跌宕江湖不計年。又隨蒼髮試青氈。居陶歷散千金產。浮海終淹萬里船。已分琴書供嘯傲。未妨賓冠共留連。眼前十畝俱成果。一笑吾今擁硯田。

呈華表學長

遁翁

氣類相孚總有鄰。天涯同處不交親。揮弦流水來孤賞。知己平生又一人。海泛浮萍偶遇合。世留文字足輪囷。青谿散情柯亭笛。合爲徵之叠曲新。

敬羣先生惠詩依韻奉酬

黃華表

蹈傳上公輔弼鄰。近樂平生喜相親。謗今疑古自餘子。篤實洪濤見此人。下筆文章皆浩瀚。即論肝膽亦輪囷。目前莫擬治消劫。已看儒生德日新。

（敬羣先生名遁翁傳學工詩近著老子新釋傳聽有制斷非今人所及故詩及之）

短篇小說

南中國海的戀絲（三）

張放

我正在寫稿時，一年青女郎推門進來，她就是安妮，那時她還是菲律賓大學的女生。

「人生就像一場夢，兩年後的妳，卻成了一位馬尼拉名醫師的太太。安妮，我真想不到今晚會和妳坐在這裏。」呷了一口咖啡，我說。

「妒忌那個醫師嗎？」她俏皮的說：「要不要讓我打電報把他從紐約請回來？」

「做什麼呢？太太？」

「你和他決鬥一場，分個勝敗呀！」

她的爽朗的笑聲，攪住了我那緊壓的愁容。於是，我强作鎮靜的告訴她，我不會這種西洋武藝，同時，我們中國海軍目前決鬥的對象只是共產黨徒。

「我想不到你是這麼懦弱，」她說：「這是我過去料想不到的。」

「真正懦弱的是屬於你們女人，安妮！妳當然也不能例外。」

「我反對，莎士比亞的這句論調！」她反駁着我的話：「你是水手，長年航行到無數的港灣去，你能相信海裏的魚都是同樣麼？你能相信世界上的女人都是弱者麼？」

換了一枝香煙，我猛烈地吸了一口，藉此鎮靜一下自己激動的情緒。

「我諒解妳和別的女人不同，正如我諒解妳對我的愛情一樣。但是，妳爲什麼不等待我？」

想不到這竟又引起了她的悲哀，她俯在我的肩上，嗚咽的滴下了眼淚。

「妳不要哭，」我替她擦着淚水，一面安慰着說：「丹妮，忘記我這個中國水手罷。明天，說不定我就走了。」

「我會永遠記着你剛才的話。」她用纏手緊搓着那條手絹。「是的，我承認自己情感太脆弱了。去年當我和他結婚時，我曾考慮了好久，也曾流了不少感情的淚。對於外國人，尤其你還是一個水手，這種婚姻是絕對遭受家庭和社會的反對。雖然我的理智向牠們投降了，但是我却是你情感上的俘虜。原諒我吧，昨天晚上在蘇比克灣的沙灘，我罵你，打你，那是因爲我恨你，愛你……我簡直變成了一個下等的菲律賓女人，……祗要你原諒我，情人，……我是終生忘不掉你，永遠向你祝福的。」

現在，整個宇宙已經被冰雪寂滅了；除了我們兩人愛情的吻，火熱的，纏綿的，燃繞着這個異國的島。

這個週末是詩意的，難忘的，——竟又像一條淙淙池小溪般流過去了。

五、

今晨，金黃色的太陽，從蘇比克灣後面的山嶺升起，我們的軍艦，沐着清晨的陽光開航了。

昨夜自馬尼刺離開她回來以後，我是噙着淚水挨到天明的。現在，我已經恍悟了自己應該走的情感道路；那些如烟的往事，彷彿被這眼前的大海洗滌淨盡，我現在內心充滿了無限的喜悅，站在駕駛台上，我正迎吻着那帶着鹽質的八月的海風。

「昨天週末玩得痛快麼？上尉？」同房的那位伙伴，走近我的身邊。

「呵，那是一個美麗的夢，我會永遠記憶着的。」

順風逐浪，我們的軍艦正向那遼闊的南中國海航行。

（四六•秋天Subje Bay）（完）

臺灣的新詩

新詩，在台灣好像是文學裏最不吃香的一部門。我先不說新詩的質量如何？我人也不說新詩努力創作的精神如何？我且說說新詩的出路。

今天台灣報紙的副刊，能採用新詩的只有中央日報的「中央副刊」，那也只是配搭性質。文藝刊物應該多刊登新詩了，不也只是牛肉湯裏的香菜（即芫荽），配色，調味用的。其他綜合性的刊物，對於新詩，說得明白一點，只是「補白」而已。

新詩的量還不少，但是在質方面說起來，好的詩不多見。尤其是「長詩」，好的簡直沒有。一百行以上的長詩，我肯定的說，沒有發表的機會。

不錯，台灣的新詩刊物有三種：現代詩，今日新詩，藍星。由於銷路問題，都不是定（？）期的，它們與讀者中間存有「好久不見」的印象。因此，新詩的水準恐怕是台灣文學部門最落伍的了。這不能怪：新詩的稿費少；新詩人能沒有改行，那已是最好的忠實於新詩的人了。

現在，仍在新詩方面努力創作的詩人，也有好幾位，肯接受新詩集出版的書店，可以說沒有。新詩集的銷路也不例外，除了有辦法推銷以外，不然，很難賣掉，準賠老本。

•程外•

讀書隨筆

人物與個性

讀小說與寫小說之間的矛盾心理永遠存在着，也許一般讀者要求更多的故事來滿足他的閱讀欲，而作者卻願意淨化一點事性，而集中精力去創造人物的特性（當然，如果故事和人物性格能兼顧的自然更好）、古今中外，佈置得畫面寬廣，人物衆多的小說並不很多，「戰爭與和平」是「鉅著」了，人物能勾勒得出的也有限得很，「雙城記」不過是兩三個人的凸出，一個主角的名著可多得很哩，嚴格一點說，「虎魄」、「蛺蝶夢」、「查泰萊夫人」都可列入這一類。人物衆多的作品，恐怕有限得很。筆者讀書不多，自然沒有機會能全部翻覽世界上所有的小說：不過，專門研究小說問題的BLISSPERRY却說過：「我們的相交」（our mutual Friend）中，共有七十五個人物，「虛榮的饗宴」中，則有六十個人物，這兩本書的人物，大抵都能提得出個性的吧！否則，不可能特別提出來作例子的。拿上述的人物數學字來和我們的水滸傳比，一百零八個人物都有明顯的性格，顯見我們中國的文學作品還稱得上「老大哥」呢！

就人物造形來說，外國作家多數喜歡集中寫一二人的故事，用的是直筆法，創作方法正與「水滸」相同，我們發現「水滸」人物雖多，也不外是一個個分開來寫，從成就來看，顯然够不上「紅樓夢」那樣把多數人混雜在一起，泰然落墨那麼不着痕跡了。

•慕容羽軍•

自由人
THE FREEMAN
（第七〇六期）
（半週刊每星期三六出版）
每份港幣壹毫
台北市售價台幣壹元
督印人：陳文蔚
地址：香港高士威道二十號四樓
20 CAUSEWAY RD. 3RD. FL. HONG KONG
TEL. 771726
承印者：東南印務出版社
地址：高士打道六十四號
台灣總經理處
台北市西寧南路壹零號二樓
電話：四七三四六
台郵撥儲金戶九二五二
海外總經銷：友聯書報發行公司
香港：[illegible]道中二十六號A二樓

論民主與社會主義

——並答高叔康先生——

冷定菴

民主政治與社會主義是否相反，或是否相成，的確是現代政治經濟上的重大課題。自由人第六九八期刊載高叔康先生的『論民主社會主義的矛盾』一文，拜讀之下，深覺他的意見完全根據米塞斯的論點，不無討論的餘地。本刊編者既有意展開民主政治與社會主義問題，筆者不揣謭陋，願對這個問題提供一些淺見。

資本主義的哼哈二將

據我所知，米塞斯的理論不但不足反對共產主義，反對民主社會主義，尤其無力。由於高文的要點都採自米塞斯，所以筆者也不得不從米氏說起。米氏為奧國經濟學者，曾於一九二二年以德文寫成『社會主義』一書，一九三六年譯成英文。在該書內，米氏運用類似馬克思的辯證法與市場經濟的原則，預言蘇俄經濟必然崩潰，預言一切社會主義或干涉主義必然失敗。他與另一奧國經濟學者海耶克一唱一和，被稱為資本主義的兩大騎士。海氏除經濟理論外，從來更從社會學因果律上立論，認為每一社會主義社會必然趨向獨裁極權，作他經濟理論的旁證。

米海兩氏的理論，在三〇年代中，曾引起西方學術界的重大論戰，海氏手編的『集體經濟設計』，便是那次論戰的記錄。他倆的主要論點，是社會主義經濟不能計算，因而不能合理分配資源，但這種理論業經前美國經濟學會會長，正統派經濟學者泰勒教授及波蘭學者芝加哥大學教授郎格，根據市場經濟的原則，予以學理的駁復，特別是奧國卓越的經濟學者熊彼得，對於米海兩氏的理論，反擊尤力。他認為社會主義經濟不但能計算，而且計算時，因未知數較少，比資本主義經濟反更容易。

不但學理上，米海兩氏的理論早經西方學者駁倒，而且實際上，兩氏的理論也經不住事實的考驗。米氏曾預言蘇俄經濟必然崩潰，但米氏書成後十五年，蘇俄經濟並未崩潰，於是他改變論調說，蘇俄社會之所以持久，乃由於它受資本主義包圍之故，它可從資本主義經濟裏獲得辨別理性的標準。其次，在經濟大恐慌時代，西方國家並未採取米海兩氏的理論，讓市場經濟來自動調整週期性的病態；相反地，它們却採用凱因斯的干涉主義理論，先後解救了經濟危機。這更足證明米海兩氏的理論，破產無遺。

民主政治與社會主義

民主政治和社會主義是從很古的兩種觀念一發展出來的，二者未與任何一種主義結下不解之緣，如高先生所說的，二者基本概念都是自由及平等。至於二者是否相成或相反的問題，至少在費邊社會主義（或稱民主社會主義）思想的範疇裏，是早已解決了的。根據這派社會主義的創始人韋伯的著作，我們知道該派思想來源，與其說是[illegible]發展，必然趨向民主[illegible]義，因為大衆既能逐漸控制到政治，必將逐漸控制到經濟。他曾說民主政治的理想，在經濟方面就是社會主義。這種看法顯然想把民主政治和社會主義揉成一體，二者似乎是一條路的兩段，或一個錢子的兩面。所以韋氏後來說沒有民主政治，便沒有社會主義，這是很合邏輯的。反過來說，民主政治所追求的自由平等，如無經濟的自由平等（經濟自由係從羅素的定義，非自由企業之謂）為之補充，事實上前者是不完全的，或空虛的。因此我們更可推斷：沒有社會主義，便沒有完全的或真實的民主政治。二者看似相反，實乃相成，倘能兼容併蓄，才是理想社會的實現。費邊或民主社會主義者不但理論上看法如此，實踐上也能做到如此。

民主社會主義的實踐

高先生說：『民主政治的進展，必然違反社會主義的要求，社會主義的存立，必然否定民主政治的實質。』這些話不但理論站不住，事實也恰恰相反。即以上次英國工黨政府為例，終其六年的任期（並非五年），它顯然已在英國立下不可動搖的社會主義楷模而非其後任的保守黨所敢根本推翻的。保守黨所敢推翻的，僅僅是鋼鐵及運輸的國有化，其他銀行、投資、電力、煤氣、煤礦等國有化，保守黨並未敢輕加變易。至於國民保險制度，國民健康服務，以及他項有關社會福利的措施，更是原封原樣，保守黨修改的地方極少。由此可見，今天的英國既未完全取消計劃經濟，自未完全恢復自由經濟，而社會主義政策或措施，只要合乎社會公道，深獲人心；雖反對黨登台，亦不敢任意更張。因此，我們敢說高先生以為民主政治的進展，必然違反社會主義的要求，似乎沒有事實的根據。

高先生如以工黨一時下台為其論據，那更大錯特錯了。高先生認為上次工黨政府倒台，是民主政治與社會主義不能併存的鐵證。其實，工黨政府倒台的原因，乃由於一九五〇年重整軍備程序，使庫存短少，收支不敷，政府為彌補預算赤字，不得不削減福利經費，因而造成內部分裂及民間反感。這與民主政治有什麼相干？不知高先生的「鐵證」何在？高先生既知道民主國家的政黨更迭執政，當然也明白民意如鐘擺一樣，是有往必復在。近來，根據民意測驗及地方改選情形，工黨聲望已經大大超過保守黨，假如下次大選，工黨重掌政權，高先生還能說『民主政治的進展，必然違反社會主義的要求』嗎？

至於高先生說『社會主義的存立，必然否定民主政治的實質』一層，如果他所說的社會主義指的是共產主義，筆者無話可說，但如果他所說把民主社會也包括在內，個人却不能同意。要知道工黨已經先後三次組閣過了，但未聞英國民主政治的實質有什麼改變或『否定』。北歐丹瑞挪三國的社會黨執政的時期都很長，到現在依然政權在握，亦未聞它們否定了三國民主政治的實質。請問高先生『必然』的論據又在那裏？假使高先生以米塞斯所言克倫斯基政府所以失敗乃由於克氏未能如列寧獨裁之說為論據，那更上了米氏的大當。米氏那種論斷不但不是『不刊的名論』簡直是不明俄國歷史的臆說。對於這項臆說最有力的反駁，莫過於克倫斯基本人的說話。他最近在歐洲新聞記者發表談話，說他當年失敗的原因，乃是未能與德國簽訂和約，使他內外受敵。克氏的談話不是什麼『名論』，乃是鐵一般的史實。

反共需要民主社會主義嗎？

高先生既知道民主社會主義與社會民主主義的思想淵源不同，但似乎不明白二者的政策也不盡同。這一點，我不能深責高先生，就連米塞斯的大著第二章內，也未批評到費邊主義。然須知今天民主社會主義者既不否定私有財產，也不反對私人企業，更不企圖將全部工業收歸國有，他們的政策無非要將足以造成獨佔或足以影響整個社會福利的關鍵性工業加以公有或公營而已。

半週述評

珍珠港第二

前鋒火箭的失敗，人造衛星[illegible]的失敗，說明美國的科學工作者——主要是實驗物理學，需要作進一步的努力。此一工作的[illegible]挫，使美國的聲譽降低，盟國失望，助長了國際中間勢力的抬頭。這是二次大戰以來，美國的世界[illegible]，造成蘇俄氣焰高漲，美國人在精神上首次遭受的打擊，它給美國的世界霸權與其本土的安全感投下了嚴重的陰影。

從另一方面說，這又恰好給美國以現實的教訓。近十餘年來，由于美國一直執世界科學的牛耳，從原子能、氫彈到短程和中程導彈，均一路領先，使他們滿足于現有成就，從而鬆懈了本身的鬥志和集體安全的措施。于今，人家上前了，這對于一個年青而好勝的民族，自是莫大的刺激，無怪美國朝野一致認為這是珍珠港事件的重臨。十六年前日本對珍珠港的偷襲，激起美國報復的決心，今天衛星競賽的初步失敗，也將使美急起直追。而艾森豪的準備扶病出席巴黎會議，並與北大西洋十四國草擬新誓言，以及遠東飛彈基地的加強等，均可表明此種動向。

美國科學的潛力

今天忽視蘇聯的科學技術是不對的，而低估[illegible]從條件上說，第一，美國人大多是在機械[illegible]環境中長成，對實驗[illegible]實驗物理，主要靠[illegible]粒子製造則依靠各種加[illegible]有很好的基礎。第三，[illegible]其有成就的物理學家[illegible]許多外國籍的優秀科學工作者。所以它仍有深厚的潛力，足在未來歲月裏趕過蘇聯。

目前美國的科學工作分佈于三方面，一是國立實驗室和海、陸、空三軍的實驗室，二是各企業的研究室，三是各大學內的研究。其最著名的是屬于原子能委員會的五個實驗室：橡嶺實驗室、阿爾崗實驗室、布魯克塢文實驗室、洛斯阿拉姆斯實驗室和立溫姆爾實驗室，其間物理學家有五千六百餘人。

其次，各大工業組織，如通用電氣公司、通用汽車公司、拜爾電訊公司、美國無綫電公司都設有大規模的實驗室。研究範圍，也包括星際飛行、火箭、和低溫的「粒的整列」。這些研究機構，過去缺乏統一的規劃和分配，彼此有不協調的現象，不僅企業和國立實驗室不協調，甚至軍方如海陸軍也不合作，這是美國科學工作之未能迅速發展的主要原因。現在痛定思痛，自會糾正缺點爭取成績。

蘇聯的科學概況

蘇聯的科學工作怎樣呢？洲際導彈和人造衛星的成功，是他們長期失敗和長期努力的結果。很久以來，他們即建立有一個大規模的科學院，下有六十多個研究所，在物理學方面有近代物理、應用物理、地球物理、物質磁性和低溫物理等十餘個研究機構。自前年起，各高等學校也參加了這項研究工作。據說工科學校已有百分之五十以上的教師從事科學研究，他們以一個或幾個教研組來集體進行，並與科學院和政府業務部門訂立合同接受委托研究的任務。一九五六年僅業務部門委托五十個工學院研究的經費即有一億盧布之多。

總之，現代的國力，主要表現于科學上的成就，而現代的戰爭，也由平面進入立體，再由立體進入太空，在美蘇的競賽下，我們也應作同樣的努力。

金達凱

司法院組織法修正平議

．嚴樹清．

立法院於上（十一）月廿九日院會，就修正司法院組織法第四條及新增第五條決議，經過二讀的司法院組織法第四、五、六條，復於本（十二）月三日三讀通過，並規定大法官資格及任期每屆九年。

該項修正司法院組織法，如就司法院言，未嘗不可說是一種進步，惟就整個司法而言，却又對于根本問題，未能獲致解決。

大法官資格質疑

司法院組織法第四條，即為大法官應具資格：㈠曾任最高法院推事十年以上，而成績卓著者；㈡曾任立法委員九年以上而有特殊貢獻者；㈢曾任大學法律學主要科目教授十年以上而有專門著作者；㈣曾任國際法庭法官或有法學比較法學之權威著作者；㈤研究法學富有政治經驗，聲譽卓著者。具有其一之資格者可任大法官，但人數不得超過總名額三分之一。該條中之第二項，任立法委員九年以上可任大法官，若非立委們為個人將來退休謀一出路計，則不甚妥當，蓋立委分為國防、外交、財政、經濟、司法等多種委員會，當初參加分類之委員會，乃就其所學或工作有經驗者，今假定除立委中之司法委員可以勝任外，其他立委未必對司法都能熟諳法理與經驗，如何能以「九年」立委經驗與特殊貢獻而可任大法官呢？實屬不可思議者。第三項「權威著作」之「權威」限制，似屬含糊，究竟依什麼標準而言「權威」與「非權威」呢？

是選任還是派任

第五條即為大法官之任期每屆九年。大法官出缺時，其繼任人之任期至原任期屆滿之日為止。何以定為九年一屆？大法官所需具有之法學知識與經驗，及其責任之鉅，何以不能終身任職？所謂「每屆」究係選任抑屬派任？國際法庭之法官係選任，足見其負艱任重，大法官是否選任，却未之聞也；如係派任，則屬行政性質而無其獨有之司法獨立性也。

第六條即為大法官解釋憲法時之限制——應有大法官總額四分之三之出席暨出席人數四分之三之同意，方得通過。該條頗有采美司法制陪審官投票決議宣判意味，既明定為解釋憲法，何以只限以出席人數四分之三之同意，而未出席人以無書面表示之同意權限呢？因故不能出席何以竟抹煞其同意權呢？

司法行政部隸屬問題

司法院為五院之一，其所轄尚有其系統之司法單位，如司法行政部却隸屬行政院，而不屬司法院管轄，則表示中國之司[illegible]（筆者杜撰！）上半截[illegible]下半截却屬行政院管轄，[illegible]部以下之最高法院、高等法院、地方法院皆隸行政院，當[illegible]，隱然表示中國之司法[illegible]行政干涉司法意味，當[illegible]，故而司法之不能獨立[illegible]於公正了。這與歐美民[illegible]法之獨立嚴與公正審判[illegible]合符節。

司法官應退出政黨

其次，自大法官以下各級司法官，皆非「超政黨」者，並未於任司法官時退出其「政黨」身份，而其籍隸之政黨為執政黨時，其他政黨之司法人材，自在被排斥之列，司法官顯然又受政黨干預，承受其所屬政黨之指示，若謂「司法國家化」，何得而云然！且與歐美民主政制下，司法官超出政黨主義，亦不符合，儼然「司法政黨化」者明矣。以司法官經常受政黨之硬性干涉，司法獨立及公正審判精神，何得而云然！

所以修正司法院組織，及大法官每屆任期九年，還未超出司法上半截範圍，於整個司法而言，依然如故，並沒有什麼值得興奮的地方可言！（四十六年十二月三日於台北）

御史羣情憤慨
俞揆不列席監院的風波

・寒士・

・台灣通訊・

監察院十月三十日祕密會議，因糾舉政府「杜絕浪費調整待遇一案」行政院未能在決定兩個月內提出答覆，乃邀請行政院長俞鴻鈞列席以備查詢，三請鈞未到會，由秘書長陳慶瑜，財政部長徐柏園，主計長龐松舟等三人前往，致使御史羣情憤慨，認行政院長蔑視監察權，深表不滿，並對陳等三人予以擋駕。若干委員認爲杜絕浪費糾正案辦理情形，關係國家重大決策，仍堅持應由行政院長親自出席，並改期十日舉行調查會。

行政院的解釋

同日行政院負責人向中央社記者解釋，就監察法條文二十五條，二十六條內容，與監察院去函用語，認爲監院解釋法條不當，如有質問，似應派員赴各機關詢問，未便以綜理院務之行政院長親爲「被調查人員」。

監院聲明針鋒相對

二日報載監察院發言人針對行政院之解釋發表聲明云：「本院職權，包括質詢被調查人員」在內，係依據監察法第二十六條第二項之適用，不容曲解。」

百姓有疑問

此一問題在「公說公有理，婆說婆有理」的糾纏下，已由「冷戰」而進入「熱戰」。其實，行政院長應不應該受監察院的調詢，或是否司監察，行政院長對本院之監察權，調查及彈劾等，並未享有豁免權，依法應予接受。在監院通知時如期到院，就糾正案之處理經過提出報告，並答覆監委之質詢或查問。查行政院長既係監察法上之「被調查人員」，自得被調查，而杜絕浪費調整待遇之糾正案，又係行政院長負責處理，本院自當以其爲「[illegible]

[illegible]以爲例？

持平之論

尤有進者，在監察院發言中，除對行政院長指摘「未能依法辦理」外，復揭出行政院多年來處理糾正案件，多係拖延敷衍，例如：本院糾正[illegible]案，及行政首長違法案，股合營公司案，迄今多日俱未答覆，[illegible]監察院對行政院之不滿，由來已久，非自俞院長此次拒絕出席備詢始，除非[illegible]

是監察權能是行使不當下呢？這才是一最嚴重的事實問題，我們[illegible]有所解決，問題不解決[illegible]，不了了之，鬥爭由來有素，已不爲怪，不過予百姓的印像太壞了。（四十六年十二月三日晚於台北）

・台灣采風錄

△高院書記官呂傳名詐騙案，偵察範圍擴大，尚有院外人與之合夥，並以詐騙所訟當事人爲職業，此「地下集團」，並以合法行爲出現，司法紀律蕩然，實不能回守矣。

△最高法院因黃汝光案[illegible]

△「中央日報」第六版「外婆新娘」（今古奇聞）連載小說之插圖，畫一騷豔太太，大腿全部裸露以示美態，已至「閨口」之處，似應列入「三害」之「黃」。・素描者・

・海外通訊・

「和平攻勢」掩蓋下
緬甸局勢趨危殆
仰大學聯成了中共統戰號筒

・華永儁・

【仰光通訊】國際共黨於莫斯科會議後，「和平攻勢」迅即向東南亞開展。運用兩種手段：（一）策動滲佚各地共黨，藉「和平談判」參入現實政治組織，伺機篡奪政權。（二）通過投降形式，使共特深入政府控制區，擴建地下組織，陰謀進行顛覆。[illegible]

定，這個政權能否保持—」在台灣對大陸反攻要求日見迫切情勢之下—不能沒有懷疑；至少在目前中共不致入寇緬甸的。因此，他一向以虛以委蛇的心情，一跟中共往還，對劃土談判一直拖延。事實上反而招致許多麻煩。中共的土地要求，目的顯在藉口協助緬方鎮壓吉欽族叛軍，進一步扼住緬甸咽喉。

然則，吉欽族存在，在國際間人士看來，至少是獨立自主的象徵。因爲，他們所反對的並不是緬甸聯邦政府，而是引狼入室的社會主義政策，假使宇努假手中共來殺害他們，其他各族勢將普遍反對，這情形發展到現在，宇努顯然對於過分遷就現實，已感後悔，使他對於利用中共去迫害吉欽族的政策，不能不考慮修改。然而他在民族節（十一月十六日）發表的演說，就全篇措詞看來，均出自中共黨徒手筆，自不能無疑中共瑪已掌握緬甸政府宣傳，宇努所揭櫫的三大獨立要求，與四項團結號召，無一而非中共慣用的伎倆；唯一突出的，祇是內執政黨「反法西斯自由同盟」（宇努爲該盟主席）內部意見紛歧，呼籲政黨與各黨派合作的基本原因，不外有人主張要把所有的政黨招牌拆下，組織一個唯一可以團結的政黨，目的無非要清除共黨，以及不准吞共黨張目助勢的左翼黨派存在。在蘇俄、中共壓力下，宇努顯然不能同意。他曾很肯定的說：「這祇是一種獨裁，同盟政府不能這樣做。」有人證明他說到這兩句話時，聲音很低沉，心情顯得很矛盾的。西方人士主張民主的，但是當知緬甸政情的人說：「緬甸要澄清當前的局勢，絕不能跟紅、白旗共黨妥協，只有擴一黨專政統一全國，纔能保持獨立自主。」在現實的困惑狀態下，人們的頭腦只會越弄越糊塗。

假如冷靜地觀察一下，那可怕的一幅圖案即刻湧現，仰光大學的學生「總有那麼一天：策團緬共迎接中共奪取同盟政府。」這不是不可能的，緬甸的大學生一批批前往北平、莫斯科，一批批私下潛回來，更爽，帶了許多可疑人物入境，雖然已有三千多人已受外僑事務部注意，但，實際那已佔有一百五十萬外僑中最大數字。

仰光大學三十七年前的光榮，現在看來早已成爲歷史的陳迹了。內襯共產主義虎皮，披上社會主義外衣的「仰大學聯」，表現於「民族節」的，並沒有獨立自主的意識，只是叫囂着要推翻其歷史文化攸關的傳統教育制度，和支持左翼作家德欽哥都邁（曾接受史達林「和平獎」）的「統戰」險謀，要求召開各黨派「和平協商會議」，不當成了中共統戰號筒。

十一月二十七日，緬甸副總理兼國防部長宇巴瑞，他親自飛赴直塘主持一大慶典，那是接受一百廿二名偽裝吉欽族軍的共軍假投降。爲什麼要這樣做？因爲民族「叛軍」與緬共軍在執政者觀念上是不同的，緬共對政府的「寬大」，顯然仍感懷疑。吉欽族在過去七年間當然傷亡慘重，由於宗教信仰（耶穌教）生活習慣不同，跟親共的同盟政府不易達成協議。最近，更因中共要求政府割取他們的土地，不但痛斥宇努無能，且與南中國義民合作，共同策劃抵抗中共的武裝侵入。

基於這一情勢，中共担心他們日後將會獲得自由中國支持，進兵雲南。於是，迫使緬甸劃地日益積極。現在「和平」空氣籠罩緬甸，緬甸的內外情勢，已難掩緊張兇險，爲緬甸的獨立自主，爲宇努個人的政治生命，應當當機立斷擺重扶擇。（十二月二日寄自仰光）

最近逝世的鑽石大王
奧本海瑪爵士

・風行譯・

南非鑽石大王奧本海瑪爵士，在上月廿五日於約翰尼斯堡逝世。臨死時，已把握全世界鑽石出口百分之九十五。其發跡爲英帝國歷史中最驚人成功事蹟之一。

他原爲德國猶太珠寶業商人之子。於一八九六年時抵倫敦，時僅十六歲。他的長兄在倫敦從事鑽石業時，已很熟悉鑽石知識和行情。他和幾位哥哥一般的，被差遣到南非產鑽石地。是時爲一九〇二年。但這二十二歲的奧本海瑪和哥哥們的志趣不同。他們視南非如客地，而奧本海瑪視南非如家鄉。決全力在該地幹一番事業。

他從最基本的揀選鑽石練習起，同時觀察市場情形。開始試購股份。

當時鑽石工業很不穩定，祇有羅得斯創辦的比爾斯公司和鑽石業組合公司，因南非發現鑽石礦日多，生產過剩，大遭損失。新公司不顧世界需求，[illegible]鑽石價目銳降，至無利可圖。比爾斯公司無法控制局勢。他認爲如欲穩定該工業，[illegible]必須有一能控制出產與市場的有力組織。

他的第一步驟，是控制西南非沖積地礦場，在一九二六年與比爾斯公司董事會聯合。其後不久，他成爲該董事會主席。於是鞏固了西南非與南非兩區域礦場的聯合。實現了羅德斯的團結理想。

次一主要步驟，是建立售賣機構。舊有的「鑽石業組合公司」，改組爲「鑽石聯營公司」。目的在向出產者統購鑽石，直至價錢穩定下來爲止。目的不在壟斷，而在挽救市場，並且調整各出產者出售數額，以公平合理爲準則。可見凡事能互利者，行得通，而共存共榮。否則雖然什麼什麼主義，說得天花亂墜，到底是一場糊塗。

自此以後，奧本海瑪把整個鑽石業鞏固安如磐石。大家營業蒸蒸日上。自一九五〇年以來，全世界每年出產二千零四十萬的米制卡（metric carats）。唯一勁敵是人造鑽石，但在奧本海瑪看來，人造鑽石的威脅不會嚴重。因爲「人不會比自然較能用輕成本造鑽石。」

在第一次大戰前，因鑽石價銳跌，奧本海瑪轉注意黃金。在一九一七年他建立英美南非聯營公司，首先在東蘭德開金礦。二十五年後執奧蘭治自由邦金礦業之牛耳。現在亦掌握了北羅德西亞的銅、鋅、鉛及鈾的礦產，與南羅德西亞的煤及鈾。此外更擁有其他次要的工業。可見奧本海瑪具有的經濟權威。當他逝世的消息傳到倫敦時，做成倫敦股票交易市場一大騷動。所有用黃金及鑽石抵押之交易，在該日完全停頓半小時。追後交易恢復時，此種抵押大多降值。

奧本海瑪對南非政治上發展，亦佔重要地位。在第一次世界大戰時，他出資徵募「康伯利兵團」參戰。其後因此而獲封爵士。戰後任南非衆議院議員凡十四年。

奧本海瑪雖富甲天下，但自奉儉約。和老妻居在灰泥粉飾的舊式紅瓦小屋。每日黃昏步行五哩之遙。平生樂善好施。尤其是最難得的，是他沒有白人優越感之偏見。極關心南非中之非歐籍人民。爲工人與平民廣建房屋與醫院。（十一月份英國文摘）

論民主與社會主義

冷定菴

（上接第一版）

終工黨之治，政府能控制的工業不過百分之二十，其餘百分之八十，仍在私人手裏。工黨更訂有若干措施，專以鼓勵中小型工業及新興工業爲急務的，遺足見它對私人企業的態度。至對市場經濟，工黨更抱維護的態度，以往把持或壟佔市場的因素，逐漸被其消除，使市場機構更能活潑自由的運用。

高先生又說，「無論共產主義也好，民主社會主義也好，實質上必是獨裁。」這種論調，批評共產主義，筆者百分之百的同意，但若以之論斷民主社會主義，似覺有些怪誕。例如工黨，它確能遵守傳統和法治，連對一個最無用的上議院，也只想改良，並無意廢除。工黨從未打算以獨裁來貫澈主張，相反地，它卻把獨裁看成一種罪行，素來是深惡痛絕的。工黨反莫索里尼，反希特勒，乃至反佛朗哥，都有斑斑可考的史迹。

總之，高先生儘管反對共產主義，反對社會民主主義，站在反共立場，筆者十分贊同，但如把民主社會主義與上述兩種主義混爲一談，或相提並論，我覺得很有澄清的必要。高先生又說反共反獨裁，要從一切社會主義的烟窗裏走出來，我不反對他從任何烟窗裏走出來，不過在走出之前，總先認清得一烟窗的內容。同時，淺見以爲只有把民主與社會主義融會貫通的思想和制度，才是反共反獨裁最有效最有的思想和制度。

一夕遊

十三萬，這是一夕遊，最近轟傳台南的一幕趣劇，由於當事人自顧吃黃蓮，所以男女主角的姓名只好保留。

這一桃色騙錢事件，男主角是台南市議員，他擁有的財富，據保守的估計，當在新台幣四百萬以上，當其獲選省議員後次日，爲表示自我慶祝，偕同某冰店小姐作關子嶺游，一夜風流之後，男的說女的已非完璧，女的則堅謂保初夜交往，爭吵結果，少女要他娶作小星，否則即誓不干休，惟先決條件是買下一冷飲店由她主持，男方在女的一再脅迫下，勉以新台幣十三萬在高雄買下了一所設備相當完整的冰店，財產登記還用女名，歡喜交割後，此公正喜有「行宮」，得常進駐，不料女方突發出一張喜柬，邀其參加婚禮，原來女早與一男青年訂立婚約，萬事俱備，只缺奩產，等某省議員出資爲她購妥店舖，即閃電式與未婚夫正式結婚，因爲財產登記是用的女方姓名，毫無疑問的產權自屬於女方，於是省議員受騙，爲了面子關係，只好自認倒霉！

寶島百態

十三萬

動搖中的北大西洋公約組織

時論選譯

式一譯

為了蘇俄恐嚇有加無已，西方盟國需要團結更為殷切，然而現在似乎反而近於分裂。阿爾及尼亞的戰爭，仍然危及歐洲的團結，從歐洲看去，要靠美國勇敢而堅定的領導。下面是新聞周報記者最近的一篇報導，論及美國扮演的角色。

巴黎的玩笑話

有些巴黎人在這幾天開始一些不自然的玩笑話：「你知道美國人和法國人之間有岐見嗎？」回答的是：「法國沒有政府那一天，法國人才知道那回事。」

目前在歐洲，不止法國人對美國有這樣的怨言。

各國互相依賴

今天美國需要它的盟國，正如西方盟國需要美國一樣，蘇俄的洲際飛彈從國內放射，頃刻間可擊中美國本土，蘇俄五百餘的潛艇艦隊在近距程中亦可能同樣的攻擊，反之美國以相同的方法反擊蘇俄，除非從國外基地，使用有弱點的長程轟炸機和使用中程飛彈，却至少要兩年後才行。這樣看來，美國的安全是要依靠盟國供給美國中程飛彈的前站基地——到一九五九年才可利用的基地。

自歐洲各國看

英國已有自己的核子彈和飛彈，對上述問題有了協議，對接受美國供給武器，沒有急要。丹麥和挪威對攻勢的飛彈亦不願要。荷蘭以後接受美國飛彈可能招致蘇俄中程飛彈之患，因而畏懼心理益增。更耐人尋味的，共黨在蕞爾的盧森堡衰微了幾年以後，忽然在最近地方選舉中獲得百分之六的選票。

蘇俄看穿了歐洲國家的畏懼心理，駐西方的蘇俄大使又提出一項預示兇兆的警告：「任何歐洲國家接受美國的飛彈，要危及和平」，這樣一來，有些小國的領袖說：就怕「冒險」了。

信念動搖

歐洲各國覺得面臨蘇俄的挑戰，不顯過于束縛了自己。如英國國會，德國商業界，如義大利各大學，有人承認有這種疑慮。同時也使艾森豪繼續失去了他的支配力。自蘇俄放射人造衛星以來，這情勢更為顯然，因此，歐洲不少人認為艾森豪三次鼓勵他們的話，有點近乎誇張。有些議員大聲疾呼：「艾森豪喋喋不休的演說，對這裏的效力，有如高爾夫球落到洞穴裏。」歐洲國家對艾森豪的信念動搖，有以下各方面：

軍事方面

在軍事方面，歐洲國家開始懷疑，如果大戰明天開始，蘇俄可以獲勝，倫敦新聞紀事報竟說：「歐洲的北大西洋公約組織的防禦物紙版做成的，而對迅速的攻擊，其預定的部隊最多支持至十二小時」。尤其重要的，蘇俄火箭對懷疑防堵主義的人很有勢力。少數歐洲人懷疑美國空軍能夠毀滅蘇俄廣大地區，甚至北大西洋公約組織的顧問私下裏承認蘇俄反飛機火箭攻擊轟炸機隊可以收巨大效力。

政治方面

在政治方面，歐洲人畏懼美國和英國可能有意獨佔他們的原子彈權力，雖然他們會經否認，並且把小的國家規定更少的責任。法國且宣佈絕不放棄自己製造核子武器。最近西德派遣外長到華盛頓要求參加英美計劃。倫敦報紙揭露這樣的一個矛盾，說美國國務卿杜勒斯曾說核子彈存在加拿大，加拿大總理則否認其事。北大西洋公約組織對原子彈的使用，以及在什麼情勢之下運用，誰人按鈕一類問題，亦有不諧調的意見。

倫敦著名經濟學人的意見，認為艾森豪必須說服巴黎會議，然而華盛頓並沒有清楚的準備。

加強組織的需要

西方領袖現在是要加強北大西洋公約組織了：

一、為預防未來的危機，北大西洋公約會員去採取外交政策前，彼此需要更密切的協商。

二、為終止無意義的競爭和浪費資源，會員國必須合作一切科學的技術的，以及其他包括原子技能的，重要知識的發展。

三、為努力阻止對蘇俄和平攻勢之滲入，必須展開用政治的，經濟的，和心理的武器把北大西洋公約國裝備起來。

事實顯明的：復興北大西洋公約組織需要的是要錢，以及某些地區的主權的犧牲，最重要的還是從事團結和領導力。（摘自新聞周報）

裁軍途中的暗礁

在西方對裁軍表示失望以後，蘇聯挾其火箭之「優勢」，作夸夸之談。據本月四日「蘇聯海軍報」刊載一篇關於蘇聯陸海軍使用火箭武器的文章，強調火箭不僅改變了空軍，也改變了陸海軍的裝備面貌。

蘇聯軍方雜誌稱三軍裝備導彈化

該文透露：火箭已成為獨立武器，在各種艦艇上將被廣泛採用，使海戰的距離達到一千公里，該刊更危言聳聽地說，帶有原子彈頭和傳統彈頭的火箭，可由潛艇擲射，可在水上或水下發射。該種火箭射程距達一千二百至五千里，使潛艇的活動範圍在根本上有了擴大。

在防空方面，據該刊稱，也可運用有效的使用射砲用的導彈可在高空要滅敵飛行的機羣。

至於遠程導彈（又稱飛機導彈）射程可達八千公里，而其命中率不受影響。（資）

國際動態拾零

英國空軍，將全部交與大西洋公約國統帥指揮，俾使各國聞風響應，使歐洲開始有統一有效的空防。

×　×　×

法屬北非赤道區之加彭邦，有左傾人民陣綫，正在聯絡各部落酋長，用恐怖政策以反法。

×　×　×

非洲新成立之加納共和國，採用蘇聯之秘密警察制度。其人民黨青年領袖，正赴莫斯科，參加此種訓練，爲期三個月。

×　×　×

阿剌伯各國，正派人在西柏林，策動反猶運動，重燃其舊日仇恨之火。阿剌伯人已與西德反猶領袖接洽，耗去美金二萬五千元之多。

×　×　×

艾森豪頃統一三軍指揮的計劃，仿德國戰制，設立參謀本部。部長僅爲委員會委員長，不管行政。但三軍皆欲保持其既得權利，而不讓他人干涉。

×　×　×

美國爲保持其信譽，使不敢于蘇聯兩個人造衛星起見，擬放射二衛星，附有電視設備，而可使其傳真達到地面。

陶然。

工展風光

觀展團體紛紛來港

十五屆工展會開幕已五天，海外各地僑商到港觀展者，紛至沓來，除台灣來之中華民國工商界參觀代表團等團體外，七日又到了三批，是日第一批由國泰機自菲律賓載來菲律賓廣東會館總會觀展團團員八名，計開：雷法球、梁元林、甄振緒、馬驥、陳俊、李新煥、曾保、許華，又同機另有岷尼剌廣東會館團員黃開、胡纔抗、張治光，胡百鴦四位。又有岷尼剌廣東會館觀展團團員何錦銘、伍鈞石、鄺五、余力、黃寶森、余文啓、鄺文威、黃亦湊、吳培燧、李培杞、駱錦滔，李國儀。關湘、康雲、黃燦森、黃燦璧、李惠卿、林瑞屏、蔡森、陳瑞玉、黃榮莊、甘元澤、黃招球、黃球廣、黃信，余劍、黃鐸鴻，等廿八人來港。

工姐競選　姗姗而來

「工展小姐」自辦法公佈後，前（七）日即有第四街聯合製衣廠攤位女職員張一敏小姐首先報名參選，昨（）又有禮記行領袖牌食品廠攤位參加女職員是廿一歲的中山黃潔玲小姐，曾在梅芳女子中學畢業，是爲報名競選第二人。預料淘大攤位女售貨員，及利華民袖衫廠及梁介福藥行等各攤位，亦將有女售貨員出而競選。

綠寶猛送野

淘大攤位王的綠寶，在場內實行賣大飽，凡光顧者，一律有野送，只售三毫，並無增價，酌飲支數多少，奉送綠寶拍紙簿或精美淘大醬油瓶及精美綠寶水杯，有飲者以禮物可得，「計過條數」，咸說化得來！

綠寶除了鮮橙汁乃早已馳譽之外，今年復趁工展期間，推出綠寶葡萄汁，每支亦售三毫，正試鮮美新貨色。

駱駝牌兩用熱水瓶

以一味靠滾成名之駱駝牌熱水瓶廠，由梁祖卿、吳艷成經營下，自擴廠後一切設備甚新，力爭上流，本年出品熱水壺，並非一味靠滾，可冷熱咸宜，絕不靠滾，冷用亦可，故可稱爲兩用云。（坤）

藝精昌機件廠

出品織造及衣車零件，以圈織造業廠家及衣車工業需要的，有九龍甚隆街藝精昌機器廠出品的鈕門機，以工精科學，所以業務蒸蒸日上。（白）

港督的禮服

琴氏製成高曲度超色的港督禮服玉照，懸掛攤位中央；神彩奕奕。據說，特製時曾直接請教港督副官，詳細紀錄，所以絲毫無訛云。

買寶寶丹竟有金戒指送

梁介福藥行監製之兒科聖藥寶寶丹，在港發行兩載，銷路甚暢，專治嬰兒發熱、咳嗽，感冒及夜間啼哭不停者，均有奇效，嬰兒以至十二歲兒童均可。五包一盒售價一元，但在工展期內，凡購買者，即有足金戒指及熱水瓶、玩具、口曆等贈送云。

邵氏的「貂蟬」在場招待

邵氏新片「貂蟬」與「異國情鴛」港九尚未放映，惟在邵氏攤位上，擺着有精製「貂蟬」與「異國情鴛」招色照相，鮮艷生動。

自由談

卑之無甚高論

馬五先生

俄共頭子，赫魯歇夫儘管倚靠人造衛星放射的成功的機會，大發其戰爭販子的謬論，四方列強儘管神經緊張，一面儲備飛彈於西歐各基地，一面用飛機載着氫彈巡邏歐洲的天空，「實際都是裝腔作勢，儼然有介事，簡直玩兒戲罷了。

戰爭固然是必不可避免的，但總方都在製造神經戰，口稱「老子怕打死你」的時候，却絕對不會打起來。今後的世界局勢還有相當期間的冷戰持續着，某些國家的民族獨立，且有彼此繼續之勢。只要能夠最近五十年間世界進化史事的人，都不會其國地認為原子戰爭就在眼前了。

自由中國所在地的台灣，在冷戰持續階段中，一定安如磐石，不成問題。然亦不能認為絕無發出警報之虞，祇看我們是否有救人不敢出賣，不忍餓死的作法而已。蔣總統於今年雙十節發出的政治號召，即是我們多難興邦的行動綱領。假使大家觀念不變，作風不變，結果又祗是寫宣傳文字的材料，甚至之至，甚於人們多說少做的者溜滋們不要以淚洗面」的呼聲，這就夠我們警惕了！

究竟觀念應該怎樣改，作風應該如何呢？神而明之，存乎其人。必須有非常的人才，而後有非常的事業，用不着多費唇舌小的黑暗，今以後，對於「觀光」「視察」那類工作，只能表示一點渺成績，暫時稍節省好不好？

弔世風

爭舟

似乎曾國藩示弟詩中，有「亂世多財是禍根」之句，此證之於今日並不算差之治績，而仍因不受亂世習氣之侵襲，致令張晉年慘死，後世森自殺，以及胡浩洽棄失蹤護尸從業，而益獲徵信。此三人者，或自毀其財，或殺他人之財，吝吝有異，但以手握多金，又可經年累月久之時效，自由支配，而懸壞風氣之影響，令其具備不得不然之勢；而全案遂在各種機合之下而構成。倘待偵查出是自殺或他殺，局承平，社會放彩之亂象，人強烈偏至之刺激，心安理得，安業，即使不能合符小，亦當合乎社會人，換一種較爲良善之面影出現。

猶記兒時，吾鄉有所謂「獨路虎」者，顧名思義，常以爲剪徑搶劫之惡盜，顧乃實爲誘賭小攤，不過略施騙術以欺詐遠途過客而已，然而綽其號曰「虎」，則當時人心對之而怵惕可知。稍乃有一二歹徒，挾持武器以恫嚇旅客而劫其財者，然而，鄉近鄉村，猶羣起搜索，送官懲治，其彼視爲嚴重事件亦可知。迨歲推遷，世風愈下，遂假而有夥黨劫財，間或殺人者。繼假而有坐擁武力，遣黨分途劫掠者，而地方士人反以深怕開罪勢力，而諱莫如深。遂令其鬼之說，匪警頻傳，鄉勇穿制服裝，則爲此地驅逐商旅之民兵，卸下戎衣，又爲他處荒山僻徑之劫匪，而暗中繼索，又層層有背景，節節有牽制，遂至大賈小商一律惴惴不安

同香港中國筆會遊青山偶成

金達凱

青山寺畔映斜暉，結伴登臨園未遠。
漫道西風催變老，且尋芳草待春歸。
雁峯影向杯中落，一曲聲傳雁際飛。
爵色疑人半醉，海天無際正霏霏。

（丁酉十月十日）

寶島風物小紀

秀瓊

颱風草

台灣物產豐茂，件件都好，就是颱風和地震却使人談虎色變。

清初漁洋山人王士禎在其香祖筆記中曾專文記載台灣颱風，台灣風信與他海殊異，風大而烈者爲颶，又甚者爲颱，颶倏發倏止，颱常連日夜不止，正二三四月發者爲颶，九月則北風初烈，或至連月爲九降……九月多九降最忌，颱風多挾雨，九級多無雨西風。」因常颱風故有颱風草生長，農人稱之風草，他們從這個草葉的開橫綫的多少可以預測颱風之有無與次數。

風草爲多年生草本，土番多識之，據台灣志略云：「此草春生無節，則經年無颱風，生一節即颱風一次，二節二次多節多次，甚爲奇驗」。

它屬于禾本科植物，高七寸乃至四尺，莖粗葉硬，葉緣向裏反曲成舟形，葉面生有褶襞，葉長五寸至一尺五寸，寬一寸至二寸，葉鞘有細毛，其小穗有芒，爲圓錐花序。

女人的脂粉

台灣女人最喜愛打扮的，她們每日打粉之次數至少也如一日三餐之不可或缺一樣，無論在辦公廳，食品店，或汽車上火車上，有時甚至于廁所傍，你都可以看到她們毫不怕羞地當着男人而隨隨便便塗脂抹粉，這種大方的態度恰與內地女性成反比例，記得有一次我半開玩笑地對一位本地女同事說：「三分美貌七分裝」；我又說「台灣是女人的天下（台灣女人在社會上特別活躍）處處是你們梳裝抹粉之家，」她聽了忸怩而笑，不予置答。

竹風蘭雨

新竹市爲台灣北部最古的市街，農工業發達，文化優良，有古學府之稱，它瀕臨鳳山溪下游，形勢優越三面環山，一面臨水，因爲近海，易受季節風，所以這裏的風力特別大而著名。宜蘭又稱蘭陽，瀕臨宜蘭濁水溪，位于宜蘭平原的中央，舊名蛤仔闌，葛雅蘭等土壤肥沃，且多森林，盛產米，樟腦及有名的蜜李燒鴨等，每年三月間往往雨量特多，故台灣俗語有謂「竹塹風，宜蘭雨」。

香果考

香果一名蒲桃，原產印度，爲常綠喬木，樹姿秀麗適于園賞，故多栽培于庭園，台灣栽培于何時，無詳細記載可考，嘉義，新竹種植頗多，此樹葉似檬果之葉而薄，花白多鬚，果如蠟丸，而味芳香可口，故名香果，孫元衡詠此果云：

但有紫鬚開爛熳，
曾將輕片見搖殘。
添大香色誰抑管，
封裹東邊蠟一丸。

檳榔考

假如你有機會到台灣各地，尤其是東南部一帶，那麼在火車汽車上或食品攤位，就可看到台灣人從衣袋裏掏出檳榔，津津有味地咀嚼，從他們紅黑的牙齒與嘴唇你是知道他們是怎樣普遍的愛吃檳榔的了。

紹莘先生「清代詞壇殿軍朱彊邨」訂補

黃華表

此稿成於兩年前，久置篋底，目前陳湛銓教授見之，謂爲近代詞家掌故，應布之報刊，以共討論，因復檢出，以貂自由人之篇幅，檢者敘政之幸甚。

約數月前，自由人某期某君，曾爲文涉及晚清況蕙風朱彊邨兩詞人。以爲兩先生皆粵人，粵人宜爲文以稱述之。愚固甚佩某君能發潛德之幽光。雖其未審彊邨先生之里居，而彊邨固曾督學粵東，門人弟子滋衆，若陳述叔，廖懺盦，楊鐵夫，劉翰棻，江霞公，暨吾家佛頤諸老，爲詞悉瓣香彊邨，則知彊邨之深者，宜莫如粵人。而爲文以稱述彊邨者，亦宜莫粵人若也。若蕙風則桂人也，粵人初不得而私。愚雖桂人，而生也晚，三十以前，沉迷於聲行文字，未嘗得接蕙風先生之顏色；而先生之高第弟子趙叔雍又在港，則爲文以稱述蕙風者，惟趙氏宜。愚雖桂人，亦不可得而私也。如是顧久之，卒未聞有爲文以紹述兩先生者。至（四十四年）五月「十八」「二十二」「二十五」三期，始有紹莘先生兩短文，雖其言不盡不實，亦可謂聊勝於無矣。雖然，猶有憾；蓋尚論一代之詞宗，苟且得稿費了事；以一般報尾之文，則更非吾黨自號文人者所屑謬傳譌。愚所不解於紹莘先生者，則彊邨先生之弟子尚多在，其書亦具存，何以不一詢其人；不一檢其書，而遽爲是不盡不實之說，使某君得以竊笑於其旁，竟謂粵之無人也。不惜無其人，並無其書，則毋乃太陋矣乎。愚雖不足以知彊邨，然得以彊邨先生之書，以補紹莘先生不盡不實之說，紹莘先生，儻許我乎。

紹莘先生原文，開端略論清代二百六十餘年詞學之流變，似乎直至彊邨，而後雅音復振。藉以推尊彊邨先生，其用心亦良是，而爲說則極疏。蓋詞雖莫盛於兩宋，而詞學則清代爲極盛。簡之又簡，閱張孟劬詞序，可以知之矣。然即以晚清言乎彊邨者，有王半塘鄭叔問相並者，有況夔笙，故論晚清多稱「王況」蓋有說矣。以詞言之，吳瞿安先生則北稱小坡半唐，其不及彊邨。雖謂尚在，豈不以彊邨之前尚有小之故乎？今但稱彊邨，其餘一，彊邨先生有靈，恐亦不自安，述宋理學者，一味稱晦庵，而二程茂叔橫渠，其可乎？紹莘紀彊邨，少此一段，不爲不足，而乃爲此偏稱無緒之說，則是一言以爲不智而已矣。

（一）

嘉竹樓隨筆

有關韓愈的兩個故事（上）

韓愈生唐代宗大曆三年戊申（768），卒穆宗長慶四年甲辰（824），得年五十又七。他所寫的古文和詩，在中國文學史上有一個極崇高的地位，足足有一千年以上，一直到最近的三四十年，因爲語體文逐漸推廣，而中國人對科學的研究又迫不及待，然後一般的學校，才把讀古文的時間減低，因此關於韓文的誦讀也遠不及從前那樣普遍。可是話雖如此，韓愈在中國文學史上的地位，依然不會發生動搖；大學裏一個中國文學系的學生，對於韓愈作品的研習，恐怕也依然是重要的對象之一。

三十年前，我在上海一個晚會的席上，曾聽人朗誦莎翁的裘力斯該撒；我認識一位法國的小學教員，他會很隨便的向我背過好幾首雨果的詩；最近在香港，和一位印度的文學者同席，他要求中國的朋友，唸幾首中國詩給他聽，爲了鼓起中國朋友的勇氣，他自己首先唸了一首太戈爾的詩給我們聽，然後才引起我們中間的一位，爲他唸了王維的『渭城朝雨浥輕塵，……』另一位，用廣東話爲他唸了『力拔山兮氣蓋世，……』他覺得音節非常悅耳。這三次所給我的印象都很深。平心而論，近三十年來用白話寫的中國文學，無論是詩歌或散文，確也有了若干頗優秀的作品，但大抵只便於閱覽，而不宜於誦讀，截至現在爲止，除掉某一作品的作者本人以外，我還不曾聽過任何人能背出某一白話文學者一段一百字的散文，或一首寥寥幾行的短詩。假定一種文藝作品而無法做到使人樂於默誦，或相反的使人感到『一覽無餘，』這是不是現代白話文學創作的一種缺陷？進一步我還要問：用白話寫文藝，究竟有沒有使人樂於默誦的可能？我現在對這個問題的假定是：能，不過現在還不曾做到，有待大家的繼續努力。在中國舊日最優秀的文學作品中，小說的大部分是用白話寫的；詩，詞，曲，……也有不少是用純白話或接近白話的文書寫的；一件這樣可使人看了又看，讀了又讀，這可看出一件文藝作品是否能吸收多數的讀者，是否能保持永久流傳的價值，畢竟要看它的內容和表現的技巧如何，其表現的工具爲文言或爲白話，似乎反在其次。

此外，我經常也聽到另一種論調：他們說，中國近三十年白話文學的作者，其成績比較優良而能在文壇取得一個較高地位的人們，大抵對舊文學都曾有過較多的修養，換言之，他們在立意，修辭，結構，……等等方面，大抵都受過古典文學的洗鍊，因而他們的作品，至少能具有一種規模，能免去若干傖俗和粗率的毛病，而比較的容易做到精純的境地。這番話我承認具有充分的理由。就我記憶所及，當日提倡白話的諸位先生，他們也只說今後不必寫古文，但他們却不曾說古文不可以讀；凡文藝都離不開傳統，撇開傳統而自矜創作，老實說，這是不可能的。古典文學中的許多不朽之作，都是前人經過千錘百鍊的產品，寫古文必得講意境，講修辭，講結構，甚而講神韻，下筆時還得小心翼翼的字斟句酌，然後才能寫出一篇像樣子的東西，要寫一篇像樣子的白話文，又何嘗不應該如此？以爲寫古文才須用全部的氣力，寫白話文便不必多用氣力，這只是一種誤會，這種誤會不趕快去掉，真正優良新文字的產品是難有希望的。

我這篇短文的題目，原是要述『有關韓愈的兩個故事，』不想一提到韓愈，乃觸發了我上述的一段積感，這可以說是不『講結構』之尤，下文我便趕快的轉入本題吧！

舜生

玻璃鏡框

尤崇簡

一字畫，置玻璃鏡框，可說是安寧幸福，以是『保險』了。而且它的主人也不必在紙條上大書特書：『限閱手勿動』一類的字樣；而這種『保險』的方式，對欣賞者說來，不啻是一種有力的束縛。

玻璃本身雖未遮沒欣賞者的視線，然而它的反光却是人與字畫間的隔閡，把字畫安置其間，只有保護的目的，起了一種副作用，使人們妨礙視線的反光，從側面作局部的欣賞，是具有東西妨礙了一幅生動的字畫，如果有東西妨礙了欣賞者的視線，藝術價值自必貶低。所以，請把玻璃鏡框除下吧！

自由人
THE FREEMAN
（第七〇七期）
每份港幣壹毫
督印人：陳文
20 CAUSEWAY RD. 3RD. FL.
HONG KONG
TEL. 771726

論中共的幹部下放政策

王厚生

中共的幹部下放政策，在今年九月，鄧小平「關於整風運動的報告」，已有透露，他說：「我們在過去一個時期內，曾經過多地吸收了一批沒有經過生產勞動鍛鍊和實際鬥爭考驗的青年知識分子到各級領導機關工作，這是一個缺點。」「……對於現有的沒有經過實際鬥爭鍛鍊，沒有基層工作經驗的知識分子幹部，應該有計劃地分批地組織他們到農村、工廠、工地去勞動幾年，或者到基層去做幾年實際工作。凡是黨、政府和羣衆團體的各級領導幹部，都必須經過實際鬥爭的鍛鍊和取得基層工作的經驗。缺少這一課的，必須補上這一課。文學、藝術、新聞、理論工作者和其他方面的宣傳工作者也必須這樣做。」

一、

這個下放幹部的政策，是中共黨圖挽救農業危機的對策，也可算是中共整風運動的一部分，即所謂審幹整改，同時繼續鳴放的第三個階段。

這個政策對於毛澤東來說，一舉三得的事：一、藉此挽救他的農業合作化運動一團糟的局面；二、精簡機構，省一部分行政經費；三、因幹部下放後與老百姓接近，對中共發生一種較好印象，平抑一下在大陸上，鳴放所顯出來的反共情緒。

我想，幹部下放，表面上，是輔助農民生產，背地裏，是改造農民的思想，還可以說是監視農民羣衆的行動，防止大暴動；因爲現在秋收已過，農村大部窮荒狀態，已使需幹部下鄉去生產勞動。

還有一層，有了大批幹部下鄉之後，「社會主義生產建設」自然會被迫進入高潮，「右派分子」的思想、活動和聲勢非退不可，這也可以說是中共在農村中想法掘反共的根，滅反共的火。借用共產黨人的術語說來，叫做搶奪「右派分子」在農村中的陣地。

當然，幹部下放對於中共也有害處，這種害處想中共也考慮到了，但爲客觀的緊急情勢所迫，不得不趁快地下放幹部，或許在中共的估計中，利多過害，故仍不妨一試。

二、

害處在那裏？第一、農村的現狀太壞了，農民的生活苦透了，假使下放的幹部面對了現實，因此而對農民生出同情之心，進而不滿現狀，懷疑共產黨領導的正確性，至少有一部分幹部的思想有作這樣轉變的可能性，只要他們能針對大陸農村的現狀寫出幾本小說（如「不僅是爲了麵包」、「齊伐哥博士」等）和理論著作（如「新階級」、「赤裸的上帝」等），則對中共政權和整個共產集團的損害性就大到不可言喻了。第二、下放幹部會因農村物質條件太差而生怨懟之心。中共的幹部下放政策有一部分原因是來的地方幹部不肯再下鄉和下放的都市幹部不肯下鄉，爲什麼幹部不肯下鄉呢？祇因害怕農民殺死他們。現在，中共決定了政策，大夥兒下鄉使幹部不再阻塞，同時，對農民還帶有幾分恐嚇性。中共決定對下放的幹部第一年由原單位照發薪律，各機關的領導要和下放的幹部建立經常的聯系，負責幹部要在一定期間到農村去看望他們，並繼續幫助他們解決一些困難（天津市所作的決定）。但這種安撫辦法的弊害是很易看得出的：幹部下放大多數出於被迫，非由自願；下放幹部第一年的薪津雖照舊發給，但不能因而消散幹部心中的憤慨情緒；在農民眼中，幹部的待遇既高人一等，仍舊談不到是與人民共甘同苦；安撫辦法如同姑息，這些下放的幹部將來只能拿高薪，不能拿低薪。第三、造成本地幹部和下放幹部之間的磨擦。在鄧小平關於整風運動的報告中曾經提到有些地方，本地幹部和外來幹部之間的關係不够融洽，發生排斥外來幹部的現象。

三、

單憑幹部的下放不能挽救已破產的農村和農業生產的。這一點，中共似乎也很明白，所以，十一月十六日人民日報發表了一篇題爲「大家都來支援農業」的社論，號召「高級知識分子應該從科學、衛生、文化、教育等各個戰綫上積極行動起來，努力爲發展農業而服務」，又說「無論工礦、交通企業、財政貿易和供銷合作單位、科學文教系統，也都要承担一定的任務」。

但是問題並不是這麼簡單的，中共今天所作的努力只可說是掙扎，而不是根本之圖（根本之圖是澈底改革制度），根本問題不解決，一切治標的方法只能使中共有帶病延年的可能，却不能使中共有起死回生的希望。何況一切努力都是遠水，救不了近火，對農民的生活和中共的財政需要也是緩不濟急。

根據中國新聞社北平十一月十六日的電訊，大陸各省市下放的幹部已有百萬人之譜，（新華社北平廿六日的電訊說：據除西藏地區以外的二十七個省、市、自治區和中央機關的最近統計，已經下放的工作人員有八十一萬多人，可見中共的數字不可靠），今後，下放的工作還要繼續進行。我們不管中共將來要抽調多少幹部到農村去，但可以預先說一句話，下放幹部與五億（姑照中共的統計來說）農民作一對比，眞是太渺小了，以此渺小的下放幹部分散在廣大的大陸各省區，更是微不足道了。因此，農民暴動的機會還是有的，如果有覺悟的幹部起帶頭作用，反共的情勢還要更好一些。

四、

在下放幹部聲中，我們也發現了一件可注意的事，即有些省區的幹部有反抗行爲，幹部放不下去，根據上引中國新聞社消息，據當省準備明年四月以前下放幹部二十萬，河南省已決定下放十五萬，四川省已抽調了六萬，湖南、江蘇、安徽、西安、南京以及其他省市已分別有一萬到數萬幹部下放。福建省決定抽調百分之卅的機關幹部下鄉。廣東汕頭區也將有一萬多。這些當然是初步的統計，但也可以看出各省市抽調幹部下鄉的參差不齊，和有些省市行政機構過去的臃腫情形，其主要的原因是抗不從命。幾年來，中共內部的宗派主義鬧得很兇，今天，幾乎每個幹部都有所屬的小圈子關係，要抽調幹部下鄉，不免要受這種小圈子關係的牽制，打不破這種關係，抽調便有困難。共產黨雖然講究紀律和黨性，但人性不會全滅，紀律和人性也有行不通的時候。譬如說，在一九五五年七月毛澤東竭力主張加速農業合作化運動時，各省各地的幹部曾提反對的意見，認爲條件不够成熟。但這些下級的意見爲中央爲毛澤東所否決，結果，加速農業合作化是一團糟，今中共中央和毛澤東要來補救這個一團糟的局面，又叫幹部下鄉去勞動生產，當然，各省各地的幹部未必個個會心悅誠服地服從紀律，願意下鄉。同時，今年五、六月間，「右派分子」的鳴放言論振奮了人心。[illegible]部的眼中，認爲是中央和毛澤東的錯誤也是顯而易見的。在這種情形之下，各省市幹部之抗不聽命、拒絕下放也不算是怪事。這樣說來，幹部下放政策不但不能挽救農業，反有增加黨內宗派鬥爭的危險。

半週述評

艾克的勇敢決定

艾森豪威爾總統，於新病初癒的時候，決定於本星期五日飛往巴黎，參加北大西洋公約組織高層會議。大多數外交界人士認爲這是一個勇敢的決定，反映美國對緊急時期的高度責任心。

兩個多月來，因蘇俄人造衛星一再升入太空，赫魯雪夫肆意施行恐嚇，美國人造衛星又試放失敗，造成了西方民主國家的精神普遍頹喪。艾氏此行，對於西方的團結振奮，自然具有積極作用。民主黨領袖史蒂文生說得好，巴黎會議如果沒有艾氏出席，不啻「舉行婚禮而沒有新娘參加」。

然而，西方的團結合作，問題並不簡單，就以最近英美有關飛彈基地設立的談判，法國即表示不滿，認爲有破壞北大西洋公約組織之嫌。加以法國政潮屯伏北非問題棘手，法國已成爲「既不能令又不受命」的一個國家，此外西方還有許多其他內在矛盾，無須細說。今後西方要在軍事上，經濟上，科學上，互相依賴，眞誠合作，決不是祇憑艾氏個人威望，所能收到切實效果的。

布爾加寧的恫嚇

西方外交家認爲艾克親自出席巴黎會議，將使蘇聯遭受失望，其實何止失望。他們並已積極從事打擊破壞的活動。蘇總理布爾加寧曾於巴黎會議前夕，以三千字長函，要求美國，建議禁止原子彈試驗，召開領袖會議，表示願與美國訂立友好條約。且分函西方其他盟國。又對西德提出警告，攻擊北大西洋公約組織的活動，他的目的無非肆行恫嚇，造成一種虛幻的和平氣氛，使西方盟國落入圈套，以便實施他們的滲透顛覆策略。

在蘇俄的恫嚇威脅之下，英首相麥美倫和外相勞合會一再表示，決不爲恫嚇而脅服，土耳其比利時且公開表示接受美國的飛彈援助，其他國家的態度如何便很難說了。美國蘇俄專家肯南，此時且有在歐洲劃成隔離中立地區，使美蘇兩大原子勢力國家，互相隔離的建議，則又何怪歐洲許多小國的徘徊瞻顧呢？

大家不要以爲布爾加寧的建議是宣傳濫調，無足重視，今後美國如果沒有積極和堅定的政策，歐洲的中立主義一定還要更爲滋長的。

印尼的激烈行動

上月底，印尼以西新幾內亞問題，在聯合國大會上討論失敗，驅逐荷蘭僑民出境的激烈行動，已發展到最高潮。使世人懷疑國際社會還會有所謂法律的存在，聯合國的決議案，還會有絲毫的價值可言！

無疑這是蘇加諾政府利用民族主義狂潮，轉移國內視綫，以挽救內在種種危機的一種冒險舉動。將來的影響如何呢？荷蘭的十五億元投資，自然將從此完蛋了。印尼所得的又是甚麼呢？將是已經萬分艱困的經濟，增加更嚴重的危機。蘇加諾自己也明白了，他說「我們將遇到糧食與衣着的缺乏」。蘇加諾雖說「我們必須繼續我們的革命精神」，但孤注一擲的結果，革命精神換來的，恐怕只是共產黨奪取政權而已。

民族主義的濫用，很容易走到排外的絕路，現在英美在印尼的僑民已作萬一的撤退準備，決不是做感，而是應有的謹慎，擔及前例，可股鑒。印尼華僑數達三百萬，吾人對於印尼的立自主，爲強國，素採積極同情態度，於此吾人希望印尼有識之士，凡事應當適可而止，勿爲共黨造機會。尤希望我外交當局，能洞見機先，未雨綢繆，而不至因此事件，我僑胞的生命財產，蒙受犧牲損失。

陳克文

論中研院院長人選

杜衡之

關於中央研究院院長易人之事，自十一月三日該院評議會選出胡適，而於四日明令發表以來，已一個多月，情勢之發展，說明這個人選問題可能又有新的變化，値得注意。

說到中樞殷切希望胡氏回台灣任此一職位，是毫無疑義的。至少我們知道早在朱家驊氏有辭院長之意以前，已在某地爲胡氏建造精美合適的住宅一所。但是懂得胡氏心境的人，看了此次總統的任命之後，都覺得胡氏不會接受這一任命，而且不會回國。當然，基本的原因是在胡氏的健康方面。胡氏回總統請辭的電文，以身體屬弱爲理由，這也是事實。此外，還有一個重要的理由。那就是最近幾個月，海內外盛傳胡氏將出組新黨，使成爲國民黨的反對黨，以加强自由中國的民主政治。其實胡氏本人還沒有挺身出來背十字架的決心，至少現在時機還未成熟。這時如果胡氏到台灣來，必使這些傳說更加旺盛起來，並且一班熱心於反對黨人士也會包圍胡氏，這都不是胡氏所願的。

胡氏既然不來台灣就任院長一職，院長人選將怎樣決定呢？這是台北政治圈內外都在議論紛紛的一個問題。從法律程序來說，如果胡氏堅辭不就，可由兩種方式，另請總統選定：一是就此次評議會所選三人中之其他二人（李濟，李書華）選定一人；一是由評議會重新選出三人，請總統選定。按理說，第一個方式較爲簡便，但據熟悉政治行情的人說，第二個方式可能性更大。

不管是採取那一個方式，院長的人選在此時都還有考慮研究的餘地。近年來，政府各項要職位（如院長部長總長等）的人選，常常爆出冷門，令人驚異。也不盡是用人，而是某一些不相干的舊人陡然爬得太高，叫人不解。一般希望中央研究院的院長人選，不要也有這種情形才好。中央研究院是國家最高學術機關，雖然在系統上隸屬總統府，究竟與總統府的其他機關不同，換句話說，它不是一個官署。提高中央研究院的地位，即是提高政府以及各級官員對學術教育的珍重，養成一般人重視學術教育的心理，也使一般學人加强其自修心，而有更多更大的成就。

所以，我認爲這位未來院長的第一個條件是：必須是一個純正的學人。所謂純正的學人，就是終生致力學術研究，而不務名利者。現在有許多人，名爲學者，其實對於他可研究的題目，並無太多的趣味，如有更好的機會（譬如做官），在馬上可以改行。也有許多政客，在官場裏栽了筋斗，就以搞學術來粉飾門面，以俟東山再起。甚至還有一批野心家，想在學術界造成一個勢力，將來可在政治上有所作爲。對於中研院院長或其他學術教育性的職位，熱中者難免多是這些僞學人，至於純正的學人，只潛心於自己的治學工作，對於這種種都不會感到興趣。

第二個條件應該是：無黨無派。學術與教育本來都應該超出黨派關係之外，只有共產黨才把學術教育都加以控制，使成爲黨的工具。若文教事業也隨政潮之起伏而變動，還能培養什麼人才，研究什麼學術？現在台灣在三民主義教育的口號下，教育已不能保持其獨立的永久性的活動。如果這一現象目前不能糾正，至少中央研究院這一塊小天地應該盡可能保持爲超黨派的自由學府。有人認爲院長一人屬國民黨，並不足以影響整個中研院的獨立性，並舉朱家驊氏爲例，認爲在朱氏當院長這十幾年中，中研院裏並不是事事由黨來決定的。這個看法，我認爲有問題。朱氏是國民黨的元老，今天主持國民黨各部門的諸公，對他不能不相當客氣，所以還不致於纖稍控制。如果換個新人，既是先經黨部甄選，將來與黨部的關係必是十分密切，欲求保持過去這種近乎超黨派的作風，就不容易了。

上述兩種條件，也多少有連帶關係，凡是有黨籍的學者，縱不能謂無，却很少是純正的學人，大多熱心於政治，而不願終身爲學術努力。所知，現在積極活動想當院長的幾位先生，都是黨性甚濃的學者。由於他們有國民黨的背景與支持，却是最有希望的候補人。甚至有人說，除了胡適一人而外，當局不預備把這個位置給黨外人士。如果胡氏不就，我們但願這一個位置仍然開放給無黨無派的純正的學人。當然這不是說國民黨黨員之中，沒有這樣的人才。而是說我們更希望學術的獨立能夠永遠保持下去，無論在形式上及實質上。

冷眼看

選風激動了整個台灣，大部分政黨提名的議員，忙於活動蟬聯，無形中放下了「爲民喉舌」的神聖任務，與其如此「以私廢公」，何不正式「放假」幾天「實事求是」呢？ 。晉。

四屆省縣市選舉

——台灣通訊——

黨內提名趨勢依然明朗、

台灣省第四屆省縣市議員選風，自十一月下旬起，直到明年一月方能息止。在這兩個月的選風中，以本月初和明年元月初爲高潮，激盪高潮的，却是「黨內提名」與「民選」。

「黨內提名」與「民選」往往相反而不相生。因爲黨內提名的不一定能獲得民選，相反，操有民選把握的，又不一定能通過黨內提名。

無疑，第四屆省縣市議員選舉的黨派是在機構選舉中，而縣市議員選舉又以外省籍的選舉成分佔絕對優勢。故政府對本省籍的參加競選人有「保障名額」。黨內提名競選的趨勢頗爲明朗。可是，這次參加競選的人數之多，打破歷年紀錄，情形複雜，關係也微妙，因此，有把握希望的人當比較少了。

會議因議員準備競選延開

由於選風激盪，台北市議會原定今（四日）上午揭幕的第十一次臨時會議，（主要議題爲審議四十六年度市府第一次追加預算案）卽因爲大部份政黨提名的議員爲爭取蟬聯，而宣告延期。

爲了爭取第四屆議席的提名，議員已無視於「爲民喉舌的神聖義務」，無怪輿論界在嘖有煩言了。不過如果議員先生們一面害怕選民說閒話而强開會；一面又急急然忙於奔走請托；其結果必然馬馬虎虎將追加預算案通過了，還不如正式「放假」幾天，等他們辦完「私事」，再來討論公事，如此遲散，雖未免「以私廢公」，倒也「實事求是」！

香烟毛巾又滿天飛

台省地方自治法規以及各項選舉罷免法令，是三十九年公佈實施的，中間，雖經多次修改，但漏洞仍多。因之，在歷次選舉過程中，弊端迭見，糾紛時起。周至柔繼省主席後，雖曾令飭民政廳成立「台灣省地方自治法規修改委員會」，並延聘專家，從事修訂。惜以選期忽迫，徒議修正，尚屬有待，於是，賄、[illegible]都紛紛出籠[illegible]公平，不合法。憑心而論，在民主尚在學步階段的台灣，確實是有利用取締違反選舉法令未有追溯規定的罅隙，興風作浪。君不見入月以來從台北到各縣市，逐酒家、拉飯局、開茶會、以及饋贈、和拜訪，甚至香烟毛巾滿天飛，那一樣行動，不含有用？這種風氣是否純正？明眼人已無待細說，難道不應消弭嗎？

現屆省議員統計

末了，記者且從合省第三屆省議員的性別、年齡、職業等作一調查統計，從這裏，同可看出各階層議員的比例，同時，也可讓人知道，新人倍出，未來還是有希望的。

本屆省議員共六十六人，較第二屆增加九人，其中男議員增加六名，女議員增加三名，合省籍議員佔六十人，共餘六人爲外省籍，包括福建省籍二人，河南、江蘇、湖南、湖北省籍各一人，如以職業來分，從事商業的最多，共有十九人，公教次之，爲十一人，餘爲農業九人，醫業六人，工三人，礦業三人，交通漁業一人，律師一人，另其他第八人。

在第三屆六十六位議員中，黃朝琴、李萬居、郭雨新、林世南、賴森林、李建和、陳火土、許金德、黃運金、林生蔡鴻文、李卿雲、林孫財、陳彩龍、許世賢、吳三連、葉許春菊、朱萬成、江金彰、郭石頭、張振生、李源清、潘福隆等二十二人，是由上屆連任下來的舊議員，其中尤以黃朝琴、李萬居、郭雨新三人的資格最老，是由省參議會一直連任到現在的。新議員有謝東閔、郭國基、黃堯、郭秋煌、王雲龍、張彩鳳、陳天佑、黃宗寬、許振乾、陳俊宏、王天賜、蕭茂松、李雅正、陳林雪霞、蘇振輝、陳肇、楊紅綢、蕭添財、王安順、江文清、林蔡素女、蔡錦棟、何甘棠、賴淵平、黃占岸、林清景、王國秀、劉盛財、葉壁源、蔡李義、林尚英、林茂盛、李良榮、陳大拔、陳茂榜、胡丙泰、陳冠珊、賴榮木、歐雲明、林全祿、李源棧、高永清等四十四人，恰爲舊議員人數的一倍，其中郭國基曾任省參議員，黃堯、郭秋煌、王雲龍等三人曾任第一屆省議員，中途各曾間斷，而於第三屆又東山再起。（十二月四日于台北）

拜託拜託，請賜一票

傳中泰協籌華僑自衛軍

王叔銘將軍前次訪泰與此有關

禾子

（台北航訊）泰國在東南亞有優越的地位，不但物產豐富，華僑特多，而且反共有決心，不但立軍事同盟而合組，報載中泰兩國曾訂有軍事協定的消息。照目前看，有種種跡象說明中泰將有軍事聯盟的步驟了，消息傳來，與前中國空軍總司令任參謀總長之王叔銘前次飛泰有關係。

據泰國僑領消息

據此次與泰國僑領接觸過的人士說：僑領稱泰國華僑的感覺，由於泰國的經濟命脈，大部份掌握在華僑手裏，泰國政府及僑領袖深慮於世界的赤潮澎湃，泰國的邊境常爲中共所滲透，陳兵，而中共之滲透技術又那樣靈辣，雖然泰國備之軍力已有相當之鞏固，將來但泰國是不堪設想的，因此泰國各僑領就擬組織華僑自衛軍，以防萬一，保護泰國之國家民族，均有合作組軍之必要，經過很久的協商，卽計劃協助華僑自衛軍，由華僑負責人力財力，由中國政府方面派出幹部，協助訓練工作，訓練成後完全由泰國政府控制，與中國政府無涉。聞華僑自衛軍計劃乃訓練陸軍一師（另說訓練空軍）可能分期集訓，以一師爲單位，同時並擬訓練空軍一隊，能由中國借用很多器材，務使華僑減輕負擔。

此項華僑自衛軍於泰國政府受到共匪侵略時，卽並肩作戰，如此計劃實施，比行順利，自由中國貢獻世界反共陣線至鉅，對泰國的國防協助尤爲鉅大，泰國華僑之爲反共而組軍，以實力抵抗共匪之侵略，實際上，是爲泰國，同時也爲了祖國。

傳有三點計劃內容

關於援泰的全部計劃的公佈，目前是言之過早，但據傳聞而將待付實施有左列三種：

一、泰國華僑達數百萬之衆，全國主要工商業皆全華僑所操縱，因之中共對泰之鬥爭、比對任何其他一國都來得厲害，而泰國對付共黨之間諜滲透，必須訓練良好的特務人員才可以的，故中泰之合作，在交換情報項中。最主要的工作還是中國派幹部到泰負責訓練大量泰國情報專材，以促與共黨鬥爭。

二、泰國航空學校的設備遠遜中國航空學校之設備，關於許多新式作戰飛機及其他新式飛機，泰國還缺乏教練專材，至於此項新式飛機及器材當也是缺乏的了，故泰國擬選派已深造之飛行員及航空學校的優秀學生，到台灣來受新戰術的訓練及學習駕駛新式射噴機的技術，可能對降落傘技術也在研究之列。

三、對於中國反共的政治訓練與組織，聽說泰國也感覺興趣。他們認爲這樣才能使每個國民及每個兵士認識自己爲國家服務，才能不使其滲入，故泰國當局也希望中國政府次第的協助他們進行這一種的政治訓練工作。（十二月五日寄）

台灣通訊

「毅菴先生」，就是張學良，他住在離新竹三小時汽車旅程的一個木造平房，隨他形影不離的，除趙四小姐外，還有一個少將「排長」，每天打網球，洗溫泉澡，釣魚，種蕃茄，讀歷史……生活規律化，將來呢，祗有問卜卦先生了。

關於張「少帥」到台灣許久，外間也不知道，直至東北耆宿莫德惠氏去看過他一次，外間始有所聞。

被遺忘的人物 張漢卿

漢卿，十餘年來，外界所知道者僅是「與世無爭」，過着「小天地」之生活而已，其眞正生活情形，仍是一個謎。

「趙四風流朱五狂，翩翩蝴蝶最當行，溫柔鄉是英雄塚，那管東師入瀋陽」。馬君武氏這首傳誦全國的七言詩，據說漢卿當年亦曾拜讀，其內心是否感悟不得而知，然此卽是此一代「英豪」的「尖足」寫照。

歲月不居，漢卿隨着政府的播遷，遷徙了許多地方，他先被囚禁於奉化溪口，嗣又移居於安徽黃山，直至抗戰興起，又遷居於江西，其中年又從沅陵遷到貴州之修文、息烽、桐梓，至勝利後（民國三十五年十一月二日）乘專機遷往台灣。

據說漢卿居的地方是新竹縣的井上溫泉，井上溫泉現在改名爲清泉，汽車由新竹到竹東，續乘小型汽車進入曲折崎嶇的山路，路旁盡是在山巒中，可以看到太平洋海，那是個風的地方，氣候和台北差不多，井上溫泉原是番人區（日人稱爲高山族），有一個番童小學，五六十個學生，由一個高山青年和一個客家青年教師負責，學生們已能講國語，唱國歌，這一個山村裏祇有一個派出所，木造平房，日本式鋪席，有玻璃窗，很整潔，只是沒有絲絨和毯等富麗的設備，那裏就是漢卿的居留地。漢卿每日早上七時起身，上午看書寫字，下午打網球、洗溫泉澡、釣魚、種蕃茄，生活頗規律化，顯然他的健康比前「更好」了。據說某排長十餘年來一直是「追隨」漢卿，他已由少尉階級升到少將了，不過，升官不升職務，仍然是一排之長。

十餘年來張漢卿大半時間多化在研究歷史方面。他一度希望入中央研究院，未獲許可，他已換上了一付三百度光的眼鏡，因爲多年來的看書讀報，隨着年齒的徒依舊，目力已大大損減，近視日漸較深，趙四風采亦非依舊，牙齒亦多拔光。漢卿唯一安慰的是趙一荻始終愛他，不離寸步，算得上「患難與共」了，于鳳至太薄情了吧！聽說已經很久沒有給他通訊了，帶着子女在南美過其優裕的生活。最近漢卿給陽明祠書了一副導聯，是他自己擬的：「三戲樓閣，洞古山深含至樂；一朝覺悟，文經武緯是全才。」

漢卿近知道自己要換換地方，心情極爲愉快，適有某故舊到訪，彼大談其父親及東北將領入關之故事，他正整理行裝，準備離開這「穩居」的區域，轉到另一個地方去。

漢卿年已五一矣，由翩翩少年接近花甲了。近年他自己立一新號爲「毅菴」，同字待衛等均呼「毅菴先生」，「學良」兩字已成歷史陳跡。漢卿之政治生命是否就此結束抑或未來尚有一番作爲？只好問卜卦先生了。其胞弟張學詩現任共匪的遼甯省主席，手下可運用的兵力約還有十餘萬人，至張漢卿對此股實力是否有其影響力？這確很難言呢！

。李鸞。

讀者來書

編輯先生：十一月廿日貴刊載有寄自曼谷「泰國的隱憂」一文，其中「遲遲的延安」一段錯誤甚多，尤以論列全民報之一節爲甚。按該報早在民國四十一年被封，目前，曼谷計有中原、光華、星暹、世界、新報中五家爲中文報。投稿人未能詳察，似對貴報有矇混之處，尚祈注意爲荷。此請撰安、

曼谷一讀者（十一月廿日）

編者附言：本刊七〇〇期，刊有曼谷通訊「泰國的隱憂」一文，一時不察，致未能發現錯誤，深對讀者抱歉，茲承曼谷一位讀者來函指正，甚爲感謝。

稿酬：本報十一月份下半月稿費通知單已分別付郵，請惠稿文友，憑單領取爲荷。

編輯部啓

寶島經緯綫

△一對「明星新夫婦」，上午在香港舉行大主教婚禮，下午即飛到台灣渡蜜月，一些忙了一大陣的圈、朋友，連一杯喜酒亦未吃到。他們在台渡蜜月的十天內，各有關單位却忙得不亦樂乎，紛紛邀宴，均以「一親芳澤」爲榮，一向以「公務繁忙」的教育部長張其昀，則搶先一籌，其歡宴場面之熱烈，遠勝原子科學家鄧昌黎有過之而無不及。

△公論報是台灣的一間窮報紙，但它是純民營的，無任何政治背景，更沒有任何變相的津貼。雖然該報在印刷或紙張上比官報略差，但該報的社論與短評，一直在受讀者歡迎，由於它能保持一貫「公論」的作風。所以往往外國通訊社駐台記者亦多喜歡引摘報導。老闆李萬居，是一位苦幹的新聞從業員。

△最近「自由人」發表雷嘯岑先生一篇「台灣拘押記者案平議」的文章，公論報曾特別在第一版闢欄一字不改的全文轉載，結果這天的公論報銷路寬大增，台北各代銷攤上多賣光了。 。季鸞。

中共「工會代表團」抵日活動

日本工潮此伏彼起

為產業界莫大隱憂

（日本長崎快訊）三菱公司長崎造船所自十月上旬罷工以來，爲時達五十餘天，資方損失在十億日元以上，這次罷工工潮直到十二月五日才獲解決：資方答允每名予以增發二千日元，但三菱勞組方面表示，下一步動作則將繼而要求年終獎金。長崎造船所的勞工組合長崎支部設在一所西洋式房屋內，但卻懸上「鬥爭本部」大字木牌。這也就是資本家出錢爲工人謀福利，而工人卻整天研究如何罷工如何鬧風潮。

長崎造船所擁有勞工一萬二千人，在罷工期間，公司方面是不付工資的，所以罷工五十餘天的結果，勞工每人平均少收入五千日元以上，結果只增發二千日元，細算起來勞工反倒賠進了三千日元，因此有些勞工在罷工期間自動要工作，但竟被勞組拖走，施以毆打，強迫其罷工，此事雖已爲長崎警方加以干涉，但尚未聞有何結果。

長崎市商店組會對于三菱造船罷工影響各店營業收入，一月以來，營業額銳減三至五成，當此歲尾年終，商人乃喊起來：該組合即向三菱勞組提出抗議，評稱三菱長崎船造所的罷工爲不當。的確，長崎市一切生意仰賴於三菱者佔百分之七十以上，而三菱待遇亦優於任何公私機構，照理是不應該無理由要求而罷工的。可是這次的理由是「分潤過分利潤」，就是說三菱長崎造船所賺錢賺的太多了，工人們要求分一點，於是就罷工了。

據今日消息，長崎縣公私營機關的年終獎金大體已經決定，將在本月十四日左右發放，三菱長崎造船所勞組方面提出要求每名五萬八千日元（去年爲三萬九千日元），今年夏季爲四萬二千日元）三菱製鋼每名爲四萬二千日元（去年末爲二萬九千日元）三菱電氣每名三萬九千日元（去年末二萬三千六百日元）電車，巴士會社，銀行亦均有發給，但數目約爲三菱標準的半額。

於此同時，中共工會代表體預定在日本作兩週之活動，他們於十二月八日到達長崎，原定要求參觀三菱長崎造船所，但終爲該所拒絕。惟中共工會代表團仍欲訪問三菱勞組，並與之會談。中共工會「代表團」的活動，無疑是將要與三菱長崎勞組取得聯系，參與如何再毀造再罷工理由。今天日本是採兩面政策，可是報紙對于中共的任何大小事以及赴日訪問人員莫不大登特登，甚至有些社論歡迎的，此次三菱長崎造船所最初答允中共代表團參觀，最後卻又予以拒絕，當然是明智之舉，不過他們透過勞組，進行煽動，游說的行徑，卻並未終止呢！對日本整個工業界說，這實在是莫大隱憂！（游八日寄）

國際動態拾零

美國火箭與人造衛星之失敗，民主黨參議員歸咎于前任國防次長凱思氏（Kyes）減去預算，並以執行責任，交給其助理秘書奎爾（Quarles）所致。可能奎爾即將解職，而代以現在國防部任會計長之麥克納爾（Mcneil）。並可能要奎爾出席參議院委員會備質詢。

×　×　×

亞倫杜爾斯出席參議院報告，謂蘇聯有足夠中程火箭，盡毀美國海外空軍基地，只摩洛哥，西班牙，菲律賓，關島四處（有些報載三個處，不確）不在其火網以內。而且潛水艇所裝備的火箭，射程亦至五百英里，一行按紐開始戰爭，紐約市可立即毀滅。中央情報局于一九五三年，即將此種情形，報告于安定委員會，然迄無反應。並謂第二次大戰後，蘇聯以得德國專家數百人之原有研究，先向高空放射七十五英里，後即逐漸增高，從一百英里，而二百英里，而三百、五百、七百、九百、至一千英里。越洲火箭，雖較美國爲進步，曾經放射過四次，其中二次是放射二顆人造衛星，尚須兩年始能應用。噴射機美國雖有九千五百架，而蘇聯則超過美國百分之五十。

×　×　×

大西洋公約國將在巴黎開會，艾森豪如不能出席的話，則尼克遜爲大會主席，而執行首長則爲杜爾斯。兩人對外交政策，見解不同，尼克遜主張援助中立國，杜爾斯則以須其親西方政策確定之後，始予援助。但尼克遜無決定權，一切均須報告總統，故會議結果，必大打折扣。以此種種，艾森豪乃決以性命爲孤注，親往巴黎一行。

●陶然●

新書評介

兩個世界　毛以亨

盧毅安撰　友聯發行

盧毅安先生，是光緒廿八年在東京大同學校，與馮自由，蔡松坡同爲梁任公的學生。據說是時他年紀小，蔡松坡曾欺侮他，因而和之打架，足見其反抗精神。他在日本是學法律的，民元回國任欽江蘇法政專門學校，以後就做法官，有數十年，聲譽在司法界迄未稍衰。在政黨政治的活動，他從未領袖慾，但風骨嶙峋，是稱爲負得起實任的台柱。

今川其小道，藉相術以糊口，已蜚名聞全國。其研究相術之動機，初不過爲研究刑法與犯罪學之餘緒而已。盧先生手不釋卷，案頭常置日本人新書，其憂國憂天下之心甚切，故最近以有不能已于言者，著兩個世界。取材間自日本書，而見解則悉是自己的。其描述兩個世界而加以對比，的確是再清楚沒有了。

我尤喜其對未來預測：如說蘇聯不要自由而軍控制，等到戰事一起，交通不靈，失其控制之道，即會失敗的。因爲這是反抗權力政治所必然而引起「自壞」作用。又說美國人將民主主義，趨于小我主義之認識，爲極端的功利主義，故對反共祇有消極的抵抗，所起政治經濟的混亂，做沒有力量。其對將來大戰的預測，爲主要戰場仍在歐洲，而遠東則蘇聯組織各民族之解放軍，將到處發展，如北越北韓然。尤其可慮的，其爲變方所爭取的日本，上次大戰之日俘，大部尚在蘇聯，足以組織解放軍三五十師而有餘。將來以之空運而降落日本，如守不住的話，則美軍即非退出日本不可。如是則蘇聯雖在歐洲戰敗的話，當可退守西北利亞，與中國西北一帶，而形成長期之消耗戰，是最可慮的。

盧先生豈祇善相人而已，其術囂脫胎于其能相國與相世界，雖稱之爲今日之管窺，殊不爲過。其書爲一小册，祇二百二十頁，費星期六一下午之力，即可讀畢，而於世界知識，可多一認識，爲得殊多。至其文字之清麗，見解之深入而乾脆，尤其餘事。

工展風光

「領袖小姐」競選

工展小姐競選漸趨白熱化，已參加十餘人。檳記行領袖牌食品廠所推該攤位黃潔玲參加。檳記行領袖牌食品廠主人徐穩耀，在工展會約彼本港各報記者，並介紹領袖小姐黃潔玲與各報記者認識。徐氏在昨日席上表示該廠在過去歷屆工展小姐之選舉，均派出攤位小姐參加，而在第十屆該廠小姐之吳仲雲且獲季軍。同時該廠對今年新出品的領袖糖亦鄭重介紹。會後各報記者紛向「領袖小姐」黃潔玲訪問，聲價頓增。（坤）

捷和製造廠

捷和製造廠是一九二二年由民族工業家鄭植之創辦，廠址位於九龍土瓜灣貴洲街，事務所設在大道中十六號太平行三樓，戰前該廠業務繁盛，曾擴充分廠四所，擁有員工四千餘人，在全港民營華資工廠中，可稱首屈一指。

香港重光，鄭氏收拾劫後餘燼，歷盡艱辛，已恢復各部門業務，分設鑄鐵部，電筒部，煉銅部，搪銅部，白鐵部，爆鐵部，油漆部，裝配部，機械部，拆船部，貨倉部，設備完整。

目前該廠主要出品，有燈塔牌各貨品及大小鋼筋，鋼片，電筒，鋼綫，風燈，電鐘，工兵器材及五金製品等，行銷歐美南洋各地，業務甚爲蓬勃，燈塔牌電筒構造特佳，銷途極廣，該廠鑄造建築用之鋼筋拉力強，適合香港政府所定規格，此外所製鋼片，質地比美舶來，故本港電筒廠多樂於採用。

該廠出品之各種鐘，在製成後俱經細意檢驗校對正確，始行出廠，今年之新出品，均有在工展會十一、二街，該廠攤位展出祇以大秤牌之雞尾型上鍊座鐘夜光鬧鐘而言，遊工展者均譽爲款式新穎，經濟耐用，且又計時準確。（白）

紅棉被攤位好

遠東紅棉被的攤位，在最後的一條街，主人鄭光說：這是爲了遊客購買後易于攜帶出場，所以在選擇攤位時，已先行爲顧客着想。紅棉被的好處，是輕而暖，名貴實用，價錢分廿六元，十元，實被八元。

左顯記蠔油

左顯記蠔油久已有名，本屆工展期內更特價優待，故甚爲暢銷。

三興火水爐

三興製造廠出之火水爐，不用打氣，不用棉繩，火力強大，無烟無味，可用酒精或火水生火。工展期內特價優待，甚爲暢銷。

僑星塑膠廠

僑星塑膠廠規模完善，該廠全部機器設備和技工的挑選，均由創辦人祝演煌氏的精密訓練，所以出品新奇，款式新穎，除了有一部份在本港市場銷流外，更推廣至英國本土，該市場以日用品及玩具等佔最多，其餘的南非、印度、錫蘭、南美、中美、澳洲、歐洲、仰光、菲律賓等地方，均有該廠的出品。

該廠主要的出品，活頭象、活頭雞仔、手搖鈴、輪船、膠頭鎚、家庭用的梘盒、糖盅、軟膠、萬能糖菓盒、安全烟盒、餐具、衣架等數十種。

香港味力廠

香港味力廠出品暢銷星加坡、馬來亞、泰國、越南、緬甸、印尼、北婆羅洲等地。該廠主人莊軍文，現任中華廠商聯合會常務會董兼福利部長，歷任該會泰國工商業考察團團長，星馬考察團副團長，在本港創辦香港味力廠外，並任集泉惠記茶莊，南國貿易公司，南方影片公司董事長，多財善賈，長袖善舞，其經營事業之[illegible]多方面者。（坤）

自由談

又開甚末會？

馬五先生

「又開甚末會？沒有甚末了不起的事，還不是那一套，早點收場吧！」。這是中共報紙上宣佈一個礦工出身，具有三十年黨齡的「大幹部」張文，對共黨那套官僚主義作風表示不滿的「右派」思想，正在清算鬥爭之中。

開會是共產黨人的看家本領，也是他們的拿手傑作。它把開會作爲控制人們的神經中樞，窒息思想活力，藉以發揮極權統治潤滑的唯一手段。每個人皆卜晝卜夜地參加會議，聽教條式的講話，作機械論的應聲，使大家不勝精神負担與體力耗損之痛苦，自然而然的成爲收羊人鞭影下的羊羣，完全唯共幹之命是從，亦步亦趨，而共產政權的官僚主義，乃達到蓋世無雙的極峯了。

非共產社會基於集思廣益的民主精神，自亦需要開會這項方式，却與共黨的開會性質和作用迥不相侔。沒有必要即不開會，開會是爲聽取別人的意見，詢謀僉同，能夠很迅確的處理某項問題，而不是像牧師到教堂佈道一樣，專門以一派大道理來教人服從的。假使違悖了這些原則，藉開會來推卸責任，消磨時間，只要會議頻繁，紀錄完備，便算是工作成績，且認爲這樣就實現了民主政治生活。結果同樣是增加人們的精神負担與體力損耗，其爲官僚主義則一也。

官僚主義的特徵就是專講形式，不問實際效果。中國政治上的傳統作風，遇事只注重檔案，功過是非，全憑檔案作基準。我想：一般吃衙門飯的人，對於開會特感興趣，事無鉅細，一是皆以開會爲尙的現象，即是受了傳統官僚政治影響而然的。我不反對開會，但憎惡「開會主義」，掛一次電話就可以解決的問題，也要像煞有介事地開會如儀，那我亦想請教袞袞諸公一聲：又開甚末會？

—代不如一代—

大亨的第二代

洪荒

「鏡花緣」上，有一回描寫徐敬業之子徐承志與淮南節度使文隱的五個少爺見面一段談話如下：

大公子文芸道：「當日令尊伯伯（指徐敬業）爲國捐軀，雖大事未成，然忠心耿耿，自能名垂不朽，大丈夫做事，原當如此，至于成敗，只好聽諸天命。」

五公子文术說：「依我的主見，早已殺上西京，」二公子文蕭與三公子文箕也一齊說：「武氏如把主上好好安頓，我們還忍耐些時，否則，我們只好同五弟並承志哥哥殺上長安，管教武氏寸草不留，她才知我們文家利害。」

這些話是什麼時候說的呢？乃是徐承志逃亡在海外，遵他父親遺囑，帶了血書回到故國來，訪問父執文隱，見面呈還「血書」之後，與文家五位弟兄第一次相會所說的。

徐文兩家，都是將門，這幾位青年，都是公子哥兒，多年不見的世交，年青人見面當然要談吃喝女人，尤其是他們都未結婚。何以他們捨此，竟談到了忠君報國之事呢？原來，那時武則天篡位，皇帝被驅逐出宮了，徐敬業駱賓王們興兵征討武則天。不幸而失敗捐軀，他是挾了君仇父恨而來，希望繼承父志的。

至於文氏五子，雖然是在職大亨的少爺，他們的父親一樣與徐敬業們是同志，請看文隱見了徐承志，看過「血書」，睹物思人，不禁悲從中來的說：「賢姪！你看我年未五旬，鬚髮已白，老病衰殘，竟似風中之燭，自與令尊別後，十餘年來如處荆棘，心事可想而知，境界如此，安得不老，每念主上不能復位，內亂至今未平，……亦惟勉我後人，善承此志。」

有了這樣的父親說話，自然會有這樣的兒子們說話。同時在文隱的說話中，正如其他在武氏統制下的「淪陷區」一般忠貞之士的苦悶與無奈。因爲本身無能爲力了，只好把恢復國家的重大責任，遺留給第二代去完成。

他們都是大亨的第二代，沒有一個不克紹箕裘，秉承父志而滿懷忠貞思想。初次見面，各人就把心腹的正經事說出來。其所以能夠如此者，我以爲都是他們有良好的家庭教育。

再看今日大亨們的少爺，處在這個國破家亡的時候，一樣的飄流在海外孤島之上，然而，有大多數，竟變成了太保型的頑劣學生——行動荒唐，思想惡劣，所見多是，無須列舉。還有一些「父母俱存」的大亨之小子，其行動與思想，做夢也沒有一個像徐承志與文氏兄弟那一班純潔忠貞的青年。這樣的第二代，本在多少「優厚條件」之下，足以爲反攻復國而努力的。但是他們竟只是荒唐無恥的鬼混，最高明者，也是打起「出國深造」的招牌，也有多少人不過是謀將來的升官發財，逃避兵役而已。今日大亨們的第二代啊——！豈眞「一代不如一代」——！

臨江僊

·謝名進·

四十年來渾一夢，百千萬種悲歡，人生幾見月團圓，榮枯非所計，應作等閒觀。

刼後家山歸未得，頻添無限辛酸，思量往事倚危闌，庭花淸露濕，濁酒破愁顏。

萬竹樓隨筆

有關韓愈的兩個故事（中）

在韓愈的詩友中，有兩個比較出色的人物，其一爲孟郊（751-814），其一爲賈島（779-843）；孟賈兩人的詩境是苦澀，生活是窮愁，但因爲韓愈所賞識，

近人錢基博，有幾句話談到他們兩人在中國詩界的地位說：「方是之時，韓愈與白居易兩家，詩俱學杜甫，而愈更欲高，白更欲卑，愈得其峻，白得其平。自白衍而益爲輕，則爲溫李，爲宋之西崑；自愈衍而入於奧，則爲郊島，爲宋之西江。杜詩之衍爲韓愈白居易兩派，猶韓文之衍爲李翺皇甫湜兩派也。」（見錢著『韓愈志』『韓門弟子記』第五章）以我目前所了解，覺得錢這說法大致是不錯的。下面我所述的第一個故事，便表演於韓愈與賈島之間。

賈島字浪仙，范陽人，曾一度做過和尚，法名無本，反俗後服官，做過一任長江主簿，所以他的詩集名『長江集』，共十卷。他一生苦吟，有一次，他得了兩句他自己最得意的句子：『獨行潭底影，數息樹邊身。』他覺得很高興，便在這兩句後面，更自題四句：『二句三年得，一吟雙淚流，知音如不賞，歸臥故山秋！』這已經活畫出一個『書呆子』的神氣。

又一次，他還在長安，時秋風正厲，他穿着單薄的衣裳，跨上一匹蹇驢，在市上東張西望的覓取詩料，看見一堆一堆的黃葉，被風吹得在地上滾團團，乃不禁有搖落之感，於是「烟士披里純」在詩人的腦子上一幌，他乃吟出「落葉滿長安」這樣五個字的秀句；想另覓一句一高一低的把它對起來，可是久久不得，仍騎着驢子緩緩前進；忽然「秋風吹渭水」五字脫口而出，他乃喜不自勝，在驢背上加上一鞭，打得驢子連跳帶跑的亂竄，不想其時路上正有一位大官呵道出巡，驢子橫衝過去，把這位大官前面的隊伍衝成兩段，因而被捉將官裏去，活活的凍了一個通宵，才被釋放！

第三次，據說這次便是他和韓愈偶然發生關係之始，其經過是這樣的：無本和尚去訪友人幽居，歸途想起當夜的情景，乃得着「鳥宿池中樹，僧推月下門」這麼兩句，又覺得「僧推」似不如「僧敲」更好，因一面低低的吟哦，一面又引手作「推」「敲」之勢，不留意正撞到京兆尹韓愈的車騎前，韓愈問其所以，賈島據實以告，並說明他正在斟酌「推敲」兩字，不期冒犯大尹的尊嚴！韓愈在馬上沈吟了一會，他乃說：『敲字佳！』因命從騎讓出一馬，和島並轡而歸，兩人從此成爲詩友。據說賈島還接受了韓愈的勸告，放棄和尙不做，舉了進士，愈又做了一首絕句送他：「孟郊死葬北邙山，日月風雲頓覺閒，天恐文章渾斷絕，再生賈島在人間！」由此賈島聲名大振，並得與姚合、王建、張籍、雍陶諸人做了朋友。

按韓愈做京兆尹在長慶三年（823），去愈之死已只有一年了，愈詩集中有「送無本師歸范陽」一首，據樊汝霖考證，作於元和六年的冬天（811），這可看出韓愈認識賈島，乃遠在上述故事的十年以前，決等不到他做京兆尹的時候；而且同在元和六年，孟郊也有一詩送無本（即賈島），即「長安秋聲乾，木葉相悲號；……」是也，這可看出韓愈初識賈島的時候，孟郊還不曾死（郊死於元和九年八月），更何來有「孟郊死葬北邙山」的這種說法？東坡說這首絕句是「世俗無知者所託，非退之語」，可謂知言。據我推測，前面那個「落葉長安」的故事可能是眞的，我所說的那位「大官」，乃指京兆尹劉棲楚，後人其所以更造出「推敲」這個故事，用意不在表揚韓愈的雅，而在形容劉棲楚的俗。不過，歷史是歷史，故事是故事，歷史必求其眞，故事惟求其美，「推敲」這個故事既然很美，所以能流傳至今。

「客舍幷州已十霜，歸心日夜憶咸陽，無端更渡桑乾水，却望幷州是故鄉！」我述完上面賈島這個故事，他這首「渡桑乾」的絕句，忽然出現在我的腦子裏，我覺得這才眞正是他的一首好詩！

·舜生·

紹莘先生「清代詞壇殿軍朱彊邨」訂補

黃華表

紹莘先生文云

「清代詞人，聚集北京的，倡設宣南詞社，名流倡和，盛極一時。如盛昱，文廷式，陳銳，王鵬運，鄭文焯，況周頤，朱祖謀，都是社中人。其時國事日非，朝政紊亂，他們往往形諸詠歎，宛然小雅怨悱之音。」

此段之所謂「清代詞人」「倡設宣南詞社」，「盛極一時」，均無確指。莫知所云。愚考「宣南詞社」一名，王況朱諸家詞集，均未之著，僅況夔笙新鶯詞有浣溪沙題王幼遐丈宣南覓句圖一首；未知紹莘先生所指，是否即半唐其人。考晚清詞壇，自光緒初年，以迄庚辛之際，大抵皆半唐爲之中心，蓋可分爲三時期。覓句堂時期，値閣時期，四印齋時期。自大梁至京師迄甲申之間，爲覓句堂時期。當是時，龍維棟松琴，居京師古龍樹院，俗呼龍爪槐，因自號槐廬。承鄉前輩蘇汝謙栩谷，王錫振定甫，及其鄉甫龍啓瑞翰臣，諸詞家之後，倡爲詞學，名其堂爲覓句堂。集者龍松琴，唐薇卿，（景崧）韋伯謙，（業祥）謝子石，王幼遐，（鵬運）及桐廬袁爽秋（昶）六人。半唐袌碧詞多半成於此時。自槐廬謫居，薇卿遠宦，伯謙子石先後歸道山，覓句堂並爲新貴邸第；半唐亦入値薇省，自是迄光緒十六年，爲値閣時期。是時端木埰子疇，年輩較老，半唐暱友而實師之。許玉瑑鶴巢，彭鑾瑟軒況夔笙諸人，均在閣，同倡和。自瑟軒出宰南寧，子疇老疾決退，鶴巢鑄秋鄰，半唐旋擢臺垣；瑟軒乃輯集端木子疇之碧瀣詞，許鶴巢之獨絃詞，王半唐之袌碧詞，及況夔笙之新鶯詞，爲薇省同聲集。自是迄辛丑，爲四印齋時期。在此十年之中，辛卯迄壬辰，爲鶩翁集。癸巳迄甲午，爲味梨集。唱和最著者，爲孫鶴航，況夔笙，劉伯崇，盛伯希，文道希，鄭叔問，張子苾，王夢湘，張筱珊，劉星岑，沈子培，及李將諸人。丙申，彊邨始從半唐受詞學，故自丙申以前，凡京師詞壇之倡酬，彊邨均不與焉。彊邨詞至庚辛而始大，故其自編詞集時，亦依半唐之說。己亥以前爲前集，庚子秋詞春蟄吟爲別集。庚子三妹媚以次，始爲正集；凡以此也。庚子之變，彊邨與半唐伯崇，同居危城之中。因並移居四印齋，拈括爲小詞，以宣其牢抱。紹莘先生「宛然小雅怨悱之音，」蓋當指此，是爲庚子秋詞。上卷起八月二十六日，迄九月盡，凡閱六十五日，拈調七十一，得詞二百六十八。附宋芸子（育仁）（署名復奔）和作，三十九，共三百又七首。下卷起十月朔，迄十一月盡，凡閱五十九日，拈調六十一，得詞三百十二。附穗平瞻園原作二，共三百十五首。蓋芸子九月下旬便附去，未與鶩翁慍尹忍盦三人相終始也。」自十二月朔，迄辛丑三月盡，爲春蟄吟，凡閱百十八日，拈調四十六，得詞百二十四，附錄三十五，共百五十九首。倡和者，漢軍鄭文焯叔問，江夏張仲炘瞻園，揭陽曾習經剛主，儀徵劉恩黻聰俊，江都于齊慶穗平，夏霖璜希香，永定吳鴻藻琴舫，滿洲恩溥似園，山陰楊福璋籀生，滿洲成昌雨禪，隴山左紹佐笏卿也。自後半唐即赴揚州講席。明年壬寅，彊邨簡放廣東學政，過半唐之海，七月，半唐病逝揚州，乙巳，彊邨以修墓離學政任歸籍，次年遂以病乞解職，卜居吳門。所謂「京師詞壇」，彊邨實際參與者，己亥以至辛丑數年耳。當此之時，彊邨嘗佐半唐校夢窗詞，其後竟半唐所刻宋元金詞集之緒，亦始基於此。而彊邨之所以巍然爲詞家魯殿靈光，校詞之功，實爲之首。詞本詩之附庸，自彊邨叢書出，則居然蔚爲大國矣。清代詞學，所以爲極盛，則萬氏之律，戈氏之韻，張氏之尊體，半唐彊邨斠勘之功也。（二）

黑鬼論者

近讀「××風光」，作者是「天生麗質」，因此見解亦不免高人一着。「……所有僑胞異口同聲的稱×人爲『黑鬼』，我稱他們『黑人』……，實在太寬厚了。……我實感到在這『黑鬼』稱中，十足表現了中華民族的自尊。」這不愧爲一段亦莊亦諧的妙文；試看「寬厚」、「自尊」這些名詞何其冠冕堂皇！而以稱人爲「黑鬼」表現民族自尊，則更是莊中有諧，諧中有莊了。

民族自決，民族平等的口號喊了幾十年，偏偏就還是有那麼民主開明的國家還鬧什麼黑白合校的風潮。焉知一向有「一視同仁」美譽的「黃」帝子孫，也有人高唱「黑鬼論」，儼然與美國那位州長先生遙相呼應了，眞是偉哉偉哉！

以狹隘的民族主義來看，駡人「黑鬼」誠然無可厚非；但是問題是在我們之中是否有人喊過「白鬼」？我想在某些人的意識下，別人不叫咱們「黃鬼」就是「太寬厚」咧！

書中又記當地之諺云：「寧打光棍，不與黑鬼聯姻。」這是一句挺有骨氣的話；要是當今之世有人肯把「黑」字改用一個相反詞，我小子倒頗欽佩他個「五體投地」！

好在大家都睁着眼：除了共產匪徒外，咱們個個都信奉　國父的民族主義呢？。張健。

自由人
THE FREEMAN
（第七〇八期）
中華民國僑務委員會登記證
中華郵政台字第五〇〇號執照登記爲第一類新聞紙類
（半週刊每星期三六出版）
每份港幣壹毫
台北市售價台幣壹元
社址：20 CAUSEWAY RD. 3RD. FL. HONG KONG
TEL. 771726
地址：高士打道六十四號
台灣總經理處
台北市西寧南路壹零壹號二樓
電話：四七三四六
台郵劃撥儲金戶九二五二
海外總經銷：友聯書報發行公司

是經濟決定戰爭嗎？

——兼論英法諸國取消禁運之短視

樓桐孫

論者嘗謂國際間之和戰，基本上繫於若干物質之條件，故以經濟關係爲具有重大之決定性。經濟利益若果不能協調，則各民族間又一次之戰爭，終將難於避免。此似是而非之說也。由斯以言，則政治情感之衝動與好戰民族之征服慾，殆均不足以構成爲戰爭之動機。然而兩次大戰之啟動於德國，與夫亞洲大陸及北韓北越淪於赤禍之肇源於日本軍閥之侵略，豈非世界公認之史實與人類最爲血腥新鮮之教訓？

一、

實則倡爲此說者，泰多對於經濟爲門外漢，故意牽扯生產因素與資源分配以作爲辯護之藉口而已。大多數之經濟學家則固明言經濟之於戰爭，實爲次要之因素。姑以威廉第二之德意志帝國爲例，當一九〇〇年之前，德國勞工之向外移殖者，每年常以數十萬計；迨自一九〇〇至一九一四年間，德國出生率之超過死亡率，雖年達八九十萬之鉅，但其向外移民之數額，即已降至五萬人。從而可知就其經濟之壓迫而言，斷斷乎無發動戰爭之必要。再以第二次大戰前，即希特勒未執政以前，德國對外態度，即已絕少和平之趨勢，然而英、美對德不下二十億金元之巨資，竟招徠德國擴充V二之飛彈。倘若希特勒不以征服爲念，則其國內經濟之繁榮，倘能操券以待？又如日本軍閥所稱之東亞共榮圈，固以經濟爲口實；然一夕之間，遠襲珍珠港，豈亦爲其於經濟上之必要？考諸戰史，一八七〇年—一八七一年之德法戰爭、一八九四年之中日甲午戰爭及一九〇〇年之拳亂，諸爲以所謂賠款作爲牟利之最後戰爭，至若二十世紀以來之戰爭，則無論勝敗，幾均精疲力竭，實已無可謂以爭取戰爭者爲取經濟。

反之，由於近世交通極度發展之結果，貿易之頻繁與市場之緊密連鎖，牽一髮即足以動全身，使任何黷武好戰之徒，不能不作慎重之考慮，故於發射第一砲之前，就其經濟實已成爲世界和平之重大因素。而尤以合作秩序之經濟關係爲一張雙邊或多邊之商務協定，較之戰勝國對戰敗國從無數和約條款中所能強索之賠償爲多。此乃經濟價値之本質有以使然。可知所謂生存空間，世界資源重分配，或共榮圈等等，均不過爲若干侵略者之藉口，初無實質之根據。是以方今之世，誠欲爭取和平，惟有邀工業先進國政治家之良智，本己飢已溺，胞與爲懷之崇高理想與遠大眼光，與全球愛好和平自由之國家民族，多多作經濟上之提挈，他方，凡和睦相處之毗鄰國家，在經濟上特具相互依存之關係者，尤應多多互締商約，從事於國際市場之調節與金融之挹注，以謀利害之能漸歸於一致。例如一比荷盧（比利時、荷蘭、盧森堡三國之合稱）之組織，實可作爲此類思想之藍本。此爲本世紀戰後世界經濟趨勢之優點，値得加以深切之重視者也。

二、

橫梗於吾人之前，有一重大難題，即各國經濟之顯著與民族自主獨立之殷切嚮求，究不免有尖銳之對立！此在國際關係間究應以何政治與經濟之兩因素，孰者爲重，何者居先？此一問題，就客觀之情勢言，實難遽加以武斷。朱毛之竊據大陸，甘爲蘇俄帝國主義之貓爪，遲早必爲亞洲方面侵略之前驅與先鋒。因此，聯合國在巴黎設有禁運委員會以杜戰略物資之流入匪區。此明智之措施，固明明著眼於政治因素首要之考慮，實爲吾人所竭誠擁護與贊成。奈自一九五七年春間，唯利是圖之商業英國，決定取消對中共之特別限制，當時美國國務院曾表示對於英國此舉，深感失望，但曾幾何時，最近其他委員國如法、荷、比、盧、意、德及與我毗鄰之日本，均已步英國之後塵，並由並不公開活動之巴黎出口管制聯絡委員會決定對中共取消特別禁運！此更顯然以利用經濟之因素，以圖撫綏中共而離間其與[illegible]之和平。溯自[illegible]年所發表之一八六七年[illegible]本期認爲[illegible]之資本論中，一切生活均以經濟爲主。馬氏以爲政治、道德或宗教之意識，均隨商品之生產方式以爲演變。此即所謂歷史唯物主義是也。果如所言，則以近日擴展市場之高度生產，宜可使各民族俯首帖耳於經濟發展之前，外貨洞開國界，將經濟主權及政治主權拱手而公諸國際矣。顧事實有大謬不然者。歐洲不少久已覆亡之國家，如捷克、波蘭等，雖在經濟上絕不足成爲擴大之市場，但均因一九一九及一九二〇年之和約而告復立。反之，奧匈帝國，則因素稱爲大市場者也，則告崩析。試如巴爾幹諸國及阿爾巴尼亞，人固逆知甚難以自主集體生存於第二次大戰之後，然其殷論屬，實唯一由於蘇俄及南斯拉夫之意志與政治之動機。至若東西德也、南北韓也、南北越也，凡此絕人爲之劃分，不但爲軍事敵對之象徵，實亦爲政治勾當之後果。

三、

是可知在國際關係間，政治因素實遠淩駕經濟之上，吾人方幸馬克思之言，實際適得其反。今所謂國家者國，如以莫斯科爲最高司令台之蘇各國，其內部固自必發生經濟週結之副作用，然本質上完全本於大彼得第二、史達林極權意志與侵略政策者有以使然。他方，如西方各國，就各種條件言，固應早有昌言已久之歐洲聯邦之實現；然格於政治之情勢，其發展至爲渺茫而遲緩。若前無蘇俄之威脅，後無美國之支持，即此聯合雛形之北大西洋聯盟組織，恐亦將難於存在。凡此皆可證明經濟觀點，實在被抑制於政治機之下，而唯物主義之概念，與事實全不相符。

然而設於巴黎之出口管制聯絡委員會，竟乃跟隨於軍利輕議之英國之後，取消對中共之特別禁運，是不但有損於自由國家之團結，且亦違反歷史之潮流。[illegible]

菲大選後透視中菲懸案

菲律賓大選過後，舉世矚目的中菲懸案——商業菲化；永牢華僑；二千四百名逾期遊客，以及華人移民問題，無一不是極端重要而亟待解決的問題。可是，央總統非國本身的內政——副總統入閣與否的糾轇，使上述待決問題又告延擱，在年內，顯然仍難有解決之望。

這次大選中，國民、自由兩黨競選結果，國民黨的加西亞蟬聯總統，只失掉了副總統票數；自由黨喪失了獲選總統票數，贏得了副總統座位；因此國民黨既表不滿，而歷史悠長的自由黨，內部亦有強烈反應，黨中央的意見，不擬由該黨黨員擔任內閣職務，以免他們的政綱政策遭受牽制。如此，馬卡巴格顯就宜布脫黨抑或拒絕入閣兩者選擇其一。華僑在此次選舉中所取的態度，不偏不倚，獲得菲朝野良好印象。

「商業菲化」問題，華商早已向大理院直提違憲控訴。就理論上說，大理院不致像過去那樣，基於顧全行政上的面子，也不敢藐視憲法尊嚴，在不一致（九對一票）同意下否決了違憲控案。但是華商繼續申述理由，准提「菲化律」違憲控訴迄今，已被延擱兩月之久，拖延原因雖說甚於大選理由，實際卻是大法官靜以觀變；當然，這次如果自由黨執政（自由黨是反對「菲化律」的），將會宣布取消這個法案。可是，自由黨失敗了；該黨於二十六日決定不與國民黨政府合作。意味着自由黨對國民黨過去、現在、和將來的各項不合理措施，將在議會中予政府以重大壓力。當然，反對執行、和要求取消「菲化律」，都是爭取民心的最好手段。

商業「菲化」已使社會經濟蜜蛹，醫生「菲化」已被擱置，教育「菲化」正在醞釀（據說有參議員準備於明年國會開幕時提出）。這種自私與偏見，殆將釀成惡果，受害者並不僅祗華僑，間接阻撓菲島經濟之繁榮發展，和離間十餘萬華僑與菲政府傳統友好。使華僑資產擱往長共黨攜爲宣傳，致有一些盤踞現實富商，甘受共黨利用，原非出奇。明年國會開幕以前，加西亞政府在過渡時期，對於上述情勢，再也不能漠然無睹，應知「菲化律」畢竟是有害無益法案。

永牢華僑尚有八名。不聞不問亦無釋放意向的官方態度，非特有違菲律賓憲法，亦爲自由世界的奇恥大辱。褫奪人權、法律的措施，舉世除了共產極權，竟在民主的菲律賓存在，怎不遺憾。不管這八位受害華僑怎樣罪大嫌疑，也不應當迫令他們忍受非人刑罰，何況有罪無罪尚在未知數；即令他們是共黨，已給予他們五年折磨，難道還不足以使他們反省？再說，除了殺人（或者可以這樣說：「必須折磨至死」），其他任何罪責，總不應該拘囚如此之久？何況他們何曾犯罪，無一不是安分守紀的規矩商人。難怪菲律賓稍懂法律的人要這麼說：「政府只會欺中國人，許多商人被逼上吊；走在路上被殺。哼！假如其他外國人，馬上使政府爲難。可不是嗎？國民黨議員要收回克拉克基地，只會叫囂，不敢對美國人無理！」爲什麼中國人就要被欺呀！

二千四百名逾期遊客，這個問題早就應當解決；菲方堅持必須全部遣配，這種無理要求，不要說我國政府不能接受，任何國家都要峻拒。誰都要問：過去爲什麼准許他們入境？逾期爲什麼不能續辦居留手續？據說這次葉公超訪菲，已經扭轉了菲方成見，菲外長已允許：在菲有親戚眷屬，一向未曾「犯罪」的遊客，暫時繼續居留。所謂「犯罪」（？）的含義很廣，譬如賭博（以打麻雀爲例）也被視爲「犯罪」；口角爭吵鬧上法庭，也屬「犯罪」；在貪污官吏藉端勒索下，華僑隨時均有被迫行賄「犯罪」可能。二千四百名遊客中，不可能不抵觸上述禁例，這問題，我外交當局不會漠視，自當切實考慮。而未決的問題：四十九名（括有九名禁僑——八拘牢，一保外就醫）被稱做「不良」分子，菲方已經下令「遣配」，只待我外交當局「同意」；雖然尚有爭執。我外部所顧慮的，並非台灣不能容納，而係「風氣不可開」，免貽人以口實。由於這些懸案未能解決，所以雖有人主張利用難民移民辦法去補救，移民配額談判也無從進行。這是菲律賓政府恐怕移民配額一經決定，逾期遊客名額，可在這配額中剔除。老實說，菲律賓如要謀政局穩定、社會繁榮發展，就不能再持偏激成見；爭取華僑合作，纔是當前急務。

·諸葛明·

小啓：時事述評續稿未到，暫停一期。

本報編輯部

一個待演的政治劇

◦華田◦

政海浮沉原屬一件很正常的事，但一牽及人事變幻的「是非」便變得不平凡的事情了！記者雖負有聞必錄之責，但必戒之在「濫」，故本文仍願以「謠傳」爲題，然海潮之所以有信，巨風之所以有報，豈全憑推測，爰對台北政治暗流試作如下分析。

分析台北政壇上的暗流

俞內閣改組醞釀

說者謂：今日之評主政者，不能以成敗論英雄，因爲成敗之觀點各有不同，其結論當必有異，如俞鴻鈞組閣後經幾番風風雨雨，而仍屹然不動，此豈偶然！是必有其適于環境之成就者在。然雖無不散亦爲勢所必然。刻研究促內閣改組之力量有三：一爲反攻大陸機會之來臨已日近，此時非組成反攻內閣不可；二爲新政治的希望日急，已形成一股洪流的力量非噴出不可；三爲繼五月廿四日之「黑星期五」後，又爆出「股台公司案」及台省府遷治及建築舞弊案，形成一個頗爲尷尬局勢。由於此三種力量的合流，內閣改組早已形成一股暗流，在高層政治圈內早已公開談論此一問題，而「有志之士」欲繼選任部長及次長者久已開始活動。據權威消息說從種種跡象觀察，八全大會後行政院之改組問題仍外弛內緊，除非於最近又產一種新力量支住俞內閣之傾潰，然此種奇蹟似已不易發掘了。

人選問題

人選問題，大概乃遲遲不決的主因，從元老口中透露出來的消息，有許多人主張陳副總統兼任行政院長之職，但格于憲法並無此項可能性之規定，即似乎不必違憲而作此斷然之手段，其次的人選乃周至柔上將，彼與總統及副總統均有深切的關係，且在空軍總司令及參謀總長兩任內表現不錯而其年來所任國防最高會議秘書長又屬於政治性決策的工作。前外傳總統曾召見周氏，對改組內閣有所諮詢，此事曾見諸報刊，又有人曾以此爲題詢諸周氏，周未嘗否認，而與周接近之朋友即更繪聲繪影，足見其事並非空谷來風呢！惟周氏發表的只是省主席，如是又就誤了內閣改組之事。

關於台省府改組前，外傳繼嚴主席之擬議者頗不乏其人，其他泛泛之流，不足道哉者不計外，在政壇紅而發紫者亦計有四人，此即爲現任國民黨中央黨部秘書長張厲生，行政院副院長黃少谷，僑務委員長鄭彥棻，台北衛戍總司令黃鎮球等。

形勢又一變

此四人均各有千秋，倘周組閣，誰出主台都是一件可能的事！惟周在急轉下中途轉任台省主席這時頗困惑了政治圈內的人，即有兩種猜測：一爲以俞鴻鈞爲例，先任省主席，後接任行政院長，以爲周亦將循此例，一爲周最初政運之目的亦在省主席而故意弄玄而已，所謂出而組閣者乃故意弄玄而已，觀者莫衷一是。要之，照目前看，監察院與行政院的「別扭」一天大一天，這不一定說是俞內閣的大打擊，而不爭氣的嚴靜波任內又鬧了大禍，大大給監察院檢舉，除省府搬遷舞弊諸端以外，加上爆發大規模的貪污，據傳刻下查出的要犯中，尚有未公佈之大員，如此說爲可靠，即牽動所及方興未艾，但嚴任內又聘了大批的顧問參議，其中不乏爲政壇上有關係的人物，他們都是掀風作浪的能力特大，此種環境下，俞鴻鈞既是一個「好人」他之不願幹下去，多次向總統辭職，當然，有他的苦衷的，這個苦衷是什麼呢？就是張群硬支持他幹下去。

問題依然存在

此問題，在國民黨八全大會中曾爲熱烈提案之一，俞鴻鈞之黨員從政表現，曾向大會表示急流勇退，由種種資料分析，俞閣之倒將是不可避免的，如張岳軍不再出馬組閣，將必由周至柔升調上去，屆時省主席又將有之幾位人選，又將重新提了。

屍諫案另有發展：傳趙執中鉅款爲蜜友鯨吞

轟動一時的張金衡屍諫案，據說尚在各有關方面偵查中，惟至今日未見有官方的任何消息露佈。

但是近一週來，該案關係人物，前台北地方法院院長趙執中的一綫，確有新的情況發展。根據本港新聞界來自台北的消息謂，趙執中的私有財產百萬元，爲趙之蜜友某女士（素有「副院長」之稱，可見該女在趙院長任內之走紅，吃香不在話下）乘趙之危，以「黑吃黑」方式予以鯨吞了事。據傳，趙之鉅款項向由「副院長」某女士保管，因放息生利和代爲經營，但自張金衡案發生後，某女士封鎖不承認有該筆款項。同時，趙尚另有數筆較小額之頭寸交付數人經營，現時也均不承認有其事。以一個地方法院院長，而竟具有百萬元台幣以上之現款頭寸放息生利，固不論其來路如何，實令人難解。當然，法律保護私有財產，但所保護者當爲有來歷之財產，而非來路不明之財產，有關當局，似不宜對此重大錢案有所忽略呢！（小星）

泰國大選形勢

◦祝君健◦

沙立元帥無意出任未來閣揆　力拒共黨控制民會組新政府

（曼谷通訊）泰國大選（十二月十五日）逼近，各黨派競選活動沒有像今年二月那樣激烈，這可能是與最近泰國政變政府脫離自由政之後，力取締顛覆活動有關。乃沙立元帥在政變後，並未正式宣佈參加任何黨派，也不參加競選，更不准任何黨派假借他的名義爭取選票，態度冷靜。他曾經說過，不准共黨分子滲入政府組織。假選中滲入民會而獲得組閣時，他將採取必要措施。因此，他呼籲泰人，切勿選錯對象。

聯邦黨不易獲勝

聯邦黨競選宣傳中，一再強調該黨一旦在大選中獲勝，將擁護乃沙立出任閣揆。但沙立却說對此並不考慮。在他看來，爲了澄清泰國局勢，除了三軍統帥之外，他不擬兼任總理，以便於運用他的權力，去選擇一個合於他理想的政治結構。「社聯」主席（經濟人黨黨魁）乃……於競選演說中，指摘政府的立場不夠明確。事實上乃僕儂不過是一個看守內閣，在乃沙立理想中，未來政府的形式，現時可以斷言，將是：堅決執行反顛覆活動措施；竭力排斥任何不忠於政府的人物，然……

民主黨比較穩健

民主黨比較穩健。「社聯」太露鋒芒，且擁有三一一五月大赦出獄……

民主的官司　中國晚報控告人亦被人控告

◦晉◦

（台北航訊）台灣新聞界多事，繼公論報主筆倪師壇，新生報編輯路世坤以匪諜案被捕，徵信新聞記者顧毅藥以揭發省議員私隱毆人被「流氓」毆打後，高雄中國晚報現正以「公開恐嚇罪」「誹謗罪」在控告省議員李源棧，同時，該報又以「誹謗罪」被前高雄市長，省府委員謝掙強控告，官司雖屬民主，其中當然有是有非，更可注意的是民意「代表」之言行。其經過有如下述。

指控案

中國晚報控告省議員李源棧的理由，是指李犯了公開恐嚇罪及誹謗罪，由該報社長楊念祖委託孫德基律師向高雄地方法院提出告訴。緣十一月二十八日下午，省議員李源棧在出席高市議會大會中，對涉及毆打徵信新聞記者顧毅藥事曾提出聲明，同時，當場攻擊中國晚報報導不實，「無法無天」，並連說了三次「要對付中國晚報」。因爲李出席議會大會時，事前曾帶了許多人去旁聽，致李「要對付中國晚報」一話一說出，……「三字經」……大作。中國晚報認李源棧這些「對付」，自然也可能含意……提出自訴，認李公開恐嚇，並妨害……

被控案

前高雄市長現省府委員謝掙強控告中國晚報的理由，共有三點：（一）中國晚報登載「窮光蛋」，認爲諷刺和誹謗。（二）中國晚報在「夜夜譚」中說謝所建之百萬元房子係從貪污得來的，認爲是誹謗。（三）中國晚報朱烈打人案，……誹謗。此案開庭時，謝委託了主家代表出庭，中國晚報則由社長楊念祖……

民主風度？

……（十二月九日）

鑾披汶恐不易東山再起

……

乃炮在國內人緣不好

……

報紙揭露共黨收買政客

……

印荷爭端中的西新幾內亞

◦凌行謙◦

……（續第三版）

印荷爭端中的西新幾內亞

風行譯

時論選譯

最近印尼與荷蘭，因西新幾內亞問題使雙方邦交瀕臨斷交邊緣，大有釀成足以影響世界和大變亂之勢。世人或者對於西新幾內亞的認識不多，茲略述其梗概如下：——

西新幾內亞，即巴布亞。印尼新名爲西伊利安，是位置南太平洋，澳洲北一部份。面的大島，形似蜥蜴，頭部朝西，正對印尼羣島，及東南亞。島東西全長一千五百哩，南北最寬處五百哩。位東經一百四十一度，分成東西兩部。東部歸澳洲託管。西部原爲荷屬東印的荷領西新幾內亞面積雖大，但大部份爲文明人足跡未經在地理學上而言，是世界上一最未明瞭的地區，地圖上大部份尚存空白，有待於探險測繪。但事實上，祇有熱心傳基督教之教士，肯去該地傳教，故祇有教士們知之最詳。

西新幾內亞地勢，沿海爲沼澤，內地是高山峻嶺。尚高峯達一萬六千呎。懸崖壁立，有高達一萬尺云。南海岸的沼澤低地佔面甚廣，爲世界最大沼澤區，土質瘦脊，雨量過多，瘧疾甚盛行。島上山係和海岸低源平行，一望沼澤區便即面對山嶺危崖，很難進入內地。這種惡劣環境，不但荷蘭人難以經受，即附近各地之印尼土著，亦留而却步。西新幾內亞的神秘內容，到廿世紀中葉尚未經人探險揭開，乃因此故。

荷蘭開始嘗試經營該地，是在一八二八年，在島上設立行政局。但僅維持八年，因熱帶病太猖獗，到一八三六年便將此行政局撤銷。再經過六十二年，到一八九八年重新設治。爲着生活狀況極惡劣之故，到一九三〇年前後，除少數對熱帶森林生活有興趣的人以外，一般荷政府人員，均視奉派至西新幾內亞服務爲『遭貶充軍』的變相。

到一九三五年，島上發現煤油，產量不多，佈堪開發。荷人及白人均曾在該地試種樹膠，均遭失敗。珍奇美麗之鳳尾鳥與松香及香料，是島上特產。居內地的巴布亞土著，拿這些物產到海岸交換廉價粗製的舶來品。爲着煤油，荷、英、美三國的皇家殼牌，三邊和太平洋煤油公司，在鳥島的西端上之莎朗地方，設立活動基地，進行探採，這是西新幾內亞目前僅有的經濟活動。

西新幾內亞爲世人所注目，是在二次大戰時，日人利用該島爲進攻澳洲的踏脚石。到了美國反攻，該島北岸一帶，離奇古怪的地名，不時在麥克阿瑟將軍的公報出現。許多地方變成了軍事基地，設立航空站，和臨時市集，但戰爭一旦結束，此大自然熱帶森林，很快消滅了各種人爲的建設。現在祇剩回一片荒涼，和美澳軍帶回去的瘧疾菌。

在殖民地行政人員看來西新幾內亞是一塊地獄。但對於研究人類學的研究園地。因爲島內存着世界僅留的石器時代文化。島上土著，多數未與白種人接觸。本身未嘗使用金屬。全島東西兩部，合計土著人類，很難得準確數目。大約由六十萬至二百萬。內分三種：（一）小黑種，身段矮小，極似侏儒，居內地山中。（二）大黑種，身材高大，壯碩有力，居島之北面和東面海岸。在澳洲託管之東新幾內亞海岸土著一部份，通曉紙文法之簡單變腔英語。在荷屬西部之土著，一部份，能通曉商用印尼語。但土著本身言語極爲複雜，每隔二三十哩即有不同之言語。

小黑種和巴布亞種和印尼的沙蓋族人察不多。用的是石斧和弓箭。巴布亞在婦女身體上各部份織刻花紋。男子則洞穿鼻孔。孔內穿懸由骨、木、介殼，製成之裝飾品。食人肉和獵取人頭之風習，最近始告斂迹。但敵視外來人士之心理，仍牢不可破。

該地土著尚懵然不知其土地成爲國際爭奪之對象。荷蘭與印尼均自認爲他們的代言人。荷蘭百年統治，到現在駐該地的荷蘭總督，亦承認其統治勢力僅達到土著中四分之一。大多數土著仍效忠於其部落酋長。

在一九五〇年當中，荷蘭和印尼對西新幾內亞主權問題舉行大規模宣傳戰，但歸根到底說一句：荷蘭方面想維持其在亞洲方面一息奄奄的殖民主義。印尼人在民族主義下當然希望荷蘭殖民地主義，就此完全消滅。至於西新內亞對於他們是資產，還是負債，還是很難判定。

國際動態拾零

蘇聯官方公佈，朱可夫休假三個月，將有新職。其實情爲朱可夫在其附近莫斯科別墅被監視着，蘇判官正逼其坦白，要其自承覬覦本黨領導，追求個人虛榮。惟朱氏迄不屈服，故其新職亦未能發表。

× × ×

蘇聯出賣大量黃金，因爲要償付西歐共產黨費與宣傳費。而且克姆林宮，要人正在會議，提議如何加强活動，故經費殊感不貲。

× × ×

蘇聯外交政策，多取决于外次薛米納夫（Somyonov）。其人曾被譽爲頭腦最好者，赫魯曉夫常越過外長葛羅米柯，而直接向彼咨詢。

× × ×

蘇聯革命四十週年紀念大會，決議各共產黨衛星國，經常派代表駐莫斯科。事實上不須使用史太林之第三國際的招牌，而這些代表集會，就無異第三國際集會。

× × ×

如尼克遜代理總統，而成績不壞，則于其一九六〇年總統選舉時，諾蘭將放棄競選，而不與角逐。

民主黨對尼克遜，搜集其演說，作爲一九六〇年競選的攻擊他的資料他們認尼克遜過于自卑，尤其對于共產黨的演說。

·陶然·

工展風光

不息，由於本屆貨品新奇，[illegible]日開幕至前日（十二）一連十天，計三十三萬六千零二十四人。

四日：一萬六千五百
五日：[illegible]
六日：[illegible]
七日：[illegible]
八日：[illegible]
九日：[illegible]
十日：[illegible]
十一日：[illegible]
十二日：[illegible]
十三日：[illegible]

工展會旬來觀展人數驚人

十五屆工展會開幕至今，倏忽一旬，[illegible]

港督備極讚揚安生堂溫炙葯

廠商會黃會長親爲介紹

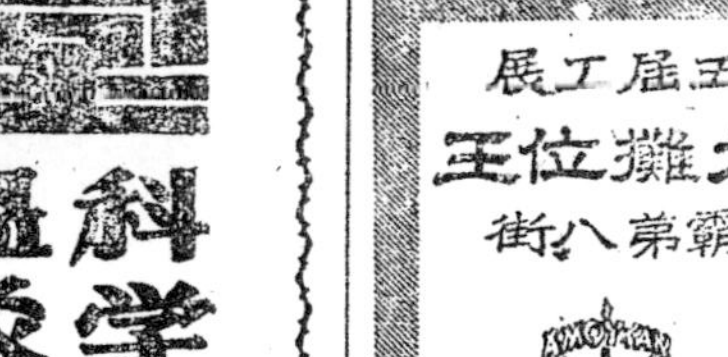

本屆工展開幕之夕，港督葛量洪爵士巡視至十五街安生堂溫炙葯攤位時，聞廠商會[illegible]

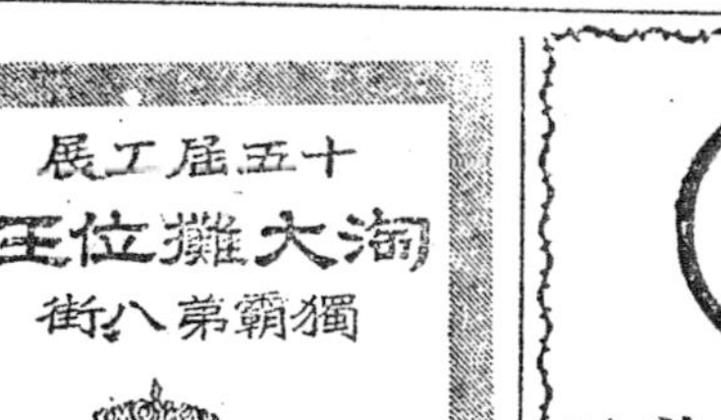

伍美娟送大包

雜生藥廠工姐伍美娟，選工姐之一，[illegible]

「糖菓詩人」何智煌

賦詩寄懷　本港「糖菓詩人」[illegible]

明達皮革新型出品

[illegible]

左顯記蠔油

[illegible]

余均益辣椒醬　主人余兆基

[illegible]

自由談

聯大年會閉幕頌

馬五先生

第八十二個大小國家的搢紳先生們，濟濟一堂，三日一小會，五日一大會的第十二屆聯合國年會，經過一百天的時間，說了不知幾千萬言的廢話，終於黯然閉幕了。不作無益之事，焉遣有涯之生，寄語諸公，可謂善於遊戲人間，深諳養生之術，猗歟盛哉，嘆觀止矣！

大會主席孟羅爵士指出本屆會議的兩大成績：一曰「平息土彼爭端」，二曰「訂定各國對聯合國駐在中東緊急部隊攤派的費用」，如是而已。所謂土彼爭端，根本就沒有事實可尋，只是俄帝故意造謠搗蛋，藉以攻訐美國，嗣經白宮當局以「袞神」詞色，聲明「艾森豪主義」並不擴展到敘利亞後，俄帝及其小工具敘利亞，即刻鴉雀無聲了。所謂聯合國駐在中東的緊急部隊經費，俄共集團始終一毛不拔，負担這筆烏合之衆的生活費用者，大部分是仰賴於美國這位大少爺。如此的成績，允稱驚人傑作，以色列代表指爲「一張不祥的資產負債表」，實係神來之筆的評判詞句，可圈可點也。

據我看來，本屆聯大的績業，卻在彼不在此。第八十餘國的大器知識份子，表演優孟衣冠的現代國際話劇，角色齊全，舞台宏麗，且繼以對口相聲，滑稽雙簧的插曲，這是多麼雄壯而動人的場面啊！聯合國的職責，是在維持世界和平，所以，大會雖決議派遣一位名叫「萬親王」的代表，要赴匈牙利調查該國人民反共抗俄的革命運動經過情形，然後向共政府擋駕後，大家亦相對無言，自認晦氣，當伊晤介事，這又是何等崇高偉大的和平精神呢！孟羅主席先生見不及此，而毛舉細事以表彰聯大的功勞，陋矣！

聖誕節與年關在邇，眈眈多士，倦游思歸，及時閉會，理亦宜然。各國代表們飽嘗資金國的生活滋味，得無依依惜別的心情乎？爲我告曰：光陰似箭，下屆大會乃轉瞬間事，又可以重來「白相」了，諸公勉乎哉！

文藝作品何處去

程外

也許是生活所迫，以賣文爲副業的作家日漸增加，尤其是女作家特別多，（這許是她們閒得無聊，搖搖筆桿，隨興而至）她們作品成熟的固然不少，不成熟的還是有，只要稍微留心一下文藝的人，就全明白了。然而，作家多了，文藝作品的產量自然多了，可是出路卻成了問題；能有多少刊物來容納它們呢。我說過「賣文」是副業，自然希望寫出來的作品變成錢，直接幫助生活。請看，台灣能按期發稿費的報紙雜誌，大部份是官方或半官方辦的，因爲它有固定的經費，所以，文稿擁擠得水洩不通；如若硬邀貨色，刊登的機會較少，非得賣情面。這樣一來，無形中形成「門戶」與「包辦」的作風。這裏，我並沒有反對「門戶」與「包辦」的意思。

文藝作品能在綜合性刊物上發表，不簡單；它的容量少，是事實。台灣雖有三四種文藝刊物在撐場面，時出時停；好像流星一樣，發行三五期以後，不是沒有稿費，就是不能按期出版，甚至「壽終正寢」；書店印行的文藝書籍，不給稿費，只抽版稅，這已是幸運的，因爲，市場的胃口不好，能銷三千本的書，簡直沒有。自費印書，只是過「癮」，大家生活清苦，誰還有那筆閒錢印書呢。

其次，稿費標準不一，有二、三十元千字計算的，有四、五十元千字計算的；但是物價調整比三十九年上漲五六倍。稿費卻比三十九年最多加了一倍半，當然，文藝不是商品，但是，作家們要生活；就是這樣的「大賤賣」，出路還是很窄的。

過去，中華獎金委員會存在，收買去不少文稿，不僅是幫助作家，且多少有些提高作家寫作的興趣，「文獎會」停辦後，文藝作品少了一條出路。換句話說，作家們的生活又多了一個障礙，過去靠獎金生活的作家，現在無形的受到很大的影響。

現在，作家這麼多，報紙，雜誌這樣少，文藝作品那能不擠。我以爲，要作家在本位上努力「質」的提高，必須使作家生活安定，我特別說一句，我不批評什麼人的！（現在台灣作家的作品夠不夠什麼標準，因爲那是評判人的！）

且夫「退稿」

陳曉風

名作家不與也；於我亦何有哉！

且夫退稿，名作家不與也。[illegible]

……貨不認人」的編者，名作家的稿子不切實際時，也一樣可退回的。惜乎我們這個社會，太愛講面子了，故而這樣的理想編者，也有時而窮。此所以今日之文壇，有夠多的名作家，而沒有夠多的名作品故也。

退稿，既然難得與名作家攀上關係，只好[illegible]欠立；要再雅自由，不肯低頭下氣，而且不碰到「認貨不認人」的編者，惟有到處碰運氣，大半在退稿中討生活了。好者，上述情形，並不隨時隨地皆有，無名作者，多少還有點出路的——假如作品夠水準的話；因爲：認眞的編者，還有的是。何況，有「對池」之嫌的刊物，有時爲免「天下」之嫌，也並不絕對做「閉人莫入」。這亦就是無名作者「碰運氣」之謂也。

現在一切似乎男女平等。惟在退稿上，似乎還不！據我一位明友說，他一度操此寫作生涯，起初屢試不售，自嘆文章憎命，也就準備絕筆了；後卻接受他太太建議，改用「綠黛」這女性筆名再試試，居然出現了奇蹟，而且[illegible]再投前此退回之稿，也一一躍然紙上。

文壇上曾有所謂自清運動，要肅清所謂紅、黃、黑禍；似乎不妨把這類事也清查一下。我雖係作而不編，然我寧願接受退非退稿，而決不願採用非用稿。老實說，我曾廢卷三嘆者，正若稿之不退也。[illegible]（？）者手低，眼可不低啊！

事關退稿，敢正地說，總由作者反求諸己，編者大可不負責的。我總以爲：作者的稿子，果眞出類拔萃，編者是會愛才如命的。故凡我無名作者，遇到退稿，首該檢討的：不是編者退當與否，而是你的心血結晶與否。例如：它是不是像王媽媽纏布，又臭又長。即或而不臭，但編者以園地有限，貴稿自然被看「潢非池中物」，也要退回的；還有，貴稿即使相當健美，然如非所好，不合編者園地，也是非退不可。他如字太潦草，一錯字，也都是退稿的兩用，行病。再說，你如是文抄公，編者不予「留查辦」，已算幸事，你還能怪退稿，那就不需多說了。

單就我自己說，怕的是「不刊不退」。不過，我多少總寄「怪」編者，對我稿，也許太高，寄得遙有年所不能成爲「作家」，引爲憾事。[illegible]要送我自己：「不該作時髦，忽視了『有爲成功之母』；再不把退稿揉碎了[illegible]有——附郵還寫好郵者——夫提醒編者。我的稿比用我的稿容易；編者那有不樂於照辦呢？幸虧我[illegible]「腰敗腰說」；要不然，我還有甚麼「退稿」之可言？

紹莘先生「清代詞壇殿軍朱彊邨」訂補

黃華表

紹莘先生又云：「朱祖謀，字古微，號漚尹，後易名孝臧，[illegible]」[illegible]

紹華先生又云：「著有彊邨語業，庚子之變，閉戶不出，成庚子秋詞數十首。」此彊邨之詞集，不可不詳。關於「庚子之變成庚子秋詞數十首」一節，辨已見前。紹華先生謂完全不知所言者也。論其詞集，當先推其如何學詞，彊邨自記云：「予素不解倚聲，歲丙申，（光緒二十二年）重至京師，半唐翁時舉詞社，強邀同作，翁喜獎借後進，於予則繩檢不少貸；微叩之，則曰，君於兩宋涂徑，固未深涉，亦幸不睹明以來詞耳。貽予四印齋所刻詞十許家，復約校夢窗四稿，時時語以源流正變之故。旁皇求索，爲之且三寒暑。則又曰，可以視今人詞矣；示以梁汾珂雪樊榭稚圭憶雲鹿潭諸作。會庚子之變，依翁以居者彌歲，相對咄咄，倚茲事度日，意似稍稍有所領受；而翁則翩然投劾去。」此彊邨自記其從半唐學詞之經過。而半唐於辛丑致書與彊邨論刻詞，則云：「公詞庚辛之際，是一大界限；自辛丑夏，與公別後，詞境日趨於渾，氣息亦益靜。而格調之高簡，風度之矜莊，亦頗有天機人事之別。鄙意欲以見庚子秋詞春蟄吟者，編爲別集。已亥以前詞爲前集。而以庚子三妹媚以後，以訖來者，爲正集。各擬嘉名，名不相雜，則後之讀者，亦易分別，叔問詞刻，集勝一集，亦此意也。」後翁沒，彊邨選彊邨語業，即本半唐之指。今龍榆生所刻彊邨語業三卷；前二卷，彊邨晚年所手定自刻。後一卷，則先生卒後榆生據先生手稿寫定補刻者也。榆生更刻有彊邨詞賸，彊邨集外詞。詞賸，則仿彊邨選刻半唐詞賸例選刻者。集外詞則先生所不欲存，榆生所不捨，故以集外名之。今彊邨所爲庚子秋詞春蟄吟，悉附見詞賸卷一中，並無單行，紹華先生不一審明，豈非未見庚子秋詞，春蟄吟，並未見彊邨語業者耶。

（三）

蒿竹樓隨筆

有關韓愈的兩個故事（下）

「八仙」的故事，在中國大致流傳了一千年左右，因爲有若干的筆記，小說，雜劇，以及民間各色各樣的時曲，小調，唱本等等，爲它們推波助浪，幾幾乎使得八仙的名字弄得婦孺皆知；其中似乎以呂洞賓韓湘子尤爲突出：我們試一檢王國維的『曲錄』，便知道元明清的雜劇以『八仙』故事作題材的，差不多有二十種，而屬於呂洞賓的乃佔了半數；而關於韓湘的，也有元代紀君祥的『韓湘子三度韓退之』，清代王聖徵的『藍關度』，以及無名氏的『藍關徹曲』等多種。因此，不僅這位『純陽祖師』成了我們民間敬虔崇拜的偶像之一，便連這位年少翩翩，儒儒雅雅的韓湘子，偶然在舞台上出現，我們也覺得對他甚爲熟悉而不討厭。

『八仙』故事不只在中國的文學上佔有一定的地位，乃至在中國的繪畫、雕刻、陶器、銅器等美術部門，也有它們的勢力侵入，說起來眞是洋洋大觀！

神仙的事實不必有，神仙的構想不可無，爲了豐富我們人生，爲了開拓我們的想像，我們對於這類的故事，惟有聽其好好的保存下來，流傳下去，文學與科學各有其領域，本來是兩不相妨的。

不過，話得說回頭，關於這類故事的起源，我們也必得加以相當的留意：第一、研究歷史的人不可讓這類故事習非成是而使人陷於迷惑；第二、運用了解這類故事的方法，也可使我們對於舊日若干史事的紀載，增加一點鑑別的能力。

我們知道：韓愈是以儒家的正統自居的，孟子闢楊墨，他闢釋老，便要『人其人，火其書，廬其居，』這實在是有些過分。韓愈生平對於和尙道士並不是絕對不與往還，有時候還偶爾送他們一篇文章或一首詩，而是他的內心總把這般和尙道士闢同非類；偶然遇着一位聰明的和尙或道士，他總想以說服的態度，把他們拉回頭，而且他這種方法也偶然有效：例如賈島，本來就是一個和尙，大概便是受了他的影響，才脫下袈裟而改服儒服的。可是在一般有較深修養的和尙道士，當然不會以他這種態度爲然，而且還可能感到十分的不快。唐憲宗的元和十四年（819），韓愈以諫迎佛骨而被貶潮州，其時他的年齡已經是五十有二，垂垂老矣，這在一般和尙們看來，自然是罪有應得，也就沒有話說；可是一般道士們却依然不甘心，而且看見和尙佔了上風，他們更覺得不能罷手，於是便利用韓愈遭受挫折的這一機會，乃就他的家庭創造韓湘這樣一個神仙故事出來！『韓老先生，您是反對我們道家神仙這一說的，可是您一個關係最密切的姪孫，卻是成了神仙！』這對於韓愈豈不是一個絕大的諷刺？

原來韓愈的父親名仲卿，一共生了四個兒子，韓愈最小，可是他的三個哥哥，我們現在知道名字的只有兩個，老大名韓會，次一個名韓介。老大沒有兒子，以韓介的第二個兒子老成爲後，老成，即韓愈那篇有名『祭十二郎文』的十二郎。可看出韓愈老成之間，其叔姪關係是何等親切。老成雖然早死，但留下兩個孩子，小的一個名韓滂，大的一個便是韓湘，韓湘通常稱爲韓愈的姪孫。

韓愈以元和十四年正月從長安出發赴潮州，其時風雪載途，相當辛苦，走到隔長安不遠的藍關（商縣西北），他有一首示姪孫湘的詩。詩是這樣的：

一封朝奏九重天，夕貶潮州路八千，欲爲聖明除弊事，肯將衰朽惜殘年。雲橫秦嶺家何在？雪擁藍關馬不前，知汝遠來應有意，好收吾骨瘴江邊！

就詩論詩，原沒有半點的神秘氣氛，韓湘這次不僅跟隨他的叔祖到了潮州；同年十月愈由潮州刺史改授袁州刺史，他也跟隨到了袁州；等到穆宗的長慶三年（即愈死的前一年），他便以進士及第，官大理丞，可見並無學道成仙的一說。但製造故事的人，却定要派他一名神仙，而且說他老早便曾在韓愈面前以『火盆栽蓮，頃刻開花，』花上有兩行金字，即『雲橫秦嶺家何在，雪擁藍關馬不前』一聯是也。當時愈不懂，後來到了藍關，才恍然大悟，覺得他的姪孫眞有神道，因而就這兩句，足成了前面那首七律。像這樣一個粗淺的故事，我們今天一看，自然便能判斷：這是韓愈的詩寫成在前，故事的出現在後，是故事的製造者竊取了他這兩句以故神其說，決不是韓愈據了花上這兩句，完成了前面那首詩。

本來這個故事原有種種不同的說法：一說成神仙的是韓愈的另一從姪孫，一說這位神仙根本不姓韓，而是韓愈的一個外甥，可是後來的『八仙』之一，却仍以『韓湘子』這個名義出現，『身後是非誰管得，』『琵琶』的創作者，可以把蔡伯喈派趙五娘的丈夫，我們又能禁止誰派韓湘做一個神仙呢？

·舜生·

自由人

THE FREEMAN
（第七〇九期）
中華民國僑務委員會頒發登記證台教新字第一零二號
中華郵政台字第五〇〇號執照登記爲第一類新聞紙類
（半週刊每星期三、六出版）
每份港幣壹毫
台北市售價台幣壹元
督印人：陳文尊
地址：香港高士威道二十號四樓
20 CAUSEWAY RD. 3RD. FL. HONG KONG
TEL. 771726
承印者：東南印務出版社
地址：高士打道六十四號
台灣總經理處
台北市西寧南路壹壹〇號二樓
電話：四七三四六
台郵撥儲金戶九二五二
海外總經銷：友聯書報發行公司
香港辦事處：中環道二十六號二樓

蘇俄仍然畏懼美國
——對布加寧最近向西方通函的分析

·黎晉偉·

當共產集團正在大吹大擂，向反共、非共國家進行恫嚇宣傳中，我們却仍可從蘇俄的外交行動上，看出它那種對美國深懷恐懼的心理。何以見得呢？後面所舉的都是一些跡象和事實。

一、

首先是蘇俄總理布加寧用私人通函的方式，分向美國總統艾森豪、英國首相麥美倫、西德總理阿丹諾、法國總理蓋拉德及荷比政府等，要求和西方國家「凍結」現有軍備，在歐洲中部建立非核子武器地區，宣佈戰爭爲「非法行動」，東西集團互締「不侵犯條約」。其中又特別對德國方面，造了許多離間和恫嚇的文章，像布加寧在他的通函中稱：「如果蘇聯、英國和美國同意不在德國囤積核子武器，如果東西德國都不讓在德國境內有德國或外國的原子武器，那麼，波蘭和捷克政府將準備不在他們的領土內囤積或生產核子武器。」

布加寧的話，從表面來看，似乎蘇俄對「和平」要求，非常迫切，因此它不願有所謂「毀滅的戰爭」。但是同時，他却故意作出一種暗示，表示波、捷兩國「已經」或者準備囤積蘇俄的核子武器，如果一旦戰事發生，東西雙方，亦不知鹿死誰手。此外，還有在華沙出版的一張波蘭軍方的報紙，也在此時發佈一項消息說：「波蘭刻正製造戰術性導彈，而且在火箭裝備方面，也並不落在美英兩國之後。」這一意義是，在未來戰爭的期間，波蘭的武器，也大足和西方的美英相抗衡。此項論調的發出，毫無疑問的，是爲了配合布加寧向西方各國通函的作用。

二、

但是，假如我們能夠冷靜的加以分析，却又不難看出，布爾所作的宣傳姿態，雖也不出他們一貫的和平濫調，然亦實爲蘇俄對美有所畏懼的心理反映。我們必須知道，蘇俄儘管對衛星放射比美國佔先，但對氫彈、飛彈之類的武器，蘇俄可能仍然未足追蹤美國，最近，因美國放射衛星的失敗，不僅並未因此而氣餒，而且還加強其充實北大西洋盟國武裝的決心，其中如比利時、荷蘭、土耳其等，都已宣佈接受美國建議，用美國陸軍所用的「尼克」式飛彈，去裝備他們的陸軍，同時還派出相當人員，到美接受這種飛彈使用的訓練。這種「尼克」式或「誠實約翰」式飛彈，雖其射程僅是中距離，但如拿到接近蘇俄的基地發射，亦儘可達到蘇俄的心臟。在蘇俄還沒有任何把握足以制勝未來戰爭之前，它對於美國現已擁有的飛彈基地網，實無法不如芒刺在背，寢食不安。所以布加寧向西方提出的要求，我們應該視之爲內心虛怯的表露，否則慣於攻弱畏強的蘇俄，它是決不會把戰爭看成「非法」，而急於要和西方訂立甚麼「不侵犯」條約的。

三、

又在這幾日以前，布加寧的致西方通函還沒有發出，北大西洋盟軍統帥諾斯達德將軍，曾對「美國新聞與世界報道」週刊發表談話，對蘇俄作了一項非常有力的警告，諾氏的談話大意稱：如果蘇俄一旦發動進攻，無論其所採的爲飛彈攻勢，抑或其他武器的攻勢，均將爲其本身招致極高度的災禍。因爲除非蘇俄同時有力把環繞於其國境的幾千處空軍及飛彈基地完全摧毀，始能避免受到無情的反擊。諾氏又指出：現時美國飛彈的有效射程，可達數千英里之外。意思是說，如用這些飛彈去還擊蘇俄，蘇俄也必吃不消。而照各種跡象觀察，西德之可能已有相當數量的美國飛彈，和或者準備自製飛彈，都不是一種意外的發展，蘇俄面對着這些犀利武器的包圍，它不着慌，誰能置信？

其次是美英法各國刻正在巴黎召開北大西洋公約會議，因爲這次會議之迥不尋常，所以艾森豪總統也於其小病初痊之後，便親自出席參加。所以大抵爲了這點原因，所以在布加寧與艾森豪的函中，也特別提到下面一段話：「在軍備競賽中，誰也不能……北大西洋的成員國……一旦發生戰爭，沒有一個大國能夠倖免……便成爲戰場，……優越的地位，雖然美國……廣泛公佈的軍事基地……歐盟國的領土和軍事潛力，然而這也絲毫不能改變這方面的情況。」於是布加寧認爲這個北大西洋公約會議，「對和平將是極其危險的」。這正是心聲，他之畏懼西方團結，警惕美國振奮，也就很的情見乎詞了。

四、

其實真正說來，蘇俄畏懼美國是理由很多的，除了經濟基礎，物質潛能，蘇俄確非美國匹敵外，還有一個優劣之勢的最大分野，是美國之強，足有餘力援助其盟國，而蘇俄之「強」，則純靠攫取附庸爲挹注，故美國的盟邦，有事足爲它的戰友，而蘇俄的附庸，遇變即成它的包袱。所以戰後以來，蘇俄藉以分化西方、打擊美國的策略，一直都是利用美國苟安心理，選擇一些混亂地區，藉政治滲透，進行內部傾覆，始終也不敢發動一次真正冒險的戰爭，因爲俄共的頭子們也顯然具有充分的了解，任何直接對美戰爭的發生，都足促成共產帝國的覆沒，這種形勢，決不因蘇俄的衛星佔先，而有根本的改變。

由此可知，蘇俄畏懼美國的事實，不僅過去既然，現在也是一樣存在的。可憐那些海外的左派論客，近日整天吸吸不休的譏誑美國如何「落後」，以爲「東方壓倒西方」已經不成問題，它們倒底對於蘇俄沒有一點正確認識呢。

半週述評

巴黎會議的成就

北大西洋公約國高峯會議已於今日閉幕了。這次會議幸有艾森豪總統力疾出席，又以接納由英國倡導的對蘇俄試行談判這項建議作代價，才使美國所提建立飛彈基地於西方盟邦境內的計劃，獲得通過。這表示西方國家那種怕痛怕癢的惰性觀念依然如昔，一面盼望美國派遣飛彈部隊來保鏢，同時又害怕美國眞的對俄帝不客氣，給他們這些盟邦招來戰火。既不能強，又不能弱，唯一的志願就是在美國的實力掩護之下，跟俄帝冷戰相持，得過且過。

艾森豪在幕後商談中，對法、德、義，以及中東國家，尙作了許多迎合對方要求的保證，煞費苦心。可見所謂「公約國家」也者，都是些苟安自私，不見棺材不掉淚的「盟友」，美援多多益善，談到實行抵抗共禍，異議就橫生了。巴黎會議的公報，當然說得冠冕堂皇，聲稱「團結一致」，「結果圓滿」，實際成就，只是有條件地接受美國建立飛彈基地的原則而已。然他們如果沒有美國的中程飛彈作定心丸，必然懼不可終日的。所以，我們說巴黎會議毫無成就，亦未嘗不可！

且看下文

建立飛彈基地並非咄嗟可辦之事，而對俄試行談判的計劃，已在各大國外長……亦答應提示裁軍新方案，談判工作當然在先。祇要俄帝使用「和平鬥爭」的魔術，不讓國際會議一拍兩散，談上一二年亦不爲奇。反正俄帝……爭取時間以發展軍事實力……種情況下，將來美國實行在盟國境內時，關於管制飛彈的權限問題，又是……的，法國現在已經表示基於「主權」的關係，必須享有管理這項武器的權力，而美國素來就是要握發號施令的最後權力的，跟友邦簽訂一項安全互助協定，且須規定不取得美國同意不能採取任何軍事行動，何況關係重大的飛彈呢？長期談判之後，如果美國的軍備實力趕在前頭了，那時候，所謂「飛彈僵局」之說，又必然甚囂塵上，振振有詞。萬一俄帝在東歐或其他地區製造局部戰亂，大不了又把受害國分成兩個，簽訂停戰協定。

德國統一問題不解決，任何裁軍計劃都是徒亂人意的廢話。這次的巴黎會議，對德國統一問題雖然亦重複舊話，說是要以「民主自由」方法促成統一，這是外交詞令，與事實不相干的。未來若干時期的冷戰態勢，大概不外是這些輪廓。

時間對誰有利？

冷戰持續下去，只是對俄帝有利而已，人造衛星之由莫斯科先行放射，即其明證。此中理由很簡單：極權國家可將一切物力財力皆傾注於重工業的發展一途，毋須顧及人民的生活，更不怕民窮財盡，民主國家却不行。西方列強如其不設法克服經濟大恐慌，銀行紛紛倒閉，失業者纍纍，或生怕俄帝挑起戰端，先發制人，則所謂「避免大戰」云云，永遠聊以苟安的口頭禪。世無高瞻遠矚雄才大略的政治家，只見一羣下圖苟偷當國家大任，宜其紛擾自誤，莫可究詰哩！

·雷嘯岑·

本報台灣總經理處啓事

本處已委託全省各郵局代辦訂閱事宜，凡台北市及台南市以外市縣鄉鎮讀者，請逕向當地郵局訂閱，手續簡便。報費每月新台幣九元。

地址：台北市西寧南路一百十號二樓
電話：四七三四六
郵撥戶頭：九二五二

民主社會主義的看法問題
答冷葊定先生

·高叔康·

拜讀自由人冷定葊先生「論民主與社會主義」大作，保辯駁我在本刊發表的「論民主社會主義的矛盾」一文。這個問題，美國前幾年，有過熱烈的論爭，發表了許多小册子。我想中共一旦垮台，更要觸及；但各人的看法不同，把不同的看法說出來，對於問題的了解，總是有益的。自由人的篇幅有限，我簡要的答復冷先生所提各點如下：

（一）費邊主義思想是工黨社會主義的母體；但費邊主義思想，是先有了格林理想主義的背景。格林爲英國十九世紀末繼往開來的思想家，認爲國家眞正的機能，在促進社會成員的人格完成，故否定自由放任，主張干涉私有財產，建立了英國社會改良主義思想體系，這也是自由黨的理論基礎。工黨是由自由黨分化出來的，即是由社會改良主義發展到社會主義，但仍繼承格林思想。費邊社韋伯所著的「到社會民主主義」（TOWARDS SOCIAL DEMOCRACY, 1916）一書，是以格林的道德哲學作爲自己的立場，可知費邊主義與格林思想的淵源。費邊和小穆勒生在格林之前，且費邊主義本身矛盾不少，小穆勒僅主張土地國有，其影響於費邊主義和工黨的社會主義思想，自不能與格林相比擬。

（二）如將民主政治與社會主義揉成一體而能實現，則與現代一般民主政治概念和運用方式必有另外的解釋，前文已有說明，不贅。

（三）保守黨上台雖然沒有全部取銷國有化，但沒有繼續工黨的計劃和統制政策了，戰爭結束後恢復了自由經濟，例如取銷配給制度和外匯管制，實行六年之久的工黨政策，可爲佐證。工黨內部有左右兩派對立，正反映黨員和選民對黨的政策有不同的意見，表明政治不能由黨內少數人一意孤行，工黨既是由「內部分裂及民間反感」而下台，即是民主的影響力之結果。工黨也許有重新掌政之可能，如果上台，依然推行從前的社會主義各種政策，亦將不能徹底實現，乃是由於不能違從民主政治路綫，並沒有說它已違反民主政治原則。

（四）社會主義的派別很多，主張各不相同，但有一點是共同的：就是廢除私有財產；照冷先生說：「今天民主社會主義，既不否定私有財產，也不反對私人企業，更不主張將全部工業收歸國有」，如果這是民主社會主義的內容，則現在資本主義國家都可以稱爲民主社會主義國家，沒有分別，然則爲什麼它又標榜社會主義？依我所知，工黨三次組閣發表的政綱，雖措詞不同；但強調重要工業國有化，始終未放棄。艾德禮在其所著的「英國工黨的展望——十二年後」一書中，並強調「所有主要工業都將收歸國有，必逐漸擴大國有範圍。」故工黨如執政時期延長，則計劃和統制更加強化，而自由範圍越來越小；民主政治既沒有自由，則民主政治不是落了空，也就要變質，此爲民主與社會主義不併存的關鍵。誠然，工黨一面推行產業國有化，一面允許私人中小企業存在，但私人企業是納入幾個計劃經濟之中，加以指導和統制，美其名爲自由而計劃，其實，是爲計劃而限制自由；蓋不如此，則在一個經濟領域內，一半計劃，一半自由，如何能成全計劃經濟體制？所以工黨允許私人企業的存在，與一般資本主義國家的不同，依照它的國有政策的發展趨勢看來，還不能說長期保存如此而不變。

（五）克里浦斯和拉斯基爲工黨理論指導者，其對於民主與社會主義二者究是相反，抑是相成？自比外人體認更爲深切，他們對於以議會政治推行社會主義，意識到只有採用獨裁方法始有可能，這是從實踐中得來的經驗，不能說是「怪誕」。現在工黨內有貝萬一派，顯然是走俄共路線，也就表明一部份人已有了轉換的意向，證明克氏和拉氏的看法並不孤獨。

（六）傅斯年說：「蕭伯納晚年，專讚揚反自由的極權主義和反科學的唯生主義」，「佩服墨索里尼，後又佩服史太林」。「韋伯夫婦晚年大大的讚賞蘇聯，以爲是一個新的文明」。傅氏又引保守黨批評費邊社的話：「你的主義很好，只是行不通」。（自由中國三卷十期「我對蕭伯納的看法」）蕭伯納和韋伯爲費邊社的領導人，也是工黨指導者，以領導民主社會主義者而終於崇拜極權領袖，可知他們的理論和主張有自相矛盾之處，將民主與社會主義揉合而爲一，亦無怪其然。

時代變得太快，現在的資本主義已不是從前的資本主義，最近讀「新階級」一書，覺得吉拉斯要以民主社會主義代替共產制度，頗不徹底，前文中只引了一兩句，米塞斯所著「社會主義」一書中的話，因爲冷先生評論米氏經濟理論一大段文字，甚至說他的理論已經「駁倒」，我認爲還是在討論範圍之外，故不及。

台省府疏遷工程貪污案漸趨明朗

續有不法官商被起訴

·余炎·

台灣通訊

衆所矚目的台灣省府疏遷工程貪污舞弊案，經通至現在，案中諸犯除已於十一月廿九日由台中地院宣判之何宣、林國仁等十七人外，十二月十日被提起公訴者爲關於房屋建築及傢具兩部份，涉嫌官商勾結舞弊的公務員與商人共三十一名。

疏散房屋營建工程部份涉嫌舞弊的官商二十人，其中受賄之公務員十四人，行賄之商人六人。二十被告爲：

台省建設廳營建處副處長沈耆霖，負責主持省府疏散工程建築部份施工及大部份購料事宜，對於點收劣質磚不予追究，通融商人期交質不罰款，通融商人偷工減料，先後收受商人賄賂款台幣十五萬一千八百元，黃金十兩，並有金鏈、金手鐲、衣料、洋烟、汽水、火腿等。

台省建設廳工程總隊副總工程師陳鍊鋒，迅速付款便利商人，收受賄賂台幣一萬四千五百元，及火腿、月餅、洋酒、葡萄乾等。

台中工程處材料課長沈頤壽，對不合規格之木料製品及紅磚鋼筋等，均予驗收，收受賄賂台幣六萬七千六百元及西裝料女袍料等。

台中工程處材料課長（繼任）陳孝珈，亦驗收不合規格之材料，收受賄賂台幣八千元；另有衣料、洋酒、月餅、洋烟、派克六一型鋼筆、罐頭食品等。

台中工程處主計課長余龍如，對不合規定之購料發包手續從未糾正，共收受賄款一萬六千八百元及衣料、洋烟、鋼筆等物。台中工程處主計課課員王春雨，率授驗收時，對不合規格情事不予追究，收受賄款台幣一萬六千九百五十元、衣料及其他物品。

省府疏散房屋工程包處坑口工務所主任，對商以不合規格之材料，但替不予糾正，收受賄賂台幣一萬七千五百元及洋烟、電扇、襯衣等。此外尚有：營盤口陶水管工務所監工主任陳關榮，營盤口污水管監工主任台中工程處第二工務所材料管理員吳主峯。台中工程處倉庫管理員劉生土。台中工程處第二工務所司機劉魁林，布水台中工程處材料課員，台中工程處材料課員賀煥輝。

商人爲：觀原電氣行經理涂錦禮；森源營誠，代爲商人率總行賄工廠經理王清鎗；玉明；台中窰業公司總經理黃文連；業務經理張棋麟；土地負責人盧鵬演。

傢具部份官商勾結舞弊部份公務員及商人十一名，係於十二月十二日被提起公訴，其中公務員五名，商人六名。原任省府秘書處事務科長陳奮克，兼任省府疏遷計劃委員會佈置組組長，負責採購疏遷團用傢具等物品時，與事務科採購股長洪康齡及科員任欽泓串謀勾結，先後採購六批傢具（總價款台幣三百五十二萬四千餘元），與商人陳國興、施發、黃洲樑、趙書生、劉升、張子敬等密洽，浪漏投標底價，接收不合規格之貨品，賺取百分之四或五的回扣，六次投標共取得回扣十三萬三千六百八十元，由三人均分，計：陳得五萬二千元；洪得四萬九千三百元；任得三萬二千三百八十元。此外另有台省疏遷處職員陳鑒，台省教育廳科員吳健等勞理購傢俱回扣。

至於舞弊案的水泥部份，有官商十一人，於十二月十三日下午被提起公訴。被提起公訴者的罪名是盜賣水泥，十一人中公務員七名，商人四名。台中地院檢察處的檢察官在起訴書中指出，台省建設廳營建處台中工程處主任葉冠及職員陳潮樹、劉偕德、林浚傑、劉渙龍，建設廳疏遷工程處職員謝維平、賴弘道、商人楊勵南、楊旺分、簡銘傳、賴錫聰等，盜賣政府撥發之水泥，共計八千餘包，價款達二十餘萬元。四商人的罪名爲非法收買轉賣政府之水泥。至此，台省府疏遷工程舞弊案判刑及起訴者已有四部份；另有鋼筋及木材兩部份，將在十二月下旬提起公訴。

台中法院對於疏遷工程貪污案之處理，迄目前爲止，可謂快馬加鞭，對整肅官場和振奮民心，已起極大作用，因再深一層觀察則所以造成此次重大集體貪污案，實不能謂非政治上的一大敗績，此亦因爲行政上多年來缺乏效率之實證。本案之揭露無異爲對當前行政工作上之當頭棒喝，設若多年來在政治上能充分發揮輿論之力量，讓輿論和民間來多盡監督之責任，相信在衆目昭彰之下，集體大貪污集團將難以形成。此項教訓，實足爲各方面引以爲鑑！（十二月十五日）

疏遷工程　官　商

「皆大歡喜！」

透視中共在日本的各項活動

——並檢討我關係方面反共打擊之不力

（本報東京特約通訊）近來中共各色各樣的所謂代表團頻頻到日訪問，顯係有其陰謀與目的的。中共代表團之訪問日本，按理日本政府有種限制的，可是日本當局却視爲這是日本民間團體所邀約，不能拒絕其入境。中共就這樣以「民間」之字自由地往來，那怕多爭的是中共殺人的特務份子，也照樣隨代表團進進出出。這次最近在日本逗留的，除了由李德全廖承志率領的「中國紅十字會代表團」之外，尙有所謂「中共工會代表團」。後者刻正遍訪日本各地工會組合。曾由東京至九州訪問，日程有訪三菱長崎造船所或造船所之勞工組合等節，當該團訪問之際，「工會代表團」之訪問，其目的不言可知了，然三菱長崎造船所對於該團到此純態度遠較日本別的當局乾脆，所以只好由造船所勞組陪同「中共工會代表團」代表乘艇在造船所海面作一遊覽領略觀。由此是見三菱長崎造船所負責人的聰明。

由於三菱長崎造船所負責方面之嚴拒，勞工組合本部，遂愈形加緊與中共工會接觸，設宴招待，會議頻繁，並以三菱長崎造船所罷工五十餘天的實錄電影贈送該代表團。據悉，三菱長崎造船所勞工組合，已積累了活動資金日幣二千四百萬元，備今後再進一步研究如何展開較大規模之罷工鬥爭。

今次中共的工會代表團訪日，行程恰恰在日本全國性大罷工之後，當非出於單純之觀光性質，實爲藉此機會與日本全國勞工組合，作所謂「合法鬥爭」之檢討和予以物質與精神上之支持與鼓舞。而勞工組合之送贈罷工實錄電影，亦實爲向中共提供參證，俾介紹鬥爭中的新經驗。

再就中共工會代表團在各地活動之時間言，大多是「來去匆匆」，惟該團採行分組活動，則無形中又增加了效果而彌補其時間上之限制，同時更可逃避來自反共團體方面的打擊。即以該團長崎之行爲例，於八日下午抵達長崎市後，旋即赴郊區，九日下午始由郊外返回市區，十一日晨離長北上，實際在長市不過一天半，可說短暫之至，但其行蹤與活動，各報均有詳細報導和照片刊載。

就日本反共團體言，其與我自由中國有友好的關係者，爲中日合作策進委員會，其重心之工作即爲抵制左翼的「日中友好協會」，但就此次中共工會代表團之在日未曾遭受而巧妙地逃避來自反共團體之打擊言，中日雙方的反共工作，實有需要加以深刻檢討之必要。而此項工作究竟與我國駐日本各地之官方或非官方之機構之關係爲如何，何以每每不能發動大規模之抵制運動，若就此項情況與中共各色各樣代表團之昂然在日本各埠從容來去比較，實已成爲一強烈之對比。今後我駐日官方機構或民間團體，若再繼續依舊因循，對於類此情事，不能採取有效之機動打擊，而一仍舊貫地採行公事化的行政方式來處理，不能與日本民間反共團體合力謀取適當對策，予以有效打擊，當無異默認失敗和無能。因此，我們有理由提醒有關當局，不能再坐視觀望了，如果此項反共工作是由於駐日官方機構各級主管人員之無力領導，和無能與僑社及日本民間反共團體相配合，那麼，當局應該切實着手改進。日本至少在目前還是一個反共的國家，因此，自由中國駐在日本的官方或非官方的機關團體，應該堂堂正正地展開反共活動，予來自大陸的任何中共團體以不懈的打擊，不應再以「秘密姿態」出現，當然更不允許有任何灰色的活動存在！（十二月十四日）

·許競·

行將實現的鄉鎮調解制度

·華民一·

台灣通訊

近日報載省府爲改進調解制頒六大事，此頗類於筆者七月卅一日在本刊「司法行政檢討會議過後」一文，所建議的第一點：「鄉鎮調解委員會宜賦諸事權，酌選法界人士組，或使其有地方陪審團作用」。今綜民需實現，依現行法規所限，鄉鎮調解委員會性質係屬行政，而非司法機構，所以惟有省府可以牢制。對於省府這次措施，値得贊同，惟吾人希望待強調其組織，事權完善而後，宜乎隸屬司法分支機構，因得以避免行政之有干涉司法性的該機構，方可謂妥當。

省府頒行六大事項

地方陪審制度是民主政治之保障人權與司法審判公正之兩種精神，台省推行民主政治，歷時六七年，最近立法院又在擬立冤獄賠償法，故此時此際，改進鄉鎮調解制度，正得其時。據省府所頒改進鄉鎮調解制度六大事項爲：一、鄉鎮調解委員會委員之學歷須中等以上學校畢業，如缺乏上述規定之人士時，得提現任國民學校以上教職員兼任；鄉鎮長在提出鄉鎮調解委員候選人送經鄉鎮民代表會同意前，須先造名冊註明年齡學歷職業及品德，呈送縣市政府及管轄法院審查，如認其才識品德不相當者，應即飭令另選。二、鄉鎮公所調彙辦理調解業務之人員（幹事或書記），應儘量調用有法律知識之人員充任，不得遴予更動。三、調解調習會每年至少舉辦一次。四、調解委員每次出席調解，應酌給旅什食費，由各縣市定一標準編列鄉鎮預算。五、各縣市政府督辦調解業務之成績，將作爲縣市長考績之參考。六、鄉鎮調解委員會每次開會調解，應先期呈報管轄法院，必要時法院得派員指導云云。

六事均以行政爲主

現在還只是到達地方陪審團制度的過渡時期，所以這六次改進事項，是以行政機構爲主，司法機構輔助，吾人以爲當以司法機構爲主，行政機構輔助，以期最後轉化爲隸屬司法機構之一，否則它永遠還是隸屬行政機構之一，行政干涉或影響，勢在不免。關於第一次辦法，倘注意調解委員之學歷，於實際上言，似無多大意義，要在熟諳法律者；如調選人員送縣市政府及管轄院審查，不過審查其現具之才德而已，是否熟諳法律之主要條件，卻無法強求；莫如全省訓團設置司法人員班科，（需由法院主持），使其人才受專業訓練，或保送司法行政部之司法人員訓練班受訓，非使該委員具備法律知識，則不足以期其事權之功績。第二項該委員會已辦理業務人員，由鄉鎮公所調彙，關於現茲不得已情況下可以，然究其實際，地方行政人員調彙不公者，是否受鄉鎮長個人藉以行政干涉或影響，則爲一大問題，最後待組織完善，似宜各有專司，調彙最宜避免。第三項第四項及至第六項，臨時的過渡時期，皆可爲之。調解委員會之最後目的，當是減少訟源，安定社會，並爲保障人權及司法審判公正之民主政治之實現，亦可謂民主政治之兩大基石也。

吾人在昔時曾建議司法人員宜遵照憲法而「超黨派」，迄今尚未見實行，尤其鄉鎮調解委員會改進之日，當亦是其重要問題之一，如能避免行政乃至地方各級首長之藉以干涉或影響該事項，以後則「黨派」是其干涉或影響之最大可能，蓋政黨常會藉此以擴大勢力，或者競選時期來臨，最爲可能：設若調解委員有甲黨籍者，對申乙黨籍之糾紛乃至涉及司法問題，每多袒護甲黨而損及乙黨者，或者對無黨籍之人民，藉以欺壓，則所謂調解委員會欲從公而不公矣。是則改進與否，其意義均無甚可言。

該制度的健全問題

對於六項改進鄉鎮調解制度之健全問題，現其全部，尚不出健全制度與組織範圍，於其事權尚未涉及，則疏漏自屬難免，就現行之鄉鎮調解制度言，屬於行政性質之地方調解糾紛，而倘無司法事項，吾人以爲欲其事權與組織與制度同時健全，似可仿效西方民主政治下之陪審制度，即遇地方人民遭受侵害法權時，陪審團以法人身份出而爭之；若有人民被法院傳知爲被控時，先行將罪證理由，詳示陪審團，先由該團審理，如確係有罪，法院始可傳票到庭應訊，如非犯罪，則被告人可以不到庭應訊，能如此，則不致有非法拘訊，或者拘押，冤獄之事可以避免；不致如目前法院遇人民被控判無罪，反非交保不得釋放，繼續拘押不當無保釋放亦不合手續之困難。吾人以爲調解委員會之事權，亦是其重要關鍵，我們儘可以鄉鎮調解委員會代替地方陪審團名義，但須發生作用，則無所殊異矣！

海外文藝短簡

王平陵揚名西班牙

·謝文源·

【馬德里航訊】此間銷路最廣，有西班牙「紐約時報」之稱的「ABC」日報，今日在其「星期小說」欄，以三頁的巨大篇幅，刊載我國名作家，文壇前輩王平陵氏現代短篇小說一篇，題目是：「理想的靈面」，文中並附有精美五彩插圖兩幅。

按：我國自與西班牙復交迄今六、七年來，此乃我國文藝作家作品首次在西國大報刊出。據該報稱：王平陵氏的小說，戲劇以及散文，將陸續在該報發表。

今年九月一日在東京所舉行的第廿九屆國際筆會中，有許多與會的歐美代表們，都深深感到，最近數十年來，亞洲國家的文學作品很少被介紹到西方去，因此，他們在會中決議，今後從事文學工作的人士，務必加強東西文學相互翻譯和介紹工作。我們極渴望消合兩地的自由作家們，儘量發揮創作的能力，把眼光擴大，不要局限於一定的領域，將自己範圍在一個極小的天地裏。因爲，從事文學藝術方面的工作，是沒有國籍和地域之分的，祇有靠作品的優劣來決定一切。我們希望在歐洲，今後能看到更多的中國自由作家的文學作品，尤盼能有幾位中國的自由作家，擠入國際文壇之林，與歐美各國作家一較長短，我們深信，我們的文學精美作品，斷乎不致較歐美爲差。

最後，我們再誠懇地呼籲一聲：希望國內的自由作家們，努力爭取國際文壇地位。（十二月十日）

巴黎會議報佳音
北大西洋公約再度强化

資

在北大西洋公約國巴黎會議前夕，西方集團的壁壘陣營，會爲悲觀的氣氛所籠罩，而莫斯科的通函西方各國家首領所引起的困擾，益發加重了巴黎上空的陰霾。

莫斯科對付北大西洋公約國的策略是針對西方集團底弱點下手的。第一、蘇聯擴大宣傳人造衛星和越洲導彈的威力，用來鎮懾北歐、中歐地帶的國家，第二、向西德宣傳「和平撤軍」，並利用波蘭向德意志民族作種族仇視的攻擊；第三，利用法共和北非共黨潛伏力量，擾亂法國政府，使法國政府對北非拿不出果斷的政策，使法國各屆內閣皆在和戰不易，戰亦艱難的十字路口徘徊，利用法國財政經濟的嚴重困難，使北大西洋公約國主要台柱之一無能爲力；第四、不斷製造中近東的緊張局勢，利用阿剌伯民族的狹隘的民族觀念，製造對西方的仇恨。

莫斯科這一串的策略，它的作用，就在於限制歐洲國家的軍備實力，和阻援美國用以包圍蘇聯的中程導彈基地之設立。用莫斯科的活來說，就是要把美國從實力地位上拉下來！

北大西洋公約組織，由於歐洲國家在政略上的歧見和各國財政經濟上的困難，一直就像在癱瘓狀態中。杜爾斯以美國務卿的地位，也竟率直的承認了此次巴黎會議的目的，主要是在應付那種由離心力所造成的分離勢力的活動。

站在美國的立場看，對付莫斯科的「衛星攻勢」，主要的還不在科學優勢，而是在北大西洋公約國的意志的統一。同時，也必須認清，儘管蘇聯當時已有超過美國的越洲飛彈，但蘇聯並不會輕易使用，在現階段莫斯科僅能挾此項「優勢」，向歐洲和中近東西方集團國家作攻心戰，利用心理戰來瓦解北大西洋公約組織。因此，白宮與唐寧街的主人在經過華府會談後，共同向北大西洋公約國家發出了必須互相依賴的呼籲。而英國更首先與美國取得協議，同意美國在英國建立飛彈基地。同時英國也堅決地表示了，願作看守歐洲羊羣的獵犬。於是，艾森豪總統遂決定了巴黎之行。

美國在此次會議時，自必向歐洲國家，提出對付莫斯科攻勢的建議，而杜爾斯也早已表示了美國已擬具了各項有關的重要決定。

美國的建議計劃是些甚麼呢？大要如下：首先是調整北大西洋公約國間的內部關係，因該公約實際上是西方國家與中近東甚至遠東的反共國家間均有直接或間接的聯系，其重要性一若樞紐組織，如果北大西洋公約組織長期地退化，勢必影響到巴格達公約甚至東南亞公約，強化北大西洋公約後，將使其它各項條約或多邊的盟約相繼受到良好影響，進而才能使包圍蘇聯的全球性軍略體系活發揮其作用。其次是通過巴黎會議，使各國的科學和技術力量獲得融通，使各國在反共的軍備方面，得以平衡地發展，第三是在北大西洋公約再度強化穩定之後，進而支持西歐的經濟和實力對中近東的援助。

有一種看法，認爲北大西洋公約組織，實際上已是名存實亡。這種論調如果僅從今日北大西洋公約國家的個別弱點來看，誠然不無理由，但是如果從該集團的總力量言，則實大謬不然。在會議前各國的吵吵嚷嚷，都從「本位主義」觀念上各自提出其主張，不僅不足以妨礙會議的進行，反之實足以使彼此互相了解其困難和所需，無疑是把整個公約組織的，軍事上的經濟上的科學上的各項弱點擺在會議桌上，來共謀適當的救助之道。

從這日來的會議進行觀察，發展的結果，實已超出了一般懸想的良好。歐洲國家已從恐懼中覺醒，目前來自巴黎的更佳的消息是十五個盟國已在原則上同意了接受美國的核子武器和歐洲盟國的土地上建立中程飛彈基地，尤其是斯堪的那維亞國家間對此項決定的態度更爲積極而有力。他們均提出「我們之所以同意接受美飛彈來援助，是甚於受蘇聯的威脅被迫而出此」。這無異是北歐國家對莫斯科恐嚇威脅的控訴。

由於十五個盟國的共同協議，蘇聯的「衛星攻勢」「通函攻勢」，「和平攻勢」等皆已不戰而北了。

國際動態拾零

艾森豪會邀史蒂文遜同往巴黎，以實現兩黨外交政策。史氏須視艾氏之誠意如何而定，如僅僅爲裝飾上之邀請，則不願去。史氏以中東爲第一難題，因爲蘇聯勢力已進入敘利亞，而且控制埃及，已威脅大西洋各國石油的供應線。惟杜爾斯雖亦以中東問題爲重，然認爲當前不可能解決，故不必提。在艾氏邀請之時，史氏因此種關係，就決意不去了。

×　×　×

大西洋公約國在巴黎的會議，成功不會過大。美國務院專家們于閉幕宣言，已經擬好了。

×　×　×

海軍從潛水艇放射火箭的計劃，開原定于一九六二年完成者，提前在一九六〇年生產。國防部今年預算，本年度已增至十五億元，但仍嫌太少。雷達網現已快要完成，並不斷加強。祗要蘇聯潛艇進入大西洋時間，美國立可測到，如此即有較長時間，來設法防禦。

×　×　×

赫魯曉夫最近與美訪蘇大使過談話，提出改善美蘇關係方案，其內容：一、各守現有邊界不使互相侵犯；二、資本主義國家，不得干涉共產國家內政；三、恢復經常貿易關係。赫氏所耽心的，是美國影響東歐衛星國的長期効果。

陶然。

工展風光

三興新型爐

三興廠主人潘俊民潘永強父子稱：該廠之六一新型火水爐，乃經研究改良費時三年，耗盡心血金錢不少，才獲致今天的結果，該爐是裝置自動調節器，可自動調整火水的輸出，可以節省份量，其最優點，更不用棉繩，及打氣，無烟無味，特具安全設備，故極受家庭主婦歡迎。（白）

柯士甸樂器

柯士甸中西樂器廠所製各款中西樂器，按專家規劃，製作精巧，式樣新奇，且能中西融通，音韻悠揚！愛好音樂的人士每喜在該廠攤位流連。（坤）

白花油攤位上

和興公司攤位連日發現粵劇伶星多人，其中以粵劇紅星蔡艷雲最爲賣力，據她稱：本屆選工姐她未有參加，假如有慈善小姐競選的話，她定不後人的。（坤）

田記製新麵

田記製麵廠主人黃丁田，經年研究，近又發明纖頭火腿雞絲麵，能久貯不變，食時其味仍一樣鮮美，且爽軟甘香，是麵食中獨出心裁者，黃氏對於該麵食將來暢銷遠洋，具有信心。

攝影比賽

本屆工展會舉辦之「攝影比賽」日來已陸續收件，各方捐贈獎品亦絡繹送達各報，頃悉：本屆榮獲攤位比賽冠軍之利華民（鱷魚牌）製衣廠與季軍先達（名士牌）製衣廠，亦捐出獎品代金港幣三百元，以爲攝影比賽第二組「攤位裝飾及出品陳列」之優勝獎品，仍在陸續徵集中，該項比賽由本月五日起至廿五日止，廿六日評判，即晚發表結果。

中國的溫灸器

安全堂藥廠主人黃王麗雁女士，根據百年祖傳所首創發明之中國溫灸器，三次參加本港工展，其根治正宗中國溫灸器，三次參加本港工展，其根治腸胃病，胃下垂，胃病，瘦弱症，婦科病，哮喘病，神經衰弱等特效藥，現經海內外公私大醫院大醫生採用，暢銷南洋星馬，擁有世界市場。歸來，復在本港展出連日空前暢銷，發明人黃王麗雁女士親自在場解說。

明達皮革廠

明達皮革廠在陳列窗櫥中，陳列各種各式女裝手袋，皮帶，皮喼等用具，琳瑯滿目，華貴大方，貨品遠銷加拿大，美洲，南洋各地云。該廠歷史悠久，門市部設中環萬宜大廈地下。

未閱本報，請即訂閱；
已閱本報，請為介紹。

自由談

自由與權力

馬五先生

香港政府斥資建造廉價屋，只租給一般清苦的受薪階級居住，用意甚佳，也可說是屬於社會主義範疇的社會建設。我亦曾經填表申請租賃一椽，以不合資格見遺，足徵其專爲寒士觀韻的嚴格限制，毋稍假借。愚雖清苦，尙未臻貧寒之境，懷昔人詩歎：「別人騎馬我騎驢，仔細思量總不如，回頭來一看，又有挑腳漢」的語意，對於申請廉價屋而落選，心裏沒有絲毫懊喪或悵悵的意念，生活不如我的人還多着，何必去亂擠呢！

然而，一般中了選的寒士們，多不願意入住，望廈興歎，並無歡顏表示，原因是戒律森嚴，感覺受不了。依照規定的律例，除按時息燈，不許親友留宿，不許喧嘩嘈雜，不許打牌賭博等項約束之外，即牆壁上的粉刷顏色，亦不許自由變更。這樣一來，大家認爲頗像修道院的生活情調，（甚至有人指爲「集中營」）相顧惘然，寧願居住於鴿子籠式的小天地中，自由自在地逍遙於其間，亦不致感覺難堪了！

這證明愛好自由是人類的天性，物質關係泯滅不了精神的渴望。政府是爲人民而存在的，若事無鉅細，皆用一種「獨格碼」（Dogma）強使人民一體遵從，連顏色亦要加以管制，結果變成人民是爲政府而存在的工具了。政治原是管理衆人之事，然管得太多，太過份，即容易趨於極權統治的道路。因此之故，我對於社會主義的理想固然十分贊美，然如何實現那種理想生活，而又不毀損人類的自由精神，殊感惶惑也。

香港政府的廉價屋這類情形，雖係小事，卻可供從事實際政治的人一個啓示：自由與權力怎樣協調，藉收相輔相成的效用，即小喻大，可以知所取鑑矣。

酒

·杜學知·

酒能養性，仙家飲之；酒能亂性，佛家戒之。學仙乎，學佛乎？吾於有酒時學仙，於無酒時學佛。

在一篇「長壽者和長壽之道」的文章裏，曾提到飲適量的酒，乃爲長壽之一法。其言云：「在義大利，醫師們在測驗了一千個長壽者之後表示，飲適量的酒的人，可以活到一百歲。那些有飲適量的酒的習慣的人，比滴酒不沾脣的人，壽命更長。」關於酒能養生之說，中國古代也都持同樣的見解，如禮記射義云：「酒者，所以養老也，所以養病也。」

酒者天之美祿

漢書食貨志，即就此爲說：「酒者，天之美祿。」這是養老之義；又說：「酒，百藥之長。」這是養病之義。然畢竟以養老爲要，故春秋說題辭云：「酒之言乳也之所以策身扶老也。」春秋元命苞也說：「酒，乳也，王者法酒旗以布政，施天乳以哺人。」現在營養學已知乳類是最營養的食品，而酒既比於乳，無怪稱它可以「策身扶老」了。

「爲此春酒，以介眉壽。」

酒富營養，既可以養老，便可以長壽，是故豳風七月之詩便說：「爲此春酒，以介眉壽。」但在另一方面，即以酒爲狂藥或腐腸之藥，如邵伯溫聞見前錄所說：「范魯公戒子孫詩：戒爾勿嗜酒，狂藥非佳味，能移謹厚性，化爲凶險類。」翟灝通俗編婦女篇也說「後漢書：楊秉嘗從容言曰：我有三不惑，酒色財也。王褘華川卮辭：財者陷身之阱，色者伐身之斧，酒者腐腸之藥，人能於斯三者致戒焉，災禍其或寡矣。」這與上述養生之說正相反，然而並不是自相矛盾，因爲要酒養人，須先適量，義大利所謂飲酒長壽人，也是飲以適量的酒。王肅家誡曾說：「夫酒所以行禮養性命歡樂也，過則爲患，不可不愼；是故賓主百拜，終日飲酒，而不得醉，先王所以備酒禍也；禍亂變興，常於此作。所宜深愼。」竇革酒譜也說：「詩雅云：人之齊聖，飲酒溫恭。又云：既立之監，又佐之史。然則飲之立監史也，所以已亂而備酒禍也，後世內之有酒令焉。」可見飲酒的適量，是很重要的。爲了不至於過量而及於亂，於是在飲酒的場合中，還規定了賓主百拜，設立監史的許多儀節來。

「何以解憂 惟有杜康」

飲用適量的酒，可以延年益壽，還是古今中外所一致承認的。但一般人的嗜酒，卻不是爲了養生，而倒是爲了它的可以解憂。因爲人生憂患，既無可逃避，人惟有沈湎於酒，以求暫時之解脫。最先明白提出以酒解憂的是曹操，他的短歌行說：「何以解憂？惟有杜康。」又後漢書孔融傳：「嘗歎曰：坐上客常滿，樽中酒不空，吾無憂矣。」若此亦係飲酒解憂之意，則曹操的話，正與其同調。

「銜寒走酷酒，一洗芥蒂胸。」

後來如黨懷英詩：「銜寒走酷酒，一洗芥蒂胸。」元好問詩，「酒兵易壓愁城破。」都可作爲孔曹二氏解憂說的註腳。酒之爲用，一方面既可解憂，則另一方面便可怡神，禮記樂記云：「酒食者，所以合歡也。」張載酃酒賦也說：「嘉康狄之先識，亦應天而順人。擬酒旗於元象，造甘醴以頤神。」至於杜甫詩所說的「嗜酒見天眞」，則更是飲酒進一步的境世了。

「養性」與「亂性」

因飲酒適量過量所表現的效果不同，故許愼說文解字對酒的解釋便說：「酒，就也，所以就人性之善惡；一曰造也，吉凶所造也。」善惡吉凶，非酒有二德，緣人用的得當不得當罷了。因此，更引出「養性」「亂性」之說，仙家主於酒的養性，故主飲酒，因而善飲酒者稱爲酒仙，杜甫飲中八仙歌云：「李白斗酒詩百篇，長安市上酒家眠，天子呼來不上船，自稱臣是酒中仙。」遼史耶律和尚傳說：「嗜酒不事事，晚年沈湎尤甚，人稱爲酒仙云。」佛家主於酒的亂性，故戒飲酒，爲佛弟子五戒之一。

人的嗜酒，不論是爲了養生，爲了解憂，或爲了怡神，但一杯在手，則陶然以爲樂。可遺年頭，遠離家鄉，避地海隅，誰還有像皮日休詩所說的：「千株橘樹惟酤酒，十頃蓮塘不買魚」的境界呢？況且作一個軍公教人員，每天開門七件事尙費張羅，那裏更敢奢望七件事以外之酒？陶潛詩：「子雲性嗜酒，家貧無由得。」又五柳先生傳：「性嗜酒，家貧不能常得，親舊知其如此，或置酒而招之，造飲輒盡，期在必醉。」不禁感慨系之，豔羨五柳先生在家貧不能常得的情況下，尙有期在必醉的巧遇。

飲者自處之道

但一些不投世好的人，想如蘇舜欽詩所說的：「未能追世好，且樂樽酒間。」可得，不妨照下列所說的辦法以自處，則亦無所怨尤，心平氣和了。

酒能養性，仙家飲之；酒能亂性，佛家戒之。學仙乎？學佛乎？吾於有酒時學仙，於無酒時學佛。

紹華先生「清代詞壇殿軍朱彊邨」訂補

黃華表

紹華先生又云：

「庚子禍作，清廷多主仇教滅洋，袁爽秋，許景澄立山等廷對，極斥其非，彊邨繼聲說，「臣期期以爲不可，」西太后聽見，厲聲曰：「言者何人」，他屏息不敢對。那時殿中集九卿科道甚多，僥倖沒有被捕。第二天，袁爽秋等，遂構禍被殺。」

此段關彊邨先生立朝大節，夏撰行狀言之甚詳：夏狀云「庚子義和拳起，仇教開釁，親貴及大臣偏執守舊者主之，羣相附和，無敢昌言其害者。公奮然抗疏，（疏文載行狀）疏上，有禁逐拳民之旨，都市爲之頓清。次日，大學士自涿州回京，拳民隨至；縱火市廛，延燒正陽門；忽訛傳洋兵已至東安縣，距京僅六十里。是日召見廷臣，倉皇集議，親貴諸人，祖拳主戰，公班次在後，言拳民固不可用，董福祥兵亦不可恃。兵事，宜用山東巡撫袁世凱。議和，急召大學士李鴻章。太后猶未之諭，問高聲張目者何人。」終定議撫用拳民，遂戕殺德國公使，圍攻使館。外兵犯天津，益急，公又上疏云云。疏上，即命軍機大臣傳詢保護公使應用何法。公援條立對，請飭總理衙門，查照萬國公法戰時之例辦理。復奏上，良久，始命退出。是日所奏忤旨，被詰問，幾獲罪，終以文學侍從之臣，未遂加譴，而爲左右主戰者所嫉；其不從許袁諸公之後者幸也。洎兩宮西狩，欲追扈從，而車馬爲潰軍所掠，不得行。和議既成後，又有請早定大局之疏，是非既明，忠悃益著；一歲之中迭遷少詹事，內閣學士。辛丑迴鑾後，遂擢禮部侍郎。」紹華先生所謂「臣期期以爲不可，」「太后聽見厲聲問言者何人，」「他屏息不敢對」，顯與事實不符。紹華先生別有據耶，抑夏狀誤耶。

紹華先生又云：

「辛亥以後，專意刻詞，先後刻成彊邨叢書三百八十餘家，兩宋名家搜羅殆盡，且無一不手自校訂」。彊邨之所以爲晚清詞壇之魯殿靈光，與其謂爲詞之高，毋寧謂爲其彙勘詞集之功。然愚獨異紹華先生所列詞集之數，竟遠逾今日彊邨叢書之所有。今彊邨叢書所載，凡總集五種，別集一百六十三家。夏狀云：「半唐四印齋所刻詞，風行一時，公賡續之，積年所得，徧求南北藏書家善本勘校，綜唐宋金元，凡總集五種，別集一百六十三家，既博且精，足以補常熟毛氏南昌彭氏搜集所未逮，即半唐亦不能不讓續事之盡善」。（四）

孔子是私生子嗎？

·王世昭·

今人疑孔子爲私生子，其證有五，即：

一、史記孔子世家載：「叔梁紇與顏氏女野合，而生孔子。」

二、史記又載：「禱於尼丘，得孔子。」

三、同上載：「丘生而叔梁紇死？葬於防山，防山在魯東，由是孔子疑其父墓處，母諱之也。」

四、禮記檀弓載：「孔子少孤，不知其墓，殯於五父之衢；人之見之者，皆以爲葬也，其愼也，蓋殯也。問於聊人曼父之母，後得合葬於防。」

五、史記亦有前條更明白的記載：「孔子母死，乃殯五父之衢，蓋其愼也。聊人輓父之母，誨孔子父墓，然後往合葬於防焉。」

上列五條，合併起來只是三項，但爲了醒眉目起見，所以我不厭其詳地把它分列在前面。現在讓我先來討論第一條，叔梁紇與顏氏是否野合？

甲、史記索隱據家語文，述叔梁紇與顏氏爲婚之經過如後：「梁紇娶魯之施氏，九生女，其妾生孟皮，孟皮病足，乃求婚於顏氏，徵在從父命爲婚。」這裏已經說得很明白，一邊是求婚，一邊是從父命，已算明婚正娶，何得謂爲私生子？此其一。

乙、古之所謂野合，與今人異，現在讓我先說野字。古人所謂的野，是不合於禮的對等名詞。論語孔子說：「野哉由也」，因爲子路不明白「正名」的意義，所以罵他「野」。又論語孔子說：「先進於禮樂，野人也，後進於禮樂，君子也。」這兩句話最簡單注腳，即：「質勝文則野，文勝質則史」十個字。至於詳細的說明，參看朱註及集解，便知分曉。

何以叔梁紇與顏徵在明婚正娶的「合」，而太史公著史記卻加上一個「野」字呢？原來古時男女婚娶，女子未滿十四歲而嫁，男子已逾六十四歲而娶，就是不合於禮，故謂之野。叔梁紇之娶顏氏，其年已長，徵在爲顏氏小女，其年最幼，家語又云：「於是乃求婚於顏氏，顏氏有三女，其小曰徵在。顏氏問三女曰：『陬大夫雖父祖爲士，然已先聖王之裔，今其人身長十尺，武力絕倫，吾甚貪之；雖年長性嚴，不足爲疑，三女孰能爲之妻？』二女莫對，徵在進曰：『從父所制，將何問焉！』父曰：『即爾能矣，遂以妻之』。」故依家語，叔梁紇當已逾六十四，因謂之「長」；而徵在爲顏氏三女，且云「小」，當亦不逾十六歲可知。近人胡懷琛氏，以叔梁紇向顏氏求婚爲年七十，而顏氏之嫁爲十四歲，想當有所本云。

因此，太史公所云野合並沒有錯，今人以古之野合爲今之野合，乃大錯而特錯的也。由於上列之推證，孔子不是私生子，此其二。

再討論第二條，禱於尼丘，得孔子。古人禱神祈子，數見於春秋，今人亦有禱張仙，拜觀音大士者。顏氏以老夫少妻又懼無嗣故，乃禱於神，亦理之常，不足深辯。

第三條，丘生而叔梁紇死，葬於防山。孔子因母諱而疑父墓，今人以孔母不告孔子以父墓，因證之爲不坦白，必有不可告人之事。其實這種猜度完全是錯誤，現在讓我先來談談叔梁紇是怎樣的一個人物，慢慢就會明白後人之疑是多餘的。

叔梁紇之名在春秋凡二見，許同莘先生著孔子年譜，依左氏傳，爲引二條如下：

「襄公十年夏四月，晉荀偃士匄自請伐偪陽，而封宋向戌焉。荀罃曰：『城小而固，勝之不武，弗勝爲笑。』固請。丙寅，圍之，弗克。孟氏之臣秦堇父輦重如役。偪陽人啓門，諸侯之士門焉。縣門發，郰人紇抉之，以出門者。主人縣布，堇父登之，及堞而絕之，隊，則又縣之，蘇而復上者三。主人辭焉，乃退，帶其斷以徇於軍，三日。師歸，孟獻子以秦堇父爲右，生秦丕茲，事仲尼。」

又：

「襄公十七年秋，齊人伐我北鄙，圍桃，高厚圍臧紇於防，師自陽關逆臧孫，至於旅松。郰叔紇，臧疇，臧賈帥甲三百，宵犯齊師，送之，復，齊師去之。」

孔子陬人，叔梁紇即郰人紇，此見左傳，而叔梁紇兩見史記。左先於史，故以爲正，史當亦有所本，二而一者也。

依上文而觀，顏大夫以叔梁紇爲武力絕倫，於此可得一確證。

孔子生於魯襄公二十二年，齊人圍桃防則在十七年，故叔梁紇之娶顏氏當在此以後數年間，據史記，丘生而叔梁紇死，死之地當在防，因孔父固守防者也，故葬於防。叔梁紇既死，孔母乃攜死子歸於陬邑，依括地志載，其地相去二十五里。孔母死時，孔子仍在稚年，故殯母於五父之衢，以待識父之葬處者。聊人輓父之母乃誨孔子以父葬處，乃得合葬，於理固亦不相違也。

至第四第五兩條可與第三條合在一起看，依種種資料來證明，孔子絕非私生子，書之，以告世之輕疑者。

自由人

THE FREEMAN
（第一〇七一期）
中華民國內政部登記證內版台誌字第一〇一號
中華郵政台字第五〇〇〇號執照登記為第一類新聞紙類
（半週刊每星期三六出版）
每份港幣壹毫
台北市售價新台幣壹元
督印人：陳文華
地址：香港高士威道廿二號四樓
20 CAUSEWAY RD. 3RD. FL. HONG KONG
TEL. 771726
承印者：南聯印務公司　地址：高士打道六十四號
台灣總經理處　地址：台北市衡陽路二號二樓　電話：四三七四六
台北郵政劃撥儲金戶第九二一二五
海外總經銷：海外發行公司　香港：德輔道中二十六號A二樓

論五院制度的競權問題

· 魯仲 ·

最近行政院長俞鴻鈞因拒絕列席監察院財政等十委員會聯席會議，就其所提「杜絕浪費開源節流」答覆質詢，另行指派了秘書長陳慶瑜，主計長龐松舟，財政部長徐柏園出席說明，而監察院財政等十委員會以要約俞鴻鈞到會備詢，未見接受，有背監察法第二十六條規定，因亦拒絕陳龐徐三氏出席，並決定另約擇期列席備詢。接着行政監察兩院，並互就該案所採立場，發表聲明節略；立委鑑於事態有擴大，特提出七項問題，向俞揆提出質詢，表面上雖係個人意見，然亦不難看出這一言論是具有部份代表性的。現俞揆以列席監察院十委員會聯席調查會議備詢，依據憲法精神及監察法有關條文說明之見解未能一致以前，最後仍堅持「歉難遷就」，因而引兩院之間的波瀾起伏，由於該案所涉複雜及行政立法監察，甚而司法等四院間的歧見，該是行憲以來最爲突出的競權問題。

一、各院間發生過幾個事實問題

不久以前，還有關於地方審計的建制問題，[illegible]……也是立委給大法官的另一眼色。現在司法院組織法已經立法院三讀通過，[illegible]……大法官會議須有大法官總額四分之三之出席，出席人數四分之三之同意，方得通過」，並以明文列入司法院組織法。大法官名額原定爲十七人，[illegible]……第一屆大法官既告滿期，名額又不足法定人數，大法官會議勢將無形宣告攤瘓，今後大法官會議就是要解釋憲法，在決議程序上也已增加不少拘束。從另一角度來分析，無非立法與司法之間，亦存在着一個權力的競爭事實，[illegible]……的迂迴作戰！

此外還有一個司法行政部的隸屬問題，根據憲法第七十七條規定「司法院爲國家最高司法機關，掌理民事刑事行政訴訟之審判，及公務員之懲戒」。但現在司法行政部則直隸行政院，司法院僅管轄最高法院，行政法院，及公務員懲戒委員會。[illegible]……的事實存在。

二、五權原有精神與現行憲法

[illegible]……（Parliament Act）未經制定以前，上述院與院之間的衝突，[illegible]……權力的制衡作用（Checks and Balance）……（Reciprocity）……[illegible]

三、最近行政院與監察院之爭執

最近行政院與監察院之間的爭執，[illegible]……行政院僅指出「行政院……」[illegible]……依監察法第二十六條……[illegible]……監察院所得調查一切設施，注意其是否違法失職。」……[illegible]……監察法第二十五條……[illegible]……人員，就指定地點詢問。」（下轉第二版）

（下轉第二版）

半週述評

中共一年總結

[illegible]

城鄉災難頻仍

[illegible]

財政情況惡劣

[illegible]

反共的新形勢

[illegible]……一些措施造成，例如今年二月十八日及四月八日「人民日報」，都承認「絕大多數的中小……」[illegible]

在此情形之下，中國大陸的反共活動，正出現一些新的特點：

一、大陸的反共鬥爭，青年學生的先鋒作用愈表演出色，如五月北平學生的「上街」、漢陽學生的暴動等等。

二、中共「統戰」政策已基本瓦解，今後大「民主人士」和「民主黨派」已不是中共可靠的，而成爲反共的後備軍了。

三、在中國人民的反共鬥爭中，鍛鍊和產生新的反共派，[illegible]……並具有廣大的影響。

四、農村的不穩定狀態繼續擴大，毛澤東早年說過的「星星之火可以燎原」、「農村包圍城市」的理論，[illegible]……

五、統治集團內部……[illegible]……是革命時機！

· 司馬璐 ·

「飛彈」與「和談」

——夏樂宮會議的「成就」能獲保證嗎？

· 雅斯 ·

此次北大西洋公約十五個國家在巴黎舉行首腦會議的結果，是從事實上以「飛彈亦和談」答覆會前蘇總理布加甯的和平攻勢——「和平或飛彈」。

對此會的成就，論者看法不一。該會決議雖然擁有一條與蘇聯和談的尾巴，但在美國與西歐國家間合作防衛上的協議，不能不說是比較具體化，總比空談原則好得多。杜爾斯也說過：「應付蘇聯長程打擊力量的最佳辦法，是盡可能建造多些放射中距離的飛彈」。

就美國言，成就這項協議——在西歐建立中程飛彈基地，供應核子武器，貯存核子彈頭——已付了不少代價；自然，「再試探蘇聯的休戰誠意」一著，則是在西歐壓力下妥協而來的。

就西歐言，該會最後公報上雖然強調「歡迎美國以現代武器供應歐洲的熱誠」，其實何嘗是「歡迎」，而祇是勉強的「妥協」；這是西歐國家對蘇的恐懼與對美的倚賴心互相衝擊折衷下來的結果。

所以這個協議至多祇是表示了美國與西歐國家間對付蘇聯的一項共同傾向；後面自然還包藏着若干可變性的矛盾因素。

因爲，向蘇聯試探和平誠意，結果是絕無可能的，對美國言這是明知不可爲而爲之；對蘇聯言，這是明知不當變得西歐各國爲其和平攻勢助威。所以日來蘇聯的辭調，越來越強：一、拒絕五強外長會議，而主張「美蘇領袖（二十二日赫魯雪夫有此表示）或由更多資本主義國家及社會主義國家之代表共同舉行會議。」高峯會議或巨頭會議是自一九五五年秋日內瓦舉行過後，俄國屢次建議而爲西方領袖所拒絕的。蘇聯的目的是要造成一種有利的形勢——由西方的不願直接與蘇聯談判，到低級官員談判，而外長級會談而到高峯會議。這次它借了西歐各國的「東風」，直逼白宮，要分庭抗禮，無非表示「當今天下英雄，唯使公與我」耳。然而杜爾斯也已言之了：「如果我們抱一種看法——認敵對勢力不自動改變而想出我們改變來迎合它，再沒有比此更危險的了」。看美蘇怎樣坐下來談！其次蘇聯公開的意圖，是要牽華沙公約爲對抗北大西洋公約的談判對手的。這在廿一日俄最高蘇維埃向西方所提七點所謂「和平呼籲」的要求中，已公開表示過了。這些意圖都是與此次夏樂宮會議的「成就」——飛彈供應——成爲正面衝突的，看如何能夠協議。

何況試探蘇聯和平誠意的主題，顯然是裁軍問題。蘇聯對裁軍問題的手法，是反對十二屆聯大「成立二十五國裁軍會」的決議，而主張召開聯大特別會議或國際會議包括八十二國（蘇聯在聯大提出而遭否決的）在內——當然其目的在取得會中優勢，尤在把中共等國家也拉入。試問這個和談主題，甫在閉幕不久的聯大當着蘇聯所不能解決的問題，祇是背着蘇聯繞到巴黎夏樂宮拐個彎子，換個地方再向蘇聯座談，就可發生奇蹟！其誰信。

目前值得推敲的是：將來所謂對蘇和平再試探失敗而後，這次巴黎會議的「成就」會不會付之東流。這裏有兩個疑問：

一、倘蘇聯再發動更辣的「和平攻勢」，到了類似蘇外長葛羅米柯在蘇聯發放人造衛星後所謂「已改善國際政治氣候」時，那麼，西歐對于美國供應飛彈的建議，會不會翻悔或推拖，使奉命執行飛彈政策的盟軍統帥諾斯達將軍的工作發生困難——他要實行指定美國供應西歐飛彈的發射地點等雖屬技術而實際是重要的問題——因爲他進行工作時還要等候莫斯科對裁軍會議誠意的反應，而試誠意又是絕難有奇蹟出現的。而且事實上美國也表示要完成這次飛彈供應，至少要在一年至一年半載之後；在這期間內蘇聯自不會老實坐待而不再翻新其「和平攻勢」的花樣的！

二、假定美國能突破困難把歐洲的飛彈供應佈署完成了，但蘇聯之志，是不局限于西歐的，亞洲的弱點蘇聯當不會忽略。因此，人們總會想到：「西歐各國怕飛彈，而美國偏非給它不可；亞洲一些堅強的反共國家渴望飛彈而美國就不充分給它」，這的確是人們對美國世界政策的一個（？）謎。

內政部也出涉嫌貪污案

（台北通訊）近台省政府，法院等地方機關一連串貪污瀆職案被揭發後，正在偵查審理期間，尚無結果之際，而隸屬中央機構的內政部西藥外滙審議委員會也不甘落後的爆出一件驚人的貪污案子。該案與以往考試院檢覈醫師舞弊案有其獨有偶的巧合，蓋一為醫師資格舞弊，一為藥品進口舞弊，均發生在醫藥上面，適如內政部王部長所云：「關係國民健康至鉅，絕不容有任何舞弊情事。」

此一內政部西藥外滙審議委員會涉嫌舞弊案，業已獲致有力證據，現正在有關當局偵查中。內政部官員涉嫌已被停職者有麻醉藥品經理處處長劉遐，藥務主任陳娟，藥品供應處處長陳東震，副處長潘黑，及內政部專門委員李人虎，專員覃祇柱等。其中李人虎及陳娟二人，因嫌疑重大，已被刑總扣押，而涉嫌行賄勾結之西藥進口商有順貿易行，榮安藥房，泰源華行，順蔣藥行等為數達七八十家之多，相信此一官商勾結舞弊之案情，決不簡單，且其牽連一定很龐大。

該項舞弊案發生之情形為內政部西藥外滙審議委員，於審核進口西藥外滙案件時涉嫌利用職權，接受西藥進口行商之賄賂勾結，擅自核准未經內政部核准登記藥品及管制進口之藥品，予以大批進口，藉以牟利。據悉該項舞弊案中進口之藥品有治核治療劑，鎮咳祛痰劑，解熱鎮痛劑等日本藥品多種，每一美元原價的藥品進口後可售到一百多元新台幣，如此不法進口未經核准藥品已達數年之久，獲利數目可觀。

此案發生後，頗為各方所注視，內政部表示希望外間提供有關資料具證據，使本案得迅速澄清。醫藥界的希望是：內政部對於進口藥品及藥廠出品的審核無一定標準，致本省已有出品之外貨仍讓其進口，而所需的新藥却不准進口。

此案值得探討者：第一、外滙進口物資原為外滙貿易審查委員會主辦，何以獨將此項西藥進口審查工作委託內政部辦理？第二、據悉西藥外滙案件的審核，外貿會僅審核其底價是否正確，至於究竟何種藥品應否進口，由內政部西藥外滙審議委員專責審核，其處理辦法及標準方面似有模棱推諉之嫌。第三、管制進口物資或禁止進口物資，都經外貿會列表開明，台灣銀行亦有副本，結滙時均需按表查對，何以禁止進口之藥品內政部西藥審議委員會可以核准進口？而外貿會竟然查不出？台灣銀行亦能通過其結滙手續？其間不無令人懷疑之處。（四十六年十二月七日）

•寒士•

台灣通訊

今日教育的特殊現象

•蕭平•

學校有凌駕教員之上的小官僚　尊師重道越叫而教師地位越低

「尊師重道」一語，在大陸時代我們很少聽見，偶爾提起，也是出於極自然的。自政府遷治海隅，這一句話竟變成衆口一辭的口頭禪。儘管叫得震天價響，收效却微，且或適得其反，越叫而師越卑，愈喊而道愈微了。為什麼有此現象？教育當局實不能辭其咎。

學校變成衙門

台灣各級學校，有一特殊情形。只要你一脚跨進台灣的任何一個學校大門，主任，組長的稱謂，會令你聽聽然不安。自校中三處（教務、訓導、事務）二室（人事、主計）以至處室之下的各組主持人員，在學校中形成特殊階級，儼然是凌駕教員之上的小官僚。別人須得尊他一聲「主任」或「組長」，而彼輩亦居之不疑，久焉且非此不悅。這是大陸時代所絕對沒有的。那時代，自校長而當部，以至教書的，統以「先生」通稱，一無軒輊。今也，實行憲政，漸近民主，行政衙署凡不應有尊卑之別，而竟是民主的教育界反是此怪現象，豈非咄咄奇聞。

何以至此？

何以至此？教育行政當局有以致之也。抗戰以前，大學校長或教授，例由學術上確有成就或學術界素負令譽者充任。中學小學校長，亦必遴選學人或教育行政專才，由教育當局聘任或委任之（北伐之前中學校長是由教廳聘任的）中小學教員泰半以作育英才為職志之士。間有不安本分而鑽營倖進者，亦為同人所拚棄。是時，師道不尊自尊。抗戰軍興，漸及於亂，然尤未有於今為烈的。查近日台灣，有些大學簡直成了高等政客的失意收容所，教授之聘席視其過去政治地位及今日政治背景而等級嚴明，由小客車接送以至安步當車之間，有着不少的階段與距離。前此台大教授會之拒聘卸任教育部長及省府秘書長，此時此地實足多者。

其由來有因

至於中學校長，黨政退職者有之，特務起家者有之，裙帶起家者亦或有之；試數全省四百餘公立中學，真正教育起家的校長，能有幾人？以此等人主持學校行政，推己及人，各要一手，花樣便多了。教育當局如此，既縱容之於前，又慫恿之於後，授權校長評定教員等級，選擇優秀教員，使神聖的教育從業員仰承校長意志而仰其鼻息，怎不養成官僚作風。在此情形之下，欲師導尊嚴，其可得乎？

此種學風的養成，其來也漸，既已形成，若不知其癥結所在，痛下鍼砭，絕非一紙公文或幾次巡視訓示所能奏效。

要不得的措施

近教育廳長有一項措施，想由普通教員中層層選拔教育行政人員即自導師而教學組長而主任以至校長步步高陞。這件事，尤要不得。要知教育行政與教學原是完全不同的兩回事，教書教得好的，不見得對行政工作便感覺興趣。非死板的法規所能範限。此其不可一也。其次是官僚習氣已深腐蝕了學府，略如上述。究其原因，既乏專門教育人才先任校長以領導學校行政，而黨政各色各樣的失意大亨又混跡黌宇之內，各肆身手，把各自所擅的一套官僚作風帶進學校，已無可諱言。今茲此舉，將更推波助瀾，使主任與組長輩的氣焰倍長，而那些英雄無用武之地的失意政客，亦將藉此為倖進之坦途，唱爭明鬥逐鹿「中原」的了。而自愛之士，更將緣此而裹足不前，前途何堪設想。此其不可二也。且學校以受業的學生及負教學之責的師資為基礎，其他無論兼任或專任職務的，自主任以迄校工，祗是協助是項教學任務的陪襯人員，而由校長總其成罷了。今由政府出而領導，降教員為職員，政府所倡導的「尊師重道」的口號將何以解嘲？本末顛倒，莫此為甚！此其不可三也。

改進必要

精神建設之難甚於物質建設無止倍蓰。際此國破家亡，民族存續之秋，我們的教育前途是艱苦而重要的，為保持我國善良的傳統精神，教育當局對上述特殊現象，有從事根本改進的必要。

台灣通訊

今日中小學教育的漏洞

•季鸞•

近數年來的台省教育，誰也不能否認一個事實：學生課業水準的低落，和學風的日益不良。吾人固然不能因見學生水準低落，學風日壞不遊，而輕責政府教育措施的不當，但亦不能因在量上發展的成就，而謂教育當局完全盡了責任。

目前學生水準的低落，以及學風不良，其原因之造就是多方面的。不過，有一件事教育當局應該儘先的考慮，即必須設法使學生在校的時間，儘量的加多，使能多接受學校的教育陶冶，少接觸社會，少在家庭裏嬉戲，孔子說：「性相近也，習相遠也」。環境對於一個人的影響，是具有決定性作用的。家庭環境不一定合於教育子女的要求，而社會現象，也不一定有良好的教育作用，因此，使學生多在學校的環境是必需的。目前的中小學教育，却不能符合這要求。國民學校有二千餘所，然都是教室不足，而學校方面則拚命收留學生，只要繳費來，功課稍合水準就能錄取。在四年級以下都實行二部制，甚至有的學校，實行隔日入學的四部制，學生除了上課時間外，或奔波於往返途中或嬉戲於家庭，在校時間非常有限，形成畸形現象。他們在校所接受的是行教育，也被校外環境的感染而抵消。到了五六年級，學校忙於補授以前四年的功課，不得不採取惡性的[illegible]……強迫消化……檢討……力行，就得撥樣下了水準低落，學風不良的遠因。就中學而言，學生[illegible]水準既已低落，到了中學接受更深一層的教材，自然更不能迎頭趕上。而且全省中學大都沒有學生宿舍，學生每日在往返學校的途中，便要耗[illegible]除[illegible]幾乎沒有[illegible]的[illegible]生[illegible]以[illegible]治上，更無計設法施教，並且學生一出了校門，就算脫離了學校；學校寄望於家庭，家庭則寄望於學校，於是，便由此而產生了無人管的太保太妹，浪混於社會間。

吾人認為今日教育當局應該集中力量，解決教室荒，使全省各地國校學生能以全日上課，並積極興建中學學生宿舍，以使學生經常生活於校中，能養成其良好之習性與道德觀念。今日教育上的漏洞，我認為教育當局當首求填補之法才是。

論五院制度的競權問題

•魯仲•

（上接第一版）有了這一規定，監察院以其所提糾正案如未得到行政院滿意答覆，自可加以質問，如果進而必須採取另一調查步驟，也可以對被調查官吏，就指定地點加以詢問；因而認為函約會談，到監察院十委員會聯席調查會議備詢，是完全合法的。又照行政院的觀念，以及如立委魏惜言的見解，則認為監察法第二十五條所指「質問」，應僅指文書上而言，不屬由行政院長或各部會首長以出席或列席會議的備詢方式出之。最初行政院且以監察院行使調查職權，不應以行政院長視為被調查人員。但監察院認為：通知會談到監察院為口頭之質問，其性質「與立法院之質詢不同，然不能因其非為質詢，而即可排除其依法規定之口頭質問方式……」並以監察法施行細則第三十九條，亦有監察院「……得經決議，以書面質問」，或通知行政院或有關部會主管人員到院質問。」按監察法施行細則是根據監察法第三十一條規定，由監察院自行訂立的，所以監察院認為『此項依據「委任立法」或「職權立法」所訂之法條，俞院長自須受其約束。』

四、持平之論

持平而論，監察法固然是憲法的子法，然既係經過立法程序，由總統明令頒佈施行，與憲法並無抵觸可言；該法又明文規定賦與監察院以訂立監察法施行細則的職權，且已行之有年，從未有人懷疑到監察法及其施行細則有法律適用問題。因為一旦用到行政院長身上，於是就要加以否定或懷疑，那麼所謂法律之前，人人平等之說，在自由民主法治之下，又要經過一次的考驗了。現在俞院長拒絕監察院調查職權一事，在行政院於十二月九日致監察院函內，已自行糾正觀念，表示願意接受調查，至於應否例席監察院十委員會聯席調查會議，則又藉法律見解未獲一致的理由，作為一種拖延解決的[illegible]從。

其實，行政院假使不再向監察院拾遺，而有彼此尊重職權的誠意，真要依據法令觀點解決問題，就應該誠懇承認監察法及其施行細則，與憲法規定精神並不相悖。現行憲法雖無行政院長，或各部會首長應出席或列席監察院各種會議備詢的明文規定，相信這應該僅是屬於立法技術上的，並非基於制衡原理的有意省略，乃至不授監察委員以質詢行政設施的權利。因為在政權監督的運用上，監察院依據憲法擁有調查職權，全國官吏依法既應接受監察院的任何調查，則斷無不受質問或備詢之理，故不問監察院所採的調查方式，是由各委員會以聯席會議調查的姿態，或是派員調查，行政院長都沒有可以拒絕應詢的理由。又退一步說，就使質問的方式，誠如行政院的假設，僅限於文書上的，也未嘗不可以擴張而為口頭上的。依大法官會議的解釋，監察院與立法院，國民大會，均相當於民主國家之國會，照一般民主國家精解釋憲法條文，以擴張國會權力的，也儘有先例可援。一八一九年美國聯邦最高法院院長馬紹爾（John Marshall）在判決某一案件中，曾堅決主張，國會不但有憲法明文授與的權限，而且有憲法條文含蓄默認的權力。（Consist with the letter and spirit of the Constitution ）是後國會也有含蓄默認的權力，便為世人所公認，各國國會亦常應用這種權限，以擴充國會權。美國憲法也是剛性憲法，經過一百六十多年，仍能適應社會政治經濟的變遷，而毋須頻頻修改，就是依賴於這種含蓄默認的解釋。

五、「修憲」呢？「護憲」呢？——一個警惕的問題

根據憲法實施的經驗，今天監察權已漸於有氣無力，搖搖欲墜。固然行憲以後的監察權，較諸行憲以前是擴大了許多，它不但具有糾舉，彈劾、審計、調查的原有權力，同時必加上糾正和同意權。然而監察權行使的成效，在國人中，無異成為政治門面的點綴。過去任何案件，都是雷聲大，雨點小，往往涉有刑事責任的，一到法院，非處分不起訴，就是宣判無罪的亦不外申誡，記過，減俸，降職，以今天統一於行政責任處分，移送公務員懲戒委員會之方式計算，上下待遇差別幾微，減俸降職，上無關宏旨，只有休職，撤職，威脅較大，百不及一，對於違法失職官吏的懲戒，顯已象徵，無異開門揖盜！於是又有不少監委，要貫徹監察權力行使，主張應把公務員懲戒入監察權職掌，一如美英法各國上議院，提劾案的審判權力一樣。這明見解又要涉到監司法之間的競權問題，雖非成熟意見，但在之間，可說醞釀已久。公務員懲戒處分的效然到了山窮水盡的境界，為轉移政治風氣，問題的確也有重新估量的必要，不過如將懲由司法移到監察，而更監察權擁有糾彈與雙重武器，是否可以避免主觀的偏頗？是否變憲法所藉以均衡五權分立的基本精神？是否至軼出憲政常軌？都是值得注意的。

民主憲政最者於均衡權力，分工協調的之上，今天我們已不能把監察制度，與歷代台諫所具有廣泛龐大職權，相提並論。監察開院至今二十餘年來，為建立監察制度規模不少努力，今天為加強監察權行使的活動，悖於民主憲政的原則之下，全國人民沒有不同情和支持的。就是立法與監察兩院之間，權行使上也是相輔相成，並無理由可以發現雙方在職權行使上，有何牴觸？根據憲法精神從客觀立論，我們也不容否定立監兩院都具當於民主國家國會的解釋。就說國民大會吧法既給與創制複決的職權，也不容否定它是具一般國會的部份職權。立法院也有明智之士，不相信真如外間所傳，因為大法官會議解釋問題一案，乃至引起立法，監察，司法，三間的水火。假使事誠有之倒也值得大家冷靜。然稱至此，外傳國大代表正在簽署要求政府開國民大會臨時會，這一動機，依一般推測，許在於企圖修改憲法，實現的可能恐不大。但一步驟，或多或少（當然還有別的主要原因）是由立法院修改司法院組織法而來。「修憲」？「護憲」呢？無論如何，我們站在人民立場無論是國大代表是立監委員，應有至少具有政責任感的，至少總可了解民意代表所應具的政風度，於當前國內外情勢之下，應該把眼光放一些，注意于要如何共同維護憲法的基本精神才能結合國內外反共力量，督促政府走向反攻國的大道？這是值得警惕的一個問題。

北大西洋公約組織協議 飛彈抗俄

曾旭軍

雖然蘇聯長距程洲際彈道飛彈，未經證明已進至實用階段，但美國藉其包圍蘇聯基地，可運用中距程彈道飛彈，足以制蘇聯的死命，却是事實。故蘇聯目前注重多建潛艇，及集中力量於發展由潛艇發射的長距程彈道飛彈。想不到海軍在將來戰爭上佔着重要的地位。現在美國海軍托洛赫特飛機製造廠，建造中距程的「北極星」式飛彈供潛艇發射用的，但尚未作試驗放射，大概在一九六二年前，可大量供給應用，從潛艇發射，機動性甚大，不易給敵人發現目標，而且無基地問題發生。

在今後的五年內，美蘇飛彈競賽將劇烈的時代。目前美國利用其包圍蘇聯的基地，以中距程飛彈爲適用的。但計劃與現實，尚有相當的距離。美國國防部長麥埃萊稱：至一九五九年中，英國及北大西洋公約若干國家，可獲中距程彈道飛彈。其後又謂：至一九五八年尾，即可。但據英政府之英國人稱：此未免太客觀，雖有，也不會多。

據英國每日電訊報稱：目前美國雷神式飛彈每月祇製出兩枚，不久可增至四枚，但仍舉行改善的試驗，空軍部與陸軍部被命令訂製雷神式及主神式（亦仍須舉行改善試驗），每月共十至十二枚。

此次大西洋公約最高層會議，雖然通過盟國設飛彈基地的原則，但大概至一九五九年甚至一九六〇年，方能有適當數量，送到盟國基地。英國可以自製核子彈頭，但載核子彈頭的火箭，非由美國大量供給不可。英美分工製件而拼合的辦法，雖於實行，而且很不經濟。目前製造雷神飛彈的道格勒公司，是整個聯合生產。故出產迅速。但製造主神式飛彈的克里斯勒公司，是和其他公司合作的，出產很慢。

現美國的空軍和陸軍共同負責主持製造中距程飛彈。由空軍主持發射。陸軍作輔助。聯合組中距程彈道飛彈部隊。

現美國尚未有受訓練過的中距程飛彈教官，故一年內未能派人到英國負責訓練英國飛彈隊。英美同意共用美國佛羅列達州，加里佛尼亞海角飛彈放射場，英國可派人參與訓練。

飛彈部隊在空軍的編制，是每小隊三百人，常備飛彈十五枚。

丹麥及挪威，雖然不願接納原子武器及「進攻性」的武器，但決將接受「尼克」及「誠實約翰」，顯然的，他們認定無核子彈頭的尼克及誠實約翰不是進攻武器。

土耳其及義大利，有數營的尼克及誠實約翰飛彈隊。在比利時至少已有一營。

西德可能從美國軍隊接受「尼克」及「誠實約翰」。而波恩政府已宣稱購買供兩小隊之用的『鬥牛勇士』。

義大利、丹麥、挪威、和比利時已派遣人員到美國德塞斯州布里斯堡受訓練。英國自然早已有人赴美受訓練，使用中距程的如「誠實約翰」一類的飛彈。

最可注意的是西德，她本來是反共很堅定的，爲甚麼對設核子飛彈的基地，總是遲疑不決呢？

西德總理阿登諾是忠於北大西洋公約組織的，但他認爲這種決定並不簡單。爲共同防衛而貢獻一陸軍給該公約同盟，是一件事。參與大毀滅性的核子戰爭是另一件事。在美蘇原子武力平衡，雙方猶豫不敢使用之際，美國不採取解放政略而止於阻嚇，德國設核子武器放射基地，沒有實際用處。一方面西德人民大部份極力反對原子裝備，及囤積原子武器在德境。估計此種人佔全民百分之十七。自由黨與社會黨固然反對。基督教民主黨，亦懷有不安的緘默，不管懷苟安於繁榮，或繼續統一的德國人，都懷有解放東德同胞的念頭，認爲解放同胞，不必用戰爭方法。西德比台灣的自由中國，在中共暴政統治下的人民，想逃到台灣，衹有望海興嘆。據東歐鐵幕來人說：自東德逃到西德，並不是難事。西德如其有經濟能力，不難全把東德的同胞吸引過來，西德認爲她是前哨，距程很遠的核子武器可不要，反之，她需要北大西洋公約同盟，作局部戰爭的保衛，假如美英長此係持原子武力平衡的話。

我認爲美國對北大西洋公約國家的軍事協議，在團結大原則之下，可分別處理。但萬不可單獨對蘇聯妥協，設如一般人所主張的，立緩衝地帶，必然導致大西洋公約同盟瓦解。（本文取材自本月十六日之倫敦「每日電訊報」）

國際動態拾零

兩黨國會議員，以及艾森豪的病，不會完全控制，不願大權長期勞落于幕僚長阿當士之手。阿當士可擅自執行重要國策，而不必親自向國會及選民負責，未免違背民主精神。尼克遜無論如何，總是直接對選民負責的，故擁護尼氏代總統。現在尼氏是在亞當士集團以外，不能參預白宮決策的。兩黨議員雖不甚喜歡他，但總是參議院議長，比較適當士好些。所以代總統與總統不能執行職務時的立法，不久將提出國會通過了。

× × ×

兩黨負責選舉專家們估計，民主黨在一九五八年的選舉，將獲優勢。民主黨在下院較現有議席可多三十席，與共和黨的爲二五六對一七〇之比。共和黨則以爲若美國科學進步趕過蘇聯，情形必可轉變。

× × ×

波蘭消息，謂蘇聯第二號領袖赫魯曉夫（按是特務頭子）是真正把握政權的人，赫魯曉夫不過居其名義而已。果爾則特務對軍隊在第二回合上已勝利了。

× × ×

狄托將與莫斯科公開決裂，因爲赫魯曉夫與史太林一樣，仍在控制衛星國。但問題在狄托肯否犧牲蘇聯，但狄現已公開犧牲其援了。

陶然

工展風光

造寸送新裝

本港負盛譽之時裝設計專家造寸公司，爲鼓勵顧亦珍小姐，工姐競選特別獨出心裁，設計高貴新裝一襲，用作贈送冠軍小姐之禮物，同時並分別致函參加競賽之十八位工姐「知照」（白）

光明聖誕燈

光助電泡廠所製鹿牌聖誕燈，各遊客因時屆聖誕新年，用來裝飾或作送禮，連日生意特旺。（白）

振興義賣濟貧

第六七街振興公司攤位於十二月廿二日起獻出其最精良出品「鮮牛油忌廉克力架」五百罐義賣，作爲救助貧苦兒童，四元九折，連本全數捐出。（坤）

四美軒中五美圖

金鐘牌攤位之四美軒，已名聞港九，凡蒞工展者，必然光顧，其實四美軒中，昨日又多了一美，此一美乃琴氏藝術館，藝術瓷相，靈而採用名畫家周士心之敦煌畫，精巧古雅，得未曾有，好事者，特攝一五美圖，以流傳千秋。

紅棉牌被

遠東棉產工業出品紅棉毛被，婦女衛生巾等出品，遠銷本港各埠，價廉物美，生意興隆。

伊人小姐張一敏

伊人恤攤位張一敏，已婉納大會的挽留，恢復參加工姐競選。宣傳部主任柳子元，倪少傑會訪張小姐，予以慰留，請以大會爲重，會晤中並由伊人恤經理黃平山慰留，張遂決定接納柳主任之勸請，事後據張一敏小姐談：渠對柳主任爲大會之精神，甚爲敬佩，因此，余雖已四日未來參加競選，犧牲四日之選票，但爲大會熱鬧計，故決繼續參加，並盼各界支持，投同情一票云。

自由談

由聖誕卡說起

馬五先生

近十天之內，接到了來自四方，賀聖誕卡片不少，這是朋友們贈得我高誼隆情，當然可感。然而，我未曾回敬，原因是我沒有任何宗教信仰，如其隨便應酬，迹近敷衍，似非對待朋友之道。所以決定到新年時節，才向各方友好賀年，以表誠意云爾。

據說，人生在世，對人接物總以應付敷衍爲上策，尤其是搞政治的朋友，更非八面玲瓏，應酬週到不可。區區的人生哲學是相反的，我認爲對朋友，一是皆以誠篤為本，說實話，做實事，應該把自己的真性情給對方瞭解，缺點是那麼，希望對方有所匡正和體諒。這樣相處，才可望久要不忘，而適事也不會有猜忌疑懼的心情發生了。政治人物有時候對人對事，如果成為家常便飯，則天下無可信任之人，矣影子戈，爾詐我虞，而小派系的團子主義乃由滋生，及其弊也，政治上因循敷衍之風大作，但沾沾於人事關係，患得患失，毫無實任感之可言，「中飽大官老於事，諂知感激徒綠綢」，實得勞所必至，理有固然。今人好談整飭政風，提倡行政效率之說，如不追究本源，使人與人的日常相處之間，大家講究明心見性，知恥乎，結果總是宣傳詞令而已。這需要居高位者以身作則，對之稍微，以於某些明知其爲敷衍逢迎的言行，必須深惡而痛絕之，才有移風易俗的希望。

現代的人，只要神經正常，誰也不是傻子，唯真誠可以結交真朋友，可與共患難，同甘苦，要在從日常生活中一點一滴的表現出來。不管別人如何，先求諸在我。大家都作如是觀，奉為立身行己的鐵律，世風自然轉移，而政風亦就趨於清明了。因此，聖誕卡雖屬小問題，我亦不願以應酬故事的心情，對朋友塲面——並非宗教中人而行宗教之禮。這或許是不合時宜的人，然而我本是攤肚皮不合時宜的人，庸何傷乎？

聖誕話「聖誕」

高遷

十二月二十五日爲耶穌誕節（Christmas），通稱爲聖誕節，混自然是把耶穌目爲聖人，於是耶穌之母馬利亞稱聖母，耶穌及其門人持教的經典稱爲聖經，而聖尼古拉（Santa Claus）也稱爲聖誕老人。站在「東方有聖人焉，其心同，其理同；西方有聖人焉，其心同，其理同。」的立場，本來沒有什麼可說的。但我們有自己的聖人孔子，而且較立教的耶穌爲早，所救濟人的經典也早深植人心。如果泛稱之，吾無說也；如專指耶穌，吾有說焉。

聖之一字，許慎說文解字釋爲通也，詩經毛傳釋爲叡也。它的意義，就是有叡智而通達事理的人，都可以稱爲聖。所以古代對於聖的指目，有泛稱與專稱之不同，如易乾卦說：「聖人作而萬物覩」，這是泛稱；若專稱則指孔子。又如王觀國學林所說：「古之人精通一事者，亦或謂之聖；」如馬綏明精易，謂之易聖；嚴子卿、馬綏明皆善圍棋，謂之棋聖；張芝精草書，謂之草聖；……之類，這是偏稱；若通稱，在東方則稱孔子。

聖之字，遠在說文未有以前，就是泛稱一般人所當得起的通說。文獻類書引風俗通說：「聖者，聲也，通也。言其聞聲知情，通於天地，調暢萬物也。」白虎通聖人篇也說：「聖者，通也，道也，聲也。道無所不通，明無所不照，聞聲知情；與天地合德，日月合明，四時合序，鬼神合吉凶。」又傅子也說：「聖人之通如天地，諸子之異如四時，四時相反，天地合而通之」若拿這些說法來看，惟孔子當得起稱聖人。

孔子生時，門弟子已尊之爲聖，如孟子公孫丑篇所言：「子貢曰：『夫子聖矣乎？』孔子曰：『聖則吾不能，我學不厭，而教不倦也。』子貢曰：『學不厭，智也；教不倦，仁也。仁且智，夫子既聖矣。』」

到了禮記中庸，更稱孔子爲聖，「仲尼祖述堯舜，憲章文武；上律天時，下襲水土。辟如天地之無不持載，無不覆幬；辟如四時之錯行，日月之代明。萬物並育而不相害，道並行而不相悖；小德川流，大德敦化。此天地之所以爲大也。唯天下至聖，爲能聰明睿知，足以有臨也；寬裕溫柔，足以有容也；發強剛毅，足以有執也；齊莊中正，足以有敬也；文理密察，足以有別也。溥博淵泉，而時出之。溥博如天，淵泉如淵。見而民莫不敬，言而民莫不信，行而民莫不說。是以聲名洋溢乎中國，施及蠻貊；舟車所至，人力所通；天之所覆，地之所載，日月所照，霜露所隊；凡有血氣者，莫不尊親，故曰配天。」此一大段話，以孔子之德與天地之大相比論，以見孔子之至聖，爲聖字更具體的說明。故稱孔子爲至聖，孔子智無不周，德無不洽，故又以道爲專稱。自孔子沒後，二千年來，皆以孔子爲至聖先師。此外再沒有稱聖的了。

孔子既爲國人歷代所尊奉之至聖，故孔子的誕辰，才稱聖誕；孔子的經典，才是聖經；孔子在時，方修明聖經，以紬繹異，而老子如唐書藝文志便說：「著書論道德。」現在如果不分中外聖人，一律冠以聖字，若說聖誕，是中國孔子的誕辰呢？還是外國耶穌的誕辰呢？若說聖經，是中國孔子的經典呢？還是外國耶穌的經典呢？

聖人，除了耶穌以外，像印度的釋迦牟尼，他所創的佛教，在漢時便傳入中國，其影響之深，無論在思想上、藝術上、行爲上，幾乎形成了中國的國教，但佛誕從來沒有人會說成聖誕，佛經也從來沒有人會說成聖經。其他像回教等的聖人亦然。

在國內除了孔子得稱聖以外，其他概無稱聖之先例，爲了免於稱述上的淆亂起見，耶穌的誕辰，應稱爲耶誕。準此爲例，耶穌之母馬利，可稱耶母；耶穌教的經典新舊約，可稱耶經；聖誕樹可改爲耶誕樹，聖誕老人可改爲耶誕老人。如此，儒釋道耶回，各稱以己名，至多本國國教，可冠以「聖」名；若『聖誕』專指「耶誕」，似不甚妥。

我寫這篇小文，絕不敢對耶教有故示軒輊之意，不過作爲一個中國人聊以示意云爾，不知海內外賢達，對此作何觀感？

「狗格」的具體

讀本刊第七〇三期，內有『狗』的文章一篇，中有說『所以有狗格的人吃飽了。』因記起『狗格』的史實兩則。

南宋時，有一位叫許及之的，已做到相當於現在部長地位的尚書，那時韓侂胄當政，一次，侂胄的生日，朝內大小官員都給他拜壽，大家都到了，及之後到，韓府管門的把門閉了，他不知如何是好，左顧右盼，有一個狗洞未閉，他乃伏下身子，爬了進去。當時人都叫他做『由竇尚書』。

又有叫趙師羇的，亦以趨附韓侂胄，已做到了相當於現在的部次長的侍郎。一次他跟隨侂胄去遊飲南園，路過一小村莊，看到那種竹籬茅舍的風光，侂胄不覺歎曰『此眞田舍間氣象了！但少雞鳴狗吠的聲音耳。』俄頃，乃聽得汪汪的犬吠聲出自叢樹亂草之間，侂胄叫人去看，原來是趙侍郎伏在那裏學狗叫的，後人亦給他起一個混號，叫他做『狗吠侍郎』。

這兩件史實，可說是『具體』的『狗格』故事了！可是，不久，南宋就被這些『狗格』大員給搞垮了！

·季舟·

硬心腸的人

短篇小說

楊海宴

史培興，一個很有作爲的實業家，然而卻是個極著名的硬心腸的人，彷彿只提起這「史培興」三字，就代表硬心腸這名詞似的。個子瘦弱不堪，矛形臉，上圓下尖，那額頭，佔了臉的大半部，因此兩隻眼睛的遠接綫，就像把臉平分作兩半似的。小眼，然而兩個黑珠子，卻始終凝聚着冷光，那怕他笑時，那眼光仍是凝聚固定的。而他笑的時候很少，縱有笑，也只是嘴角微微向上挪動一點，笑得自大而且堅定，尤其孕育着一點嘲弄，冷酷乃至陰狠的意味，像一隻正從事蒐獵的鷙犬，說明他任何時候都是清醒的，好像世間從無一事足使他猶疑困惑。

因他個子出奇的纖小，老實說：三十多歲還像個小孩子。而皮白淨，頭髮濃密，雖然鬍鬚很多，但外貌仍無法引人入勝，尤因他平日那點自得的作風，更給人增加對他的惡劣印象，然而他所經營的實業，卻與一般人對他的願望相反，總是蒸蒸日上，而他，也總是那副傲倨得意的神氣。

他經營了一個小小的化學工廠，另外又開間西藥房，資財雖不大，卻只是憑着了一隻靈犀牌鋼鉄，經十二年苦撐，即弄成現在這麼大的基礎，當作神蹟來講，也不算爲誇張。

當然，關於他不名譽的謠是很多的，全是那類既無根據，可是卻又言之鑿鑿不光明的傳說。卻因他有個好弟弟，這弟弟雖與他同父共母，卻完全是兩副模樣，弟弟名培傳，生得一表人材，爲人謙和有禮，且樂善好施，故此，有些不名譽的謠言，也因弟弟遮蓋，逐漸漸不撲自滅了。

弟弟很友愛很敬重哥哥，而哥哥對弟弟，顯然的，把他看作無足輕重。家中一應大小事務，都是這位極有客氣的硬心腸的哥哥掌握，甚麼事都料理得停停當當，顯着一片又寬裕又旺盛的氣象，且他還有大部份時間精力用來讀書，這讀書儼然是他生活中很重要的一部份，看他在日常繁劇事務中，竟是非常冷靜的保持那點精神貫注，不離不棄深思好讀的態度，眞是令人覺得很奇怪的。

他上過兩年舊制中學，如今的榮上文書往來，一應公私函牘，全係他自己處理，且處理得極具雅緻的風格。尤其他沒有想到這些事是可以由人分担的，他決沒有半點信任人的意思。

弟弟比他小十歲。弟弟成年時，正當哥哥撐起家業的時候，因此很順利的讀到大學畢業，便幫着哥哥分理一些極不重要的應酬事務（顯然的，哥哥並不在意他能否分担家事）。弟弟懂事時即在寬裕中生活，愛花點錢是實在的，但却非無理性的揮霍，而且，哥哥待弟弟似乎各方面都很苛刻，但對於用錢，却是絕不加以約束的，並且在日常言談之間，隱隱的還有一點鼓勵他用錢的意思，就是有一樁，他深惡痛絕的反對把錢花在女人身上。

這天下午，他照例非常舒服的睡完午覺後，便閒散的拿起一本書來看。但臨時想起一件事須得親自料理一下，便一面披起外衣，一面叫人準備車子。外邊傭人答道：車子二先生出去了，他不悅的皺了一下眉頭，望了傭人一眼，便默默的脫下外衣，停會，對傭人說：「二先生回來時，叫他到我這裏來一下。」

他想這件事明日去辦也無不可，便仍然躺到安樂椅上看書。（一）

紹華先生「清代詞壇殿軍朱彊邨」訂補

黃華表

陳三立所撰墓誌銘，亦謂：「所搜唐宋金元百六十三家詞，取善本勘校，最完善。」張爾田史推尊之云：「先生守律則萬氏，審音則戈氏，尊體則張氏，而尤大有功於詞苑者，又在校勘。前此常熟毛氏，無錫侯氏，江都秦氏，廣刊秘笈，流播藝林，是謂蒐佚。遞知聖道齋彭氏，雙照樓吳氏，或精鈔，或景宋，則又志在傳眞。雖未嘗無功於詞，而皆無當於詞學。先生則不惟蒐佚也，必驗其精；不惟傳眞也，必求其是。蓋自王佑遐之校夢窗，彼述五例，以程己能，先生循之，津涂益闢。是故樂府之有先生，而後校讎乃有專家，下與陳晁競爽，上與向歆比隆。六藝附庸，蔚爲大國。遂使聲律小道，高躋乎古著作之林，與三百年樸學大師，相揖讓乎尊俎之間，位於三槩之上。嗚乎，可謂盛矣。」彊邨叢書，所在多有，紹華先生竟未嘗見，其言之舛，豈不異耶。

紹華先生又云：「遷居以後，又校刊詞莂，選錄清代朱彝尊陳維崧張皋文蔣春霖諸詞家，校錄極精」。

詞莂一編，雖爲彊邨所手訂，然多與張爾田孟劬商略去取。蓋彊邨本人之詞，則孟劬所主張也。選者自毛奇齡以下，凡十五家，曰毛奇齡十一闋，曰陳維崧十一闋，曰朱彝尊十闋，曰曹貞吉六闋，曰顧貞觀八闋，曰成德十二闋，曰厲鶚九闋，曰張惠言四闋，曰周之琦八闋，曰項廷九闋，曰蔣春霖十闋，曰王鵬運十一闋，曰鄭文焯九闋，曰朱祖謀十闋，曰況周頤九闋。張孟劬爲之序，謂「非夫邁往逸儁，自闢戶牖者，屏不錄。」何其嚴也。今觀紹華先生之所敘次，知其於詞莂，並未寓目。彊邨於同時人之詞集，即在遺音集內。蓋又爲紹華先生所未及知者。昔者，李越縵嘗云：「道咸名士，病在讀雜書而喜大言，同光名士，病在不讀書而好妄言。」痛哉，其言乎。愚爲此「訂補」之辭，固亦「大言」「妄言」之列，尤而効之，罪又甚焉。世之君子，其謂我乎，否乎，不敢知已。（五）全文完

才子婦

以前是：「修到人間才子婦，不辭清瘦似梅花。」

如今呀：「修到人間財主婦，不辭吃胖似肥豬！」

傳名士張船山，伉儷甚篤，其夫人林氏，美慧能文，亦巾幗之才子也。船山曾手寫林夫人之小像，林夫人題有句云：「修到人間才子婦，不辭清瘦似梅花。」此固取林和靖梅妻鶴子之典，意思是做爲才子之妻，乃三生修得，即便吃不飽，瘦的像梅花一樣又有何妨呢？

當然在那個時代能夠才調縱橫，莫不受人尊敬，今日以才子值不了幾個大，所謂「亂世文人不如狗」。事實上比起小包車裏的貴族狗尚且不如，今日的小姐們也聰明，據人說講前途，什麼是前途的大小，換句話也就是收入的多寡。因此我想如果把這句話改爲「修到人間財主婦，不辭吃胖似肥豬」到是恰當，自己胖點，有麻雀又汽車坐到也罷了。先生胖點，那就更沒關係了。

因此今日的才子娶婦較難，但是娶婦爲才女的到是常見，君不見如今女作家之多，把要筆桿兒的飯碗都快搶光了，但是這些女子的「賢外助」有幾個是寫文章的？連同行都不感興趣，還有什麼話講呢？才子佳人時代固無需追憶，但與五四前後那種愛情與學問的光輝相較，才子們也眞是凋落了。

·陸夢星·

自由人
THE FREEMAN
（第七一一期）
中華民國僑務委員會頒發登記證台教新字第一第二號
中華郵政台字第五〇〇號執照登記爲第一類新聞紙類
（半週刊每星期三　六出版）
每份港幣壹毫
台北市售價台幣壹元
督印人：陳文華
地址：香港高士威道二十號四樓
20 CAUSEWAY RD. 3RD. FL. HONG KONG
TEL. 771726
承印者：東南印務出版社
地址：高士打道六十四號
台灣總經理處
台北市西寧南路壹壹零號二樓
電話：四七三四六
台郵撥儲金戶九二五二
海外總經銷：友聯書報發行公司
香港：德輔道中二十六號A二樓

民主國家應認識民主實力

伍憲子

國家實力，不能將原子彈，氫氣彈，越洲飛彈，火箭，乃至人造衛星等等，最近之所謂科學新發明除外。但徒擁有此原子彈等等，斷不能認爲民主國家之實力就盡於是。因爲此種物質，凡是科學稍進步之國家，皆可以利用科學，努力促進之，如現在蘇俄，已是一個例。此種實力，可以變成侵略的暴力，不一定爲民主實力。故民主國家之實力，除了原子彈等等一連串之新武器外，尙有其最重要之主力在。可惜西方民主國家，似未注意及之。本篇之意，就是討論此問題。

一　追憶民主之原動力

當十八世紀之下半世紀，美陸十三州抗英獨立，力當遠不如英國，然卒之獨立成功，美利堅合衆之國遂爲世界上最大之民主國家。固然有華盛頓傑克遜等之人格感召，但其力量之所以集中，不集中於某一個人，散布於一萬萬人之中，以在於十三州內，每一人之心中，合而成爲一中心思想。此種思想何以能抗暴政，抗英國暴政，此不惜犧牲，不惜戰爭有所不惜，斷絕生死有所不惜，此是民主國家之精神。美國獨立時如是，法國大革命時亦如是，各黨各派，在此時只管抱一心，內心各有其永遠，但比較的純潔，但在反抗法國王朝之暴政，各黨人與各市民之心目中，是一致的。此是民主之真精神。此是民主之中心思想。故在美國獨立，抗英戰爭當中，絕不會游移不定，一面抗苛稅，抗虐政，一面又謀妥協，想與英國和平共存。在苛稅虐政之下……

二　可惜百餘年來民主力量仍只保守

從美國獨立，法國革命，至今一百八十年間，民主力量不能不說有長進。在資本主義制度發展以後，資本家與勞工之衝突，終能以民主方式爲之解，由各走……當然，資本家仍站在優勝的地位，此是初步民主過渡時代所不能避免的。然資本家到底利益化，不能救正之，……明白民主國家之實力，要不徒在於武器，亦不徒在於人心，要在一個共同理想之目標，赴一個共同達到的目標，就是力量，目標要民主，就是民主力量。民主國家如能團結於民主，對民主國家不能團結，我自非把此力量，努力以擴充之不可。

民主政治百餘年來終不能有大長進。共產黨就利用共產主義，乘西方之政治之弱點，……只識招架，而不能擊散，……但可恨眼光仍局限於科學，其始對原子武器太自信，以爲站在前頭，其後對人造衛星又太張皇，以爲自己落後，始終都爲功利主義所顛倒。此無他，就是民主生活方式造成之。意見太自由，而不能集中，物質太發達，而耽於享受，共產黨看中其弱點，多方以困惑之。於是所長不能補其所短，所短更漏洞百出，雖於彌縫，故民主實力無進步，乃並其原始之動力亦失之，一切不顧之犧牲精神，亦不復見。因此，只能保守，常退處於被動地位。觀於最近巴黎高層會議閉幕後所發表之宣言，益可證明。

三　最近巴黎高層會議之成敗觀

據十二月十九日巴黎電，北大西洋公約國家組織之高層會議，今已閉幕，發表宣言，此是北大西洋公約成立九年以來之最重要會議，美總統艾森豪雖在病後，猶不辭勞苦，遠涉出席，其緊張可知。此會議之目的，是對付蘇俄，世界皆知，團結民主力量，以準備戰爭。當閉幕時，歐洲盟軍最高統帥諾斯達告記者，認爲此次會議，非常成功。然而我們讀其閉幕宣言，仍是自處於被動地位。如云「蘇俄擴張軍備，迫使我們設立我們的公約組織，並進行建軍」，此雖事實，亦何必多費詞令。從好一方而言之，似乎表示謙德，從壞一方面言之，未免近於氣餒。故全篇不見有正義精神，如說「凡攻擊我們聯盟之一者，即爲攻擊我們全體，我們全體部隊將在大組織領導下進行抵抗」，亦不過表示消極的自衛而已。夫消極自衛，可以對付尋常之敵人，不可以對付決心征服世界，隨時隨地進行其顛覆活動，且以人爲工具，任意殘殺，絕不愛惜，無些須人性之共產黨。今竟如此客氣，以消極自衛了之，是助長其侵略也。宣言之末尾更離奇，說「吾人願意與蘇俄開會談判」外，又說「吾人歡迎東西長級會議之召集」，此則無異將消極自衛亦取消之。故巴黎之會之結果，有人尙視爲成功，但我則只見其失敗而已。然則民主國家今後如何培養其民主實力，當從新研究，當從新認識。

四　民主實力之眞實價值

「我們的目的，在保障我們人民的權利」，……「我們堅決相信」，經由民主手段的和平改革，並愛護我們人民的品性，小心保障他們的自由，……我們決不向共黨威脅讓步」……「我們致力於和平的自由，非僅爲我們的國家而如此作，我們作」是爲人類而如此作」，凡此等等文詞，都亦是民主的美麗之詞，是民主人士之起碼常識。若遽認此爲民主實力，似乎尙有距離。必欲保障人民權利，必欲爲人類致力於和平與自由，斷非僅說一句「不向共黨威脅讓步」的空話，就可以取信的。而況十年以來，受共黨威脅而讓步的事件，如韓戰之停，越北之割，匈牙利人民受殘殺之不敢干涉，何一不是受共黨威脅而讓步。故不讓步終日空言，不能以作證，任對方造成事實，則又以既成事實之所讓，非講民主實力者所之謂，爲此也。少時讀書，最感動，我至今尙有二語，湯誓之初心。在湯之伐夏，人民皆謀，對出兵，謂「我后不恤我衆，舍我穡事，而割正夏」，蓋當時在湯權下之人民，皆安居樂業，夏政之虐，不能及之。故坐視夏民之受苦者，不想則不去拯救。但湯之想法「夏氏有罪，予畏上帝，不敢不正」。此湯之責任心所在，則其責任，不僅在於保障自己國內之人民權利，而是爲天下人。湯誓之語，就「夏王率遏衆力，率割夏邑，有衆率怠弗協，曰『時日曷喪，予及汝皆亡』。夏德若茲，今朕必往」。此古代最感動人心之語。「今朕必往」二語，而王者負責任之心靈，假令湯復生於今日，看大陸人民受屠殺之慘狀，與匈牙利人民受殘殺之世界，有推翻其「夏德」之決心，若茲，今朕必往」，我相信必能擁大權，力挽主權，惜乎今之大權主者，無人有湯之學也。湯誓之不會爲中國三千年前之古籍，陳腐，時人眼中，不堪稱述，不宜在現代求民主力量之眞實價值，從巴黎高層會議閉幕宣言及從湯誓所得之所得，乃不難謂中國文化貴可寶耶。今後尋求民主實力，必須促進民主，方可保障人權，則必須人性，方可化中國文化，則中國文化仍是天之驕子也。

半週述評

行憲十年

不管民主實際做到幾分，中華民國到了本月廿五日，行憲已十年了，也不論我們這部憲法本身是否已臻完善，它至少總是民主的，它是維繫海內外自由人心的民主指標。這部憲法總能行于台灣一隅，也還……但海外所重視的却是……修憲之議自台傳出，引起……問，聞者引以爲憾。儘管……現狀之處，但「不適」的解釋，却是仁者見仁，智者見智，行之不當，其後果實不堪問！

世界最大的新聞

歐亞兩洲報紙編輯人同把「蘇聯發射人造衛星」列爲一九五七年世界最大新聞之首，似乎很少人不同意。人造衛星不但揭開了「太空時代」，且因爲與火箭，飛彈等觀念聯在一起，而優勢又似乎握在魔鬼手中時，確是件可怕的大事。據說蘇聯在一九五八年底爲「國際地球物理學年」中，還要發射至少十二枚人造衛星，但今天却又提出了所謂「七點和平新計劃」，要由一月一日起美蘇英三國保證不用原子武器，停止核子試驗，裁減武裝部隊……，這當是最大的滑稽新聞！

無他，沒有行動緊隨在後的任何具文，都和政府一些台聯式的施政方針老調，等量同觀，雖曰比得有點不公，人心如此，是又不足爲怪！

光復「設計」與「行動」

台灣的光復設計委員會陳兼主任委員在會議中，指出該會根據反攻前，反攻時，反攻後的程序，擬定三大主題，完成了二百七十七案，多已付行政院和其他主管機關「實施參考」或「斟酌採擇」施行。海外人士對委員諸公積年累月心血的成果之所以並未感到「私心竊慰」者，

「平安夜」曲的對唱

赫魯曉夫似在和艾森豪對唱「平安夜」曲，放出了和談假「貼士」之後，復打出了一張詭牌——以「倔強的談判者」著稱的孟希柯夫代替薩魯賓爲駐美大使，不啻暗示克宮已在白宮替艾森豪安上一張談判的硬交椅。一九五八年其仍爲冷戰談判之年歟！

羅馬教皇的正義呼籲

羅馬教皇庇護十二世，在全世界教徒們正渡其狂歡夜中，發出一項喚醒人心的聖誕文告，于呼籲世界結束軍備競爭中，重申人類應擁有自衛力（去年他斷言「自衛的戰爭在道德上是合法的」）。這有力的正義呼籲，比一般教徒們消極的自我安慰式的「平安夜」禱，不更合乎耶穌博愛的精神嗎！

所謂亞非團結會議

俄共又在開羅翻玩其所謂「世界和平會議」的舊花樣——亞非團結會議。這花樣已經玩弄了若干年了，今天更成了公開的把戲——蘇俄也竟冒着東方的牌子派代表參加這些各國共黨及其同路人的「團結」，當是蘇俄在中東變得了活動基地——埃及，敍利亞以後的傑作；其冷戰目的顯在擴大中立主義的影響，打擊在東南亞要打擊的當是東南亞公約，在中東的是巴格達公約。這表示中東的艾森豪主義將走向低潮；「美帝」或「西方帝國主義」將成爲那裏俄製民族主義底代罪羔羊。

· 林伯雅 ·

論假藉「社會主義」之名

蘇聯共產集團國家，近年來高喊「社會主義」，而少說「共產主義」，其作用顯然有二：第一、是利用這名詞便于統戰企圖拉攏自由世界中之社會主義政黨及社會主義份子；第二是掩飾蘇聯式共產主義的失敗。觀于中共，自不例外。

其實蘇俄原是仇視「社會主義」這個名詞的。

當西歐資本主義發展已經現出危險，各國之社會主義政黨欲求眞正改善工人階級生活，而不流爲俄共式的無產階級專制的暴政，便于一八八九年七月十四日，在巴黎成立第二國際，事實上便成了各國社會民主黨及社會黨的聯合會議。

蘇俄的布爾什維克政權建立之初，因爲反對以議會方式建立民主政權，而主張以暴力建立無產階級專政，故捨社會主義而改用共產主義，以配合一八四八年馬克斯在「共產黨宣言」中喊出「全世界無產階級起來」的口號。自命爲馬克斯主義的正統。其仇視西歐的社會主義甚於資本主義。

認眞說來，蘇俄的共產主義已不是馬克斯的共產主義，而是列甯新帝國主義，離開社會主義更有若天壤。以後演變下去無眞正主義可言，列甯死後，繼之以所謂史達林主義，史死後，繼之以赫魯曉夫主義，……主義，已離開馬克斯理想的共產主義甚遠。

目前蘇俄爲實施統戰伎倆，實行拉攏社會主義者。在去年波蘭及匈牙利發生反暴政革命後，即從側面放出一種理論，說「共產黨政權的上層組織，係基於一種理論，即其政治的上層組織，係進步性，但其經濟下層組織，係強迫性，足以互相平衡」此種論調曾一時迷惑了社會主義者和左傾份子。他們雖然同情匈牙利的革命但恐怕匈牙利革命太過份了，足以破壞社會主義的基礎，即上述的所謂經濟下層組織。

蘇俄這個詭調很重要，因爲當日布爾什維克政權仇恨西方社會主義所發生的裂痕，現在則用『政治方式有異，而經濟原則相同』的口號去拉攏回社會主義者。祇要有此種概念存在，克姆林宮便可以使社會主義和蘇維埃政權，至少有一經濟上的共同連繫，便可掌握世界上一切的社會主義者。

共產主義國家自獨行將私有財產化爲「公有」，現在事實上，大衆都知道所謂「公有」是怎麼一回事了。今天大陸上種田者餓死，種花生者吃不到花生油。這是「公有」麼？事實總是勝于雄辯的。

在計劃經濟中，假如所獲的利益，不環歸工人，而係歸統治階級所有，這不算是社會主義，而是「非人道的工業化」。因爲統治階級組成壟斷集團，避免自由競爭。他們變成最野蠻凶惡的狼，計劃最好的方法去吃羊。這種「奴役工業」，爲統治者的陸軍，製造飛彈和核子武器；爲黨的統治者製造奢侈生活的必需品。但僅給予勞動者以紀律教條，可憐的生活在貧民窟，和殘酷的集中營。

蘇聯「眞理報」告訴我們：蘇聯有八百萬工人，每月祇獲得八十盧布的購買力。而工廠的最高指導人獲六千盧布。匈牙利許多八九歲的小孩，從未見過一隻橙或一隻香蕉。一件僅值十盧布的舊衣，由法國運到布達佩斯，以五千餘盧布售出。匈牙利工人的生活水準，比不上法國一個失業而領救濟維持生活的工人。怪不得匈牙利革命者打着旗幟，上面書着：『我們願意天天工作十二小時，但必須是爲自己而工作！』。這顯出匈牙利共黨統治者是殘酷剝削者，高高在上的是殘酷的剝削者，下面是一大羣永遠是飢餓貧窮的人民。這就是蘇俄集團國家的「社會主義制度」！這些剝削者便是南斯拉夫吉拉斯所說的「新階級」。

共產主義者以社會主義作掩護，好像被追捕的匪徒，以其所擄去作人質的人作盾牌，爲了愛惜受害人，警察不敢開槍射擊。

所以我們必須撕破這假揭露其勒索的奸計。克姆林宮獨裁者建立的政權，沒有社會主義的基礎；他們是新階級，貪婪，暴虐，而說謊。

匈牙利共產黨員朱利阿斯凱已體認出他歷年來追求建立的所謂社會主義。他說道：「多年來，我相信我們有一個錯誤偏差的社會主義政權。但今天，我不再有此信念了，我知道這個制度完全脫離正軌，沒有一點是社會主義。」

其實匈牙利革命已很足以表明共產黨政權是生在社會主義身體上的官僚主義寄生蟲，還未正確，應該是出於「社會主義屍體上的官僚主義蛀虫。」開始給他們利用的社會主義已死了。

· 曾旭軍 ·

印尼局勢分崩離析

蘇加諾出走後哈達未允復出　共黨部署日著各黨圖挽危機

海外通訊

●華仁傑●

印尼對荷蘭爲新幾內亞西部歸屬的爭執，在新幾內亞土著——巴本斯族人看來，那好像是「一齣趣劇」。但是他們大多數人並不知道：人世間竟會有人對他們的土地垂涎。而且由此促成四萬餘荷僑感受生命財產的威脅；使東南亞局勢驟形嚴重。

也許有人會懷疑：荷蘭在西新幾內亞只有支出（每年撥供維持費一千六百萬美元）；無大收入（石油礦藏均未充分開發）。爲什麼要佔這塊殖民地？印尼本身四分五裂，爲什麼於荷蘭將西新幾內亞領土（爲荷）完成法案後，把它列入爲西里伊安省？這問題並非一般人看來那麼簡單，各有所懷。確是十分複雜。今後，新幾內亞的歸屬究將如何？萬流歸宗，問題只有一個：新幾內亞除自治，別無他途可循。

先從荷蘭佔有新幾內亞的基本原因說來，當一九四九年荷蘭把蘇門答臘、爪哇、大部分的婆羅洲和西利伯斯島交給了印尼共和國後，它在上述各島的商業利益，並沒有全部撤退，如金融企業、石油工業、以及航運事業，在印尼全國的經濟、貿易上，佔有百分之八十一強，依賴上述商業生活的荷僑，約達四萬六千之衆，印尼人間接寄生的也有十餘萬人。基於這些商業利益，在政治法益上雖有荷蘭使領館給予他們維護，安全方面，由於印尼獨立以來並不穩定，就不得不繼續新幾內亞西部這一僅有的殖民地，作爲四萬餘荷僑精神上的支持，這是荷蘭繼續保持西新幾內亞的最基本因素。不然，荷蘭不致於將這一殖民地列入憲法（一九五二年經國會通過）。

現在，經過印尼共黨領導暴民，瘋狂侵奪荷蘭商業之後；軍方宣佈正式接管。看情形，荷人縱能從印尼政府索回商業，以後未必可以繼續經營。那麼，荷蘭何必繼續佔有西新幾內亞？假如放棄了這塊十五萬一千方哩的殖民地，不是可以節省一筆支出？可惜，荷蘭不能這麼做。因爲它和澳洲存在這一個不成文協定——「荷澳合作保衛新幾內亞的安全。這一項國際義務，原係印尼叫囂要「收回西里伊安」，荷蘭當時並未考慮到印尼會對荷僑迫害，只顧慮印尼會對西新幾內亞採取軍事行動，不得不要求澳洲跟荷蘭合作。

澳洲願意和荷蘭合作，在理論上說，澳洲爲了本身安全，沒有理由拒絕荷蘭，不論道義或是軍事防衛方面的合作。因爲新幾內亞的東南部屬澳洲的，東北部歸屬德國，實際由澳洲代管。目前，儘管印尼對東新幾內亞，並沒有任何表示，在澳洲看來，西新幾內亞的荷蘭勢力一經被迫撤退，東新幾內亞未必安全。假如整個新幾內亞保持於一個友好的國家手裏，倒也還有話說，像印尼這樣一個親共實際已受共黨控制的國家，實在太不妥當——放棄新幾內亞等於把一分財產，拱手送與共黨。再就戰略地位說來，澳洲如果自東新幾內亞撤退，不啻自己打開了北部大門，引狼入室。因此，澳洲維護自身安全必須支持荷蘭保持西新幾內亞。

印尼爲甚麼要「收回西里伊安」？已由民族性的激發，逐漸成爲國際共黨戰略上的要求，那顯然是直接對付荷蘭，間接擾取澳洲者。年來中共對緬甸的壓力，經營寮國和高棉，其目的要把它們「安全區」向孟加拉灣深入，使共黨勢力由南中國海滲進印度洋，切斷西方國家在太平、大西兩洋間鏈鎖防綫，不僅危及澳洲，且將紐西蘭、菲律賓包圍。這一恐怖陰影，在中共叫囂支援印尼反荷，已經十分明顯。

印尼對收回「西里伊安」新成立的「建設師」（一萬五千兵力），能否發生作用，不僅印尼政府沒有把握，在任何人看來，那祗是裝模作樣，另有企圖，因爲渡海作戰的工具尚在義大利建造，海軍還未曾訓練；中共和印尼都希望於荷蘭進兵耶城，使事態擴大。於是，中共藉口支援，出兵印尼。這麼一來，中共不僅可以乘機佔據印尼，進攻新幾內亞，並可控制馬六甲、爪哇海峽，此後將會出現何種情勢，誰都不難判明。

現時蘇加諾託辭出走，哈達因政府無意接受建議，未允復出，這隱晦的局勢，只會愈趨惡化。目前共黨的顛覆部署日著，各地瀰漫恐慌，耶加達政府跟荷蘭既無直接交戰可能，所謂「建設師」與「建設旅」，實際將用來傾覆中央政府者。因此，國民黨內部的保守派，與回教瑪斯友美黨及靜學會等，除積極排斥共黨外，堅拒跟共黨合作，並組織聯合陣綫，力挽當前危機。然政府軍與各地自衞軍，由於政治觀點不一致，糧荒嚴重（本年歉收十五萬噸），紛紛叛亂，[illegible]。照目前荷印兩國關係的演變而論，雙方並無發生戰爭的可能；然而印尼內部，隨時可以發生政變，當非言之過分。（十二月十一日寄自耶城）

新報開禁又復胎死

台灣通訊

●雷聲●

[illegible] 令人眼花撩亂。自老法官張金衡的賄案揭起，至最近的高等法院李庭長林炫的吊自殺，其間形形色色的慘案，[illegible] 所以有人把這二個月，看成台灣記者，編輯們最頭痛的二月。

報社的老板們，也不輕鬆，[illegible] 但是又吹了，空歡 [illegible]

[illegible]

立下不拔之根基，[illegible]

[illegible] 決定了警備人員。但，新報紙的登記權，照法令屬於內政部，在台灣是不准增加新報紙的，於是爭取「開禁」，而且省政府的意思，不僅要開放，而且越快越好。

二、中央日報要爭取的是增加篇幅。因爲數年來的中央日報，在發行方面居首。廣告方面，有應接不暇之勢。據說，廣告商除了按時刊出廣告，有時尚須託人情與「掛號」的。據統計，該報全部廣告篇幅平均約佔整個報紙篇幅的百分之四十弱。剩下的，化爲能讀的東西，實在太少了。以研究新聞學從新大陸回來的年青教授說：「台北的報紙，幾乎被電影商所收買了。」其實，這並是台北的電影廣告「多」而「大」，但是我們報紙的容量太小了。法律不容增加篇幅，因爲根據戰時新聞用紙節約辦法（民國四十四年四月行政院通過實施）的第二點規定：「各報社發行之新聞紙，除特定紀念日外，其篇幅一律不得超過對開一張半。」中央日報爲黨的機關報，但亦不能領導違法，爲了增加新聞的容量，乃首先起而力爭，要求放寬尺度，由現在的一張半，增加到二張。

三、內政部的凍結新報紙登記，是根據該部自行制定的出版法施行細則第二十七條。該細則的弊端有：一、未經過立法程序（立法院未審查），二、這第廿七條的條文亦有問題，因爲引伸之意義，與母法（現行出版法）的原義相衝突的。因爲細則的第廿七條所根據，係爲出版法的第廿八條，該條條文之「出版品所需紙張及其他印刷原料、主管官署得視實際需要情形計劃供應之。」（很顯然，該條並未談及限制報紙數量呀！）這就是立法院屢次關於開放報紙登記，質詢的焦點，因爲行政院是根據出版法細則，而限制新報登記的，但該細則的本身，就有問題呀！

四、民國四十四年行政院頒布之戰時新聞用紙節約辦法，其用意很顯然是怕台灣紙業公司的配給紙供不應求，所以，規定每家的篇幅一律不得超過對開一張半。但最近二年台紙的產量已供過於求，且設法要向外擴銷，否則若干紙廠，將因無銷路而減產關門（最近台紙爲解救滯銷的恐慌，深股東集會，商討把台紙化整爲零式的分營。），而台紙外銷，以現在的品質及成本，在遠東市場上，是無法與加拿大，日本相爭的。

以上四點的原因，本來亦無法斷掉政府的「不開門」決策的，但是十月裏不少華僑代表，爲了參加國民黨八中全會，僑聯代表大會，總統祝壽，從海外回到台灣，他們之中，許多人不是祇抱著「觀光」的心情回來的，而是要講話的。當然，「新聞自由」是一個大題目，亦最令海外人士所誤解的。其實，台灣沒有新聞自由嗎？當然 [illegible] 事實研討的結果，誤解的原因，還是緊於「不准辦新報」的政策上。

國民黨八中全會閉幕後，似乎對於新聞決策的得失，經過一度研究，看樣子「開」的決心，是下定了。在十二月初，一位頗有權威的台灣新聞界巨頭，當然亦是參加上面所謂一連串的招待會議的，曾經透露過這意見。已得出五點決定：

一、各報各需實際需要，增加篇幅；

二、增加篇幅後由於用紙增加，防止台紙的濫用獨佔特權，而抬高報紙價格，各報可以自行申請結匯，購買外貨。

三、廢止行政院的戰時新聞用紙節約法。

四、修改出版法（出版法本身並無毛病，毛病出在出版法施行細則）。

五、嚴格執行出版法及誹謗法（防止報紙大量販賣黃色新聞。）

後來傳說由於某一官報堅守不開放的戰綫，使得以上的五點決定，而變成以下一字不值的二點結論，推翻以上的五點決定。由是：這二點反對開放的理由：

一、目前的幾家爭銷路的民營報紙都是出社會新聞的風頭，出死人的風頭，而不顧後果。若增加篇幅，即是增加社會（黃色）新聞的篇幅；

二、台北的一、二家民營報紙，言論的態度，對於政府，常抱不友好的態度，若增加新的民營報紙，不是政府自找麻煩嗎？

雖然開放的希望，付之東流。但，春天是有希望的季節，過了年後，基於時勢所迫，獨家可能還要重提呢！（十二月廿三日台北）

讀者論壇

台灣社會風氣問題

●胡錦華●

台灣社會風氣問題，有心人早已引以爲憂，[illegible]

三、若干影星來台，高級官員爭 [illegible]

在這裏召開的哈佛燕京學社中國委員會的研討發展學術研究問題時，自港來台的學者如錢穆、羅香林等抵台時，祇有召集人李博士一個人在場招待，直到開會次日，各大報一個字也沒有刊載，兩相對比，令人觀感如何可知！再就自由中國所最寶貴的「士氣」說，辦理勞軍的機關似乎也受了此風影響，如我們聽到的勞軍錄音，蓋多是「賣兒攤」等的所謂流行歌曲，而爲籌費問題，當然推銷晚會券，球券等也不擇手段，自立晚報曾爲了當局勞軍的施措曾指出「何以勞軍必須與公共食堂的女侍應生連絡在一起？」又對於最近在新公園爆出一四〇名如花美女，勞軍一事，慨嘆的說：「我們籲請平素以衛道者自命的名公巨卿，前往新公園看看那種動作，聽聽那種歌曲！此何時？此何地？竟容有此，而竟然有此！嗚呼！勞軍，勞軍，多少罪惡假汝之名而行！」

此種風氣，給予社會的影響如何？不知當局有無感覺呢？

台南選訊

台灣省第四屆縣市議員選舉，各縣事務所已成立，將於四七年元月十九日舉行投票。台南市第三屆議員人數爲廿六名，其中一人病故，一人引咎辭職，兩人參加三屆省議員競選，升格爲省議員。尚有的廿二人中，聞有盧某陳某二人因故沒有把握不擬參加外，餘廿人或均再繼參加角逐。本（三）屆議員，廿名爲國民黨黨員，青年黨一人，餘五人無黨派。一人因在議會質詢過劇，停止國民黨黨籍。

第四屆議員名額已增到卅名，（三年中增加人口約四萬，縣市議員每萬人選一人），婦女保障名額爲議員中的十分之一。目前估計，除有意擬蟬聯的廿人外，另有卅人台計五十人出馬。其中國民黨四十，民社黨兩人，青人黨一人，餘無黨派。

異於往常的，是這次國民黨自由參加，黨員僅須向市黨部辦准登記，即可出陣。據說：民青兩黨已準備提名參加競選。如這兩個小黨僅公開提名，即使選舉失敗，一般人還是可鼓掌贊成的。該兩黨在歷屆選舉中，多不公布其黨籍，而時爲輿論所指責。如果民，青兩黨下屆仍不提名，也不登記黨籍，將來選舉事務所印發幾萬份留在民間的公報，（公報上有姓名，年齡，籍貫，黨籍，政見等）僅是些半自以上的自由份子沒有黨籍的人士，並未能表現，自由中國的民主政治，一般人認爲是一種遺憾！

傳說國民黨不採提名形式的原因：一、鑒於第三屆市長與省議員選舉提名的市長楊請，爲三屆無黨派的葉廷珪擊敗。省議員黃業，又是第一、二屆競選四人中較具才學的一個，也爲無黨派老議員，國民黨全力支持的結果，也爲無黨派的歐張明所擊退。二、黨員參加競選的人數過多，如黨內投票選出候選人，被選者恐選怒於黨而不合作，或以其力量支持黨外人士，抑或違黨參加，造成黨的紛歧。三、黨提名不若自由參加較得民意。（十二月十八日）

●勳●

星共活動屢起屢仆

・司徒鈞・

星共轉移政府目標發動「旋風式」綁架
華人熱烈登記取得公民權乃一可喜現象

星洲通訊

新加坡的「旋風式」綁架活動，經警方與軍方採取聯合措施後，已獲有效制止。然不論貧富，在探討匪徒這次掀起「綁風」時，依然仍有餘悸。

星洲的匪徒為什麼這樣猖獗？追源禍始，遠因不外今年四月，英星簽署新憲制報告書後，新加坡共黨對英方提出「禁止顛覆分子參加明年第一屆立法議會大選」的附加條款，認為從此喪失「和平解放」星洲機會；近因則為林有福發表白皮書，逮捕共黨及其同路人之後，破獲了一個潛伏於警察機構的顛覆組織。於是，企圖以綁架行動困擾新加坡政府，使軍警轉移搜捕共黨目標，忽略共黨於此時重建新加坡顛覆活動機構。

英國許諾新加坡於明年大選後，正式建立自治政府，要求附加條款──禁止顛覆分子參加首次選出的立法議院。目的是要使星洲免落共黨之手。因此，星共脅持他的同路人，在四月終立法議會通過制憲報告書時，對上述附加條款杯葛。跟着，八月二十一日，九月十一日以至十月十六日的立法議會例會中，一直予以拒絕該項所謂「不平等」（？）條款。但是這畢竟是一項長久被擱──待決的懸案，不能認為被否決的法案。首席部長林有福對於這個問題，在處理上很難，他曾在新憲法報告書上簽署，他是「默迪卡」首席代表，覺得除非立法議會通過，跟英國沒有理由對此「交換條件」重開談判。

因此，他對於這個困難問題，確認解決不難，祇要新加坡政府徹底肅清顛覆分子，沒有人再會反對這一「憲政自治政府」的條款。乃於八月間飛赴吉隆坡，取得東姑阿都拉曼劃一共黨的合作保證，然後草擬白皮書公布於世。旨在要求星馬人民警惕，並支持政府執行肅共黨政策。卒將左翼工會的領導人物，以及人民行動黨六名極端分子領袖（實際係共黨分子）予以逮捕，並繼續深入到各階層，校長、教員、學生亦不免；但是這種雷霆萬鈞的大搜捕，並沒有產生較大效果，共黨及其同路人依然大肆咆哮。於是，林氏認為他們的幕後必然有某種潛力作後盾，不能不撤下偵察網擴大搜索範圍。

過去，林有福對於警察局保險箱失蹤事件（按：該保險箱在郊外尋獲時，裏面的手槍却已失去）一直感到疑惑：假如警局內部沒有共黨份子，保險箱決不會被匪徒竊走。經過多方面調查，並將偵察網縮小，終於將警察一批逮捕（現時偵訊未畢），初步所獲得的證據，證實這些警察係受共黨利用，他們分居警區重要職務，準備於時機成熟時，製造政治危機，使政府無從設法防阻猝發的政變，那時候，凡是曾經保留效忠於政府的各級政黨首長，均將遭遇殘酷屠殺。於是，警方一面嚴加研訊，同時引動軍警繼續搜捕有關人物。至此，共黨自不能不藉綁架來轉移當局視綫。然而，共黨陰謀，畢竟禁不住時間的考驗，儘管馬共發動「和平攻勢」，新加坡政府反共決策依然十分堅定。

另一方面，新加坡政府對於未來大選的準備工作，也在加速進行。如所周知，在廿餘萬外僑中，華人佔有百分之九十，過去巫人堅持年齡二十一歲，居留滿十年才能取得公民權，華人政黨經爭執，已由十年居留的限制，減至八年，並經立法議會三讀通過完成法案。本來，新加坡的華僑對於政治，非常漠視的，由於來雅獨立，以及共黨潛伏分子的猖獗日烈，僑了星洲的安全，與個人的利益，沒有理由不爭取。經宣布後，因此公民權申請登記擁擠，人數不待最後限期，相信即可登記完成。這是一大可喜現象，預料在明年大選中，將有決定性的作用。然而，困難殊多，故每一申請登記的善良公民，必須時加警惕，協助政府清除政治上的障礙，勇於檢舉潛伏內部的顛覆活動份子，勿祇顧個人利益忘懷公民應盡義務。

國際動態拾零

蘇斯洛夫為蘇聯第二位人物，他是一位理論家，堅持蘇聯領導共產世界，與加強階級鬥爭二點。赫魯歇夫則爲實際行動家，他既清除史太林派之馬林可夫，又將編反史太林派之朱可夫。赫魯曉夫靠人造衛星以穩固其地位，但農產收穫不佳，工業生產大減，與蘇斯洛夫之聲望日隆，皆其威脅。

×　×　×

蘇聯之以領導共產世界自任，頗爲波蘭，南斯拉夫所不喜。然毛澤東以得蘇聯軍援經援之故，竟表示贊成，並攻擊波蘭之甘麥卡。甘氏則以其出賣共產中國爲反屈之識，素爲蘇聯傀儡之匈牙利加達爾，在會議席上，竟亦反對蘇聯領導，而攻擊毛氏，此爲其欲爭取匈牙利與歐洲人心之故。

×　×　×

艾森豪將一部分總統職權，交給尼克遜行使之說，現已認爲無稽。艾氏欲以全力來担任總統任務，如覺得不勝任，則寧可辭職。而其應否辭職，祇有自己來決定，又祇有其家人與醫生可以插嘴。他人祇能緘口不提，以免涉嫌疑。

×　×　×

杜爾斯與其副國務卿赫脫不和。白宮助理亞當士，利用艾總統之病，其職權已無形擴大。他保證赫脫，在幾個月內，必可取杜氏而代之。杜氏對軍援事務，多對赫氏封鎖，因此甚感無趣，其友人會勸其辭職。

陶然

工展風光

軟塑膠用品

十五街攤位上有幸福塑膠製品廠，是設於一九五五年，是專門製造軟性塑膠（PVC）用品，是用最新無綫衣車製成的，據說，其優點在無綫，無縫，成品不漏水，不漏氣，經濟耐用美觀。該廠出品，目前有游水旅行用具，包括水球，水圈，水床，游水袋，保凍冰袋等；婦女用品，包括手抽，手袋，銀包等；文房用具包括公文袋，日記部，紀記部，書包及兒童玩具等等。

孩子好去處

聖誕節假期，小孩子們到工展遊玩，在第十街中，一間專門售賣蝦片，牛肉乾，蝦子扎蹄的攤位，最受孩子們擁護，因爲這攤位的食品樣樣撿限而富吸引力。又物美價廉。大人們也高興找這幾種小食呢？讀攤位的字號，原來……司啊！（

權藝新出品 貴牌恤衫

權藝織造廠，歷史悠久，出品富貴牌、帆船牌、聖誕牌、塔嘜牌、鶯牌、大富貴牌、鳳藤牌各種綫衫、羊毛衫、仿毛衫、綫襪、衛生衫等幼結精美，手靚，爽滑，爲中外人士信賴，風行各地，深得僑胞愛好。

工姐講避孕

十三街維生藥廠攤位，昨天下午滿堆着大夥人羣，像聽講道理似的，大家還以爲那個架着眼鏡的小姐，是聖誕老人，到攤位前，才知道她在大談維生藥廠出品的節育特效藥──「避孕片」，「避孕環」。顧客多半是男性，那些不厭求詳的聽衆還去問，如何使用，那個小姐很乾脆地把[illegible]面紅了，[illegible]的人好似打爛沙鍋問到篤。（白）

送幸運禮包

工展遊客擁擠，十二街的幸運禮包攤位，出售幸運禮包，每包售二元，其中有七彩的香皂一份，還有價值到百元以上的一份，有良藥，又有品，顧客皆喜形於色。（白）

淘大大義賣

淘化大同醬油公司，在工展會中，響應香港晚報兒童救濟運動，特在攤位義賣醬油，每支一元，全數捐出。（白）

特寫

大學生遊工展記

・陳永昌・

星期一，被公認是遊工展的好日子，爲的是遊工展的人不會太擠迫，此地唯一的大學──香港大學剛考過「學期中試」，大學生肩膊上放下了重担，也就來工展去了。

我和一個同性而同姓的同學，在大學裏的圖書館中相遇，他一手持剛借到的一本Psychology，準備在悠長的四個星期假期中「咪」他一番，但經我勸說，他總算決心來，邀我去逛工展。

路過半島酒店門前，想起本月二十三日在這裏舉行的大學聖誕舞會，一種羅曼蒂克的感覺，便不由自主的湧上心頭。

進了工展會場，首先便是各種工業品陳列室，不覺得有甚麼新奇花樣，祇是有些廣告，利用各種「人造衛星」，「人造地球」旋轉，頗是別緻。此外，都如往年一樣，所不同的，也只是有些商號換了位置吧了，我們沒有什麼好光顧，因爲，如要買校記Park的金筆，那裏有的是毛筆，要買一些紙張，這裏賣的多是小學生的「九宮格」紙；[illegible]

我們把心一橫，不如專看工展小姐吧。我們長年呆在大學裏，總覺得攤位上的小姐是工展的一景，而攤位的小姐招呼，說句歡迎光臨的生意經，當然是招徠的生意經，當然是道不同了。

有些服裝很奇異，記得有一個攤位的小姐（也可能是大姐，大姑……）戴上一個「圓休頭」，似乎有意迎合我們學生口味。工姐，對我們似乎沒有什麼吸引，一條街又一條街，我們的目的物──漂亮的小姐，也還也難找！

我們在Canteen的咖啡室，擇了有利地位而坐下，稍微有些疲倦，陳君打趣說：「工展最出了名的，是在我們大學生，甚麼Canteen，喝我們的咖啡，看我們的女生，談我們的女人經吧！」

振興有限公司

鮮牛油忌廉克力　姚美船來　營養豐富

（響應救助兒童運動本攤捐出在攤位義賣　五角）

一泡即食　方便到極　火腿鷄蓉麵

獨家出品　清甜潤肺　果汁吉祥果

質料上乘　鬆化可口　振興杏仁餅

正中舖：大道中中環街市對面
中區支店：皇后大道中戲院對面
（現改遷德成街四十四號）
東區一支店：莊士頓道修頓球場對面
東區二支店：莊士頓道修頓球場對面
九龍支店：彌敦道大華戲院對面
製造廠：望隆街
工展攤位：會場第六街轉七街角處

工展會第五街　養吾堂藥廠　特價八折　加送贈品　地址：英皇道九三號　電話：七六四〇五

余均益食品廠

工展會第二三街

竹甘製秘　辣椒醬　譽榮出品

銀蝦醬　咖喱粉　靚茄汁　胡椒粉　醬油

酬謝顧客　一元五味　平到你笑

總發行：西營盤第一街　電話：四六四九
製造廠：西營盤正街參里第三號

自由談

不同凡響

自由中國各界人士正在熱烈紀念「行憲十年」之際，監察院毅然決然，依據憲法賦予的職權，正式通過對行政院長的彈劾案，交付公務員懲戒委員會依法辦理。這是行憲以來最重大的彈劾案件，此時此事，謂之爲象徵十年憲政的績效也可，視之爲考驗憲政作用的試金石亦無不可。總而言之，事屬非常不同凡響。

彈劾案的理由，指述行政院長俞鴻鈞未能杜絕浪費，整飭紀綱，改善公務人員待遇等項違法失職的情節。然俞院長在國大代表年會作施政報告，又說是在過去一年之中，政府建設台灣以及準備反攻工作，即獲得了「很良好的成就」，並且列舉數字作證。如果這報告是眞的，監察院的彈劾即係無的放矢；假使彈章列舉的事實不虛，則俞氏的施政報告，殆爲信口開河。二者必居其一，孰是孰非，且看公務員懲戒委員會的調查核議結果如何了。

記得區區過去在大陸上充任地方小吏時，也曾蒙監院高掛彈章，指述我「貪污橫暴」十二大罪迹，且請行政院執行緊急處置，形勢嚴重非常。經過公務員懲戒委員會調查審核了三年之後，給以「停止任用一年」的處分，事實祗說我杖責了土豪劣紳，這時我早已卸任了。以彼例此，行政院長的彈劾案，關係忒大，調查核議三五載，亦不算久，等到俞院長另有高就後，也不妨來一個「停止任用一年」的懲戒處定，既可維護監察權的尊嚴，也顧全了行政大員的體面，兩全其美，寧非憲政之光？

蔣總統在紀念行憲十年的國大代表年會致詞，希望各方人士要有「精神上的自我反省，道義上的自我約束」，這確是創進憲政生活的要訣，值得大家記取的。

馬五先生

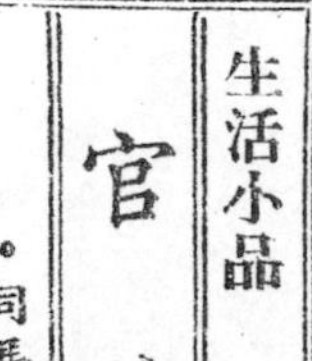

生活小品

官腔

·司馬魚·

左眼從昨晚開始跳動，今早仍然跳個不止，臨出門的時候，妻囑咐我說：「凡事小心，不要發火，免得招來晦氣。」我笑着向她點點頭，然後跨上腳踏車。

跟往常一樣，上午平安度過。三點三十分，桌上的電話響了，放下手裏的鋼筆，抓上聽筒。

「喂！是××所嗎？」這聲音既響亮而又充滿了火氣。

「是的——」我恭謹的回答。

「你們送來的公文，內容有錯誤；立刻派人拿去。」

「請問你是那兒？」我平心靜氣地向他請教。

「××檢察處。」

「你貴姓？」

「×書記官。」

我微笑着放下聽筒，不禁自言自語：「幸而他祗是個書記官。」

我毫不猶疑地披上雨衣出了辦公室，冒雨走向附近的巴士站。坐在公共汽車上，我忽然想起來了。×書記官，不正是那位類似丑角的人物嗎？五短身材，頂上無毛禿腦瓜；黃臉及鬍鬚，鼻上架着老花眼鏡。說起話來總帶上些「木子習易」，「啊鹿要」：最使我難忘的是：他慣於把雙手貼住兩膝，彎下身子，向人來一個日本式的鞠躬禮。——一個標準的奴才人物」。

來到檢察處二樓走廊上，整整領帶進了書記官室。用眼睛一掃，我便見到那位早已有印象在先的「人兒」。點頭鞠躬後，我站在寫字枱前，一聲不響地恭聽他的吩咐。

「你是××所的辦事人員？」摘下眼鏡，他約略的向我注視了一下。

「不錯，我正是；一個月以前，我們在這兒見過。」我半帶調侃說了。

「唔，很好。」

「有什麼事，請見教！」

「是的——」他好像剛睡醒似的，連忙去翻身旁的文件，抽出其中一份，說道「——你們送來的公文，附件太零碎了；把它拿回去，重新做成表報。」他雖然試圖遞過來，可是我並無意伸手去接。

「書記官，附件並不零碎，全是一張張的。」

「這樣太麻煩，不好辦理！還是按我的辦法去做。」

「對不起，我要請教。」

「爲什麼？」

「我倒要請教錯在那裏？」

「這是檢察官的命令！」

「我可以見見這位下命令的檢察官嗎？」

「不可以，他正在開庭。」

「好吧，我在這兒等他。」我有備不聽驢叫的脾氣，凡事非得清楚不可。

看到我竟然毫不客氣的坐下了，他似乎覺得有些意外。當我剛拿出紙烟獨自燃上的時候，他也拿着那份公文走了過來。

「你不要生氣，我們都是爲的公事。」

「書記官，在貴處我決不敢動氣。你一個電話過去，我就馬上冒雨跑來請教！」

「你既然懂得這個，那麼就拿回去辦好了。」他又試圖把手裏的公文塞給我。

「拿回去也可以，我必須見過檢察官。」

「你這人眞無聊！你想就在這兒，我怎麼辦公呀？」

「別打官腔好不好？我在這兒，總不至於構成防害公務吧！」

「甚麼叫打官腔！」

「你的話句句是官腔。」我斬釘截鐵的說。

「豈有此理！」他的臉色變得慘白。

「你才豈有此理呢。在光日炯炯之下，我要看看這位書記官，到底有多大的威風。」

我們正在互相爭論的當兒，一位衣服整齊的中年人走了進來。他向我略爲打量了一下，然後衝着他問道：「×書記官，甚麼事？」

沒想到，這位書記官竟然不懂禮貌；他不但沒替我作個介紹，而且搶着向自己的上司告起御狀來了。幸而這位檢察官心中明朗，沒等他把話說完，就把我讓進了隔壁的會客室。

短短的幾句話，解決了問題，他很坦白地否認了書記官兒所說的「命令」。我也很謙虛的答應以後作表報，然後一個握手「再見」！

在回來的路上，我想：我幸而打倒了一場官腔，却還背了一次闆令！

喜佩文韻府自東京至 却題二絕報井塘

·許紹棣·

典籍飄零奉火災，不期餘燼自東來。蓬心久歷耕耘計，漫把由箱次第開。

可笑虛囿忽不存，吉船歸洛室生春。匪除鳥雀齊歡樂，爲報佳音向此邨。

問菊 並引

有客謂「此地培菊，多作立正姿勢，整齊劃一，但彼黃華，形神俱非，遂有此作。」

根據芳菲異昔時，秋來不見傲霜姿。君家自有孤標格，一例矜持爲阿誰？

詠蘭

不因異地變幽香，肯向春花鬥短長。自是素心有本色，豈爲紉佩始芬芳。

短篇小說

硬心腸的人

楊海宴

這間房子佈置得空洞簡單，一個大窗，外面的陽光，透過花蔭映進室內，非常明亮的。室內除了兩條沙發，安樂椅，書桌，書架，便無特殊富麗的裝置，並無一種怪特的意味。這說明主人那點性格，譬如他房間裏就沒有茶櫃茶杯類飲具擺設，只在安樂椅旁有一枝[illegible]的玻璃管，不但省去提壺倒茶等等麻煩，上鑽[illegible]須腳尖一動，[illegible]一張就喝到[illegible]。諸如這類滑稽的也無法盡舉。[illegible]看着一本文[illegible]，不過他看這類[illegible]不是在使得甚麼，尤其不是因爲熱中寫作的緣故，他才不做這天下第一等蠢事呢。他是在把書內的故事人物作爲嘲弄取笑的對象，過癮現實圈裏的人物，他輕嗤嘲弄得還不夠，他還要從書本上來搜尋，看他讀書時那一直抹在嘴邊的好微笑，彷彿一個成人在觀賞着孩童們幼稚遊戲時那點神情。

這是一部描寫偉大堅貞的愛情小說，作者筆法細膩，感情眞摯，而這位醜陋的硬心腸的讀者，一邊讀着，一邊不時聳動肩膀，有時甚至從鼻孔裏透出不散的笑聲。突然，不知怎樣聯[illegible]雅降先生說過的兩句話：「文藝不死，大盜不止。」他拍着大腿說：「有道理，有道理，[illegible]」

「這就叫昇華感情啦？」他睥睨的說，彷彿對面正有人聽他[illegible]的[illegible]：「婆婆媽媽，酸酸澀澀，把人引到不着邊際的路上去，便是天下第一等笨蛋！該死。」他又想起柏拉圖的主張來：趕詩人出理想國，把他們戴上桂冠，遠遠一鞠躬，請出理想國。「豈只詩人，」他說：「所有文藝都說謊。」

這時外邊僕人來請，說是有人會見，這才使他抖落那點嘲笑自得的神氣，眉宇間立刻罩上平日那副嚴定整肅的表情，他接過僕人遞上的名片，看到是一個音樂家的頭銜，眉頭便皺得更緊了。

等在外面是一位風流瀟灑的青年，他平常最看不起這種人。勉強招呼一下，就奉獻詢問來意。

「[illegible]」這位瀟灑的青年[illegible]笑着，說話委[illegible]語氣[illegible]好像[illegible]，使稱讚[illegible]的史大先[illegible]沒有停止下來[illegible]生，就索行鞠到椅背上享受按摩似的，很舒服的說了六分鐘的話，結論是要開一個演奏會，請買幾張榮譽券。

他抬起眼睛，研究了一下那位青年仍不透的面孔，那位青年說：「務請光臨指導，務請光臨指導……」他非常穩定的笑說：「你以爲我會花錢[illegible]……」突然藏停止擺動的身體，正在這尷尬的時候，弄清是這麼一回事，便[illegible]位青年音樂家陪笑說：「一定來欣賞領教。」老兄也不再說非他言語，看他神色，既無不耐的作慷慨之舉而表示不滿，留着一點泰然愉悅的稱心快意的事情似的。（二）

話考績

·季舟·

從前唐高宗時代，有個盧承慶，奉命考核朝內外臣工，考到一個督運捐糧的官員，最初給他的考語是『督運失糧考中下』。那人神色自若，他以爲頗有雅度，乃給改考爲『非力所及考中中』。那人還是了無喜色，亦無愧詞。他以爲器局弘深，再給改爲『寵辱不驚考中上』。這是考核政績兼考及品格的面試式考核，結果是重品格而略政績。

又滿清時代，曾國藩素號知人善任，一次李鴻章因爲要選拔淮軍將才，帶了三個人去見他，曾故遲遲不見，以看他們各人的反應如何。果然等了相當時間，三人中的一個麻臉高個子，不禁巍然挺立，怒目注視。另一個，則始終恭順地站着。又一個，則當曾國藩出外時，就站了起來，待曾前轉向裏時就又蹲了下去，十足表現出投機取巧形態。曾當以大端已得，遂亦不予引見。事後，李向其請問三人優劣，曾曰，那個麻子，將來功名事業不在你我之下。那始終恭順的，前程亦遠大。惟那投機取巧的，則前途有限。後來那個麻子，果成淮軍名將，功業彪炳一時。他就是劉銘傳將軍。這個是在界予職守之前，先予考核其人才，以作將來可否重用的標準。

這兩個故事，都可說是前賢爲國求才的典範，而亦都是操以誠以公，去於公道的做法，當中並未攙雜一毫私見。其精神所注，與目前的所謂考績，欲以激勵人才以赴事功的目的，原亦相近。所不同的，一在持拔人才，一則縱不偏私，亦僅以考績略示激勵而已。何況『寵辱不驚』者，很可能給考成爲『麻木不仁』，『怒目注視』者，亦很可能被視爲『桀傲不馴』，你能說他所給的反面考語，不『言之成理』嗎？『差之毫釐，謬以千里』，固在乎主持考績之人如何了！更在乎風氣之所趨也。若干年來，此一般性考績，似乎總未曾見選拔出過傑出之士；或則至多少難免如曾國藩所說『舉目斯世，求一攘利不先，赴義恐後，忠憤耿耿者，不可亟得。或僅得之，而又屈居卑下，往往抑鬱不得伸，以挫以去以死。而貪鄙退縮者，果驤首而上騰，而富貴，而名譽，而老健不死』，此可爲浩歎者也。噫！此事也，其故果安在哉！

文人與骨氣

張放

記得當年上演郭沫若撰寫的「屈原」時，有個晚上郭沫若也是觀衆之一。這齣戲裏「嬋娟」罵「宋玉」有一句詞是：

「你是沒有骨氣的文人！」

郭沫若聽到此句，仍覺不夠味；曾想在「沒有骨氣的」下面再加上「無恥的」三個字。

假使郭沫若今日在那綠磚紅瓦的古城，仍獲享有思想自由的話，我倒願意他翻一遍往年的舊作，回憶一下往年的寫作情感。

我國歷史上的文人，試看屈原的忠誠耿直，杜甫的愛國憂民，陶潛的恬靜高超，陸游的豪放胸襟，他們那純潔而優美的心靈，一直鑽進數千年後的讀者印象裏。時間雖然可以將嬰兒催作暮年，將英雄催成朽骨，將綠葉催成古樹，將滄海催成桑田，但是，人類留下的歷史將其永恆的，毫無法掩飾的擺在無數人民的眼前。

曾幾何時，當年滿腔熱情地爲「骨氣」與「搞倒」努力的郭沫若，現在竟然又寫出讚譽者脊樑骨退「米粒」的詩。如：

「多謝斯大林爺爺和蘇聯大伯伯們，把我們解放。」

「萬歲！偉大的斯大林！萬歲！親愛的鋼！」

這僅是十多年的短暫歷史，郭沫若已是前後判若兩個人格。抗戰初期他從日本亡命歸國，因曾熱情如同鷹鷲迅疾揚高飛，誰能料到今天像一隻蝸牛般地在「老大哥」的面前表演醜態呢？

據說郭沫若近幾年來蹲在北平很少寫作，往年寫「歷史劇」的熱情早被冰雪凝固。其實當他眞正有靈感的時候，他又怎好意思面臨歷史探討呢？

自由人

THE FREEMAN

（第七一二期）

中華民國僑務委員會
領發登記證台数新字第一第二號
中華郵政台字第五〇〇號、
執照登記爲第一類新聞紙類
（半週刊每星期三　六出版）
每份港幣壹毫
台北市售價台幣壹元
督印人：陳文華
地址：香港高士威道二十號四樓
20 CAUSEWAY RD. 3RD. FL.
HONG KONG
TEL. 771726
承印者：東南印務出版社
地址：高士打道六十四號
台灣總經理處
台北市西寧南路登發巷二號二樓
電話：四七三四六
台郵撥儲金戶九二五二
海外總經銷：友聯書報發行公司
香港：德輔道中二十六號A二門

恭賀新禧　本報同人鞠躬

最近十年的香港

——因葛量洪氏去職所引起的種種感想

左舜生。

『人事有代謝，往來成古今。』『四時之序，功成者退。』一位統治港九居民一個時期，有留，三面的香港總督，終於在昨天多數居民以一種惜別與熱烈歡送的心情之下，而翩然歸國了。這雖是一件不值得過分重視的尋常事件，可是也未嘗不足以引起我們種種的感想。

有人把最近十年（1947—1957）的香港目爲『葛量洪時代』，這自然是稍近誇張；但葛氏具有高度的政治修養，能保持英國人一種少說多做的優良作風，除秀逸環境解各色各樣的政治技術之外，更富一種咱們東方人的人情味，因而獲得大多數居民對他的好感，要算無可否認的事實。

世界上可以自由生存的地區

一　上月二十八日，『香港時報』發表社論，指出葛氏最近在立法局所說『在香港可以享受到行動自由的權利和富志的自由』，是『世界上可以使人最自由生存的地區之一』，認爲這是十年來葛氏對本港的最大貢獻，我完全具有同感。

在這十年之間對港九第一件值得特別的大事，當然要推四九、五〇兩年來自大陸百萬以上無居、無食、無業的難民向港九的突然湧進！要應付這樣一種數量的情勢，假如領導者不得其人，而是湧進一位少不更事的政治習見，豈只要應到手忙腳亂，恐[illegible]柏詩果濫頭爛額不止嗎？可是葛氏以他老練的幹才，正確的認識，從容處理，幸能使得難僑的港九，秩序井然，因此一事，已經可以十足證明他的政治能力。現在港九全體居民，實際已接近三百萬，比中國大陸淪陷前已有倍以上的增加，目前大多數不僅已經有居可安，而且有業可樂，其主要的原因，自然由於中國人的勤敏耐勞，但在這七八年之間，葛氏及其所領導的機構，能使港九成爲一個較優良的政治環境，其勞績豈容忽視？

不愉快的外交關係

尤其使得港九當局最難應付的一點，乃是英國政府與中共之間，嚴然有了一種不愉快的外交關係，其勢不能不容許共產黨人在港九這一地面自由出入，於是可以在這裏自由的把若干地面的和地下的人員，可以在這裏自由活動，他們可以製造事端，可以亂搞抗議，可以睹造謠言，可以無中生有的盡量搞擾，好像非把一個平安無事的香港九地帶，也造成像大陸那樣一種昏天黑地的景象不止，可是他們從這一和平地帶[illegible]無數着人民，利用他們的[illegible]來的大宗商品，每年吸收去十億港幣的外匯，他們就[illegible]從這港九這角度去理解中共來所標榜的所謂『和平共存』，『和平競賽』，便知道其內容所包含的是什麼東西！在不危害當地秩序的條件之下，不得已容許中共在這裏自由活動，同時也默許當地居民有附共反共的選擇自由，這大致是英國府一個既定的方針，而把這一方針運用得恰到好處，不給予中共以可乘之隙，我覺得這也是葛量洪氏表現他優秀的政治才能的另一方面。

文化水準的提高

從另一角度來看，最近十年以來港九的文化水準，確已今非昔比。以我個人的經驗來說，當八年前我初到香港的時候，香港的書店我舉不出幾家，要買一部我所需要的參考者，往往是踏壞鐵鞋無覓處；可以看看的刊物和報紙，我確實也找不到幾種；至於帶有一點文化或教育性質的機構，究竟內容如何，作用如何，主持的是一些什麼人物，我也全不明白；現在則書籍與刊物到處滿谷滿坑，可以說古今中外應有盡有；報紙和定期刊物的內容，已一天天健全充實，發行數字也逐步增加；無數的教育文化機構，也確實在不斷的改進，效率提高；凡此種種現象，自然也有中共所表現的一份，我從來不主張對他們的這類表現，加以任何嫉視，甚至他們的一本書印刷得不錯，校對得稍許不壞，我也不惜加以稱許；至於他們的說法如何，主張如何，這是他們的事；如何看法，如何批判，這才是我們的事。不久以前，中共曾在大陸標榜所謂『百花齊放』，『百家爭鳴』，我覺得只有在像港九這樣一個自由天地，才可不折不扣的辦到，像在絕對無所謂自由的地方，大陸那種一黨專橫的統治下，畢竟只能曇花一現！中共今天在大陸對一切批評他們的言論，不能不以全力加以撲滅，對海外發行的一切書刊，不敢聽其自由輸入，這只證明他們『膽心於鼠』，『頭縮如龜』；只證明他們毫無自信，絕對經不起批判；已天然的注定他們必歸失敗。大家在這裏必得注意：今天散居港九的知識分子，其所以能有餘力注意到從思想文化的傳播去掘共產黨的根根，甚至已漸有餘力關心於未來新文化的創造，這也與十年來港九這一和平安定的環境，有着必然的關係。

此外的幾點感想

最後，關於葛量洪氏的去職，我也還另有幾點感想：（一）前兩次葛氏任滿，其所以一經港九居民挽留，英倫方面即慨然允許，這只是他們不願過拂港九居民的情感；這次其所以終於不能不讓葛氏歸去，乃是他們不願因情感而損害了他們的法制。在一個具有優良法制傳統的國家，關於一切人事異動，都有一定的法制軌道可循，斷沒有某種職務一定非由某人一直幹下去不可的道理。至於不問某人幹得長，幹得短，幹得好，幹得壞，在一句不通的『人事凍結』的口號之下，便一動也不敢動，老實說，這已經不是有民主無民主的問題，而是有政治無政治的問題了。（二）今天港九的知識分子，對中共作一種文化思想的鬥爭，儘管目前還是處於相當的優勢，但我無法保證中共不會加強他們的反攻，如何求得我們的團結與配合，加強我們的實力，以爭取最後的勝利，這是值得我們加以切實考慮的。（三）世界不斷的在變，任何一個角落，其勢都不能不會受到這種變的影響，港九也決非例外，如何應付這一變的形勢到來，這豈只是英國人應該考慮的一個問題，便是住在港九絕大多數的中國人，也更加是責無旁貸哩！

半週述評

從彈劾俞揆案說起

監察院彈劾俞揆案所引起的「紛爭」，被外國通訊社目爲「國民黨中公開的分裂」，這自然是過份的渲染。在同一通訊中又謂「國民黨內的此一困擾，在[illegible]」。

但就我們身處海外的國民來看，這既非是「國民黨中公開的分裂」，也不能認爲是「政治澄清的證明」。行憲已經十年了，十年來如果國家最高民意機構的立法院、監察院，能一貫地切實在實際政治上發揮憲法所賦予的權力，相信自由中國的政治早就獲得澄清和進步了，又何須待到今日演出這一齣。

持平以論，十年行憲，我們尚未見很多憲法的慣例。過去，在政治權力的運用方面，也尚未見眞正能發揮制衡作用，一切創造出眞有價值的憲政慣例。過去，在政治上[illegible]皆賴「有力人士」以「和事佬」姿態「打圓場」來解決。此種方式的優點固然表現「一團和氣」[illegible]，將「大事化小」，「小事化無」；但其最大的缺點則無疑乘覆憲法，置公是公非於不顧，嚴重的影響了憲法的尊嚴，和影響了憲政的推進。因此，我們認爲，監察院彈劾俞揆，絕不應再視作是「面子之爭」或「意氣用事」。法律之前人人平等，有啥面子好講。如果要講面子，祇有大家多尊重憲法，不違離憲法行事，不違離憲法講話；因此，與其倡「修憲」之說，又何若多多尊憲嘛！

俄共又「說大話使小錢」

在開羅的「亞非團結會議」上，俄共表示願無條件援助亞非待開發地區國家。俄共此語，實爲又一次表現其「說大話使小錢」的伎倆。以整個共產集團支離破碎的經濟情況言，自顧尚且不暇，何有餘力援助他人。而居然搏得了彩聲，也就足見與會的這些個國家代表之低級。如果要說這次「亞非會議」與上次有何不同，只有一點，我們迄未見其它國家的代表，如在萬隆會議時那樣激昂地譴責新殖民主義之擴張！

與此同時，華府發出了對全球的警告，宣佈鑒於印尼政局的危機，共黨對印尼所抱的陰謀，正如十年前東歐陷入鐵幕的情況一樣，而俞敎也表示了在一九五八年必須調整西方的對外政策，主張希望邀請中華民國，大韓民國和日本參加東南亞公約，以迎擊蘇聯的挑戰。從表面觀察，西方國家似乎已提高了警覺性，但是從各項實際政策來說，西方國家內部的不協調，仍是最大的隱憂。美國還有人主張與俄共談判呢！

毛澤東南下幹什麼

毛澤東曾在上月「南下」，但似乎並未到過廣州，而只是徘徊於滬杭之間。今年夏天，毛曾會到青島「避暑」，今冬又到南方「避寒」。「避暑」期間，正是「鳴放」鬧得不可開交之時；而這次南行「避寒」，却是在解決黨內的反黨份子，他此行的結局是消滅了浙江省內的反黨集團，——開除「浙江省長」沙文漢，「副省長」楊思一，「浙江省人民檢察院檢察長」彭瑞林，「省委財貿部長」孫章祿等四人的黨籍！從「人民日報」所公佈的有關沙文漢等的罪狀看，反映出中共內部的問題，正在向核心發展着，豈是什麼輕描淡寫「右派問題」而已哉！

·李金曄·

葛督的榮休

——一個自由居民的眞實感

·雅斯·

日來香港居民正在熱烈歡送即將退休的港督葛量洪爵士。作爲一個自由居民，我們覺得最難得的不是政府球場三萬餘人的歡聚，或幾位紳士們的頌詞，而是普遍留在香港二百餘萬居民心中的好感和去思——他們大都是並未與葛督有過握手的機緣，或許不一定都是以能與港督握手爲榮的人。

這話對於久住香港的人，尤其是自大陸逃亡的人士（據估計，在葛督接任的一九五七年香港人口約爲一百八十萬，現增至二百五十萬至三百萬之間），當有同感——覺得這位與二百餘萬人與實生活關係密切的地方長官本人，不是像過去一般印象中的殖民地總督，而是一位照顧大衆的長者。

葛督自一九四七年接任迄今十年來的措施，就予人以上面的感覺。我們殊不願多歌功頌德的詞令來遮蔽這感覺的眞實性，而願以眞實話來對這個感覺予以印證。

在葛督任內，正當二次大戰後瘡痍未復，荊棘橫生；不久英倫當局出來又復受到共黨魔掌的威脅，香港逐復倉卒的承認了中共政權，香港逐夾進自由世界與鐵幕的漩渦中——一方面要顧到二百餘萬傾向自由的居民，一方面又要應付北京威脅利誘的外交攻勢，顯然的，葛督於其間認識了香港的大多數居民的自由意志是不屬也不可忽視的，而中共的威脅也不是隨意退讓可以滿足的；因此在這民主體制下，無論在教育文化上，經濟貿易上，……雖不免反映綜錯複雜現象，但在法治基礎上，始終維護了人權與自由，中共大陸上的自由逃亡者，一經過了深圳便覺鐵幕成了咫尺天涯，加以葛督的言談風度又復予人印象甚深，故香港不但本身能從風雨中復臻安定繁榮，且自然成爲自由人民的托庇所，祗要守法，就可以安居樂業。這種作風以與南洋各地的華僑所遭遇者相比，雖曰此間百分之九十九居民爲中國人而沒有土著的歧視，又雖則也是由於中共要留香港在英國人手中才能獲得經濟利益（經濟學人週刊指出：一九五六年大陸對香港貿易的出超達四千五百餘萬英鎊）而不致公然侵犯，環境不盡相同；但使香港渡過難關，港中居民得於暴亂動盪中渡過自由生活者，葛督之始終重視法治與居民自由的基本精神，實爲主要關鍵。

目前香港二百餘萬居民中約有三分之一是在葛督任內自大陸逃來者，其中有七十萬以上尚待救濟的難民，在地狹人稠的情形下，無可否認是香港的一個負累，但年來港府對於居民的福利及難民的救濟問題，也確已盡了極大可能的努力。這種措施，以視世界各自由國家之忍於坐視而對移民救助不肯稍開方便之門者相比——甚至還有不少人感到祖國的台灣，亦有入境難之感——其感覺如何又不問可知。

年來由於大陸上逃亡者絡續不斷湧入，港府雖以客觀條件今非昔比，加以限制；但對受迫害的逃亡者，仍能本乎法律與人道儘可能收容庇護，始終不變，使一些『非殖民地』國家還望塵莫及。這是葛督任內的香港所以留給居民以極佳印象的主要原因。

從形式上言，香港目前二百餘萬居民中有選舉權（亦僅限於市政局的選舉）者百僅一、二而已，故香港居民實際上之享自由，顯然不是由居民用民主爭來的，而完全是基於當局的自由政策與港督的自動設施。

因此我們認爲葛督過去十年來，以法治維護自由的基本精神，是特別值得讚揚的；當然我們相信繼任的柏立基港督必能認識這一基本精神是香港長治久安所不可缺的。雖則世界瞬息萬變，未來的香港地位可能比現在困難更多，但當地居民意志以法治維護自由的基本精神是香港社會得以繼續安定繁榮，以及當局之能獲得二百餘萬居民衷心擁戴的基本因素，是不因時勢而變的。

葛督在政府球場歡送會上說：「余自受命執政以來，賴萬衆同心同德再接再厲，以應付所發生之任何挑戰；余與香港民衆每于極度困難情況之下，悉能戮力以赴。」這已道出過去十年來香港曾經面對外來的挑戰，及港府與居民一再合作共同應付的寶貴經驗，而爲葛督所念念不忘者。此可視爲葛督的臨別贈言，而爲香港今後所當共同「再接再厲」者。

台灣教育問題表裏

·文芒·

——台灣通訊——

問題鬧得確很熱鬧，引起人們普遍注意。

台灣教育大概因爲一般人以「教育」爲清高，政府則以「百年大計」視教育；所以，凡遇社會風氣澆薄，乃至兇殺等慘案，亦祇不實諸教育。

問題在教育行政

最根本的問題是當局把教育行政與普通行政或財務行政等觀同一轍，即視教育行政機構爲官衙，以辦政治的方式來辦教育。從教育最高當局等而下之，都可說是昔日從事黨團出身者，據說卅八、九年這批人湧到台灣，由幾個教育界有地位人士，分配按置私人到中學去當校長。這不是毫無根據的說法。試看台灣現有公立中學校長，十之九莫非是從事黨務的，或在三民主義青年團得過一點地位的。教育部教育廳也不管這些人的學能如何，祇要是自己派系內人，就分別佔據地盤，對非自已派系的，往往加以歧視。據所知幾年前有一位還大學門都未進過的人，起初只希望在教育廳任科長督學爲目的，而發表的却是廳長，居然也作了幾年的廳長。以此等人去從事教育行政工作，其後果不難想見。

論學校人事

以黨團出身者任中學校長，不無視校長爲行政長官，學校爲行政機關，教務、訓導兩主任視同科長，級任導師視同科員之屬，儼然部屬關係；教員原爲聘請之客卿地位，而在教育行政眼中則爲部下。有些校長還保有昔日「特務」觀念，在其所屬之部下，希望自己人能做點情報工作；因是之故，各個中等學校形成派別，即校長私人一派，其餘另成一派，未能隨前任校長而去者，往往被冷落，以故團結一氣，發牢騷，說風涼話，隨處可見，被校長視爲障碍，加以排斥。對此教育行政系統，儼然政治組織。若講教育必須是政治教育，則夫復何言！

先論教員

論教員就在這種處境下教書，年終的考績，由校長個人好惡決定，毫無公開標準；平日要看學生反映，此制採自大學；但中學生之知識與認識能力，能否考核教師，實是一大問題。若口婆心地教了一個月，所得不足溫飽。教廳又有規定，以不兼課爲原則，要兼也不得超過九小時，九小時鐘點費，形同杯水車薪，待遇調整，實際等於沒有增加，嗷嗷待哺，只有枵腹從教。大家時刻在企圖轉業的心情中，在未轉業前勞必處驪故事，加以校長並不重視教員之實際學能；其結果，稍爲多識一點書的人，在這種政治氣氛下，爲保全讀書人的一點骨氣，實有心想退出教育圈子，安能專心於學生的教導工作呢！

再談學制

再談學制，昔日大陸時代學生課外活動少，今日則軍訓體育活動、政治活動。英國數三主科，昔日每週六小時，今則改爲每週三四小時，有人認爲學生課業太繁重，酌予減輕，首從主科開刀，課程則有增無減，學生以求分數爲求學，今日台灣教育，側重求[illegible]，求健身，求政治之[illegible]，所謂「求知」已淪爲求學位；昔日學生常少感課業繁重，今日則常感課業繁重，其實者實不在知識科，却在課外的課業佔據時間太多，無暇理其知識課業，究其知識學生並未接受很多，而其立身應世，[illegible]彬彬有禮；今日軍[illegible]起碼的禮貌；今日[illegible]氣，今日[illegible]活動，此實一大異象。教育論點，時易境遷有如是者，能不太息！

問題在質不在量

吾人稍可欣慰者，只是表面上台灣教育較大陸時代爲普及而已，言其質，不如遠甚。教育行政當局，教育學家，似不宜以官式談話所表示之教育進步爲自得，也不宜聞外邦人士幾句讚詞，而光榮滿溢，其實際上的問題，殆皆教育之杞憂！

哭月波先生

·司馬璐·

這樣一位慈祥的老人，善良的老人，正直剛毅的老人，勇敢奮鬥的老人，倒下了！離開我們了！

先生，你愛國的情操，你感人的道德力，你正義的良心，你對於反共和中國民主前途堅强的信念和遠見，都是我們最敬仰的，在今天這個時代，我們是如何的，更迫切需要你，但是，在長期的辛勞與奮鬥之後，終於在這個時候，你捨我們而去了！

先生，你病了，醫生屢此的勸告你，你的朋友，學生，和後輩也一再懇切的要求過你，要你作一個較長時間的休養。但是，你在病榻上還是整日念念不忘你的責任，和祖國受難的同胞！

先生，你人格的光芒已成爲照耀祖國人心的火炬，也是那些受難同胞的精神堡壘。今天無論識與不識先生的人，在聽到先生這個不幸的消息時是沒有不悲痛的。

先生，我記得去年變多的季節，你曾先發起，要爲那些流亡海外受難的智識分子，做點服務的工作，你說，快過年了，中國文化協會應舉辦一次徵文，讓大家得點溫暖，好過一個快樂的新年。後來事情便這樣辦了。即此小事，可見你的精神之一斑。現在想起了你，是如何令人感動？現在又是臨多來臨的時候，偏在這時候，你竟捨我們而長逝了，能不痛心！蒼天啊，在這樣一個時代，爲甚麼竟奪去了這樣一位慈祥的老人，善良的老人，正直剛毅，勇敢奮鬥的老人！

先生啊，請安息吧！你的精神永遠活在人們的心裏。人們永遠會記得你。即使有些人過去不一定都能明白你。但上帝說，「饒恕他們，因爲他們不知道」。先生，請安息吧，你的朋友以及受過你的指導和鼓勵過的後輩們，他們一定會遵從你老人家的心願，貫徹你的未完的志願的！

四十六年十二月廿九日夜深

球王李惠堂

·李樸生·

人物介紹

在香港，一個青年在足球場上得了名氣，便成全港人士心目中的英雄。其中球王李惠堂是人所共知的。他從十七歲起參加正式球賽比賽，便名振一時，他打中鋒，一場曾獨射十四個球，他有力氣，有機智，有膽量，有道德。二十年的球場經驗，打遍了亞洲及澳洲，參加過兩次世界運動會，在倫敦最有名的兵工廠球場上，受到讚賞。到今日爲止，香港人才濟濟的球員，還沒有一個比他當年更好的聲譽。「球王」，是大家封給他的。

他不承認足球之巧，屬於天賦，而認爲是勤練習，肯研究的結果。他的童年，父母是不喜歡他打球的。他因爲看打球，練習打球，給父母打過不少次數。他沒有人指導，也沒有同伴練習，只靠在屋外邊一片空地，一幅短牆，他每天一個人向牆踢球練習射球的氣力與瞄準，建立了他王座的基礎。

他父親是不認得幾個大字而發了大財的建築商，他重視事業的繼承，不重視子女的教育，所以他祇讀了幾年英文書院，便要他停學，做生意。他性不近做生意，而不能不停學。

他說：「踢足球，眼睛要十分清醒，意志要十分堅定。須知叢荊密棘處，顯得開方見手段；狂風驟雨時，立得穩纔是脚跟。」「人要球動，技之上者；人隨球動，技之中者；若人動球不動，或球動人不動者，未可與言打球也。」「足球場外單純爲嬉戲以表演技術。這小小方圈，是勇毅果決之叢威所，是心力智慧的實驗室，是磨鍊師友的好去處，是立品進德的陶冶爐，慧眼觀之，眞是洞天福地！」這些見解，眞是『技也而進于道』。

球王不但打得好球，且辨忠奸，邪正，善惡。中國對日抗戰的時候，政府轉進重慶，香港亦被日軍佔領，汪精衛在南京做主席，慕其名，特派專機來港接他。他寧可馬上偷跑到廣西桂岩，自卅八年後中共藉俄帝之支持，竊據大陸，也慕其名要請他。他却常到自由中國來打網球（他打網球也打得不錯，中國網球名將如許承基，林寶華兩位，是被他發掘出來的。）出席自由中國的全國體育協會。

他現在香港寶麗的呼聲，擁有數以千萬計的聽衆。他在「今日世界」寫足球技術，又有數以千計的讀者。最近，他出版一本文圖並茂的足球經，是中國關於足球研究空前的傑作。這本傑作的扉頁，是紀念他父親見他和身高力大的外國人打球時心怯退避，鼓勵他勇敢向前的話。他的足球經，是研究各綫位置的踢法，並介紹各國有名球員的踢法與言論。他特強調戰略運用的重要。

這位球王，我在香港，上海，廣州，重慶都無緣相見；在台灣才有機會和他談過很短時間。去年到墨爾缽，還同住在世運村裏，看世運會足球決賽的兩場。

今年推行什麼？

·尹僕·

慨話鶯歌車禍的結論

·張瘦碧·

台北市附近鶯歌火車肇事死傷百餘人的慘聞，如今似乎已經事過情遷，在文長六千餘言的專家鑑定報告書後，了結此一重公案，還有什麼話說呢！

我們看這位交通專家趙國章鑑定書的報告結論，鶯歌肇事地區，是爲三百九十八公尺的半徑彎道，及通續有五公里之下坡，如遇意外障礙，均可遭致事變，本案發生後，經警方查明，路軌堆置石塊情事，至於其他方面，根據路局提出各種報告，及事實現場面，證明路綫車輛，均甚良好，行車速度，就時間里程計算，殊未超過行車速度，司機生活及平時服務成績亦均優良，則其肇事原因，當爲軌道堆置石塊所致！與是立法院交通委員會方面對當局的處理，認爲過于草率，對於此事肇禍原因的結論，未免過於草率。故有人主張鐵路局長莫衡，應負行政上過失的責任，還先予停職處分；認爲目前省交通當局，對於此事之處理，不能服人心，必須追究滿查。（見四十六年十二月二十日中華各報）

我們認爲爲了今後交通事業的安全，是應該徹查的。據說，事發後，有關的人事還向失事附近的孩子查問，的確是一幕滑稽劇，難道孩子的話就可據爲定案嗎？譬如說：「你在這裏放過石子嗎？」「放過」，「是昨天嗎？」「是昨天」，「放得很多吧」，「很多。」「你們二個人一齊放的吧！」「是的」……我未便硬性想像就是以上述的回答，而斷定堆石目前，雖然事情已經告一段落，也似乎必須說一說！

內幕什誌的「黃老」學派

·黑水·

（台灣通訊）台灣的「文化清潔運動」，最近又「半展開」一次了。

什麼叫做「半展開」呢？先從上次的全盤開說起，上次在二年前由中國文藝協會發起，若干團體與名流參加檢舉，繼之有內政部查禁以致有十家內幕什誌受到十個月的停刊處分，轟轟烈烈的肅清運動，倒也使什誌界「淨化」了十月。殊不知「徙刑」期滿大家捲土重來，更添了一批「生力軍」有二三十種的內幕什誌出現了。混亂黃黑到了不堪入目與不忍卒讀的地步，于是乃有這次「半展開」肅清運動。

其所以稱爲「半」者，是沒有上次那樣的「完全」。輿論的抨擊還是有的，却少了團體與名流的「助威」，也沒有政府法律的「制裁」，（此乃鑑于上次遭受一些立法委員的指責——妨害出版自由與新聞自由），但，命令鐵路管理局，凡是火車站與火車上，不准代售指定的「十七家」內幕什誌，不系明令停刊，乃是消極拒售，所以說是「半展開」了。

半展開的用意，據說是給它們一種警告，以期其「改邪歸正」。內幕什誌之最大銷場是在火車站與火車上，那十七家遭了「拒售」的打擊，因而打烊者不少，還沒有打烊而勉强撐持者，亦都勢難持久，已經精疲力竭，奄奄待「斃」了。

于此，那些黃色老牌內幕什誌，乘機復刊，紛紛以「改版」爲號召，而目（封面）雖然一新，內容却是仍舊。它們得以推銷于火車站與火車上，生意又興隆出來，使那十七家內幕什誌心恨而眼紅，遂喊出出了「黃老學派」這句口號來譏諷它們，黃是指黃色，老是指老牌。

十七家內幕什誌的主持人說：「第一次的文化清潔運動，祗限于內幕什誌之停刊，却讓那些日報上天天刊出黃色的——誨淫誨盜的——社會新聞，已經是不公平了，現在，則命令鐵路局推售一部份——我們十七家內幕什誌，却讓那些「黃老學派」的內幕什誌，獨佔鐵路市場，更是不公平了。」

這些話雖然近于牢騷，但也不無理由，而且在日報上的社會新聞，尚有一二家，更努力于「黃色」的濃厚，而政府則「視而不見」，當然那些被剝奪了飯碗的人要「不平則鳴」。

再說，「黃老學派」的內幕什誌，用盡心機排斥它們的「後進」，據云這次的「半展開」文化清潔運動，就是它們的建議而被政府採納施行的。此種「豆萁相煎」的悲劇，在文化流氓們看來，還算不得什麼呢！人心日漸澆漓，社會趨于下流，從文化界的智識份子這一階層去找原因，是最正確的。

政府採納了「半展開」的文化清潔運動，祗是便宜了內幕什誌的「黃老學派」，對于文化清潔運動，依然在不清不潔之中，若不信的話，取幾本現在鐵路綫上准許代售的「黃老學派」內幕什誌，仔細查看與那些被摒諸鐵路綫外的十七家內幕什誌的內容又有什麼分別呢？至于日報上的黃色社會新聞，更「不在話下」了。

我們的政治措施，在這種小地方（亦可以說是大事件）都弄不清楚呀！還談其他則甚？

台灣點滴

△某報有各地通訊一則，略謂：××訊，本鄉參加議員競選者有若干位，據權威人士稱，除某某等四人外，其餘均少有當選機會，云云。執學術之牛耳，稱之謂學術權威；能操縱物價之升降者，謂之經濟權威；決策軍政大計者，謂之軍政權威；此位通訊員，隱然之謂民意權威與選舉權威乎。可見台灣權威之多。

△有些報刊設婦女信箱欄，所解答者，多爲男士追求小姐之問題，這當然是編者有辦法，也可見這裏「小姐荒」。

△台灣唯一的台北圓山動物園，是屬於市政局，可見有關教育的場所。奇怪的是，在園內水獺籠上水獺的獺字，國語注音符，竟爲「另另」（頓音）不知是否另有根據！

（非非）

衛星的是非

·萬香堂·

蘇聯曾失敗過十六次美國失敗一次算甚麼？蘇聯須一九六〇年才能完成越洲彈道火箭；然美國今年必須一試身手才能夠安定人心。

最近天下滔滔為衛星問題搞得頭昏眼花，綜合外國報刊，新資料試就美國的失敗與補救方面，作一報導。

「衛星」乃包圍行走地球之物，表示其具有之威力與精神之控制力已達於包圍人類所居住的地球，而在科學上言其放射高遠的度數，及所走之速度，至關重要，換一句話，如能為此，即最高度及最速度之原子武器無不能為的，其足以電視者在此！其使人驚駭的亦在此！

自從蘇俄發射了兩顆人造衛星之後，整個世界為之動盪，惟美英兩國的科學家多以為此乃蘇俄的一幕科學上的掩眼把戲，但美政府所得的情報完全已證實蘇聯製衛星已成功其航程。故艾森豪總統在電視中亦不得不承認人造衛星為蘇聯佔先的，這個刺激給美國的確很大的，艾克自十月七日起一連開許多次緊急會議，可見一斑了。

美國原定明年三月間才試放人造衛星的，但為了爭取本年度之衛星年之榮譽不令蘇聯獨占，艾克乃於聽取科學家與主持衛星專家的意見後，即見由政府公佈定於十二月試放小型人造衛星，技術員為了邀功，日以繼夜加工趕造，惟趕造的工程最容易疏忽，其在製造發射人造衛星的三段式前鋒火箭時，即發現在一二之間中的火箭燃料庫出了毛病，修復後即裝在發射機上，又曾再度檢查，以仍有多少不妥，又再度修理，原定十二月四日發放，不得不改遲到六日最勉強試放，主持人事前已預料到會有意外，結果不幸而料中了，祇昇空兩秒鐘即告墮地，這一惡耗深切影響世界的視聽，更引起自由世界各國心理之不安，對於美國及艾克聲望大大受了影響，而美國的民主輿論界更推波助瀾起來，致全國各地人民紛紛發電質詢白宮。事後科學家已查明第一個衛星失敗的原因，其毛病乃在第一段火箭的燃燒壓力受了損失，因之其推動上昇力不夠細勁，故上昇三秒鐘即行發熱。那項燃燒原料乃數噸液體氧氣，和一種名「刻洛新」化學品混合而製成，該原計劃上昇十秒，即可把火箭衛上十六公里的高度，[illegible]

國際動態拾零

尼赫魯深責梅農上屆在聯合國大會之失態，因其過于左傾，致引起國際上對印度之誤會。

× × ×

狄托將于明春放棄政府中地位，或黨部的領導權。因其身體實在太壞，他現在游泳，須在熱水池中才成。

× × ×

東京消息，中國大陸現有深厚的雷達網。南起北越，北至白令海峽，均有相當佈置。

× × ×

最近自蘇聯返波蘭的人，謂自列寧格勒，至前屬波蘭之列佛埃止，均在建立火箭基地。

× × ×

美空軍計劃設十六個火箭隊，每隊十五個火箭，至一九五九年中期實行。十四隊屬空軍之梭爾火箭，二隊屬陸軍之周彼得火箭。

× × ×

參議院質詢委員會，曾召集陸軍及民間科學專家，說明美國火箭何以落後的理由，國防部火箭負責人荷拉被指摘，因為他曾說空軍梭式五千英里越洲飛彈，業已完成，並稱一千磅人造衛星，隨時可以放入空中。而事實並不如此，因有欺騙民衆之嫌疑。

× × ×

李政道楊振寧到瑞典，中共大使館曾派軍官二人往飛機場迎接。瑞典政府即有一人護送李楊上車，這是瑞典政府與事前的協議。李楊的父親在上海某大學教書，道亦有親屬在大陸，而且皆有來往，中共自可從威脅扎入手。惟二人皆持台灣護照，且正在申請入美籍。給獎時瑞典政府曾邀請各國大使觀禮，惟中共則缺席云。

陶然

[illegible]

工展風光

蔘吾「神龍丸」

香港蔘吾堂藥廠出品的蔘吾「神龍丸」，據說其藥方的來源，遠在清末，當時為入官宦之家，視為珍藥，久已失傳，[illegible]

餅乾大王

義貴

「鮮牛油餅乾大王」振興公司主人何禮燿，[illegible]該廠「鮮牛油忌廉餅乾大王」[illegible]（白）

新書介紹

「中國大陸人民反共抗暴運動」

裘孔淵著 雙十出版社印行

大陸人民波瀾壯闊的反共運動，是中國現代史上一首悲壯的史詩，它標誌着中華民族的浩氣長存，顯示出中國人民嚮往自由的高尚情操與不屈于暴力的堅毅鬥志，較之匈牙利人民的反共革命運動毫不遜色。因此，無論從何種角度來說，我們都應該給這些英雄人物與這些可歌可泣的事件，為下一翔實的紀錄。可惜我們做得很少，或做得不夠。最近裘孔淵先生所著「中國大陸人民反共抗暴運動」一書的出版，恰好担起了這方面的任務。

作者在序言中說他寫作本書的目的，在于忠實而又系統地表達下列三項：（一）從時間歷程，從地區分佈，從各個階層上，紀錄下中國大陸淪入俄帝鐵幕以來，中國人民在淪陷區內，英勇地進行反共抗暴的史實；（二）簡要地敘述大陸人民為何反共？如何反共？其最後成功的信念和保證在那裏？（三）幫助人們瞭解中華民國人民何以有反攻復國的把握？大陸抗暴運動，在我們反攻復國的艱鉅事業上，具有何種地位和力量？以及作為復興基地的台灣，所應重視和努力的是什麼？這幾句話很能表示作者的心情，還有，與其所創下的成績。這裏，筆者願將本書向海外讀者作一個略介紹。

第一、本書的體系頗為完整。全書計分三編，共十六章，第一編六章是敘述自中共建立偽政權時起，至韓戰爆發後大陸人民的抗暴經過。第二編六章是敘述中共第一個五年計劃期間所遭遇的各種反抗。第三編四章是敘述此次大陸「鳴放」運動中一般知識份子和青年學生的反共活動。這樣分期，一方面明確說明大陸人民反共抗暴運動的發展過程，一方面又反映了中共偽政權由產生，成長到沒落的趨勢。

第二，內容充實，書中除詳細記述大陸農民、城市居民，工商業者，工人，知識份子以至邊疆民族的抗暴事件外，並對敵後的游擊活動，地下鬥爭，也作了生動的描寫。因為作者曾是參加這一鬥爭的成員，所以寫來甚為真切。其次，書中對中共歷年的殘酷屠殺，與被害的人民羣衆，亦有詳細的紀錄，勾繪出大陸的全幅面貌。

第三、在手法上，作者表現了高明的技巧。在研究性的著作中，既要注意材料的廣泛蒐集，尤要注意材料的精密剪裁。作者除對頭緒紛繁的材料一一予以適當安排外，並作出許多統計表，以幫助讀者的瞭解。由此足見作者具有相當成熟的寫作素養。

總的說來，這是一本值得閱讀的好書。如果說要找出一點缺點的話，則筆者僅僅不十分同意作者將這個驚天動地的革命運動比稱為「新五四運動」。因為五四運動是單純的思想啟蒙運動，當時它沒有鮮明的政治目標，對現代思潮的態度甚至是不分青紅皂白，所以這個運動的本身，有其價值的一面，也有其負影響的一面。而今天大陸上的反共抗暴運動，則是五億人民在九百萬平方公里的土地上所進行的死裏求生的全面性的自由運動，其中有鮮血，有熱淚，有驚心動魄的搏鬥，它是中華民族在近代和現代的革命里程上一個最富啟示意義和教育意義的重大事件，肯定了這一點，更可凸出這一運動的真實意義。但這是題外的話，毫不牽涉作者的著作本身。

這本書是台北出版的，海外讀者由此可以看到台灣研究工作的現況。年來筆者總覺得台灣是中華民國政府的所在地，又是與中共作生死鬥爭的主要對手，在經驗上和條件上都應該且有可能建立對大陸問題的權威，為自由世界作出有力的指引。事實上，台灣有不少的優秀研究工作者，如本書作者和萬亞剛、李慎之、史鑑、黃紹馨、李天民等幾位先生，都頗有成就。假定從現在起，政府能注意此一問題，出版界也能予以協助的話，則更可提高現有的水平，而創出更良好的成績。

• 達凱

自由談

足以自豪的官吏

·馬五先生·

香港總督葛量洪今日任滿卸職回國了。前天本港各界市民兩萬五千餘人，自動集會，對葛氏惜別，表示依依不捨的愛戴之忱，場面熱烈動人，爲本港開闢以來所未見。戰後英國殖民地常多動亂，民衆對於統治者皆抱有敵視態度，唯獨香港居民，對葛量洪主政十年之後，尚再三挽留，既不獲所請，乃舉行盛大的惜別會，藉彰甘棠遺愛的去後思，這是眞正的民意表現，沒有絲毫不可告人的政治作用存乎其間，難怪葛氏在大會答詞中，說出「Now the time has came for me to leave You」這句話的時候感情激動，嗚咽神傷了！有人說，做官而獲得這樣的結果，足以自豪矣。誠然誠然。

葛氏爲政之道，據我個人最近八年來的觀察所及，除却他本身的民主作風度，處處令人可親之外，就是平易近人，不尚詭隨，一是皆以人民利益爲本，確實適應了「政治是爲人民而存在的」這種要求。香港居民的納稅義務並不輕，但政府對於維護社會治安，改良衛生事業，發展全市交通，穩定金融，控制物價這些關係民生福利的事，無不悉力以赴，決不是祗知向民間聚斂，而置人民幸福於度外的官僚主義。

香港居民百分之九十五以上都是中國人，葛量洪的施政方法，即善於因應中國人的生活習慣以求治，而不用英國式的生活尺度作標準，强人以必從，這點就比美國人高明多了。例如：香港政府對賭博是嚴厲查禁的，但容許人民隨便打牌娛樂，只要不妨礙交通，雖在馬路旁的屋簷下作樗蒲之戲，也沒有警察來干涉。去年政府立法要取締「麻雀館」，輿論認爲這將影響社會治安，據述若干事實，希望政府審愼考慮，勿事苛擾。葛氏即接納民意，終止原議了。政府是管理衆人之事，統治者如其不顧衆人的意志，但憑自己的主觀偏見來發號施令，沒有不弄到民怨沸騰的。葛量洪在香港受到人民得未曾有的愛戴，決非偶然。凡是高據着政治地位的人，盍念之哉！

結婚·結婚

·金恆杰·

人說是上帝的好安排？

我却說是造物者施毒手！

人人有結婚的慾望，這也是造物的傑作之一。人類懂得可憐春蠶「作繭自縛」，却不免時時刻刻想到結婚，硬要繁衍出一羣高高低低的孩子。這樣把自己加上腳鐐手銬却美其名曰「成家立業」。

然而結婚是不可避免的（蕭伯納語）。做孩子的時候，給長輩們嘲弄急了，最怕提到結婚。後來發現只有和尚絕不結婚，便一心一意要做和尚。（但據說台灣的和尚也有結婚的，當然也有高高低低的子女，可見結婚的魔力之大）可是現在讀大學，睡在臭虫睥睨的格子舖上，聊天不論以什麼題目開始，總是殊途同歸地回到「結婚」或與結婚有關的事物上去。冷靜時想想，深深覺得上帝惡作劇的魔掌已慢慢地向我伸過來了。除徒然地惋惜着失去了的兒時的心外，始終無力計劃出一套有效的方針來對付它。

造物者的施毒手是一視同仁的。我們看到窮爸爸穿着單薄的寒衣在朔風下踩三輪車，在吃粉筆灰，在公事房裏磨滅陽壽，在地層下挖煤。我們何嘗不看到無數的闊爸爸在大人先生們的「混蛋」聲中，悄悄地拉起衣袖抹淨鼻子的唾沫？多少人爲了一個家，才在上司面前卑躬屈節，把結婚前的傲骨橫過來撐着咀嚼作營一肩諂笑。且看多少年青時爲國家立了豐功偉業的人，到了鐵境隱護事幾年滑稽的，却爲了替兒子服務，用種種卑劣的手段來爭權，來奪利，把從前爲國爲民做大事不做大官的理想忘得乾乾淨淨，遺下一段禍國殃民的暮年。

結婚給女人帶來的，當然也不見得是幸福。一個個女學士，初放下四方帽莫不壯志凌霄。可是一旦結了婚，便在胸下掛一方圍裙，走進廚房裏去，終其生以育子女以續宗祧了。聖經開宗明文第一篇上帝就對夏娃說：「你要受生育之苦。」事實上她們似乎不止受生育之苦而已。她們爲生育葬送了自己的一生！

且看劉半農先生新青年上發表的南歸雜感，把婦女的一生用一天的白描寫得何等淋漓深刻：

「我計算你們天天所做的事：——你們早上七點鐘起身，自己要梳頭，要煮早飯，要上門口買菜，要料理小孩子吃飯，年紀大一點的，還要替他穿好衣服，預備好書包……這麼一來已九點鐘了。九點鐘以後要洗早飯的碗筷碟子……洗魚切肉；不知不覺已近十一點了。於是連忙煮飯燒菜直、忙是十二點。吃過飯洗過臉，約一點左右，看看有什麼衣服要洗的；……三五件衣服一洗，天已夜了；……休息休息，到六點鐘，又要預備晚飯，又要洗鍋滌碗。晚上要替小孩做鞋子，要修補衣服……記一回筆零用帳。到十點以後，是呵欠催人快點睡罷。」

這是五四以前的婦女生活了，可是到了今天，時代的輪子彷彿進展不了多少。不受家庭子女限制的也是有的，只是限於少數。她們逢假節日到電台吼幾聲，過到義士來歸到機場碼頭獻花；眾什麼會都有點份，一振臂一振臂地嚷嚷。但她們是僱了好幾個下女、奶媽、廚子的。以許多人的時間來換取一個人的時間，究竟不算什麼御出樊籠的最好方法罷。

飛蛾撲火，說是追求光明恐怕是詩人造出來，它既不知燭火究竟意味着什麼，也未必懷着蠶兒革命事業的宏願，它的痛楚只在焚化時的刹那。春蠶吐絲時，我想也許還得無上的快感，對死一定是茫然的。豬狗牛羊可能不會隱約有死的意識，但感到死亡的威脅。唯有人却要有人發明死後有天堂，幸而可以到那裏去過活。故尚可容忍。只有家的威脅是造物最殘酷的一手了。在現實世界天天看到家的「枷鎖」，天天感到家的「牢籠」却無可奈何地向前走去？好像被牽着鼻子。

然而結婚往往是被人讚美的，我不知道爲甚麼；也許上帝知道得清楚些。

日月潭

·黃天石·

丁酉元宵前夕，驅車遊日月潭，同游者世芳覺孫伉儷，及其女公子麗江麗怡，夜宿涵碧樓，賦四律以紀游蹤。

山色綠於水，水光青滿山。何來太古鏡，長駐少年顏。輻射雲霞表，爭輝天地間。悠然一靜坐，鷗鷺共蕭閑。

我來日未落，皓月上東山。跳蕩珠璣舞，晶瑩鏡一灣。雲嵐自濃淡，蒼翠幾迴環。瞻仰玄光寺，高僧舍骨還。

日月忽曖曃，潭影客悠悠。水鳥自來去，山花春復秋。遠雲歸故岫，飛艇破寒流。指點光華島，穠陰綠正稠。

月死日初生，日沉月又明。雙丸何逐逐，一水自盈盈。心與潭同靜，夢隨響更清。欲遲千頃碧，涵煦萬家情。

讀書隨筆

黛玉談詩

·慕容羽軍·

新詩與舊詩在原則上有一個衝突，新詩人總以爲推倒了格律，便可得到情感的解放；舊詩人亦有一個固執，深以爲平仄、音韻、格律是絕美的形式。到今天，各行其是，了無結論。近重讀紅樓夢，發現幾句林黛玉論詩的話，頗足爲新詩理論的佐證。那一段這麼寫着——

「……黛玉笑道：『既要學做詩，你就拜我爲師。我雖不通，大略也還教的起你。』香菱笑道：『果然這樣，我就拜你爲師，你可不許膩煩的。』黛玉道：『什麼難事，也值得去學？不過是起、承、轉、合。當中承轉是兩副對子，平聲的對仄聲的，虛的對實的，實的對虛的。若是果有了奇句，連平仄虛實不對都使得的。』香菱笑道：『……（略）……聽見說「一三五不論，二四六分明」，看古人的詩上，亦有順的，亦有二四六上錯了的，（略）原來這些規矩是沒事的，只要詞句新奇爲上。』黛玉道：『正是這個道理，詞句究竟還是末事，第一是立意要緊，若意趣眞了，連詞句不用修飾，自是好的！』」

這番話給死抱着格律的木主的人以强烈的抨擊。我們可以相信的，曹雪芹的詩作是够得上說這番話的。這就證明了古人對今詩早有微辭了。而今，寫新詩的人到底毛病到底在什麼地方呢？如果細味一下黛玉的話，當可發現那「意趣」兩字斷斷不是「殺呀！衝呀！你是太陽，你是鐘，」那麼淺薄。詩，到底是情感，體驗的累積，必求其有詩意，始足爲詩的。

眼睛

·南橋·

眼睛是人們通體靈魂之所繫，的確是靈魂的窗子。聖者耶穌也說過，眼睛就是身上的燈。所謂「秋波一轉」「回頭一笑百媚生」，尤其女人眼睛的美更會顛倒衆生，使拜倒石榴裙下者唯命是聽，而西洋也有諺語說『美妙的眼睛是女人愛情的武器。』我國古時就很重視它，詩經上『巧笑倩兮，美目盼兮』。杜牧的『媚靨橫波眼波來。』李白的『眉語兩目笑，忽然隨風飄，』都是讚美眼睛的名句。

眼睛構造之精巧與玄妙，實在是難以想像，眼中主要器官形圓如球，很像一架照相機，叫做眼球，眼球的外邊有淚腺，能不斷分泌眼淚，以潤濕眼球的表面並可洗滌塵垢。眼球外層色白而不透明，爲强韌的纖維所組成叫做鞏膜，其餘凸而透明的爲水晶體。眼球中部充滿一種乳膠狀透明液叫做玻璃體。

人間最微妙的表情，莫過于美人的「一盼」「含情凝睇」「儀態萬千」那一雙汪汪的鈎人魂魄明眸的魅力，也不知天下多少英雄豪傑而逃不過美人關。據說世界上以西班牙女性眼睛美最爲馳名。而在銀幕上芸芸女星中瀰漫潤盈秋水的魅力而走紅的，如瑪麗蓮夢露，鄧端納，殷格麗褒曼，我國古代的楊貴妃現在明星白光都具媚人明眸。

眼睛纖微脆弱最易受環境影響而發生多種病變，如在光綫不良，注視近物特別是看小字的書籍而發生近視，又淚管囊不良而生夜盲，但除少數先天性生理機能缺陷如色盲等，目前尚無法補救外，其他如後天的未發青光眼，遠視近視，散光眼等均可加以預防或適當的治療。

「眉語兩目笑，忽然隨風飄。」——李白

短篇小說

硬心腸的人

回到房裏，仍然非常舒服的躺到安樂椅上，眼光又望及案頭上那本文選小說，他並沒有重拾起看，祇是眼光停留在書本上，像是想起一個新的念頭。

「要是我也寫一本小說，」他想：「我就寫一本完全像實在的事情的書，每一節，每一個人，都是世界上眞正應該有的，決不做作，決不自欺欺人。」

他一會就噗嗤笑了，隨即又怔怔起來，彷彿這一笑，連他自己也不知是爲甚麼。「對了，」他心裏說：「我怎麼能搞這個玩意呢，我要是寫出我的意見，人家不殺死我纔怪呢，像教會要殺死發現地動說的伽俐略一樣——。」

他想：我要告訴人家，這整個世界沒有一件事理是對的，都值得否定，至少，都值得重新考慮接受，但這怎麼會教人相信呢，人家並不像我看得這麼遠，我現在看到的，人類至少要一千年以後纔看得到的，要是我把看到的意見寫出來，那一定會說我是瘋子，是叛徒，眞會殺死我呢，唉，可惜像我這樣的思想家太少了。

——我周圍的全是一些瑣碎庸鄙的衣架子——。

他想着這些狂念時，身體躺在安樂椅裏，一動不動，面部竟然非常之嚴肅。弟弟進來，方纔把他弄醒。

「哥哥，叫我有什麼事嗎？」

「那傢伙走啦？」他老氣橫秋的躺在安樂椅裏，只轉動着臉望着弟弟：「哦，對啦，你要坐車子，再另外買一部吧。」

「我又沒有甚麼重要的事情，很少出去的，有一部車就夠了，能省一點就省一點。」弟弟笑答。

想不到這話竟使哥哥不悅，固執地提高聲音說：「另外再買一部，」好像還有許多話要說，却見他這副模樣又不屑于說似的，弟弟仍溫順的站着，停一會，哥哥纔說：「我就討厭節省這類字眼，甚麼節省，甚麼安貧樂道，這都是沒有生活能力的人的遁詞，明明自己無法生活得很好，就編出一套美麗好聽的詞兒來騙人，沒有比這最酸腐，最沒有出息，最害人的了。自己沒有辦法創造生活，還要拿詞兒套住人家，叫人家也跟他一樣，眞可恨，你知道人生是甚麼，別講那套大道理，簡單的說：人生就是能賺也能花，這樣纔會有進步，否則，你節省，他節省，都不創造，屁，人生！你讀了這麼多的書，總不肯自己思想一下，還老是依違俗論。」

弟弟沒有分辯，他知道哥哥古怪的性情，辯也無益，而且也不一定辯得過。他想從根本上來改造哥哥這種古怪的性格，知道這是由于沒有結婚的關係。這時他溫順的在哥哥對面那張沙發坐下，這一舉動，很使哥哥詫異了一下，帶着一點驚覺的笑容望着他，低聲問道：

「你有甚麼事要說嗎？」

弟弟笑說沒有。

「不要瞞我，」他專制的喊道：「說吧，快說快說。」

弟弟那張誠實天眞的圓臉，堆滿尷尬的笑容，然後期期艾艾的說：「今晚上哥哥陪我一道去玩。」

哥哥笑出聲來，說：「你又要給我介紹女朋友是不是？」像揭破他的秘密似的笑喊道：「算了算了，你這詭計多端的傢伙——。」

弟弟滿臉通紅，他安慰這個老實的弟弟，用他那少有的懇切語氣說：「你這番好心我完全明白，非常感謝你，但你哥哥看錯了，你哥哥並不是那類以爲缺少女性的柔情蜜意，而變得性情乖張的人，你哥哥不是。我只是與衆不同罷了，你不知道，你哥哥吃苦很多，又不肯放棄思想，所以凡事看得比你們深入一點。瞧你那神氣，完全不以爲然的樣子，好吧，這也能怪你，這怎麼能怪你呢？除了我自己，沒有人能瞭解我。」（三）

·楊海宴·

紹華先生「清代詞壇殿軍朱彊邨」訂補正誤 ◎

（一）

「目前」陳鴻慈，應作「日前」。「檢者教政」，應作「閱者」「鑒」。「否家」佛頤，應作「吾家」。「紹華」先生，應作「紹華」。

（二）

「覓句堂」「並爲」，「拜爲」。「秋詞春，聲濠體」，應爲秋詞，春聲。」「燕體」，應爲「豫體」。

（三）、（四）

「清代詞人」應作「濟末」詞人。「傳臚外，任」，應爲「傳臚，外任。」「又留心，」應爲「有留心」。「光緒」二十一，應爲「二十二」。「善變借」「善將借」。「名不」相雜，應爲「各不」。「西宋」徐徑，應爲「兩宋」，疆邨「週聲」，應爲「亦歸聲」。屬聲「曰」，應作「說」。大學士下，脫「剛毅」二字。高闈「張目」，應作「瞋目」。外兵犯「命」字衍，「一益急」應作「孝益急」。天津

（五）

「離爲」，應作「雖爲」

「項廷九」應作「項廷紀九」

自由人
THE FREEMAN
（第七一三期）
中華民國僑務委員會領發登記證台教新字第一第一零二號、中華郵政台字第五〇〇號執照登記爲第一類新聞紙類
（半週刊每星期三　六出版）
每份港幣壹毫
台北市售價台幣壹元
督印人：陳文華
地址：香港高士威道二十號四樓
20 CAUSEWAY RD. 3RD. FL. HONG KONG
TEL. 771726
承印者：東南印務出版社
地址：高士打道六十四號
台灣總經理處
台北市西寧南路壹壹零號二樓
電話：四七三四六
台郵撥儲金戶九二五二
海外總經銷：友聯書報發行公司
香港：德輔道中二十六號A二樓

台灣經濟宜速朝向自由
——由限制設廠及惡性競爭問題說起

陳式銳

近來自由中國報章上發現了兩個問題：一是取消限制設廠，一是所謂「防止惡性競爭」；兩者在表面上雖屬不同，而其反映台灣經濟的特質却是一體，而且有其相關底關係。

所謂設廠限制

所謂設廠限制，乃起於四十年八月台灣省政府以電力不足，進口原料外滙分配困難，及生產過剩爲由，對肥皂、棉油、火柴、橡膠、毛紡織、氯酸鉀、鋁製品、針織、手工織布等工業限制設廠（四十三年一月氯酸鉀以下四類已開放），四十二年十一月，電燈泡及麵粉業亦予限制設廠。六年以來，限制設廠加上廉價外滙與對外保護，遂成了獨占利潤，故步自封，與依賴成性。一方面，它們更進而採取聯營，以壟斷市場；如電燈泡每個由二元八角一再漲至六元，火柴每盒由二角漲至三角，使消費者長期蒙受損失。行政院經濟安定委員會的工業委員會有鑑於此，乃於九月廿六日提出建議：（一）設廠限制一律取銷，（二）今後新廠設立或擴廠擴充，而主管單位認爲無此需要時，准以自備外滙進口，（三）每年進口之主要工業原料，照過去消費量及政府希望維持之消費量決定總額，由物資機構統籌進口，按正常商業方式在市場出賣，美援原料如小麥、牛油，不論軍公民；一律採取標售辦法（台北九月廿五日徵信新聞）。經濟部次長王撫洲亦於十月十一日在立法委員林棟詳聲之下答復稱：「在對外保護，對內競爭的政策之下，政府決獎勵工商業對外聯營競爭，但對內聯營則予取締。……限制設廠措施實行數年以來，到今天顯已到了困難階段」（台北十月十二日徵信新聞）。

限制的目的何在？

另一方面，肥皂、棉油、麵粉、火柴、毛紡織、橡膠、燈泡等業於十月十一日舉行座談會，「互相交換意見，熱烈加以研究，結果一致認爲本省工業具備自由競爭條件太差，原料供應又不充足，在外銷尚未展開以前，不應取消限制設廠之辦法」（同上）。而其他工業亦在外銷阻滯困難之下呼喊「惡性競爭」而要求「對內聯營」。台灣省工業會近且對經濟部請求防止惡性競爭，以免粗製濫造，並提出六點建議；其特點在「（一）修改「輸入原料加工出口辦法」，有效促進工商業外銷，以解脫對內的惡性競爭……（二）對於內銷產品之聯營組織，除嚴格監督管理其品質價格外，應准其組織合理的聯營機構，並由該聯營組織負責保證品質可靠，提高價格時亦應由組織向政府呈准後實行……」（台北十二月十七日聯合報）。前者在限制設廠庇護之下以聯營而維持其獨占利潤，今以反對取銷限制設廠而維持其聯營手段；後者以「惡性競爭」爲藉由，除要求改善外銷辦法外，亦同欲以聯營爲取得利潤之手段，且謂可保證品質並控制價格。

什麼叫惡性競爭？

至於「惡性競爭」一詞，究作何解？連經安會秘書長尹仲容也「不知道什麼叫做惡性競爭」（台北十二月廿日聯合報）？據我個人的瞭解，台灣一般人因購買力薄弱，購買取價廉而不一定顧到物美（此亦落後地區的一般現象）；台灣產品在外銷窒息之下，爲擁擠國內市場，爲競爭必需降價求售，惟爲顧及成本乃不惜粗製濫造。所謂「惡性競爭」即由此而來。我且曾聽過一位內行朋友說，火柴有優有劣，優者成本高而劣者低；因零售者操有大權力，劣品以較低之批發價給予零售者，零售每盒優劣同爲三角，零售者以獲利較豐自然樂意推銷劣品。但這些景況，並非易於長久維持，必須藉聯營乃能達到目的；蓋聯營係彼此聯合經營，既然聯合經營也就彼此有出售產品爲市場的分配，劣質電燈泡所以不能絕跡，即此之故。明乎此，「惡性競爭」有類於聯營，今欲以聯營來消滅「惡性競爭」，只是叫盜來防盜了。且我應當指出，在這一種結構之下，一時吃虧者無疑地是好廠商；既然好廠商爲吃虧者，那末它們應該支持取銷設廠限制，並且反對對內聯營，讓自己堂堂正正地以價廉物美底產品角逐於市場，最後勝利的歸屬自然沒有問題了。

不能轉個方向嗎？

台灣年來的生產在品類及量方面，誠然有了進展；但進展之後，却又成了滯銷局面，尤其外銷市場。此時，我們不必寫過多底批評文字，只須指出癥結的所在；於是我就引用一段「小言」：「看看當前的情形，如滙率（偏低），利息偏高，稅負沉重，使工業產品無法外銷，不得不在省內的小天地爭取市場。原料分配固定，大廠有時從小廠手中購取高價原料；各廠的設備，有的來自廉價的日產，有的則以廉價外滙進口，但有的則必須以自備外滙購置。這樣，如何從事公平競爭？還有，合法登記工廠有稅捐負担，並須遵守各種管制法令，地下工廠的產品，既無上述限制，却能以廉價傾銷，主管機關平素不聞不問，即使偶然檢查處罰，亦不嚴厲，正當廠商爲圖自存，亦不得不降低品質，減低售價，從事競爭」（台北十二月二十日徵信新聞）。由此，我們觸到了經濟政策。而擺在我們面前底乃是一幅管制底畫面，在管制之下，產者、銷者、用者既是皆不得其好，抑何若來？豈我們眞地不能轉一方向嗎？

放鬆干涉不能再緩了！

在民主政治之下，政府爲服務人民而設立，而人民並非爲政府而生存。明乎此，政府既不能侵犯人民的政治自由，同時也不得侵犯人民的經濟自由。所謂人民的經濟自由，就是私人有自由從事經濟企業或自由選擇職業與工作之權；只在調和個體與羣體的利害時，政府才依立法可以干涉人民的經濟自由。政府干涉經濟，雖爲第一二次大戰以來的特殊傾向，但目標還是自由經濟。西德戰後從廢墟中繁榮起來，即係循此途徑；而抑有進者，政府干涉人民經濟生活，強度者如蘇俄集團剝奪人民的經濟自由，已非民主國家之列論；自由國家之採取干涉政策者，類多一時之權宜措施，（下轉第二版）

半週述評

新年世局

一九五八年的第一週，世界呈現在我們眼前的還是半冷半溫可和可戰的局面。

在美蘇方面，兩國首腦雖在新年賀電中表示和平願望，但是誰也沒有信心；而美國由于認清了蘇聯的險惡特性，更時刻加以戒備。所以艾森豪已初步決定拒絕蘇俄的「高層會議」建議，認爲這一會議不能解決問題，徒供蘇聯以一宣傳的跳板。另一方面，由于火箭衛星的刺激，美國已開始在國防和科學教育等方面力爭上游。據路透社華盛頓二日電訊，美正製定下年度龐大的預算案，此項預算數字將較現年度之預算總額七百二十億美元，超過二十億元以上，而爲美國有史以來平時開支的最龐大者。這一情勢的發展，說明今年是美蘇競爭的最重要的一年，也是冷戰可能演變爲熱戰的一年。

在亞洲方面，日、菲局勢的穩定，馬來亞之獨立及其走向反共陣，泰國新閣政策之不變更，自由中國的壯大以及日韓關係的好轉等都有助于世界局勢的穩定。但是共產集團又正利用亞洲和非洲的民族意識與獨立運動作爲其反西方和反自由世界的工具，一月一日閉幕的「亞非團結會議」就是他們這一策略下的產物而英首相麥米倫之決定往印、巴、錫蘭等國商討國際政治，也反映了民主集團對這些標榜中間路線的國家的爭取。

和戰問題

當前局勢的無法緩和，其關鍵在于兩大集團的武裝競賽。根據統計，目前世界各國的軍備情況是：（一）各國武裝部隊人數約在一千八百萬至二千萬之間，用于人力和武裝方面的費用每年約一千億美元。其中，共產國家的武裝部隊約八百七十萬人，附有飛機四萬至五萬架及艦艇數千艘。民主國家的武裝力量，約在七百五十萬至七百八十萬人之間，另有超過五萬三千架飛機和佔絕對優勢的海軍實力。（二）核子武器方面，美國已試爆了八十次至八十五次，蘇聯試爆了三十至四十次，英國試爆了十二次。而解決戰爭危機的方法，是停止軍備競賽和實行裁軍。蘇聯雖提出裁軍問題，但却反對美國的大視察區計劃，反對開放蘇聯的領空；亞非會議雖主張禁止核子武器的試驗，主張消除原子武器的威脅，但這只是針對美英兩國來說蘇聯却又片面地不斷試驗，並加強越洲飛彈的製造。因此，戰爭的危機：不僅無法消除，且隨其飛彈暫佔優勢而更加火熱。

中共危機

在共產集團全力備戰和進行國際統戰工作中，中共內部又發生了一連串的問題。

第一是黨內鬥爭問題。目前中共中央以至地方正不斷揭發和鬥爭右派份子，這些右派份子都是有長期黨齡和位居高級政治職務的共幹，如僞中央監察部副部長王翰、浙江省長沙文漢、副省長楊思一、浙江檢察長彭瑞林，以及有廿年黨齡而爲中共利用招搖的所謂「台盟主席」謝雪紅等，都被鬥爭清算。

第二是農村問題。在中共抽調幹部下放農村，疏散都市人口期間，農村人口又大量流入城市。據「人民日報」報導，從五六年秋季到五七年夏季，各地流入城市的農村人口有五十萬之多。五七年秋季到十月上旬山東、河南、安徽、江蘇省四又有十一萬農民流入城市，雖然中共各地政府分別進行「勸阻」和「遣送返鄉」的工作，但還沒有扭轉這種倒流的情況。

第三是少數民族的反抗。根據中共新疆維吾爾自治區黨委會印發的報告：自中共實行社會主義改造後，在邊疆民族中，特別是知識份子中，地方民族主義正嚴重滋長，而且相當突出，他們反對共產黨的領導，攻擊親共的份子，甚至有再爆發伊犂事件的趨勢。

這些反映出中共內部的糾紛，農村的不安，與少數民族地區的動亂。因此，新年後的世局雖未可樂觀，但就其趨勢來看，對自由世界還是有利的。

金達凱

赫酋成了「史達林第二」嗎
——我認爲「朱可夫第二」終將出現

·周之鳴·

自朱可夫被整肅後以迄目前，自由世界輿論幾乎一致以爲蘇聯從此恢復黨對軍隊的全面控制，赫魯曉夫也一如史達林已完成其個人獨裁；作者看法，却不如此，請申論之。

須知史達林的獲得大獨裁者地位，是以四十年代的大屠殺爲其基礎，這些大屠殺則顯係依賴軍隊和運用秘密警察的傑作，並非運用其黨權的結果。

史達林生時，黨政軍集于一身，或可說是黨權控制一切，但史達林死後，黨政軍公開分裂，于是馬林可夫、赫魯曉夫、貝利亞和朱可夫等即開始爭奪統治權力的鬥爭——先有所謂貝的反黨，然後整肅貝的力量，並非俄共決議的力量，而是朱的軍隊的出動。繼有馬等所謂反黨集團的整肅，也非黨的命令，而是朱他們軍隊的擁護和支持。最近一次整肅朱的反黨，則完全是赫酋利用軍隊的矛盾，朱雖失敗，仍須仗賴軍權，代表黨權的赫酋，仍須依賴軍權的支持而存在。于此可注意的即是人反黨的本質，這本質決定了俄共反黨權的必然。

蘇俄軍人的反黨，非自今日始，自有紅軍以來即有之。蓋軍人均出身農民，而農民依馬克斯列寧說法，必然反共產主義，其反共黨實爲其天性。故早在一九二一年三月俄共第十屆大會，關於紅軍建設與軍事問題的決議，曾針對軍隊的拒絕黨的領導，加強共產黨員在軍隊的作用，使得紅軍更進一步的接近黨。[illegible]

[illegible]美報傳說朱被整肅前二日，美國中央情報局曾報告白宮，謂朱權力伸張，且已控制全部特務，判斷六個月內，朱將完成其獨裁統治。[illegible]

[illegible]如說俄共既以反黨罪名而整肅朱可夫，即可證明黨權實能控制軍權，但何以事先黨又同意朱削減軍中黨務組織和廢除政委的副署制度，事後又請朱的反對者馬林諾夫斯基[illegible]的出面攻擊朱？如說黨權一向控制軍權，何以又承認俄共的整肅貝利亞和馬林可夫、莫洛托夫、卡岡諾維奇等係完全出于代表軍權的朱可夫的支持之力？只要有此事實，即不容否認軍權之終必控制黨權。

[illegible]雖然目前表面上赫酋儼然成了「史達林第二」，實則上我不是這個看法。

監院彈劾俞揆違法瀆職

彈劾六點內容名正言順　整個吏治猶待正本清源

。庶民。

（台北通訊）前時政壇大波是監察院邀行政院長俞鴻鈞列席報告，俞院長拒絕出席解釋；立法院發表談話，對俞院長加以質詢，其實有點與監察院來一套「法戳」的意味，只隱示以犧牲職位保全憲法精神爲激勵之意。果爾，俞氏於上月初之十日拒絕列席監院會議，其局面僵持迄今，於監察職權的尊嚴，自然有損。最近監察院對俞鴻鈞提出彈劾其違法瀆職案，與前事不無有關。

違法瀆職案的提出

監院彈劾俞鴻鈞院長的違法瀆職案，於上月廿三日送達公務員懲戒委員會，該會已將監察院原彈劾文調查、審查、議決、作成議決案，一併送達俞院長及通知監院，依公務員懲戒法規定，被懲戒人須於收到彈劾文廿日內提出申辯，否則該會則依決議處，而對政務官之議處只有撤職與申誡，惟在該會歷史中尙無撤職處分，但據政治內幕謠傳「財經內閣」行將改組爲「戰鬥內閣」，如懲戒委員會來一次破例，對俞鴻鈞院長以撤職處分，似乎不無因緣，所以，此刻尙在不可知之數中。

彈劾案六部分內容

監院彈劾俞院長違法瀆職案的內容計分六部份：一、行政院長對過去之彈劾案不能負責處理，如美援機構職員待遇過份優厚，未能作適當之改善。二、對杜絕浪費調整待遇之糾正案，未能爲適當之改善與處置。三、俞鴻鈞兼任中央銀行總裁之職浪費情形及拒絕監院及審計部調查人員之查賬經過。四、行政院對股份合公司案未能作適當之處置。五、行政院未能遵照立法院決議對國軍士兵及中下級軍官待遇作合理之調整。六、行政最高首長兼任中央銀行總裁等之違法失職情事。三六兩項屬於俞鴻鈞院長本人違法者，一二四五四大屬於行政院長之瀆職者。

政風似不能專責俞揆

監察院各委員以及于右任院長對此案，均於慎重處理，重伸監察權及維護監察精神，整飭吏治，鼓振政風，很能符合監察御史的意旨，所提六部分自然是言之有據的，惟其中屬至俞鴻鈞院長本人者，在俞氏拒絕監院邀請之前未提出彈劾，屬於政務上的處理等瀆職，係爲積漸而來，並非自俞氏任院長始有者，吏治之敗壞，亦非始於今日，監察御史們如非到今日始予察覺，似應早就提出監督彈劾。

更應有正本清源的彈劾

如果單純地看監察院的彈劾文，是名正言順，依據監察權與監察法的行爲；但如將前次事件與之聯系以觀，爲眞正貫徹監院的職權，似還有個澈底的彈劾，才能表現完全對事的基本精神，而爲全國人民所普遍支持的。（四十六年十二月廿七夜於台北）

四屆縣市選舉的形勢

台北通訊　劍聲

民青兩黨及社會人士組成聯合陣綫　高玉樹積極佈署謀爲來屆競選舖路

台省第四屆縣、市議員選擧，將於本月十九日投票。這次國民黨候選人提名方法改變了。和前次不同者：爲各縣、市以選擧區爲單位，在每一縣市選擧區保留一二選擧區不提名，改爲自由競選。其用意爲對提名的總數保密，避免調團結地方的派系。故凡不提名的選擧區，環境却是較爲複雜的。

這一次的競選，較前數次似尤爲激烈。一方面可以說是民主政治進步了，人民對政治有了濃厚的興趣和認識，故有此現象。另一方面，也可以說是國民黨對歷此的選擧，表現得不夠民主，以至引起選民反感，才有此種現象。

各縣市競選，自以台北市爲最受人注意。此次台北第三選擧區（延平、大同、建成）國民黨未提名，候選人的總名額，究有多少，大家不得而知。現在參加競選的，至限期止，一共一百五十四名，比原有規定名額已增加一倍。

參加上一次（第三屆）市長競選的高玉樹，雖然落選了。現在他的擧動仍爲各界所注意。在登記之前，謠傳他將東山再起，以與張祥傳爭奪議長寶座。後來事實證明，謠傳終是謠傳。可是他現在正積極佈署，暗中支持他的親友競選。策動民社黨黨員，逐鹿市議員。爲下一次競選市長時，預作地步，到是眞的。

這次競選，民青兩黨已聯合作戰。聽說，國民黨中若干份子，也有參加的。果然如此，這是値得國民黨當局反省和注意的。

何以台省第四屆縣市議員競選，竟如此轟動社會呢？一般的看法，不外乎（一）國際觀瞻所在，（二）海內外國民視聽所集，（三）執政的國民黨再臨考驗，（四）台省施行地方自治，所收成績到底如何？這固然不失爲一種合理的看法。但選民的心理到底怎樣？才是更値得深入觀察的。

競選自少不了宣傳，此地的報章雜誌，以及公私營的廣播事業，多屬國民黨黨方官方支持，或由黨員支持。競選期中，民青兩黨與無黨派人士，在宣傳工作上，可能不及國民黨黨員。不過宣傳工作如果一面倒，難免引起相反的效果。甚至引起選民的不平。蓋同情弱者，人之常情。上次省議員候選人郭國基以七萬多票當選，名列全省第三，即是一例。故國民黨的宣傳工作，也是不能不小心的。

省議員對選擧不公平，曾有人在第一次大會，提出質詢和建議。海內外的報章雜誌，也有許多靜言。當局不知曾否注意。這次選擧，省縣市的監督委員名單，在形式上執政黨和民青兩黨各佔一名，但其他所謂社會公正人士，無一不是國民黨的黨員。這是一種「安全措施」。但是否不再使人仍有不平之感呢？便很難說了。（十二月卅一日于台北）

「屁諫案」如此了結！

•鮑工•

台灣通訊

轟動一時的張金衡「屁諫案」，刻已結束，趙執中、葉劍峯處分不起訴。從洋洋洒洒的起訴書看來，張金衡欲一死以諫國人，並爲挽救司法頹風之意，爲檢察官認爲內容空洞，毫無事證可資採用，所以涉及刑責之張、葉皆因罪嫌不足，而享受不起訴處分。張金衡地下有知，當亦悔其死之無當了。

趙執中罪嫌「查無實據」

法院認爲張金衡所稱地院院長趙執中，起迄任四載又十月餘贓款數百萬元一節，經查民刑案十多萬件，三十多名推事，皆無證據，皆被否認；至於爲同鄉某女性案說項，亦未指明案件之案號、案由、當事人姓名，詢之於地院工友陳丕振之妻，皆恍惚其詞，不足採證；趙以鮑劍華名義在台銀存款三十萬元，經查各銀行，亦無證據；趙與前地院書記官朱子良勾結貪汚，並以十九萬元購屋贈與，亦屬不實；福華毛紡廠黃經理爲漏稅案，向趙行賄二十萬元，經有關人員所供，俱無事實；因不假執行國有特產朋分萬廿元，遍查亦無蛛絲馬跡可尋，既無佐證，當然殊難憑信。因此，趙執中不起訴的理由，再充份也沒有了。言下之意，如果張金衡不死，將難逃毀謗罪咎呢！事實上張如不死，眞不是如此偵察的結果，好就好在死無對證呀！

但是，前時報載趙執中爲其有「女院長」之譽的的女友騙去一百萬元，只聞地院聲明無此事情而已，爲何不確查嚴辦，即使是謠言，更需要水落石出，而竟以一隳明文搪塞過去了。張金衡遺書所有指稱，皆查無實據，那麼載之報章的事情，當然可以查出有無此事之證據的，是否都是不實之指謫，實在說不定。

葉劍峯也罪嫌不足！

葉劍峯也是張金衡遺書所諫對象之一，葉前爲地院推事，張之同寅。法院認爲葉之房屋榮華閣綽，妻妾之樂，經查實購屋五萬元價款，爲向律師詹獎義借入五萬，向侯貂律師借入五千元，既不華美，亦無妻妾之樂，所以所指顯屬不實，不足憑證；所謂「誘惑」，何案被誘惑，如何誘惑，女色乎，金錢乎？這一連串問題，只有問之於地下之張金衡，詢之於婆近張之地院工友陳丕振之妻，俱無事實足資採證，所以葉劍峯也因罪嫌不足，不起訴處分了。

但是張何以藉一死以害人呢？不起訴書認爲是由于張「對於趙執中怨懟甚深」而出此諫言；趙執中葉劍峯因此毫無罪嫌；其末段更指出張患肺結核，腹脹便祕，梅毒不治；原來張也不是好人，所以才出此下策，萌此短見。在司法人員如此審結「屁諫案」，外間對於司法界的非議與指責已經不少了。認爲司法界有點顧全面子，以免「家醜」外揚，恐不是隨便推測的吧！

幾點感想

我們根據人情事理，提出幾點：關于趙執中、葉劍峯案，查問地院工友之妻，敢於秉實以言嗎？這位工友之妻又何必一定要記住案號、案由、當事人呢？趙執中與地院各司法人員，大約不外同寅，長官部屬，同學等關係，保留餘地，不是人之常情嗎？如張金衡者服務司法界數十年，也只有在遺書中指出，生者諸司法同仁，誰願將自己或同行的飯碗敲碎呢？這些問題，應該是一般人心中所存在的。年來政府各級官員，舉凡犯有罪嫌，無不大作特作其洗刷與掩蓋工作，惟有審理司法以外官員以外的案件，尙能公正嚴明，而涉及司法以內官員以內的任何案件，似乎往往例外。未免令人爲司法界惋惜！（四十六年十二月卅日夜於台北）

台灣經濟宜速朝向自由

—由限制設廠及惡性競爭問題說起

陳式銳

（上接第一版）亦則在某一非常時刻底臨時手段，過此也就恢復正常，讓人民自由去其技能從事於其所選擇底經濟事業。況且，後進國家因行政上的不健全，其干涉多流於變質，其結果適與所預冀者相反。台灣的長期管制，已令經濟全局陷入困境，工業委員會的建議取銷設廠限制，我以爲是適當底見解，所提辦法亦屬合理。蓋管制不好不如不管制；而管制失效亦應有所更張。欲台灣經濟回復生氣，在政策上應該從速全面放鬆干涉，朝向正常，取銷限制設廠是開端的一事而已。所謂「惡性競爭」，在正常競爭之下，邪正分明，也就歸於消滅了。總之，限制設廠及惡性競爭，皆爲畸形底經濟現象，亦都是管制之下的產物；舉一反三，台灣的經濟欲其新生，則其全面政策的朝向自由，是不能再緩了。（四十六年十二月廿一日）

（全文完）

悼文淵先生

丁懿安

讀報悉丁文淵先生因心臟病逝世，爲之愕然！

余旅港數年，以平日忙于治學及私人瑣務，頗少得緣與社會賢達交遊。去年秋間，曾有友來邀，擬約往文淵先生處一談，終以事羈未果。當時以爲同住一地，承教之日正多。萬不料天公吝緣，竟致不獲一面也。

對於文淵先生平日之若干論點，或有未敢苟同者，如于「中醫藥問題」，即其一例。但管見以爲中醫藥科學化運動倘能長足進展，則先生影響之功，實不可沒。蓋丁先生能以明朗之態度，對此問題作反面否定，引致國醫界以均等之力反駁，使此問題之內涵與外延，得因論辯而更清楚呈露于國人之前；更藉此兩力之激盪，汰腐存精，或將使中醫藥科學化運動之進展，由原有之安步蹣跚，一變而爲飆輪推馳。丁先生所予之影響力，決非如區區之持正面論者所可相提並論。

回憶往昔，當丁在君先生在生之年，余因僻處西陲，未能一親謦欬。嘗聞其在湘逝世，中心震悼，有如頓失良師，爲之不歡者累日。蓋爲國家痛失人才、爲學術界悼喪先覺之心情，無法以私誼之有無而異其感傷。後見報載有謂在君先生會謂罹病至死亦不願求助于中醫中藥，藉示以身殉所服之科學云云。倘使此語果出諸在君先生之口，或係其偶將宗教精神與科學態度混爲一談之故。余固不以此而影響對於在君先生之尊崇；反之，亦不因尊崇之故而苟同其此項觀點。

余于文淵先生亦復如是。行政之事，或非文淵先生之所長，說者輒以此爲之病。實則亂世人才，多用非所長。此不僅世事紛亂之一重要原因，亦後世讀史者所長太息之事。吾人觀事論物，未可執其一點以概其全。由先生文章之深處，可發現其有一理想，即：求樹立一含有現代科學之中國文化（余茲所謂「文化」，係指國家民族生存所賴之物質精神兩方面產品之交融匯，非單指學術思想或人生哲學而言）。此點亦爲吾人悼念先生之原因。然此項工作之責任，乃今日中國智識分子所應連帶共負之。念彼岸之遙遙，嘆老成之凋謝！於此，願舉以告先生：炎黃子孫當不致輕易放棄此項責任；倘與在君先生地下相逢，亦祈以此轉告。

稿酬：本報十二月份上半月稿費通知單已分別付郵，請惠稿文友，憑單領取爲荷。

編輯部啓

做共黨偶像的秘訣

·風行譯·

共產黨人最熱心把共產主義宗教化，把領袖奉如神明至尊，但一加剖析，便知其不值一錢。不論史大林、毛澤東都是如此。

侯活，法斯特（Homarb Fast）是美國著名的作家以前是一個忠實的共產黨員，曾獲『史達林和平獎金』，在蘇維埃世界，他的名字幾乎成了口號，他被視爲『替受壓迫者爭自由』的小說作家，現在他覺悟了，脫離了共產黨，最近他寫下了一本新書『赤裸而行之神』，暴露了史達林以及共產黨一般頭目的醜態，該書已在紐約出版。

『赤裸而行之神』，這個書名係取義自世界著名童話作家安徒生的一個故事。大概是說到一個國皇，赤裸而行，但他說他已穿上一件美麗的奇異衣服，唯智者能見，而愚者不能見，衆人都沒有勇氣和正直去說出眞相，反而附和稱讚那實在是顯露出醜態的國皇，茲摘譯出一章（全文載一九五七年十二月二十八日的新德里「思潮什誌」）說到共產黨領袖作僞的秘訣。

研究共產黨領袖的構成成份，是很有趣味的，他是黨的產品，共產黨受史達林的影響很深，我在許多地方和許多場合，觀察到許多的小史達林。

他有一種冷淡無情的性質

他不給人以十分動人的印象。他們所謂共產黨的人物，不能以布爾喬亞的標準來判斷。

他有一種冷淡的性質他是謹慎的，把要說出的話咀嚼一番，才吐露出來。通常由於考慮決斷的緣故，他微微笑着，不理睬一般的人，而對特殊的人物閒談幾句，但這種的社交，是不自然的。

假如從軍要的人士獲得一些消息，而去詢問他的意見，他便作狀，好像不是對你說的，或只要你替他傳出的一般，冠冕堂皇說出常準備好的一套官腔。除了有關黨的路綫以外，他所說的多是模稜兩可，支吾其辭。

會議時要作最後發言者

在會議時，他是謹慎的企圖作最後一個發言者。如果有一位比他的階級高的人在場，他便是倒數第二人。假如他正在權力鬥爭的時候，他將用盡一切機謀，去爭取頭號地位。他大部份的時間在會議中，所以『最後地位的戰術』是很重要的。這是有兩個原因。第一、給這位領袖有機會發表重要及超然的意見，因爲聆聽他人發表意見如此之久，人們必然認爲他是語重九鼎的。第二、讓他衛星爭辯雙方的力量和立場很謹慎的判斷那一方面可獲勝利，於是參加勝利的，而打擊較弱的。他挺身出來，建立正確的紀錄，就是他的目的。這樣一來，史達林不是永恒正確的麼？

他說話要處于安全地帶

他說話或寫作的時候，表露他的謹慎。他避免新穎的意見。他維持在既經證明的安全地帶，在那裏，能援引馬克斯——最好是列寧的——說話，去支持他的立場，在論戰時，他留心他的黨羽進攻，後來他運用所有的論點，去摧毀敵方。他經常建造橋樑，他不孤軍挺進。他喜歡一開口便說：『正如某某同志所指出』。這樣一來某某同志就會記憶，在必要時，便支持他。

他打擊政敵要慎選時機

他給予政敵以無情打擊，也須選擇可靠的時機，即在辯論或擘劃政策時，看到敵方的困惑，或太正直而觸犯衆怒的時候。除非他絕對認定他的敵人地位降落，孤立，受排擠，否則不會攤牌，因爲嚴厲徹底時，便生危險。在局勢未成熟，而急急於攤牌，有許多領袖因此而傾倒。通常作頭目的，必須等候，直至他的黨羽一兩人已準備了實行嚴厲的基礎，那時掌握一切，冷靜而城府甚深的人，也可以發脾氣了，他的輕蔑咄咄迫人，他的譏諷驕人，他的譴責可怕。他進行羞辱他的政敵，令他不齒於儕輩，迫他悔過，迫他求饒，或貶下放逐的基本理由。

他裝成無所不知的人

他要作一個無所不知的人，縱然是一知半解也好，表現自己無所不知的智慧，是他爬到統治巔峯的裝備。當他聆聽他完全外行的辯論時，他裝腔作勢，吸着烟斗，一語不發，當主席很謙遜的問他是否有所提供或作總結時，他作寬容忍耐的態度，搖搖頭，這樣表示：依照他的智慧讓他人自行求解答，而且建立他的民主聲譽，永不以自己意見脅人相從。

另一個戰術是，「時候已不早了」，讓他在一次會議說出來。不但讓他有這個緩兵計，而且他有時間去探明情形，使人認定他是一個鎮靜而有耐心的人。

也另有一個妙法，就是像一個老驚一般的聆聽，直至發現某一句話某一段可能是離去黨的正確路綫，他如此的認眞，聲勢洶洶，把其他的論點一掩蓋過了，他現在成了一心保護了黨的路綫之人。建立領袖地位最佳之聲譽，莫過於虔誠的維護黨的路綫。

共產黨人雖然口口聲聲反對宗教，其實他們最熱心於把共產主義宗教化。把他們的領袖奉如神明至尊。但稍加剖析，便知其不值半文錢。不論史達林、毛澤東都是如此。

國際動態拾零

美國一千五百英里飛彈運歐問題，業已贊成其安放者，有英國、法國、荷蘭、意大利、土耳其五處，西德、丹麥、挪威深恐蘇聯報復，故表示反對。比利時，盧森堡、葡萄牙、希臘，則在考慮中。

×　×　×

大西洋公約國會議，本爲外長會議，此次變爲十五國首長會議，乃麥美倫所建議，而爲艾森豪所採納。此次提出之問題：一、爲安放一千五百英里飛彈于歐洲，各國已接受其原則，而實施辦法，則由各國自決；二、爲答覆蘇聯之新和平攻勢，美國雖不願理，而歐洲各國則主張與蘇聯交涉，以便爭取時間。

×　×　×

巴黎會議，美國受英德之壓迫，只好與蘇聯會議。美國民主黨十二議員，主張與蘇聯先行交涉，共和黨議員，亦多贊成，惟諾蘭與勃里奇則反對。艾森豪本人，頗有此意，惟杜爾斯仍然反對，倘美蘇巨頭會議舉行，杜爾斯即將辭職。

×　×　×

新聞週刊又發表毛澤東與戈麥卡衝突消息，謂得諸波蘭及南斯拉夫之國內人在莫斯科共產國際大會時，毛澤東曾說，「中國雖有革命經驗，但缺乏社會建設，是不足道的。蘇聯共產黨，自史太林死後，已獲得必要的結論，而改善其工作，尤其在匈牙利與波蘭之叛變時，曾犯錯誤，而獲得珍貴教訓。中國第二期五年計劃，推進殊多困難，去年預算赤字爲七億，欠蘇聯大量外債，水災之後繼以飢荒，只有繼續要求蘇聯大力援助。」戈慕卡則反對之，但只匈牙利之加達爾與之一致，故對毛氏提議，只二票反對而贊成者則有十票之多。毛氏曾責波蘭接受美援，戈氏則以與狄托一致爲威脅，故國際情報局卒未能設立。

·陶然·

新書評介

「文藝批評」或「文學評論」是來源很古而到近代已成爲相當專門的一種學問，一種以檢討文學著作的品性和形式爲能事的科學和藝術。它包含批評的原則，而將這些原則來衡量詩及散文小說戲劇時，就是它底應用，其目的是站在作品與讀者之間，以最好的方法解釋，研究作家和作品，而使我們的感覺清明辨別出作品的價值和美醜來，我們若把文學當作貨品，那麼，作家就是生產者，讀者就是消費者，文學家就是一個掮客，或介紹人，站在兩者的中間，做其拉攏或批判的文化生意。它只是評論而不是歷史，是討論文學的論文，而不是以純學術爲目的和有專門史性質的文學史，作爲一種文學的體裁看時，好的文學批評，也可能成爲一種批評文學。

文學史和文學批評可說是一對孿生的兄弟。他們的任務，有時很難截然地分開，批評家有時要兼文學史家的差使，而文學史家也要兼有批評家的精神。批評家要有歷史的眼光，同時還要有相當豐富的與文學有關的科學知識和人生素養不但要知古，鑑古，同時還得知今衡今。

評中國學術史論集

邢光祖論「我國文藝批評的特質」（上）

·謝康·

要仔細討論中外文藝批評底問題，這裏的篇幅有所不許，只好縮小範圍，藉題發揮，大略檢討中國和西洋文學批評發展的先後疏密，得失，對中西文評的比較發抒一些管見，作爲一篇書評，向讀者求教罷了，因爲去年四月間讀到台北中華文化出版事業委員會四十五年底出版的「中國學術史論集」，其中有一篇邢光祖教授著的：「論我國文藝批評的特質」，卓識偉論，令人欽佩的地方頗多，但有些地方，還不免抉持成見以爲文學批評不但是中國比西方好，而且比他們的發達得更早，這些問題似乎都有斟酌的餘地。

邢教授的大作說：「中國文獻及美學理論發明之早：卷帙之繁，包賅之廣，變析之細，尤非西洋文學批評所能比擬。」又說：

「五四運動以來，許多遊學外國之士，每把歐美的文評理論，來關繩中國文學；而不能將中國的文評準則，來評衡西洋文學，致使光焰萬丈的中國文藝批評，未能在世界文壇上佔得其應有的地位。」

在這一段後面的附註裏，作者特別指出胡適之、朱光潛、梁宗岱、吳宓諸人引用外國文評理論，而忽視中國固有文評，認爲這種現象是媚外心理作祟，他更肯定地說中國人在文評方面的發明，不但比西洋早，而較各國來得多，接着他舉出魏文典論，劉勰文心，鍾嶸詩品，皎然詩式，孟棨本事詩，以及中山詩話六一詩話等爲例，來證明中國文評之多而且早，以爲這些著作比諸西洋的Horace, Novalis, Pascal的，也毫無遜色，云云。他似乎在說現代西洋文藝批評理論與方法，都是中國古已有之的東西，不但「古已有之」而且份量多，質地也比他們的好，今後我們研究文學批評，既有國產的理論與方法，可以據依，何必費神去研究歐美文評來作借鏡？

我現在先就這幾點意見作一概括的評述：

（一）所謂中國文評比西洋發達得早而且多的問題

一般留意西方文藝理論的人都知道除零星斷片的文評不計外，希臘的柏拉圖（公元前四二七至三四七年）他自己對文學修詞及美學都已經有系統的著作，例如伊安篇論詩的靈感，理想國論文學音樂教育及詩人底罪狀；斐德若篇論修辭；大希比阿斯篇論美都有他自己的體系，稍後到他底弟子亞里斯多德（公元前三八四至三二二年），更是文藝批評的能手，所著的詩學，對戲劇理論最多建樹。他底修辭學也有相當貢獻，試問我們在同時期能不能舉出有份量有系統的文藝批評專著和柏亞兩氏一較其短長！此外稍後於亞氏的Theophraste，（公前三七二至二八七）及Plutarque（公元四五——一二五）與Longin（公元二一三——二七三）諸家，或論修詞，或寫美學，也都有專門著述留傳後世。至於拉丁文評家，在Horace以前的，如Ciceron（公元前一〇六——四三）的修詞通論及Horace以後Quintilien（公元一世紀）的演說術，和Tacite（公元五五——一二〇）的「演講家的對話集」，都是有關文評的專著，其年代至在曹丕（公元一八七——二二六）發表短篇的典論論文一百餘年以前，而比較劉勰（公元四六五——五二〇）的文心，鍾嶸（公元四八〇——五五二）的詩品兩部詩文評專著，至少早四五百年，即如邢教授所舉的Horace（公元前六五——八），年代却在劉彥和等五百年以上，而他底詩論（Ars Poetica）也遠較仲偉詩品爲完整。

根據上述的論據，中西文評發達誰遲誰早的問題，已不容我們強爲軒輊，因爲希臘羅馬作家，在公元一世紀以前，已經發表許多文評的專門著作，而我們中國要遲至六朝末期纔開始有兩部像樣的詩文評問世，論數量也遠不及他們的豐富，因此我們可以斷定邢教授所立「中國美學理論發明早卷帙繁，非西方文學批評所能比擬」之一說，根本不合事實。

華府、倫敦、巴黎——瀰漫了對蘇聯懦怯的陰霾

由於美、英、蘇三國最高當局新年互通「和平」函件，一般認爲，一九五八年將是一個「和平年」。今年爲甚麼爲成爲「和平年」，這是因爲東西雙方的對峙局面所形成。在蘇聯，雖然已經取得了放射人造衛星的優勢，但在西方的大西洋公約會議後，以美國中程飛彈包圍蘇聯的基地亦將次第完成，形勢遂由對峙而轉變成爲僵峙。

「戰爭的可能性減少」這是西方，各國的一般看法，於是裁軍問題遂相應地被提高到前所未有的地位，其次即爲東西巨頭的高層會議，是否應該立即召開的爭執，也同時進入了辯論的高潮。

在美國，朝野之間，關於此項問題的爭執，最爲激動。在上月杪，紐約時報，駐華府記者賴斯頓所作的報導說，國務院方面正由杜爾斯主持在研究如何答覆蘇聯最近所提出的一系列「和平建議」，但是事實却是在美國政府的高層人物間，及美國與北大西洋公約盟國間，對於裁軍問題等却存在着一些基本的分歧。以艾森豪總統裁軍顧問史塔生言，他是主張杜爾斯應該主動與蘇聯建立直接接觸，以便就限制軍備問題達成協議，同時史塔生並認爲杜爾斯所擬的新裁軍方案，必須交由總統審核。換言之，該方案一經提交白宮後，史塔生即可以其負責專業的地位參加意見。但是杜爾斯却根本無視於史塔生的意見。史塔生一意想在美蘇直接談判上有所表現，因此，他認爲蘇聯既表示對裁軍問題美蘇雙方可進行雙邊磋商，就不應該放棄此種機會。於是，像這樣的問題，在美國政府的高級人士中，便因而形成了兩派，各持己見。只是目前的形勢是杜爾斯的一派稍占上風。

在美國政府方面對此既已有不同意見的兩派，那末，美國政府又將以何種方式與歐洲的盟國取得協調呢？

在歐洲方面，舉例來說，像英國自由黨領袖格里蒙德在泰晤士報發表公開信，指出在英國的議會中，三黨議員，有許多人是主張與蘇聯談判的。格里蒙德並謂，「議會的普遍意見，是談判首先應當解決關於在歐洲建立無原子武器地區，裁軍和近東局勢的問題。」而巴黎方面，也有極大一部分力量是站在美國的史塔生方面，支持史塔生的。

以全球反共的立場言，美國國務院當局的態度當然是值得稱頌的，但可慮的是在內外壓力之下，杜爾斯的堅決態度是否能維持多久，實已成爲問題了。從美國的輿論界反映出來的消息是，甚至已有一種趨勢逐漸形成，要壓迫杜爾斯辭職呢！

今年是一個「和平年」嗎？我們只能說是有可能而已，但是這種「和平」，却是代表了西方的懦怯和以對共產集團的妥協換取來的！（賁）

自由談

一片和平虛聲

馬五先生

美總統艾森豪，英首相麥美倫，致電俄共頭目伏羅希洛夫，赫魯歇夫等祝賀新年，一個說：「希望美俄兩國，本年將享有豐富的和平生活」；一個說：「深望一九五八年將以更大的和平與歡樂，帶給世界人民，包括蘇俄人民在內」。和平之聲，洋溢於字裏行間，極盡官樣文章之能事。這亦難怪，身為一國的行政首長，他們如不談「和平」的調調兒，豈能說今年非大戰一場不可的話？外交詞令，義所應爾。

問題是：西方政治家的和平與戰爭觀念，原為截然二元論，而俄共却視和戰為二位一體的。無論俄帝怎樣表示好戰黷武的言行，乃至於以大軍屠殺別國的人民，亦說是為要維護和平，以免激成原子大戰，而英美政治家亦即欣然色喜，認為「世界大戰並非不可避免」。他們是否真的不辨識俄帝這套淺薄的謊話呢？那也不然！唯一裝傻的原因，就是本土如不受到直接的戰禍，或者內部不發生必須以戰爭手段來予以解除的危機，如經濟大恐慌之類，即只有向俄帝懇求和平生活。這確係發於至誠，毫無疑義，亦即是他們為着俄共放射了兩枚人造衛星，而慌成一團之所由來也。

在國際政治市場上，跟俄帝搶和平帽子，未始不可，然如不改變舊有的和戰觀念，但求本身苟安，他非所顧，即休想在冷戰中贏得勝利，而一旦熱戰發生，危及英美本身時，別人亦將對戰爭不感興趣了！這才是自由世界的根本危機，似非艾森豪，麥美倫這類政治家所能肆應得來的。

盱衡一九五八年的世界形勢，還是彼此吹和平牛皮，說談判廢話的階段。我們決不宜俯仰由人，亦以苟安為得計，政治上再沒有新的作法，前途即未可樂觀，新歲神帶給我們的，將不是「豐富的和平生活」啊！

更正：本欄上一期「足以自豪的官吏」一文「政治是為人民而存在的」一句，「政治」是「政府」之誤。「政府是管理衆人之事」的一句，「政府」是「政治」之誤，合併更正。

生活小品

慾望

·張放·

紀德在他的「地糧」裏面寫道：「愈飲則我愈感口渴，最後這渴念變作那樣強烈，我竟為慾望而痛哭！」人類的慾望是永遠填不滿的海洋。西洋有句諺語，「少和人家比較，你便容易滿足。」甚至許多生活於幸福中的人，他仍舊不會滿足，他的慾望仍舊在那金黃色的夢想裏。

易卜生寫過一個戲曲「海婦」（The Lady From the sea），故事敍述一對夫婦和孩子住在濱海的小鎮上，他們過得非常非常舒適。丈夫愛她，祈求她，希望她收斂起那一顆浪漫底心：她時常嚮往海洋，海洋裏有一個英俊魁梧的戀人，那是個以海為家的水手。

一天，這位水手終於航行到這裏，丈夫流着淚水，眼看着妻子離去。誰知她能自由而走，却在刹那間打消了原意，懷着懺悔的心，重投入丈夫的懷裏。

情感是微妙而矛盾的東西，最痛苦最幸福都是一樣滋味；也許等到將來，讓時間拖長了許多回憶，你才猛然發覺到過去才是值得留戀的日子。

在我的記憶中，那僻靜的故鄉里的姊妹，大紅襖，長辮子，長年深藏在家里，洗衣裳，綉花鞋，紡棉線，父兄們到鎮上趕集，問她們要什麼？半天，才紅着臉要兩尺紅頭繩，或是一盒胭脂粉。她們沒有愁苦，只有快樂，逢年過節也是打扮得花枝招展的，惹人憐愛。下鄉的貨挑商搖鈴經過村里，閨女媳婦兒們圍在四週，買瓶雙妹牌雪花膏，挑隻梳頭鏡子，這些錢積存在枕頭底下好久，銅元在手里磨得發了亮；要沒錢呢？到雞棚里摸幾個新鮮鷄蛋，那個沌樸的小販也樂意換的。

別瞧不起她們，她們的生命是健壯的，在愉快幸福的日子里，她們也打發走了一生。

人類的美，並不在華麗的服飾上，而要從精神內容里去尋求美麗；我們並不是留戀着古老的生活方式，不願追求物質文明，只因為物質永遠填不完慾望，中國的「安貧樂道」這句哲言，才真是解除慾望痛苦的良藥。

朋友，你打開報紙，觸目離奇的社會新聞，無論自殺兇殺，搶案騙案，究其原因是什麼呢？——慾望。

鄭兒毀我庭樹鳥巢

·姚琮· 味辛

結巢庭樹上，羣飛翮何知。颶風長拔木，朝夕巢卵危。不謂遘天幸，摧毀來鄭兒。斷枝落樹下，積羽因風飛。繞樹鳴三匝，日暮將何依。不盡留戀意，教成甄別所戒。鄭邦孔翻悲，吾今翻泊。不覺涕淚垂。

李宗黃續弦

最難千里會，況乃鍾情。弦續秋風勁，（續弦以膠，膠至秋最堅勁，君以去秋續弦，故云然。）琴挑夜月清。四山雲樹合，兩岸角弓鳴。何日一攜手，滇池載酒行。

江南冬憶

·張碧瘦·

每年一到冬天，總會想到江南；在童年的記憶中，冬天是最熱鬧的一個階段了。

江南人家過冬，是極其隆重的。每年一過深秋，眼看涼風變成霜，霜露變成冰雪，在一般家庭裏，首先要粉飾屋子。裝修窗門，還有一部份人家，裝廻火爐，以備雪花紛飛時節，可以合家大小，圍爐取煖。

老祖母和媽媽在滿城風雨近重陽的日子過後不久，就開始忙碌起來招呼泥匠木工，整修院落，盆花盆草也一律藏進煖室，大小天落水缸，也統統把乾草在外面包圍起來，以防冰凍開裂。室內的桌椅，也得放上椅墊毯子；窗上加掛窗簾，門上也吊起棉門帘。有些人家，在門窗上再加上風門，風窗，以防風寒。

記得我們年輕時，在冬天不愛多穿衣服，嫌累贅討厭，往往為了媽媽強迫着多穿棉衣，總要鬧別扭；如今輪到我自己的孩子，照樣和我幼年一樣使着個性，不肯多加衣服。又記得在家鄉時，看到老祖母頭上套着烏兜，身上穿着皮襖，脚踏脚爐，手捧手爐，那種瑟縮樣子，確是好笑，然而如今感覺可不同了，畢竟大陸的氣候，冬天就是冬天，决不含糊！

江南的冰雪，原爲江南冬天唯一的特徵，倘使在三冬臘九天公不下雪，那末不但明年的春熟無望，連得秋天的收成，也要大打折扣。結冰更是一件不希罕的事，從前在冬天所用的冰塊，都是由隔年冬天的天然冰藏在地窨內，到夏天取來應用，那時根本還未發明人造冰的方式。孩子們對於玩冰玩雪，是認爲最有意義的快事，早已忘記了寒冷，每在雪止放晴的時候，都跑到院子裏去弄雪毯，堆雪人，引為至樂！我更喜歡以兩隻大碗裝滿着雪，把碗去掉，合在一起，中間放幾根沾了油的燈草，點燃着火，可以玩很多時候，照樣不會滅掉，名曰雪燈，堪稱別有風味的一種玩法。

如今棲居海外，家鄉的冬天，祇能作一番回憶了！

帽子的妙用

·楊有釗·

頑固的話

報紙增加「娛樂版」，內容大部份是注重影與劇。尤注重影星劇人們的花邊新聞，黃色動態。上焉者也無非是她們的妙言妙行，有時候竟「妙到毫顛」。

仔細分析一下，這一男女的言行，不是我們說頑固話，除了引人入「邪」以外，其「正」者甚少。雖說不無正言正行之作。然而，作者與編者，都愛從「邪」中取材。能做到「樂而不淫」者，已是上上大吉。

凡是成了伶星之人，其行為似乎以浪漫為當然。作者偏從浪漫中採其浪漫之精華，來渲染描繪，因為讀者樂於閱讀「潛移默化」的結果，逐漸使讀者認為無傷大雅了。

往往在社會新聞中出了毛病，成了問題之男女主角，不少是由於學習伶星而來的。尤以青年學生受其傳染最深。我敢說明星名伶本身也不否認這種事實吧。

自然在這些報道中，也不無較有意義的報道，或爲世，或奮鬥成功，或勤儉修養之類「正當」的消息，但，飲食言笑，強閑蕩的浪漫消息，總是後者多於前者。

古人有「名臣言行錄」的專集，與今人之「明星名伶言行錄」完全成了反比例。現在雖無「名臣」之名，而名人（無論政府或社會的）總還有的。爲什麼不能特闢一版，而一紙風行呢。

照我的頑固看法，今日的報紙雖不能馬上闢一「進德版」，總應該在「娛樂版」中，改變一些作風吧！

·西門齋·

短篇小說

硬心腸的人

·楊海宴·

「我想我是瞭解你的。」弟弟怯怯的說。

「你瞭解我，」哥哥笑說，拍着他的肩部：「謝謝你，志弟，但是沒有人瞭解我的，」停了一會，他好像感嘆似的繼續着說：「我索行跟你說吧，可是又從何說起呢，你只想想，這個世界何以這樣不幸，最大的原因，就是凡事捨本逐末，逐末是一時現象，是免不了的，但如果老是『逐末』，而認為『逐末』是真理，壓根兒把根本忘了，這就完了，孔夫子說：『君子務本，本立而道生。』本不立，那會有道理呢，沒有道理，這世界當然就不幸了，這話也許說得太玄虛，我隨便舉個例子來說吧，就拿你剛才要跟我介紹女朋友的事來說吧，其實男女之情，非常簡單，如果從根本上來看，只不過是生物學上的問題，因為人類有所謂文化，所以除了生物雌雄慾望，另外加上機會，加上貿易上的條件，就是夫妻了，當然，我們為了增加娛樂上的情趣，不妨加點觀念，加點幻想，加點形而上的色彩，但如果因此就渾渾陶陶，甚至嚴然要尋死覓活，而把人生其他一切都忘了，那就是鑽牛角尖了，那就是捨本逐末了，懂了嗎，因為你是我的弟弟，我才敢對你說這些話，要是別人聽了這些，一定要駡我荒謬的，只怕要判我的絞刑呢，像伽俐略發現地動說，教會努力要拿他點天燈一樣，唉，人類有時候的愚昧固執才可怕呢。」

他說這些話時，除了顯出一點懇切之情外，自始至終保持一種慫人的平靜，聲音低，却是清晰沉重，說得既流暢，又令人覺得是輕而易舉的，彷彿任何人的非難，他都可以毫不費力的把他駁倒，而且有把握叫他心服。弟弟低着頭聽着，有時也抬起美麗溫馴的眼睛，怯怯的望哥哥一眼，但隨即又低下頭了。他一向知道哥哥的毛病，不說話則已，說起來就是上天下地，總是接不到邊際，他也就不甚在意了。

「還有很多的話，」哥哥接着說：「一時也說不完，我知道你並不把我的話放在心裏，你我雖是兄弟，却是根本不同，我是天才，是思想家，你呢，跟現在世界上多數人一樣，又平庸，又瑣碎，算了，我不跟你說了，說也無用。——」

弟弟坐在沙發上，把左脚踏在哥哥的安樂椅底下，左肘擱在膝上，以手支頤作沉思狀。他是美麗溫和的青年，對於哥哥的話，縱有極大的反感，亦不致形於聲色，這時他仍是原來那副坐姿，只用右手在西裝口袋裏探出烟盒，打開，先讓哥哥取一枝，自己再用嘴啣上一枝，都點着之後，他不勵聲氣的說：「你說這世界的事都是捨本逐末，而你只不過舉這麼一個例子，用一個例子來代表全部，誰也不會服的。」

哥哥仰首躺在安樂椅上，對天花板噴出一口烟，笑笑，說：「你要我舉多少例子，我就舉多少例子，」哥哥輕鬆的說：「這不是舉例不舉例的問題，事實就是這樣，好，我再舉一個比較有份量的例子吧，譬如說生命，你總承認凡是有生命的，必定是動的，這點你總承認吧，但怎麼才會動呢，當然是需要力。沒有力就不會動，不動就沒有生命，死亡才是不動的，『力』乃是生命的根本，『力』越大生命就越強，『力』弱生命也就弱，沒有力就沒有生命，這是最簡單不過的道理了。而現在被認為是最崇高的學說，不管關於道德的著述也好，關於政治的著述也好，都是諱言力，鄙視力的，反而去追求一些邏輯上的條文，追求一些空洞的語義上的解釋，你想，這不是捨本逐末嗎！大學者，思想家，著述人，況且都是這樣，一般人就不用說了。我剛才說過，捨本逐末，是一時愚昧難免的現象，但是如果會圖一時的輕便，光是『逐末』，那就習非成是，而認『逐末』是真理，那就糟透了，不幸現在的世界正是如此（說到這裏，他臉上現出一點笑意）！我知道你非常不滿我這個『力』的說法，一提到力，你一定同時聯想到角逐、排擠、殺戮等等血的概念，不過這是你們對於『力』的解釋，你們一定要這樣解釋，那有甚麼辦法呢，至於我所謂的『力』，簡單的說，就是『愛』而已，但不是你們所說的『愛』（因為你們都捨本逐末，所以連一些字義上的解釋也是捨本逐末的），你們所說的愛，只是姑息，只是從精神上去奴役人家，只是『施恩望報』的貿易行為，只是婦人之仁。這就是說，你們的愛也是捨本逐末的，譬如你們以為作兩件慈善事就是愛，碰到一個乞丐婦人給幾個錢就是愛，有人遭不幸，給他幾句好言語，再給他一點物質上的幫助，那就是了不起的愛了，最高的境界，也不過像耶穌說的，幫助人不要讓人知道，這就是最偉大最值得歌頌的愛了！其實，這那是愛呢，這只是姑息，只是從精神上去奴役人家，只是婦人之仁罷了，不是從根本上去愛。你們所認為最愛人的人，可能就是最作惡的人，因為他作滿了惡之後，只須花少數一點代價，就能買到很大的愛的名聲，這就是你們所說的愛。至於我所說的愛呢，那就不同了，我所說的愛是根本的，是教育人自立，也就是說教育人怎麼才有『力』。凡是能使人自立，能使人有力，不管你用甚麼方式，這都是愛，只有這種愛才是根本的，崇高的，不能作弊的。你笑，你以為我這是狂言妄語嗎，告訴你，千年以後的人類，無論個人與個人，個人與社會，與國家，以至於與整個人類，都必定以我這個愛的意義作基礎作教材，好吧，我也不必再多說了。」

他說得很果斷，完全沒有想到需要慚愧的意思。

這時黃昏完全消逝了，窗外天色黑下來，室內燈光，映着藍天花板，白牆壁，顯出一片勻靜調和的色彩。一個僕人在門邊也不知站了多久，因他深知主人的脾氣，主人是很難得說話的，今見說得如此興會淋漓，也就不敢打攪，直到這位矮小的史大先生，因說完話從安樂椅裏起身丟烟蒂時，順眼見及，才掉頭問道：「有甚麼事嗎？」

「很久就要開飯了。」僕人笑答。

「哦，快把飯開到這裏吧。」（四）

自由人

THE FREEMAN

（第七一四期）

中華民國內政部登記證台誌字第一零二號
中華郵政登記認爲第一類新聞紙類

（半週刊每星期三六出版）

每份港幣壹毫
台灣每份台幣壹元

督印人：陳克文
社址：香港高士威道二十號四樓
20 CAUSEWAY RD. 3RD. FL. HONG KONG
TEL. 771726

承印者：東南印務出版社
地址：香港高士威道十六號
台灣總經理處：台北市館前路
電話：三四七六
台灣郵政劃撥儲金九五二二
海外總經銷：友聯書報發行公司　香港：高士威道二十六號A二樓

國人的信仰問題

——從聖誕一詞說起

唐君毅

大約在三年前，我在「自由人」曾寫一文，名耶蘇聖誕正名，主張耶蘇聖誕不應只名爲聖誕，將私名與公名混亂。因佛教徒回教徒同有其聖誕，中國人亦有孔子之聖誕。那篇短文發表後，如石沉大海。只有一台灣之佛教徒李滿康先生來函表示同情。但在今年十二月廿五日本刊中却得讀到高還先生「聖誕話『聖誕』」一文，與拙作之意，竟不謀而合。在此報章雜誌滿幅以聖誕代耶誕之時，得讀此文，我好似如莊子所說「逃空虛者，聞人足音跫然而喜」。所以立即提筆寫短文，聊對高還先生一表聲應氣求之敬意。

一、

耶蘇聖誕之何以譯名聖誕，新舊約之何以譯名聖經，此當最初是基督教徒之所爲。其何以流行于香港等地，而爲國人的習用，亦有許多偶然的因素。人既用慣，亦可說並無大不了。在中國，一般人之取名，尚可用到聖字，王學中亦有滿街都是聖人之說，則稱耶穌誕辰爲聖誕，以新舊約爲經聖，亦可，何嘗不可。所以此問題，亦儘可小視之。然而在某一方面，亦儘可大視之。其所以可大視之者，因名號所在，即可轉移視聽。如果我們將私名公名混淆則可使人以「個體」代「類」。而抹殺一「類」中其他「個體」之存在。如在大陸只稱共產黨爲黨，則其他黨之不能存在也可知。在香港，只稱香港政府爲政府，則香港無其他政府也可知。今只稱耶誕爲聖誕，新舊約爲聖經，則此外更無聖經亦更無聖人可知。而基督教徒之假公名爲私名，此明爲私「聖」爲一教之所獨有，以使天下之求聖者，皆只求之一教，而其餘宗教之聖與中國之孔聖與其經典，乃更不得與基督教比肩而立。此明爲宗教中的霸道思想之表現。奈何人可習非成是，坐任此名實之混淆？

二、

我今年在世界上各處旅行了七個月。陳克文先生屢要我在幾次茶會中所報告之感想以外，再寫一點文章。我慚愧終未能應命。此一以事忙，一亦覺並莫有什麼值得着筆處的。但對各民族之各色各樣的宗教性的東西，我都一樣有一番興趣，却嘗隨處注意。在宗教思想上，我原頗同情美人諾斯諾在東方與西方之會合一書所說，在西方社會生根流行之三大宗教，基督教，猶太教，與回教，在根底上都是不寬容異教而排他的。而在東方生根流行之宗教，如佛教，印度教，與中國之儒教，道教在根底上則是能寬容異教的。關于這一點，我這次到隨處得了一些事實的印證。而將來人類文化的大問題之一，還是在如何成就人類之各種宗教之眞正互相寬容與互相融通或互相尊敬。在此處我相信東方之文化宗教中之「道並行而不悖」之精神，將顯其至高無上之價值。在此處亦有不少西方之高瞻遠矚的學者能見到。惟在此文中可不必述及。

但是在現在的時代中，很明顯，東方之民族與其文化及宗教，同是在受壓迫的。在西方經濟政治力量所到的殖民地與租界地區，如香港與中國以前之上海者，更見其如此。在受壓迫的情形之下，再濟之以東方人之傳統的寬容忍讓的精神，只是逆來順受，東方之宗教與其文化，都可能逐漸被消滅的。在此處只談文化的融通，而不談文化的保存，多少樹立一點界限，是不行的。我在美時，曾遇見二十年前曾到東方，考察東方宗教的哈佛大學退休的老哲學教授霍金氏，承他送我一本他近著論人類未來文化的書。其中主要是論東西宗教之問題。他便是一基督教徒，而主張保存東方之宗教的。而其書中最使我感動之一段，是述一甘地之故事。簡單說是甘地之精神深刻的感動西方人後，曾有一西方基督教徒以誠摯之心向甘地說，其行爲乃眞基督教徒之行爲，懇求甘地成基督教徒。但是甘地拒絕了。甘地的答復是「我已經是一個印度人」。那基督教徒問：「你不做基督教徒，你心中有平安嗎？」甘地答復是平安，「那麼，不必再說別的了」。在此故事中，甘地是偉大的，那一基督教徒亦是偉大的。甘地之說他是印度人，而不願成基督徒。似乎只是一狹隘的民族觀念。然而實際上，則決不只如此簡單。此中撇掉一切宗教生活內部之問題不談，純從印度之民族與宗教文化，在三百年來受西方壓迫的情形之下來說，甘地即不能捨其印度教，而信基督教。甘地在此，不能不樹立一界限。然而此絲毫無礙于他對基督教的尊敬，與印度之有大量的基督教徒，並未嘗如印度教之所排斥。

三、

說到甘地之一故事，我同時不能不提到牟宗三先生前一個時候在一文中所說的一段話，牟先生是我所知之中國之非基督教徒之學者中，最推崇基督教在西方文化中之地位，與其對于西方中古哲學下過一番工夫的人。他在該文中說「吾人不反對基督教，亦知信仰自由之可貴，但吾人不希望一個眞正的中國人，眞正替中國作主的炎黃子孫相信基督」。此一段話，曾在本港出版之人生半月刊引起基督教徒與牟先生之學生們之數萬字的爭論。但是我可以說牟先生的意思，亦即印度甘地的意思。這決不是排斥基督教之意，亦非對已成爲基督教徒之中國人而說的話。對這種人，我們只能希望其忠其所信，並把基督教中國化。因在本性即是寬容忍讓的東方人與東方文化與東方宗教之精神，是不能亦不當排斥任何外來宗教的。但是對于要獨霸宗教世界而帶排他性的基督教徒之傳教態度，如表現于以聖誕來指耶誕者之類，中國人亦只是一往的寬容接受，一面倒了。而更無絲毫界限之樹立，亦却決非東方民族之所以自立之道。當然東方人眞信基督教，對基督教亦當很好的，因東方人之精神，亦可以激底轉化其排他性與不寬容性。據我所了解，耶穌本人並非不寬容的，其精神本可超出一切東方西方之區別的。但生根于西方歷史中的基督教，則根底上是不寬容的排他的。此只要看如勒克之西洋道德史或其他西方歷史等書所述，便見種種歷史上之血淋淋的事實。十八世紀後之西方社會，雖明定宗教自由，但一切基督教派之互相排斥，並大多數之歧視東方人之宗教與其他，此乃因其中古時下的傳統教義中即有種種狹隘的思想觀念。這些觀念，如東方人不懂基督教，當可拿本源之原始精神，加以清，改造。

（下轉第三版）

半週述評

益處何在？

英首相麥美倫，上星期六（一月四日）向全國發表廣播，建議西方國家與蘇聯簽訂互不侵犯條約，他說「這是沒有害處的，且可能有益」。此一建議其實是表示接受蘇俄的意見，蘇俄最近曾致函西方政府領袖，主張締結互不侵犯條約，謂有助於世界和平。

麥美倫建議發表後，西方國家的反應不一。法國認爲「是勇敢的行動」，加拿大認爲是「願意看到的一件事」，西德態度審慎，美國則極爲冷淡，國會議員且同聲反對。蘇俄宣傳機構則報之以譏笑。謂麥氏歪曲事實，祇是爲他的外交政策辯護而已。

我們實在看不出麥相所說的「可能有益」，益處何在？大家都知道，聯合國憲章已經形成一種互不侵犯條約，如果東西再訂互不侵犯協定，豈非多此一舉？即使與聯憲不相抵觸，實際上已不啻將聯憲「貶值」。且蘇俄過去對國際協定是可以隨意撕毀的。故此種協定即使成立，亦屬毫無價值，不過一張廢紙而已。我們實在看不出益處何在。

麥美倫小心呵！

麥相的廣播，還表示大國首長最後可能舉行會議，這也是蘇俄領袖最近函件中所曾提及的。他們的函件還主張在中歐建立「非原子」地帶，即中立地帶，西德人士正担心麥相將非正式的支持此一建議。果如此，眞是蘇俄奏樂，英國人跟着跳舞了。

麥美倫現正開始他的長途旅行，（星期二動身）他將到錫蘭，巴基斯坦，印度，紐西蘭，澳洲這些地方。他的廣播，無疑是與他的旅行有關的。他多少想迎合尼赫魯之流對蘇俄的妥協意見，以期增加大英聯邦的內部團結。然而，英美的團結對大英聯邦更爲重要，麥美倫應知所抉擇。這「勇敢的行動」，稍一不慎，可能是無益而有害的。麥美倫要小心呵！

日韓復交的曙光

日韓兩國，於上月卅一日簽訂了解決四年來互相拘留對方人民及其他問題的備忘錄與文件之後，兩國間的外交談判已預定於本年三月一日恢復。日首相岸信介表示，他可能於復交談判前與韓總統李承晚會晤，並考慮先行互派友好訪問團。日本的訪問團，據電訊消息，將由矢次一夫以岸相私人代表資格於二月中前往漢城。（惟尙有其他人選消息）。日韓兩國過去仇隙過深，斷交已久，此種不正常的國際關係，不惟有礙於兩國的發展，亦影響於東亞的和平。今兩國能從事修好，實爲足以欣慰的大事。我們希望兩國能本忠恕之道，少算舊賬，多爲未來着想。不僅日韓之福，亦東亞之幸也。

新年的慚愧悲痛！

本月四日，美國務院重新聲明：「我們繼續承認中華民國政府爲唯一合法的中國政府，絕不考慮改變這政策」。據傳，此乃由於東京所發表的一項消息而起。該消息說美國可能復活兩個中國的政策。

這一可討厭的謠言，在過去不斷出現，今後也還會不斷出現的。這謠言的由來，可以說明美國內部乃至其他盟國內部，始終有這種主張的存在，而且還有人不斷的努力求其實現。現在的美國政策，對這一點是堅定的，絕對無須懷疑。然而「兩個中國」政策，是否始終不至於得勢？一方面固不能不希望盟邦美國能堅持她的政策，一方面，尤爲重要的，是自由中國本身的迅速進步，茁壯起來。這是大家說得很多的話，無須多說，惟問幾年來，自由中國究竟有了幾許實可靠的進步！新年伊始，我們聽到美政府這一聲明，不是高興，應該是慚愧和悲痛。

・陳克文・

今年怎麼樣

——威脅世界的將不是人造衛星　而是「和平彈」

・雅斯・

一九五七年，蘇聯的「放射人造衛星」被列爲頭條新聞，赫魯曉夫被列爲世界頭號人物；同年歲末蘇聯在西方埋下的「和平彈」則將是一九五八年影響威力最大的。

去冬北大西洋公約首腦會議前夕布加甯分向西方各國領袖散出一連串傳單式的和平建議書，接着蘇聯最高蘇維埃便發表了「七項和平呼籲」，一連串的和平攻勢，演至赫魯曉夫向艾克拜年而達至一段高潮。

預料西方國家今年在蘇聯「和平呼籲」聲中，北大西洋公約會議要與蘇聯座談的決議，不會迴避要美國坐下來談，可說爲「蘇聯和平攻勢」的第一套把戲，正如塔斯社所喊出的是「要求召開極高峯會議」。

所謂高峯會議，亦即所謂巨頭會議，如果我們不會善忘，當記起曾經給人們一個什麼樣的印象吧？第二次大戰前後所謂慕尼黑會議，迄今談起還是痛心。慕尼黑會議是犧牲小國的傑作，雅爾達會議出賣了中國的東北，更令國人痛心。雅爾達會議，雖然盟國獲得了戰爭的勝利，但爲俄國人打下了東歐鐵幕的江山，釀成今日世界的滔天大禍。用所謂「日內瓦精神」來解決世界問題的時代應該過去了吧，爲什麼國際政治家還要念念不忘於它，爲什麼西方各國不但不以此自警，且還極力主張，甚至鼓吹着高峯會議爲自家團結一致方允合作建立中程飛彈基地等一一的條件呢？

和平試探的建議原是英首相麥美倫在最近夏季宮會議上提出的，他昨（四）日更進一步建議，主張由蘇聯與西方國家簽訂一項「互不侵犯條約」，他的理由是「沒有害處，且可能有益」。這自然是英國一貫的對蘇俄妥協思想主張，但我們不明白他竟忘了史大林不是曾經與西方國家訂過互不侵犯條約的呀；他對于蘇聯和西方記否究竟實現過多少次！與蘇聯所訂任何協定莫不被撕成廢紙，是一項歷史有據的事實，然則所謂「沒有害處，可能有益」者，不知何所據而言。

這項主張顯然對于美國目前的政策，尤其是杜勒斯的主張，本質上，至少是程度上是不同的。雖則美國也有一部份幻想者作此主張，並且因杜勒斯的不贊成而有爲蘇聯「和平彈」的「避免杜勒斯」的「和平」，但這些都是少數的，畢竟多數意見還是堅持——要以蘇俄的裁軍問題表示誠意爲先決。

但是蘇聯方面，則仍然作試驗嗎？西方國家總記得當年在二百六十餘次會議而無結果的倫敦裁軍會議，曾經年累月無結果的板門店與聯大的座談滋味，再從聯大搬到各處，正從聯大搬到聯大，復又從聯大搬到各處，表示誠意，祇是一句話而已。這個試驗，比試驗洲際飛彈還更難嗎？

但四年來大部份國家的妥協主張對美國的影響是很大的；美國在西歐中程飛彈基地的建立，就是要以對蘇談判爲條件的，由歐洲盟邦首肯不能完全抹煞。

所以蘇聯去年埋下的和平彈，今年爆發的結果，仍將是有利于蘇聯的冷戰，以冷戰廠演與渲染。今年在麥美倫的「實力政策的立場」上，並蘇聯指爲「冒昧的反蘇攻擊」，還能成就什麼呢？這就是美國要求蘇聯表示誠意，同樣是不會有結果的。

于蘇聯與共產集團的主動者而西方又迄今還有一個基本的一致的對付政策——不但遲遲不能決策，誠如蘇聯所謂來一次「一九五八年的冷戰局勢」，又是蘇聯的。一九五八年的今年，將不是「人造衛星」，而是「和平彈」；西方本身所謂「互相依賴」，勢將祇是這「和平彈」下的插曲而已。

在這「和平彈」下，我們將怎樣避過這一年關呢？是需要我們萬分警惕的！

一個實際經驗者談：免試升學初步實施以後

·周慶·

免試升學攪了一年多，至今有何成就，言人人殊：毀之者說它草率從事，破壞教育法令，大量製造游民；譽之的又說它有裨失學學子。筆者有緣，適逢此會，於本年秋間，來到首開此一風氣的新竹執教，朝夕磨練，略有所見，願將觀感所及，於此作一概述。

從農村失學求職情況觀察畢竟是利多於弊

台灣通訊

拿實施免試的新竹區來說

新竹區實施免試升學，是去年秋開始的。按照免試升學辦法，原則上規定每一鄉鎮，得設立初級中學一所，以收容該一地區小學畢業志願升學的學生。故此，現在新竹縣的每一鄉鎮（山地除外），有初級中學一所或不止（其有未臻於設校條件的，則以分校名譽出之），其校舍設備，除有一小部份尚暫借原有鄉鎮小學多餘之教室外，大都爲政府與民衆合力營建的新式建築物；鋼骨水泥，聳峙於青山綠水之間，絃歌不輟。據統計新竹縣十五鄉鎮官民合力興建的校舍，即達十所以上，由此足見一般老百姓們殷望子弟進學之切。至於學生人數，亦在大量增加，每一所縣立初級中學，其人數均在二百以上，即以筆者服務的關西初中石光分校爲例，學子來源，不過係關西鎮一部分的七個里，但其人數即達二百有奇，分一二兩年五班教授，估小學畢業生升學比率的百分之七十以上，由此又足見一般學子升學的需要，實在是不容抹煞的事實。按其原因，約有下列二端。

一般需要升學的原因

一、小學畢業生，智識程度大低，不要說是普通常識，即連寫一封報平安的家書的能力，亦並不比曾國藩的虎將來得高明。父母們自然不希望兒子長大成人出外（比如服兵役）寫家書也要請人代筆；因此在能力範圍內，需要上學。

二、小學畢業生出路成問題，按照現行的教育法令，學子於六足歲啓蒙，十二歲小學卒業，十二歲的孩子，不論知識淺薄，不知天高地厚，即體力亦大成問題。做事沒有資格，作工需要體力，也需要智識，在台灣高度機械工業中，大小廠家需要的學徒或工人都是十五六歲以上略具常識的人員，這些條件，他們全不具備，因此，唯一的出路，便只好留在家裏，能夠循規蹈矩，幫助父母一點小忙的不會多，因爲生性關係，不是拾蝦撿蟹，就是偷李挖薯，淺假而不爲社會蟊賊者幾希。因此事實上他們也非上進不行。

根據筆者調查

根據筆者調查的結果，就石崗一隅，抱着這二種心理要兒子們上學的家長爲數甚多，可估百分之八十以上。這可能是由於他們都是農村中人。農人多窮，而且本性比較恬淡，因此不敢想也沒有想到兒子們是可以藉此爲梯楷，而是想兒子多學一點東西，以爲作工的準備。假令在實施免試升學以前，由於鄉間中學少，到亦不會超過現有升學學生人數的百分之三十，這也即是說可能會有百分之七十的十二三歲的小學畢業生，被關在家裏，變成準游民，因此可以說免試升學於廣大的農村是很有裨益的。

一個比較嚴重的問題

不過，由此筆者也發現了一個比較嚴重的問題。這便是學子們程度的差異。

當筆者接事之初，爲了確實把握教學的進度，在教授之前曾對他們舉行過一次測驗，發現他們之中，程度的懸殊，實在驚人，好的可以打到九十分，但壞的只能打十分或者零分，以後經過觀測，情形亦復如此。好的始終是[illegible]這樣一種情形，自不便說是程度的普遍下降，但由於一班之中，成績好的畢竟不多，因此一般的平均程度無疑的便在水準以下。而同時更由於程度的參差不齊，影響教學，教學者常常費了許多氣力，結果對着一多半的高足們，仍然無濟於事，空自生氣。但是再一想到他們之中，大多數上學的目的，也不過是爲了培養體力，多獲得一點做人常識，則在初中多混三年，於他們又何嘗沒有益處呢，便不覺心安理得下來。至於其他師資和設備，目前自然也還有可議之處，但「作始也簡」，這是必然要遭逢到的問題，吾人又何忍再加以苛責。

利多于弊

總之免試升學的推行，就廣大的農村來說，不致使十二三歲的小孩子陷於失學失業的絕境，究竟是利多於弊的，因爲最低限度他們初中畢業時，他們便有資格成爲工人或農民，而況又還可以此舉博得地方的投資，來興建我們莊嚴的殿宮呢！（四七、一、四，於石光中學）

是耶？非耶？

張金衡屍諫案，涉嫌貪污枉法人，趙執中葉劍峯部份，已經台北地方法院檢察官，科以不起訴處份。筆者曾早在是案進行調查之初，妄如推斷，認爲「係與派系有關」，趙執中涉嫌貪污枉法不無事實；但佐證之有無，似難以將來，何者勝利，何者失敗而。調審至今日，以既無佐證，而予以不起訴處份：這顯然告訴我們，這是「官官相護」派之勝利。據說：趙案定讞後，即將外放（離開台北是非之地）作官，是耶？非耶？

·魔心·

司法大廈

弊

寰

該是清理的時候了！

司法界自我諷刺

自張金衡屍諫，林投吊頸，揭示司法界之內幕後，已使至高無上的法律尊嚴喪失殆盡。執法者犯法，司法者玩法，這是中國有史以來「法律」的最大汚辱。

一月一日報載「屏東地院書記官黃嫩禮拒受餽贈，院長着記大功一次」，聞後不勝感慨，深覺在貪汚風氣盛行之台灣官場中，確是一件可慶的事！該院院長記黃君大功一次，復刊諸報端，其推表揚「好人出頭」之意乎耶！

·尹震·

·鐵肩·

惟思「記功」應以立有特殊勳績者爲對象；至少在消極方面曾克服人所不能克服的困難，或在積極方面有所創造與發明，有益於社會人羣，有貢獻於國家民族者。今屏地院書記官以拒受新台幣一百五十元之餽贈而記功，而大書特書。足見司法界對此事之重視，也足見司法界竟把份內的事視爲特殊事件了！「拒受餽贈」畢竟乃公務員之本分，其謂「無過」則可矣，焉能謂之有功。這是司法界的自我諷刺。

張金衡屍諫書中檢舉台北地院院長趙執中在數年任內貪汚百餘萬元之巨，以百餘元較百餘萬元，不啻小巫之見大巫，這筆巨款是否已考驗了趙執中呢？法院以「罪嫌不足」而予趙執中以不起訴處分，但社會是自有其定評的呀！

教部解聘湯浦生事件平議

從十二月卅日台灣的公論報上，看到了聯合國科學文化教育駐華代表湯浦生氏，爲教育部解聘所發表的書面談話，始知我國目前正在實驗科學教育，而湯浦生乃係以「科學教育專家資格」來華協助。據該書面談話所表露，該項科學教育「從實驗得知」，是頗有績效，而爲「教師，學童及家長們均喜歡」的。但是我教育部卻已經解聘了他，理由是「因其理想過高，求好心切，而對我國整個教育情況不能全部了解，致引起若干誤會」。由於筆者未能得睹教育部發言人前此對此事的談話，而且也不甚了然該項教育工作之實際情況，當然無從對此加以評斷。惟湯浦生氏既已爲此作了公開的書面談話，則不悉教育部主管當局，對此是否亦有話說。當然，我們不僅想是希望能見到當局空洞的辯護，而是想看看事實的眞相。

根據湯浦生的書面談話其大要如下：

（一）、此項新教育工作在我國方面參與實際工作的，有十二位校長、廿四位教師和一千五百名學童，並有一個卅六位教師加上教育部督導人員和一個顧問委員會，進行經年，今年六月即可見其績效。

（二）湯浦生之解聘，據其本人「調查」，理由是：在初期，他的工作被冷視，「可以不做事坐上來拿薪水，參加各種社交活動」，嗣後，由於不甘拿乾薪，他在「挫折和絕望當中，向總部呼籲援助」，始獲得了推進工作的機會。正由於湯浦生要求工作而不願領乾薪過社交生活，影響到教育部主管官員，認爲是湯浦生「公開指責他們懈怠職責，因而大怒，於是當我（湯氏）延長合約之際，他們便向教育部長說，假如要延長合約他們兩個便要辭職。」於是發展的結果是湯浦生被解聘。

（三）、湯浦生究竟說了什麼呢？一、他對現在流行的教學法，曾作過嚴厲的批評，[illegible]「便是有斷頭」。二、他對「聯合國機構外貨用之情形」曾有異議，認爲「對於聯教組織所供給的資金與機器未能妥當運用這種行爲應予制止。」

（四）、湯浦生認爲「遣散了個人的怨嫌而提議將聯教組織派來的專家開除，而不計及他的動機，他的熱心，他的工作，他的能力是不光明的。他認爲教育部主管官員，不能僅爲了想提高自己的身價，而聘請一個國人，一個美國人，一個技術專家。[illegible]一個聯合國科學文化教育組織的代表，充場面而又不讓他工作。因此，他說「我堅決建議，貴國政府對此種不公平的計謀應予阻止」。

現在，湯浦生雖然已被解聘，但是他已上書巴黎聯教組織總部，[illegible]他要求「繼續工作」，而要我「願意不要薪金」留華[illegible]

教育部解聘湯浦生內情如何，在目前雖未能見到該部的書面表示。如果湯浦生的話是言之有物，那末這便是一樁極可遺憾的事。[illegible]對政府當局最有力的批評，問題並不在於「此話出諸洋人之口」，而是說不幸而至今天，我政治上的進步畢竟太有限了。（聲）

本屆文藝獎金的授與比第一第二兩屆較獲好評

台灣通訊

自「中華文藝獎金」（黨辦）停辦而後，教育部特舉辦學術文藝獎金；以獎勵學術文藝的事業屬諸國家，允稱適當。本年學術文藝的授獎，所獲各界評論比較往屆爲佳。

第一二兩次獎金，最爲人深疑者有二：其一爲國劇大師齊如山以國劇獲獎，一般人頗嘖有煩言，心下存着疑問：京戲也是學術嗎？以及已故詩人陳含光以舊詩獲獎詩案尚未完全解決一般人常疑問：文藝應該創新抑應復古呢？其二是得獎者俱係老人，教育部或因於此敬老時際，得而減少爭執，但一般人不免譏之曰撫卹金，養老金。據本年情形以觀，上述二者之疑問全無，學術得獎金人工科馮簡，農科林渭訪，文藝得獎人戲劇李曼瑰，美術孫多慈，小說則付之闕如。此次得獎人之學術藝術確有卓越成就，論年齡最高也不過耳順而已。

據悉小說獎金人未能產生，尚有其內情，蓋提出者計有陳紀瀅、王平陵、張秀亞三人，依規定由十二位審議委員投票決定，得七票當選得獎；結果，陳得四票，王得六票，張得二票，結果王平陵氏以一票之差未能獲得獎金，不過據悉王氏並無意見。有人提議再行投票一次，王平陵氏認爲不必再投票，他無意獲得二萬元與一枚金質獎章。據文藝界論者認爲王平陵以不屬于教育部所聘的學術審議委員，素以文藝爲職業，且其作品亦受外國歡迎（如西班牙），倘由他獲得小說獎金亦爲適當。

從此次學術文藝獎金得獎人看來，馮簡氏爲審議委員會工科委員，孫多慈氏爲教育研究委員會聘任委員，李曼瑰爲文學委員，只林渭訪爲非委員者，只這一點似易啓人疑竇耳。

小說獎既付闕如，這項獎金[illegible]兩萬元及一枚金質獎章[illegible]每年化點錢是小事，提高國人研究學術風氣[illegible]，把持文壇[illegible]

[illegible]宜擴大範圍，不必拘於台灣一地，留居海外的學術文藝家，似不宜見棄。吾人不敢輕視台灣作家及作品，亦不敢特別重視海外作家及作品，但能將多數作家之作品，付諸審議時之參考比較，或能選出最佳作品，[illegible]楊振寧兩氏，既能獲得諾貝爾獎[illegible]，似屬應有之事。（四十六年十二月廿五日於台北）

稿酬：本報十二月份上半月稿費通知單已分別付郵，請惠稿文友，憑單領取爲荷。

編輯部啓

中共的經濟死症

●高叔康●

共黨政權下的經濟，無論東西鐵幕國家，最顯著的事實就是人民生活水準比過去低落幾倍，而且都呈現一幅貧窮，飢餓的慘狀，這決不是偶然的，暫時的，過渡的現象；而是必然的，長期的，繼續發展的趨勢。以解決人民經濟根本問題爲號召的共產黨，其取得政權的結果，反給與人民經濟無窮的災難和浩刼，究竟是什麼道理？在此，作一個要的分析。

生產關係破壞了生產力

馬克斯主義者強調資本主義社會，存在着生產力與生產關係的矛盾，主張廢除私有而爲國有和公有，以實現其社會化的理想。殊不知抹煞生產者與生產所有的依存關係，也是走不通生產之路。因爲社會化的生產者與生產所有分離，生產的利害既不切身，效率自必低落。「人們爲國家和某集團而工作總不及爲自己和家庭而工作的熱誠，這也許是人性的缺點」。「若是英國鑛業早前即屬於國有，則英國煤業沒有發達如是的快；美國的石油也是一樣，假定屬於國有，也沒有發達如是的快。」（引用Ivor Thomas的話）所以廢除私有，即是取銷了激勵生產的作用，必怠於生產，必減少生產，可知私有財產纔有限制而不能根本廢除。尤其是產業落後的中國，農業生產技術猶停滯在原始階段，工業在手工業和舊式機械之下，一切產業沒有發展到大規模形態，根本不具備社會化的條件；中共美其名爲社會化，其實爲不外大規模的管理官僚化和勞動奴役化。正如考茨基批評蘇俄當時的社會化是「破產的社會化」，不是由生產力發展的結果，而是破壞已有的生產力，生吞活剝的編成一違反生產力的生產關係。也如孫中山先生所說，穿起大毛皮衣，希望刮北風的故事一樣。所以中共年來的社會化，造成大陸的農民棄耕逃荒，工人怠工減產，一切物資奇缺，以及龐大的失業羣，飢餓羣，充滿了每一角落，這到不是如馬克斯所說，生產關係桎梏了生產了的矛盾，而是生產關係破壞了生產力的結果。

私有財產是極權之敵

然而中共大力推行「的社會化」，與其說要解決生產力與生產關係的矛盾，取銷私人經濟的發展；勿寧說要從經濟制度上樹立其極權的基礎。因爲一切權屬，來自所有，財之所有，即財之能自由支配；有了自由支配的財權，就有了獨立的追求自己的思想和行動，也就有了反抗暴虐政權的力量。極權者認爲人民有一份私產，即存在着一份反抗暴政的潛力，必搜刮的一干二淨，以爲澈底的控制人民的思想和行動有力的武器。所以，共黨以政治和經濟的雙層鉗制製造貧窮飢餓，而以貧窮飢餓爲穩定政權的基礎。秦始皇吞併六國後，徙天下豪富於咸陽十二萬戶，以便集中監視他們不能造反，也看到私有財產對於專制的不利，不過共黨比秦始皇更澈底而已。

所以共黨以社會化爲鞏固政權的手段，以保有政權爲唯一目的。吉拉斯也說，以權力爲主要目的，便是共產主義的本質，極爲肯綮。也就是說，共黨將一切設施爲維護此唯一目的之手段，不僅僅是經濟，尤以控制經濟爲控制其他一切的手段的手段。於是極權統治，加強生產集中，生產集中，更增强極權統治。但生產集中，必有龐大的統制機構，而產業上的官僚化，貪污，浪費，錯誤的干涉，即應運而生；使生產事業無效率，低落，萎縮，以致於破產，這是中共統制大陸連年失敗的事實。也證實中共只知鞏固政權而控制經濟，不能適應經濟本性而發展經濟，所以共黨政權存在的區域，只能毀滅已有的經濟秩序，而不能重建一種生氣活躍的經濟體制，欣欣向榮。

軍事經濟

歷史告訴我們，暴政下造出廣大的飢民羣，必揭竿而起，推翻暴政；以現在大陸人民貧窮飢餓的壓迫，實超過歷史上所未有的朝代，若不是今昔的武器懸殊，早已推翻了幾十個毛朝；即在現代武器下，大陸人民反抗暴政運動，前仆後繼，也使毛朝惶惶不安。因之，中共不能不經常擴大的軍事勢力，鎮壓內部的反抗，且爲對外擴張的陣勢。

中共經濟實是一種軍事經濟體制。他們信奉列甯的教訓，認爲落後國家的革命，必須靠武力；他們也是流寇起家，一切作爲，都是違反民意，沒有武力鎮壓，不易推行，故馬上得之，也得馬上治之，即因此，佔據大陸後，即瘋狂的擴軍，民兵，保安部隊；一面提高軍隊的待遇，一切以軍人優先，鼓勵人民參軍，迫脅人民參軍。同時，工業集中於軍工業的建設，軍工業並不注重生產財工業，完全在製造軍械建築，而消費財的生產已成爲[illegible]的婢女。但軍需工業須要繼續不斷的投下巨額資金來支持，既不能一時見效，也不能循環再生產，成爲消耗經濟的無底之洞。所以中共要在封建社會的農業經濟，半手工和半機器的工業經濟的基礎上，擴充現代化的軍備，以大量的人力物力投入於擴軍的漩渦，當然要走向毀滅經濟之路。

無可挽救的死症

總而言之，有了中共政權，就有了破產的社會化，就造成大陸經濟的死症便無從得救。中共政權是要加強和鞏固的剝削人民以爲支持的方法，不剝削便毀滅，但剝削是摧毀社會生產的原子彈，也是加速經濟的死症。事實是中共的看家本領，決不緊縮，招致內外革命勢力的推翻；而財政破產，通貨一次再次的膨脹，便無止境，經濟的死症也就永遠不能解脫。換言之，中共的經濟死症是與生俱來的，先天帶來不治之症，後天更擴大爲百孔千瘡。因爲無論從任何方面說，中國根本沒有共黨政權存立的條件；縱然要用人工點化，這原始的種子一點都沒有，如何可能？所以中共在大陸所作所爲，完全生不了根；其塗炭人民的罪惡只有一天沉重一天。蘇俄四十年的共黨政權，除了軍工業有了進步外，農業生產數量還不及沙皇時代；而人民生活水準與美國相較，約差半個世紀，都市的房荒，日用品的奇缺，衣不暖，食不飽，與工業化的目的既相反，與原來共黨的願望亦相違。中共不以此爲前車之鑑，而以爲師，如周恩來所說：「蘇聯的今天，就是中共的明天」，則四十年後，（當然中共政權壽命沒有如此長久）中國大陸飢餓而死，勞役而死，不知凡幾，所生存的人口，將只有少數衰弱者幹而已。

我們相信沒有一個政權，以慘[illegible]民而能使社會安定的，也沒有一個經濟基礎，得了不可救藥的死症，還能發揮它的政治，[illegible]等等的效用的；就共黨所信奉唯物史觀來說，一切社會現象最後決定於經濟，中共經濟既是一死症，中共政權，斷不能長久。

國際動態拾零

美國飛彈落後之主因，爲三軍競爭的結果，而國防部則無適當爲其調人。如中程飛彈空軍之梭爾，與陸軍之周彼得，理論與結構差不多，但都任其製造，殊屬浪費，至再無預算發展洲際飛彈。而試驗結果，大吹大擂之周彼得以，確不如梭爾。在研究中之飛彈，共有三十八種，實在重複過多，應將其減少，而集中人力物力來幹。

×　×　×

蘇聯潛艇，現有四七五艘，每年增加一百艘。現聞其對普通潛艇，已不增加，開始原子潛艇之生產。美國現有潛艇僅二百艘，每年僅增十艘左右。

×　×　×

蘇聯，敍利亞，埃及軸心在中東之下一目標爲約但。約但困難甚多，有難民一百五十萬，而以與伊拉克聯絡，爲較便利。現則靠美國沙地阿剌伯之軍援，只爲治標而非根本解決辦法。

×　×　×

大西洋公約國軍隊共四十六師。但合之十五國現有軍隊，可以隨時出擊者，有五百五十萬人。十五國人民總數，則爲四億五千萬人。

●陶然●

新書評介

評中國學術史論集（下）

邢光祖論我國文藝批評的特質

●謝康●

至於（二）西洋文學批評的內容或質量方面，也不及中國，這一說是否可以成立？我們看上節所述，大略可知古代的情形，誠如梁實秋教授所云：「中國文藝批評夙來缺乏系統，往往失之斷片零星，勉強聯絡起來，也不能成爲完整的體系，」（見文藝創作第三十五期）老實說除彥和外，唐以前的文評，哪一家不是零星斷片？雖談言微中如孔子論詩的「溫柔敦厚」，「興觀羣怨」，子桓的「文氣清濁有體」，昭明的「事出於沉思，義歸乎翰藻」，休文的「四聲八病」，「文多拘忌」，仲偉的「吟詠性情」「品第各家」，何嘗不是斷簡零案，何嘗整理成有系統的學說？和由柏拉圖亞里斯多德以希臘精神創立的文藝理論及美學基礎，所形成的歐洲文藝批評體系比較起來，其精粗疏散，當然可見決不是「長他人志氣，滅自己威風」的說法，當然更不是邢教授所指摘的媚外語。

復次，在中古一千年黑暗時期的歐洲，文藝批評無大進步可言，而在中國隋唐五代，宋、元及明初這九百年當中，中國的詩文評，可算相當發達，如邢教授所舉的皎然詩式孟棨本事詩劉攽和歐陽修的詩話一類東西，乃至什麼詞話，曲話，文話等書，雖則層見疊出，花雨繽紛，其實多是一些見聞雜感，隨筆小品之屬，看不見什麼有系統的巨著，這裏我同意蘇雪林女士的看法：「繩以西洋嚴格的文學批評法則，可說中國沒有文學批評這回事，也不算得是什麼苛論呢！」（文學百題頁二八二）

自從文藝復興以還，西洋學術進步甚速，文藝批評也不能例外，意、法、英、德，名家輩出，指不勝屈，最近百年來美、俄及北歐諸國，文評家亦漸露頭角，形成西洋文藝批評百花競放，百家爭鳴，五光十色的大觀，著名的報章雜誌都有定期的文學批評，和戲劇批評，大多數特約專家執筆，深入淺出，增加一般讀者對文藝作品的鑑別力和興趣，因此近代文藝批評，一方面是本質的提高，一方面是數量的普及，而文藝批評家也成了專門人材和專門職業，不是「外行」的人所能冒充的，梁實秋先生以爲研究文藝批評，有若干必譯之書，「例如：自希臘亞里斯多德的「詩學」起，每一時代都有幾部大著，有志文藝批評的人，應該順序的翻下去」他的意思，好像蘇雪林女士一樣，是偏重西方文評的。然而邢教授的意見好像要將一千多兩千年前片詞隻字的中國舊文評，作爲現代二十世紀文藝批評的極則，「要將中國文評來評衡西洋文學」，他底勇氣，誠然很可嘉，同時令我想到這幾十年來「中醫」和「西醫」的爭論。照若干中醫擁護者的意見，是要用「國醫」來代替醫科大學研究西方醫術的。記得三年以前燕廬先生在「自由人」報發表「留學百年紀念罪言」時，曾大罵留學生一頓，以爲他們「將西方的哲學思想文藝理論……之類也搬回來，於是乃入於迷迷糊糊的陶醉狀態，不復知有自己的存在」云。這番話眞罵得痛快，和邢教授的文評論，可說是無獨有偶！「英雄所見略同」！

但是，如果我們承認學術是天下的公器，而近代學術不斷在求進步，尤其近兩百年來西方學術長足邁進的結果，似乎在任何方面已經超越了昔賢，不但科學，即文哲藝術的研究，亦復如此，「進步」和「比前好」的觀念，不斷地在人們心坎裏活躍，人家往前面奔馳，我們何必抱殘守缺，向後面開倒車？何況「他山之石，可以攻玉」，參稽比較，截長補短，也是客觀研究的「比較法」所必需呢！如果我們以客觀的態度，研究的精神去介紹西方文哲思想擴充我們學術本已荒蕪的園地，整理出一個條理分明的系統來，使國人的腦筋，多得「點精神糧食」，我想，絕不會如燕廬先生說的「迷迷糊糊的狀態」，怕的是「家有敝帚，享之千金」，「文章還是自己的好」，一定要「[illegible]」的[illegible]，雖則在物質科學方面沒有法子不要受現代化的潮流，而在精神學術方面，以爲「西學[illegible]」（用胡秋原先生的術語），一切新的發明，都是中國古已有之的東西，[illegible]文史哲藝中的「文學批評」，[illegible]們中國的好！偶然有個研究中國文史哲藝之學者或外國的漢學家，[illegible]以爲所有西方學者都要[illegible]於中國！這樣，也許會使得咱們中國人的腦筋，因缺乏現代學藝知識，而不得不仍舊抱殘守缺，迷迷糊糊地自我陶醉起來呢！

最後，我要聲明一點，我雖則不大贊成邢光祖先生在文藝批評的研究上特別推尊中國，但也不是數典忘祖，將[illegible]不是主張，[illegible]互證，合一爐而冶之，[illegible]。不知邢先生以爲何如？還有邢先生以爲[illegible]「凝思集」是一種「詩話」，其實這部書的主題是「關於宗教的思想」，根本不是文學批評，要說它是「詩話」，只不過是「附會」或誤會而已。

——全文完——

國人的信仰問題

（上接第一版）

以強化甚或到達更高階段。此我在年來之文章中所論不少。今可不贅。

四、

但是中國作主的炎黃子孫，[illegible]在當面倒，[illegible]界限之樹立。因[illegible]國人與東方人，不能[illegible]此先有所自信自立，而[illegible]，自強，[illegible]改造，現代化[illegible]之工作，[illegible]

自由談

談破船攬載

·馬五先生·

俗言「破船攬載」，是指一般不度德量力，而好事攬權的行爲。船旣破舊不堪，偏偏貪圖水脚的暴利，載重過量，那有不傾覆之理呢？

在政治生活上，這種破船攬載的情形尤其屢見而普遍。越是平庸闒茸的下駟材料，越容易邀得居高位的賞識信任，因爲這類人物並無一技之長，患得患失，除卻奴顏婢膝，表演忠貞，以期取寵固位以外，無所謂政見，更不識政理作何解釋，一切唯上峯的意旨是從，在上者亦覺得這類人物最靠得住，也最適宜於頤指氣使。如是乎，視之爲股肱心膂，遇事加以委託賦寄，而不問其是否勝任？如是乎，庸才與奴才者流，便如一艘破爛的船隻，隨時滿載着貨物，瀕洄於政海之中，雖在風平浪靜的時候，亦蹣跚傾側，險象環生，稍遇風波，即告覆沒了！

破船攬載的原因，一方面固然是船伕子嗜利貪財，不知死活，同時亦是僱用船舶的人沒有知識，看不出船隻的好壞與載重的能力，祗求一時方便，隨意信托，等到僨事招禍之後，悔之晚矣。因此，政治上如欲網羅眞正的人才，必須用人者先有鑑別人才的智慧，駕御人才的技能。古往今來，凡屬擁有統治權力的人，沒有不想尋求賢才以相助爲理的，問題就在識別誰是賢才，誰爲庸才？誰個祗可小知而不可以大受？因才器使，各盡所能，而智勇辯力之士，自然陳力就列，奮勉以求建樹了。如果只是認識眼面前的幾個熟人，覺得嫵媚可喜，恭順可信，有若主婦對待家裏的傭僕然，使用慣了，就連同兒女管教的職責，以及保險櫃的鑰匙，也一概交付他們，縱不發生捲逃或監守自盜的後果，這家庭亦必然不會興旺的。

任何人亦沒有三頭六臂，更非萬能之才，好事攬權，自以爲無所不能，實際卻是破船而貪滿載之利，豈非危道乎？

叩頭與立正

·陸夢墨·

做了清代三十年宰相的曹振鏞說做官有六字眞言是：「多磕頭，少說話。」今之視昔又如何呢？

我有生以來，只有三個時間是叩頭的：一個是過舊曆年向父母辭歲拜年，二是父母生日向父母拜壽，三是自己生日也要向父母跪拜養育之恩。就是到現在一個人在島上飄零，每逢這三個日子也要望空而拜，別人看來往往會覺得我這個人有點神經，但是那種對雙親的懷念之情，也不是別人所瞭解的，自問除了這三件事情之外，就再也沒有什麼足以令我屈膝的事了。

翁同龢的日記（光緒八年正月初五）裏說：「是日起，學叩頭法，從全師教也。」可見得叩頭也要學的。他的老師全小汀，每天叩頭一百二十次，起跪四十次，每跪叩頭並加評語「此法最佳」。可算得叩頭專家。莫怪要傳徒授教。筆者到不會拜過師，只是幼年隨着家嚴在祠堂祭祖，也就看會了。每每看到姐妹們把纖手輕扶，嫺雅地彎着她們的腰，覺得這是莊嚴而美麗的禮節。我們男人都要腰臂齊勁的，戲詞兒裏所謂「揚塵舞蹈」，有幾分藝術性，所以翁同龢覺要拜師來學。陸放翁的老師張廷老，自言「夙興必拜數十，老人血氣外滯，跪拜則肢體屈伸，血氣流暢，終身無手足之疾。」則叩頭又有運動價值了。但是以叩頭當運動，未免有點那個。

現在青年們會叩頭的很少，有很多朋友的孩子已是大中的學生，每逢年節別說向父母叩頭；就是連鞠躬也不會。我說這話不是有意開倒車，復古，更扯不上什麼新與舊的問題。我看到有很多最時髦的十七八歲的男女孩子，他們進入到天主堂都懂得下跪的。莫非瑪麗亞的前面跪得，自己父母的前面就跪不得？我當然瞭解跪在聖堂裏面那種虔誠的情緒，但是我自覺跪在父母面前的情緒也並不虧。有人說現在都穿西服，下跪不大雅觀。可是跪在聖像下面的人也很少有穿長袍馬掛的。

走筆到此，我得特別的聲明一句，我不是要提倡古禮，而是在這種國亂民愁的時代，常常會使人對以往那光耀的歲月有所緬懷。過去我以爲自己是站在時代的尖端的時候，也曾譏諷過民國以來猶留着小辮子的老先生們，現在才開始瞭解他們那時有他們的心情。入冬以來，很想做件長袍穿穿，就像把幼年的幻想及大學時代的狂夢又披身上了。這是一些回味，一些溫暖。但若果眞是一襲長袍到街上去踱方步，二十歲以前的孩子們準會拿我當怪物，還以爲是演話劇的跑下台來了。

說到跪拜問題，自有它的實用價值。但是我可沒在這價值之中討到什麼好處。以往風行過一陣求婚要下跪的，左手持花，右手捧心跪下作效忠狀，時髦的小伙子對這手研究的都很精通，可惜我的膝蓋在嚴父的教導下雖然柔軟，可是一到小姐面前就變硬了，難怪到現在還是要光棍兒。清朝的曹振鏞，做道光年間的宰相凡三十年，人家問他做官有什麼秘訣，他回答只有六字眞言：「多磕頭，少說話。」這六字眞言可說到現在也是一直盛行不衰的，我自問不會奉行得法，愛說話不磕頭，雖然也吃了些大虧小虧，老牌氣了，改不了的。所以做官兒這一門兒就更不用想了。

叩頭似乎是封建時代的事，現在講究的是立正。我不知曹振鏞時代是不是聽到「聖上」兩個字就要下跪，如今的立正隨時隨地都可以腳跟一碰，腰板一挺，這個用不着嚴父去教，學校的教員從小教到大，如何立正？向誰立正？從前下跪的對象是「天地君親師」。現在沒有那麼多了，只剩下一個，看來時代豈不是眞的進步了嗎？

短篇小說

硬心腸的人

·楊海宴·

僕人去了。此時弟弟聽了哥哥一席話，雖不盡同意，但覺得並非語無倫次，也就有點動心了。然而總覺得有點偏激，而這偏激弟弟認爲乃是由於沒有愛情所致，他堅信愛情的力量是偉大不可思議的，它能改變一個人的靈魂，因爲這位年輕溫雅的史二先生正經驗這種愛情的力量，他要把自己所嚐到的愛情滋味，盡力分一點給哥哥，因此斷然說道，聲音故帶着生氣的感情：「你否認愛情，只因爲你從來沒有嚐試過愛情。」

這位任何時候都是清冷如冰的哥哥，竟被弟弟這猛然說出的幾句話，不覺怔忡了一下，愕然望了他一下，隨即又餘意無窮的微笑了，簡直是溫柔的說：「我並不否定愛情，因爲根本就沒有愛情，也就用不着我來否定了，」說着，收斂笑容，抬起眼睛，深思望着空際，輕聲的用質問的語氣說：「甚麼是愛情呢，就用你們的意義來解釋吧，無條件的纔是愛情，但是我問你，一個男的愛一個女的，一個女的愛一個男的，這男這女就是條件了，怎麼說是沒有條件呢，老實說：也許其他的愛情還可以找到沒有條件的愛，唯獨男女間的愛，在根本上就是條件的，現實的，況且男的選擇女的年輕美麗，女的選擇男的強壯，有錢，有地位，有權勢，整個所謂『戀愛階段』，就是談條件，論交易的階段，雙方都把對方當作貨物來鑑別，來考察，看看是否判斷錯誤，最後，雙方都滿意了，這就是所謂『戀愛成功』，你看，還不比我們平常交易談判更複雜，更講心機嗎？所以我說生物上的性慾加機會，加貿易上的條件，就是夫妻，並不是隨便說的。有兩句俗話，叫作『低不成，高不就。』倒是這兩句俗話，最能說明我的意思了。弟弟，我並不是特別乖張偏激，總之我不能依違俗論，我要有我自己的思想，當然，世間還是有最崇高最純潔的愛情的，我承認，但那只是最原始的母愛，一到了『養兒防老』的說法，那就是有條件，可鄙的了。好兄弟，你是太執迷不悟了，簡直是中毒太深，不知自拔。不光是你，大家都是這樣，這也是沒有辦法的，不談這些了，我們吃飯吧。」

這時候僕人送來飯菜，他也就從最那點激憤的語氣中，又完全變成一副會裝愉快的神色了。那雙細小銳利的眼睛，整個的放在僕人鋪擺的飯菜上，那點決斷和怡然的神氣，彷彿剛纔他從沒有說過一句話似的。

至於這個易感多思的弟弟，卻仍失神的坐在那裏，眼睛望着自己的腳尖，像是落在很深的迷惘中。

幾年後，弟弟戀愛成功，結了婚，生了孩子，之後，自己便死了，並且說死就死了。年輕的妻子另外改了嫁，只是不知下落，遺下的孤兒，當然由這位硬心腸的伯伯撫養着。

一切在實際上是沒有甚麼大變動的，實業仍蒸蒸日上，除了戰禍的影響，因而更見這位矮小的實業家，幾番驚人出色的作爲外，其餘仍舊。弟弟謝世，哥哥這一硬心腸雅譽，當然是更有名了一點的。（五）

停電

·張健·

燈下，家人們在正圍聚着。

突然，電燈熄了，興高彩烈的談話聲也刹那地一停。完全沉浸在黑暗中。

祇一歇，談話又斷斷續續的進行了，只是誰也瞧不見誰，甚至自己的影子也藏匿了。

老鼠「吱」「吱」地奏響了凱歌，好像悟到生活領域在黑暗的庇護下已大爲擴展。

我想：在這樣的境遇下，瞎子該是最有資格誇耀他的能耐的了。

可不是！同樣的，在亂世，小人往往躊躇志滿，只有瞎子才不傷心！

然而，黑暗會長留嗎？

瞬間，燈光重新亮了，室內頓時湧起一陣歡呼。

兩隻追求光明的飛蛾，奮不顧身的撲向燈前……

得美術獎的孫多慈

姜比偉

據報載，上年（四十六）年度教育部學術獎金，師大教授孫多慈女士獲得「美術獎。」以她的資歷來說，出身國立中央大學藝術系，會留學美國法國研究藝術，從事繪畫達二十年，膺此殊榮，當之無愧。

她在中央大學唸藝術時代，曾受系主任徐悲鴻之苦戀，徐某會願拋棄髮妻而要求與多慈結婚，斯時她還年青，震于悲鴻之「大名」，經不住悲鴻之糾纏，亦墮入情網，那一場轟動首都（南京）的「慈悲戀愛」，已使她的芳名在報紙刊物上不時出現了，成了風雲人物。此事傳到她的父親耳中，大大以爲不然，極不願其愛女破壞徐氏家庭至淪爲徐某外室。多方勸阻，乃使徐孫隔離，此所以孫有出國深造之行，亦所以避免悲鴻胡纏慈多耳。無如悲鴻因決心戀孫而失敗，更遷怒于髮妻，因此反目，勃谿日深。終于抗戰期間在重慶而仳離。大陸淪陷後，則投匪去北方，受匪摧殘至死。

這樣一幕悲歡離合的戲劇，至今已漸爲世人所忘矣；假若當日徐孫戀愛成功，今日孫女士是否有此藝術上的成就，是否不隨着徐悲鴻靠攏，秧歌王朝而做了「未亡人」呢！在此我們更爲孫女士慶幸，「戀愛朝露，藝術千秋。」證諸多慈大教授遭際，信然！

補正：上期本版刊出「未宗黃續弦」詩「況乃鍾情」，應爲「況乃各鍾情」。

答黃華表先生書

·紹芊·

華表先生閣下：頃在自由人（七〇六——七〇一期）拜讀大文，對拙稿「清代詞壇殿軍朱彊邨」（自由人四三九期）有所補正，意氣勤勤，深爲銘感！閣下鑽研詞書，老而彌篤，允所嘉佩。憶前歲撰稿時乃出友好敦促，不無倉卒成篇之感。閣下遍檢詞書，自謂翔實，然拜讀之餘，似不免仍有疏漏，茲條舉如下：

（一）宣南詞社之事，近人錢于泉，王儷盦著述中，均詳述其事，可資佐證，並非臆度，閣下從而否定之，非好古尊閣之士所應爾也。（二）閣下云庚子秋詞與春蟄吟悉附見於詞賸中，恐亦未盡確。據龍榆生彊村語業跋所述，則庚子秋詞與春蟄吟，實際上已有若干首併入彊村語業中矣。（三）庚子禍作，彊村廷對事，近人吳永庚子秋狩叢談中，言之綦詳，可資覆案，似未可祗憑信夏孫桐所撰朱氏行狀也。

（四）彊村叢書所收別集家數，並不如閣下所云一百六十三家，實有一百六十八家。查彊村刻詞，第一次刻本稱彊村所刻詞，時在宣統三年辛亥，計甲編七家，乙編六家，丙編九家，共二十二家。第二次刻本，稱彊村叢書，時在民國六年丁巳，計總集四種，別集唐一家，宋七十五家，金五家，元三十一家，共一百一十二家。第三次刻本稱彊村叢書，時在民國十一年壬戌校補印行，計總集五種，別集唐一家，宋一百一十二家，金五家，元五十家，共一百六十八家。閣下疑吾言乎？試取鄴架所藏第三次刻彊村叢書中別集數之，當得此數。然閣下仍斷斷然堅主一百六十三家之說，此又篤信夏狀之過也。閣下遍檢詞書，仍不免有失，以知考據之難，不特考古難，考今亦不易耳。且推知書多固不足盡恃，抑有書而不善讀，則與無書等也。北風多厲，諸維珍重。紹芊敬白。

讀書隨筆

誤解了的「主義」

·慕容羽軍·

文學上的流派（外國文藝理論書本都稱作什麼主義），在我們的圈子裏常引起了一些混淆，這塊地方，一般人指責別人輕佻，也常說：個人很浪漫。因而把他歸入浪漫主義一類。習俗上這麼說，卻距離這個辭的原義很遠，但，畢竟有它底模糊之處。「歐洲近代文藝思潮」一書，引述了古代拉丁語法，解釋了「浪漫的」（Romance的意義是：涵有多情的、幻想的，狂妄的意義。十七世紀中葉，有人把這個名辭來描摹風景，據說，古代拉丁的武士冒險的虛構故事，都稱之爲浪漫的故事。這些小說，可以說接近了今天流行着的新派武俠小說。英國佩志Wlter a Pater把浪漫主義的製作下了一個定義：浪漫主義的特性是「美上加奇」，這四個字，眞的包羅了一切的解釋。

英語的中譯名辭，足以流傳千古的，當推「幽默」Humor，「浪漫」一辭，本來音義都佳，仔細推想起來，還有一個專作癡情地方使用的羅蔓絲 Romance，這個辭譯做浪漫史也是絕佳之作，但要看用在那一個地方罷了。

近些時有人打着什麼主義作家的旗號去從事寫作，偶然竭力摹仿了一兩個作品，往後就完全不像樣了，這完全是跡近狂妄的舉動。其實，一個文學的所謂「主義」（流派），並不是任人去做就做的，而是從作家的平日思想趨向與作品趨向相協調，最後在作品的組織中走着純一的道路而自然成爲某種主義的。因此，什麼主義的名號，應該由文藝批評家賜與，而不該自賜封號。

自由人
THE FREEMAN
（第七一五期）
中華民國僑務委員會
頒發登記台教新字第一第二號
中華郵政台字第五〇〇號
執照登記爲第一類新聞紙類
（半週刊每星期三六出版）
每份港幣壹毫
台北市售價台幣壹元
督印人：陳文華
地址：香港高士威道二十號四樓
20 CAUSEWAY RD. 3RD. FL.
HONG KONG
TEL. 771726
承印者：東南印務出版社
地址：高士打道六十四號
台灣總經理處
台北市西寧南路壹壹零號二樓
電話：四七三四
台郵撥儲金戶九
海外總經銷：友聯書報公司
香港：德輔道中三十六號A二樓

正視病痛。反省病源

——爲自由中國朝野進言之一——

·胡秋原·

胡秋原先生這一篇長文，討論目前自由中國各方面的大問題，涉及政治，經濟，文化，教育，社會風氣，軍公教人員待遇等，範圍甚廣，語重心長。爰爲分期刊出。（編者）

最低限度的樂觀

許多相識與不相識的朋友，常當面或寫信來，要我對此間許多事情，多說點話。我很慚愧，說得很少。所以然者：（一），我看近代中國是在一個墮落過程中，需要大家作根本努力，不是若干人若干事問題。（二），今日政府許多事亦非一朝一夕之故了，許多批評，業已嫌遲。（三），還有一個大敵共黨在對面，不便長敵人之志氣。（四）中國問題最後決算在于大陸，不回大陸，中國政治是難於上軌道的。（五），說了無益，不如不說。而最後，還由于我有一種最低限度的樂觀理由。我常想，只要美國對俄帝不妥協，只要大陸同胞特別是知識份子對共黨不屈服，只要此處（自由中國）不出大笑話，不出大亂子；那麼，中國便有希望，中國人民一定能在最後戰勝共黨。所以，無須悲觀。

我所謂不出大笑話大亂子者，指這幾件事而言：憲法體制能維持，秩序能保持，政治上人物沒有重大違法亂紀之事，如是工商業與教育當能有相當正常之發達，軍隊當亦能有相當強大之戰鬥力。如是，在相當自由而安定狀況下，由于中國人民自動再生力，總可以產生種新力量，這力量……外以及大陸反共……合，即可以成……中國基礎。中……來希望雖高、希望卻低，有很多的……

極嚴重的徵象

然近半年來，我覺得情形不好，甚至很不……

……殺文字，談話，乃至情緒上所表現者，斷非祥和與旺之氣。合而言之，情形縱非嚴重，嚴重之徵象，是已經夠了。這如聽其發展，則我所說的最低限度樂觀將不可能。這些嚴重現象即是警告我們立時……，尚不爲遲。連……的敵人，正在……灣一切情形……這也是警……時補救……

人人有責任

我國從來論政，常將一代之功過，歸于一二人；我看是過甚……的。國家要興，……要新人起來，……

……義，總是……爛，一二……。所謂氣數……家之心。曾國……俗繫乎「一二……心」者，即天下興亡人人有責之意；非即一二人之力也。尤其是現代國家，是「國民的國家」（故民族主義即國民主義，民族革命亦作國民革命），一國國民都爭氣，國家倒不了的。誠然，我國素有「君子之德風，小人之德草」，「上有好之者，下必有甚焉」的話。但這畢竟說明，一種風氣之形成，決于社會之取捨。大家不附和，少數人提倡不下去的。我們……

色知道政治的力量大，他强於經濟，且多少能控制思想。但任何一種政治力量，未有不可對抗者，除非太遲，或對手過於不行。一般而論，政治上之生氣，常起于先覺之士之倡導；政治上之死氣，常起于一羣既得利益階級之腐爛；二者都有傳染作用。何其結局，要看大家反應與選擇如何而定。古人所謂陰陽「消長」，小人君子之「消長」者是也。一種生風起後，大家不能繼續發揚；一種死風起後，大家卻望風披靡；則一切後果，是要大家負責的。我稱此爲「社會報應論」。善有善報惡有惡報，是絲毫不爽的。一人爲惡，可以後來爲善補救之。一家有人爲惡，可以一家其他之人爲善補救之。一社會一國家有人爲惡，可以其他爲善有志之人補救之。否則，要受懲罰的，玉石俱焚的。善惡之結果是「積」起來的。今日中華民族之奇禍浩劫，豈若干人若干事若干年之故哉？大家勞溺，屈從，合流而已。即如中共之禍，決不是不可防止的。

而今日此間嚴重情形所表現者，也正是國民病痛之纏綿現象或集中表現。假如社會上許多商人賣假藥殺人，則也不能專責備官吏之貪污了。假如許多知識份子的聰明才智集中於男女床笫之事，表現于一派善頌善禱之技，又如何能責備許多官吏之無聊呢？假如，我們報紙上連篇累牘的凶淫惡殺之事，無非表示這有人要看，亦即表示社會上對此頗有興趣，又何怪乎全民族遭受共奸之有組織的淫殺呢？假如一民族經百餘年之創鉅痛深奇恥大辱，而新的一代，竟是一般太保之流，乃至于騙子和凶手；全世界的人，還有誰能說這一民族有生存之資格呢？

或者有人說，這一切是有根源的，即使太保，亦非普通人的子弟。是的，這是既得利益之羣的絕對墮落而來。然而，這也是一般社會普遍缺乏是非感使然。這是政治絕望的現象。這後果是可怕的。自一九〇五年至一九一七年，俄國文字書報上所表現的，只有淫殺，阿諛，求神四種東西。結果，即有共黨之浩劫。然，俄人遭此浩劫者，不也是當時俄人整個墮落，而沒有及早挽救嗎？張讓云，「天下憒憒，豈獨我罪？」王衍云，「向若戮力以匡天下，猶可不至今日」。不貽張讓之誚，王衍之悲，我們才可以保自由中國之命，以救整個中國之命的。

今日之事，不是聽其自然，敷衍苟且可了，然也非感情意氣，各自爲謀可了。這要大家保持冷靜，拿出善意；正視病痛，反省病源；並共同努力，立即停止自害之事，徐圖培養元氣之道。

鑑于病痛嚴重，大家有責，敢向各方人士，作一呼籲。

國財政大臣辭職

……牲，英國財政大臣桑尼克夫羅，因爲不贊成增加「社會福利費」的歲出預算，與內閣首相和其他的閣員意見相左，即宣告辭職，兩名軍要助手亦隨着掛冠而去了。這是政務官的……就是眞正實行分層負責的模範政治。

……責，原在擬訂並實施其既定政策。爲要施展自己的政治抱負，才接……職位，所謂爲作事而來的眞諦，……政治決策責任的政務官，政策如……身引退，用舍行藏，一是皆以政……主，合則留，不合則去，凡屬稍有……心的官吏，都應該有此氣概，政務……突……這就是官僚政客與政治家的分野……人，好官自爲者，那是些只知「當局」……識「當政」爲何事的官僚人物。這類官僚……者，不特毫無政見可言，且亦沒有實心任事……談不上政治節操，遑說是美髯無所謂……，即或受到上峯的無理凌辱，他亦甘之如飴，甚至引爲榮耀的事哩！

我們看了桑尼克羅夫特爲政策而辭職的行爲，再回顧一下我國一般「遷任」「特任」大員的服務情況，幾曾見有爲政見而來，因政見而去的政務官存在呢？滔滔者皆爲昧良鮮恥的官僚政客而已。桑尼克羅夫特是英國保守黨的財政專家，素負盛譽，爲輿論所稱道，若就黨紀的立場說，他應該追隨首相的意旨行事。但他堅持着自己認爲有利於國計民生的正確政見，擇善固執，毅而不舍，政見不能貫徹，即翻然去位，讓別的同志承其乏，正所以表示其責任感，亦不違悖政黨政治的原則，政務官不當如是耶？

我國政務官被彈劾

由於英財政大臣的辭職事件，使我聯想到我國監察委員最近彈劾行政院這回事了。行政院長當然是高級政務官，但他這次被彈劾的基因，却非關係國計民生的「當政」問題，而是爲着爭持個人面子的「當局」觀念，肩人自援，太無謂了。

這位高級的頭號政務官，在位三年以上了，我不能說他沒有政見，因爲他早已標榜着「財經內閣」的施政方針。可是，他的財經計劃和措施，不知被民意機關否定了若干次，糾舉了若干次，更被輿論界抨擊了若干次，政見似乎並未貫徹，却夷然「當局」，無所吝心。這次被彈劾的事實，又以財經問題爲最主要，如其是稍有責任感的政務官，早就應該退避賢路了，又何至鬧到被彈劾的地步呢？

政務官若是爲着致作敢爲地實施其政見，如王安石、張居正的「當政」情形，雖受到言官的彈劾，輿論的攻擊，正所以顯示大政治家的本質，我們今日就需要這類的「當政」人物，試思鄭子產「孰殺誰嗣」的民謠，那是何等值得欽遲贊美的大政治家啊！不幸現時我國激起政潮的頭號政務官，竟是不重視政見的「當局」者，因而笑話多端，是非蠭起，以視英國財政大臣之「當政」風度，來去唯政見是從，磊落光明，毫不含糊，其賢愚爲何如耶？

時人好言整飭政風，政治人物如其沒有責任感，不以政見爲出處的圭臬，政風永遠亦不會趨於上流的！

·雷嘯岑·

泰國爲什麼出現國社黨

——從它的組成及政綱分析

·祝君健·

乃沙立之領導組織「國家社會黨」，與乃他隆之膺命國務院長，使泰國政治局勢，有了新的開展。乃沙立元帥爲甚麼要組黨？又爲甚麼由乃他隆領導組閣？注視泰國政局人士不免紛加臆測。難道乃沙立想蹈緬甸的覆轍？——緬甸正是社會主義國家一個敗壞的殷鑑。其實不能作如是觀。

事實上，泰國「國家社會黨」的政綱和政策，有別於其他國家，更不同於緬甸。第一、泰國是一個君主立憲國家；第二、從這次選舉中，顯示了內襯虎皮的「社會主義」者不受國人歡迎。因此，乃沙立不在大選前，而在大選後籌組新黨，是有原因的。同時，他爲了維護國家獨立及社會建設，却認爲只有用「國家社會黨」這個名，比較切實，而又能獲聯邦黨支持——「聯邦黨」是一個分子複雜，在第一類議員（選舉的）一百六十席中佔有四十五席；儘管政府不一定需要他們支持，但聯邦黨的反對勢力，倘與無黨派（拼合的自由黨分子）聯合，在民會中也有重大壓力。

就「國社黨」的五大政治綱領看，主要內容是維護國家獨立完整，與世界一切國家合作，以對外維護世界安謐，對內促進民衆教育文化福利事業。據乃沙立的解釋，這是和泰國傳統（中立）政策，並無含糊不合的。雖然這政綱也包括維持泰蘇外交關係（按：蘇聯曾向泰國要求撤銷防共條例作爲承認泰國的交換條件），但並不意味着泰國將承認中共。而且以昭坤信爲首之「自由泰國」傀儡政權，未經中共宣佈撤銷，中共無疑是想攪泰國獨立、國土完整的主要强敵。

其次在宗教方面，不限制宗教的崇拜。雖然泰國以佛教爲國家的宗教，崇信異教者不多；但信仰自由，這也是有別於馬來亞的自私偏激。

再次是服從憲法所賦予的權限，効忠皇上。雖然這是泰人的一個傳統觀念，但不違背廣泛的民意原則。泰王拉瑪九世在美國報人心目中，儘管被看作「專供百老滙欣賞的偶象」，就泰王本身看來，仍不失爲一位賢明的君主，且在全國人民擁戴下，是不能隨便厚侮他是「專著樂譜的偶象」的。

關於民主方面，則標榜尊重民衆權益，根據聯合國憲章，尊重人權等原則；不過眞正民意仍感缺乏。例如皇家田的演講，僅不過是政客們用來發洩個人私欲，然而許多報紙却渲染共產主義，這很足以引導人民墮入錯覺。「國社黨」對於這一重要性竟加忽略。

至於社會方面，列舉平衡財政及國庫收支，發展實業、農業，提高人民的生活水準，促進勞工權益，促進農民生活等福利的一套，自無可置疑，問題是執行頗難。年來泰國官爭民利，商場倒風漏吹，社會經濟一蹶不振；今後，除非明定官不涉商，才能興利剔弊。不然，上述政綱，殆將成爲具文。

「國社黨」由乃沙立自任黨魁，副黨魁由乃他隆出任，乃巴博任秘書長，五十八名軍人變政團高級將領、以及第二類（國王委派的一百二十三席）議員，和第一類民選議員中的聯邦黨員，均爲「國社黨」的成員，不論構成分子、或其陣容，均不可否認這一個新政黨，雖然註册部上列名廿六，却已位列泰國有史以來第一大黨。從好的方面看，泰國的龐雜政壇歸於一統；但在壞的方面想：這一位實際統治者可能墮入「統戰」詭計，在聯邦黨的態度未盡明朗以前，無人敢輕信那些跨黨分子，會効忠於「國社黨」和國家。

乃他隆出任國務院長，那是必然的趨勢。雖然，事前乃沙立及其軍人團繼續支持乃儀，以示外交內政並不改變；但是乃儀自覺壓力太重，不容自由發揮，與其尸位不如讓賢。乃他隆的政治聲望並不太差，而與軍人間的淵源，遠自鑾披汶推翻鑾會隆取得政權時，與乃沙立同屬變政團的核心。現時披汶元帥政權告終，潛力存在。他隆中將這次拜命組閣，仍兼國防部長，正意味着：乃沙立需要像他一位足以鎭懾鑾披汶、乃砲舊部的人物，以穩定全國局勢。如此，即使長期休養（傳乃沙立將出國施手術）可保久安。

所以泰國國社黨的出現，祗意味着乃沙立爲了穩定政權；並非政策上有甚麼本質上的改變。（一月三日寄自曼谷）

百餘兩，台陽得月產至二百兩左右，當前金礦慘淡經營可見一斑。

金礦經營歷史

台灣金礦，有砂金與山金兩種，佈於基隆河沖積砂金區域，花蓮溪中央山脈，僅有小規模開採。[illegible]九份及金瓜石區域，此兩地的百分九十五以上。

本省金礦業經營歷史甚[illegible]一年，台灣鐵路鋪築基隆工[illegible]，在七堵附近基隆河架設鐵[illegible]中發現金砂，頓時淘金者接踵

台灣物產特寫

寶島的黃金

・劍聲・

採金已有六十年歷史、藏量仍富、只因管制法令限制、迄今不能發展是件憾事。

[illegible]，先後發現金瓜石及九份礦脈，一八九六年日人侵台，於一八九八年開始開採，金瓜石，九份等礦區，同時進行開發，迄今已有六十年歷史。現時因金價的低落，金礦業者沒有興趣從事新礦的探勘，這是很可惜的事！

金價的機動經過

民國三十八年政府爲安定金融，公佈停止黃金自由買賣，並核定台灣銀行收購價格，每市兩二百八十元。四十年三月，公佈調整，每市兩六九九・七五元，至今此項公定金價，依然未動。四十三年三月，政院核准台銀比照補貼收購國營金礦產金辦法，收購民營礦產黃金，其辦法爲市價低於生產成本時，依市價收購，若市價高於生產成本時，即照成本收購，此在台銀視爲一種補貼性質，非爲提高金價，故限制只准本省礦產黃金，經主管官署證明，始予收購，普通人民持有黃金售予台銀，仍依照市價。四十年八月，省府准銀樓業所請，公告調整飾金牌價，參照當時黃金市價，核定每市兩進一〇九五元，（合兩一二八〇元）並廢止台銀補貼收購礦產黃金辦法，規定民營礦砂金應售予銀樓作飾金原料，但黃金條塊銀樓業仍不得買賣。

黃金有三種價格

黃金現時仍有三種價格存在，第一是台銀牌價，每市兩六九九・七五元。[illegible]市兩一〇九五元。第三則爲市[illegible]千五百元左右。礦產黃金即依飾[illegible]價已與市價每兩相差五百元，且不[illegible]但若照銀行牌價，每兩甚至差到千元[illegible]與其他有關物價的比率，必需品多已[illegible]市價，始終屹立不動，且成本日漸加高[illegible]

金價管制法令

因此金價管制的法令，無形中成爲金礦業的一項重負，不敢輕易也無能力向金礦投[illegible]不得不緊縮開採工作，降低生產，當前的明顯[illegible]實，台陽公司瑞芳金礦，於本省光復後，在極[illegible]工最多達四千餘人，目前僅存二千五百人，且每日僅有半數有工作，半數在失業狀態中，至生產量亦從一千兩以上，降至六百兩左右，單位成本更隨之比例上升。每月除產[illegible]，尚虧損二十萬元左右。國營金屬礦業公司，雖爲金銅礦體，銅價尚有利潤，但因金價虧損，對其整個業務影響甚大。

金礦在本省產業比重上，雖未佔有分量，但依靠金礦爲生之礦工及眷屬，集九份、武丹坑、金瓜石等礦村，爲數三萬人以上，一旦金礦說追不能維持時，此三萬人將是一個嚴重的社會問題[illegible]

售予[illegible]無[illegible]文，無異形同虛設，主管官[illegible]法出售途徑。有人曾以上情詢問主管官署，主管者無言以解。

再者人民持有黃金條塊，依法祇有售予台銀，但差額如此之高，如何能使人民守法。故只有流入黑市了，而且金礦業，尤其是有組織的股份公司，逐月須將產金表報主管官署，絕不可能走

[illegible]定政府的一項負担。業者認爲財經當[illegible]之政策，金價限制不能使減少稅收和增加社[illegible]同時影響外匯，助長黃金由香港走私[illegible]如張昌年因被迫暴露走私黃金[illegible]命，誠爲令人遺憾不解者莫此爲甚！

辦法有待改善

[illegible]令，規定人民持有黃金條塊不得[illegible]金原料，但黃金製成條塊仍只[illegible]收，並依法懲處，而規定礦砂[illegible]四年八月省府軍中前令，雖對[illegible]但是項法令原則並未變動。[illegible]成色與價值，若使礦砂[illegible]以精煉，一經提煉即爲[illegible]金條金塊，無不來自礦砂金[illegible]現不得自由買賣，礦產黃金當即

四項改善建議

曾于四十三年秋間向財政部說明金礦產金無合理出路，請求解決，結果曾經財政部核准暫由台銀貸予台陽公司二百萬元週轉資金，由該公司提存二百萬元等價黃金作抵押，得以暫獲喘息機會，[illegible]解決，豈知數年以來，均未能獲具體解決。金礦業者，曾提出四項辦法，請求政府採擇，以解決民營金礦困難：（一）恢復四十三年八月以前台銀收購礦金依國際價格按[illegible]（二）[illegible]之礦用器材。（三）請調整飾金牌價，並修正黃金條塊不得售與銀樓之法令。（四）撤銷黃金管制，准許自由買賣。

如何解釋事實困難

現在除以上民營公司，因產金積壓，困難至難以維持，加之數萬礦工之生活亟待改進，仍在希望政府對上項辦法能予以採納。

台灣金礦雖已開採六十年，就已發現的礦脈言，藏量仍甚豐富。不知當局究有何善法解決此對于國富民生有關的事業耳。（一月四日于台北）

台語影片前途

・吳白丁・

比較流行由于國語片不合口味　其進因爲小本經營不能不打打算盤

台語影片的產生，由於對於國語片的生活，影片之語言生活等，祇有看地方性的的習慣。一年來了近一百部，唯語影片」金馬入，觀衆家，[illegible]臨的困難很

藝術、技術、教育的綜合條件來品評台語影片，一般統計，台語片近一百部中，除少數幾部[illegible]本利或有微少利潤；其十之八九是虧本的；其所以尚能[illegible]海內外者，不是感情好[illegible]演技高，完全因演者[illegible]國服裝，講家鄉話，唱家鄉歌，迎合海外閩籍僑胞，以及省內閩籍及粵籍人民。實際上，台語影片確有不少[illegible]金馬獎」「台語影片展」所受到批判，以及改進意見，綜合起來，對於台語影片無異是一大考驗。

的是[illegible]語製片者[illegible]金不厚，乃[illegible]錄」可否賺錢的爲主，以小本[illegible]所能取巧的，只有[illegible]歌仔戲」全部拍攝下來，明星費、外景費、本費、導演費的負担輕。他們大都無自備影廠，委託公營片廠攝製，演員方面大多以「歌仔戲」的演員爲基本[illegible]的「歌仔戲」演員，間或選拔少數話[illegible]演員，學生，公務員[illegible]員，舞者，酒女等[illegible]以導演者缺乏選[illegible]所以台語影片[illegible]此爲台[illegible]只有[illegible]入民

不外嫖賭　淫亂犯罪

台語影片的劇本，一部份利用原有的「歌仔戲」；一部份係新編的，不過其內容都是共通的：虐待、犯罪、淫亂，[illegible]是酒家女與兇殺案，如「酒瓶花」「姐姐爲弟弟犧牲」「妙英夢斷」「母親爲女兒犧牲」「哭大橋情淚」「女兒怨」[illegible]大多是以作酒女爲唯一去途，如「心酸酸」就於酒色者下場的悲慘，「基隆七號房慘案」，「萬華白骨事件」敘人與犯罪心理，殆不出酒女悲[illegible]惡人縱情酒色，墮落犯罪，百害而無一利[illegible]不過，或者限於觀衆的欣賞水準，如文學藝術[illegible]得不到讀者欣賞，台語影片以小本生意，如何能不迎合觀衆，打打算盤呢。

對白不統一　欠缺劇情與對白

由於觀衆的知識程度與欣賞「客人藝術」的水準低，劇情有情不得不[illegible]次及對白，台語中也不統一，間用日語，如稱母親爲「媽媽」或「阿[illegible]」[illegible]

演員與導演問題

由劇本而及導演問題，由於製片者的資本限制，導演者未必是行家，待遇微薄只有爲「半路出家」的導演兼身機會，同時，國語片導演人材，格於語言限制，也無可奈何；次者，對於演員的選擇，請國語片演員是力有所不勝，「歌仔戲」演員如任合片明星，較原有待遇提高，所以導演也只能以他（她）們爲主要演員，但戲外外請者，也非屬有經驗的電影明星；所以，劇中人物，道具裝於作到考證功夫，古裝道具往往搬用現代道具，便顯得太隨便，欠研究，譬如演員在鏡頭前自由行動，手法凌亂，全片冗長，甚或超過二小時之限者，鏡頭重複，顯得浪費而大家吃力。

缺點一斑

其次缺點計有：一、影片「反映」不夠真實，淪爲黃色與黑色的商品；二、台語片實在祇是舞台劇的電影化，全失之於剪接技工夫不够；三、粗製濫造，低級情味；四、影片商從商業利潤着眼，多以刺激性悲劇等千篇一律的場面；五、主題欠明確；六、故事鬆懈；七、化裝不適宜；八、服裝不切實；九、人物的「型」不合劇中人身份；十、攝影的配光不調和；十一、對白呆硬，呆板。由此可見台灣影片之一斑。

最引爲一致評者的痛議者，乃是配音。台語片商常是古典音樂如貝多芬曲子，歌仔戲歌，日本歌，台灣流行歌，胡亂相配，與劇性之悲、歡、離、合調不調，完全破壞，牛頭不對馬嘴。

改進有困難

此次最能獲得一致好評者，計有「萬華白骨事件」、「基隆七號房慘案」、「青山碧血」、「小情人逃亡」、「海邊風」、「阿蘭」、「三郎爭美」、「郎甌舍」等七八部片子及十多位明星。倘能改進，未嘗不可有爲，惟台語影片純爲民間經營，特之爲營商工具，競爭甚烈，如何能集中資本，眞正從事電影藝術成爲企業，乃是台語影片面臨的重重難關之最大難題！

（四十六年十二月廿六日夜於台北）

人物介紹

水陸健將徐亨

・李樸生・

中國在全國運動會及遠東運動會負盛名的排球健將，到了日據時代對排球有興趣，對體育着力提倡的，一[illegible]我認識者兩位。一位是譚寶蓮將軍的曾經[illegible]賈，現在台灣金融界任要職，業餘，提倡排球，所組的星隊，爲自由中國最強排球隊。

另一位是徐亨，現在香港做生意，已不打排球而歡喜游泳，他以乎爲紀念他過去艱險如夷，還因在吉的幸運，組織幸運游泳會，曾培植幾位傑出的水上英雄。他手長腳長，打排球佔了大便宜，游泳也佔了便宜，他打水球，也橫行香港。他和廣東海軍前輩陳策很好，七七抗戰，廣州淪陷，陳氏繼續與鐵老先生之後，在香港與各方聯絡，繼續抗日活動，他就是陳先生之得力助手。珍珠港事變，香港被襲。陳氏本領導愛國僑胞，與英軍合力抗敵，[illegible]英軍已潰敗，日軍[illegible]陳氏[illegible]但有一隻腳以膝以下早已截斷，以義肢，游泳不便，加以冬天，風寒水冷，在海中掙扎，很有危險，幸賴徐氏擅長游泳，把他救至上岸，此外他還救了若干人，以是名滿一時。日本投降，他因是有功的海軍，曾奉派到美國接艦回國。後來退伍到香港做生意。他的生意做得不錯。他好幾次帶着幸運隊來台北，引發台灣青年不少游泳興趣。他提倡體育，組織游泳會，完全出于興趣，他自己的生意都錢，他青年在一起，以大哥的資格，幫助他們，指導他們。他最高的稱號最高興的稱號就是一聲「亨哥」。

他在世運村做我們代表團的總幹事，照料運動員，大家都說亨哥好！他在游泳界的作風與聲譽，給世運會的游泳評判知道了，邀請他去參加。他是唯一的中國人參加世運會的評判任務。

他有意用企業的方式在台灣建築一個合於現代標準的游泳場，一面有地方營業的收入可以保養，一面有地方可以施行有計劃的訓練組訓。台北的青年現在對着圓山的游泳池不得進去，到東門的游泳池又不得進去，擠得出汗，不想進去。台北的游泳池，不是貴族化，就是低級化，他的確需要一個合乎衛生的、體育的條件，而又花得錢來的公共游泳池。

做官必備

・尹震・

管窺唐寧街十號的風波

• 金曄 •

英國閣潮對英國的經濟打擊並不如宣傳之大，但是桑尼克羅夫的辭職從另一種角度看，卻是代表了西方某些政治人物和人民恐蘇厭戰的心理的增長。目前西方政要們在對蘇政策上已有明顯的分歧，有者主張實力政策與蘇聯折衝，有者主張裁軍妥協。而後者的趨向正在逐漸形成一股勢力，成爲各國政府內部之主要困擾。所以，桑尼克羅夫的辭職，不[illegible]潮問題，他的辭職恰如當年艾登離開張伯倫一樣，是政[illegible]相爲謀的抗議。桑尼克羅夫應該不會是爲了預算案上的「[illegible]一」的差額而辭官，主要的還是他的主張削減軍費的意見未爲內閣所接受！

過完了一九五七年的聖誕，西歐即已爲莫斯科的和平烟霧所籠罩。在倫敦，英國政府一隻腳踏在「實力政策」的基石上，宣示了與美國攜手，首肯願做保衛歐洲羊羣的牧狗；而另一隻腳則踏在歐洲大陸上，表示要與蘇聯訂立「互不侵犯條約」。

英國的首相麥美倫，就憑着這樣的「兩面派」姿態，決定了東行訪問聯邦分子國，用以增強他在聯邦的聲譽。

一九五八年的英國內外政策，也就憑着這樣一幅理想的「和平」藍圖擬定，麥美倫認爲造到他東行回來，與東方的聯邦成員取得協調後，即可在美蘇之間充當橋樑了。

能夠使麥美倫安心出國和使他有勇氣向蘇聯提出締約的主觀因素，還是英國的財政經濟狀況。從蘇彝士事件後，一年來英國人民在他「必須勒緊褲帶」的號召下，國庫充裕了，英鎊的地位也在逐漸提高，物價在提高銀行利率後也穩定下來，如果今年販賣和平得手的話，英國的經濟情況，還可能會好轉。麥美倫深知，要維持英國的威信，必須增高實力地位，國防軍事費用不容削減，而本年度的預算，勢必要較上年度略有增高。

以新的財政預算與上年度相比較，出入甚微，但是內閣爲此卻從三日起一連緊張地會議了三天。

站在國家司庫的立場上，財相桑尼克羅夫，極端的不贊成增加預算，和要求削減軍費，雖則爭執的焦點，其數額還不到政府經常費總額的百分之一。同時，爲了下屆的大選，和爲了穩定英鎊價值，爲了穩定物價和維持英國在世界上的威信及地位，麥美倫也認爲最好是能夠不影響預算，但是國防大臣桑第斯等卻認爲如果既認定必須要憑實力地位和蘇聯周旋，軍事費用不容削減。當然，這是就對外政策的觀點看是應該的。可是從內政的觀點看，則如果預算增加，必然加重人民的負擔，即使是讓每個英國人增加一個先令，也有可能要影響來屆的大選，於是麥美倫考慮到向微薄的社會福利開支預算方面下刀，雖然在原則上他也不贊成。這樣的意見，和增加納稅並無不同，內閣和整個的保守黨皆了解兩者不論取捨任何一個，均將影響民心，但是直覺地看，與其向納稅人要錢，還不如削減社會福利開支，較能激得選民的同情。問題大致就如此決定了。

但是這樣的決定始終不爲桑尼克羅夫的僚屬——經濟次長吉爾・伯奇和財務次長埃諾克・鮑威爾所接受，內閣之所以必須召開會議三天，關鍵即在此。

麥美倫的行期，勢必不能因這「百分之一」的預算案的差額爭執而延誤，於是他覆函給桑尼克羅夫，表示在財政預算的原則上，他完全同意財政大臣的精神，但是對於桑尼克羅夫的「僵硬」的堅持其主張，則不盡贊同。問題至此已發展到了必須攤牌的階段。

六日的晚間，桑尼克羅夫和他的二位次長，遂決定向首相呈遞辭呈，以表示[illegible]的「抗議」！

桑尼克羅夫的辭職，帶給內閣的危機不大，也並不能證明英國的經濟狀況將會因此而更進一步的惡化，如果英國整個的經濟政策正如新任財政大臣埃摩里所聲明的「不會有任何改變」的話。當然也不能說是這一變動對英鎊價值毫無影響；可是更重大的問題，卻在表露了英國政治上的危機，主要的是保守黨內的團結問題。

桑尼克羅夫的辭職，是代表了一種政治理想，在基本上反映出英國一部份人是主張與共產集團妥協的，而並不是吝嗇那多過「百分之一」的預算。此項見解，雖不能說是英國一部分人恐懼與共產國家的最後一戰，至少可以說是備有另一種途徑以[illegible]克羅夫主張削減軍費，也就正代表了以主張裁軍來緩和「緊張局勢」，這正如美國的史蒂文生那一派，這正是一樣的。而這種趨向，在整個自由國家中，已經逐漸形成了一股勢力。因此，與其說，桑尼克羅夫是以內政的政潮問題，他的辭職恰如艾登離開張伯倫一樣，是政見不相爲謀的抗議！

國際動態拾零

日內瓦傳說，東西巨頭會議爲赫魯曉夫所主張，艾森豪則殊懷疑。然西歐各國均贊成此舉，故有舉行之可能。其第一步在劃分歐洲區域，爲非軍事地帶。

× × ×

東德對西柏林施其壓力，迫使西德就範。西德不許美國設立火箭基地，藉可對蘇交涉有優勢地位，待守中立爲東德西德統一之先決條件。

× × ×

一九五八年將爲不愉快的年頭，聯合國可能容許中共加入，但美國仍不承認中共，直至其釋放美俘，與承認台灣之自由中國爲止。

× × ×

一九五八年之美國國會選舉，在眾議院選舉，民主黨可多得十五至三十席。在參議院，民主黨可多得四至六席。

× × ×

一八六〇年總統選舉，艾森豪將參加預選大會，指定尼克遜爲其繼承人。甚至到處演說，助其競選。民主黨則將另推繼承人，而非史蒂文生，因他已失敗過兩次了。

× × ×

大西洋公約各盟國，已轉向於中立主義，而聯成第三勢力，比利時之中間路線之聯合政府，勢將垮台。先以左派繼之，但終必爲左派所取代。

× × ×

蘇聯駐英大使蘇魯責漢職，以門希哥夫繼任。廢氏是特務專家，前任駐美時其館員因謀間諜嫌疑，被驅逐者六七人。門氏則爲經濟專家，曾任對外貿易部長，此以證明蘇聯將採取經濟攻勢。

陶然

上海的工商界人問：交出了生產資料，爲什麼還要整風？

原來在中共的眼裏：工商界是砧上肉，隨便白燉與紅燒！

從去年九月廿六日開始，上海市的工商界職員，被中共集中了六千個骨幹分子，在「上海市工商界政治學校進行整風學習」。該項「整風學習」到十二月十日結束，爲中共以「右派分子」驅逐出「組織」的，計有二百四十八名。

「反右派鬥爭」的高潮是在十一月份，在反共鬥爭高潮中，曾有名白棒熙的正面地向中共表示抗議，說「黨把工商界當成砧上肉，隨便地白燉與紅燒。」更有堅決表示「生爲資產階級人，死爲資產階級鬼」的仲志豪，並有誓言「要殺共產黨七萬八千人」報仇的凌振源。這些僅是最顯著的典型分子。

於是有人發出誓言：「生爲資產階級人，死爲資產階級鬼！」

一般地說，大家對於這次「整風反右」，認爲是「無可奈何的事情」，「不得不來」。在情緒上大家早就恐懼這是「五反」的翻版，因此表示「我們已經把生產資料交出來了，爲什麼還要整風」？也有人表示，「反右整風」既是「思想鬥爭」，則當初又何以要「大放大鳴」。正是：「是非只爲多開口，煩惱皆因強出頭」！

【取材於十二月卅日北平「大公報」】（賓）

替小學教師說話　監院提出糾正案

本文作者指出，必須制定法案，以保障小學教師的職位，不因行政人員之更動而浮沉。

• 季鸞 •

（台灣通訊）最近，監察院教育委員會對國民學校教師任意調動，影響教學，特提出糾正案，送請行政院轉飭教育部及台灣省政府注意改善，並建立完善制度，使國校教師有切實保障。這一糾正案，是值得重視的。國校教師，是培養國家基礎教育的骨幹，宜爲政府及國人所重視，世界各國，都把國校教師的職位，看得清高而重要，但今天中國的小學教師，不但因待遇菲薄受生活上的煎熬，而且又因爲職位的不安定，受到精神上的困擾。小學教師的去留，每隨各縣市教育行政人員及國校校長的好惡而決定，因而每遇校長的更調，即有許多教師，跟着浮沉，竟將官場一朝天子一朝臣的現象，移置到聖潔的國校內，我們的小學教育，如何[illegible]夠辦得好[illegible]

關於小學教師的保障問題，我們認爲應分兩方面來處理，第一、對於小學教師的職位，應當由政府頒佈一項法令，嚴格規定小學教師非犯有重大錯誤，或經過正式的甄審手續而認爲其能力及學識不堪勝任者，不得輕予解聘或停職處分，而且必須指出，小學教師的去留，不因學校行政人員的更調而定，這是關於保障小學教師職位的一面，第二、關於小學教員的生活方面，應當實行年資加給制，服務的年資愈長，月薪的收入愈多，如此，才能使獻身教育事業的人，久於其位。

對於此次監院的糾正案，不知有關教育機關，尤其是直轄管理全省中小學的教育廳，能否毅然斷然接受？

新書介紹

歷史小說的新風格

齊桓著：鑿空三萬里

• 孫旗

歷史小說這一詞，其意義往往是混淆不清的，如故事新編或歷史故事，二者重在史實的保存，而以新語文法演繹出來的，目的只是要人們了解歷史事實；惟歷史小說則僅借用一段史實，將其精神輝耀出來。作爲小說的主題，而寫作的手法則完全是文藝的，諸如人物性格、場景的姿色，結構……等，製作而成有小說風格的歷史故事。此爲我個人讀過許多歷史小說與齊桓氏此著後的一個新的領悟。

這也許就是中國新文藝運動九十年來，只有歷史故事或故事新編之類，而無歷史小說的道理，因爲他們缺乏製作文藝風格的小說技巧所致。齊桓氏只以西漢張騫出使西域「斷匈奴右臂」的史實爲基綫，首先是張騫通西域的意義有特殊效果，中國第一次的殖邊，發動爲深進擊匈奴，爲中國環外禦侮的豐功偉績；但對東西交通、文化交流的促進，中國人視界的擴大，也有其劃時代的影響，以此才贏得大史家司馬遷「張騫鑿空」之譽；因爲拓殖邊疆而將民族精神與文化力量遠播，足能以文化力量克服侵略者，也可以說是爲中華民族以德服人的文化精神，塑就了雛形；從二千年前的歷史中抽出一段壯麗的、黃金時代生命的衡量，移諸今代國人的面前，而有所「殷憂啓聖」之意，與「聞鼙鼓而思良將」的暗示。

歷史故事或故事新編之類的作品，只重史實經緯的完整，缺乏對參考的史材之考證與考據的功夫，以及對那一時代的文明與文化的精神，人物性格的想像力；如以歷史故事與故事新編兩類作品與齊桓氏之歷史小說比較，前二者只是以史事的舖陳，人物只給予浮光掠影的「交代式」之敍述，而歷史小說重在時代精神與人物性格的混合塑造，後者對此二者之比重上，與前二者截然有別；換句話說，對史實之缺乏之考據與想像力與否，便呈現出歷史小說風格之新穎來了。

齊桓氏的行文，擅長生動的筆觸，辭簡意賅，在本書中對西漢之武功、背景與張騫的氣魄精神，皆能刻劃入微，心理活動與寬厚容忍的個性，固以鮮明凸出，不啻予中國文化以擬人化的形像了。作者將那一時代所包含的是非、曲直、[illegible]聰和愚昧混和成的一個偉大力量[illegible]千年前的人物，以活生生的性格作有正面意義的文化、人性價值[illegible]其題材極富戲劇意味，卻在末[illegible]得淡飄幽微的低潮與之對比；本書主題即是優良深厚的中國文化足以克服侵略者，作爲啓示今代國人之處境，迴思反省失望中的希望的光輝，這一蹴勁的手法，有待於想像力豐富的讀者來接受。作者因此爲求其小說的生動性，在對話上有些地方引用史書，意在表現話語奏的意思，而不在語法上的問題。作者刻劃出歷史的道路不斷迂迴曲折的軌迹，但從人性中的智慧與愚昧，關懷與誤解，獲得歷史時代的溫馨與啓發。

「剛日讀經，柔日讀史。」在這樣孤臣孽子流落海隅的心情之際，此書之價值，尤其爲歷史小說提出一個新風格的風貌。我素不愛讀史，但此書[illegible]歷史有所深[illegible]特別將這部[illegible]力作，向讀[illegible]下。

[illegible]六年十二月[illegible]北）

戒苛擾

馬五先生

亂世的人們，由於生活不安定之故，心情都是焦燥偏激的。所以，許多不正常的現象，亦以亂世爲最普遍而習見。

要想撥亂反正，恢復人生的常態，基本辦法，當然是發展生產力，使社會大衆能夠安居就業，過着沮礙的自由生活，尤其一般知識份子，在社會上具有影響治亂安危的潛能，也有辨別是非善惡的正義感，光憑一種大道理來教他們犧牲其沮礙的自由生活，不許亂說亂動，結果只有天下大亂而已。共黨在大陸上以暴力爲統治手段，控制着人們的神經和腸胃，限制其說話與行動之自由。然一般知識界中人還是不屈服，所謂「反黨反社會主義」的右派份子，盡是些知識份子哩！

知識份子原非好亂成性之徒，壞就壞在他們有知識，明理性，路見不平，雖然事不干己，也覺得於義難安，於心不忍，非挺身過問一番不可，至於跟本身生活有直接關係的事情，更無論矣。

因此，在亂世而欲社會趨於安定，爲政之道，祗有使用治水的方法，以疏導宣洩爲主，切忌苛刻煩擾，察察爲明，而要求社會大衆的意識形態，皆在一個「獨格碼」（Dogma）之下，整齊劃一，不許走樣，那就是治絲益棼，社會上不正常的現象，必然日益惡化，決無好轉的希望，可斷言也。

反共反俄的大道理，誰都瞭解，也由衷地遵循，只要是嚮往自由生活的人，沒有不承認這項道理的。但藉此而對人們日常無關宏旨的言行，亦多所干擾，便是不識大體，爲政而不識大體，尙何治績之可言呢？以苛擾求安定，殆如揚湯止[illegible]，可不[illegible]！

懷豐子愷的漫畫

·野風·

中國人用毛筆繪漫畫乃自豐子愷始，數十年來中國漫畫界似無人能出其右，而且每況愈下。試看今日報章雜誌上刊載之漫畫，使人感覺得有如小兒塗鴉或兒童連環圖畫。殊不知漫畫在視覺藝術中，有其超然獨特之地位。一個成功的漫畫家要有哲學家的思想，政治家的頭腦，卓越的見解，豐富的常識，遠大的眼光。或譏世、或諷刺，都能將人生忠實地反映在畫面上，而予人以深刻、含蓄、幽默、風趣的感覺。故作爲一個漫畫家光會塗鴉幾筆是不行的。

豐氏的漫畫好，正因爲他是一位多方面的藝術家，對文學、哲學、美術、音樂等都有湛深的修養，而且一生都在追求着眞善與美。我在童稚的時候就喜歡他的漫畫和散文，他的「兒童漫畫集」與「學生漫畫集」，是我最熟愛的，他用最經濟的筆法，用最活潑的筆調，寫出了孩子心靈中的憧憬。每一幅畫都耐人尋味，使人不忍釋手。他的「兒童漫畫集」多半取材於他的幾個孩子「阿寶」，「瞻瞻」，「軟軟」等的日常生活。他能寫出孩子綺麗的夢想，畫出孩子嚮往的心聲。記得他有一幅畫；在沟邊坐着兩個孩子，出神的凝望着天上一條美麗的彩虹，畫題是「憧憬」，這是我第一次瞭解「憧憬」兩個字的意義。

他的畫富於教育性、啓發性，與濃厚的詩意。也有諷刺的，「人間漫畫集」便是，但他的諷刺不是無聊的漫罵，與惡意的毀謗，不傷大雅，而寓意深長，發人深省。他的畫更富有人情味，使人看了有親切之感。

我最欣賞的還是他畫的詩詞佳句，能將你帶入一種美妙的境界。如「紅了櫻桃，綠了芭蕉」「人散後一鈎淡月天如水」「月上柳稍頭，人約黃昏後」「簾捲西風人比黃花瘦」「無言獨上西樓月如鈎」「一江春水向東流」「今夜故人來不來，教人立盡梧桐影」等句，只寥寥地幾筆，便將詩句的內涵描寫得淋漓盡致，使人百看不厭，

豐氏後來很受佛學的影響，在他的作品中無形流露出來，他也嘗爲佛教刊物作畫，他有一幅漫畫，畫着在瓦礫草叢中的兩顆骷髏，題目是「從前採雪花膏的地方」其命意是多麼鮮明而深刻，使你觸目驚心，勝過百篇警世文章。漫畫的功效即在此。但豐氏並不是一個消極悲觀的人，相反的他在另一幅漫畫中對人生作了積極的啓示，他很經濟的用兩三筆畫出了破牆的一角，在牆縫中有一顆小草倔強的鑽出來，題目是「生機」。

在大陸淪陷時，他沒有出來，但他却並不是一個左傾的文人，他未能及時奔向自由，大概另有苦衷。我們看他在大陸變色後創作的一幅漫畫，便可以知道他當時的感觸，他畫了一隻貓打開了一只關着鳥的籠子，題目是「解放」。聽說共產黨後來曾爲此清算他。豐氏的藝術造詣，是不可磨滅的，他曾爲中國的漫畫奠定了基礎，他也在文壇上給了我們不朽的作品。因此我們[illegible]

當權而不行方便
唸盡彌陀也是空

驚心觸目憶往事！

·白源·

富貴花是一個[illegible]娘的藝名，不但唱[illegible]且色相華麗。在抗戰時[illegible]慶，她出盡了風頭，紅[illegible]與一般士大夫乃至販夫、狂士，無不把她看爲「[illegible]悶」的女菩薩。任何熱鬧場合，人們似乎無富貴花不樂，社會相習成了風氣。

那時韓國志士還化名爲王慕白的李[illegible]一天由他們流亡政府的領袖金九邀我們去看「桃花扇」電影。金氏只看一半，[illegible]去。李範奭一會也追蹤而去。只是我們客人「終場」才散。第二天李氏代表金老英雄向我們致歉意，說是他看見銀幕上的南明朝野人士荒淫[illegible]鏡頭，又感于重慶社會上的[illegible]，鑑古傷今，不[illegible]中來，遂含淚出[illegible]是不忍卒睹。我們聽了，倒[illegible]自已「頹顏看完而慚愧似乎對於當時富貴花的情況，已經無動于中，還要由異國英雄的「啓示」才明白過來。

最近，台北上演了「紅樓夢」，我沒有錢買票入場，據報上說，「哀感頑艷，十分動人」。總不外乎卿卿我我……那一套啊！

又不久以前一對明星結婚到台度蜜月，還勞駕士大夫們到機場去迎迓。只差「儀仗隊」沒有亮相耳，于是各方人士午間一小讌，晚間一大讌，把她們捧得來渾淘淘天，整整吃喝十幾天，交頭接耳躺在大飯店房間的「席夢思」上，喁喁的互相笑謔說：「我們還是在做戲吧，這兒倒眞能叫『座』呀！」

據說，這些床第間的「絕妙好詞」是由侍應生聽「隔壁戲」而傳出來的，我們驟聆之下，與看見「紅樓夢」上演而佳評潮湧的文章，不禁憶及了「富貴花」在重慶的鼓紅，而引起了韓國革命英雄不把「桃花扇」電影看完的往事。

屬筆至此，看見一張前幾天的舊報上面有一條革命老人×××年老陷于貧病，籲請社會人士施濟醫藥費的新聞。不知那些招待明星度蜜月的酒席費，可否節省一部份贈給「革命老人」？

好與壞

·麗心·

一個不太懂事的小學生，問白髮斑斑的五十餘歲的老頭子說：「爺爺李，我們老師說滿清政府太腐敗，不好，對不對？」。老人[illegible]的點點頭，說：「[illegible]，滿清當然沒有民國好囉！」。未來的洋學士發明家理直氣壯的，打破沙鍋問到底，說：「李爺爺，爲什麼滿清不好，民國好呀？」老人伸伸懶腰，嘆口[illegible]有氣無力的笑笑說：「我現在穿西裝，以前是沒有得穿的呀！」

奴性遺留

·寒士·

翻開歷史的記載，或是稗官野史的敍述，我們可以發見到封建制度家天下的時代裏，所謂治國平天下的方法。是「奴才政治」。及至民國以來，軍閥竊據稱霸的時候，也曾因襲過這套衣鉢，奉爲不二法門。在那時代裏，所謂文武官員莫不是他遴選出來的上等奴才，運用他們來管理奴隸（人民）。爲的是這樣可以確保威嚴，延續「皇」祚，他所選擇的官，必須奴性特厚，否則是不受其青睞的。於是，不願做奴才的人們，只有「明哲保身」的一齊隱遁了，而剩下的祇是「呼萬歲」的專家了。你說這些已是歷史陳跡嗎？不，請看今日的域中！不是遍地有奴性的遺留嗎？

硬心腸的人

·楊海宴·

短篇小說

他的會享福，跟他的會刻薄是同等進步的。他年紀老了，精神外貌，仍然矯健如昔，只是頭髮禿了一點，兩邊眉毛梢上現出幾根白色，上唇留着一撮小鬍子，那時候留這種式樣的鬍子，還是極少見的。鬍子也花白了。穿著有時很講究，有時却又非常之寒酸狼狽。愛混在小食攤販羣裏，吃那最便宜的飲食，並且付賬時，常喜與小販分文必較，隨後，認眞的爭執妥當後，又付上一大筆錢，看那些小販們驚喜之色，自己就非常快活的笑了。大部份時間，喜坐包車旅行，遊山玩水。

人家都說他心理有點變態，他待這個獨生小姪子，一會寵愛得不得了，一會却又是無比的嚴酷苛刻。像是變幻不定的天氣。不過在這孩子十二歲以前，老伯伯是全部愛他的，親自駕車迎送，帶他與自己睡一個房間，飲食起居，都是親自招呼。

這孩子生得與父親一般聰秀，只有那眼神很像伯伯的，性情剛傲之中，亦大半承襲了父親那點仁厚而喜幻想的性格。跟伯伯生活在一起，伯伯的習氣自也染了不少。

那年春暖天氣，艷陽滿天，伯伯帶着小姪子，在郊外一個風景區遊玩，行至一池塘前，那池塘裏剛好有一隻野鴨子在浮水。孩子玩心重，便忙掙脫伯伯的手，要撿石子擲那野鴨，伯伯忽迫的輕叫道：「快！用這個，用這個，」伯伯竟然從手腕上取下那隻金殼手錶，並作着向池中擲去的姿勢，正預備撿石子的孩子，從池上抬起眼睛，望望伯伯又望望手錶，略帶遲疑的，但一會就很迅速的接過手錶，並且盡他微弱的力氣，毫不思索的擲了出去。力氣不足，落在離鴨子兩三尺遠的池心，激起一團水花，鴨子嚇得撲着翅膀飛跑了。伯伯竟像得了勝利般似的，猛然狂熱的把姪子舉得高高的，圍着旋轉着，笑嚷道：「有力，有力，……」

兩年後，是這孩子十一歲年紀，那年冬天大雪。伯伯頭夜就對孩子說：要帶他到郊外去玩雪，並且又叫來僕人吩咐許多事，孩子無心聽他們說些甚麼，只見那僕人神秘的望着孩子笑說：「知道了，知道了。」第二天一早，伯姪倆便準備踏雪去。這位年過半百的伯伯，穿件皮外套，又圍上絨巾，又披上一件披風，出奇的穿得多，且一再敦促姪子也多穿衣服，孩子多是嫌麻煩的，只嚷着不冷不冷，避免多穿衣服。伯父笑說：「停會冷，就沒有人管的。」孩子仍不多穿。吃了早飯，便是伯伯自駕車子，大小倆便去踏雪了。

車子開到城郊很遠的一個山麓邊，伯伯興奮的攜着姪子的手，捨車登山，一路有說有笑，非常快活。小孩子見一件問一件，伯父非常慈祥耐性的解答。

停雪天氣，山中溯風奇冷。且這只是一座荒山，對孩子來說，並非好玩的所在。勉強玩到中午時分，孩子實在又餓又冷，又冷又餓。便嚷着冷，要回去。伯父驀然沉下臉來，說：「要你多穿衣服你不穿，這會喊冷，說了沒有人管的。」

孩子不敢再說。却是跳躍着禦寒。伯父興緻極好，仰天望池的四處觀賞。孩子便嚷着肚子餓要吃飯。伯父溫和的說再玩一會，等會到山脚去吃，孩子也便不好再言語了。

一向溫飽的孩子，那裏經過這種又冷又餓的苦，遂不禁大嚷着要回去，伯父也不說話，只嚴厲的望了他一眼，孩子嚇得再也不敢叫了，這古怪的伯父見他不吵鬧，馬上就和顏悅色起來，並且殷勤的找很多閒話跟他說，祗是不提起吃飯回去的事。這孩子也就只有忍着。

直到下午四點鐘時，孩子嘴唇都凍烏了。而伯父却仍是沒有半點回去的意思，這時候，伯父突然指着山下一個挑担子的人說：「蓁兒，你看那是甚麼人？」此時候孩子只感到心虛頭昏的，聽到伯父喊他，也只無力的搖搖頭，實在太冷太餓了。現在那挑担子的人竟是走上山來，伯父便喊道：「喂，你挑着甚麼，可是賣吃的。」孩子聽到這話，眼睛亮出喜色，巴望那人是賣吃的就好了。那人答說：「吃的是有，可不是賣的。」說着便走到面前了，放下担子，說：「你老人家要吃，可以送一點你老人家吃，要用錢換我是不換的。」說着便揭開那頭籮筐子，裏面竟滿冒着熱氣，孩子喜得精神奕奕，不禁拍手跳脚快活的嚷着，那挑担子的人就說：「我這點東西，只送你老人家一個人吃。」

伯父只當玩話，便說：「你送給我就是了，管我一個人吃，兩個人吃。」那人認眞決絕的說道：「不，我要看着，如果分給少爺，我就只好不奉送了。」伯父好奇的望着這個人，又掉頭望望姪子，可憐的孩子，還是這話，正從羞弱失望的看着伯父，那個挑担子的人帶着嘲弄的態度，轉向此邊，說：「你餓想吃嗎，乖，你就叫我一聲乾爸爸吧。」想不到那孩子突然從地上抓起一把雪，對正那人臉上摔去，那眼光竟是這樣怕人，瞪直剎那間變得像一頭小豹子。伯父哈哈大笑，也像那次擲金手錶一樣，忙抱起姪子喚道：「眞像我的兒，有力有力……」這個孩子，就在這位古怪的伯父手裏，被這樣撫養着。

（六）

自由人
THE FREEMAN
（第七一六期）
20 CAUSEWAY RD. 3RD. FL. HONG KONG
TEL. 771726

湄公河國際化與南亞冷戰

宋文明

翻開東南亞地圖，我們就可發現有一條河流，由中國大陸西南部蜿蜒經過寮國，泰國，高棉與越南諸國，而注入南中國海。這條河流在中國境內的名稱爲瀾滄江，在東南亞各國則公稱湄公河。過去由於政治隔離與交通蔽塞之故，一般人多不注意這條河流，在習慣上亦總認爲這祇是一條小河流。其實，在整個東亞大陸上，這條湄公河是一條僅次於長江，黃河，和黑龍江的大河，其源流之長，甚至比它近鄰的珠江還要遠些。

在過去海運交通時代，世界文物精華薈粹於海岸，人們對內陸河流的重視，胥以現代化船舶能否航行的界限爲範圍，往往忽視其政治上的意義。但時至現在，由於內陸禁錮之地的不斷開發，陸空交通與國與國間互相交往的頻繁，國際政治情勢的發生重大變化，使這些內陸河流的重要性便隨之大增。尤其流經五個國家領域的河流如湄公河者，在國際冷戰關係上，突然顯出一種特殊的嚴重的含義。

亞洲冷戰下一步驟序幕

一九五七年春天，泰國方面首次透露：聯合國對落後地區的技術援助機構，正嘗試在湄公河流域設計進行一個大規模的「湄域安計劃」，準備按照美國「田域安計劃」的經驗及成就，協力開發湄公河流域各國資源，促進水利灌漑，發電，航運，及工業建設，以提高當地人民生活水準。同年十一月四日，泰內閣會議聽取泰代理外長阿薩耶克特的報告後，泰總理薩拉辛·乃僕便對報界發表一項聲明：「湄公河流經泰寮邊境一段，爲泰寮兩國所共有，茲再度申明我們將堅決反對中共欲以湄公河作爲國際水道的任何企圖」。由這些報導看來，這一素不被人重視的湄公河，在其剛要進行國際開發計劃的開端，已帶來了濃烈的世界冷戰的色彩。我不知中共對湄公河的國際化企圖是用什麼方式表示的，以及表現到何種程度；但從泰國政府的一再公開發表聲明看來，中共顯然已對這一問題至少放出了試探性氣球。假若我們說亞洲冷戰的下一步驟已由中共這一行動而揭開了序幕，想來亦是不過份的。

中共欲使之國際化原因

在現時情況下中共所以急欲提出湄公河國際化企圖，自然也有很多原因。其一，東南亞各國雖有馬尼剌公約的安全保護，但各國內部的混亂與腐敗却正與日俱增。於是中共便設想如何在避免使用武力，小心翼翼，不掀動馬尼剌公約的警鈴，不使東南亞感到恐懼的方式下，向這一地區實行擴張。其二，上述「湄域安計劃」的提出，對中共多少也是一種激刺。中共覺得在過去東南亞各國的經濟在分散狀態中，各自爲政，根本缺乏力量；而這一「湄域安計劃」的實行，不但將使東南亞各國在經濟上打成一片，在政治上實行互助合作，促成所謂「東南亞佛教同盟」，而且這一計劃實行的結果，將使那些剛行從東南亞西方經濟勢力，又將改頭換面，重新進入東南亞，乘機與這一地區結成未來長期經濟發展的一種血肉不可分的關係。現在這一計劃仍在設計階段，中共實行抵制，尚有機可乘，等到這一計劃正式出現或已行之有效以後，中共要想反對便比較困難了。這一計劃的用意，便在以自由世界的共同助力，在東南亞建立一條防禦共產主義的全面封鎖綫，阻止中共利用經濟武器實行滲透；而中共的要求湄公河國際化，欲由此水道直接打通陸上的南下道路，便在破壞這一封鎖綫的建立。一九五七年十一月下旬哥倫坡計劃會議的選擇西貢舉行，就是爲了加強前者；而當時西貢所發生的炸彈案及中共對湄公河的表示，便是後者。

是一個不易解決的問題

中共所以提出湄公河國際化，使它自己成爲湄公河合法使用者之一，它可能也借助於許多河流及水道國際化的先例。最著名的如歐洲多惱河，便是一條國際河流之一，沿岸各國及其他國家，均可利用其航運便利。其他如美國與加拿大間的許多湖泊及聖·勞倫斯水道，亦爲美加兩國所共有。湄公河的流經五個國家，對沿岸國家經濟上的重要性，並不下於多惱河之於中歐及巴爾幹各國。所以從單純的理論講，中共這一要求很難予以斷然拒絕；但從國際的現實講，中共這一要求不是一個簡單的湄公河應否國際化的問題，而是一個複雜的國際鬥爭與冷戰問題。多惱河的成爲一條現時這樣的國際水道，是一個歷史的產物，是經過無數次國際會議與協定的結果，而湄公河則否。多惱河適航水道頗長，所以沿岸各國受惠亦較平均，而湄公河適航水道實際完全在於下游，而國際化的結果，使中共利用湄公河出海者多，而東南亞各國則由此享受中國西南大陸航運之便者少。要使中國大陸境內的湄公河上游亦能適行航運，便必須一如湄公河的「湄域安計劃」一樣，要實行一種大規模的疏濬與整修才可。如此不僅將使外國商船無限止進入西南大陸，而且必須先付出一筆可觀的代價。所以從實際角度着眼，湄公河的國際化，是一個不易解決的問題。

赤色冷箭頭直指湄公河

不論這一問題的實際意義如何，湄公河國際化確是中共今後向東南亞實行擴張的一項的重要藉口，是一個進行於冷戰的好題目。正如中共所想，一旦湄公河實現了國際化，中共自會將湄公河流域包括大陸西南部，視爲一個經濟整體，要求加強區域性的經濟依從關係。這種區域性經濟發展的極致，便是以中共的經濟控制東南亞各國經濟。其次，只要湄公河國際化，予中共以合法使用湄公河的權利，它便可加強與這一地區的接觸與往還，可促致這一地區人民的中立與親共情緒，從根本上動搖馬尼剌公約的基礎。就從最實際的需要講，湄公河國際化可使中共得以參加湄公河未來開發計劃，成爲「湄域安計劃」的參與者之一。中共本身的參加這一計劃，便可保證這一計劃不致成爲反共的武器，使原有意義由此消失。

總之，中共的要求湄公河國際化，顯然已把冷戰的箭頭指向一新方向，今後數年的亞洲冷戰，就要從這一條河流上開始了。最近寮國的終於出現聯合政府及容共政策，也祇有從這一角度上得到眞正的瞭解。

半週述評

監院彈劾行政院長案

左舜生

去年十二月下旬，監察院有一個對行政院長俞鴻鈞的彈劾案提出，該彈劾案的內容，以及『中央銀行同人』的投書，我們大致已經明白。聽說俞院長對監院已有答辯書提出，我們却不曾看見。這件案子的是非以及可能的後果，我們暫時不願說話，現在只想就若干年來的政治風氣，泛泛的發表我們一點感想。

一、俞先生從事行政工作，已多歷年所，大家對他都很熟識，當他就任行政院長的開始，我在本刊便已提過我們的一些看法：我只希望他敷敷衍衍平平穩穩的幹下去，即不做壞事或少做壞事，決沒有存多大的奢望，眞的期待他積極有爲，勇於負責，或對反攻復國這一偉大使命眞的能發生如何了不起的影響，因爲若干年來的政治風氣，尤其近年台灣的政治風氣，根本便容不下一個以政治家姿態出現的人物去做行政院長，實際中國也根本無所謂『政治家』這種東西。因此我常常覺得：以今天台灣一般的實況來說，也許以俞先生來長行政院，乃是一位最適當不過的人物。

二、依據監察院及『中央銀行同人』所列舉的種種，好像俞先生違法失職的事項確實是很多的樣子，我們既還沒有看見俞先生的答辯書，而監院調查帳册的工作又已陷於無法繼續，當然不必忙於去下判斷。可是假定他們所責難於俞先生的眞有一部分是事實的話，我相信俞先生也不會怎樣難過：因爲俞先生只是一個順應政治風氣的人，而不是一位創造新風氣的人，我想大家總可大致承認。不去研究這種不良風氣所以養成的癥結所在，而僅僅指定一位俞院長作爲代罪的羔羊，這依然只是一種『就事論事』的方便法門，即令相當公平，究竟還是公平得不太徹底。

三、政府的一位大官，其私人公館的若干開支，都要寫在公家的帳上，這種公私不分的惡習好像也由來已久；不經人揭發，大家似乎認爲當然；即一般社會，也似乎是加以默許。我有一位朋友，從前也在政府做過一名不大不小的官，現在他窮得連孩子們的學費都交不出，於是向學校當局去申請酌予減免，學校當局對他的孩子們說：『不行，你們的爸爸做過大官，沒有這種必要！』他還有一個孩子在另一學校，成績優良，平均分數在九十分以上，照學校章程，原是可把一學期的學費全免的，可是學校當局未予執行，他的太太去問理由，學校當局對她說：『以您先生的地位，對這一百多元應該不在乎，還是請您們讓給一個更貧苦的學生吧！』我的這位朋友聽了這兩種論調，無法反駁說這兩個學校的當局沒有理由，但他心裏暗想：『一般社會，乃至從事教育的知識分子，他們究竟把中國做過官的人看成是什麼東西？』

四、俞先生以行政院長的地位，還兼了一個中央銀行的總裁，以這件事來說，我總覺得俞先生不太聰明：台灣地方這樣小，集中的人物那樣多，以資歷和能力說，可以出任行政院長或銀行總裁者，至少也不會少於兩打，俞先生在行政院居然幹了三年以上，這不過是時會使然，不見得非俞先生不可，可是俞先生還要魚與熊掌一人獨享，即以起碼的忠恕之道來看，總也有些講不過去啊！

英議員狄林的讕言

（西海操觚）

吳本中

英國保守黨衆議院議員狄林先生（WILLIAM TEELING）第二次訪問自由中國，於本月九日曾與蔣總統晤談，他認爲：目前一般英國朝野人士，對於自由中國不但瞭解不夠，而且相當生疏。他並認爲自由中國應將軍事，政治，經濟，社會各方面的進步情形，作有系統的介紹，以增進英國人的瞭解，此誠良友忠言，吾人當引爲警惕者也。自英工黨政府承認中共，八載於茲，時間不爲不長，而英國號稱與遠東關係最深，利害最切，認識中國最久之國，而其政府與人民現猶視自由中國如遺失在天邊虛無漂渺之鄉，而莫明其妙，正如狄林先生對西記者用英語所云：自由中國在英國是「PRETTY LOST」！是誠我們自己的過錯，國際宣傳工作不夠，應當痛自悔恨且應急起直追者也。

筆者近年執教倫敦大學，得與英國社會各階層人士接觸，深知此種情形，常爲之痛心疾首。又曾於假期兩次寓法，故舊重逢，輒以『新中國』（指大陸中共）首先爲問！往往令余啼笑皆非。非經長時間之耐心解釋，不易爲力。尚憶一九五四年八月在劍橋出席國際東方學術會議，一日遇英某知名士（曾爲駐中國總領事，諳中文，英方認爲中國通）於園遊會，其地綠草如茵，醇酒入口後，渠與余均不禁興之所至，大談中國問題。其人立場完全爲中共辯護，余苦口婆心忍耐與之爭論歷一小時之久，仍難使其信服。余舌敝唇焦直至臨別時，渠始客氣而言曰：『希望您說的對。』如此而已。並不能令余稍有滿意之感覺。又一次在一私人住家晚會中，同席均英國文藝界高級知識分子。中有一人對余（在坐之惟一中國人）特生好感。移席坐近余側，態度極爲友善，未待余開口，即滔滔不絕，讚美『新中國』如何好，建設如何進步。如何清潔可愛，等等妙論，不一而足。渠以爲余必衷心喜悅，受寵若驚，既見余顏色不對，由默然不耐轉而發言糾正，不禁大爲驚異，尷尬不安。數日後遇主人，大笑告余：『他們以爲中國人眞不願意中國好嗎！有此理乎』彼此幽默一翻完事。此外還有一英國婦人，年青貌美，其夫爲一作家，曾爲英國廣播公司逐日播講，其母爲英人，其父則爲馬來亞華僑，故頗有中國美女風姿。伊雖不懂中文亦未到過中國，然英人視伊如同中國女人，伊更因伊對中國事物確有研究，家中收藏中國書籍不少，英國外省學界常請她講中國問題，她以純粹的英語，巧妙的口才，頗有號召力。爲人亦頭腦清醒，並不人云亦云。可惜她所用材料，大都來自共方，例如英文的什麼『人民畫報』之類，得之至易，而英人竟認爲可靠資料。倫敦本來有一左傾書店代賣一切中共刊物，如中共畫報之類，代價幾等於零，西人喜歡中國美術品常爭購之。筆者在倫敦大學有一位預備考取漢學碩士學生已研究至三年級，係優才生，竟在大英博物院對面新開之中共書店受聘爲首任西籍經理。該書局內有敦煌壁畫，及齊白石，徐悲鴻，等人作品，中國文化藝術品一變而爲中共國際宣傳品矣！

凡此事例，不勝枚舉。嗚呼！英人之不識我乎？抑我之未能使人知我乎？英人把我們忘在天邊，（PRETTY LOST）；此我之過乎，抑人之咎乎？

一九五八年正月十二日稿

大法官任期修正成了一個漏洞。

·清流·

台灣通訊

立法院于去年十二月三日通過修正司法院組織法第四條至第六條。第四條規定大法官資格，第五條規定任期，第六條規定解釋憲法的限制，而對于最重要的司法行政部隸屬問題，迄未併予修正，使能早日改隸司法院，符合憲法第七十七條明文規定，自難避免時賢責備，此擧爲意氣之爭，並非眞爲維持憲法的尊嚴和更求法律的進步。

將司法院組織法第四條第三項「大法官之任期爲九年」，修正爲第五條「大法官之任期，每屆九年。大法官出缺時，其繼任之任期至原任屆滿之日爲止」，在立委諸公以爲如是修正，比之原提修正草案「不得連任」的規定，已和平得多了，其實反製造了一個大漏洞。

除法律另有相反的明文規定外，法律應不溯及既往爲原則，修正司法院組織法三條條文，業經總統于去年十二月十三日公布施行，應自是日以後命令到達司法院時生效。依照法律施行日期條例第一條及到達日期表「五院一日」則爲同月十四日，而不能追溯是日以前亦併發生效力。第一屆繼任的大法官依其各人本身任期，至今未滿九年，依其被繼任人原任期，則均是早于去年七月底屆滿了。適用法律不溯既往大原則，此條修正條文自難追溯適用于第一屆繼任的大法官。但立法院通過修正案的眞意以及近來當局所取的態度實與此相反，即認定此修正條文追溯適用於第一屆繼任的大法官，換言之，亦同于去年七月底任期屆滿了。

第一屆繼任的大法官任期早于五個月前屆滿，事實上于公布此修正條文前，並未于任期屆滿日離職，（依原來條文是對的），任滿而未離職，若儘無所事事，並未行使職權，不過政府多支付這些官員薪津而已，原無傷大雅。若在此期內曾行使職權，是于法本無此職權的公務員行使其職權，其行使應屬無效。查第一屆在台的大法官共有九位，除一位爲原任大法官，早于任滿日（即去年七月底）離職外，其餘八位均是繼任大法官，任職至去年底，且繼續執行職務，議決釋字第七十八號第七十九號二號解釋案，依照上開說明，此二號解釋應爲依法已無大法官資格者的解釋，根本無效，但事實上恐又不如此嚴格，這是顧全事實，並非純法的見解，不能不說是立法的疏漏。

有人說：「國大代表監察委員任期均早于三年前立法委員任期早于六年前先後屆滿，均依憲分別行使其政權和治權至今，實例正多，何必斤斤較量八位大法官多行使五個月職權，即譏議立法技術呢？」繼者另有說法：「『每屆國民大會代表之任期，至次屆國民大會開會之日爲止』，憲法第二十八條第二項已有明文規定，第二屆國民大會未開會前的日子，均是第一屆代表的任期，所以代表任期，似乎屆滿並未屆滿。立監委任期雖均屆滿，因大陸淪陷，無法舉辦選舉，故蟬聯至今，此種事情大變遷，爲立法當時所絕難逆料，不能責備立法者有何疏漏，司法院組織法第五條修正條文，于通過時即已製造了一個漏洞，似援引上例解嘲了。

此條若通過于去年七月中旬，公布到達日以前便無話可說了，可惜遲誤了五個月。既遲誤了，不如不予修正，依舊爲「大法官之任期爲九年」使每位大法官各別依照各人任職之日起算，均能任滿九年，先後參差任滿，隨時補充，使大法官會議經常起新陳代謝作用，比之劃一性的整批更換，似較爲妥善。

話又要說回頭，立委們若不修正該條，則重違其提出修正案以打擊大法官的初衷了；其用意如此，然耶否耶。

民之喉舌

三年不語

花蓮縣議會自從民國四十四年一月十六日成立到現在，據說有一位女議員竟保持了三年不發一言的紀錄，大會上不發一言的紀錄，說者謂此議員係平地山胞所選出，開會很少缺席，或許是語言及過於老實的關係，不足怪。因此有人聯想到立法院也有十年不發一言的委員先生，當然不是「語言不通」？但這也不足怪，因爲表決時舉過手，也就是代表人民行使了立法權；這也是可怪的，卻是一些人名義上代表人民行使政權，實際上是代表政府行使「官權」，或代表黨使行「黨權」！（晉）

狄林到本社坐談

甫經第二次訪問台灣自由中國後到港的英國保守黨議員狄林，于十日應本社同人之邀約到本社座談。參加座談者有留港之反共自由人士左舜生李璜陳伯莊等多人。座中對「中共參加聯合國」問題，「兩個中國」問題，中共政權的弱點等各項一般性的重要觀念，中共政權有所談論。互相問答，自由發揮，頗能反映中英人士意見，增加不少了解。狄林先生會表示英倫人士對中國問題的了解，尚嫌不夠。故增加與西方自由人士意見的交換，實爲必需。（記者）

「供給制」乎？

·尹震·

海外通訊

越人喜讀中國書

（西貢通訊）中越同種同文，國土毗連，過去更有着深厚的傳統友誼，故中越文化有着密切的淵源。中越兩國許多有價值的文學作品，早就流傳到越南來，成爲越人寶貴的精神糧食。擺脫殖民枷鎖，獲致完全獨立後的越南，一般越人對於發揚東方精神文化的漢學典籍，大感興趣，因此許多許多華文名著被介紹到越南來了。

漢書越譯，在今天的越南，已經一天似一天的增加。漢書越譯，若從中越文化交流方面說，它無疑是具備相當的推動力；若從民族間感情方面說，它是無疑會促使兩國語言相通，情意互達，而增進兩國民族的親善與友誼。

從事越譯漢書的人士，除卻越南孔學會的人士，如熟讀漢書，經常把漢書越譯而外，他如越南閩人武鴻卿以及李文雄、朱文蓉、余超綜諸氏爲越譯漢書最豐富者。

目前坊間越譯漢書的種類，諸如紅樓夢、金瓶梅、二度梅、征東、征西、七俠五義、七劍十三俠、火燒紅蓮寺、乾隆皇遊江南、薛平貴回窰、花木蘭從軍、昭君出塞…等，都以是通俗演義爲多，其他如軍事、政治、經濟、哲學、文學的漢書越譯本則未多覯，最近據報載：越孔學會欲越譯我國的「明心寶鑑」，現在想仍在譯作中。

近來某作家會把我國孫子兵法十三篇譯爲越文本，據說他譯述內容，未臻美境，但是銷路頗好，其總數約達五千以上。「蘇俄在中國」一書有人正擬從事越譯。（一月十日自寄）

知恥、知危、知希望

——爲自由中國朝野進言之二

·胡秋原·

我首先要說，大家必須自知。自知者何？一曰，必知廉恥，知責任。這必自知爲流亡政府，自知爲難民。這樣大，這樣好的一個國家，斷送于我們這一輩之手。這原因當然很多。有歷史原因，國際原因，然而凡是參加政治的人，都是不能辭其責的。而過去地位愈高的人，責任愈大。今日逃難到台灣。賴先人餘烈，我們有權說仍在自己領土。爲了保持國家之法統，我們依然保持國家之體制。然畢竟是流亡政府，是難民。爲國家逃難，是逃漢奸之難，不足爲恥。但是，如果忘記自己是難民，以爲還是盛世，以爲此間樂，而無雪恥之心，必回大陸之志，那就是可恥的。今日大陸之諸漢奸，自稱「主席」「總理」，固不知恥；如我們號稱委員，代表，部長，院長者，以爲猶是漢官儀，還有什麼威福可作，而無雪恥之謀，忘記反攻復國之責；那就是不知恥。（當有人稱我爲委員時，我是難受的；唯一可以自慰者，不忘此恥而已。

要力爭上游

不僅我們自己應當知恥。事實上敵人在恥笑我們。世界上的人，除了我們朋友不忍心笑我們以外，不大關心的人，都在恥笑我們。敵人笑不足爲恥，但我們如無把握最後的笑，那就可恥。燕雀不知鴻鵠不足爲恥。但鴻鵠要有高飛之一日。如我們終不能恢復大陸，那就可恥。

二曰，知危險，知台灣並非樂土。即使我們能忘記恥辱，也要知道危險並未過去。隔海即是敵人，這敵人是有強大攻擊力的，而他背後，還有一個俄帝。而這敵人還有若干間諜在台灣，是不待說的。在這樣一個強敵之前，我們除了自身之力量外，我們的安全，實在國際形勢，在友邦的政策也無可諱言。因此第一、要見信于朋友；第二、自己還得努力；第三、要保持內部的安定；第四、萬一世局大變，朋友之實力轉移使用之時，敵人來一突襲，也還要吃得住：也應該是很明白的。還要知道這是最後防綫，離此無死所。今日幸有此處，還可到馬尼拉，沖繩，日本，，乃至美國，若干人之小姐小爺還可往美國結婚登報。但如無此處，任何地方混不去的。即有飛機飛到鄰近島嶼，我保證一下飛機「錢命皆光」。即令到了美國，那時漢奸也可與美國辦交涉遣回的。今日幸有此處，大陸上的屠殺，還有保留。如無此處，再看漢奸的屠刀！已投降的，未投降的，必一概斬盡殺絕。這還事小。沒有此處，漢奸命運，就可以延長；將來即使漢奸倒了中國是如何景象，也就難說。我們將爲千秋萬世之罪人了。一天不打回大陸，一天即無眞正安全，而甚至死有餘辜。

三曰，知希望，知大陸之可回。如果國家實在無望，也不妨醉生夢死，作各種自殺。但國家是有希望的。因爲俄帝漢奸有其自己崩潰之因素。美國在反擊俄帝，大陸同胞在反抗漢奸，只要我們撐住，美國反俄，同胞反奸，即不會鬆氣。三者合起來，又互相影響，便可加速俄帝中共內潰因素，而我們即可望與大陸同胞內應外合，回到大陸。此我最低限度樂觀之由來。然首先必須我們撐得住，美國反俄，同胞反奸二事，才可日望堅強；否則這二事也又受絕大打擊。我們自然也就完了。我們的重要性即在這個地方。我們好自爲之，大家前途無量。今日之難民，未嘗不可爲復國元勛。萬世興亡之鑰，在我們之手。如何能不善自愛重呢？爲何不力爭光明，力爭上游呢？

要不自亂

知恥，知危，知希望之後，我想應該勵精圖治，發憤爲雄了。圖治爲雄第一個戒律，是勿自亂。

民國以來，我們有亂國之譏。所以爲亂，即有權有勢之人，隨意所欲，「上無道揆，下無法守。」我們終于有了一部憲法，算是有一道揆了。中共一定要在憲法前倡大亂者，即知道一旦道揆確立，他即難于爲大亂。這憲法在今日是我們應得之大法，同時又是今日政府存在之根據。無論爲公爲私，是必須神聖視之的。一旦破壞，不但自亂，且爲自毀。

這憲法已常受違反。違反憲法，在外國也常有之的。然一經提出，必不可違。公然違憲，是使不得的。在行政機關，有時是易于違憲的。但立法機關及司法機關，實在是不好公然違憲的。所可惜者，我們的立法與司法機關，至少都有一次，無論如何，是做了與憲法精神背馳之決定的。

憲法不宜動一字

然這還不是危及憲法本身。最近有一事幾出大亂，即國大臨時會議之說。此說也，眞是危險萬分。幸而各方賢明代表知其非是打消，可爲國家賀。事情已過，還提及，即是此可見國事之可爲；同時藉此再說一次，即我們一天不回大陸，我們是不好對此大法動一個字的。無論大家有何好動機，有何好理由，只能在別處想法補救。憲法條文之本身，是一字不好增減的。動一字，即是大亂之始。

又言論界有主張重選立法委員的，其辦法及其理論根據即仿美國二次戰時海外作戰士兵之「離鄉投票」云。立法委員之未能重選，是事實上無法辦理選舉使然。因無法辦理選舉而延期，中外並非絕無先例，雖然在我國因國土變更之不可抗力，未免延期太久。然離鄉投票之說，則未可援用。一則，美國國土未變；二則，只限于一部份勤務之公民。這豈此說所能比？須知今日延期之立法院還是在大陸選出的；而在此處選，祗能代表台灣。台灣而有立法院，那就是自動接受「兩個中國」。然今日立法院的情況是應當補救的。其辦法有二：一是台灣仍如期全部改選，福建部分改選。二是另召集反共救國會議；這也是我素來主張召集此會原因之一。

我說此話，想不會因此而有希冀立法委員「戀棧」之嫌。因事實之不可能而使憲法條文自動不能遵行，與修改條文，是兩回事。其所以不能修改條文，不僅在證明我們對憲法之誠意，而是修改之端一開，即不可收拾了。

要證明我們對憲法之誠意，則凡是此時此地可以貫澈憲法條文之事，即必須期其毫無遺憾；特別是關于人民權利之事，又特別是關于人民人身及言論自由之事，是斷不可含糊的。我們也不可因防共而陷于過度誇張。例如日前報上有「叛亂」案之宣布。「叛亂」何等嚴重？這種字樣，不好隨便用的。還有，今日總不能說是嚴格的「戰爭狀態」。萬不可隨便用「動員」二字，爲「徵用」之法案的。如不愼重，則未動員，即自亂了。有責任心者，必須愼重，自愛。

東歐鐵幕內的政黨

·宗伯·

鐵幕真相

東歐附庸國目前還有所謂政黨存在，其實祇是一種形式，一個軀殼；在實質上，精神上都已成了那裏共黨的工具。它的存在是有理由的；因為自共黨看來，直接統制人民，不若透過這些工具，比較得計。不過縱然祇是工具，也逐漸為共黨所不容了。東歐鐵幕內的政黨如此，中國大陸上所謂民主黨派的現狀及前途，不問可知。下文是自「東歐雜誌」節譯而來的。

蘇聯衛星國家，與蘇聯國內一黨專政的政治形態不同，除共黨組織外，表面上還存在着或多或少的一些其他政黨或聯合陣綫——這無非要表示鐵幕國家也有所謂民主這回事。研究這一套鐵幕後的把戲，東歐的政治現狀實在是一個很好的藍本。

無稽之談

實際上鐵幕國家是沒有眞正自由的政治組織的。其運用于政府的聯合陣綫及運用于社會上的羣衆組織的，有如存在于捷克、波蘭等國的政黨一樣，都是共黨的工具，其作用祇是傀儡而已，以言獨立性，實在是無稽之談。

勝過直接統治

目前，東歐國家的政治統治下的絕大多數，仍非屬于共黨的人民；甚至蘇聯的現狀也距離馬克斯主義的共產主義的目標尚遠。因此共黨既無法使人民全體作政治動員，祇好儘可能擴大共黨努力的影響，用各種手段准許其自動組織起來，但是這些組織是絕不許有叢競爭或敵對共黨意識存在的，自不用說。眞正的社會民主主義者沒有政黨，無黨無派的馬克斯主義者，則如果尚未被殺害，監禁或放逐，便也都噤若寒蟬了。就是意識上的競爭敵對也是不容許的，甚至獨立的宗教宣傳也趨于靜寂。雖然天主教的政治活動有着長遠的傳統，但大規模的天主教組織也大都不能活動了。

為甚麼農民有黨

鐵幕內祇有農民可以有黨，所謂「黨」，雖非從主義上看如此，但從組織上說，可以算是他們自已的黨，這些組織之所以存在祇是因為農業是重要部門不完全歸國家統制，而自由農民在農業生產上又是佔重要地位的腳色，因此共黨政權樂于利用形式屬于農民的組織，作為鼓勵控制生產的工具，比共黨單獨控制好得多，當然，農業區內農民黨自有其長遠的歷史傳統，也是其中另一因素。他們借此協助農民組織為農民軍，借此說服農民黨完成生產任務，尤其重要的是，使之成為集體農場的預備軍。

「忠誠」成了職業

此外非共黨組織的活動是關於選舉的。鐵幕國家的一個候選人，其選票是在各種聯合戰綫名義之下進行的，這些組織可以把當局的政策與宣傳傳達下去使之接受，他們還可以協助當局督促工人階級增加生產而甘願過着低下的生活。他們亦矢忠于共黨及蘇聯，時勢推移，在某些情勢下遂假成為它們的主要職業。

這些組織和正常的政黨並無兩樣，有地方組織，有省區組織以適應于中央集權。此種組織，會員有少至數千，有多至數百萬的。會員的參加有的是為了工作安全或是為避免被鬥爭，或是為了穩固地位。有的屬于共黨統治前的舊份子，當然接受共黨的領導管制，領導者也往往為了取得較優的工作而輸誠于共黨。

被清除的危險

東歐的許多政黨也和西歐一樣，在二十世紀三十年代常常聯結而成「人民陣綫」，以抗拒納粹德國，法西斯意大利以及當年一些較右派獨裁者的侵略。戰時他們在佔領區內實行反抗運動，或者在外組織流亡政府。共產黨及地方組織宣稱願與一切反法西斯力量合流，雖然在某些情形下有若一個共同敵人，但祇要共產能夠的話，就必定清除異己。有兩個國家如南斯拉夫與阿爾巴尼亞就因此引起鬩牆之爭。

戰後，參戰的黨派與組織大都組成聯合政府，共黨復從而控制之。

有蘇聯軍隊壓力

在西方一些自由選舉而沒有共黨的地區，共黨是永遠不能達成目的的。在東歐情形就不同了，雖則共黨從未曾獲過眞正選舉的勝利，但他們的勢力卻很快增長。主要原因還是因為有蘇聯軍隊可以向聯合政府的民主份子施用壓力，使之不能與西方發生聯繫，而且共產黨人擁有警察保安的控制權，可以為所欲為。

「法西斯」的帽子

他們並且把「法西斯」的主義略加解釋，把一切異己都包括在內，實行恐怖政策，把獨立政黨的領袖份子以「間諜」罪名被害或監禁，否則被迫逃向西方。選舉操縱在共黨手中，凡非共黨人的候選者莫想染指。到一九四八年終，共黨對東歐區域的控制已告完成，戰前非共的黨派或被解散或被顛覆，于是共黨的工具成為新特殊階級，聯合戰綫是選舉的最高權力機構，統由共黨一手把持。

鐵幕仍不是「鐵」的

但是鐵幕仍不是「鐵」的，其險險的根苗依然存在。一九五六年十月波、匈事件的發生，使這些衛星國的政黨再次活躍。在波蘭，有兩個黨依然存在，不過其獨立性是有限的；在匈牙利經過一場鳴放之後，各自由黨派由于蘇聯武力干涉才被鎮壓下去。

以上是東歐鐵幕的各黨派的一般情形，至若捷克，波蘭等各個國家所謂民主政黨的現狀，雖各有其本身的特殊性，但大致總是像這麼一個藍本。

中共要嚴懲基督徒

中共僞基督教有所謂「三自愛國」運動委員會決定要在全國基督教徒中展開一個深入的社會主義教育運動。該會主持人吳耀宗說：「社會主義是中國人民擺脫貧困和剝削，走向繁榮幸福的道路。全國基督教徒必須和全國人民一起，堅決走社會道路。」因此，要求全國基督教徒「明辨是非」，打破資本主義立場，提高社會主義覺悟，警惕帝國主義繼續利用基督教進行侵略行動的陰謀，必須服從共產黨的領導云云。吳耀宗與僞國務院秘書長習仲勳及僞宗教事務局長何成湘等，均一致主張僞政府嚴格懲處反共的基督徒。

眞正的基督徒聽了將作何感想！（大中）

國際動態拾零

杜爾斯之健康不佳，又不為歐洲人所喜，又將辭職。白宮助理之亞當士，趁艾森豪害病的機會，把握大權，擬荐副國務卿繼任。但艾森豪則決定如杜爾斯要走，將提格蘭悉繼任。

× × ×

國防部長麥克依雷聲望日增，其減少國防部浪費之努力，頗為國會所欣賞。其積極態度，視國防為第一，金錢為第二，殊獲國會的諒解。

× × ×

中程飛彈，本年初即將運英，二十磅人造衛星，今春立可放射。今年秋天有較重的人造衛星，惟一千磅重之人造衛星，則不能期諸本年。五千五百英里之阿脫拉洲際飛彈本年可以成功。給蟻登之洲際飛彈，與潛水艇所放射之波拉斯飛彈，亦將于本年繼續試驗，而有成功的期望。有間諜嫌疑之原子專家阿本漢博士，亦將起用為原子科學會委員。

× × ×

美國下年度援外款項，白宮要求四十億。國會則內定減去半數，祇給以二十億左右。

× × ×

中央情報局長亞倫杜爾斯行將退休，因為他已屆六十五歲，實則係其對蘇情報，未曾做好，致引起外間攻擊所致。繼任者，或就其助理中挑選，以資熟手。惟艾森豪則屬意前任南韓總司令克拉克。

陶然

中共對俄的輸貢

蘇俄對於中共一向是予取予求，凡蘇俄境內缺少出產的物資，均由中共向民間搜括輸貢蘇俄。

根據一月一日北平「大公報」透露：一九五〇年至一九五二年，中共輸往蘇俄的物資，由七五三，二百萬盧布（折合一八八，三百萬美金）增加到一，六五五，〇百萬盧布，（折合四一三，五百萬美金）以比例計算，足足地增加了二點二倍。其主要物質為製造食品原料，食品，淨色及稀有金屬，紡織原料及半製品，畜產及原料等，其中最多為製造食品原料及食品，亦即糧食是也，而增加的數量亦以糧食的比重為最巨大。一九五〇年至一九五二年間，大陸上水旱兩災頻頻發生，大陸人民自顧尚且不暇，中共竟不顧一切搜括輸往蘇俄。一九五三年至一九五六年，不但是輸出物資的總數，增加驚人，糧食比重的增加，亦水漲船高的。這兩個年份，仍然以糧食（包括食品原料及食品）比重增加為最劇，一九五六年的出口物資總額為三，〇五六，九百萬盧布（折合七六四，二百萬美金）較一九五〇年增加將近五倍，增加之速，令人驚駭，而其中出口物資構成上的變化，亦堪玩味，據該報稱：一九五三年至一九五六年主要的減少了原料出口，增加製成品的出口，在表面看來，似乎近幾年中共在經濟上有了變化，其實，是蘇俄對大陸人民的勞力，作了變相的剝削。（自懋）

毛澤東下江南

毛澤東到杭州，約是去年十二月的事。

他在杭州做什麼？「人民日報」對于浙江黨委第一書記江華的講話第一部份的按語似乎不能忽視。它說「報告的第一部分所涉及的問題不是地方性的而是全國性的。究竟什麼是過渡時期的主要矛盾？怎樣認識兩個階級，兩條道路之間的矛盾和人民內部矛盾的關係？為什麼黨在一個時期強調人民內部矛盾而在另一個時期強調階級鬥爭？江華同志的報告裏，根據黨中央和毛主席的指示，作了正確的解答。」

問題似乎是黨內幹部還有許多人不了解：上半年何以要搞「大鳴大放」，下半年何以要「反右派」這種自相矛盾的政策？被江華所清算的沙文漢等四人大概是這種懵懵然的幹部的典型例子。

這一次，毛澤東就是要通過浙江省黨委處理「右派」事件，把他的對于這種懵懵然幹部的態度表達出來，以之作為對黨內這種幹部的警告。

由此可見，「大鳴大放」轉而為「反右派」的結果，毛澤東所遭遇到的困難，除了國際方面的反對以及劉少奇彭眞一派的勢力擴張以外，還有，原來屬于自己一派的現在也由於他的言而無信而離心離德了。

北平·平壤·莫斯科

前幾個月裏，中共與北韓間有三樁大事可予以注意：

一、中共在北韓的「志願軍」的政委系統領導幹部全部被撤換了，原來是：政委李志民，副政委王平，政治部主任張南生。現在則是：政委王平，副政委梁必華，政治部主任曠伏兆。其中，王平的去北朝鮮還是去年八月的事，隔了兩個月就升任政委，把李志民調回。政委系統實際上是執行中共志願軍對北韓的政策的，這一種全面更調，意味着其對北韓政策有某種修改。

二、去年十二月三十一日，中共與北韓簽訂了一個科學技術合作協定，並且還要組織一個科技合作委員會。在此以前，中共對北韓早有這方面的「援助」，何以突然要簽訂這種協定而要組織一個合作委員會呢？這又顯示着中共對北韓的政策作某一程度變更，這種改變反映着中共的讓步，因為在科技方面由單方面的「援助」而改為「合作」了，看來好像是平等了一些。

三、去年十二月三十日，金日成致函周恩來，邀請中共「政府」于今年四、五月間派一個代表團去北韓訪問；次日，周恩來覆函接受這一邀請。

綜合上述三項事實來看，大概中共北韓間在去年下半年有過重大的不愉快事件；這些不愉快事件迫使中共對北韓的政策，作了一些修正；北韓為着消除這種不愉快，特邀中共代表團往訪。

果若如此，則支持韓北作這種不愉快事件在，當是蘇聯，因為北韓無力致於單獨如此作為的。

·田心·

稿酬：本報十二月份下半月稿費通知單已分別付郵，請惠稿文友，憑單領取為荷。

編輯部啓

自由談

教猱升木

馬五先生

台北地方法院法官張金衡的「屍諫」案，已經宣告結束了。本案關係人於依法偵訊後，因證據不足，予以不起訴處分，判決書洋洋灑灑，說來理由充分，振振有詞。

這是一椿貪污案件，原告人死無對證，只是向養魚池某個與法院有關係的生人偵查，當然未會發現任何證據。常聞法官判案時，亦有所謂「自由心證主義」之一說，尤其是涉及貪污賄賂行爲，若專門以物證與人證爲主的話，不特張金衡應辦誣告罪，非鞭屍不可，即一切貪污罪行皆不容易「依法」認定的。我們雖然不能肯定趙某等一定是有罪，但，張金衡臨死所指述的情節，既已證明爲羌無故實，則趙某等應該照樣幹他的原有官職，以明是非，而正觀聽，爲甚末又把他調到別處去呢？此地無銀三百兩，給予社會大衆的印象太壞了。

有政治生活，即難免有貪污行爲，古今中外，其揆一也。廉潔政府之能否樹立，小半是法制與監察問題，大半却爲物質關係。一個最高法院的院長，月薪亦不過台幣一千二百元，等而下之的法官待遇，可想見矣。教一窩餓得發慌的貓兒，經常棲息於魚市之間，要它們不攫取非份的食物，豈可得乎？所謂「精神勝過物質」的說法，是有限度的，即要求一般公務人員不奢侈浪費則可，要大家忍飢耐寒以勤公職，那就是廢話。否則一個中央銀行總裁的家裏，何以每月要由公家供給上萬元的煤炭費用？他的精神如此頹廢腐敗，又怎能担當行政院長的大任呢？不特此也，一些只是畫大字，不會作事，也不必作事的公職人員，仗着人事關係，身兼數職，月領幾份薪津，而一般眞正勤勞國事，奉公守法的中下級職員，却常在飢寒交迫之中。似此勞逸不均，待遇不平，無功過賞罰的政治風氣，乃侈言整飭紀綱，剷除貪污，豈非自欺欺人之談？

我痛惡貪官污吏，尤其痛惡教猱升木，釀成貪污行爲官僚主義！

面子賬

陳永昌

> 「你是狗」，這是吵架的導火綫；自然，動物社會裏是沒有面子問題這回事，其實聰明人也不會因假面子問題而鬧得心神不安。

「面子」的內涵是光彩，尊嚴，權能；面子也是偉大的象徵。爲了面子，人們不惜儘量的打扮，衣服要外國料子，頭髮要弄成波浪式，臉上還擦點雪花膏，荷包裏沒有鈔票，也不妨放一叠草紙。爲了尊嚴，「你是狗！」這話往往是吵架的導火綫。有了面子，別人背地當面都會稱你一聲「頂好」！

人們爲什麼要爲了「面子」而拚命呢？祇是主觀上爲了欣賞。「女爲悅己者容」，對象就是悅己者，爲要博得悅己者的欣賞，所以不惜刑其髮，極其腰，揩其足，文其面，大於「勞其筋骨，餓其體膚，痛乏其身，行拂亂其所爲，所以動心忍性，增益其所不能」之概。不過，這不過是主觀而已，客觀又如何呢？塗上一斤脂，數上十六兩俗粉，以爲美極了，說不定有人在作嘔。故面子之一面，有自己之一面，還有別人之一面。自己之一面尚易解決，別人之一面，就很難一致通過了。

這社會，根本便多着評頭品足的閑人，張三以爲面子，李四亦必以爲面子，張三李四也還不可以作準。與其這樣，那又何必？面子這東西，極其量不過表面好看，但「各花入各眼」，愛菊，愛蓮，愛牡丹，各有所欣賞，勢不能以一身兼菊蓮牡丹之美，但求雖不好看，亦不難看，不是夠了嗎？

而且，表面的全面好看，極其量也不過是中看，中看不中吃，只能裝飾一下門面，說不定有的是面上擦得閃亮，底子穿了窟窿的皮鞋呢。要知道：別人所有，必不止是眼睛，眼睛看到的是天仙化人，鼻子臭到的是不可嚮邇，還有腦筋，腦筋想到的是一塌糊塗，則人將望望然之焉去之，若將浼然了。盒子裝璜到面子十足，內容打開嚇煞人，「金玉其外，敗絮其中」，欲蓋彌彰，面子云何？

面子問題，是人類社會的最大弱點，動物社會裏是沒有面子問題這回事。聰明人當然不會因面子問題而影響到生命與事業，可是有些不夠聰明的傢伙，常常就不然。

清朝有個皇帝，他是中國有名死講面子的人。當各藩屬的酋長到洛陽朝見的時候，他在宮殿做戲歌唱歡迎各藩酋長。這不算奇，他更令在大街上表演各種什劇，排列歌唱音樂手多至萬八千名，眞是古今中外，最誇大的表演了。而且他經常保持這種狀態。各酋長大贊中國富庶，請求來洛陽交易。他聽了這件高興，好不開心，特准他們入市交易。他更令全市店舖修飾一番以示歡迎。這倒不算特別，最特別是他下令各飲食店，凡各藩胡人到店飲酒吃飯，一律免費，不准分文，因此很多胡人，大贊中國第一。可憐老百姓們，爲了皇帝的面子，他們吃不飽，穿不暖，這位面子問題大皇，後來因勞民傷財而失去天下。

面子，誠然要顧全的；但要來得合理。倘不合理，過份誇張或把面子問題擺在頭頂上，那麼，非失敗不可。浪費是人生一個可怕的現象。上面引述的故事，那皇帝有無限的浪費人力，物力的惡習。十二年後，他父親辛苦創來的江山，給他輕輕地浪費了。固然我們不是替古代的帝皇哭歷史喪，不過事實如此，順便分析一下吧了！

隋煬帝在位時，發動民工百萬，興建行宮四十餘座。並派大臣到江南製造龍舟數百艘，供應船萬餘艘。這不是戰艦兵船，全是他與後宮佳麗的行樂工具。更動員江南百姓開掘運河，這種種的享受設施，無非是他自己的享用，而終至民窮財盡，山河變色。

古代的享樂方式遠比不上近代，現社會的享樂五花八門，青年人很容易染上這惡習，尤其在大權在手或經濟稍爲寬裕的時候。爲了享樂與浪漫，人們就想出很好理由掩護。有人說：人類是最善於找尋理由動物，誰都會爲自己辯護。於是面子問題是浪費和享樂最好的藉口。

其實，面子的最高價值是人格高尚。一個沒有人格的人，任他怎樣化裝，怎樣修飾，怎樣「猛充」也不行。貧而無諂，富而不驕的，他們是有面子人物，如果富而好禮，貧而好樂，那更有面子啦！

△　△　△

短篇小說

硬心腸的人

楊海宴

尤其奇怪的，這位狼心而又瘋瘋癲癲的伯父，竟在這孩子十二歲的時候，把他無緣無故的趕出來了。這件事興動很多人出面，却無法獲得改善，而那孩子也申言決不再回到伯父家裏。

並且這硬心腸的人，竟是這樣不可思議，把孩子趕出去之後，生意囑人照料，自己却搬到另一個更舒服的地方去了。

這孩子先是被本城一個鐵工廠的主人，收留做學徒。也許是因他自小就受着伯父殘忍致養的緣故吧，在學徒期間，全沒有那種富裕境中生長的惡習，成日是勤勤懇懇，苦掙苦幹的，雖是小小年紀，却是磊磊落落，知識大體。那鐵廠主人想必是被這孩子感動了，只讓他當了一年學徒，就送他上了學。

孩子很恨伯父，有時却又極想念的。想起伯父那點豪放果斷的印象，總是在心裏留下很深的痕跡，這是忘也忘不掉的，但這並不能使他不恨伯父。到他考進大學那年，那位鐵工廠主人告訴他說伯父快要死了，很希望見他一面，孩子却果決的拒絕了，那位主人很深長嘆了口氣，知道再勸他也是勸不動的。

這孩子大學畢業那年，一個深夜，鐵工廠主人把他叫到房裏去，那裏就只坐着他們兩人，那位善心的老主人，望着他，很哀戚的嘆了一口氣，說：「現在是讓你知道這件事的時候了。」孩子不解這話的意思，待要問時，老人在櫃裏檢出一封非常陳舊的信給他看，望着那字跡，又陌生又親切，待細想，才認出這是伯父手筆，他心裏立刻激盪着一點複雜的感情。這信封受信人是寫着那位主人的名字，他急切細讀內容：乃全是關於自己的事情，主要意思是說：這樣作才能斷絕其依賴家庭的觀念，讓他先做一年學徒，使他知道艱苦生活的情形，如果一年表現很好，即可送他上學，再讓他明白人事艱難，養成果斷堅忍後，再讓他讀書，這樣始可倍其進益。這件事全力相託，必請保全秘密，到他大學畢業後，再讓他知道不遲……。」這完全使他像作一場大夢一樣，他一生一世也不會想到有這種事情，一時又傷心，又懊悔，又想念伯父，百感交集，竟不知是甚麼滋味，早已淚流滿面，最後失聲痛哭，淚眼前浮起伯父的影子，那眼神，那微笑，那上唇留着的一撮花白鬍子，嚴肅而又安詳，想着想着，越發傷心的號啕大哭起來，那位老主人也陪着流眼淚，安慰勸解一番，又說：「這是你伯父臨終給你的遺囑，分存在幾位律師公證人那裏，明天我備一桌酒席，請大家來，再把財產交給你，你先看遺囑吧，……。」

那遺囑上寫着：

「其荃愛兒：……」

這幾個字一映到眼簾裏，又痛哭起來，一邊哭，一邊繼續看下去：

「……凡事須從根本處做起，不管他人或諒解，或誤解，總要以務本才是，伯父畢生無他長處，惟能守此不渝。若不務本，則必害人且害己也。汝父棄世早，教養之責在我，我所苦心望汝者，惟此耳，希謹記勿忘。——伯父遺字。」

這位硬心腸的人，就是我的伯父。

（七）——（完）——

後記：上面這個故事，乃是我一位同學講給我聽的，早就答應替他寫下來，却因瑣事一直因循至今。現在好壞總算是交卷了。（四五、夏夜南台灣）

隨感錄

空白的悲哀

尤崇洵

一位教授說：『我們不能以空白向後世交代。』這句話像千斤的担子，壓在肩上，我不禁戰慄了。攻讀文學並不如一般人想像中的輕鬆，我們的責任是使『空白』得到內容。但是，貧血的母體能產生健康的嬰孩嗎？

也許，這未免過于悲觀，有人勇于赴湯蹈火，從荊棘裏走出大路，但是請環顧周圍的世界吧：物價支配着人類，欲望成了生活的重心。荊棘裏可以走出大路，但是陷阱却不容許個人自由的活動啊！有人願意貢獻畢生的精力，但他遺忘了在這生存競爭的社會裏，淘汰的制度是公理。要適應社會，便要隨俗浮沉了。理想，人的尊嚴早已成了廉價攤上的陳貨。那麼請選擇一條的道路吧：向前邁進；於是立刻被淘汰了，全部的成績只是空白。

同流合污：個人成了行屍走肉，最後的成績仍然是空白。

文藝市場內容的貧乏是有目共睹的；作品的商業化也證明了這個時代的財產是『空白』。試問，我們又怎能不悲哀呢？

都是「悲劇」麼？

張放

近年來台語影片多如雨後春筍，這眞是可喜而可悲的現象。喜者，台語影片可以抵制一部份外片，節省政府外滙；悲者，乃是我看過那些「悲劇」的影片故事後所被「感動」出來的悲哀！

按說悲劇向來是文學上最被推重的藝術，許多世界著名作品均具有悲劇性；可是悲劇和悲劇性的故事不同，試論「金姑放羊」、「五子哭墳」、「運河殉情記」、「廖添丁」、「七世夫妻」等影片，姑且不論創作的粗糙，祇就社會教育問題來講，不是表揚愚忠愚孝，就是歌頌鬼怪狐神。我們整天爲反共復國而悲憤塡胸，却讓觀衆看那些「悲劇」電影，什麼「都馬調呀」，「南管正宗哭調呀，」「勿忘帶手帕呀」，「悲歡多支，支支感人呀，」……

晚間扭開收音機時，竟然也有：

「哇！老母呀，乾苦！」接着是一片嗚嗚地哭聲。

過去讀梁實秋先生「雅舍小品」，曾說管樂是一種侵略性的藝術，當時還以爲作者過於衝動」今天我可眞正體會到箇中滋味了。

我們深知劇作家的創作困難，在今天尋找好的題材，和被多數觀衆容易接受的題材，不是即興而來，那必須要去搜集、調查、研究，然後方能去創作。從近年台語影片來論評，無論導演，演員和景觀藝術，均將有趕得上國語影片的標準，可是夠水準的「脚本」却少得可憐，尤其萬不能再改編那些「歌仔戲」了，這眞是讓我們殷望的一個課題。

也許有人會說：把家喻戶曉的民間故事，攝成電影，還是提倡民間藝術。……

其實莎翁所寫的「哈姆雷特」，「羅米歐與朱麗葉」等戲曲，也都是採擷於歐洲流傳很久的民間故事。如果作者能夠經過研究，把陳舊的多天的戲曲裏，裝進去一點新鮮的春天的氣息，不可以麼？何必讓我們觀衆進了劇場總得掏出手帕來，聽那「老母呵，乾苦哇！」的悲聲呢？

大爺

陸夢墨

「若將西湖比西子」固然是以勝景比美人，但是若將各國比做衆生相，亦未嘗不可。目前的狀況，美國好比少爺，蘇俄像强盜，英國似滑客，法國像女人，而中國則是不折不扣的大爺。

幾十年前的採金熱與掘油狂使美國成爲今日的闊少，腰包裏有的是錢，掏兩個爲哥弟們撐場面，滿不在乎。蘇俄雖然皮靴子破，心却狠，迎搶帶擄，自我們東三省的工廠直到德國科學家，俱皆納入已囊，如今也是肥頭胖腦的暴發戶，自從將一隻有靈的狗捌上天，居然也挺着胸膛了出一氣。

至於我們，做慣了大爺，如今落到這個地步，難免有幾分「英雄不提當年勇」。雖然如此，當年的譜兒還是照擺，反攻固然是計劃裏的政策，政策裏的計劃，至於官兒，先都升起來再說。

人家發明的火車，我們坐了，人家發明的飛機，我們乘，將來太空旅行成了家常便飯的時候，乘客當然也少不了中國人，美國發射衛星的消息一出，我們組織了觀測隊，人家用手放，我們用眼看，除了大爺，誰會享這個清福？

大爺做慣了，少不免也要說說大話，充充場面，此所謂「外交詞令」也。於是乎當人家火箭征空時，大爺拍拍胸脯，「這玩藝，咱們幾千年前的老祖宗就會玩了」！

稿約

一、本報各版園地公開，歡迎投稿，來稿以一千五百字至二千字爲最相宜。特約稿不在此限。

二、本報歡迎通訊、特寫、文藝、評論、書評、人物介紹、短篇小說、詩詞等；三、五百字之短文尤所歡迎。

三、本報對來稿有刪改權，不同意者請於來稿預先聲明。

四、來稿請用稿紙繕寫，行文請勿過於潦草，不宜「紙兩面繕寫。

五、來稿請自行留底，外埠郵票香港不適用，請勿附退稿郵票，本報不負責退稿。

六、稿酬每千字按港幣五元至十元計算。

自由人
THE FREEMAN
（第七一七期）
中華民國僑務委員會登記證僑台字第二一號
[illegible]登記證[illegible]字第〇〇五號
執照登記爲第一類新聞紙類
（半週刊每星期三六出版）
每份港幣壹毫
台北市售價台幣壹元
督印人：陳文蔚
地址：香港高士威道二十號四樓
20 CAUSEWAY RD. 3RD. FL.
HONG KONG
TEL. 771726
承印者：東南印務出版社
地址：高士打道六十四號
台灣總經理處
台北市西寧南路壹零號二樓
電話：四七三四六
台郵撥儲金戶九二五二
海外總經銷：友聯書報發行公司
香港：彌敦道中二十六號A二樓

讀艾森豪致國會咨文

毛以亨

一、咨文之目標所在

我們讀艾森豪致國會的咨文，應當明白這是美國行政當局對立法當局所說的老實話。不實不盡掩飾之詞雖有，但在基本問題上不能不說老實話。因爲今年是國會選舉年，倘一味打官話，國會選舉，共和黨將會慘敗的。此一國會，艾總統的共和黨，在參議院對民主黨議席爲四六與五〇之比，衆議院爲二〇〇與二三二之比。共和黨已經處于劣勢，倘不能扭轉，至少亦希望維持現狀，纔能交代得過去。所以此項咨文的用意，是本年八十六屆國會競選的第一砲。

台北，日本，菲律賓的樂觀或悲觀，是無謂的。此一咨文之特徵，關于外交與國際情勢方面，說得太多，這是以前咨文所沒有的，但萬不可誤視之如美總統之告世界人士書。事實上之落後，以蘇聯放了人造衛星，外交上之失敗；以亞非各國包括十億居民，如南斯拉夫，埃及都接受蘇援而謝絕美援，因而國際問題，牽連到美國行政當局，配不配再領導下去，政策上有無錯誤，即有無影響美國之安全？所以，說得甚多，要旨是針對其人民代表說的。艾森豪的咨文，是說美國現在尚安全，將來亦以最大努力求其安全。美國人民的答覆，則在今年國會選舉時，與一九六〇年總統選舉時，予以確切的肯定或否定。

二、要點所在

倘使美國人造衛星放得出的話，國際情形自然兩樣；所說的話，亦就不同了。然而現在美國對西歐的領導權，對落後國家的信心，尤其對國內人民的安全感，是在大動搖時代，正在努力邁進急起直追；所以所說的話，是謙虛保留，而指出其辦法，若誤爲消極而無新意是錯了。獨裁國家，色厲內荏，向人民屢吹不負責之大砲，在民主國家是不會有的。因爲選舉屆臨，就是人民制裁政府之日，政府自身亦何必說不負責任的話，使自己因失信而垮台呢？我們倒與一般人看法不同，反認此一咨文，並不空洞而且是有內容的。

第一，我們素認反共是由軍事至哲學科學的問題，不是純武力所能致勝。八年來我個人的反共努力，純致力于思想及原則上。此項咨文首說，「我們切不可如此全神貫澈於我們對軍事力量的顧望，以致忽略了作爲眞正和平必要基礎的經濟發展，貿易，外交，教育，思想與原則。」因爲蘇聯的冷戰威脅，把貿易，經濟發展，軍事力量，藝術，科學，教育，思想，都作爲擴張的武器。如此則我們批評台灣的軍事預算，占到百分之九十以上，因爲純軍事反不了共的，可得一佐證，不能認爲我們是書生不知兵的幻想了。

第二，安全是靠美國的軍事力量，故軍事預算將超過百分之五十，這是空前的。然而不靠白紙黑字的條約與談判，總不能不說是正確與現實。總之現在是靠戰略空軍，不久將來是靠中程飛彈與潛艇飛彈，將來是靠越洲飛彈，其經費現增加一千倍，將來還要再加，不能說不努力。亦總有一天會趕上蘇聯，以增加美國人的安全感。惟即軍事亦非純軍事，而生根于擴大下一代之科學教育。此則尤爲台灣軍人們所應猛省，而值得效法的。

第三，蘇聯業已放棄其軍事威脅與政治滲透的老調，而改以經濟援助，欲置十億亞非集團人民於其控制之下。艾氏還有沒有說出來的話，是美國繁榮，其工業原料與貿易地帶，皆靠這些落後國家。倘使這些地帶收入鐵幕，美國退回本國去，則其力量也就衰退，而全世界將爲共產集團所吞沒了。故美國不能削減美援，直接救他人，間接即以自救。這些都不是「免費贈送，」而其加強的方法，亦不再是援助，而爲貸款與擴張貿易。

第四，科學與教育，美國須與西歐各國合作，以研究核子武器，學術一經秘密起來，就不會進步。況且現代科學，是理論與技術的結晶，美國人素忽于理論研究，現在仍靠德國理論專家之助。科學家與工程師之培養，美國應多設獎學金以期其在數量上趕上蘇聯。另一方面，美國正在獎勵青年學科學，而減少學商業及人文科學的學額。反之，我們正在提倡中國文化與三民主義，而迫使理工學生去作必修科來讀。我們黨外人，固不解三民主義對反共之效果與奧妙，祇好不去討論了。

三、亟宜補救的缺點

第一，美國人是靠自由競賽起家的，所以美國人的所謂對不對，完全訴之于競賽的勝負，一切皆如足球與拳術，所以人造衛星之發展，亦要靠空軍競賽的結果來決定。但競賽在今日，以備多力分，反而阻礙了發展。而現在要改變美國國民之基本精神，似非朝夕間事。

第二，美國人祇知賺錢，以金錢爲萬能，而疏忽其他精神方面的力量。有時用錢祇是浪費，反而無益于其事之成功。如美國人在香港所辦之文化事業，用錢不算少，然而成效在那裏？倘使核子發展之用錢方法亦是如此，反而會阻礙其發展的。

關于美國人之缺點，我們不願多講，世界其他國家之缺點，足使反共無効果者，多于美國。所以反共的希望，仍落在美國人肩上。對于美國人反共之一綫曙光，我以爲是在不如他國之侈談社會主義，而標榜新資本主義。以此，美國人民對國家之負担，占百分之九十以上，而蘇聯所能壓榨人民者，至多不會超過百分之五十。如此使美國國力膨大，這是新資本主義對社會主義較優的地方。茲事體大，願主張社會主義者猛省，他日將爲專文論之。

半週述評

一杯水外交

有這樣一種「外交」，我們姑名之曰：「一杯水外交」。

這種「外交」的特色是，信口開河，諸言胡扯，今天「互不侵犯」，明天「友好」，後天「高峯」，如此云云，但是，你倘是眞要他認賬，他開眼向上一白，說是「情況變了」要另換一套新玩藝了。大國中如英、法、乃至中國，小國如芬蘭乃至波羅的海三小國，都受過這種「一杯水外交」之「賜」！

黃毛小丫頭

麥美倫說：「如果發表一個鄭重地宣布我們互不侵犯的意圖的宣言是有幫助的話，那麼就應該有這樣一個宣言。」

蓋伊說：「蘇聯應該担保，如有侵略事件發生，將發電聯合國所作的決定或調查所得的結果」。

麥美倫與蓋伊在與蘇俄打交道來說，是缺乏經驗的。因此，他們的見解不失爲「天眞無邪」，但卻是「黃毛小丫頭」之見。

艾森豪覆函

法新社的報導說，蘇聯沒有將艾森豪答覆布爾加寧的覆函加以公布，「美國之音」的廣播也被蘇聯加以阻擾。

是的，蘇聯的人民是如何的渴望知道世界的眞相，艾森豪的覆信對于鐵幕內部具有很大的爆炸力。艾森豪的覆信委婉地使人們認識共黨領袖的好戰本質，共黨宣傳的欺詐性。艾森豪覆信使人們明白一個事實，蘇聯今天的「通常外交」行爲和它的「和平共存」宣傳全不一致的。

有力的反擊

艾森豪覆函中六項建議，對于共黨是一有力的反擊，這一回，莫斯科的確是很難招架的。

艾森豪提出取消美蘇在聯合國內的否決權，試想，如果大國繼續在聯合國享有這項特權，如何能「加強聯合國的地位」？

艾森豪提出「通過自由選舉恢復德國統一」，試想，蘇聯既然沒有履行日內瓦會議的這項決議，那麼，再開一個「首腦會議」，又有何意義？

催眠中清醒

艾森豪提出「保證東歐人民選擇他們自己政府的權利」，這是一九四五年美英蘇三國所承担的義務。試想，匈牙利血跡未乾，自由國家的領袖與劊子手「共聚」，如何不遭受世界道德力的譴責？

艾森豪提出「太空只供和平使用」，他又建議把現有的核子武器[illegible]和平用途，但是並建議無限期停止核子武器試驗。

艾森豪的覆函中「和平」的聲浪壓過了布爾加寧；更重要的，他也許使多人從「和平」的催眠曲中清醒過來，面對當前的現實問題。

·司馬璐·

兩件不尋常事

最近大陸發生了兩件尋常而又不尋常的事件，一是張春生逃向自由，一是王纘緒潛逃被捕。

這兩件事之所以值得吾人注意者，不在自由中國多了一個張春生或大陸紅朝少了一個王纘緒，而在于他們兩人以事實告訴我們，大陸上仍不知有多少個張春生、王纘緒，同時也告訴人們靜止中的自由中國，尚能有張春生一類人不斷逃來，倘一旦反攻行動開始，將不知出現多少張春生，平常狀態的大陸，尚有王纘緒一類人要逃出，倘一旦變故，將不知出現多少的王纘緒。

在另一方面說，雖有幸有不幸，但如果張春生在大陸助逆下去，將不會變成今天的張春生；如果王纘緒當年不靠攏，將不會是今年的王纘緒。這都是每一個人都可想像得到的。

雖然我們不十分贊成逃向自由者，都一律目之爲功臣，我們却贊成帶罪立功；凡一個曾經助逆而逃向自由者應當自己作如此想。王纘緒雖然值得吾人同情，却更爲他惋惜。

無論如何這兩件事都在說明中共政權內部動搖已走近最後階段；而自由中國如果面對這類事件而祇會亂發獎章，坐發空論，那祇可視爲尋常事；但如果自由中國能以面對這類事件而積極有所作爲，那才有不尋常的後果！（斯）

感論現實主義

·雅斯·

西方一些政治家們，每喜用「從現實立場」一句話，來轉換對于一個問題在公理上應有的論點。北大西洋公約國之要美國坐下來與蘇聯談，是基于現實立場；聯合國中一些莫名其妙的主張——考慮中共加入聯合國案，也引用所謂「從現實立場」；所謂「兩個中國」論調，也說是出于「現實的觀點」。推論下去，凡蒙取强權造成的「既成事實」，都莫不取得「從現實立場」去考慮的資格。那麼，核子武器安得不代替公理統治世界呢！

中共是聯合國公認的侵略者，[illegible]不少會員國却嚷着要和中共貿易，但如果中共能自自由世界獲得戰略物資甚至非戰略物資，他們便可拿來直接間接製造潛艇，飛機……，用以向自由世界發射原子火箭。這淺顯的道理，也往往在現實利益的朦蔽誘惑下被忽略了。一切所謂現實的立場來考慮所謂解決實際問題時，往往走上這條自殺的路而不自覺；既失去了理想，又解決不了現實。

在目前世界，現實主義，往往與實利主義不可分；談到實利主義者，自一般觀點看來，總覺與[illegible]來英國的政策又有不可分的關聯[illegible]。據我們所了解，單從英國本身說走向現實，不外幾個理由。英國是民主國家而又迄在實行福利政策，故其對外政策，不能不受人民福利政策的現實基本實質所影響。其次英國是個貿易國家，「不貿易，不能生存」，所以工商界在選民中佔重大力量，無論工黨或保守黨執政，都不能不迎合他們；而工商界往往是最現實的，在他們的壓力下，艾德禮不用說，政治家如邱吉爾也不能不朝向現實低頭，麥美倫一上台就不能不在百慕達向艾森豪提出放寬禁運，在巴黎禁運會議上不惜再次冒着引起英美裂痕的危險而「單獨幹」。我們都知道放寬禁運的調子，老早就是由包括英國[illegible]個實力的工商界團體如英國工業聯合會，全國製造聯合會，倫敦商會，商會聯合會和倫敦中國協會等團體所組織的中（共）英委員會所主張的；當然都是朝着大陸上的「金寶藏」出神的人物。無論何黨政策，不能完全擺脫他們的壓力。

所以論者謂英國當初承認中共的決策，也不全基于政治上的理由，大半還是基于他們主觀上的現實經濟利益，以爲承認中共便可以保存在大陸原有的權益；其後一再遭到相反的結果，也還打不退這個現實的念頭。

我們另一了解是：支持英國這現實主義的，是英國的一個傳說的[illegible]智如邱翁當年訪美時就再三強調一句話「我們要貿易，要[illegible]」。這樣，英國甚至[illegible]犧牲西方的團結和道義精神，[illegible]賺些十分微小的利益，也不甘于放下領導國家的招牌，去求美國的援助。這種作風，作爲一個民主國家的立場，有其自身的利益，原無可厚非；但作爲一個自由國家領導國家的道義立場，[illegible]而與共產集團談貿易，確是一件令人不可思議的事，總不能擺脫實利主義之謂。

其實，現實主義並不是很壞的名詞，但一切祇是基于自私的現實立場底行動，而對世界整個問題的解決，實際也是最不現實的。

也許這就是以英國代表的一切現實主義國家的基本難題，但這種現實政策予世界人士以最不良的影響。[illegible]管英國政治家的政治風度爲世所欽[illegible]一項全世界所需要的基本觀念。[illegible]

當然，這觀念不止英國爲然，[illegible]基于實利主義所謂現實立場解決問題的錯誤。[illegible]

當然，我們深信現實主義，必然抵擋不住[illegible]的，只希望不要太遲吧了！

外交部應注意——駐外官員的官僚作風

•許競•

（東京航訊）我國的對外關係，目前正在朝向積極的方面發展，就大處着眼看，目前的外交業務不外爭取與國擴大建立友好關係，阻遏共黨入聯合國，和如何透過駐外官員，團結海外華僑，爭取華僑中的游離分子，打擊附共叛攘份子，以發揮海外僑胞反共力量。

就外交當局執行政策的實際情況看來，幾年來在國際方面活動的績效，是有目共睹的。外交部在聯合國的活動，在擴大和鞏固友好國家間之關係方面，成效尤爲顯著。但不容諱言的是，在如何團結反共華僑，打擊附共分子的業務方面，卻顯得是顧此失彼極爲脆弱。尤其是在華僑衆多，敵我皆能活動的國家，共黨分子的囂張，幾已成爲不可容忍的事實。

像這類事例，如果發生在與我國無邦交之國家，我政府亦無官員駐節之地區，反共華僑在缺乏領導之情況下，自屬難免；反之，則實爲不可原諒之現象。換言之，此亦實爲我駐外官員之莫大恥辱，固不能存任何推諉和不負責任之言詞，如偏而指責華僑之無反共意志，缺乏政治認識等等，（實則此原爲駐外官員的工作）而並未認清，此實爲得一駐外官員之艱巨責任，祇有在面向華僑，提高華僑政治認識，團結反共華僑之情況下，始能共黨既能在無邦交之狀態下從事滲透華僑社會，吸收游離分子，作孤立反共華僑，予反共華僑以政治的或經濟的傷害；而我駐外官員在有利之客觀環境下，卻不能領導華僑反共，若非該等官員係明哲保身之官僚或政治立場不穩，「政治面目」不清，心懷叵測，之灰色分子，將何詞以自解。

外交部的人事政策是不錯的。內外互調，或外外互調的政策，卻已使許多青年有爲富有朝氣的外交幹員走上了新的崗位，帶來新的氣象，但是也不能諱言，有若干官僚分子，乘此機會獲得了外放，獲得了調動晉昇，爬上了重要的工作崗位，而「嘆其世界」，在駐地作威作福，不僅不與友邦國家官民交觸，且更不與僑衆接近，不與反共華僑來接近，外館一變而成爲冷衙門。

但是，這類官僚型的外交官員，亦有其「爲官」之一套，比如常常發表一些與國事毫不相干的言論，在外文報紙上大談其家庭瑣事，眞所謂言不及義，語言無味。同時，在「風頭主義」之需要下，這類官僚型的外交官員，可以在不分敵我之場合下，與附共分子「和平相處」，握手言歡，致詞演講，出其醜相，甚且與附共分子一同攝影。諸如此類之事情日積月累，不僅使反共華僑爲之齒冷，甚且貽人口實，被認爲是「國共和平共處」之徵象；因其平素作風如此，一旦需與共黨作政治鬥爭時，自是畏首畏尾；反之，對於忠貞之華僑卻又頤指氣使，充分表露其官僚作風。

正由於駐在日本的某地區的外交部官員，存在着嚴重的官僚主義作風，遂使反共華僑們與某領館館長間劃了一道極深的鴻溝，無形中削弱了對附共分子的鬥爭實力。我們懷疑的，是否台北的外交部對此等無所聞，抑或有所知卻又心存姑息。我們深知，葉外長是一個有作爲，有風格的首長，因此，我們不能在這方面苛責，也不忍苛責他，但是，我們卻不能不向外交部提醒一下，如果再繼續在這方面忽略下去，乃是極可遺憾的。同時，我們也相信，類似的情事，不可能只限於在日本的某些地區發生，可能在其它的地區亦有，甚或是一種普遍的現象，只不過在程度上的有輕重的差別而已。（元月十日寄）

無題　•尹震•

悼月波先生

•朱家驊•

我認識丁月波先生，遠在民國元年，那年秋天他考入同濟大學，當時我也在同濟讀書，不過他比我低四班，因相認識，但是過從並不甚密，民國八年他在同濟大學畢業，到德國留學，先到瑞士京城伯爾尼，恰巧我二次出國，正在瑞京，遂在瑞京重聚，他鄉遇故知，自然份外親切。次年我到柏林，他也到柏林大學攻讀，這幾年中彼此過從甚密，他常到我家裏談天，我們也常相偕外出旅行。與他同濟同班畢業，而在柏林留學者有馮五昌、趙士卿、翁之龍、王味根諸兄，以月波與我交誼最深，見面時無話不談，他爲人坦率，熱情過人，在朋友中不可多得。前塵往事，迄今猶餘心影！

民國十三年初，我自德返國，彼此分手，但書信仍往還不斷，以後他應聘到福蘭克福大學中國學院教書，到二十四年年底才回國。二十五年全世界運動大會在柏林舉行，大家推我出席，我因戴季陶先生未到過歐洲，提請戴先生出席，承戴先生應允，並要我代請一人同行，我遂介紹月波陪同前往。及返國後，戴先生對月波的材識，極爲激賞，且甚感謝其偕行幫忙。因戴先生之挽，他到考試院工作，不久又轉入外交部，繼又由外交部派任駐德國大使館參贊，在其參贊任內，對當時我國留德學生，照顧無微不至，且因他在德國時間甚久，對其朝野人士聯繫甚好，故贊襄館務，頗有貢獻。及至抗戰中期，我國對德宣戰，他方自德回國。三十一年秋天，教育部遴選同濟大學繼任校長，因我的推薦，遂聘請月波任同大校長，這時候同濟大學正由昆明搬至四川李莊，一切皆未就緒，他僅偕新聘之總務長魏業鵬一人到校，在極艱難困苦環境下，將同濟大學重建起來，學生也較前增多，這樣辛苦支持數年，使同濟大學在抗戰期中，很有進步。三十二年我親自到李莊去參觀，看到師生同事相處甚好，而同濟大學在這期間，也整頓得很有規模，衷心讚佩月波苦幹的精神與功績。

民國三十六年，在我第二次教育部長的任內，因當時同濟大學校長董洗凡辭職，又請月波接任，這時正在勝利復員之後，同大雖已搬到上海，但原有校舍多已炸毀，七拼八湊，勉強才可以上課。月波受事後，因爲他肯負責，能辦事，使同濟大學校務不久又上了軌道。這時候共匪已經公開稱兵叛國，許多共匪份子滲透到各個大學，全國各地學潮風起，上海尤其利害，有些學校當局及地方當局，大都對左傾學生一味敷衍，不敢作斷然處置。月波則態度嚴正，不稍寬假，當左傾份子在同濟大學開始鼓動學潮時，他查明了爲首鬧事的許多「職業學生」，斷然予以開除，終使學潮平息下來。後來因爲當時上海市長吳國楨從中播弄，以致同濟大學也不免捲入大風潮之中，他一直主張嚴正處理，我亦予以支持，並一再派人到上海贊同料理，但吳國楨則處處加以阻撓，使月波爲之心力交瘁。以後他當對我談起，上海的工潮學潮，本來都可以順利處理，但是因爲吳國楨專好沽名釣譽，一味拉攏左傾份子，粉飾敷衍，表示他的「民主」作風，以致弄得一發而不可收拾，誠爲國家的不幸。他每談起吳國楨在上海所種下的罪惡，即爲之痛心疾首，從這些地方很可以看到月波剛正不阿的精神。

民國三十八年四月間，當上海危急的時候，他與我同機飛來台灣，這時候他健康情形很壞，就留住草山休養了一個時期，以後又去香港。在香港的這些年，他號召團結香港文化教育界反共人士，奔走聯絡，不辭艱險。近些年來香港文教界人士積極反共的表現，月波盡了很大的努力。他身體本來很差，自奉又極簡樸，而工作的勤勞，卻在青年人之上，自從他夫人病故，生活益爲孤單，精神體力已不支，我很爲他担心，勸他要多多休息。他在香港期間，對中德文化交流，也奔走不遺餘力，頗多貢獻，近年來西德政府給予台灣學生許多獎學金名額，多是他盡力促成的。前年夏天他率同香港文教人士返台訪問，恰值我在台中谷關養病，他于百忙中特地上山來看我，盤桓了一天，那天晚上談了很晚，對他在香港的工作更爲了解，深爲他這些年在香港的努力所感動，同時也更替他的健康着急。第二天清早他匆匆去高雄，等到我下山北返，他又回香港去了，想不到此次見面，竟成永訣，引筆至此，能不泫然！去年年底，我姪伯濤從香港回來，曾經探望過他，才知道他已臥病多時，不料竟因心臟病遽去世。月波的病故，使我們反共抗俄陣營中，頓落了一位文化界的堅強鬥士，豈止我個人失去了四十多年的知交！

毋自欺，說眞話。

——為自由中國朝野進言之三

•胡秋原•

能守大法，不致大亂。然這還不保證，不積小亂爲大亂。我必須忠告大家，今日已在此過程中了。然則如何中止？無他，首須不自欺。古人有言，「人既自欺，何況他人？」自欺欺人，即不誠實。誠實是萬德之門，不誠實是萬惡之本。爲政如不誠實，無有不敗的。共黨最大之罪惡，即在欺人。然共黨頭目有一本領，即欺一切的人，欺共黨員，也互相欺騙，唯不甚自欺。如我們誠實，終必戰勝共黨。如我們自欺而不足欺人，那眞是共黨的好糧食！

自重之人決不面諛

古今中外一切爲人治國之教訓，總是要廣見多聞，納言遷善。古今中外一切歷史，總告訴人凡屬以小忠小信伺人意的便佞利口之人，總是破國亡家種子。古今中外一切寓言小說，總是告訴人，魔鬼的毒藥，總有糖衣；當他要吃你心肝之前，總會向你奏一曲好聽的音樂；而一切謀財害命的騙子，總是先設法對其謀害對象，能投其所好的。不必徵之遠也，想想喊萬歲之毛澤東，善曲膝的張治中，再有「情如手足」之汪震。所以自古偉大人物，一定要有諍師畏友；而自重之人，決不面諛——阿諛。阿諛自古是騙子，貪污，無能和陰險敵人之標誌。培根云，「最危險的仇敵，即是對你阿諛的人。」

秦統一中國，不旋踵而亡者，最主要原因，是自欺。始皇想長生。盧生說他有妙藥，及騙錢出洋後，還大駡一番。陳涉起事，叔孫通對胡亥說「不足憂」。他回來，學生質問，「老師爲何當面拍馬屁？」通說，「你們那知我幾乎難脫虎口」；他立刻去「[illegible]」了。到了南宋那一小朝廷，在強敵壓境之時，賈似道竟能諱敗爲勝。這都是大家皆知的，前車之鑒。

還有一種驕敵之計。這是我們祖先對俄用過的。近來共黨也大用此道。他恭維尼赫魯，內裏是「革命領袖」，以謀印度（從前俄帝曾以擁護孫中山先生爲「革命領袖」謀害中國而成功百分之九十了。前年俄人對艾森豪脅肩諂笑，去年還請美國空軍部長到俄國，朱可夫親自說，俄國空軍豈如美國。如今，人造衛星一放，猙獰面目出來了）。美國人自己檢討，說「沾沾自喜」，是衛星落後的原因之一。美國且不可瞞，誰個能瞞？況我們實爲孑遺之民乎？

不可自我麻醉

今日台灣最顯意識的一個形容詞，是「進步」。進步云者，比大陸要好。這不應該嗎？此詞也出之于許多外國朋友之口。這包含兩種用意，一是鼓勵我們；二是爲援助我們之理由。假使我們即以此沾沾自喜，那就錯了。因此，我們斷不可諱疾忌醫，不可自我麻醉。今日此處有許多規規矩矩，勤勤懇懇，在自己崗位上，埋頭苦幹的人；否則，早已不行了。然無可否認，用了不少的人和力，做一些形式，虛文，敷衍，報銷，自我阿諛，自欺欺人之事。我們天天談反攻復國。自應一切集中于此目標；那有閒情辦些不急之務？「哀兵必勝」。我們豈可作樂？然我們許多人物天天所忙者，是婚喪慶弔，開會慶祝，酒食徵逐，善頌善禱。常常紮牌樓，處處有典禮，幾乎天天都在假期。時常掛國旗，古今中外豈有如我們之不重視國旗的？而那些頌禱文字，萬篇一律，其無氣力與誠意可想而知，有何趣味呢？此不僅浪費人力，兒戲貽譏，而造成一種麻醉心理，自欺成習慣，並由習慣而成自然，那眞是可怕的。

而近來自欺範圍，愈來愈廣。兩級法院法官自殺之事，而其自殺，有抗議貪污之意。假使法律是神聖的，這意義可謂嚴重。如因此而使法院得一自白機會，未始非福。而結果呢，其一是說死者是神經病。而證據呢，一封信。如自殺者之遺書不足信，另一封信卻又可作爲證據，然則今日之法官，還有頭腦沒有呢？沒有人能信的。即使發表者自己信，那無非自欺而已。

還有一事。最近有一火車之禍。據路局說，由于小孩觸石。大家不信。有人願意試驗一下。其實這事用不着試驗的；試驗之說，祇是不信任路局之說而已。而專家出來證明路局之言，反對試驗。我想，專家之見如何另一問題，但專家如欲證明其確爲專家，是應該歡迎試驗的。專家之可貴，在其有知識。知識之可貴，在知識之有用，知識者有理智之誠實，理智之完整。車禍何國無之？要事在避免覆轍，判明責任。如路局或專家之家人也有在受禍之列者，諸君之說法或感想應如何呢？

只有耳語才是認真

此種自欺，由來久矣。我們早即有所謂「打官話」。「官話」者，自己也不相信之話也。高官在大庭廣衆之中，說一番官話，中下級之官依次照本宣科。長官以訓僚屬，將帥以訓士兵，百官以訓百姓，大家都了解是什麼事。同僚之間，也依樣以此互相酬應。一切宛如粉墨登場。然一旦出了衙門，其不自己失笑者幾希。風氣既成，即使友朋相聚，也只有油腔滑調。聰明一點的，或老實一點的，則說點笑話，發點牢騷。如有才子，作點對子。大家了解，只有耳語之時，才是認眞的。言爲官話，行則爲「混」。明明有問題，否認問題，不求解決；萬不得已，說一套理由自己辯解；還要趕點門面工作，或者找可以在報上宣傳的宣傳一番，便爲了事。此亦有如戲台上動作，揮手即算開門；一筋斗即算十萬八千里。有功是自己的，責任推向別人，或某一處。然個人利害所關，不惜用各種拙劣的方法，乃至害人的方法，粉飾于一時，而不顧及其不良後果。一切皆混；但身家之事，應酬之事，則是很認眞的。

不說假話的自由

官話與混流行後，不僅言行不一致，前言後語也不對，前混後混也不符。如人類行爲通過思考，思考通過言語，則至此眞話也等于假話，說等于不說，做也等于白做。而所認眞的，實際上也不過是爭巢燕雀，豆腐泥鰍。如問大陸是如何丟掉的，可以說是自欺欺掉的，打官話打掉的，鬼混混掉的。

而今日還無覺悟。還有更多的開會，填表，乃至專門機關，訓練打官話和混。必須立刻停止自欺了。我們據說很尊重孔子。孔子教人最要緊的，即是「毋自欺」。我們很尊重孫中山先生。孫先生第一篇政治宣言，即興中會宣言，即指斥清廷「粉飾虛張」。希望大家停止阿諛，面對現實。凡要人，最好少說話；要說，必須自己確實相信能夠做到的話。而一切拿筆桿的朋友們，應該下一決心，我們自己說假話與否另一問題，但決不爲官話宣傳，以發展阿諛，助長粉飾。無論如何，自由中國比共黨大陸有一最大不同，我們有不說假話之自由，筆在我們之手。如我們放棄這自由，即有負自由中國之自由！並且，必須對可能的亡國滅種負責！

美國遠東事務助理國務卿羅拔臣看：反對中共加入聯合國案

——。宗伯譯。——

「如果允許中共加入聯合國，將是對遵奉憲章為正義而犧牲的生命開玩笑。」

這話，是最近美國務院遠東事務助理國務卿羅拔臣（Walter S. Robertson）曾慨乎言之的。

最近由於蘇聯一連串的和平攻勢，美國有一些信心不強的政界人物對於這個問題，往往也抱着觀望或保留態度，甚至有主張必要讓步的言論。這是自由世界，尤其自由中國潛在的危機。雖然白宮的政策是堅強的，本文可視為代表之一，它對上面這個基於所謂現實立場的思想予以最公正的批評。世人焉于事實，皆知中共如果加入聯合國，對自由世界及和平是有百害無一利；羅拔臣更根據聯合國憲章，從法理上加以嚴格的分析！——本文是根據上月份「讀者文摘」中節譯下來的。

三個簡單的問題

共產中國有資格依據憲章加入聯合國麼？

憲章的義務了嗎？

它能否及願否擔負義務呢？

最後一個問題——

聯合國憲章是一點不含糊的。它明白規定最初參加的五十一個會員國以及愛好和平，遵守憲章所規定義務，而有誠意擔負義務的國家才得滲入。

故決定中共是否合格，必須答覆三個簡單的問題。那是：中共是愛好和平的國家嗎？它會接受憲章上的義務嗎？它是否願意而且能否擔負那些義務呢？依據到今年為止的紀錄為基礎，雖胸無城府的人對此問題也不能下一個肯定的答案，美國更不能不直接了當的加以否定。

它配談愛好和平嗎？

中共根本不能代表中國人民的意向，它的政權是強奪得來的，也是靠武力維持下去的。在一九五〇年，它無端開釁，攻擊聯合國駐韓部隊，反抗聯合國繼續佔據北韓；有休戰條約，除停火外均被破壞無遺。它支持越盟叛亂，供應他們以人力，物力，以及彰明昭著的破壞日內瓦所訂終止戰爭的決議。它征服西藏，侵略緬甸領土，支持寮國非法叛變，又想以滲透或顛覆手段推翻亞洲各國一切合法政府，並一再聲言必要時不惜用武力解放台灣。均有紀錄可查，能說中共配談愛好和平麼？

它遵守憲章職務嗎？

一九五一年二月一日聯合國大會以壓倒多數通過，一致認中共為侵略者，要求即由韓國撤退，但中共不依聯合國的決議，繼續侵略，至今仍拒絕撤退。如果在一九五〇年中共是侵略者，現是何獨不然，在反抗聯合國命令之下，它能自認其能已遵守

北平是否願意而且能否擔負憲章義務呢？這是聯合國本身所應判斷的問題。中共政權從來就沒有放棄侵略意圖的事實證明。聯合國怎麼可以對一切為遵奉聯合國憲章而犧牲的生命開玩笑呢？

美國會已決議反對

自從中共將中華民國合法政府追離大陸以來，即視一切條約為無物，不承認以前對外義務。它強奪外人財產，不予賠償；它又拘留外人不用審判，甚至加予非人道的酷刑。因此大多數美國人都清楚中共在法律上或道義上均無加入聯合國資格，去年參衆兩院開會時即一致通過反對它加入聯合國。

勿以現實為藉口

像中共這樣國家如果也獲准加入聯合國，那麼，聯合國憲章就毫無意義了。然而有些人有意義與資格不提，竟以現實為藉口，有如視聯合國為感化院，好讓那些強梁者得以加入，使他們逐漸接受薰陶感化。

即從「現實立場」言

但即使以現實為立場，讓中共加入聯合國也是不智的。如果讓它加入，那麼，他們就會相信倒向蘇聯是有利的，勢必加強奴役在竹幕內數以千計的人民對共黨的聯繫；同時它又會嚴重打擊自由亞洲人士的士氣，因為他們一旦以為武力與詭詐也能得到勝利，反共意志就會消沉了。

似是而非之論

又有人以為讓中共加入聯合國，可能使他和蘇聯折衝。此言似是而非。中共早已視蘇聯為老大哥，一再的聲言倒向一邊，而自由世界又沒有另外一種足以折散中蘇關係的有效辦法。

誰是美國盟友

堅守亞洲的中華民國，不論中共如何威脅，它是自由世界的重要前哨，它在二次大戰時是美國盟友，比目前任何擔任遠東戰略任務的國家都始終不渝；它並會拒絕日本給它有利的條件，實可嘉。有此種恪純的盟友，如果讓中共加入聯合國，中華民國勢必退出聯合國。此舉對它所貽精神上的打擊必大，而自由世界也痛失一個有力的戰士了。

中國人唯一的寄托

在台灣的中華民國是大陸上數億人民，以及一千三百萬僑胞唯一的寄托。它在一日，共產中國即不能算作是全個中國。這個事實對於自由世界是有利的，而中共卻得以取得自由國家的信譽，自由國家將同受極大影響。

自由世界何去何從

事勢的顯示，演變下，我們終會有利；倘把重要的聯合國席位向中共讓步，是最愚蠢不過的。自由世界何去何從？加強自由中國的地位使之影響鐵幕後的政權，不更有利嗎？中共以為如果它能夠繼續支持下去，自由世界早晚要對它讓步；如果我們必須自信，堅持到底，決不讓步，以我們深信六億以上中國人民有權作一個自由的國家，其是非解於世界和平，豈是非解的。

竹幕秘聞

第五次「人代會議」

自一九五四年以來，「人代會議」都是在每年的六七月間召開的，用以來通過上年的決算與當年的預算，以及聽取各有關部門的報告；今年不同了，其不同之點是：

一、第五次「人代會議」提前于一月二十五日舉行。

二、據其公佈，這次「人代會議」的目的，甲、決定一九五八年度國民經濟計劃；乙、審查和批准一九五八年度預算；丙、批准漢語拼音方案。大概還有一項未預先公佈的，即：處理那些在中央部門中要按「人代會」決議來免除的被稱為右派份子的職務。

當年的經濟計劃與預算，由年初的「人代會議」來決定，看上去比以前的實行了半年再行通過好像合理些，據此，亦可能示人以「人代會」實行其真正權力了，這大概會被中共用以來宣傳。

實際上，我們應該從中共的黨內鬥爭來看問題。長久以來，「人代會」是被劉少奇，彭眞一系控制着的；因此，這一回第五次「人代會議」的提前召開，討論當年的經濟計劃與預算，表面上「人代會」的權力擴大了，實際上卻是劉少奇、彭眞一系的勢力膨脹。

劉少奇彭眞勢力膨脹

去年六月十九日毛澤東在「人民日報」發表的「關於正確處理人民內部矛盾」的文章中說：「事實上必定會有一些人始終不願意接受馬克思列寧主義，對於這一部份人不要求，只要他們服從國家要求，從事正常的勞動，我們就應當給他們以適當的工作。」這是中共「政府」原先的基本政策。因此章乃器等雖然被稱為「右派份子」，但他們在中共「政府」中的行政職務並未被免職。

隨後，黨內的「左派」以及共黨國際方面對于這種對待「右派」的方針，表示不滿，毛澤東似有堅持不下去的趨勢。去年十二月裏，浙江省舉行會議，免除了「右派份子」沙文漢，楊思一等的行政方面的職務；這是中共對「右派份子」基本方針改變的開始。

從這一種對待「右派份子」方針的改變，亦可以看到劉少奇、彭眞一系的中共內部的「左派」勢力在膨脹之中。

粵共改組古大存失寵

在去年十一月以前，廣東省的黨委書記處的組成如下：第一書記陶鑄，書記古大存，區夢覺，文敏生，趙紫陽。這是中共各省市地方黨領導機構正常的情況。

一九五七年十一月，廣東省黨委會突然改組，我們所能知道的是「省長」陳郁，與原來的省黨委監察委員會書記林李明都被選為省黨委書記了。照計，那末廣東省委會書記處第一書記在內有七個書記了，這是一種不正常的情況。在當時，我們都說不出理由來，現在，廣東省委為什麼突然會有這許多書記呢？原來的地方主義的消息一露佈，雖然他們並未明白公告何人受到地方主義的責備，根據這種情況再結合他們的歷史來看，原來的幾個書記中大概有一個或兩個被免職了。古大存是最可懷疑的一個。

●田心。

國際動態拾零

蘇聯第一次放射的人造衛星，業已降落。共繞地球一千三百次，走了三千五百萬英里，把美國對世界的領導權，動搖起來了。

×　×　×

大西洋公約是歐洲十五國組成的，其軍隊共三百餘萬，然最重要者，首推散在附近邊境各基地之美國戰略空軍，裝上核子武器二十四小時在空中飛行，一獲命令，立即飛往蘇聯轟炸其心臟地帶。

×　×　×

東南亞公約國八個，而日本，自由中國，南韓尚不在內，中東之巴格達公約國五個，均為親西方之集團，蘇聯不斷予以警告，而鼓勵其中立，連大西洋公約國都因受威脅而動搖了，何況東南亞與中東各國？

×　×　×

布加寧照會之動機，欲使巴黎之西方巨頭會議，不落到反蘇效果上。其內容：一、禁止核子試驗，與原子武器運用，中立各國已與蘇聯一致，而加以響應了；二、東西簽互不侵犯約，英首相麥美倫亦同意；……開巨頭會議法先贊成。在歐洲設立非原子地帶，西德丹麥諸國皆贊成。蘇聯引起大西洋公約國間之矛盾，完全達到目的。美國以先開外長會議，有成效再籌備巨頭會議為對策。但蘇聯如主張開巨頭會議，而又獲得英法之支持，究將如何應付？

×　×　×

美國內部意見，亦極分歧，史塔生與若干民主黨人，均謂蘇聯政策不是死硬的，而是彈動的，故主張對裁軍問題，應試與蘇聯談判。惟杜勒斯與艾森豪，以為最好的對蘇聯和平攻勢之答覆，為加強中東和歐洲，不在與蘇聯開會和締約。

陶然

西貢「亞洲日報」呼籲：中越文化交流

（西貢通訊）西貢華文報「亞洲日報」近在社論中，強調中越文化合作的必要。該報指出：「我們知道，中越兩大民族，原有不可割不斷的血緣關係。要證實這個問題，我們不必費什麼去作歷史考據，但從大家的膚色，面型，骨格諸方面來印證，便應該承認上面的說法是沒有錯誤的了。中間因為時勢變化的影響，才使我們有過一個時期的隔閡。時至今日，這種隔閡早已隨時代的進化而消除，亦即是說，從此以後，自應有新的振作和新的努力；尤其是當此歷史巨變之際，更使我們更感這種振作和努力的切要。

該報說，從人類進化的史實來看，要想國與國間能加強連繫，人與人間能增進了解，除了文化合作之外，相信再無更好的方法。例如英美兩國，他們平時即使在政治上發生歧見，但一到患難的時候，便原因就是保留的東西，我們中越兩國，既有悠久的歷史因緣和文化傳統，均應保持文化上的合作，故不論在任何時候，感情上的交流。

總之，中越既是同一歷史源流，便是有「文王孫子，本支百世」伊親別人，兄弟鬩牆，便是有「的血親關係，當此風雨飄危之會，益深同舟共濟之情，如何加強中越的合作，實為兩國文化界當前的急務了。（生）

自由談

令人喪氣

最近監察院與行政院的「法權」爭議，無論誰是誰非，我總覺得不是好現象，應該適可而止爲佳。不料半路上又殺出程咬金，竟有其他的民意代表，挺身介入這場爭議之中，認爲外交部長到監察院委員會報告了外交工作，亦是「違憲」的行爲，且因此而與新聞記者大打其筆墨官司，還要準備「依法」訴究。吹縐一池春水，底事干卿，是亦不可以已乎？

流落在海外而愛護自由祖國的中國人，只希望台灣方面給大家以感覺興奮的消息，像這類纏夾不清的無謂糾紛，實在令人聞之喪氣，尤其是那種事不干己而從中點火助勢，擴大爭端的言行，更認爲不堪領教。難道說這樣就是反共救國的忠貞精神？或者是民意代表的中心任務不成麼？

我亦忝爲民意代表之一，雖然流落海外，與現實政治生活無關，但內心上時有自慚形穢之感。因爲做着法定任期早已屆滿的民意代表，由於國家遭受非常的患難，沒法改選，而自己又對反共救國的大業殊少裨助，清夜自思，曷勝慚愧呢！所以，最近見着立法院將防衛捐之一部分收入，改爲增加國軍士兵待遇的決議，以及監察院在究查浪費的工作，即欣然幸慰，深深地感到這是我輩民意代表對得起選民，也對得起自己的應有作風，庶幾乎無忝厥職，於心稍安了。

因此之故，我希望一些不必要的糾紛消息，今後少從台灣傳播出來，能使海外同胞多聽些像張清榮義士來歸的新聞，那才是中興氣象，才足以團結海內外的人心，爲解放大陸同胞而一致努力奮鬥！

馬五先生

睡眠的時間

南橋

晏起過午者，「便活七十年，祇當三十五」。

一個人每晚究竟要睡多少時間？生理學家的意見常不同，就一般原則來說，成人每日有八小時的正常睡眠已足，不過有些人會嫌少，也有些人會嫌多，這正如吃飯有的人一日吃五餐，有的人一日祇吃三餐，但老年（五六十歲以上）因其器官組織萎縮，體時消耗少，所需補償也少，睡眠的時間可酌量減少，每日五六時已足，至于兒童因日間不斷活動，所消耗能力甚多，且其發育快，須有靜止休息，故睡眠的時間要比成人加多也較成人易于入睡。初生嬰兒至一月每日需十八至二十小時，半歲以上需十六小時，四歲以下十四小時，四歲至十二歲十二小時，十二歲至十六歲十小時，十六歲以上八小時。

有些工作忙碌的人，盡量加長工作時間，減少睡眠時間，以致白天愁眉苦臉，精神萎靡不振。據說世界偉人，總是睡眠時間較少，稍遠一點如拿破崙，俾士麥，近代的如愛因斯坦，他們只睡四五小時便夠了，那是例外。普通人這種減少睡眠時間的辦法，偶一爲之，尚無大害，若長久下去，最後必致生病。

至于睡眠時間的早晚，隨着各地社會情形而異，在農業社會的人民多早睡早起，工業社會的市民多晚睡晚起，鄉村的人民多早睡早起，都市的人民與抽雅片的人多晚睡晚起，衛生家極力叫人養成早睡早起的習慣，誠然辛勤人會知道早起的好處，但聰明人也會知道夜是思想運用的唯一時間。

睡雖重要，多睡未免損失，故李笠翁在他所著笠翁偶集卷六睡中云：「有一名士善睡，起必過午，先時而訪，未有能訪之者，予每過其居，必俟良久而後見，一日闖入其室，見其几上筆墨俱在，乃取舊詩一首，更易數字而嘲之曰：『吾在此靜睡，起來常過午，便活七十年，只當三十五』。」至于什麼時候睡最爲適宜，他也說過：「由戌至卯，睡之時也，未戌而睡，謂之先時，先時者不祥，謂與疾作思臥者無異也，過卯而睡，謂之後時，後時者犯忌，謂與長夜不睡者無異也。當睡之時，止有黑夜，舍此皆非其時矣」！

郁達夫的情詩

·張放·

「大堤楊柳記依依，此去離多會自稀，秋雨茂陵人獨宿，荊門野燒雁遙飛，翩翩才子傷哀怨，遙憶三秦戀舊畿，[illegible]可幾時歸。」

這是郁達夫當王映霞出走以後，在感傷哀婉的情緒裏寫出的一首情詩。我覺得他的情詩比起徐志摩的「愛眉小扎」要高明些，不僅僅實質摯，而且還無智識份子易犯的那種淺薄的感傷主義毛病。

仕途捷徑之一

·楊有釗·

當年，這位被稱爲頹廢派作家的郁達夫，在杭州西湖旁的孝廉裏渡着蕭條綠色的愛情生活，當他們正感喟「在天願作比翼鳥，在地願爲連理枝」的同穴合莫何所望，他生死會是難期」的情懷時，王映霞竟會飛走了！這眞是讓詩人傷心欲碎，她添來更深的「沉淪」心境。上面那首情詩，便是郁達夫的心聲，讓那些過去不曾瞭解他的人們，讀後會同情他。

在「創造社」初期時代的郁達夫，他給廣大青年羣衆的印象是憂鬱、沉悶、帶着濃厚灰色情調；他彷彿是在黑夜的山徑上的幽靈，使別人寄予他無限地驚異與同情。有人把郁達夫比作日本的佐藤春夫，但是這卻不能蓋住他的終身，他的悲慘的死喚醒了廣大讀者的驚醒。郁達夫是眞正愛國家的智識份子！他卻一直把那股濃烈的愛，掩埋在他的心底，最後再帶進墳墓裏去。

數一下「創造社」初期的主要份子，除郁達夫外，其他如郭沫若、成仿吾、張資平之輩，又怎能與他的氣質與人格相提並論呢！

華茲華斯說：「詩起於沉靜時回味得來的情緒」。

我想：當年郁達夫亡命海外，住在那椰樹婆娑的南洋島上，如果日軍不殺害於他，他在沉靜的環境與心情中，眞是可以創造出許多偉大的作品。但是，郁達夫竟慘死於日軍刺刀下，噫嘻！

小小說　神經戰

·鍾青山·

新年過後，公司裏傳出人事調整的消息。寫字間裏的同事們便這樣談了好幾天，不過這個「談」並不是屬於他們平日的「高談闊論」，而是屬於「秘密會談」。

大家都認爲這次「人事調整」一定會有人被撤和有人陞遷，否則，便不是「調整」了。這個年頭，百業蕭條，人浮於事，要想找一枝之棲，簡直有如無翼登天，所以同事們無不爲此惴惴不安。在總務部當佐理的老張，小周和鍾仔三人的情緒也比別的同事更來得緊張，因爲他們都曾飽嘗過失業的苦味，結果以堂堂一個商學士，幹了庶務。據說老張未來工作之前，足足捱了一年失業，而小周和鍾仔也有四個月了。他們也曾說過，如再失業，寧可向閻王報到了。其服務的單位，是總務部，這一來，老張三人急了。

第二天的下午，快要下班的時候，經理小王突然向他們三人低聲的說：「經理請你們三人在下班後，見他一。」小王說來，神色木然，無形中增加了緊張氣氛。

一點一過，別的同事已全部離開了辦公室，他們三人仍面對面的坐着。

「老張！這回準是劫運難逃了」，小周慘然地說。

「要是眞的被撤差的話，我便沒希望了！」老張說來萬念俱灰。

「喂！據說⋯⋯」，小周想發表意見。

「你們三位，現在可以入去見經理了。」這是小王的聲音。

他們戰戰兢兢的走進經理室，只見經理正在慢條斯理抽着大雪茄，看見他們三人進來，揮示意他們坐在一旁的沙發上。

三人同時坐下，雙手卻不停搓着，雖然那天的氣溫只有五十度，可是三人的額上都爆出了汗珠，眼睛都不約而同的凝視着經理。

「唔，你們三人都來了嗎？關於今晚我要和你們談談的，就是⋯⋯」說到這裏，他突然站起來，雙手插在褲袋踱座，走到他們的面前。

「⋯⋯」他們乾急，屏息以待下文。

「是！首先我對你們說，就是董事局方面對你們的工作有點意見，認爲⋯⋯」

他們幾乎急出了汗。

「不是，不是！董事局對你們的工作表現都很滿意，不過他們認爲派你們在總務部工作，實在太委屈你們了，所以現在要你們⋯⋯」

「經理，我們絕對不會存有這種感覺的，尤其是年來得到經理你的提拔⋯⋯」老張聽到經理的話，神經緊張得差點兒要哭出來，他哀求着經理。

「嘿！你們不要誤會，我不是這個意思，因爲自從上月董事年會中，董事們檢閱公司職員履歷時，看到三位但是大學商學士，卻派在專司管理瑣碎事務的總務處工作，認爲未能「人盡其技，材盡其用」，因此決定調整一下人事，由本年起，調你們三人到會計部去，而另外派三人代替你們原來職位，薪水方面，照本公司規定，以後你們可照甲級會計員支薪，每月由現在二百二十元升至七百五十元，如果你們將來結了婚後，還可以支取本公司高級職員的家庭津貼⋯⋯」

「噢！經理⋯⋯」老張三人，現在簡直不相信他們的耳朵是沒有毛病的，他們樂得說不出話來。

第二天早上，當經理走進辦公室時，看見桌上已放着一信，拆開來看，只見上面寫着：⋯⋯

「⋯⋯神經突感不適，擬赴醫檢驗，懇請准告假一天。」下面簽署上了老張，小周，鍾仔三人的名。

經理看罷，啞然失笑。

巧與拙

·程外·

我想：任何人有優點，就有缺點；我雖不敢說各佔其半，至少，也有三分之一勻給缺點。所以，有巧就有拙，最多只是聰明的人善藏拙。

然而，寫文章的朋友很多喜歡作「偉大作家狀」，假使他的文章真有一手，倒也叫人佩服。反之，他東抄西湊（臭）的文章，也是模作樣的充起亮子儼然大作家？可是，我們的社會有優良的傳統美德，——「隱惡揚善」，不願意開罪於人！因此，這些「抄剪家」（恕我杜撰這個名詞）才能在「隱惡」的美德下把「狐狸尾巴」藏起來。但是，還不肯安份守已，多努力學習寫點像樣的文章，來補救以往的根基不足！他們不自知偏偏還得胡扯！我很可以舉一些實例，不過，揭穿人家的秘密，有損陰德。佛曰：「不可說！不可說！」我又何必偏不信佛！

酒故事

·黃泉·

飲者惡名，也要飲者本來有名，無名之輩的飲者，擢髮難數，卻因聖賢之名而不留名耳。讀本刊前截論「酒」，因而也談幾則酒故事，當然故事的人物，限于有名人物了。

劉伶

作「酒德頌」的劉伶，嘗乘鹿車攜壺酒，使人荷鍤隨之曰：「醉死即埋我。」妻諫，伶曰：「當誓神斷之。」妻乃具酒肉。伶祝曰：「天生劉伶，以酒爲命，一飲一石，五斗解酲，婦人之言，愼不可聽。」于是飲酒御肉，陶然復醉。

和尚法常

和尚法常，不倫風雨寒暑，都必一醉，常向人說：「酒天虛無，酒地綿邈，酒國安恬，無君臣貴賤之拘，無財利之圖，無刑罰之避，陶陶焉，蕩蕩焉，樂其可得而量也。轉而入于飛蝶都，則又蒙騰浩渺而不思覺也。」

蘇子美

蘇子美則讀「漢書」作下酒物。讀到「張良與客狙擊秦皇」，撫案曰：「惜乎擊之不中！」遂滿飲一大杯。讀到「臣始至下邳與上會于留，此天以臣授陛下」，又撫案曰：「君臣相遇」，其難如此。又飲一大杯，他的舅父松公見而笑曰：「有如此下酒物，一斗不足多。」

石曼卿

石曼卿痛飲以後，露髮跣足，著械而坐，謂之囚飲。坐于樹上，謂之巢飲。以草束之，引首出飲，謂之鱉飲。有一次酒飲完了，興猶未盡，主人給以一壺「醋」，他也不客氣的飲了。

劉公榮

劉公榮飲酒不擇對象，人謂之，答曰：「勝公榮者，不可不與飲。不如公榮者，不可不與飲。」一日阮籍與王戎飲時，公榮在座與預焉，而言語談戲，則三人無異。或問之，阮曰：「勝公榮者，不得不與飲。不如公榮者，不得不與飲。惟公榮可不與飲。」

畢卓

畢吏部（卓）晚上酒癮發了，又聞到酒香，便偷偷的進入人家的酒房，竊酒而飲，醉了，就睡在那兒，天明，守者發現以告主人，主人來視，笑曰：「畢吏部是我長官，」就派人送他回公館中去了。他嘗說：「得酒滿百斛，左手持酒杯，右手持蟹螯，拍浮酒船中，便足了一生。」

陶淵明

陶淵明因鄉人請他飲酒，發現酒中有滓塵，他把帽子脫下作爲濾酒器，然後戴上濾帽子，歡飲如常，又廬山和尚惠遠，喜其清逸，歡迎他入社，淵明說「許我飲酒則加入」。惠遠倖許之，既至卻無酒，他很不高興的跑回家來。

灌夫

灌夫在丞相田蚡娶燕王如夫人的婚讌席上，醉後大鬧，就得罪了丞相，引他事彈劾他，就因此犧牲了生命。

關于現代名人的「酒故事」則太多了，限于篇幅，在此從略。惟二千年的耶穌，行了一次以「白水變酒」的神蹟，恐怕是「酒故事」中留傳得最寬廣又最久遠的第一個。應當補述備查。

稿酬：本報十二月份下半月稿費通知單已分別付郵，請惠稿文友，憑單領取爲荷。編輯部啓

自由人

THE FREEMAN

（第七一八期）

中華民國僑務委員會登記證僑台報字第二號
中華郵政登記認爲第一類新聞紙類
台灣郵政管理局新聞紙類登記執照
（半週刊　逢星期三六出版）

每份港幣壹毫
台北市售價台幣壹元

督印人：陳文華

社址：香港高士威道二十號四樓
20 CAUSEWAY RD. 3RD. Fl. HONG KONG
TEL. 771726

承印者：南華印務出版社
地址：香港打士六十四號

台灣總經理處：台北市西寧南路
電話：四三七九六

海外總經銷：

論當前世局及其未來趨勢

·顧詠余·

當前之世界大局，如以中國舊日三統之標準以相衡量，則旣非大同，亦非小康，而僅爲小康進入亂世之過渡時期耳。歷史固無重演，特吾人苟除去細枝小節而觀其大者，則今日之世界與過去中國之戰國時代，或南北朝時代，乃至希臘之雅典與斯巴達鬥爭時代，頗有相同之處。

一、

蓋美蘇之對立爲當前歷史一基本命題，人類未來之命運，當決定於此一鬥爭之結果。僅就洲際彈導火箭及人造衛星而論，蘇聯最近之勝利，固未爲得，若謂美國正在聯合英帝國及歐洲各國組成科學集團，急起直追，故終可獲得最後勝利，似亦非定論。蓋美蘇之爭，科學與技術僅爲因素之一，美國在過去十餘年間，表面上科學技術雖始終維持優勢，而無基本解決。以後美國即於短期間恢復武器之優勢，然苟僅持之局仍舊貫，而自由世界在思想道德政治經濟社會諸方面，無形中仍受共黨之薰陶，以走向下坡，則結果自可爲六國并於秦之重演。吾人果願世界不入亂世，而由小康以進入大同，則必須有進一步之看法。綜而言之，約有六端，茲括論之如後：

二、

第一：世界在思想政治經濟軍事社會各方面，變動不居，隨時改換，吾國先民早已有此觀念。然新的改革，或創造，必須確較舊者爲優，乃可除舊布新，尤其在青黃不接時期，更應審慎，否則新基未固，而已先喪所守，危機實大。美國自一九二九年經濟大恐慌以來，朝野上下日以全面就業及經濟平等爲唯一目標，以政府爲主要工具，逐漸限制私人自由，有識者比之爲古羅馬自民主走向凱撒獨裁之路。近年因需與蘇聯爲科學技術之競賽，若干人士遂認爲人定勝天，唯力是尚，少數極端者更篤信共產主義，在政府及教育宗教暨工商各界中，爲蘇聯作倀，雖迭經破露，而危機仍在潛伏滋長之中，此較蘇聯之武裝威脅，尤爲重要。

三、

第二：今日不僅一國內人民有分配不均問題，即各國間之國富及人民享受亦大不相同，其原因之一，爲技術水準資源利用與蓄積之相互參差，又一則爲人口增加率之迅速，在落後國家超過於在工業先進國家。若干年來現代醫藥之進步，使死亡率減低而淨生產率增加。經濟落後國不求人口之合理限制，徒用全力求經濟發展，不惜以通貨膨脹與企業國營爲開發產業之手段，政治動向遂逐漸左傾，與共黨以機會。盱衡世局，除北美及歐洲之一部分外，亞非及南美等國，大都具此病態，對民衆有害而無益，但使此種政策不變，雖美國長期經濟援助，亦難收效，且亦非美國獨力所能支持。

四、

第三：共產黨之力量來源，由於馬克斯之思想，與列甯史太林之警察政治，（赫魯之秘密警察現正在加強中）再加以經濟所有權之全面集中於政府，使其全國人民不僅身外長物全屬於國家，即本身生命與思想，亦爲政府所支配。此與周厲王秦始皇希特拉等比較，尤爲殘暴。欲共黨政權之崩潰，須內部被奴役者之全面暴動，如波蘭與匈牙利去冬之表現，加以外界武裝之迫，方可以奏效。但此則易說難行，[illegible]之決心。

五、

第四：在共產國家內，[illegible]有困難，[illegible]政治的或經濟[illegible]，自政府首長至[illegible]，均無安全保障，[illegible]在心理不安定狀態中。近年以來民衆之怒火日熾，共產當局亦知其民衆如有民主國家之精神或物質援助，則其政權終必崩潰，故以統一世界爲其基本政策，對自由國家採取攻勢，實際即其苟延殘喘之唯一辦法。世界果爲共黨統一後，各共黨政權之間是否火拚，全世界民衆是否放棄暴動，可不必討論。但就現階段世界而言，各國人民均若於戰爭威脅，軍稅負擔，以及通貨膨脹，貿易限制等等，非統一不能普遍裁軍，以減輕人民負擔，俾克蓄積資本，發展產業，而導致種族平等，文化交流之實現。但西方國家所提倡之聯合國僅求各國間現狀之維持，而不許有弔民伐罪之行動，[illegible]是以在憲章未修改之前，吾人對聯合國不能存過大希望也。

六、

第五：目前人類之關鍵在乎美國，美國過去對英革命，所標榜者爲人類爭自由，卒得勝利而創造共和政體。林肯對南方作戰，初以統一爲號召，成效未彰，迨放奴令下後，南軍遂陸續瓦解。蓋自由人之作戰，必需有崇高偉大之號召，乃肯視死如歸。中山先生最重心理建設，蔣總統抗日反共，百折不撓，亦其證也。美當局十餘年來，放棄其道義立國之傳統，而玩弄權力外交，然又不如蘇聯之澈底，以致舉棋不定，使人有美國反共不滅之印象。近年來經援軍援用去數百億元，也在少數國家如自由中國及西德南韓等尚收效果外，其他如南斯拉夫印度等國，巨額援助，擲諸虛牝，且間接有利於蘇聯。此外歐亞諸國，如大難來臨時，是否甘心共命，尚待事實證明。推原究始，美國當局不能辭其責。蓋美國爲蘇聯中共之攻擊目標，爲自由世界之領袖，而其政治當局不乏名人，仍迷信與共黨爲妥當之途徑也。

七、

第六：綜上所陳，今日自由世界之缺點益多，蘇聯之人造衛星升空，僅使其驚覺性略爲提高而已。在此後數年，蘇聯及中共利用西方缺點，多方脅迫之處，當層出不窮。美國如仍事舊貫，以維持現狀爲滿足，則即使恢復武器優勢，而亞非中東南美等國逐漸轉爲中立或投共，仍大有可能。美國今日所迫切需要者首爲精神之再造，以不畏強暴之決心，與誠意抗共之國家共同發布解放共黨治下被壓迫人民之宣言，願以精神與物質爲共黨治下人民揭竿而起者之後盾。其次爲宣佈與蘇聯絕交，並有隨時應戰之決心。再次則宣佈俟共黨政權崩潰後，美國將建議改組聯合國爲世界聯邦，使各國澈底裁兵減稅，而逐步求各國間之文化思想資本貨物等之自由流通，即人口移殖，亦予以逐步放寬，使對經濟落後國家，採用健全經濟發展政策，而不以通貨膨脹或貿易限制爲手段者，美國將聯合其他經濟先進國家，假手國際機構，予以技術上及資金之協助。苟能如此，則全球人類者有希望。共黨奴役下之人民將不待戰爭而暴政自歸消滅，至於自由世界人民之歡欣鼓舞，尤其餘事也。

八、

難者或曰，吾子此論，有類於賭博，[illegible]古人云：「死有重於泰山，有輕於鴻毛。」又云：「求則得之，捨則失之。」美國今日如仍存對蘇妥協之心，則必無和平之可言。如美國決心爲反共者之後盾，則不僅美國本身之自由得保，而將近十億失去自由之民衆，亦得重獲生命，使世界大同有望，人類歷史轉入一新世紀，人類成敗，何去何從，端在美國之一念而已。

半週述評

政監兩院之爭的我見

行政院對於監察院的彈劾，於目前提出答辯，我們雖未獲見原文，但可斷言海內外國人對於此項文告，不管是彈劾書也好，答辯文也好，決沒有多少興緻去欣賞。現在大陸上「反右派」「整風」鬧得天翻地覆，自由中國好像也要和他們媲美。

今日官常有待整飭，本來無待辭費。政府開始播遷台灣時那種憂勞興國的氣象，近來已不大多見，代之者是泄泄沓沓無爲而治的做法，引起親痛仇快的事，已發生到了至再至三，照這樣下去必然是不得了的後果。然而這卻決非引經據典，舞文弄墨所能濟事，更何況其間還夾雜着意氣？自由中國今日在國難與作戰中，我們只見英國在大戰時，連工黨也參加保守黨政權，美一九四四年大選，羅斯福總統就是以中流易馬的口號贏得聯任；從沒有一個現代國家在危急之秋內部還能爭吵不休。不知袞袞諸公可還有幾分燕幕危巢的警惕否？

應該着眼在大陸

這並不是說，現在台灣就會有什麼危險，有第七艦隊與美援在，台灣絕對安全。但我們不能只做海外扶餘，老死寶島；從大的方面講，台灣是東南亞全部安危所繫，爲自身打算，大陸上水深火熱的同胞還急待解救。最近，中共「和平解放台灣」的聲浪又沉寂了，不管他們今後作何打算，總而言之，他們不會接受「兩個中國」的建議，讓台灣這反共堡壘永遠形成對大陸的威脅。直接的軍事進攻，我們還有力量抵禦，只怕自己從此銷沉腐朽下去。

杜爾斯之言

最近杜爾斯國務卿在記者俱樂部發表一篇政策性演說，可能是由於國際間壓力的強大，使他不能不表示「確願舉行高階層會議」，但他同時指出其間的重大利害關係：「如果這種會議徒供自由國家鬆弛其必要的安全措施，而蘇俄中共集團並未做任何相應的改變，一定造成致命的災害」。他向蘇俄挑戰，迫使他們「明白表示是否需要一個眞能促進世界和平與正義目標的高階層會議」。可見美當局即使不能不向國際間的妥協壓力低頭，卻並未喪失一貫的對俄立場。但是談到中共，他的態度就有幾分曖昧，對於中共參加對俄高階層會議與美國承認中共問題，他都斷然表示反對，但他的理由卻只是「這對美國無利時」。他更近一步說明：如果此一舉證明對美國有利，美國就準備那樣做。對於一項有關冷戰得失的重大問題，美當局的決策僅以對美國是否有利去做裁決，誠足以使人氣短。那麼假使一旦眞對美「有利」時，美當局自然是不遲疑的去做，而不復計及其他。

我們何以自處

其實這並非新的意見，五六年來美政府對中共基本態度就是如此，始終不出保留與觀望的窠臼，而並不認爲中共與自由世界不能並存。任何一國都有權利替本國利益打算——即使那種打算根本是錯的，例如張伯倫之於慕尼黑。問題在於自由中國本身如何自處。自由中國在進步中，然而這進步太少太慢，誰也不能否認。足以扭轉國際視聽，根本祛除若干世人對中共的幻想。像監政兩院之爭一類事多鬧幾次，總會對於杜爾斯所謂「有利」方面的考慮增加些比重。

李秋生

論選任大法官的標準

·遵憲·

第一屆大法官九年的任期于去年七月屆滿了。在台九位大法官，有八位是繼任的，依司法院組織法第四條第三項規定，「大法官之任期爲九年」，本可按照各人任職之日起算，分別各自任滿九年；但因去年十二月十三日公布修正該條項爲第五條，「大法官之任期每屆爲九年。大法官出缺，其繼任之任期至原任期屆滿之日爲止」，繼任的大法官，不問已否任滿九年，亦認爲同于去年七月屆滿任期，不得不統行離職了，是以第二屆大法官急待選任了。

選任大法官的方式，依法律的程序，「由總統提名，經監察院同意任命之」（憲法第七十九條第二項）；但事實上依慣行的程序，于總統提出前，由各方推薦若干合格的人才，經由司法院或總統府，送國民黨中央常務委員會審核通過，提出比應提人數多一二倍的人才，請總統兼總裁圈選，提請監察院通過。聞現在各方所保薦的候選人已有五十餘位之衆，比之大法官法定總額十七名，已超過三倍。

大法官負有「解釋憲法並統一解釋法律及命令之權」，「法律與憲法牴觸者無效，法律與憲法有無牴觸，發生疑義時，由司法院（即大法官會議）釋解之」，「命令與憲法或法律牴觸者無效」，（憲法第七十八條第七十九條第二項第一七一條至第一七三條司法院組織法第一條至第三條）。法律牴觸憲法、命令牴觸憲法或法律，爲任何法治國家所難免，尤其是民主法治基礎未固的國家，大法官若眞能負起其神聖任務，解釋某項法律或其若干條文係牴觸憲法爲無效，未免得罪了制定法律的立法委員和歡迎是種法條的權貴了；解釋某項命令牴觸憲法或法律，又未免得罪了赫赫的大官了。第一屆大法官九年任滿，一共解釋了七十九件，是否件件解釋得均極妥洽？並且未聞解釋一件命令或法律牴觸憲法或法律的事件，是否所有命令或法律均無違背憲法或法律？是否雖然有之而未經依法提請解釋？是否大法官缺乏富貴不淫貧賤不移威武不屈的精神？抑另有其他的妙用？明眼人自有定評。美國前總統羅斯福推行一連串新政（New deal），挽救了全國經濟危機，並贏得了第二次世界大戰的勝利，但聯邦最高法院于一九三五年仍宣稱爲違憲，這種大無畏的精神，似須爲今後大法官所應具有的起碼條件，方能維護憲法或法律的尊嚴，若無是種大丈夫精神，便難免望風承旨，依附取容，不惜曲解法令，以討好權貴了。雖當道便利于一時，其實貽害于無窮，似應爲國家長治久安計，而選任鯁直強項的優秀人才。

現在競選大法官的人，至少年齡當在四十歲以上，自均是服務社會多年的知名之士，或曾做了高官的大員，但最重要的必須已經表見過足以稱述的事績和主張，發揮了公爾忘私的精神，絕無卑鄙的言行。凡「大奸若忠」的僞善小人，「曲學阿世」的御用學者，「言僞而辯」的鄉愿，「口是心非」的官僚，縱使學富五車，經歷纍纍，具備大法官法定資格兩三款以上的，亦應該摒棄不用，免得于行使職權時，仍存患得患失心理，趨炎附勢，曲解法令。至于曾否受了監察委員們的彈糾？受了懲戒處分的輕重，固不足以妨害其勝任大法官。若是劣跡本屬多端，彈糾及懲戒所及，限于積極證據之不易搜羅，不得不從輕議處，實不必以僅受薄罰而予以寬容，使能僥倖入選。

我國現行憲法法律以及嗣後續訂的法律與頒行的命令，原是依據固有國情社會狀況，然採用外國的立法例與學者的主張，亦不在少數。而外國立法例與學說，隨時日的推移，而有繼續不斷的改進，我們也不能「故步自封」「刻舟求劍」，永作時代的落伍者。大法官解釋法令，固須在其多年的經驗學識，亦須經常參閱各文明國家的先例和學說，非嫻習二種以上的外國文字，等于文盲無法閱讀書報，更談不到擷取此中秘奧，適應工作上的需要。

大法官固需要年高德劭學識經驗俱豐的老成人，但若老態龍鍾思想硬化的老人，自顧維持其日常健飯之未暇，那有精力思索各種關係，解決憲法法律上問題，更無閱讀有關書籍的腦力和興趣。雖其過去有攸久的閱歷，光榮的功績，究屬過去了，政府盡可另用其他酬庸豢老辦法，予以安置，絕對不宜選任爲大法官，使之濫竽尸位。老成人須的確有靈敏的精神新穎的思想，當然可以借重。否則，盡可起用些體魄健思想新經驗足的新人才。

從競選現象看台灣政治實質

·鐵肩·

台灣通訊

邇來早晨天還未亮，便被擴亮而嘈雜的聲音吵醒。彼牽進醜惡的現實。市議員公開競選，也實不容易，這些慣用疲勞轟炸的候選人們，從早晨六時到晚上十一時還不肯停止。而耳朵是不設防的，直被轟得頭昏腦脹，任何事情都不能安心做。

競選法堪稱一絕

在我住的樓房四周，便分設了四個播音器，街上還有穿梭似的廣播車，其聲也洪，其鳴也哀。而由這些廣播器中播出來的語調，卻是千篇一律，「市議員候選人××登記××號，請多多支持，多多擁護，拜託！拜託！」或「×××年輕有爲，別人不敢講的話他敢講，別人不敢做的事他敢做！」等語，奇怪的是他要講要做的究竟是甚麼卻緊根不提，說來不着邊際，聽來不落痕跡。此種競選方法，堪稱一絕。最令人難耐者，擴大聲疾喊之後，復播送黃色下流的歌曲，令人欲嘔。這樣如火如荼的競選熱，瘋狂地燃燒着每一個都市的心臟，十足地表現出今日台灣的「精神民主」。

正統哲學不適應了

「學而優則仕」與「爲政不在多言」的中國正統政治哲學，已不能適應於今天的民主時代了。自行憲實施地方自治以還，已步上了一個嶄新的階段。但縱觀今日台灣的選舉情勢，卻不能使人樂觀。候選人的資格，既未能合理審查，於是張三李四，甚至地痞流氓，毫無政治常識之輩，皆可起而用上面方式，取得競選優勢，我們在競選公報中常見笑話百出，聯合報載××縣議員候選人所擬的政見中，白字連篇，錯得連鉛字都檢不到，將「呼籲」寫成「呼×」，「促政府」寫成「捉政府」，「提請」寫成「捉請」，「建議」寫成「健議」。像這樣的錯誤，不一而足，令人啼笑皆非。這些先生們當選後，能爲民衆謀多少利益，實在令人懷疑。

空頭支票也開不出

爲政不在多言，在競選時期開下空頭支票的人，上台後儘可置之不顧。但也有人連空頭支票也開不出的，只空洞的寫上幾條擁護某要人之政見，或服從甚麼，也得謂之政見，實在使人感慨萬千。

民主實質與醜劇

時代是進步了，昔孔明「三顧」而後始出，陶謙「三讓」而後劉備才領荊州牧，唐人以終南爲做官捷徑，但今人欲做官便非「競」不可了。按競選之方法，乃將個人各見宣傳於民衆，至於投票與否，由選民自行決定。但今日之競選者爲達目的竟無所不用其極；或挾某種勢力以威脅逼迫，或以金錢爲利誘，於是競選掮客應運而生，操縱把持，賄買選票牟利，演出種種民主醜劇。以如此之民主實質，而欲求政治清明，何啻癡人之說夢。不知主持選擧的當局，能否正視這些弊端，而予以改善，好使台灣這幼稚蹣跚的民主，能步上康莊之途呢！

「風雨同舟」乎

·尹震·

寶島經緯線

報紙開放有問題

△自政府遷台後，報紙的登記一直在凍結中。這一出版法的扼殺，確使許多新聞從業員精神緊頭，頗感苦悶。前此不久，會有報紙開放登記的消息。據說國民黨的某次會議中曾通過，列成草案，此案主持者是中央日報社長胡健中。但即遭另一官方報紙——中華日報社長曹聖芬反對，其中原因非常複雜，兩人爲此曾鬧得非常不愉快，而後報紙開放登記也胎死腹中，據說胡健中爲此還數度呈請辭職。

變相「受訓」大浪費

△近年來重視「訓練」還過於正常教育，由是而蔚成一種流行風氣。現在，自中央各機關、省府所屬各單位，以迄各縣市鄉鎮地方自治機構、乃至各級民意機關、民衆團體、大中小學、公營事業機關、官方報社通訊社等等，無不經常奉令更番派人接受定期三個月或六個月之「調訓」，而以隸屬於執政黨者爲限，奉命受訓人員，除帶職帶薪食宿免費外，並由所屬機構或服務單位按月供給旅費，實際上等於變相津貼，久已成爲通例。同時各機關主計人員對此決無推敲者。即審計機關亦照例核銷，大家心照不宣，領受者亦毫無愧怍。如果將歷年各機關所支出的受訓旅費，加以合併彙計，當然是一筆可觀的數字，若再加上每年所耗費的訓練經費，其數額之龐大，更可想而知。大概以之舉辦一所完備的大學，經費尚不致感到拮据，則七八年來爲國家作育有用的人材，也就不知有多少哩！

·季鶯·

日韓僵局之門已開

·觀游·

（本報東京航訊）日韓僵局終因去年十二月卅一夜十一時卅分雙方正式簽字同意釋放被拘人犯而獲致打開，自岸信介組閣以來岸對日韓關係一直是全力以赴，深切冀其獲致解決的，不料在岸上年赴美訪問前夕會功敗垂成，而更沒有人料到上年十二月十五日漢城方面猶傳出韓國拒絕國際紅十字會的調停建議後的兩周竟會在未經公布接觸情形之下突然簽字換文了，不用說，這個問題一直是在雙方同一解決目標下秘密進行接觸的。

所以日本時報一月八日會刊登了一條消息說，日韓另外簽了三項秘密同意書，據說是在日本外相藤山與韓駐日大使金裕澤在簽完雙方互釋人犯同意書後在未經人注意時而予簽署的。對於秘密的內容則未予透露，突然的急轉是不可思議的。因爲同意書與以前所宣佈的內容除了日本放棄對韓財產要求權外，並沒有什麼不同之點，可是日本時報這一消息，日韓雙方均予以否認，這是值得玩味的。

至於日方報導岸信介欲與李大統領會談，欲派遣訪韓親善團等等消息，韓國方面似乎極表冷淡，甚至說：「如果說我們（韓國）已與他們（日本）友好，那是愚蠢的想法，」又說，韓國方面堅持要求日本送還日本佔領韓國期間所掠奪的藝術財產。

所以儘管日本已將韓國被拘人員名單公開發表，但韓國對於被拘日人名單尚未送交日方。當然，釋放的實施總在二十日以後或一月末了。

在日被拘韓人約千七百多人，其中約四百六十人於刑期完了後可以遣釋，並且可以在日本繼續居留，至於非法（走私入境）入境者約一千二百人韓國答應於釋放後遣返韓國，這一點是韓國以前所堅持不肯接受的，但是日本國內對有被拘韓僑釋放後對日本社會秩序的影響及走私密航的再度復熾深感憂慮。

釋放只是這一個問題的開端，日韓間的懸案還多，要留待三月一日正式會談後慢慢細談細講。至於日韓正式建交則必待懸案解決乃可水到渠成。僵局之門已開，前途總是充滿希望的。

韓國對李承晚綫的警戒繼續加強，[illegible]捕提闖綫日本漁船，毫不鬆懈，這是日人頭痛的事，韓國是不講甚麼政治考慮的，[illegible]予人以可乘之機，混水打漁了。（一月十三日）

不悖事理．解決財政問題．

——爲自由中國朝野進言之四

胡秋原

能守法，不自欺，我們可免于亂；然這還不保證治。治者，解決問題，達成事功。要事情有效，一個最重要標準，是要不違背事理；要合乎目的，要合乎一事本身之法則；有弊當除，除弊，要針對弊之原因；有利當興，興利，要看自己的條件。而政治之事，是大家之事，總要由制度，政策，人才三方面解決問題。而一切當合乎常理常識。不能亂發命令，也不能亂受命令。

要不悖事理

我們不能做一切的事。一定要區別事情之輕重緩急。此古人之所謂「本末」「終始」，西洋人所謂「要緊」與「優先」。忙于不急之務，即就誤要緊之事。我們一定要做可能的事，不能僥倖。尤其要知道政治是國事，是公事。政治只能打大主意，而不能打小主意的。我們必須着眼于國家長期利益。只能打算天下後世之公，不能打算少數人一時自便之私。走大路一定順利，走小路注定不通。假公濟私，根本就是失敗的。獨裁政治必敗亡之故，即他們目標不過是一個新特權階級之勢利。

上面我說到自由中國一大毛病，是因自欺而不能解決問題，另一大毛病則是常因不顧政治上最基本道理而不能解決問題。其現象是雜亂無章，標實不分。是虛浮；虛者，空話宣傳一番，用「特刊」「宣傳週」解決問題。浮者，頭痛醫頭而已。更壞的，是少數有力者爲一時自便，或利令智昏，不知大體，辦些不正經之事，旁門左道之事，不徒無益而又害之事。此即是「愚而自用」。愚而自用者，禍及國家，也災及其身。這也是聖人說過的。

我們今天中央地方一齊擠到台灣，是暫時之局。一個順理成章之道，應是除了財政劃分以外，最好中央專管反攻復國大事，地方政治，全歸台灣省政府管理。我們要協助台灣建設；然關於省政範圍之事，中央應不隨便干涉。用人方面，尤當多多引用本地賢正良好人才。然而我們常在行政上搞在一起。（此外，許多中央機關層出不窮之「考察」，許多外省逃難者參加地方民意機關之選擧，都是不好的。）這無法將事做好的。許多毛病，就可由此發生。老實說，我們反共的根本理由，一是中共不配治國。如集全國之人於此彈丸之地，還不能辦好，我們如何夠反共，治好大陸呢？

財政上的十大毛病

無論爲了安台或反攻，第一件事是要使財政上軌道。因爲財政是庶政之母。而我們政治之癥結實在此處，這是大家常忽略的。例如今日貪污，是一大問題。平心而論，貪污本身，不是嚴重的，貪污乃無能之表現，才是嚴重的。個別貪污，不足亡國的。貪污流行，集體貪污，才是亡國的。這病在抗戰中期才大起。其所以大起，即國家財政是時大大失軌之故。自是以來，每逢有一大貪污事件發作，即看見輿論大叫一番，然馬上又過去了。每一次發作、即說到「用重典」之說。其實，貪污不過是財政病象，不要說殺得「用重典」，不治病源，即殺病人，又有何益處呢？要知道我們財政及有關財政制度政策，有極大毛病，才是貪污之病竈。我們的預算制度沒有完全進入現代軌道，也沒有好好執行；即國家之賬，不能說是十分清楚；一也。不是財政政策服從經濟政策，而是濟政策服從財政政策；我們從不注意開拓市場，只善於就地統制；政府控制範圍太大，既使社會經濟不能發展，同時又使不肖官吏機會太多；二也。俸不足以養廉，三也。我們的稅率決不合理，照章納稅，無人受得了，乃給稅吏以講價還價機會；四也。我們的會計制度，亦多不合理，束縛好人有餘，束縛壞人不足；五也。我們的人事制度不合理，有勢力者容易干涉，推薦其私人；還有許多財政機關舉辦訓練班之類，弄成了一種私人系統，使人事更加紊亂，好人難于立足；六也。匯率之過份複雜，乃今日貪污活動最重要漏洞；七也。除此以外，我們社會事業不發達，大家擠入仕途，而仕途難于謀生；政府統制使投資生產者裹足不前，而社會事業更難發達；加之利息利潤之不平衡，也使許多有力者只須低借高放，或公借私放，即可獲利，而一般生產事業更爲艱難；七也。政治上我們早已逐漸形成一種既得利益集團，而我們財政經濟官吏又老是一套人物，相習既久，大戶多爲逃稅，使財政收入短絀，因此必須取償於其他人民，乃至進一步之統制；八也。我們政治上責任觀念，早不分明，我們沒有獨立司法制度；而法院之清白程度，由兩人命案亦可見之；九也。最後，我們也沒有獨立的輿論，有之亦無力；十也。這十個原因，又互相作用，爲惡性循環，遂使貪污成爲一種痼疾，日趨嚴重。

我所謂財政，也包括國防財政，或軍事預算在內。因爲大家都知道，我國壓倒的支出，素來是軍費。而其中的駢枝浮濫之急當嚴格整理，也是不待多說的。

政策制度應合理化

既然貪污病源在財政制度政策中，則這一問題之解決，亦應求之于財政制度政策之合理化中，是很明白的。這在立法監察院可以一由立法方面，一由彈劾方面，共同合作設法解決；而輿論及各界人氏，也是應在這一方面贊助的。如僅僅喧嚷，說點快口快心之言，既于事無補，反足以促成「集體貪污」，無益有害的。殺嗎？財政制度政策如故，那是春風吹又生的。

再舉一例。今日自由中國最根本一事，自是造就人才。近因李楊兩教授之得諾貝爾獎金，蘇俄之放射人造衛星，以及美國之深受刺激，要加強科學；我們一般言論，也高唱提倡科學，是極自然的。我們要有多數科學人才，也是無問題的。然我們可說自同治以來，即在提倡科學。而成績不如預期，原因何在，不也是應該深思的嗎？科學需要經濟配合，科學需要政治鼓勵，需要社會鼓勵；而就科學教育本身而言，如今日美國人自己檢討的，要重視基本研究，理論研究，要提高科學教育人員待遇。如我們財政經濟政策不能促進生產，如我們教育當局今天一個命令，明天又一個命令，不將教育基礎辦好，如我們讓教育界苦得不能安心教育，如我社會只崇拜升官發財而不好學；或只知急功近利，而不知文哲亦與自然科學有關；空言提倡科學，又有何益處呢？許多人談「迎頭趕上」。我看還是古人之言有理：「臨淵羨魚，不如退而結網。」

香港難民生活畫面

香港難胞的生活，人們知道的，只是打石、搬運、開礦，以及派報和就在調景嶺等待救濟；卻無人知道流浪街頭難胞八年來怎樣謀生，他們說：「我們的生活，儘管不像被安置於酒店中——那些有美鈔使用的國際難民般安定，却同樣受到國際人士的尊敬、援助；相信全世界任何地區，難民謀生一定沒有如香港那樣自由」。這裏且告訴你一些難民的生活吧！

每一個來自大陸的難胞，雖然不乏有錢人，儘管有錢，因爲不會把資金運用，幾年來也就變光了。這和調景嶺難胞人數增加，也是一大原因。這些人在光着手逃出的人看來，那的確是太可惜了。然則，「今日有酒且一醉」的人，在走投無路者看來，又何嘗不替他們惋惜呢？一個人總是有「窮則變，變則通」的觀念。窮則變，變好變壞，只在一轉念間；就許多事例看來，難胞們的變，既不好，也不壞，勉强能過得去；不過也有很少的例外。

一個在三十八年流亡到香港的窮教員，六親無靠，可以說一個熟人也找不到，打石子沒腕力，做著工更非所願；偷、拐、騙又非所長也許有所不欲；心想：人說香港遍地是黃金，我看寸金尺土的現社會，那來「黃金可掘呢。誰知就是這麼一想靈機轉動，頓時喜上眉梢，真的，「遍地是黃金。」從這一天開始，他像一頭耗子般到處俯拾「烟蒂」。起初，拾取一些棄給街邊的「雞尾烟攤」，後來便擺設了「雞尾烟攤」；白天撿賣「雞尾烟」，晚上依舊拾「烟蒂」；不消三年，擺設了有牌香烟攤，出錢租了個床位，也不再借宿人家的樓梯間。再過三年，頂了舖位，誰也不知道他的前身是拾「烟蒂」的難民。現在呢！已是面團團儼然富家翁了。

然而，拾了八年「烟蒂」，依然是個窮光蛋的，也大有人在。這些人可能是基於「知足常樂」，以嘲弄自己缺乏進取心；跟一般被人譏爲「職業乞丐」者，總算比較安分得多；「職業乞丐」這名詞，儘管遭人厭棄，也常爲國際人士歡迎，因爲他們懂得英語，專門向外國人伸手求助，例如美國副總統尼克遜途經香港，知道尼克遜是同情他們的遭遇，於是，把這個美國第二號巨頭包圍，歷陳共黨對他們迫害經過，但並不直截了當求助。當然，尼克遜聽他們訴說到餐風露宿、衣食不繼；不能無動於中，慨然解囊。據說，這一次的外援，是八年來所有過境的國際人士中最大的一筆。

難民的分子很複雜，各色人等俱全。有一種是專們攪人事關係的，終日注意報紙，甚至檢拾被人丟棄的報紙來看，一經發現什麼宗親會新近成立，馬上按址申請登記，好得頂上幾個姓氏都無所謂，問題是需要遞得一份名單，按圖索驥，經常登門拜訪；熱心拉票助選。居然由許多巨公、富商的「跑腿」，一變而爲「磅友」；再變而成名流。從此，他們不需要找一分職業，也不必伸手乞憐，洋房、汽車、美女應一張印上許多銜名片，誰也不敢碰他一下，還怕一生不夠受用！不過這一類的人並不多，他們對同難的人一樣施捨，並不忘懷舊情。還有一個人加入十幾個「同學會」，也不算稀罕，還這關係，就可由「變」而通！

然而，他們除了挖竅門謀生，與力圖享受之外，另有什麼打算呢！他們過去未嘗沒有思想，與角逐於一個始終難以捉摸的理想？事實的反映：這社會不許他們恪守本分，不然，求生不得（上難民營沒有飯票）掘坭、搬石無力；想死也不容易（自殺是犯法的行徑）；偷竊，打劫又不甘辱節。這年頭，難民的生活確實很難。在難胞羣中，特別是文化人生活最苦，靠一管筆耕作謀生，不是輕易的。例如曾任南京和平日報記者蕭蕭，最初在香港兩年，賣文維生，一家勉强餬口；再過兩年，寫稿儘管多，文章沒有出路。夫婦倆被迫做掘坭小工。結果被載坭的卡車軋死，遺下孤兒寡婦，如今生死未卜。像蕭蕭這樣遭遇的人，誰能說是絕無僅有？

這些，只不過千百個例子中的微積數，反映出他們的歡笑和享受是怎樣爭取；那悲慘淒涼的遭遇，難道應歸咎於命運？該詛咒於無能？人類本有互助的德性。可是，人情如薄紙的香港，予難民以無條件援助者，試問能有幾位有心人？

・祝修衛・

天文學家遊俄印象記

看蘇俄怎樣的注重天文學

・風行譯・

「俄人物質生活之苦與科學的注重適成强烈的相反對照；俄人不關心亦無法講究婦女的服裝或物質生活的舒適，但政府提倡學校技術教育」。這話是倫敦『每日電訊報』發載天文學家，理查胡利博士，遊俄記錄的印象，下面僅摘譯其大要，由此可見蘇聯的深謀遠慮，而西方國家却耽於苟安之夢。

第一的印象

在西方人看來，蘇聯民生日用品之缺乏，和科學教育之完備，成强烈相反對比，至足驚人！

初到赤都飛機場，令人獲深刻的印像的，便是莫斯科大學的摩天大廈。該校據稱有學生逾萬人。裏面陳設相當富麗。學生生活甚舒適。有大音樂廳，游泳池。我到達時，看見他們聆聽交響樂演奏。其後我們到第十七層，和一些女學生喝茶，在那裏有自取食物而無侍者的咖啡室，和餐室。每一層樓，都有煤氣爐，給學生自由烹飪。學生們眞正享受男女同校之樂。他們和她們當中，有許多未畢業，已實行同居了。校內自然設許多獎學金和津貼學額。

俄國大學的教授物質生活，和西方的差不多，只是沒有私家汽車。

少女要做天文學家

蘇聯沒有嬌生慣養的婦女。成羣的婦女去修理道路，或挖公共園地，或剷煤炭到火車卡中。有一位母親說：她的五歲大女兒已告訴她，長大時要做天文學家。

我和一位職業天文學家，乘火車去克里米亞，歷時兩夜一晝。我們來克里米亞，目的在參觀蘇聯的天文台。大戰後，蘇聯積極研究天文學。若干的主要天文台毀於砲火，但已完全重建了。大戰結束時，從德國蔡司工廠徵用許多儀器。但俄人打算發展自己的光學儀器，和天文學望遠鏡，大概均在列甯格勒製造。

俄人展開研究科學運動，特別致力於物理學及工藝。而天文學是這個運動的一部門。

莫斯科天文台

莫斯科天文台，附屬於莫斯科大學，主要目的是供教學之用。有四位教授，在國際上負盛名的。天文科學生一百廿名。他們以天文爲終身事業。比諸其他各國一間大學的天文科學生，算是遠較爲多的了。但仍感天文人材缺乏。普蘭華天文台的台長告訴我說：他很難找到職員，天文人材不想呆在天文台觀察星的位置。而甯願執無綫電天文事業，或捨不得離開莫斯科，也是原因之一。

莫斯科氣候不佳，多雲霧，而且有城市燈光的干擾。所以天文學家選擇天氣常較明朗的克里米亞，設天文台。現在的克里米亞天文台，隸屬於該共和國管理。原設在附近黑海而較多雲霧的西米斯，現遷到較少雨的西佛洛普。原有的望遠鏡，彼德軍移去，而毀於柏林。現在那大望遠鏡是墨索里尼自蔡司定做的。直徑五十吋，不算大。擬在列甯格勒製造一個直徑一百吋的。又聞蘇聯建造一座直徑二百吋的望遠鏡，自然可與現今世界最大的加利福尼亞州巴羅瑪山的相抗衡了。

致力研究太陽星星

克里米亞天文台，更致力於研究太陽。由著名的塞佛尼教授領導。目前注意太陽黑點之變動，因其影響到地球，使發出放射能，令到地球大氣層上層成電離子層。現在普通稱「電離子層」，使遙遠的通信站，能互相通訊。電離子層是時常變化的。此外更深研究太陽物理學。塞佛尼教授正研究太陽噴火附近處發生的核子反應。我沒有時間拜訪相距遙遠的蘇聯各天文台，但到列甯格勒南方的普爾高華天文台。該台在一九五四年重建，專研究星像位置。但也設太陽物理學部門。僱用人員四百名，這是謀解決天文難題的大本營。現在你在旅館，或科學機關時，你可以常見中國人。俄國人給他們以技術智識的援助。

科學技術大力推進

我另獲一印像，是俄國人大量推進科學技術教育，這是經過人批評過的了，但百聞不如一見。

俄人物質生活之苦，與科學的注重，成强烈的相反對照。俄人不關心，亦無法講究婦女的服裝或物質生活的舒適。但政府提倡科學技術教育。

電影也朝這目標

他們的念念不忘科學教育，可在他們的電影看到。尤其是在新聞片放映新的技術和工藝，他們不像我們祇視作『新聞』而欣賞，而是更詳細的解說。我看一套彩色的俄國天文台紀錄片，解釋得很清楚，而旁涉及天文學如何應用到測量，使我俄國減少西伯利亞的荒地。這些對於我們有何教訓？我以爲我們應該也照樣的把國家的收入，用於科學技術教育才是。

一股蠻勁

蘇聯在物理學技術各方面，不是完全超過西方。但他們有一股的蠻勁，完全要努力去試。在西方國家，多是長於某一項，而短於某一項。但蘇聯是要全面並進的。例如他們視天文學和天文裝備，都是當代物理學和工業技術整體的一部份。

二次大戰後發展最速

在第一次世界大戰之前，甚至其後若干年，我們可以說世界一切科學工藝是歐洲一小部份區域的發見、發明，和發展之結果。但現在不同了。也許今年最令人注意的，是兩個中國人獲得諾貝爾獎金。美國現在還是世界觀察天文學的最大中心。但在第二次大戰後，蘇聯却是天文學興趣增加最快，及天文的裝備發展最速之國家。

國際動態拾零

蘇聯對落後國家之政策，的確轉變了。史太林時代，僅恃軍事壓力與政治滲透，現在偏重於經濟援助了。所謂亞非中立集團，從中國南部經印度，中東，以至北非，共有十億人口；兩年以來，蘇聯對其中十國，據說以經援十五億。受惠者爲阿富汗、高棉、錫蘭、埃及、印度、印尼、尼泊爾、敘里亞、葉門、南斯拉夫。同一時期，美國給此十國的援助，則僅九億，現已只撥加至十億。對印度鋼廠之貸款，蘇聯貸以值一億一千五百萬之機械，使其年產鋼鐵百萬噸。南斯拉夫之製鋁廠，有一億七千五百萬蘇聯貸款。敘利亞之鍊油廠，有蘇聯貸款一億。他如印尼之製糖廠，阿富汗之麵粉廠，亦有蘇聯貸款而數字不詳。這十億人早遲都要站到蘇聯那邊去了。

×　×　×

亞非會議，蘇聯在亞洲之六共和國及中共皆參加。大會之後，常設一團結理事會于開羅，這就是變相的共產國際情報局而實行其對亞非各處的滲透了。納薩將任理事會主席，而副主席則爲蘇聯人。

×　×　×

據新聞週刊報導，一九五五至一九五七年蘇聯對亞非國家之經援爲十九億之分配如下：一、埃及，四億八千萬；二、南斯拉夫，四億六千五百萬；三、印度之三億三千三百萬；四、敘利亞，二億八千萬；五、阿富汗一億四千五百萬；六、印尼，一億一千萬；七、高棉二千二百萬；八、錫蘭二千萬；九、尼泊爾一千三百萬；十、葉門一千萬；十一、其他國家七千萬。軍援總數爲四億，以給與敘利亞，埃及爲最多。

・陶然・

安子文獲掌組織部

中共黨組織起家，並賴以維持統治權，組織部的重要當居首位。但是，自前任部長饒漱石被指爲反黨集團予以清算後，部長職位虛懸有年，職務由副部長安子文代理着。最近，安子文已正式以組織部長的身份出現了。

何以，在高饒事件後，不讓安子文正式升任，而一直拖到最近才把他扶正呢？

一九五七年九月十一日「人民日報」，曾發表安子文的文章，題名：「接受教訓，增强黨性」。該文殺氣騰騰，重心在强調要嚴厲處分黨內右派份子，其增强黨性的要求顯爲劉少奇思想的一脈相承。果如此，則前一段時期，他未能正式升任組織部長，似乎是受劉少奇的反對派方面壓制的緣故。最近，劉少奇的勢力在急劇膨脹，安子文便亦順理成章的正式升爲組織部長。

胡喬木退出人民報

胡喬木自一九四九年上半年接任范長江所移交的「人民日報」社長後，一直平安無事。最近，該報領導機關改組了，繼胡者是該報總編輯鄧拓；新華社社長吳冷西則兼任該報總編輯。理由是爲加强「人民日報」的領導。

這反映出胡喬木去職，原因是領導不力。（按：該報的「右派」聲勢頗不弱。）然究其含義似又並不止此。據我們所知，毛澤東與胡喬木間的關係密切非常，因這方面人事上的任免，却顯出毛澤東在中央黨報「人民日報」的控制力量正趨向低潮哩。

周建人夾縫中黑馬

在上月，浙江省的黨內「左派」第一書記江華，門倒了黨內「右派」「省長」沙文漢。繼之，通過了形式上的選舉，選出了新「省長」周建人。

周建人，握筆桿出身，並非行政方面的人材，並且他是寄身中共籬下的「民主黨派」分子；考以往大陸的「省長」中，只有陝西的趙壽山，甘肅的鄧寶珊，湖南的程潛是屬于「民主黨派」的，而中共在這方面的行政人事政策是：已在位的，既不給予權力亦不予以調換，以便用以來宣傳；沒有在位的，亦不予以升任，以示「民主黨派」終究要走「社會主義的道路」而自行消滅的。但是，現在周建人以「民主黨派」的身份獲得了一個浙江省長，這就違反了以往的政策；豈非爆冷門了。其可研究者正在此。

按浙共黨內鬥爭的結果，「右派」沙文漢，楊思一，彭瑞林，孫章錄，郎家籛，黄源，陳修良等全部倒下，該說「右派」勢力在浙江省委中已經被掃蕩乾淨了。在這種情勢下，身爲「左派」省委書記，第一名副省長霍士廉却未獲升任，似屬越出常情。料係另有其他力量阻礙着。這種力量看來是來自南巡中的毛澤東方面。儘管毛酋南下是在支持浙江「左派」鬥爭「右派」沙文漢等，但他本意當非讓「左派」包辦浙江省的一切。於是從夾縫中放出黑馬周建人，以和緩左派的氣燄。

毛澤東重整地方黨

就前述三則看，似有不甚和諧之處。既說毛澤東不能阻止「左派」勢力在中央的擴張，何以又能在地方制止左派的勢力。既有在地方壓制「左派」的力量，何以在中央又一任「左派」勢力抬頭。

按鳴放時節，劉少奇、彭眞力量之膨脹，多半得力於地方黨的支持，毛澤東當然已了解失去地方黨的支持，中央權力是虛假的；現在，從前述幾項事實來看，他似乎已採取這樣的鞏固其地位的政策：暫時在中央讓步而盡力安排地方力量，俟機再圖奪回中央某些部門的權力。若果上述分析不錯，那麼中央的某些部門的主持人，如陸定一、李維漢等的職位恐怕在最近也將有變更的可能。

・田心・

自由談

表演忠貞

馬五先生

眞正的忠君愛國之士，決不故作忠貞的詞色，相反地，遇事若感覺於義不安時，還要奮起諍諫，敢抒所見，恪盡其知無不言的職責。這類例證，在史乘中滔滔皆是，而國家治亂興亡之道，昭然若揭。我們祇看魏徵對唐太宗的情形，他以降臣的身份，忝躋新朝公卿之位，卻那樣地不避嫌疑，憑其一片忠悃，隨時隨事，直言極諫，不惜冒犯君主的尊嚴。這在今日一般以攀龍附鳳，希寵干祿爲目的的政治人物看來，早就應該將他視爲「匪諜」或「叛逆份子」，雖不殺，亦得加以終身禁錮了。然而，終唐太宗之世，魏徵並未有絲毫不忠貞的行爲，且弼成了貞觀之治，永留歷史佳話哩！

凡屬喜歡表演忠貞姿態的人，他的人生觀除富貴功名之外，沒有別的思惟，有奶便是娘，誰能給他以祿位，他就對誰表示忠貞逾常的詞色，一旦遇着患難，又憑其表演忠貞的絕技，蟬曳殘聲過別枝，投靠新主子去了。試想現代的政治人物張治中，他當年對於領袖所表演的那套忠貞言行，誰不認爲得未曾有，而稱贊其爲變料的「忠實同志」呢？所以，我始終抱有一種觀人的法則，每見着好表演忠貞詞色的紆青拖紫者流，即判定他是有奶便是娘主義的實行家，心竊鄙之。

政治上固然不可能期望個個人都作烈士，文天祥、史可法那類人物，歷史上並不多見。可是，得個讀書有得的知識份子，必須崇信眞理，保持一些正義和人格，表示其有所不爲的讀書人氣質，才是起碼的做人條件，也才配稱爲領導社會的知識份子。爲着一時的私慾而昧良鮮恥，明知於義不可通，於說不能圓的問題，也藉爲表演忠貞的工具，強詞奪理，曉曉人前，這樣的讀書人越多，越能得志，即反應着那一時代的文化精神之墮落，以及政治的衰敗內容，而其國家前途亦就太可憂慮了！

世態章

上下期

・陳永昌・

上期考試，成績劣等；下期考試，用功死「咪」，成績斐然。所謂上下期之別也。

上期我家的貓添了四隻貓子，下期可添五隻了吧！上期我中了入圍獎馬票，下期該中頭獎了，盼望使下期更富誘惑。

可惜得很，這世界有些事情是只許上期，有些卻只許下期，太不公平了。

交學費要上期，交房租要上期，交濟糞費也要上期。未交學費不許上課，未交房租不得入伙，未交濟糞費夜香娘子深夜不來拍門。

入電影院要先買票，未有票不得欣賞張仲文一類的美麗動物；看馬騮戲：呼呼呼，睇一睇，也要先給一毛錢。坐飛機到台灣渡蜜月要先購票，否則蜜月渡不成。坐輪船到美國留學，先要搞妥船票，不然只有望美國大學之門而不得入。坐火車去沙田獵豹，沒有錢買車票也去不成。

乘渡海小輪過海，在轆轆處先給兩毛錢，少五仙也休想去得成，轉頭再給你吧！不能，公事公辦，先交錢後過海。

也許是一種幻想，但也可能成爲事實的，假如學期完了才交學費，住了一個月才交房租，清了一季糞才交濟糞費，欣賞完美麗的動物才買戲票，看完馬騮戲才給一毛錢，坐上飛機、輪船、火車才購票，過了海才交錢，你道這多好啊！最少可以表現出人類的互相信任。

人類互相信任的地方很多，上了巴士才購票，不購票有時還可以走鷄的，假如大膽一點可以冒充有月票，可是被稽查來查出時，捉將官去，罰你一百數十元，那就該死了。這是信任上的麻煩！

男女相愛，甚至互訂白首，本是平常事，但男方急不及待向女方支上期，假如對方願意而一切結婚支票可以兌現的話，亦屬平常事，然而問題卻在這裏，得償所願後，男方可能說女方已非完璧，女方卻可說男子負心，各執一詞，後果非筆者所能想像，這也是互相信任所帶來的煩惱。

世界不平等的事多得很，比如：學生交學費要上期，教員支薪卻是下期；商店老闆收貨錢要上期，職員工資卻是下期的；買稿紙爬格子，給了錢才有交易，倘倖給編輯大人採用了，拿稿費便要等最少半個月，一兩個月算是很好的了，一年半載在在皆是！奇怪的是，人們對這些不平等卻認爲是理所當然啊！

假如感情好，老闆好人事，職員有急需時，支上期薪水，也不會掃興的，尤其現在可以過年爲藉口。又當然報館學校能支上期稿費或束脩，是頂好的。爲的是，聖誕、年關，禮物不可不送，至少酒樓餐室菜館不可不躋蹌一下，這都是銀紙之去處。

近日更盛行分期付款制，買屋可以分期付款，買車，買雪櫃，買打字機等等皆有分期付款。只可惜太太未有分期付款制，不然，很多窮措大的王老五便可以解決婚姻問題，先娶太太，以後每月二三十元給岳母作禮金，一兩年後，老婆便是自己的了，不知這種制度有甚麼不妥沒有。有，供到三數月，還是不滿意，不再繼續付款，那怎麼了得？

談鶴

「孤標直好和松畫，清唳偏宜帶月聞。」

・南橋・

十餘年前的一個初多夜晚，窗外朔風呼呼，我獨坐在房中，對着一盞半滅的油燈，翻閱着克魯泡特金的互助論，讀到稱讚鶴的話，說鶴是極有感情而清高的動物，鳥類中除了鸚鵡以外，沒有比鶴更有溫熱可愛的了，遂使我對于鶴發生好感，可惜都沒有機會一覩它的芳澤。來台後有幸在圓山動物園看到羽毛潔白的鶴，印象甚深。

在中國鶴是被目爲仙禽，有高人隱士之風，毛詩義疏云『吳人園中及士大夫家皆養之』。左傳：「狄人伐衛，衛懿公好鶴，鶴有乘軒者，將戰，國人受甲者，皆曰使鶴，鶴確有祿位，余焉能戰』？

國畫家畫到鶴時，總愛畫上幾株古色古香的蒼松乃爲點綴，因爲鶴最喜棲于松樹，所以古人有：孤標直好和松畫，清唳偏宜帶月聞。在文學裏鶴也是詩人墨客所喜取用的題材之一，如白居易的池鶴：『高竹籠前無伴侶，亂雞群裏有風標，低頭乍恐丹砂落，晒翅常疑白雪消，轉覺鸕鶿毛色下，苦嫌鸚鵡語聲嬌，臨風一唳思何事？悵望青田雲水遙』李紳的放鶴『羽毛仍雪無瑕點，顧影秋池舞白雲，閑整素儀三島近，迴飄清唳九霄聞，好風順舉應摩日，逸翮將翔莫戀群，凌厲坐看空碧外，更憐鳧鷺老江濆』以及褚載的『欲洗霜翎下澗邊，却嫌菱刺污香泉，沙鷗浦雁應驚訝，一舉扶搖直上天。』鶴象徵正直，象徵清潔，象徵淡泊，鶴是隱士的伴侶因此我們一提到它就聯想起隱人逸士，最著者爲晉朝林逋，他孑然一身，隱居杭州西湖孤山，不娶妻，沒有子女，養着鶴，種了無數梅花，號稱梅妻鶴子，就這樣清閒地度過一生，頗引起許多人的羨慕，據夢溪筆談云：『林逋隱居孤山，畜兩鶴縱之則飛入雲霄，盤旋久之，復入籠中，逋常泛小艇，遊西湖諸寺，有客至逋所居，則一童子出應門延客坐，爲開籠縱鶴良久，逋必棹而歸，蓋常以鶴飛爲驗也』。鶴是賦有靈性的，它高視闊步的神氣與嫻雅，澹泊的情操，確能使人肅然起敬，稱萬物之靈的類所望塵莫及的，無怪詩人墨客要用那樣雅麗和諧的筆墨去描寫牠們。爾俗之子，誠不足以言鶴！

鉛筆與橡皮

尤崇洵

人類發明了鉛筆後便也發明了橡皮。前者的用途是闖寫，後者的用途則是補救其未能盡善之處。

祇有鉛筆，闖寫的工作失却了保障；只有橡皮，那當然是英雄無用武之地。因此鉛筆與橡皮之間產生了『脣齒』的關係，於是聰明的商人便出品了戴橡皮帽的鉛筆。

小學生寫錯了字，便全部依賴橡皮，因爲他們沒有考慮到紙張的品質和下筆的力量，一遍一遍地擦着，最後紙破了，後悔莫及。

他們的動機是想補救錯誤，一心一意地希冀着能有美好的成果，但是事實指示出一切更爲失敗，原因是他們過分的信賴這一小塊的橡皮，墨守成規而不知道隨機應變。如果他們能夠放棄些微的瑕疵，也不致于因小失大了。

鉛筆的身份是主人，橡皮的身份是從者。從者的責任是輔佐主人，但必須『因時因地』的謹愼從事才是。

短篇小說

開會

・桑雨・

下班的鈴聲剛一響起，王民便由桌子上躍起來，甩掉那節快要燒到嘴唇邊的烟屁股，伸了個懶腰，然後從衣架上拉下上裝，一步搶出門去。

「喂，老王，慢着！」李建一張起沙啞的嗓門，對着即將消逝在門外的背影叫了一聲。隨即趕了上去。

「啥子事件？」王民蹺蹺的站住，回過頭不耐煩的問。

「今晚七點半開會，我想你知道了，你去還是不去呢。」李建一推推鼻樑上的眼鏡，噴出一口烟說。

「開會？晚上七點半？不知道呀！」王民偏頭摸不着頭腦了：

「佈告牌上一個大字也沒有呀！」

「別那樣緊張，」李建一看了對方如此緊張的窘態，不禁呵呵大笑道：「今早我遇見咱們的里長大人，他說今天是他就任里長一週年的日子，想請各戶長們共同檢討一下一年的施政，瞧你那模樣，想必尚不曉得哩！」

「啊！原來如此！」王民笑道：「你可也眞會尋開心哪！老李。」

「好啦！不用瞎扯了，說正經的，你去還是不去？」李建一說：「我的肚子可在唱『空城計』呀！」

「算了吧，什麼鷄毛蒜皮的事？成天的這個會那個會，還嫌開的不夠？我的頭都要給開掉啦！」王民悄然嘆了口氣道。

「話不是這樣說法，」李建一一邊走着對王民說：「咱們住的宿舍附近，的確問題很多，正好借這個時候提一下呀！」

「嗯！」王民開始沉入深思中，他想到了門前的垃圾箱。小小的體積要爲近三十戶的人服務，容納不了，垃圾堆了滿地；下水道淤塞，污水泛濫，臭氣沖天；公共廁所半月一月不定期的清除，大有不堪佇裝之勢……

「這樣吧！你先回去吃飯，等會兒我來找你再決定好了。」李建一迫不及待的說完，便先一步走了。

王民一進家，太太迎出來接過公事包，第一句話就說：「剛才鄰長派人來過，說晚上七點半開什麼里民會議。」

「開會？商討一年施政！哈！哈！連個委任官都還沒做到，這套名詞倒全學會了！哈哈！」王民想起剛才李建一對他說的，愈發覺得可笑。因此當太太這麼一說時，便漫聲應道：「我知道了！這叫做『小題大作』。」

「像你呀！甚麼事好像都與你無關，人人如此，別說談什麼民主政治了。」

「你說得對，我是一百二十分的同意。我不是不主張開會呀！而是說，有事則開，開了就得算回事，有個結果，這樣才能談民主政治哪！可惜咱們的會，大大小小不計其數，會而不議，議而不決，決而不行，把『開會』這兩個字，用做官冕堂皇的術語，變成一種形式，人人提起頭痛，簡直是浪費時間，疲勞轟炸。」

王民說完，燃上一枝烟，一手抓起晚報，倒在籐椅中了。

「好一篇漂亮的演說！看樣子，快該做大官飛黃騰達了。」太太調侃的道，隨即遞過一杯茶。

「君子有大志，在做大事不做大官！」王民笑嘻嘻的擬着臉說：「我有這麼一位好太太，連大事也不想做了！哈哈！」

「呸，別大言不慚了！」太太用手指輕輕在他額上點了一下說：「別要貧嘴了，吃飯吧！」

壁上的鐘打了七下。（一）

拜拜與洪門

・炳靈・

台灣的「拜拜」其熱鬧與浪費，令人咋舌，經歷年來政府的疏導，使在不大妨害風俗下，從事節約，總算較之光復之初期已進步而簡單多了。

關於台灣的「拜拜」，其最初的意義，不僅只爲敬神而已，它與洪門極有關係。據在台的洪門老大哥戴持平先生說：鄭成功就是洪門的掩護者，他的部下有不少是在大陸上史可法在楊州「集賢館」召集的反清志士，因失敗後而逃到台灣的。成功爲了寓兵于民，效法劉關張桃園結義的遺風，乃創設洪門組織，開「金台山」于台南。

到了清兵陷台以後，洪門組織，潛入地下活動，凡集合之日，皆藉「拜拜」以作掩護，負責領導者將「拜拜」的日期分別規定，以便參加指導，在形式上雖有崇敬媽祖城隍或其他諸神之不同，然均係一種藉口而已，此其一。今日甲地，明日乙地，以便利各地領導人之巡迴訓誨，固不必拘于紀念日期之舉行，此其二。「拜拜」讌客之理由，乃迎候洪門大哥之儀禮，此其三。迎神遊行時所用「三角旗」，即洪門五祖五堂之彪旗，及代表洪門之標識，此其四。

至于「拜拜」日期，亦均寓有意義，如五月十三日，爲紀念關（羽）夫子以勉勵弟兄盡忠赴義者，在台灣則「附會」爲城隍老爺之生日。又如三月廿九日爲明思宗（崇禎皇帝）殉國紀念日，以勉弟兄雪恥復國者，台灣「附會」「爲拜祖先之生日。這也是不使統治者（日人）知道底細，以免遭受摧殘與逼害。

不過，日子久了，在日人統治之下，台省同胞，對於這些「拜拜」以外的意義，知道者很少。只以爲是敬神賽會的遊樂日期，所以大家亂吃亂唱，竟演變成爲奢侈風氣。對於前人之復國思想而頗費苦心的那種不忘家仇國恨之意義，簡直失却了連繫。今日反共抗俄復國，旗幟彰明已用不着掩護，是則「拜拜」者，祇成爲歷史的遺俗而已。

蝶戀花

（步毛澤東原韻）

・金達凱・

整風拆盡西山柳，
塗炭生靈，只爲登重九。
萬戶千家無所有，
獨君滿飲血花酒。
杯水姻緣常絕袖，
自作多情，迷戀魔宮舞。
劉涂嶽張求伴虎，
山河破碎飄風雨。

附註一：一月七日「人民日報」發表毛澤東新作「蝶戀花」一闋，係爲悼念其前妻楊開慧與另一女共產黨員柳直荀而作。詞云：「我失驕楊君失柳，楊柳輕颺，直上重霄九。問訊吳剛何所有？吳剛捧出桂花酒。寂寞嫦娥舒廣袖，萬里長空，且爲忠魂舞。忽報人間曾伏虎，淚飛頓作傾盆雨」。查此詞充滿醇酒婦人的頹廢氣息，表現了「小資產階級」的閒情逸緻，這對毛澤東本人當前所主持的大舉清黨與反右派的殘酷鬥爭，實是一種不調和的諷刺。

附註二：本詞「登重九」句係指封建帝王的九重宮闕。

自由人

THE FREEMAN

（第七一九期）

中華民國僑務委員會
頒發登記證台教新字第一零二號
中華郵政台字第五○○號
執照登記爲第一類新聞紙類
（半週刊每星期三 星期六出版）
每份港幣壹毫
台北市售價台幣壹元
督印人：陳文華
地址：香港高士威道二十號四樓
20 CAUSEWAY RD. 3RD. FL.
HONG KONG
TEL. 771726
承印者：東南印務出版社
地址：高士打道六十四號
台灣總經銷處
台北市西寧南路營業號二樓
電話：四七三四六
台郵報儲金戶九二五二
海外總經銷：友聯書報發行公司
香港：彌敦道二十六號A二樓

政治自由與經濟自由

樓桐蓀

現代人類之宏願與思潮之激盪，舉其大要，不外關於政治自由與經濟自由之協調是也。

（一）

昔者法儒史登達當其旅居意國，對當時意大利半島各城邦政風之頹落與種族之摧殘，於一八一六年著第大書：「苟爲公民，未有不憂鬱而死者！」此蓋慨乎當時社會之不良，不可究詰，乃有此「知我如此，不如無生！」之嘆。自本世紀兩次世界大戰以還，敗亡之民，其淪於鐵幕者，憂傷憔悴，不見天日，已數十年，固無論矣。即號稱（第二次大戰）勝利之國如我之大陸，不幸爲共黨所乘，數億人民，父子也，夫婦也，兄弟也，朋友也，猜疑殘殺，各不相恤，亦與俄、波、匈人民同遭空前慘酷之命運。他如法、義諸邦，因曾受慕梭里尼、希特勒極權統治之蹂躪與長期戰爭破壞之遺禍，一般社會相習於專斷暴橫之餘風，以致政局杌隉，世道陵替，直至於今，未能復於自由康樂之境。要之，舉凡人類數百千年來所涓滴累積，艱辛締造之一切德性，如言而有信，尊重條約，愛護和平，民主政理，無可爭辯之哲學價值，以至生命財產之保障，及人格之尊嚴等等，殆均被獨裁之狂飆與戰爭之殘暴所摧毀，雖遠隔重洋，未遭直接戰禍之美洲，無形中亦不免受此種世風之影響。試觀言之，則雖襲史氏之言而曰：「苟爲人，未有不憂鬱而死者！」亦不爲過。此無他，自由之被勒抑，而集權、獨裁、鬥爭、革命及所謂力量、紀律等等廉價教條爲之祟也。

夫人類之齊一，只能求之於死亡之中。一國之監獄，必以無數人之冤屈與血淚爲其代價。誠欲使人相親相善而共享安樂，惟有賴於自由之氛圍，方能漸移默運，化乖戾爲祥和以發揚天賦之理性。

現代人類之渴求自由，實爲文明進化最可寶貴之精神遺產。

（二）

然而政治自由主義與經濟自由主義之間，或政治獨裁制度與經濟獨裁制度之間，有一形影相隨之平行關係存焉，殆爲無可置疑之史實。當夫政府以各種個人權利爲重，則其對於經濟一切決策，無不導向於自由之途，乃爲自然之趨勢。在政治範疇中，如以大多數人之意志爲依歸，則在經濟範疇中，自亦必以此大多數人爲主體。反之，當夫經濟秩序係建置於自由原則之上，則各個人習於其日常物質生活之自由，其對於政治之秩序，自亦必能發揮其自由之抉擇。若干競爭企業之存在，不僅任由消費者或使用者有廣大選擇之餘地，並可從而使生產者曉然於一切業務之決策與營運，胥以社會各階層需要之滿足與利益之協調爲基準。人與人間如此在政治及經濟範疇中之相互不斷信賴與諒解，方能產生各人之自由。於是政治自由與經濟自由乃能相因成而益臻於宏揚與鞏固。此種平行關係之存在，乃今之談自由者所首宜注意者也。申言之，政治強制而侈言經濟自由，經濟固屬無的而放矢，經濟管制而侈言政治自由，亦爲緣木而求魚，皆掩耳盜鈴之談也。

抑政治權威主義與經濟權威主義之間，其相互之關連，更有難於分解之勢。祇須公共權力對於經濟而欲施以管制而統馭之，則各種統馭方術與管制法令，雖欲不日益種類增多與加強而不可得。何也？法立弊生，人民之企圖逃避此等不正之方術與苛細之法令，日多而日廣也。老子所謂「法令滋彰，盜賊多有」，殆有鑒於昔日某等管制制度之不智而言之。試以近代各國之普選言之。普選者，自由政治之屏障也。苟其國而行國家社會主義或經濟管制制度，則所謂普選者即等於無珠之櫝，徒有其名而已。何也？苟一切經濟迴軍之槓桿，悉操於在朝者之掌握，則舉凡勞務與貨品之價格，其產銷貴賤之間，均可由當局以意爲之上下。每一稍識時務之公民，皆知其財產生命緊乎強有力者之手，除趨炎附勢，通同勾結，於夾縫中謀取餘潤以自肥，別無生存繁榮之道，必致相率視神聖之選票，爲保全身家性命之資本，惠我則選之，無惠於我則不選，良心之是非，爲物質之利害所遮斷，遂使選舉失其政治理想與道德價值之真實表現，以致學者有「普選商業化」之譏，洵不誣也。試觀政治集權與經濟管制之國，其選民投票之不以政治利益及經濟優惠爲轉移者能有幾人？選舉而以買賣出之，殆爲一切經濟獨裁附隨之現象，其不足以維護政治之自由，自然之勢也。反之，一切政治獨裁，爲保持其權力，又決非附隨伸展爲經濟之獨裁不可。希特勒、慕梭里尼、史達林諸魔之統馭經濟，斷不下於政治之統馭，其所握生殺予奪之權威，以視我國之嬴政，法國之路易十四，或德國之威廉二世殆尤過之，而人民之慘遇與政權之敗亡，亦多無可倖免，此其故蓋可深長思矣。

（三）

由斯以觀，可知民主政治秩序與管制經濟制度之並存，實爲萬無可能之理。故凡言管制經濟之說而不知其所加於政治自由之莫大威脅，猶之飲酖吸毒以求生命之健康，烏可得哉？

猶有進者，若干厲行經濟管制之國，其貽患於民生，較之資本主義經濟殆有過之而無不及。誠以後者本以自由爲基，而前者則一以專斷爲本。後者雖因尊重自由而積漸以成貧富不均之義，但人人當皆有自求多福以期出人頭地之機運與可能。事雖不平而理猶可通。至於後者，則羅網遍佈，雖至出入遷徙，飲啄針綫之微，幾無一不受制於極少數人之野心與偏見，務使含氣之倫，血肉之身，盡成爲奴役木偶而後已。故自本世紀以來，凡言經濟管制者，必並政治而強制之，非民主素養甚深之民族如英、美兩國，其後果未有不悲慘者。此中息壞，所因甚微而所關至鉅，謀國者不可不慎也。

（四）

然則：誠保存人性之信實與人格之尊嚴，因而即須遠類保存資本主義之經濟秩序以放棄社會主義之演化－－或採行社會主義之政綱，由齊一之生活與需求以趨於極權政府之建立而爲一切個人自由鳴其喪鐘？此誠爲進退兩難之莫大窘境，有如金字塔之謎，直至於今，哲士學人尚未有能提出滿意之解答。筆者竊欲就此可怖之難題而試加探索。此其野心，固不可謂不大，將貽人以蛙腹牛鳴之譏。然納公平關係於利得分配之中，擷取社會主義之精英而保持政治自由之完整，吾人鑒於各國百餘年來之醞釀與經驗，確信已實有其道，可以並行而不背。其道維何？即以消費者或使用者利益爲基準而仍無損於生產自由之合作經濟秩序是矣。

半週述評

蘇聯的閃電建議

在建立核子及飛彈基地成爲目前冷戰中心的氣氛中，蘇聯傳出要在東歐的保加利亞及阿爾巴尼亞建立七個導彈基地，是一幕對美國要在西歐建立飛彈基地的對台戲。同時蘇聯又提出要在中東設立「原子飛彈中立區」，又是個冷戰中閃電的式對抗建議。搶在杜爾斯將以觀察員資格出席於月底在安哥拉開會的巴格達公約會議之前。這正和去年年底布加寧搶在北大西洋公約國開會之前分向西方各主要國家領袖發出和平建議書一樣，將使美國在中東建立中程飛彈基地的預定計劃，如同上次在西歐建立其地的計劃，在進行上要增加不少困難。

遠東相形冷淡

對於建立核子及飛彈基地，西歐以及中東一些國家是若即若離；而堅強反共的一些遠東國家，卻是求之不得。例如，自由中國的「鬥牛勇士」飛彈，與「誠實約翰」，都不過射程僅數百哩的短程飛彈，所謂「隨時可以對中共採取報復行動」，祇是在防衛上的意義加強，實未足以威脅對方腹地；南韓則連鬥牛勇士也沒有，美衆議員費特已嚷着爲什麼駐韓美軍沒有配備與西歐一樣的（射程一千五百哩）的飛彈了。還在比較上，如果不說是冷淡，也可說是重視歐洲而忽視中共一項令人憬然的表現。

「擴大」的「極峯會議」

據莫斯科新聞的報導，蘇俄的極峯會議，不限於美蘇英法，而要求擴大，即將其以前的七項「和平建議」的要點，把北大西洋公約及華沙公約各國，加上所謂中立國家，加上印度、埃及、南斯拉夫和其他國，包括中共在內，一併參加。這是在極峯會議始終無法把中共拉入的情況下一個擴大的發展，而這次蘇俄明白表示反對美國召開極峯會議，並曾向記者表示「在任何東西會議中，未提到包括中共在內」，但不要忘記：蘇聯的醉翁之意，可能導致西方陷入危險陷阱中。

中立國也屬「極峯」

世界似乎染上「極峯狂」，狄托也在呼籲召開一項所謂「非集團性」的極峯會議，以爲東西極峯會議的前奏。納撒、蘇加諾之流派個別表演到全體合拍的會，這不是東西極峯會議的對台戲，而是雙簧。

章羅的「認罪」

報載章（伯鈞）羅（隆基）「認罪」，所謂罪狀不外是反中共領導，反社會主義，反馬列思想之類。這些如果是罪狀，不少大陸上的智識份子，都無法不承認，同時如果承認任何一項，也都可使腦袋搬家。但「認罪」與「不認罪」實在與此無關，我相信沒有例外地，如果中共欲加之罪，絕不能有不承認的硬漢。從中共之急于要章羅認罪，倒可以窺測中共反右派運動已到了一個什麼階段。

「內閣」的去留

據路透社二十日指出，俞揆將繼續幹下去—意思是說：監院彈劾，俞揆辭職，總統慰留。老實說，這個消息在此間並不比足球陣容上姚卓然或何祥友之出場或倦勤消息更引人關心。自海外僑胞看來，如果自由中國不能夠區個容許出現一個貨真價實的責任內閣，不管是留是去，誰去誰來，還不是一樣。一個內閣的去留，即使在真正的民主國家中，本是最平常不過的事，何況在目前我們這國度，無論誰來，難道還能變成真正的「責任內閣」。不過既談法治，一個內閣的去留，如不能表現民主風度，做到進退依法有據，而徒乞靈于元首的調解，人事的折衝，適爲民主兩字增添話柄而已。

林伯雅

今天看中菲懸案

—可望峯迴路轉—

諸葛明

菲總統加西亞於十二月三十日宣誓就職後，就是有什麼推陳布新，也要到本月二十七日國會開幕後才逐漸看出來。今天人們所矚目的，倒不是他將有什麼「標新立異政策」，而是切望他能夠合理解決過去的懸案。

在華僑方面：菲化律、禁僑以及避客問題將如何處理。政府方面：若干閣員的辭職，以及經濟的困窘，將作怎樣安排。國會方面：衆院內部的衝突，如何設法調和。這些錯綜複雜的問題，幾乎完全集中於加西亞總統一人。因爲在朝野紛亂自爲謀，功利主義席捲全國的今日，經濟困窘，已呈十分危殆，僑商息，外商裹足，要非菲共大勢已去，顛覆性的叛亂，勢將湧現。但他們仍受中共指揮，潛在的顛覆危機自不能認爲已經消失。

在菲律賓人看來，當前的局勢，最重要的是設謀改善經濟困窘。國政要均無意對此分心；大選以後，衆院議員不能再加漠視，如準備競選衆議長的羅西斯，於一月八日邀宴勝選的議員時，揭示了五大立法原則，第一項就主張努力爭取同化外僑的立法，以期商決全國經濟難題，他堅決地反對衆院同人再提排外性的菲化律。羅氏很清楚地告訴了在席議員，排斥外僑，對本國有害無益。

這一事例，說明了爭訟經年的「菲化律違憲」案，可望峯迴路轉。羅西斯是一位反共最堅決的議員，上屆出任「反菲活動委員會」主席，該會於去年六月十九日成立，並宣布共黨爲非法組織。羅氏認爲假如政府繼續採取菲化措施，不啻迫使外僑犯罪，且勢將冒險走入歧途。此說雖未明言菲律賓政府對華僑迫害，等於驅使他們加入共黨，根據過去少數華僑親共事例，以及一月七日被捕的菲共領袖勞萊斯供認曾在北平受訓看來，華僑被迫附共並非不可能的。勞萊斯爲菲共八大首領之一，一九五零年被召往北平，一九五一年受訓；去年因全國大選潛回，任菲共中委及全國聯絡部長。他利用另一不同姓名於去年十月總統選舉中担任選舉監督。雖然現已被捕，餘黨仍在匿居，跟北平聯絡未斷，不能漠然無視。

由於這種情勢，羅西斯預示他將要求政府設法跟外僑同化，使他們成爲菲國的一分子，共同消除當前的經濟困厄。然而，菲律賓的經濟困窘，到底發展到什麼程度？誠如美商戈德於十一日離開岷市時所說：馬尼剌已成全世界生活費用最高昂的城市，紐約尚非其敵。他因此打消了原有向菲律賓投資的計劃，失望返美。原因當然是目擊菲國通貨膨脹，迫近經濟危機，顧慮到他的投資，不大可靠。這顯然是由於菲化律的影響，造成驅散外資阻礙。經此強烈的刺激，給予菲國朝野的「菲化夢」應該及時警覺了。於是，有人想到：堅持「菲化律」的國民黨議員，過去可能是受了共黨利用，藉排外迫使華僑投共，阻撓經濟開展，企圖造成全國混亂，遂其顛覆陰謀。

就許多事迹看來，摧毀經濟的「菲化律」，現已到了非撤銷不足以救全國經濟困頓的局面。而數達二千名避客問題，假如衆議員愈關洛的建議獲得通過，不僅他們的居留從此不成問題，於菲律賓商業利益，顯有極大幫助；但仍有令人感到困惑的，愈氏擬議中所堅持的兩點，以每人五千元購買永久居留權，與遣配少數「不良」華僑。然而，在二千避客之中有力支付者固有，無力負担者爲數亦多，假如改爲聯保或書面保證，與量力繳納現金保證，將更足反映菲國的大度。至於今後限制華人（每年）五百名入境居留條例，每人必須繳納萬元保證，以及中國大使館書面保證兩項，只要中國政府同意，自亦無可厚非。關於八十四名水牢禁僑問題，菲方不應與「遣配」混爲一談。是則中菲懸案不僅即可解決，菲律賓當前的經濟危機，亦不難迅速消除。至於國會內部的交爭，只要加西亞總統運用憲法賦予的權力，也是易於處理的，配置內閣新仕版，更不成問題了。

當然，中菲懸案的解決，更有待于我外交當局去注意把握這個趨勢！（一月十二日寄自岷市）

（更正）本刊七一八期「論選任大法官的標準」文內第二行第三字起「有八位是繼任的」，其中「八」字爲「七」字之誤。

揚子公司案餘波蕩漾

胡光麃數千言求援書的事實究竟如何 法院的自由心証裁定又究竟有無內幕

●華田●

台灣通訊

年來經過立監兩院猛烈檢舉的揚子公司案，自高等法院對尹仲容胡光麃被先後宣判無罪後的發展，又令人不可捉摸。尹已膺任行政院經濟安定委員會秘書長，而美國資本家復派代表來華洽商類投資揚子公司並願代其償清債務，事出離奇；更奇者，揚子公司債權人之各行局不要美商代揚子公司還債，而要求法院公告揚子公司破產，而地方法院亦不接受揚子公司提出清算債務之調解，隔日即公告破產，並承認揚子負債達二千萬之鉅，以前開報關於立監兩院檢舉之資料僅是二百餘萬元的案子，而忽然變為二千萬元，法院不予調解寬限，僅一小時之審理即行裁定「本院依自由心證，亦使債權人不致有債權額外之追索」……美商投資以代其還債爲內容，恰足反證其本身無還債之能力」。同時，據報載主理該案的武推事，宣告該案之翌日即被調任他職，將該案送執行處執行，但執行處又不予受理，送回民庭去，幾經磋商，才由上級指定執行處會文華法官負責，這種種都是非常離奇的，有無內幕不得而知。胡光麃則一面向高院提出抗告，一面刊登廣告將所欠債務列表公告，要求社會支持。

昨天偶然碰見司法界朋友，他告訴筆者高院對此案業已調查，將公告破產予撤銷，發交有關方面開仲裁會議，決定揚子公司之償額及還償辦法云云。日前胡光麃向各界發出一封長達數千字的請求援助書，其中有幾個要點如下：

一、認爲債權人對於債務人願意又有辦法還債，而遭拒絕；而且債務人請求法院依法確定債額，而法院又循債權人之請，不待調解或訴訟結果，於債額尚未確定前，立即裁定宣告破產等做法，不合情理。

二、中國農業供銷公司既承認合夥入股，並非借款，更自承認尚未拆夥，亦未算帳，而中央信託局更將已成交作價之加工夾板自行改變，列爲貸款，以致債額增加九百餘萬元。

三、按行局所開報高利貸利率計算之數字，不特較揚子公司依據合法利率按先還息後還本所算出者，高出六倍之多，且與該行局等所報告立法院及陳報審計部之數字，亦相差甚鉅。

四、對於中國農業供銷公司（屬於中國農民銀行）方面認爲一個國家銀行，借出美金五萬五千元，已獲歸還五萬九千三百餘元，僅四年時間，尚欠本息美金十三萬餘元鉅額，並無是理。

五、認爲既經涉訟，高利貸則不能存在，法院例須合法利率計算，截至四十四年三月訴訟開始時止，所積欠只爲新台幣三百一十四萬三千一百四十九元，僅以揚子公司前因承造美[illegible]揚子公司所得之外匯配額一項，最低限度，照商業銀行代售結匯證價格計算應值新台幣三百六十二萬餘元之數，已足抵償之有餘，而且中信局尚握有實物抵押物，乃查封標的物，其價值達一千數百萬元之鉅。此外尚有中外願來投資代償債務者，故債務已有層層保障，因此認爲是對揚子公司不公平。

以上是胡氏所說，是否屬實，不論過去揚子公司對人民的觀感如何之壞，似應循法律途徑，求個水落石出，並將眞相公佈，以釋羣疑。由此看來，一向令人頭痛反感的揚子公司案，或尚有許多曲折，餘波蕩漾，頗耐人尋味也。（一月十七日于台北）

改良軍人待遇問題

——爲自由中國朝野進言之五

●胡秋原●

今日無論爲保台爲反攻，必建精良軍隊，而此必先使軍隊能飽。士飽始能馬騰。軍隊不飽，不如無軍。老實說，這是當前最緊急的問題，也許是我寫此文的主要動機。

不能以印刷機解決

這問題必須解決，無須多說。我聽說許多人主張不談這問題。此眞自欺之尤。但是，這又是不能以印刷機解決的。若然，那就是自殺。然則有錢沒有呢？立法院主張用防衛捐的方法，即是不用印刷機解決問題之方法。此案之提出，我未參加，但我對立法院之有此決定，爲國家前途賀。不僅此案而對當前一大問題，而且是立法院眞正由預算出立法來改革國政之大步驟。這才是民主政治之實際運用。而這亦表示國事之大有可爲。我相信此決非立法院故意與誰爲難，無非大家見問題嚴重，深知此事之急不容已。我們希望行政院完全接受立法院辦法，將這件事辦通。我們希望有關機關對這事都予以贊助。我們希望台灣省參議會能予以贊助。我們希望輿論界一致支持。這是大家安全秩序之所關。

不作無益以害有益

我們在不增加國庫開支之下，改善軍公教人員生活的餘裕，還是很多的。只要如孫中山先生所云，「不作無益以害有益」就行了。第一、我們可[illegible]機關，例如許多有名無[illegible]關，所得不償所失，其行政費用大于其合法散失之機關。第二、可以停止許多不相干的工作。如許多不必要之開會、典禮、招待。我們應該徹底禁止宴會。但像我國官吏如是招待電影從業者，世界所無；美國固然沒有，即若干沙漠國家也無如是過份的。第三、可以停止許多無益有害的施政例如國校免試升學，除公然違法外，在兩地實行，其所浪費，加上各種宣傳費用，有人說總在千萬以上。此類宣傳實自欺之尤。我聽見許多許多軍人說，他們不求加薪，他們只求其子弟能夠升學。我看到中央研究院想添一抄錄人員也沒有經費，這恐怕也沒有吃的；更不要說各級學校教師苦了。假如教育部立即停止免試升學，而將此項經費，用於軍人子弟免費升學，一部分用于補助研究機關，改善教職員待遇，提出法案，列入預算，我相信立法院一定熱心支持。這才是應該做的。

官吏浪費才是害國

我們許多官吏，喜談節約，並關心人民「浪費」。其實老百姓的拜拜也好，過年節也好，浪費也好，那是人民的事。我要說，人民要浪費，那是好事，不是壞事。不可以的，是憑勢力浪費，將國庫浪費，將外匯浪費，人民浪費，可以促進繁榮。官吏浪費，才是害社會害國家的。高級官吏不僅應一般的少管人民，多管自己；尤其應該少作無益，節約時間和公帑。以此節約所餘，改善公教人員生活，是做得到的。這才是合理的正路。

然我們常忙些多此一舉之事。即以「克難」而言，且不論其經濟實效，須知軍人是一種英雄榮譽事業，偶一「克難」可以，長期的辦，折磨英雄之氣的。此猶可說也。還有有種勞軍，祇能說是敷衍行爲。最特別的是最近有一軍人服務機關，以酒家女侍，義賣勞軍。今日有「軍人第一」之言。此如加合理解釋未嘗不可通。然口談此言之人，如何可以想到如此不堪設想之奇怪辦法呢？此視軍人爲何如人呢？

否認軍公教人員生活問題之急迫，是自欺。舍正路而不由，是愚不可及。願大家以極度嚴肅而誠懇之心，平心靜氣，好好的快快的停止無益，將這問題解決。

四屆縣市議員選舉羣相

●布衣客●

台北通訊

競選者噱頭多 選舉人興趣少

台灣省的縣市議員選舉，轉眼已是第四屆了，依據歷屆選舉情形比較，似未有多大進步，甚至大有[illegible]如一年之趨勢。今年有一普遍的現象，就是一般人民對選舉這玩意兒已感冷漠。由於這個原因，可以預卜本屆縣市議員投票情形不會太熱烈。

本屆出馬競選之候選人，以國民小學資格者佔多數，且有所謂「漢學自修十年」者。無怪乎發表之政見演說，越出範圍，甚至信口開河，笑話百出。吾人固不盡信資格審查限制之一套，然觀此却發生無限感慨。

積習難除的「銀彈攻勢」，仍異常猖獗——宴客、送禮、名目頗多，花樣百出。且公務人員，以及區、里、鄰長等自治人員，依法是不得參加助選的，却公然堂然代人拉票、助選，講論代價，出賣選民，尤足驚人，台北市某政府機關，竟然公開發出新聞稿，替候選人歌功頌德。凡此種種違法情形，從未遭到監察機關之糾舉或取締。

而一些「職業助選人」和「選舉掮客」本是由來已久，專以買空賣空的方式，到處活動，據悉此輩之中也有確能掌握有「實力者」，爲一般候選人爭取之對象。近聞更有「選舉公司」的組織，此輩藉此大做其選舉生意，發「選舉財」，吃「選舉飯」，做一次可以坐吃數年。

在「街頭講演會」上，許多「不學有術」的候選人，竟爲了討好選民聽衆，胡扯滑稽言語的「政見」：如有人將自己比作牛馬及貓狗，說要作牛馬來爲人民服務，做貓來咬那些貪官污吏的公務員，做狗看守人民的門戶，以保護人民不受人侵害：等等荒唐不經的比喻，可謂低級趣味。有人慨嘆說：如果候選人敢作一堂堂正正之「人」，說「人」話，做「人」事，出而爲民服務，人豈不比做牛馬貓狗等畜牲爲強？因此有心人每爲此輩當選後的民主政治前途憂。

今年競選尚有一特別情形，爲過去之絕無者，即國民黨人士，此回可以自由出而競選，因此許多身爲國民黨籍之人士，紛紛利用無黨無派人士身份出而競選者，是否他們心中也認爲執政黨在人民心中之估價低落，不得而知。惟眞正「無黨無派」人士，却又組有「聯合陣綫」，團結力量，此間雖可稱無「黨」而實有「派」突。因此，乃又形成許多「兩面靠」的候選人：如果係國民黨籍者，一面以無黨無派名義參加「聯合陣綫」，一面又與黨方密切連繫，有時兩面討好，有時又兩面排斥，弄得許多人莫明其妙。（一月十六日於台北。）

登仙要思凡　●尹震●

人物介紹

也談談得美術獎的孫多慈

●萬香堂●

在本月八日的「自由人」，拜讀了「得美術獎的孫多慈」一文，其中所述孫的學歷及其他，語焉未詳，亦頗有出入，願就所知也來談談。

孫多慈女史，安徽籍，國立中央大學藝術系畢業，在學生時期已露頭角，其中西畫及書法金石（雕刻圖章）均冠諸生，乃使系主任徐悲鴻另眼相看，而孫對徐畫亦極崇拜，乃以其爲宗，偶有所作，與師畫幾可亂眞，徐既驚其穎，又重其才，乃不覺間寄以綺念，雖一度浪漫之譚傳於京滬，然多慈爲人外圓而內方，且有舊道德觀念，彼對悲鴻雖亦敬愛，在悲鴻未離婚前，頗知自愛，此中奇蹟，別人自不易知，余卅三年旅渝時，與徐往返頻仍，無話不談，曾偶涉此，彼曾爲之三嘆呢！

悲鴻離開「中大」後，而轉赴桂林任廣西美術學院院長，斯時多慈亦任該院講師，並兼任廣西省中等學校美術教師訓練班講師。抗戰期中，多慈忽乘悲鴻赴越南之際，不辭而別到浙江教書去了，此時她和悲鴻當已決裂是毫無疑義的了！以後她曾歷任國立英士大學藝術科及國立藝專等校講師及副教授若干年，至大陸淪陷來台灣，轉任省立師範學院副教授，前歲她出國遊學去，所經歷地方不少，參觀與學習同時並進，歸台後即升任正教授。

年來她還兼任國民黨黨史委員會的工作，埋頭畫了許多黨史畫，去年她曾嘗試繪孔子像，以國畫筆法繪寫，頗見功力，並寫了一篇孔子像考證文章，洋洋大觀，可見她的修養是多方面的。這次她所以獲選教育部獎金，可述者約有下列各點：

一、在藝術方面　多慈的西畫乃學徐悲鴻者，爲學院派的典型，幸而彼前年歸國後，其畫面作風略爲改變，色彩從沉鬱而明朗起來，頗能吸引觀衆的視綫及心情。對於人體，風景亦均擅長，比諸僅長一門者自勝一籌。多慈的作品，以巨製爲多，比諸「微微之音」者是較容易顯出其有魄力，有作爲的。

二、在時間空間方面　由於教育部文藝獎金一再發生很大的風波，本屆在選取對象上，對於作家的年齡上似已重加考慮，對於以往重視老年作家而轉爲甄拔壯年或少年作家。又學術審議會諸公年齡較長，多愛好舊作風，多慈的西畫作品正適合他們的口味，多慈的西畫不僅常用國畫的綫條，而其畫亦常有豐富愛國的內容，其近作史畫巨製「蘆溝橋之戰」即爲充滿民族意識代表作之一。又因多慈年來繪製了許多國民黨黨史畫，予人印象殊深。

三、在人緣方面，凡認識多慈的人，都對她沒有壞印象，在是非叢生的文藝界中，她能退出是非場外，而在欣賞他人作品時，能本其良心發出讚美之音，因此其人緣甚佳。自然，唱反調者亦仍不可免。

北市競選雜感

●季鸞●

旁觀者清

反感・惡感

競選雖離不了宣傳，但運用却直接影響選民的觀感，技巧不佳，結果可能適得其反。譬如宣傳車在深夜大放噪音，擾人清夢，愈「拜托」必愈增人反感。又如：播音一面大喊「投我一票」，接着却大放「給我一吻」的黃色音樂，試想選民聽了之後，會起什麼感想。

「荷爾蒙」暢銷

每屆台省各種選舉，酒家生意興隆。但此次議員候選人在公告前一天通過一項君子協定式的競選公約，其中有競選期間禁止宴客的規定，酒家生意或因此得不到特別好處。有某藥廠乘機大做廣告，勸候選人吃荷爾蒙，以補精力。吃荷爾蒙，這新玩意既爲競選公約所未列，亦當頗合乎若干候選人的需要，說不定這是一個走「空隙」的有效妙法。

選賢與能

競選正熱烈高潮之際，筆者曾調查了一下民意。

或謂只要競選的人請客，「我們當然吃」。爲什麼？「先吃回我們所繳的稅金！」因爲競選議員，實際是投資，商人做了議員第一個好處是免脫應納的稅金，至少可以少納稅金，其次做什麼申請手續，也挨官腔、磨時間，而獲得優先和簡化的便利。惡棍做了議員，幹不法的事，甚至包庇走私，開設賭場，諸般惡勢力的盾牌，此外，當上了議員還做人家的保鑣，坐收公私團體的顧問費，出席費等，因爲有許多好處，所以有些人不惜大量投資，競選議員寶座云云。

自然，競選議員先生女士們中，並不乏急公好義有理想有抱負的人，但這種人你說多不多呢？

東京航訊

人造衛星與日共

·沈鈞·

（東京通訊）最近種種跡象顯示日共的地下活動，正在隨着蘇聯的「衛星攻勢」而加強。一個多月來，日共充分利用他們一些御用團體或左傾分子展開一連串關於蘇聯人造衛星的宣傳活動。

日共御用團體

這些御用團體主要是：「日中友好協會」，「日中貿易促進協會」，「日本世界和平委員會」，「日中邦交特別委員會」，「日中邦交促進協會」，「恢復日中蘇邦交國民會議」，「日本保護憲法國民會議」，「日中輸出入協會」，及「日本工會總評議會」，「日本公務員工會」，「日本教師工會」等。

左傾份子

這裏所指的左傾分子，最主要者爲東京廣播電台評論員德田，文學評論家青野季吉，東京演劇會會長久保田萬太郎，及作家藤森成吉，中村汀女，宇野浩二，草野心平等人。

目的所在

這些御用團體和活躍的左傾分子不斷在電台，報刊，雜誌，集會及私人談話間，誇張蘇聯人造衛星的成就，強調蘇聯的科學進步已超越美國，並特別強調美國在日本留有軍事基地及軍事武裝，乃爲日本危機的根源，目的在使日本人民恐懼戰爭，懾服於蘇聯，從而疏遠美國，從而主張日本轉向中立，從而解除防共武裝。

左翼議員

日共更在利用日本的左翼議員從上層展開同樣性質的活動，並企圖使用決案改變日本的國策，例如：社會黨的鈴木茂三郎（該黨委員長），淺沼稻次郎（該黨書記長），野溝勝，勝間田清一，池田正之輔，佐佐木（均係該黨活躍分子），及自由民主黨的三日喜久一郎（參議院議員），都曾參加「日中友協恢復邦交委員會」，以日本的「和平與安全」爲藉口，拉攏一部份議員提出一項議案，促使日本改行「中立」政策，廢除一切美日之間有關軍事防衛與基地租借的條約或協定。

地下活動重心

目前日共的地下組織活動，顯然共有三個重心：日本上層社會，日本產業工人，及日本退役軍人團體。換言之，亦即日共目前的組織發展對象是：日本的上層知識分子，產業工人，及舊軍人。

上層的活動

日共對日本上層社會的組織活動，係利用日本社會黨，日本教師工會及日本公務員工會等合法團體。蓋日共在此等團體中均擁有不少黨徒，祕密設有活動的小組。日本社會黨的目標是在盡力拉攏歷年釋放的政治犯，失意政客，文化新聞工作人員以及專家，學者等等，藉以一面爲其本身擴大社會基礎，一面又爲日共發展外圍勢力。日本教師工會的目標，是在加緊組織各級學校教師，以擴大中間偏左勢力。日本公務員工會則利用集體活動的機會，傳播赤化思想。

一般產業工人

日共對日本一般產業工人的組織活動，一向係在日本工會總評議會及其所屬各種工會中進行，以策動和領導此種工人罷工鬧事爲目的。但最近已改變方針，轉而向各工廠，礦場的基層工會向工人進行直接的活動，以吸收工人，儲備叛亂力量爲主要目的。

舊軍人

至於日共對日本軍人的拉攏，雖然由來已久，卻在最近才被列爲三大之一。因此，在東京一帶居住的日本舊軍人中，最近曾有不少人被日共分子訪問，遊說，並且還有一些將校級的舊軍官被說動集體去訪問北平及莫斯科。

外交的牽制力

蘇聯的人造衛星在一般人的心理上顯然具有很大的威脅力量，因而日共也就抓緊期機，大肆活動。這對于日本游移的外交政策，是有很大的牽制力的，實在值得自由世界重視與警惕。

竹幕秘聞

赫酋何事訪波

據說赫氏蘇聯境海衛卡獲知波蘭，去華沙訪問，於是談到了國際大事。（此外關於波蘭集問題亦有涉及）？

波蘭在其蘇聯附庸之中，其態度確是介乎南斯拉夫與其他東歐附庸國家之間另一種型態，稍一放鬆，就有向南斯拉夫看齊的可能。

最近的事實表現，赫氏此行的目的之一，可能還是要解決華沙條約國家的防務問題之一。因爲去年十一月間的十二國共產黨莫斯科會議後的宣言中說：「在西方國家拒絕社會主義國家關於取消北大西洋公約與華沙公約的建議的情況下」，……[illegible]

……靜。相反的華沙方面一再強調要建立中歐無原子地區，看來波蘭對在其境內增設原子武器不感興趣。從這樣的角度來看問題，赫氏祕密訪波的目的就一目了然了。赫酋必須「說服」波蘭，着其接受飛彈與原子武器。

周恩來訪埃告吹

一九五七年十二月十六日法新社開羅消息謂：埃及官方宣佈，周恩來將于下月的第二星期訪埃。（見十二月十七日香港「新晚報」）現在，已經進入一九五八年一月的第四星期，周恩來的防埃之行看來是吹了。

爲什麼？中共的內部，骨子裏並不若表面上的平靜。目前，反右派鬥爭之火正在向中共的最高階層蔓延，弄得不好，周恩來自己也會被燃着。所以訪埃之行，就變成不適時宜之舉，而祇能暫行作罷了。

潘菽無恙否？

在新聞的夾縫裏透露出了這樣一則消息：原雲南「省長」郭影秋被調爲「南京大學」校長。

本來嘛，郭影秋長期以來就沒有在他的「省長」崗位上幹過正業，由偽省長劉明輝代理當，他的出任「南京大學」校長並沒有什麼可以驚奇的；但是原來的校長潘菽呢？沒了下文。却成了一個待研究的謎了。

按潘菽、潘漢年、潘梓年是潘氏門中在中共的三傑。潘菽是心理學家；潘漢年在左翼文化人中亦發生過頗大力量，參加中共實際工作最爲積極，在上海曾喧赫一時；潘梓年則爲哲學家。

此三人的書卷氣都很重，他們的性格基本上是不能符合於中共的作爲標準的。一九五五年潘漢年首先被整肅，雖然當時潘菽與潘梓年未曾受到影響，且於一九五六年五月，潘菽還被爭取加入了共產黨，但是此一時彼一時，事情的發展起了變化了，雖然我們還沒有資料證明潘菽已被清算，但至少，他的被免去了「南京大學」校長，似乎正在向不得意的途中發展着。（編者按「南京大學」，即前南京中央大學。）

·田心·

新書評介

讀邢鑑生先生著「日本戶籍登記」後

·嚴森·

人口是立國要素，執政者以能善於掌握運用，庶能促進國家強盛。因之，近代國際間對人口的觀念，也有了更深刻的認識，乃以各種方法，力求人口資料的詳確，藉以協助促進庶政的進步，並保障人民的私權。但查記人口的制度，各國不同，其利弊得失亦各異。惟各國均致力於此項工作，則爲一共同事實；如靜態調查資料，已有所謂「國家機密」一變而成爲國際間公開交換的文獻，以供給各種資料作科學目的的參考研究，謀共同促進世界人類的福利。

我國戶政，向賴政府行政力量去推動，實則要戶政辦理得有成效，必須要人民對此有認識自動走向合作之途，政府不能靠「罰鍰」彌補事功。政府爲此所設立之制度和方法，自亦必須隨時不斷改進，以能適應多方面需要爲要務。因此，在政府當然要研究國內外有關戶政的理論和方法，期能不斷進步，對於國民，除實施政令宣傳外，莫過於闡揚戶政理論與普遍發行實務書刊，以俾提高一般認識。

中日兩國所採用的戶籍登記制度，是一種專門性的學科，既可譽之爲庶政之母，且有公證人民身分屬籍的作用。但我國大專學校卻忽略了這一點，既沒有設狹義的戶籍行政科系，也缺乏廣義的人口科系，以培養研究有關人口問題高深理論的人才。筆者來日專攻法科，迄將四載，對戶籍行政亦頗感興趣；日本的戶籍法是民法的附屬法，人民很多身份關係，必須聲請戶籍始生效力。但日本論述戶政的專著亦甚少見，定期刊物也祇有「全國連合戶籍事務議會」編的半公報性質似的「戶籍」月刊。自由祖國的書籍在日本能讀到的不多，關於戶政的刊物更少，國內有系統的戶政專著究有多少，雖不甚清楚，但專以戶政爲內容的定期刊物還沒有在日本出現，在一般雜誌上雖偶見刊出一兩篇有關戶政的專著，然其篇幅殊有限，著作者也祇是幾個熟名字，這就足以說明了，我國研究戶政人才之貧乏了！

近幾年來，由於台灣戶警合一，警察積極參加戶政工作，警察刊物上所發表的文章，似乎太偏重於警察立場，眞正有學術價值的論著，眞是鳳毛麟角，前此意外的在日本讀到祖國的刊物上刊載「邢鑑生」先生的專著，頗能嚴正地就戶政論戶政，立論中肯，見解獨到，嗣又得讀邢鑑生最近編著「日本戶籍登記」一書（該書列爲中國地方自治學會叢書第十七種），全書共分概論，沿革；設施；登記項目；戶籍之編製；登記之審請；戶籍之登記；住民註冊；戶籍文書之利用，及附則等十章，都二十萬言，舉凡戶政歷史的考據，法理的分析，和判例解釋的引述，以及實務技巧的說明，都已盡了最大的努力，對於新舊法嬗變的經過及其思想闡述，尤爲詳盡，正合於現代所稱之歷史的方法。余與邢君素昧平生，但對其治學之認眞，衷心寄予無限欽佩！

我國的戶政有相當悠久的歷史，可是民國卅五年公佈的戶籍法，施行已十一年，台灣迭次修正的單行法，幾乎使戶籍法的法律地位動搖，這說明了我國戶籍制度的亟待改革，欲言研究改進，國情相同的日本戶政在二次大戰後的澈底更張，正是最好的借鑑。因此邢君這本書的出版，就我國而言：對當前改革戶政及將來重建大陸戶政確有參考的價值。

台灣經日據五十年來，台胞目前僑居日本者與日本人間的各種法律身分事項，亦可因而有了正確的依據，不致再蒙受損失，可以說是對政府和人民都有極貢獻的著作。

在日本言，也可能是中國第一本將日本戶籍制度最有系統地研究介紹給國人的書籍，是書且已引起了日本法律學者及司法戶政當局的特別重視，認爲是難得之著作。

筆者深望自由祖國的戶政人員（目前當然包括戶警方人員）能因此書的問世，及時考慮，應如何去完成自己的任務，對歷史有所交代。更企盼對戶政有研究的學者及專家，在這方面多加提倡，並從事著作；雖然出版家唯利是圖，銷路有限，但爲了國家着想，多出幾本關於人口行政的專著，俾政府得有選擇的途徑和目標，從業人員的水準也可得以提高。（一月十五日於大阪）

—中東的曙光—

埃敘反共勢力在抬頭

美國務卿杜爾斯，在將來到台灣主持遠東區美外交官員會議之前，他已先訪問了中東地區，主要是爲了加強巴格達公約國家的防務問題，必須和這些國家深入的會商。另一方面，美國駐聯合國首席代表洛奇，也將有中東之行。

基本上說，杜爾斯和洛奇的中東訪問，並不能視爲是「順帶一腳」，東西雙方在中東的爭奪戰，實際上已經進入了高潮。

在開羅召開的「亞非人民團結大會」之後，共黨在中東區的活動，益見活躍，反西方的氣燄益爲高長，莫斯科的目的和努力，就在促使中東國家間的對立和鬥爭，反對西方在中東設立中程飛彈基地。

另一方面，中東國家的共產黨，正在努力假由軍事同盟關係步入政治結合途徑。

敘利亞的武裝部隊司令比茲里在開羅訪問之際，於十五日曾聲言，杜爾斯此次到中東，並預備參加巴格達公約會議，將要遭遇到去年[illegible]韓德遜同樣的命運。

但是比茲里也明白，美國的艾森豪主義之在中東所產生的良好反應，正在抵制着莫斯科的潛伏陰謀活動。在阿拉伯民族間，現在正傳播着一種論調，即「美國過去犯了錯誤，但是今後他會改變對待阿拉伯人民的政策。」這位左傾的敘利亞將軍認爲，這是一種「錯誤」的觀念，正因爲他特別向開羅的報界提出此一論點，反而證明了艾森豪主義在中東所起的作用已愈來愈大。

但另一可慮的陰影是敘利亞和黎巴嫩的共產黨中央，在本月十一日至十三日於大馬士革舉行了會議，通過了決議，要促成敘利亞－埃及聯邦的實現。要以統一的「聯邦」力量來對付西方，並與共產集團國家發展友好關係。

敘利亞和黎巴嫩的共產黨之所以要積極推行所謂「敘利亞民族陣綫」，並進而促成敘埃聯邦的主要目的，看來是要阻止埃及和敘利亞國家內的反共勢力的抬頭，和他們對兩國政府的影響。這種反共的勢力，或許由於一向並未公開表面化，和受了共黨虛張聲勢的宣傳，使我們無從得見，但是從敘利亞，黎巴嫩共黨中央會議的決議裏，却反映出了美國正積極進行誘導埃及和敘利亞改變他們對西方的現行政策，和「正在設法把它們（按：指敘利亞和埃及）拉到它（美國）的行列中去，毀掉它們的獨立和未來」。如果美國的努力，正一如該項決議中所指出的那樣，我們應該承認此項發展的情況是可喜的。因此，或者可以說，杜爾斯和洛奇的分別訪問中東將更能促使中東的形勢趨向佳境。

另一方面，我們也可以看出來，不論敘利亞或埃及的當局，他們似乎也有要向西方修好的表現，雖則在宣傳上還是表示了一貫反西方的過慣。例如前述在開羅訪問的敘利亞將軍比茲里，也曾表示過：「敘美關係是能夠恢復正常的，如果美國停止它對敘利亞進行的陰謀的話。」像這樣的態度，前者正表現了敘利亞有一種要求修好的渴望，而後語所指，却乃屬宣傳，是言不由衷的。

日前東西雙方正在中東進行着外交爭奪戰，而杜爾斯此行的關係尤爲重大，雖不一定能完全改變不利西方的情況，但至少已表現了一綫曙光。（賁）

稿約

一、本報各版園地公開，歡迎投稿，來稿以一千五百字至二千字爲最相宜。特約稿不在此限。

二、本報歡迎通訊、特寫、文藝、評論、書評、人物介紹、短篇小說、詩詞等；三、五百字之短文尤所歡迎。

三、本報對來稿有刪改權，不同意者請於來稿預先聲明。

四、來稿請用稿紙繕寫，行文請勿過於潦草，不宜一紙兩面繕寫。

五、來稿請自行留底，外埠郵票香港不適用，請勿附退稿郵票，本報不負責退稿。

六、稿酬每千字按港幣五元至十元計算。

自由談

冲繩島的怪象觀

馬五先生

冲繩島那壩市前任市長以有親共反美嫌疑，被市議會中途罷免後，最近新選出的市長，又是一名所謂「左派仁兄」。除去一樣，再來一樣，使當池佔領軍的山姆叔叔大傷腦筋，這是一樁值得注意的事。

冲繩原是日本的統治地，在日治時代，絕對沒有思想不正常的份子潛蹤於其間，殆可斷言。美軍佔領該島後，仍係重要的軍事基地，管制嚴密，迥異尋常，而人民生活亦在美國直接間接支援之下，較前改善多了。論理，當地人民應該照擁護池與佔領當局水乳交融，沆瀣一氣，何致於發生那末多的怪人怪事呢？

這可從兩方面來探討：一是美國人的民主思想問題。他們認爲只要人民生活水準提高了，一切政治思想和行爲皆無所謂，即共產黨亦不妨讓他存在活動，美國不是也有共產黨嗎？但美共始終未能得勢，威脅到美國的安全哩！他們既不求瞭解新大陸以外的歷史文化，也不顧念到別人的民族性和生活習慣，完全以自己的尺度來衡量別人，要求齊齊，稍不如意，就指別人腐敗低能，不是有爲，表示憎惡心情，表面上說是不干涉別人的政治生活，實際却不自覺地樣樣都要干涉。這就是美國每年花費鉅量的經濟援外款項，竟招來「以金錢購買友誼」的譏評，而在對俄帝的冷戰鬥爭場合中，總是處於劣勢地位的基本原因。冲繩島的政治怪象，亦可以從這裏面得到正確的解答。

我不相信那壩市的怪象盡是由於共黨從中作祟，否則表示美國的統治亦太低能了。孰爲爲之，孰令致之，冲繩如此，他處亦然，不知美國朋友有所警覺否？

孔子是司法界祖師嗎？

吳稚明

元月十一日中央日報載有陳顧遠先生「孔子應爲司法界祖師」一文，謂：「孔子爲魯司寇，誅少正卯，是一位成功的司法界巨星；孔子創立儒說，發揚自然法到了極點。終於在商鞅創立律統以後，深入虎穴，取得虎子，使儒家的刑律，一變而爲明刑弼教的事業。」大意如此。

這是否爲陳先生的新發現，我不敢說，前人是以儒、道、墨、法爲四家，既然儒家是孔子，法家也是孔子，是否孔子既是儒家又爲法家，還是這四家可以變成，儒、道、墨或是墨．道．法呢？

陳先生說：「我以爲孔子應爲司法界祖師。」這當然是陳先生自己的事，隨便要給孔老二戴一頂什麼帽子都可，但若鄭重其事，以之代表一種意見，吾却有說焉。

一、法治是先製定法律，再按所犯之條款，治之以應得之罪。孔子殺少正卯，不但未按條款，就是罪名也未確定，有人比之爲共匪的三反五反（見自由人黨立坤先生語），雖未免過火，但孔子未按法辦，是事實。

二、孔子曾批評子產的定刑，謂民人不知法之深淺，則不敢觸及法網，如知刑之輕重，則敢嘗試，能增加人民犯罪之動機。（見中央日報學人，幾期不詳）這也證明孔子不講法治的。

三、孔子曰：「聽訟吾猶人也，必也使無訟乎。」孔子的目的，是要無人犯法，而不主張皆能治之以法，最多不過設下一個司法機構，備而不用，以補儒教的缺點。

四、儒與法家之別。孔子曰：「道之以政，齊之以刑，民免而無恥；道之以德，齊之以禮，有恥且格。」這意思是說，教導民人以政令，如不服從這政令，用刑罰來管制，但民人是怕犯法而不知犯法爲一種恥辱；教導民人以德化，不服從德化就是沒有禮貌，無禮是一種恥辱，人民有了恥辱心，則能循規蹈矩，有向上心。

例如，只用嚴刑來管制民人，但有好逞雄者，以爲殺人不過頭落地，又何懼焉，大丈夫敢做敢當，何況不一定被人發覺，則民人敢於犯法。齊之以禮，則無此缺點，如不穿褲子逛馬路，就不是犯法，雖有獎賞，恐也無人去做，因爲，在中國人講來，都知道那是最丟人的事，不顧面的事。這是羞恥心迫使自甘不去做，而不是怕於嚴刑而不敢去做。儒與法之不同點在此。

陳先生只因孔子，誅過少正卯，而以他爲司法祖師，如他老人家地下有知，恐也將言：「顧遠非吾徒也，鳴鼓而攻之可也。」這是我私人之見，爰以請教于讀者及陳先生。

小孩打架

陸步墨

我看國際間的事，到像是小孩子爭吵。譬如一個會拿大頂，便向另一個說：「叫你看看，你會麼？」另一個大頂拿不俐落，摔了個窩脖，覺得有點自尊受損，便向另一個說：「會拿大頂有什麼？你看我能金鷄獨立。」

自從蘇俄的天狗臨頭，美國似乎以爲他這個大頂拿起來了，一直是自言自語的這算不得什麼，我也會。直到五號的發射小月亮，結果寸尺未昇，算摔了個窩脖，導向飛彈處長柯拉迪便發表聲明了，美國不願在中程及導向飛彈有充足的優量前進行進入太空的工作，飛彈在軍事方面的重要性超過人造衛星，美國如果要做的話，可以在任何時候發射人造衛星，而且又說我們的怪獸飛彈如何如何。

其實怪獸飛彈便眞如何如何！現在也不是拍胸脯叫勁兒的時候。這種沉不住氣的作風，中國人看來就有點嘴上無毛，辦事不牢。蘇俄的寡婦臉擺擺好幾年，最後拿個大頂給你看看，咬人的狗不露牙。其實拐個把死狗又算什麼？何必把自己的玩藝都搬出來和他比，要比就來眞的，一拳一腳的眞幹。不然就藏兩手，不要這場架還沒打呢，自己有多少招都報給人家了。

也談『文藝獎』

大言人

拜讀文大步先生于「自由人」七一四期，記述本屆教育部學術文藝獎而提名之王平陵、陳紀瀅、張亞秀三人，都未得獎一文，所謂「內情云云，乃是說明十二位審議員投票結果爲：「王六票、陳四票、張二票，以沒有過半數之票而「付諸闕如。」」

在我們外行人看來凡够資格提名的「小說家」以在台灣的「家」們來講，王陳二人是堪一「提」；可是比張女士的小說更值得「提」者，則「多」有其人，這恐怕是「性」的關係，必須有女性而已。

再談王平陵與陳紀瀅二氏，講資格王最老，而小說的作品尤多。講內容陳來台後出版之「赤地」與「荻村傳」兩部長小說，曾「膾炙人口」，而「赤地」更優於「荻村傳」，智者見智，其間二人相差二票，本沒有什麼可議的。不過得獎的標準，應如選舉一樣，三人競選，選票多者就該當選。王陳張三人以王得票最多數，當然本年度獎金，該票多者獲得，爲什麼必須規定「過半數」的票才能得獎呢？

且不談在台灣是否眞有能力可作「審議小說」之員？而王陳之被提名，倒是今日的「公意」，尤其是王平陵整整幹了三十五年的「小說職業」，教育部給他一次「文藝獎」也比給予什麼「中國沙士比亞」而毫不懂戲劇「意義」的人以戲劇獎要妥當得多。

「自由人」兩次披露「王平陵揚名西班牙」的通訊，可見他的小說已有國際市場，爲在台灣小說家所未曾有。那末，本屆的小說獎頒給這位票數最多的王先生，也不會有人譏諷審議員們的糊塗吧。

文大步先生文中又云：「有人提議再投票一次，王平陵氏認爲不必再投票，他無意獲得二萬元與一枚金質獎章。」那又是那些「洋場才子」式的小說家所望塵莫及了。老實說，今日在台灣的「小說家」的，「在月亮下看雞巴」的，以及「老鼠爬秤鈎」的倒也不少。我們路，爭關係，以求獲得文藝獎金之不遑，豈不嗤笑以「一票之差」，而無意獲得的王先生是個大傻瓜。

到底教育部的學術文藝獎金比以前黨部的「中華文藝獎金」舉辦的優劣如何？外界人是自有定評的。倘能眞正在於獎勵學術文藝的工作者，誰也要舉手贊成，若是講究關係，而予，甚而演變成爲憮恤，養老，酬幣……種種。那就實在是「虛耗公帑」，徒惹糾紛還是省省的好。

短篇小說

開會

桑雨

王民半臥在床上，飯飽小憩，正可舒活一下困倦的身子，那知傳來一陣敲門聲，太太去開門，走進來的是李建一。

「怎樣？閣下政躬違和了？」這幾個字由他的缺牙縫裏擠出來，除了調侃之外，別有另一番令人發噱的味道。

「李先生，你評評理，他呀，不到三十歲就一付老態，一到家什麼都懶做。你們機關裏如果都像他，工作效率也就可想而知了。」

「喂，老李，你是人證，我王民對公事絲毫不苟，在家，那當然另作別論了，這也叫做『公私分明』！」王民拉下遮住臉的報紙，慢吞吞的說。

「哈！哈！『公私分明』，眞有意思，那麼我們現在坐在榻榻米上，就絕不談公！大嫂意下如何？」

「好了，你們有完沒有？走吧！」太太半嗔半惱的說。

王民無可奈何，打了個哈欠，穿上上衣，跟李建一走出門去。

里長家的客廳內擺了十幾張竹椅，當中是一隻長桌子，上面還放了一瓶晚香玉。另外，圍繞着花瓶擺了些餅乾和什錦糖。

王民和李建一揀了靠牆角的地方坐了。不一會，又陸續的來了幾位客人，等到會議開始時，一共是十一人。

里長站起來，照例的寒暄一陣，說些個開場白，接着是一陣不輕不重又不必要的乾咳嗽：

「兄弟今天請諸位到舍間，說不上開會，不過大家敍敍。兄弟承諸位支持，一年來深感無所建施，今晚諸位不妨多多建議，本人自當採納。諸位有何疑難問題，也希望提出來討論討論……」

「……」

「……」一陣緘默。只有牆上鐘擺有節奏的響着。

「大家都是熟人，有話請直說好了，」里長打破沉寂的空氣說：

「請隨便吃些糖果，不是甚麼好的。」

李建一對王民擠擠眼，王民放下一塊餅乾在嘴裏嚼了兩下，又呷了口茶，然後站起來說：

「弟兄覺得有幾件事，關係本里衛生及觀瞻至大：第一垃圾問題，以本鄰來說，垃圾箱不到三個，以至垃圾遍街遍地。第二，陰溝淤塞問題，本鄰只有陰溝一條，從早上的洗臉水、痰盂、尿盆、日間的淘米水，刷鍋水、到晚上的洗澡水，大小便……什麼都倒在裏面，惡臭難聞，夏天一到，蚊蚋滋生，不啻爲疾病培養所。第三，『黃禍』問題，本鄰公廁僅有一所，實不敷用，水肥車不定期的清除，大有滿溢之患。這些問題雖小，關係大家衛生却大，請里長能設法解決一下。（二）

舊時衣物感人最，針針離人淚！

·伊人·

論影印宋版「孝肅包公奏議集」的必要

董作賓

近晤張資略先生，承其以擬印重刊之宋純熙元年刻「孝肅包公奏議集」十卷四冊見示，書品精良，毫無殘損，歷八百餘年，保存猶極完好，誠海內外善本而兼孤本之書也。

包公鼎鼎大名，吾豫人婦孺熟聞之。余幼時觀劇街頭，於鐵面無私之包公各戲，記憶印象最深。民十四，執教福州，得謁高湖之包公廟，規模如城隍殿，聞每歲必有奉像出巡之舉。比在港九，於廣播聲中，聆民間戲曲，時猶有包公語。民間稗官述包公案一書，尤爲膾炙人口。因此，我對「孝肅包公奏議集」之重刊，極端贊成。

原書附跋有云：「孝肅包公，名塞宇宙，小夫賤隸，類能談之。第其平昔嘉謨讜論，關國家大體者，縉紳間或未盡聞」。此爲南宋時代之實況，亦即今日之情形。跋文述重刻奏議集十卷時，爲經手人吳祗若所記，和原刻本已「亡於兵火」，經蘇林不遠數百里手鈔以歸，乃重刊之，藏其版于廬江郡學，此南宋紹興二十七年事也。至純熙元年，得舊本於吳芸家，爰鋟版以附新學，此第三次重編刊印之本，即今所見張資略先生珍藏之孤本也。此書曾歷藏于浙江古鹽馬笏齋家，清同治間又歸廣東豐順丁日昌家，最後歸于張氏。民廿七年，張氏攜此書來港，擬重刊之，曾示留港各耆宿，承賜題詠，咸以爲應早影印，以廣流傳。

民二十七年十一月，蔡孑民先生曾爲題詩二首，錄如下：「廉吏何嘗不可爲，通都儕輩口皆碑，道狐社鼠縱橫日，可作九原吾與歸。」「潔身自好或非艱，疾惡如讎得見難，辣手文章資啓發，相期立懦挽狂瀾」。又云：「張君叔通將重印南宋本「孝肅包公奏議集」徵題，書此奉正。」同時張一麐先生亦題云：「孝肅距今千餘年，雖婦人孺子皆能言其姓氏，固由稗官小說附會而來，抑亦公之忠直嚴毅，浩然之氣塞乎天地之間，迄今尚凜凜有生氣耶？漢淮南王安，日夜爲反謀，曰：漢廷大臣，獨汲黯好直諫，至如說丞相弘等如發蒙振落耳。然則漢之丞相，苟有汲黯之風，淮南必不動，有國家者，可不崇尚名節，而徒用婀阿容悅之士，使踰略者覬覦，以無人而易與也。如孝肅不遇仁宗，亦安得言聽計從若是。此南宋本全集，凡宋朝字樣，均跳格或擡頭，首尾完好，詢可寶貴，有丁雨生中丞印章，實爲退思齋藏本。中丞子叔雅，清季四公子之一。閱藏書多散失。吾宗資略，以此書屬題，古色古香，又穆然有包公正色立朝之度，如或見之。因推淮南之語，以爲當局用人之鑑。」

蔡張兩公題詞，已明言本書在現代重刊之價值，余有同感，錄之以餉同好。嘗讀宋史包拯傳，稱「初有字名繶，娶崔氏，通判潭州，卒。崔守死不更嫁。拯嘗出其媵，在父母家生子，崔密撫其母，使謹視之。繶死後，取媵子歸，名曰綖」。今「奏議集」首列包公傳，稱「子誕。」言旁當是糸旁之誤。特附記之於此。

自由人

THE FREEMAN

（第七二一期）

中華民國僑務委員會頒發登記證台教新字第一第二號
中華郵政台字第五〇〇號執照登記為第一類新聞紙類
（半週刊每星期三六出版）

每份港幣壹毫
台北市售價台幣壹元

督印人：陳文韜

社址：香港高士威道二十二號四樓
20 CAUSEWAY RD. 3RD. FL. HONG KONG
TEL. 771726

承印者：東南印務出版社
地址：高士打道六十四號

台灣總經理處：台北市西寧南路壹壹零號二樓
電話：四七三四六
台郵撥儲金戶九二五二

海外總經銷：友聯書報發行公司
香港：德輔道中二十六號A二樓

論民主力量與第三勢力

伍憲子

一月二十五日星期六，本港新生晚報登載特訪新聞一段，大字標題為「伍憲子反對第三勢力」，而內容則言之不詳，容易使人發生誤會。玆為申明民主力量與第三勢力含義之不同，特寫此篇。

一　第三勢力之來源

我們當先尋求第三勢力之來源，第三勢力在十多年當中，只是衆人想像之一個抽象名詞，絕不見有具體組織。縱或有之，亦只類似，供人作一種期望而已。因為國家正當艱難之會，第一勢力專政二十年，本來負國家重責，人民期望甚深。但可惜人民期望之久，而令人民之失望愈大。在此種情勢之下，第二勢力乘時而起，有所挾持而齮齕之。於是第一勢力與第二勢力互相鬥爭，國事更難於解決。大多數之人民，承向來之習慣，不大管理國事，在兩個勢力爭持之下，謹厚者不敢作左右袒，愚昧者更不明白是非，國事遂益陷於混亂。然政治既為人民之事，人民中之優秀分子，身感切膚之痛，自不能永遠放棄，袖手旁觀。因此，在第一勢力與第二勢力爭持之下，自然而然，大多數人民之心理，皆希望有一個新方法，能調和雙方，求得解決。故第三勢力云云，本是應人民之要求，藉機會乘時勢而興。此是十年前之舊話。故第三勢力之運動，到了現在，若仍進行不輟，則似乎失時矣。而且第三勢力之號召，在我個人之見，以為在第一勢力與第二勢力之後，而想成立第三勢力，總難免有爭勢力之嫌。第一勢力既不滿人意，始有第二勢力之勃興，第二勢力又不滿人意，而有第三勢力之運動，由一而二，由二而三，倘皆以爭勢力號召，安知所謂第三者不是猶吾大夫崔子。因此第三勢力之名稱，我們為名正言順計，不能不加以留意。

二　名不正則言不順

由第一勢力而迫出第二勢力，第二勢力是爭天下、打江山，其事實已擺在眼前。然則由第一勢力與第二勢力而迫出第三勢力，第三勢力是否亦爭天下、打江山。我想期望第三勢力出現之人民，必不願見此，努力作第三勢力運動之民主人士，亦不願為此。然則為名正言順起見，與其作第三勢力運動，何如作民主力量運動。故此關於第三勢力與民主力量兩個名稱，我們要分辨清楚，不隱諱，我不是對第三勢力懷疑，說其非民主運動。然我總覺得民主運動不應有所謂第三。第三勢力云云在名稱上總不安，我不贊成此名稱。或者不明白，以為不贊成第三勢力，就等於不贊成民主，此則近於糊塗。須知第三勢力之名稱，只能表示不同於第一勢力與第二勢力而別有組織，不會表示其必為民主，極其量亦只消極的含有反對不民主之意。至於積極的實作民主之努力，不能從第三勢力之四字含義中求得之。明白此義，則反對第三勢力，不是反對民主運動，其意義非常顯明。而況民主必求其內容以實之，不能以為離開第一勢力與第二勢力，就是民主。名不正，則言不順，我們不如破除第一第二第三之見，老實說民主運動，努力去培植民主力量。

三　前事不忘後事之師

我們可以回憶，當辛亥革命之後，許多人不明白民主之義，只以為打倒君主，就是民主，此乃一種幼稚之見。不意四十多年來，此見解依然存在，許多人以為第一勢力與第二勢力皆不民主，號召第三勢力，就是民主，此話我不敢贊同。我以為必須從自身做起，先要擴大力量，不必急於爭取勢力。力量與勢力不同，我們當認識清楚，勢是表示一種權力，孟子說，好善而忘勢，漢書說，無為勢家所奪，北齊書說，勢要之徒，舊唐書說，勢門子弟，乃至佛家說，勢力之鬼，近代語說，勢力範圍，可證勢之為訓，都是自上監下，所謂挾雷霆萬鈞之勢。力量則不然，力量就廣泛言，就平面言，就普遍發展言，古人說氣量、局量，都是指胸襟寬闊，包羅萬象。胡文忠公常說，天下之才，視取才者之量而出，予嘗推展其意，以為民主政治之成就，視民主人士之量之大小以定之。故民主力量云云，其力在量，而不在勢。假令不明白此義，目的注重在勢，而不注重在量，則所成就必小。而第一與第二可以藉其已成之勢而踐之，而排之，所謂第三，就難與抗衡，且容易被軟化，被消滅。我們回憶往事，此情此景，似歷歷尚在心頭。我不敢輕視民主人士永遠不能造成廣大的力量，我希望廣大的力量終必造成於民主人士之手。但此種廣大力量如何造成，前事不忘，後事之師。我們不必迷於第一第二之成就，而想繼續為第三，我們應認識民主力量不在於第一第二已成之勢，我們要自造民主力量。

四　培植民主力量

既謂之民主，當然其對象在於大多數之人民，進一步在於全體人民，民主是服從多數意見之政治，質與量均進，固佳。然有時民德之進化遲慢，我們不能說重質不重量，故民主是積量以成力，能從大多數人民心坎中，求出其真好惡，則其潛力之所伏，就偉大到不可思議，然而尋常人每缺乏此聰慧，與其歸咎人民不合作，不如自反。為什麼我的智慧，不能通達到大多數人民之心。大約智慧有所蔽。尋常人見近而不見遠，因之只見己而不見人，只求擴立其一己之勢。彼不知勢之能成，不在一己之自私，而在大衆之擁護。民主政治離不開大衆，尋常人之見亦何嘗不及此，但運用方法，則高下懸殊。上智者不急求大衆之擁護，而惟誠心以擁護大衆，得其心坎中之好惡而同之，而公之。尤其是大衆中之知識分子，能了解其主張，務安其心，平其氣，爭取其同情，使公是公非，得以通達，由此漸漸得到大衆之擁護。其次，則中智之士，平時不免於偏私，但到緊急關頭，亦知分別利害，能忍痛犧牲其平時之私見，以求同於大衆，以挽回其失去之人心。惟尋常之人則難得此智慧，他們好愚弄大衆，威逼利誘，以造成大衆之擁護。阿好者或且欲頌為英雄。因為其民主力量始終造不成功，其私人勢力，倘炙手可熱，趨附之者尚衆也。然此種作風，在民主時代，終歸淘汰。我們今後要培植民主力量，應取法上智者，其辦法仍在增進人民之量，求得其真心之擁護，而不在爭取私人之勢，恣其對羣衆之指揮，此是培植民主力量之正當途徑。我前日對新生晚報記者之談話，重點即放在此，故主張以培植民主力量號召，不主張以第三勢力號召。今特再申其意，民主人士當不至河漢吾言。

半週述評

為了符合美國的利益！

左舜生

『任何時候，如果承認中共政權對美國有利，我們便將這樣做！』這是杜爾斯在上月十六對他們本國一大羣記者很坦率的這樣說的。

我們不要曲解說：『這決不是杜爾斯的由衷之言。』可能剛剛相反，這才真正是他內心所要說的話。

美國的一切行動都是為了美國的利益，他們對中國問題所抱的態度，決不會有什麼例外。

台灣是美國手上的一張牌

平心而論，今天台灣所處的地位，不過是美國用以阻遏共黨無數處基地中的一處；其副作用則在扣住這一張牌，用來和中共做一點討價還價的零星買賣；在美國當局心目中的最高理想，不過是實現『兩個中國』，只要中共切實保證，不對台灣施用武力，即中共在事實上也不反對『兩個中國』，美國便隨時有承認中共的可能。至於『兩個中國』實現以後，如何來應付台灣中國這一問題，美國當局似乎也有了一個未完成的腹稿，而且已經埋伏了若干的線索，他們好像已經有了一種不怕台灣不就範的把握。

美國根本不要打仗

美國目前所用以協防台灣的這一小部份武力以及這一點軍援和經援，這不僅不足以表示美國如何重視台灣，即以實際的數字來說，台灣在亞洲的比重，也幾乎不能和日本，南韓，南越相提並論，甚至對一個標榜中立的印度，美國也還要痛快得多。凡此種種，我們與其因此對美國表示失望，毋寧用以作為一種反省的資料，也許反而有些好處。美國根本不要打仗，其用於台灣的這點力量，一面固在使中共稍戢其野心，一面也確實在阻止台灣不許在亞洲闖禍；他們所希望於台灣的，只是維持這個不生不死的現狀，內部不要鬧亂子，勉強協同守着這一基地，以靜待美國的最後擺佈！

一切以維持現狀為主

從前還有人存着一種幻想：以為藉着美國的影響，或許可能使得台灣的政治有些改進，但積最近數年的觀察，美國對台灣究竟維持一種怎樣的政治形態，可以說他們是漠不關心：獨裁也好，加強特務也好，只要能達到維持現狀的目的，他們便可以聽之任之；反過來說，假定台灣真的能夠實行民主，使得大陸以外兩千萬以上人民都能團結，儼然擺出一個隨時可以反攻大陸的姿態，這從美國現行的政策看來，豈不是一大麻煩？

現在一切容忍

基於美台之間這樣一種心照不宣的默契，於是美國對台灣所採的態度，乃是一切容忍，甚至就打到他們的頭上，如去年的五·二四事件，祇要您們能低頭賠一個不是，能把打壞的房子好好修復，並在口頭上保證不會再有類似的事件發生，他們便可一切照常，充其量不過少送幾個錢到台灣聊示薄懲而已。可是美國在現行政策上有一點卻拿得很穩，便是無論如何決不許台灣亂動，所謂『反攻復國』不僅不許見諸行動，最好連談也以少談為是；至於為『反攻復國』所決不可缺少的條件如促進團結，實行民主，實現清明政治等等，美國甚於不許台灣反攻復國這一根本態度，他們當然只有淡漠視之。誠然，過去馬歇爾所執行的對華政策，在根本上是錯誤的，但至少在那一時代還表現美國對中國問題是非常重視，而今天則他們只是『我行我素的做下去』，自由中國的人民如何呢？台灣當局對這一點似乎十分了解，所以儘管[illegible]透頂，但台灣當局的態度卻是頑強的如故，甚至合立監兩院之力，不能趕走一個俞鴻鈞，本來，既不要反攻復國，俞鴻鈞又有什麼一定要趕走的必要呢!?

論改善社會風氣

黃致勻

近年來奢侈腐化的社會風氣，每況愈下，連到台訪問的外國人，也說台灣沒有一點戰時景象，這是無法否認的事實。

事實是：一、由於長期株守，無形中養成一種亂世心理，使一般人都走向貪圖苟安，講求享受；二、由於戰時生活未能澈底推行，國民道德淪喪，遇事只講個人主義，只知講現實；三、由於教育失敗，使許多有為青年學子，變成太保太妹，遁入胡鬧滋事；四、由於人事制度未能確立，以致人才的進退不公，會拍馬善鑽營、有特殊關係的，可以飛黃騰達，否則盡忠職守安份守己的人，反被擯棄，因而不免趨于自暴自棄。

在抗戰期間人們穿破衣，過窮日子，並不為恥，而今在台灣卻不是如此。沒有錢好像面子無光，貪污枉法倒忝不為恥。甚至「笑貧不笑娼」覺得很自然。在二個陌生的場合裏，見面必首先問你在那裏得意？如果你說沒有事情的話，他會說你客氣客氣；但當他真正覺你沒有事情的時候，他便會斂起笑臉，悄悄的走開。如果你要說在銀行，在美援或外國人機構裏工作，他必翹起大拇指來向你連聲稱道。他絕不會想到你在反共復國的工作上有沒有貢獻？他所想到的只是錢只是享受。如此這般，人所習見。為什麼會有這般現象呢？原因很多，而政風的不良，實為主要因素。

近年來各級官吏貪污之風，愈來愈盛，人所共知，遠的且不談，僅以目前的中興村貪污案而論，就有水電貪污，傢俱貪污，工程貪污……五花八門，不一而足。貪污屬于非法，尚有法律可以制裁；此外還有浪費之風，永不能戢：

談及浪費，首先就可以指出政府方面有兩個，最大的浪費。即機構浪費與人事浪費是也。

所謂機構浪費，即不必要的，重複的疊床架屋的機構，應行撤銷而不撤銷的不知凡幾，不但浪費公帑，而且妨礙行政效率。例如辦理申請外滙購買工業原料或是工業設備者，均有一個共同痛苦的經驗──即是管制機構太多，手續太繁，塡表開會，審查再審查，往往一事累月不決。尤其此種機構，多係委員會制，其塡要委員又不過數人串演而已。若干財經要津，大都身兼數職，既為此會之委員，又為彼會之委員，會名雖不同，而人員則一。此種委員會為什麼不能簡併為一？至關於美援、經援、軍援以及外滙貿易等等，在中央有美援會，經濟部，國防部及財政部；在省又有財政廳，建設廳等等，又為什麼不切實簡化？

所謂人事浪費，首先就是各機關的編制太大，冗員太多，政府遷到台灣以後，就說人事凍結。其實，那不過是對一般沒有人事門徑可走的人而言，有背景有辦法的人，照樣的升遷調補，並沒有受到絲毫的限制。如一些有辦法的，由甲機關調到乙機關服務，不但可以照支原有的薪金，而且還可以領取一部份車馬費。還有一些大機關，聘請什麼參議、諮議、專員一類，多半不到辦公的人員，其薪津卻比那一般經常埋頭伏案實際從事工作真正的公務人員拿得多，甚至年終考績，還可以獲得獎狀。結果，人事凍結的辦法，卻保障了一些不盡責不上班的幸福人員。同時，還有些公營事業機構，濫聘什麼顧問，什麼專家，領乾薪水，支車馬費等等。由於人事費開支過大，遂使事業費相對減少，有人無事，因而浪費更形增加。此外，各機關的汽車汽油浪費，招待宴會的浪費……似乎變本加厲；更可怪的，是政府曾經駁斥過的洋烟洋酒，今日仍然到處橫流。

今天我們要想改善社會風氣，誰都知道要提高人民的精神生活，要實施「治亂世用重典」的法治精神，但一切的一切，還要上層領導階級的人物能夠以身作則才行。但目前的領導階層，大都似乎並未能針對這每況愈下的社會風氣有所糾正，反之，似乎「賢者不免」地在鼓勵這壞風氣。實在有許多可以指出的事實。由小看大，譬如有人指出影星回國，我們不明白他們對于反共救國的意義有多大，竟至高級人員上至部長也爭先設宴招待唯恐不及，四星上將似乎還以拍拍影星的肩膀為佳話。（我不敢說為光榮）。上層領導階級的人物尚且如此，怎能叫一般人不翕然效之。自古以來，上有所好，下必甚焉，這是一定的道理。

假設我們上層領導的人物，凡事能夠「子帥以正，孰敢不正？」否則改善社會風氣云云，眞是無從談起。（完）

合力同心治病救國

——爲自由中國朝野進言之七

○胡秋原○

我希望政府，立監兩院及海內外輿論合作治病，然則應該怎麼辦呢？

由于病很長久，不僅是一種實體之病，且爲心理之病，不是短期可治，病在全身。非一針一刀有效，且身心虛弱不堪劇烈手段所宜，亦非寬緩湯藥之所可以有效的。對于這樣一個病人，第一須使其知病，接受醫生忠告；其次，阻其病況惡化，先治最嚴重之病；然後以溫和疏導之藥，同時施以精神治療，恢復健康生活。

停止阿諛粉飾宣傳

今日自由中國之病，亦當如是治理。這在醫學上可以稱爲「培補」；而在政治上，可用劉獻廷一個術語：「斡旋氣運」。其途徑仍不外二端：立法，與論。既得利益階級任何社會在所難免，美國至今仍受其害。其不能爲大害，則法律有靈，輿論有力之故。我們不注意由立法上限制他們，而輿論又中勢利主義之害，才生大害的。首先第一事，無論政府中的好人，立法監察二院有識之士及社會負責的輿論，應不再諱疾忌醫，立即停止一切惡俗不堪，誤國不堪的粉飾阿諛宣傳。要說病很危險，然非不治，然必聽醫生的話。今日是事不是人。希望許多人不要拿人事周旋，枝節手段，阻撓治病。如若他們用壓力或遊說阻撓治病，當如對病人，如勸鴉片烟癮者戒烟一樣，宛轉勸導。立刻，一定要使立法院提高軍人生活待遇案有效。務希行政院排除一切困難依原決議付之實施，這是一個必要的安定措施，亦我國憲政能否推行之考驗。（除非行政院提請復議，行政院唯有實行之一途。）

立監兩院充分合作

其次，我們希望立法院與監察院充分合作，首先就財政，司法，其次對其他行政作一檢討，擇三五件重要之事，爲興革之開端。然後與行政院協商，在制度上政策上，經立法程序，採取若干措施，或者反過來，由行政院自行檢討，向立法院提出方案亦可。最重要的，是由籌畫預算，整理財政，安定物價，裁汰駢枝浮濫，增加公教人員待遇入手；然後循一般常道，一面防止舞弊，一面講求增進生產貿易之道（這是各國都有經驗，可以參考的。）其次，要與司法院商量，同時經由司法行政機關，對法院作澈底改革。此外，對於妨害人身言論自由行爲嚴加防止，而教育行政機關對學校，學校對學生之不合理苛擾（課程、收費、及其他）加以澄清。此處喜談法治，這也好。法律之效力一伸，智識份子之氣一吐，如是，再略加人事之調整，必可使大家耳目一新。如是今日政府低沈之信用，可望恢復。民心士氣一振，政府政策也易於推行了。

三院必須合作

然後，行政立法監察三院，總要合作納政治于軌物。軌物者，憲法也。我們不怕爭。君子無所爭，必也，法乎？依法爲政策之爭，爲是非之爭，只有好處，沒有壞處的。大家相欺，才是壞事。立法院經此次經驗，自知其可以報國救國之力是很大的。不合理之事，必阻止之；當作之事，必貫澈之。再有監察院從旁協助，我們實不難一步一步在立法上促成健全改革，至少許多弊端總可減至最低限度。就我國憲法而言，行政得失是行政院負責的，（近有人否認此點，實不解憲法，且爲加禍之言）行政院一定願在此危急存亡之秋，有所表見。有立法院決定其施政之根據，有監察院爲其監督官吏之失職，得益友諍友了。大家對國家負責，何至不如一個葛量洪先生呢？

海內外輿論的責任

同時還需要海內外輿論界之合作。年來大家對俄帝漢奸打擊譴責，對中華民國政府一面愛護支持，一面忠告善道，貢獻甚多。今後恐怕還要多盡督促之力，特別是勉其循憲政而改革而進步。特別是台灣言論界，應該多盡減懲勸勉之責。勉之者，既非攻訐，非頌揚。我們報上似乎阿諛文字太多。這是危險至極的。因爲言之阿諛，必是行之苟且。我還要說，政治不良，不足爲大病的。唯有社會沒有淸議，才是死症。因爲大家習于勢利之見，一定趨于絕路。然嬉笑怒駡亦無益處。我們對國家社會之病，只有堅持道義與理性標準，抱父親之嚴正，母親之慈祥，一面批評壞傾向，一面鼓勵好傾向。這是輿論界的責任，也才能樹立輿論之權威。如果輿論又是社會之教師，則我們對於社會上反常變態之事，除了新聞立場外，也還應有一點教育家立場的。許多事是無須乎用如許多篇幅，加以渲染的。在政治上興利除害，是政府及立法機關責任，要想挽救社會風氣，養成新中國的知慧道義，除了學術界外。輿論界的責任是最大了。我們輿論界經常應該引爲已任的，即是要維持社會價值標準，使社會保持是非之心，善惡之心，羞惡之心。否則，我們拿筆做什麼呢？

也許我的話有許多人不高興。但我決非隨便說話的人，何況正是過年之時？我是不忍不說，而我的用意，不僅是爲了此處得一個人，也是爲了中國之將來的。此文共黨當然看得見，如果高興，也不失爲好共黨。因爲我們能將此處之病治好以後，也好爲他們治病，或幫他們治病救國的。

擴大同樂晚會

反共

復國

定軍山

餘興節目

自由中國劇團演出

餘興勝過壓軸戲　○尹震○

把握科學發明共享之機會
改革大政以言復國

衛挺生

衛挺生教授於上月廿日，從美國郵書於行政院院長俞鴻鈞氏，認美國願將其科學發明及秘密武器與友邦共享，乃我國充實力量之絕好機會，因此建議及時把握。其原函大要如左：（編者）

今年美國總統艾森豪威爾致國會的國情書，所提出的大政方針宣稱：凡其科學發明及秘密武器將與友邦共享有之。此正我充實力量之絕好機會。然享有之國亦需先具備自身能享受之條件。例如適當數量之科學家，工程師，技工，輕重工業，機械電子工業，航海航空工業等，缺一不可。我今全無。故在美國慷慨以無上良機給予友邦時，英德法義日本等國，立即享得利益，而對我倒幾乎毫無用處。既不能自行製造，且不知如何運用。國家如此落伍，何能立國？我日日以「反共抗俄」爲號召，而俄共上空有遠近程之飛彈，水底下有潛艇，以之放原子彈輕氣彈，則我自由中國僅餘之堡壘台灣寶島，任何一日有化爲無人廢墟之可能。若不及時戒愼恐懼，立即充實我自身之力量，則高唱「收復大陸」，爲無意義。自由中國之在台灣及海外者，最少在一千七百萬人以上。美國全國人口亦僅十倍于我。今美有科學家二十五萬人，工程師七十餘萬人，兩共約一百萬人。又有技工數千萬人，然尚且舉國申儆自戒，恐落猛進俄人之後。我今一切不及美國千分之一，將自居于何種地位？愚見以爲今年之大政方針，應澈底改變。科學，工程，技工之人材問題第一重要。輕重，機械，化工，電子，及造船飛機工業第二重要。國家預算，美援分配，國民經濟，國際關係，均當以此爲準則。至將來收復大陸，陸軍已成落伍組織。六十萬大軍儘可裁減一半，以紓政府財力，而增加現役軍人待遇一倍。學校之傳習教育，可再作適當之改進並力求其普及。大學研究院之研究訓練，應爲當今之最先急務。次應大興工業。但我既無人材，復無資本。何不選擇美國各大製造廠家之有利于我者，招其來台設立分廠，以作我大規模工業化之初步。同時政府亦應裁汰冗員，提高待遇，勵行法治，整飭行政司法紀律，嚴肅社會生活習慣。使台灣先成模範省，再成爲模範社會。然後可以言收復大陸。逮我實力增强，反攻自可有效。必台灣化爲今之岐周，先聲奪人，不戰而大陸屈服矣。（中華民國四十七年元月二十日于美國康橋）

國人信仰當如是耶

●蔡峰山●

本年一月八日，自由人第七一四期，有唐君毅先生的大文，題曰：「國人的信仰問題」。唐先生的思想人格素爲我所崇敬，我也時常閱讀唐先生的文章，但上述的一篇，恕不客氣，使我感覺非常失望。因此，不揣冒昧，草此短文，就教於唐先生以及各界人士。

唐先生此文，充滿民族情感，在此反共抗俄，復國建國的大時代，我們必需先有民族自覺精神，這是無疑的。可是唐先生的題目是談信仰的問題，學者如唐先生者應該談的是高深的信仰，本人是這樣期待的；如此，則本人對唐先生所表示的風度，及所主張的意見，實在不敢贊同。高深的信仰問題，應該是在通俗生活問題之上的。嚴格的說，信仰問題可以包括生活問題，就是信仰可以影響生活，領導生活，而生活絕不可影響信仰，領導信仰。信仰被生活領導，那就是低級的信仰，甚至是迷信的信仰了。本人是這樣理解，不知唐先生是否同意。若這個理解是對的，那麼民族問題，可說是人與人之間的問題。而不是信仰問題。本人絕不能理解像唐先生所說，爲要樹立民族的界限，爲要民族能有自信自立，信仰需要這樣那樣。這樣說法，是本人發生懷疑的所在。

唐先生的文章，提到我國駐美大使董顯光先生，在人生雜誌所發表的意見，「中國人固有的宗教與文化中，已無東西可貢獻於世了。將來的中國之執政者，將大多成爲基督教徒」。從現實生活立場，特別是從民族生活立場，本人可以同情君毅先生的心情。如君毅先生所說，爲中國作主的炎黃子孫，却不能在現在當一面倒，而竟無絲毫界限之樹立。不過前引董先生的意見，有「中國人的固有的宗教與文化」，從這『固有』一詞推想，或者董先生所要談的宗教，是高超而應有的宗教。固有的宗教就不是高超而應有的宗教。中國人固有的宗教，已經是有一定的界限，是有限而無永久性的。若然，在信仰的範圍內，我們中國人固有的宗教，已經沒什麼可以貢獻于世界人類，這個見解，本人是完全同意的。至於說我們中國人的固有文化，也已經沒有什麼東西可以貢獻于世界人類，本人就不能贊同了。我們中國人的固有文化，還是大大的能有貢獻于世界人類的。

唐先生文裏有一段說，「在西方社會生根流行之三大宗教，在根底上都是排他的不寬容的，而在東方生根流行的宗教則是能寬容異教，此將是人類文化的大問題之一。」還有一段說，「吾人不希望一個眞正替中國做主的炎黃子孫相信基督，這是印度甘地的意思，也是我個人的意思。」唐先生的口氣，似乎在說，宗教是有西方的，也有東方的。因此也就說，基督教是西方的宗教，而不應該是東方的宗教。所以做一個眞正替中國做主的炎黃子孫，是不可以相信基督教的。本人對這一點，最感不能同意。我們所說的，應該是高超，而應有的宗教，不應該屬於西方，或屬於東方所固有的。本人以爲基督教佛教回教，都是高超的宗教，因此不能說基督教是西方的，而佛教是東方的。本人以爲凡是信奉的人，他所信的宗教，就是他的。但是眞理的宗教，是不應該僅僅屬於世界，屬於人類而已。否則就不是眞理的宗教，就不應該存在。眞理的宗教，絕對不能有兩個。從信仰的人的立場說，他所信的，就是眞理的宗教，信仰是自由的，誰也不能說誰是絕對對，或絕對不對。但是神既然是眞理，眞理不可以有兩個，不要說在宗教，就是在哲學，科學也是一樣的。現在愛因斯坦所主張的眞理，已經被我們中國同胞李政道楊振甯兩博士所主張的眞理推翻，而不成爲最高的眞理了。本人舉這個例，就是要說眞理不能有兩個。學問上的眞理是人找出來的，但是人的能力是有限，因此良心敏銳的學者，都不敢說他所主張的眞理是絕對的。那麼，世界上就不能有絕對的眞理嗎？不，絕對的眞理很多，太陽從東方出來這是絕對的，人的肉體到時一定要死亡，這也是絕對的。這些眞理不是在人的能力以內的，這是神的大能所創造的。絕對的眞理不管人承認不承認，都是絕對的眞理。絕對的眞理，不准有兩個，眞的宗教一定也只有一個而已。唐先生很嚴肅地指摘基督教的排他性，本人承認這是遺憾的話。但是同時不能不承認唐先生的認識有問題。因爲宗教的排他性，斷然不僅是屬於基督教。若是宗教的排他性，只是屬於基督教，世界各地各民族之間，對基督教迫害的歷史紀錄，怎麼會那麼激烈那麼多呀？若是說那是基督教先排斥其他的宗教，恐怕就有一點不公道不正確了。但是基督教的排他性，比較佛教或其他宗教，或者濃厚一些，這一點本人是可以承認的。但這不過是因爲基督教的神觀是特別認眞，不准信的人隨便解說而已。因此也許會有人說，基督教是啓示的宗教，不是完全由人要信不信的宗教。太過份獨斷了。但是，眞理是獨斷的，釋迦牟尼也獨斷了，天上天下唯我獨尊。耶穌基督更是獨斷了，祂說，信我的人要得永生，不信的人必定滅亡。究竟如何呢！這個有世界的事實在證明，更有世界的歷史將證明下去，我們不須在此爭辯。（上）

台灣獵奇

△台東縣大麻里有一位陳姓青年，三年前入贅同鄉許家，感情甚洽，遺憾的是未曾生育過一男半女，泰山泰水不免時有煩言，求神問卜，亦不靈驗，因而使這位陳姓青年很感慚愧，於周前突向岳家提出辭呈，願讓出丈夫職位，並舉荐「賢能」——他的胞弟——以繼承遺位。

他此項建議提出之後，很迅速而順利的即獲女方家庭會議通過接受，旋即請出當地鄉紳爲監交人，隆重的擇日舉行「交接大典」。他此種「退位讓賢」的精神，還頗得當地人士讚揚，茶餘酒後，引爲美談。

△台省四屆縣市議員選舉，刻已密鑼緊鼓，競選已達白熱化階段。參加競選的各行各業，應有盡有。譬如台北市議員候選人中有以「擦皮鞋業公會理事長」銜相號召者，台南市有以「敬軍花后」（之一）相號召而競選者，且已獲得提名支持。該「敬軍花后」，原係南市名「酒家女」，（按規定原則，酒家女只准伴酒，不准伴宿，事實上早已打破這限制了）。

候選人中有一位去年的敬軍花后，後來因此發達，便獨資開設一間「公共食堂」，自兼總經理，以美女如雲，招待親切相號召。此次爲參加議員競選，乃「忍痛」將該「食堂」出讓，她的選票來源，即爲台南市數十家公共食堂和妓女戶；因人數衆多，當選大有希望。（恨鐵）

星洲有落入紅圈之虞

左翼政黨意外獲勝

●司徒鈞●

海外通訊

新加坡經英國承諾自治，在未來立法議員大選中，會不會落入共黨手中？不論英國人或關心新加坡前途人士，沒有不深感憂慮。依據憲法，是不准顛覆分子在首次大選參加競選的；但鑒於本屆市政議員選舉，左翼人民行動黨獲得壓倒勝利，執政的勞工陣綫（反共政黨），以及右翼自由社會黨（白領階級），和左翼工人黨（馬紹爾領導）相繼失色，一般認爲市民如不提高警覺，殆將爲共黨所乘。

兩面話針鋒相對

新加坡一經落入共手，英國在遠東的戰略基地，除了香港，馬來亞陷於孤立遭共黨包圍，商業利益更不待言，「人民行動黨」主席李光耀於上月十四日嘗謂，如果他的政黨取得政權，將把星洲的英國企業接收，正如印尼對付荷蘭的手段一般。他這話是在立法議會辯論本年度預算案時說的，他說：「我們可能會對渣打銀行採取行動；在銀行入口處該掛上一面旗，標明該行已被星洲人民接收，以支付被開除者的退休金。」當時渣打銀行經理蘇沙爾立即迅立斥責：「如果有這樣的事情，我可以保證：他們所得的，比日本人從我們這裏所得還要少。」

人民行動黨的面目

人民行動黨的面目，現已逐漸顯露。雖然，很多外國人認識該黨的態度，係迎合勞工羣衆反英反殖民要求，目前星洲到底尚須在英國勢力範圍內。新任市長王永元（按：爲人民行動黨司庫）於上月八日下令，將市政廳內的兩面英國旗除下。這種未經通過市政當局的斷然行動，僅管五千名市政職員工大多數表示不滿，畢竟無人勇於將旗重掛，英國及英商[illegible]權利，毋庸置疑。

本屆市政議員選舉

本屆市政議員選舉，左翼政黨意外獲勝，是不是反映出星洲市民有意親共？這一個問題需要分開來講。第一、中共企圖奪取星洲，處心積慮已非一天，滲透與煽動馬共從事恐怖行動雙管齊下，同時復通過報紙刊物，反英反美與鼓吹中共在大陸的「建設」，向星洲市民構煽反英情緒，蠱惑人民直認中共是「人民祖國」，在這種邪惡的輿情下，驅使勞工與貧苦大衆及少數知識人士墮入錯覺，在他們的心理上建立了一個概念：非「前進」不足以證明他有新腦筋。所謂「前進」，意即受共黨領導，打擊現實政權，反對英國人繼續統治星洲，從英國人手裏取回權利。這種概念已成一大潛力。

林有福仍須努力

第二、林有福繼馬紹爾而任首席部長，林氏出身勞工，針對共黨滲透勞工手段，發揚自由工運，以堅強的組織打擊共黨，年餘以來，赤色工會，特別由中共直接領導的左翼工會，在公安法令嚴格執行下，三次工潮均告平伏，爲首之人大致將被遞解出境。從表面上看，中共馬共陰謀奪取星洲已無可能；但潛在勢力尚未根絕，共黨於有形組織解體之後，無形的地下組織，依然擴張蔓延。這次選舉的考驗，顯示自由工運的政治領導不確實，組織也不夠嚴密，市民參加投票估百分之三十，適足表現五十萬新加坡選民意態，對於這次選舉並不熱心。失敗的政黨雖然歸咎於天雨，到底不是充分的理由，問題是混亂的政治觀念，強使他們無所適從。

白領階級與市民心理

第三、在在白領階級與大多數市民的心理看來，由於左右兩派不同勢力的鬥爭，對自治願望逐漸沖淡，以致右翼政黨除了鞏選基本票數無法控制，同情票更難爭取，卒爲左翼獲逞。造成了如下出乎意外的情勢：人民行動黨在提名候選十四名中，有十三名當選；執政的勞工陣綫十六名候選人，僅四名膺選；全部三十二名議員，除去上述十七個議席，餘由各黨派分佔：右翼「自由社會黨」七席；左翼新黨「工人黨」（由「勞陣」分裂出來）四席；「巫統」及無黨派人士各佔兩席，這十五個議席多屬理所應得的基本票數。假如執政黨與「自由社會」、「巫統」及無黨派人士聯合，仍無法與左翼抗衡，華歐富商亘面對這一局勢，似乎無一表示樂觀。

「勞陣」主席的呼籲

周瑞麒身爲「勞陣」主席，且爲現任教育部長，這次失措應負最大責任，因爲該黨寄託於教育界的基本票數，多數均遭「人民行動黨」囊括。經此教訓，周氏僅籲市民正視現實，勿使共黨在下屆立法議會大選得逞，與強調共黨如掌立院，不啻使星洲死亡。顯非根本對策，問題是要林有福政府進一步努力，以扭轉市民的「不管」及親共傾向，庶不致新加坡脫出了英國的殖民統治，反一遭赤色新殖民主義統治。（一月八日寄自星洲）

國際動態拾零

尼克遜的聲譽日增，據蓋洛浦測驗，兩年前大多數人不喜歡他，現已大有轉變。最不喜歡他的人，從百分之十五降到百分之十二，次不喜歡他的人，從百分之八減至百分之七，對他無好惡而持中立態度的人從百分之三十三降至百分之三十。而極喜歡他的人，從百分之十九，增至百分之廿八。

× × ×

美國民主黨，本預備如一九六〇年選舉獲勝後，將以肯南爲國務卿。但自肯南主張英美軍隊退出歐陸，因蘇聯對歐洲攻勢，爲政治的而非軍事的之後，艾契遜即起而反對，足見已有變卦了。他謂一九四九年，肯南曾有如此建議，然被國務院否決了。

× × ×

英美將合力製造一種反火箭飛彈，彈身與機械方面，將由美國製造，雷達與輕氣彈頭，則由英國製造。

× × ×

佛蘭哥自上週得蘇聯警告後，美國中程飛彈置于西班牙的原計劃，將與美國討論修改。因爲佛氏認爲中程飛彈基地，過于接近大城市，易遭蘇聯之報復，而被毀滅。

× × ×

英國在西德駐軍，聞將繼續削減。如西德不肯担任軍費，將有一萬三千英軍退出。英軍在德共只六萬人，去年夏天退出四萬人，如再退出一萬三千人，則只有七千人之象徵軍隊了。

× × ×

埃及陸軍部長，將訪問蘇聯與捷克。納薩需要噴射機，潛水艇與飛彈，不久蘇聯之另一批軍援，行將成交。

●陶然●

竹幕秘聞

山東幹部反上

正在大陸反右派進行得異常激烈的時節，山東卻出現了一樁與此相反的一個典型，這個典型是表現在去年十一月十五日到十二月七日的山東黨四級幹部會議上，惠民地委第一書記李峯與泰安地委代理第一書記公然在會上說：

一、一九五七年三月召開的用以來貫徹毛澤東「關于正確處理人民內部矛盾問題」的指示的縣委書記會議是對當時情況估計的錯誤，是沒有階級分析，是缺乏階級性，是階級立場模糊。

二、富裕中農與其他農民鬧退社，鬧糧緊應該看成是富裕中農同地主富農結合起來反對社會主義，根本不是人民內部矛盾。

三、在強調正確處理人民內部矛盾時，省委要求轉變幹部作風，這是因爲省委對山東幹部強迫命令作風估計過于嚴重，是省委對於基層幹部不信任，省委的階級觀點模糊。這不是幫助幹部，而是傷害幹部。

報導說因爲這些幹部既有這些思想，李峯就會在惠民專區三個縣成立鎮壓「現行破壞指揮部」，辦了一百多起鬧事案子。

一望而知，李峯等的思想不但直接反對山東省委，而且間接反對毛澤東的「正確處理人民內部矛盾」的說法。

所可注意者，既然這些人在去年五月已經有反對毛澤東思想的言論行爲，何以要拖到這些人在這次會議上氣勢洶洶的責備省委，方才予以處理，要是他們在這次會議上做得稍爲緩和一點，問題還不致于暴露。

這似乎隱含着兩項因素：

一、毛澤東的正確處理人民內部矛盾的理論，中共的幹部對之普遍的存在着不滿。

二、他們所以敢于如此大胆的做：就算省委不追究，他們卻還要責備省委，大概背後有力背景在支持着的。省委會議雖然對於他們的思想是批判了，但是並無組織處分，這似乎可以證明我們的這種說法。

由此可見，毛澤東在現在中共幹部中的威望正趨向低落。

「志願軍」友好會議

據一月二十一日人民日報報導，中共派出在北韓的「志願軍」總部最近召開了一個全軍友好工作會議，會議決定在全軍範圍內繼續加強國際主義教育，進一步增強志願軍與朝鮮軍民之間的友好與團結。並且要求全軍二月裏大張旗鼓地進行一次普遍深入的國際主義教育。

自一九五〇年中共軍進駐北韓以來，這樣的所謂友好工作會議，過往的數年中是未曾舉行過的，爲什麼今年要舉行這樣的會議呢？大概是在去年有着不融洽，不友好的表現的緣故。本欄曾經指出：去年下半年中共與北韓曾有過不愉快事件，中共因此而撤換了志願軍的整個政委系統的領導幹部，上述消息似乎可以作進一步的註釋。

三個祖國和兩個祖國

最近中共的中央民族委員會舉行會議，據報導吉林省的朝鮮族，他們有「有三個祖國」的說法，反映出這些朝鮮民族精神上的痛苦。報導中並未說明是那三個祖國；照說該是：蘇聯、朝鮮、與中共。

那末，同樣，在中共的眼裏，大陸的中國人應該也有兩個祖國，即：蘇聯與中共。

●田心●

話劇與劇本

由「狄四娘」想到劇本

黃震遐

看了香港藝術劇團試演的「狄四娘」，想到一些有關話劇題材的問題。

「狄四娘」是從雨果的劇本改編過來的，因爲這個劇本原來的時代背景是文藝復興時代的意大利，而且是一個適合於拉丁民族特殊氣質的浪漫主義悲劇。所以經過中譯改編以後，亦不能充份去掉它原來的精神和氣氛，更不用說動作和對白之有待研究了。這是一個中西文化本質上的異同問題，要改編外國劇，除非在思想和藝術上都認眞去下一番功夫，是很難討好的。而且這樣去改編題材，也祗有我們中國人才喜歡這樣做。這是「西體中用」總是某種過渡時期的現象。

因此，劇本本身限制了導演和演員的發揮，而使劇中文藝復興時代的精神和它所化裝的民初中國形式很難相符，事實上除了演員說的是中國話，穿的民初時期的服裝（也不完全）以外，這個劇本所表現的人物造型，求愛方式，陰謀技巧，傳奇氣氛，特別是劇本所洩露出來的政治和社會關係，本質上都是文藝復興式的。此令它的中國形式，顯得很不自然。因爲「歷史」是改編不了的。這是一個中國人所做的十五世紀的意大利夢，不是中國的現實。

除了劇本本身以外，香港藝術劇團的成就是非常不容易的，演員們忠於劇本，認眞演劇，有幾位很有天才，導演和佈景已經盡其可能，這是許多作家，藝術工作者，和其他熱心人士集體的熱誠和心力所造成的一個結晶，看了香港藝術劇團的演出，令人想到香港如果有些更好的和更能夠代表時代感情和問題的劇本，香港藝術劇團的諸位女士和先生們一定會有更大的成績。

這幾年來，香港的自由出版界並非沒有劇本，像「鬼把戲」和「紅蓮散」等（余非著），就是祗中國式而感動特別強烈的，但要演出這些，還需要一些精神和物質上的條件，同時，一個劇本，不經演出亦不易知其好壞，劇作家得不到鼓勵，也寫不出嚴肅的作品來。這些題材上的難題，正和國語電影的現狀一樣，尚有待於經過更大的創造和創業熱情，不然是超不出「狄四娘」的水準的。

一議再議難產中的日本預算案

觀濤

（東京通訊）日政府一九五八年預算經過了大藏省的草擬以及自民黨高階層人士建議增減以至于最後岸信介的裁決算通過了黨審查的第一關，接着順利通過閣議第二關。現在就等着國會的第三關了。當然，這是一場熱鬧的場面。

記得去年（一九五七年）日本預算在大藏大臣池田勇人編篡之下，好像沒費勁就闖過了三關。要說現今在財經界極負盛譽的大藏大臣一萬田不如池田，那是不公道的，但整個預算難就難在「提高傷患日本軍人年金」難獲支持。爲此，自民黨黨內會議時，一萬田曾呼籲合作，把他所編擬的數目字予以通過；可是沒有人諒解。一萬田最後幾乎是哀求的說：預算如果要岸首相裁決那未免太不好看了，但終于取決于岸信介一語因此日本預算案成了今年來日本舉國注目的新聞，更是在野黨抓着話柄攻擊的好話題。

日本各報輿論一致抨論岸閣一九五八年預算中「提高日本傷患軍人年金」爲不合理，認爲忽略社會保險金預算的追加，以及修築公路的預算。甚至有稱岸信介是缺乏領袖才能的。社會黨委員長鈴木三郎率性指稱岸信介對第二次世界大戰的爆發是負有責任的。

日本第廿八屆國會終于在一月廿五日揭幕了，日皇親臨致詞。因爲大藏省趕編預算草案經過一議再議的結果，乃不能按預定的時間將草案提交國會大概要在一月廿九方能完成提交國會程序，以至影響岸信介的施政演說，一萬田財政報告，藤山外交報告都只好暫延下去了。社會黨則正準備以迎擊姿態等候這個難得的機會。我們且看岸信介怎樣來應付這一場風暴了。

現在且將日本議會議席分佈情形報導於下：下院方面：自民黨二九三席；[illegible]二席；無黨派[illegible]席。上院：自民黨一二七席；社會黨八十席；綠風會二十七席；共產黨二席；無黨派十一席；虛席二席。

根據這樣情況，預算案的最後通過應該沒有問題。在這樣事過了以後，就要輪到議會解散的問題以及選舉的問題了。一般預料大概是在今秋，至于說立即解散則五月解散，那似乎都是不可能的。因爲議會要到五月十八日才休會，在會議期間自無解散可能，六月七月正是大暑天，季節不宜，只有秋令氣溫相宜，就是選舉，我說投票率一定也是在百分之九十以上的。我們且等着看吧！

（一月廿五日寄）

自由談

政治騙術

馬五先生

毛共爲着內部種種困難，沒法解決，乃想出所謂「幹部下放」方法，要把一般無知無識的土包子式的共幹，以及非我族類而在機關上伴食的「右派份子」，一律發配到鄉村去勞動生產。這羣人的腸胃既在共黨控制中，行動更不自由，當然不敢反抗。

可是，大家的心裏却萬分不願意，共幹們認爲實施新政策，應該由領導階層的高級幹部以身作則，表示「帶頭作用」；伴食的「民主人士」說，我們素來是接受共產黨領導的，要我們下鄉生產，上山墾荒，更應該由黨的重要幹部來領導才行。共黨原是以騙術治天下的，自不得不表示「走羣衆路綫」，如是乎，各地方的高級共幹，只好裝模作樣，同意「下放」，（華南「統戰部長」饒彰風就是其中之一。）而毛澤東亦就在浙江的集體農場上，試推了一次拖拉機，大有學習「皇帝躬耕」的形象，令人發噱。

這些「走羣衆路綫」的「下放」共幹，等到被發配的奴工們一律「下放」完畢，嚴密管制之後，一道命令，調遣回來，而共黨的騙術即大功告成，取得「偉大的勝利」了！

我因此想起一個「民主人士」胡庶華了。他在抗戰末期，政府號召青年從軍之際，曾將其裝飾岸然道貌的長鬚剃去，請纓從軍，表現着肉麻當有趣的阿Q精神，這套本領在共產社會應該得售的，何以未聞共黨宣傳呢？

共產黨靠騙術起家，將來一定由騙術而亡，這是必然律，毫無疑問。我們要反共復國，一切政治行爲，就得走王道路綫，以誠信爲主。例如經常高呼節約，而行政院長兼中央銀行總裁的私宅，每月竟由國庫支付七千餘元的木炭費，這是「節」的甚末「約」？憑這種作風來反共救國，豈非以騙易騙乎？即此一端，那位誓言節約的院長兼總裁，應該及早「下放」到野外去閉門思過，以昭炯戒焉。

文藝界的眞話

—·白帝·—

中國文藝協會常務理事，青年作家王藍，應某報之邀，說了一些關于文藝界過去感想的「眞話」，其中頗多令人同感之處，如：

「直到今天，政府還沒有擬定一個文化政策，」一個朋友說：「政策也不能說沒有，像『遠交近攻』似乎就是個政策，」……他所指的「遠交近攻」爲何？乃是說，對于凡是來自海外的文化界人士，以及影星，歌星，政府一律待爲上賓。而對于一直堅苦卓絕，緊緊跟隨政府守着崗位不動的忠貞文化藝術工作者，却不大理睬。」

「只見海外文藝團體時常返國，外國作家和文藝團體，也常常來台，但自由中國的文藝界人士則從未組團到海外一行……如果能出去，對於從事文化交流，國民外交，團結反共文化戰友方面，將不會比一些官員，寓公，甚至歌女等出國獲致的成績爲小。」

「在出版方面，官方浪費大批公帑，按期精美印行封面內容一律化的「報銷」書刊，舉例不勝其繁，總之，以我們這種力量渙散，步伐零亂，無固定經費，無專司機構的現況，想在文化戰，精神戰以反宣傳，打倒裝備齊全，組織嚴整，有計劃，有策略的匪文藝部隊，未免太吃力了。」

以上這段「眞話」，出諸文藝界領導團體（文協）的負責人之口，當然是千眞萬確了。那末！我們的文藝界就是這樣的文藝界了。

還有，他說：「官方用「報銷主義」推行戰鬥文藝令人失望——國家元首說了一句「應該提倡戰鬥文藝」，一些官員便爲戰鬥文藝忙得團團轉，通各縣市都掛出「戰鬥文藝委員會」的招牌，委員們天天開會討論，擬綱領，訂方案，汗流浹背，空前緊張。過幾天，日理萬幾的國家元首，無暇問及此事，委員會也就無形解散，方策束之高閣，無人過問了。……」

這兒指出官方對於國家元首之奉承形態，實在可憐亦復可哂。把「文藝」也視爲「公事」，藉以迎合「上意」，我知道那些「委員」先生也止于「迎合」而已。心目中那兒還有什麼「戰鬥文藝」？細察今日的情勢，軍事雖暫不反攻，文藝也不能積極反攻？若說政府無「文藝大員」。但，「遇開會之日，則「請發言」出席者不少，大聲疾呼，足以振聾發聵的，皆爲「文藝大員」。不過，大都已成了「文藝官僚」。有人可以對着政治圈聲明「我是幹文藝的，從政乃是玩票。」對着文藝人士則宣稱「我是從政人員，于文藝乃是玩票。」的大亨。「鬥爭文藝」，恐怕只是一些「堅苦卓絕，緊守崗位不動的忠貞文化藝術工作者」吧了。

生查子

觀話劇「狄四娘」預演　·左舜生·

千秋萬古情，注海傾河淚，
不得愛伊人，以死全伊愛！
一死見情深，了却相思債，
碧血染芳魂，魂繞情天外！

看「狄四娘」預演後記

·癡癡·

前幾天的一個晚上，我看了一次香港藝術劇團招待文化界的國語四幕話劇「狄四娘」的演出。幾天來，一直奇妙地，開始不可思議的不能忘情於「狄四娘」那一角色。

「狄四娘」劇本，是雨果名作，但中文本却出諸張道藩手筆，用中國情調改編譯寫而成。其狄四娘角色的造型，刻畫入微性格凸現，的確使人不期然要爲她的那份懷孝、酬恩、篤愛、義風、俠行，勇爲的氣質驚歎和欽慕，與想冀在人世間能得一見「若狄四娘其人」的結廬中至情至性的奇女子的念頭。

狄四娘是紅極一時的女戲子，係統握大權雄鎮巨邑的項吉臨將軍的情婦，她矢愛着一叫狄德甫的青年人，而德甫則情別有所鍾於舊情人白妲麗，其時已屬項將軍夫人，當四娘偵知狄、白密會後跡至「搜宮」，意圖奪回情郎打擊情敵的時候，藉着一尊觀音佛像的物緣，發現在目前她所不能容饒的將軍夫人，正是夢寐祈報救她母親活命的恩人，同時她所癡心身許的意中人又與白女在嫁前即有戀情，於是，她在恩妒愛恨交錯的矛盾衝突的複雜因素中，重新作了理智的衡定——她的情敵是她的恩人，她的愛人並不愛她而愛的又是她的恩人，終於對白妲麗，她捨棄情妒，而抉擇了報恩。於是，當驚動項將軍醒覺緝問的緊要關頭，她反設詞彌縫，並協助將軍夫人放走德甫。再於是當項將軍查悉夫人曾和德甫相聚會盛怒下要置之死地，她偽爲助虐而陰行營救，用金蟬脫殼計移出夫人身體，到她自己家裏，在白甦醒前，德甫因聆噩耗不明就裏，以爲她助項害殺，怒興問罪之師，她本來可以向他說明辯情的，但她不，她覺得大恩已報，一切有了安排，自己既然情場失意，德甫根本對她毫無情意愛念，一段塵緣當了，遂著意甘心死在愛人手裏，以求解脫，一死殉情表明一片癡愛心跡，因之反而故意設辭造成誤會。觸發他的殺機，結果，德甫把她槍殺了，待妲麗爲槍聲驚醒復甦，大白眞相德甫已追悔莫及。

看演到德甫槍殺四娘時，觀衆都有同樣的感覺，就是，她實在並沒有死，她已經活到德甫的心裏！活在白妲麗的心上，也活在觀衆的心理。

飾演狄四娘的是羅綺，北國女兒，輔仁大學高材生，曾在「秋海棠」等劇演出，具表演天才與深邃造詣，飾演白妲麗的是藍明，極有經驗。飾狄德甫的孫添，爲中國電影學校第一期畢業生，表演不弱，蘇祥飾項吉臨將軍，是影劇壇健將，演技老練；飾演伍木鐸的劉人傑，他一登台，大家就會面熟了，楊玲、趙玲芝飾關兒福兒二角，人既天眞，演起戲來，非常篤定。

該劇定于二月二日起一連公演三天，預料有相當號召力。

孔子殺了少正卯？

——劉昌孝

因爲孔子家語上有這樣一回記載，說孔子執政三日誅少正卯。家語是部僞書，不足爲憑，下面我抄一段梁啓超「古書眞僞及其年代」裏的話證明：「有許多史蹟，本無其事，因爲僞造的人物偉大，遂留下很多不良的影響。譬如孔子誅少正卯，何嘗有這回事？但是孔子家語，言之鑿鑿，以後許多記載都以此爲據，及周公誅管蔡，子產以前的有一部份講這件事。……」

儒家的中心思想是「仁」，特別注重人類同情心，所謂「仁」，就是「夫子之道，忠恕而已」，一個講仁政的仁心仁術的孔夫子，如何會突然變成了刻薄寡恩的法家祖師呢？這顯見得是法家的附會者，說孔子執政三日而誅少正卯，下面我來證明：孔子講學，少正卯也講學，好像燕大和清華一樣，孔子的學生，都跑到少正卯那邊去，孔子異常生氣，後來執政，就把少正卯殺了。後來法家，以爲孔子有手段，通權達變，還有許多人想去學他。

我們看誅少正卯的罪名是「言僞而辯，行僻而堅，澤而非，記醜而博」四句話。這分明是戰國末年，刻薄寡恩的法家，他們想厲行專制政治，就替孔子捏造事實，以爲不誣法家刻薄，儒家的老祖宗，早就如此呢。其實孔子生在春秋時代，完全是貴族政治，殺一貴族很不容易，魯孔子是大夫，少正卯亦大夫，又安能以大夫殺大夫？最妙的是那個時代前後三事，完全一樣，最早是齊太公殺華士，其次是鄭子產殺鄧析，又後才是魯孔子誅少正卯。都是執政後三天殺人，同一題目，同一罪名，同一手段。天下萬無幾百年間，同樣事實，前後三見，一點不改之理」。照梁任公的上一段話，充分說明孔子誅少正卯是一件假事實。退一萬步說，即令是眞的，齊太公鄭子產都在孔子之先，也輪不着他老人家做司法祖宗。

孔子主張人格教育，以身作則，他的政治主張是「賢人」治國，是「道之以德，齊之以禮」，完全是注重身教及社會制裁。他反對用刑，以爲刑罰祇是強迫人陽奉陰違的東西，不足令人心悅誠服。禮經：「禮義以爲紀，示民有常，其於不從者，衆以爲殃」。在勢位的人越規矩失禮義，與論一定會攻走他閃走他。

孔子是謙虛有禮的長者，教育原則是人格感化，政治主張是利用輿論制裁代替刑罰，怎麼會一登台就殺少正卯呢？孔子不會是言行不符的人，『子路曰：「衛君待子以爲政，子將奚先」？「子曰：必也正名乎」』看，因爲衛君是君不君，父不父，子不子，所以如果衛國請他做官，第一項先決條件就是正名，因爲孔子的主張是：「君君臣臣父父子子」，孔子既然是言行一致，當然不致於「不教而誅」了。

季康子問政於孔子。孔子曰：政者正也，子率以正孰敢不正。季康子問：如殺無以就有道如何？子曰：爲政焉用殺，子欲善而民善矣。孔子既以「爲政焉用殺」告誡季康子，難道他會忘記自己的話，當政三天就殺少正卯嗎？

現實小說

窮命

·符兆祥·

我的黃臉婆這幾天來，時常埋怨我，十二年前我爲什麼要回國來，依她的想法，假如那時我不回來，現在我可能已入了美國籍，可能我已得了諾貝爾獎金。

接着，她又埋怨我，即是要回來，十二年後的今天回來也不晚呀，假使我今天回國，我的一家大小不會擠在八個榻榻米大小的屋子裏，國家雖然不會撥廿萬新台幣起房子給我們住，可是，撥一間比較寬裕整齊一點的宿舍總是有的……

她埋怨了我半天，可忘了一件事，假如十二年前我不回來，她怎麼會認識我，怎麼會瘋狂的追逐我而嫁了我。

老實說，不用她埋怨，假如十二年前我不回來，今天我恐怕要比楊振甯、李政道還幸福，不但得了諾貝爾獎金，而且還娶了個外國婆子，那樣，在瑞典的頒獎會上，我會有更多的外國人氣息，我的兒子就更道地了，起碼他不會有我這時用盡密西西比河也洗不白的黃臉孔，那時，有誰知道他曾經一度是可憐的中國人呢？

黃臉婆又說：

「那時你爲什麼要那樣笨？」

「我有那點笨？」

「你還不笨？在美國有牛油麵包吃，美國政府也歡迎你長住下去，你爲什麼要回來，回來捱窮受氣，」

「你忘了我是中國人？」

「你認爲做中國人很光榮？」

我有點生氣起來：

「是中國人就是中國人，這沒有什麼光榮不光榮的，我不能說到了外國，看見別人的月亮就忘了自己的國家，再說，即算我有一點成就，我也應當想想，我的成就是怎樣得來的，我不能忘本。」

「這怎麼能算忘本？你的成就是你自己努力得來的。」

「那當然是對的，可是我問你，假如我不上中學、高中、大學，不經過老師，教授嘔心瀝血的教導我，我怎能考到美國去研究？不研究我那會有今天的成就？」

她不作聲，我接着說：

「中國人最講究氣節，況且，我這點成就算什麼？即使得了諾貝爾獎金又算什麼？學問是天天進步，日新月異的，誰肯努力，誰都可以得到比我更高的成就，國家既栽培了我這麼多年，現在我稍有點成績了，我應當回來，替國家同胞謀改進，謀福利，不能因爲稍有成就，就得意忘形，把自己姓什麼都忘了，更不願別人提自己是中國人。」

「我並不是這個意思，」她馬上轉了口，她向來就是這樣狡滑。

「那是什麼意思呢？」我問她。

「學術研究是分國界的，如果你在美國研究，設備好，方便，而且經濟充裕。你回國這麼些年來，不是我說，你既抱有這麼大的希望，政府可沒重用你，你一直是學非所用。」

「我了解你的意思，」我說：「你說的是事實，但，這是一件事，與我要回國來的事是不相干的。」

「怎麼不相干呢？」

「難道從美國回來就一定當大官，一定要一切都合我的理想？」我說：「我回國來的目的是要回家，我說過，我是中國人，中國有我的一切。」

妻說：

「所以，你就是註定的窮命。」

「窮命，」我嘲笑她：

「那當初你爲什麼要嫁給我？」

「當初？」她喊冤似的：

「當初如果我知道有今天，死鬼，我發誓也不要嫁給你。」

「所以，你也是註定的窮命，」我學她的口吻嘲笑她。

這次，她沒有再跟我辯了，她大概認命了。

毅生先生學長千古

師志信難酬稼改無功空憐一卷絕塵想
國殤成過憶荊高已往誰識當年跅弛才

同門小弟　黃華表敬輓

毅生先生與吾省楊鼎公先生同出胡展堂師之門獻身革命然皆中途輟去武功毅生先生又三月二十九前夕運炸藥入廣州之人今已無人記憶矣

自由人
THE FREEMAN
（第七二二期）
中華民國僑務委員會
頒發登記證台教新字第一零二號
中華郵政台字第五〇〇號
執照登記爲第一類新聞紙類
（半週刊每星期三六出版）
每份港幣壹毫
台北市售價每份壹元
督印人：陸京士
地址：香港高士威道二十號三樓
20 CAUSEWAY RD. 3RD. FL. HONG KONG
TEL. 771726
承印者：東南印務出版社
台灣總經理處
電話：四七三四六
台灣郵撥儲金戶九二五二

談談議會中的黨紀問題

李璜

近日筆者連讀兩篇文章，一篇是一月廿八日的祖國周刊社論，國法與黨紀，一篇是三十日的香港時報社論，論今日共赴國難之道，因之覺得這一問題值得談談。

這裏所謂議會，乃是民主先進國家的議會，而不是德國希特拉式的納粹議會，只憑領袖一人指揮的議會，那只是擺擺樣子而已，更不是蘇俄的蘇維埃議會，中共的人代會，夫開會而大家已明白要討論甚麼，如何討論法，與乎討論結果是如何了，這連擺樣子都够不上說。

約束黨員的限度

這裏所謂黨紀，乃是民主國家裏一般政黨對黨員約束方式及其限度，而不是如納粹黨與共產黨對於黨員所施的鐵的紀律，一言一行，黨員必須遵守黨的規定與黨魁的意旨，不能越雷池一步，否則輕犯處以留黨察看或剝退，重犯處以監禁或死刑。

原來民主國家的一般政黨，其所約束黨員們要遵守的，只是本黨中央會議所議定的對於當前國內國際的政策方針。在英國的政黨，各有其傳統主張，祗在大選前或更換黨的領導人物與影子內閣時，再開一次大會，依照當前時局重行議定一過，以便黨員出去爭取選票，進入議會。在法國的政黨，則傳統主張不大固定，往往在黨代表大會裏，對當前國事看法不一，發生大的爭論，或分成左右兩派，或竟自分裂，一黨發成兩黨，毫不足奇。在美國的政黨，則祗是在總統大選前，由本黨競選總統的候選人提出政策大綱，以博取黨中各州代表的同意，故美國民主黨與共和黨的黨內，其平日約束黨員的規矩最鬆，而黨員在議會裏的發言也最自由，幾乎可以說無何黨紀可言。（如已死的麥加勒議員之對於艾森豪現行政策及其政府中人種種搗亂，而共和黨竟未能以黨紀繩之。）

要對選民負責

民主國家一般政黨的黨員，以本黨和個人的力量，競選而取得議員，進入議會，其對本黨的約束，也只是在本黨大家所議定的政策方面，至對於本黨主政的各部會長官們（如本黨是多數黨而柄政的話）仍可以質詢，譏評，以至糾彈，並不爲罪，只是在投信任票時，照規矩，本黨議員是不能向本黨政府投不信任票的。然而你仍有一個自由，即不投票或稱故缺席。

民主國家的議會議員，雖多半有黨籍，然而他是被人民所選出的，他不只要向本黨負責，還特別的要對他的選民負責，故在緊要關頭，他是要考慮大多數選民的休戚利害，而不一定只顧本黨的領導人或部會長官的休戚利害的。這是一點，還有一點，則西方人的宗教信條使然，議員發言，要憑着良心說話，如對本黨的政府中人有貪污或違法事件，他不發言，是對不住他的良心的。他這個所謂良心的出發點，仍以大多數人民利害爲依歸的。——民主國家的議會，對於政府中人的貪污、違法，有意瀆職，無能敗事，整個議會，無分在朝黨與在野黨的議員，全體譁然，加以糾舉的例子甚多，短文中恕不歷舉。

不能用高壓手段

茲只舉出有黨籍的議員，發言反對本黨執政所原議定的政策方針，算是違背約束，遭了本黨開除處分，其情形與其後果的一例。一九二一年，筆者在巴黎讀書時，那時激進社會黨執政，主張放寬殖民地的統治，而與殖民地的進步分子妥協，以減輕兵力的鎮壓，從而減少國家的負担，這是執政黨事前議定的政策方針。乃議員沙爾羅（M. Saraut），籍隸激進社會黨，出而反對本黨執政閣員所宣佈此項政策之實施辦法及其根本意義。散會後，執政黨全黨大譁，議以剝退出黨處分。但議員爲人民所選舉，執政黨只能剝之出黨，不能驅之於議會門外。沙爾羅以無黨身份，仍舊在議會中，在報紙上，大放厥辭，而身價反陡漲頓高，以致下屆議會仍被選，而且當了閣員。故既言民主議會，議員是民選，而非欽派，則在朝黨要約束本黨有黨籍的議員發言，應該有個限度，其限度在不能用高壓手段，而必須導之以方，服之以理。——高壓的是不能施之於民主社會的。至對於政府的貪污，違法事件，議員不發言，則要議會何用！老百姓費事選出那麼多人來坐着只吃飯，連納稅人所出的錢被白花浪用，議員都不去注意，那嗎，一班選民豈不是寃哉枉也！

黨魁與黨員的關係

但有一說，說是一黨總有領袖，在朝黨的議員，認爲他黨內出而任閣員的不稱職，大可以向領袖去告狀，要領袖處罰他，就夠了，何必在議會中來議評，檢舉，豈不是丟了本黨的臉，故本黨領袖看不過，要發脾氣的。這個說法，不但不懂民主意義，而且不明制度所關的。如果說，黨的領袖可以解決一切，執政黨便可以由領袖去獨裁一切，如從前的專制皇帝一樣作法，那就無所謂民主了，又何必標榜民主，豈不有羊頭狗肉之譏，既然要講民主，而又設立議會制度，經過老百姓投票，選出若干議員，則此制度的用意，本是要議員代表老百姓監督政府，直接向政府閣員說話，不能間接用告狀方式去與執政黨的黨魁私自說話的。身爲議員，一坐上議席，他的心理狀態，便自然會感到他特別爲老百姓負責說話的重要性，不論這議員是在朝黨的或在野黨的。這是民主制度的風尚使然，在社會學上，稱這風尚爲羣性或社會性。

猶憶在抗日戰爭中，今日的蔣總統曾任過國民參政會的主席，他在開會時，坐在主席台上，靜聽參政員發言批評政府百僚，各部會的長官以至行政院長，他並未曾表示不願意聽下去；有時參政員質詢得相當利害，但主席也未曾便發脾氣。如像傅斯年參政員批評財政部鹽務署長某君昏瞶糊塗，散會後，此君便立被革職。足見一入議會，坐上議席，其感想便自不同，而自會覺得民意的重要性。因此英國制度，要黨魁與重要黨員都參加競選，進入議會，而閣員也大半均須自議員中提出來，這是很有意義的。

總之，一個政黨的黨魁固然可以隨時指示其黨員（或者應當說、黨魁與黨員隨時商討），在議會中去如何活動法，但既曰民主，則黨魁不能過於限制該黨員所有議會給予議員代表民意而行動之權力。如果限制太過，則議員將成爲傀儡，而議會便會成爲擺設了呢！（四七、一、三一）

半週述評

「探險者」成功

美國人造衛星「探險者」已由陸軍的主神火箭發射成功，目前正繞洲球軌道運行，並開始傳遞天體的情報。說明美國在太空科學競賽中已迎頭趕上。

從兩日來世界各地的反映看，此次美國衛星的順利昇空，至少已產生了左列三項效果：

第一，給美國吐了一口氣，恢復了一度降落的聲譽。

第二，堅定了自由世界對美國科學技術的信心，過去籠罩西歐的黯淡氣氛由此一掃而空。

第三，給蘇聯以響亮的答覆，說明人造衛星已不是蘇聯的專利品。

而更重要的，「探險者」的重量雖較蘇聯「旅伴」號爲輕，但據波、英各國科學家的評價，美星在科學上的價值則遠在蘇聯衛星之上，它對宇宙綫、流星、太空溫度、空氣密度、電離層及地球形狀等均將作深入的探秘，提供人類未來征服太空之重要的資料，這比蘇聯衛星之着重宣傳自有意義得多。

華府新態勢

主神火箭發射的成功，在科學競賽上說，美國已打平了第一個回合。在國際政治問題上也由此而發生新的變化。就日來尼克遜與杜爾斯的言論來看，美國的對蘇外交態度已轉趨堅強，第一，美國決定阻擋蘇聯及盟國促使早日召開高峯會議的壓力。第二，美將採取步驟，迫蘇聯對于美國所提的只利用太空充和平用途的建議，作確切的答覆。第三，在裁軍問題上，美將運用更大的發言權。

不過今天的國際問題，倒不是美國科學技術的一時落後或超前的問題，而是美國在國際關係和世界局勢中應該有一個堅定的政策，有一個遠大的打算。如果只滿足于局部均勢的保持，只狹隘地要求美國自身的利益，而忽視共產陣營的危害世界與危害人類的本質，則世界前途還是未可樂觀的，

大陸的整肅

日來中共的大規模整肅，就是顯著的實例。兩年前他們還口口聲聲說要與各附庸黨派「共存共榮」，甚至肉麻地說出「不求同年同月同日生，但願同年同月同日死」。而轉眼之間，他們又喊打喊殺，把人家的鮮血作爲自己的補品。經過半年多的殘酷鬥爭與精神虐待，章伯鈞、章乃器、羅隆基、龍雲、陳銘樞、黃紹竑、黃琪翔等在偽政權的行政職務和偽「人代會代表」名義以及在各附庸黨派內的職務現統統撤除了。費孝通、錢偉長、曾昭掄、黃藥眠、錢端升、儲安平、董渭川、袁翰青、沈志遠、潘光旦、陸侃如、林漢達、李俊龍、譚惕吾、張軫、謝雪紅、李伯球、畢鳴岐、馬哲明等數十人的有關職務也一齊撤銷了，據路透社北平電訊，他們還要解送邊疆實行「勞動改造」。這是附庸份子的悲哀，也是共黨給人類的嚴重教訓。

由此，可以瞭解自由世界同共產陣營是一場你死我活的鬥爭，絕無妥協的餘地。而美國應把握科學成就的良好時機，爲人類自由作更大的努力。

・金達凱・

論所謂「反右派」

——由此聯想到一些政治觀念

雅斯

昨（一日）北京所謂「人民代表大會第五次會議」「全體一致」的通過取消章乃器章伯鈞羅隆基等五十四個所謂右派份子的代表資格及其他職務，罪名是「進行反共」「陰謀顛覆現政權」。

大陸上鬧了七個月（自去年六七月間「人代會第四次會議」決議成立反右派案算起）的「反右派運動」至此已成爲中共的一項政策，如同「反帝」「反國民黨」一樣，不復是中共內部極端派與溫和派間的爭論問題了。

這項政策，決定了大陸上民主黨派人士今後長期被宰割的命運；因爲它並非意味着清算「右派」的結束，甚且可說是一個開端；從此以後，大陸上任何不肯爲中共御用的民主黨派人士，都可給帶上一項右派的帽子，如同帶上國特的帽子一樣，隨時隨地可以使人人自危。

「右派」有罪，是一個笑話，可笑者不在極權政治的排他性，而在它一方面裳上「新民主主義」的外衣，鬧什麼人民代表會議一類的民主把戲，另一面卻「公開」的排除異黨。若謂右派有罪，所謂罪者，祗是中共份子隨時隨地對任何人任何事件都可以加上之一些爛詞調——所謂反人民，反社會主義，反共黨等不成其謂罪名的罪名，而且又是小至可寬恕大至可以殺頭的大可隨意伸縮的罪名。

以上這些話，在多年來中共殘酷的事實印證下，今天再說一遍原是多餘的。

但是就在今天，似乎還有不少人對于這個殘酷的現實還未能完全接受體認。這裏我認爲很可用一句最通俗的話來表示——「不到黃河心不死」的心理弱點！

戲劇化的中共政治把戲，一切都是可變的，但可變之中似乎有一個永遠不變的公式，尤其對于處理所謂「反動」派（其實應是反對派）的方法。殘酷與兒戲用不着說，可說的是：當你未體認它是在害你之前，它總不會使你在精神上物質上無論任何方面察覺有絲毫不滿足的地方，但當你開始感覺它會對你清算之前，你便已身在魔掌中欲翻身而不可得了。極權制度下的座上客與階下囚只咫尺之間耳。這些都是很易爲人所知，卻不易爲人所體驗的。

不少人也許看到快要放演的「長江大橋」，會說中共無論怎麼不好，國民黨當政數十年做不到的「建設」，中共僅八年就做到了。他們也許不會不知道這一條橋的築成不知埋葬了多少奴工的血汗生命祗是爲中共製造「社會主義的成績」。他們非不知也，而是自己總覺得休戚不相關；至于曾經有過這體驗的人，也就很難有口可說了。這是中共戲劇化的事實所以層演不窮的原因。

也有不少人對于中共一些戲劇化的事實，往往抱着一個最現實觀念，以爲任何一個政權的鬥爭免不了一套不乾淨的做法，由此論中共也祗是在所不免耳。這是個祗顧政治利害關係而忽視政治理想的看法，無以名之，祗好名之曰政治「油子」的看法。從這觀點看中共的反右派則必以爲是當然的。甚至反共也是現實利害而已。由此觀念出發，對于大陸上「右派」的命運祗是因爲「右派」于我有而寄以同情。其實如果認爲「一失足成千古恨」的人都值得同情的，那麼目前大陸上還有一些人尚在中共對于「本是同根生」的右派臉拜擊，仍在兔死狐悲的心情下得不繼續扮演悲角，又何嘗不值同情呢！

反共鬥爭是民主對極權的鬥爭，如果撇開了自由理想與民主作風，另外還有什麼東西可操勝算呢？如果「靠攏」決定于利害關係，「忠貞」也同樣是決定于利害關係；我們將何以號召人心！

由于中共的打擊「右派」，總令人聯想到：在理想上，號稱自由民主國家，如果對于有共同理想而政見不同甚至政見相反的異己派，無論已存的或醞釀的而不能予以寬容並存，它將拿什麼去自別于極權國家；又在政治作風上，號稱民主政治，如果對于政治上的一切也和鐵幕一樣祗是扮演民主的假戲，一切決定于少數權勢者的「自有安排」，它又不知何以自解！

因此北京反右派的把戲，其所表現的主要意義，還不止于事實上表露中共政權的不穩，而且在反共心理上，一方可以使對中共體認不够的人加深個人的體認，一方面使自由中國一些反省不够的人，由此加深政治的反省。

一個最低限度的處方

——為自由中國朝野進言之八

胡秋原

現將我以上所說，要約如下：

一、今日此間各種情形，表示積病在發作。各種不正常現象表現于皮膚者。不立即醫治，是很危險的。鑒于半年一年之內國際局勢將日益進入一個短期的最惡劣的時期，我更為憂慮。蓋恐積病之軀，受不住這一奇冷寒流。但過此惡劣時期，即將日入佳境。必須預見危機，防患未然，特別早自保重。此即大家必須激發天良、善惡，以冷靜與決心，解決問題；渡過難關，迎接光明。因此，麻木鬼混不可以，牢騷憤慨，諷刺或者信上帝，亦無益處。

二，當務之急中之急，是要安定秩序，安定人心；重建政府信用，增強國民信心。此其治本之事，是要使一切無軌之事，歸于軌道，歸于道理。軌道之大者為憲法，要教育官民咸知大法之不可犯。其次，要循一切治國之常道，向反共抗俄之目標，發展工商教育，提高生產力與創造力；制止一切軌外法外之勢利。使人人不失價值標準（即禮義廉恥與是非之心），對國家將來不失信心，希望和勇氣。

三個毛病最大的地方

三，治標之事，要立即治療三個毛病最大的地方，一為財政（包括國防經費），二為法院，三為中央地方關係。關于國家財政，首先必使一切收支皆列預算。其次，決不能發鈔，亦決不能增稅，除立法院關于以防衛捐之一部分改善士兵待遇決議必絕對執行外，尚須痛下決心，整飭全部預算，特別是裁併駢枝浮濫，以進一步改善軍公教人員待遇。國防部浪費最大。例如國家後勤機關，地方防衛機關，疊床架屋，不獨浪費，尤可誤事。其次，財政經濟事務本身，毛病最大。稅率滙率必須修正，假借名義濫用外滙之事必須停止。此外，教育部也是一個喜歡濫用錢的機關。皆當節省，用以改善軍公教人員生活。

四，各機關所管理公產之收益，應澈底清查，涓滴歸公。各機關之公款，除不得擅自挪用外，所有節餘，應解交國庫。凡土木，福利，考察，組織之事，必須嚴格節約。一切有名無實，或即令必要，然非目前急需之建置事項，皆當停止。以此所餘，平衡預算。

五，一切貪私不法，多由不必要之「機密」、浪費與生活不堪而起，而由粉飾、包庇而成。預算公開，浪費杜絕，生活有基本保障後，政府應下嚴令，禁止一切機關與官吏之自我宣傳，粉飾工作。一切大權者不得假公濟私，一切有勢者不得侵犯人民。下級犯法，必懲上級有責之人。無人能干涉合法言論，無人能干涉司法裁判。此本不待言之事，然今日必須申誡于先，法隨于後，以肅紀綱。

六、整個司法系統，包括三級法院與司法行政在內，必須澈底整頓，始能重建司法之信用。此司法界所不可不知。今後行政必須避免干涉司法，而法官亦當自知不可參加政治活動。

七、關于中央地方，首次劃分權限，劃分收支。其次，省縣政府人員，下級待遇必提高，上級「福利」必減少。公文手續，務期簡化。又其次，當扶持，培養有品格有學問之地方人士與青年，而對于地方選舉，不宜介入。縣黨部團為民眾團體之一，普通政治組織之一，不能有任何特殊權利。

八、為實徹以上之目標，實行改革之途徑，第一有賴政府中負責人士之良心智慧。各級官吏雖有不良份子，而忠心謀國善良正直者實多；當共懍艱危，謀局勢之安定：節國庫、知民困、順官方。第二，有賴立法院監察院之盡責。立法院最大任務在監督預算，監察院最大任務在監督決算。兩院合力盡責，即可監督財政，使其趨于正軌。要做之事給錢，不必做之事不給錢，是立法院之事。立法院通過之事要做，未通過之事不做，即是違法。做得不好，即是失職。這是監察院之事。司法機關之違法失職，亦是監察院之事。故行政司法如有不良，亦可謂立監兩院之責。然如行政、司法也好，立法、監察也好，都不能盡責如之何呢？除犯法受法律制裁外，在政治上，法律上，道義上，都要受一個東西的監督，這即是輿論。輿論不僅當批評政府，亦當督責立監兩院。例如，從前美國國會中有一名詞，名曰「遊說」（LOBBY）。我國有一名詞，名曰「護航」作用類似，唯更欠雅馴。不過在美國，因輿論有權威，「遊說」一事，可謂絕跡，一旦被指為「遊說」，是雖立足于社會的。因此，國會也因立場純潔而大有權威。[illegible]國會不腐敗，[illegible]只要教育界，學術界，輿論界還是有人才，還能培養人才，還是有辦法的。[illegible]所以國家改革之第三力量，長期而言，有賴于教育界學術界，目前而言，有賴于輿論界了。然要輿論有權威，必須是建立於智慧，道義之上，對天下後世負責的輿論；不是個人恩怨，阿諛譏誑，言不及義，或白紙黑字的。又如果只有官話與輿論，對人民辦報留難限制，如是乎看來一道同風，也決非輿論正道，且非國家之福。因為，還可使一國輿論先行腐敗。新鮮空氣一斷絕，將造成全國之窒息的。由此言之，獨立的輿論，與獨立的教育學術之重要，也就無須多說了。

這就是我希望政府中，立監兩院中，輿論界與文教界，一切對國家有責任心的人，共同努力，治病自強的。大家努力，一定能鼓舞生氣，旋轉氣運的。

政治不正規者必亂

以上所言，主要是求安定，沒有說到反攻復國。即令以上做到，離反攻復國還有一大步。但是，必須如此，才是一個國家，雖在彈丸之地，流亡之中，尚可見諒于世。反共復國之事，才有可談；否則，一切無從說起，任何事做不成，而甚至于一切悲慘將不可想像。

而此所說，並非苛求，只是一個國家起碼條件。須知不是一羣人即算國家，不是一羣人即算政府。國家和政府的基本資格是有法。共黨統治根本不算國家和政府。他沒有法，只有命令。共黨之「令治」，猶我們路遇強盜，他要我們舉手，我們照辦而已。其終必失敗，即在于此。必須法治，始為國家。法者，是要大家同意的，經過一定程序的，人人適用的，得到我們共同承認的，即是法。我們與共黨不同，即是有法。所謂法，即憲法，所列六法全書，以及立法院所通過，總統所公布者，在這法的範圍之內，是基礎之上建立起來，才能說是一個國家，如是乎才有政事可言。如是乎只要目標正大，方法合理，也便事無不成之理。

我們的毛病由何而來呢？我們有法，讓其廢弛；我們自己樹立的軌道，自己脫軌；我們自己宣佈的目標，自己忘記；並且，對於中外公認之事理，自己不注意，自作聰明而已。此亦猶一個人不顧健康之道，沈溺于不良生活習慣而已。凡自背其言者無必不祥，明知故犯者無不敗。政治不正規者無不亂，生活不正常者，無不病。我必須說，現在病很重了。然而，只要停止不良習慣，恢復正常生活，即可恢復基本健康。有了基本健康，才能談延年益壽，建功立業。我必須鄭重的說，趕快針對幾個毛病最大的地方，特別是在生活與財政問題上採取認真步驟，並約束若干人的玩忽，警惕若干人的頑鈍，以保障安定，必須安定，才能再循正軌而進步。如不立即出奕從斷，必至焦頭爛額，以至于禍不單行，無可救藥。我必須坦白的說，或者萬劫不復，或者轉危為安，就看能不能在一兩月之內採取上面所說一類的步驟。

這縱非甜藥，也決非苦藥。這甚至只是王道之藥。這還不能反攻。但渡過日益迫來的一個短期壞局勢，是完全可能的。而這也是大家有責之事。這就是我寫此文之動機。（全文完）

整頓社會風氣

當先醫頭　。尹雪。

國人的信仰當如是耶（下）

蔡峰山

唐先生還有一段話說，在西方社會生根流行之三大宗教，在根底都是排他的不寬容的，而在東方生根流行的宗教，則是能寬容異教。此將是人類文化的大問題之一，還是在如何成就人類之各種宗教之真正互相寬容與互相融通或互相尊敬。我相信東方之文化宗教中之「道並行而不悖」之精神，將顯其至高無上之價值。唐先生這段話，若僅是一段有關文化問題的高論，我是沒有別的意見，奈唐先生的中心問題是國人的信仰，因此本人不能不多說幾句話，來請教唐先生。

本人不知道唐先生是不是以為宗教是屬於文化之一部門，是不是以為信仰問題就是文化問題。在文化問題的範圍內，道並行而不悖，這個精神實在值得寶貴而鼓勵，但是信仰問題不能全屬文化問題，文化問題完全是人的問題，至於信仰問題，是神與人的問題。本人近四十年前一直以為孔夫子的教示是最高無上的，但我現在覺得孔子僅是一個人而已，他不是神，他以外還有神的存在，而他很少談到神的事。又發未知生焉知死，就可以知道，孔子所認識注意的事，只是現世人類實際生活的問題。而不是現實以外的問題。

我們是熱愛我們炎黃子孫，不談神，不想宇宙大的真理，只以追隨孔夫子，以自己的良心，自己的努力修養，而就可以做到使我炎黃子孫，與世界先進的人類弟兄姊妹，並駕而齊驅嗎？這個本人以為是我們關心的最大問題，本人願多請教於唐先生。

最後，在文化範圍內，本人是同意道是可以並行而不悖的，但是在宗教生活範圍，也要來提倡道並行而不悖，本人以為殊有檢討的需要。道與真理，或者有人主張是同一的觀念，我們在這裏論宗教，恐怕需要劃分清楚。嚴格說，道可以有複數，真理只能有單一。道路，即是到達真理的道路。日本人的和歌云，到嶺上之路有幾條，在嶺上所看得之月亮，是同樣一輪，這個說法，略與道並行而不悖之意義相通，是有佛教氣味的思想。我們若是以為只有佛教，就夠心滿意足，那麼就不必再來伸論，不然，我們是要求唯一的真理，（本人以為佛教雖也說真理但其真理不是唯一的真理），因此，道並行至不悖之道理就不通了。[illegible]往往將道與真理混在一起，久之又久，遂造成我們中國人馬虎的風氣，什麼事不太認真，只要過得去就算了。我們中國不是沒有宗教，不是完全沒有科學，無如我們中國人因循而來的風氣，[illegible]摸稜兩可。除了極特殊少數人以外，我們中國人最大多數的同胞，說得好聽就是主張道並行而不悖，結果到今天我們的中國，不僅科學不發達，而且除極少數人之間[illegible]

[illegible]

（四十七年一月十五日）

今日台灣

社會風氣是一大問題

楊海宴

反天抗俄事業的勝利基礎，全在于普遍的健全心理。所謂，普遍的健全心理，乃是指一種仁慈的，向上的，親切而樸實的，蓬勃沉潑的社會風氣。每一個人都能自覺的負責，熱情的愛人，懇切的作事。社會上的任何一個小單位，細節上有爭執，有乖戾，有不愉快的事情，儘管在根本的信念上，則是一致的，在一個中心而用心光明磊落，態度懇切認真。

這個中心而基本的信念是指甚麼呢？似乎應以對真理的信仰，對民主的固執，對異己的寬容。大家能如此，即使有爭執，有乖戾，有不愉快處，這也只是一時的，誤會的，而到最後這一時誤會的隔閡一去，必然使誤者痛哭流涕，而是者感勵益深。在這種社會風氣之下，所謂欺詐偷盜，會強姦殺的犯罪事件，才能絕跡，才能從事各種險著危難，複雜艱深的工作；尤其在我們國破偏安的今天，只有從造成這種社會風氣入手，這樣纔能海內嚮往，四方歸心。

但我們要怎樣方能形成這種社會風氣呢？曾國藩說：「風俗之厚薄奚自乎？繫乎一二人之心之所嚮而已。」百多年前曾氏的這兩句話，實在極有現代心理科學基礎。當曾氏未達以前，清室即腐潰漸深，而官場醜惡，士氣疲頹，社會風氣之萎靡，人心士氣之頹劣，已如一病入膏肓之人了，故洪揚之亂，乃趨勢而生，幸有[illegible]曾氏深知國家之命運[illegible]

[illegible]當然大家知道，是指在政治上，社團上，以及[illegible]

[illegible]

（下轉第三版）

施漢諾發表反共言論

胡養之

高棉政治領袖施漢諾王子，最近所發表的反共演說，博得南越大多數華文報紙的一致讚揚；並且都以甚大的篇幅刊載，認爲這是該中立主義領袖所曾發表的最激烈的反共演說之一。

由搖擺到穩定

由於一九五六年四月一日，當施漢諾剛剛卸任該國總理的時候，就曾經向美國提出一項警告：如果美國對高棉的援助撤銷，南越和泰國又繼續封鎖高棉的話，那末，高棉可能接近共產黨陣營。同時，他又公佈他的政黨於同年四月廿日開全體大會，決定對美國的立場，和決定這個具有戰略地位的王國是否應保持中立？

好在當時高棉王蘇馬拉密（施漢諾之父），即刻要求親西方國家的副總理金比，組織了高棉王國的新政府；並即要求當時高棉駐美大使農金年任外長。雖然後來施漢諾曾到過大陸訪問中共政權，可是，由於金比和農金年等人的堅持立場，卻使高棉的形勢轉危爲安。這不僅已調整了與鄰邦南越和泰國的惡劣關係，而且停止了許多人所稱的高棉流入中立主義，填塞了中南半島靴尖上的一大真空。

南中國海的險要

因爲高棉的地勢非常險要。東達中圻，南毗南圻，西臨暹羅灣，北瀕老撾。其南部的海岸綫，約三百公里，沿海一帶頗多深水道，但因爲與山嶺毗接，沿岸岩山聳立，缺乏佳良的港灣，所以航行家往往視爲畏途。一九四一年十二月八日，太平洋戰事爆發的前夕，日本的艦航經過那裏進攻泰國，實爲南中國海上一個極重要據點。

尤其高棉境內唯一的河流，便是世界著名的湄公河。長約四千五百公里，而橫共計爲一百零八方公里，發源於中國西藏東部的唐古拉山崗地，與黃河、長江的源頭相去甚近。這河由雲南流入越境，折東向至老撾的瑯勃喇邦附近，會二三支流，而其河身成爲老撾、高棉和泰國等地的天然界綫，亦目前阻止赤禍的天塹。假如高棉眞的淪入共黨魔掌，則南越、泰國和寮國，是很危險的！

施漢諾的言行

不過，高棉在表面上似乎是中立、親共，也許是恐怕美國停止對高棉援助。其實施漢諾的反共行動，確不自今日始。當越邊府危急，一股越共武裝由寮國南部進緊高棉的時候，施漢諾便以高棉國王的資格，獲得法國當局的同意，就任高棉軍隊及法軍在棉作戰部隊的總司令，曾在金邊東北一百五十公里的桔井市，設立總部，迎擊侵棉的越共武裝。因此，施漢諾當時不僅是高棉軍隊的統帥，而且可以直接指揮高棉境內的法國軍隊了。

施漢諾自一九四一年即位後祗十八歲；接位不久，曾要求國會予以全權，讓他可以充分興建，他曾發表諾言說，如果三年無成，願受國人處分。後來，高棉獲得獨立，他勝利歸國，一面實行大赦，一面重新整刷；但是事實上卻多製肘。因爲，在他流亡國外的日子裏，法國在高棉培植了二十幾個政黨，雖然其中最大的黨派，黨員不及二千人，然而，他們多是親法的，這很使施漢諾頭痛。

據說現在高棉國內，也有「人民解放軍」，首領是個和尚，惟其力量不大，擁護他的羣衆也很少，是故，高棉的武裝力量，足以控制他們。施加諾本身也許因爲年青的關係，其言行有許多地方不易令人了解。可是他最近的言論是反共的。

社會風氣是一大問題

楊海宴

（上接第二版）最可貴的，還是在于以身示教，處處誠懇，事事光明，重獎忠厚勤實，嚴斥虛僞奸詐，日夕警惕，堅忍持久，點點滴滴的做去，不欲發憤於朝，而期見功於夕。莊子說：「美成在久，驟而見信於人者，其相信必不固。」凡事皆可作如此觀。所以在上的「一二人」者，除了要有一種堅忍眞切的用心之外，尤須精明的，嚴厲的察斷是非，認淸善惡。這樣必能漸次擴大影響，形成一種厚實可喜的社會風氣。

一種良好正大的社會風氣的養成不是一項業務性的工作，也就是說，不是開會討論，擬定於外在行動，以此倡導，交互影響的行動工作。記得台灣初期報紙上，也曾有過一度大聲疾呼要厲行戰時生活，所謂戰時生活內容，毋非也就是要以一種良好的社會風氣作基礎而已。但到今天，我們不承認事實，是則不得不承認此種戰時生活運動，並未見有何種影響，此中最大原因，就是大家過份注意作文章，喊口號，擬計劃，而忽略了一種風氣之養成，實繫於一二人之心之所嚮而已。

其次，良好社會之養成，輿論所負的責任很大。所謂輿論者，是指一種「筆則筆，削則削」的公正嚴明的言論態度，對于善惡是非，不因私利，不循俗見，不顧鄉愿，甚至不計一己之榮辱生死，而一是以眞理爲本，從而領導社會人羣知義之所在，惡之可怕，如此人心自能鼓舞相率從善了。中興復國的事實無不是由於一種深厚嚴正的社會風氣作基礎的。樂毅之所以復齊，乃由於「將軍有死戰之意，士卒無生還之心」，勾踐復國乃由於生聚教訓，臥薪嚐膽，朝夕痛念會稽之恥所苦心激勵而成的。今天我們國恥深重，民命沉淪，中興光復事業，在迫待我們這羣無異於孤臣孽子的人去完成。必欲從內心覺知自己責任之重，始能卸除偏私僥倖的惡劣心理，果人人能以國土未復，恥辱未雪，四億五千萬民命陷溺於苦無告的異族傀儡暴政之下，且能懷於此一浩刧正時時在企圖逼近我們，倘能日夕以此爲念，一己之私的榮辱得失，誠不暇介意也。

我們人人能如此，自能激憤哀悔，痛責猛省，而由此所孕育而成的力量，纔是眞正的力量，即使外無援兵，內無糧彈，亦終必戰至最後一人。況自助必得人助，我們今天外結世界民主力量，內有海內外及鐵幕裏人心歸向，只要我們眞能懷於國家民族之急難，而從內心哀痛自責，嚴正光明做起，造成一種優良厚實的社會風氣，我們復國的希望才有着落。

蘇聯六百潛艇出現美海岸外

風行

最近美國參院國家安全委員會稱蘇聯潛艇出現美國海岸外，向美國測探。此事起引美國人士注意，英國「經濟學人」報曾作社論，喚起國人提高警覺說：「西方盟國應問俄國大隊的潛艇，究竟欲何爲。並且須一致提高警覺。」

首先我們要知道蘇聯的潛艇隊之實力，其大小模規不易確知。但據測有二十五艘巡洋艦，大多數屬（斯佛杜洛夫」式，作襲擊商船之用，和差不多有五百艘潛艇，據說現在還建造，至少要有六百艘爲標準。回想一九三九年，希特拉只有六艘洋面之襲擊艦，四十六艘潛艇。

蘇聯潛艇有百分之八十係長程的，比德國當年的華爾墨級潛艇較優。當大戰將結束的幾個月，盟軍已感到難以對付了。

蘇聯的潛艇水下速度，每小時廿海里。其潛入海之深度，比德國潛艇的六百呎還更深。他們散佈各方得很好，可以在海外六至九個月，而不必回去港灣，因爲有蘇聯的供應艦供給他們所需之物資。

俄覺製潛艇合算

僉信蘇聯在一九四七年計劃海軍建制時，感覺建造潛艇，最爲經濟。因爲潛艇是兩次幾乎打敗英國海權的武器，而且因反潛艇活動，許多海軍的力量被束縛。英國爲着此種反潛艇活動，每年需要用十億鎊，蘇聯可能說他們的潛艇隊，使美國與英國，爲着反潛艇而挪移一大筆款的國防經費，而仍不能保其海洋交通的安全。

或說，在核子戰爭中，海洋交通是很重要麼？假如說蘇聯光是注意原子發展，那就與事實不符合。蘇聯在一九五一年有了原子彈及進行製造氣彈以後，便加速建造潛艇。

現在不再建造襲擊商船的海上巡洋艦，但改造原子艇潛。至一九六一年造成一艘，以後每年至少造兩艘以上。此種原子潛艇之價值，可等於許多艘的以過氧化氫爲燃料之潛艇。其速度每小時達三十五海里，可以不用通氣管而潛伏水中，隱若干年而不必添燃料。

潛艇對蘇還有許多用處

潛艇在蘇聯戰略上還有許多的用處。第一是破壞西方有原子攻擊力的航空母艦計劃。若因軍事上或政治上的原故，西方國家失去陸地上的原子基地，而必須依賴海上，則在大西洋與地中海的空中及潛艇的聯合攻擊，危害性極大。然而由於飛彈發展，蘇聯海軍新獲一種直接進攻的方法。

用潛艇發射飛彈

雖然若干專家懷疑飛彈對於蘇聯有什麼價值，但顯然的潛艇發射飛彈，加強其用長程飛彈攻擊美國的力量，（而且用費很廉），如此則束縛着美國的戰艦，不得不固守着本國海岸，可能使蘇聯攻擊用洲際彈道飛彈所不能達到的目標——例如巴拿馬運河，南非洲，及澳洲之城市。

如蘇聯用潛艇攻擊西方國家，結果將引起全面的原子戰爭。但蘇聯給她的附庸國使用於有限度之戰爭，是不是有同樣的結果呢？蘇聯行將給他的盟國以潛艇，他們似乎適於用「志願軍」的名義。因爲在有限度的戰爭，西方的供應及人力，是從海洋運輸的，蘇聯的潛艇仍是一大威脅，譬如北韓有十餘艘的潛艇，便可使在韓國作戰的美軍蒙受更大的損失。

最後蘇聯在冷戰中，也可藉潛艇艦隊獲得很大的利益。一小隊的「斯佛杜洛夫」的遊擊巡洋艦，率領着一羣的潛水艇作親善訪問，便會給那些中立國很強烈的印象，除了航空母艦之外，無其他的海軍力量足與匹敵，更陰險的，是用潛艇助傾覆活動，雖然現在很少人討論及，但假如與蘇聯集團國家被海洋阻隔的國家，要實行內部叛亂，則蘇聯的潛艇可能有煽動與協助之便利。

東西兩方海軍費用

鑑於上述之可能性，西方國家之海軍政策及費用，必須統籌計劃。雖然蘇聯的海軍費用三倍於英國，但美國每年用三十八億鎊之多，三倍於蘇聯。然而西方用海軍之力去護航，對抗蘇聯的潛艇破壞航運，實在很吃力。在以前普通的戰爭中，西方用極大的海軍力量去護航，尚且蒙受很大的損失。假如禁用原子武器，則蘇聯僅以一舉手之勞，不但令其在陸地上而且在海上佔了優勢。蘇聯的（及共產集團的）潛艇艦隊，使裁軍談判更形複什。

對付蘇聯的潛艇威脅，不是單獨一國可能勝任，但如協力合作，即可應付。英國輿論力促英國國防大臣桑第斯，在下月尾的國防白皮書報告，應對此事有所論列。（摘自一月十八日「經濟學人」）

竹幕幽秘

雙輪雙鏵犂

最近，左派報紙又刊出了毛澤東與雙輪雙鏵犂合攝的照片，算來，這樣的照片刊出已是第二次了。爲什麼毛澤東要與雙輪雙鏵犂結不解緣呢？

由於毛澤東的第一次與雙輪雙鏵犂合攝的照片的刊出，一九五六年的中共經濟計劃中就列上了要在該年推廣五百萬部雙輪雙鏵犂的計劃；後來，這種犂不適于實用，計劃一減再減，並且被人大事攻擊，認爲計劃冒進了。馬寅初，就曾說過這種犂是「掛犂」是用以來作爲裝飾不切實用的。到最近，從發表的材料可以知道，中共過去幾年一共只推銷了一百六十二萬部，其餘的大概都堆在倉庫裏。

毛澤東與雙輪雙鏵犂合攝的照片再度刊出，似乎意味着，毛澤東對於這種攻擊並不服貼，大概認爲這種犂還應該繼續推廣，用事實來否認這方面的「冒進」。

冒進的毛澤東

事實上，大陸共黨中說毛澤東冒進的，並不單只推廣雙輪雙鏵犂一項；據最近柯慶施在上海的報告中指出：由於毛澤東農業合作化政策，工商業、手工業社會文化改造，以及多、快、好、省的經濟建設方針，都被指爲「冒進」，「好大喜功」。柯慶施的報告，是攻擊批評毛澤東爲「冒進」的人，是「保守主義者」，是「官氣」十足，「革命意志消退」的「促退派」，「脫離羣衆」的人。我們若把上述的這一節連系起來，不難看出：柯慶施的報告中的這一部份，並不僅指上海的，而是指全面的；他的這種指責，亦即爲毛澤東辯護的言論，顯然是毛澤東的授意；由此可見，毛澤東與雙輪雙鏵犂合攝的照片的再度刊出，是配合着他手下大將的柯慶施對其反對者的反擊行動。

依然要冒進

既然毛澤東不肯承認他的這一方面的「冒進」，亦並不認爲他的要求推廣雙輪雙鏵犂的做法是「冒進」，那末，顯然他所主持下的這方面的政策將維持原有的方針，或者更「冒進」一些。

假如，我們拿他目前正在召開「人代會議」的一方面來說，它要討論今年的預算及經濟計劃和柯慶施作出的這一方面的行動，是爲着迫使「人代會議」來通過根據他的意志所制訂的預算與經濟計劃。

若果如此，則大陸的老百姓今年的苦難將更加重些，農村中的「掛犂」也要更增加一些了。

毛澤東曾在批判史太林運動時節，說過史太林的晚年，脾氣變了，作了很多錯子，變成一個脫離羣衆的主觀主義者；現在，據如前述的事實，他自己，似乎不能脫出史太林晚年的覆轍，似乎不能不變成爲更「主觀主義」的人了。

田心。

國際動態拾零

本年度美國預算，重在對外，曾爲舉國所贊同，但因國內建設經費，削減過甚，共和黨要退叛變了。今年是選舉年，各州得不到好處，共和黨在國會本佔下風，如此將更爲劣勢了。

×　×　×

今年改選之參議員，共和黨出了二十名空缺要改選，衆議員則共和黨一九八議員均要改選。本年預算，雖有其正當理由，但僅在選舉觀點視之，則不啻政治性的自殺。所以共和黨議員認爲此當頭一捧，將使民主黨繼續秉政二十年。在加州不特參議員要失去，即州長亦無甚希望。

×　×　×

據紐約時報與紐約論壇報導，從尼克遜方面透露的消息，謂艾總統的改組國防部計劃，將使國防部長負參謀部長計劃戰略之責，有權轉移三軍經費。又有另一計劃在考慮中，爲增加聯合參謀長職權，而減削三軍參謀長權力，其趨勢爲訪各國之設參謀本部。

×　×　×

艾總統于本年國會選舉，將提三大政綱：一、安全與公平的和平；二、支持美國制度之私人企業；三、替人民做應做之事，爲人民自己所做不到者。

×　×　×

據蓋洛普民意測驗，贊成艾總統者，現占百分之六十，去年十一月則只占百分之五十七。惟反對者，則從百分之廿七，增至百分之三十，此爲其就任以來最高的百分比。其中無意見者從百分之十六，降至百分之十。

×　×　×

上年六月，杜爾斯對於承認中共，則乾脆說不。但上週在全國新聞俱樂部，則說「赤色中國，隨時均可承認，此將對美國有利。」另一陣風，爲容許在中共美俘之家屬，訪問大陸，而以前是不許的。但此不是說美國立即承認中共，不過已經願與中共談承認問題。如果中共釋放六名美俘，則承認談判，亦即開始。

陶然

未知其可

馬五先生

最近這裏的「自由中國」雜誌，有一篇談我國教育問題的社論，對於中國人用毛筆寫字，深表反對，說是：「寫一手很好的毛筆字，使若干人認爲國性未失，國粹猶存。然而，結果是造成偏狹心理，並收迷戀過去和自我陶醉之效，何補時艱，更何補於發奮圖強？」目前台灣的教育當局是否在提倡寫毛筆字，我不知道，即令有此事實，我也認爲這種議論是一項奇怪的邏輯，莫測高深！所謂「國性」的定義如何，作者並未說明，但以常理言之，中國人所熱愛的「忠孝仁愛信義和平」生活，應該是國性。至於「國粹」，卽令是國性，問題，寫毛筆字而與「國性」「國粹」的存亡，以及國家的盛衰，竟有如此重大關係，若說這便是科學的精神，科學的態度，科學的方法，那我們就大可不必反對一般「國粹主義者」提倡讀經了。西洋人的科學高度發展，工業技術日新月異，難道只是寫鋼筆字的結果不成？

西洋人稱中國的毛筆是一種藝術，其實西方人的鋼筆字又何嘗不是藝術呢？寫字與繪畫雕刻等事，同屬藝術範疇，亦爲文化的因素之一。如果中國的積貧積弱，跟毛筆字大有關係，則大家使用鋼筆寫字已有幾十年了，然貧弱情形每況愈下哩！爲着提倡科學，而將自己固有的文化藝術一概否定，這種大胆的假設，實在令人有難以細心求證的困惑。

大陸上現時正在進行廢棄漢字的拉丁化運動，毛筆根本成爲廢物，豈不是比我們更科學，更進步，我們倡言反共，得毋自慚形穢乎？無論用甚末筆寫字，皆與國性國種不相干，更不是國家興亡的癥結所在，猶之乎中國人用刀叉吃飯，未必是敗國的行爲？偏激之見，未知其可也。

閒話「家常便飯」

偶感集

陳永昌

「朋友，請到舍下吃餐家常便飯吧。」意指沒有特別安排地請客，應該是吃些鹹魚青菜之類，可是有些人明明說請吃家常便飯，到時却有大魚大肉的雞鴨牛白臘之類出現，所以這句話已漸漸被人用作客套語了，失去了原來的意義。

拿刀鎗

家常便飯這樣便是指尋常不過的事。記得抗戰時期，日寇視人的性命如草菅，殺戮愛國青年爲他們的家常便飯，姦淫婦女也是他們的家常便飯；推而談到政治上，社會許多事情，莫不如此，有甚麼奇怪呢！這是他們的家常便飯啊！

拈筆桿

文人拿起了筆，從早到晚，從晚到早，把白色的紙塡上黑色的字，從無倦容，假如是執筆寫小說，連茶飯也不想到的，非要及時抓住靈感不可，文人的靈感若不多是豐富的，便不會走這一條吃不飽餓不死的路了，他們視寫作爲家常便飯，是沒有甚麼了不起的一會事，不像那些中小學的學生，上作文課時，便有難爲了腦袋的感覺。

談戀愛

戀愛中的人，視拍拖親吻如家常便飯，週末到了，自自然然地拍拖去了，有時，到影院去倚偎一番，到夜總會去擁抱一番，到郊外或姻緣道上去親熱一番，香艷纏綿與旖膩。取笑的人們啊，莫見怪當你們戀愛的時候，也是一樣的。只不過不是老年人的家常便飯吧了！

劏死人

尋常人見了死屍，總有三分畏懼，却而遠之，甚至談起路有凍屍骨，一類事，也爲之毛髮悚然。可是，醫學院裏的同學，則視死屍如同一條死魚，要劏就劏，要左撩右撥，便左撩右撥，挖眼珠、開腦袋等等，已是家常便飯，已不放在心目中了。

考試

小學生對於考試，總是心驚胆戰，死讀猛啃，視考試爲一件天大的事。中學生爲了應付考試，更有廢寢忘餐的情緒。至於大學生，則多已不把考試掛在心頭了，考試對於他們已是家常便飯了，有誰爲了吃一頓家常便飯而緊張呢？誠然，由小學至中學而到大學預科，大大小小的考試，總不下身經二百戰，有了考試的經驗，自然不會再爲它作多餘的憂慮了。試看，中學生考試，總有大半天，談論不休，正所謂週身不舒服，覺如答得不好的話，更應有得震撼得嚇；而大學生考完了試，却到電影院去，遊新界去，假如疲倦的話，便往找周公去，把考試這回事，忘記得一乾二淨了，其實，試考完了，擔心又有何益呢？還是聽天由命吧！假使前生修德，這次該是應該合格了！

老於世故的人，看失敗是平常事，有如家常便飯，他們在人生過程中，成功與失敗的事不知凡幾，挫折的事，已不能使他們有所動容，他們已經了解，這世界上的事，如家常便飯，得得失失，已不能操縱他們的心緒了。

虧本

商場老手視虧本如家常便飯，不像初入商場的新雀，稍微不如意，便要鬧跳樓。調情聖手視戀愛如家常便飯，一場失敗，便會很快的，忘記得一乾二淨。不像那些初出茅廬的「綠角」（Greenhorn 新手之謂也），對戀愛那麽認識過大，失去了所愛，便像失了靈魂，甚至要自殺殉情。

看戲

記得幼時在鄉間，每逢節日才有機會觀劇，而且看戲前一個月已經開始準備，爺爺婆婆穿甚袍掛，爹爹娘娘怎樣領路，我怎樣在爹娘後面走，進了戲院應該怎樣坐，怎樣觀賞態度，如此，不像今日文明都會的隨便，視看戲如家常便飯，喜歡甚麼時候便甚麼時候溜進映院去，靈魂坐其梳化椅了！

夜坐和太希韻

・遁翁・

一室更初寂孤燈夜轉涼偶思燕市醉忽憶楚人狂悵悵今安往栖栖世正荒星河明滅處窗外對天長

興爲新詩遣詞難苦語刪世人爭巧利吾道本癡頑日暮途猶遠愁多意轉閑鄰鷄聲喔喔殘月正銜山

天地原如指江湖即是家直須忘歲月何必問桑麻鶴嵒安林杪鷗親樂海涯此情聊自解瞟眼剔燈花

長夜終須且盡宵勿枉擲不妨漁海隔莫負酒盃寬夢裏邯鄲舊詩中玉宇寒近來俱悟道濠上待同觀

顧景天方曉觀河昭尙明聖狂誰復辨離亂各多情絕域憐孤影鄉人笑兩生天涯吾與子夢寐賦同行

太希原作夜坐寄敬羣

南洲終夜睽詩境却蒼涼天地猶杯勺山川亦狷狂孤零孤雁遠一月一登荒夜字對鑪寰煎茶意興長

奇淚悲難盡淸詩愛未删好游愁老至不夢覺身頑快意皆爲累無能却有閑狂華擾眞悟琴筑起空山

人生極苦相何處是眞家烟莽荒成趣閣浮亂似麻道窮詩亦瘦世短願無涯衆妙難求備松篁不着花

蝸鳩忘大小得意笑鵬搏抑塞坤輿隘圓明性地寬佳人雖再得高處不勝寒閉目千般現靈台集大觀

悠悠吾與子冰雪比聰明燈囊寒滋味詩諸懶性情流年如此了殘月可憐生一慕莊嚴界還爲放浪行

梅蓮菊竹

只因誤識林和靖

梅當衆花未開而獨占先，衆芳已落而獨在後，淸華皎潔，爲林和靖所賞識。林於宋神宗時，隱於孤山的梅嶺上，放鶴湖中，不婚不宦，陶然自得，時人稱他以梅爲妻，以鶴爲子，他知道梅的神趣，故有「疏影橫斜，暗香浮動」的載詠。王淇詠梅有云：「只因誤識林和靖，惹得詩人說到今」，何以得嫁林和靖呢？余認林認爲梅本淸閒幽雅，梅愛情出於自然，王淇下一「誤」字？若非妒心，便含醋意。

蓮有君子之德

蓮出淤泥而不染，濯淸漣而不妖，不染者，貧賤不移，不妖者，富貴不淫，爲周惇頤所喜悅。周乃宋朝的理學家，他的「愛蓮說」，謂「蓮花之君子者也」，以蓮有君子之德，無形中便以君子自居，而超出於世人之上，周爲湖南道州人，所生之處有一溪，夾岸蓮花，亭亭淨植。據當地居民云：因出了周家的一個賢人，故爾；因此後人就讚美他爲蓮溪夫子。

且欲尋芳彭澤宰

菊傲霜枝，獨抱幽芳，花之隱逸者，爲陶淵明所愛惜，淵明生於東晉晚期，是個政治黑暗，思想紊亂，道德墮落的時代，他欲逃避現實，便藉着這恬淡的菊兒以明志，周惇頤的「愛蓮說」，借淵明愛菊作陪襯。又崔曙九日登望仙台有曰：「且欲近尋彭澤宰，陶然共醉菊花杯」。無怪周謂「菊之愛，陶後鮮有聞」。

放梢初見影離離

竹迎風而不斜，遇雪而不凋，可以避暑，可以禦寒，俗謂：「寧可食無魚，不可居無竹」，黃庭堅詠新竹，有「解籜時聞聲簌簌，放梢初見影離離」之句，以竹苞爲籜，籜解而竹梢放，其聲簌簌，其影離離，引爲羨慕，他所羨的，在乎淸幽，以竹有君子之風，無形中也以君子自許，他能文章而有氣節，故沒後而諡之曰「文節」。

人心不同，各如其面。那皎潔的梅，爲林和靖所賞識；淸淨的蓮，爲周惇頤所喜悅；隱逸的菊，爲陶淵明所愛惜；幽閒的竹，爲黃庭堅所羨慕。所好不同，但他們都視富貴如浮雲，抱高尚的氣節。人以物貴，物因人傳，時窮節見。此梅蓮菊竹之所以値得百說而不厭也。

・漁翁・

短篇小說

紅荳詞

雲碧琳

（一）

客聽裏還是鬧哄哄的，笑聲雜着人聲；獨自在新房子裏的王少眉緊鎖着，疲乏的倚着那簇新的床沿，輕輕的吁了一口氣，兩顆晶瑩的淚珠在睫毛下閃爍着。

新郎徐家強踏進房來了，他獨自坐在椅上吸烟，王少眉雖然覺得這位新婚的丈夫的舉動有點奇特，但是，本能的畏羞與矜持使她沒有勇氣向他說話，她偷偷的瞥了他一眼，祇見他木然的坐着，沒有一點笑意，這委實不像新婚的樣兒呢；王少眉正暗自納罕，徐家強已經站起來，柔聲對她說：

「你換衣服吧，我先到外邊，等一會再進來。」徐家強走了。

王少眉帶着詫異的目光盯着他的背影，她趕快把那緊裹着身軀的衣服脫去，換上輕便的常服，抹去了臉上的脂粉。徐家強進來了，他小心的把門關好，坐到王少眉身旁，王少眉心房卜卜的在跳，雙頰泛紅，垂下了頭，他以爲對方一定會對她說些體貼的話兒，但是，徐家強並沒有開腔，王少眉給沉默的空氣弄得快要窒息了，可是，她沒有[illegible]眼的勇氣，祇把身子稍微移開了一點。

「你一定很累了，」徐家強好像找不到更適當的話似的說：「你就睡在床上吧，我可以睡地板」

徐家強這奇異的建議使王少眉猛的抬起頭盯着他，暗想：這不該是新婚的第一夜裏所該說的話呀，她斂去了畏羞的心理，帶着詢問的語氣！

「爲什麼？」

徐家強給她一問，反而不好意思的低下了頭，默思一會，再昂起頭，輕聲說：

「我這樣做是很對不起你，不過，我有苦衷不能跟你成婚的。」

王少眉意外地一怔，腦海中縈旋着的都是「爲什麼」的符號，難道他患了不可告人的病？難道……一連串解不通的結使她惶惑得滴下淚來，她本來對這宗婚事就不很同意，但，她媽媽偏要做主硬來軟來的把她嫁到這兒來了。

「你是受過相當教育的人，一定瞭解男女之間的愛情是不能勉強的；不瞞你說，我已經有了愛人，所以不能跟你……」徐家強好像早有準備似的，說出了這富有爆炸性的話。

「你既有了愛人，」王少眉帶淚反駁着：「那爲什麼要跟我結婚？」

「你先別生氣，」徐家強帶着哀懇：「我在日本與一位同學很好，我也不知道爸爸有這個突然的決定，我當然極力反對，但是，爸爸却表示如果我不回來結婚斷絕接濟，不再供給我讀書的費用了，我還有一年的時間畢業了，爲了完成我這最後一年的學業，所以我回來……」他嚥了一口唾沫，盯了她一眼，還又說：「我真有點自私，爲了我自己愛情的選擇，却使我在這方面犧牲了。」

說到這兒，他停了停，瞥目看了王少眉一眼，見她雙眉低垂，眼中滿孕着淚水，心下甚是不忍，隨即喃喃的說：「我和我的愛人商量過了，我決定這樣做是出于不得已的，你想：我能就這樣放棄最後一年的學業嗎？……」

「但是，」王少眉的淚像泉一樣湧了出來，像一片焦雷似的震碎了她的心，她哽哽咽咽的說：「難道你就不會想到成全你而犧牲了別人？」

她說出了這話，馬上又感到後悔，她的意念翻騰着。——

這段婚姻本來是她全不同意的了，無奈眼前的遭遇，盡是令人失望的事實，她腦海中泛起了多年相愛的鮑世年，如今遠赴美國和另外一個女人結婚了，消極的意念致她也順受媽媽的支配，如今……

她兩眼一翻，無力地倚到桌子旁邊，瞪眼得徐家強說：

「我有一個懇求，不知你願不願意聽？」

她盯了他一眼，無言的吸了一口氣。

「我希望你和我保持夫妻關係一個時期，一年，乾脆就一年吧，一年之後，我們便分開。……」

他靜默了半晌，像等候她的反應，但是，她沒有說話。

他震顫地接上去，說：

「原諒我，我想，事先跟你說明對於你較爲好一點，老實說，男女雙方任何一方沒有共同生活下去的意念，勉強過日子是沒有幸福的，我希望你同意我的要求，不當做你擁抱我的遭遇，在這一年中，我們保持一定的距離，日後，我們將仍是一對好朋友。」

她聽到這兒，眼前突然開朗，彷彿止住了淚，淡淡的說：

「日後？我還有日後？」她像夢囈似的又回復了迷惘：「一個結過婚的女子，難道有人相信她清白？」此刻，又是一陣幻影重現過來了，她模糊中追尋着和鮑世年相處的日子，呵！她眼前的光景印證，希望鮑世年也會像徐家強一樣，那顆心也禁澆到她這邊來。難說這個願望做夢一般的渺茫，但是，這兒和那兒，也就難保不會真真假假，假假眞眞的了。

王少眉兀自在沉吟，徐家強忍不住了又懇求着：

「這，實在委屈了你，不過，我再找不到委屈曲求全的辦法。」徐家強注意地軟下來的目光，跟着懇切的央求說，「希望你成全我的願望。」

「好吧！」淚水混和了辛酸，王少眉點着頭了。她是另外抱着一縷幻想的。

「謝謝你，你眞好！」徐家強感激地握着王少眉的手，說：「時候不早了，你睡吧！」

深夜，吞噬了人影，但是，微微地透露出失眠者的歎息。（一）

自由人

THE FREEMAN

（第七二三期）

中華民國僑務委員會登記證僑報字第一○二號
內政部登記證內警台字第五○○號
中華郵政登記認爲第一類新聞紙類
（半週刊每逢星期三、六出版）

每份港幣壹毫
台北市售價台幣壹元

督印人：陳文蔚
地址：香港高士打道二十四號四樓
20 CAUSEWAY RD. 3RD. FL.
HONG KONG
TEL. 771726

承印者：東南印務出版社
地址：香港高士打道四十六號

台灣總經理處
台北市西寧南路壹壹零號二樓
電話：四七三四六
台郵報儲金戶九二五二
海外總經銷：友聯書報發行公司
香港：彌敦道中二〇六號A二樓

如何導致資金於發展經濟

——寄望於金融考察團的建議——

陳式銳

一個新底新年過去，另一個老底新年就要來臨；古老底中國，仍然眷戀於古老底習尚，在工業化底台灣，一般人的意識，還是不忘農業時代的生活。新舊年的中間，物價在波動，使人們恐懼和不安，懷疑「在安定中求進步」底畫面，究竟有無眞實底意義。一個工商漫談指出：「終年以減價競銷號召的皮鞋，多日不見，身價陡增，橡皮底的皮鞋，一聲不響已變成原來皮底皮鞋的價錢了。其餘呢，總不一一贅述，請瞧瞧看罷」（台北一月廿五日自立晚報）。另一個新聞：「平靜達一年之久的黑市美鈔價格，開年後突然暴漲，已達四十元大關」（台北一月廿五日徵信新聞）。財經大員平常盡其能事地描寫台灣經濟如何安定與如何進步，有識之士早苦在心頭；一般人則以聽慣也就不以爲怪了。惟有物價的波動，正在舊年關頭，一般人感受威脅，似乎「莫此爲甚」了。

台灣面對的經濟問題

台灣經濟的呈現不穩，已非一朝一夕之之事，學人與民間輿論已是口不停言而筆不絕書了；而執政者吾行吾素，但是言者諄諄而聽者藐藐了。但是，事實終歸是事實，其掩蔽也有時而窮。且政府之中也不乏實言之人，中央信託局局長俞國華近分析去年對外貿易，指出糖米外銷去年所占比例達總出口的七八．三五%，雖爲歷年來的最高數字，惟因出口數量與價格一有變動，即刻影響外滙收入，使吾國對國際收支無法穩定，當局雖求增加糖米以外的出口，但距離理想尚遠；他因而坦率地說：「四十六年度糖出口的數量大增，其他物資出口減少，形成一個嚴重的經濟問題」（台北一月十八日徵信新聞）。

至於增加糖米以外的出口何不能達到理想，俞氏並沒有說明原因何在，我對此可以引用他去年春間所說的一段話以作參考：「關於東南亞各地寄售的十八種台灣產品，成績不十分圓滿，原因是這些寄售品多以新台幣報價，而新台幣不能作爲國際市場的標準，對於商品成交，是一個很大的障礙。同時，若照現行的滙率拆算，商人又不免無利可圖，甚至虧損，這又是一個問題」（台北去年三月十六日徵信新聞）。而今年以國際糖價下跌，糖的外滙收入（去年增加近三千五百萬美元）勢當減少，剛巧美援亦減少二千萬美元以上，倘其他出口無法增加，國際收支發生困難，自然是「嚴重的經濟問題」了。

金融考察團的建議

俞國華氏去年曾率領一個金融考察團前往美國考察，甚嚮往於美國波多黎哥爭取外人投資的成功，他有感於吾國現行外人投資條件在當前國際資金「求過於供」的現狀下，甚難吸引外人前來投資；他說：「現在只有美國才有大量資金流出國外，美國至一九五六年底止，在國外投資額共三百六十億元，在加拿大及拉丁美洲占一半以上，其次是歐洲，再次爲亞洲，在亞洲則多集中於日本與菲律賓。美國資金向外流出，其選擇目標均以該地之安全性及利潤最高者」（台北一月十八日聯合報）。波多黎哥經濟開發及其吸引外資的成就，我早於四十三年春間提及，並呼籲當局派人前往考察一番，以作借鏡（拙作「台灣經濟」七一頁）；俞氏金融考察團回國之後，聞正在草擬對金融改進之具體建議，其要點爲：（一）如何促進資本之形成，（二）是否需要設立資本市場及其如何設立，（三）有效吸引外資，（四）一般開發及推進（同上）。

「僑資」「外資」爲何不來

我首先要指出：我們的外來投資，除美國及其他自由國家的資本之外，有一個獨有的來源，那就是僑資，也可以說是「難資」；我們的僑民在東南亞，迫於不良底經濟環境，資本受不了就向外逃出，華僑是自由中國的國民，僑資受着災難，它應該是逃回自由中國。正因爲華僑衆多（號稱千萬），這些「難資」也就數目可觀；往者不說，單去年一年自馬來亞、新加坡、菲律賓、及印尼等處，經由黑市途徑逃入香港者達港幣十三億元及美金一億六千六百萬元（香港十六日合衆社電）。僑資逃出東南亞的原因，主要由於「採取嚴格的「貨幣管制」及「若干國家中經濟情況之不安定」；何以逃入香港，則因「香港具有自由的貨幣市場，華僑可相當容易地將錢幣移出香港，這些可以很容易地兌換世界上任何地方的任何一種貨幣」（仝上）。明乎此，我們看看台灣的情況，正有東南亞的缺點而無香港的優勢，那末僑資或「難資」的不逃回祖國，也就明若觀火了。自己的資本不回到自己的家裏，還想外人的資本進來嗎？

再看台灣的資本形成。先看國民所得，以卅九年的幣值作爲標準，台灣的國民所得卅九年爲新台幣六十一億零六百萬元，四十年五十四億三千萬元，四十一年六十三億四千萬元，四十二年七十九億五千萬元，四十三年八十二億三千五百萬元，四十四年八十八億八千萬元，四十五年九十億零九千萬元；每人平均所得，以人口增加的關係，則自卅九年依次爲新台幣七百四十九元，六百三十元，七百元，八百八十元，八百七十元，九百元，九百元（張果爲先生根據官方統計核算數字）。就數字加以觀察，個人所得最低爲四十年的六百三十元，最高爲四十四及四十五兩年的九百元；而環比一方面，則各年起落不定，雖美援不斷增加，並不直接上升。國民所得，扣除稅捐及必需的費用，才能歸入資本的形成；而台灣的稅負歷年加重（就劃一幣值言），消費亦趨向增加，資本形成的困難可想而知。

就所有數字言，台灣的淨資本形成，四十年（以當年幣值爲準）至四十五年依次爲新台幣十六億八千萬元，廿一億四千萬元，廿一億八千萬元，廿一億七千萬元，十六億九千萬元，十七億元；其對國民所得的百分比依次爲一八．八%，二○．一%，一六．一%，一五．五%，一一．七%，一一．六%（謝愼初先生根據官方統計核算數字）。顯然是一年不如一年了。而且，美援資金對固定資本形成占有相當成數，四十一年至四十五年的百分比依次爲一七．三%，一三．四%，二一．五%，二六．五%，二三．七%（仝上），一年比一年增加。由此，可見台灣的國民所得及資本形成不少受美援之賜，而資本形成得了美援之助，倘且自四十三年之後年年減低；所謂台灣經濟建設的成就，也就可想而知了。（下轉第三版）

半週述評

花樣翻新的冷戰

去年十二月，北大西洋公約國在巴黎舉行首腦會議之際，蘇俄頭目首先採取函牘攻勢，分發長函給公約國及非公約國，自此以後，蘇俄這類函件一而再，再而三的滿天飛，成了東西冷戰的新花樣。

目前這新花樣的冷戰以召開所謂國際首腦會議爲中心。蘇俄所提出的議題包括設立歐洲非原子地帶和東西締結互不侵犯條約。美總統的八項對抗建議，包括取銷聯合國的否決權與將太空用於和平用途。而雙方所爭執的，更在於首腦會議應否經過外長會議的籌備階段。

蘇俄函牘攻勢的用意，米高揚說得最露骨，他說我希望輿論能加強壓力，迫使政府參加會議。在本年一月底美國人造衛星還沒有發射成功前，蘇俄這利用宣傳壓力的目的，似乎收到很大效果，美國幾乎連先經過外長會議籌備才開會議的主張都不敢堅持了。現在的形勢卻已有點不同，就是一向爲蘇俄寵兒的尼赫魯也說必須先經妥當籌備才能開會。盟國的態度也比較一致而且堅定得多了。總之首腦會議是否要開，要怎樣開，要討論些甚麼問題，便是目前的冷戰中心。在這一項戰爭中，雙方能佔到些甚麼便宜，便要看今後的形勢推移，和雙方的智慧如何了。

泛阿剌伯帝國運動

由埃敍合併而成的新「阿剌伯共和國」已經於上周末宣佈成立，並將於本月內舉行公民投票，選舉總統。新總統一定是埃及狂人納撒，文將是絕無可疑的。這一個新國家有人口二千七百萬人。敍利亞總統庫利華說，埃敍聯合是全阿剌伯統一的第一步。本月四日，也門太子巴特爾到開羅，已表示要加入這新聯邦。現在埃及又唆使加潭地區成立一個「獨立的巴勒斯坦國」以併吞約旦的部份領土，將來也準備加入埃敍聯邦。因此，埃敍聯合是狂人納撒的泛阿剌伯帝國運動的開始，已經是毫無問題的了。

這一運動的實現，首先是以色列全部將處於納撒勢力的包圍，其次是約旦，伊拉克，沙地阿剌伯等國家亦將團結起來，以與納撒對抗。這樣，中東的局勢一定要更加不能安定了。

還有更明顯的，納撒的計劃實現後，將對於西歐命脈所在的中東石油及石油經流的脈道加以控制。這僅是納撒個人野心所在，也是蘇俄困擾西方，以伸張其勢力於中東的政策所在。

英美對納撒這一舉動，現在似當採觀望態度。美國官員說，埃敍合併不知對蘇俄利益有何意義。又說，合併是否能製造機會，以推廣西方影響力量，並阻止蘇俄勢力之伸展，亦尚未知。這當然是故爲玄虛之詞。我以爲西方支持另一個阿剌伯團結運動以對抗納撒的帝國運動，已經在暗中加緊進行了。

印尼的分裂趨勢

印尼總統蘇加諾去年實行他的「指導民主」政策，繼之以強奪荷蘭人在印尼的財產，使年青的印尼共和國陷於經濟破產，政治紛亂的動盪局面，國內的分裂形勢從此愈來愈甚。最近分裂運動的領袖人物，已經在瑞士，東京，新加坡，馬尼剌各地不斷的發出他們對國事的主張。據外電所傳，蘇門答臘中部巴東以北五十里，早已組成革命政府，只等待正式的宣佈而已。

分裂運動的領袖現在已經到了東京，向休假到日的蘇加諾提出五日期限的最後通牒，要求蘇氏清除政府中的共黨份子，改組現時由朱安達領導的中央政府。蘇氏如果依然拒絕，則分裂運動自然便要表面化了。

印尼的分裂運動，至此似乎已經箭在弦上，大有不得不發之勢。蘇加諾也有提前飛回耶加達的消息。然而蘇氏有沒有回天之力呢？很有問題。蘇氏此次稱病出國旅行，本有被迫之勢，他希望把自己闖下的亂子，交給朱安達等人去收拾，自己再藉旅行機會從外交上做點挽回頹勢的工夫。現在看來他的如意算盤多半是打不響的了。分裂運動如果不能及時消弭，印尼共和國很有可能成爲韓國和安南之續，變成赤白平分春色的天下。我們實不勝爲印尼的前途憂慮！

・陳克文・

誰說寮國無顛覆危機

——容共聯合政府組成後的情勢

・持平・

寮國組成容共的聯合政府，儘管它怎樣解釋，無人能夠相信：這一個四周爲陸地包圍的小邦，不致於被共黨顛覆。正因爲此，總理蒲瑪不得不於迄今一個月來，作全球性的訪問，爭取友誼，和否認共黨會顛覆寮國。假如有人要問：這次他的政治旅行收穫怎樣？那是毋待懷疑的，到三月十八日全國首次大選以後再說；現時假如任何一個國家，提出任何諾言，那毋寧是多餘的。

蒲瑪此行是否具有「統戰」含義，迄今無人遽下斷語；不然，他爲什麼不在大選之後出國，趕着忙於大選之前，去爭取西方各國友好和援助，問題並不如表面那麼簡單。

第一、如所周知，聯合政府是向來被人看作共黨導向顛覆的唯一手段。雖然寮共首領蘇發努馮在政府中僅担任「城鄉設計部長」。從表面上看，不過是一個空洞不實的閒員，骨子裏却是可以掌握基層，足以奪取政權的實職。他可以循原有基層政治基礎軍建領導作用，發揮他的控制權力，使蒲瑪在全國首次大選中無法保全非共色彩，使非共黨派慘遭敗北。另一寮共頭目蘇琪，在政府中所担任的新職，「文化」兼「宗教」部長，比他的首領更重要，他不但可以改寫寮國的全部歷史，適足以扭轉遠共、反共的宗教人士觀念，解除文化、宗教傳統的反共武裝，成爲寮共的俘虜。這種潛在的力量，現時無人發覺，却已經逐步伸張，只待共黨一經取得政權，猙獰面孔即將湧現，三月十八日將是一個決定的關鍵。

第二、雖然一九五四年日內瓦談判，劃土停戰實現之前，寮國土地幾乎大部陷落共手，停戰以後，寮共「合法」佔領豐沙里與桑怒兩省，地方勢力却已掌握全國；永珍政府充其量祇撐持着一個殘破局面，軍力與維持地方的警力，賴美國援助建立，政令下達與民意上陳，始終無從貫通，民間生活水準之低，生產力的萎縮，皆因政府常在政治危機中，從來未遑考慮。這些都是助長共黨滲透的條件，人民對政府的向心力逐漸消失。再加上共黨的宣傳，硬說美國人在寮國練兵是「以寮制寮」；練兵的經費取自民間，練兵使到庫空民貧。却否定了美國每年提供於寮國的（七千四百萬美元）國防費用，造成反美情緒，比過去反法更爲强烈。蘇發努馮企圖掩飾他這種陰謀，於是，一月二十四日發表聲明，强調他今後「不再做美國的敵人」，而「拒絕與共產主義發生關係。」但是，他的部下依然很坦率地承認：「我們繼續反對美帝；自從我們停止打法國人之後，我們已經在打美帝了。」不過他並沒有說明在什麼場合跟美國人作戰，僅承認：「我們目前要打的是政治戰。」從這些例證中，係映出寮共參加政府，並非悔禍而反旨在釀禍。

第三、蒲瑪這次出國，無可否認係其弟（蘇發努馮）授意的。目的是要求西方國家的視綫遠離寮國嚴重的顛覆危機，讓西方信賴寮國已不再受到共產主義的威脅；使共黨從容控制寮國。却並沒有考慮到拿蒲瑪作「政治戰」的「盾牌」，仍難掩飾共黨在國內的眞面貌。可是，它那拙劣的手段，並不僅把蒲瑪推出國外就算數，繼續發揮「統戰」魔力，邀請中華民國政府駐泰大使杭立武訪寮。杭立武使泰時間雖短，他對泰國或其他東南亞親西方各國的影響力，比寮國總理要大得多，如果杭氏肯對蒲瑪辯護，至少比蒲瑪本人向美國人解釋要强、而且更有力。尤其是泰國在正視寮國局勢發展的現階段，對寮共可能的威脅，時感不安，一直計劃着擬宣布廢止一九二六年簽訂的「湄公河條約」，以塡補泰寮邊界十五哩不設防地帶的空隙；同時湄公河全綫四百多個島嶼的權屬問題，一直使泰國苦惱，假如寮共一旦攫取政權，泰國直接受到赤色恐怖威脅。這一個問題如果泰國現時要求跟寮國蒲瑪政府談判，不會阻延了國際共黨的侵略泰國計劃。因此，不管泰國有無跟寮國現政權談判意向，寮共亟需設法阻撓。於是，一般認爲：邀請杭立武訪寮，也是寮共「政治戰」的一環。當此共產集團在冷戰中力爭優勢的現階段，無人願見獨立統一的寮國，降爲俄帝附庸。然而，除了當權者自行抉擇，誰也無能爲力。

（一月廿七日寄自永珍）

針對台灣現狀　李萬居提出十五項政治質詢

——台北通訊——

台灣臨時省議會第三屆第二次大會席上，議員李萬居（台灣公論報社長）對省主席周至柔提出一項坦率而勇敢的質詢，引起關心自由中國大事的人士注意。該項詢質內容大致分爲下列十五點，頗關重要。

執政黨的責任問題

一、十三年的聯俄容共政策與中共竊據大陸，有因果關係，而且今總統當年也已窺見蘇俄野心，但執政黨爲什麼會走錯了路，其責任應由誰負？

二、這個政策既爲當年執政黨的決策，而執行者又是今天的執政黨，請問執政黨和政府當局有沒有反躬自省的心情和勇氣？

歡迎與羅織

三、中共在大陸上對付智識分子以至一般人民，其所採政策是以「恨字」做出發點，引起人心離反；我們這裏是自由民主國度，政府所採取的政策應該是「仁」是「愛」。但我迄今還看不出十分清楚。我們對待大陸起義來歸的人士，固無不表示熱烈歡迎和優待；對大陸淪陷以前即已來歸的人士，卻不知道有沒有故意羅織的地方？

什麼叫做「潛伏匪諜」？

四、什麼叫做潛伏匪諜？它的界說如何分別？假如一個人對于共黨不但不同情，甚至厭惡，那麼，我們可以一時對於他的誤會或不滿，就給他加上潛伏匪諜的罪名嗎？

帽子問題

五、大陸上知識份子的遭遇，是爲自由中國衆所週知的事情。台灣呢，有不少爲政府所不滿，但又無論如何加不上紅帽子的人，則都被加上了刑事犯帽子而受到打擊。假使有人批評政府，縱然是善意的，建設性的批評，但因爲不懂得阿諛頌揚，那麼，隨時都有被戴上某種帽子，而關進牢裏去的可能。總統國慶文告發表後不久，不是曾經發生過這種現象嗎？這是不是對總統國慶文告號召的一個諷刺？

寬容問題

六、抗戰勝利後，蔣主席立即對日本全國人民宣佈，中國決採取寬大，以德報怨不咎既往。我是台灣人，台灣曾受日本五十年的殘酷統治，我，乃至台灣全省同胞一定永遠記住這血海深仇，爲着國家前途，我乃認爲這個寬大政策是正確的，不過對待百年大敵的日本，我們都能採取寬大的態度，而對待我們自己同胞爲什麼不能採取寬容的態度呢？尤其是對待認識不清而一時誤入歧途的青年？

忠貞與不忠貞

七、今日自由中國的政府對於所謂忠貞與不忠貞的衡量，不知道有甚麼標準。譬如在大陸上與匪共合作若干年，後來因爲某些事體與匪共發生齟齬，不能合作下去，設法逃出來，到了台灣，馬上成爲了義士，受着莫大的熱烈歡迎，所謂「放下屠刀，立地成佛」是也，尤其是一些電影明星和伶人更是受歡迎，甚至從自由地區，專誠地跑到匪區去靠攏，一旦目的未達，再回來，也無例外地受到場面非常動人的熱烈地歡迎，甚至文武百官也招待歡宴，幾乎日無虛席，而對於率先來歸的學人或文化工作者，反置之不理，甚至用種種罪名加以羅織，使之走投無路，或者鋃鐺入獄。這樣黑白不分是非顛倒的事情，豈是中興政府所應爲？

不適時的文告

八、內政部竟然抄了一通訓政時期的皇皇電文來警告省縣市參議員在會議場中，對列席報告或答復詢問人公然辱駡，如果確已達到侮辱程度，應負刑事責任，惟須依照司法程序訴請法院處理。今日內政部於此時此地發表了這通電文，用意何在？令人費解。今日台灣民意代表全都在黨的控制之下，有幾個人眞眞敢於自由發言，尤其暢所欲言，指陳政府的得失。議員快要變成啞吧了，而議會也快變成「無聲的議會」了，這通電文的發表不是多此一舉嗎？

政治風氣問題

九、自從中央播遷台灣以來，我們自己常常洋洋得意地說，我們的政治是如何如何的進步，特別是國際友人來台灣旅行或參觀之後，當踏上飛機的時候，總常用幾句浮泛而不着邊際的話來恭維我們一番，說我們的政治如何如何的進步。其實那大半可說都是應酬話！事實上，也許比較大陸時代並沒有甚麼差別。請看過去考選部出賣中醫師證件，內政部西藥受賄案，中興新村建設工程大舞弊案，以至司法界張金衡屍諫案等等。不知道政府當局有覺到政治風氣的敗壞及其嚴重的情形嗎？

社會風氣問題

十、社會風氣呢？說起來，也夠使人驚心動魄了！從八德鄉滅門慘案以至楊士榮的被焚屍滅跡案，不久前張昌及其他種種他殺、自殺、情殺、姦殺等等，打開報紙來看，幾乎無日無之。像這樣發展下去，對國家恐怕也難免有惡劣的影響。不知道政府有甚麼辦法來安定這個社會秩序嗎？

安全室是幹什麼的？

十一、據說自幾個月前來全省所有學校、行政機關、銀行和公私業務機構裏面都設有安全室，安全室人員所做的工作乃在調查並監視公務人員的言論和行動，各安全室主任權限之大無比，可以干涉人事，也可以干涉行政，如果機構首長不遵從命令，馬上就會發生問題，這種是政府對公教人員的一種控制辦法。對於民間呢？到處都設有所謂民衆服務站，服務其名，監視控制其實。政府既然不信它的人民，而人民何能竭誠擁護政府？

政黨政治破產

十二、中華民國顧名思義應該是百分之百的民主國家，可是我們並沒有實行政黨政治。第三屆省議員和縣市長選舉，各政黨都曾經提名競選，而第四屆縣市議員選舉，各政黨不僅沒有提名，甚至百分之九十以上明明有黨籍的候選人都標明和宣傳是無黨無派。這可證明「政黨」和「政黨政治」是如何地爲台灣老百姓所厭惡，所唾棄哩！

機關簡化問題

十三、目前自由中國的領土小小地方，機關林立，組織擴大，人員衆多，叠床架屋，較諸往日，尤爲複雜。林林總總，名目繁多，不一而足。在民窮財困的今日，設立那麼多機關，所辦的業務大都相同。政府爲甚麼不設法予以簡化、調整？

蘋菓充斥也有內幕？

十四、近半年來台灣市場蘋菓充斥，台灣原來所出產的水菓反而沒有出路。不知道那麼多的蘋菓怎樣進來的，由誰批准的，其浪費外滙，殊可驚人。外邊傳說，那是執政黨某些辦黨的要人與商人合夥做生意，所以才有那樣方便，不知道內幕如何？

中信、物資兩局是利是弊

十五、我國應該是自由經濟政策，說也奇怪，我們這個民主國家所採取的政策，既似統制經濟又似自由經濟，非驢非馬，眞是令人莫名所以。我們一片小小的國土內就有兩個政府經營的貿易機構——中央信託局和物資局在壟斷整個貿易，在與民爭利，不是說過了嗎？像最小量的數噸生意，中信局也搶去做。中信局和物資局對於政府究竟是利是弊？

•霱仁•

論大局與衛星

並答詠余先生

•胡秋原•

顧詠余先生爲我國有名經濟學家，現在美國國際金融機關工作，對美國事情有長期觀察與研究。我常承他尊寄美國方面資料，並得商榷之益。最近寄來一文，爲「論當前世局及其未來趨勢」並問我的感想。詠余先生之文已在「自由人」七一八期發表，茲略附拙見。

他的文章成於俄帝放射第二衛星之前，所觀察與憂慮者，現在看來，依然有效。其中關于美國的批評，我完全同感。

不過我對國際形勢看法，素來比較樂觀，即因我深知俄帝及共產國家內部弱點之嚴重，遠在美國及自由國家之上。不僅俄帝國力，斷不能與美國相比；而其最大弱點，即在其治下人民，及其政權之死敵；此一弱點，只有與日俱深，除非美國與其妥協，至于同意與其畫分勢力範圍，即令俄帝已有作戰之洲際飛彈，亦不敢對美作戰，除非美國與其妥協，至于同意與其畫分勢力範圍，因而使鐵幕人民絕望，自由世界瓦解，美國完全孤立之時。

年來俄帝之最高目的，即在誘脅美國與其畫分勢力範圍。最近衛星示威之目的，亦在于此。美國亦有人贊成此一計劃，如「名政論家」李普曼，乃至「蘇俄通」肯南是。但美國人縱「政治不成熟」，尚不至如是自殺。

今日世界最可惜而不幸之事，是只有美國才能領導抗俄；美國亦有充分能力擊敗俄國；然而美國不能善用其能力與威權，以失敗之政策，自陷于失敗。當俄帝有併吞全球征服美國之政策時，美國無滅俄之志，僅採取防守政策（因而只有商業主義而無政治主義，只有技術主義，而無意識形態），才使俄帝能利用美國弱點，而美國沒有能利用俄帝弱點。

俄帝之衛星決不表示俄帝科學工業勝于美國。無論如何俄帝一般工業科學水準尚遠劣于美國，而獨裁政治亦究爲無能政治。然這不是說獨裁政權集中力量于一事之時，不能有所成就，特別是軍事及科學上成就。只要看希特拉的成就好了。然而這也無非是由于美國的防守政策，自已埋沒自由制度之長，一面濫用自已力量，一面給予敵人以從容發展飛彈機會之故。由于防守政策，美國備多力分，而俄帝則知道美國不會攻擊他，他一心一意專門發展飛彈好了。所以美國飛彈或衛星落後，不是美國民主政治之失敗，亦非美國科學技術之失敗，而是美國防守政策之失敗。美國人看見俄國衛星成功，過分驚詫恐慌，而又太想不到眞正的原因。所謂大西洋高層會議，無非是求團結一致，與俄帝爭技術上一日之短長，防守政策，並無改變之象。而所謂「四強高層會議，」也是還可能舉行的。就前者而言，是可喜的；就後者而言，是可嘆的。

然而這也不足使我悲觀，而中國共黨尤無高興之理由，一，俄帝天上衛星之成功，不能安定其地下衛星（附庸國之人民）之反抗的。二，洲際飛彈不是俄帝能專利的。美國能在科學技術上趕上和超過俄國，斷無問題。三，美國之妥協終有最後限度，最後衝突不可避免，而俄帝還是要因內在弱點而敗的。不過，如美國不能在俄帝洲際飛彈完成（一九六〇）之前改變政策，美國固將受俄帝飛彈攻擊；而中國大陸亦將受美國飛彈攻擊。成千成萬的中共，將與成萬成千的同胞，玉石俱焚。

美國現在亦有主張改變政策，乃至實行預防戰爭者。詠余先生之意，或亦在此。我還無此奢望。因美國人很難作預防之戰。我希望美國採取一個政治的攻勢政策，此即鼓舞鐵幕內部革命運動，而警告俄帝不得武力干涉。而臨這局勢，我相信俄帝是不敢冒大戰之險的。萬一俄帝要戰，美國才應戰。內外夾擊，不僅可使俄帝必敗，甚至可使俄帝之原子武器乃至飛彈之類，根本難于發揮效力。一定要先有一新的世界遠景，在政治上採取攻勢。這將使全部形勢改變，而美國偉大國力也一定能發揮出來。沒有積極政策，僅靠戰爭，也不能解決俄帝。

還有一點是無疑的，俄帝衛星發射後，已指出美國防守政策日益無効。美國不變也得變了。

所以，今天我們首先要不斷向美國說明必須及早改變政策。

其次，我們要一致勸勉在台灣的中國政府好好振作，有如；一面要準備共奸隨時可能的突變，一面要增強自己在世界上的信用，對大陸的吸引力。

第三，我們要呼籲大陸同胞及中共黨員與我們合作，擴大及加強獨立自由運動，才是自救，特別是使中國由原子彈及飛彈之浩劫中，脫出的途徑。

台灣工商業的貸款問題

•劍聲•

關於工商業缺乏資金，標爲普遍而嚴重。因此工商的資金週轉界均須求諸黑市利息之借款，以致負担加重，影響業務，形成市場蕭條，而臨倒閉危機。

有一位省議員曾在省議會席上，指出銀行存放款情形：台灣銀行和其他六行庫局去年一月至十一月止，存款數爲六、五四八、三二五、〇〇〇元。放款數爲五、六二九、六〇〇、〇〇〇元。

就放款對象言，五十六億餘元中，政府機關及公營事業佔五分之三；民營事業佔五分之二。缺乏之資金週轉者非公營事業而係民間。公營事業二六〇單位，貸款達二十九億元。民營事業包括個人及政府機關爲六〇、五四三戶，貸款二十六億餘，其中政府機關約貸款一億餘，民間貸款爲二十五億餘。姑予合併計算，每戶平均僅有四萬餘元，以現在物價之情形，貨幣之價值，此數能值幾何，其發揮融通資金之效力，實微乎其微。民營者全省十八萬八千五百五十七家，除去貸款者尙餘十二萬多家，未能獲得金融機構貸放金，一般工商業者缺乏之資金週轉，陷業務於停滯，影響本省經濟發展，實不容忽視。

政府雖想將民間游資導入正途，轉投入第二期四年經建事業中，但一般國民心理，對於存款銀行不感興趣，因爲黑市利息高於官價。政府也曾提倡公司債之發行，一般國民不但不瞭解，且無信心。甚至有某部長以興建住宅名義，向土地銀行借貸款十五萬元，即轉存入[illegible]。

所以，說者建議當局，如欲解救工商界的危機，達成週轉金融之任務，除加強公司債之提倡，提高存款利息，導游資入正途外，最好由財經方面人士與美援方面人士，以美援存款十六億元，撥作貸款放給工商業者，以促進經濟繁榮。（一月廿四日于台北）

「出國」「頂費」「走私」

我們到現在還不明白當局所訂的海外宣傳工作的重點究竟在那一方面，照以往及現時所表現的，似乎偏重於體育與球藝。這種種東西在一個國家的平時，用以調和國外聯絡彼此地區間人民的感情，那是無可厚非的，如果在國家艱難當中花上很多外滙去做千萬億分之一的交流收穫，未免有點那個。

我們一直弄到我們的首揆在喊國庫窮，無法調整軍公教人員的待遇，卻容許讓一些少數人到海外去浪費外滙，目前且還被人利用這些門子當了出國之路，甚至走私之道。

據說過去有人爲要參加某一團體出國而頂一個名字，要出很高的代價；最近亦傳有人頂一個球員名字出國，也是一樣。爲什麼他們要出這麼高的「頂費」出國呢？如果他們沒有「收穫」的話，誰也不會那麼傻的。

在這裏，我們[illegible]，我們不知道當局應否訂立一個正當的海外宣傳工作方案。

我們也並不完全反對派些劇團、球隊到海外去表演一番，然而他們的表演對於反共宣傳上究竟有多少作用？究竟所付代價是否相稱？這在是應該予以考慮的。如果「出國」「遊國」，再加上一些[illegible]新聞，其在人民心中造成了壞印象，那就得不償失了。

•李舟•

共產制度的絕症

●司馬璐●

第一個問題，蘇俄最近發射「人造衛星」，共黨正大吹大擂。如認識共黨極權主義本質，此事並不足異，一切極權制度皆可能在某一點上有暫時的突出的「成就」，如過去法西斯主義時代其例即甚多。在極權制度下通過「組織」以全力集中一點下手，置人民生活的發展于不顧，這種暫時的突出的「成就」，當然是可能的。二次大戰初期，希特勒的德國在武器裝備上即當能超在民主國家之前，但後期就不行了。何以故，因一切極權制度在本質上是束縛人類智慧，與科學精神完全衝突的，通過「組織」發動做一事只能收暫時的效果，絕不能持久的。民主制度的優越性，即一切進步的動力全由于個人的自動自發，潛力無窮。

民主制度的動力既在「個人」，在平時亦有其「惰性」與「散漫」之缺點，但此種缺點，一遇外力刺激，即能人人奮發振作。蘇俄搶先發射「人造衛星」，有如科學上的「珍珠港事件」，對於自由世界，特別是對於美國，此種挑戰必有強烈反應。今天的「民主制度」，已經「覺醒」起來了，所以說，共黨在某一點上暫時突出的「成就」，絕不可能挽救它制度上的絕症的。

第二個問題，共產制度的病根是什麼，我說它的病根即所謂「階級鬥爭」與「階級專政」，南斯拉夫前副總統德拉斯說得好，所謂「無產階級專政」實即「一羣人」的「專政」，而這「一羣人」本是一無所有的，這樣卻「被創造」爲一個佔有一切的「新階級」了。

共黨的「鬥爭」與「專政」，必使各種政治上的矛盾，成爲絕不相容的對抗性的矛盾，因而產生：

一、共黨少數統治者與廣大人民之間矛盾的絕對性。首先，這個制度，它的極權性與獨佔性，在經濟利益上必與人民處於絕對對立的地位；其次，一切經濟生產事業經由「國營」或者「公私合營」以後，失去「競爭」與「進步」的動力，生產力萎縮。再次，人民生活普遍降低，人民既處在奴工的地位，則少數特權者的營私舞弊，物資的浪費，（因爲不是專家領導），人力的浪費（人民缺少熱忱，行政人員及特務皆不事生產），因而共產制度是官僚主義的溫床，也是最浪費的與集體貪污的制度。最後，共黨又提倡悖乎人性違背倫理道德的觀念，亦爲與人民絕對對立的一個主要因素。

二、共黨黨內鬥爭的絕對性，共黨以馬列主義爲號召，但馬列主義之敎條可隨一切有權勢的共黨領袖有不同的解釋，馬列主義成爲共黨刺刀的工具，凡有力者皆可以馬列主義殺人者，皆可以馬列主義說之。黨內對馬列主義之不同解釋，必爲敎條爭執之對象，亦必產生宗派主義與獨立王國，平時則依靠黨內的軍事紀律，當這種紀律而上不能維持，又必需產生週期性的清黨，或者藉一部份幹部的人頭作爲黨轉變一個政策的替死鬼，這種用替死鬼的辦法和黨的週期性的清黨，又演變成循環報復，許多共黨幹部乃至頭目都遭到相同的下場。目前共產集團中兩大宗派，國際共產主義與民族共產主義之爭，按照馬列主義的基本理論，民族共產主義是一種反動，按照共產制度，共黨是絕對沒有調和餘地的，但事實上要鞏固既得利益，一面要顧及對外擴張，因此發生國際共產主義與民族共產主義之爭。當共黨需要紅軍拚命犧牲時，每每以英雄主義與紅軍打氣，當紅軍力量強大時，共黨又要防止「紅色拿破崙」，進行整肅，如蘇聯過去整肅圖卡契夫斯基及最近之整肅朱可夫等。

三、共黨仇視知識份子的絕對性，知識份子的懷疑性，溫情與自尊，全與共黨所提倡的盲從殘忍與集體觀念相對立，在自由世界中，許多知識份子對未來有種種幻想，易於對現狀不滿，若干知識份子之左傾及甘爲共黨利用，其故即在此。但在共黨政權下，對現狀不滿與追求自由之情緒絕不得有絲毫洩露！否則即被視爲一種「反黨行爲」，遭受清算。許多知識份子參加共黨，繼而又在黨內被清算鬥爭，因此，俄共及中共奪取政權時，功績最大的知識份子，其後被摧殘最慘者亦爲知識份子，當代人士能認識共黨仇視知識份子的本質與絕對性，知識份子從被利用到被清算的悲劇，也就可能大大減少。

第三個問題，根據以上的分析，我們可以進一步獲得如下的結論：

一、在共產極權制度之下，某一點的暫時的突出的「成就」是可能的，但由于它的制度本身充滿許多絕對性的矛盾，所以那些「成就」並無補於挽救它制度的敗亡。

二、一切矛盾一切罪惡既皆由共產極權制度本身而來，則共黨藉口某一幹部的偏差或個別幹部的錯誤進行「整風」，也是無補于挽救它的制度的。

三、根據共黨「階級鬥爭」與「階級專政」的理論，以及從而產生的「新階級」的背景，共產制度亦將被其本身所否定。一切共產制度，「修正」的幻想，亦皆屬徒然。

四、由于共產制度本身制命的絕症，許多身受過共黨欺騙過的人士或前共份子，皆對共黨本質有深刻的認識與堅定的反共決心，今後——我們的反共鬥爭愈加需要與鐵幕內部的反共力量相配合。

右派代表的處理

據新華社一日電，第五次「人代會議」根據「代表資格審查委員會主任委員」馬明方的報告，對下述右派代表作出如下決議：

一、撤銷代表資格者錢端升等十六人。——這十六人是根據「地方人民代表大會」決議罷免的。

二、不應出席該次會議者章乃器等三十八人。——這三十八人本都原選舉單位罷免，說是經各該省市人民代表大會的「決定提出」，或「多數代表」要求撤銷這三十八人的代表資格，該次會議改變「撤銷代表資格」爲「不應出席」，其撤銷代表資格一事，仍留回原選舉單位處理。

總計因撤銷「代表資格」和「不應出席」的右派代表共計五十四人。

地方「人代會」對全國「人代會議」要求撤銷代表資格的「要求」兩字甚妙，全國「人代會議」給予答覆，「不應出席」則更妙。我們不竟要問：選什麼「人代會議」有權作出停止代表出席會議？這是「民」的什麼「主」！

代表的補缺

第四次第五次會議間逝世的以及第四次會議以前的缺額與被罷免的代表缺額，應該補選的共計三十二人，浙江省已經補選了八人，其餘的二十四人未曾補選。

按中共的選舉法通同被「停止出席」會議的三十八個右派代表共是六十二人，換言之也就有六十二個若干萬的「選民」在這次會議上沒有說話權利！

是匆促舉行的會議

因爲中共一味用民主騙人，所以我們隨便的提出這兩個問題爲例。當然我們知道，這是對牛彈琴。提出這樣的問題自不免是多餘了。但是，在前述兩項事實裏，隱含着兩項可以注意之處：

一、此次「人代會議」的召開是很匆促的，連地方「人代會」對于右派「代表」的罷免把戲，亦未完成如儀。那末，何以要這樣匆促的召開這次會議？那些人是主催者？是極其可以注意的問題。

二、久久未曾補上的缺額，似乎顯得某些選舉單位在這方面的選舉上不能獲得協議，這雖然是地方上的小事，但亦反映着中共對於地方基層的控制不像以前那樣確實，與嚴緊了。

中共的原子爐如何了

一九五五年蘇聯揚言幫助中共，波蘭，捷克，羅馬尼亞，東德等幾個共產國家建設實驗性原子反應堆；至一九五六年初，蘇聯稱：助中共建設功率七千瓩原子反應堆的計劃正式付之實施。

據一九五七年十二月四日「人民日報」透露，蘇聯助中共建設的原子反應堆按照預定計劃將在一九五七年底完成。

但是，一九五七年已經過去一個月了，中共的原子反應堆却沒有任何建成的消息，顯然還有問題存在。似不能完全視作是消息被嚴密封鎖。

科技研究合作協定

今年一月十八日，中共與蘇聯簽訂了「關於共同進行和蘇聯幫助中國進行重大科學研究」等的三個議定書，議定書中規定了「中蘇兩國在一九五八——一九六〇年間將共同進行一百二十二項對中國有重大意義的科學技術項目的研究工作和進一步加強兩國科學機構之間的直接聯系。」同時，中共的代表團長郭沫若爲此亦發表了談話，他說：「在談判過程中，中國代表團特別希望蘇聯方面對實現中國十二年（一九五六——一九六七）科學技術發展遠景規劃所規定的重要科學研究項目給予援助」。這裏可以首先指出者，其一是：郭沫若所說的重要科學研究項目中之最重要者應爲原子科學技術。按中共的十二年科學規劃雖然未曾發表，但郭沫若在此規劃擬定以前的指導性講話中，已早指出原子科學研究應列爲第一項。其二是：中共所要求者是希望蘇聯助它實現十二年科學規劃中之重要項目，但是，蘇聯與中共所簽訂的這項議定書却只答應幫助五年；似乎，未達中共預期目標；又似乎，蘇聯在故意刁難。

從這樣的角度來看，前節所述的蘇聯助中共建設的實驗性原子堆未能如期于一九五七年底建成，亦是蘇聯故意阻難的緣故。

●田心●

展望印尼政局前途

印尼的局勢，已經發展到分裂的邊緣，蘇門答臘的獨立，已經只是時間上的問題了，如果蘇加諾不放棄其親共容共的內外政策。

蘇加諾一直想以增高其國際聲譽來解決國內的戰爭，也想以收回新西畿內亞和排荷運動來團結對外，以偉渡過危局。但是其它的黨派和政治領袖以及軍人則認爲反共與新畿收回問題不能混爲一談。

印尼的財政收入，主要是靠對外輸出，而輸出量最大的島嶼則爲蘇門答臘。而比較優秀的政治領袖，也都出自蘇島，印尼中央政府，予蘇島的待遇却是有欠公道的，同時最基本的，問題是政見，蘇島與椰加達間關於對共黨的基本態度，已經勢成水火了。

在整個的印尼變局中，前副總統哈達一直保持着他的崇高的受尊敬的地位，因爲他是堅決地拒絕與共黨合作並反對蘇加諾的現行政策。

就目前的情況言，印尼比較有人望的領袖人物，也都集中到了蘇門答臘，連中央的財政部長和銀行總裁也都離開了椰加達。

由於地理和物產的關係，蘇門答臘與星馬間的貿易一直賡續未曾間斷，但椰加達的中央政府却一再表示反對，命令該島的對外貿易必須停止，財政經濟上必須受椰加達之統率。問題是自從排荷運動開始後，各島間交通和印尼對外的運輸系統均已陷入停頓狀態，經濟和糧食的供應問題已發展到了嚴重程度，蘇島之必須自行開展對外貿易和擺脫椰加達中央政府的控制，自由其主觀上之要求，實也是客觀形勢所迫出此的。

就以上所述情況看，蘇門答臘的謀求獨立運動，在印尼各島間可說是最具備條件的。同時印尼的軍人也都不滿於蘇加諾而傾向於哈達和蘇門答臘方面，蘇加諾現在唯一所持的僅是爪哇，但蘇門答臘方面不願以流血來解決問題，軍人既不接受蘇加諾的指揮，蘇加諾的中央政府亦不敢以武力來解決問題的。因此，展望印尼的政局前途，可能演出二端，一爲經由不流血革命推翻現中央政府以徹底改組，由哈達出爲領導；一則是蘇島自行獨立。（賓）

稿酬：本報本年一月份稿費通知單，已分別付郵，請惠稿文友，憑單領取爲荷。

編輯部啓

如何導致資金於發展經濟

可注意的有效方法

（上接第一版）

我由聯合國文獻中，看到新開發國家以低所得及小儲蓄之中，在進行經濟建設之中，在在缺乏資本；因此，對鼓勵儲蓄並引導投資方面，都在講求有效底方法。其在綜合建議中，針對一般底缺點，它提出（一）改善政治及行政機構，以維持秩序、公正、及平等待遇；（二）租稅及金融改革，以建立適當信用並鼓勵儲蓄；（三）建立資本市場，並鼓勵儲蓄投資機構，以吸收儲蓄，並導其入於正道；（四）採取措施，[illegible]

[illegible]外資內流之效。

爲何還不改弦更張

台灣幾年來的國民所得，雖在美援年年增加之下，已經停滯，人民的購買力有限，已市場滯銷[illegible]

[illegible]

何嘗！（元月廿七日）　陳式銳

自由談

不敢領教

美國陸軍主管的火箭衛星「探險者」放射成功之後，海軍方面亦不甘示弱，趕忙試放「前衛」火箭衛星，却失敗了。空軍主管的同樣玩藝，勢必不願向隅，非急起直追不可。這是美式生活的特徵之一，猶賽馬戲，嘆觀止矣！

關係國防安危的核子武器發展事業，何以不歸國防部綜持統籌，集中人力財力，共赴一的，而要分由三軍各行其是？英國政治觀察家認爲這種三軍敵對式的軍備競爭，徒然浪費金錢和精神，深表惋惜。然美國有的是金錢，隨便消耗，固無所謂。幸而陸軍的「探險者」成功地進入了太空，如果亦像「前衛」一樣，半途夭折，豈非給俄共集團以嘲笑揶揄的大好資料耶？

俄共聽說美國的人造衛星進入太空後，聲言這比從事於戰爭武器的競賽好得多。實則火箭衛星乃是越洲彈道飛彈的高度技術發展，否則俄共頭子赫魯歇夫即不致藉人造衛星之放射成功，而發出咄咄逼人的好戰言論，美國朝野人士聞訊張皇失措，恍若大禍臨頭，良有以也。

美國在世界兩極化的冷戰之中，關於政治問題，樣樣都可以認輸，滿不在乎，唯有奇技淫巧這類物質的技藝，决不肯落後。漫說人造衛星要力爭上游，假使俄帝一旦宣稱它發明了原子能抽水馬桶或冰箱、收音機，美國人也會照樣地相驚伯有，吵鬧不歇的。

力爭上游的精神未可厚非。可是，作爲一個世界的領導者，漠視政治作用，只沾沾於爭取武備優勢，爭到了又不敢使用，等於守財奴累積大把金銀財寶而窖藏之，不肯拔一毛以利天下。這樣的領導方法，若說可以博得最後勝利，那眞是川諺所云「你呵我不懂！」

馬五先生

聖人的悲哀

・燕廬・

聞說有人講「孔子是不是詩人」；我以爲如果孔子本非聖人，則他亦不配稱爲詩人，如果他不愧爲聖人，則自然不屑被稱爲詩人。如果，你有興趣講詩人故事，則中國儘多詩人，大可不必鬧這樣的玩笑！

道家主張絕聖棄智，一方面固然以爲社會上不需有聖人，即個人自身，亦無須勉爲聖人，老子之不敢爲天下先，知白守黑，莊子之生也有涯而知也無涯，教人不要作知識上的追求，均可見其薄聖人而不爲的胸襟。由道家的觀點看，就社會言，固然是聖人不死，大盜不止，即就個人說，亦是一種悲哀，故莊子說，已而爲知者，殆而已矣。

一月廿五日，在本港某報，看到一則來綫中的消息，說聯合國協會，恭請王世昭先生演講，講題是「孔子是不是詩人」。對于孔子，要說自覺還不大生疏，要說看他是不是詩人的問題，却以爲是很新鮮的，當我還是小孩子的時候，入學時要拜聖人，那聖人就是大成至聖先師孔夫子，至于孔夫子是否天生來是個聖人，抑由後人尊奉的，我當然很模糊，也不會去計較它，後來讀左傳，讀到臧孫紇有言曰，聖人有明德者，若不當世，其後必有達人，今其將在孔某乎？這是別人逆料他將要成爲聖人，又孟子：「宰我子貢，善爲說辭，冉牛閔子、顏淵善言德行，孔子兼之，」所謂兼之，已隱隱約約是個聖人了。論語：「子貢問于孔子曰：「夫子聖矣乎」？孔子曰：「聖則吾不能，我學不厭，而教不倦也」。子貢曰：「學不厭，智也；教不倦，仁也；仁且智，夫子既聖矣。」宰我也說：「以予觀于夫子，賢于堯舜遠矣」，這些話，已逐漸確定了孔子之爲聖人，而孔子仍未嘗敢以聖人自居，除了說學不厭，敎不倦之外，却只說個「博學而無所成名」。可見孔子也並不汲汲于要做聖人，後來司馬遷撰史記，進孔子于世家，說：「中國言六藝者，折中于夫子，可謂至聖矣」！六藝是漢廷的官學，折中于夫子，夫子便成了六藝的權威，這一來，他雖不汲汲于要做聖人，却也非做不可了。自是以後，春秋因三傳而分家，守公羊之學的，以爲孔子作春秋爲後王制法，推孔子爲素王，但一面則有人以爲孔子述而不作，有教無類，仍以孔子爲先師。直到清室倒掉，成立了民國，不久就有所謂新文化運動，孔夫子忽然變了孔老二，被一羣先前曾經膜拜過他的人，從聖殿上請出來，叫做打倒孔家店，孔子有知，想起生前適鄭時，與弟子相失立于東門之外，別人說他纍纍然若喪家之狗一幕，他會欣然而笑曰：然乎哉！然乎哉！

王先生的講詞如何，我們因爲並非聯合國協會的人，無由恭聽，但只就題目看，却不外是兩個結論：其一孔子是詩人，其二孔子不是詩人，就孔子是詩人說，六藝中有詩，孔子生前，教書，與門弟子討論，會說過詩可以興，可以觀，可以羣，可以怨，又說不學詩，無以言，我論詩三百，使于四方，不能專對，雖多亦奚以爲，人們以爲最富于藝術情調的詩論，是他對子夏說的：「繪事後素」，再則論語上也說：余自衛返魯，然後樂正，雅頌各得其所。就這些，儘可以敷衍一番，說孔子是詩人了；若要說他不是，却也大有理由，所謂詩人，第一須有作品，孔子述而不作，當然沒有作品，也不能說已經是詩，那末至于嘆鳳傷麟之句，孔子自然不是詩人了。于是，橫說豎說，無所不可，這一點，我很驚異，但于王先生的善于取材，這種演講，就算千言萬語，也不免是一個扯淡，在目前說，聯合國總算是一個最後有價值的組織了，在那裏是非經年累月的談判，談到地球末日，也是一個扯淡，我很懷疑王先生選這麼一個模稜的題目，是存心同香港聯合國協會的人員，開一次玩笑，不過，倒霉的究竟還是孔子，因爲他會被人尊爲聖人。

我却以爲：如果孔子本非聖人，則他亦不配稱爲詩人，如果他不愧爲聖人，則自然不屑被稱爲詩人，王世昭先生既有興趣寫他的詩人講古，則中國儘多有詩人，可以一擺子講下去，大可不必開這樣的玩笑。

百字令

敬和天石兄原韻

・王世昭・

小陽春暖，看香江，恰是冬初秋後。異地風光羈客夢，儘道丹林如繡。鬢影詩懷，悠悠雲影，正喜天心厚。一聲長笛，青山到了知否？

秦箏周琴窮玩，霎那都付，纖指低徊久。半晌淸歌花底醉，莫負三三九九。古古今今，南南北北，幾個成朋友？明年嘉會，諸君記共遵守。

從自由之像遠眺

・查良釗・

一二三自由日第四周年，自由中國的各界人士在台北市中山堂有盛大集會熱烈紀念。並有世界各國愛好自由人士參加。當日下午又有萬人大遊行支援大陸同胞爭取六大自由：一、勞動擇業自由，二、溫飽康樂自由，三、思想研究自由，四、經濟生活自由，五、生命安全自由，六、選擇生活方式自由。

這使我憶起去年（一九五七）九月二十五日同老友孟治博士登臨自由之像遠眺的一段經驗。

自由之像是法國人民爲了紀念美國革命時期合作爭取自由而贈給美國人民的。費了十年的光陰才於一八八六年建造完成。

自由之像光耀世界（The Statue of Liberty Enlightening The World）象徵着人類爭取自由的各種理想，同時也代表着法美兩國爲自由奮鬥而合作的國際友誼。七十餘年以來每天都有成千成萬的遊人到紐約港觀光，多數人都要到這自由聖地瞻仰和遠眺，其中也不知有多少人受自由的理想感召而更堅定其對自由的信念。

我於三十六年前在哥倫比亞大學求學時期，就想登臨自由之像，遠眺以廣眼界。誰知當年因爲忙碌，其後因爲回國，遲至去年才有機會實現這個小小的願望。

自由像座的內壁之上，刻有七段關於自由理想的名言。我現在把他們譯出供愛好自由人士的欣賞，並以紀念這偉大的一二三自由日而向那些冒着生命危險選擇自由的義士致敬。

（一）

我們的防禦工事就在這珍視自由的精神之中，——認爲自由乃世界每個國家，每塊地方，每一人民天賦權利。摧毀了這個精神，那就是在你自己的門前播種了暴政的種子。

——林肯

（二）

自由是美國呼吸的空氣……在將來的日子，我們要盡力使其安全，我們期望有個世界以四大自由爲基礎……言論發表的自由……崇拜的自由……；不虞匱乏的自由……免於恐懼的自由。

——羅斯福

（三）

我寧屬於一個貧乏而自由的國家，而不願屬於一個已經不再愛好自由的富庶國家。

——威爾遜

（四）

爲了獲得些許安全而肯放棄主要自由的人們既不配享自由亦不配得安全。

——佛蘭克林

（五）

自由如果不存，鋤頭，或船帆，田地，或生命，意義何在？

——艾默生

（六）

人的自由與快樂……乃所有合法政府的惟一目標。

——傑佛生

（七）

向普天之下所有的居民宣告自由。

——利未記二十五章第十節（這句話出於聖經舊約刻在美國費城自由鐘上）

選擇

生活小品

讓你在魚與熊掌之間决定一個的時候，你必然困惑了。何況世界上許多事物都以虛僞的光彩誘惑着你。

選擇你的理想目標！那怕是在重重黑暗中，師友和書本總是你的燈塔。

選擇師友是一門大學問：「無友不如已者」與「三人行必有我師焉」這兩句明訓决不衝突。不過該問人家配不配作我的朋友，只還該考慮我是否眞摯求友，以及人家是否誠心願與我相交：假如是，便應决然就之。師長呢，那才應該顧及他的人品，學問等是否可以指導自己。

選擇書本的條件，第一是需要，其次價值，再次興趣。譬如我要「做人」，所以必須多讀名人言論及修養之類的書；興趣固然不可或缺，但若强調此點就容易流入低級趣味。常讀壞書比抽鴉片上癮還危險！至如電影，也是一般人常接觸的，更易忽略了選擇不要光注意廣告上的宣傳字眼；假如你是看了「香艷肉感」、「刺激緊張」等才去光顧影院的，則我欲無言，否則，似不宜受賣座記錄或其他因素的影響。

我們說社會教育失敗，便應從「自求多福」做起。

・張健・

紅荳詞

短篇小說

雲碧琳

（二）

歎息聲裏，王少眉又迴縈到那過去的日子。

那是陽光明媚的早晨，王少眉在學校爲鮑世年伴奏着他們酷愛的樂曲，這男高音的歌聲對王少眉是一種無可抗拒的吸力。每天鮑世年都情意綿綿唱着王少眉最愛聽的「紅豆詞」，那迴盪的濤音飄浮着——

滴不盡相思血淚拋紅豆
開不完春柳春花滿畫樓
睡不穩紗窗風雨黃昏後
忘不了新愁與舊愁

……

一個校役推開了音樂室的門，給鮑世年送來了一封信；鮑世年拆開了信，看了一遍，黯然的對王少眉說：

「媽媽病了，這封信是爸爸叫我立即回去的。」

王少眉兩頰一蹙，悄悄的泛起了一層愁霧，是的，她不能再阻止鮑世年回家了；一年來，鮑世年爲了王少眉拖延了回家的時間，這一回，媽媽病了，做兒女的總得回去探視呀，可是，鮑世年的父母都僑居在美國，這一去不知什麼時候再回來了，她怎能不爲別離而難過。

「少眉，不要難過，我替你辦手續，你是我的未婚妻，很容易取得護照的，到美國我們才結婚，我們不是一樣可以朝夕相對嗎？」

王少眉臉紅紅的搖搖頭，默然無語。

「爲什麼又傷感了？」鮑世年親切的說：「你不願跟我去美國？」

「我能忍心把媽媽獨個兒留在這兒？」王少眉皺了皺眉頭：「爸爸早死，媽媽辛辛苦苦的撫養我，」她的話忽然頓了一頓，良久才說：「而且，媽媽一向反對我們來往。」

鮑世年沒有開聲，他知道王少眉的媽媽亦不大喜歡自己，不過，他已經盡了所有的力量了，却沒有辦法取得老人家的好感。

「你以爲我應該怎樣做才對？」鮑世年徵求王少眉的意見：「我回去之後，即使媽媽病好了，恐怕她不再讓我回來這邊了，那時……」

「你還是先回去吧，」王少眉搶着說：「看機會再說好了。」

「少眉，你別傷心，我總得想辦法回來才是，」鮑世年柔聲的說：「我是要回到你身邊的，少眉，我們要在香港結婚，是嗎？」

這日子拖着沉重的憂傷毀到他們的心坎了，幾天來忙着整理行裝，與及回美國的簽證，終于在銀色的翅膀上，鮑世年坐着泛美機離開了。

別離人的音訊，倩綠衣人彌縫了空間的阻隔，日子一天天過去，鮑世年的來信從充滿信心漸漸的變成了怨懟和苦惱。

這是一種凶兆吧！雖然，她苦苦地尋求這怨懟的原因，而對方的欲說還休，更招致了這位少女的無限繁愁……

又一股逆流從她媽媽的身上掀起了，也許這暗潮已不止一天的，早在鮑世年由美國到這兒來的時候，就隱約起伏着了。她媽媽一向不主張女兒跟這位遠居新大陸的鮑世年有超友誼的往還，如今，明顯表露出來的是要把她許給一位姓徐的世好，此刻透露出姓名來了，那就是正在日本讀書的徐家强。

這股逆流的襲來，王少眉是有充份的决心抗拒的，即使鮑世年的怨懟是如許的教人不安，但是，私底下的信誓，使她堅信他的歸來底願望是不會落空的。

沉寂得太久的音訊，正不知縕藏着多少的變幻，這天，天外飛來的航信，映入眼簾的却是令人震驚的消息，她拿着這封鮑世年手蹟的短簡，無力地吼喃着可憎的詞語：「在父母强迫之下，我結婚了……我的心雖然不變，但是……祗有請你忘掉他，忘掉這無力反抗環境的懦夫，不過，我還存着一縷幻影……」呵！什麼幻想？王少眉的苦惱帶着憤慨，把一切意念都拋棄了，儘是癡呆地過着那單調而寂寞的寡歡日子。

……

正當王少眉沉痛地伴着苦惱的時候，她的媽媽已經爲她安排好了婚事，王少眉早些時候的反對，所持的還有個等候鮑世年的理由，而今這理由破滅了，她還是無語地搖頭，她的媽媽却帶着挖苦的語調說：

「你一直不相信媽媽的話，世界上重情的人多，守信的人却未必多喔，鮑世年已經結婚了，難道你相信他會離婚來找你？」（二）

自由人
THE FREEMAN
（第七二四期）
中華民國僑務委員會頒發登記證台教新字第一零二號
中華郵政台字第五〇〇號執照登記為第一類新聞紙類
（半週刊每星期三六出版）
每份港幣壹毫
台北市售價台幣壹元
督印人：陳文韜
地址：香港高士威道二十號四樓
20 CAUSEWAY RD. 3RD. FL. HONG KONG
TEL. 771726
承印者：東南印務出版社
地址：高士打道六十四號
台灣總經理處
台北市西寧南路壹零壹號二樓
電話：四三七四六
台郵撥儲金戶九二五二
海外總經銷：友聯書報發行公司
香港：德輔道中二十六號A二樓

論中共的「僑務新方針」

王厚生

中共國務院的「華僑事務委員會」會於去年十一月下旬召開第三屆第一次全體委員會議，確定了一個僑務的新方針，據該會副主任廖承志，方方所說，「我們的僑務政策是社會主義的僑務政策」，「這次會議最大的收穫是更加明確了僑務工作必須堅決走社會主義路線，對於脫離社會主義路線的一切言論行動，都應該受到批判，這樣才能避免迷失方向。」

中共決定了這個政策之後，照例要把它說成是海外華僑的意願，是華僑們要求中共採取這樣的政策的，在中共說來，這就是所謂「羣衆路線」。事實上，華僑是否有這種意願，他們是否要求中共採取這樣的僑務政策，我想身在海外的華僑們最能體味此中滋味，用不着多費筆墨來說明了。

所謂「社會主義僑務政策」

去年十二月十一日到十九日，「中華全國歸國華僑聯合會」第一屆第二次全體委員會議在廈門舉行，即會討論了「華僑事務委員會」所制定的僑務新方針，「並且決定把它作為各級僑聯今後工作的基本路線。」僑聯主席陳嘉庚致開幕詞，更呼籲僑衆「並肩向着社會主義道路前進」。這樣一來，中共的僑務政策算是走了「羣衆路線」，算是「符合華僑們的利益」了。

就這次事情看來，所謂中華全國歸國華僑聯合會完全是以中共的政策為政策的，它本身絲毫沒有獨立的意旨，根本不能反映海外和歸僑的願望，它只是中共辦僑務的外圍組織，或者說它是直接和海外華僑接觸、誘騙華僑資金和返大陸的一個工具而已，華僑的福利和意見不在它的注意之列，否則，它這一次決不致於會將「社會主義」的僑務方針當做各級僑聯今後工作的基本路線。

因為所謂「社會主義的僑務政策」，是說不通的一句話，也是行不通的一件事。我們都知道，華僑散處世界各地，生活和經營在別國的領土之上，中共的「社會主義僑務政策」完全不能在別國的領土上對僑胞們執行，所能執行的只限於中共統治下的大陸，這樣就無異是說，中共的「社會主義僑務政策」只能對歸國的華僑們執行，因而這個僑務新方針，應該改名為對歸僑的政策，而不是廣泛的僑務政策。

可是，根據方方在去年十一月廿七日「華僑事務委員會」閉幕會議上的講話，歸僑「不要鬧特殊和超然地位」，即是說，歸僑應和大陸上一般人民平等看待，不應享有特殊的和超然的地位。如果中共以這種態度對待歸僑，則中共的僑務新方針連對歸僑的政策都不是，這還能稱得上是僑務新方針嗎？

事實上，大陸上歸僑今天受着中共的驅迫，已有許多人被迫下鄉上山，從事「勞動鍛鍊」，他們所過的生活的確沒有特殊的地方，所不同者是他們有的還能從海外爭取到若干匯款，或是他們過去曾經旅居國外的回憶和經歷而已，除此而外，他們是不會有特殊地位的。

歸僑要走「社會主義路線」嗎？

歸僑要走「社會主義路線」嗎？這個問題的答案當然是否定的，歸僑們根本沒有這個意思，這條路線是中共安排好了，強迫他們非走不可的，我們只要注意一下「中華全國歸國華僑聯合會」開會的情形，即能明白「社會主義路線」並不是「僑聯」本身所設想的路線，而是「華僑事務委員會」的決議，這決議這路線違背了歸僑的眞正意願。我相信，歸僑如果早知回鄉以後要被迫走「社會主義路線」的話，他們雖在國外忍受外國統治者的凌辱，也是不願回鄉的，因為所謂「社會主義路線」，不僅自己在海外刻苦耐勞所積蓄的一點財產要受「國營經濟」的侵蝕，即在思想上和政治上也非搞通「社會主義」不可。海外華僑大部分經營工商業，他們受外族的統治和壓迫，民族主義思想是普遍存在着的，但是要他們在思想上和政治上走「社會主義路線」，未嘗不是困難的事，因為這條路線對他們來說，包含財產被沒有被侵吞的危險。同時，要他們對現實政治採取一種明顯的立場，於事業不但無補，反而有很大的損害，難道這就是他們當初歸鄉的目的嗎？

華僑會接受中共改造嗎？

如中共政權不倒，歸僑今後的道路顯然只有一條，即接受中共的改造，獻出他們的財產和匯款，聽命於中共的支配。然而，這條道路能否得今天尚在海外的華僑們接受呢？答案也是否定的，因為華僑的產業主要靠勤儉的勞動取得，他們豈願將自己流血流汗流淚所賺得的金錢供中共的剝削和支配，假使中共對於國家的資源和人民的財富能夠善加利用，建設起一個像樣的國家來，人民也未必肯將他們的全部財產獻給空洞的抽象的國家，何況中共的建設是大量的浪費，是培養官僚主義宗派主義的溫床；中共的所謂建設，不是好高騖遠，便是置軍事考慮於第一位，人民忍受飢寒痛苦，非它所顧慮優先過問，至於把國家的天然資源和物資，不惜代價地供應其他所謂「社會主義兄弟國家」，特別是蘇聯這個老大哥，更是使人痛心疾首。總之，全國財富掌握到中共手中之後，怎樣運用這筆龐大的資產，全由中共作最後的決定，人民沒有置喙餘地，而中共在運用這筆資產時，首先所考慮的是「社會主義集團的利益」，而不是大陸同胞們的民生問題，為了「社會主義集團的利益」，中共可以不惜犧牲，與聯合國為敵，從事「抗美援朝」的戰爭，援助北越胡志明政權進行戰爭等等。這一切，與我們人民要求和平要求提高生活水準的願望根本相反，是不能善加利用國家和人民財富的顯著例證。在這樣的情形之下，人民沒有貢獻出全部財產給國家的必要，而中共在經濟上的獨佔和囊括一切的制度，當然不是我們人民所能支持。在大陸上的人民，因環境的壓制，現在已很少有反抗的可能，但身在自由世界的僑胞，至少應表示不滿和拒絕支持中共這種「社會主義制度」的自由還是有的，中共的「社會主義僑務政策」顯然地不能在華僑的身上執行，而華僑脫離社會主義路線的言行也決不至於受到任何人的批判，更談不到是「迷失方向」了。所以，為了歸僑們在大陸上的權益，還在海外的僑胞們應該對中共的政策表示堅決反對。

其次，華僑在海外的經濟基礎全在自由經濟的情形之下建立起來，今後也唯有在自由經濟的環境中，繼續維持既有的一點基礎，並且還有擴大的可能。可是，中共今天在大陸上所推行的「社會主義」，與華僑所要求的經濟制度完全相反，這也是華僑們不能接受中共的僑務新方針的原因。

華僑祇有一條道路

從中共統治大陸短短八年餘的歲月中，它的多變和新近的僑務方針來看，海外華僑的道路只有一條，就是反共，如果大家不同心合力，抵制共產黨的勢力，那末，等到有僑胞居住的地方被赤化時，共黨的魔爪就不免會對海外僑胞下手了，屆時，雖欲逃避和反抗，已不可能

半週述評

林邁可被拒入共區

曾隨同英工黨首腦艾德禮一羣人，訪問過中共區域，且為艾氏担任翻譯任務的英國上院議員林邁可，最近攜同家小，持着中共所發給的入境證，走到深圳時，被共方臨時攔駕禁止前行了。

共黨忽然拒絕林氏入境的理由安在，未據說明。若因林氏最近到過台灣，則他在事前曾經向共方聲明過了，共方如認為他是「不受歡迎的人物」，又何必發給入境證呢？所以林氏深感憤惑，莫名其妙。

其實，這是容易瞭解的。共黨早就公開宣言過：「我們祇講辯證，不管信用」。林氏當年隨着艾德禮，且凡一流人到中國大陸訪問，一切行動皆由共方嚮導安排，等於盲者扶着領路人的肩頭而行進，完全聽受共方的擺佈。現在乃是攜同中國籍的太太作私人探親之行，而林氏本人又通華語。值此大陸上大舉整治「右派份子」，強迫都市人民「上山下鄉」從事勞動生產之際，到處人心惶惶，動盪不安，怎能讓資本主義社會的知識界人士，實地視察，廉得眞象，使鐵幕內的悽楚情況，流傳於外面呢？

過去歡迎林氏隨同工黨朋友訪問大陸，那是共黨佈置好了的場面，而且知道艾德禮之流對共黨素有好感，可資利用的。現在林氏舊地重遊，既非團體行動，自不便昕夕派人照料嚮導，又不能扣留來賓，不許出來，這對共黨的騙術大為不利，當然要攔駕了。至於入境證的信用問題，固無考慮的價值，共產政權視國際條約亦如同廢紙，何況區區的入境證？

「只講辯證，不管信用」，共黨有言在先，林氏之被拒進入大陸，何足怪哉！

英國人的幻覺如何

最近英國下議院議員狄林再度訪問台灣，中共疑神疑鬼，申申而詈，指為是「英帝」的政治陰謀。林邁可以上院議員的資格，先到台灣，再赴大陸，這在共黨心目中，更認為其中必有政治作用了。

所謂「亞洲狄托」，與夫「兩個中國」之說，都是英國政治人物首先發明提倡的，目的是在安撫中共，保全英國在遠東方面的既得利益。實則中共之不直接侵襲香港與東南亞各地區，完全與英國的外交策略不相干，它跟英國貿易，如果不是為要輸入戰略物資，又藉商業利潤來誘惑英國在自由世界提倡姑息主義的話，也就沒有這回事。事就戰略物資設想，它可以取之於其他西方國家，並無一定須從英國輸入之必要。

總而言之：共黨乃是以有限度的商業利潤來換取無限的政治利益，而利用英國作經紀。英國再要孳孳為利，倡說甚末「亞洲狄托」，「兩個中國」的論調，幻想藉此以玩弄中共，獲致一廂情願的成效，結果必為共黨所玩弄，得不償失的。

英國人的外交手腕素來很高明，可是，時代已進入原子世紀，一般西方人所謂「落後地區」的人士，其智慧非復五十年前的程度了。舊有那套對殖民地的外交作風，已不適宜，而專講欺騙利用策略的共產黨，更不容易受別人利用的。英國的外交政策如不改絃易轍，光是手腕高明，不特於事無濟，且有自貽伊戚之可能也。

●雷嘯岑●

台灣有中立主義嗎？

●杜蘅之●

二月七日台北中央日報發表一篇社論，題為「中立主義的轉變」，却不是說國際上的中立思想，而是指在台灣的「中立主義」。這個論調倒是十分新穎。什麼是台灣的中立主義呢？

這篇社論下了一個簡單的定義：「中立主義者一方面從批評政府轉向於抨擊憲政，另一方面從批評中國國民黨轉向於侮辱中國國民黨，並否定中國國民黨。」顯而易見，批評政府或批評國民黨的人，即是中立主義者。這篇社論又說：「如果中立主義嚴守其合法的與和平的範圍，也是可以繼續存在的。」但是，認為現在有「中立主義者從合法轉入非法的跡象」了。文中又把大陸之失，完全的歸罪於這種「中立主義」，說：「民國三十四年至三十七年之間，中立主義的發展，使國民政府陷入束手待斃，任憑匪軍來打的困境，終於大陸陷入蘇維埃帝國之手，造成中國與亞洲的慘禍。」由此看來，這批「中立主義者」眞是罪大惡極了。

在一個民主自由國家內的政治勢力及輿論，大致可以分成三個壁壘：一是政府及執政黨，二是反對黨及反對政府政策者，三即是對於政府及反對黨無所偏倚而就事論事的「中立」人士。每當大選之時，執政黨與反對黨旗鼓相當，不相上下之際，往往是這一羣中立者舉足輕重，而決定那一方的勝利。

若由上述這篇社論來看，執政黨決不容許有反對黨存在，因為對於介乎執政黨與反對黨之間的「中立」人士，也在討伐之列。我們不明白民主自由國家的體制究竟應該是怎樣的呀？

事實上，今日在台灣，無論在朝在野，居於領導地位的，還不是幾乎全屬國民黨的中堅幹部，實可不必再由堂堂大報著論，而故聳聽聞了。若為促進民主政治着想，則不但不應抨擊或消滅這種「中立」人士，反而應該鼓勵及培養社會上這些對於任何黨團無所偏私，而對於每一個問題，能夠作冷靜客觀的研究，而發之於公正不阿的批評與建議的人士。就是為執政黨着想，在沒有反對黨之今日，也需要有些人，不完全是跟着尾巴喊萬歲的，而是能照良心講話的，俾當局能夠時時作自我檢討。

老實說，今日在台灣的人，那個不想早日光復大陸，何況，大多數從大陸來的人，都是要向中共清算血債的。在台灣中國政府的執政黨既是領導中國人反共抗俄的唯一的領導者，任何人不會有「造反」的心思。在目前看，我相信即使是盛唱反對黨的人，固然不滿意國民黨當局少數人的作風，却並非即意味着非反對國民黨執政不可。總之，儘管大家批評政府，批評國民黨，祇是希望這個政府更為民主，更為健全更能担負革命建國的責任而已。在這種情形之下，當局還要責備那些善意的批評為「敵人的策略路線與行動方向」，而「要警覺，要戒備」，實在可說絕不是明智之舉！

在上述那篇社論裏的「中立主義」，如不是執筆者故意玩弄名詞開開玩笑的話，即是建議當局於「紅帽子」之外，又製造一頂「灰帽子」，給人戴上，而治以罪。雖然還不會聽說此間有因犯「中立罪」而入獄的，但是這篇社論確是想製造這種罪名，可以用「非法」二字來形容所謂「中立主義的轉變」。我覺得如果這一企圖成立的話，以後凡是批評政府及國民黨的人，都將成為「非法」分子，也就是說，「批評」成為「非法」了。那還有什麼民主及團結可言呢！

總之，此時此地大喊對「中立主義」要提高警覺，是一種自擾。若眞要採取行動，那更不能不說是荒謬了。就我在台灣幾年的觀察來說，自從監察院提出對行政院院長的彈劾案，接着是若干學人在報端駁斥偽裝的「憲法學家」，以及在報上出現討論「黨政關係」應加調整的社論，可說是民主政治上的正常跡象。若是因此亂戴帽子，甚至用行動來鎮壓這一點點的自由與輿論，我們能不為民主前途及國家前途悲！

台灣通訊

急景殘年話國事

·高凌空·

倒閣與「護閣」

監察院彈劾行政院院長俞鴻鈞案，迄今仍爲政壇的主題。據傳倒「閣」的動力卻在行政院內部發動——某一實力派，限於情面，由監察院出面「倒閣」，遂形成監院對俞揆的陣勢，立法院則旁敲邊鼓。故有人謂，背後若無派系之爭，俞揆即使一千次不出席監院報告也未必會鬧到今天的地步。後來有陶希聖、方岳兩氏出而著文，支持「內閣」不倒；他們被看成「護閣派」，不斷指責監院「違憲」而與監院打筆墨官司。刻已演變至總統出而排難解紛，希望不要鬧大。監院方面雖有陶百川黃寶實兩委員在報上著論批評，但據傳監院似也並不怎樣堅持，竟還有人聯合陣勢與監院作派別抵制。事態發展得令人非常迷惑。

修憲與反修憲

從國大代表會議修憲到政府官員函請張君勱、胡適、于斌諸氏返台，政局的另一暗流在蘊蓄一種氣勢；政府官員詢于斌主教對修憲的意見如何，于主教沒有表示意見，也沒有是否返台的表示；胡氏迄在稱病未返台就任中研院院長，對於修憲當是持否定意見居多；張氏則提出三個條件；尤其着重憲法必須遵守，更顯然是不贊同甚至反對修改憲法的了。因此一般看法，如果于、胡、張三位旅居國外的國大代表之被邀返台，是希望他們贊成修憲的話，大半是不會如意的。

在現在何以要研究修憲的問題呢？據說是因爲總統的選舉，四十九年轉瞬即屆，執政的多數黨自然希望蔣總統能夠聯任，又儘管國人也如此希望，但人情如此，憲法卻如彼：憲法規定總統連選得連任一次，這就是一個必須先行解決的問題，也就是憲法的修改問題，先徵求旅居國外的三位聲譽較高的國大代表，因爲在台的國代大多數是不會表示反對修憲的。于、胡、張的態度，如果不贊成也不返台，那麼會得到什麼結果呢？那當然不是三位代表的票數問題，而是他們所代表的意見問題。最後還是由當局對「憲法問題」與「事實問題」中間自己去考慮了。

縣市選與高玉樹

再說到本屆縣市議員的選舉。據說高玉樹支持的人大都當選，因此引起外間諸般推測。又最高法院已發覆選舉訴訟六起，1.呂元清控告花蓮縣選舉事務所；2.吳文象、朱福春控告台北縣選務所；3.成守中控告台北縣議員當選人苗素芳；4.唐寶華、王天賜、魏慶全控告台中市選務所，5.王斌控告花蓮縣選務所，6.簡坤全控告宜蘭縣議員當選人陳金春，均要求判決選舉無效。因此影響到人民對民選觀念。令人注意者，卻在高玉樹之胞弟楊玉城（過繼楊家者）被市民檢舉，六年前被國防部以擅離職守罪嫌而被通緝，通緝令尚未撤銷，應判其當選無效。是否應判其當選無效，尚待市選務所、有關機關審查結果而定。有人以爲這事何以不在候選人公告之時，獨於楊玉城當選之後？因此又推想到是國民黨有意打擊高玉樹的作法？高玉樹企圖把持台北市議會，支持其親友競選、參加議會，造成其勢力，以爲下次市長競選之資本，而高玉樹與國民黨間已成了對立的形勢。高玉樹何以敢一人獨斷獨行？據傳高玉樹曾與美國某一政府機關有密切關係，因此又令人想到以前孫立人案，美國人對台灣當局的信賴，因此也就形成執政當局對付高玉樹感到困難的原因。

張春生與倪師壇

最近自共區來歸的藝人義士，先後計有呂舜瑤、李湘芬、張語凡三位女藝人，張語凡以「大陸[illegible]滄桑」，李湘芬以「梅蘭芳與我」一文，各報爭相轉載，旨在控訴鐵幕暴政的迫害人民事實；最近復由張、李、呂、三人聯合公演勞軍，頗獲一般人的注意；義士吳占非也正作其對鐵幕大陸極權政治之控訴，祗尚未有工作上之安排；惟原爲中共砲兵副師長的張春生逃離大陸，來台後即給以空總高砲司令部上校副參謀長，另外還發給獎章及五萬元之賞金；這是鼓勵大陸同胞來歸，原是沒有什麼可說的。但是比之不久前黃爾發、倪師壇、路世坤等案，給予人民心中的印象，卻是模糊的。有謂此乃「統戰」對「統戰」，但似乎應該與各種政策配合才可，否則賞罰失常，輕重不調，其後果便立見了。（四七、一、廿九于台北）

美援機構職員宿舍

公教人員宿舍

「天上人間」！　·尹震·

台灣通訊

大鵬平劇團出國虧巨款

虧累之巨達二百餘萬新台幣　為反共宣傳乎為文化宣傳乎

·萬香堂·

我國年來頗注意國際宣傳，有時雖付出很大的代價也硬着頭皮去幹，在原則上是很對的，但結果如何也該事前考慮。大鵬平劇團最近遠征外國，虧損本新台幣二百餘萬元，現在與國等待政府滙巨款去作船費回國！就是一個驚人事例。

財部備支美金二萬補助萬五

大鵬平劇團這次遠征歐洲之所以成爲事實，全靠行政院新聞局全力支持，「大鵬」起初原定此行自給自足，僅向財政部借支旅費美金二萬元，後來由人事關係又再度洽商，特給補助費美金一萬五千元，借支之款口頭說明回國時，即行撫息還與政府，且負責人立有借據爲憑，該團乃空軍總司令部所辦，一切通訊交通頗爲方便，計其遠征後，先後發出捷音甚多，其內容乃受各國人士歡迎之佳況，生意之旺盛，獲利之厚，自爲意中事，但曾幾何時，前幾天該團發來一電報，向政府求救，謂該團不僅回國無船費，且餓天吃飯的錢也沒有了，請求政府急滙美金三萬元前往救濟才能乘船回國等語，這使政府不能不有點爲難。

花得是否值得？

該劇團現在整個虧累達美金七萬元之鉅，申述新台幣便是二百七十餘萬元，這個數目字不能說不驚人，如果眞的有效地爲了反共宣傳，或是爲了宣揚中國文化，足以使世界對中國另眼相看者，也就無所謂了，這二百七十餘萬的巨款也用得其所的，不過，我們平心想想，就目前平劇具有反共意識的劇本，而本身又能對外發揮藝術光輝的，尙談不到。據我們所知，中國青年人就多數不懂得或不愛好看平劇的，何況外國人。這是客觀的事實，既連看也不懂，不管平劇好壞，至少談不上宣揚國家文化問題了，這是持平之論，絕不是反平劇的偏論。

西班牙觀衆批評的檢討

不過這一般而論是如此，雖然有時也會出現奇蹟的。例如，據西班牙通訊：我國平劇團來歐演出，把許多劇緊湊起來，刪了許多對白，以動作表現，使西方人易於瞭解，諸如表現武打、愛情、舞蹈、歌唱，一應俱全，在巴塞羅那演出十天以來，巴塞勵之至，最後還延長一天。觀衆對平劇竟由驚奇，而玩味，而贊賞，他們戲中男扮女裝覺得演得逼眞，認爲奇蹟，對于「詩意的舞台設計，燦爛的服裝，也是第一次看見」，但同時「可惜他們西方人欣賞能力不容易接受。」各報雖有很好的品評，但認爲「對一個西方觀者的眼睛而言，他們的視覺已習慣於寫實的佈景，對這樣單純和象徵的表現，不免吃驚，音樂的韻律及演員動作的關係，也極有趣和特別的，一切一切是我們魅惑和眩目」西班牙觀衆對於演員的臉譜，認爲「簡直如抽象的繪畫一般」，巴塞羅那的攝影協會，還特地派了人去用五彩拍各種不同的臉譜，以便對各種不同的臉譜所含有的暗示意義加以研究。從這個報導看，似乎平劇已博得外國人某些方面的恭維，但他們一再聲明：是不容易摸到中國戲劇的邊緣「的，我們不應該爲此而陶醉的，而就認爲「大鵬」虧累如此之大也是值得的。當然大鵬的虧累不能說沒有其他問題存在的。譬如：

幾點值得研究的意見

一、人才未集中。據我們所知，歐美乃明星制度，任何劇團非有大最著名的角色不可，大鵬劇團年來雖水準日高，但缺乏挑大樑的名角，如金素琴或如顧正秋、胡少安、張正芬、陳美麟等都未借重合作遠征。據李湘芬說，梅蘭芳在日本公演時，觀衆祇看梅伶的戲，其他演員是不大理會的，由此可見一斑。中國雖然沒有很多梅蘭芳，但我們並非不可以利用宣傳政策，製做出許多梅蘭芳出來。

二、在戲劇演出前三兩個月，應該在出演當地展開宣傳，如各國的分幕說明書，並於公演時利用廣播加以劇情的說明等，使外國觀衆人人都可「捉摸到中國戲劇的邊緣。」

三、外國人重視戲劇理論，我們的戲劇理論家應該對平劇加以研究，製成合乎外國現代戲劇理論方式的「平劇理論」，翻譯成外國文，在各國發表，爭取藝術的地位，勿只演出時觀衆除發生驚奇的贊美外，什麼藝術欣賞也不能發生。

四、在各國的華僑多乃廣東人，而粵人多不懂看平劇，與不喜歡看平劇，這也是平劇到國外公演，不會旺盛的原因，其虧本並不算是意外之事。

大鵬劇團自去年九月出發，先後在英、法、愛爾蘭、西班牙、葡萄牙、羅馬等歐洲各大城市公演，也可說是壯舉，此次虧了巨本，我們都接受一個教訓。（元月廿八日寄）

台銀百元大鈔胎死腹中經緯

物價乘機上漲軍公教人員叫苦！

（台北通訊）歲暮天寒謠言多，先是來自紐約的外島撤軍，繼而是外滙貿易政策要變，百元大鈔要發行，市場上的機會主義者，乘機混水摸魚，好久風平浪靜的金鈔，一馬領先，已衝破四十大關。

外島是否撤軍？外貿政策是否要變？關心的人並不太多，而一般人最關心的則是大鈔是否出籠？發行百元大鈔，已不能算是謠傳，在一年以前已開始醞釀，民間方面，最顯著的，前有省議員陳逢源在議會上正式表示意見，繼有議員郭秋煌質詢重彈，去年年底，曾一度謠傳百元大鈔已經中央印製廠印就，其實，這問題已不僅是議員在議壇上表示意見，即金融當局，亦頗引起爭論。

據傳，主張發行百元大鈔的是以台灣銀行某一位負責人爲中心，力主發行百元大鈔，其理由爲：世界任何一個國家沒有不發行百元大鈔的，通執全世界經濟牛耳的美鈔也有百元大鈔，同時，發行百元大鈔只要實際的發行量不增加，是不會刺激物價的。然而，另一台銀負責人則提出相反的意見，台銀董事長張茲闓以茲事體大，也不贊成。本來，發行百元大鈔是台銀份內事，雖非有最後決定權，但可當八成家，張茲闓現既反對，即或業已印就也不會發行。張氏認爲：在目前的環境下，慢性的通貨膨脹尙不能戢止，爲減少通貨，間接制止通貨膨脹之趨勢，發行百元大鈔尤不應有。且發行百元大鈔必須甚於：一、百元大鈔是否爲薪水階級最適用？例如現在所流通之十元鈔票，因通貨膨脹之結果，已不復爲一般薪水階級所必需。二、百元大鈔是否爲零售交易所適用？例如因物價飛漲，貨幣貶値，流通之貨幣已不爲一般零售交易所適用，而在薪水階級及市場零售交易中，十元鈔票仍爲一般人所適用。如果說，發行百元大鈔係爲適應大批交易所需要，則大批交易，與其發行大鈔，不如鼓勵使用支票，建立票據信用，比較發行百元大鈔對於整個經濟更爲有利。要之，發行百元大鈔，不但刺激物價，影響安定，且必然會：一、使一般拿新台幣到香港套滙的人獲得攜帶的便利；二、使非法交易金鈔的人，得到方便，同時，並助長使行賄或受賄的人得到便利。

發行百元大鈔是終於在安定物價高於一切的前提下胎死腹中了，但是，儘管百元大鈔的發行胎死腹中，而市場上的物價卻不管你是眞是假已扶搖直上。選一個例：終年以「減價傾銷」爲號召的皮鞋，已昨日今朝大不同了，橡皮底的皮鞋，一聲不響的變成了原來皮底皮鞋的價錢，其餘呢？不必細說了，請瞧：軍公教人員已愁眉苦臉的在說「調整待遇是一場空歡喜」了！（元月三十日寄）·小芸·

台南點滴

△轟動台南區合會儲蓄公司漏稅千萬，行賄十萬元鉅案，稅吏王鏡清等六人，公司董事長黃百祿等八人，以瀆職行賄罪提起公訴。檢查官認爲罪嫌較重的黃百祿，他是一位省中的名律師，且曾一度盛傳出長民政廳。

△市長葉廷珪近被市民檢舉，以金錢及宴客替自來水廠長李增禮助選，檢舉人並聲明爲青年黨員。連日來此間各報譏爲「地方自治以來空前未有的重大案件」。其實歷來選舉，政府的大小官員能有幾人「發誓」沒有助選！

△桃源縣長張芳燮，就職僅八月，現爲縣民舉出十大罪狀，發動罷免張氏。張氏的官，是否保得住，還要看下文。（二月一日于台南）

·昌增勳·

關于本屆文藝獎金

△來函照刊

逕啓者：貴報本年一月八日第七一四期第二版刊登文大步先生台灣通訊「本屆文藝獎金的授與」一則，其內容與事實略有不符，茲分別說明如下：一、文藝獎金內分文學、戲劇、音樂、美術四類，文學類經各方推荐之候選者共有六人，文中所云各候選人所得票數與事實不符，二、本部設置四十六年度文藝獎金辦法第四條規定「本獎金給予之對象，爲對文學藝術具有高深造詣之作家，其文藝創作，或音樂戲劇，對民族文化確有貢獻者」，得獎人與是否爲本部委員無關，文內已指明林渭訪先生非委員足可證明，三、文藝獎金辦法第五條規定「參加本獎金之候選者，由教育部學術審議委員會委員，各有關學會，各大學學院，各大學研究所，各獨立學院推荐之」故參加者並不拘於委員中人或台灣一地。特函請查照並惠予刊登爲荷。此致自由人報社

教育部啓

中華民國四十七年二月三日。

鐵幕内的學人

·曾旭軍·

作家們不屈膝就永不能抬頭·科學家無異替蘇聯製造罪惡

有廿六年黨齡女作家丁玲已被逐出共黨。早已成了新聞。和丁玲一樣的獲得史達林獎金，但到底叛離了共產黨的美國著名作家，侯活法斯特曾爲此說過透闢的話。

曾獲史達林獎金者的話

『我從我一生經驗，及觀察共產黨而獲得的一個結論，就是：當共產黨掌權的時候，一個作家不論如何的表示忠誠，甚至願效死於黨，也仍然是共產黨的潛在敵人，和黨的破壞者。雖然他受着巨大的壓力所控制，但假如他有良知，仍要做一個真正有人格有價值的作家，起而反抗，那麼他只有毀滅。』

讀者若了解這個，過去許多未完全明白的事情，便給你看得很清楚而平淡無奇了。共產黨的殘害文學家，是爲着維護其統治權的。

句反共的第一個聲音

在匈牙利首先發出猛烈抨擊共產黨的聲音，是文學作家。這是很自然的道理。在自由的田園，文學才可以順利的生長，當自由的空氣消失了，文學便枯萎而死。在暴政之下，倘有醫生行醫，有木匠建築，及一切工人之生產，不管其勞動成果是如何的受共黨剝奪，但其工作可不汚及其靈魂。唯有文學作家則不然，他如不反抗，而服從共黨的指揮，必然違背良心，汚辱及自己的靈魂。蘇聯作家，除繼續爲克姆林宮之工具，甘爲文奴者之外，十有九不得善終，及下落不明。翻開俄國文學史便易得證據。因此我們可以說：別人不反共，還可原諒。而被辱及靈魂的文人，而不反共，死後應入地獄下之地獄，永不該超生。

在美卽共黨也有寫作自由

此「叛徒作家」侯活法斯特自白道：『人人都知道民主的社會也不會十全十美的。正因如此，文人才起來發揮其不滿現實的思想，務求改革。當我在美國因附共而作品爲人所冷視，我的生活增加困難，但我仍能繼續寫作，依然照着我的意志而生活，我猛烈抨擊政府的政策，我仍可爲維護我的不可剝奪之寫作權而奮鬥。』

『但當日我的蘇聯文學同志，比我悲慘得多了，他們不能繼續寫作，而只有緘默，他不能繼續好好的生活下去，受殘酷的迫害，以至於被處死。他不能爲其不可剝奪的寫作權而奮鬥。』

史達林說：『文學作家是靈魂的工程師』，但事實上，蘇聯的作家，在壓迫之下，自己不得不先變成沒有靈魂的人。

在蘇詩窮也不能工

在非共產世界中，無可諱言的，有許多著命的文人，甚至窮困而死。但起碼他一息尚存，仍有其發揮不滿現實的思想之機會，甚至因此而愈見其光輝，永垂不朽。古人所謂：『詩窮而後工』，就是意味着這個事實。但共產世界則不然，文人除非服從，主其宣傳工具，助紂爲虐，汚及其自己靈魂，如不反抗，雖生猶死。但當作家靈魂復蘇之日，便是被整肅之時。

蘇詩人艾錫法佛

蘇聯詩人艾錫法佛，因其猶太籍著名作家貝甚辛，蒙冤下獄，他便本着良心，百般營救。但他的文友，一律拒絕他的呼籲求援。但不給援助，而且還勸他勿觸共酋之怒，致被逮捕。他們都懼怕禍及己身。最後法佛走到蘇聯文學界紅人愛倫堡那裏去哀求。當時愛倫堡高高在上，是史達林的寵臣，但他拒絕法佛的哀求了，於是法佛泣告愛倫堡道：『你不幫助我，我唯有拚此一命，單獨去營救。當他們逮捕我而殺死我後，我之死，在你有生之日，都使你羞愧。』

後來法佛和他的友人貝甚辛都被殺害了。恢復人性立即被整肅，但附逆偷生，又豈可免於磨折滅亡？不然，當你的剩餘價值被共酋榨取完畢後，整肅的刀便臨到你的頭上。

蘇作家法捷耶夫

我們看蘇聯作家法捷耶夫的囂張和收場，便是最顯著之例。法捷耶夫賣力作共酋之工具時，寫下『在被圍日子的列寧格勒』誇張紅軍英勇，渲染上極濃烈的英雄色彩。他又寫下了『青年近衛軍』，鼓勵蘇聯青年做砲灰，備受共酋讚揚，得任史達林獎金文藝委員會主席。更因這個主席屬於蘇聯部長委員會，所以又任俄共中央委員會，與最高蘇維埃之委員，眞是平步青雲，紅遍了半天。史達林死後，蘇聯要重新估定蘇聯文學價值。法捷耶夫既失了靠山，便不得不搖尾乞憐，在蘇聯文學什誌上，發表長篇的認罪文。但仍失去中央委員會委員資格，精神沮喪，及至醜屁運動一發，他便自知蒙羞辱至死，只好飲彈自殺。

請中共一班文人，海外一班文丑，看看法捷耶夫如何的得勢，和如何的收場罷！

學者要看統治者臉色

在共產黨國家內，不論文學與其他一切科學，均要仰着某一時期統治者的鼻息，甘爲利用方可。一旦失其效用，便被棄如敝屣。丁玲不過千千萬萬的當中一例而已。郭沫若，周揚之流，也終有一天像胡風和丁玲一樣的下場，甚至可能更悲慘。在共產國家中，科學家也要看統治者的臉色，否則隨時有橫禍飛來。我今又舉一個例，試看會藉着史達林的勢力，排除異己，迫害許多科學家的李森科，終因史魔之被黜，而自己亦連帶被清算了。

李森科會打破蘇科學家飯碗

李森科是蘇聯農業專家，自稱在遺傳學上起了革命。他的主要學說，依我看來，不但沒有什麼了不起，而且因附會唯物論，購吹一頓，毫無實際證據。自稱在遺傳學上起了革命，其實他中了唯物主義的毒。認爲一切皆取決於環境。所以他否定了生物的遺傳因素，不在內的變化，而在外的環境的影響。他認定植物在生活時期中，所獲得的特性，可傳諸後代，他自稱依照這個道理，可以生產出能在北極圈內成熟的小麥！無政治色采的科學家說：李森科提出的事實，不能支持他的學說。於是李森科怒斥他們是『反革命』，『荒謬的唯心論者。』

他最後也磨折至死

在大戰結束以後，李森科打破了許多科學家的飯碗，許多人因此而被清算，『改造』，磨折至死。他在一九三八年承繼華維洛夫爲農科學院院長職。華維洛夫被革職後，便不知所終。[illegible]但在一九五六年反史達林運動展開後，[illegible]李森科[illegible]不斷的被蘇聯[illegible]革掉我[illegible]注意的，更有一轉點值的，是共產黨不但奴役人類身體及靈魂，而且奴役文化。這一點是怎樣說法呢？又可以李森科爲例。

在蘇可以說：「科學殺人」

蘇聯爲奴役人民也提倡利於奴役世界的科學智識。別國有一新發明，全人類均感其恩澤利便而歡愉。但蘇聯的科學，成了魔鬼的工具。我們不要艷羨蘇聯的科學成就，其實目前蘇聯國內的科學家，替魔鬼專研究毀滅人類的飛彈，與鐵幕人民生活窮困的一大出，更甚。非殺人的科學更爲落後。這是有證據可考的。共產主義的社會，是反人性的社會；鐵幕內的文學家，作家和一切科學家，無論任何成就，都不過替它製造罪惡而已。故在蘇聯可以說：『科學殺人』！

竹幕幽秘

財經計劃的再冒進

中共的「財政部長」李先念在報告一九五八年的國家預算時說：「一九五八年的國家預算，是一個反對保守傾向，積極挖掘潛力，收入和支出增長得比較快的預算。」繼之，「國家經濟委員會主任」薄一波在報告今年「國民經濟發展計劃」時說：今年的基本建設的速度與規模，是比以往各年增長快得多。

所謂「反保守傾向」，「速度與規模增長得較快」，從毛澤東和柯慶施方面來說，是「反促退派」的具體表現；若從其反對的方面來說，則是本欄業已提過的在已經冒進的基礎上再冒進。

固然中共的經濟狀況並不良好，亦需趕速解決，但是這種加速的情況有點異常，似乎還有可以另外討論之處。

再冒進的目的

繼李先念的預算報告，與薄一波的經濟計劃在「人代會議」提出以後，二月二日、三日的「人民日報」接連的發表兩篇社論，提出「苦戰三年改變全國面貌」的口號。

在不久以前，中共會經在「全國工會代表大會」上提出過「在十五年內趕上英國」的口號，當這個口號尙在人們的耳邊曉曉不休時，前幾天的報紙上還有基層人員鼓勵起工廠中的工人爲完成這種口號而提出保證的報導；轉眼間，卻把這種要求縮短爲三年來達成另一項目標。何必如此緊張呢？要解決經濟問題不是靠運動可以達成的。

再說，一九五八年，是中共的第二個五年計劃開始的一年，爲着配合五年計劃儘可以提出「苦戰五年」的口號，但是他們卻又不如此，還要縮短爲三年，這樣的一改再改，把時間局限在三年的如此緊迫的新號召提出來，似乎另有其目的。

與毛澤東的關係

一九五六年九月，中共會經召開過黨的第八次全國代表大會，選出了中共中央的領導機構；按照黨章，這種大會五年召開一次，算來應該在一九六〇年召開第九次全國代表大會來重新選舉中央委員以及中央的其他領導機構。從現在算起，到一九六〇年正好三年；這樣來看這個新的號召是爲着配合下一屆的黨代表大會。

本欄已經提到過自去年起毛澤東的聲望在低落中，其反對派的地位在膨漲，在這種形勢之下，毛澤東的所以在經濟方面提出新號召，似乎是想藉冒進再冒進的經濟計劃的完成來提高其在黨內的地位，以爭取在下一屆代表大會上的號召力，以維護其將下臺的領導權。

·田心·

國際動態拾零

傳蘇聯在太平洋，試驗越洲飛彈，担負此一任務者，有二隻巡洋艦，適在太平洋中途。

×××

原子能飛機，美海軍與空軍正在競賽中。海軍以潛水艇裝原子能經驗，開將占先。

×××

以色列將舉行建國十周年紀念日，美國大感頭痛。因以國會請美總統派大員參加典禮，國務院頗感困難：不派代表則輕視以色列，派代表則侮辱亞拉伯國家。

×××

杜爾斯對中東問題，有兩新問題殊感棘手。土耳其請美國出面，干涉以色列之亞利伯難民問題。伊朗請美國答覆，倒底給以軍援與否？

×××

美國駐聯合國大使洛奇亞洲之行，會獲埃及外交部長邀請。國務院則告以最好勿經開羅，去則可使巴格達公約盟國失望，而公約國正在開會，致影響會議。

×××

敍利亞之極右民族派與共黨聯盟，爲現政府之後盾，開將拆夥。因憎恨共產黨之獨裁，正擬與中間民族派合作。

×××

亞爾巴尼亞飛機場最近特別戒嚴，據南斯拉夫消息，蘇聯正在試驗潛艇施放新的火箭。南斯拉夫的漁船，至在該區被扣。

×××

希臘共黨，因犯內外罪而被判徒刑，現已出獄欲向塞島出發，滲透其工會來搗亂。希政府恐損國際信譽，擬阻之于途中。

×××

海軍用固體燃料放射飛彈波拉爾，已告成功，頗使華盛頓方面興奮。因爲他型飛彈須固定基地，易成被摧毀之目標，而海軍飛彈則裝在流動之潛水艇上。且在深水放飛彈，不易被人發覺，且更不易被阻止。

陶然

憶徐傅霖先生

·蔡俊光·

月前徐傅霖先生以心臟病死台北，引起筆者無限哀思。

筆者遠在二十年前，因繆默廬丈之介初謁徐老於其濠鏡寓邸中，時抗日之戰剛發生不久，我方以懸劣之勢，節節敗退，粵且廣州亦宣告失守，舉國惶惶，不可終日，徐老憂形于色，慨然曰：「中日兩國本屬兄弟之邦，唇齒相依，休戚與共，原無可戰之理。只惜近世以來，雙方都缺乏高瞻遠矚的大政治家，不能左提右挈，使兩個血緣甚深的民族敦睦無間，以致造成許多無謂的糾紛。尤其是那些日本少壯派軍人，膽莽滅裂，放肆恣肆，數十年來，處處予我人難堪。孰非血氣，何能隱忍？怨毒所積，周知中日遲早必有此一戰，所可哀者，彼此終爲第三者所乘耳（暗指國際共黨），到其時中日兩大民族必將陷於萬刦不復。今雙方既已開戰，吾人自當站穩國民的立場，爭取最後勝利而已，復何言哉！」說來激昂慷慨，話匣一開，徐老繼又指責國民黨實施訓政之非，謂此乃視全民爲阿斗，大悖民主政治意義。其一派法家拂士的丰神，迄今猶在印象中。

一九四〇年秋——太平洋戰爭之前夕，徐老先生在本港創辦國家社會報，社址在干諾道中某號樓上，我第二次投刺拜謁他，彼此晤言甚懽。臨別，復承其以張君勱先生所著「立國之道」，並國家社會黨黨綱等書持贈，囑細爲玩索，或提疑義討論。其時我以年少浮躁，更事不多，抑正醉心於蒲列汗諾夫國家論之觀點，與乎埋首於黑格爾二元論哲學和卡爾馬克思唯物辯證法之鑽研，乃對張徐等所服膺之康德派哲學與他們底政治理想，意存輕蔑，大不謂然，居然歸成五千餘言，抵書相詰難。徐老先生讀竟，立覆函溫語譬解，勗勉慇殷，其風度猶令人不忘。此乃二十年前事，今聞徐老作古，往事更一一復現腦中。

注書不易的又一例

燕廬

一個月前，為了本港出版的中學國文教科書注解過于粗率，曾冒昧寫過一篇短文在本刊發表，我的意思是希望能因此引起大家注意此一問題，慢慢造成一種形勢，使當局設法改善。最近我因為講授高中三的課程，其中一篇是韋學誠的書教上，又發現了一個不大不小的問題，覺得所有各注本的編者都不大肯盡責，遇到稍為費力的地方，就要完滑地躲開，這篇文字的一段是：「春秋之事，則齊桓晉文，而宰孔之命齊侯，王子虎三命晉侯，皆訓誥之文也。而左氏附傳以翼經，夫子不與文侯之命同著於編，則書入春秋之明證也。」

香港大學出版的中國文選的注是：「文侯之命，為尚書篇名之一，周平王錫晉文侯秬鬯圭瓚，作文侯之命」再看大公書局的高中國文，也完全相同，而這一注其實則是從過去商務印書館出版的學生國學小叢書上照錄下來的，不過，這一注不能說錯，只嫌其不大澈底而已，因為何以見得同著于編一點沒有交代；至于中華書局出版的新編詳注高中國文，却又覺得是太武斷了，它的注是：「文侯之命，為尚書篇名，周平王錫晉文侯秬鬯圭瓚，而孔子不以載入春秋故云。」按周平王四十九年相當于魯隱公元年，春秋記事自隱公元年起，孔子自然不能以平王元年的事入春秋，而章文說的明明是左氏以之「同著于編」了，——却硬要說「不以載入」，那末，「則書入春秋之明證」到底指的是甚麼？可見這一注實在錯得驚人。按左氏傳宣十二年，晉荀林父帥師及楚子戰于邲，楚少宰如晉師，曰：『寡君少遭閔凶，不能文，聞二先君之出入此行也，將鄭是訓定，豈敢求罪于晉？二三子無淹久，』隨季對曰：『昔平王命我先君文侯曰：「與鄭夾輔周室，毋廢王命」。今鄭不率，寡君使羣臣問諸鄭，豈敢辱候人，敢拜君命之辱』？所謂文侯之命同著于編者，當即指此一事，中國文選上不予注明，大約因為左傳邲之戰一事不算太僻，原也可以說的過去，但葵邱之會與踐土之盟，比較更為一般人所週知，却照注如儀，何以偏偏吝此一筆？目前的中學國文教師，不見得都能背誦全部的左氏傳，既則其講授到此時，免不了含糊混了過去，豈不是教學上的一種缺憾？不然的話，他用了書局的課本，豈非「誤人子弟」？中華本的錯誤，可能誤在「夫子不與」這四個字上面，查所謂不與，疑即尊之之意，即是說孔子原是不同意這「文侯之命」的，因為平王即位于幽王被犬戎所殺之後，下此一命，恍如承平時氣象，謂其忘父仇也，據漢書藝文志：「書凡百篇，秦燔書禁學，濟南伏生獨壁藏之，漢興亡失，求得二十九篇」，後來有人考核，以為孔子所定的尚書一百篇，不錄文侯之命一篇，所謂不與，指此而說，非若所謂「不以載入春秋」也。今粹芬閣本尚書，文侯之命復，有蔡沈按語云：『然則是命也，孔子以其猶能言之文武之舊而存之歟？抑亦以示戒于天下後世而存之歟』？足見孔子所定百篇，不錄文侯之命一說，固自有所依據，則不與云云，不必曲解矣。

自由談　一樁可喜的事

馬五先生

據報載消息：西方電影片商擬在台灣拍攝的「六福客棧」影片，已決定停止了，理由是我政府有關方面對於影片中的鏡頭表示異議。這是一樁值得稱贊的處置，足以大快人心。

婦人纏足，死囚斬首這種非文明社會的野蠻習俗，在中國早已經廢除了，台灣更沒有這類遺迹可尋，相反地，台灣的風俗習慣，有些地方比西方文明國家高尚得多，例如種族歧視，台灣就絕對不存在，所謂黑白種人的落後非人道現象，西方影片商人，藉着好萊塢的電影故事賺取營利，已為可鄙的行為，還要到中國地區來攝製背景以示現實迫害，尤其可惡可恥。我政府不將其驅逐出境，而以協商的態度，敦促修改故事中不合理的地方，算是萬分客氣了。假使我國的影片商帶着人員道具，跑到紐約其他的大都市中，攝製過去白種人殘殺印第安人，與夫虐待黑奴，殘殺黑人的各項鏡頭，行嗎？

二十餘年前，林語堂氏以英文寫了一本「吾國與吾民」的書，在新大陸發行，內容多係揭露中國社會生活的落後與黑暗情事，大受彼邦人士歡迎，銷路甚廣。當時吾友魏人孫希文與我同客燕京，于役省府，見愚案頭置有林氏著書一冊，憤然擲之於地曰：「出賣祖宗的作品，尚值得賞目嗎？此人若回國來，非檢舉他不可！」我雖然覺得孫氏不免過於偏激，但其強烈的民族自尊心，固亦未可厚非也。

「六福客棧」故事，原係根據西洋人寫作而編製的，其中尤多過事渲染，以偏蓋全的毛病，將來這套影片無論是在甚麼地方拍攝演出，中國境內必須禁止進口，中國人決不能以恥辱來消閒娛樂，絕對含糊不得的！

對國片的感想

張健

電影是藝術的一門，但是我們的電影界在藝術方面的造詣，顯然是不能使人滿意的。

記得有一時期國片欣欣向榮，水準也逐漸提高。可是最近一、兩年來，假如不昧着良心，只好說是「每況愈下」。

國片沒有好的劇本，是人人能夠感覺的症候。可是電影界似乎並沒有決心在這方面「痛定思痛」；甚至變本加厲的粗製濫造。我們不能說我們全沒有夠格的劇作家啊！在好萊塢儘管崇拜「貓王」之流，他們真正算得上是「藝術」的作品還是源源不絕，誘使人們如讀一部心愛的名著一樣，一遍兩遍……的去欣賞。而我們的國片界呢？

我絕對無意說國片中沒有佳作。像「春去也」的觀眾也許不會多，但觀夫李湄的成功，在國片的條件限制下，實在不能說它比「傷心淚盡話當年」遜色太多。此外的例子也還有。但是這種片往往沒有太多的觀眾，因此也沒有人願「致力」於斯。於是，歌舞片與「鬧」劇片洶湧而至。——一如台語片之所謂悲劇鉅片不知是甚於愛國還是什麼的觀點，我曾明知故犯的去看許多國片，因此我願寫出我的感想：

一、電影明星並不高於歌星，只善於「唱歌」的「明星」，假如慷慨地改行為歌星，絕對無損於身價；熱愛「時代歌曲」的「觀（？）眾」，也不妨勞駕轉往歌廳「欣賞」。

二、太多的丑角可以遣散至國劇中跑龍套，此亦為「人盡其用」的上策。否則一百個笑抵不上一滴眼淚的「成果」，實在讓人担憂。

三、假如不是問心無愧，請避免「自編自導自演」，尤其是「編導合一」，誠非觀眾之福，亦無益於國片本身。

四、稍稍減「紅星」的「化粧費」，請教請教員正宵絞腦汁的劇作家。否則，連一個高小學童都看得出「不通」的劇本，恐怕只有藉「隨片登台」等等來撈本了。

作為一個忠實的影迷，我覺得我應該說這些話，圈內諸高明不知以為如何？（寫于台北）

劉百閔先生六十壽序

王韶生

易稱君子黃中通理，美在其中，而暢於四支，發於事業。余每誦斯言，輒想見其人。及來海隅，獲交於浙西劉先生百閔，斯其庶乎其人矣。先生早歲留學東瀛，及歸國，講授上庠，有聲於時。抗戰軍興，主理中央文化事業委員會，[illegible]之。當太平洋戰起，香港淪陷，文人倉皇避難內渡；先生奉命由陪都馳赴桂林，悉力援護，解衣推食，禮意優渥，彼有成心者，事後竟報以惡聲，先生獨夷然不以為忤。其襟抱之沖和，正未易幾及。辛卯之秋，先生由寶島抵港，僑居此地，知世變方亟，非振興文教，無以障狂瀾於既倒。於是發奮與羅、饒諸君子輯錄中國文選一書行世，選材於經史，折衷於先聖，憂深慮遠，蒐輯周密，不徒使莘莘學子知慕華風，且使習學之青年學子先立乎其大者遠者。昔孟子拒楊墨，闢異端，論者謂其功不在禹下，詎非然哉！先生邃於經學，尤精於周易，比年撰述經學通論十餘萬言，又別撰周易事理學數萬言，其學湊之深邃，要非腐儒末學者所能窺見於萬一。自兩漢以來，迄於清代，經師多享大年，先生明於經義，篤於躬行，神完而守固，是則康強逢吉，戩穀難老，若操左券。丁酉臘月，適值先生六十懸弧之辰，費君子彬既別為詩歌以祝，余謹為文以代侑觴。要之，此非余一人之私言而為自由文化戰士之所欲言者也，是為序。

看命猴

尤崇洵

家鄉話把吃「星相學」這行飯的人叫作看命猴。說到猴子，人們腦中立刻會描繪出「街頭擺攤子」的模型——一副骨架子，鼻樑上支着眼鏡，乾着嗓，坐在一張方桌前……總之，那不是振作的象徵。因之測字的，摸骨的，看相的，算卦的，以及聽了瞎說「瞎」話的人，都成了譏嘲的對象。

其實，這些人對現實的社會不啻是一個絕大的諷刺，他們的存在指出了羣眾怠惰的心理；證明了這個社會允許寄生虫的存在：公佈了終日捲屈着像隻「猴子」的人不會被淘汰。所以，「看命猴」不是人對「猴」的諷刺，相反地，是「猴」對人的諷刺哩！

臭

張健

為標出這個生相不雅的「臭」字來，可絕對沒有「自大一點」的意思；也並不想作翻案文章，為它歌功頌德一番。臭可以久而不聞，但臭總是臭，那怕儀秦復生，也未必能使此君搖身一變罷。

文明愈來愈進步，對於臭的澈底剷除却似乎還沒有下過功夫。社會的繁榮只有使新型的臭日見增產；人工的香實在難以與之抗衡。

路上遇見出糞，務必浪費若干唾液才顯得「衛生」；可是在餐桌上狼吞虎嚥其臭鹹蛋，臭豆腐乾者，亦大有人在。其實，臭固不能與芝蘭並列而無愧色，却也斷不能說它們盡是胸懷殺氣的啊！

今人有點傳染性的阿Q毛病，所以時時仿效「酸葡萄」的狐狸君，三句不離「臭」字；或又以「狗屁」為術語，更是辱及「狗同志」的忠實呢！

然而這世紀終是一個多臭的世紀，誰曰不然？可是沒有臭，怎顯得出香？同時我們既厭惡臭，何不來個果決的治本？要是在氾濫的茅廁中灑上幾斤最高級的巴黎香水，又何如勞駕水肥車多多幫忙呢？

「文明臭」是怪味醺人的；要不好好消彌，就是一向潔身自好的芳香君子，怕也不容易「超然臭外」呢！

短篇小說　紅荳詞

雲碧琳

媽媽的話像一枝利刺，刺中了她的心坎，王少眉無語的沉默下去了。

「但是，我不能跟一個從未相識的人結婚呀。」王少眉最後還是提出了抗議。

「我和他的爸爸是老朋友，他在日本念醫科，有什麼配不起你？」她的媽媽的嗓子突然轉為低沉：「媽一輩子都不會有甚麼快樂，祇要你嫁了過去，媽下半生便可過安樂的日子了。」說罷，嗚嗚咽咽的哭起上來。

「有錢的人多着呀，為什麼一定要嫁給他？」王少眉看見媽媽哭了，她雖然有點不忍，她依然依希望有圓轉的可能，她無意識的說。

「你長大了，不聽媽的話，我活着有什麼意思？去死了也罷。」她媽媽捏着一把涕淚，霍的衝到房裏，聲聲說要尋死尋活。

王少眉吃驚的拉着媽媽，她料不到媽媽如此的激動，她哀求媽媽的寬恕，噙着淚橫起心說：

「媽，你要怎樣就怎樣吧！祇要你好好的不要生氣。」

她的媽媽見她依了，才止了淚，說：

「媽不會委屈你的！」

（三）

婚後的生活是如此黯淡，雖然徐家強對王少眉關懷備至，而王少眉感到這祗是抱着報答的意念的關注，對她那創傷的心是無補的，幸而徐家強的父親徐天賜對她很疼愛，而徐家強的媽媽早已去世，因而，這一家三口倒算融洽安寧。

王少眉的媽媽經常來看她，雖說這是感屬慣常的來往，然而，次數頻繁起來，就未免令這位「初為人婦」的少女惴惴于懷了。

一天，她媽媽又來看她了，像往常一樣，和她談了幾句，便去找徐天賜敘談。天晚了吃過了晚飯，還不見媽媽有回家的意思，她沉鬱地想找她媽媽說話去，豈知找遍了房子客廳，都沒有蹤跡，她微感驚訝地順步走到花園，綴綴的踏上那條花徑，暮色把撲近的紅花綠葉都披上黑帽，看去就朦朦朧朧的顯得淒冷；忽然傳來一陣細碎的語音，她稍分辯，便知道一定是她媽媽與徐天賜的聲音了。她循聲看去，樹影背後的水池邊，兩人正站着談話，王少眉好奇地往一叢玫瑰的背後一蹲，藉着隱蔽，聽一聽他們在談些甚麼。靜了一回，談話聲清楚的傳進了她的耳膜！

「想不到廿多年後我們會重聚在一起！」徐天賜的聲音帶着慨嘆：「雖然結婚又生了孩子，我還是惦念着你。」

「我也是無法遺忘我們過去的情感，我以為再沒有機會與你碰頭了。」王少眉的媽媽嗚咽着：「雖然我知道你住在這裏，可不敢來看你！」

「這只能怪爸媽，要不是他們把我們拆開了，我們是快活的。」徐天賜有點神往的說：「幸而我們已促成了家強和少眉的婚事，我們的失敗，讓下一代補償吧！」

「我真担心少眉和家強的感情，要不是為了家強，我們不會迫少眉嫁給家強的，如果他們因此失去了幸福，我便是罪人了。」王少眉的媽媽說：

「我看家強和少眉還不錯，你不用担心。」徐天賜[illegible]補充着說：「[illegible]我是不管的。」

「少眉[illegible]不像快樂似的，我真担心：」

王少眉已經[illegible]

（四）

[illegible]

自由人
THE FREEMAN
（第七二五期）
（半週刊每星期三、六出版）
每份港幣壹毫
社址：香港高士威道二十號三樓
20 CAUSEWAY RD. 3RD. FL.
HONG KONG
TEL. 771726

從中東歷史看阿剌伯聯邦

宋文明

以埃敍為核心的阿剌伯聯邦已經成立。但這一聯邦的範圍，絕不就是現有的這一範圍。從歷史眼光看，這一阿剌伯聯邦正走着歷代東地中海帝國的老路。從地理觀點看，這一地區具有人種、文化與各種自然現象上的共同性。從國際外交的現實看，這一聯邦的成立對於整個阿剌伯與北非地區，具有一種強大的侵蝕作用。

所以這一聯邦一經成立，它正如一匹脫韁了的野馬一樣，勢必到處橫衝直撞，直至精疲力竭，遭遇到頑強的阻力為止。祇要我們細一玩味一下納塞「革命的哲學」一書內所提出的預言和他的重要演講，我們就應該相信這一點。

一、

這一聯邦的所以特別重要而不能輕予忽視者，就因為這一聯邦不僅代表了這一地區的基本要求，而且在它的後面潛伏着一種不可抗的歷史動力。我們知道在四五千年的歷史中，除了在最早和七世紀以後數百年外，這一地區多數時間都是在外來勢力的統治下。第一次大戰後奧托曼帝國崩潰，英法義三國即迅而瓜分這一地區。現在這些國家的勢力在這裏逐漸式微，美蘇兩國的對峙局面又隨之到來。蘇聯在中東的所謂「不干涉主義」，和美國在中東的所謂「艾森豪主義」，就問題的本質講，實在都是一種干涉中東事務的代名辭。再加上自第一次大戰結束後即行開始的猶太在巴勒斯坦復國運動，以及第二次大戰後以色列與阿剌伯國家的兩次戰爭和無數次的小型衝突，使阿剌伯集團的排外意識與鬥爭更加尖銳。所以這一阿剌伯聯邦運動並不是如一般所說全是蘇聯陰謀的結果，也不是如有些人所說是全由納塞一手所造成，而是基於一種根深蒂固的歷史慾求和羣衆心理。這種慾求和心理，便是徹底反對殖民主義，反對猶太主義，反對一切外來勢力所加諸於這一地區的干涉——包括基督教、西方的政治形式及共產主義——準備以它們自己的意志來決定它們自己的前途和命運。從這一點看，這一聯邦運動可視為阿剌伯地區的一項革命運動，一項自主自發運動，藉從現代化的過程中，擺脫一切外力的羈絆與干涉。

二、

由於這一聯邦運動具有這種強大的歷史動力並為中東區廣大羣衆所支持，所以這一聯邦的推動者和組織者，自始即對這一運動表示信心。有些人不免要問這一聯邦為何不簡單稱為阿剌伯聯邦，而要特別稱作阿剌伯聯合「共和國」？因在他們看來，假若這一聯邦單稱為阿剌伯聯邦，容易引起其他國家加入，現在特別表明「共和國」字樣，那不是對這一聯邦運動更不利嗎？其實這「共和國」，正表現出了納塞和敍利亞當局的信心。在納塞等這班人看來：他們自己是屬於進步和勝利的一方，而那些現在仍舊維持古老的東方酋長統治的阿盟國家，則屬於落后及失敗的一羣；「強者」如伊拉克的費德，祇是奧托曼帝國時代的一位舊軍官；「新者」如約旦王胡辛，祇是英國的一項外交「傑作」；「富者」如沙地阿剌伯紹德王，也不過是擁有一百位妻妾的一位較大酋長而已。埃及的納塞更把自己看成是高高站在他們的上面，正領導着中東各地剛剛覺醒的羣衆，向這些落后力量實行革命。所以這一新聯邦的出現和開展，一面穩定了埃敍等現政權的地位和性質，提高了納塞在整個阿剌伯集團和北非一帶的聲望，一面也削弱了中東各地的那些殘餘的王室統治。一面加強了阿剌伯集團的中立主義及民族主義的聲勢，提高了中東國家在國際關係上的比重及發言地位，一面亦增加了對西方及蘇聯在中東的反抗力。最後，使阿猶爭執更形緊張，使開羅成為一新的世界政治重心，成為一新帝國的首都，成為一新的麥加，成為一阿伯與非洲大陸非自治人民嚮往的所在。

三、

由於這一聯邦運動來得如此浩蕩有力，所以甚至連美國的國務院，也不能對這一聯邦立即表示一種胸有成竹的看法。但是我要鄭重告訴東亞洲的讀者：這一聯邦絕不是突如其來的，也不是出乎意外的。就阿剌伯集團的共同團結趨向看，這一聯邦運動是代表阿盟集團十三年來的第四次大結合。在此聯邦以前，在一九四五年三月二十二日，阿剌伯七國在開羅簽訂第一次同盟；於一九五零年六月十八日，又簽訂第二次同盟；於一九五六年四月二十一日又簽訂第三次同盟。第一次同盟為阻止以色列建國；二次同盟為尋求對一九四八——四九猶阿戰爭失敗的報復；三次同盟為反擊巴格達公約及重新加強團結。這次聯邦運動，便是這種阿盟前三次團結運動的一個成果，也是這種同盟的更高一級發展，是順勢乘時，理所當然的。至於從這一聯邦的本身講，這一工作至少也已籌備了幾近兩年之久的時間。遠在一九五六年的七月五日，敍利亞內閣即已通過促進阿剌伯聯邦的決議。當年八月六日，敍利亞與約旦簽訂協定，允許兩國人民共享公民權並建立單一貿易制。一九五七年八月一日，埃及與敍利亞議會代表在開羅協議，同意兩國立即設立聯合委會，商採建立聯邦具體步驟。同年九月三日，埃敍又簽訂協定，允許兩國人口與貨物自由往還。十月十三日，埃及應敍之邀派軍隊一營赴敍駐防。十一月十七日，埃敍兩國的國會在大馬士革舉行聯席會議，正式通過建立聯邦。看了以上這些事實，假若還要說這一阿剌伯聯邦使世界很多人吃驚，那麼這一責任顯然是屬於他們自己了。

四、

最後我覺得須要一提的，是納塞這個人。雖然這一聯邦是借助於歷史的動力，但這一聯邦今後將如何發展，有一半將要看納塞個人的作為和領導。他今年才四十歲，除非發生意外，他對今後三十年阿剌伯國家的影響將是很關重要的。不過當結束本文時，我忽又想到整整二十年前德奧合併的那一往事。讓我同時提醒納塞，假若他領導有方，不走岔路，他無疑將會成為回教世界的新興領袖；否則，希特拉的命運正等着他哩。

（一九五八、二、五日）

半週述評

民主生活進步

不同意見的爭論，是自由國家正常的健康的現象。在共黨政權下，「爭論」可能遭致「反右派鬥爭」乃至殺頭。在我們這邊，我們看到爭論要歡呼，要認為可喜，因為這證明我們的民主生活正在進步中。」——胡適先生民國四十一年十一月在台北的「自由中國」雜誌三週年紀念會上說：「我很希望大家，無論在朝在野的，都要能了解：我們在民主，自由方面的努力增加一分，就是我們在自由世界的地位抬高一分。」「我們應了解：我們的希望，是在民主自由這一方面。我們當政的人，應該極力培養合法的反對，合法的批評。」

維護國家憲法

合法的反對與批評，對于我們政府的鞏固是絕對有利的。最近張君勱先生在舊金山的一篇談話中提出，希望政府「憲法必須遵守，不能忽略」。「軍隊必須不受政治影響，不受國民黨或任何其他黨派的節制。」「內閣必須對國會負責，而不是像現在一樣對最大政黨負責。」

張發奎先生更就以上談話表示，指出張君勱先生的意見「完全正確」。而且，「我認為只有照着張君勱先生的說法去做，才能夠推翻中共政權，也才能夠把中華民國建設成一個真正自由民主的國家。」

兩大原則之爭

筆者認為，張君勱先生的意見，他所依據的是：「維護我們的憲法，維護中華民國法統的立場。」那麼，我們的政府既然是根據這同一部憲法產生的，就沒有理由不對張君勱先生的意見加以重視。

李璜先生說：「今日世界上何以有兩大壁壘？乃是民主與極權兩大原則之爭。」「今日去反共復國，最主要是一個原則之爭，民主原則與極權專政之戰。」李璜先生這一意見，我們朝野人士，今天都要一致反省。

多用反省功夫

筆者提出，朝野固要一致反省；不過，在「朝」的方面尤其要更多用一些反省的功夫。

左舜生先生說：「我希望今天留在海外的反共民主人士，應該多多考慮自身的問題，對台灣不宜多存幻想。」以左先生這樣一位堅強的反共民主鬥士而有這種悲憤沉痛之情，實在是有心人語，更值得當局再三反省。

伍憲子先生具體的提出辦法：一面要求海外民主人士，「從自身做起」「努力大團結」；一面要求當政之「國民黨應自動退處于普通政黨之列」。

政府也到達應該拿出辦法的時候了。

·司馬璐·

反省重於責人

李金暉

最近台北中央日報發表了一些社論，頗多令人感慨，其中「中立主義的轉變」一篇，更顯得突出，也更令人惶惑。

所謂中立的意義是什麼，相信該篇社論的執筆人當然明白。因此，若說今日在台灣從事批評政治的人是中立者，而名之曰「中立主義者」，是頗費解的。設想一些愛國的知識分子，站在堅決反共抗俄的基石上，對自己政府的庶政加以批評，怎可以說是「中立主義者」呢？批評政府庶政的知識分子和政府當局及執政黨的反共抗俄的基本立場既是一致的，又何來所謂「中立主義」之說。

至於說「中立主義者從合法轉入非法」，除非戴了眼鏡看問題，否則又將作何解呢？而其非法的事實又何在呢？若就言論說，台灣的輿論都是經由合法途徑發表的，報刊都是經過合法登記的，憲法對於言論出版的自由，也是明文規定保障的，批評批評，既不能謂為中立，更不應謂為「非法」！如果台北中央日報認為有一些人或一些輿論是「中立主義者」，也應該指出「非法」的具體事證來，公諸社會，讓大家知道，何必拋什麼「中立主義」的帽子呢？這是最難以令人折服的。如果說「大陸陷入蘇維埃之手」，僅是「中立主義者」的罪過，這實在是筆算不清的賬，又何必誣過予人呢？又何必算它呢？即使是要算，似乎也不應該一筆總賬完全記在台灣的「中立主義者」的身上吧。因此，我們在海外的人，看了這樣的論說，不能不惶惑了。我認為，執筆寫那樣社論的先生，在下筆時是應該先想想，作這種論說所表露的意義是什麼，影響又將如何，例如其中有一段話的原文是「如果中立主義者嚴守其合法的與和平的範圍，也是可以存在的。」試想這是一個以主張民主的言論機關所應有的口氣嗎？我們當然不想說這種口脗似是另有脫胎之處，不過是語氣太像「不許亂說亂動」那一類了。

我們經常讀到政府當局大員，要人們忍耐，相忍為國，不要意氣用事的言論。當然，在大敵當前之際，這點起碼的常識相信大家都該有的，這種要求也應該是朝野雙方共同互相勉勵的，豈能只知責人而不知責己。再進一步說，忍耐和相忍為國，應該不是無原則的容忍官僚主義的滋長和貪污政治的復活吧！該不應該容忍那些遠離憲法，無是無非的現象呢！相忍為國，是為了要大家面對艱苦局面共策共進，當非要人們對於一些不合理的現象也一概容忍的。即使是執政的當局，似乎也不應該作這種無原則的容忍的。

果這話不錯，台北中央日報對善意批評政治的人也指為「中立主義者」，而且是「非法的」「中立主義者」，甚至言下之意還涉及到「繼續存在」的問題，豈能算是公道合理，又何能阻人以反唇辯說呢？

因此，我們覺得台北中央日報的那些篇社論的執筆先生，似乎是有失檢點了，似乎未曾深思自己的地位，和中央日報的地位，在人民心目中是代表執政黨發言的，而發言的內容卻又是如此的與最高局的重要文告的精神和憲法的精神相違背！誠是憾事！

有人推測，該社論的目的在暗示不許反對黨存在，據我們所知自由中國現在並無什麼反對黨，即使有人願意組成反對黨，以加強監督政治，這也是好事，在民主國家也不是什麼希罕的事。何況輿論和清議是總應該存在的。倒不成像集體貪污，政治影響司法……等現象反應該容其長期存在嗎？否則，要說監察院的彈劾，審計部的查賬，立法院的質詢，和社會輿論的監督，都是屬於意氣用事，而主持這些工作的人又都是「中立主義者」，那真未免有欠公道，在現代民主政治的理念下是難以令人理解的。

政府是不能沒有諍友的，民主政治的意義也就是容許批評的政治，是民主政府就不怕批評的，政府如果沒有足以引起國人批評的事實，那末「侮辱」的批評是站不住的，輿論也不會支持它的，當然也談不上損益政府的威信。

政府的威信是建立在良好的政績表現上，不是靠筆桿的宣傳和盛氣凌人。因此，再奉勸一句，反省好過責人，自求多福，豈不比發表那些社論更有助於實際！

台灣戶政問題

邢鑑生

台灣戶政，像驚濤駭浪中一艘巨輪，亟需一番努力，才能將客貨安全地運到目的地。惜因駕駛技術關係，方向掌握不定，連駕駛人員及乘客都失去安全的信心。台灣在反共大業的地位，足以促使國人注意任何一項措施，因而我站在本崗位去研究並提出一些問題。

臘月二十五日自由人，見在日本專攻法律多年的嚴森先生，以揣作「日本戶籍登記」之出版爲題，發表了一篇討論中日戶政問題的文章，眞想不到一本幾乎難產的東西。竟爲海外人士所垂注，眞是愧慰兼之。

有人棧戀日據時方法

台灣曾被日本統治五十年，其殖民地政策之推行多借手警察；日本於本土施行戶籍法，台灣則另施行由警察掌管的戶口規則。台灣人民備受其痛苦，理應恐慣當時的措施。奇怪的光復後很多人猶棧戀那時的方法（竟有一位省級高級主管指某項實行日久而對人民無益之措施，認爲已成習慣而不應廢止。）不瞭解現行戶籍法採取放任申報主義之可貴。

兩次大改進

近來庶政進步，各方面對戶政要求日苛，而對戶政又未合理安排，竟認爲戶政機關不可能勝任，於是有兩次大改進。先是設戶口申報處，由警察兼任主管；去年申報處撤銷，又在公所設警察管理副主任。全省並以加強查察增加警力二千餘名，戶政人員則不加一人。試辦半年，省府所訂實施辦法未能完全實施，而公眾對戶政的印象仍未改觀，即若干從事實務之戶警人員亦懷疑其績效，認爲尙有有人推敲實施辦法是否符合中央政策的原旨？亦有人質問省府的實施辦法各縣市爲什麼沒有貫徹實施？也有人反問曾用警察在台灣辦戶口的日本本土的戶政是怎樣推的？其他各國又是怎樣推動人口行政的？我國當前的政府和人民究竟需要怎樣的制度？這些都是值得重視的問題。惟問答每多近乎牢騷，街坊既買不到國內外關於人口行政的書刊，公私各方面又很少人有興趣深入地研究他，著述戶政著作又怕得罪人而不願由衷言之。

應卽除舊佈新

我總覺得中國現在不應再是袖手空談的時候，一切都要除舊佈新，積極地幹。既有人棧戀日據時期的方法，何不分析其利弊，讓世人公證批評？日本的戶籍制度是淵源自我國，明治後殊多更張，技術上曾不斷改進。中日兩國國情相彷，何不研究日本之實況，以攻錯他山？基於這種發想和需要，我便不揣譾陋，將研究資料隨時整理發表，以拋磚引玉。積八年光陰，字數日有增加。其中比較具體的是寫日據五十年間的制度的「台灣戶政五十年」（又名日據時期台灣之戶口制度），四十二年又根據我國戶籍法規及台省單行規定寫成「台灣戶籍行政」。又以三年半時間將「日本戶籍登記」脫稿。

日戶政値得參考的幾點

我發現日本若干辦法是我國現制缺如而値得研究參考的，諸如一、日本現行戶籍法規曾大規模修正五次，局部修正不計其數。其間有國內之諸藩爭權，國外參加兩次世界大戰及日俄戰爭，人力之動員復員；由農業社會轉向工業社會，人口地域的激劇流動；二次大戰後土地減少，社會秩序一度混亂。以這樣幻變的時代背景，戶籍制度均能從容應變，除監督機關移於司法辦理戶政機關則一直爲地方自治團體之市町橋村役場所，尚未聞有他機關派員管理戶政人員的說法，也未見非戶政機關籍改進戶政增加人員經費情事。有的是如何蠶訂科學的標準，決定戶政機關之制度人事和經費，登記項目及方法。第二次大戰日本失敗，戶籍卻仍維持其傳統精神，配合民法上廢止「家」制，採取若干措施；規定不得三代同設一籍，外表上似不合倫理觀念，但另有「住民登錄」，記載人民實質的共同生活體，成爲適應工業社會都市人口的良好措施，便利戶籍事務之處理殊多。二、日本人民若干重要法律身份以聲請戶籍爲要件，主要食物配給亦以戶籍資料爲程序，都是訓練人民養成申報習慣，提高戶籍效力的辦法。三、以職權登記救濟懈怠申報，戶籍登記得以確實。四、戶籍統在本籍地登記保存，人民終身資料保持完整。五、本籍人口及住所人口有很好的聯繫，以配合公證身分及行政之需。六、生命統計，動態調查設有簡便體系和方法，與戶籍登記相輔併行等。

我戶政應討論幾個問題

近年來我國政府對戶政期望殷切，社會上無論公務私事，動輒向當事人繳驗戶籍謄本或身份證，戶籍資料之充分被利用已成事實，但各方面對戶政之責難未見稍減。從善意的角度看，是在鼓勵戶政進步，我不敢說王道主義的戶籍制度已不符合倫理傳統的我國社會，然研究了日本戶政之後，很可以提出幾個問題討論。

一、人口查記應有正確完整的制度。現行制度不妨客觀地重加研究，參證各國成例，針對我國國情及社會所需，或重新確定新制度，訂頒新法律，一切從頭做起，或貫徹傳統制度，在技術上謀求有效的改進，認眞地執行。但皆須注意時代背景和法律思想潮流。

二、目前台灣治安確實重要，而戶政與之祇有相輔的作用，此外戶政尙有其他更多更重要的任務。近年台灣查記技術的爭議，均未走[illegible]本身在治本的處理，但卻是可以覓得理想而成功的結論的。台灣戶政正如一隻忠實的牛，拖曳一輛重的車子在原野崎嶇的路上，作長程的跋涉，顯得疲憊過，缺乏調養；尤其是健康的倘予以充分食物，調理和休息，自能肩負任務。如以時代眼光，認爲牛車落伍，乾脆換一輛機器動力車，豈不科學；似不宜牽來一頭同時要耕作，又要推磨，偶而還得客串鬥牛的牛來，雖然生氣蓬勃，如不能自始至終併爲齊驅，對整個旅途幫助並不大，說不定彼此性情不投，車輛或有顛覆之虞。

三、實務切實合理執行，制度的優點才能充分表現。兩者有着密不可分的關係，諸如戶政機關一元化，以維護遺？戶政人員之合法保障；戶政經費必須在政府預算內佔固定比例，並實施善後補助，登記項目方法必須重加設計，以符實用；以有效的方法促人民申報，並設救濟規定，使資料以完整；戶政人員應予合理待遇。

一個先決問題

因此，首先希望確定中國人口登記行政之本質與性能，確立一完整的理論，法律加以規定，立法修訂，或廢止。有關人民權益之法律必須能支持戶政之完整性，以提高其效能。至於戶政之執行，合理解決戶政機關本身之人事經費，以優異之工作表現得轉現下之惡劣環境，充分發揮能力，各機關應列爲常年度預算，減少無謂的「出差」，以鼓勵戶政人員之進修，對業務負責，其從經驗中提出的意見將更有助於戶政之進步。

選舉後聞

選舉以後，照例有幾件民事官司，無非控訴某某舞弊，指選當選無效之類。每次如此，已成了慣例，已不十分感興趣，因爲歷年以來，從沒有判決「選舉無效」。

據說今年有一個台北市飲食業工會主人在競選得名第二個多，不料消息傳來，他不能參加「選舉」的名額給另一個提名的黨員補上。因爲他的競選準備，已裝了半年功夫，花掉的已經不少，「工錢」，因而一氣就瘋了。

又據說有一個是黃埔軍校出身的將官，參加競選市議員，落選以後，竟一氣而暴卒。（以腦溢血而亡）。

還有一位女市議員，因爲這一次沒有當選連任，于最後一次會議，不願離開會場，[illegible]他議員而陪她[illegible]今日「議員」如此的偉大魔[illegible]要爲民衆服務，當然是好人[illegible]「好人」？我主[illegible]百倍或千倍，行見議會席上[illegible]處哉！

然而走筆至此，又聞桃園縣正副議長[illegible]讀罷免縣長的[illegible]者有萬多人，[illegible]「罷免罷」也要[illegible]間，「試驗」[illegible]是出民選而應[illegible]委員，議員，[illegible]，豈止桃園那一位縣大爺！

•西門齒•

寶島經緯綫

△公論報總主筆倪師壇因匪諜罪被逮捕後，該報社論即由李萬居自已負責撰寫，李氏現雖爲報老闆，亦係新聞內家，勇敢明快之筆，惟近因瑣事繁雜，不克兼事筆政，經國內友好之推薦，業將筆政「遺交」譚大炮（德柏）——此公不彈「筆調」已十餘年矣。

△「自由中國」雜誌「是什麼，就說什麼」的文章，曾寫過三篇。由於成舍我在「文星雜誌」寫了一篇「狗年談新聞自由」的文章，引起了某官方報紙的「救國主義和亡國主義」的辯難。近月餘來還有「監察行政兩院爭議」「勿陷總統於違憲」「憲法學家一夕談」「評憲法學家一夕談」「憲法學家談憲法」「評憲法學家續談憲法」，這些文章，從言論自由的角度來看，既然是眞理愈辯愈明，這種輿論界一時蓬勃，在讀者看來，應該是一種好現象；同時可慮的是：在這許多問題的討論和辯難之中，執政當局若干代言人和民間輿論界及知識人士會不會沉不住氣，超過了辯難上正常的對立耳。這尤其要看執政者的風度了！

△行政院長俞鴻鈞被彈劾案尚未結束；桃園縣則又在大鬧縣民罷免縣長。「罷免辦事處」有近二萬餘縣民發動罷免簽署。自台省光復甚至實施地方自治以來，罷免縣長此還是「破題兒第一遭」，因此引起各方注視。

傳聞，桃縣長芳變縣長之遭發動罷免，與縣府遷治有關，據說有部份地方人士主張遷治中壢。且與反對者形成兩大派系，積不相容，縣長未作善調處，遭其中一派不滿，於是引起罷免運動；內幕是否僅是如此，抑另有原因縣民應該心裏有數，來愼重運用第一次試用的罷免權！

•李鶯•

人物介紹

紀胡毅生逸事

•紹華•

胡毅生這一位國民黨元老，於去年年底病逝台灣，論起他的生平對於革命的貢獻，有過不可磨沒的光輝，而且在中山先生面前，只有他能夠犯顏極諫的，可說是一士諤諤了。

毅生和胡青瑞展堂是堂兄弟，當他肄業於高等學堂時，是和汪精衛的二哥仲器同班，課餘常到汪懷吾家坐談，那時精衛年最輕，學八股文，以童生應考秀才，毅生以弟畜之。壬寅，毅生東渡留學，在東京會晤中山先生，衷心贊成排滿革命的主張。當同盟會成立，他列名發起人，並介紹展堂，加盟，一度奉派赴曼谷主持籌還日報筆政，辛亥三月廿九之役，他實際參加這一行動，幸以身免。

民元。胡展堂出任廣東都督，毅生任海軍司長，錢樹芬任民政司長，鍾榮光任教育司長。那時瘡痍未復，財政困難，根本談不上發展海軍。毅生閒來無事，只和親戚故舊如曹伯陶，陳協之等醵資作大食會，大快朵頤。

癸丑二次革命失敗，龍濟光入粵，屠殺民黨，毅生居港策劃討龍。龍去，陸榮廷入粵，譚浩明、陳炳坤、莫榮新相繼柄政，民黨中人日夕思奪回廣東作革命根據地，毅生復策劃討莫，聯絡魏麗堂李登同促其獨立，以前國內下野軍人，逃亡政客來港之後，港政府援引國際保護政治犯辦法，悉予庇護，主管方面則指定華籍高級職員，以時拜訪，偵知這般人的行動。毅生屢次來港，以保持秘密故，輒改換姓名，隱匿住址，避免主管方面注意，即昔日至好親朋亦避不見面。

毅生是忠黨愛國的人，他對於中山先生的公私生活，認爲不合的，即抗詞爭辯，如不在跟前，則函電交馳，反覆痛陳其事，關於聯俄容共，更極力反對。在民十三至民十四的一段時間，是他生平最痛苦的階級，他不滿意於他們老同志的退縮，他更痛恨俄顧問鮑羅廷的跋扈，乃辦國民新聞，以主持正義，刺廖案發生，詞連毅生，使他不得不再度亡命。

他晚年篤信佛法，曾從[illegible]師受灌頂禮，持咒甚虔，對於佛典亦多理解。他曾說：「密藏壽命如來咒，云可續命，倭寇之所不容，安能望其迴祖應耶」？這是非深於佛法者不能說。他對於雲老和尚亦極拜服，曾有詩說：「法會儼未散，緋桃花滿枝；何黃落後，倏變艷陽時。卉木尚如此，幽冥從可知；訶林久無主，日與加持。」這是讚美虛雲和尚的法力無邊。

日寇侵港時期，他避居[illegible]，其後入川，居重慶頗久，偕[illegible]遊青城，峨嵋諸名勝；有暇[illegible]故舊，題詩論畫，這是他生平最寫意的事。及勝利復員，擬調到廣州向最高當局辭行，備荷溫慰，即責成[illegible]主任，發還[illegible]汪氏的舊宅給他，該處頗有亭台水石之勝，[illegible]文友，筆者曾一蒞其地。

大陸變色，毅生來港，寄居在赤柱，及後以中風入東華東院療養後即赴台。當他七十大壽那年，門生故舊曾集資印行他的[illegible]室詩一冊，以資紀念。余承友人轉贈一冊，曾題句云：「[illegible]」現在回憶起來，不勝人琴之感。

毅生少年時，與陳協之、劉留菴同時篆刻，力追秦漢，其印存[illegible]存余友某君家。[illegible]書法，與林直勉齊名，直勉致力於草書，毅生則致力於夏承碑，其行草亦風神俊逸，有足稱者。

緬甸經濟陷困境

（上接第三版）

緬甸木材戰前的年產量爲四五〇、〇〇〇；戰後（一九五五——五六年度）爲一六六、〇〇〇；預計一九五九——六〇年度，還只能達到三二四、〇〇〇。這原因係由於大部分森林地帶，係無法深入開採的共區。

緬甸各個城市物資奇缺，除了白米，任何貨物無一不貴，大多數均係日本貨。日本商行在仰光設有十一間分公司，根據日本對緬戰時賠償協定，緬甸公私合營或其他私營商行向日訂貨，必須向上述十一間日商訂購。因此，緬甸政府認爲日商有故意提高貨價情事，先後曾經派員分赴東京、香港、星洲、馬來亞、印尼、錫蘭、印度等地調查[illegible]

[illegible]（二月一日寄自仰光）

中俄共勢力侵入下

緬甸經濟陷困境

仰光航訊　·華永儁·

當中共南侵勢力亟圖向孟加拉灣深入的今天，緬甸政府態度已不易使人再加忽視了。今年一月四日是這個跟中國大陸接壤的國家獨立十周年紀念日，宇溫貌總統特別地從美國飛返主持盛典（他去美國是爲了治療他的頭部——因墮馬受傷），但在大會上的演說，聽來卻並不使人興奮，在大多數人民心理上，普遍感到失望。

因爲，他沒有把緬甸的病源提出檢討，依舊還想用粉飾太平的陳腐爛調，來掩蓋政治上的弱點、經濟上的貧困，和軍事上的危機。於是，人民所夕所求「提高生活水準」，而他給予大衆的保證，只是渺不可即的「新工業基礎」。這個「基礎」是怎樣一回事呢？

那是從蘇聯貸款二千萬到三千萬緬幣（年息二厘半，十二年償還），在敏建縣與建吉茂山水壩、岑尾中縣的帶宋水壩；及一座現代化工具製造廠（貸款一千五百萬元，五年內償還），在蘇聯技術人員計劃下，要拓闢耕地七萬畝，想增產大米三萬七千噸；向中共借款二千萬元緬幣（年息二厘半），在中共技術操縱下，使直通紡織廠，在原有基礎上予以擴充。這些雖然不是總統經手的「國債」，也許他對「國債」的附加條件，並不怎樣明白；但指望它作爲「新工業基礎」，而期待它提高人民的生活水準，在一般人看來，這至少是一種「抱薪救火」的解算。

因爲，緬甸政府雖然賴掉了英商九億元緬幣外債（按：英商曾延聘律師向緬甸最高法院訴追，最近已遭聯邦檢察長駁回，理由係該項債款在二次大戰期間，緬在英軍管理下；獨立以後，緬甸政府不負賠償之責）；積欠中共陳債已達五百六十餘萬英鎊，再加新帳，不啻雪上加霜。

蘇聯、中共「慷慨」貸款，目的是要把共黨工業向外發展，壟斷緬甸的工業，和掌握緬甸的經濟。這些都是緬共的副總理兼經濟部長宇叫迎一手包辦的事務。這次他的「貿易旅行」，曾訪蘇俄、中共、捷克、波蘭、保加利亞、羅馬尼亞及外蒙古，所獲得的是什麼？人們所聽到的，只是一句話：「當緬甸經濟考察團訪問蘇聯和中共時，均獲得經濟上的援助，比較西方國家對緬甸的援助來得好。」

但是具體的事實反映，他的話簡直是自打耳光，一九五五年緬甸政府曾和蘇聯締訂貿易（五年）協定，大量的白米在港口交與蘇聯，換回來緬甸並不需要的水泥，這種水泥被常年鎖閉於倉庫，紙袋爛，水泥已成土方，假如僱工搬撤這一堆堆無用的廢物，所費代價也將蝕耗成噸白米；同年所訂另一「技術援助」協定，緬甸不僅早已提供了（價值二千八百萬美元的白米）酬報，只看見大批俄國技術人員湧入緬甸，四個人一伙佔有了十幾所房屋，他們的任務是援助緬甸建立一間醫院，一所工業學院，一間旅館，一個體育場館和一所陳列館，結果，援建了幾年，造屋工地還是荒平不久，開始打樁，再過幾年才能落成，誰也無法知道。

美國對緬甸的援助怎樣？依照一九五七年美緬貸款協定，美國對緬二千五百萬美元經濟技術援助下，緬甸政府已決定撥出六十九萬美元，向美購買伐木、運木機器，在緬甸中部開闢一個機械伐木區，假如緬甸政府依照既定年度計劃去做，木材不僅可望大量增產，成本也可大大減輕。

（下轉第二版）

國際動態拾零

△一月底周末，艾森豪親自訪問國防部，頗使人感到驚異，這是無前例的。艾總統與國防部長麥雷會談二小時，國防部之高級顧問皆參加，大概是關於國防部改組，與合併人造衛星研究機關問題。

△空軍欲放射巨大之偵察衛星，並用核子彈頭放射至月球。候器械進步後，擬放射衛星，火星及金星，最後則設太空站于月球。

△陸軍之太空計劃共十種以上。包括在月球設對地球之偵察站，放射偵察衛星，以繪地圖。

△海軍則以海佔地球三分二，擬放偵察衛星以監視海面。

△全國航會諮詢委員會，已成立四十二年，有委員十七人皆科學，軍事及工商業巨頭，不支薪水，而以退休之杜立德將軍爲主席。有實驗室，在維占尼，俄亥俄，加利福尼亞各州，對火箭之學，燃料，彈道均有深刻研究。

△駐美蘇聯大使薩羅賓訪問副總統尼克遜，於其參議院辦公室，這是史無前例的。蘇大使先邀尼氏好友希林宴會，希氏懷好奇心前往，對於尼氏生平，詢問頗詳，最後請其代約尼氏見面。尼氏獲書後，以告杜爾斯，杜氏主張由國務院安排會晤。國務院派人參預，薩氏帶譯員前往，會談四十二分鐘。最後薩氏要求參議院與最高蘇維埃互派代表團訪問，尼氏謂可考慮，並謂艾總統最注意太空和平計劃。

△美國發明較輕的氫氣彈頭，今年春間將舉行試驗，用較小火箭放射。

△國防部副部長在國會作證，謂蘇聯已有一千二百至一千五百架重轟炸機，可攜原子彈炸美國。

陶然

竹幕內幕

蘇波會談

本欄業已指出，蘇波之間對於原子武器存放於波蘭一事，有著歧見。二月三日「人民日報」所刊的蘇波外長會談公報，亦指出了這一點爲他們會談的重點，但其結果，卻出人意外，蘇聯同意了波蘭的觀點，即：對於波蘭在去年十月二日于聯合國大會提出的在中歐建立無原子武器區一事表示支持。

這當是指明了波蘭對于此事的堅決，亦說明了蘇聯之接連不斷的和平攻勢，除了有其假冒僞善的一面之外，亦還有其受迫于附庸國家不得不爾的一面。

周恩來訪朝

前已報導：周恩來答應于今年四、五月間訪問北韓。而今，中共已決定于本月中旬前往，同時者將爲陳毅、張聞天、粟裕，另一代表團員喬曉光，則已在北韓。何以，周恩來要提前兩個月呢？

在中共決定派出周恩來訪問北韓之前一日，北韓發表了一項聲明，認爲：「在朝鮮的外國軍隊應當迅速採取措施，把本國軍隊立刻撤出朝鮮。」次日，中共亦發表一項聲明來支持北韓的聲明，同時並公佈周恩來提前訪問北韓。由此一線索去觀察，周恩來訪問北韓的主要動機，自易明白，爲的是：「迅速採取措施，把本國軍隊立刻撤出朝鮮」——當然，這不過是表面文章，其誰能信中共將全部撤出其駐韓的「志願軍」？

在韓「志願軍」遭壓力

在韓戰開始之前，蘇聯曾以撤出北韓蘇軍來易取在南韓美軍的撤出。接着，就變更北韓南攻，這種歷史在重演中，我們自未可予以忽視。

但是，吾人似不宜忽視此事所表現的共產國際間的矛盾。因爲，中共既已決定周恩來訪北韓爲四、五月間，現在突然提前，這樣來看，其非出於中共所主動，至爲明顯。吾人並不能說中共反對撤出「志願軍」，但其行動的緊迫，似已超過慣常程度。「志願軍」似乎又是在韓「志願軍」遭受側面壓力，這一側面壓力包含些什麼內容呢？該是大家所以想像的吧。

利用矛盾

從前述兩事可以看出，共產國際間充滿着矛盾。但是，這些矛盾不但不妨礙其擴張，反而爲其遂行其外交政策和平攻勢的利器，是達到世界革命的某種步驟，這是他們的外交政策制訂人所熟悉的「高明」處。以前如此，今後也如此。如果要對付其正面的和平攻勢，除了需利用其內部的矛盾外，亦需先分化其附庸，使其正面的攻勢無法得逞，若僅僅只是爲應付其正面的攻勢，則我們必陷于被動的地位。這種長期以來的被動局面，到了必須利用它們之間的矛盾，在矛盾中扭轉它的時候了。

·田心·

論法國人準備學漢文與廢除漢文

·燕盧·

「先生前此著論，力主推翻孔學，改革理學，玄同對於先生這個主張，認爲救現在中國的唯一辦法，然因此又想到一事，則欲廢孔學，不可不先廢漢文，欲驅除一般人幼稚的，野蠻的，頑固的思想，尤不可不先廢漢文。」

這是三十年前，北京大學名教授錢玄同氏，寫給陳獨秀，討論廢除漢文的通訊，下文還引了一段吳稚暉的說話，藉以支持他的論點，因爲吳在當時號稱最急進的份子，曾主張過不看中國書，要拿來一股腦兒丟到毛廁裏去，但陳的主張，反而較爲和緩，他覆信給錢玄同說：

「吳先生中國文字遲早必廢之說，淺人聞之，雖必駭怪，而循之進化公例，恐終無可逃。惟僅廢中國文字乎？抑且廢中國言語乎？鄙意以爲今日國家、民族、家族、婚姻等觀念，皆野蠻時代狹隘偏見之遺留，根柢甚深，即先生與僕亦未能免俗，此國語之所以不易廢也。何是等觀念悉數捐除，國且無之，何有于國語？」

不久之前，我從報紙上看到中共知道大陸上的共黨政府，正在大力研究準備用拉丁字母注音，將漢字徹底廢掉，在目前而論，大陸上所謂國家、民族、家族、婚姻等觀念，也正在悉數捐除中，我們的心情，正不啻是「國且無之，更何有於漢字？」

但奇怪得很，據一月廿五日港報消息，一個叫做伊向賓的法國教授，在訪問過中國大陸之後，在法國的報紙上，呼籲法國進行一項雄心勃勃的計劃，給予法國學生以爲大量中國語文的知識，他說：「大批法國學生在未來十年或二十年後，將需要學習中國語言，因爲法國在未正式承認中共之前，應該準備中法的未來」，他告訴法國學生：「我們需要你們張，而中國亦對你們歡迎，」因此他主張中國教育部在每個大學集中研究中文，並且在二三個法國大學，增加中文課程，包括說華語，以及中國地理、歷史、經濟、社會及文化各科目。他還說：「爲着使法國青年多幾年時間準備，所以在中學開始學習華語。」他說得傷心，法國今日沒有最新的「中國辭典」。

這一則新聞，自然會引起所謂了民族文化自大狂的中國人的喜悅，以爲洋鬼子到底也給我們的文化折服了，一面也不免有人覺得憂慮，法國人忽然有了這樣的雅興，他們那「雄心勃勃」的計劃，是否企圖將印度支那半島上的一塊殖民地，延展到中國大陸去呢？他叫他們的青年學習華語，研究中國的地理、歷史，也許就是準備將來由他們先當「時務」，前者說

教授的呼籲，不一定就那麼簡單，而且這位法國自從保大蒙塵以來，一些法國人在越南，已經存，也談不到先前那種清略了，無法，自末，這新聞也只好當作一則雜文的材料，實在是無足重輕的了。

過去我寫過一篇文字，稍稍表示過一點對某些留學生的意見，寫那時一起，有些曾經留學的先生們，由起文章來，轉彎抹角也要帶上一筆，硬派我看不起留學生，我自問「雞肋不足以當尊拳」，守缺，雖說我沒有留學，但我到底也未嘗不可以「榮，我的文字便只能以雜文的姿態出現，權力做到：「只言者無罪」。因此以爲，

在論壇上，我還是小孩子的時候，吳稚暉這些人是主張的前驅，那種勇氣，而且是可敬的，無不過如今，他們都老了，許多偉大的人物，先前了古人，當他道他們是否後悔過先前的主張，之後，到底我常常懷疑，許多偉大的人物，先前的理想，到而且自己也沒有得到一期的效果，在實現之後，到果並沒有得到預期的效果，他們自以爲走正大的主義，上有意的，是怎樣的心情，譬如有人不清的得有改，策，而其實偉大的理想，把有數不清的有數蔬菜，拿過來，然後再把他們的理想，也把有人不清的產的人如今，到手了，要殺人，殺人也得上「掉」的已財，是完成了，但作爲強盜們的答應，然是上「掉」。類似這卻依然存在，但他們大陸上依然是解決的窮與問題，我們有理由，因此我覺得很抱憾，像錢玄同、吳稚暉就沒有看到他們的主張之後的中國文字，就只沒有及身看到什麼化，也許有人會以爲是錢玄同的暉徹底，除了漢字，他們也只有一時的憤慨，但是一個簡單的結論還有太不的修養，把書生、陳獨秀、佛們，他們的主張是時代的狂妄，在那時代，正是中國文化生命進入一個時代，他們正是生不逢辰，出生得太不湊巧，前輩們被稱爲「今之之生，」。

在躊躇不決的時候，他們便立刻搶出，上前領路，而且還是一些比較持重的青年人，多半是不肯落後的，於是人們跟着來擁護，而他們便立刻成了英雄，前驅的大師，而他們所走的路，又有時尋不出，走不通時，不免歸咎自己的同胞不行，其所以不行的原因，什麼民族的方塊字，家族、婚姻等觀念，就認定是爲了那些東西，婚姻等觀念，就認定是爲了那些東西，一把火把民族文化焚掉，可惜的自虐狂，如今回想起來，值得一一個出來實行了時，卻也喪失了勇氣，去欣賞這一幕悲劇，悄然地去台灣終其餘年

之，速着時從旁資助，極其贊勢的胡適之先生，也一聲不響，端坐在美國大學的圖書館內，替洋鬼子收拾從中國收購而來的綫裝書，一面用淸儒治學的方法，從考證考據的作品中，留給我們的作者，這種情形，在我們會經過我們看來，讀過其著作的人看來，真不知道該哭抑該笑呢！

我自知愚陋，不配討論這種大事，任何主張，但談到文化，卻覺得而且堅信，其實文化和人一樣，文化像一個人的身體，一旦生了病，大略能同於我們收要的體形，既不能由我們的父母的遺傳，所以不能由我們自己的意思去創作，不能乞靈于整型手術的醫師，一個不滿意的人，也不該因其醜陋，以爲是個人的罪過，而不惜以一切代價去改造其是鬼魂出現，退避不遑，據說有一位頗爲心儀美麗的小姐，使人誤會其的人，看上去是那麼的美容醫師設法她本去，請教那邊的美容醫師設法，了二千六百元，回到了家，但是她花了一千六百元，回到香港，表示她已經有了羨，時是也笑，以後美一個月不到，逐漸恢復了那個人造的小姐，不到一個月，逐漸恢復原狀，她已經有了羨過時候，它也真在那裏，一個人不笑其面上，亦有因此我以爲：一不且不笑而是是自己的高矮胖瘦，他只可以參考別較自己的，他才是個正常健康的身人的衣裝，表示這一次，修飾，他也可以不必過份注意旁觀者的人，他亦然，也許得這種道理，一開始就怪自己的祖宗或父母的眼，我們過去，而留下去仍未懂得這種道理，實要把這只是他們的心理，如同那位小姐其實因爲失敗了，竟自沒有勇氣活下去，文化是自己的國家所遺留，終局是「偏見，去，實在是不能的，而以至於拋散如同那位小姐，只要一點一點在文化上的偏見「不易改革」的：「不易免俗」，地理、經濟、歷史文化，不見得有什麼厚的，受了「愛」于自然，絕對不會有中國的，「法國」的「字」，人有也們他們自己的文化，就是「國」不一定要讀中文才算是「不懂漢文」的人，那位教育部聯合國教授，亦很多，胡適之「和的文化」，也都像「淺人」，翻譯過法國作家的，後的一篇小說，其中有幾句話是：「我們最明白，」國文字，多麼好，是天下最美，我們要保存法文，最合理，千萬不要忘記了，我們現在雖然做了人家的奴隸，如果我們還有翻身的日子，我們的語言文字！」

我們也曾學過法國的，卻祇學會了時髦表演，香檳和香粉，肉感電影，這種遺漏了愛護國語言文字的精神，倒反而覺非十分值得嗚呼一下麼？

自由談

匪夷所思

馬五先生

最近台灣兩家大報，刊出台北著名企業機構「大東公司」因資金周轉不靈而「倒閉」的消息，香港的共黨報紙，即據爲大好宣傳資料，特別編造渲染，加以轉載，說台灣的經濟危機已極嚴重，岌岌不可終日，繪影繪聲，振振有詞。不特大東公司的創辦人深感意外，一般僑胞亦相驚伯有，至於曾在台灣投資經營工商業的人，尤其莫名驚駭。因爲台北的大報上，肯定地指說該公司「陷於倒閉的厄運」，又謂台灣商場有「惡性的倒風」，當然令人相信共報的宣傳是事實了。

然而，大東公司並無倒閉情事，緊得該公司創辦人急忙闢謠，恰好該公司創辦人正與東南亞某國商家，在香港談判價值一百萬錢的生意，這消息一傳播，他的商業信譽亦大受影響，更係無妄之災。偌大的一家企業機構，政府亦會予以支持，是否倒閉了，難道台北的採訪紀者竟不清楚？乃輕率作失實的紀載，給敵人以搖惑人心的宣傳證據，寧非咄咄怪事！

說未倒閉的公司，說它「陷於倒閉的厄運」，再附以描述一般商場表現着「惡性倒風」的詞句，我們自己仔細看看，閉目思之，台灣的工商界情形，在這樣的新聞報導中，豈不是一片恐慌之象是甚末？海外僑胞的心情，焉得而不震驚？敵人又焉得而不乘此擴大宣傳爲政治瓦解自由中國的有力武器呢？不特此也，前幾天在台灣廣播電台上，亦有「制止惡性倒閉」的呼聲，如此這般的自我宣傳商場倒閉情勢，是不是唯恐敵人不知道台灣的經濟弱點，而莫明其妙的張皇失措，過甚其詞，「爲匪張目」呢？時人夸言心理作戰，好談宣傳技術，平素不相干的事，亦諱莫如深，關係重大的問題，卻過份張揚，像這類的戰略戰術，幼稚乎？荒唐乎？抑故意長敵人的氣燄，滅自己的威風乎？是誠匪夷所思也已！是誠匪夷所思也已！

稿費一席談

陸夢墨

勞心勞力是同樣神聖的事，坐完了三輪車不給錢，說得過去嗎？

有人問，你們寫稿的人是不是爲了錢，這確實是個很難答覆的問題，以我個人方面，老實一點來說，在搦管爲文時，確實不會想到錢，但是既經發表之後，拿幾個稿費花花也感覺不錯。寫文章大半都有三個快樂的時期，第一個快樂是脫稿之後，鬆口氣，很像婦人臨下嬰兒，感到安慰。第二個快樂是發表之後，印成千千萬萬份，千千萬萬人在讀，在同感，也是種安慰。第三個快樂就是拿到稿費之後，自然也是高興的。如果有人說他不愛錢，那他如果不是豪富孫，便是臉皮最厚的扯謊者。

因此稿費的快樂只是寫稿的一部而非全部，也有的朋友向我說他只是爲了稿費而寫稿，我當然知道這不是眞話，如果是眞，那他是個商人而非文人，因爲只有商人才以金錢爲重，文人固然也愛錢，但同時也愛他們的天眞同狂熱，那種一擲千金而無吝色的豪放，那種挺身而言不避厲害的勇氣，都是文人本色。決非滿處鑽稿費的空頭作家所能瞭解的。

古人有千金買賦的佳話，因此黃金有價，文章無價，高低貴賤，豈有定衡？單以台灣目前的行市而言，五十元千字算最高的，二十元千字算是最低的，但普遍說來，皆以四十元爲準。這還是三十八年的標準，到目前止盡管物價在漲，公教人員待遇在調整，但是稿費的水平則紋風沒動，使人有水漲船低的錯覺。

台灣刊物的點將錄像『自由談』，可算牌子又老，銷路又好，稿費也高，因此便成少數人的禁臠，但其選稿的標準，到在水準以上，不致敷衍讀者。『暢流』也算老牌子，有一定的風格，但稿費則較自由談爲低，外稿有登的希望，但有時竟要跳上一年半載之久。『海風』在創刊之初，內容尚稱豐富，後因賠累甚鉅，不得不接受人家的津貼，稿費要拖欠一個時期，但仍然是有的，『皇冠』與『拾穗』都是翻譯的園地，稿費二十元，算最低的。『復興文藝』以前是純文藝性的，後來風格一變爲小品類的幽默文字，稿費似乎也減低了一些。此外像『新新文藝』『文壇』『野風』一類的刊物都是不給稿費的，有辦法的編者可以拉到名作家的作品，仍然撐得起場面，沒有辦法的編者只有園地公開，讓初學寫作的朋友去過癮。這裏面卻常常可發現清新可喜的作品。『文星』是新起的生力軍，有政論，有文藝，有新詩，包羅萬象，稿費也高，內容份量也夠，但是聽說已經虧累不少，壽命能維持多久？也是叫人担心的。

我認爲稿費無論高低，都應有一定額數，不要有名的作者多給點，無名的少給點，這很影響作家的心理，所謂『蹴而與之，乞人不屑』。我有一個長篇在彼某出版社接受出版的時候，主持人曾問我有何條件，我便說你們曾出版過蘇雪林先生的書，便以她的條件爲條件好了，結果就此被接受了。

不給稿費的刊物，固然也有些是因爲泥菩薩過江，自身難保，但也有的門面堂皇，銷路不壞，就沒有不給人家稿費的理由！勞心和勞力是同樣神聖的事，坐完三輪不給錢說得過去嗎？尤其寫小說的朋友，一伏首寫字就是上千累萬，還別說動腦，就是抄字也要抄上些時候，辦刊物的英雄們常常要抱着一種可敬的賠錢志氣，但那賠的應是自已的錢，不是別人的腦汁，否則又復何言呢！

關於玄奘年代與臣瓚姓氏等問題

洪業（煨蓮）先生，現任美國哈佛大學漢學教授，以前曾主持燕大文科與國學研究所甚久，以中西史學蜚聲於國際，昔年燕京學報亦爲洪氏所創辦，此爲洪氏最近寄給港大羅香林教授之函。——編者——

香林同學兄史席：秋初收到郵賜大著唐代文化史、蒲壽庚傳、百越源流與文化，共三册，又文理學報中朱遜先先生遺文三篇，當時本擬即具函致謝，旋晤楊聯陞兄反校云：大駕已赴德國參與遠東學會，擱筆數月以後，則又得大作，劉永福歷史草一册、屯門與其地自唐至明之海上交通、玄奘法師年代考，各一篇。就中尤以細讀年代考時，不禁擊節稱快。追憶卅餘年前，陳援庵先生示以所爲書慈恩傳後文，（載東方雜誌，卷廿一，期十九，民國十三年十月）獨以諸說之所同，折各說之所異：斷謂武德五年法師年廿一，則生於仁壽二年也。當時雖讚服援[illegible]之淵博，而私衷竊謂傳聞異[illegible]理，非若選舉投票可以多數[illegible]，而史料諸條本有其先後遠[illegible]同，非稱衡其輕重，無以爲[illegible]標準也。大文毅然從法師謝[illegible]所自言者，斷其必生於開皇[illegible]，蓋誠不易之論矣。痛快痛[illegible]先先生之臣瓚姓氏考一文未[illegible]，想鄰架上或亦尚夠其篇。[illegible]李濟之先生云，歷史語言研[illegible]當有中國史學第一期，周法[illegible]，逐函台北托所中同仁代鈔[illegible]得復，則所中亦無其書。嗟[illegible]人已去，欲讀其文之難也如此[illegible]伯商先生所撮述於東方雜誌卷四十[illegible]十六（民國卅五年八月）中者，[illegible]事鈎稽，則恐臣瓚爲裴瓚之說，亦未可堅持。蓋王昔之于瓚、薛[illegible]，無論矣，而西晉太康中文人，瓚名者，就今日所知，已有三人，一日穆天子傳敍錄中之秘書郎中瓚，首由姚察提出，顏師古雖云[illegible]足取信，而司馬貞史記索隱，李[illegible]文選注，竟都指爲漢書音義之撰[illegible]也。一日晉書賈謐傳中之著作郎瓚，曾對荀勗晉書限斷之論有異[illegible]者，洪頤煊諸史考異卷二，遂謂瓚作漢書音義，而後人乃訛王爲[illegible]也。一日晉書裴楷傳中之中書郎瓚，死於楊駿之誅，又見魏志裴[illegible]傳裴注，世說品藻篇劉注，並引諸公贊，及北堂書鈔卷五十七引[illegible]約晉書，殆即遜先先生所舉之裴瓚也，就此三者而比較之，則傳瓚之名爲最早見，細審穆天子傳敍錄（見愛日精廬藏書志卷廿七、鐵琴銅劍樓藏書目錄卷十七，而孫詒讓籀膏述林卷九有考校）所列張宙傳瓚等名，實不似後人附注所爲，裴瓚之說，反爲最弱。蓋據元和姓纂，裴瓚裴頠皆出河東聞喜之裴。漢書音義如果是裴瓚所撰，則顏史記集解序所云莫知氏姓者，爲最可異矣。竊謂典午中朝，同時乃有三瓚，注漢書而好引汲郡古文之瓚，未可必其的是校穆天子傳之傅瓚也。傅瓚且不可必，況王瓚裴瓚乎。裴駰已不知臣瓚之姓氏，殆雖知有諸瓚而莫知所擇也。劉宋時已知此，況在後乎。區區之見如此，示知我香林以爲何如。嘉惠孔多，銘感者深，謹此順頌時禧。

業頓首　一月八日

。洪業。（煨蓮）

談毛筆字

—·張瘦碧·—

記得小時候，寫毛筆字，也算每天的必修功課，那時學校裏，雖然已經盛行鉛筆或鋼筆，只是限於部份的學科上使用，凡屬一般筆記，作文，仍然規定一律用毛筆。供應孩子們作寫字模楷的範本，也有很多種[illegible]開始習字時，有專[illegible]售的紅模紙，是專[illegible]蒙的孩子使用，在紅色的模形上，[illegible]劃的覆着，所以又[illegible]紅紙，等到筆劃已[illegible]識清楚，然後再[illegible]印本，大半屬於一[illegible]刻的端正楷書，爲[illegible]字的準繩，外罩一[illegible]紙，內罩印本，依[illegible]着葫蘆；等到熟[illegible]法，逐漸純熟，間[illegible]局，也能識得大[illegible]後再進一步，把[illegible]印本抽去，改用[illegible]根據字帖上的筆[illegible]領神會地一筆筆[illegible]的手腕，來臨摹[illegible]，不計其他。

一般人的說法，臨[illegible]以先寫柳，因爲柳體字形，筋骨畢露，條[illegible]分明，等於造屋子初[illegible]的樑、棟、柱、石、[illegible]度分明，[illegible]件，寫毛筆字的橫豎[illegible]劃，就等於樑、棟、[illegible]、石，柳字顯示得最[illegible]楚，故通常都以此爲[illegible]期臨本，接着再臨歐[illegible]，乃因它的骨幹堅挺，[illegible]着不妨再寫顏字，它柔中帶剛，集歐柳兩[illegible]之大成於一身。所以[illegible]字風度大方，渾厚有[illegible]，成爲正楷碑帖中最[illegible]準的一派。到了學有[illegible]底，方可東搜西索，選擇性之所近者，一一臨摹，不論行、草、隸、篆，都可隨意選採，觸類旁推，那末就可以登堂入室了。

其實寫中國字，如果要施之於公牘，寫稿，以及一切有關交際行爲，感浪費，在時間上，的確頗煩，磨墨醮筆，都需要事先準備。爲了辦事迅速，節約時間，一般操寫墨生涯的人，便不知不覺改用了鋼筆。不過有些人，卻在那裏大搖其腦袋，慨嘆着需用毛筆字的人越來越少，嘆息着我國國粹，逐漸被世人唾棄，有些家庭裏，甚至找不到一隻硯台，一錠墨，和一枝毛筆了。有之，也大半束之高閣。不論大人小孩，由於每一個人都可隨時帶着鋼筆，要用便用，誰願意再麻煩去找管城子先生呢？如今雖然有很多人仍在提倡寫中國字，仍主張禁用鋼筆，但是在這個年頭，時間就是金錢，毛筆字的厄運，正是受了科學時代的影響，于是不得不退位讓賢。毛筆字移陣，在金石藝術的圈子裏稱王，仍有那些中國書畫家，對於毛筆、墨、硯等等，視若至寶，精益求精，管城子雖未能雄視天下，依然在這方面大可脫穎而出也。

短篇小說

紅荳詞

雲碧琳

徐家強抱歉地看了王少眉一眼，彷彿要說些什麼，忽然又停住了，帶着痛苦向她點了點頭。王少眉也是點點頭。是怨[illegible]，是懊惱，一齊湧上心頭。徐家強揚了揚手便走進飛機，王少眉呆在一旁，她正檢拾起前一度逸行的悽愴，重複咀嚼鮑世年的影子，忽地，一個熟悉的聲音送到耳裏：

「少眉！」

王少眉猛的回頭一看，嗯！奇怪，怎的是鮑世年？祇見他正從人叢中擠了過來，王少眉有點不相信這個奇蹟會在眼前出現，可不是？鮑世年不是在美國嗎，怎會突然回到這兒？她揉了揉眼睛，鮑世年已站在她面前了，也許大家的情緒太激動了，他們相互握着手，凝視着，此刻的重逢實是太突然了。

「什麼時候回來的？」還是王少眉先壓抑着情緒問。

「已經一個多星期了。」鮑世年興奮的說：「下了飛機去找過你，可惜你已搬家了，想不到會在機場上相遇，眉，你給誰送行？」

「給——」王少眉吶吶的，咬了咬下唇，擠出了這麼一句：「我的丈夫！」

「你已經結婚了？」鮑世年呆了一呆，說話已經沒有剛才那麼爽快了。

王少眉點點頭，矛盾的心情又交織起來，略頓了一頓，對着這位已婚的愛人，絲絲怨艾吐了出來又咽了回去，她竭力把要衝出來的情感壓服下去，輕輕的把話題移開：

「太太與你一塊兒來嗎？」

「唔——沒有。」鮑世年黯然魂不守舍的回答着。

飛機已經飛走了，機場上的人已散了。王少眉隨衆人，向鮑世年揮了揮手，鮑世年彷彿還有千言萬語似的，跟在她的背後走了幾步，王少眉忍不住回頭把地址告訴了他，然後坐上汽車，風一般開走了。

那是她和鮑世年重逢後的第三天。

這三天來她幻想着一些祈期，雖然，鮑世年已經結婚了，但是，她還相信他們的愛還存在着的，想到自己的清白，想到自己的未來，心靈上激起了太大的波動，她是祈望鮑世年來一次的，可是，三天了，還是沒有半點動靜。

比刻，晨光從窗口傾瀉着幽淡的晴光，她焦灼地踱到無人的院子裏，忽然，女傭從外邊走進來，遞給她一封信，信上的字蹟使她的心猛的一震，急忙拆開來一看，祇見上面寫着：

少眉：

我乘今晨八時三十分那班機走了，先回美國，以後或者會到意大利，希望能把精神集中到學習聲樂之上。我不再回來，除非我們有永久相處的一天！

三天之前，我還是希望把你找到的，我這次擺脫了枷鎖，目的是回來與你結婚，過甜蜜的生活，相信你也會猜得到，這一年來我是生活得多麼沒有意義，我實在不能失去你啊？可是，你已經結婚了，我還能說些什麼？

在美國與我結婚的女郎，已經和我離婚了，沒有感情基礎的婚姻永遠是悲劇收場的。我的靈魂永遠依附在你的身上，希望你不要爲我的遠離而傷心！

祝福你

世年　即日

王少眉拿着這封信在發楞，突然，她看了看手錶，還差十分鐘才到八時，她徒然的警覺起來，立即開車趕往機場。在路上，拚命地催司機加高速度，但是，馬路上的紅燈好像故意與她作對似的，每到了交通要道，都是亮着紅燈，時間給阻礙了，好容易到了機場，已經是八時二十五分了。王少眉顧不得禮貌了，她下了車，拚命的排開前面的人，擠到人堆的前面，播音員宣佈飛機快要起飛了。王少眉找不到鮑世年的影子，她急得滿頭大汗，突然，她發現了鮑世年坐在靠近飛機窗子的座位，她像發了狂似的，大聲叫喊他的名字，鮑世年也看見她了，向她苦笑着揚了揚手。

「給我寫信！」王少眉大聲的說。

鮑世年像聽到了她的話，也像聽不到似的，王少眉還要再說的時候，飛機已經在跑道上滑翔了，王少眉的淚又像雨似的洒下來了，震耳的機聲高吭地掠過，又轉趨柔和了；她彷彿聽到鮑世年的歌聲：

滴不盡相思血淚拋紅豆
開不完春柳春花滿畫樓
睡不穩紗窗風雨黃昏後
忘不了新愁與舊愁

（四）——完——

自由人
THE FREEMAN
（第七六二期）
每份港幣壹毫
台北市價新台幣壹元
地址：香港高士威道二十二號四樓
22 CAUSEWAY RD. 3RD. FL. HONG KONG
TEL. 771726
承印者：東南印務出版社
地址：香港高士打道六十四號
台灣總經銷處：台北市西寧南路

論自由中國當前一些問題

·司馬璐·

現代政治家的責任是面對現實，解決問題，不能出於意氣之爭。意氣在現代政治生活中，至少是一種落伍的行為。筆者執筆時，正發生政、監兩院之爭。此乃民主生活的鍛鍊，本是好現象，但很容易使人懷疑，這是不是有多少意氣的成份在內。其實監察制度在平時多發揮一點權威，行政機構在平時能尊重一點監察機構的權威，這種意氣之爭的成份，也許就可以大大地減少了。因為「意氣」與「歌頌」對于國家是同樣的不幸，同樣會造成了政治生活中一種極壞的風氣，朦蔽事實眞相，而無法解決眞實問題。

香港的朋友問我「你覺得香港和台灣有何不同？」我說：「最大的不同是你從香港離別一月，再回來，一定覺得變了很多。但你從台灣離別一年再回來，好像沒有發生什麼變化。」這是什麼原故呢？這可能由于今天台灣太多安全感，和生活舒適，使人麻木不仁了。今天的台灣太缺少戰時氣氛，也太不像「臥薪嘗胆」了。

今天的自由中國有懶散之症，欲治此病，須大家面對現實，說實話，負責任。現在人民對台灣有良心有血性的政府官員與執政黨員，都有一種期待，期待早一天光復大陸，消滅共黨政權。因為有這種期待，因而也同時有一種寬容。但「寬容」的意義，並不等于容許一切惰性。敵人不是咒詛得倒的。我們對于最後勝利有信心，是不錯的。但一切要靠我們自身的努力與進步來決定。以下提出幾個當前的問題談談：

現代化的人事制度

第一、我們今天需要一個現代化的人事制度。今天台灣人才衆多，素質亦好，但是沒有適當的安排和充份發揮的機會，這是事實。筆者建議：一、我們的人事制度應以國家的利益為前提，政府人員除執行政策者應隨政府的變動而決定去留外，任何人不得夾帶私人。二、在任何困難的情況下，我們應儘可能的厚待科學技術人員及專家。三、軍公教人員的待遇應再酌量提高，但必須同時限制兼職。四、要大公無私的放手提拔新人培養新血。五、戳懲貪污，獎勵清廉者，賞罰必須嚴明。六、擴大或建立軍人或公教人員的福利及退休制度。

法治與民主

法治與民主的不可分割，主要精神表現在，人人在法律之前一律平等，人人不能享受特權。一個人犯了罪，如果因為他是權貴之子，而可以逍遙法外，這是不公道的，如果因為他是在野名流之子，因而寬恕他，也是不容許的。

今天政府的「法」有許多是自己給自己找麻煩的，此「法」與彼「法」之間往往糾纏不清，因而也附帶產生許多機構之間彼此權責不清的現象；因而又附帶產生了許多人事之間、機構之間遇事無人負責乃至有人怕負責的現象；因為根據法令許多事大家不一定要負責，但是大家皆有權可管。在這種情形之下，政府的效率自然較低，人才也是十分浪費的。眞正肯負責的人有時反而易于招怨，那些善于應付人事週旋圓滑之輩反而目為最能幹者，政治風氣自然也受到影響了。筆者建議：一、簡化政府法令，權責分明，提高效率。二、實事求是，裁併若干龐大徒具形式的機構。三、司法行政部好由一位非國民黨人士主持，貫澈司法獨立精神，許多人對國民黨的物議也就減少了。

財經與政治要配合

第三、關于自由中國的財經政策，在目前的反共鬥爭中，應該注意以下的問題。一、財經政策，其重心應該是安定，扶助與支持中產階級生存力的發展，因為中產階級社會基礎的穩定，是目前反共鬥爭主要的力量泉源。二、應該盡力鼓勵與協助民營企業。自由中國民營企業的發展，對于大陸具有很大的吸引作用。政府目前對于協助民營企業有不少的辦法，能夠簡化一點，而便于兌現，就更好了。此外，若干公營事業，應該是賺錢的，但是結果卻是賠錢的，這樣的公營事業，應該考慮轉為民營。三、應該鼓勵與支持大量的輸出。現在由于種種輸出條件的限制，使生產力陷入一種半凍結的狀態，有些工廠，現在祇開半工，這種損失，應該什麼人來負責呢？工商界人士說，現行外滙政策，輸出對于他們是沒有好處的。為了增加輸出的利益，現行外滙政策有什麼理由不可以重加檢討呢？

實行精兵主義

第四、現代戰爭，取決于政治加上科學。就是說，在政治上，如果代表自由、民主、進步的力量，在科學上，具有充份的科學條件，以裝備部隊，必能以少克衆。因此，現代戰爭，軍隊數量的多寡成為次要的問題。所以，從現代的軍事科學觀點，考慮裁軍，實有建設性的意義。

一、經過裁軍，可以用其節餘提高士兵待遇。士兵生活如果高過一般老百姓，人人以當兵為崇高的榮譽職業，士氣必大為提高。

二、經過裁軍，可以節省大批人力，轉移到生產建設事業上。現時退役軍人在這方面已有很好的表現。

國防軍兵不在多，民防工作應該注意加強，配合精兵作戰，效果必大。目前台灣的民防工作，是需要大加整頓的。

中央與地方分權

台灣同胞向有極高的愛國熱忱和堅定的反共情緒，他們對政府若干措施縱有意見，亦是民主國家的正常現象。台灣同胞所享受到的民主權利，今天縱然未能充份滿意，但確在逐步增加之中。台灣同胞與內地同胞在情感上，也是一天比一天融洽的。目前台灣老百姓的生活，好過軍公教人員。今天台灣的財富多在台灣同胞手上，新補充的兵員，也多是台灣同胞。接受高等教育的台灣同胞也愈來愈多。所以，無論政府今天在台灣，或將來打回大陸，台灣同胞一定在中國的政治地位上，有很高的比重。

憲法規定，我國政治體制是地方均權制。根據憲法和台灣的實際情形，劃清中央與地方的權力，是很必要的。

僑務的改進

第六、僑委會改為民間機構，這是筆者對當前僑務工作的一個建議。

提到我們的僑務，國內外都十分諒解。僑聯大會期間，有些僑領甚至對領導的人表示極大的不滿。今天的僑務，確是十分艱巨的工作，今天領導僑務工作的人，需有世界眼光，從全世界反共利益上，來團結華僑。如果團結華僑反共工作做得好，可以通過華僑影響當地整個反共運動的開展。

僑務工作，應該使反共的華僑在當地獲得更多的生存與發展的機會；僑務工作，應該配合外交在國際上多結朋友。如果說，僑務僅在少數人邀功的動機下逞快一時，置華僑實際利益于不顧，置外交處境于不顧，置整個反共利益于不顧，這一政策是值得重加檢討的。

（下轉第二版）

半週述評

俞鴻鈞辭行政院長職

擾擾數月的政監兩院爭端，結果俞鴻鈞以不應享受央行供給制待遇受到申誡，俞氏旋即提出辭呈，請辭本兼各職，看情形俞氏勢在必去。而此種在一般國人並不感興趣的政爭，也可以告一段落了。

俞氏在職三年來，他對於這非常時期的政局並沒有什麼貢獻，另一方面也沒有多大過失。至於此次遭受彈劾各點，有的牽涉憲法的解釋問題，有的病源在於制度和政風，藉此攻訐俞氏未嘗不言之成理，但實際並非他個人所能任過。

筆者對俞氏絕無任何私人恩怨，只是覺得他可以做一位承平時期的太平宰相，而缺乏應變的長才。俞閣以財經內閣著稱，而今日自由中國最大弱點反而恰在財經方面。三年多的勞怨已十分難為他的病軀，應該讓他休息一下，如果監委們對此案還是鍥而不舍，那很難得到海內外國人的諒解。

現在關於政院繼任人選已有種種揣測，俞閣的覆轍在前，任何有資格繼任的人都不能不首先顧慮到立監兩院關係能否弄好。這本是一般民主制常有的現象，問題只是我們的立法機關實在還不夠健全，目前又是在非常時期，像監政兩院之爭如果多吵幾次，會把海內外的人心喪盡。

我們對於俞閣所不滿的是在政治上缺少做為，因此對於繼任人選，只希望那應該是一個有担當時局的氣魄和力量，而又具有海內外人望的人物。至於循吏型的人物，在應付各方面關係上可能比俞揆做得更好，將來結果卻未必不重蹈俞閣覆轍。

印尼獨立政權宣告成立

印尼政爭終於表面化。對雅加達政府最後通牒滿期而未獲結果，一個獨立政權在中蘇門答臘出現了。

軍人干政本來不是一件好事。但當一個腐朽的政權不擇手段以圖固位，而不理全國的輿情，往往會由軍人出而挽救國家危機，像兩年前的阿根廷就是一例。印尼情形更比阿根廷複雜，與其讓俄共勢力日益滲入，「指導的民主」變成對俄共一面倒，反而也許能從這種分離運動促成民族新的生機。

我們的一綫希望，是印尼政爭仍能循合理途徑獲得正當解決，而不要釀成流血的內戰。以印尼的混亂和貧困，再發生戰爭的破壞，前途更將不堪設想。問題的關鍵只在蘇加諾總統一念之間，他如能懸崖勒馬，以國家前途為重，危機還不致於不能挽救。

埃敘與伊約合併

與印尼分離趨勢相反的，是中東阿剌伯各國的聯合趨勢。埃敘合併為阿剌伯聯合共和國後，伊拉克約但也締成聯邦，醞釀分別參加雙方的有葉門和庫威特巴林。拋開此舉在現實政治上的影響不談，此種趨勢到是一種可喜現象。自從民族主義勃興，益以威爾遜總統民族自決主張的倡導，於是彈丸之地，蕞爾之民，都要建立成獨立國家，而不論政治經濟條件之是否具備，國際間若干紛擾正由此種現象而發生。戰後的西歐國家聯合運動就正是要打破國家界綫，消除不必要的磨擦競爭以至敵對。不管埃敘的合併是否別具用心，各小國聯合以求生存總是值得鼓勵的。

·李秋生·

問題在那裏？

——新春獻辭

·雅斯·

「春歸何處？寂寞無行路！若有人知春去處，喚與歸來同住；春無消息誰知，除非問取黃鸝，百囀無人能解，因風吹過薔薇。」

流亡了九年在海外的人，今天念起詩人這首探春詞，確有無限「春歸何處」——「希望在那裏」——之感。

希望——打回大陸，究竟寄托在那裏呢？九年過了，鄰里相問，如何回答，確有「黃鸝百囀無人能解」之情，但薔薇無語迎風，卻能點出春之所在。事實是最突出的，希望總要去探求，問題究在那裏呢？且不談人造衛星，不談越洲飛彈，也先不談別人，光談我們自己看來，從年來我國朝野對國是的言論着似的，總覺得有條鴻溝在那裏橫梗，尤其是在台灣與海外自由人士之間更覺如此。這條不應有而有的界綫究竟在那裏，不該坦率而勇敢地去指出嗎！

自理論形式上看，除了共黨及其同路人外，國人對於台灣抗俄反共的國策，是絕對沒有疑問的；對於憲法的維護，也是並沒有異議的；而最大問題中的反攻問題，雖然有人對可能性提出疑問，卻並不是不贊成反攻；對自由中國的華盛頓外交路綫嗎，基本上也無可非議，只是認為任何外交路綫，是要走向反攻復國之途，而不能作繭自縛，這一點台灣當局也不能予以否認。除了這一類大問題外，對于其他若干枝節問題，都可說是附屬性的評論。如果對主幹問題發生歧見（我想不盡是「誤會」）的事實不除去，枝節問題就無法不一連串發生。

年來台灣當局每以為海外民主人士不了解台灣，曾經用過種種方式——派人宣說，……，以為談一談或看一看寶島上的庶政建設，甚或以為做些聯絡工夫，便可以大家「相忍為國」，但其實除了少數實際上只代表自己的功利主義者表面有所改變外（眞心如何且不說）不見得眞已了解台灣，更不見得對於一般原寄厚望于台灣的人有什麼良好的影響，反之徒予人以惡劣印象。台灣之所以如此做，想必有其看法，曰：與大陸爭取對象（其實，要去大陸的，爭有何用；堅強反暴者，則用不着爭取）；曰，以一些撫慰方式好使緘默無言（勢不可能，也不應須）實際上這一套對於台灣所需要的大召號毫不相干。如果國家有病根存在，而明哲人士反而三緘其口，絕不是好現象呀！

問題究在那裏呢？曰：自由中國朝野間，台灣與海外人士間的問題，實質上不純是一個理論的問題，而是一個「實際的問題」。譬如說，在台灣言，「自由中國」半月刊曾連篇累幅地對政府的評論（至少可以看成代表一部份反共自由智識份子的看法）無非對以上幾個大問題而發。拿去年九月該刊「關於反攻大陸問題」一文分析，不外基于下面的假定：第一是假定「政府所以未能行動（按即反攻）確實存有其「不易超越的困難」，而這不能超越的困難，又是基于另一假定，如原文所說，「負起這樣重大，艱難，複雜而變化多端的任務（反攻）之指導機構，必須是一個高度靈活，富于有機力，和廣容性的機構，負起這種任務，必須是具有高度創造力，有胆有識，獨具思考能力，深曉共黨陰謀變亂技術，能隨機制變，具有開拓新天地的胸襟的人物」，同時，台灣目前的機構，不能負起這個任務，台灣目前沒有這種天才」。從這個論斷看來，是對政府要求改革的一種明顯而坦率的表示。用不着分析。

在海外方面，就拿最近香港李璜左舜生張發奎伍憲子諸氏支持張君勱氏最近在美談話的主張而言，也可看出，自由中國目前的問題，是一個憲政的實踐問題，而不是一個民主純理論問題。清楚地，自由中國的政治實質，如果不能有基本的改進，則橫梗在朝野間的歧見，絕不可能只以一些「團結克難」「相忍為國」之類的空洞名詞所能消弭于永久的。

誰眞的不寄望于台灣（如果是作為整個自由中國的意義看）？如果台灣不存在，不但海外僑胞及流亡自由人士無所寄托，即大陸上尚有為民主鬥爭勇氣的，甚至尚存自由民主意識的智識份子，也都要同樣遭殃，大陸人民也無法得救，而世界局勢也要為之改觀；但諱疾忌醫與緘默消沉是一種慢性的自殺！春在薔薇上，只有詩人的靈感才能發現；希望仍在自由中國，但要看為政者的智慧與氣度如何！九個年頭過了，須看人心！

從反常的熱潮看台灣的報銷文化

——走向低潮的一個重要原因

台灣通訊

台灣的文化，光復以還，似乎蓬勃，而骨子裏則是五癆七傷病象。

爲甚麼台灣的文化會陷入低潮？追本窮源，說來話長，自不能苛責一般勤勤懇懇，擇善固執的文化人。在文化園地一片荒漠中，可怕的却是「報銷文化」的如日方升，一枝獨秀！這種反常的潮熱現象，看了眞叫人惄焉心憂。

機關競出刊物

年來黨、政、軍、學和各級政府，乃至許多公營事業機構，爲了想達到宣傳的目的，競出刊物，且多列有預算，於是月刊、周刊、三日刊等，林林宗宗，層出不窮，如果追問這些刊物，在宣傳上究竟收到了多大的效果？在實際情形下，有否刊行的必要？凡從事於文化宣傳的人，類皆能獲得一致的結論。

。小云。

刊物多讀者少

本來，文字最大的功能，是宣給人看的，而不是只供自我欣賞與自我陶醉。光復後的台灣，國家教育發達，文盲逐漸減少，看已不成問題，而問題是在這些刊物大多既沒有充實的內容，又沒有宣傳的價値，除印刷如儀，贈送如儀外，在市上報攤發售的，究竟有多少讀者，只有天知道。

有不少文化界人士認爲：現在機關團體的報銷刊物太多了，放在書攤上，琳瑯滿目，「多」不勝收，但沒有人買，送給人家沒有人看，何不集中人力財力，辦幾本像樣的東西？

一個有趣的試驗

又有不少有心人作了一種比較科學的試驗：即在公共的圖書館、軍中的中山室，機關團體的福利社或康樂室，學校的閱書報室等處，各選定幾本報銷性的刊物，計其時間，位置，用膠紙將它連封面黏起，或一、兩個月之後，過了十天、廿天，分別再往檢查，發覺若干並無黃、黑色的書報，都翻破了，而那些一本正經用膠紙黏住的報銷刊物，却靜如處女，原封未動，相形之下，令人惘然！

教條式「文化」

早過去了，落伍的時代老板的，教條的官式宣傳標語口號的「文化」，自由中國的文化，近年已爲大衆所厭惡，本不足怪。興論界都認爲：進步遲緩，固有多種原因，而報銷文化的阻塞前路，戕賊生機，實不能辭其咎。

舉一個例

舉一個例：台北「市政與教育」半月刊，前竟滑稽的出現了雙胞案，一樣名稱，兩份刊物，機關的背景是台北市政府，經費的來源是台北市政府，你說我爲市政與教育，他說我也爲市政與教育，其實明瞭內情的人都知道，文化宣傳祗是其名，目標另有所繫。（以其列入市預算一年經費有十二萬元也）由此，可以使人聯想到各式各樣的報銷刊物是怎麼回事，同時，也使人聯想到官式宣傳效果的有無了。（二月十五日寄）

民主書局

本店預約「新憲法」

生意經　。尹震。

海外藝文通訊

轟動西班牙藝壇的「東方畫展」

曾凡民

（馬德里航訊）我國八位青年現代畫家蕭勤、李元佳、蕭明賢、夏陽、吳士祿、霍子剛、陳道明及歐陽文苑等所組成的「東方畫展」，由其中唯一在西班牙的蕭勤於此間舉行連續性的展出以來，已使西班牙現代藝壇爲之轟動，並引起此間文化界極大的注視。

八位青年作家

在『東方畫展』所展出的八位青年畫家作品中，除蕭勤於前年八月間來西留學外，其餘七人刻全部在台，其作品皆自台灣自費運來此間，由蕭勤在此負責籌備一切展出事宜。蕭君在西曾參加過許多歐洲的「青年沙龍」及「五月沙龍」等畫展，其個人作品亦在巴塞羅那及馬德里等地舉行數次展出，曾獲得一時好評，並被譽爲「新發現的東方藝術天才」。

版商購買收藏

「東方畫展」首次在西展出是在去年十二月初，在巴塞羅那舉行爲時半月的展出，當地報刊雜誌均將其展出成果作專欄報導，對這些優秀作品均予以極高的評價，並認爲這是一件極有意義的文化交流工作。其中有部份作品已被巴城省政府教育廳及當地數位出版商購買收藏。

被編入「世界近代美術史」

其他七人中，值得一提的是蕭明賢，蕭君曾於去年參加在巴西所舉辦的現代國際畫展，獲得一枚榮譽獎章，爲國爭光不少。這次『東方畫展』在西國展出，他的一幅作品又爲此間權威藝術雜誌「拾錦」選爲「一週中之藝術佳作」，同時，他的另一幅作品已被此間名藝術批評家西爾羅編入他正在著述中的巨著「世界近代美術史」中了。

從巴塞羅那到馬德里

在巴塞羅那展出之後，「東方畫展」帶着他們值得驕傲的聲譽，應馬德里藝術界之邀，前來展出。這次「東方畫展」之能在馬德里展出，是由我駐西大使館出面，得到西國文化協會之贊助，及馬德里國立現代美術館負責人洛伯斯的支援下舉行的。一月廿九日正式在馬德里美術館揭幕，我駐西代辦夫婦暨西國文化界名流人士，均參加此一隆重的開幕典禮。在次日的馬德里各大報上，均刊出展覽的消息及圖片，美術評論界均多推崇，並強調此乃我國現代藝術作品第一次在西班牙（甚至歐洲）展出成功。這消息實在令人興奮，也使許多居西國的僑民們增添不少光榮。

獲西國文化協會好評

馬德里的「東方畫展」結束之後，西國文化協會認爲這在中西兩國文化交流上，意義極爲重大，並覺得有盡速地介紹中國現代繪畫給西班牙美術界的必要；因此，西國美術界人士擬將全部作品運往西班牙各大城市作巡迴展出。『東方畫展』至目前爲止，可說已達成其從事文化交流、宣揚我國現代藝術的宗旨了。

計劃到台展覽西畫

鑒於中西文化交流的積極需要，並使國內人士更進一步的認識西班牙的現代藝術，馬德里國立現代美術館館長洛伯斯及其他幾位西國藝壇負責人，有將在台灣舉行西班牙現代繪畫展覽的計劃，聞此計劃目前正與我駐西使館商談中，並將與我國文教界取得聯繫，俾促成此一具有歷史性的文化交流運動，同時，此間藝術界亦表示歡迎此刻在台灣求學的那七位青年畫家能來西班牙舉行其個人畫展。（二月六日于馬德里）

讀者論壇

有感於胡秋原先生之言

——「民非亡國之民」

・李士敏・

讀本刊近載胡秋原先生的「爲自由中國朝野進言」幾篇文章後，其結論認爲我們這個國家成了「四不像」，且由於民族智能的退化，而充滿了鄉愿無能之輩，於是惟阿諛逢迎，會臓枉法是務，致使今日國幾不國。這是持平之論，無庸否認的。

但是筆者於此願有所補充，胡氏謂我以這個「病痛」，是百年來內憂外患所積成，似乎是自古已有，於今爲烈，但抹殺了這百年來也有幾度振復除弊的努力與契機。試問沒有戊戌變政的倡議於先及譚嗣同之輩的死難，如何鼓舞了中山先生其後的奔走革命。沒有五四運動作科學民主的啓蒙，如何促進了國民革命的成功？但自是以後，經過長期的「訓政」，我們始終在「黨治」與「人治」的過程中，未能眞正實行過中山先生「天下爲公」的遺訓，謹愿者自囿於明哲保身，狂狷者則走向歧路，爲淵驅魚，才給共產黨製造機會。

我們又如何能希望「代表民族的生機」萌茁出來，於是我們只有對「戊戌」和「五四」時代的一時風氣，發思古之幽情了。茲舉近事兩則，可概其他：

最近成舍我先生在「文星」雜誌發表「狗年談新聞自由」一文，連帶提起了戊戌之事，便被此間黨報斥爲「亡國思想」，殊不知譽往知來，乃資警惕而已，而竟遭了撻伐，足見今日的自

現在我們反共抗俄的政府，似乎還未能接受歷史的教訓，仍在堅持着「定於一尊」的思想，只求整齊劃一；即使外示忠貞也罷，吃飯吶喊也罷，凡捧吾場，都成「時代的俊傑」「吾黨之信徒」，稍有不願阿俗和有些遠識的「危言」，便指爲「共黨思想的走私」，這樣如之何求民智之活潑伸張？如之何能求政治的革新？何況既在「黨治」「人治」之下，自然上有好者，下必有甚！

由中國，是在蒙頭蓋面自我陶醉之中。前日該報短評中，復深慨每年寒暑兩期，恆見萬噸巨輪載莘莘學子遠渡重洋，負笈異邦，而結果都去如黃鶴，不見歸來。其實此中不見得都是崇洋鍍金的紈絝子弟，何嘗沒有胡氏所說的「許多優秀青年」，據所知，現在滯留美國的我國留學生有五千多人，三千多是大陸淪陷以前去的，固然多數不願再回陷區，自投羅網，但連年自台灣去的也有兩千多人，竟亦少見回到自由中國，祇因青年是直覺的，當其去國之前，例受「思想訓練」，目擊其情，印象至深，一去不返，當有原因，不因此自我反省，何能獨悟青年乎？

在思想類型之下，何者爲善，何者爲惡，雖析判，有時就我們看來是善意的，在他一眼光看來，是大逆不道，是「亡國思想」，又怎能如胡氏所希望的「迫其遷善」？總之「民非亡國之民」！誰又甘於共黨之奴役，而不思有振復的機會？其所以日見消沉的「病痛及其根源」還不値得當國者的反省嗎？（寄自台北）

論自由中國當前一些問題

（上接第一版）

筆者建議，僑務委員會改爲一個民間機構，着重推動華僑的文教活動，而將華僑事務方面的業務，另在外交部設一僑務司處理。這一改變，可能減少當前僑務工作的許多障礙。

加強外交陣容

第七、平心而論，今天的外交表現不能算很壞。但是一般僑胞對外交的意見也頗多。駐在各地的使領人員，有些把外交看做一種「技術」，而昧于世界大勢；有些對自己的僑胞疏遠。假如將僑委會改爲民間機構以後，再將一部份僑務大員經過外交部調用國外，這可能是一舉數得的事。最重要的，在若干與我有邦交的國家，經過外交途徑增進僑務關係，可能有助于友誼的發展。再輔以民間僑務團體，僑務問題至少比現在要好得多。

「僑務」處理不好，可能增加「外交」上的麻煩；同樣，「外交」處理不好，亦可能增加僑務上的麻煩。這是外交與僑務要配合的重要。處理外交事務，特別是對于東南亞國家，萬不能憑一時情感用事。至少要考慮到華僑在所在地的處境。例如對印尼的外交，演變至今，甚爲惡劣。僑務當局與外交當局都一樣是有責任的。筆者認爲，像印尼這樣的國家，在扶助民族主義的大義上，我們在聯合國對某些問題仍應支持他，充其量棄權好了，無論如何，不應該與殖民主義者站在一邊的。

敵情研究問題

第八、在台灣有很多機構從事對大陸問題的研究，有些極有成績，有些則不甚清楚。

我們承認，台灣對共的心理作戰，現在有很大的進步。有人說，反對學共黨的方法反共。我對此的意見是：一、一切政治鬥爭技術，並非共黨專利或獨占；二、如共黨所採用的政治鬥爭方法，我們即完全放棄，此正中共黨之計；三、政治鬥爭技術日新月異，我們應從研究中經過揚棄的階段，而創造最有效的反共方法。

我們應對去年五月前後大陸鳴放期間所反映的問題加以深刻的研究，因爲那個時期所暴露的事實，足以反映大陸人民的迫切需要。例如章伯鈞所提出的「政治設計院」，羅隆基所提出的「平反委員會」，黃紹竑、譚惕吾所提出的「黨政劃分」，陶大鏞、陳仁炳所提出的「民主辦校」，「教授治校」，錢偉長、曾昭掄、陶孟和所提出的「政治不能領導科學」，費孝通所提出的「黨團退出學校」等等，這些意見表面上屬于一種「改革」的企圖，事實上每一件事都是中共所極端恐懼的，任何一個口號都可以發展大陸革命的導火綫。

籌備反共救國會議

第九、召開反共救國會議，在海外許多朋友，是很認眞的。政府中人也說：反共救國會議，最初由政府提出，現在政府也沒有說取消，但政府需要考慮這會議所作決議與憲法的關係，代表又如何產生，是否可以保證團結工作比今天更好。如果不一定如此，則暫時「保留」，也許更好一點。而且會議開後如果不繼之以積極行動，又怎麼辦。所以，開這會議的最好時機是，反攻大陸的軍事行動即將開始的時候。

我覺得召開反共救國會議，朝野意見是一致的，所不同的僅是「時機」問題。我覺得今天政府應該加緊做籌備工作。如何籌備？

一、政府派三五位得力人士，到海外與各方進行交換意見。

二、政府宣佈成立一個正式的反共救國會議籌備機構，並由反對派人士多參予這個籌備工作。

說實話才可以救國

說實話才可以救國，負責任才可以救國。唯唯諾諾，朦上欺下，推諉責任，粉飾太平，都是足以誤國的。

自由中國的前途是充滿希望的。希望寄託在全國人心對共黨政權的痛恨，與世界民主自由大勢之所趨。目前自由中國確實有不少的好人，但整個政治風氣不改變，好人是頗難大量抬頭的。好人難于大量抬頭，雖有再好的客觀條件，也是難以充份把握的。

不能充份把握有利的客觀條件，人們對政府的苛責，當然難以避免。許多人由于期望過殷，而產生悲憤之情。我們希望政府當局能夠警惕當前的局勢，絕不是粉飾太平的時候！我們對于最後的勝利有信心，這是不錯的，但一切還要靠我們自身的努力與進步來決定。

稿酬：本報本年一月份稿費通知單已分別付郵，請惠稿文友，憑單領取爲荷。

編輯部啓

蘇俄的「社會主義」與「共產主義」

周之鳴

本刊七一期曾載旭東先生「論假藉社會主義之名」一文，提醒自由世界注意蘇俄對西方社會主義政黨的統戰策略並必須揭發蘇俄借社會主義之名，行帝國主義之實，用意甚善。惟關於蘇俄社會主義與共產主義的問題，恐讀者有所誤會，茲特略爲論之。

蘇俄所信奉的是馬克斯主義，又是列寧主義、兩者雖非一個主義，但既爲社會主義又爲共產主義則一。馬克斯在一八四八年「共產主義者同盟宣言」中，對於社會主義，德國社會主義以及空想社會主義，均同稱其爲共產主義。一八五○年「給編者的聲明」一文，又自稱爲社會主義，並註明社會主義即爲共產主義。恩格斯也一樣，他在「從空想社會主義到科學的社會主義」中，一方把自己和馬克斯的共產主義稱爲社會主義，同時也把歐文的社會主義稱爲共產主義，社會主義和共產主義相同，據此當無所謂假藉社會主義以爲共產主義掩護，或假藉共產主義以爲社會主義掩護的問題。誠然，恩格斯在一八九四年，爲出版其七十年代所作有關共產主義者同盟論文集序文中，曾把社會主義和共產主義加以區別，其間關係，則和馬克斯一八七五年「哥達綱領批判」中將共產主義分爲初級階段和高級階段的一樣，所以列寧所著「國家與革命」一書，就把馬克斯的初級階段名爲社會主義，高級階段名爲共產主義，在其利用馬克斯主義武裝布爾什維克，奪取政權，建立蘇維埃國家後，既自稱爲社會主義，又自稱爲共產主義。依此而言，無論馬克斯主義或蘇俄固從未否定爲社會主義又爲共產主義也。我人謂其社會主義與共產主義均係騙局則可，謂其以社會主義爲掩護，實行共產主義則似不可。

馬克斯主義者，對於其他工人階級的社會主義政黨，實行統戰策略，並非始于蘇俄，馬克斯早在「共產主義者同盟宣言」，就說過共產主義者已經實行統戰，而與其他工人政黨聯合了。蘇俄的統戰策略，也並非始於一九五六年，波蘭和匈牙利革命後，如十月革命前，俄共與社會革命黨左派及孟什維克左派的合作，奪取政權後俄共與社會革命黨左派的組織聯合政府，共產國際第三次大會所開始的共產國際與第二國際（即社會主義國際）的統戰運動，以及各國共產黨與其國內其他社會主義政黨的統戰運動等等，實已由來已久。但須注意，無論馬克斯，俄共或其他共產黨，他們的統戰策略，都是公開用的共產主義，共產國際和共產黨的名義，即使同時宣傳他們是社會主義，也並非假藉社會主義名義爲掩護。過去如此，現在也如此。

蘇俄現在自稱還在社會主義階段，至多也不過是由社會主義逐漸過渡到共產主義。其他附庸國家所謂社會主義建設，則尚在開始，因之，蘇俄集團國家，似不僅近年來，而且少向是[illegible]

[illegible]

之，從此無產階級專政問題始。一九一九年三月，列寧成立第三國際，第二國際即如恩格斯與考茨基等修正派的集團，即今日所謂社會主義政黨，列寧當時所仇視的，都屬于此派。[illegible]一九一八年三月，[illegible]

[illegible]

幕後秘聞

機構調整同復舊觀

中共自去年「整改」之風吹起來了以後，到了最近，它的中央機構也作了一些「調整」，以示他們也是決心「整改」的。

但是，這種形式的翻作，是並不能消除掩蓋現象的，在這種殘害人民的工、商、農等各業的制度之下，其官僚主義的基本成因，也是始終不能去掉的。譬如說：「食品工業部」原由「輕工業部」分出的，「森林工業部」原由「林業部」分出的，「高等教育部」則原由「教育部」分出的，現在，則又併了回去，這樣，也能算是「整改」嗎？

周恩來失勢？增權？

這一次，最引人注意的是周恩來免去了兼職「外交部長」，改由「副總理」陳毅兼任了「外交部長」。從黨內鬥爭的角度來看，周恩來的這種免兼，固然，陳毅與周恩來同爲一系，在決策上仍將由周來作主，陳毅當屬執行者。但是，我們若從「國務院」的「總理」與「副總理」之分配去分析，周恩來的實際職務就只是這個「外交部長」。而今，把原來的一個「外交部長」的職務分開爲二，豈能說他是增權？

又，去年九十月間，中共舉行三中全會，周恩來在該會上所報告的是「勞動工資和勞保福利」，而「副總理」陳雲則作了改進「國家行政體制」的報告。這種職責與業務報告不相稱的跡象，對周恩來說，大概也是削權的表現。

中共調整機構人事升遷幕后

果如上說，那麼是表現着：反對派對於毛澤東的攻擊未見成果，退而求其次，而對於周恩來了。這固然其有現實意義，而對於將來的毛澤東的繼承人的爭奪方面，則具有更長遠的計謀。

工業部合併之作用

這次「整改」，把原來的「第一機械工業部」與「第二機械工業部」合併爲一，而仍稱「第一機械工業部」，由原「第二機械工業部」部長趙爾陸出任該部部長。

按原「第二機械工業部」爲主管軍事機械生產的工業部，現在，像上述一般的合併以後，而由趙爾陸來出任這個新部長，顯得原來「第一機械工業部」的各企業，將更密切的爲軍事工業服務了。

石油生產量落後

這次調任名單中，還應注意者，是「石油工業部長」，李聚奎易爲余秋里。

據中共的第一個五年計劃規定，其最末的一九五七年，應產石油二百十萬噸；據報導：一九五六年僅產一百五十萬噸，一九五七年亦未完成上述計劃。大概這是李聚奎所以調職的主要原因。果爾，則其目的爲加緊生產石油。

黨內鬥爭結果

假使我們翻過來說，是在被這種階段的結果，那末，從總的方面來觀察，毛澤東的勢力固然在衰落之中，但似乎還未動搖其根本。能有這樣的結局，可能還是近期內毛周致力于地方黨務工作與喊出反「促退派」來打擊劉少奇的結果吧！

・田心・

國際動態拾零

△美國人造衛星軌道，不經蘇聯領土，因爲下墜物體，要拾來研究。[illegible]

△建造三級火箭的經費，有一公司，曾擬就圖案，估計爲八億美元，承造四五種式樣。[illegible]

△航空器的外表，似一節雪茄，第一級爲兩個狄坦火箭；第二級爲一個狄坦型較大火箭，第三級爲一具有三萬五千磅推力之噴射機。

△現在擬放在空中之美國人造衛星，本有許多名字之提出，經議決用探險人之名，而避免軍事色彩太濃厚的名字。

△馬丁公司承造之狄坦火箭，預備在五月一日以前付諸試驗。這是兩級火箭，[illegible]

△蘇聯駐美大使孟昔可夫要求其政府放寬對美駐蘇大使之旅行限制，因他亦受到同樣限制，而應欲美國政府放寬。

△一九五八年競選政綱，兩黨皆以國防問題爲中心。艾總統雖主張不以國防爲政爭工具，[illegible]當士，甚至追溯到珍珠港之敗，爲由民主黨無計劃所致。共和黨人，皆謂火箭計劃，實始于艾總統民主黨人，則責其雖有計劃實嫌太少，而且太遲。

△總統因病不能執行職權，參議院要提出一法案，歸兩黨國會領袖與三位閣員判決，[illegible]爲可視爲普通國會所提之法規，[illegible]而成爲憲法之一部。

△埃敘聯邦成立，埃及有二千四百萬人口，[illegible]萬人口。同時約但，伊拉克，[illegible]國王，則另有聯邦計劃。巴格[illegible]會議，杜爾斯雖出席，然仍不[illegible]員。祗肯出一千萬元，爲伊拉[illegible]其、巴基斯坦之技術援助，距各國所期望于美者甚遠。

・陶然・

自由談

何以自處？

據說：目前美國朝野上下人士，心裏最焦急的一件事，並非俄帝搶先放射了人造衛星，而是赫魯歇夫夸夸其談的洲際導向飛彈。他們設想萬一俄帝眞是發射一枚飛彈到紐約或華盛頓來，那還了得嗎？

因此，我們即知道艾森豪總統一面對俄帝倡導的高層會議，表示誠意接受，一面簽署緊急法令，加撥十幾億金元作爲發展飛彈計劃的動態，實係有所爲而然，同時杜爾斯亦表示不堅持先開外長會議的主張。用意皆在爭取時間，以期加緊軍備競賽，艾克再三向俄帝提出「管制太空」的建議，良有以也。

所謂高層會議，勢必實現，是否有成就，却完全看俄帝作何打算，西方列強此刻只有招架之心，絕無還手之勇，情節至爲顯然。只要俄帝不先發制人，急於掀起戰爭，那怕是對西方列強具有屈辱性的和談協定，英美也會迫而成交的。果若是，則世界局勢起碼將沉悶抑鬱幾年，殆可斷言。美國過去握着原子武器的優勢力量而不知利用，妄想以「嚇阻」手段來使敵人自動屈服，坐失時機，自我陶醉，如今自己乃變成了被嚇阻者，祗好遷就敵人了。將來飛彈發展趕上了俄帝時，經不起俄帝一聲「大量貿易通商」的誘惑宣傳，美國又會唱出甚末「飛彈僵局」的調調兒哩！

偌大的自由世界，被一般二三流的政治人物胡亂領導，瞎搞一氣，這眞是時代的悲劇。我們處在夾縫中跟着拖，唯一要務就在及時集結力量，凝固人心，構成不可輕侮，不能漠視的地位，以待局勢之演化，自力更生。最忌莫明其妙地鬩牆內鬨，抵消實力，而相信台灣永遠是安全的，那就是無異於自殺的行爲。光是台灣安全，而人謀不臧，精神煥散，究竟還甚末來反攻復國呢？

馬五先生

鏡子

·野楓·

昨天晚上陪莊君到街上去買鏡子，歸後頗有感慨。

鏡子是文明社會裏的東西，古時候是用銅製的，現在是用玻璃製的。昔唐太宗有不同的三面鏡子，「以銅爲鏡可以正衣冠，以古爲鏡可以知興替，以人爲鏡可以明得失」，要作一個成功的人物，上述三面鏡子是缺一不可的，後二者尤爲重要。但人們却往往忽略了後者，或有意的廢而不用。只要在玻璃做的鏡子前面，正一下體面的衣冠，像個彬彬的紳士，便感覺很滿足了。

對於從政者，歷史是一面嚴肅而現實的鏡子。它會清楚的告訴你應該選擇的方向；走那條路可致國家民族於富強康樂之境，走那條路將要滅亡。但獨裁者們却置之不顧，我行我素。甚或竄改歷史（如共黨），以求符合自己的標準，但最後怕終於扭不過歷史，還要走那條老路子。

鏡子的主要對象是人的臉，鏡子的主要任務在能顯出對象的眞面目。但也有不盡然的，如上海大世界門前的哈哈鏡，便妙在能變化人的臉型。我覺得這含有一種諷刺作用。因爲人的臉本來是變化多端的；女人們「上帝給她一張臉，她自己能創造出另外的一張」不說，就是男人的面孔也無時無刻不在變；下屬見了上司，是一幅阿諛獻媚的臉，上司對下屬是一幅煞有介事神聖不可侵犯的臉，有的人儘管滿面堆笑，却笑裏藏刀，有的人在面上作出悲戚同情之狀，而心中則竊喜，求助於人者裝出一臉可憐相，人求於我時當擺出一幅愛莫能助的姿態，討債人的臉好比黑無常，二房東的臉有如鐵判官……總之臉的變化無窮，鬼神莫測，這一些虛僞面孔的眞象，豈又是玻璃做鏡子所能反映出來的嗎？這便非借用唐太宗的第三面鏡子不可了。

「以人爲鏡可以明得失」，須含有兩種作用；一是觀察別人的得失以律已，一是由別人將你的缺點告訴你改正。這就需要有修養了，唐太宗所以在政治上成功，形成歷史上有名的「貞觀之治」，就是因爲他肯接納魏徵的諍諫。我以爲如果讀一讀魏徵的「諫太宗十思疏」裏面不但沒有半句阿諛之詞，而且義正詞嚴，勇敢的道出太宗的缺點，並建議如何改善。貴爲一國之尊，而能禮賢下士，接受臣子的讜言，這表現太宗是一個有高度修養的政治家，其成就決非偶然。所以魏徵死後，太宗非常沉痛的說，「魏徵歿，朕亡一鏡矣」，可見得到一個諍臣或諍友是多麼不容易，如果當時太宗朝中沒有魏徵這樣敢說話的諍臣，盡是三呼萬歲，歌功頌德之徒，「貞觀之治」是不可能出現的。

但有些人却不然，當你提到他的缺點時，先是面紅耳赤，用手護着自己的瘡疤。繼之破口大駡「誰個有不是來，你這是血口噴人嚇！」立刻發表一篇談話，曲意爲自己辯解，這種小家子的作風，如何能明「得失」，又如何能成就彪炳的事業呢？

醜陋的人多半不願意照鏡子，並且恨惡鏡子。竊國賊不敢正視歷史，甚至竄改歷史，害了不名譽病的人怕看醫生，甚至毀謗醫生，這種愚昧的手段，並無補於實際，即使將天下的鏡子都毀了，將人類的歷史都删改了，將醫生都殺了，醜人仍爲醜人。竊國賊還是竊國賊。病症還在你身上。自我隱瞞與諱疾忌醫是最危險的，還是趁早去聽一聽醫生，虛心的接受治療，或許有康復的希望。

陳語山印集序

·黃華表·

吾粵先輩以善摹印稱者。莫先於黎二樵。二樵專用漢法。莫專於謝雲隱。雲隱則兼用元人法。其後有孟蒲生。蒲生又兼用丁黃陳趙之法。所謂浙派者是也。蒲生與陳䦧甫友善。蒲生有作。凡得意者。輒曰。䦧甫見當識之耳。故自蒲生之卒。䦧甫遂謂無有能刻印者矣。䦧甫後乃亟稱高要何昆玉。昆玉年十七，受法於南海番萱坪。萱坪漢法也。十八，受學於余曼盦。曼盦丁黃陳趙之法也。十九，見賞於蒲生。蒲生則兼漢法，元人法，以及丁黃陳趙之法者也。於是而後見賞於䦧甫。䦧甫又授以說文偏旁秦篆漢隸之法。䦧甫每篆印。必令昆玉刻之。昆玉又皆能不失䦧甫篆意。如是者三十年。䦧甫則謂昆玉可以上溯二樵雲隱之遺矣。䦧甫不喜浙派。蓋謂其凌厲險仄。不合古印古碑也。故於昆玉每爲之指畫。其言曰。必識六書偏旁。必能篆書隸書。又必善刻。三者兼而後能精。夫曰古印，則漢法也。曰古碑，則元人法也。而不善刻，則不能爲古印古碑也。自浙派久王。懷甯完白起而矯之。完白篆法。直追始斯。故能造元人之極。而其法僕茂。又漢印之極則也。完白之後。歸安缶廬又起而輔翼之。缶廬又以石鼓變完白之碑額。其蒼古，且駕漢印醇雅之上矣。昆玉雖已度越浙派之範圍。未能如懷甯歸安。自闢戶牖。變而愈上。昆玉嘗獲毅堂潘氏看篆樓古銅印一千三百餘事。分拓爲譜。成吉金齋古銅印譜一書。朝夕臨摹。不可謂無其法。宜可以以變，而不能變者。無亦其才有所未逮耶。抑其時之未至而有待於其人耶。然自䦧甫昆玉之逝。今又百年。繼昆玉而起，而爲䦧甫之所喜者。則宜有其人矣。故十年之前。吾見則有鄧爾疋氏，馮康候氏矣。最近則又見陳語山氏。語山所治。康候亟稱。則語山亦康候矣。吾嘗見語山爲翼中監督一印。以謂可追趙次閑。鄧爾疋殆所不逮。夫次閑，䦧甫之所不足。吾嘗爲語山足之哉。亦毋乃余見之陋。特惜不得䦧甫見之，而論定之耳。抑否又聞之。一藝之精。必先有乎其人。彼惟市井功利之是思者。雖完白爲之篆。䦧甫爲之指畫。亦未必其能工也。語山善飲酒。至於聖處。則不知有人世間事。則未嘗有市井功利之思者也。與之所至。操刀以爲。則雖欲不工。其又可得耶。語山印集將成。欲余一言。故爲述吾粵先輩之事以歸之。語山先生儻不以爲忤。而勉爲一粲也乎。嶺右黃華表丁酉十二月珠海書院。

暮遠樓詩

·伍叔儻·

今日天氣佳

今日天氣佳，望月美如畫。微風欲動枝，雲輕散纖芥。但令庭宇寬，未覺世途隘。賞玩夜初半，深懍霜露戒。感涼易單衣，願夏又一快。俄見斗傍山，漢斜久西界。滅燈行就牀，吐辭疑清話。

書彭君醇士詩後

水澂曳輕烟，下映春山色。爲秀異尋常，維謝不假飾。千載躡高縱，彭作最云得。調逸采則輕，未至絢爛極。片辭達深衷，何嘗傷過直。此祕我欲窺，斲絕豈易即。

讀李義山詩

詩筆當時第一流，不妨哀怨却溫柔。平生最愛驚人句，海外徒聞更九州。

過年談爆竹

—·南橋·—

過年放爆竹，向來是視爲吉祥或驅除惡鬼，我國老百姓終年胼手胝足辛勞，新年農閒時期，趁興熱鬧熱鬧，積習相沿，放爆竹也便成爲年青人和小孩們的遊戲。

放爆竹始于何時？據唐事承事物紀原云：「馬鈞始製爆仗就是爆竹。通俗編排優云：「古時爆竹，皆以眞竹著火爆之，故唐人詩不稱爆竿，後人卷紙爲之，稱曰爆仗，玉篇中稱爆竹說爆落也，熱也灼也」。說文則謂從火爆聲。可見原始的爆竹沒有火藥。又荊楚歲時記中：「正月一日鷄鳴而起，先于庭前放爆竹以辟惡魔。」爆竹辟鬼之說，始于東方朔，神異經據說「西方深山中有人，長尺餘，犯人則病寒熱，名曰山臊，人以竹箸火中爆朴有聲而山臊驚憚。」大概自唐宋以來，民間每逢除夕及正月初一早，不論貧富貴賤，家家戶戶，在年夜飯與啓門的當兒必定燃放爆竹，今日喜慶婚喪以及商店開張均用之，以祝吉利。古人對它多有歌咏：「如張守說守歲詩「桃枝堪辟惡，竹爆好驚眠，設能除夜作，竹爆和諸國」。王安石詩：「爆竹聲中一歲除」。來鵠早春詩亦云：「新曆才將半紙開，小庭猶聚爆竿灰」到了現在爆竹已變爲出口貨之一爭取外滙，這不是前人所能想像得到的。

謂理斯在人生的舞蹈裏有一節說：「中國人性格及其在文明中的遊戲的性質，無論是遠望或去接近他們，都很容易看得出的，他們是很眞正的遊戲，向來有人說，中國人發明火藥遠在歐洲人之前，但他們除了做花砲之外，別無用處，這在西方看來似乎是一個大謬誤，把火藥貴重用處埋沒了，直到後來才有一個歐洲人指出，火藥的正當用處顯然是在于製造爆仗，製造娛樂高興的東西而不是用于殺人」。這是很對的，因爲科學的發明在于造福人類而非陷人類于痛苦。

談身份

雖然「身份只是一個抽象名詞，但聞之者誰能不肅然起敬？

六朝的「九品中正」就充分說明身份在家族社會的重要性。當時即是貴在仕宦，若無好門閥，也不會被人家瞧在眼裏。

近代，人心不古，但對身份的重視則仍是「古風」。於是有人沽名釣譽，有人賣官鬻爵，有人憑以「脫俗出凡」的身份。不幸而被揭去假面具，則又難免被貶爲「僞君子」了，弄巧成拙。「身份」二字，大概也就從此蒙上一層厚厚的污垢了。

雖是民主時代，「身份」似乎仍有「世襲」的意味。如大人物的少爺，退亦可以出人頭地；進更可以遠走高飛：身份不凡故也。雖也有「鶴立雞羣」的幾許「呆子」，心裏喊喊「老子的爹老子，兒子的爹兒子」，可是究竟知音者少，同時環境還不任他自貶身份呢！

服飾，儀表，往往是身份的最佳象徵。男着女裝加上一襲華麗衣冠，也就等於紳士淑女了。

自來身份低的人爲身份高的工作，服役，那是「理所當然」；若是難得有身份高的幫助了身份低的，那就是「德配堯舜」了。君不信，不妨隨手翻翻歷史，那一代不是一再重演呢？

不過，人既生而愛好面子，也就難怪人人爲了爭身份而忽略了眞實的「身體髮膚」和良知良能了。

·張健·

現實小說　女作家

符兆祥

黃臉婆近來窮極無聊，忽然心血來潮要寫小說，當一名女作家。

我不知她怎麼會忽然有這念頭，大概，她看到女作家的照片可以作封面女郎，女作家當交際花佔便宜點，所以她羨慕了。

這不能怪我要這樣想，因爲現成的作家既沒有一本稍有價值的小說以示人，那麼妻的感覺也當然高級不到那兒去了，這不是無由的。

吃過晚飯，妻便一本正經的轟我和孩子，她說：

「你們也出去玩會吧，我要在家裏寫小說，」

「寫小說又不是試驗氫彈，」我說：「況且我正預備吃過飯在家休息。」

「你爲什麼不出去寫呢？」

「出去寫？」她不明白的說。

「是呀，到咖啡館，圖書館去寫，靈感不是更多嗎？你忘了你跟我提過的，有一位作家，他不是說不上咖啡館就寫不出文章來的嗎。」

「你爲什麼不叫我上圓山飯店去寫呢？」她反駁我。

「這並不希罕，」我說，「不到圓山飯店寫不出小說的不是沒有。」

「我是作家嗎？」她生氣的說。

「難得她有自知之明，」我說：「好好，我們出去，讓你寫，」可是，我接着諷刺了她一句：「不過，這一個月來，看你費了一屋子的稿紙，可沒看出有什麼成績。」

她又挺起腰，算是老羞成怒了，她瞪着眼說：「你不是不知道，現在的文章難寫。」

「還她這母夜叉樣，她就當不了女作家，我說：「怎麼難寫，我不相信一篇好文章別人會給你退回來。」

「問題就在這裏了。」她委曲似的說：「現在的作家差不多都掌握在他們手裏，都自成一堡壘，各大報紙雜誌，新作家那也只是喊喊而已，他們說的園地提拔，公開，我敢跟你打賭，如果園地眞的公開，他們不餓死才怪。」

「你的談話太武斷，中國還沒有幾個職業作家……」

「當然，」她趕緊打斷我的話說。

「這個我知道，可是……」

「我說：可是什麼呢，你知道他們都是有官做的。什麼代表，委員，寫文章只算是玩票而已。」

「這就怪不得到人說，官多過作家，作家多過作品，作品又多過讀者了，」她像是明白了。

「你不能亂說。」

「又不是我說的，是報紙刊登的可以，你說就不可以。」

「爲什麼？」

「別人會說你吃不到葡萄說葡萄酸。」不是我不相信我自己這位配偶，她眞可算是哥倫比亞大學吹牛系畢業的，三句話有三句都不可相信，爲此，我阻止她再吹下去。

「假如我有點人事關係……」

「作夢，假如我寫文章也攪起人事關係來了。」

「不假，我的過房爺是什麼大師：我的老師是什麼部長，我的文章再不好，還不是照樣出風頭。」

「你旣然了解到，何必死要向裏面擠呢？」

「當初我那裏知道這些內幕。」我趕緊說：

「現在知道也不晚呀，」

「這樣，不但省了好多多稿費，退稿費，稿紙費，信封，費，墨水……」

「怎麼？」她瞪大那金魚眼：「講出來也不怕看着的人笑話。」

「怎麼能算笑話，誰要投過稿，誰都知道，我的意思還是爲了你的精神，那樣……」

「用不着你假情假意，」她掀起三尺厚的嘴唇笑了。

看她表錯了情，我說：「花多點功夫理理家吧，我吃了半個月的生米飯了。」

「死鬼，」她咬了咬嘴唇，邊說邊出去招呼孩子去了。

自由人
THE FREEMAN
（第七二七期）
每份港幣壹毫
台北市售價新台幣壹元
20 CAUSEWAY RD. 3RD. FL. HONG KONG
TEL. 771726

論中共的新搜括計劃
——一九五八年預算的剖析

金達凱

中共人代會第一屆第五次會議業已閉幕，除藉此罷免右派份子，調整行政機構和通過漢語拼音方案，以圖造成更紅一色的統治局面與實現其消滅中國文字的野心外；還通過了一九五八年的預算，安排今後幾年內的搜括計劃。但此一搜括計劃能否順利完成，其對中共政權本身有何影響？此處加以簡略分析。

（一）

由於僞人代會的提前舉行（過去數次均在六月間召開），中共一九五七年的決算還沒有編成，但從五六年決算的產生赤字及去年大陸上的各種災情與農民抗糧的各種情形來看，五七年的收支絕無平衡，因之亦當有大量赤字的存在。所以五八年的預算收入，比五七年預算執行數增加了二十二億四千四百萬元（僞人民幣，下同），總數爲三百三十二億六千三百萬元。根據僞財長李先念的報告，五八年預算各類收入如次：

一、各項稅收一百六十四億九千七百萬元，佔預算總收入百分之四十九點六，爲上年執行數百分之一百零六點八五。其中：工商稅一百二十三億九千萬元，農業稅二十九億九千七百萬元。二、企業收入一百五十七億一千六百萬元，佔預算總收入百分之四十七點三，爲上年的百分之一百零八點九。其中：工業各部門收入七十五億一千萬元；鐵道、交通、郵電等部門收入二十三億八千八百萬元；商業、對外貿易等部門收入四十六億三千五百萬元。三、公債收入六億三千萬元，其他收入二億二千萬元。

上列稅收中，農業稅比五七年增加了六千六百萬元，折合細糧七億七千萬斤。因之五八年徵糧將近四百億斤，加上統購五百多億斤，農民要繳納的糧食在九百億斤左右。這一龐大負担，將給農民造成巨大的災難。

其次，工商稅方面，也比上年有顯著增加。因爲中共在新改變的財政制度中，已將地方企業和七種地方稅收（印花稅、利息所得稅、屠宰稅、牲畜稅、房地產稅、娛樂稅和車船牌照稅）全部劃給地方，並將工商稅（商品流通稅、貨物稅、營業稅、工商所得稅）劃給地方百分之二十，中央提百分之八十。而現在中央預算的工商稅收入且超過上年預算百分之一百零九點六，再加上地方的收支，則工商業者的負担自比以前大爲加重。

在各項稅收的壓搾下，加上公債和其他的臨時捐獻與剝削，大陸人民生活水準將更降低，以農民來說，據中共江蘇省縣委書記會議透露：目前江蘇農民生活苦不堪言，許多貧農勞動一年，連口糧都拿不回來。而吃不飽的現象，尤爲普遍。這就是中共搜括下的大陸農村面貌。

（二）

中共一九五八年的預算支出，亦爲三百三十二億六千三百萬元，比上年支出增加二十三億九千五百萬元。其各類支出如下：（一）經濟建設費一百七十七億七千八百萬元，佔預算總支出百分之五十三點四七。（二）社會文教費四十四億九千六百萬元，佔總支出百分之十三點八一。（三）國防費五十億元，佔總支出百分之十五點一。（四）行政費二十億元，佔百分之六點零五。（五）債務支出和對外援助四十二億四千八百萬元，佔百分之十二點七。

上項支出中，經建費比五七年增加二十五億八千六百萬元，行政費減少二億二千二百萬元，國防費減少五億零九百萬元。

行政費的減少，主要是裁員和緊縮機構。據李先念的報告，至本年一月十日爲止，中共機關下放人員已達一百一十萬人，並將繼續進行。其次是裁撤和合併機構，如行政機構中的若干業務機構，比較大的有人代會「通過」裁併的下列各部會：（一）撤消建設委員會；（二）撤消第一第二兩機械工業部，合併一個第一機械工業部；（三）電力工業部和水利部合併爲水利電力部；（四）建築工程部、建築材料工業部和城市建設部三個部合併爲建築工程部；（五）食品工業部併入輕工業部，森林工業部併入林業部；（六）教育部和高等教育部合併爲教育部。全部裁減人數在三萬人左右。

國防費的減少，不是裁減常備兵員數量，而是據共軍「全軍參加生產勞動」的決定，其創減軍事預算的重點是：如各項經費預算，減少生活費、差旅費、事業費、公務費等項主要經費各削減百分之九到百分之十。（二）降低現行供給標準，取消補助費或減少。（三）實行節省軍用物資和器材，撥出軍用船汽車等運輸工具一項，全年可少消耗汽油九千六百噸。（四）清理倉庫，加強廢料廢物的收繳和利用。（五）減少各地駐軍的副食品供應，規定各地必須做到自給。但這些既難收到預定效果，而且對軍隊紀律與士氣將發生不好的影響。

（三）

從上述情形看，中共一九五八年的財政收入，主要還是依靠農業稅的收入，其收入是否能順利完成，最大的關鍵在於農業。大陸的耕地面積只有十六億多畝，而農業人口則逐年增加，因此一九五三年平均每一農業人口可分得耕地三點五市畝，而一九五七年以後，則降到三點一市畝，這與美國的農業人口不足一千萬人而耕地面積有三億七千餘萬英畝，折合華畝二十四億畝以上的比例，實遠瞠乎其後。因之所謂食糧增產，實是不易兌現的問題。

其次，基于地理條件和自然條件的影響，大陸又是多天然災害的地區，農業生產始終無穩定。每年平均有一五千畝耕地受災。一九五七年的水災，受災地更達到二億三千萬畝，因而糧食減產達三百餘億斤。五八年的災害自亦無法避免，這對農業稅收入也將有嚴重影響。

復次，由于農村糧食不足，是農民抗中共近數年來的公糧徵收，一九五七年徵糧時，僅江蘇省就有一百零七個農業社顆粒未交，五百三十一個社沒有交足。浙江江山縣有六千四百多個個體農戶去年的公糧也一點未交。這些說明了五八年農業稅亦難完成預定計劃。（下轉第三版）

半週述評

蘇聯在製造形勢

蘇聯最近弄姿作態的聲言要撤退駐東德四萬軍隊；而同時要求美國也撤退駐歐洲軍隊。這一着無非要造成一項藉口，可以在可能的未來高層會議中，拒絕討論德國統一問題；同時在亞洲，也以同樣手法使北韓共酋金日成要求外國駐軍全部撤出韓國，使北越共酋胡志明也發出類似的調子。

這是共黨集團的老調新攻勢，想造成東西德，南北韓，南北越直接談判的情勢，企圖根本推翻阿登諾、李承晚、吳廷琰所一向堅持的統一立場，而在所謂高層會議之前造成一種形勢，以爲未來談判的事理根據，這個事理又必然會拐灣抹角的轉入替中共造成國際地位的企圖。蘇聯最近的做作，是在製造新形勢！

阿拉伯的雙包案

埃敘阿拉伯聯邦與伊約阿拉伯聯邦的雙包案，不但表示納撒之流大阿拉伯帝國的迷夢趨于破滅，也表示了東西集團間的冷戰已在中東由暗鬥而變爲公開。阿拉伯國家可能因此分左右看齊，加强中東火藥庫的危險氣味。

以色列總理夏萊特說，埃敘的合併，如意欲把以色列作爲「一付胡桃」來夾攻，將必發現以色列是一個「會軋壞這付鉗的胡桃」；又說如果伊約合併爲表示伊拉克西進的新開始，以色列將不僅證明是牢不可破的，也將必能大敗敵人。

以色列總理的話，自西方聽來，觀感兩樣，因爲以色列是西方一手扶植起來的，它之強硬對付蘇聯及其集團如埃敘，自然沒有矛盾，但對西方所支持的伊約關係却不能緊張，否則必將加甚西方在阿拉伯國家領導的困難。

今天的中東局勢，充分表示西方投鼠（蘇聯共產主義）忌器（中東的民族主義）的情勢。以色列雖然是西方的「胡桃」，却可能變成蘇聯宣傳攻勢的把柄。

法送與蘇聯一張「侵卡」

讀過「醜美國人」一書或看到「醜美國人」的人，都知道第二次大戰時北非這戰場對當時盟軍在歐洲登陸與全局勝利關係的重要。從這點看最近法機轟炸突尼西亞事件，不但令人感到越南歷史將要重演於北非，而且西方（式微的法國，自所謂落後地區的民族看來，仍是西方領導者之一）領導自由世界的威信，將必因此蒙受極大的損失。

突總統鮑古巴早已向聯合國安理會提出一項申訴，今又再提要求公開討論阿爾及利亞戰爭的新申訴。他公開說「整個自由世界干涉阿爾及利亞戰爭的時候，沒有一個人能再認爲這僅是法國的內政」。

且看自由世界的領導國將在安理會怎樣說話，是站在自由世界的領導立場上爲新興的民族說話呢？抑將爲法國殘餘的帝國主義作風維護呢？這又是東西集團爭取民族主義者在北非的冷戰中又一重要回合。如果英美調解失敗，安理會又將碰到難題。這不啻是法國代自由世界送給蘇聯一張「侵卡」。

「領導民主」的「成績」

蘇加諾悉于尼赫魯的（成就），在國際上走向所謂中立路綫，在國內發明所謂「領導民主」，以致爲共黨滲透。演變迄今，「叛變」領袖蘇慕爾聲言「如果總統蘇加諾不要求朱安達內閣辭職，將採取行動，同時不承認他爲總統，且將組織一個自由印尼共合國。蘇門答臘「叛變」集團首領胡辛發出最後警告，攻擊的是：蘇加諾濫用總統特權，戕害民族利益，消滅民主權利，違憲實施「領導民主」「投降共黨」；要求蘇加諾的是：印尼中央政府應將共黨份子清除。

蘇加諾前此遁于情勢出國，現又返國面臨更惡劣的情勢。雖然印尼中央政府宣稱反對者的指摘爲過甚其詞，但事實上的確詞非過甚。這都是蘇加諾玩弄民主的「成績」。看來蘇加諾如不放棄所謂「領導民主」的一套，與哈達採取政治方式解決殘局，便要對「叛軍」硬幹，那麼，流血的局面，勢必造成共黨更多的機會。

•林伯雅•

太空主權諸問題

•黃曄•

美國繼蘇俄之後亦放射了「人造星衛」，至此，太空主權問題的研究已成爲急不容緩之事。雖然，「太空社會」的實現尚有待於若干年之後，但是國際法學者的新任務業已開始，因爲目前的國際法是否均能適應「太空時代」的需要實大成問題。

以火箭推進升空的「人造衛星」，目前係飛繞地球而行，許多國家均暴露於「人造衛星」之下，此舉是否已構成對「領空管轄權」的侵犯？有兩種學說可以提供參考（現今多數國家的國內法，都是採用第二種的學說）：

第一種學說是認爲：領土與領水的上空，比照領海分爲兩區域，靠近地面的較低區域爲國家「領空」，較高以及高至無限的區域則爲「公空」。「公空」可自由飛航，故「人造星衛」在太空環繞航行，並不構成侵犯「領空管轄權」的行爲。

第二種學說則認爲：領土與領水的上空，無論達到何種高度，均屬下面國家管轄；且一個國家可以完全禁止其他國家使用其領空，縱使其他國家享有「無害通過權」，但亦須得到此一國家的「同意與准許」。如果依照這一學說，則「人造衛星」任意越過他國的領空，顯已構成侵害他國「領空管轄」的行爲。

不過，現今美俄兩國所發射的「人造衛星」，是應國際地球物理學年的需求而發射，是基於科學上的理由；同時，國際地球物理學年的會員國計有六十四個國家，經過如此多數國家的「同意與准許」，可算在國際法理論上已獲有「無害通過權」的依據。

可是，一旦環繞地球的「人造衛星」發生了軍事上的作用，一個國家爲着本國的國防保密與安全，當然是不會允許此一軍事性的「人造衛星」通過其上空的。

我們假定蘇俄以「人造衛星」攜帶氫彈飛越美國上空，美國是可以不必經過抗議而徑行將蘇俄這種軍事性的「人造衛星」擊落的。因爲氫彈殺傷力太大，美國必須當機立斷而無法多所等待。但假定基於科學上需要，而由某個國家經由火箭或「人造衛星」攜一氫彈來撞擊月球，那又當作別論。上面的說法，係就現今國際法觀點而言，太空時代有許多問題往往非國際法所能包含及解釋，那便有待於觀察事實的如何演變，始能定論。

美俄「太空之戰」的第一回合是「人造衛星之爭」，第二回合將是「登陸月球之爭」。而第二回合的競賽將會比第一回合更要激烈得多，發生糾紛恐怕是難免的，將來會惹出什麼大禍，也是無法推測的。所以「管制太空問題」，實是到了刻不容緩的地步了。舉一假定來說，倘若美國在太空航行器具上較蘇俄着了先鞭，先行駛出登陸月球的「太空船」，蘇俄爲了破壞美國先行登陸月球的計劃，乃放射一攜有特殊炸藥的火箭或「人造衛星」，撞毀美國的「太空船」，然後使蘇俄的「太空船」順利達到月球而取得勝利，都麼，在有關管制太空的諸項規律尚未協議之前，此種紛爭將如何解決呢？

再說，以前美俄雙方的科技水準而言，將一火箭射向月球，當於不久將來內可獲實現。倘若有一國家，假定爲蘇俄，其射向月球的火箭上，裝置有蘇俄國旗，隨火箭插於月球上面，以純學理觀點言之，此舉殊未必可認定已所得領土主權。因爲今日國際法的「先佔說」已進步爲「有效佔領」，須有擴殖行爲（Settlement），單純藉一支國旗即圖佔領月球，自將難爲國際公認。不過，國際法之學理，引用於太空上所可能發生之各種問題，是否十分妥適？實尚有待學人作更進一步的研究。

就實質言之，假定征服太空的第一站——月球，倘若不幸被野心家所侵佔，在月球上配備毀滅武器，隨時襲擊地球某一地區，則此一地區的人將無噍類矣！登陸月球問題既可能發生，如此嚴重的後果所給予世人的憂慮，將較史波尼克第一及第二搶先升空更要深刻到千萬倍了！

然則爲着保障地球上的和平與安全，可否授權聯合國來管制太空（包括月球及其他星球），規定執行有關管制太空的協議或公約？抑或另尋途徑呢？將是一個不易解決的問題呢！

欲去還留的「內閣」問題

·持正·

共務員懲戒委員會對於監察院彈劾行政院長俞鴻鈞違反公務員服務法提出申誡議決書，已呈准總統執行了。俞院長已提出辭呈，迄仍在總統慰留中。該議決書否定了陶希聖氏於一月十二日在中央日報發表星期專論「憲法學家一夕談」文中所提的疑問。

倒閣問題

陶氏對此問題，以前曾有行政院除立法院「倒閣」外，其餘各院均不能「倒閣」之詞調。同時陶氏亦曾認爲行政院長不受文官制度的公務員懲戒。但行政院長所任之職亦在公務員範圍之內，不應有超「法」的或「太上公務員」。行政院對監察院是負的公務員執行職務之責，立法院要「倒閣」是循政策否決的途徑，監察院「倒閣」乃循彈劾其違法失職之途徑；如果行政院只有立法院可以「倒閣」，那麼除政策之外，再是一個壞人、惡劣政風，貽害政治之時，內閣仍然可不不倒的了。至少在民主政治下，是盡量縮小政治權力的，既然公務員懲戒委員會對俞院長提出申誡，內閣恐再也無法戀棧下去了。

何時改組？

但是，在總統批准申誡書之前，已決定慰留俞院長繼任，或者改組行政院。所以，行政院的改組問題，又傳最遲在五月中，最早將在下月實現；而院長人選，也有傳說中。

俞鴻鈞任行政院長之始，朝野視爲財經內閣出現，但幾年來財經問題迭出，甚且每況愈下，于是人們責備「財經內閣」，其實許多現實環境所決定的事實，並非財經專家所能解決的。當然，俞揆的違反公務員法，乘職而違反節約，已是勢在必辭了。幾年來政風敗壞，嘖有煩言；無論原因何在，事實是事實，總是令人民失望的。

未來閣揆是誰？

據傳不論五月抑保三月改組行政院，周至柔氏繼俞鴻鈞氏任內閣，可能性最大，原在周氏任省主席時，已有決定了，因爲各屆行政院長都是由台省主席升遷的；周氏任省主席不過是一個過渡時期；也有人說周氏原爲軍人，對於政治未必精通，先從主席任中磨練與學習。此次政院改組，也有人說將由「財經內閣」改爲「戰鬥內閣」或「反攻內閣」。年來台灣政策原是「在安定中求進步」的，「財經內閣」現在應該是求「反攻的進步」了。所以，人們對於武人從政，將軍任內閣，便不値得多說了。如何用事實給「反攻無望論」的一個強召力的答覆，如何與大陸抗暴運動配合而有所作爲，確是海外二千多萬國人，以及陷身鐵幕的全體人民所旦夕以求的事，除此以外，誰人上台，也不會引起人民多大關心的吧！

必須是責任內閣

但「戰鬥內閣」或「反攻內閣」，並不能認爲財經已無問題，政治乃是建立於財經上的，一個國家的財經問題得不到解決，社會不安定，民生艱難，政治既不會好，如何能談到反攻或戰鬥的國策？所以新內閣必須是責任內閣，必須有力量挽救政治頹風，有民主政治家的胸襟，有大刀闊斧的作法，無關乎一切不合理的措施，一心以全民意旨的政治理想爲取決標準。尤其要重視而不能排拒批評政府與政治，惟有批評存在，才是明民主政治的精神是存在的，言論自由等不虞匱乏，民主政治才有其氣象可觀（四十七年二月十五日夜於台北）

對吹　·楊有釗·

省點公告費吧

·余崇明·

政府公告費，確是一筆可觀的數目，據說這也是給報社變相的津貼。但，有些公告，實在不必「公而告之」。

如台灣銀行按期「檢查發行額與準備金」的公告，大可以省一筆。因爲每一次的檢查結果都是發行額與準備金，兩兩相符，毫無錯誤。而且「逐箱逐本會稽查，查核，點對無誤」。試問又何必多此一舉？

再說，祇憑那幾位「發行準備監理委員」查核，點對的報告「ＯＫ」，我們便認爲「絕對無誤」。我們誰有權在檢查時候去參觀呢？

讀報之時，最無興趣看的，便是這一類公告。

莊子說：「不作無益之事，何以遣有涯之生。」銀行的發行準備的檢查公告，亦當視作「遣有涯之生」的玩意罷了，假若這玩意也像愛國獎券開獎之日，當眾表演一下，倒也可示信而取信于觀眾，那就阿彌陀佛「了」！

台灣通訊

自從去年年尾立委們慷慨陳詞關到了社會風氣問題之後，社會明達之士莫不大聲疾呼，指出其病症所在，希望挽救狂瀾。

一般在高蹺上頭攞哈吧狗自娛的大黃蓮是否肯抽出時間來看看我們要他們拿出良心打咀巴的文章，且不去說，而我們搖筆桿爲毛錐屁股的筆者同行，說也慚愧，一些「出了類，拔了粹」的却向隅慨一番，甘于向現實低頭！社會風氣腐敗，固然始徵於政治上的「上焉者」，但如果沒有人在筆底下推波助瀾，也是不會甚囂塵上于「在下者」的。

新春開筆談筆者同行

·逸樵·

「剿黃」「討赤」「誅黑」之役

記得過去有所謂「剿黃」、「誅黑」、「討赤」運動。那些所謂「出類拔粹」者，頗然費了一番「功」。他們罵人「黃」，自己抬出個變色。許久以前，我們便已指出究竟那些影歌女，吧娘舞妹，供獻了一些什麼於國家社會值得我們賣力去捧？要云有之，恐怕就是「功德無量」的現目的風氣了！再說「黑」吧，他們自負忠貞清高，乞靈于一套，國家事則見處之，大度傾危，還助粉飾，頌德歌功，仰翻覆雨，還有什麼可稱之爲更黑？「赤」吧，他們何須自戴着帽子，只須迷人色調，便可軟化我們的當道大官，腐蝕我們的社會，豈不實間接「助赤」了嗎？

爲何不愛惜篇幅？

今日豈還容許我們再錯，再惰……更還容許我們「聲色犬馬」，「閒情逸緻」，做那些毫無意義，毫無裨益的事。十年來我們確實做了一點什麼有關復國救民的事。西一套，陳腔幾句，貼貼街招廣告，便成了麼？「節衣縮食」，節了一些什麼？「縮」却祇是窮苦的小職員和老百姓！大官豪門，一擲哈吧狗身價幾萬，給養待遇恐不下于一員上將！我們執筆，如果只是爲那些什麼動物描繪什麼性感，與及一些騷臭的肉感動物？今天我們有限的寶貴篇幅與時間，不爲喚反暴復國而用，反爲那些動物作義務廣告，捧場，拉生意的文字所占據，豈不太可惜而浪費了！

心所欲言不能自已

今日我們當前重要課題，題材原是很多。古今賢哲，興亡歷史，是使吾人堅強奮勵的正不少；再不然，我們不是久已把科學救國高唱入雲了麼？那麼，科學這一邊，又復不少新而有趣的題材，還有……。

我無意得罪同行，只是心所欲言，不能自已；好在「新春開筆，萬事大吉，」亦勉人以自勉耳。

印尼局勢經緯萬端

兩大逆流迫蘇加諾抉擇新途

——椰加達航訊——

當巴東廣播電台播出反共的自由印尼共和國已在蘇門答臘成立後，耶城饑餓的大衆，以及數逾四十萬手執有配米證的公務員，無人不大感興奮。每個人都在注視着陸軍參謀長芮蘇賢的態度，相信只要這一位一度（一九五二年）發動政變推翻蘇加諾未遂的軍事首長說一句，不是全國陷入戰亂，即係一個統一全國的自由印尼立刻出現。

但是，芮蘇賢並沒有任何表示，只是希望蘇加諾自日本歸國，讓總統去自行抉擇；代總統沙多諾（國會議長），與總理朱安達態度，除了在蘇加諾返國以前，但求「保安無事」，根本就沒有什麼計劃。蘇加諾這次假名「休養訪問」，目的是想緩和國內外緊張局勢，企圖提高自己的聲望，爭取國際援助。結果同他原先的計劃相反，加強了國內反抗力。

不久，當一九五六年十二月一日副總統哈達辭職，印尼共黨勢力迅在爪哇擴張，蘇加諾政府對內腐化，對外島（各省）的政治影響力隨之消失，蘇島三省（北部、南部、中部）宣佈脫離中央政府；此後，除了爪哇東西部因選舉失利落入共黨手中，離島千餘小島，雖未正式宣佈不再聽命中央政府，實際早已各自爲謀。蘇加諾除了共黨首領艾迪外，已陷於孤立，他却一味信須共黨，以「指導民主」扼殺民主，而掀起了反荷的「收回西伊里安」運動，跟共黨組織「解放委員會」建立「解放軍」（名爲「西伊里安建設師」一萬五千名），幻想荷人自西新幾內亞撤退。但結果顯然失敗，釀成通貨膨脹，黃金儲備日見涸竭；與外島交通（因收回荷人航權）隔絕，物資失調，大部分地區遍呈嚴重糧荒，國人叛離中央政府趨向日益顯著。

於是，蘇加諾認爲這一殘破局面，舍哈達之外，無人可以收拾；他當哈達訪問北平及日本歸國之後，三次枉駕懇談，哈達終認大勢已去，回天乏術。在另一方面，回教極端派民族份子，以蘇加諾進退維谷「欲去還留」，確認只有採取斷然行動，於「不殺蘇加諾，無以救印尼」觀念下，於十一月卅日乘機狙擊。雖未獲逞，對蘇加諾說來，倒是一種強有力的啓示，速決了他的離志，於一月六日出國，希望緩和國內危機。

在外表上看來，朱安達總理先後宣佈了兩大決策：撤銷了「解放西伊里安行動委員會」；租用外輪恢復全國航運。似乎這些都是給予中共（支援反荷）的無言答復，亦即予印尼共黨顛覆活動一個重大打擊。但事實反映出共黨企圖奪取中央政府的行動，越來越明顯，使執政的國民黨開明份子，不得不與反共的第二大黨（瑪斯友美黨）以及其他非共黨派聯合，共同策劃民主的自由印尼共和國運動。

當中央銀行總裁離開耶城，投奔蘇島以後，他們擬推舉哈達出任未來的新政府總統，社會黨主席史查里爾爲總理，財政部長由蘇容多担任，國防部長由前任（被解職）副參謀長魯比斯上校出任，宣佈蘇島中部自治的軍區司令胡辛中校出任參謀長。

因此，朱安達不得不要求芮蘇賢前往蘇島，力圖緩和蘇門答臘情勢。當然，憑芮蘇賢跟他們過去的關係，沒有理由不能說服胡辛，與各個軍區司令的。如所周知，印尼全國陸軍不受任何黨派領導，其目的爲捍衛國家。芮蘇賢蘇島之行，雖不辱命，只是進一步加強全國軍人團結。現時雖無任何異常態度，相信他基於全國的安危，以待政治局勢的演變。然而，另一股企圖推翻中央政府的潛力，已在西里伯斯島的東南部出現，以蘇莫爾爲首，繪畫中的大印尼回教共和國，深獲飢餓羣衆擁戴，他現在一方面向胡辛中校爭取合作，同時親赴日本迫使蘇加諾就範，他要求撤換現任總理朱安達，擁護哈達副總統復職，並兼總理，不然，他將以武力迫使朱安達垮台，重建新國家。

蘇加諾對於這一經緯萬端的複雜局勢，今後還該採取何種措施，顯然不能再事猶豫。除非採取如下五項步驟，不易遏制全國不滿情緒：（一）揭示正確獨立的內外政策；（二）撤銷「指導民主」的獨裁制度；（三）下令全國軍警搜繳共黨武器；（四）現任內閣徹底改組，並不准共黨參加政府；（五）迅謀恢復全國航運。倘蘇加諾不圖採取順理措施，繼續迷信共黨獨裁逆政，只會自毀前途。（二月六日寄自耶城）

·華仁傑·

新春「談」·平劇劇運

·司馬芬·

自李湘芬、張語凡幾位反共藝人回到寶島，曾接受各機關團體的邀請，演過好幾場精彩的節目。此時此地在復興基地的台灣，能耳聞目睹海派嫡傳之劇藝，總算幸運。而就在發揚固有藝術挽救平劇殘局之着眼上，亦屬新機。

說老實話，自顧正秋離却菊壇以來，台省的平劇一直冷落到現在。平劇之一蹶不振者，非爲賣座，其主因在「有戲無台」。這次李湘芬、張語凡登台表演，就由於演出場所不易商借，曾使籌辦的大傷腦筋。而李、張兩女士最後表演之舞台，均失標準，致使演出減色不少。

戲劇是表現文化的一個重要部門。世界各先進國家首都所在，無不有規模宏偉的國家戲院，國外遊客亦無不以此爲觀光的主要對象之一。而今天的台北，竟連一所像樣的平劇舞台也闕如，確是有缺憾的。

在寶島，現在似乎有振興平劇的現象：一、大鵬平劇團正以國劇團名義訪問歐洲國家歸來；二、戴綺霞及陳達麟兩劇團正在開演；三、在息影中極有造詣的女演員余素琴正待機而動，四、創立未久的私立復興劇校成就頗有可觀，將有可造之材；五、海外新近歸來呂舜華、張語凡、李湘芬大都是佼佼不羣的人物，爲平劇增加生力軍；六、風聞顧正秋有重登舞台的可能。

看來寶島上慢道組一個班底，就五個六個也似無問題，其眞正問題却在「舞台」，這大半要看有關當局的提倡與協助了。

金日成建議撤退外軍裏因分析

胡養之

沉寂已久的南北韓統一問題，現在又有新的花樣了。由於二月五日，北韓共黨頭目金日成在內閣會議中提出一項建議，要求全部外國軍隊撤離韓境，讓南北韓在中立監督的選舉下重新統一；此外，金氏並要求舉行關於韓國未來新的東西談判。這，顯示自一九五四年日內瓦談判以來，業已存在於韓國的東西僵局，又將有新的變化，也顯示了東西的冷戰局勢，又擴到遠東來了！

南韓的看法

南韓外交部官員認爲：金日成此項建議，「毫不值得研究」；同時南韓駐美大使梁裕燦也覺得該項建議是北韓欲瓦解聯合國軍撤退，以便向南韓發動進攻。

東京的看法

但是，東京方面却認爲此項建議，可能是出自中共的計劃，爲共黨要求於最近反擊西方要求召開高層會議中採取的一種攻勢行動。日本觀察家也相信此將會增加拉巴基斯坦提出在韓國建立無核子區的計劃，以遏止美國軍令部目前將核子武器迅速運入南韓，是以明是共方在韓國的軍備。

紐約時報看法

不過紐約時報看法又不同，他揣測當中共「總理」周恩來不久到北韓首都訪問時，將可能宣佈至少減少駐在北韓的三十萬中共「志願軍」的一部份。而中共之所以提出此項建議，可能係因爲駐韓美軍現在擁有原子武器，中共想打脫身了。因爲，中共如果從北韓脫身，一面可以洗清聯合國所給與它的侵略罪名；並且可以替它自己鋪平道路，以獲得各國對中共的承認及聯合國席位的取得。然而，就壞的一方面來說，中共此項計劃，也可能是一種宣傳攻勢，也即企圖以聯合國宣傳它的和平建議爲藉口，實際上是要準備再度大舉進攻南韓。所以，紐約時報曾促美國政府必須把中共的眞正意圖弄個清楚。

北韓軍力實際在增加

韓戰停火以來，共方仍然不斷地在增加兵力，却是事實。一九五五年十月一日，南韓空軍總司令金春榮中將曾在該國空軍成立七週年紀念大會中發表文告稱：「北韓違反停戰協定，現已重建機場三十餘處，運入飛機約六百架，其中四百三十架爲最新式的噴射機。」他並說：「在我們對敵人完全取得優勢以前，我們決不鬆弛。」當時南韓空軍只有軍刀機十五架，「T三三」式機十架，運輸機四架，及螺旋槳推進式的野馬式戰鬥機一大隊，數字相差得太大了。

一九五六年六月二十日，前美第八軍軍長泰勒將軍由日本趕到南韓，參加韓戰爆發六週年紀念會發表談話說：「當時我認爲，北韓將可能發動戰爭。」理由是：北韓（包括中共志願軍在內）已擁有最新式的噴射機五百架，其中還有若干架能投擲原子彈的二八式噴射轟炸機，北韓地面部隊亦有擁有最新式的武器，包括原子武器在內。

李承晚曾經這樣想

同時，一向主張揮軍北上統一全韓的南韓總統李承晚，也曾在紀念會中這樣宣佈：「現在我已經放棄揮軍北上，統一全韓的念頭了。」突然改變以往的態度，固有其他的種種因素——如國際局勢的牽制，韓國人民的測驗，以及期待世界大戰的來臨；一是對於北韓的强大兵力，也未必沒有顧慮。

聯軍撤退與南韓擴軍

由於聯合國軍的撤退計劃，早在一九五四年上半年就已實施，美國第一批撤離韓境的，是第四十及第四十五兩師，同年八月，第二批撤退四個師（第二、第三、廿四、廿五步兵師），其他聯軍也已大爲減少。雖然韓國政府和民衆均反對撤兵，但這是美國整個國策的一部份，除非再迅，這項政策是無法改變的。後來討論韓國擴軍計劃，完全建立在美國對韓軍援計劃上。一九五五至五六年度，軍援款共四億二千萬美元，佔全年整個七億美元款的五分之三。四億二千萬元中，原定撥款三億三千萬元是純粹軍事性援助，九千萬元是消費品變賣得款可用于緊縮出追加數額需要所增發的通貨，並將韓軍的指揮權，交回南韓政府。

南韓的軍力

現在韓國陸軍戰鬥部隊，計有兩個野戰軍，分爲五個軍團，二十五個師，約有三十五萬至四十萬人，其他後勤、訓練單位等人員總共計入，陸軍總數已超過六十五萬人，後備師十師尚未計入。雖然韓參謀總長李亨根將軍曾謂：韓軍一師火力及裝備只相當于一個美國師的三分之一，但照亞洲部隊的標準看，韓軍戰鬥力及火力裝備仍舊甚高。而且士氣旺盛，無疑地將是自由世界反共陣營中的一支勁旅。

國際動態拾零

△麥美倫對極峯會議之主張，爲四强之外，加上加拿大，波蘭，南斯拉夫，與另一中立國。加上波蘭，南斯拉夫之故，以蘇聯決不參加彼爲多數之會議。

△美國有兩個火箭基地，將設在蘇格蘭之飛機場附近。爲當地左派所反對，行將舉行示威行動。

△北大西洋公約國家接到情報，謂蘇聯用以對付新擴的那種亞半島之軍力，爲六千架噴射機，散在一八〇飛機場，中程火箭在二百至二百五十個火箭基地。此外並有陸軍廿八師，及强大之潛艇的海艦隊。

△今夏共黨國際，將舉行極峯會議，議程包括黨內紀律問題。此項會議去年十一月，於四十週年紀念節時，曾舉行過，惟個人衝突甚多，而政策方面又未一致，因結果不好，故有再來一次之必要。

△民主黨又在國會提出，美國應否應付蘇聯之化學戰與細菌戰問題。據陸軍化學部負責人之出席作證，謂與人造衞星之火箭一樣，美國遭遇到化學上，生物學上，與無線電上之失敗。

△蘇聯自一九四〇年後，工業增產已三倍，而農業祇增加百分之廿五。去年農產品，較一九五五年少一億三百萬噸。

△狄托告訴尼赫魯總統談話，謂不能純賴俄援。並深悔過去其自己經驗，祇宜接受美援以後，蘇南關係始獲改進。

△蘇丹國受蘇聯之誘透，益要求美援。本預算增至五百萬，現已非增至一千萬不可。

陶然

竹幕秘聞

「解放台灣」的乾號

自一九五四年以來，中共對於「解放台灣」的乾號，其推移的轉變如下：

一九五四年九月二日，毛澤東與周恩來聯合致電馬林可夫與莫洛托夫，電文說：「中國人民堅決反對美國侵略集團的這種戰爭政策，一定要解放台灣，以保障中國的國家主權和領土完整，以維護遠東及世界和平。」九月三日，砲轟金門馬祖，這是中共對於中國大陸東南沿海島嶼攻擊的開始。

一九五五年七月，周恩來在「人代第二次會議」上報告外交政策，對於「解放台灣」的部份說：「中國人民在可能條件下，爭取用和平方式「解放台灣。」」

前幾天，周恩來又在「人代第五次會議」上說：「中國人民解放台灣的可能性一天天地在增長。」

衰竭的跡象

前面這三段話，固然均在「一定要解放台灣」的前提下，所喊出的帶有宣傳的乾號，但是我們可以看出他們的乾號亦表現衰竭的跡象。

一九五四年毛周的電文，帶有威脅口吻，似乎非如此不可，同時，亦充滿着戰爭威脅的氣味。

一九五五年周恩來的講話，較之一九五四年的已經軟弱了一些，他認爲「解放台灣」的方式有兩種：一種是武力的，另一種是「和平方式」的，他們將盡量爭取「和平方式」「解放台灣」。

最近，周恩來的講話裏，對於「解放台灣」一事，雖然還有積極的看法，若我們仔細的去體會，便會發覺他對於「解放台灣」的「可能性」已經發生了懷疑。

這種乾號的推移，正能可以用這樣的話來形容：「一鼓作氣，再而衰，三而竭」。

從其乾號的推移方面來看，現在他們對於「解放台灣」的行動，很明顯，已到達衰竭的階段了。

亦喜亦憂

由前述衰竭跡象來觀察，不用說，在今後一個相當的時期內，中共對於台灣海峽是暫不會主動的積極性的武裝行動的。似乎應該說是樂觀之處。

照理。對峙着的雙方，若有一方衰竭，則另一方必然旺盛；但現在的情況却不盡合這種邏輯，一方固然衰竭了，但另一方也還不够達到高度旺盛。應該說，這是近乎反常的現象。難道我們除了只等待敵人內部的變化，却連一些兒的主動也不顧爭取？

•田心•

面海操觚

丁酉年臘月毛皇帝「南巡至粵」

秦皇東巡，煬帝南遊，旋踵即亡！秧歌王朝又如何？

吳本中

報載毛澤東曾暢遊江南，忽而抵滬，倏而又在杭，終而且到廣州，與印度大使高談，這種『神龍見首不見尾』的情景，似乎使人莫名其妙，嚥嚐，此所謂『數風流人物，還看今朝』乎？

又據柏林消息：十五輛豪華『急行列車』專爲毛澤東遊行所用，正在著名之東德鐵路工廠GOERLITZ建造中。這十五部精美串車，自一九五五年在LEIPZIG工業展覽會時早已訂購，估價是二千七百多萬東德馬克。豪華將不可一世，英皇之御用火車，哥林元帥之包廂車，均將瞠目其後，自慚形穢矣。『毛皇帝』的御用火車將全部特製裝甲避彈，祇有自內可望外而自外不能看見內部之科學玻璃窗門，有完美冷氣調節氣候設備，每輛均有電話，無綫電，雷達等最摩登機具，能使消息內外通達，俾『毛帝』可四海之內，『明察秋毫』。專用套房亦有五串之多，數間臥房之外，有一間書室，一會議廳，數間客廳及辦公室，他若浴室，化裝室之類附屬設備，更無論矣，車內牆壁是鑲有最名貴的西洋紅色木（MAROGANY）及黃色木（WALLNUT），全部地毯是巧匠親手織成的。不但此也！除護衞團車輛及侍從人員專廂之外，尙有一全體裝備之醫院在內，設有手術室！

好傢伙！在我億兆苦同胞泣飢嚎寒，無鍼默自由的同時，竟有此事，眞是令人欲哭無淚，欲言無聲矣。我們眞要攀登太平山巔，仰問青天！

然而，正義感是要行動支持的。先賢遺訓：『吾善養吾浩然之氣』，然必『放諸四海』方可發生作用，變悲憤爲力量始可。

極權必亡，自由必倡。歷史可爲明鑑，史稱：壬午年，秦始皇東巡，上鄒嶧山立碑，徒令歸入海求仙。癸未年，東遊，張良狙擊之。方其躊躇滿志，惟感無法長生不老，巡四海，富有天下時，已有人在左右[illegible]他，又有人要殺之如畜生而甘心。不旋踵，東巡至趙崩，遂如烟消霧散，其『子孫萬世之業』亦不保矣。隋煬帝開通濟渠，伐高句麗（西曆六一四年），『乘興南遊』，『春風舉國裁宮錦，半作障泥半作帆』其風流豪華不可一世之概，恐毛澤東亦不及，謂其『稍遜風騷』也。然揚廣之滅亡比嬴政更快更慘。宇文化及弒之，其孫楊侑繼之，羣『盜』蜂起，不二年即讓『禪位』於李淵。『一代天驕』其己矣乎！

昔拿破崙叱咤風雲，統一歐洲；其用兵之神速，施政之精明及法典之進步，至今猶使世界人士嘖嘖稱羨；固非『獨夫』暴君者可比也。惟當他自己稱皇帝時，歷史便將其與愷撒並列，由此段歷史而編成之戲劇——如：『教宗與皇帝』（法名：LEPAPE ET L'EMPEREUR），劇情是拿皇把羅馬教皇軟禁在丹白露宮中，兩人鬥法情形。一個代表人權，彼此之表情與談話眞是高級哲學研究。教宗駡皇帝爲『小丑』，斥他爲『虛榮』（VANITY）。毛澤東亦知之乎？

論中共的新搜括計畫

金達凱

（上接第一版）

就工商稅方面說，大陸工商業自實行「公私合營」之後，營業額亦較過去減少，有許多合營機構更不斷蝕本。而企業方面材料的浪費和廢品次品的損失亦層出不窮。據李先念供認：僅上海梅林罐頭廠一個廠在材料、物資、財產和勞力等方面的浪費和損失即達四十五萬元，等于現有流動資金的一半。他如原煤和棉花等的減產，亦影響利潤和稅收的收入。過去數年，中共尙可藉「土改」「五反」「合營」及「合作化」等方面的壓榨以資彌補，現民間的底子已空，一切財富均被挖掘盡淨，因而其財政上所遭遇的困難自較過去爲嚴重，在此情勢下，中共五八年的收支勢更難平衡，其彌補赤字辦法之一，將是從銀行透支款項，增大銀行支出，也即是增加貨幣發行，繼續發行大鈔。辦法之二，將在農村副業方面而進行壓榨和搜括。據北平「經濟研究」五八年一月號的消息透露，湖北黃梅縣土橋鄉大衆農業社全年農副業收入十一萬元，但中共在其中提去「生產費」一萬五千元，「公積金」六千六百元，「公益金」二千二百元，提公糧款一萬一千四百六十元，再加行政管理費等等，剩下爲數無幾。第三是壓榨農民勞力。據李先念供說，從去年十月到今年一月中旬，每天在水利工程上從事義務勞動的農民有一億人，按一億人勞動一百天計算，農民投到水利上的勞動，已有一百億個勞動日。如按每個勞動日的工資爲六角錢計算，農民就已投資了六十億元。

由上所述，可見在中共搜括壓榨下大陸人民生活的困苦。同時，可見一九五八年的中共財政，將比以往幾年更爲困難。這對中共政權的統治及其所謂經濟建設等均有嚴重影響。至于減少支出，如將幹部下放和降低軍人待遇等，其結果，勢使幹部離心與軍人思想動搖，最近共軍總政治部召開的「宣教會議」所指出共軍中存在的六個問題，即是此項變動所指出的例證。

自由談

談禁賭

馬五先生

報載：台北的治安機關最近奉令禁賭，連日查獲民衆打麻將牌的人犯不下數百名，分別罰鍰釋放。猗歟盛哉，非常時期的壯舉也！

記得對日抗戰時，中央政府所在地的重慶市，治安機關亦曾奉令禁賭，凡屬公務人員犯禁者，且須拿交軍法總監部究問，可謂嚴峻矣。然而，渝市中心區「來龍巷」范公館，却晝夜車輛盈門，要人畢集，大賭特賭，無所忌憚，倒霉者僅係偶爾打牌娛樂的尋常百姓耳。以昔視今吾爲此懼！

嫖賭吃喝，皆係不良嗜好，若講大道理，既足以消歇非常時期反共救國的克難精神，更足以損害社會善良風俗，而吸香烟且將招致癌症，危害民族健康哩！把一般染有嫖賭吃喝與香烟嗜好的人，概予拿辦懲治，封閉一切酒菜館和「公共食堂」，亦復振振有詞，允符戰時生活的要求。光是禁止牌賭，而放任其他不良嗜好，得無舍本逐末，掩耳盜鈴之譏乎？過去美國政府頒訂嚴厲的禁酒令，且數十年，而民間嗜飲者如故。迨富蘭克林．羅斯福總統毅然解除酒禁，美國不特未受飲酒之害，國力且日趨富强，終致成爲世界盟主了。至於禁賭一事，美國不但是設有「賭城」，（地名 Lasvegas，在洛杉磯附近。）連中國的麻將牌亦所在多有樂此者。彼以宗教義理爲生活軌範的美國人，亦有這類嗜好，政府並不干涉查禁，我們於意云何哪？

爲政之道，貴在識大體，近人情，煦煦爲仁，孑孑爲義，固然有乖治理，若察察爲明，每以衝動苛擾爲能事，更難免治絲益棼之弊。凡是關乎移風易俗的問題，端賴在上者以身教示範，潛移而默化之，由來者漸，不能急求，切忌法網遍佈，藉硬性的命甲以臨民，芸芸衆生，盡成罪犯，結果是「以言教者訟」，「法令滋彰，盜賊多有」，吾未見其可也。

「無言」

‧息文‧

> 博浪沙之椎，就是從無聲中擲出。明未誅東林，除清議，正人君子被殺光天下沉默了，國運也隨而告終。

說話，有人讚賞滔滔雄辯，也有人讚賞無言之美。我覺得雄辯非不佳，但無言的效果有時會更好。

語言這東西，雖可表情達意，但它的功用實在有限得很。我們如果稍爲研究一下語意學，當知我們天天在說，實則天天在說錯話。我們的語言所以能勉强被對方了解，除了靠動作，表情與眼前的實物幫助之外，與其說是自已的語言表達得好，毋寧說聽者的經驗豐富或感悟力高。你介紹「馬」這東西，全靠別人曾經看見過馬。聽者如果沒有看見過馬，無論你怎麼說，他腦中的印象還是模糊的。佛向衆生說法，獲得超渡的，古今來只是極少數的一些人。假如憑佛的言語便可感悟而不需衆生本身的智慧，則凡聽說法的都可獲超渡了。原來，話儘可由你怎麼說；但碰到義理深奧，思想情感非常曲折微妙的關頭，你無論使用怎樣的詞彙，運用怎樣的句式，和原意或原事物的眞實比較起來，還是膚淺的，抽象的，善于講話的人，碰到這場合，便只有用無言來表達，索性一聲不響，讓對方自己去想。人之常情是胸中的說話愈多，而見面時轉覺無言。男女相悅，說得出我如何的愛你，這愛的程度實在還很浮淺，到愛情最深時，只有以心印心，任何說話是很多餘的了。你到古剎中與高僧談禪，聽見他謙虛地說一聲：「慚愧！山僧何知！」相形之下，你或會覺得你所有一套的人生哲學理論，這時會毫無用處。雄辯家將人駁得啞口無言，自以爲得意。其實服人之口未必能服人之心。若因此而引起他人內心更大的反抗，則這一種雄辯不但不會成功，而且正是大大的失敗哩。

我是不愛說話的人。其原因固由于我不善說話，另一方面也是由于我厭聽某一類的說話。經驗告訴我，凡是一見面就忙着自吹自擂的人，他裏面所蘊蓄的一定有限得很，你若相信他若干分之一，你便大大地上當了。我尤其怕名流巨公的演說或訓話。他們對大庭廣衆所講的，都是他們在私室中所譏笑所鄙薄的。我每看見他們一派正經地講仁義道德與國家民族的大義時，我如果不能用看滑稽表演的心情去欣賞，我便會覺得不寒而慄！孔子曰：「君子欲訥於言而敏於行」，又曰：「先行其言，而後從之。」又曰：「始吾於人也，聽其言而信其行；今吾於人也，聽其言而觀其行。」一切相人術似乎都可歸納于這幾句話中。自已不相信的話既不應向人說，而自已相信的話，講出來別人又未必愛聽。於是我緘默了。

相傳有兩朋友，相交莫逆，每天晚上見面，以燃一枝香爲度，香盡即別，不交一言。善哉！此二公。他們如果不是文學家，便是哲學家。因爲不懂文學和哲學的人，一定不能領略這無言之美的！

不過話得說回來。要求發表是人類的本性。虫兒愛叫，鳥兒愛唱歌，物不得其平則鳴，除非人們自已不想說話，人類的思想情感決不能用人力加以壓抑。壓抑的結果，不是反抗便是沈默。沈默于口而鬱積于心，正像洪洗遭受阻塞，堤防一決，便氾濫汪洋而不可收拾。秦政統一之初，惡儒生以古非今，妄參末議，於是燒詩書百家語，禁止偶語腹非，天下沈默了，然而博浪沙之椎，就從無聲中擲出。明末誅東林，除清議，正人君子被殺光，天下沈默了，國運也隨而告終。歷史事跡斑斑可考，這又是值得猛省的！

楊貴妃的汗

‧人木‧

相傳楊貴妃的汗是香的；從現今醫學上來看，那裏有這等怪事，但我們可以從別的方面去解釋。

像楊貴妃這樣一個深得皇帝寵愛的女人，自然是需要着意打扮的，並且在身上塗些甚麼西域異香啦，脂粉啦，袋裏也放兩塊麝香啦，於是楊貴妃就變成了一個香人，更是那些臭汗也掩不過香味，並且汗和脂粉香料混合，想不香也很難。這是第一種說法，[illegible]

第二個說法就是像楊貴妃肥胖的女人，說不定，保不了會有狐臭，[illegible]人眼裏出西施，覺得那臭狐是香的，於是向坐在膝上撒嬌的貴妃娘娘說：「我的心肝，怎麼你的汗也是香的？」[illegible]王帝都說是香的，誰還敢說臭？[illegible]定也就說屁是香的，爭着放屁和說屁香的了！於是宮女太監也說貴妃的汗是香的，大臣平民也就說貴妃的汗是香的，史官就毫無疑義地寫在書上說：「楊玉環奶奶的汗是香的！」所以，流傳至今，楊貴妃的汗便成爲香汗了。[illegible]經據典來證明貴妃汗香的才是吃古不化，書典是人作的，人家說屁香，你也引證說：「狗屁好香！」豈不太滑稽了嗎？文人一旦被御用，筆下的狗屁，就自然而然也「香」了？

收藏家

‧古月‧

大致說來，每個人差不多都有一種自己心愛的收藏嗜好。有些人歡喜郵票，有些人歡喜集古玩，更有些人歡喜收藏各種書畫照片，書畫，金石，銅瓷，以至烟斗……，關于收藏，也有說焉。

[illegible]

山居半日雜詠十首

‧王韶生‧

微雨岸飛塵。終風凍且曀。路轉現谿谷。驅車驟我至。

越陌上坡陀。小隊若魚貫。臨風一浩歌。清氣保平和。

清澈響鐘聲。尋思靜亦動。試看良梓材。孰云無大用。

森陣縱橫布。春蠶食葉聲。心源同一理。何處有虧成。

雲破日脚下。偶漏光萬點。海水若平湖。輕舟蕩湖面。

樹杪車聲轟。征輪盡日馳。漫分膚色好。同是客天涯。

午日照山與。光影鑽樓台。廣廈庇寒士。對此心顏開。

山頂白雲封。馬鞍忽不見。依稀霧轟開。青青餘一綫。

隱霧長廊間。颯颯聞啼鳥。淑氣共春來。一元由此兆。

浮生哀樂多。孰能袪百慮。本自江海人。掉臂任來去。

現實小說

上帝的叛徒

‧桑雨‧

晚上，已經快十點鐘了。

我離開桌案，哈欠連連，正感周身睏倦，想要睡了，突然有人來敲門。

「嘭！嘭！嘭！老陳，睡了嗎？快來開門！……」我還未來得及問是誰，就聽出是孟賢的聲音。但這次不比往常，聲音異常急迫，決不是像找我閑聊天或請我去喝茶之類的事，好似有什麼不尋常的事情發生了，無形之中我也感到緊張起來，慌忙去開門。

不由分說，像警察捉拿兇犯一樣，孟賢劈頭抓住了我的右臂，要拉了就走：

「走走走！你來給我們評評理，她簡直太豈有此理了！噓！簡直不通人性！」

他面色慍怒，在燈光下泛着青黃色。間有幾塊因貧血和盛怒變得發白的地方，看上去鬆斑剝的樹皮一樣。

「什麼事？怎的又吵架了？」我順手帶上門，用一種關切而又含責備的口吻說：

「大嫂子才產後不久，身體虛弱，你不該令她生氣！」

「我實在受不了，你那裏知道？她壓根兒就不讚同我給孩子取的名字，一定堅持要換個什麼約翰！」他一路走一路用手比劃着，側過頭來對我說：

「老陳，你想想看，這叫什麼東西？約翰！約翰！那能叫做耶穌甚麼算了。可是得搞清楚，我們是黃臉皮吃大米飯的中國人哪～哼！」他滔滔說下去，情緒非常激動。

「就是單單爲了這個？」我很冷靜而柔和的問道。

「嗯！這我已無法容忍了！她讓我到警察局去給孩子更改名字。多可笑！」

我聽他說話的口氣已比剛才平息一些，雖然走在沙沙作響的煤屑小路上，還能聽道他因氣憤而發出的深長的呼吸。在經過人家竹籬縫中漏出的幽昏燈光下，可以瞧見他還續張縮起伏的胸脯。

我向黑暗中拋掉殘餘的烟蒂問他道：

「孟賢，你不也是一個教徒麼？」

「怎樣？」他被我這突然的問話給困惑住了，顯得頗爲蹊蹺的望望我，然後慢吞吞的點點頭。

「既是如此，」我半揶揄的說：「你身爲一個教徒的寬大精神到那兒去了？」

[illegible]

時髦嘛！」我一時語塞，只有用這話來圓場了。

「笑話！我的兒子行不更名，坐不改姓，約翰，滾他的蛋！」

我們沒有再說什麼，一同走進他的小屋。（上）

咬文嚼字

「她們」有問題

‧陳曉風‧

我這裏說的「她們」，並不是指女性第三人稱的多數而言，而是指「她們」這個新字[illegible]

[illegible]

自由人

THE FREEMAN
（第七二八期）
中華民國僑務委員會
發行登記證台教新字第一第二號
中華郵政台字第五〇〇號
執照登記為第一類新聞紙類
（半週刊每星期三六出版）
每份港幣壹毫
台北市售價台幣壹元
督印人：陳文郁
地址：香港高士威道二十號四樓
20 CAUSEWAY RD. 3RD. FL.
HONG KONG
TEL. 771726
承印者：東南印務出版社
地址：高士打道六十四號
台灣總經理處
台北市西寧南路壹零號二樓
電話：四七三四六
台郵政劃撥儲金戶九二五二
海外總經銷：友聯書報發行公司
港香：德輔道中二十六號A二樓

美國領導世界能力的檢討

·宋文明·

美國如此富強，何以對自由世界缺乏真正領導能力？美國今日的世界政策在形式上是成功的，在實際上是失敗的，為什麼？何以羅斯福可以大胆運用政治影響，設法改變各國現況，而現在的美國政府就不能如此？

美國今天是自由世界的領導國家，美國自己作這種承認，一般國家也作此看法。美國所以能作自由世界的領導者，自然是緣於很多原因，簡而言之，就是在於「富強」二字。從富的方面說，今日美國以全世界百分之六的人口，生產全世界百分之六十的物資。從強的方面說，今日假若沒有美國的武力來作整個自由世界的安全盾甲，自由世界可能就早已不存在了。可是究其實際，今日美國對於整個自由世界是否已盡到了真正的領導作用，是一個頗值得懷疑的問題。

一、

從形式上看，現在美國已與自由世界內四十幾個國家訂有軍事同盟協定，還有更多的國家接受美國的軍事經濟及技術援助，好像這些國家已完全接受美國的領導，和美國具有非常密切的關係。其實並不如此。這些國家中固然有的也和美國友誼很篤，雙方關係水乳不分，但大多數國家不是和美國經常彆扭，就是因為美國和它們過分接近的緣故，反而引起了對美國的反感。杜爾斯國務卿所說美國的進行援外與聯防，是為了美國自身的利害，而非爭取朋友一點，從十八世紀的現實外交觀點來看，倘不失為是一種坦白。但從目前國際情勢講，當一個國家的外交政策失去了對方政府的熱情支持及廣大民衆的好感以後，就不能說是一個成功的外交政策了。這一事實就是說：美國今日的世界政策在形式上是成功的，在實際上是失敗的；表面上具有一種領導自由世界的氣勢，而本質上却並無一個足以真正領導自由世界的靈魂與精神力量。假若我們退一步講，美國縱能勉强領導北大集團或資本主義的先進國家，却不能對亞非落後地區發生領導作用。

二、

以美國這樣富强的一個大國，何以缺乏對自由世界的真正的領導能力？這一問題可從三方面去看。第一，美國根本不瞭解落後地區的人民和它們的民族心理。照理美國也是從殖民地脫化出來的，應該對現在的亞非落後地區有一種切膚之感，比其他歐美國家更能瞭解這些落後人民的心理狀態。但由於美國當時的獨立革命是反自己的統治者，而不是反外來的殖民者，所以美國這種爭取獨立的鬥爭，正如法國權威評論家艾闌最近所說，並未替美國帶來一種精神上的變革。缺乏這種精神因素，再加上二十世紀美國的富裕環境衝昏了美國人的頭腦，所以不論美國如何高喊同情民族主義，高喊「第四點計劃」，而美國對於這些落後與貧窮的亞非人民的心理，還是完全不懂的。

三、

第二，由於亞非地區的落後貧窮以及剛行開展民族獨立運動，所以整個亞非人民猶如人生過程中的青年時代一樣，充滿了夢想，希望和彷徨。而美國面對如此重要關頭，却不能對這些人民提供一種有力的思想領導。任何有力的思想都是屬於理想主義與衆的，祇有一種理想主義才能領導這些亞非人民的精力和心靈，而現時美國就無這種理想主義。美國可以宣傳「人民的資本主義」和「新資本主義」之類，但照新近獨立的加納總理克魯瑪所說的「資本主義對我們太複雜，我們無法接受它」的情形，這種「人民的資本主義」宣傳，顯然仍不能發生效力。克魯瑪總理是一位美國留學生，深受西方文化的薰陶，尚且如此，其他又將如何？美國現在極力爭取中立主義，殊不知所謂中立主義者，分析到最後，主要就因為這些國家徬徨猶豫，不知所措之故。假若美國有一個有力的思想領導，這一困難還有什麼問題？

四、

第三，由於美國缺乏這種思想領導，並無一個積極性的遠景作政策依據，所以美國對於自由世界各國除了實行援助與聯防之外，無法對這些國家的內部政治發生影響。拉丁美洲各國政變迭起，仇殺相尋，已成司空見慣之事，而作為美洲盟主的美國，却對此無動於中，從不過問，就看出美國的政治領導與影響已到了何種低落的程度。羅斯福總統執政十二年期間，先則忙於處理國內經濟問題，後忙於應付戰爭，致無暇全力顧及拉丁美洲本身事務。但就在戰爭進行期中，羅斯福除了致力獲致戰爭勝利之外，對戰爭收關各國內部事務無不加以干涉。今日世界這種情勢，和亞非民族主義的狂潮，有一半原因可說是戰時羅斯福堅持幾個偏見的結果。

五、

為何羅斯福可以大胆運用政治影響，設法改變各國現況，而現在的美國政府就不能如此？這因為羅斯福有一種道德上的自尊感，他知道他是為了被壓迫人民的本身利益和世界人類的整個前途採決政策，而不單是為了美國，所以他不怕人家反對。而現在的美國政府由於自認為它的政策是完全從一種自私的觀點出發，為了美國本身的利害，所以自然而然便有一種道德上與心理上的自卑。結果唯恐他人指它為「華爾街的代表」，唯恐引起當地反美情緒，因之對各國內部事務，亦越加不敢過問了。站在自身利害去干涉他國，是一種帝國主義行為；但為了別人福利去干涉它的事，是一種諍友的行為。要作諍友，就須要有勇氣，有自反而不縮的道德立場，而這是現在美國所沒有的。

六、

以上證明今日美國雖為自由世界的領袖，但並未對自由世界發生真正的領導作用。由於不瞭解人民大衆，所以便不能取得這些人民對美國政策的真正支持；由於缺乏一種思想領導，所以美國在國際上不能產生一種精神力量；由於美國不願實行強有力的政治影響與政治干涉，所以除了依靠這些國家內部產生一種足以抗拒共產勢力的新生元素。筆者相信美國終有一天，會發現這一問題的重要，例如現任美國大法官道格拉斯和前任駐印度大使鮑爾斯等，多少已經有這種感覺。不過要使美國對這一問題有徹底的認識，那就先要美國政府的基本思想和哲學發生一種改變。換言之，必須要美國再出一個羅斯福，美國的政府必須再度歸入新政派的掌握。祇有這種一個前提條件的形成，我們才能望美國有真正的領導，自由世界也才有真正的辦法。

半週述評

從另一方面看：中共撤兵北韓

中共駐北韓部隊，終於宣稱在本年底前作「總」撤退了。中共此項決定，西方的觀察家們，直覺的認為，乃是受了醞釀召開高峯會議的結果，和便於向西方提出聯軍同時撤去的要求。敏感的人士，則更認為這與一九五〇年韓戰爆發前的情況相似，撤軍有可能帶來另一場小型戰爭的危險。

但是，我們却認為這只是西方人士過份重視高峯會議，和受了戰爭敏感症影響的結論，而未曾對共產集團間的關係重加檢討的結果。

基本上，總該認定，中共自北韓撤軍，正和一九五六年以來東歐國家要求蘇軍的撤退是具有同樣意義。波匈事件的爆發，正足以說明東歐國家不堪駐軍的騷擾和受供應駐軍軍費所相應造成的經濟壓力；因此，在迭次的羣衆運動中，「俄國兵滾回去」的口號就和「要麵包，要自由」的口號相結合，成為雄壯的聲勢。基於同樣的情況和理由，我們應能體會到，北韓人民也早就不堪中共駐軍騷擾和軍費負担所造成的經濟壓力了。

另一方面，共產集團內部的反對「大國主義」、「沙文主義」的呼聲日漸高長。「所謂反對「大國主義」和譴責「沙文主義」，本是共黨內部，尤其是蘇聯用來挾制二等附庸國的教條工具，但是自從波匈事件後，附庸國已覺悟到，真正在施展「大國主義」和「沙文主義」的，在歐洲是蘇聯，在東方是中共。值此附庸國家逐漸覺醒的今日，此項呼聲正在不自覺地向着民族自決的要求方面發展。以北韓的情況而言。因中共部隊的長久駐屯，無形中有視北韓為保護國之意，此固非北韓人民所願，當更非莫斯科所能坐視。波蘭的戈慕卡政權在反蘇運動後，既能要求與蘇聯談判駐軍問題並已取得一定的協議，這一刺激，對金日成當然也起了相當的作用。因此，吾人何嘗不能說，中共的提前撤軍，正是中俄韓共間三角矛盾衝突對立關係，發展到不能不由中共讓步以撤軍來謀求統一的結果哩！

但是由於共產黨之善於詭辯和善於掩飾其內部矛盾及弱點，一方面盡量掩蓋與附庸國家之間的磨擦不愉快，在不得不撤退駐軍時，便提出了向西方要求同時撤軍的政治攻勢。駐東德的蘇軍總司令扎哈羅夫也在同一時間內（本月十八日）宣稱了要從駐東德部隊中撤出四萬一千多人和從匈牙利撤出一萬七千多人，當非偶合。扎哈羅夫並說，蘇聯裁減的武裝部隊總數已達到二百一十四萬人，其中約有十萬人是原駐在東德的。（見二月廿二日「人民日報」）

從這些迹象觀察，我們只能說，中俄共分別自北韓、東德、匈牙利撤軍主要的目的，還是在先求解決內部彼此矛盾，和自身的軍費支出問題，至於配合醞釀中的高峯會議，那不過是副作用而已。

問題既如此明顯，西方國家又將何以應付呢？在歐洲，加强北大西洋公約，積極扶植西德；在遠東，聯軍已表明了態度，決不自南韓撤退；日前美國協防台灣司令陶艾爾將軍，亦表示，「中共是不可信賴的」。對付「有決心與機智的」中共，「決不應低估北平政權。」他更謂：國軍在牽制對海沿岸七十五萬共軍方面，已獲得成功。

事實也正是如此，日來馬祖以西海面的接火，和軍創共軍的窺擾，乃是最好的說明。相信當共軍從北韓撤出後，大陸沿岸兵力必將隨之增强，台灣外島的防軍實有提高警惕之必要！

•李金曄•

泰國又傳「內變」

——乃沙立赴美後泰局分析

祝君健

泰國自乃沙立赴美撩疾之後，即有「內變」的謠傳。這一位五十一歲的「強人」在美，顯非三四個月後不能賦歸。在此期間，泰國倒底會否發生變故？與乃他隆能否應變？正是一大考驗。

國社、民主兩黨的內鬨，雖然目前已成過去，製造內部分裂的歧見，却依然大有人在。政府內部的歧見，在現階段看來，尚無分裂徵象；一般認為：乃炮、鑾披汶兩人寄身國外，倘能任其安於現狀，對於他們過去舊怨，不作進一步追究，不致釀成政府內部的對立。問題是仍有人發掘所謂「政治暗殺」主謀，與主張將乃炮逮捕歸案，並認披汶氏亦有共謀嫌疑；否則只消對付共黨顛擾，不會有什麼大患。

泰國共黨現時可以利用打擊政府的工具，只有當前的經濟問題。在過去六年來，泰國政府財政赤字，已積累達五十多億泰幣，迄今年一月為止，國內外負債已達八十億泰幣。在人民購買力普遍低落，市上存貨大量堆積，與銀根奇緊的現狀之下，再加今年泰米外輸僅一百萬噸，米糧稅收大減，對於國家收入不特未能稍資彌補赤字，反而大大增加。這情形在反對派，特別是共黨心目中，似乎政府已經陷於一極度困厄的經濟危機。他們歸咎於一九五零年以來，美國對泰經濟援助、與軍事合作，攪亂了泰國的良好經濟基礎；左翼報紙堅決認為非「俄援」不足以拯救泰國這垂危的困窘。

可是，過渡的乃僕內閣早已峻拒「俄援」，無意跟中共貿易；現任乃他隆總理遜行宣布：已決定向美國借款五千三百萬美元，以穩度本會計年度的難關。那無異杜絕了蘇聯下鈎的念頭。在另一方面，泰國政府儘管遭受到反對黨的叫囂，依然打算開鑿一條全長三十哩，貫通印度洋與南中國海的運河，這一重大舉措，雖然將使泰國另負八九十億泰幣新債，在長期經濟開發計劃觀點上，誠然有其無比的價值，不僅在航運時間上縮短了四天航程（一千五百哩），且在經濟上，又可節省運費。假如憑藉這條運河徵收過境稅的話，不消三年，就可收回全部開鑿的費用。

然而，這條克拉地峽運河的開鑿，對泰國還不祇是國家經濟上的開發，其國防價值，並不低於經濟。運河一經鑿成，泰國就可以直接派遣戰艦巡弋全線，毋待假道星洲；在防止共黨竄擾於泰、緬、馬來亞三角邊境這一措施上，更具有決定性的作用。這條三十哩蜂腰地帶一經鑿通，切斷了共黨自大陸滲入馬來半島的聯繫。據說，過去英還簽訂和約時，泰國曾主張鑿通克拉地峽，英國基於新加坡商業利益，堅決表示反對。事實上，這條航道對新加坡的商業利益，並無多大妨碍，至多減少一些直航印度、印尼（北部蘇島）、中東、歐非洲的船隻過境。現在「英還和約」早已成為歷史陳迹，泰國顯已不復再受不平等條約束縛。

基於上述因素，運河開鑿與否，與泰國經濟、國防與國際反共事業並具重大意義；新加坡當局固無理由可以反對；馬來亞和緬甸，更有義務加以支持。至於泰國本身，國左翼黨派的叫囂，只要政府內部通力合作，自亦無懈可擊。人們所作過分的憂慮，厥為乃他隆如何防止內部分裂。

如所周知，鑾披汶雖然削權，乃炮失勢，他們在國內的影響力依然存在，自由黨的幹部在國社黨、政府中僅不過「搖身一變」，並非徹然沒有任何作用，假如排斥他們也非易行。因此，關於過去企圖清算舊帳，力謀向鑾披汶、乃炮追償「血債」，到底不是高明的辦法。一個人在政治設施上的得失，在任時固要負責，卸職後只可讓後人引以為戒。現時泰國政府推陳布新，首須培養民德，除了力戒官爭民利，輔導工商各業發展，社會纔有起衰振頹向榮之望；其次則為建立健全公正的輿論，這是民主國家醫端的必循途徑。這一方面，政府與文教界應能推誠合作；撤銷新聞檢查法令，原係政府廣開言路，以便採納公衆意見；輿論自然要從大處着眼，勿為陰謀顛覆活動者製造機會，否則泰國前途仍難樂觀。

（二月十五日寄自曼谷）

傳統文化與宗教信仰

・燕廬・

大陸易手之後，一部份知識份子來到海外，為了生活，……老老實實「打上帝工」，其言論行為，自不能不裝出一副救世者的面孔，正如董顯光大使一樣，為了靠別人供給衣飯，便不得不說：「將來的中國之執政者，將大多成為基督徒。」而身為基督徒的蔡峯山先生，必然地要深體其言。但唐君毅先生，則不免要引為深憂，不願見炎黃子孫，捨六經四史，去信奉「耶穌之說，新約之書」了。

中國第一個公開反基督教的曾國藩，在他孫兒孫女的一代，就都成了虔誠的基督徒，這正是天道日遠，人道日近的明證。這裏該認清楚，曾國藩所反對的是宗教，其孫兒孫女所信奉的只是一種力量。為了傳統文化，曾國藩會有甘地，以至于唐君毅先生同樣的心情。為了方便，曾國藩也可能有與其孫兒孫女同樣的信仰，正如其主張採用堅船利炮的政策一樣。而這種心情，卻是蔡峯山先生和董顯光大使們壓根兒不會有的。原因是他們不懂得什麼叫傳統文化。

最近唐君毅先生，在本刊上發表過一篇文字，題目是國人的信仰問題，接着便有蔡峯山先生的國人信仰當如是耶一文，對唐先生的見解提出抗議，足見大家對於此一問題，都不肯馬馬虎虎，原該是可喜的現象，但我以為，唐先生說的是傳統文化，而蔡先生說的是宗教信仰，這兩者中間，有一段相當的距離，事實上不該混為一談的。那情形便等于一間雪糕士多的主人，抗議一家糧食公司的貨色，不能跟他的雪糕看齊一樣，仔細思量，其實是相當可笑的事。

唐先生自是研究歷史文化的學者。在他心目中，耶穌、穆罕默德、孔丘，以至釋迦牟尼，均是人。他在論學時，均以之為一人而論之，但一個篤信宗教的人，無論其所信的是什麼教，當其談教時，均以教主為神，例如一基督徒，在他心目中，耶穌是神之外，彼得、約翰、保羅亦是神，是聖，原是自然而又必然的事情。但對于一個純粹的中國人說，在其生活中，原沒有類似耶教徒所信仰的神那種東西，若要造作一個，勉強放在他的生活中，強迫其以為神而膜拜之，則其情形亦是很尷尬的。

在中庸上，有「自誠明謂之性，自明誠謂之教」的說話，後來的佛教徒，亦有由信而覺，和由覺到信的兩種境界。但中國人自來似乎就是走着自誠明的一路，也就是說，中國人多半只是由信到覺，而且以為由覺到信是不能到達宗教的。在過去，一種宗教，給中國人徹底了解時，事實上即不能成其為宗教了。我自然不敢于冒昧到說敢非議宗教，但也不能否認，任何宗教，關于其所謂神的部份，都有其無法彌縫的弱點，經不起深入的研究，世界上儘有許多第一流的學者或科學家，照樣到禮拜堂去作禮拜，但絕無第一流的學者或科學家，同時亦是宗教的宣揚者或說教家，這亦說明了許多人信宗教，原都是由信而覺，他們之上教堂，作禮拜，和我們的舊式人拜佛拜菩薩，無分別，只是一種方式，一種習慣，它的內容原也是很單純的，原因是他們自小就在那樣環境中，照着他的父母所做的模擬着做，一點也不牽強。如果說這就是信仰，似乎武斷了一點，因為這只是習而不是性；不是從生命來而是從生活來的。

孫中山先生的三民主義講稿，開宗明義就說：主義是一種思想，一種信仰，和一種力量。平常我們說某人有某種信仰，事實上等于說他有某種思想，或已受某種思想的影響。但所謂思想，斷不是憑空能發生的，必有其不得不發生的條件在，正如游牧民族，不能有耕農民族的思想；耕農民族，不能有商賈民族的思想一樣。思想的根源不同，則其所生的信仰亦不能盡同。故印度人的思想，不必同于歐洲人，歐洲人的思想，亦不必同於中國人。如果說：佛教的思想，發生于印度，過去的中國許多人曾信之，那末，今日歐美人的基督教，中國的一部份人自然也可以信之，原亦不無道理。但我們須記得：當小乘佛法盛行，專講因果罪孽，懺悔，往生的時候，中國人信之，纔是當其為一種宗教而信之，等到南北朝，玄奘法師自印度回到中土，大乘佛法盛行，中國人就變其所傳來的思想方法，致力于名相有無的研究，把因果罪孽，放在較低一層，其所研究，逐漸遠離了宗教，終于與中國魏晉時的玄學合流，再加上儒家的心性之學，演成了宋代的理學；許多理學家，雖然曾經「出入老釋」，到底不能不「返求六經」，結果闢老釋闢得最徹底的人也是這些理學家。就佛教本身說：原是一種有生命有血肉的宗教，來到中國之後，因為它有其特異的儀式，並非中國人所素習，但其亦有一部份義理，為中國人所喜愛，等到某一經盛行，有了較多的知識份子參入去研究，結果是一部份足以為中國人所容納的義理給吸收了，剩下來的那些儀式，終於成為一具僵屍，雖亦有人表面上崇奉之，其所以崇奉的理由，大半已經不是信仰，而只是一種職業了。幾年之前，本港報紙登載過一段消息，說新界道風山上的一間寺廟，其中有幾位僧侶，因為和大陸上的教團體失卻聯絡，山門敗落了，幾位上人，沒了衣飯長住，自願改信基督教，由一個什麼教會，予以收容，于是改裝易服，受洗如儀，這種宗教陣營內的叢林情形，如果要說它同信仰有關，便簡直侮辱了宗教的神聖。大陸易手之後，一部份知識份子來到海外，為了生活，要進入基督教會所主持的學校中執教，于是半路出家，講心事，守禮拜，領洗，入神學院，出來之後做教師，升會吏，甚至做起牧師來，老老實實「打上帝工」，當他「打上帝工」的時候，其言論行為，自不能不裝出一副救世者的面孔，正如董顯光大使一樣，為了靠別人供給衣飯，便不得不說：「將來的中國之執政者，將大多成為基督徒」。而身為基督徒的蔡峯山先生，必然地要深體其言。但唐君毅先生，則不免要引為深憂，不願見炎黃子孫，捨六經四史，去信奉「耶穌之說，新約之書」了。

就我們所知，第一次大吹大擂基督道理的人，當推洪秀全。他在出兵到達永安州的時候，曾經發表過一道文告，稱上帝作上主皇上帝，以上帝為身神和魂神。其視之為不可侵犯的眞神，實在是登峯造極了。當時對之提出抗議的人就是曾國藩，他的出師宣言，主要主張，並不在于支撐滿清的國運，而在于維護中國的文化；他以為那是「開闢以來，名教之大變，凡讀書識字之人，均不宜袖手坐視」的。洪秀全為了爭奪主權，對反抗滿清說，他不失為革命的先驅，但他拋棄了傳統文化，對漢族的祖宗說，他是中國的罪人，結果洪秀全勢窮力竭，仰藥而死，自然為後來的一般基督徒所唾棄。但我們細看他的許多文告，及種種有關宗教上的措施，並不覺得和「聖經」有什麼抵忤的地方，反而比我們的董顯光大使，只管空洞地說「中國傳統文化已經無用，而將來執掌中國政權的人，必將是基督徒」的夢話，要高明得多。我又感覺，目前的許多教徒，其所信仰者，只是一種現實的力量，而並非一種客觀存在的眞理。道風山的和尚固是一例，其他許多人也並不例外。就以香港而論，外來的宗教並不少，而為一般識時務的中國人所信者，不是巴基斯坦人的回教，或印度人的婆羅門教，而是英美人所信的天主教或耶穌教。英美人，在本世紀是文明或富強的象徵，中國人于其自慚形穢之餘，私意以為：若信其教，即可與英美人一同上禮拜堂，並與之為教友，有許多非教徒的中國人所沒有的方便。好幾年之前，我在一家香港半山區的學校教書，同事中一位林小姐，每逢星期日早上，要到九龍守禮拜，為了交通不大方便，每一次都大費躊躇，我同她說：香港也儘多禮拜堂，何必老遠跑到九龍去？她說：『那邊是用英語講道的，聽道的又多半是西人。』我們試想：這位小姐之所以要守禮拜，你能說她是為了對宗教有什麼信仰麼？

對于唐君毅先生，我曾經讀過他的一部份著作，去年他赴美國轉歐洲返港，在送行的宴會上，我聽過他的演講，他對傳統文化的心情，我不算毫無所知，回到香港後，他對于擁護傳統文化的態度，無寧是比先前更積極一點；是否也同梁任公先生在歐遊心影錄所表現的感覺一樣，我不敢說；至少，他因為看了一次歐美的現狀，仍然不肯改變其原來的立場，則是毫無疑問的。否則他不會為了董顯光大使的一番說話，引致深憂。

我私底下常常想：我們要說吸收外來文化的長處，須先自有一點傳統文化的基礎，因為當我們想鑑別外人貨色好壞的時候，必須先有一點自己的貨色拿出來比較。像董顯光大使，他雖然也住在外國，和那裏的賢豪長者「白相」，但因為自己沒有貨色，說得可憐一點，他只像個沿門求乞的人，在一個富戶的門外徘徊，僅只能對別人的錦衣玉食神往，像劉姥姥一般，見了鴿蛋，便驚詫榮國府的雌雞，生那末小巧的雞卵。至于蔡峯山先生，他活在宗教的迷霧裏，自己的傳統文化他固然看不見，連那些隱藏在迷霧中的匕首或刺刀，他也幻想着是百合花了，卻偏以為自己看的很清楚，這就叫做河伯自以為大，只能令海若搖頭太息了。

我也知道：中國第一個公開反對基督教的曾國藩，在他孫兒孫女的一代，就都成了虔誠的基督徒，這正是天道日遠，人道日近的明證。這裏該認清楚，曾國藩所反對的是宗教，其孫兒孫女所信奉的只是一種力量。為了傳統文化，曾國藩會有甘地，以至于唐君毅先生同樣的心情。為了方便，曾國藩也可能有與其孫兒孫女同樣的信仰，正如其主張採用堅船利炮的政策一樣。而這種心情，卻是蔡峯山先生和董顯光大使們壓根兒不會有的。原因是他們不懂得什麼叫傳統文化。

來函照刊

關於國劇團出國之行

編者先生：

貴刊二月十二日的一期，載有萬香霆先生的一篇報導，題為「大鵬平劇團出國虧巨款」，文中對事實記載有傳誤之處甚多，貴刊是海內外自由人士所重視的刊物，不得不說明一下：

首先，這次赴歐訪問演出的不是「大鵬平劇團」，是「中華民國國劇演出團」。去年九月十日，劇團抵英但尚未上演之前，中共「駐英國代辦處」的通報國劇團實際即是「大鵬劇社」，事實上大鵬是大鵬，國劇團是國劇團，純然是兩個團體。英國的報紙也曾指實中共這種手段的不當。

其次，萬先生實在值得最嚴厲的，好像是我們非但沒有賺回大批外滙，反而斷累了政府的錢。不錯，政府補貼國劇團的數目在七萬美元左右，細數還沒有結算出來，這個數目折合新台幣是一百七十三萬四千六百元，不是萬先生所估算的「二百七十萬元」之鉅。但不提這些，國劇團根本不是個營利組織，訪歐也不是以營利為目的。文化宣傳，本來就不便宜，以美國音樂戲劇的發達，國會尚且要專門設立所謂「總統基金」（President Fund），每年以一千萬美元交給總統支配，其中並以半數專門作為資助文化團體訪問國外之用，如空中交響團，舊金山芭蕾舞團，女高音瑪麗安・安特遜女士等，已經是國際上知名的藝術家，他們到各國訪問，票價訂得也並不低，仍然需要總統基金的資助，可見要作國際宣傳，花錢在所難免，問題在花的錢值不值得，應不應該花，而不是數目多少的問題。

共產黨向來把文化宣傳當作統戰工作的一部份。民國四十六年一年中，中共派出了一百三十八個文化藝術和科學性質的團體，總共有四千〇五十人，訪問了卅七個國家只要有國家准它去演，中共化錢從來沒有吝惜過。去年一年中，中共又派出了卅五個文化藝術科學團體，總計六百四十七人，到廿一國去訪問。僅以平劇而論，北平派出的平劇團體幾年來在英國、法國、義大利、日本、澳洲、紐西蘭以及南美都演出過。我們的國劇團到倫敦公演的時候，承包的經紀人就是兩年前承包中共劇團的同一個人，國劇團到米蘭的時候，上演的戲院是兩年前中共演出的同一劇院，住的是中共劇團住過的旅館。我們出去的目的為什麼？是要讓歐洲人知道台灣，知道自由中國才是中國文化傳統的繼承人，知道在台灣的自由中國，因為政治開明，經濟繁榮，文化發達，才能派出這樣的一個具有規模的劇團。來我們到處帶給人家的印象，是自由中國究竟是個民主國家。中共劇團前年在歐洲，演員嚴禁與外人交往。吃飯與到戲院來回都要排隊。而我們的團員揹上照像機，滿街都去，用不着人來監視。這就是自由與奴役，極權與民主的區別。這種活生生的印象，不是靠花錢就能做到的。

劇團訪歐五月，連來去總共一百五十五天，旅行近三萬公里。我們去了七個國家，在十四個城市裏演出了一百廿四場，買票來看的觀衆不下二十五萬人。在西班牙的時候，劇團曾因凡倫西亞水災而將演出收入，全部捐贈災民救濟機構。在梵蒂岡，羅馬教皇特地接見劇團並為全體團員祝福。但是我們自己最以為榮的，是在與中華民國沒有邦交的國家，盡了一分國民外交的天職。在英國的華僑八年來未見國旗，未聞國歌，而國劇團在倫敦最大的杜魯巷劇院上演，首末兩場與國慶日的時候，戲終謝幕，掌聲方息，肅穆的中華民國國歌奏起，全場觀衆包括英國的閣員議員與大使級的來賓，脫帽肅立致敬，使愛國的華僑們熱淚盈眶，此情此景，我一輩子也不能忘記。在愛爾蘭，在摩納哥，都是如此，摩納哥的蒙特卡羅歌劇院事前還特地要了我們國歌的樂譜去，用六十人的大樂隊來演奏。至於在有邦交的國家，劇團做的事更不少，在駐當地使館的酒會上與各國使節酬酢，接受巴黎等地市政府的招待，到大學城義演，到藝術學校講中國國劇的精神，上電視，上廣播，使一千萬沒機會進入劇院的觀衆能聽到或同時看到中國的戲劇，同時知道這是自由中國來的劇團在表演。這種效果，不是平常用錢就可以買到的。

我以國劇團一份子的身份，可以在這裏負責地說，劇團在歐洲的一百五十天中，住旅館，吃飯，坐車，零用的錢，百分之九十是靠賣票掙出來的。政府所補貼的錢，大部份花在來回旅運費上。包括由台灣到歐洲來回兩次專機，加上行頭道具交船運去運回的費用和保險費，已經去了三分之二。此外因天寒為團員治必要的服裝，隨時添補行頭，出發前準備電影，照片與文字的宣傳費用，和歐洲逢關過卡的簽證雜費等都是必要的開支。劇團本身，可以說一文錢不敢亂花。全體團員都能瞭解國家的困難，一切自己動手，戲裝的縫補洗滌不必說，每次換個城市演出，幾十箱行頭道具大家合力捆紮搬運，不知道省了多少錢。

萬先生文末提出的幾點「值得研究的意見」，內容與自由中國第十八卷第二期上收入先生的通訊「從中國劇團訪問西班牙說起」有若干相同之處。那篇通訊我回國後才看見，茲因篇幅關係，有機會容另答覆。

劇團已經從歐洲回來了，此行是功是罪，自有公論。我的動機只是想指出，國劇團這次訪歐在對歐宣傳上，我們自問已經盡了最大的努力，而且也見到效果，如果有人認為我們訪歐是一種浪費，從此不談對外宣傳，不講文化交流，使中國藝術在外成為絕響，剛爭來的一點地位為烏有，那就未免太可惜了。

敬祝編安　中華民國國劇演出團團長陳璧與謹上

（二月十四日）

本報專稿

動盪中的印尼（三）

駱英

印尼動盪的政局，終於演變成爲不幸的流血分裂鬥爭。這樣的不幸事件，深刻地說，不僅只是印尼民族的悲劇，幾乎可以說是亞洲民族在經過長期的外力統治，一旦於獲得了獨立自由後所不可避免的歷史過程中的災難。而主要的還是受了共產國際的活動影響。目前的印尼中央政府和與其對立的地方政權間所爭執的，也就是一個容共或反共的問題，蘇加諾雖然是印尼的民族英雄，但是他的挾共以自重的態度，卻不爲反共者所能容忍，而他的國民黨歷年來的政風敗壞和無能腐化的表現，又令到印尼人民對他失望。

本文係駱英先生爲本報特寫的專稿，文中分析自一九四五年獨立以來的印尼政局的演變極爲清晰，因原稿頗長，特爲分期連載刊出。値此印尼政局陷於動盪之際，相信本文對讀者了解印尼是有幫助的。——編者——

一九五七年的印尼政壇，波濤迭起，險象叢生，不但震撼了印尼國內的寧靜，而且亦使世界爲之驚駭。任何歷史事件的發生，絕非偶然自有其來龍去脈。換言之，目前印尼巨浪，是一九五六年以前政壇變幻的積累後果，這裏面包含了不知多少的恩恩怨怨。要了解目前的情勢，使不能不從往事說起。

一九五六年的暗潮

印尼自一九四五年八月宣佈獨立以來的十二年間，由史實的演變加以區劃，可分爲兩大階段。第一階段是宣言獨立至接收荷蘭政權而至一九五〇年的完成大一統局面。第二階段自一統完成至一九五六年的普選結束。在普選完成以後的局面，可以說是步入第三階段了。第一二兩階段經過的時間，各爲五年至六年。一九五七年則是第三階段發展的開始，其所需時間多久，是無法預知的。所以從歷史軌跡來看，一九五七年印尼政治動態的激變，是不足稱奇的了。（編者按：本文作者執筆和付郵時間，是在去年的十二月）

印尼在一九五六年中所發生的幾件大事，是一九五七年煩惱的主要因子：（一）普選後首屆內閣（二任阿里內閣）於三月成立，未能發揮各黨派「精誠團結」的作用，使本已薄弱的中央與地方關係因而斷裂（二）蘇加諾總統一九五六年內兩度出國訪問：五六月間至美國、加拿大、意大利、西德、瑞士等國，爲時約三週；八九月間至蘇俄、南斯拉夫、捷克、外蒙、中共等地，爲時達七週。兩次訪問的結果，對他的思想和政治意識，有極大影響。他看到了西方自由民主政制的鬆懈性；也看到共產集權國家的所謂「民主專政」強制性；更體察到印尼本身的黨爭情形，於國於民都未見其利。於是在十月廿八日印尼青年宣誓紀念節上蘇加諾突然提出「埋葬政黨」的意見，在印尼人民的腦海中激起了危險的惡兆，嗣後他又表示，要在十二月裏進一步發表他的「救時方案」（事實上到一九五七年三月才發表）。（三）陸軍事件的發展。先是八月十三日第三軍區司令加威拉朗下令扣捕當時涉嫌貪污的外長鴨都干尼，鴨都干尼當時正動程赴倫敦參加蘇彝士運河糾紛會議，因當局及時解救，得未被扣而成行。十一月十六日，陸軍某部突，由萬隆開拔進襲耶加達，擬發動政變。由於陸軍參長發布了留營令，使準備作內應兵士，不能與從萬隆向椰城進發的軍隊發生聯繫政變得以安渡，及後外長鴨都干尼在李嘉泰舞弊事件中，被涉及外匯問題。而陸軍三名高級軍官則以涉及政變行動，被傳問，其中一名到案被扣，一名魯比斯上校則藏匿不出，遂下令通緝。而「魯比斯事件」，終于演變成爲陸軍中的波瀾。（四）哈達辭去副總統職務。辭職理由，是受了憲法的約束無從發揮其政治才能，不如以平民身份來奮鬥以達其抱負。哈達在七月裏已函知國會，要在十二月一日辭職，十一月廿三日再函國會，重申辭意。國會旋亦批准哈達辭職。印尼獨立以來，象徵印尼民族團結統一的「蘇加諾哈達二位一體」的關係，宣告切斷了。（五）首屆民選內閣動搖。由於上述諸種事件的發生，人民對首屆民選內閣的熱望，已猛然低落。內閣亦承認執政八九個月來不符民望，朝野間引起了濃厚的不滿情緒。於是有八個政黨在十二月中旬要求現閣改組或總辭職。當內閣總辭未有定奪時，十二月廿日，蘇門答臘中部的「雄牛師團委員會」主席胡辛阿末中校，突然發動政變，接收蘇中的政府領導權。廿二日，蘇島北部的第一軍區司令辛波倫上校亦宣佈接收蘇北地區的政權。辛波倫當委其助手濟明銀丁中校爲新組織的參謀長。中央政府對辛波倫採取行動，將辛波倫免職，亦委濟明銀丁中校爲第一軍區參謀長。因此，濟明銀丁中校兼軍一方，成爲正反兩方的參謀長，一念之間，可以使整個蘇北情勢改變。果然，濟明銀丁中校於廿七日表明態度，宣佈擁護中央政府。辛波倫的政變曇花一現，其本人旋即出走蘇中。於是蘇北半壁河山，中央政府不至一脫輻。以上是一九五六年幾件大事，是與一九五七年印尼政局有關者。（全文未完）

管窺蠡測

中共撤軍

中共的「志願軍」照周恩來所說：果眞定于一九五八年底以前全部撤出北韓了。

在直接的意義方面看，似難否認此舉將爲南北韓新局面創造一些轉變的條件，因爲在此以前，南韓政府曾經多次聲明，要求中共軍撤出北韓，以爲與北韓談判先決條件之一。現在中共承認撤軍了，也爲談判鋪了先決條件的路，怎能說這不是南韓的勝利呢？

前此，本欄曾經指出，中共軍的撤出北韓，是被迫的。迫使周恩來提前行動的力量來源有三：一、南韓的不斷的正義要求；二、北朝鮮人民的對於「志願軍」軍費沉重負担的反抗，——按一九五三年十一月金日成訪問中共時，曾經協議在一九五三年底以前的中共的各項援助負担一筆勾消；一九五四年以後雖未說明，但可想而知是需北韓承担的；三、蘇聯與中共在北韓的互爭勢力範圍影響下的反結果，——互相爭奪北韓成爲自己的保護國。

站在朝鮮人民的立場來看，不管其前因爲何，這是北韓人民獲得自由希望的最最起碼的條件，雖然中共的撤軍在現目正被共方利用來向自由世界作宣傳或要挾。要者乃在看自由世界能否應付了。

陰謀所在

事情已經非常明顯，韓局的再發展是北韓的次一步行動，要求與南韓直接協商談判，舉行全面性的「選舉」，要求駐于南韓的聯合國軍的撤退。這些行動的眞正目的是要在北韓共黨政權不改變的條件下，通過所謂「選舉」，併吞赤化南韓；在目前的條件下，北韓的組織力極強，通過這些組織，可以製造出在其控制下的人民百分之九十點幾的「贊同」共黨政權的「選票」以之來向南韓挑戰，簡直有其獲勝把握。一般觀察者均強調中共軍的退出北韓是迫使聯合國軍退出，實施一九五〇年六月的南攻故技，這一點，固然不能不防，然從眼前的事實來看問題，北韓的主要攻勢，還是非軍事的，而是政治的；陰謀之所在，還是所謂運用「選舉」爲挑戰的武器。這種「選舉」的攻勢，可以擴大政府與某些人間的矛盾，擴大自由世界對於朝鮮問題上意見的分歧等等。

爲今之計

南韓與自由世界，已經面對着這種局面，不是可以躲避得了的；同時，也不是單憑武力可以解決得了的；必須謀求對策，來應付這種「選舉」的挑戰。這種對策，必須要從政治方面來着手。

一、要堅定每一個人對於民主自由的信心，在任何條件下都不會被北韓的統一戰綫所利用，南韓朝野間的某些人縱然與政府間存在着矛盾（我們認爲任何政府與某些人之間是存在着矛盾的）亦不能爲敵人所利用。德國人在這方面已經具有這種基本信念了，因此東德就一再拒絕通過選舉來統一德國。

二、我們始終認爲共產國際間，共產政權與人民間存在着比自由世界還要巨大的矛盾；這些矛盾一方面由于他們的巧妙掩飾，另方面我們還不善于在他們的制度下予以揭發，擴大並利用之，於是在表面上看起來共黨政權異常鞏固；我們不僅要防守，而且還要進攻；要在政治上進攻，除開找尋、擴大、與利用他們的矛盾以外似乎也別無他法。

三、南韓政府必須要創造一些條件吸引北韓政權下的人民，對自由選舉提高認識和培養自由選舉的政治情緒，造成適於進行眞正自由選舉的環境，使將來進行中的選舉不爲外力所干涉。

我們簡單的說了上面的三點，在實行方面恐怕要整個自由世界的共同努力，方才能夠達到哩！

田心。

再論民主社會主義的矛盾

高叔康

英國民主社會主義的形成，淵源於英國傳統的社會思想，英國傳統的社會思想包含的矛盾，正反映在所形的民主社會主義，爲探本溯源，再就這一方面陳述如下：

道德哲學與個人主義的矛盾

英國社會主義出發點與馬克斯社會主義出發點根本不同，而且相反。馬克斯社會主義以唯物史觀爲根據，英國社會主義以道德哲學爲基礎。例如創設社會主義者的奧文（R. Owen）抱着博愛主義爲勞動者謀幸福。費邊社發起人伯斯（E. R. Pease）宣言「要建立和保證社會的公共福利」。獨立工黨的領導人哈代（K. Hardie）指明：「經濟制度的改革爲達成道德目標的手段」。費邊社的理論家柯爾（G. D. H. Cale）認爲：「社會主義經濟學是倫理學的一分科」。「社會主義的本質，建立在倫理原理之上」。都是從道德哲學出發來構想社會主義，沒有包含一點階級仇恨的意念，這是英國社會主義思想的特徵。

另一方面，個人主義也是構成英國社會主義思想的因素。就工黨的領導者說，如哈代、麥克唐納爾（R. Mac Donald），拉斯基（H. Laski），克里浦斯（S. Gripps）諸人都一致倡導個人人格的尊嚴而强調個人主義。柯爾更明顯的說：「我是一個社會主義者，我又是一個個人主義者」。可知英國社會主義思想是以個人主義來實踐作爲社會主義基礎的道德哲學。個人主義如何與社會主義結合？個人主義的實踐，如何能發揚作爲社會主義基礎的道德哲學？雖然，正統派的經濟學和功利主義哲學强調公益與私利的一致，並沒有解答這個問題。事實證明，公益與私利不一致之例甚多。此正與約翰密爾懷疑邊沁主義一樣。如果人性是求快樂，避痛苦，則努力於最大多數的最大幸福，必須以博愛利他的立場，犧牲自己的快樂始有可能，否則利己的立場（個人主義墮落的形態），則最大多數的最大幸福，便無從實現。因爲個人主義以個人爲價值判斷的主體，個體的發展，必要求沒有外在强制的自由，必要求防止國家權力集中化的民主，於是個人主義加强了自由民主的要求，自由民主更保障了個人主義的存在。結果，視國家和社會爲完成個人人格成長的手段而不是目的。但要發揮作爲社會主義基礎的道德哲學，應該以國家和社會作爲整體，以民胞物與的宏願，己飢己溺的襟懷，積極發揮人我無間的態度，纔是致達的途徑；斷不是獨善其身的個人主義而能發揚的。所以從個人主義的實踐，以實現作爲社會主義基礎的道德哲學，既不可能，也是矛盾。然而此種矛盾已形成英國社會思想的主流，民主主義與社會主義結合而爲一，正是在此種思想背景產生出來的。

計劃與自由的矛盾

工黨理論家將民主主義與社會主義結合而爲一，也將自由主義與社會主義結合而爲一。他們說：「社會主義的目的是自由。」「社會主義是自由主義的延長」。然而自由主義與社會主義究是如何結合的？多數學者尚沒有發現工黨理論家的答案。因爲工黨要建立社會主義國家，不能不推行計劃經濟；要推行計劃經濟，自不能不採取統制政策。同時，英國人民有自由經濟傳統的慣習，又不能不尊重消費者主權。消費者主權即是市場價格和生產構造依存消費者的慾望來決定，不能計劃。如此，既要計劃，又要自由，遂導出計劃中之自由政策。所謂計劃中之自由政策，即是由政府設定各主要產業部門大的目標，在此範圍內的細微末節委之於公私企業者的決擇。並以財政金融政策的間接統制，以控制資金流動和所得均等，以達成其計劃目標；以直接統制，實行實物配給，或比率分配，限制消費。如此，統制雖有間接和直接之分，其損害自由經濟，只有程度之差，所以工黨右派抨擊阿德里內閣是取銷經濟自由，也就是說，不是爲自由而計劃，是爲計劃而犧牲自由。

尤其是二次大戰後英國經濟不是「豐富中之貧困」，而是貧困中之通貨膨脹。「豐富中之貧困」，或可適用計劃經濟以富的再分配來克服；但要克服貧困中之通貨膨脹，應着重於生產增加，要增加生產，祇有恢復自由經濟，乃以計劃的統制政策，窒息了自由經濟，使生產不能達到預期水準，於是越統制，輸出入越不平衡，物資越不足，而實物配給制度越不能不延長。物資越不足，通貨越不緊縮，更不能不加强統制，統制與物資不足成了惡性的循環。保守黨上合，恢復自由經濟，英國經濟立即好轉，證明自由經濟的任務在英國並沒有過去，也證明自由與計劃不能併行。

產業國有化問題

工黨的社會主義是以和平的，漸進的方式推行，是以產業國有化轉換資本主義爲社會主義的手段。所以國有化的成敗，決定社會主義的成敗，也決定工黨的成敗。在工黨執政時推行國有化沒有多大的障礙，但就國有化政策本身而論，也有矛盾之處。

第一、工黨社會主義政策，不僅要解決勞動者問題，且要解決消費者問題；即是以最低廉的價格，最豐富的供給，適合其要求，減輕其負担；但國有化的產業，即成爲國家的獨占，沒有自由競爭，也就沒有自由競爭，淘汰不適合於消費者利益的事實，則消費者對於國家獨占事業的漲價，不[illegible]忍受；再加以勞動者條件之改善，必[illegible]更加重者消費的負担，則國有化的目的便不能圓滿的達成。

第二、工黨將產業所有者改爲國有，不是以革命手段，無償沒收；而是以評價方法，給與公債和股票償還，其期限或三十年，或四十年，在此期限，出讓產業之所有者，取得券償利息，成爲金利生活者，比從前不確定的利潤所得更爲穩固，而且不勞而獲；在建設社會主義的過程中，必須豢養如此的既得利益者，與黨的原來主張相反。

第三、工黨要實現所得平等化。所得不平等，由於所得的源泉不同，其多額所得者大半由於財產所得，除了以租稅方法，實行再分配之外，最根本辦法就是取銷其財產所有權，工黨國有化，也包含了此種意義，但不能不用補償方法，只算是財產形態的轉換，於所得平等化的原則沒有完全實現。

此外國有產業的管理技術及效率，如果不及民營，其失敗更慘；以蘇俄及其附庸國家的國營爲例，都是效率低落，工黨如國有繼續擴大，亦恐不免，則社會主義政策更促成英國貧窮深刻化。

工黨的民主社會主義的矛盾既如此，屬于英國多數選民之擁護工黨成爲一大黨，自有其歷史的傳統，不過我以爲「新階級」一書作者之主張以民主社會主義代替共產制度，尤其是在自由民主沒有深厚根底的國家，如果實行，其成敗恐怕更不如英國的工黨。這裏暫且不說，最後得聲明一句，我純粹是從經濟的理論研究，如認爲有什麼其他立場，那也是「大錯特錯」。

自由談

印尼的革命運動

馬五先生

印尼革命政府宣佈成立後，蘇加諾政權即對蘇門答臘島實行轟炸，內戰的序幕已經揭開，耶加達方面且聲明決不與「叛黨份子」談判，必須迫其投降而後已。這原是印尼的內政問題，但俄共集團早已吵嚷宣傳，指說美國從中煽惑。因爲杜勒斯對蘇加諾所謂「指導的民主」政策，表示過懷疑的言論，而革命政府的宗旨和目的，亦就是反共。

印尼這場革命運動，無疑地將涉及世界兩極化的鬥爭關係，俄共集團必以全力支持其同路人──蘇加諾政權，不成問題。革命運動的成敗，對東南亞，乃至於整個亞洲的安全前途，影響極大，凡以反共爲國策的自由國家，都應該對蘇門答臘的革命政府表示同情支持，菲律賓政府許印尼革命份子自由出入菲境，這是對的。印尼內戰激化擴大後，亞洲方面的反共國家，對革命政權即應承認爲合法政府，予以援助，萬不宜瞻顧徘徊，致蹈覆轍。前年匈牙利人民從事反抗俄共殖民統治時，俄帝硬說是受了「西方帝國主義者的煽惑」，而美國當局即出以潔身自好的態度，對匈牙利革命人民不敢發一句鼓勵的話，等到革命運動被俄帝大軍敉平後，再以飛機援運那些劫後餘生的反共義士赴美國作難民。有了這種慘痛的教訓，東歐鐵幕內人民的反共意志自然消沉了！

現在的印尼革命運動，本質上與匈牙利人民的「十月革命」相同。希望自由中國能爲天下先，正式承認蘇門答臘的革命政府，並且量力援助，表示我們的國策是堅定明確，毫不含糊的。革命外交的基本條件，必須有不顧成敗利鈍，擇善固執之的精神，我們對於亞洲地區的反共運動，更應該當仁不讓，表現領導作風，鼓予勵之。

談狗年

•尹望卿•

這年頭，要想做走狗而不被烹，不可以；要想沿「雞犬皆仙」的成例，更不可以。看來，狗年連狗也不會抬頭的！

眞箇『兩輪日月走如梭。』一轉瞬，雞年告去，狗年又來。狗其果値幾乎？姑且把狗談一下。

狗爲家畜，視聽嗅覺皆銳敏，雖臥易醒，故善守夜！又能獵跡禽獸，以助田獵。儘管牠有點這樣的小小用處，爲人們所豢養；但，從來沒有那個重視牠。相反地，都對牠意存輕賤。三國志注：『曹公曰：生子當如孫仲謀，劉景升兒子，若豚犬耳。』把蠢材比擬豬狗。又，五代史：『孫晟與馮延巳並爲相，晟輕延巳爲人。常曰：金盌玉碗而貯狗矢，可乎？』的確，狗屎比什末屎都特別臭。「當作狗屎」，幾乎成了一句罵人的「口頭禪」。

狗雖然與馬、牛、羊、雞、豬並稱六畜。可是牠，格外卑污齷齪些。平時搖尾而乞憐，偸甕中之殘羹，搶地上之碎骨，猶自鳴得意。誠如韓愈所云：『蠅營狗苟、驅去復來。』無怪乎人斥爲「狗盜」，或「狗偸」。且有時猜猜狂吠，人們很討厭牠。除非『尊客之前不叱狗』。否則。叱之外，勵飄投以石子，擊以木棍。甚至烹而食之。以前樊噲就是第一個屠狗的。荊軻也還不錯，有一手工夫。

或謂：狂吠云云，果何爲耶？曰：狂猶之癡露。君不見，『一犬吠影，百犬吠聲』乎？每當夜深人靜，蹲伏狗窨中，汪汪汪，叫個不停，疑神疑鬼。要想『無使尨也吠』。眞沒有法子。據楊萬里詩：『粵犬吠雪非恙事。』又柳宗元文：『庸蜀之南，恒雨少日，日出則吠。』誠然，少見多怪，狗也未免幼稚得太可憐。還有一種。史記：『跖之狗吠堯。』又，鄒陽文：『桀之犬，可使吠堯。』我們試想想：跖爲大盜，『日殺不辜，肝人之肉。』桀則昏君，暴虐無道。他們完全依靠所豢養的狗，爲爪牙，供奔走，作無的放矢的吽，淆亂聽聞。然而，畢竟于堯無損。

看樣子，雖曰狗年，輪狗値勤，筆者敢斷言：狗不會抬頭，而且到了倒霉邊緣。據最近自湖南故鄉來的人悽然說：『在大陸的，平時沒有猪肉吃，都與「蘇晉長齋繡佛」一樣。現在到處殺狗。』這事早在我們意料之中，「狡兔死，走狗烹」。自古如斯。在狗自詡爲「功狗」，發出哀鳴。其實，狗愈有逐殺之功，則其被烹也愈快。這年頭，要想做走狗而不被烹，不可以；要想沿「雞犬皆仙」的成例，更不可以。狗如此，做類似「走狗」的和「狗盜」的人何嘗不如此。

「自卑」「自傲」「自信」

自卑、自傲與自信三詞，可用來評人，也可自評。試就其間關係加以申釋。

自卑是將自身之全部或一部之人格或行爲特質虛枉地縮小或抑低；自傲是將自身之全部或一部之人格或行爲特質虛枉地擴大或抬高；而自信則是將自身之全部或一部人格或行爲特質正確地，恰如事實地予以肯定。舉例言之，自卑似將自己置於縮小鏡下，透過縮小鏡觀察所得之印象；自傲似將自己置於放大鏡下，透過放大鏡觀察所得之印象；而自信則似目力正常者，不透過任何鏡子，對自己觀察所得之印象。

自卑與自傲，表面似相反，而實際卻相同。蓋二者均透過一鏡子對自己作觀察，均係心理有某些變態。其鏡子不論是縮小者，抑或放大者，均是鏡子；其心理變態不論屬於那一方面者，均是變態。其不同是形式上的，而非本質上的。

有謂：「自信之程度不夠，便是自卑；」亦有謂：「過分之自信，便是自傲。」似認爲自信與自卑自傲之不同，只是程度上的，而非本質上的。其實謬矣。蓋自信之程度不論大小，其心理狀態是正常的；自卑自傲之心理狀態是不正常的。故自信之程度不夠，不能成爲自卑；過分之自信，亦不能成爲自傲。故「自信狂」一詞，未之聞也。

•孫廣德•

現一實一小一說

上帝的叛徒

•桑雨•

孟賢的太太半靠在床上，氣色還不甚佳，正在低頭看着，用一種甚於純潔偉大的慈母之愛，親撫着抱在懷裏的小孩。瞧見我來了，搶先的說：

「陳先生，您來講講看，他甚麼都要聽屬，我要左他偏要右，反正就得依他的，讓步得有個限度，這次我可不理那一套了，讓步得有個限度……哼！」

我剛揣進兩句已經準備安當的說詞還未及出口，她又一口氣接下去了。

「本來嘛，事情輕而易舉的可以解決，到警察局去給孩子改個名字又有甚麼困難？他卻硬扯到甚麼傳統文化啦，國家尊嚴啦，道德人格啦一類大道理上，要跟我大吵大鬧！」儼然的她已經表示出自己是委曲的一方，而且狠狠的鼓着腮瞪了孟賢一眼。

「得了，約翰馬，約翰馬，你何不把孩子送到美國大使館請求登記入外國籍？到中國警察局去多此一舉？我問妳，妳究竟承認不承認我是孩子的父親？」孟賢氣勢洶洶，把原來面向着窗子的面孔扭轉過來，大步跨到床邊，像發狂的咆哮。

「孟賢！住嘴！」半天了我才第一次出聲，我喝住了他。

「好！把孩子抱去教堂領洗你也不依，取個聖名又反對，你說，你當初何必信教？你說呀：……」太太氣極而哭，大有悔恨莫及的感覺。

「當初信教，那是爲了要和你結婚！當我眞的願意嗎？那已過去了，現在我不理那一套，我就是上帝！我是孩子的父親！一家之主！」

「你欺負我，僞善者……你這上帝的叛徒……大騙子……」哇！的一聲，孟賢的太太放聲號啕大哭。

孟賢！不要再胡說了，理智一點！」

我見自已已無能爲力，以現時現地而論，再說甚麼，也不可能使一方軟化，只有把孟賢拉到外間屋去。

把門輕輕帶上，燃上一枝烟，我搖搖他肩說：

「讓他哭哭發洩發洩，現在不要再去理她。你剛才的話粗魯太傷她的自尊了，她身體尙弱得很，你怎可這樣激她？」

「……」他用手掌蒙住臉，雙肘撐在腿上，頹然的坐在倚上。

「有話可以好說，溫言悅色萬事可解決，別動肝火，更再不准像野獸般狂吼！」我站起來，看看腕上的錶將近十一點鐘了，說：

「不早了！你也該休息一下，歇會兒進去安慰安慰大嫂子！明兒見。」

我竟自回去，一路走着，在我眼前忽的浮現出孟賢孩子那白白胖胖的影子，小手揮動着，兩隻烏黑渾圓而透露着智慧的光輝的大眼睛，滾動的向四處張望，像是對這世界帶有一種輕蔑與不信任的表示。

「人是生來就有罪的！」我想起聖經裏的話，同時也想起了孟子的性善論及荀子「人性惡！其善者僞也」的性惡說，但我把自已放回到剛才房中爭吵的現況時，益發不能確定誰是誰非了。孟賢的孩子是無邪單純的呀！假如上帝果眞存在的話，他豈不是已經觸犯聖顏了麼？究竟孟賢與他的孩子，誰是上帝的叛徒呢？

月亮從烏雲中露出半個臉，一瞬間又躲到雲後去了。好像故意的在竊笑着我們這些塵世的俗人。

第二天一早，孟賢來告訴我：「她已不再堅持了，但那理由太好笑了，她說她記起孩子出生的那天恰巧是星期五，耶蘇就是那天吃了最後的晚餐，便被活生生的釘在十字架上了！這是不祥的。」

我不禁莞爾一笑說：「噢！你錯了！你該昨晚依她，想想看，你們的寶貝兒子，不是耶蘇復活嗎？」（下）

生活小品

狂語二則

○陳永昌○

機會

「時勢造英雄」，「英雄造時勢」，這兩者，誰來得着？前者因時成事，平平無奇，那又何足稱道？後者則不然，靠着魄力雄渾的雙手，把阻攔着他的通通劈除淨盡，所留下的便是配合他的時勢了，這種人的雄心和偉業，世人又那能不低頭向他拜服呢？

生在亂世，哀鴻遍野，敵寇揚威，所需者就是一個救國救民的大英雄，這是時勢要他這樣做，大半是時勢造成的偉大。在太平盛世之時，民不甚勞而得食，田野間雞犬相聞，恍如世外桃源，忽有賢者出，他把社會做成一個更理想的世界，不獨民不甚勞而得食，天下百獸也如此，他的成就然比前者更偉大。故賢哲創造時勢，是從平凡中造出偉大的事業。

機會即時勢也，「等待機會與創造機會」和「時勢造英雄與英雄造時勢」又有何不同呢？總說一句，「等待機會」是弱者的表現，「創造社會」則是強者的表現，有一狗給逐入窮巷，進退不得，逐狗者要殺狗，如果他是弱者的話，他會在巷口守候，等狗出來給牠有力的一棍，如果他是強者的話，他會走進去迎頭給它一棒，此二者自不可同時語。

雖然，等待機會是比較安全，而創造機會則甚爲危險，但是，要知道，我們不能永遠作安全之舉，試看，科學家積極研究，希望發現寶貴的東西，要發現這東西，危險的陰影是滿罩着他的，他爲甚麼不等待機會，機會一定會來的，如果人人把着這觀念，世界文明進步便慢得可憐了。

最後，我們要充份了解，機會是不可以等待的，你要它來，它偏不來，所以，要有爲則非創造機會不可。

年華

時代巨輪無情地轉着，一代一代的給轉送了，眞的令人生無限感慨，出生後不久便是童年，童年過後便是少年、中年、和老年，其後便得進墳墓了，在這人生過程中，童年無知，老年無用，人生事業的成敗，便全基於少年和中年。

但青年人和中年人仍有很多異同點，在精神方面而言，青年人血氣方剛，龍馬精神，做事精確而敏捷，成功易，正因爲成功易，失敗也易，青年人易衝動，好冒險，欠缺判斷力，此一點爲中年人所無，中年人入世較深，抱着「穩紮穩打」的精神處世，所以其成功機會較少，但失敗的機會也輕微。

在思想方面，青年人很易接受自己認爲好的生活方式，人的邪惡與良善，就在青年時代的選擇；而且，青年人好幻想，不重實際，以爲理想的境界就要實現了，有些還作盲目的追尋，那知百分百之理想世界是永不能實現的。中年人卻很少犯這個毛病，因爲他們已能體驗生活，屢屢曾受生活担子的折磨，對於世界有深切的認識，不再爲那些理想所麻醉。

至於處世態度，青年人要找極樂世界，美麗異性的追求是目的物之一，得到了，覺得生活很有趣；失敗了，覺得人生乏味，青年人爲情而死的較多，就是這個緣故。因此，青年人的生活情緒常作一百八十度的轉變。中年人則不然，他們心境泰然，日日所求乃妻兒的飽暖，所作的既有一定目標，便不像青年人綺夢多了。

讀者來書

古書圈點不易

──讀「注書不易的又一例」後

•海遺•

編輯先生：頃讀「自由人」七二四期四版，燕廬先生「注書不易的又一例」一文，於心有未安，謹抒鄙見如左：

文史通義書教篇「夫子不與文侯之命同著於編」一語；非云夫子不以文侯之命載入尙書也。文侯之命載於尙書，今文古文兩派均無異詞。百篇之目見於尙書正義者，其中亦有文侯之命。自來討論尙書篇目問題，從未有人謂夫子不錄文侯之命者。書教篇之語本無費解處，今於「皆訓誥之文也」句下用圈而不用逗，分隔文義，遂致橫生枝節。實齋之意，謂夫子不以宰孔之命齊侯，王子虎之命晉侯諸文，與文侯之命同著于尙書，而左傳則載此種訓誥之文。左傳爲春秋之傳，故云「附傳以翼經」，所附於傳者，即上文所稱，皆訓誥之文也。宰孔王子虎之命齊晉侯，體爲訓誥之文，不載於尙書而著於春秋之傳，故曰「書入春秋之明證也。」今如此點句，注解者乃皆於文侯之命求之；於是，中華本國文，有不載於春秋之說，燕廬先生有不錄入尙書之解，實皆非是。注解固不易爲，圈點又豈可輕心以掉哉？讀燕廬先生之文後，如鯁在喉，因一傾吐之。或可供讀書教篇者之參考歟。耑此敬請

撰安

不一

海遺載拜　二月十二日

爬

看到鐵籠中的松鼠爬動，不斷地「狂奔」，而絲毫沒有進展；鐵環轉着，松鼠則依然守着固定的空間，我不禁笑了起來：「多蠢啊！」

有人說宇宙底過程如同鐵匠錘打時爆出的火花；一瞬間便消失了；然而，有些人曾經立過大功，叱咤風雲，因而感到滿足，自以爲可與永恒同在，但是什麼是永恒？火花的熾熱是會冷淡而化成灰燼的！那麼，誰有自滿的資格呢？什麼是值得驕傲的呢？還是默默地爬吧！路還得很呢！

•尤崇洵。

自由人

THE FREEMAN

（第七二九期）

每份港幣壹毫

台北市售價台幣壹元

地址：香港高士威道二十號四樓

20 CAUSEWAY RD. 3RD. FL. HONG KONG

TEL. 771726

關於言論自由問題

雷嘯岑

最近訪問自由中國的日本「讀賣新聞」記者高木健夫，回到東京發表文字，申述此行觀感，極稱讚台灣的言論自由情形。他以過去自己在中共區域「觀光」的見聞所及，比較觀察，乃得到這項結論。共產社會之沒有言論自由，這是婦孺皆知的常識，不足與自由世界相提併論。反共的自由中國如果不容許有言論自由的事實存在，那還成話嗎？所以，我們對於高木的認識論，雖然感覺欣慰，卻不宜引以自滿自驕。因為言論自由的涵義與範疇，在現階段的中國人心目中，頗有風月無邊之概，聚訟紛紜，莫衷一是，高木認為台灣的言論自由大有可觀了，然中國人——尤其是避地海外的反共非共人士，卻指摘台灣沒有言論自由哩！

台灣真是沒有言論自由嗎？

言論自由在台灣是否達到了理想的境界，固屬疑問，但說台灣根本沒有言論自由，若非昧於事實的耳食之見，即為別有用心的意氣之談，那是太不公道了。例如「自由中國」雜誌的言論，其自由的尺度，即置之於英美那些先進的民主憲政國家中，亦無遜色。此外民營刊物如「公論報」「聯合報」等言論機關，對於批評政府得失，何嘗不暢所欲言呢？又如我去年夏天旅行台灣時，常在茶樓酒館或私人住宅與朋友晤談之際，肆無忌憚地議論國事，臧否政治人物，有一次跟若干立法院的友好們在咖啡館高談時政，聲震屋瓦，使隔座的茶客亦為之軒渠不已，亦未見有人干涉我，或者事後警告我。這都是確鑿可據的事實，能說台灣不許言論自由嗎？

說台灣沒有言論自由的人，也不否認「自由中國」雜誌確有隨便說話之自由，但又認為那是仗着胡適之的背景——因為胡氏過去是該刊物的發行人——祇有胡適之在台灣才享有言論自由權，而將其他的報刊與個人在台灣的言論自由諸事實，一概抹煞，豈得謂平？另有一種指摘自由中國政府箝制言論自由的最大理由，就說台灣不許海外的反共刊物自由進口發行，這確屬值得檢討的問題。台灣對於進口的書報刊物必須經過檢查，原係無可非議的。美國對於外來的書報刊物，海關上亦非嚴密檢查不可，稍有疑問，不是扣留，即予退還，豈僅台灣如是？問題是檢查的方法應該注意改善，尤其是檢查人的知識水準，關係甚大，教一些略識之無者，担負衡文的任務，對於思想問題更是莫名其妙，或許把「馬氏文通」亦看成馬克斯的著作哩！不過，海外中國人所辦的反共非共刊物，也就不能認為毫無所據地譏其隨便在台灣發行，便算是言論自由了。譬如有些雖然是標榜反共非共思想的刊物，但其主張卻贊成跟共黨和平競賽，倡導國際第三勢力，與英國工黨左翼份子和印度尼赫魯之流一鼻孔出氣；或者將中華民國政府與北平的秧歌王朝等量齊觀，動則說「大陸有個毛澤東專制政權，台灣有個蔣××獨裁政權」，認為皆在打倒之列。像這類言論刊物，如果也以尊重言論自由的口實，容許它進入台灣發行，那就是從思想上根本否定中國人民的反共運動，無異於為共作倀，烏乎可呢？

由於台灣的官方報紙刊物，對於「自由中國」雜誌以及其他的反對言論，隨時加以攻擊，措詞不免過火，甚或幼稚不經，亦有人指為壓迫言論自由的證據，振振有詞。實則文字辯論，正是言論自由的常軌，祇要彼此動口動筆而不動武，言論上隨便怎末對抗爭執，亦無所謂，只許官家放火，不許百姓點燈，固然是壓迫自由的專制行為，難道說只許民間刊物攻訐政府，不許官方報紙答辯批評，就算是尊重言論自由的民主政治不成麼？至於不合理性，違背邏輯，甚至於沒有常識的言論，那是顯示他自己低能識陋，絕對得不到社會大眾的同情，更談不上壓迫言論自由的話。

政府對言論自由問題的過失

我不承認台灣沒有言論自由的說法，但政府對於言論問題的態度與措施，亦就不敢恭維，每因小失大，予人以誤會。例如限制人民在台灣自由創辦報紙，[illegible]私人要想創設一家報館，沒有上千萬元的資本，行嗎？辦報總是賠本的事，私人籌集如許的資金，談何容易？潦草刊行的報紙，不到幾個月自己就會宣告關門大吉的。政府只是規定創立報館的必備條件就得了，何必限制家數呢？不許人民新設報館，當然有妨礙言論自由之嫌，亦違背憲法上規定的基本人權，自難怪招來不民主的指摘，寧非大大的失策乎？若認為增加了報刊，難免乎添反對政府的言論宣傳，不如根本禁之便。這也是愚見。身體強健結實的人，決不怕風吹雨淋，政治如其修明，怕甚末批評反對呢？批評對的，予以採納，不對的，置之不理，逃出言論自由軌道的，法律俱在，執法以繩之，[illegible]顧忌些甚末，又害怕些甚末？如其沒有容忍批評反對的雅量，那就不必談民主憲政，徒然限制刊物之發行，徒見其為揚湯止沸之計而已。

台灣對於進口書報的審查情形，缺失尤多，該禁止的放行了，該放行的，卻妄加檢禁，無原則，無是非，事證累累，不勝枚舉。這毛病的來源不外兩端：一是權責混淆，依法主管的機關卻沒有裁決之權；二是審檢人員的知識水準太差，任意可否，無可理喻。譬如我在「香港時報」副刊上，所寫的小品文「新世說」，一字不改地印成專集，竟被禁止進口發行，而「香港時報」卻通行無阻，這是否妨礙人民言論出版之自由？別人若還這項事實來攻擊台灣沒有言論自由，其將何詞以對呢？我是執政黨的黨員，淘些冤枉氣固不在乎，以此荒謬作風對待一般自由中國人士，能怪別人指摘政府壓迫言論自由嗎？舉一反三，政府應該知所自處矣。

我並非認為台灣的言論自由程度已經十全十美，然平心靜氣，根據事實來衡量一下，卻不敢苟同所謂台灣毫無言論自由的批判，而批判的人似亦應該檢討自己的言論思想是否合理？一句總話：台灣被認為沒有言論自由的眞正原因，都是由於當局者一些無關宏旨的幼稚措施所使然，因小失大，可慨也夫！

「更正」：本刊七二八期「美國領導世界能力的檢討」一文第六節第十四行「國家內部」之下遺漏「的腐敗與落後集團外，無法」等數字。

半週述評

我對中共目前動態的看法

毛暫時屈服　周虛偽讓步　劉適可而止

大陸從鳴放到所謂反右派的鬥爭，紛紛擾擾鬧了一年以上，一方面引起中共內部的高度不安，一方面在大陸，在海外，在國際，也引起了種種揣測。這其間我們看到中共首腦人物間的暗鬥與明爭，至影響到毛澤東在中共的領導地位已漸趨不穩，這一種形勢，一直到去年十一月毛澤東訪蘇回來以後，才逐漸的改變過來。[illegible]後，中共三名首腦人物間經過了長時期的協議與折衝，才定下當前的這一妥協方案，期待由這一方案所表現出來的一個具體事實，便是最近這次「人代會」的匆匆召集與草草閉幕；「國務院」的相當緊縮與人事的局部調整；周恩來對外長一席的表面放棄；以及劉少奇以勝利者的姿態，宣佈五十四個右派分子在「人代會」代表資格的撤消。

蘇聯目前有繼續用毛的必要

所謂毛澤東的暫時屈服，這是說這位權奇自喜「可左可右」的首領，一旦抓住機會，依然要[illegible]；所謂周恩來的虛偽讓步，還是說他的地位不動，實權無損，而且可能加強；所謂劉少奇的適可而止，這是說他已看出毛澤東的首領[illegible]，他在實際上也無可如何。

[illegible]

毛周劉成立諒解

二、這次對「右派分子」的處理，毛周劉可能成立了相當的諒解：只能擱置他們的名義，而停止他們的活動與發言，其勢不會對他們作更進一步的解決。因為：（一）大陸不滿的情緒普遍存在，隨時有從四面八方發生動亂的可能，加重處理少數領導分子，只有使這種形勢加深，擴大，決無法加以根本的撲滅。（二）周恩來決不願把他三十年的統戰成績毀於一旦，而且在未來某一形勢的變化之下，確仍有借重這羣「右派分子」或他們中間一部分的必要。（三）毛澤東對於他的所謂「和風細雨」，所謂「言者無罪」，所謂「長期共存，互相監督」這類諾言，多少還要顧到幾分之幾，以保全他在國內黨外發言的地位，這次毛在「人代會」沒有作長篇大套的演說，這無寧說是他在繼續採取的一種滑頭態度。（四）國際與海外的反共民主人士，對這般「右派分子」的命運，寄以深切的關懷，而表示了與過去不同的看法，這在毛周劉等的協議之中，其勢也不能不加以考慮。

妥協是不會太長久的

總括言之，中共內部目前這種妥協辦法是不會延續得太久的，其理由也很簡單：（一）蘇聯對中共內部這種「可左可右」的分子長期存在，更不能容許其坐大而不受提調；（二）中共黨內黨外的一切「右派分子」，決不能對現狀滿意；（三）老百姓的對中共的容忍，也只能有一定的限度。最後，我還要說，我們對於大陸所謂「右派分子」爭取民主自由誠然抱有相當的同情，但我們的主張卻比他們澈底：他們只想對中共加以相當的修正，或從而加以分化，實際並無顛覆中共政權的企圖，我們則根本否定中共政權，堅決主張中華民國的重建。

●左舜生●

從德國看高層會議

隨着去年北大西洋公約國會議結束而來的世界高層會議的醞釀，到了目前，由于赫魯曉夫在莫斯科與美大使湯浦遜的接觸，由于蘇駐美大使孟希柯夫之訪問白宮，由于尼克遜副總統可能奉命赴蘇安排會議的傳說，一時呼之欲出。

世界高層會議的開成，可能性很大；但會議之不會成功，則可以斷言。最大問題是：赫魯曉夫拒絕在該會中討論德國問題及東歐國家問題，而堅持德國問題由德國人民自行解決，認為東歐人民在他們自擇的政治下生活是夠美滿的了。這無異說：德國統一問題應由東西德直接談判解決；而直接談判，則是為德國人所不能接納的。

這個難題是不易打破的。蘇聯之堅拒討論德國問題，自有其歷史的與事實上的原因。在一九五二年三四月間，史太林對于德國問題曾一週照會盟國，聲明德國應中立化——目的祇在防止德國與西方國家接觸；而不觸及自由選舉——目的在要求自由選舉之前組織一個全德政府，使東西德平等機會參加。所以蘇聯對于德國的眞正自由選舉是一直不致贊同的，除非依照它的條件。反之美英法在去年七月會宣言保證不簽署妨礙德國統一的任何裁軍協定。所以對于德國統一問題西方與蘇聯一向是在這微妙的關係上鬥法。

事實上西方與蘇聯各拿着一張皇牌，但顯然西德是一張對自由選舉有勝利把握的皇牌，誠如紐約時報曾經論過，「如果東德人民可以自由表示意見的話，他們的共黨統治者將于一夜之間便被打倒了」。證諸過去東德人民的不斷逃向西德，東德經濟的脆弱，以及最近東德統治者的更動，東德政權除了靠蘇聯武裝支持外，是沒有眞正的支持基礎的。反之，自分裂了十三年的西德看來，無論是執政黨的基督教民主黨阿登諾抑或是反對黨的社會民主黨奧倫豪爾都莫不以如何達成德國的統一為政治號召。儘管蘇聯如何對于西德表示可以斟酌，但東西德之間似乎找不出有什麼可以妥協埋線的根據。八十二歲老人阿登諾之站穩西方立場，堅持全國統一與自由為不可分，甚至在上次競選勝利後聲明全力支持西方一致對付蘇聯，是當然而明智的抉擇。

所謂高層會議儘管可以召開，但會議的目的如在緩和局勢，則德國問題倘無法解決，會議絕不可能。會議中的主題——裁軍與德國統一問題幾乎不可分，如撇德國問題不談，一切就無從談起。

這一點蘇聯是不會不知道，但蘇聯的主張召開高層會議無非一項策略的運用，其基本精神不在消極地從安定求共存，而在積極地從動亂中求進取。從歷史看來，德國的分裂，和韓國越南的分裂，同是用竊據方式造成今天的「既成事實」，這既成事實也絕不作止境的；何況其策略的進展又被阻于阿登諾，李承晚，吳廷琰的不與共黨對方直接談判的堅決立場。高層會議如果一開，蘇聯運用西方各國——英法甚至美國——的妥協心理，借用西方的力量，轉彎抹角的，用和平攻勢，打破僵局，平分春色，再事進展。最近在會議召開聲中，在德國，在韓國，在越南，共黨集團莫不表現出和平的姿態。如果德國問題一旦獲得蘇聯的方式獲得進一步的協議，則韓國，越南也可依樣葫蘆，甚至「兩個中國」的論調也會公開出現。

高層會議本身原就不是一解決問題的正常方式，它的出現國際上無異表示了原具理想的聯合國已擺渙至不能發生作用。而所謂高層會議將演變成一個什麼樣的形態，將包括那些國家，似尚無一定形態。但在其中蘇聯大可花樣百出，一步一步把聯合國放在冷宮，金蟬脫殼般把大問題都移到外面，沒有原則沒有規律地變幹，將又在蘇聯和平攻勢下進一步常態；中共這個長被擯在聯合國外的不速客，也勢必從另一道門大搖大擺進入世界舞台。

德國問題，與其說是所謂高層會議的一道障礙，無寧看作阻擋蘇聯和平攻勢的一道關隘；如果這道關隘在和平攻勢下倒下來，則其他地區尤其亞洲的中，韓，越各被共產集團分裂的國家底統一或復國前途，將大受影響。

●雅斯●

青年反共救國團傳改組訊

被「自由中國」雜誌抨擊為自由中國二大弊害之一的「中國青年反共救國團」（以下簡稱救國團）據傳最近正醞釀改組。

台灣通訊

「自由中國」抨擊之後

「自由中國」雜誌，在本年元旦出版的新年特刊中，發表社論火爆地說：「解決青年救國團問題的辦法，只有一個，就是撤銷青年反共救國團。」在最近的幾期裏，該社又不斷的發表青年讀者投書，支持該社論中的主張：「假使青年救國團真是愛護青年，根本就該自動撤銷才對。」

該團發出「告全體團員書」

在本（二）月六日，救國團所舉辦的華僑師範、法政，文史及理工「農業大專學生代表所參加的年會開訓之日，救國團同時發表長達五千餘言的「告全體團員書」，不啻是對自由中國雜誌的「青年反共救國團問題」的駁辯，也證實了救國團將作自我的改革。自然，所謂改革絕不意味着自動撤銷，引用他們自己的解釋，只是「組織形態不斷改進和工作內容不斷的充實。」

青年關心改組

救國團改組消息，雖然台灣的各大報上，只是斷斷續續的二、三欄新聞（一向被認為發佈救國團消息最權威的該團機關通訊社的幼獅社，關於改組消息，一直未發隻字），最先露出救國團將作重大改組消息的是一月五日出刊的某校新聞系對外發行的實驗報紙，此後新生和聯合報，均以「本報訊」陸續發出一、二條，而中央日報卻避免刊登，但救國團的改組確是台灣青年學子最關心的事情，因為首先一些來自救國團的「課外負荷」可能減輕，更重要的，還是大專學生畢業後的二年預備軍官訓練制度，可能改變方式。

筆者據接近救國團的高階層人士透露：救國團的改組，是勢在必行了，而且一切都準備妥當，等到下月該團舉行全省性工作人員檢討會議時，就正式宣佈。

改組的重點何在

改組的重點，見之于「告全體團員書」的，有以下三點：

一、「決定自下學期起，不再繼續實施愛國教育。」——愛國教育係指國父遺教、總統訓詞及俄帝侵華史教材，每學期在中等中學校內舉行測驗（注重填鴨式的死背）。這些是合學教育當局在減輕學生課業負担後，一種寬容式的填補。愛國教材係由教官指定在課外研讀，也在課外另定時間測驗。

二、學校軍訓將有重大的改變；台灣的軍訓教育，係自高中一年級起至大學四年止（初中和小學接受童子軍教育），大學畢業後，還得接受一年十個月的預備軍官訓練，才能拿到大學文憑。高中學生每週三小時，大學學生每週軍訓課二小時。本來，現代國家的國民，所謂接受軍訓，原不應成為問題，但所以成為問題的，是救國團現行的軍訓制度。可能主持學校軍訓的救國團，也有一套計劃，但實行起來，全不是那麼一會事，從高一至大學四年級，每學期開始時，總要複習稍息正立，一直複習到學期結束，如此週而復始。等到大專畢業後，接受預備軍官教育，還是從稍息、立正開始（難怪乎自由中國雜誌疾呼：「為甚麼要青年學生把生命消耗在立正稍息之上。」）結果造成軍訓教官和學生都心照不宣的混下去（至少，大學裏是如此），反正混到畢業後，還有鳳山的二年預備軍官訓練。縱屬在進度表上，教育的一鱗半爪的學科，只是為了交差，填表的依據，上面教官是照念下去，下面的學生，照看小說不誤，偶而一、二好學之士，提出一點疑問，請教官解答，教官往往把答案支票開到大學畢業後的鳳山階段。

社會印象如何？

學生輕視學校軍訓，社會上的印象又如何呢？這裏有一段對話可以概見：有一位某大學的僑生，擬回僑居地渡假，到台北一旅行社洽購飛機票，等購票手續辦完的時候，旅行社小姐看着月曆，和購票的僑生有下面的一段對話：

「×同學，本星期六上午十時至十二時，請您駕臨換機票……！」

「不行，不行，我還有考試呢？」

「星期六不是最後一天麼？是不是軍訓考試？」

「不單單是軍訓考試，還有別的！」

「噢！如果軍訓一課，可以馬馬虎虎吧！」……

總之，今日處在戰鬥之下的自由中國，應受軍訓，而且要嚴格的軍事訓練，乃是不可爭議之事，正如某位同學與筆者談起這問題時，揮動着臂說：「除非我們不想活！不想回大陸去！」但必須有計劃，有步驟，不能白白浪費光陰，結果造成學生混，拖的習氣。一般認為要談改要求加強學校軍訓，免除畢業後的鳳山訓練，要末取銷學校軍訓，等大學畢業後，一起接受預備軍官訓練。或者二者兼施，減少預備軍官的訓練期限。

·史公任·

五年來的觀感

至此，筆者願意一談各方面對於成立五年來的救國團的觀感：

一、當周至柔出長台灣省主席時，新教育廳長的人選，成為各方矚目的職務，雖然，當時即知道周至柔是看中劉眞的，但劉眞是否願意離開欣欣向榮的師大，而去就任新職，是頗有問題的，當時台北的報紙，跑教育新聞的記者，都知道劉眞對於新職的胃口是不大的。據二家民營報紙所透露出的內幕消息：當時救國團已推出幾位大將，出馬角逐教育廳長，後來還是劉眞出任教育廳長。據說，這是救國團的色彩，在政治上所發生微妙關係的結果。

和劉眞出任教育廳長同時出現在報紙上頭版上的另一條消息：教育部政務次長吳俊升將接替師大校長的遺缺。但第二天，即被教育部所否認。一直到今天，師大的校長，還是由原任教務長杜元載代理的。據說救國團對於師大校長的人選，亦曾放出幾只汽球，試探該校元老教授們對於人選的反應，結果極不良好。教授們對救國團的觀感于此可見。

種種措施　為了觀瞻

二、說來也奇怪，自從韓戰爆發後，台灣政治上的措施好像專門為給人家看似的，外國人士所欣賞的，也沾沾自喜大登特登的在報紙上。青年救國團的種種措施，也是為此，例如每年夏季轟轟烈烈的青年暑期戰鬥訓練，就是為了「觀瞻」，報紙上刊出大而多的消息，而且每年照例要一而再，再而三，邀請各有關方面組織訪問團，參觀戰鬥訓練，而且必有一番十全十美的發言觀感書，登在報紙上，好像沒有人大聲叫好，不足以證明偉大的成功。

閙過大笑話

三、救國團常閙笑話，例如：像不經過調查就盲目的協助（並以全力支持），近乎神精病青年的鬼湖探險，而經過結果證明是活見鬼。而救國團的召集鬼湖探險動員的單位有：教育部、國防部、經濟部、陸軍供應司令部、交通處、警務處……。報紙上每天都有幼獅社的消息，大吹大擂，結果是個騙局。

影響軍校成績

還有，救國團所發動的青年從軍報國運動，反成了今日軍校成績低落最大的原因。因為從軍應該是自動參加當備兵或同性質的服役，但救國團所主持的報國從軍，卻把從軍的學生，分發到三軍官校、兵工學校等校深造（我們從未聽說具有規模的軍官學校，可以不經過考試而進去的），於是成績低劣的高中未畢業的學生（軍校投考資格，依法應為高中畢業生），真正抓住了機會，一起湧進軍校（當然有少數例外）。自四二年度後（青年從軍運動後），各軍事學校每年都費了九牛二虎之力才能招進幾個學生，而真正對國防科學有興趣、有理想，對職業軍官有抱負的優秀青年，又視軍校裏是下等。過去的高中畢業生，不考（甚至考上不念）台大，而選考三軍官校、兵工學校、國防醫學院，不算稀奇，但今日，若有進第三流的文學校機會，不念，而自願上武學校，那才是奇蹟呢，理由很簡單：人是有自尊心的，誰都不願意與劣等者為伍。

救國團應不應撤銷呢？那是政治澄測與實際關係上的根本問題，本文暫且不談，但就上述的事實看來，卻可見社會對該團的一般觀感為如何了。（二月十四日于台北）

寶島經緯

△全台二千餘所國民學校普遍鬧教室荒，本報對此亦曾有多篇評論。據說教育當局會因此舉行會議，對解決國校教室荒問題加以重視，另據可靠方面而悉，教育當局已決定籌款四千五百萬元，興建國校教室。

△教育廳通令全省各公私立中學校，自四十七年第一學期開始，各項收費分別減免，並規定專款專用，絕對不許巧立名目，移作他途之用。這對學生家長誠然是個好消息。據一般意見，教育當局如能更進一步減輕學生本身的精力負担，儘量減免政治訓練，使他們能專心致志於正當課業，更為功德無量。

△據說省府為促進機關人事之新陳代謝及提高工作效率，頗有吸收具有才實學之人員的打算，擬訂一辦法，聞其要點：一、以技術人才為主，二、以契約行之，三、待遇至少每月在二千元台幣以上，但因不是公務員身份，無物質配給。這一辦法經省府委員會議審議通過後即可施行。惟此說尚在草案期內其將來施行是否有困難，尚難預料。

△據說教育當局列准了二百四十萬台幣的預算，要辦一個純教育性的電台，目的在使全省聽衆皆可以同霑化雨。如此屬實，看似化錢不多，實則是一可怕的浪費。據專家的估計。二百四十萬台幣，只能建一個很小的電台，放在台北，新竹、桃園都未必聽得見，遠一點更不必說了。故論者以為國營廣播系統，有現成的全省廣播網，不去充分利用，而另起燒不熟的爐灶，這和用少數的錢辦玩具式的電視，同樣是得不償失。無異于一種浪費。

△「人才下鄉」這句口號，是嚴家淦主政時喊出，直到現在仍在「喊」，很多國校教員中途都轉到市區來了，所謂人才也者，多不願下鄉。究其原因，物質條件太差，生活清苦自不待言，精神亦復苦悶，無法使其安於位。要解決此一問題，單靠一紙命令是行不通的。要使鄉鎮國校教員安心工作，則必須安定其生活，尊重其地位，還需有更切實的辦法。（二月廿二日于台北）

·季鸞·

自由中國春季藝術攻勢

——台北通訊——

·許傑·

最近數月自由中國藝術界的現象，似乎頗能打破中國數千年來「文人相輕」的惡習，以創立另一個合作的局勢。這個問題的提出，乃起於平劇名劇人合作於先，再見於名畫家合作於後。另外又有一新趨勢，即為外國人素對中國書畫少提倡，而此次台灣美國文化社團「華美協進社台灣分社」，於舉辦「何勇仁國畫欣賞會」，為該社政府活動中之首次重視國畫之表示。其他表示合作運動之畫展有二，一為「七友書畫展」，一為「聯合水彩畫展」，其單獨展出者尚有藍蔭鼎之水彩畫展等，現根據日期先後作客觀之報導：

「何勇仁國畫欣賞會」

自由中國春季之藝術攻勢乃始於二月十八日。華美協進社主辦之「何勇仁國畫欣賞會」開其端，展品共五十四件，展期為四日，會場在該社二樓，該社並有中英文說明書及介紹詞。會場佈置非常美觀，畫分三類，即為山水、花鳥、人物，以山水為最多，人物僅一件「養鴨裸婦」，半工意。據一般內行者之評論，何氏所作山水已用功了三十年，故能筆意縱橫，渾厚神化，每畫均另有其不相同之佈局，不相同之山樹，不相同之氣質，而均詩味很重，其所作花鳥亦有驚人之筆，雖寥寥幾筆幾點，即已跳躍在紙上，其畫之基礎，山水乃受石濤影響，花鳥乃受八大影響，而其創造之精神極强，充滿生的力量，其雖走向新的路線，而無嶺南折衷派之獷野，更非如徐悲鴻之走向西方。

「聯合水彩畫展」

「聯合水彩畫展」乃在新聞大廈，作者為張杰、劉其偉、香洪、吳廷標、胡笳等五人，展品共八十七件，會場極為壯觀，惟作者之履歷無法查明，不得不付闕如了。劉其偉、香洪、張杰三人的作品更富有空靈的感覺，香君富於抽象幻想，張君既能把握其現實，復能發揮其之感想，劉君之筆調雄偉，又見其工力，吳廷標擅長寫人物之小品意，頗有特色，胡笳技術基礎甚佳，如假加重感想即其表現當必更為美滿了！另外一位青年作家莊世和的個人畫展，作品共五十件，會場在中山堂，其作風如超現實派。據其師日人外山卯三郎評介說：『美術工藝學院的指導主力，不僅在于現代藝術之外在的理解這一點上，而且要在這裏探求其內在的理論，拿它的思想與感情做母體去完成一種體驗，以這種生活為創作之搖籃的，莊君就在這中間作了相當的努力』，這種超現實的畫派，雖然一般人看不懂，但給守舊的中國一點新刺激是很好的。

「七友書畫聯展」

「七友書畫聯展」乃美育委員會所主辦，陣容最盛，主力為馬壽華、鄭曼青、張穀年、陳方、高逸鴻、陶芸樓等，會場在錦聯會播慕室，馬現任行政院院長，陳布雷之得手助手，前數年於機關中，深感生活不易維持，乃轉習丹青謀生，鄭曼青為國大代表，雖技中醫及國技，其對於書畫亦有過人之處。藍蔭鼎此次展出，亦以救濟貧民為目的，在此實有心人呢！

看莊世和畫展後

—·何鐵華·—

（台灣通訊）最近看到莊世和的畫展，使我感到他的畫近幾年間進步到迅而神化。溯自第一屆自由中國美展時，他所提出的立體派畫風的作品，我們可以想見他參加的抽象派畫藝工作上，孜孜進心，不隨于惡劣思想的影響，而能更激其初衷。

我和莊君相識于民國四十年間，因為志同道合，嘗研討藝壇上努力推動藝運，往來漸密。他現年三十六歲，年青血氣旺盛，創作慾充沛，從他的畫面表現色彩的強烈看來，便知其熱情洋溢。

他原籍台灣省屏東縣潮州鎮，早歲已攀愛藝術，深受日本，專攻繪畫，先入東京川端畫學校，後考進東京美術工藝學院，研究廿世紀洋畫及美學，師事于兒童美術教育家[illegible]。

如莊君的力爭上游者，可謂寥寥無幾。新藝術的特色，是以思想決定一切，無疑的技巧創新的，為配合新思想之表達，莊君所作之畫必先有「畫因」，然後求其如何表現，故能「言之成理」「寫之有物」。最近更運用中國線條，滲入東方色彩，而清新明朗，活潑可愛。我們看了他的畫事，頗感興奮愉快。他並非以耍弄虛玄為能事，他追求着「內在的精神」表現，博取藝術的共鳴。

本報專稿

動盪中的印尼（三）

·駱英·

多姿的一九五七年

（一）翻過一頁黑暗的歷史

印尼在一九五六年末期發生的幾項重大事件，已使一九五〇年完成的大一統局面，呈現破裂的現象。蘇加諾總統以極强烈的意志要改善國內現狀，倡議「埋葬政黨」，「消滅反對派」。副總統哈達的辭職，在人民精神上劃下「二位一體關係」的裂痕。雖然蘇中、蘇北相繼發生政變，而各地方對總統，對中央，却仍不願即時拋棄，另樹一幟，似欲藉「兵諫」以促使中央領導層，改善本身及對地方的關係，說清楚一些，那是藉「割據」的局面達成上述願望。內閣總理阿里，認上述事件是印尼歷史的黑暗一頁。

由於「割據」局面的形成，步入一九五七年後，阿里內閣的地位更見動搖。上年底獨立協會要求改組內閣未遂而撤退閣員，內閣三大台柱之一的瑪斯友美黨閣員，要求改組內閣或共同解散內閣，若爲改組內閣應包括總理阿里在內。而印尼國民黨爲戀棧其政權，却甯願維持殘局，不願改組或共同解散內閣。瑪黨因此決定撤退閣員。一月九日晚瑪黨五位閣員宣佈退出政府。十五日貝蒂固教黨亦撤退其一位閣員。阿里內閣至是已搖搖欲墜了。蘇加諾總統則認爲若僅調整內閣人事，不足以挽救時艱。一月廿七日他在萬隆舉行的紅白旗大會上，更表示說：「抱負莫展，深覺悲哀！今後願實際參政」等語。顯示了蘇加諾要直接掌握政務的決心。

（二）「救時方案」——「領導的民主」

一九五六年蘇加諾二次出國訪問以後，十月裏即發出「埋葬政黨」呼聲。當時大家即已意味到蘇加諾對印尼當前情勢，已有了新的「主意」——這就是一九五七年二月廿一晚八時，在獨立宮中正式宣佈的「救時方案」，也叫做「領導的民主」。

蘇加諾的「救時方案」產生的背景，是因爲他覺得印尼自一九五四年宣告獨立以來，政黨繁多，採用西方民主的方式治理國政，十多年來未曾享受過政治安定。每一屆內閣成立，反對黨總是吵吵鬧鬧，壽命最長的內閣，也不過歷時兩年。一九五五年全國普選後產生的新內閣與國會，情形還是一樣的換湯不換藥，在他覺得這是悲傷。一九五五年六月，全歐印尼留學生在西德開會，對印尼的民主制度有所檢討，認爲多年來印尼政局的不安定，甚因於採用了西方的自由的民主制度，西方民主制度的自由競爭，不適合基於互助原則的印尼社會制度。因此產生了有領導的民主制度思想。同時也影響了蘇加諾的「主意」，於去年出國訪問共產國家後，遂作了最後決定。

蘇加諾的「救時方案」，即「領導的民主」的內容，包括兩個部份：（一）設立「民族委員會」即（國務委員會），其職責是對內閣提供意見。不論內閣要求與否。委員會主席由總統自兼，委員四十三人，由總統向社會各階層中遴選。其中有內閣閣員，回教代表，三軍參謀長，警察長，檢察長，以及勞工、青年、婦女、農民、知識份子，基督教，天主教，國營企業界，地方事務專家及一九四五年人物之代表。

（二）組一個新式的「共同與集體協助」的內閣，亦即是「聯合政府」，其組成分子，包括國會各黨派（共黨在內）代表。如此，民族委員會將加强內閣的權力，從而實現「國會中的一切反對派，將由此消失」。

蘇加諾宣佈了他的「救時方案」以後，給予各黨派及社會人士以一星期時間的考慮，然後向其提出其意見，以供參考。

二月廿八日蘇加諾接見各黨派代表，聽取他們對「救時方案」的意見。結果，國會中贊成「救時方案」者，有國民黨，印尼共黨，及共黨同路人所控制的勞工青年等，得一百二十席；反對「救時方案」者，以回教政黨如瑪斯友美，神學會等爲最力，天主教黨等亦表反對，合共得一百三十四席。其餘小黨派態度未明。一般的批評，認「救時方案」主要是在把共黨份子兼收併蓄，而爲宗教政黨所極力反對者。前副總統哈達亦不緘默，特撰文批評該方案，於分析蘇加諾的生活及思想等後，對方案評爲：「理想是好的，實行有困難」。

（三）離心運動加劇

當一九五六年十二月下旬，蘇中，蘇北軍人相繼脫離中央政府，接管當地民政以後，一時舉國彷徨，深恐發生內戰而造成更難收拾的局勢。嗣中央方面表明態度「不採分化，不用武力」政策，主張以和平協商步驟，解決蘇北事件。各該地方當局亦表示願與中央代表商洽辦法。但幾經磋商未獲協調。

正當首都人士忙於檢討「救時方案」得失的時候，三月二日，蘇拉威西的第七軍區（包括印尼東部四省）軍政及社會領袖五十六人，忽然共同簽署了一份「共同奮鬥憲章」，組織軍政府，宣佈戰時狀態，實施軍事管理，步蘇中，蘇北之後與中央政府脫離關係。（未完）

國際動態拾零

△美國失業人數大增，一九五七年一月僅一百十萬人，至十二月則增至四百五十萬人，爲一九五〇年二月以來之最高峯。

△美國人造衛星，依本週之運行率，最低爲二百十九英里，最高爲一千五百八十七公里。據其探測所得，在高空宇宙綫之强度，超過地面十二倍，但尚不至引起人類在太空的爆炸。

△陸軍在四月以前，將再放射一衛星。形狀重量，完全與第一星相同，但其內部之科學儀器的配備，則較進步。

△以二十三萬八千英里之月球爲目標，美陸軍與空軍正在競賽中。以越洲火箭爲第一級，或在氣球上放射，將在秋間舉行。惟究竟射到月球，抑射至環繞月球軌道，則未決定。

△美國軍備之改革，可就其軍事用款之百分比中見之：

項目	一九五三年	一九五九年
戰車	一三·六%	一一·九%
軍火	一三·七%	一·六%
生產工具之配備	九·七%	二·七%
飛機	四三·四%	五〇·〇%
火箭	一·七%	二四·〇%
船隻	七·〇%	九·四%
電力與分通	五·八%	六·三%
其他	五·一%	四·一%

由上表可知其火箭用款，已多十多倍了。

·陶然·

俄共奪回領導權

在周恩來與金日成的聯合聲明發表的次日，蘇聯政府亦發表一項正式聲明，除了支持「中朝聯合聲明」以外，還提出了具體的建議：「朝鮮問題是不能用外國干涉的辦法來解決的，恢復朝鮮統一的問題只有由朝鮮人自己通過朝鮮兩部份的逐步接近才能得到解決。在這方面，蘇聯政府認爲召開有關國家會議是適宜的，在這個會議上可以討論促進朝鮮兩部分接近的措施。」

二十一日，「人民日報」立即發表社論來支持蘇聯的這個建議。

根據中共與北韓聯合聲明所載，雙方早已經討論了世界一般的局勢，並且也討論到朝鮮統一問題的下一步驟，但是該聲明中並未曾提及「召開有關國家會議」；這樣的建議要等待蘇聯來提出之後，北平才予以支持，顯得蘇聯已奪回了對韓共的領導權了。

蘇聯逼債

在一九五七年以前，蘇聯共給予中共貸款人民幣五二·九四億元，除了一小部份是作爲經建用途以外，大部是韓戰戰債，旅大交還時買了一些蘇軍遺留的軍用物資，償還幾個「合營公司」的蘇方股份等等。

一九五七年蘇聯應給予中共貸款尾數二千五百餘萬元，據最近李先念的上年決算報告中透露，此項尾數蘇聯未曾付給。

又據李先念的一九五八年預算草案中說：債務收入六億三千萬元。——這完全是發行公債的數字，亦即說明蘇聯在今年不準備貸款給中共。

李先念又說：一九五八年債務支出爲十三億一千萬元。其中償付到期公債大概兩億多元了，除此以外，就都是該年中要付還蘇聯的債款，數字是十一億元左右，約合港幣二十五億七千萬元。

既然大陸的人民已經在吃番薯、樹皮、草根了，若照着他們的宣傳字眼去理解，老大哥的援助當源源而來；然而，事實却與此完全相反，每年要被迫還債十一億元。這，大概就是老大哥的援助的實質！

壓迫中共

一面迫使中共的志願軍退出北韓，奪回在北韓的領導權；另一面則壓迫中共償還債務，這是我們所見到的蘇聯壓迫中共的兩個方面。除此以外，當然還有我們所未曾見到的。

蘇聯的這種做法，無疑是有其目的。主要者當在與中共之間存在相當的矛盾，譬如說：去年五月，赫魯曉夫曾經表示對於「人民內部矛盾」這種說法是不贊同的，但中共至今還在宣傳這種理論。

去年十一月莫斯科舉行了共產國際的兩個會議，會後發表兩項宣言。所有共產國家的黨中央都作出決議，表示支持這兩項宣言，惟獨中共中央對此並無正面表示。這種現象雖說不能就認爲中共不贊同上述兩項宣言，但至少可以說，中共在拖延之中。

若從這樣來看，中共與蘇聯間的關係，可能已經涉及到了基本的思想意識的差異。果若如此，則它們間的關係要想改善，恐怕不很容易。於是老大哥壓迫小弟弟的局面就產生了。

·田心·

申論我國文評的特質（上）

——敬答謝康先生

·邢光祖·

在去年正月四日和八日的「自由人」上，拜讀謝康先生對於拙作「論我國文藝批評的特質」一文的評介，對其中提出的許多指點，願申論之。

文評（指文藝或文學批評），是淵源有自，演變到現在已公認是文學品類之一與詩文小說戲劇居於平等的地位。文評是文學作品價值的批判，有其獨立的嚴肅性；所以一個批評家，不一定像謝先生所說的，是介於生產的作家與消費的讀者之間的「掮客」或「介紹人」；而該是決定文學作品價值，釐訂法制或準則的人。

文評之與文學史密切相關，是不容詭辯的。一個從事文評的人，必須認識歷史的意義，必須了解其在過去與未來之間的時間上的地位，纔能負文化延續的使命。一個從事文評的人，非但要熟講文學史，有時必須查考其時代的背景，作者的身世，創作時的心境，過去對他的影響等，這樣一個作者成爲一段歷史，一件作品成爲一個世界。這工作，除了黎恰慈（I.A.Richards）在「科學與詩」一書裏所說對於文學的「熟知識」外，甚且還需要訓詁，考證，分析，綜合，心理甚至生理學的工具。所以文評家是文學家與科學家的化合。

像寫「論我國文藝批評的特質」一類的文章，是一件喫力不討好的事。拙作結論的簡陋，剖析的未盡，或不能免。不過原具的目的，正如原文最後指出的，在於鼓勵後之學者，能抱中國固有的文評，「加以闡釋，比較與發明」，在于拋磚引玉而已。

在古代中國，我們可以說，有文評之實而無文評之名，有文評的片斷而無文評的專著，但誰也不能斷言古代中國沒有文評。中國古代的文評，散見於經書子集裏，與哲學相錯，與歷史相混，到現在還沒有人加以爬梳整理，像孫慈貝瑞的 Loci Critici 一樣，抱這些珠璣般的評語，和其他分開，摘錄而成爲專書。同時中國語言文字是單音字，使文評甚至其他文學哲學作品受到限制，正如有人指出，這種單音字所組成的文章，長處是句句警闢，缺點是意義含混；就是偶儷如莊子，雄辯如孟子，也都是「以觀察銳敏勝人」，而不是「以理致分析勝人」（見「文學雜誌」第一卷第四期勞榦先生「論文章傳統的道路與現在的方向」一文）。所以從古代經典裏面所檢出來的文評詩評，也許只是些斷續零素，沒有系統，然而如果我們肯下功夫，按照古代各個先哲整個思想範疇，不妄不虛，不黏不拘，加以縷析剖解，演繹闡發，相信仍能窺其全豹。

拙作裏面曾經指出我國「文藝與美學理論發明之早，卷帙之繁，包賅之廣，辨析之細，尤非西洋文學批評所能比擬」。謝先生據此提出（一）中國文評比西洋發「達」得早而且多的問題，及（二）西洋文學批評的內容或質量方面也不及中國，這一說是否可以成立的兩個問題，來否定拙作的結論；這是筆者在這裏願意虛心提出來商榷的。

第一、關於中國文評理論與西洋發明孰先孰後一點，我認爲應該首先解決中國經書及諸子裏面散見的文評片斷，是不是可算文評的問題。謝先生以文評專著而言，所以說西洋比我國早；筆者則從古代經書及諸子裏的片斷立論，所以說中國比西洋早。孟子曾說：「詩亡然後春秋作」，據此我們可以指出：三百五篇時代是我國遠古的創作時代，而春秋以及戰國時代，是古代的批評時代。筆者不揣冒昧，認爲一部尚書，是遠古史乘的纂編；一部詩經，是批判才能的實用；虞書「詩言志，歌永言，聲依永，律和聲」，下開詩大序「詩者志之所之也，生心爲志，發言爲詩」之說；與我國後來詩言情之說別爲一派；不能說是不在文評範圍以內。三百五篇是孔子與觀群怨，溫柔敦厚，以及無邪之說的示範。論語裏面論詩凡九，論樂凡十四；至於知者樂水，仁者樂山，對於山水的欣賞，直湊單微，已入美學的堂奧。大學「靜而后能安，安而后能慮，慮而后能得」，實開柏格森（Bergson），克魯齊（Croce）所標舉「直覺」的先聲；不能摒除在批評範圍之外。諸如此類，例子還多。論到中國文評，似不能不提到孔子，更不能不揭櫫爲文評準則的溫柔敦厚的「詩教」。同時中國文評以儒道兩家始，並非筆者獨創，許多遊學美國的國人捧爲一代大師的白璧德（Irving Babbitt）教授，在其所著「盧梭與浪漫主義」一書附錄「論中國的原始主義」裏面，也曾指出過去與盧梭的浪漫運動性質最相接近的，是中國道家對於儒家的反動。如果我們承認孔子與老莊在中國文評上的地位，那麼祇要一查孔子與希臘的柏拉圖的生死年份，便可以知道中西文評的發明（我說的是「發明」，謝先生改成「發達」），孰先孰後了。

第二、論到中國文評卷帙之繁與包賅之廣，因爲謝先生祇在文評專著方面着眼，所以表示異議。須知我國對於文評，自古以來，並無定名。隋書經籍志把「文章流別志論」，「文心雕龍」等文評專著，附在總集之後，沒有另列一類。新唐書藝文志列入文史類，宋史明史都是如此，要到四庫總目纔開闢詩文評類，但仍不能包賅一切。這是因爲古代文評散見經籍與諸子百家書內，並須參閱各種註釋考證，卷帙繁多。自唐以還，除少數專著外，中國文評大抵散見各家詩文集，詩話，筆記，小說，書翰，序文，日記，批註裏面，範圍既廣，品類尤多。舉例來說，李白文評見於古風，杜甫見於絕句，元白見於書翰，嚴羽見於詩話，元遺山見於論詩絕句，顧炎武見於筆記，方苞姚鼐見於書翰，曾國藩見於散序；所以論到中國之評，幾乎概括所有著述，有待摘錄整理；不能不說是卷帙繁與包賅廣。

談供生上壽

本月廿五日是美國務長官杜爾斯的七十歲誕辰，他照常在國務院辦公，既未悄悄地去到別處去作避壽狀，也沒有任何僚屬向他祝嘏送禮，到晚間，一般僚友爲他歡唱「快樂生辰」歌，如是而已。這才是優良的習俗，高雅的風格。吾國人素好洋化生活，恨不能黃髮碧眼，雖妙雖肖，然對於西洋人的好處多不學習，而自己的腐俗卻潛在蔓延，如飄然從風，罔知改進，供生上壽，即其一例也。

我國政治人物，稍有地位者，不特本人的生日，[illegible]的生日，亦復有然。一般僚屬親友日藉此爲緣梯，形成變相的賄賂行爲，縱或本人無意於是，而僚屬親友們亦競事逢迎，樂此不疲，積習相沿，賢者不免，曾未聞有毅然以身作則，有所不爲，示範社會，轉移風氣者，不亦怪哉！詩謂這是人情之常，未當矯枉過正，顧何以一些位卑職小之政治人物的生日，又無人登門慶賀，恭維奉承呢？可見對當官顯宦及其妻妾兒女們的誕辰，紛紛稱觴送禮之所爲，根本就是別有用心，不堪聞問，受之者亦應視爲可恥的勾當。

每個人都有生日，事屬通常，奚足鼎鼎慶賀？我國古時雖有稱壽的習慣，但六十以下的人，少有言壽者，妻妾兒女生日，更無呼朋引類，宴飲招搖情事。降及現代，政治人物竟以供生爲阿諛逢迎，邀寵營私的法門，政風之窳敗污穢，非偶然也。

年事已高的人，最好是把自己的生辰忘記掉，以免引起「來日苦少」的哀戚心情。否則每逢誕辰，與家屬聊敘天倫之樂，而眞正情誼稠疊的少數親友們，或詒以詩文，或敬以禮幣，亦屬無傷大雅。唯有政治人物藉生日而鋪張揚厲，視同慶典，走卒奔競諂媚之風，殊乖化民成俗之義，實在無謂已極。

吾輩有感於杜爾斯七十誕辰而儼然從公，不易常態的情形，故不能已言如此！

馬五先生

講古

。愚公。

王莽託古改制，鑼鼓開場，倒也十分別緻，頭頂讖諱，手捧玄龜，大做其眞假皇帝；然而曾幾何時，把戲戳穿了，一文不値，終于給老百姓趕下台去。

十口相傳，雖免失實，「古」不可盡信。衆口一詞，可以鑠金；又「古」得很有意思。尤其是以古文明自詡的我們貴國，「古玩」還多着哩。

搬起古，難免提到老。「古」「老」原很近似，而且有些地方的「老」，可以叫古；但人瑞却不[illegible]應還是相通的。隱稱古人，否則會出亂子。且說古中國是禮義之邦，上有「老者安之」，亦有「老吾老以及人之老」等等話訓，事實上有周王朝養三老五更，流風至今，發祖祠堂裏固然厥舉事者看席，宗親間發生爭執，也要由鬚髮皆白者持着手杖，一言爲定。可見老人不單有崇高的地位，且在某種場合還帶着權威。至於作古了的人，其權威殆又過之。孔子說「敬鬼神而遠之」，[illegible]伙伴們夜間閒聊，[illegible]「汗毛立正」。一談到鬼，亦無不[illegible]我小時候，[illegible]平地基時發掘出有無名氏的骸骨，即誠惶誠恐，唯恐得罪了他，會鬧得合家雞犬不寧；趕忙爲他擇一僻靜之處安葬，修好了墳，題其碑曰「古老大人之墓」，母親還特別叮囑，無事可不要到「古老大人」墳前，嘈鬧「古老大人」；而四時卻又派小廝扭着三牲上墳致敬。其中奧妙，小時不懂，及今想之，也許是敬而生畏的吧。由此可見古人特有神秘性，而他能安坐靜靜享受春秋二祭，實在討了不少便宜。

人是如此，物又何獨不然呢！一本元刻的線裝書，古色古香，讀書人愛不忍釋；一塊和氏之璧，隋氏之珠，價值連城；就是說贈吧，人家還不好意思生受，要愧之幾百十萬金呢！這就無怪乎有不少的人打它的主意，不惜巨資，收藏古金石書籍用具。固然其中有些人的確是爲了鑑古而來；但想以古的可尊可敬，具權威，有價值，還帶着神秘，來嚇唬人，討人便宜的却居多數。君不見有許多豪商巨紳，腹無點墨，會不知何物爲古，而竟然滿壁王摩詰，唐寅，手把着漢唐古玩在高談闊論，自欺欺人。此無他，人類特具裝點門面的劣根性在作祟罷吧！

如此一來，古乃愈得大行其道。託古，僞古層出，花樣翻新，二千年前，王莽託古改制，鑼鼓開場，倒也十分別緻，頭頂讖諱，手捧玄龜，大做其假皇帝。曾幾何時，把戲戳穿了，一文不值，終于給老百姓趕下台去。比他再早一點的還有劉歆父子，[illegible]手段是高明了，[illegible]出地下陳屍，叫作死無[illegible]但却應諸中國文化於撲朔迷離，終難免識者之譏。至於晚近，以古愚人的自然還多。據說名金石學家羅振玉生前喜歡搜羅古物，除了自己品鑑以外，另外還額官爲利藪，制作或收買一些爵品，貨販給外人，用以換取銅鈿。可見利之所在賢者不免。今也，還有一些人讀古書讀得多，竟然大翻其思古幽情，東施效顰，硬想搬出王莽劉歆們的手段來嚇唬人討人便宜。然而對象搞錯了，狐狸尾巴當場就露出來。王莽們地下有知，也要自歎衣缽傳人不肖。

山與詩

「我見青山多嫵媚，青山見我應如是。」

山是黃色綠色的，遠看却帶紫色，山的唯一特性便是靜，所以玩山便是尋靜「曲徑通幽處，禪房草木深」「山鳥自喚名」。這種境界是含蓄一個靜字。

山在中國詩史上最早見於詩篇者爲詩經：「節彼南山，維石岩岩，赫赫師尹，民具爾瞻」。所謂南山就是今日地跨楚秦在雍州萬年縣南五十里地的終南山，而古詩『南山寥天地，日月石上生』細細咀嚼，這兩句形容與山，也形容得極好。

我們要欣賞一座山，最好還是跑到它的山頂，這時就會感到『山在虛無縹緲間』的美妙。而站在任何高大的高峯頭鳥瞰山脚的景物盡收眼底，又都有「一片孤城萬仞山」和「一覽衆山小」的意境。

許多畫家都歡喜畫山水，而詩人更離不開山，如陶淵明在「悠然見南山」，李白在覺得「相看兩不厭，只有敬亭山」，辛棄疾在想『我見青山多嫵媚，青山見我應如是』時，姜夔在見到「數峯清苦，商略黃昏雨」時，都見到山的美。

我們在春天滿山滿谷綠紅了杜鵑時，拿了一本愛讀的書或帶了一隻口琴，慢慢地上山，坐在山腰濃蔭處，和着牧童騎在牛背上橫吹笛子奏了數曲悠揚婉轉的小曲直到黃昏「落日松風起，還家草露晞，雲光侵履跡，山翠拂人衣」這情景彷彿是一個遙遠綺麗的夢。

暮秋，山的神態又變了，那山麓楓樹和槭林都紅得像娟娟靜女的朱唇，在陽光的照射下，放出明艷而妖冶的紅光，好似簇簇的熾火在山嶺燃起，那是多麼雅緻而迷人景色。

。秀瓊。

短篇小說

同情

。鍾靈。

一、

三十四年秋天，勝利，還鄉，一連串歡欣的日子！母親心花一開，病都好了，鎮日裏和我討論回到家鄉後的安排。

又是一次「大搬家」！一個不小的機關，包括員眷數百人，由貢川搬到榕城省會，須走五天的水路，途中還得換一次船，這事情實在不簡單。幸好我人口少，又沒經管什麼公物，公私事務很快就整理好了，單等啓程，還可以有餘閒幫幫別人的忙。

離開船只有兩天了。這天傍晚，我下班回家，看到鄭嫂坐在母親的身邊，在說話。我心裏奇怪：鄭嫂不是去永安找她弟弟去了？

「少爺！」鄭嫂笑嘻嘻站起來

「你坐，你坐。」我不大習慣人家對我必恭必敬的態度，雖然鄭嫂曾是我們的傭人。

「小零，」媽拍拍床，示意我坐下，「鄭嫂想跟我們機關的船回榕城，可以讓她們附搭嗎？你知道的……她還有一對兒女。」

我還沒有回答，鄭嫂又站起來向我作個揖，求恩的地說：

「少爺，您做做好事，帶我們娘兒搭便船吧！我去過永安，可是我那弟弟已經不聲不響的調去了。他眞狠心。總算我還有救星，遇着太太和少爺；少爺，您總是我鄭嫂的主人啊！」

鄭嫂眞會說話！在媽病重的那幾個月裏，也眞虧了有她，如今她既然有困難，我還能不幫忙嗎？而且，看母親的意思，她一定希望我能够想辦法帶她們回去。

我馬上跑去找黃庶務。

「她眞是你的傭人嗎？」黃庶務在聽過我的說詞之後，鄭重問。

「是，是的。」我支吾地；事實上，鄭嫂現在已經不算我家的傭人了。

他拿出一疊紙，說：「來，請你在名單上補列。」

「謝謝你。」我塡了鄭嫂的姓氏，又說：「不過，她還有兩個孩子哩。」

「這可是個問題！」他皺皺眉，「我們規定傭僕可以坐船，並沒有規定傭僕的眷屬也能坐。」

「幫幫忙吧，老黃，你總不能讓她把孩子留在貢川。」

「這也的確是事實。」他又考慮了一下，「好吧，後天叫她們一起上船就是了。」

「謝謝你。那麼，要不要把名字也列上？」我還捏着筆。

「小孩子就不要列了。」

「她那個男孩子才三四歲，可是她女兒——」

「有十六七歲了！」我覺得不能瞞騙，

「這麼大！」黃庶務的眉頭又聯成一條線，但一會兒，他竟以另一種口吻問我：「漂亮嗎？」

我覺得他有點不正經，笑着又問：「你問這幹嗎？」

「不幹嗎。」他也笑了，「我是這樣想：要是鄭嫂是你的丈母娘，那不是什麼難題都解決了！你可以大大方方在名單上，把每個人的名字都塡入！」

「鬼話！你怎麼會有這樣荒唐的想法！」我乾脆放下筆，向他告辭。「好了，我只塡了鄭嫂的名字，後天上船的可是三個人；我聲明在先！」

「沒問題；假如有人查船，我來頂這個罪名。」他笑着送我出來。（一）

燕塵識小

戊戌譚往

燕賓生

戊戌新年元旦，謹以至誠，爲普天下自由人祝福。

二十年前岡開周報，每屆陰曆新年歲首，徐凌霄先生必有一篇某某年談往。紫微博引，備受讀者歡迎。記憶在茲，大概自民國二十一年歲在壬申以後，癸酉甲戌乙亥丙子丁丑數年之間，都曾寓目。戊寅之後，是否停刊，不甚清楚。屈指計之，整整二十年，而凌霄先生將近七秩高齡矣。北望燕雲，不知是否健在？尚有閑情續寫戊戌談往否？戊戌二字在近代史上，是驚天動地之一年，俯仰之間，邊周花甲。我爲書生，幸生今日，文獻足徵，東鱗西爪，既耳熟之能詳，何可不言，以告來者。不揣譾陋，東施效顰，試寫此篇，乘懷著書。續貂之誚，又何辭焉。

一、驚天動地之一年

遜清光緒二十四年歲次戊戌，西元一八九八，中國歷史，寫上一頁康梁變法，自是驚天動地一件大事。而此事之成敗，實又直接影響清室之存亡，換言之，如戊戌變法成功，或可延長清室之壽命，不幸終於失敗，則庚子之拳亂，辛亥之鼎革。接踵而來，而清室與帝制同歸於盡。是以今之史家以甲午戊戌庚子辛亥列爲四大年，特加重視。試觀戊戌之變來龍去脈，亦非突如其來。太遠之事可以不論，甲午戰敗乙未締和爲其遠因。二十三年丁酉多德國強佔膠州爲其近因。至於始終其事造成史實者，則南海康有爲也。

先是南海於光緒十四年，以布衣上書，主張變法，人以爲狂，阻不上達。旋有甲午之敗，其言果驗。乙未入京再上萬言書，力陳變法之不可緩。光緒深爲嘉許。命鈔三份，以一份呈西后，一份留乾清宮官閱，一份發各省督撫會議。康氏之初承帝眷，實自此始，時光緒二十一年四月也。是年五月，再上書言變法之先後次第，而守舊大臣，已有嫉康之心，拒不代奏。于時帝師常熟翁同龢，會直軍機，見康氏之說大爲驚服。乃就康而問法，康備陳列國並爭，非改革不能治國之理，翁反覆詰論，乃益驚服。即以康之所言，達於光緒，於是[illegible]乃撤翁毓慶宮行走。（毓慶宮即光緒讀書之處，每日與翁師晤談，較可脫略拘束。撤毓慶宮，即阻格二人相見之暗示）。自乙未迄丁酉，僅越兩年，又有山東教案之起，德國強佔膠州之事。於時康氏再度入都伏闕上書，極陳事變之急。而戊戌政變之禍，如箭在弦，一發而不可止矣。（一）

李湘芬演出後言

—。張瘦碧。—

反共義人李湘芬、張[illegible]兩女士，近由復興戲劇學校聘爲顧問，並在該校師生協助之下，先後演出數場，情況相當熱鬧。這是由于一般人們爲了她們是從大陸上逃出鐵幕，奔向自由，表示同情，也由于她們以梅（蘭芳）派，李（多奎）派門授，無形中增高聲價。不過忠貞之士，與戲劇[illegible]自此她們來合之後，因爲各方面邀請，報告大陸情況，成爲必然[illegible]參加集會[illegible]節目，因此對於戲事，不能集中，不免打了折扣。其最主要的原因，文武場都是臨時請來，你別以爲梁[illegible]的京胡，唐鳳樓的二胡，以及侯四的打鼓，皆屬此間第一流人物，是可應付裕如。但因爲他們未來見過她們登台表演，彼此路子一時怎能摸得清楚，自然發生脫節。[illegible]次演出的前夕，劇校要試排幾次，時間十分忽促，牡丹綠葉，當然無法互相配合，[illegible]使角兒一時開不出口，甚至在唱時無法換氣，[illegible]從容不迫的[illegible]，顯得全是別扭。[illegible]收得天衣無縫，進入爐火純青的境界。我們希望她們自己組班，物色合作，那末三個月後，再有演出，一定是刮目相看，可以洗耳靜聽的。

自由人
THE FREEMAN
（第七三〇期）
每份港幣壹毫
台北每份價台幣壹元
督印人：陳文華
地址：香港銅鑼灣道二十號四樓
20 CAUSEWAY RD. 3RD. FL.
HONG KONG
TEL. 771726

從陳嘉庚的牢騷看大陸

王厚生

今年二月六日，陳嘉庚也沉不住氣，在北平「全國人民代表大會」上終於發了牢騷，對八年來中共的暴政作出溫和的抗議，他所指控的主要有三點：

一、

一、中共內部有地方主義的矛盾，不僅浙江省有，其他省份也有，在福建，地方主義的矛盾一樣存在，閩北幹部壓迫閩南人，即是一例。

二、地方主義的矛盾且侵入教育事業，僑眷的閩南子弟和歸國僑生得不到免費的待遇，而閩北的免費學生却數以萬計。同時，福建航海專科學校在集美開辦不及一年，即被停辦，將學生二百人併入大連海運學校，數年來，該學校未嘗吸收一個閩省學生。創辦已三十餘年的集美商業學校（「解放」後改名爲財經專校，由中共在福州另辦一所省立商業學校）在一九五四年被中共福建省教育廳片面停招新生，而中共省商却招生如故。陳嘉庚雖是指摘地方主義侵蝕了教育事業，但也無異是對中共摧殘教育事業的行爲表示憤慨呢！

三、他對中共大吹大擂地宣傳的鷹廈鐵路作了諷諷式的批評。他巧妙地說毛澤東曾經告訴過他，福建省擬造的鐵路係以浙贛路上的向塘爲起點，經瑞金、龍岩、至廈門八百餘公里，這是走的閩西南路綫。以後來中共改變計劃，以鷹潭爲起點，經閩北至廈門六百餘公里。他除指摘這條鐵路的種種缺點之外，復提出質問，「近聞鷹廈鐵路不久將舉行正式成立典禮，我不知其意義何在？若論紀念通車，則通車業已經年；若論紀念完成，則三處主要車站碼頭尚未開始建造。我想千萬人民在去年歡頌鷹廈通車之後，想不到竟留此『功虧一簣』的尾巴直至今天，未免抱憾。」陳嘉庚認定鐵路計劃的變更，「其原因也是地方主義的觀點在作祟，地方主義心地狹隘，決不能幹大業。」

二、

關於陳嘉庚的幾點指控，我們可以作這樣的看法：

第一，地方主義的矛盾或觀點不是一種孤立的東西，實際上，它有其產生的背景，其主要背景，就是宗派主義。如果閩北幹部沒有後台或靠山，是不敢緊迫閩南人的。宗派主義是什麼東西呢？說穿了，還不是結黨營私、爭權奪利嗎？所以宗派之間的鬥爭根本上與人民的福利和「共產主義社會」不相關聯，而且是與人民福利和「共產主義社會」的目標互相抵觸的。去年五月，中共實行整風，宣稱要整頓三種主義：主觀主義、宗派主義和官僚主義。其實，這三種主義的根源或背景是共產黨的專政，是專政這個頂可惡的東西培養了三種主義的生長，間接也培養了地方主義的觀念。所以，如專政的局面不推翻，地方主義的觀點決不會消滅，這一部分幹部壓迫那一部分幹部和幹部壓迫老百姓的現象，就絕對無法消除。

三、

第二，去年五六月間，被中共加上「右派份子」罪名的高級知識分子已經指出，中共幹部是不懂教育的，但是在今天的大陸上，每一所大專學校都駐有中共所指派的黨委，實行監督，一切人事、經費、教育方針和行政事務均經黨委作最後決定，這樣，就變成了一些不懂教育的外行管理那些有多年教學經驗的教育專家和教授了，變成了「外行領導內行」。當然，這對教育事業只有摧殘，而不會是促進的，對於青年學生的學識品行只有損傷，而不會是增進的。這情形引起一般知識分子的極度不滿，故乘去年大鳴大放時期，明白指責中共的錯誤，並提出改進的意見，如黨團退出學校、停止黨化教育、教授治校等主張。這種黨團退出學校和停止黨化教育的主張，在一九四九年底國民政府撤出大陸以前已有人提出，當時，中共實行順水推舟政策，附和着社會上非共人士的這種主張，搖旗吶喊，每次帶有反對國民政府色彩的學生示威運動，這種主張便變成最現成和順口的口號了。現在，時過境遷，中共囊括了整個大陸後，它所採用的教育政策正好是過去國民政府所施行過的，即是說，中共現在也行起黨化教育來了，在程度上，中共所採用的要比國民黨所施行的更爲嚴格和澈底（其實國民黨是在早期受了共產黨的影響，是學共產黨的那一套），正因以爲太過嚴格和澈底，所以被中共改造思想的知識分子和青年學生們禁不住要在去年五六月間對此猛加抨擊了。中共接受了民間的意見和批評了嗎？沒有，中共不僅沒有接受批評的表示，反而撕下面具，露出原來的兇惡臉孔，指批評的人是「右派分子」，先是發動反右派鬥爭，繼於今年二月上旬公開罷黜了一大批著名的學者、教授和民主黨派人士。中共現已公告世人，黨化教育不能停止，黨團繼續要以學校爲其活動的場所，思想改造運動還要加緊，不許放鬆。

四、

一九五七年八月一日，中共的「全國人民代表大會」常務委員會批准了一項「華僑捐資興辦學校辦法」，由「國務院總理」周恩來用命令公佈施行，這項辦法的主要目的是獎勵華僑匯款到大陸上去興辦學校，現在因陳嘉庚的牢騷，使我們知道中共統治下的大陸已經不是捐資興辦學校的適當場台了，自然，更不是海外青年升學的適當去處。

從僑資所辦學校在福建省的遭遇來看，中共在實際上是排擠僑資學校，不是勸令停辦、合併、改組和停招新生，便是歧視僑鄉子弟和歸國僑生。在今天科學躍進一日千里的時代中，僑生非但學不到眞正的科學和技術知識，且須以大部分時間進行政治學習，搞通馬克思列寧主義，我們不敢相信，華僑捐資興辦學校的宗旨是在專門傳授馬列思想，僑生回大陸升學的目的是在搞通馬列思想。把僑資所辦學校變成爲一種共產思想的傳習所，把僑生培養成爲一批「又紅又專」的馬列主義教徒，決不會是華僑捐資辦學的宗旨。但是，中共偏要這樣做，非要搞通大陸上六億人民的思想不可，蓋在中共的心目中，縱有科學和技術知識，如無馬列主義的頭腦，還是一個不可信賴的人。因此，在教育上，中共的政策和華僑的辦學宗旨是頗難符合的。

五、

第三，試看毛澤東玩的那一套，今天大陸上還有所謂「新民主主義」這回事嗎？試問自反右派鬥爭和大陸上民主黨派跟隨中共實行整風與人事改組以來，還有所謂「聯合政府」這回事嗎？儲安平等何嘗不是說「黨天下」的議論呢？或許有人以爲陳嘉庚能夠在共區發牢騷，足以證明共區有「自由民主」，其實，這一想法，太過天眞！請看大陸上過去大多數曾經發過牢騷的人吧！

一週述評

外長會議問題

僵持中的高峯會議問題，因蘇聯的同意先行外長會議，雙方意見比較接近了一步，但這不過是形式上的比較接近而已，實際上仍有很大的距離，因之外長會議有無結果，及高峯會議之能否舉行，均屬疑問。

首先的問題是，此次蘇聯同意舉行的外長會議，與美國提出的外長會議所預定的內容不同。美國所期望的外長會議，是高峯會議的預備會議，先行提出高峯會議中所要討論的問題，以期藉實際問題的討論，得到充份的保證，使高峯會議能有一定的良好的收獲。而蘇聯所承認的外長會議，則僅限于爲高峯會議作若干事務性的安排，如選定時間，地點及決定參加之成員國等，其本身不作任何實際問題的討論，因而高峯會議的能否成功，毫無必要的保證。這是雙方意見尚存重大分歧的第一點。

其次，美國認爲高峯會議所要討論的，是（一）停止在安理會否決權的運用；（二）以自由選舉求取德國的統一；（三）予東歐附庸國人民以選擇政權的權利；（四）保證太空的和平利用。但這些是蘇聯所不願接受的。反之，蘇聯所提出的九項，除防止突襲一項爲美同意外，他如結束核子武器試驗和廢止核子武器，在中歐設非原子區，北大西洋公約和華沙公約各國互訂不侵犯協定，以及削減在德國和歐洲其他國家的駐軍等，亦爲美國所難于答應。

由此可見兩方的距離，還是相當遙遠的。外長會議縱可舉行，但決無助于高峯會議，換言之，兩大集團的基本矛盾始終難以消除。而蘇聯之亟于想舉行高峯會議，無非是暫求避免熱戰，以解除西方的戰備及其對蘇聯的軍事緊力。而另一方面則仍然保持冷戰的一貫策略，以企圖達到其不戰而勝的目的。

印尼現局

印尼的內爭，目前也在僵持中，蘇加諾政權在出動空軍轟炸之後，又準備以陸軍向蘇島進攻。巴東革命政府則擬請聯合國出面協助。這一事件的發展，不僅關係印尼本身的命運，且對東南亞局勢有極大影響。如蘇加諾勝利，則印尼更進一步倒向共黨的懷抱，其政治體制，亦必由「指導民主」走向共產主義的集權；正式與自由世界爲敵。若革命政權勝利，則共黨勢力將無法向南洋伸展，並可予一般中立主義國家以影響。

就其目前局勢看，蘇加諾的軍事行動將無甚結果。第一，耶加達的政令僅及爪哇本島，其他外島均有反叛勢力存在，爪哇一隅之力，自難平服反抗勢力。第二，耶加達政府的陸軍實力有限，且難越過海峽向蘇門答臘進行登陸戰。所以軍事解決是不易奏效的。但蘇加諾背後有蘇聯及中共的援助，其力量自可增強，因而對巴東的壓力也可逐漸加大。因此，自由世界實不能袖手旁觀，一任此一反共火種的消滅。

邊疆民族的反抗

在中國大陸邊疆民族中，也正醞釀着反抗共黨的活動，這就是中共所指摘的「分離主義」的活動，從內蒙古、新疆到西藏，都向中共要求自決權，要求獨立。據中共民族委員會的負責人供認：一般少數民族的知識份子，企圖組織反共政府，有的青年學生則結合起來準備逃到外國去進行反共工作。這是中共政權的嚴重危機，也是大陸人民反共運動的新趨勢。

●金達凱●

印尼革命新局勢

華仁傑

印尼會不會發生內戰？已成爲舉世矚目的大問題。儘管耶加達政府向巴東革命政府下令討伐，結果將非僅無法鎮壓反對中央勢力，反而招致全國軍民的忿怒。這種衆叛親離的趨勢，幾已注定了蘇加諾及其政權危亡的命運。不然，這一位名重一時的驅荷民族英雄又祇有倒向共黨，在耶加達乾脆建立共產政權，但是由于經濟情況的惡劣，最後掙扎，將要遭遇極大困難。

假如蘇聯中共出兵干預（按：印尼沒有海軍可供進攻蘇島），勢必激起全國民衆反共情緒，起而力抗。局勢發展至此，美荷澳三國基於商業利益，顯然無法坐視，未始不可爆發爲國際性的戰爭。

因此，人們有理由相信：沒有共黨幕後支持，印尼的內戰是打不起來的，不管是巴東政權，或者耶加達政府，雙方均沒有具備長期作戰的條件，與越島進攻的工具。巴東革命政權於二月十五日宣布正式成立之前，曾予耶加達政府以五天考慮，即朱安達應交出政權，由前任副總統哈達領導（此時蘇加諾尚未返國）依照憲法，成立一全國性政府。但是耶加達政府，却無意接受此種和平統一全國的條件。蘇加諾回國以後，一面蠱惑入民繼續爲「收回西伊里安鬥爭」，同時以迫降的手段向巴東討伐，這是否他在出國期間，已直接獲得國際共黨及其同路人默契，局外人固無從獲知，但蘇加諾竟然派遣飛機出動轟炸，顯示其絕無改弦更張的意圖。這種暴舉，絕不能藉口「外國人干擾印尼內政」可以委過。

大勢所趨，巴東革命軍事首腦胡辛，他的部下和他支持的革命政府，影響力不只局限於蘇門答臘一島。因此，革命政府所使用的統一全國手段，是爭取國際間的精神支援，和說服中共政府駐外使節，希望世界自由民主各國迅速承認自由印尼，以迫使陷入共黨圈套的耶加達政府自動解散。這在目前雖然尚無顯著反應，但就現有許多徵象看來，中美日菲荷澳各國，對耶加達政府至少存在着靜以觀變態度。中華民國和印尼早已斷絕外交關係，只要巴東革命政權立場明確，沒有理由不率先承認；菲律賓政府雖未宣布撤銷對蘇加諾政府的承認，事實上已經默認革命政權的合法性；美國基於商業利益（按：美孚、德士古兩大油公司，擁有龐大的石油資源；印尼共有四大石油開採機構，另兩爲：英荷及荷印石油公司，後者的開採量較上述任何一家僅及半數，年達一百四十八萬二千二百卅七噸），以及美僑資產，不擬遽行決定，但其應變措施早已決定，遠在十二月十七日朱安達宣布印尼處於戰爭狀態之後，駐沖繩的美海軍陸戰隊第三師師長麥克艾利斯特，即已奉令隨時開往印尼；日本的外交政策，向有「搖擺」語病；假如巴東的對荷政策較耶加達開明，和提供讓償諾言，償付債款（按：印尼欠荷蘭四百六十萬美元，規定去年終清還），荷澳顯然樂予承認。

由此可以斷言：美國當不會長此容忍蘇俄中共干預印尼內政，而耶加達政府亦不能毫無顧忌的引狼入室。於是，同意共黨艾迪建議：下令征召退役後曾赴北平受訓的軍官復職，並策動各地共黨綁架革命政府閣員（傳已有三名失蹤），並暗殺支持革命政府官員。這些恐怖行動，不特無補於事，反而激起國人的憤慨和厭惡；至於華僑方面（迄去年終爲止，耶城共有華僑十萬零九千一百七十八人），自經印尼承認中共後，這幾年來橫遭迫害。諸如去年五月廿七日宣布「財產管制條例」之後，跟着是「國籍法」、「徵用技術人才法」、以及徵收「外國人稅」等等，無一不是掠奪華僑的生活利益，在反荷運動飛揚跋扈時節，他們迫於生存條件，只能隨聲附和，現時在軍事管制之下，言論、集會、甚至個人行動，均已喪失自由，誰能忍受這一悶人的空氣？幾乎除了嚮望局勢迅速開朗，絕無政治偏見。因爲，市上物資奇缺，各業幾陷癱瘓，迄二月十二日爲止，中央銀行通貨發行額，已達一百三十八億四千九百萬盾，準備金存額僅二十億零一千一百萬盾，其中包括了金幣、金條共四億六千九百萬盾，儲備外滙：五億四千二百萬盾；除去未清國債，中央政府已透支了一百十八億三千八百萬盾，勢將繼續增加。這種險惡的經濟情勢，已經瀕臨崩潰邊緣，耶加達政權的遞嬗，誰能說不是僅存一個時間問題？（二月十八日寄自耶城）

「府會一家」帶來惶惑

議員代表民意抑官意？

代表民意就不能「府會一家」

○小雲○

台灣通訊

台省各縣市第四屆議員、議長、副議長都先後順利選出了。當選者結束了辛勞與緊張，選民們也產生了希望與寄托。

輿論頗感惶惑

過去三年，舊議員所表現的服務精神，大部份實難令人滿意，此非求全責備，蓋有事實證明；新議員在今後三年中能否有作為？也很難使人樂觀。儘管有人說，競選議員的，不一定個個有心代表民意，為民服務，主要的還是為個人打算，但我們也不能以此抹煞全體競選者。不過，目前一般輿論對議員們所代表的是民意還是「官意」，卻大感惶惑了。

問題在那裏？

問題在那裏呢？在「府會一家」，在大砲亂放。本來，作為一個縣、市議員，並不一定需要了不起的大見識和大胸襟，但總應該知道議會是代表民意的，是監督政府施政的，政府有能，人民有權，才能使施政減少錯誤，這是民主政治的起碼常識。而且，政府的意見不一定就是人民的意見，政府的主張不一定就是人民的主張，一個民主國家設置議會的主要作用，是在要求議員們代表民意，去監督政府，使政府的施政能合乎民意的要求。議員有合法的權力可以糾正政府的錯誤，議員對於政府的批評，指摘，糾正，都屬應盡的責任，然而，奇怪的是台省縣、市議會卻一直有一個令人大惑不解的口號，那就是「府會一家」，喊口號還不算，並由官方支持一個姓常的辦了一張四開大的「府會週報」，（週出張半，各縣市甚麼機構均需訂閱，主持人現有自備汽車已一躍而為台灣唯一的「闊」記者）。在這週報上，除了經常可看到歌功頌德的文字，此外則是在連篇累牘的言論與報導中，大聲疾呼：「府會要團結，要協調，」團結，協調，原不是壞事，問題在既然「府會一家」了，凡縣，市施政，有縣政市政會議就行了，又何貴乎再設議會呢？設議會，就是要爭爭論論，才會弄出道理來的。

亂放大砲也不行

然而爭論並不是亂放大砲，亂放大砲之誤人誤事，原亦不在「府會一家」之下，許多議員在競選時就以大砲為標榜，甚至在競選的宣傳車上也裝了大砲，威風八面，令人側目。可是，到了開會時，對重大問題卻噤若寒蟬，對一些去題千里或是雞毛蒜皮的事則顯得慷慨激昂，不惜破口而製造會場氣氛，並爭佔發言時間，（不久以前，議員在議會中談風水，談神，談鬼，替省主席看相即為一顯明的例子）這裏有兩件「怪」事卻值得一提一下，第一件是，前年，某縣市議會有一位議員曾為了「府會一家」問題，大發「議論」，指責該縣市首長稱議會為「貴會」殊屬「不當」，說這一稱呼實有違「府會一家」的道理，言時，聲色俱厲，怒不可遏，結果，迫得該縣市首長最後只好改稱「本會」方休。第二件是，也是發生在前年，某些縣、市議會曾經正式通過一個所謂疏散的辦法，辦法中，首先義正詞嚴的說明了防空疏散的重要性，然後決定由議員同仁「率先倡導」；再下去，規定由各縣、市府撥款若干，給每一議員在鄉間疏散區蓋房子，或由縣市政府在鄉間建造住宅，撥供議員攜帶家眷前往居住疏散。雖然上面的辦法沒有實現，然已够人吃驚！

為選民而爭不需一團和氣

時間是最好的證人，過去的讓它過去了，輿論界咸希望第四屆新任縣、市議員能多少為選民爭點利益，爭利益就不能「府會一家」，不需要一團和氣，不需要事事協調，同時，希望議員先生們多養養氣，不要再亂放大砲，或在縣市議會中發表與縣市施政及選民利益毫不相干的空論。（二月二十三日寄。）

這幾位必須破格錄用　○尹震○

反對黨問題又引起論爭

反對黨這一運動，只要不離開團結反共的常軌，乃一健全的民主運行方式，應是無可置疑的。

台灣通訊

兩種意見

進入狗年，言論多事：先是老報人成舍我先生一篇「狗年談狗」的文字，被戴上了「亡國主義」的帽子；接着，以敢言著稱的「自由中國」半月刊，又以鼓吹組織反對黨，而在海內外政治的徵候上引起一種不平常的氣氛。其實，「自由中國」半月刊之倡導反對黨已非一日，不過，在二月十六日十八卷第四期該刊中又登了兩篇比較具體的文字，於是論爭遂起，並產生了正反不同的兩種意見。

正面的意見

其屬於正面意見（即認為有成立反對黨必要者）可以民營「聯合報」為代表，二月二十四日該報社論即指出：

一、反對黨有合乎民主常軌的需要，不但未可厚非，且應樂觀其成；

二、反對黨有一必需遵守的前提，即應自處於團結反共的範圍以內，而不應列於團結反共範圍以外；

三、對最近香港出版的一本刊物上所發表「對台灣不再存任何幻想」，「與台灣各行其是」的言論，認為稍嫌偏激；

四、海外知識份子有一種偏激傾向的形成，政府不能諉卸責任，易言之，即政府沒有更好的措施來爭取知識份子的向心力，為政府無可掩飾的失敗！

反面的意見

其屬於反面的意見（即認為沒有成立反對黨必要者）可以官方的中國新聞出版公司刊行之「中國一週」為代表，二月二十四日出版的四〇九期該刊社評以「堵塞逆流」為題，即直率認為：

一、在大陸沒有光復前，中央民意代表無法改選，在議會中出現強大的反對黨，既不可能，且絕無必要；

二、先進民主國家如英、美，在戰時尚協議停止黨爭，此時此地，高唱組織反對黨，不是愚蠢，就是完全出於自私；

三、自稱反對黨，或自稱無黨無派的人，是把「自由」「民主」「人權」一類尊貴的名辭濫用，是給共匪做了離間我軍民的「統戰」工作；

四、唱反對黨的是在反共復國大潮中的一股逆流，不能不及時喚醒國人羣起堵塞，使其轉向正流。

持平之論

逆流乎？正流乎？平情而論，不問反對黨的前途如何，只要不離開團結反共的軌道，這一運動為一健全的民主運行方式是無可置疑的。因為，只有透過反對黨才可以團結更多的反共力量，發揮更好的反共作用，進而造成海內外知識份子再一次的大結合，大進軍，意義重大，絕非等閒。聯合報同意成立反對黨的社論，是以平和的理性，建設的觀念為出發點的，比較容易獲得一般人的同情與支持。而不贊成有反對黨的「中國一週」，卻未免氣太重，不如前者平易近人。國家多難，不容分裂，但反對黨究不能放在「分裂」之列。以進步鞏固團結，以團結促進進步，才是辦法！（二月二十五日寄）

筱筠

再談關於國劇團的出國

○陳肇興○

在本刊七二八期筆者曾代表「中華民國國劇演出團」，對於萬秀堂先生關於本團的報導，有所說明，祇其中對於萬先生所提幾點「值得研究的意見」，因篇幅關係，未及同時答覆，茲謹續為答覆如下：

關於人才集中

關於人才集中，團在出發前早經考慮到了，而且也邀請了不少名角參加演出。但這次訪歐，受機位所限，只有四五十個人，還要去掉文武場面，梳頭管箱，服裝和雜務等等。國劇在歐洲不但不採用明星制度，並且不歡迎演員產生「明星思想」。因為上場演主角的，下場還要換衣服跑龍套，如果大家都要非名角不唱，也許要增加一倍人。平劇對歐洲人講已是很生疏了，任論萬先生所列舉的平劇名角，歐洲觀眾所注意的是戲劇的藝術，不是由誰來表演，更不致由誰來唱。

關於宣傳問題

關於宣傳的問題，我們絕對自承認因為經費不足，作得不够，但劇團出國前三個月就在歐洲放映了十六部五彩的平劇短片。團中對於介紹平劇藝術的文字，準備了八種文字，並且都在演出前由當地報紙刊載。在歐洲五個月間，事前準備的宣傳品有一百多種，三千多張照片，和一千五百張女演員的劇照，報章雜誌專欄報導的五彩和黑白照片還不在其內。用各國文字精印的說明書，都附有照片，用廣告收入來抵付印刷費，每到一個地方，一定聘請一位美麗的女郎，在每場每幕演出之前，向觀眾用當地語言解釋劇情。在倫敦，都伯林，巴黎和馬德里，都是由華僑小姐擔任。她們穿着美麗的旗袍在台前，從容的姿態，優美的聲調，說明劇情，引起觀眾界的一致讚美，從巴黎以後改用外國小姐。劇團在歐洲所有的海報，說明書，廣告，照片，雜誌的報導，以及四百多張劇照，將自二月廿五日起在台北市中山堂展覽五天，歡迎萬先生來參觀指教。

關於華僑問題

最後談到華僑問題，萬先生說「各國華僑多乃廣東人，而粵人多不懂平劇」，因此「這也是平劇到國外公演，不會旺盛的原因，其斷本並不算是意外之事。」但在實際上，歐洲各國的華僑人數甚少，所以這次國劇團訪歐，是以外國觀眾為主的。倫敦的杜魯巷劇院可容二千五百人，巴黎的香榭林舍劇院也有一千四百多座位，如果把這兩個城市的華僑全部請來，也坐不滿一場，不要說連演幾星期而不換戲碼了。還有，在東南亞和美洲的華僑固然是廣東人多，在歐洲的僑胞卻是省籍複雜，人數可能是浙江人最多。這意思並不是說我們不重視僑胞的聯絡，到國外去對於僑胞的愛國熱情，沒有人會不受感動。即以法國為例，國劇團受到許多僑胞的照顧，尤以僑領劉全福先生最為熱心，但最使團員們感動的是，一位姓齊的僑胞，中共劇團在巴黎演出時，他想去攀鄉親碰了一鼻灰，我們演出時，他逡巡門外，被團員們請進來談天，此後每晚必來；直到全團離巴黎，他來送別，火車已經開動，還跟着跑，滿面流淚，卻說不出話來，直到看不見火車為止。

台北傳奇

未能升空的火箭

台灣曾經一度陷於原子熱，現在則又陷入了火箭狂的季候了。

當蘇聯的火箭把人造衛星送上天空時，當美國政府當局有感於某一階段上火箭研究落後，而輿論全國騷動不安時，記得我國駐美大使董顯光先生說：中國在幾千年前就有了火箭。我們誠然要感激中國的祖先，因為他們在幾千年前就發明了火藥，懂得火箭，使我們今日在重大進步上有機會發表意見，先聲奪人。因此，對於像台北某一家黨營報紙刊載的「國產火箭」，「試射成功」的新聞，也就見怪不怪了。

生活在台灣的人，生活在長期的安定氣氛中，好像對刺激的事情，都感到莫大的興趣。所以像「鬼湖探險」，居然能够得到政府各級機關的支持，得到某些報紙的鼓吹，讓人們信以為真，而結果卻是騙局，對新鮮事感到興趣的，何況試放兩節火箭的消息還登在黨營報紙上，於是又驚動了，使人們憧憬「天蓬第三」為自由中國帶來榮譽，也可以支持駐美大使董顯光博士的「早已有」的論說。

用「冲天砲」爆竹，套上紙糊的火箭型的外殼，當作火箭，而且還是二節火箭，對於製作這支「火箭」的學生，不能不稱讚他確富有科學的想象力，但是他的想象力竟能瞞過了編輯和記者，透過了報紙，竟然驚動了台北，欺騙了五六千人在二月廿三日擠到新公園去開眼界，真够得上稱為是傳奇性的傳奇。

畢竟還是治安當局高明，在「火箭」尚未升空前立時加以取締，制止發放，於是火箭製造者，捧場的報人，與看熱鬧的觀眾，皆空歡喜了一場，給台北市帶來了熱鬧中的空虛！

說這是「熱鬧中的空虛」是頗恰當的，這種空虛包括了精神的空虛和對中國文化無認識的空虛。正因為空虛，所以冲天砲可以當作火箭用以來宣傳，正因為在科學領域中的空虛，硬要說甚麼，中國早就有了等等。正因為空虛，於是又造成了不務實的社會風氣。

從「鬼湖探險」到冲天砲當火箭，雖然都是青年學生的把戲；要說這些都是騙局，持平而論是不為過的，但是這些事能責怪年青人嗎？基本上說，年青人是無辜的，年青人是無罪的，年青人不是「騙子」，因為是在發展構成為「騙局」時，就顯得[illegible]不簡單了。這固與整個社會風氣有關，而助長這種風氣成長的幕後因素，卻是更應該值得注意者亦正在此。（裕）

本報專稿

動盪中的印尼(三)

·駱英·

隨後，蘇南的第二軍區，加里曼丹的第六軍區，亦有類似的組織與活動，醞釀脫離中央管制。而蘇南的第二軍區，且于三月九日接管該區民政，宣佈進入戰時狀態。加里曼丹的第六軍區所醞釀的離心運動，後來已被勸止，未曾表面化。他們的做法，一如蘇中、蘇北，不拒絕中央的信使往還，但各自爲政。中央方面亦仍遵循「不分化不用武」的政策，進行和平協商。

各地方當局指控中央政府，謂中央只管爪哇的繁榮，不照顧地方的建設。實際上，印尼土產輸出的外滙，百分之五十取自蘇島，百分之二十五取自蘇拉威西。而取自爪哇的僅百分之十六而已。其所得外滙的分配，却大部分用於爪哇，且有不少成爲貪污的犧牲品。各地方同時也一致要求恢復「二位一體」關係，給哈達以領導中央政府的實際責任。情勢發展至此，中央政府是苦於應付的。所幸蘇加諾的威望尚足以控制人民的情感。曾順應民情，除應允增撥大量地方建設經費外，並試圖與哈達博士聯絡，冀能恢復「二位一體」關係，以解救目前時局的危困。但哈達博士的反應，却是：目前欲恢復二位一體關係，無殊「馬生角」。

(四)民選內閣倒台

印尼普選後的首屆內閣，除共黨未參加外，其他各黨派依國會所得席位，大都被延入閣，參與政事，由國民黨的阿里，於一九五六年三月廿四日再度登台出任閣揆。當時印尼朝野滿懷希望，以爲民選內閣基礎穩固，有可能維持到下屆普選(一九六〇)。可是成立以來，積習未除，政風未改，貪污腐化，一如往昔，地方情緒逐漸不滿，由五六年八月的「外長事件」，引起陸軍波瀾，更發展成爲各軍區的離心運動，阿里內閣已是荊棘滿途了。內閣本身閣員所屬黨系又復要求改組，主政的國民黨始終欲撑持局面，結果，執政黨之間遂分崩離析，相繼退出內閣，到三月十三晚，佔有兩個閣席的印回聯盟黨，亦因改組願望未能達到而退出內閣。閣揆阿里及其所屬國民黨，再也無法彌縫內閣的缺陷了。終於午夜決定翌日(十四)上午十時交還行政大權而下台。計阿里二次執政尚未滿一年。

蘇加諾總統於接受阿里交回之行政大權後，似乎認爲實現他理想中的「領導的民主」的時機已至，乃採用非常的措施，半小時後(十時卅分)即宣佈全國實施戰時緊急狀態法令，把全國帶進一個軍事時期。當晚並指定國民黨總裁蘇維約氏爲新閣組閣人，要求他儘速組織一能採取明確適切行動及設置適合「救時方案」的民族委員會之內閣」。組閣人受命後，即強調打破成例，不聽取各政黨對組閣的意見。算是新的作風。雖然如此，由於「共黨因素」，未得各大黨支持，歷旬而失敗。翌日(廿五)，蘇加諾仍指定蘇維約爲二度組閣人，訓示他要組「事務內閣」，期限爲一週。但組閣人幾經努力，仍然無法達成任務而再度宣告失敗。

(五)非常事務內閣產生

蘇維約二度組閣於四月二日宣告失敗後，蘇加諾緊握組閣大權，無意交由國民黨以外的人士負責組閣。因爲國民黨人已兩度組閣失敗，其餘各大黨除印共係擁護「救時方案」者外，如瑪斯友美，神學會等，均爲反對「救時方案」者。印共黨是不可能組閣的，而後者不放心給他們組閣的。因此，蘇加諾爲欲實施他的「救時方案」，不得不再度採用非常辦法，自任組閣人，四月四日，他向全國宣佈蘇加諾總統指派「印尼公民蘇加諾工學士」爲新閣組閣人，組織一個能採明確適切行動及設立合乎總統「救時方案」的民族委員會的超國會非常事務內閣。至此，蘇加諾組閣人機敏地直接徵求朝野名流六七十人，不受其所屬黨的牽制，不須參加內閣者的支部同意，結果於四月九日新閣宣告成立，超黨派的朱安達工學士爲閣揆，國民黨的哈爾第，神學會的伊淡查力，天主教黨的雷美那，分任第一二三副閣揆。瑪斯友美黨及印尼共黨人士沒有入閣，但已有兩名擁共人士担任部長。這是非常事務內閣，並非以民選國會席位比例而產生者。國人對國會的存廢，至表憂慮。

由於蘇加諾宣佈全國進入戰時緊急狀態法令，地方秩序均由軍事執權人負責。反貪污法令頒行後，許多以前當過內閣部長或社會名流，涉有貪污嫌疑者，被扣留於萬隆查問。銀行、商店受搜查者亦衆。

這個非常事務內閣的主要任務之一，是以設立「民族委員會」實行總統的「領導的民主」，這個工作，一直到七月十二日才告完成。這個會的委員初定爲四十四人，包括兼主席的總統在內爲四十五人。後來被指定的委員，有若干人不願就職，經一番補充後，實得四十三人。其成員分爲三大類：

(甲)社會活動階層代表：勞工界二人，農民界二人，知識界一人，青年界二人，退伍軍人界一人，民族企業界一人，一九四五年陣綫一人，藝術界一人，外裔籍民界二人，新聞界二人，婦女界二人，回教界二人，基督教，天主教，印度教界各一人。

(未完)

竹幕掀秘

毛澤東到東北

消息傳來，毛澤東于二月中旬又到了東北。

照時間來看，他的到東北是「人代五次會議」結束以後，大概與周恩來之去北韓雖或非同時，其先後相距時間大概離得不會太遠。

從去年十二月起，毛澤東已先後到過山東、杭州與廣東。本欄已經說過，他的這種巡視是在于重整地方黨，現在又到了東北，似乎這一着爲他自己擴展勢力的重點工作還未完成呢

撫慰「東北局人員」

「東北局人員降半級」，這是「鳴放」期間那「東北局」人員因失寵苦悶在東北各地嚷嚷的呼聲。其來由當是因爲高崗被毛澤東擊倒，以致原受高崗領導的「東北局」的人員也遭到了歧視，只要在「東北局」工作過的，就「降半級」任用。足見舊「東北局」人員與中共中央間成見之深，派系鬥爭之劇烈了。

目前，毛澤東在黨內的地位並不十分穩固，對於這批無頭的已被降了「半級」的舊「東北局」人員，自應予以撫慰一番，以削弱反對他自己的力量。

鼓勵工業冒進

在冒進的基礎上再冒進的財經計劃，總算在「人代五次會議」上被「通過」了。由于這種計劃是再冒進的，因此執行起來是異常費力的。在農業方面毛已捧出湖北省委第一書記王任重的所謂「親種試驗田」的口號來鼓勵一次生產高潮了，工業方面則尚無這種口號。

東北區是目前中共的重點工業區，要是毛能在這裏找到「普遍躍進」的工作經驗，喊出一句在工業發展方面可以推動高潮的口號，那是大快「龍心」之事。

安排軍墾農場

本欄已經指出，中共目前的攻台的氣勢在衰竭之中，近幾日來盛傳中共將攻台，我們不願隨聲附和，在相當長的時間內，可以肯定的說，只要自由世界在台灣海峽抗暴的決心堅強，中共是不會有大規模行動的。

果若如此，則我們有一種想法，即：大陸各地原有的駐軍是以鎮壓內部的暴動，只要他們不先動手，自由世界又不可能先去攻擊他們，在當前軍隊與需要已經平衡的狀態下，現在却平白的增添了一批新撤回的「志願軍」，豈不是增加餐累(以前是北韓供養，這當然不是指調回的「志願軍」)。據此，我們以爲，中共又要裁軍。若真的把軍隊裁掉，使他們回鄉生產，也有其不便。一、萬一有突發事件，再召集起來不是很容易的。二、一般的農村的勞動力目前並不是不足，而是多餘；我們覺得：他們所採取的「軍墾」與其他「集體轉業」的辦法，是將被再裁的。一九五五年中共在黑龍江邊區創辦了若干軍墾農場，算來已有三年，應該有些成績了。毛澤東對於這種初創的事情是極端注意的，大概他也將順道去看看檢討一番，以爲他的新的部署和安排調出來的部隊的「集體勞動」作一打算。

·田心·

國際動態拾零

△赫魯曉夫主張開極峯會議，不僅爲了宣傳，實欲謀對外之暫時安定，以整理其內政。如經濟之地方分權，與取消六千拖拉機站，均爲其積極主張，而已遭遇到反對與困難。倘獲解決，勢將影響其領導權。

△英美法蘇四國極峯會議，勢在必行。華盛頓方面，已討論其日期，大概在本年九十月，美國祇希望蘇聯有誠意，正研究議程，並預測其將有如何結果。

△蘇聯駐美大使孟昔哥夫，新到美國，其外交活動相當成功。呈遞國書儀式祇十分鐘，但與艾森豪總統會談了三十二分鐘，從文化交流至極峯會議，曾無所不談。他並訪問副總統尼克遜，談了四十分鐘，從加州之美，談到印度之奇。隨後又訪問副國務卿，及助理國務卿，其拜訪多人，在外交上是罕見的。有人揣測其特別使命爲赫魯曉夫將訪問華盛頓，而他爲之舖路。

△據美國空軍專家意見，現代戰爭之主力，仍賴飛機而不賴火箭。飛機最高速率，每小時可至一千九百英里，不到廿四小時，可環繞地球六次。火箭的好處，在速度快，不易防禦，然反火箭飛彈，正在發展中。火箭的缺點，在基地被毀，即無從施救，而飛機則三分之一，常在空中，不易全毀，隨時可施報復手段。

陶然

申論我國文評的特質(下)

—敬答謝康先生

·邢光祖·

第三、論到中國文評裝析之細，筆者在這裏必須特加申說的，就是這並非指所有文評理論，中國都比西洋精細，而是指中西文評所共同涉及的許多理論中，中國文評裝析較細。舉一個例，當代英國女詩人薛德惠(Edith Sitwell)，在其所著「詩的面面觀」，「浦柏傳」，和「詩的快感」等書反復標舉列作批評主眼的所謂Texture，與我國清代翁方綱在「小石帆亭著錄」，「七言詩三昧舉隅」，和「漁洋神韻論」裏所拈出「肌理」二字相當。薛德惠女士擬以母音子音的關係，來輔助詩內音節與意象的顯現，是一種人爲的音律說。如果我們不計中英文字組合與讀音的不同，就詩的肌理而言，那麼，沈約「宋書謝靈運傳」所說的「五色相宣，八音協暢。由乎玄黃律呂，各適其宜；欲使宮羽相變，低昂互節」；和他所舉「四聲八病」的實例；劉勰「文心雕龍」聲律篇所說「聲有飛沉，響有雙叠。雙聲隔字而每舛，叠韻雜句而必睽；沉則響發而斷，飛則聲颺不還」云云。以及翁方綱「詩法論」所說「一字之虛實單雙，一音之低昂尺黍，其前後接筍乘承轉換開合正變，……悉準諸繩墨規矩，悉校諸六律五聲，而我不得絲毫以己意與焉」，他在「三昧舉隅」裏所列出的例子，使人不能不信中國裝析之細。再如中國自孟子曹丕起所論的「氣」，林語堂先生認爲相當於柏格森在「創造的演進」裏所說的Elan Vital；司空表聖所標舉的「味」，也相當於西洋文評裏常說的Tast；而王漁洋所說的「神韻」，或許也相當於康德(Kant)在其「批判論」裏所說的Sprit；但在這些以及其他文評選擇上，中國以這較西洋爲精細。大抵中西文評，就體系而論，中國似較遜；然而就創造文評或印象文評(如果這些名詞可以確立的話)，中國似較精細。

上述三點，是對謝先生所提出兩個問題的答覆，希望能在這個範圍裏面研討，勿應該雜及風馬牛不相關的牽扯。然而筆者對於謝先生的評介，有所不滿的，第一是對拙作的歪曲。拙作原文第三段曾經引用四庫總目詩文評類提要，按照文評的體裁分爲五種，紀昀指曹丕與論爲一類，鍾嶸詩品、劉勰文心爲一類，皎然詩式爲一類，孟棨本事詩爲一類，中山詩話與六一詩話則又爲一類。筆者本此分類，認爲在體裁上，皎然詩式與霍瑞斯的「詩學」是一類，都是詩的法則，中山詩話，六一詩話，與諾伐理斯的「拾穗集」，巴斯卡的「凝思集」是一類，體裁相同(並沒有提及內容)。筆者對於紀昀的分類，未加置評；也沒有把這些類別的例子與西洋同類的文評作優劣的比較。而謝先生不知是否故意，還是未予細閱，竟指拙作提出曹丕典論，鍾嶸詩品，劉勰文心等，是「證明中國文評之多而且早」，以爲這些著作比諸西洋的霍瑞斯，諾伐理斯，巴斯卡的也毫無遜色云云」這些按語是謝先生添加的，拙作裏面是沒有的。謝先生自己編出來這些按語，來作指摘拙作的藉口，殊非批評者應有的態度；如果說未加細閱，致有這種誤會，試問沒有細閱原文便予評介，這是什麼作風？第二、謝先生的評介裏曾經引據梁實秋教授所說：「中國文藝批評夙來缺乏系統，往往失之斷片零星，勉強聯絡起來，也不能成爲完整的體系」；並且引據蘇雪林女士所說：「細以西洋嚴格的文學批評法則，可說中國沒有文學批評這回事，也不算苛刻是論呢」！這兩段定論也許有其本身的理由。不過，筆者所要指出的，就是中國文評缺乏系統，失之片斷，當是事實；然而問題是我們對於本國的文評到現在做過多少整理，詮解，和聯絡的苦功？沒有下過這番苦功，便對中國文評遽作結論，這是不是從事學術研究工作的人應持的態度？看了亞里斯多德在「詩學」裏論悲劇時，提出了Katharsis一個字，西洋多少學者，諸如Corneille，Batteux，Dacier……等，或從倫理的觀點，或從宗教的觀點，或從醫學病理學的觀點，或從美學的觀點，引今據古，洋洋灑灑，或成專文，或著專書，這種求真的精神，叫我們欽佩，也叫我們愧汗。至於那些學了一些西洋文學哲學的皮毛，便抹煞中國固有一切的學術，比之洋場惡少，佛遠不行，不足掛齒。第三、筆者原意，祗是要求我國學者，能抱中國固有文評加以整理闡釋，比較證明，甚至譯爲英文，務使中西文評交流，相互爲用，自問用意不能謂爲不善，然而謝先生在評介拙作時，一則提到什麼「中醫」「西醫」之爭，再則論到什麼「家有敝帚，享之千金」，三則引用什麼「故步自封」，「西學古徵」等等與評介拙作不相關的字句與術語，筆者讀完全文之後，不禁要求批評者的良知——如果還有良知的話。

在筆者撰寫這篇答覆時，看到本月十七日合衆社紐約來電，提及前一天晚上美國詩會(Poetry Society)於其第四十八屆年會宴席上，因爲英詩人華瑞(Arthur Waley)著有「十八世紀的詩人袁枚」一册批評傳記，當場頒以百元的「詩集獎」。筆者對於華氏原書，尚未閱及；但是看到西洋學者攻研中國學術的精神，和鼓勵學者研究中國學術的風氣，再反過來看到國人諸如謝先生之類，一方面妄自菲薄中國固有的著作，另方面指責人家「迷戀古董，抱殘守缺」，折挫有志整理與研討中國固有學術的人的勇氣，直令人伏案痛哭！

——(民國四十七年二月廿七日在馬尼剌)

殺鷄嚇猴

馬五先生

我國大陸上的所謂「民主黨派」，經過共黨「反右派份子」的僞善教訓以後，一般稍有頭腦與能力的幹部，皆被指爲罪大惡極的「反黨反社會主義」的人民公敵，僅於「向隅而泣」的不生不死之境況中。這叫作殺鷄嚇猴主義，目的是要各個「民主黨派」的子孫們人士知驅自愛，死心塌地，甘作奴役，在共黨鞭策之下，苟延殘喘。

以馬敍倫、許德珩爲主幹的「民主促進會」與「九三學社」，現已一馬當先，向共黨進呈甚麼「社會主義競賽決心書」，矢言「全心全意接受黨的領導，把心交給黨」，要爲「又紅又專，更紅更專的工人階級知識份子」，永遠跟着共黨走。不用說，這樣把戲完全是由共黨一手指使，連那所謂「社會主義競賽決心書」的名稱和文字，亦係共黨御製，要他們起帶頭作用，署名發佈的，間接就是示意「民盟」「民革」等，如法泡製，不得違誤！

明乎此，我們對於馬、許及其同路人們，與其責其着面皮，簽發那種肉麻透頂的文件，一時不忍背責，而且覺得太可憐可悲了！他們在這種情況下，由於出頭露面，時時感到生命莫保的不樂生，爲着生存，任何屈辱亦只好忍受而已。

當年國府在大陸時，這些「民主黨派」人士在政治上稍不如意，即高呼「反迫害」，「不民主」的口號，意氣軒昂，不可一世，不惜爲共黨張目作倀，而視共黨爲民主保姆。假使執政的共黨要民主人士「全心全意接受黨的領導」，那還得了嗎？爭取民主生活的結果如斯，馬敍倫、許德珩之流，內心上一定跟我要想通的感想相同，不勝酸甜苦辣的滋味罷！

章學誠書教上注釋疑義補訂

·燕廬·

本月十二日，我在本刊上發表過一篇短文，討論關於章學誠文史通義書教上一段文義的注解，文章發表之後，心裏依然槓着一個問題，先是尚書一百篇，本來不列文侯之命一說，內容爲事後我查書序，這一篇是列着的，實在找不出旁證。後來陳克文先生告訴我，牟潤孫先生來了一信，訂正了我的解釋，但過了好幾天，仍未見刊出，（編者按——牟先生的信已於七二八期本刊發表，燕廬先生此信在牟先生的信發表後收到。）而我又累于家計，張羅渡歲，便不再措意，本月廿一日，是農曆的正月初四，我到錢先生家拜年，無意中談到這個問題，照錢先生的意見，牟先生的解釋也並不對，毛病就出在句讀上，爲了容易明白，在未說到錢先生的意見時，且先把中國文選原來的標點照抄如下：

『六經並立，樂亡而入於詩禮，書亡而入於春秋，皆天時人事，不知其然而然也。春秋之事，則齊桓晉文，而宰孔之命齊侯，王子虎之命晉侯，皆訓誥之文也。而左氏附傳以翼經，夫子不與文侯之命，同著於編，則書入春秋之明證也。』

『皆訓誥之文也』一句，意思未完，不應作句點，『而左氏附傳以翼經』一句，總結上意，不應作逗點；這一句作了逗點，教人通下文讀，因此出了誤會，若照錢先生的解釋，則全段的標點應該這樣：

『六經並立，樂亡而入於詩禮，書亡而入於春秋，皆天時人事，不知其然而然也。春秋之事，則齊桓晉文，而宰孔之命齊侯，王子虎之命晉侯，皆訓誥之文也，而左氏附傳以翼經。夫子不與文侯之命同著於編，則書入春秋之明證也。』

這麼一來，則齊侯之命，晉侯之命，本都屬于尚書記言的材料，依章氏意：時勢推移，尚書之法既亡，即不能守一定的體例，故孔子不以之與文侯之命，同著于尚書（編），而由左氏附傳以入春秋，如此解釋，自然清楚明白了。而先前所以誤解的原因，除了我的淺學之外，那執筆標點的人，却也不能說沒有一點責任。而且其錯誤已不自中國文選始，就是繼中國文選之後的幾種教本，也均以訛傳訛，沒有人加以校正，[illegible]像錢先生這樣[illegible]不必擺臂高呼，自足沾溉後學，隱然爲學術文化的安定力量了。

我想：我如其要談這些問題，似乎不免于僭妄一點，但章學誠的這幾句話，到底也說得很不清晰，那末，作注的人，應該在注文上加以引導，然後讀者才不致誤解。另外，我又想到了那一問題，就如章學誠說：[illegible]齊侯晉侯之命，孔子不以著于尚書，是天時人事，不知其然而然者，那末，爲什麼孔子又于尚書中錄了秦繆公的秦誓呢？論年代，則齊桓還在秦繆之前呢？除非說章學誠爲了維護自己的論點，無法不強詞以奪理，否則的話，這一主張也頗覺其是窒礙難通的。

青山紀遊詞（踏莎行）

王世昭

昨晤鄭水心先生，索和踏莎行。比檢試六一淮海二篇，久久不能下筆。今勉爲之，聊正方家耳！

故國梅開，海天春俏，誰云秋盡楓林葉。遙憐一片縷波光，碧水明沙羅滄岫。不似踏青，翻疑病酒，香江十月風情妙。相逢且莫問流亡，欲借翠微消永晝。

蘇州的浴堂

—·張瘦碧·—

有人常說鎭揚一帶的雅變清閒人士，上午是皮包水，下午是水包皮——就是上午坐茶館，下午泡浴堂，每天都是如此。這樣消磨歲月，認爲自得其樂。吾鄉蘇州的民風，也有這種相沿的習慣，不過會享這清閒福的，大半是屬於中年以上的人，年輕的小夥子，並不多見。

蘇州的浴堂眞多，祇要有市面的街衢，便可以找到，假使比較熱鬧的市區，像城內的觀前，和城外的金閶大馬路等處，就[illegible]

[illegible]大池，且有溫水，熱水[illegible]盤子，裏面放着甜果小吃，[illegible]味，決不參雜咖啡之類的[illegible]，浴客甚至浴罷立刻離開，便呼呼睡一下，有人來催促，如果肚子餓了，下午浴前，跑堂的會你喊來，可是熟客，便摸得異常，使人格外感覺愉快。捏脚扦脚，更有人專司其事，患有此癖者，每浴必捏，非捏不可，捏時閉目養神，飄飄然有如登仙。

根據浴室的向例，一般跑堂的每年到了端陽，中秋，年節，都要備一份禮物，分送經常來此入浴的熟客，照例是顧客不收此項禮物，祇是多賞給小帳。經營這行生意的，以揚幫最佔優勢，由於手藝好，故最受歡迎。如今家鄉被關入竹幕，這種浴室生意，也必一落千丈了。

短篇小說　同情

·鍾靈·

二、

在碼頭上，黃庶務果然趕來了，[illegible]他一邊忙着指揮搬東西上船，一邊還要抽工夫跟到我們身邊來，眼睛望着那漂亮的姑娘，妹妹，俊嫂的女兒。

「她的確是很漂亮，一副討人喜歡的樣兒。」我這樣想。過去，我雖然見過妹妹，但都不過是瞬間的印象。現在才看清楚她：有一副略瘦的巧小的身軀，一對奇特的烏亮的大眼睛，一顆鬆散的鵝蛋形的臉兒……[illegible]

妹妹一登船，就躲在艙裏，沒有再上岸。岸上人那麼多，我是明白她的心理的。在另一方面，我似乎也不希望她上岸，至少，我是願意讓黃庶務一直保持着那個美好的印象。

船很小，一條船只分成兩三家，南平換船的時候就不同了，[illegible]

[illegible]一所的廣東式小樓房，二房東住在樓上，把樓下兩間房子，和隔院子的廚房分租給人，廚房公用，[illegible]房子雖不大好，却正夠住：[illegible]

表兄和我們談了一會之後，問媽：「不僱個用人嗎？」

媽說：「在貢川爲了我病，不得不僱。如今回到家鄉，我的病自然而然也好了，能省的還是省，積點錢將來要給小零辦大事。況且，一家兩口，事情也簡單，我還能做的。」

爲了僱用人的事，在船上我們就爭執過了，旣然媽極力主張不僱，我不能違拗她。

勝利復員，凡百都有一番新氣象，雖然我的職務沒變更，也比從前忙了許多倍，家裏的事，等於由媽一人承担了下來，整天操作不停。

我發覺是愉快的心情支持着媽，事實上，媽身體並未完全康復，歸覺年紀也不輕了，幾天下來，我已經看出媽有些吃不消了。我勸她還是僱個用人，但媽猶不肯服老，只說讓她試滿一個月看看再說。（二）

張紉詩牡丹詩畫册序

·劉百閔·

天下值花獨牡丹。牡丹之於花，猶麒麟之于走獸，鳳凰之于飛鳥也；出於其類，拔乎其萃，其於花則不名，直曰花耳，是花之王也。

然古人言花者，牡丹未嘗與焉。自謝康樂始言于永嘉水際竹間見之，由是唐宋以後之名人高士，往往見之詠歎。蓋其初居于深山，自幽而芳，不爲世人所知者，幾數千年，以視麒麟鳳凰之見于世，猶隱乎其後；其艱貞自持，不肯輕易一出以與世人相見者如是。及其既出，則固貞澄內充，貌正心荏，蕊節蒂蕊，舜抑檢嘖，蕭灑于斯世者，又復千數百年，而麒麟鳳凰則已遠舉高蹈，邈不可見；世無牡丹，幾疑物之無有出乎其類，拔乎其萃者矣。

古有麒麟鳳凰之圖，而牡丹之畫，則自北齊楊子華始。蓋以象形，取之造物，內物付物，無待遐想。麒麟鳳凰不可得而見矣，牡丹可得而見也，一蒂一蕊，任人諦視，寫之丹青，物形不改，天工人巧，奪之矣。自來於花卉之畫，專工一種者，四君子而外，以牡丹爲最多；前清之李敍廬，尤著，有李牡丹之號，今詩人南海張紉詩女士又以寫牡丹稱，則紉詩乃今之李敍廬也。

人之情趣顯而實晦，及其示之於外，則又趨晦而實顯，內外之不能一致也如是。牡丹，花之顯者也。世之達人修士，茹之絜芳，恬淡容與，大率惟四君子是視，以自見志；而紉詩獨以牡丹爲尚。人誰不欲有以自見而顯于世也，紉詩內外之如一也，與世人鑒若有異焉。幽芬足賞，得見君子者斯可矣。苟當其會，內旣有其充實之美，則外必有以自見於世，尚何不可以爲王。紉詩之擬香於牡丹也如是夫！

雖然，畫爲不語之詩，詩爲有聲之畫。紉詩作牡丹畫五十幀，又賸以絕句五十首。吾見其變幻萬狀：有向如迎者，有背如訣者，有欲如語者，有含如咽者，有俯如愁者，有仰如悅者，有側如跌者，有曲如折者，當紉詩心頭之語也。紉詩將與誰言之乎？今江山沉寂，兵塵障亂，天壤不乏開花之地，而繁華盡付于畫圖之中，吁可慨已！乃紉詩於詩，申申以千古看花皆草草爲嘗，而知之者惟彼獨多情自頌，則紉詩之畫，有其不能已於言者存焉，豈徒然哉！是爲序。

啓蒙筆錄

文學之欣賞

陳永昌

一個人讀幾個作家的作品，覺得第一個的人物描寫得親切，第二個的情調，來得逼眞自然，第三個的風韻特別柔媚動人，第四個的意思特別靈巧，第五個的文章讀來如飲威士忌，第六個的文章讀來如飲醇酒。他若覺得好，儘管說他好，只要他的欣賞是眞實的就得。積許多這種讀書欣賞的經驗，醇厚，峭拔，雄奇，辛辣，溫柔，細膩，……清淡，都已嘗過，便眞正知道甚麼是文學，甚麼不是文學，無須讀手册也。

論文學，最要知味。平淡最醇最可愛，而最難。何以故？平淡在腐淺無味只有毫釐之差。作家若元氣不足，素養學問思想不足以充實之，則味同嚼蠟。故鮮魚腐魚皆可紅燒，而獨鮮魚可以清蒸，否則入口本味之甘惡立見。好作家如楊貴妃之妹妹，雖不塗脂抹粉，亦可與皇帝見面。宮中其他美人要見皇帝者非塗脂抹粉不可。作家敢以簡樸之文字寫文章者這麼少，原因在此。（一九五三年十一月二十七日於聖保羅書院）

來函照刊

自由人報編輯先生大鑒：近閱本月十五日貴報第四版載有陸夢熙君之「稿費一席談」大作，內稱「『海風』在創刊之初內容尚稱豐富，後因虧累甚鉅不得不委人家內津貼」云云。謹按：敝刊自創辦以來，從未受到過任何方面或任何機關的分文津貼，敬請即就貴報惠予更正，無任感盼。專此奉達，並祝

撰安

海風月刊發行人兼社長鄭修元敬啓

（四十七年二月廿五日）

小啓：戊戌譚往暫停一期。

自由人

THE FREEMAN

（第七三一期）

中華民國內政部登記證內版台誌字第一零二號
中華郵政登記第一類新聞紙類
（每逢星期三六出版）

每份港幣壹毫
台北市售價台幣壹元

督印人：陳文郁

地址：香港高士打道二十號四樓
20 CAUSEWAY RD, 3RD. FL., HONG KONG
TEL. 771726

承印者：東南印務出版社
地址：高士打道六十四號
台灣總經理處
台北市西寧南路壹壹零號二樓
電話：四七三四六
台郵撥儲金戶九二五二
海外總經銷：友聯書報發行公司
香港：德輔道中二十六號A二樓

本報啓事

三月七日爲本報創刊七週年紀念敬承各界賢碩惠賜鴻文或祝詞勉勵有加謹此誌謝

本報創刊七週年紀念

・雷嘯岑・

本報創刊迄今，瞬眥七周年來了。七年的時間並不算長，但本報經常在艱辛痛苦之中，居然撐持不墜，思之良堪奮勉。

七年之前，正值中國大陸淪於俄共集團的暴力控制中，韓戰亦已爆發，世界局勢危疑震撼，西方列強對反共產極權侵略運動，同床異夢，莫衷一是，尤其關於亞洲方面的共禍，姑息主義大盛，[illegible]之際，我們十幾個遊淪在海隅的自由主義者，基於「救國至上」，「反共第一」的共同思想，以超黨派的心情，協力創辦本報，說我們自己要說的話，作我們自己認爲可行的主張，而以團結反共力量爲職志。這或許是知其不可爲而爲之的書生結習，但經過七年來的事實體驗，尚感到「爲而不有」的完全失望之情境，這是值得自慰的。

中國士大夫每有一種不自覺的通病，即在野時對於現實政治不能以客觀的尺度來衡量，認爲別人有百非而無一是。一旦自己設身處地，其所作所爲，且視其當時所攻擊的印象尤令人失望哩！譬如現時海外一般中國人，指台灣對於本國人民或書報的入境必須經過申請檢核，係侵犯自由人權的違憲行爲，假使這殺人一旦執政，他們能夠不顧國家的實際利害與安危關係，撤廢一切審檢的法令嗎？果如是，那除非不談反共救國的話，把國事當作兒戲而已。甚此通病，如是乎又產生一種極不合理的下意識：只要政治權利有我一份，就是民主，否則便指爲獨裁，一是皆以唯我主義爲依歸，不從大處落墨，躬自薄而厚責於人。中華民國的國運陷於現在這樣境地，中國知識份子！—我們也在內！—能說沒有相當重大的責任嗎？我們七年來的言論態度，就想矯正這種偏頗自私的積習，雖不能至，心嚮往之，這也就是弄成兩面不討好的結果之所以然。我們始終要保持這套作風，擇善固執，義無返顧。

今後的計劃

本報創辦的趣旨，是以發揚文化思想，促進反共力量之大團結爲主要目的，無疑地它是一張純政治性的刊物，談不到營利的生意經，物質條件當然缺乏。祗要勉強能夠支持下去，但顯耕耘，不問收穫，一定與讀者經常相見的。萬一維持不住了，那就只好關門，無論如何，決不顯犧牲原有的宗旨與立場，爲着物質關係而自喪其所守。我們亦不唱高調，說大話，辭稱不接受別人的贊助，凡是跟我們的思想相投洽，意趣相勝合的人力物力，都歡迎參加。本報原是超黨派的文化園地，絕無門戶之見，派系之私，亦不反對同道人參預實際政治活動，但與本報無涉，那是個人的生活與興趣，他在政治上一切的言行，皆由自己負責，對本報毫無影響的。

目前本報的發行情況，以台灣爲第一位，東南亞各地區大之，越南方面近日蒸蒸日上之勢。今後擬致力於增加海外的銷路，希望在華僑社會中，使我們的言論思想廣爲傳播，爲中國的民主憲政發展前途，貢獻一點基礎，俾不負創刊的始願。我們既不以營利爲目的，但求能夠自給自足，那就是算大的收穫了。

經過了七年間的考驗，我們在文化上嘗試聯合陣綫的結果，雖未盡如理想，然亦不無成就，今後還是循着這條路綫奮力邁進，我們認爲這是訓練自己對於民主自由生活的大好課程，機會難得，不應放過。因此，盼望讀者多加指導，多惠大作，發揮以文會友的效用。自創刊以來，凡在本報發表過文字的讀者，我們準備作一次調查統計，看看我們的文友究竟有多少？大家的職業別是何概況？以後凡有惠寄文稿的，除註明真姓名和通訊處以外，希望把現有職業亦一併見告，我們遵照一般的新聞法則，應該秘密的，一定不予宣佈。

事非經過不知難，我們這張小型的報紙，在毫無基礎的環境中，歷盡艱辛，居然生存七年了。這對我們的生活過程，是一項值得紀念的事。我們也有改爲每日刊的雄心和企圖，事在人爲，且待繼續努力的結果如何吧！

本報的作風

發起籌辦本報的十幾個同道人士，各黨各派以及無黨無派的人都有。因爲我們相信反共救國，環境信念是絕對一致的，在這共同綱領之下，不分彼此，形成一種非常微妙的聯合陣綫，爲天下倡，且以測驗將來在政治上是否有合作的可能？所以，我們相約在本報發表言論文字，必用個人姓名，以示負責立言的精神。各人的見解未必相同，但反共救國的思想決無二致，民主自由生活就是要能異中求同，同中容異的。因此，本報一切關於庶政得失的批判和主張，並不求其一律，藉供朝野人士的參考而已。

然而，本報亦由於這種作風而招致了若干煩惱，有些人說本報是替台灣自由中國政府說話的，甚至於說是替國民黨說話的；而在自由中國的執政人物中，又認爲本報常常對政府作嚴厲的指摘批評，似乖共赴國難之道。這使我們頗感左右爲難之至。但我們決不灰心，依然本其一貫的信念，我行我素。民主運動必須不怕煩惱，講自由生活就得接受批評，沒有任何容忍精神，即不足以創造真正的民主憲政，凡屬僞民主自由生活的知識份子，就應該有此氣魄才行。我國

半週述評

蘇加諾的武力政策

蘇加諾總統將離開東京返回印尼時，筆者曾在本欄，表示担心，蘇氏能否有力挽回行將分裂的印尼局面。蘇氏回國後，分裂趨勢是屬愈甚。至今內戰似已無法避免了。

蘇氏與副總統哈達重行攜手，爲大多數印尼人認爲足以避免分裂的關鍵。蘇氏回國後，雖曾與哈達會談，但蘇氏並對記者表示兩人意見不一致。但蘇氏卻始終堅決的反共立場，與副總統哈達兩人重行攜手，似已無望。

總理兼國防部長朱安達，昨四日已表示決用武力對付革命份子，又發佈總動員令，已封閉。蘇島革命份子自同時積極準備作戰。印尼於十年前經過艱難困苦，纔得脫離荷蘭統治而獨立，如今又竟陷於內戰，可謂多災多難矣。

然而印尼今日一切糾紛的根源在於容共，蘇加諾及其政府不知懸崖勒馬，而希望使用武力以求統一，還不當揚湯而止沸。印尼全國擴大小島嶼林立，中央政府聲言海空封鎖蘇島，又談何容易！結果即苟無成功可言，實徹武力統一政策，政府悍然不顧，必失民心。故吾人亦希望蘇加諾能臨崖勒馬，化干戈爲玉帛，印尼的和平統一或尚有一綫希望，亦未可知。

不再是紙老虎

東南亞八國公約組織，將於本月十一至十三日在菲尼拉舉行第四次部長理事會議。這是該公約一九五五年成立後，第四周年的會議。美國務卿杜爾斯亦將親率代表團出席參加。

這一組織在成立初期，即在盟邦，亦不免譏爲「紙老虎」。現在回顧四年發展，似已逐漸茁壯，迥非當日阿蒙可比。公約發言人說，在軍事範圍內，會員國抵抗武裝侵略的總力已經切實增加。四年的主要成就，厥爲共黨已不能再有進一步的擴展。

然而，東南亞的情勢似不容如此樂觀。馬來亞共黨武裝份子尚未消滅，泰緬高棉等處均有共黨大量的滲透力量。尤爲可慮的，即今日的印尼分裂局勢。共黨對印尼的心臟地區爪哇島已佔有極大的操縱力量，蘇加諾及其政府似已全在共黨劫持之中。以武力對付蘇島革命份子，實爲共黨的政策，此一政策成功，則印尼的赤化勢不可免。

印尼赤化，則東南亞八國公約組織勢將瓦解。故今日並非公約組織炫耀其過去有如何成就的日子，應特爲重視的爲如何防止印尼之進一步的赤化。印尼並非公約組織份子，越南與馬來亞曾先後表示不參加組織，八國公約組織豈能以過去的四年成就而沾沾自喜乎！

中越邦交的增進

過去一年多，中越兩國因華僑國籍問題，曾引起若干不愉快事件，現在這些事件都逐漸成爲過去了。我們相信今後中越兩國必能本着傳統友誼與目前反共抗俄，實現民主自由的共同理想，而日益增加其邦交的密切。

最近南越政府已委出駐華公使阮功勳，足見促進邦交的誠意。阮氏並定於本月內前赴台灣到任。以阮氏的才能及其過去的經歷，我們相信他對今後的中越邦交必定有極大的貢獻，這裏我們先要對阮氏使華表示極大歡迎。

不久以前，報章盛傳吳廷琰總統將訪問自由中國，果成事實，有裨於兩國利益，自然更大，此應爲中越朝野人士多方努力，促其實現的。今後我自由中國也應從兩國的經濟及文化，多做互相溝通，互相交流的工作。今日以西貢一地而言，華僑人數即近三十萬，幾佔全市人口三分之一，此其對於兩國邦交之增進，有甚大作用，不言而喻。兩國政府必須注意此等事實，善爲因應，則尤爲極淺顯易見的。

陳克文

自由人語

・雅斯・

這裏所稱自由人，當然是指尚有說話自由而不願放棄或出賣自由的人而言。

空氣的不可或缺，只有在窒閉的園室中才被人感覺；水的不可或缺，只有在枯燥的沙漠上才被人認識。一個人發覺自由的可貴，往往是在極權或獨裁的政治社會中；一個人要爭取自由，其對象也必然是極權主義與獨裁者。

馬克斯主義者根本就不談自由二字，所以奉行馬克斯主義的國家如蘇聯，是用「平等」，來代替自由。尤其是「經濟平等」。這是必然的。要對于這些極權國家爭取自由，只有用暴力革命才可獲致。

談民主政治者沒有不談自由的。在民主國家裏，自由尤其言論自由的尺度也各有不同。尺度握得愈緊的，人民爭取的慾望也愈烈；尺度放得愈寬的，人民爭取的情緒也愈弛。猶如人們對於空氣與水的需要與其取得的數量適成反比例。如果人民覺得政府所給予的自由不能滿足其政治生活環境的需要時，必起而爭取，這是勢也；不過其爭取手段有法律途徑可循，而不必採取革命手段而已。

世界民主國家對于人民應享的自由，大都規定于憲法中，人民可以根據憲法提出要求，也設有獨立機構以解釋憲法上可能的爭議。但憲法規定的深度，並不一定就意着民主的深度，例如英國在法律上就無言論自由的規定，只設有誹謗律，在反面予言論自由以若干限制而已。所以民主的深度，不專在形式，而在運用上的適當與否。然不論如何，言論自由究非絕對性的，總要受到若干限制，不過這些限制是依法有據順應民心的限制才可。

從理論轉到實際，由于整個大陸淪于鐵幕中，自大陸逃亡的自由人，其爭取自由的對象，自然是大陸的極權主義者，其手段必然非革命的不可，所以要與大陸講條件而希望用妥協方式還我自由者，實在是一種忘想。除非你只要麵包（？）不要自由，否則先天就是一個不可能。同時由于重獲自由所寄望的台灣政府，九年來又似乎過于重視本身的權力與尊嚴，而未免忽視人與輿論的傾訴，甚至懼怕與惡獸收，于是不免有所謂「一帶帽子」的現象發生，而言論之爭，逐漸也發生于自由中國內部。這當不是人們的始願吧！然夫誰爲之，因何至此，可不深省。

事實上，因爲向大陸極權主義者爭自由，其武器只是一枝筆，向台灣批評得失也靠一枝筆；在大問題上寫文章的時候，往往很容易被視爲「僞敵張目」，而被劃入敵人的界限裏。于是在所謂非楊即墨的心理攻勢下，可能被強迫劃清界限！—強橫而意志薄弱者變節投靠；忠誠而毅力不足的緘默消沉；耿介書生，可能終于拿不起一枝禿筆爲止。但這不是自由中國之福呀！當局豈有不見及此之理，不過平素厭惡「相反面」輿論底心理的存在，很容易帶進這危途而不自知！

此種現象年來演變迄今，已成一種可慮的趨勢，是我們應該提醒大家注意的。

愛護自由的人們之所以反對大陸極權政治者，以極權政治與自由是水火不相容；所以擁護台灣政府者以民主政治與自由爲不可分。敵我是很分明的。其所以仍然批評政府，雖公平縱有待于辯論，甚至流于偏激者，善意實不容有所懷疑。若曰批評政府是暴露弱點，足令親痛仇快；是又豈人心麻木，才是親快仇痛？自由人士期待于自由中國政府的，是「進取」的勝利，而非「安定」的滿足，若以現狀爲滿足，歌功頌德，千篇一律；評言警語，一字不聞，則國事尚有可爲嗎？

嚴格說來，言論界固不免有些會顯之徒徒以讒毀吹捧起家的，確曾予人以厭惡的印象，但總不能以少數揀無全體。如果當局確能以風氣爲己責，以大局爲前題，應該辨賢佞，明是非，不宜斤斤于自己狹義的「忠貞」觀念，則天下士偏激的言論，斷不致出現。

一個民主政府權威的保持與增長，絕不能靠那些千篇一律歌功頌德之詞去粉飾，而有賴于許多坦白直率憤慨激昂的言論去激發。這幾乎是民主政治起碼的常識。年來海外爭自由者的筆鋒，爲什麼也向着自己的政府？值得深思。但這種現象是民主政治的常流，絕不能視爲逆流呀！（三月七日）

從七周年紀念說起

伍憲子

今日是自由人創刊七周年紀念之日，從七年計之，回溯既往，有許多值得尋味者。今年又是戊戌年，從紀念之意義，想到戊戌，在近代歷史中，更使人難忘。因有感觸，爰寫斯篇。

一、抗戰勝利

抗戰勝利之年，是民國三十四年，歲在乙酉，下距今年戊戌，剛十四年。一個是兩個七周年，一個是由後推，從自由人創刊起到今日，一個是由前溯，從抗戰勝利到自由人出版日。因爲時局變化急劇，從今日以後，不只七年之長遠難知，就是一年後事，亦很難知，故不如追往事，或有便於知來者。而且抗戰勝利，是中國最得意之年，尤其是當權之國民黨，與當人生最難處之時，成敗得失所關，以爲成功，不知已隱藏失敗，此乃緊要關鍵，是以考驗人才。自由人何以不創刊於抗戰勝利之年，而創刊於七年之後，此時大陸已失，政府播遷台灣，自由人士亦多逃難於香港，自由人之出版，正當國難艱辛之時，更深知自由之可貴，以此回思抗戰勝利，得意之不容易處，胡爲勝利之後不七年，而整個大陸淪陷，懲前毖後，思爲政府盡其忠告，此自由人所有作者之一片苦心。七年以來，論爲政府諸公所共鑒，可惜收效尚微，此自由人作者所深致慚愧。今當七年紀念，仍本斯意，盡其愚誠，期於復國前途有所裨補。

二、一二八之役

由抗戰勝利之年，上溯一二八之役，又是十四年，亦等於兩個七周年。一二八之役，在民國二十一年壬申，是抗戰之始，世所稱十九路軍淞滬之戰，與抗戰勝利是抗戰之終始，遙遙相對。但可惜一二八之役，抗戰不澈底，十九路軍之士氣，不能博得政府之同情，抗戰中斷。或者政府老成持重，別有苦心。然延綏六年，退讓又復退讓，卒不能免於七七事變，可知敵欲無厭，古人說：「一日縱敵，數世之患」，善用兵者斷不肯失機。中國到底有大幸，七七事變之後，終於抗戰，在抗戰期中，又適遇世界大戰，在世界大戰期中，日本更爆發太平洋之戰，日本既與英美爲敵，遂奠定中國之勝利，此是中國之幸，然同時又給予中共以最不幸。因爲英美既與日本爲敵，欲擊敗日本，不得不厚結蘇俄，蘇俄亦利用此機，謀擊敗日本，以便侵略東方，資助共黨，以擾亂中國。凡國家禍患之起伏，其造因甚微，如果共黨之在中國，其爲禍不始於抗戰期間，我們不能不再上溯十四年，其蛛絲馬跡，隱然可見。

三、南北分裂與復合

由一二八之役再上溯十四年，爲民國七年戊午，南方七總裁之護法政府成立，爲南北分裂之始。翻是紛爭多年，雖經種種形式，終無效果。由戊午至甲子，即民國十三年，剛好七年，孫中山因鑒於北洋派，欲借俄之力，定聯俄容共之策，此是民國史中之一個大變動。然而北伐成功，東三省易幟，南北復告統一。然而東北之禍又起，九一八事變，日本乘機，東北遂以淪陷，華北亦受威脅。此爲民國二十年辛未，上距十三年甲子，又是七年，而由二十年至三十四年乙酉蘇俄軍隊入東北，又是兩個七周年。故在民國史上講起七周年，每覺特別有感觸。即如辛亥革命，壬子改元，以至戊午，七周年。更有一事，我們當注意者，今年是戊戌，上距戊戌維新，是六十周年，而由辛亥上距戊戌，又是十四年，即兩個七周年。

四、由民元再上溯十四年

以上所說，第一段，是從自由人創刊七周年紀念起，上溯十四年，爲抗戰勝利之年，勝利可以說成功，亦可以說失敗。第二段，是從一二八之役，十九路軍淞滬抗戰，上溯十四年，爲民七戊午，南北分裂，雖可以說對俄失敗，第三段，是從一二八之役起，又再上溯十四年，爲民七戊午，在此七年，四年，爲國民黨與共產黨之命運，同時亦關於中國命運，然終不能擺其失敗，但終不能掩其失敗。再上溯至民元，又是七年，戊戌，恰又是十四年，由民元壬子上溯至清光緒戊戌，恰又是十四年，足兩個七周年，此段亦可以說成功，亦可以說失敗。何以言之？戊戌維新，其事實之失敗，顯然可見，但失敗不只是新舊之爭，同時亦是反對維新之頑固者。甚且庚子八國聯軍之禍，是反對戊戌維新者所闖出，辛亥革命，亦是戊戌維新不成所逼出。此一段所以既可以說明近代史，而後可以明白中國近六十年來之所以失敗。

五、試一尋求戊戌精神

中國近六十年來之所以失敗，在握政權之拚命死握政權，而不肯放棄政權。不只戊戌之新政，爲后黨攬權者所不能施行，即民國以來，政治之所以不上軌道，都是主治者之視政權太重，以致上下交爭。故其病之所在，不在君主之名稱，而在君權之習慣。辛亥革命，則只是革了君主之名稱，未會除去君權之習慣，所有主治者，其潛力依然是君主，故一切無從發起。因此之故，所有切直之言，一句不能受，言論先失去自由，尚何其他自由之可言。我們今日不之乎，想到六十年前之戊戌維新，不能忘其精神。本文既非紀念戊戌之專文，亦不能一一列舉。惟有一件，我們應認取者，就是君主之淫威，能使滅之禍，能使君權之淫威一旦平民化，是比之易姓受命，更爲難得，將數千年君主之淫威，此是戊戌精神，有此精神，而後可以實現。康有爲以一小臣上書，沒作沈痛之言，如云「沼吳之禍立見，裂晉之事即來，職不忍見煤山前事，」又云，「恐他日求爲長安布衣而不可得，」以數千年來專制積威之君主，竟能容納此種切直之言，民主人士急當起敬，此即是戊戌精神。

六、結論

說至此，顯得一個結論，本文爲自由人創刊七周年紀念而作，自由人之所欲得者，當然是言論自由。然言論自由，不是對執政者毀謗，更不是對執政者饑罵，亦不是不負責任，强執政者以所難行。固然要根據事實，亦要認識環境，更要拿出良心，必如此，而後自由言論方有價值。七年以來，讀自由人之言論如何，讀者自有公評，作者亦不須費詞。今世界局勢緊張，自由中國環境險惡，具有遠識者之觀察，如何下斷語，我不敢知，至我則誠不敢抱樂觀。我們誠欲求自由乎，非粉飾可能，惟彼此捐誠心，相見於骨嶽血海之中，一洗自欺之人之客套，非此不易挽轉危局。今當七周年紀念，偶有感觸，匆匆寫此，自愧不文，亦獻微誠爾。

學子憂天　◎尹震◎

台灣通訊

一個青年僑生看：「華僑青年年會」應否強迫參加

二月廿八日，在台北僑務委員會舉行一個華僑青年年會檢討會，參加的有年會的各指導委員（僑領），僑委會、教育部、救國團、及年會各組工作人員，會議中會就明年的年會是否採取強迫參加問題有一個極詳細的討論，結果決定由原舉辦單位從長研究。這個問題之所以引起這麼多的人去思考，實在是有它的因素的。

一、經過

早在年會舉辦前，決策當局原就主張「華僑青年年會」爲應屆畢業僑生」，但年會既非大學教育的一部份，又非法定應受訓練之一種，未免於法無據，乃改取勸導的方式，除了由教育部通令各大專學校轉知應屆畢業僑生前往參加年會外，還邀約了台北區的應屆畢業僑生開了一次座談會，勸諭參加，當有少數同學因欲返僑居地，堅持不參加，僑委會乃決定了一個原則，就是要回國家而不能參加的同學得向僑委會申請不參加。但到了年會開幕的時候，報到的人數只有一九一人，僅是全部畢業僑生的七分之四，因此在年會的檢討會上，就有不少人提出「年會應否強迫參加的問題」了。

二、主張及反對強迫的理由

主張強迫參加的人，認爲僑生在台四年中在學校所受的只是職業教育，而對國內政治、經濟、軍事的進步情形一無所知，如不參加，將來回僑居地，恐不能理想地完成宣揚祖國文化及建設進步的使命。

但反對的理由大致是：一、強迫參加於法無據，名不正則令不行；二、如強迫參加，則不感興趣必難收效。

似應從三方面看

筆者認爲對這問題，似應從三方面去看：

第一：從年會的本質看：如年會是有關僑務本身或反攻復國的基本政策的，就不妨強迫參加；如果目的祇讓同學知道祖國之進步情形，或讓同學有機會到處遊覽觀光，大可以自由參加。

第二、從海外輿論來看：不久以前，因爲越南撤僑，大直會經有一次集中講話，是報告僑生生活環境性質的，香港報紙就有了一批評，認爲有政治訓練的味道，這一次年會舉行時，很多僑生家長就寫信回來問同學，是否軍事訓練；是否強迫參加。可見海外對於年會的看法是抱着懷疑的態度，爲了顧全輿論，如非認爲必要，實不宜強迫參加，否則得不償失。

第三、從同學的情緒來看；在年會中，會經有少數同學聽演講時溜到康樂中心去吃瓜子，打乒乓。如強迫參加，不願意參加的人的單獨活動，豈不要影響其他參加的人的情緒。

本文的目的

這是一個關於應否強迫參加青年年會問題的一般客觀事實形勢。目的在希望參加的同學老師或對年會性質有一個大概的了解！更希望社會前輩多注意我們青年的問題。

◎承宗◎

台灣通訊

從文化作戰談到國劇團的遠征

文化用作戰爭武器一事，爲時並不算太久，多少也因中共設有「統戰部」且用之於海外的「統戰」行爲而來。前一二年香港文化界回國在文化團體招待會上談說，我們的文化作戰，常是挨打的，換句話說常取被動，很少採取主動方式。如果文化統戰無法與其他戰略統一時，這種統戰的後果，誠然很難發揮作用的。

先說我們的「文化作戰」

我們的文化作戰如何呢？誠如此間聯合報說過，「所謂『文化交流』，雖經常出現於官方報告或要員演講辭中，然見諸實際者，除有若干『中×文化協會』的空招牌外，殊難找出具體迹象。……甚至友邦文化界組團正式前來訪問，竟亦違反國際慣例，不予報聘。如言文化作戰，此乃按兵不動，坐失良機，亦即客觀上「助」我們敵人的文化攻勢。上可以說只是在形式上下功夫，實際上對於敵方的效果，便很難說了。幾年來在這一方面所表現的，如對於友邦其他官員訪問者，莫不恭敬唯謹，而對文化或新聞人士則採用授予一勳章」，結果往往使受之者不悅，且而十分尷尬。這樣看我們的文化作戰在那裏呢？友邦人士在台時說幾句諷語，謂之者即是形於色，而人家聞了香港論調就大不相同了，何是令人不解。

談到國劇團訪問西歐

[illegible]戰」，到底政府是作文化[illegible]劇團訪問西歐」一事而言，先說見有萬香堂及陳氏兩篇的文章在本報發表，萬先生研究我[illegible]價值，我們大致贊同，不過其中以國劇[illegible]以國劇本身的解釋，也實在文化作戰上所收[illegible]論及，至其指出是國劇如「大鵬是大鵬，國劇團是國劇團」，「國大鵬劇團」之不當，其實[illegible]就是「大鵬國劇團」，[illegible]一點應當不難改正，[illegible]害的。陳先生說[illegible]在藝術，這是陳先生說的[illegible]法，和萬先生所說的，看法[illegible]「問題在花的錢值不值得，應不應該花，而不是花多少的問題。」[illegible]一標。如果我們的國劇團可以使歐洲人知道台灣的自由中國，是政治開明，經濟繁榮，文化發達，是個民主國家，那[illegible]

[illegible]國劇是代表中國文化的[illegible]表今日海內外二千多萬國人的文化精神？[illegible]中共的文化統戰，也不僅止於梅蘭芳去演國劇而已呀！正如幾年前某女名伶說：「京戲也是藝術，文化嗎？」這也[illegible]人百思不得其解。如果說我們政府今日以此爲文化作戰用我就無話可說了！」（四十七年二月末日之夜於台北）

寶島經緯線

△老友某君遠自「黃金國」返台與家人團聚，筆者詢其感想，他說：離開台灣兩年，物景依舊，一切均未變，只是朋友們似乎比前窮了。他所指的朋友，當以「薪水階級」居多。誠然，不過心理上所感到的「窮」，更超過實際上的「窮」。

此話何講？就以抗戰時爲例：那時的所謂薪水階級，吃的，穿的，住的遠比不上今日台灣，在抗戰時含辛茹苦不以爲苦，今友叫苦不迭，此非心理因素大過物質因素而何！近乎來奮鬥修慾（當包括官員在內）影響于此者當最大。

△日本文藝理論家廚三北村在其「苦悶的象徵」一書裏，會謂文藝乃人類精神苦悶的升華表現，證之以弗洛伊特的心理分析，益見其精闢而切當。

我們今日處於苦悶的大時代，苦悶的大環境；國家有國家的苦悶，個人有個人的苦悶；以國家言，奸究未滅，山河未復，歲月蹉跎，陷於苦悶不滿的僵局，此不說苦悶；以個人言，年華有戶位凍結的苦悶，在異鄉有家開嘴散的苦悶，老人有欲歸不能的苦悶，新人有欲進不得的苦悶，國大代表的苦悶表現於開散，立委的苦悶表現於質詢，監委的苦悶表現於彈劾，我們窮文人呢？苦悶表現於一支筆。

△「反共救國會議」這一餡餅，最近，似乎又有熱中者在暗促開鑼？當道又有「一俟時機成熟即召開之」的調子，這個會議不一定是唯一的方法，而且要使救國會議產生若何作用，也絕非徒「空城口號」的方式可以達成，不過，港澳一般苦悶的時代，大家多一次聚舉一堂吐露苦水，交換意見，總比關心隔膜的好。（三月三日于台北）

季鸞

本報專稿

動盪中的印尼（四）

駱英

（乙）地方代表：蘇島三人，爪哇二人，加里曼丹二人，蘇拉威西二人，努沙登加拉二人，馬魯古二人，西伊里安二人。

（丙）政府長官：陸海空軍參謀長各一人，總檢察長，國家總警監，內閣副總理一人。

當蘇加諾發表他的「救時方案」，要實行「領導的民主」而設立民族委員會，將取代各政黨領袖以及社會人士，均要建「民族委員會」將取代國會的地位。果爾，則依西方民主方式由普選而誕生的國會已被扼殺了。蓋蘇氏曾發表他的「救時方案」，是放棄了民主和議會制度的。但民族委員會之成立，決不致抹殺國會，只（一）立於內閣之旁，（二）增加內閣威望，（三）為社會與政府間之鞏固橋樑。

其後，事實證明，（實亦民情的激烈反對），民族委員會祇居於協助內閣的地位，未剝奪國會的立法權，而國會仍然行使其職責。

（六）一連串的非常法令

由於多年以來政爭激烈，官常不振，國庫空虛，每年財政赤字總在三十億盾上下。到最近的非常事務內閣成立時，政府的外匯準備金額，達到了最低潮的危險邊沿。過去，政府的外匯比率是美金一元，兌換十一盾四十仙，後來減為十五盾四十仙，但到非常事務內閣成立時，僅有十五盾左右而已。政府怕引起通貨膨脹，不敢濫發紙幣；乃採取新辦法，用撥出證制度，以獎勵土產的輸出，解除土產外匯在國外市場的官率約束。一時國內物價飛漲，人民叫苦，但國庫的收入增加了，似已挽救了政府在財政上的危機。而哈達博士却力陳「輸出證」制度的弊端，指政府無經濟眼光。

為了要增加政府收入以彌補赤字，政府當局認為外僑的經濟力比印尼人強，儘可在外僑身上想辦法。七月八日乃公佈一項征收外僑稅條例，這條例追溯至一九五七年一月一日生效，辦法是家長及未婚成年人，每年征稅一千五百盾；妻室七百五十盾，未成年子女每人每年三百七十五盾，政府估計全國有外僑一百五十萬人，每年可收入八億盾。後來又修改一九二七年印尼稅條例，凡外裔而成為印尼籍民（非原住民）者，須領取籍民證，規定領該種證件者，成年人要繳印花一千盾，未成年人五百盾。

此外，還有外僑監督條例，監督外僑教育條例的頒行，對外僑的活動，頗多新的限制。六月十七日努沙登加拉（小巽他群島）的軍區司令，突封閉全境華僑學校四十七所，理由是難以管理，八月一日僅准許七個較大城鎮恢復設立八所華校。由此而引致十一月間全國性的「監督外僑教育條例」的頒行。這條例規定：外裔印尼籍兒童，應受印尼民族教育。印尼籍兒童須與外僑兒童分別施教（分校）。所有外僑學校，如欲繼續，須重新申請許可證，並繳印花稅：小學二千五百盾，初中五千五百盾，高中七千五百盾，外僑學校最高學級為高中。外僑如不繼續開辦，則該校校舍將被借用。外僑學校教員，亦須重新申請執教准字，其准字印花稅：小學教師二百五十盾，初中五百盾，高中七百五十盾。各省區教育廳當局，並指定若干較大城鎮得開設外僑學校（較小城鎮的原有華校，一概不許設立）。在這些條例的限制下，全印尼華僑學校，據估計可能被淘汰去六十巴仙。

其次，亦有外資企業監督條例，反貪污條例（包括財產查究）等頒行，在在都增強外僑活動的限制。

（七）恢復團結的協商會議

自一九五六年八月魯比斯上校企圖政變事件發生後，因處境不易，陸軍內部頗呈分裂現象。及十二月，哈達辭去副總統職，象徵印尼民族團結的「二位一體」關係失落。隨後，蘇中，蘇北，蘇南，東印尼（蘇拉威西）等區，相繼叛離中央，頗有脫輻之勢。在形勢上言，為外島與爪哇對峙，政治上，軍事上，爪哇優於外島；經濟上，外島優於爪哇。外島的呼聲，幾乎一致要求恢復蘇加諾與哈達兩民族領袖的二位一體關係。非常事務內閣成立，總統，閣揆，軍政首長等，均先後分赴外島聯絡，解釋，並極力鼓吹團結擁護中央的重要性，逐漸收拾起各地離散的民心。最後作成一個全國的要求，舉行擴大的圓桌會議（民族協商會議），以恢復全國的統一團結。

這個頗具歷史意義的民族協商會議，於九月十日在首都獨立大廈（一九四五年宣讀獨立宣言之所，表示大團結）舉行。全國被邀參加者有廿一地區，每一地區代表二人，顧問三人，隨員若干人。無拒絕邀請者，但有一小部人員却未到會。蘇加諾與哈達均到場參加。會期歷時五天，空氣極為嚴肅融洽。協商會議的主要議題有四。（一）軍事問題。（二）民政問題。（三）民族覺醒問題及（四）特殊問題（包括與心理有關的二位一體及西伊里安鬥爭問題）。

關於軍事問題，由後來組成的「七人委員會」解決全國各軍區長官宣誓服從。民政問題，有自治、交通、財政、經濟建設等部門，亦由一小組委員負責處理。特殊問題中西伊鬥爭運動，另由西伊鬥爭行動委員會主持。二位一體問題，在大會閉幕前夕，由蘇加諾與哈達兩民族領袖簽署一項聯合聲明，表示恢復合作關係。這篇聲明，頗有歷史意義，特錄作參考：

「余等曾於一九四五年八月十七日，以印尼民族名義，宣佈印尼之獨立自主。是故一統的印度尼西亞共和國，即成為全印尼民族之產業。凡印尼國民均有建設國家，創造繁榮公正社會之天職。印尼共和國一九四五年憲法序言中所提示之建國五原理，乃印尼民族自由自在生活實現公正繁榮社會之保證。以故，不論在任何情形上，偕全國國民，印尼共和國政府共同全體國家工具，建設國家及保障一九四五年八月十七日獨立宣言，乃余等之絕對的責任。

一九五七年九月十四日

蘇嘉諾、哈達，簽署於椰嘉達」。

（未完）

國際動態拾零

△美國民主黨一九六〇年之總統候選人，最有希望者，為年方四十三歲之堅尼地，與共和黨年輕之候選人尼克遜對抗。而上屆提名之史蒂文生僅居第二位，上屆提名為副總統之凱勿佛，則居第三位。

△美國一九五八年兩黨國會議員，競選之主要政綱集中于經濟繁榮。但三月以後，經濟如有起色，則至十一月選舉，貿易必然興旺，共和黨可不至失敗。現在失業人數雖增加，但經濟仍是向上，而購買力之強，尤為空前。

△民主黨競選，數星期前注重國防失敗之宣傳。現已急需改變，以失業問題，農產品降低，與小商業失敗，責難政府。其主席方與二十二州之黑人代表們協商，且將擇一黑人為副主席。

△美國擬貸款波蘭九千七百萬元。因上年美國對波蘭出口，增加八倍，波蘭國營電影院，購買好萊塢影片。現波蘭政府已允許波蘭科學家接受美國獎學金，而外交關係改善，尤為杜爾斯所欣幸。

△蘇聯正與教廷秘密交涉，希望建立外交關係。蘇聯尤希望于教廷者，為欲其贊助建立歐洲非原子之中立地區計劃。

△美國海軍，擬建造原子巡洋艦，每小時可走七十海里，備有防空火箭。又有一種設計，從海水中吸取電磁為其發動力量。惟其缺點，在淡水中不能行駛，因淡水中電流缺乏之故。

陶然

竹幕幽秘

「地方民族主義」

中國本是一個多民族的國家，尤其是歐洲勢力東侵以後，使已經複雜了的少數民族問題，加上了國際的因素。

二次大戰以來，與中國西南邊境接壤的東南亞小國都紛紛獨立了，它們縱然曾承襲着一些過去帝國主義的遺風，終以自顧不暇，不能成為製造中國西南部少數民族不安的基本因素。

但現在，由於中共受了俄共挾制的關係，中國西北、西南部少數民族問題却變得異常複雜了。

中共用設立多類的「民族自治」機構，以示這些民族已「自治」了。但照其年來反對「地方民族主義」的情況來看，少數民族問題可能比十年前還要緊張。

西南的少數民族

事實上，大陸現有民族問題，是中共自己製造出來的。以最近成立的「僮族自治區」來說吧，廣西省的僮族早與漢族不分，甚至一般的廣西人，已不知尚有僮族存在。中共佔有廣西後，却強調什麼民族「自治」，成立什麼「桂西僮族自治區」，創造什麼「僮文」，把僮漢間已經消弭于無形的裂痕又重新擴大起來；若照現況來說，在廣西省內，是少數的僮人來治理多數漢人。

處理少數民族問題，基本關鍵，並不在于假貌為善的予以自治名義，而是在于政制、權利、義務等的是否合理公平，假如一冠以「自治」就能解決民族問題，那麼已經設立「自治」機構的少數民族地區就不該再有問題了，事實俱在，像雲南、貴州等「自治」州、縣的問題有着叫人不知從何談起的紛亂情況。若不從基本上去解決，可知光靠表面文章是無濟于事的。

新疆與內蒙

與蘇聯外蒙接壤的少數民族地區，情況更為突出，向中共政權要求「獨立」的口號又從新被提出了，這是與西南區少數民族不安情況不同的。

新疆與內蒙要求「獨立」的情緒，遠在抗戰前即已存在，暗中煽動者是蘇聯與它所支持的外蒙；現在，這種口號的從新被提出，似乎還是蘇聯舊政策的新翻版。目的是：先使之分離中國而「獨立」，繼之使它作為加盟共和國而加入蘇維埃聯邦。這顯示蘇聯並不因中共取得政權，而放棄其蠶食中國領土的野心。

新疆與內蒙的「地方民族主義」情況，據中共報導，要比西南區的同一問題嚴重得多，中共對之顯得緊張異常，但是中共的反對批駁則僅止于言論，並未指出那些人是幕后領導者；這與中共對付西南區的手法不同，如黃現璠，歐為川，向德等因為在西南區少數民族問題上曾經說過一些話，就被指為「右派」，而遭清算。中共在處理新疆與內蒙的「地方民族主義」者方面始終不敢指名直斥，却又是呼之欲出，顯然是有投鼠忌器的顧慮，故而只能容口批判，不敢有所行動。

同一問題兩種類型

由上可知，目前在中共區的「地方民族主義」問題，可以分成兩大類：一類是單純由于其制度、權利、義務等的合理與公平與否所引起的，另一類則是除了上述因素以外，還具有國際性，即蘇聯在幕后導演。

●田心●

慶祝自由人創刊七週年紀念

朱家驊

戴德發　鄭樹玉　范濤　張道行　黃宗規　胡龍寶　謝貫一　葉廷珪　陳錫卿　林斌　吳開先　張[illegible]　程元[illegible]　李文炳　袁守中　朱懷[illegible]　江定一　王維林　杜光塤　羅香山　徐鈞　廖修齊　丁月新

謝新周　洪炎秋　吳鑄[illegible]　邱清[illegible]　方[illegible]　魏[illegible]　吳望伋　蔡[illegible]　柯[illegible]　沈[illegible]　邵[illegible]　許[illegible]　李九[illegible]　黃英　連[illegible]　李[illegible]　劉[illegible]　劉清[illegible]　鍾永[illegible]　洪[illegible]

陳[illegible]　鍾[illegible]　蘇[illegible]　劉柏青　袁子雲　王[illegible]　林[illegible]　田[illegible]　吳開先　陳新[illegible]　蕭[illegible]　黃永昌　[illegible]

自由談

鄉愿的德性

馬五先生

英工黨左派仁兄貝凡說：「美總統艾森豪在道德上是健全的，可惜在智識上缺乏深遠。」這話是一半兒褒揚一半兒貶，但我不甚表贊同。

政治大亨的道德觀，應該是以不忍人之心，爲拯救人類的禍害而不惜摩頂放踵以從事的。作爲一個世界的領導人物，尤其需要有這種精神。光是婆婆媽媽，遇事煦煦爲仁，孑孑爲義，那是「鄉愿」式的情操，孔子曰：「鄉愿，德之賊也。」很抱歉，吾於「和平總統」艾克先生，即有這種觀感。何以見得呢？

一見之於三年前東德波茨坦人民反共運動的作風。事變初發之際，駐在當地的俄軍與東德警察們，皆不肯對革命羣衆開槍鎮壓，而僅是一街之隔的西德人民，約有十萬人準備衝入東德境內去應援革命同胞。可是，屯駐西德的美英聯軍，奉命斷絕交通，禁止西德民衆馳援，而波茨坦的革命運動，乃被俄帝抽調大軍敉平了。事後艾總統輸送大批糧食運赴西德，救東德的劫後餘生「嗟來食」！

再見之於前年匈牙利人民的反共抗俄運動，當時美國對英法進軍埃及，指爲妨害和平，予以制裁，而對俄帝派遣大軍屠殺匈人的暴行，却悶聲不響，說是爲要避免俄帝指美國在背後「教唆」的嫌疑。迨匈國的反共抗俄運動失敗後，艾總統乃下令派運輸機赴德奧邊境內，搬運一些逃脫虎口的匈人，到美國去作難民，另派副總統尼克遜到奧匈邊境去憑弔一番，表示關切之意。

只看「和平總統」對於這兩項反共運動的領導作風，完全是婦人之仁的表現，連匹夫之勇亦沒有。殆如吾國古代那位「無鼓不陣列」的宋襄公一流的道德先生然，適以誤己誤人而已，健全云乎哉！

生活小品

搬家記

李仲侯

我來這小樓，蝸牛歲月，蟪蛄春秋，不覺一呆就六年。人生這短短的旅程，如果照中國六十才能稱壽的古老話，我幾乎在這裏消磨了十分之一的歲月。這是座鋼筋水泥建築的樓房，外表相當堂皇，天花板和各種雕刻，都是由日本東京運來的，手工均很細緻。不知當日是否由於不善頌禱的緣故，此屋剛落成，屋主經營生意失敗，就易手爲某機關作了單人宿舍。初搬進時，我和十幾位單身漢，團聚這樓上一間大廳下榻，後來橫七豎八隔成爲好幾間房，我亦佔了一小間，不過把原來那種高貴的氣氛完全破壞無餘了。這其間有赴美深造已獲有碩士或學士的；前些日，有一位返國不久會蒙當今元首賜而特蒙召見的。我這同舍生頗感「與有榮焉」。有一二位擁破了飯碗，至今不知流落何方；也有早搬出去成了家的，我偶然在公園散步，就遇着一位同舍郎挽着妻兒，前呼後擁，我問他，已知是兩三個孩子的父親了。

幾年間，這屋四周環境，亦完全改觀，雖正面不遠，原是一座最堅固的建築物，在二次大戰時遭盟機炸成百孔千瘡，房主爲要新起爐灶，單是清除敗垣殘瓦，已整整費去兩年時間，現在眼前已出現一排五幢最現代化的三層大廈，屋的側面，也早被盟機炸成廢墟，初來時。祇見有三四間木屋，外面豎着屠桌，擺着一些豬肉雜貨之類，老板是本地人，爲人倒還慷慨，我常向他賒烟賒酒，從未拒絕過，他突然平地一聲雷，前年他把木屋拆掉，興建起兩幢大門面，都是四層洋樓，我看這屋周遭好像原是些破落戶，近年來相繼改建洋樓，不過都是三層，惟有張三老板是四層，站近我這宿舍外面，原是一片修理汽車場地，近日改建一間大戲院，即將落成，爲趁春節熱鬧，即要上演台灣歌仔戲。環境如斯，我是一個習慣好睡早起的人，實在再也無法呆下去了。

一眨眼間是六年，滄桑變故，實在太多，世界局面也由於新式武器的不斷發明，日本投降時的原子彈，快要推進陳列館。「探險家」也將被送入太空軌道，而我還是在這裏，有點呆不下去。世界的實都已變成這樣，我這小天地，當無怪其然。人生什麼都不怕，惟怕環境迫人，天寒歲暮，征人未歸，與其說搬家，毋寧說是避難來得甘脆。

鸚鵡

稚明

七一八期自由人報，載有南橋先生「談鶴」一文，曾提及克魯泡特金語，謂「鳥類除鸚鵡以外，沒有比鶴更親熱可愛的了。」我當時就有點爲鶴抱不平。今天我翻到朱鑒餘先生的「鸚鵡前頭不敢言。」更覺得鸚鵡是不足道的。

若把鶴比作清高的逸士，則鸚鵡是無恥的小人；逸世之士喜養鶴，貴人紳士喜養鸚鵡；鶴通人性，可以放而養之，過其自由生活，而鸚鵡則鎖在架子上，不能半步放鬆；鶴鳴於九皋，聲聞於天，鸚鵡鳴於脂粉間，聲聞於婦人女子；鶴可以跨而仙遊，蓄鸚鵡則少不了人做「鳥奴」；鶴住竹籬茅舍，而鸚鵡要住高樓大廈；鶴食穀類，鸚鵡要吃牛肉。由此觀之兩者之相差不可以道理計，實無一點可親的地方。

鸚鵡看起來是老實忠厚，尊嚴不可侵犯，有紳士風度，其實是最多嘴的小人，從「鸚鵡前頭不敢言」，知道它是對主人則是有聞必報，對同伴則是若說必傳，無形之中成了同伴的敵對。它長了一張善模仿的嘴，專學說人愛說的話，當然不懂人所說的是什麼意思，祇能人是亦是；人非亦非，更不管是是非非。

教它說早安是一教就會，教它喊祖宗叫爺爺也是忠心的服從，惟其如此，所以貴人紳士們，喜歡養幾隻，鎖在架子上，做點綴品，好多幾張說話的嘴巴，裝腔作勢而已。

守住主人大門的鸚鵡，那就更討厭了。它可以替主人迎客，也可以擋客人的駕。它扮的是眞是假，客人是無權過問的。這完全由它自己之所好惡，除它的主人外，再沒有人知道，它是何種想法。

養鷄可以獲利，養鴿可以傳書，養鸚鵡除了能說恭維話以外，既不會喊捉賊，又不會叫救火，不但無益，有時反而有害的，有這樣的一個故事：

「某巨室，藏有一暖玉琵琶，價值連城，某盜欲竊之，苦不知其藏處，適逢家中宴客，其命其愛妾奏琵琶助興，盜見機可乘，當妾命女婢取琵琶時，乃抱貓至妾所心愛之鸚鵡前，鸚鵡急喊：『貓來咬我。』女婢乃捨琵琶逐貓。盜計遂逞。」這當然闖禍的是鸚鵡，而倒霉的是女婢。

但世人總喜歡鸚鵡，不喜歡鶴，有時吃了它的虧，還覺得它可愛，也許是它善於巧言的原因吧！

開元寺

林瀚年

開元寺畔夕陽紅。欲識金經拜大雄。
寶相莊嚴千佛現。禪機深邃一心空。
新秋瀟洒添清景。修竹琳瑯舞晚風。
今日有緣參古剎。諸天無盡願無窮。

小啓：本版稿擠，戊戌譚往；同情二文暫停一期。謹向讀者作者致歉。

談避諱

尤崇洵

避諱是我國『國粹』的一鱗半爪，當然是『古已有之』、如果依照國策秦策：『罰不諱強大』的諱來解釋，『諱，避也。』那麼『避諱』者，『避避』也。意雖顯明，却頗有點難解。

據說『古之人』有國諱（公諱）、與家諱（私諱）兩種。前者避的是皇帝和孔大聖人的名字；後者避的是老祖宗和德高望重的老前輩的名字。正如公羊傳所說：『春秋爲尊者諱，爲親者諱，爲賢者諱。』以後似乎更進步了，不但名要避，字要避，甚至連有關的字都要避。阿Q先生腦袋上長了癩瘡疤，于是他不許人講『癩』，『光』，『亮』，最後連『燈』，『燭』都在避禁之列。照這樣看來，寫一篇文章，說一句話，實非易事，『爲尊者諱』，『大人物』皆尊；『爲親者諱』，父母大人，甚至本着禮多人不怪的原則連九族親者一齊避。『爲賢者諱』，能傳名的『古之人』大半皆賢。但是如果作文談話，『阿猫』稱『阿狗』，『李四』稱『張三』，勢必答非所問，牛頭不對馬嘴了。所以說到『尊、親、賢』者，大可用手式表達。還有一點，兒子斷不可替老子填上戶籍名册，學生答試隨斷不可寫上正確的『尊、賢』、姓名，否則眞太不懂道理啊。

『春秋爲尊者諱』，而今民主世界。應該百無禁忌了；可是明哲爲了保身，執筆行文，依然是兢兢戰戰！

自由人

THE FREEMAN

（第七三二期）

中華民國僑務委員會頒發登記證台數新字第一零二號

中華郵政台字第五〇〇號執照登記為第一類新聞紙類

（半週刊每星期三、六出版）

每份港幣壹毫

台北市售價台幣壹元

督印人：陳文蔚

地址：香港高士威道二十號四樓

20 CAUSEWAY RD. 3RD. FL. HONG KONG

TEL. 771726

承印者：東南印務出版社

地址：高士打道六十四號

台灣總經理處

台北市西寧南路壹壹壹號二樓

電話：四七三四六

台郵儲金戶九二五二

海外總經銷：友聯書報發行公司

香港：德輔道中二十六號A二樓

大衆希望豈止於「安定」

杜蘅之

農曆除夕，台北中央日報又有一篇耐人玩味的社論，題目是：「爆竹聲中談東方局勢」。上面說：「回顧我們反共抗俄的基地，八年來一直在安定之中，而有些人似乎並不知安定之可貴。實際上，目前台灣省各縣市鄉村與城鎮都是安定的，祇有台北的兩個圈子及其周圍，沾染或充滿着紛爭的氣氛。追溯淵源，不過是兩個觀念，成為一切紛爭的起點。第一是「國會」，第二是「反對黨」。」

這一段話是說：台灣是如此之安定，而「有些人」還不知足，仍在引起「一連串的憲法爭議」，以及「嚮往」於「反對黨」。換句話說，生活既已安定，感恩之不暇，豈可再在「政治圈及其周圍」有所紛爭呢？

可怕的逆流

再加以分析，這篇社論的目的，顯然是反對「憲法爭議」，反對「反對黨」。憲法如無爭議，是死的憲法。惟其憲法須適應社會經濟之情勢而不斷的發展，所以有爭議。反對黨也是民主政治的基本條件，惟其有反對黨，才能充分反映人民的意見。這都是二十世紀的政治常識，本文不願多說。不過這篇社論充滿了厭惡民主政治的氣息，我們在反共抗俄的基地，這實不能不指出，這是一股可怕的逆流。

筆者所感到耐人尋味的，是所說「安定」二字。我們誰都承認，在台灣的生活是相當安定的。第一，這幾年來物價波動甚少，大家對金融的信心很堅定。第二，生活必需品（如衣食二項）都頗爲充足，只要有錢，不愁買不到東西，一切享用也毫無限制，化自己的錢，誰也不會干涉你。這是指生活。精神是不是也一樣安定呢？

這卻是問題了。先說從大陸撤退來台的人。每逢歲暮，大家都說：「明年回大陸了。」在公開的集會場合，也常聽見人說：「明年我們在南京開會了。」從外國朋友嘴裏，最漂亮的是「下次我們在大陸相見。」這些話都已成了口頭禪，說的人卻是台灣人心中最大的願望。有錢的人，積蓄一年一年減少，已不免捉襟見肘之態了。有人對這些人的戲謔是「車子愈坐愈大，房子愈住愈小」（由自備小汽車改搭公共汽車，由大房子搬到小房子），真是够諷刺的。無錢的人，王小二過年，一年不如一年，更無有不希望早日回家鄉的。還有些單身漢，在台灣儘管女孩子不缺少，說起成家卻不是簡單一回事。一個中級公務員半月的薪給，其次，若要請了子，太太的一份薪水，剛好夠一個女僕的開支。這還是夫婦都有工作的情形，若是單身先生一人撐持，從結婚那天起就得借債度日。所以，結婚之夢只好一年拖延一年。剛到台灣只是二十來歲的青年人，如今都已三十而立。男的急，女的更急。大家也只指望有一天能回大陸，有老家，有親結婚成家就容易了。

大衆的希望

台灣本省同胞也希望早日光復大陸。顯而易見的，大陸的人回去之後，這裏的人口壓力可以鬆弛一下，人民的負担也自然減輕。其次，有大陸的市場，台灣的工業才有出路，這也是一般工商業人士都看得到的。

當然，也有極少一部分人，儘管嘴上喊着光復大陸，心裏早已樂不思蜀。這些人之中，第一類是「政客」，他們在大陸是劣跡多端，不容於世，到台灣之後，把過去歷史一筆勾消，而成爲政治上的要人，社會上的領袖。第二類是「奸商」，利用這裏各種特殊的「管制」，抓住機會，一本萬利，而成爲新豪門。第三類是本省少數領袖人物，受政府之籠絡，受洋人之器重，於是一身兼有政治經濟之優勢，其煊赫不下於昔日之四川軍閥，而財富且過之。這三類人都是靠台灣起家的，一旦回到大陸，儘管人傑，而地不靈，一定沒有這麼容易做官，容易搞的錢，所以他們安於這個現狀，而在陽明山新北投那些風景區，都有富麗精巧的別墅。

這些人究竟是少數之少數，而大多數人都是心繫大陸，無日不在指望推翻共產暴政，而回到家園。我們的政府如果只看到那極少數的一羣人，自可說是人心安定，一片昇平。若是看到更廣大的羣衆，就可知僅僅做到生活的安定，是不會滿足國人的願望的。

由此可見政府若以「安定」爲目標，就與國人的願望差得很遠。若以「安定」爲政績之表現，尤可不必。誰都知道，韓戰以前，台灣的人心是多麼浮動，而第七艦隊協助之後，就立刻鎮定了。而每年一億多金元的美援，也是穩定台灣經濟的一大因素。所以，幾年來我們政府軍政各部門的努力固應讚許，也不要漠忽了友邦的好心。

復國之道

總之，大家希望政府能進一步在目前安定的局面裏，謀求反共復國之道。所謂反共復國並不只是軍事反攻而已。而且，在目前，世人都在喊和平，我們獨用武力，也是太冒險的。我們的敵人讚武戚性，尚且知道約束自己，我們當然更不應獨押這一門了。筆者主張從政治上與文化上來打敗中共。怎樣做法呢？

第一，共產黨既是極權者，我們必須一反其道，以號召人心。所以，自由是我們的武器。在事實上，在台灣的人是相當自由。即言論自由一項，雖不能比英美諸國，也仍是相當充分。但是最近有一種怪現象，大家怕講自由。好像講自由，即是反政府，反政府即是叛逆，等於共產黨。而「自由分子」，更成爲危險分子的一個代名詞。同樣地，「民主人士」也成了「唯共產黨」的頭銜。這些人在某些人眼裏，都是敵人。這種看法，實在荒謬之極！在美國，人們最自豪的一句話是：「我是自由人（Free Citizen）。」想不到在台灣，自由一詞如此可怕！這個觀念必須糾正。否則，儘管事實上有自由，我們的自由制度也不會被人相信。所以，我們決不應討厭自由，怕自由，而應爭取自由，愛自由。老百姓應如是，當官的尤應如是。

第二，台灣既是反共抗俄的基地，應該歡迎共產黨以外的一切反共抗俄人士來參加這個陣營。而一切對反共抗俄無興趣，只求到海外去做寓公的大人先生們，也不必勉強把他們留在台灣。這也是說，我們目前管制出入境的辦法，即使不能完全取消，至少應該儘量放寬，而重新制定一套合於民主國家體制的新辦法。

第三，思想不必硬性求其一致。老實說，凡有頭腦的人，在此時此地，誰不知愛國？誰不知支持一個堅強有力的政府？對於外來的報刊，也不必加以限制。我們高喊文化交流，而不准人家的報刊進口，豈不是自己打自己耳光。至於在學校裏設置督導思想的人員與課程，更是儘青年心裏，徒然把事情弄糟。

總結一句話，今日台灣必須闡揚自由，僅僅求安定，求小康的局面是不够的。我們必須以自由的光芒把這裏造成爲一座燈塔，照耀大陸的同胞及海外的僑胞，只要人心歸向這裏，共產黨的崩潰是必然的！

半週述評

我看「行政革命」問題

報載：自由中國政府正從事於改革行政機構的新措施，特設委員會遴派「專家」，主理其役，且聲明要以英國的行政制度爲圭臬，以期確立行政效率，達到「新、速、實、簡」的境界。這是一樁大事，老調重彈，這次重提，似乎頗有改進政務的決心，我們不妨略抒所見，妄參末議焉。

美國的制度未必都好？

改革政制應該參考別國行之有效的成規，這是對的，但若一定要取法乎美國，就值得研究。美國的工業技術和民主生活方式皆可以學習模倣，唯有機關管理之類的法制，殊未見其足資取鑑。試看最近關於人造衛星發展工作，因陸海空三軍各自爲政，不相協調，以致陷於落後狀態的經過事實，即思過半矣。至於各機關平日在人力財力方面的浪費情形，國會議員們隨時皆有指摘揭發，尤爲普遍現象。

這也難怪，美國的行政史迹，原有所謂「分贓制」（Spoil System）曾經成爲公開的法制，這種傳統精神，至今多少尚潛存未遞，只以美國富強甲於全球，故不感覺其弊害的嚴重性罷了。我國行政機構已够龐雜繁複，人力財力之浪費程度亦有可觀者，如其再把別人的糟粕販運而移植之，精華卻無所見，吾爲此懼！

徒法不足以自行

縱有良法美制，如果不切實推行，亦是具文而已。譬如我們現行劃分「政務」與「常務」的制規，原是仿效英國的。在英國行政機關的事務官都是由考選而來，決不隨政務官爲進退的。我國只是徒具形式，毫無實際功用。我國各行政部門的常務次長，有誰不是由政務官夾袋中掏出來的？一朝天子一朝臣，誰能不隨着政務官而進退呢？其他的事務人員，又有幾個是從考試選拔而來者？卅年來的事實俱在，大家皆能知之，能言之，毛病就在有法制而不重視實行耳。

機關重疊繁複，職權混淆不清，固不足以講求行政效率，而人事制度不樹立，或者訂有人事法規而不遵守，用人毫無標準，完全基於天下爲私的心情，所謂「人事關係」之說，竟視爲朋比徇私，排除異己的正當口實，恬不爲怪。再加以監督設計機關，胡亂干涉執行機關的日常業務，有權有勢的高官大吏，每憑個人的好惡以論事論人，而不知法制與政理爲何物？這些妨害行政效率的因素不革除，雖將世界各先進國家的優良制度一概搬來，構成洋洋大觀的法治體系，還不是白紙黑字的玩藝？

改革政務的方案，誰也能夠鈔寫一套，用不着甚末「專家」的，問題是像煞有介事地搞出了改革方案以後，是否鄭重實行呢？

•雷嘯岑•

論「泱泱風度」

——從今天的中日邦交談起

•雅斯•

正當中日兩政府「一九五八年度貿易計劃會議」在台北開幕前後，一個日本「准官方」的所謂民間的貿易代表團與中共在北平簽訂了一項爲期一年的「貿易協定」。這是中日邦交的一個諷刺，也是日本兩面政策的具體表現，這更是我國對日外交值得重新檢討的一件事！

這類事情如果在李承晚執政下的南韓，我想是不會有的。換句話說，如果日本與北韓在打什麼交道，南韓是決不會再與日本談什麼的。這並不說人家比我們高明，而是談及所謂「泱泱風度」的適應性問題。韓國始終不忘記歷史仇恨，往往對日採取不合作態度，而日本反而要向韓國拉交情；我國政府一開始就宣佈把日本欠我們的血帳一筆勾銷，對日始終採取友好態度，但這泱泱風度換來的卻是若即若離的邦交。

若說日韓世仇深，那麼，日本所欠中國人的血債並不少，連中共也不願說過一句「算了」的話，假如我們有個真能代表民意的議會，我想這血債不是那麼容易就一筆勾銷的，至少不會連負責的大戰犯也爲了「政治目的」而釋放的。我們並不是說對日不該寬大，也並非不知「大敵當前」，今非昔比，但不禁要問：我們血債的代價在那裏？

所謂爲了政治目的，今天所能見到的，恐怕就是日本承認台灣政府而不承認北平政權吧，我以爲這說是日本的兩面外交仍然離不了華盛頓的外交路綫底連帶結果也未嘗不可，而且從中國人看來，血債換得的是這樣曖昧的邦交，不能說是一種「成就」吧！

所以從歷史看中日今天的邦交，是會使得一個愛國的中國人都忍不住要氣憤的，儘管政府要表現的是「泱泱風度」化「戾氣爲吉祥」，但如果日本政府在外交上不隨時反省這段血腥的歷史而把中國人都視作阿Q「殺了就算」，並且在自由中國危難的時候不思有所補償之道，則今後的中日關係前途（當然包括整個中國人民的情感關係）是不可以樂觀的。

因此自然的想到一個弱國外交問題，今日自由中國已非「萬國來賓」的時代了，還是應處處表示泱泱風度，拱揖謙讓呢？還是應如李承晚那麼大刀闊斧硬派作風呢？倒是值得考慮！

顯然在今天的局勢，尤其在共產集團的冷戰已指向亞洲，日本的地位更顯重要。自由世界自然是希望日本站穩立場，不過從年來日本朝野大多數的言行看來，覺得日本似乎有一種幻想，要從世局的矛盾夾縫中恢復過去的聲威，其外交基調，顯然純以自我的利害爲依歸，因此我們徒然標榜泱泱風度還不够，還要使友邦看得起我們。彼此的合作是要基于有合作必要的感覺與形勢，而不能由于我們單方的乞憐；否則就不能發生合作的真實效果。

「政治台灣，經濟北平」原是日本負責當局公開說過的，姑不論這口號本身的矛盾性如何，這是一個騎牆的口號，而今天日本同時與台灣及北平談生意，自然是一項騎牆的行爲，雖然岸信介會表示「與北平談判的中日貿易協定與日本政府無關，如何履行約中條款，應由簽訂者負責」，但這個解釋非常勉強。這種掩耳盜鈴的玩弄手法，絕不能掩蓋北平的「中日貿易協定」是捨名取實的「准官方」的行爲。

這種行爲，不僅是生意經，實際上除了一年內三千五百萬鎊生意經外，必然還有進一步的政治作用，可能轉到日本承認中共政權的問題上去，例如貿易協定就規定「商務代表機構有權在其建築物懸掛本國國旗」，就是一個表現這傾向的例子。

日本的政治家們似乎祇想做第二次大戰失敗後日本復興的民族英雄，忘記了他們在今天反暴的行動中，應該對世界負有一項重要義務；而且忽視了要做成民族英雄，非能祇用取巧的兩面手法所能獲致的。同時日本取巧的做法，不但是對我國外交的輕視，亦爲對中國血債的千萬債權人的一種侮辱。但我們還不見當局有甚麼嚴重的表示，說到外交發言人有氣無力的外交詞令，祇覺得一點也不够勁。

亞洲局勢從此可能展開，直接涉及我國的問題正多，我們很懷疑我們自我陶醉的大國「泱泱風度」作風能够應付愈來愈險惡的局勢！我們應不應，能不能有一項進取性的革命外交作風呢？

蘋果·外匯·黨費

「青年黨籍立法委員李公權，於本月七日在立院就市面蘋果泛濫，對行政院提詢質，他說：聞某政黨用蘋果外滙籌措黨費，請問有無其事。……」（見三月十日香港工商日報台北通訊）

三月一日出版的十八卷五期自由中國雜誌的社論，也是談蘋果與外滙管制的弊端的。道出了蘋果與特種外滙及國民黨黨費三者之間的關聯性。並舉出具體的數字，以說明，不僅「中財會卻可以從中賺取差額約二千萬元台幣之譜，（按：據該什誌載，去年間約進口三十萬箱）而中間人的不當利益，至少也在四五百萬元以上。」

關於台灣街頭滿街蘋果的事，早在年前，即已有所聞了，但是生活在海外的人，總以爲這算不了什麼，那一個國家不吃輸入的水果呢？若照財長徐柏園氏之表示，台灣的水果年輸出也不在少數。則不過是一種普通的商業行爲的結果。現在謎底揭開，竟有如此複雜的內容，誠是駭人聽聞的。

用特種關係，享受特種權利，輸入蘋果以從大多數的老百姓身上籌措黨費，較之從政府預算中開支，自是高明些，但這畢竟是不能爲大多數人接受諒解的辦法。更何況差額不過二千萬元台幣而中間人的不當利得卻在四五百萬元以上呢？

如果說，自由中國雜誌所舉的例證是確實的，我們誠想不通，一個政黨竟能以其名譽授予中間利得者用作謀利，無視輕重利害，寧非怪事！其原始核准蘋果進口案者，未悉曾否爲國家利益或他的黨的利益細細考慮過？豈能以一切都符合法定程序按照規定核准而推卸責任。

在基本上，沒有人能反對吃蘋果的人，但應該考慮的是台灣需要甚於蘋果者，尚多。何獨竟特准蘋果大量進口，生意眼太足了！若正如徐柏園氏所說，其中部份是根據中韓貿易易貨而輸入的，則自不會產生非議，否則主其事者，似難辭咎。

外滙管制是否合理的問題，各方曾有很多具體的意見提出，即在本報發表之有份量的專著也極多，何以始終未見主管當局謀取改進。就蘋果進口泛濫台灣街頭一事言，則管理外滙之辦法，實已不容再不加修正了。豈能長久以法令來保障那些不當得利者享受特權！（暉）

再談平劇遠征國外問題

——並答陳肇興先生——

萬香堂

台灣通訊

七萬元美金按時價應約爲二百七十萬
歐洲觀衆廿餘萬售票所值應極爲可觀

在本報拜讀了陳肇興先生「關於國劇出國之行」的長信，內容甚佳，也等于一篇「報導文章」了。讀完之後，非常愉快，使我更了解該劇團的奮鬥情況，而事實上拙作早已表示乃「壯舉」。不過爲了這是國家文化的活動，所以不免說了幾句話，但絕非先存成見的。

筆者首先聲明，在「自由中國」發表文章的牧人先生乃另外一人，牧人先生的大作至今尚未過目，拙作所參考的西班牙資料乃從台北聯合報的「藝文天地」的航訊，因我認爲其所報導極爲詳盡而平允、至於陳先生所謂「傳誤」之兩點，一爲「國劇團」而誤爲「大鵬劇團」，二爲七萬美元之伸算僅爲一百七十餘萬元，而非二百七十萬元。關於此，筆者雅不願多費筆墨辯白，何況「中華民國國劇演出團」名義的確用得很對的，不過「實在名歸」，請不要忘記該劇團出國之前幾天，台北某大報新聞版也有「大鵬遠征」的大標題。另外關於七萬元美金的伸算，在筆者前文脫稿時的價乃三八至四〇之間，平心講並未算錯，其應致歉者僅未照公價算而已！

拙作問題之重點第一以爲劇團演出生意不佳，以至大爲虧累，今經陳先生證明「我們去了七個國家，在十四個城市裏演出了一百廿四場，買票來看的觀衆不下二十五萬人」，即與本人之估計大爲不同，而照此二十五萬張的票價來算實在大爲可觀，歐洲歌劇院的票價我不知道，若干年前筆者旅美的時候，歌劇院的票價高到嚇死人，歐洲票價的情況也許稍低，假定我們國劇團每票能折分到美金二元，總數也有美金五十萬元至少開支也可以對付得過去的。至陳先生說「不錯，政府補貼國劇團的數目在七萬美元左右」據我所知道的，此語略有出入，政府當局劇團出發時，僅補貼美元一萬五千元，另借與劇團美元二萬元，後劇團歸國無川資再來電催滙三萬美元，自乃入於借支之列，前後借與劇團之數乃美元五萬元。故究竟是借款抑或補貼是政府方面的問題，姑且不論。

拙作曾經强調「如果眞的有效地爲反共宣傳，或是爲了宣揚中國文化，足以使世界對中國刮眼相看者，也就無所謂了，這二百七十餘萬的巨款也用得其所的」，淺見至爲明顯，對於效果問題乃應討論的中心問題，但可惜陳先生把問題外的光榮（如劇團之被招待，英國人致敬中國國旗等）作爲劇團的效果，以至無從對平劇在國外演出作更深的認識。前閱西班牙航訊專稿，已證明外國人「不容易摸到中國戲劇邊緣」，平劇本身在外國活動之宣傳效果遂發生了問題，所以政府派遣文化隊到外國時應善爲選擇，不要以爲共匪派什麼，我們也派什麼，我們應該自有一套打算！

最後，這次旅行了三萬公里的大鵬藝人，尤其那幾個看慣的好角色，能夠表現「全體團員都能瞭解國家的困難，一切自己動手，戲裝的縫補洗滌不必說，每次換個城市演出，幾十箱行頭道具大家合力綑紮搬運」的精神，我還是表示欽佩的！（二月廿七寄）

人口、就業困擾台灣

小雲

台灣通訊

台灣現有人口約一千萬，由於自然繁殖，其生殖率尚無準確的調查與統計，雖然政府訂定的第二期經建計劃，（起自四十六年迄至四十九年）假定以年增人口百分之三爲比例，但一般專家認爲，以亞熱帶的氣候與環境，加上一批批大陸義胞和海外僑胞的紛紛湧來，其數量比例當不止此。

建設東台灣

人口與就業是當前台灣的兩大問題，本來，人口的增加如能作有計劃的調度，配合土地的利用，創造更多的就業機會，不唯不足憂，抑可增加財富開拓稅源，然言之匪艱行之維艱，問題擺在前面，不能解決也要解決，因此，台省主席周至柔，喊出了「建設東台灣」的口號，頗引起重視。

人口與食糧

與人口有不可分關係的是食糧，食糧在台灣本爲不成問題的問題，尤其是在實施了「耕者有其田」政策之後，農作物收穫不但已打破了日據時代的最高紀錄，且自給有餘並爲主要的爭取外滙輸出品，不過，維持好景，不容自滿，儘管全省糧食會議，已將本年度的糧食增產量增加到一百九十萬公噸，保證超額，不許減少，可是，糧食增產是多面性的，增加單位產量，改善生產因素（包括開發農田水利，充份供應肥料，防治各種蟲害，以及灌輸新的耕作技術等。）……均需多方顧及，台灣平原可耕地，連年經政府不斷輔助開發，已達飽和，今後耕地開闢的對象已轉向山地。根據專家調查，台灣値得開發利用的土地，約在五十萬公頃左右，其中除作爲造林畜牧用途外，可供開闢梯田的亦不少。另海埔新生地的開發，亦不容緩，對此類土地的利用，政府應統籌計劃，獎勵開墾，以解決人口問題並增加耕作面積。對於上述，政府已做和待做的本不爲少，問題在對於提高農民增產興趣，輔導人民歸農，減少糧食災害等（虫、鼠、雀、蠶蝕等數字可觀）尚不夠理想，有待更進一步的努力。

就業問題

次言就業問題，這一問題嚴重於人口，雖然有關單位對此已分別謀求局部解決，如退除役官兵的就業，有退除役官兵就業輔導會專司其事；大陸來台義胞的就業，由大陸災胞救濟總會負其責，海外僑胞歸國，例由僑委會予以安頓，而大專高職畢業生的就業，省府均年辦就業考試統籌分發，……乍看似已各得其所，人盡其才，若稍作深入觀察，則目下的所謂就業，大多屬臨時性的救濟措施，或行政上的額外安置，在國民經濟上仍然是生產者少而消費者多，在就業心理上亦浮動不安，以之供求失調，人浮於事，形成大量的浮動人口，並爲社會安全投下了陰影！

在政府方面說，每年爲國民就業問題所化的一筆救濟的錢，已爲數甚大，但未能以其就業增加國民所得，有助於國家財政，相反，已變成國家財政上的一個大包袱，長此以往，後果堪憂，而且，這筆錢不單是出諸國庫，且大部份是外援，倘外援一旦斷絕，眞令人不堪設想！

花蓮港更重要

這裏，再回談到開發東台灣問題上，此間輿論界認爲，政府在開發的步驟及其着眼點上，不無仍有待商榷，因爲，東西台灣的溝通，對於東台灣的開發，貢獻固大，據政府當局表示，中部橫貫公路已完工，即將於南部另闢一橫貫公路，在經濟開發外，復具有消化退除役士兵勞動力的意義，不能純作經濟上的估價。但就目前東台灣的迫切需要言，擴建花蓮港，使成爲國際港口，以吞吐東台灣進出口物資，似較增闢南部橫貫公路更有經濟價值。且以東台灣的地理條件來說，農業增產的可能性是有其一定限度的，如着重工、礦、林業，而此種種所需要的交通運輸，一個國際港口較諸一條公路實更關重要，即單就退除役士兵而言，築路工程固有收入，但究不若能有定居之所，能有獨立經營的事業，使能安居樂業，而免於生活的流動與心理的浮動要好得多了（三月一日寄）

菲國會激辯菲化案

廿件菲化案均不利華僑
四屆國會開幕後見端倪

諸葛明

海外通訊

（馬尼剌航訊）菲律賓第四屆國會開幕後，所接到的「菲化案」數達二十件之多，其中包括了米業、學校、教師、醫生以及突出的「番仔婆」菲化案，無一不是針對華僑，設計迫害者。

令人驚異的現象

令人驚異的，殊無過於菲律賓全國的經濟危機，竟然不加重視，政府財政支絀，市上糧食和一切日用必需品奇缺，物價一天數漲，特別是國營販賣公司，不僅無法抑平物價，反而領導漲價，所屬十二間國營代理販賣商，操縱商品從事黑市買賣，且在暗中吸收走私進口物資，搖身一變而成爲中共的代理商，他們所持的理由是：「總公司停止供貨，我們不能因噎廢食。」這種混亂的情況，是不是藉「菲化」可以解決呢？

「商業菲化」的惡果

事實上今天菲律賓的經濟危機，導源於「商業菲化」，外資不敢投注，再加上國營販賣公司經營不善，促成了菲律賓社會一片烏烟瘴氣，人心還是浮動，要不是人爲的狂瀾作祟，不致於出現這種世紀末的風氣。儘管有人高呼「切勿墮入共黨詭計」，一般輿情卻甚少注意；而當地報紙每天所刊布駭人聽聞的消息，不是搶劫，搜查華僑住宅事件，即係槍擊華僑血案。這種仇外的手段，菲律賓政府所給予我駐菲大使的答覆，不是推說不知，至多表示遺憾、懲辦肇事人員。我國政府和僑胞所持的隱忍態度，原期菲方在兩國友好基礎上獲得更大的諒解，絕非容忍彼邦無知國民肆意迫害。

可担心的「教育菲化」

因此，在國會辯論中，兩院議長均能從大處着眼，小處設慮，將大部分菲化案擱置，僅考慮米業、學校、教員以及「番仔婆」菲化案；「米業菲化」在加西亞總統反對下，未必可以通過。華僑們所担心者，厥爲教育菲化，一經成爲法律，則學校各部門主任及教授社會科學、歷史、文化的教員，勢將被迫失業。這個提案係由參議員林羅西洛提出，他要求政府採取學校「親菲政策」的基本理由，力言外僑教師中可能有共黨分子在內，「假如讓他們教授社會科目，對菲律賓的危險性很大；必須土生的菲律賓公民才能稱職。」卻不知道這種偏頗的「恐共病」將使成千華僑失業；而土生菲律賓公民之中，未必就沒有共黨分子。如所周知，菲律賓國會設有「非菲活動委員會」，取締共黨早已完成法案，華僑教員中如有共黨分子混入，儘管可以運用反共條例取締，不應藉口「可能有共黨分子」，將全部非菲籍華僑教員排除。

所謂「番仔婆」菲化案

另一個「番仔婆」菲化案，係由新任國民黨衆議員李敖提出，他的理由是「菲律賓女人天生好客，外僑藉此大佔便宜。」因此，他要求政府禁止任何外僑跟菲女姘居；如有違犯這一條例，將被立即遣配出境，不必經過「遣委員」審訊。經過冗長激辯之後，已修正爲「凡與菲女正式結婚的外僑，可受豁免番仔婆菲化律，不算犯法。」這種純出自私偏激的法案，在一般外僑看來，這位議員以菲女賣笑、解決生活以及生理上滿足，解作「天生好客」，反責外僑「大佔便宜」，卻不知道眞正受惠的「番仔婆」，於獲悉國會將通過此項法律時，廣泛他在暗中飲泣。（三月一日寄自馬尼剌）

聶世民自白書的反作用

共諜聶世民，以反正義士姿態，進入台灣，終於招認自白，使海外僑胞一則以喜一則以憫。喜的是聶世民終於坦白招認是潛入作地工的，幸未能任其在台灣作惡，憫的是以各種方式潛入台灣的，想當然自不止聶世民一個。

照聶世民所供，共黨是命其僞裝滲透內部，打擊士氣，……等。同時，要他利用自由中國民主趨勢進行活動的。因此，有人認爲，民主對於共黨是有利的，因爲共產黨所要利用的就是民主。

民主對台灣的安全，竟有如此之不平常的反作用，於是也就有人認爲，民主畢竟是要不得了。

如果這種錯覺能夠神經質似地擴展下去，我認爲其危險性，亦適足以幫助共黨之動搖人心。

主張民主的人，並不主張放棄反共；要澈底促成政治之民主化，目的就是在加强反共。

反之就世界思潮趨勢看，反共而如不採取民主政治，才正是徘徊於民主或非民主之間，非的狀態，才是最適宜於共黨滲透的，就像印尼蘇加諾採行的似民非民似獨裁非獨裁的「指導民主」即爲最鮮明事例。

民主，不等於無政府狀態，相反的乃是需求一切合理化，更法理化，也即是說民主政治是以法治爲基礎的，不能用無政府觀點來對待民主政治，用特權來反共。

有鑑於聶世民的自白，已引起了一些不必要的驚悸，甚至還有人在利用聶世民的自白和這種情況，持作否定民主政治的藉口，作別有用心的發揮，不能不認爲是憾事。

如果聶世民的自白，竟能產生對民主的否定影響力，那末無形中聶世民還是達到了他破壞自由中國的作用，或者，比他做地工的影響還要更大呢！（華）

英國的飛彈

·風行譯·

到了本年尾，英國東岸便可陳列着中程彈道飛彈。此種飛彈能載運核子彈頭，大約飛到一千五百哩的目標——負有對付蘇聯飛彈威脅的使命。

此種飛彈係屬美國『雷神式』液體燃料火箭，不是隨時可以放射，一旦奉命發射，必須經過大約一小時的準備，添上燃料工作，然後可以射出。

此種基地是「軟性的」

戰略家稱英國此種基地是『軟性的』，換一句話來說，他們是極易受攻擊的，因爲發射的裝置，是在地面上。

此等基地，係依照北大西洋公約組織國家的阻嚇政策而設。但蘇聯亦有相類的政策。蘇聯已堆存許多的T2式飛彈，在功能上而言，它們是等於『雷神式』飛彈。其中有許多設立放射基地在捷克和東德，它們的射程可達西歐各地。

對蘇聯而言

同時蘇聯已製造『彗星』式飛彈，是供潛艇發射的。一條六十呎長的飛彈，突然間從海洋下飛出，這種驚人事，是否眞正可能，現在還未確知。蘇聯的五百艘潛艇當中，有若干艘具備了此種飛彈，尚未可知。但英國基地的『軟性』，是與日俱增的。

對美國而言

西方國家的地位是易受攻擊的。在火箭術上，美國現在是相當落後，可能尚須經過若干年。中程飛彈的積存並不甚多。現在美國長程飛彈計劃，正被急起推行。可是『擎天神』洲際飛彈雖然開始生產，但全射程的試驗還未成功。可從潛艇發射的固體燃料火箭『北極星』，現在還未達到實用階段。英國的專家說：甚至從陸上基地發射，也需兩年才完全成功。目前美國尚不易向蘇聯發射一個大的彈道飛彈。未有此種飛彈裝備在潛艇。

英國領土設少數的中程飛彈，亦要相當大的開支。蘇聯的洲際彈道飛彈需三十分鐘可經過五千哩，但英國基地的飛彈裝上氧，也要那麼多的時間。

從最壞的打算

從最壞的打算。譬如說在技術上而言，雷神式不能從地穴中射出，因此對方的飛彈一旦射來，雖不甚近雷神飛彈，也難以報復反擊。

最近在美國有人議需『飛彈狂』。可以的，是一開始便發展如此大耗費和笨大的武器。擎天神式飛彈，每個需款七十五萬鎊，還未計及核子彈頭。可異的，是現在燃料的趨勢，是常備固體燃料，但液體燃料火箭尚在發展中。

一般人感覺

一般人感覺飛彈基地必須要「硬性的」（在地下），和不易受毀的。假如很易失去效能，便減少阻嚇的價值。現在美國建造的洲際彈道飛彈，還是地面上暴露的。

英之中距彈道飛彈

講到英國，除了同意設四個飛彈基地外，政府還是看重中距彈道飛彈。上星期發表的國防白皮書，透露英國忙於發展自己的，飛彈現在仍在製造中，甚至一切試驗都很成功，但還要經相當時間，方可實用。

應用上有四種困難

這種飛彈還未有名字。但還是用液體燃料，而有下列四種困難：（一）未能隨時可立即發射。（二）附近要有大規模燃料供給設備。（三）假如燃料儲存在飛彈內太久，會因腐蝕而影響活塞，使有危險。液氧如要維持液體狀態，是要在攝氏零下一百八十三度的。（四）整個組織機動性不足。

本來在V2式飛彈，大部份的困難已解決。人還以爲固體燃料困難多，不必考慮，但現在英國還固執着舊式的液體燃料。英國國防白皮書中稱：英國的中程彈道飛彈，在能力上，比美國的較優，而且準確性也較優。能從地下發射，當然是較實用的武器。

有地下發射的裝備

論到目前的美國的中程飛彈，他們在初期發射的打算。但英國目前還有此準備，其基地不能動，但是「硬性的」，一切孔洞[illegible]。在目前看來，英國的中程彈道飛彈較優，也不會維持太久。

還未能迎擊彈道飛彈

在此次英國國防白皮書中，未提及地面射擊目標的飛彈。此才可抗拒彈道飛彈的攻擊。顯然的，英國防禦係側重於報復性的攻擊。現在雖有從地面或從飛機去迎擊敵機，但還未有迎擊敵人射來的飛彈；不是絕對不可能的事。縱使一個洲際飛彈達到七百哩的高度，速度每小時一萬五千哩，也可以將它阻止的，只要必需的金錢和時間去研究。因爲飛彈達到其目標愈快，則其路綫愈易爲人所預測得準。

「報復的」而非「防禦的」

但現在英國政府，大部份倚賴「報復的」國防，而非「防禦的」。在此飛彈時代，雙方都堅稱他們不首先按紐發射飛彈，但雙方都準備最多的殺人按紐。

到了相當的時期，雙方的飛彈都出奇鬥勝，當然也有人製造出反彈道飛彈的武器。世上無百分之百有效的防禦網。但良好的反飛彈計劃，當能大減敵人之潛能。英國生產能力不大，不能與蘇聯和美國競作大量生產與存貯飛彈。但英國可在發展新防衛方法與武器上大展身手。

英重視阻止蘇聯飛彈

當美國人還互相指責，說既發展『雷神式』火箭，不應發展相類似的『上神式』火箭之時，英國又優先發展中程彈道飛彈存貯。英國對西方的貢獻不大，然而英國正在提倡發展足以使目前蘇聯飛彈至無效用的飛彈。（譯自二月二十五日『英國每日電訊報』）

竹幕幽秘

加速改造的目的

據說，大陸的「民主黨派」已展開整風，加速自我改造了。

這些所謂「民主黨派」，自一九五六年上半年「社會主義改造」宣告基本完成以來，其經濟方面的基礎已經連根拔起，一乾二淨了；若說「民主黨派」還有基礎，那末，他們是建築在知識的財富之上的。這也是中共對于這些「民主黨派」還讓他們存在，還要喊統一戰綫的基本原因。

現在，要他們加速改造，無疑，是爲着要求這些「民主黨派」的成員儘快地，不遺餘力地貢獻他們自己的知識，爲共產政權而服務。

被排斥於工農之外

按照中共的發展情況來說，一大部份的知識份子是資產階級出身的，因此，鄧小平把這些知識份子列入資產階級，現在又要求他們改造，這種說法表面上看來，是與共產理論符合的。

大陸上的知識份子問題

但是，知識份子的問題，不僅在中共內顯得相當嚴重，就是革命已經四十年的蘇聯，也不例外。去年十月革命四十周年的慶典中，就把知識份子列于工人、農民以外，這是以往各年所沒有的，是個不能忽視的問題。

蘇聯革命已經四十年，現在的知識份子絕大部份是由工農出身的，經過共產主義思想指導的教育下培養出來的，照理他們應該成爲工、農階級的知識份子，現在的情況並不如此，知識份子還是不能融和于工農兩個階級之中。這種情況，難道也能像中共一般，把知識份子推到資產階級方面了事嗎？

根據共黨理論來分析，知識份子不是一個階級，而現在蘇聯把它列于工農兩個階級以外的一種人，算是什麼呢？這似乎說明，馬克思的階級理論已經被蘇聯的知識份子分列于工農兩階級以外的事實所模糊，也可以說被否定了。

與共黨的基本分歧

上述事實，表明了：

一、根據共產黨理論，假爲知識份子具有兩面性，即：有其服膺于共產主義的一面，亦有其反對共產主義的一面；據此，而來看蘇聯的由工農出身的知識份子，似乎存在着這樣的事實：工人、農民一旦變爲知識份子之後，其對于共產主義就並不死心塌地的，而是具有兩面性了。[illegible]與共產政權的[illegible]民不獲知識。

二、顯而易見，共產主義與知識份子有着基本的分歧，不管這種知識份子是出身于資產階級的，或者是出身于工、農階級的；不管他們受的是資產階級教育，或者是共產主義教育。

那末，所謂培養或改造成爲「紅色知識份子」的說法，根本是自欺欺人的說法。中共的要求「民主黨派」改造，無非是要他們變成一個慣于說假話，騙自己，騙別人，成爲僞善的裝假者而已。話雖如此，毛澤東等，對此也未嘗不知，但爲形勢所限，不得不這樣的做，用以來鞏固其獨裁政權耳。

·田心·

本報專稿

動盪中的印尼（五）

·駱英·

民族協商大會閉幕後，全國均慶結果圓滿。全國人民的緊張情緒，已爲之一鬆。但大會所達成者爲原則，對決案的實施工作，尚待耐心將事。會議剛結束，哈達博士於十九日赴中國大陸訪問，隨後轉赴日本，至十一月一日始返國。迄去年底，有關軍事問題，恢復二位一體問題，均未有成功的表現。

而且，在十月裏，具有共產形態乘危而爬的武裝政變在蘇東地區發生，國會議員稱爲「茉莉芬第二」事件。事情的經過是這樣：蘇東棉蘭近先達地區，原有鄉村自衛團的組織，團員約有六千人，備有相當的武裝。一九四八年印共茉莉芬事變領導人之一，滲透在該鄉衛團中，擾獲領導權。十月七日數百人襲擊先達國軍，未逞。十七日截斷棉蘭與先達電話綫等連絡，準備攻取第一軍區司令部，亦未逞。十九日擬在冷葛地區採取大攻勢以消滅國軍較小兵哨，國軍有準備而未果。及後陸軍總部調兵鎮壓，並令鄉衛團繳械。結果鄉衛團大部已遵令繳械投誠，惟事件尚未全部解決。

關於大協商議題中的民政問題，於十一月廿五日再召開「民族建設協商會議」，以求進一步的解決。其成員與九月間的協商大會略同，但不及上次大會的引人重視。

（八）黑色的週末

椰城爲印尼首都，許多有關政局的動作，都要在那裏發生。治安當局曾極力加強措施，不斷的清鄉或至逐戶搜查，但許多意外的事，仍然會不斷的發生。一般的偷竊搶殺案件，固然不勝枚舉，但不含政治意味，無關宏旨。可是去年椰城的手榴彈事件，卻特別多而且兇險。七月三日晚間，印尼共產黨總部及印共領導下的勞工總部（索須）被投手榴彈，頗有損失。七月三十日有五處官員住宅及機關被投彈，八月四日第三次發生，八月十五日印共總部再次被投彈。這些事件，似乎只是一種威脅性的行動，造成各該有關人士的傷亡。據有關當局的報告，說這些事件是「魯比斯上校的計劃」。

十一月三十日星期六晚上，在首都芝敬尼街國民學校前面，發生一幕謀殺國家元首蘇加諾總統的大手榴彈案，震驚世界。那天晚上，芝敬尼國民學校舉行創校十五週年，蘇加諾總統被邀參加晚會，將近九時，總統及公子由衛隊護送下離場。將要上汽車時，距離．公尺處，忽有手榴彈爆炸，衛隊急拉倒總統伏地而走，隨即第三顆手榴彈在座車前頭爆炸，總統被衛隊護送至對街的一座民房暗處躲避，吉人天相，總統脫險。當總統避走時，在汽車附近，復有第四、五、六顆手榴彈爆炸。總統當時如不是越過對街，而是回頭退入國民學校躲避的話，可能是更險的。炸案發生後，總統座車被毀，衛隊傷亡多人，總統及男女公子則安然無恙，但是幸事。但當時被炸死者七人（後來增至九人），受輕重傷者一百四十餘人，案情的嚴重可知矣。（未完）

國際動態拾零

△美國最近情報，謂蘇聯在此數年內，將採甜言政策，以免刺激美國，使作更大國防之努力，克姆林宮領袖，本不願放棄冷戰策略，但其軍力不夠作全球性戰爭，且即于局部戰爭亦難應付，此外之理由，即爲國內之不以改主償軍，與衛星國之不服從。

△波蘭外長提出中歐非原子區計劃，托波蘭一位主教帶至羅馬，要求教皇予以支持。但教皇對此尚未有批評。

△敍利亞的合併于埃及，成爲聯邦後，傾向領袖，任參謀總長之別利，漸失人望。原來支持他的人，多離開他，連其兄弟都不與合作。

△英國國防的新面貌，足以阻止歐洲的有限度戰爭，並可對蘇聯的火箭攻擊，施行報復。美國已有四火箭站，設在英國，英國自己將于一九六二年，具備二千五百英里火箭。四火箭站之經費，爲二千八百萬美元，每站有軍士五百人，英美各半。其火箭價值，每個爲一百萬美元，而輕氣彈頭尚不計算在內。

△人造衛星重入大氣問題，現已爲美航空委員會加州實驗言所解決。其法藉降落傘之助，使人造衛星之下降速度趨慢。一年以內，並將解決生物進入太空，而能生存的問題。

△人造衛星之放射站，將搬至夏威夷，俾可經過北極，得以對蘇聯偵察。

△海軍研究一種烟幕，以避人造衛期之探測，可以任意將船隻擴大或縮小，俾不易中其目標，又利用保護色，使船隻與海水完全相混，而不易測出。

陶然

新書簡介

李模生著——「我可佩的華僑朋友」

這是一本人物分析，和人物描寫的著作。著者李模生先生。他近幾年代表僑務委員會，曾到海外許多地方訪問，和各地的僑胞接觸甚多。這本書便是他把他接觸過的若干人物的印象紀錄下來的文字。

他說他所寫的人物，不問其人過去或將來如何，只是重視此時此地如何。不問人家的生活如何，只要其人在反共救國的工作上夠積極。

他又說，「共國匡復，應當善用鼓勵方式，使人人樂於自奮。」

所以這本書是政治性的，不是科學性的。不過文筆靈活而有風趣，描寫性格，和鈎劃形態，都有其獨特的本事，文字價值也有其不可忽視的地方。

全書共四十二篇，筆下的人物約五六十人，欲了解海外僑胞在文教及工商事業，以至政治活動情形的，不可不讀。台灣正中書局出版，二八四面，約十萬字，本年一月初版，每册定價一元一角。

陳紀瀅著——「賈雲兒前傳」

「賈雲兒前傳」是名小說家陳紀瀅先生的一本新著。敘述西安事變以後，直至今日，二十多年來的社會變遷，以及這個世紀世風日下的社會，與愈來愈險惡的人心。此書的體裁與作者其他兩本有名的作品「荻村傳」和「赤地」是相同的。但此書的中心思想與前兩書迥不相同。前兩書只是提出問題，而本書則是兼有答案的。

全書近三百面，約十萬言，共十八章，台灣重光文藝出版社出版，每册定價台幣十五元。四十六年十二月初版。

·文華·

自由談

咎由自取

馬五先生

巴基斯坦總理努恩譁言：「如果美國停止軍事援助巴基斯坦，巴國即將退出巴格達公約和東南亞公約，轉而擁護共產主義。」他並且强調指出世人認爲回教徒不能與共產主義合流之說，乃是一種錯誤觀念云。以一個獨立國家的內閣總理，而有此天眞得十分可愛的言論風采，眞是歎觀止矣！

在這位努恩先生的觀念中共產與否的政治生活，是毫無所謂的。巴基斯坦之所以參加自由國家的集體防衛組織，祇是爲要取得美援與美元而已。美國給他以財力物力的援助，他就贊成反共，不然就要擁共了。反共只是美國的事，跟巴基斯坦不相干，如要巴國反共，乃可拿財物來購買，交易而退，求現不賒！

美國實施援外計劃的結果，早有「以金錢購買友誼」的評價，現經巴基斯坦總理公開證明這種事實，使世人信而有徵了。這不能怪責巴總理的勢利眼光，美國當局確有自取之咎。既以領導自由世界從事反共產極權侵略主義爲援外計劃的目的，而又漫無標準，不注重政治理想，無論是反共的，親共的，甚至於實行共產主義的國家，皆不惜予以軍經援助，但以適合美國的商業政治利益爲主，別人當然亦唯利是圖，隨時實行政治勒索了。

按照美國現在這套援外計劃的方針和策略，將來萬一發生世界大戰時，今日接受美援的若干「盟邦」，很可能乘人之危，袖手旁觀，致美國一柱擎天，獨力奮鬥。即在這些「盟邦」境內建立的軍事基地，臨時如不給以大量的美援作代價，也會有問題的。

這是商業政治兼大少爺作風的必然現象，不僅巴基斯坦有然，西歐那些「列强」，又何莫不然呢？

爲學，做人及其餘

·燕廬·

早些時，自由人上發表過我的一篇短文，標題是聖人的悲哀，那是對王世昭先生在聯合國香港協會演講孔子是不是詩人一事而寫的。文章發表後，到二月二十日，王先生在天文合上用爲學與做人爲題，寫了一篇答復的文字，但我一直到三月一日才得寓目，一個人，要在文字上招來一點糾紛，原也平常得很，有時反而是一種生活的情趣，其實是可以不必過于認眞的。因爲問題並沒有牽涉到學術或彼此的人品，但王先生既然以爲那與爲學做人有關，我似乎不該一直沉默着的。

先說爲學，我先前是曾經進過學校的，如果進過學校也可算爲學，則我大抵是爲過的，但讀的書則並不多，就如王先生所說我文中曾提到的莊子、左傳、孟子、論語、史記之類，也只是先前曾經讀過些，平心而論，並沒有讀通，能記誦的也很少，王先生說我讀的書太少，原是極其允當的，因爲自以爲讀書夠多的人，不免要窩得驚訝。至于雖寫些雜文，卻並不曾夢想過自己正在那裏「立言」；只是幸而生在這個印刷技術發達的時代，香港的紙價又並不太貴，所以偶然也隨意寫一點，發表些老實的私見，我很明白，要是活在用木頭雕版印書的時代，像我目前所寫的，便休想有機會給印出來，但爲了太便利之故卻往往是出版和絕版接踵着來的，譬如就照王先生所說，像自由人這樣有份量的報紙，說句煞風景的話，儘管這樣一週兩次的印下去，不要說遠，只消三年五年，再想找些曾經在這上面印出來的文字看看，恐怕就不大容易了。因此我寫文字的態度是不過份矜重的，也斷不肯像迫着要應考的學生一樣，臨渴掘井設下籤祭一番。至于像王先生那樣，爲了要證明一個爲世界所週知的偉大人物，原是一個詩人，就去參考十六種古書的努力，自然更不會有。

其次說做人，像王先生那樣「人不知而不慍」的君子風度，我大抵也距離得頗遠，至于這樣是否就算小人呢？那卻要看別人所定的標準怎樣了，如果定的太嚴，看電影，或規定必須住在香港或台灣才可以原諒，以至必須讀過多少書籍之類，恐怕就不免了。不過，我自己的標準則是：既不負自己爲小君子，也不敢自己爲小人，只會像許多人一樣，工作，謀食；至于讀書，只揀些自己喜歡的才看，有些早年曾看過，爲了它跟我目前的生計無關，也一直淡忘了。這也許就是自己之所以不濟的原因，但書是一輩子也不能看完，而且有些書卻又是大可不必去看的，因此也就並不追悔，所以書讀的多或少，自然就無暇去一一計較了，我的先儒陸予靜就說：『我雖不識一字，還我堂堂地做個人』。這話我也是深深相信的。

這以後是「其餘」了：王先生怪我沒有讀他的講詞，其實那是我早就讀明過的，並非沒有讀卻說讀了，我的原文，又並不會牽涉到王先生的詩論是否正確或徵引是否詳實，我只說：『若孔子本非聖人，則他亦不配稱爲詩人；如果他不愧爲聖人，則亦不屑被稱爲詩人』。這些話，可以說全是老實的私見，對于是否讀過講詞，是沒有什麼關係的。我所說的只是個原則，一種誰都有權利發表的意見，而且是不必還讀書的多或少都可以提出的。

學習登龍　。尹震。

總而言之：我的意思是不想人們替孔子無端加個頭銜，讓他做了聖人之外，又兼一項雜職。舉個實例：記得胡適之先生的不饋室詩集上有一段記敘，說到中山先生富於作詩的天才，並引述了他民國元年時，在西湖寫給日本人宮崎寅藏的一副對子，和他在湖北弔劉道一烈士的一首律詩，胡先生因此論述中山先生富有作詩的天才，我們絲毫不以爲怪，但如果今天有個中國人，想把中山先生介紹給『各界人士及愛好文藝者』認識，不談他對中國近代思想上的影響，和他對中國革命的功勳，而立一演講標題曰：『論孫中山先生是不是詩人』，則不論此講者爲誰，我也會表示不以爲然的。對于孔子，如果世界人士已週知其爲偉大的思想家，又抱有救世的宏願，則我們畢竟要使他儕于李白杜甫之間，不是很洩氣麼？我先前說這標題很新鮮，原因就在此，至于說開玩笑，卻並不就等于說欺騙聽衆，這是王先生的誤會。但我先前對於這聯合國香港協會不大了解倒是眞的，幸而前幾天我在報上又看到那裏在開討論會的消息，討論的中心似乎是香港的人權，其實不如狗權。後來大抵也不會作出結論，但新聞中帶敘的幾句話彷彿很輕鬆，我于是又覺得：我先前的想法是錯誤的。

王先生提到梁任公先生爲學與做人的那篇文字，說「諒爲青年所不及見」，倒是一種過早的憂慮，其實那是青年們日日都見着的，因爲現行的中學國文教科書就選的有那一篇，大抵王先生看的多是孔叢子一類，是青年們所少見的書，所以把眼前的書放過了，但我因而想起了梁任公先生另外一種論人的見解，很抱歉，我記得的還是一首絕句，就是題陸游集一首絕句中的兩句：「辜負胸中十萬兵，百無聊賴以詩鳴」，陸游是以詩鳴的人，而任公先生則覺得其僅以詩鳴爲可惜，以此類推，任公先生大抵也不會同意以孔子爲詩人，但不知有當于所謂邏輯否乎？一個寫文章的人，擱筆之餘，必自以爲是，他看不出自己的謬誤，這種毛病連我都不免。爲了珍惜這有份量的報紙的篇幅，就此打住。

短篇小說

同情

·鍾靈·

一天下午，我回家時，還沒有走到自己的臥室，聽到媽房裏有人說話，便先走進後房。

「少爺，您回家了！」

是鄭嫂，一見我就站起來。

「你坐，你坐。」我伸出手，向她讓坐。

「少爺，」她又滔滔不絕地說話了：「日本鬼子害得慘，我家裏一根草也沒有了！沒法子，只得又出來幫傭，已經找好一個人家，可是東家嫌我帶個小把戲，姑娘可沒地方托付，我來求太太，不要工資，吃三頓飯，少爺，妹娣比我還能做！」

「妹娣！」我不禁喊出聲，心裏不曉得是願意還是不願意。

「她還小，要不然嫁了，也了卻一樁心事。少爺，您就算再做一件好事吧！」

「我們本來也想要僱個用人的。」

「那豈不好！」鄭嫂臉上堆滿了喜色，轉頭向媽：「太太，您瞧少爺都答應了。」

媽有點爲難的樣子，望望我，又望望鄭嫂：「我也並沒有說不答應，我是爲了……」

「媽，」我當即猜住媽的話，「就僱了，我們應當照算工資。」

「要用她，當然要照付工資。」媽說。

「不要付，太太，眞的不要付。」鄭嫂又滿口大方地擱阻起來。

媽沉思一下，才說：「好吧，鄭嫂，妹娣就留在這兒好了。你也不要說什麼不收工錢；你不肯收，我也不肯用的！」

「那麼，我不加工價好了，還跟在賓川時僱你的原價。」

「謝謝您，太太。」說着，鄭嫂又對我作個深揖，「謝謝您，少爺！」

這件事的決定，使我心裏很痛快，主要的原因是媽不必再支撐着辛苦的工作了。我知道媽今天答應這件事，有些出乎勉强，她一半也是爲了不忍眼見別人遭遇困難。

我於是走進自己房來。萬想不到：妹娣正靜悄悄地站在我房裏！她馬上臉漲紅了，低下頭，由喉腔裏送出一聲輕輕的叫喚：

「少爺」……

我看到她今天穿上大朵大朵的紅花，一套花布衫褲，衣服紅得透了耳根，我下意識地又瞧一瞧她，站着不動的她，誰能辨出其中一隻是跛的？

三

妹娣就這樣在我們家安頓下來，那間堆雜物的擱樓，現在是她的臥房。自然，她的飾物是無法擺飾的，除非她是個日夕只坐不走，出入有汽車代步的富家女。鄰居們都覺得我們家用了一個跛腳的俏女傭，一個個似惋惜似嘲諷的眼睛，不時地集中到她的身上，特別是她走路的姿勢上。

妹娣似乎習慣了人們異樣的眼光，她沉默地工作，沉默地生活。她不大願意理人，所以每天除了工作之外，都是在媽的房裏陪媽，或是深藏在那間低矮窄小的擱樓裏。

她見到我，十次有九次臉紅。這使我想到她有一種羞於和異性相處的性格，所以我總是避免接觸她，只有我陪媽聊天的時候，可以同時和妹娣在一個地方多耽十幾分鐘。

她總是在我上班離家的時間裏，收拾我的臥室。有時也在清早我未起床以前，輕手輕腳地掃地，揩桌子，譬如星期日總這樣。自然，我也有醒着的時候，但我爲了避免驚動她，總假裝還未醒，直等她收拾好走了之後，才起身。（三）

燕塵識小

戊戌譚往

二、光緒求才常熟推重

燕負生

南海此書，洋洋五千餘言，於當時國內大臣之昏憒，國際瓜分之危機，痛哭陳詞。最後進獻三策，以備採納。第一策曰效法日俄，以定國是。第二策曰大集羣才以謀變政。第三策曰聽任疆臣各自變法。凡此三策，能行其上則可以强，行其中猶可以弱，僅行其下則不至於盡亡。文中警惕之語，一則曰「恐自爾之後，皇上與諸臣雖欲苟安旦夕，歌舞湖山而不可得，且恐皇上與諸臣，求爲長安布衣亦不可得矣」。再則曰「若皇上少採其言，發憤維新，或可濁存，否則沼吳之禍立見，裂晉之事即來。誠不忍見煤山前事也。」

此時康已中進士內用工部主事。乃以六品小臣，例不許直接上奏。乃以呈文格式，請工部尙書代爲轉奏。而工部堂官惡其伉直，不爲代奏。然京內傳鈔，海上刊刻，見者莫不驚悚。有給事中（官名，全名爲六科掌印給事中，有專摺奏之權。）高燮曾者，見而深嘆其忠，乃抗疏薦之，請光緒召見亟詢。光緒將如所請，恭王諫曰，「本朝成例，非四品以上，不能召見，今康有爲乃小臣，皇上若有所詢問，命大臣傳旨可也。」光緒不得已，乃命王大臣延康有爲於總理衙門，詢以天下變法之宜。時爲戊戌正月初三，史所稱戊戌變法，亦可謂自此開端矣。而康氏前書工部拒不代奏者，因而亦達宮廷（已在本年五月矣）。光緒覽後蕭然動容，指篇中求爲長安布衣而不可得，及不忍見煤山前事等語，而語軍機大臣曰「非忠肝義胆，不顧死生之人，安敢以此直言陳於朕前乎？」嘆息者久之。乃命總署自後康有爲有所陳，即日呈遞，無許阻格。而翁同龢復面薦於帝，謂康有爲之才過臣百倍。自此傾心嚮用矣。時越五日，康有爲再上統籌全局疏，則戊戌正月初八日也。此疏大意，略約爲三端。（一）請誓羣臣以定國是。（二）設上書所以採衆言。（三）開制度局以定新制。制度局所以總其綱，別立十二局以分其事。曰法律局，曰度支局，曰學校局，曰農局，曰工局，曰商局，曰鐵路局，曰郵政局，曰礦務局，曰游會局，曰陸軍局，曰海軍局」。南海變法綱領，略具於此，書既上，命總署大臣會議以聞。然大臣持之甚，直至五月盡行議駁。光緒震怒，乃命軍機大臣會議，復駁斥，光緒特諭切實覆命再議。至六月底，乃採其綱節准行，餘仍駁斥。光緒亦無如之何。蓋廷臣知西后握權，光緒無權，故敢於駁駁也。（二）

編輯先生：讀三月五日第七三〇期自由人，載拙作章學誠讀我孔義和訂一文，其中：「照鏡先生的解釋也並不對。」一句，乍先生三字，原爲我先前三字。請即更正，不勝感謝！附上底稿一份，並希亮察是荷。

燕廬　三月六日

自由人

THE FREEMAN

（第七三三期）

中華民國僑務委員會
頒發登記證台教新字第一一二號
中華郵政台字第五〇〇號
執照登記為第一類新聞紙類
（半週刊每星期三 六出版）
每份港幣壹毫
台北市價台幣壹元
督印人：陳文華
地址：香港高士威道二十二號四樓
20 CAUSEWAY RD. 3RD. FL.
HONG KONG
TEL. 771726
承印者：東南印務出版社
地　址：高士打道六十四號
台灣總經理處
台北市西寧南路壹壹零號二樓
電　話：四七三四六
台郵撥儲金戶九二五二
海外總經銷：友聯書報發行公司
香港：德輔道中二十六號A二樓

論美國軍事革新趨勢

「讓我們向前看，今後的希望是操在科學家手中。」

黃煥文

> 進入太空時代的美國軍事政策及其進步，相當激烈，然在本質上，循科學技術之自然進化，新舊武器併用，目前美國三軍雖經配有十一種作戰飛彈在手，但攻守主力仍以人力駕駛轟炸機為中心。
>
> ——英國蒙哥利元帥語

一

今天美國新國防計劃，採取穩紮穩打方式，除在原來陸、海、空三大兵種之上增設『太空兵種』（Space Service）加速爭取太空優勢之外，並集中力量於新兵器體系之提前完成。當然，以中、長程飛彈（IRBM, ICBM）和核子潛艇（Nuclear Subs）為骨幹；逐次減少人力，增加新武器單位。例如美國陸軍現有六十二個飛彈營，明年（一九五九）將增加十一個營，共有七十三個飛彈營；空軍現只一個戰略飛彈單位，明年將增加四個單位；海軍現有三艘核子潛艇，明年將增加三艘。最近美海軍戰略思想家擬將核子潛艇和『北極星』飛彈（Polaris—一、五〇〇哩射程）結合起來，構成一個對蘇俄本土海空機動大包圍，其威力等於洲際飛彈一樣。這和美陸軍賈文中將（J.M.Gavin——不久退休，主持美陸軍飛彈業務）過去所主張的『垂直包圍』，空中騎兵，戰術思想有異曲同功之妙。

新近資料報導，歷時十二年之研究發展，用去一百七十四億美元，於各種飛彈設計製造，目下美國三軍共計配備有十一種作戰用飛彈。預計在今年（一九五八）年底之前尚有十種飛彈生產分發，增強各部隊飛彈裝備之用。這二十一種主要飛彈中，包括：一種洲際飛彈，兩種射程一、五〇〇哩彈導飛彈，一種潛艇用的射程一、〇〇〇哩飛彈，五種戰場用飛彈，四種專打飛機的飛彈，八種配給飛機和兵艦專用的飛彈。

二

美國軍事優勢，力求繼續保持，即如前項簡要分析，約可想見其餘。但自去年十月蘇俄人造地球衛星首先發射成功之後，若干專家的看法，甚表悲觀，此即所謂三大報告書：（1）蓋瑟報告書（Gaither Report）；（2）洛克非勒報告書（Rockefeller Report）；（3）霍浦金斯報告書（John Hopkins Report）。這些報告書本是美國最高軍事機密，何以會把要點洩露出來？因此，有人認為，也許美國當局藉此激勵人心，提高警覺，以期集中人力財力，加速軍事革新和新兵器的造作，亦未可知。

不過，美國軍事領袖和艾總統本人，對於悲觀的見解，認為美國軍事形勢，江河日下，不願苟同，他們堅信：如果敵人一旦敢於發動戰爭，美國現有的軍事力量，絕對可以把蘇俄摧毀。例如北大西洋公約組織歐洲聯軍最高統帥諾斯達德（Norstad）將軍一再聲明說：『報復武力業經分佈在全球各處，侵略者如想在同一時間之內，把數千處空軍基地，飛彈發射基地全部毀滅，絕對不可能。』美國前戰略空軍司令現空軍副參謀長，李梅（Le May）將軍說：『如果今天發生戰爭，我想我們或可戰勝。我不信蘇俄目下已擁有充足的彈道飛彈，可以阻止美國戰略空軍起飛，也許將來蘇俄會有此能力，亦未可料。』前空軍部長現美國國防部副部長郭爾斯（Quarles）說得更為具體：『如將美蘇整個飛彈體系加以比較，我估計，美國飛彈設施要比蘇俄進步。再以長射程彈導飛彈和其他飛彈整體而觀，美、蘇雙方大致不相上下。』云云。一般形勢，至少在一九五八年內，美國尚未失去軍事優勢，大家所顧慮的乃是此後二年至五年間，蘇俄新武器進步之速度，可能會比美國更快。由於蘇俄在飛彈方面的進步，在歷史上第一次將使俄國傳統守勢戰略觀念改為攻勢，亦在意料之中。有如杜立德將軍（Doolittle——現主持美空軍科學顧問部業務）最近在參院作證時所云：『我相信，美國現在軍事上確比蘇俄強。可是，蘇俄進步的速率比我們更快，因此，除非我們繼續加速努力前進，否則蘇俄很快就會超過我們。』

三

蘇俄共產帝國主義者在韓戰之後，集中全力於新武器技術之研究發展，居然能在短短數年中趕上美國，而且還有凌駕美國之潛勢，眞可說是舉世震驚。因此，艾森豪總統於今年一月九日發表的國情咨文中也坦率承認說：『面對我們的危險，乃是千眞萬確的。』將來的危險，暫且不管，目前的危險已足令人談虎色變。誠如主持霍浦金斯大學關於作戰研究報告之約翰生博士（E.A.Johnson）所云：『俄國人勇敢殘忍和美國人不同。他們的想法，當然也不會和美國人一樣。第二次世界大戰中，俄國人死傷慘重，而無所謂，一旦戰事再起，犧牲一、兩千萬人口也在所不計。如果俄人殺死別國人民，則更不在乎。假使俄共今日發動戰爭，我們可以想像：他們將毫不猶豫地使用核子武器，集中一千架以上的人力駕駛戰略轟炸機，加上六百艘左右潛艇向美國進攻。飛機可隨帶原子彈，潛艇又可發射各式飛彈，美國現在的防衛設備固然相當強固，但對抗這種蘇俄飛潛核子進攻，的確有點吃不消。』約翰生博士是一個物理學家，過去廿年來專力從事於科學戰爭之鑽研，他個人對於美國和蘇俄的軍事實力，應該最為詳實，他的看法充滿悲觀色彩，自有其遠見和理由存在。他認定今天蘇俄的政策和過去希特勒一樣，乃是要殲滅美國，而美國的政策則不想殲滅俄國，不過企圖削弱蘇俄勢力範圍，瓦解蘇俄對附庸國的控制而已。把美蘇雙方政策，戰略，資源，武力，技術等等作一次徹底分析比較，其優劣互見。但是，最重要的一點，乃是攻守觀念之統一。處此飛潛結合之際，步上太空時代，美國戰略家，科學家和政策設計家大有悔不當初（獨佔原子優勢時），先下手為強，後下手遭殃之慨。

四

美國軍事革新，面臨如此艱危之局，的確大傷腦筋。但不憤不啓，不悱不發，如非蘇俄『史潑尼克』（Sputnik）人造衛星的刺激，美國參院若干小組就不致在很短時期中訪問二百多位專家，並且對於科學界、工業界、軍事、教育各界無數領袖加以質詢；同時又聽取七十多種秘密作證，共達七千多頁證詞，以便檢討美國現在和今後軍事科學技術興革事宜。現在艾森豪總統對美國軍事改革方案，相當完整，兼籌並顧，重點約共有十項：（一）、集中力量於飛彈之研究發展和生產製造。（二），加速新武器之生產及試驗。（三）繼續保持戰略空軍實力以及海軍強大艦隊。（四）、協調戰略計劃和統一作戰指揮。（五）、強化反飛彈及地球衛星之研究設計並統一其事權。（六）、堅定美國以文官充任國防部長之制度。（七）、改進空防警報體系及設施。（八）、提高軍人待遇並保留優良技術人員於軍中。（九）、增加並改良核子艦艇之設施。（十）、擴大對外軍事援助，在全球各地增設中程飛彈發射基地等。

綜觀美國軍事改革，限於篇幅，不能詳述，然其步驟穩健，方向正確。從歷史上看，武器技術之進化，理論和事實上都難出現一個絕對性的安全感，依照戰史軌跡而觀，從陸權，海權，空權而進入太空控制（Space Control）時代中，將來的進展，可能不是我們今天所能預料得到的。英國蒙哥利元帥說得好：『讓我們向前看吧，今後的希望是操在科學家手中。』我們睜眼看着別人飛躍進步，而我們自己倒無話可說了。

半週述評

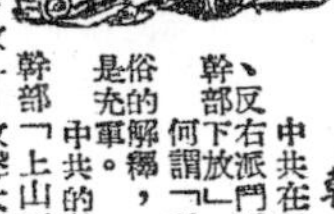

幹部下放

中共在緊接着鳴放、整風、反右派鬥爭之後，正進行「幹部下放」。何謂「幹部下放」？最通俗的解釋，「幹部下放」，就是充軍。

中共的「幹部下放」，要幹部「上山下鄉落戶」，有的幹部一聽到「下放」，放聲大哭；有的幹部對親友話別時說：「我這一輩子完了」；有的幹部對于「下放」感到「度日如年」，「咬咬牙」「巴不得日子過得快一點」（以上均引自一月十九日「光明日報」）。此情此景，不是充軍是什麼？

打破常規

「幹部下放」之外，中國大陸上最近另一個玩藝是「打破常規」。「打破常規」這一名詞，是從春節開始流行的，中共規定春節不准放假，他們怎樣說法呢？他們說這叫「打破常規」！

從此，工人加班不領加班費；有些工人的工作時間從八小時改為十四小時，也叫「打破常規」；有些工人被取消了固定的工資而改為「包工包產」的計件工資制度，也叫「打破常規」。

工人如此，農民如何？

農民出勤

廣東共黨在最近「統一支配」農村勞力時，規定每一農民每年要有二百八十天「出勤」，如不按照規定，每天扣口糧半斤。

中共又限制農民的私人副業，養猪養鴨養鷄要納稅，而且規定「必須賣給國家委托的收購部門」。

用口糧控制農民的肚皮，中共政權佔有一切，人民一無所有，這就是今天中國大陸的農村，這就是今天中國的社會。

地方主義

中共發出警告說，目前大陸上有些地方出現了「地方主義」，有些地方出現了「地方民族主義」。

有的「地方主義」提出口號說：「要來第二次解放」（見「新華半月刊」一九五八年第三期）；有的「地方民族主義」者普遍敵視那些與中共合作的份子。（見「人代會」新疆「代表」馬本提民牙孜的發言）

這不明明是說，所謂「地方主義」與「地方民族主義」者，他們不滿的是「中央」，他們反抗的是整個中共政權和中共所代表的一羣統治階級嗎？

改朝換代

共軍總政治部文化部長陳沂也說，中共政權到了要「改朝換代」的時候了。

今天，如果我們不面向大陸，不正視大陸同胞所受的痛苦，是一不可饒恕的罪過！

筆者願意提醒政府和海外民主自由人士：老實說，台灣這個競技場實在太小了，如果任何人僅僅以一個台灣為「對象」的話，就太沒有出息了。

大家把子彈打在一個靶子上，誰先打敗共產黨，誰奪錦標！

司馬璐

英國出現怪論

・曾旭軍

最近英國有一位政論家史蒂芬・京赫爾（StePhen King—Hall），著了一部書，名『核子時代的自衛』，其立論之怪與其誘導錯誤思想之危險性，是很明顯的，但反映出英國人甚至歐洲人一股畏戰求苟安的思想氣氛，是足令我們警惕的。

這部書的大意是：英國目前可依賴于美國的阻嚇力，是要價的；但核子毀滅的危險，仍無法減少。西方固可發展一個逐步阻嚇政策，但假如要永久維持龐大的普通軍隊與武器，只能阻遏蘇聯首先使用氫彈，却又足以使英國因龐大軍費的負担而致經濟破產。

因此史蒂芬主張英國或西歐單獨裁軍，則蘇聯便不受挑釁或不致企圖使用武力去達成其目的。他很坦白的說：如此則結果可能使蘇聯來佔領。但他說：西方可以來一個組織，足以使蘇聯的佔領非獨無利可圖，而且因為西方人民好像甘地一般的消極不合作，抵制蘇聯人，以致令他們站立不住而退出。

史蒂芬還天真的解說：西方人應該除了足以維持國內治安，及謹防邊界發生事變之外，不再去生產一切的武器，並且應集中智慧與意志，在未被佔領之前，作一個複什性的消極抵抗之組織。

在我們飽受共黨欺騙過的東方人看來，史蒂芬之愚可憫，否則遺害于人，其立論幼稚與愚蠢，原是不值得一駁的，不過他這種言論足以代表一部份人的思想，却足使吾人警惕。

在本月十一日倫敦有一電訊，足以證明這一股錯誤的求苟安的思想潛力，不容忽視。該電訊說，英國會保守黨議員，百餘人，其中有首相之子茂梨斯麥美倫，曾於下院提出一動議，力促實行全球普遍裁軍，兼有一有效的國際管理制度，但拒絕任何建議英國單獨廢止核子武器，而祇靠美國核子阻嚇為掩護；可能使英國在未來高峯會議之影響勢力，遭受損害。

由這一班議員的動議，可見另有班是主張英國單獨廢止核子武器的，也史蒂芬的思想之流行不可輕視了。

在本月十日的倫敦『每日電訊報』，登載一篇署名華滋桑尼的文章，就指出史蒂芬的主張，不但不能保存自由，亦不能苟全性命。不但誤己亦誤人。

據華滋桑尼指出，假如好像史蒂芬所說，西歐裁軍，及脫離美國之同盟，則共產世界立即控制整個亞洲及非洲。史蒂芬是否相信印尼、沙地阿拉伯、馬來亞、或納幾利亞能用消極的方法抵抗蘇聯的控制麼？否則誰人來援助他們呢？假如回答是：蘇聯恐怕美國來干涉，便受阻遏，那麼英國還是像目前一般的受熱核子摧毀的威脅。又假如英國不與美國作軍事合作，美國不能用西歐控制着的軍事基地了，蘇聯及中共就可不費一槍一彈而在西歐建立勢力範圍，不用進攻而令西歐屈服，假如蘇聯眞的進攻了；英國人既受長久的經濟困困，還有什麼所謂遠大的計劃去作消極的抵抗呢？那些早已有第五縱隊潛伏在國內共產黨中的義大利和法國，也是無法實行消極抵抗的。

我深信史蒂芬的政策，是把西歐放在一個碟子裏，奉獻給蘇聯。蘇聯不會感到這一餐是吃下去不會消化的。

正如華滋桑尼提出：英國必須在國防大臣桑第斯之願意冒着熱核子戰爭之險，與史蒂芬之願意冒着被蘇聯佔領之險，兩條途徑當中，選擇一條，識者一定，寧願維持現在的政策。

在目前的事實來看，熱核子武力之阻嚇，仍是有效的。英國現在還未受敵人佔領，英國的政策應有合理的希望來維持生命與自由。

今史蒂芬之流，却已準備把生命自由交給人家，不但是英國亡國之詞，且決定影響自由世界的信心。史蒂芬向蘇聯擺出的引誘，是一個屈服的英國和西歐，想蘇聯不致使用核子武器來摧毀他們。然而此種形勢，正足激起蘇聯的野心。謂之曰其愚不可及也，實非過份。

我們不但對史蒂芬思想傳染存警惕，而且還可從華滋桑尼立論的態度，與論據，認識英國當今之處境，與其對世局的影響為如何了。

怪論多，此自由世界之所以可慮也。

監委陶百川總結彈劾俞揆案

主張監院加強公共關係

台灣通訊

張健生

監察委員陶百川於三月八日在監院國父紀念月會中，以「從一個彈劾案看監察院的公共關係」爲題，發表演說，重點則在「監察院與國民黨中央委員會的公共關係」；「監察院與總統的公共關係」；「監察院與輿論界的公共關係」。陶氏謂：監察院和中央黨部的公共關係如果搞得好，俞案可能不致如此惡化。

監察院與總統的公共關係：首先，他說：總統是國家的領導者，是執政黨的總裁，監委多爲國民黨黨員，故關係非常重大。自監院於去年三月間提出文長六千多字的「杜絕浪費調整待遇」糾正案後，總統即指示行政院秘書長逐項改正。在中山堂光復廳的談話中，更表示行政院須注意改善。對俞揆拒絕列席監院備詢一點，總統亦曾表示行政院長應到監院列席的。及至該院處理小組開始工作時，仍希望總統出爲調解，迨到央行拒絕監院調查，才決定將彈劾案提出。

監察院與國民黨中央委員會的公共關係：陶委員說到監察院與中央黨部的關係，他說今天的場合雖不適宜，但我們的關係太重要了。國民黨是執政黨，對在歐美國家，如美國係三權分立互不相涉，各行其事，但其協同配和，皆靠政黨，可惜監院與國民黨中央的配合太不夠，國民黨中常會對本案究係如何決定？如何報告？都不得而知，致工作上發生很多困難，今後如何爭取與執政黨間的瞭解，實在是很重要的。

陶委員列舉美國時代雜誌有一篇關於彈劾案的報導，認爲中央黨部未徵求黨員意見而作決策，是值得注意與檢討的。依據美國的政黨政治習慣決策先徵求黨員的意見，而我國情況恰相反，所以也難怪使美國記者認爲出乎意外了。因此，陶氏認爲國民黨應效法歐美政黨與實際政治間的關係，應徵求多數黨員和民意代表的意見，並重視這些意見，才能相互增進瞭解，爲國家造福。若依目前中央黨部與監院的「公共關係」言，是做得太不够了。

至於監察院與輿論界的公共關係：陶氏認爲是相當諧和有效的。促進民主政治將民意趨向轉告政府，必須由輿論從中溝通。這次監院彈劾俞揆案，除官方報紙外，民營報章雜誌曾刊了不少有關俞揆案的文章，監委劉永濟、黃寶實二人亦有專論發表，均有很大的影響。至於對監院的深表瞭解和同情。至於有人對監委的立場表示異議或不重視者，自立委薩孟武「評憲法家一夕談」的文章發表後，糾正了若干不正確的觀念，況薩氏係現任台大法學院院長，其德望畢竟不凡。薩氏的文章給予公務員懲戒委員會的影響力很大。陶氏並謂：官報亦是同情監院的，他說，原來薩氏的文章是應中央日報主筆之請撰寫的，但薩氏曾表示，恐怕該報不可能登載。果然，該報的主筆將薩氏原稿璧還薩氏。旋該文在聯合報刊出，至又使中央日報社長和中央四組間發生風波，該社長且因此表示後悔。

最後：陶委員提出監院對「公共關係」亦必須加強改進，並謂監院同仁一致擁護于院長的領導，希望于院長今後能爲監院多說幾句話，將來副院長的候選人，重心工作也要着重於「公共關係」方面，以爭取外界的瞭解與同情。監委來自民間，更要爭取選民的瞭解同情。監院更可建立一種制度，鼓勵同仁著述有關監察權的文章，俾各方面對監察權的行使更多瞭解。（三月九日于台北寄）

台灣通訊

大使的妙論

去年十月廿一日，我國駐美大使董顯光在華盛頓青年會之「國際十字會星期日晨餐會」上，發表過一篇「基督教在中國」的演詞，結尾說：

「中國基督徒領袖人數將無疑問與時俱增。我深信我們將返回中國大陸，唯一問題，祗在何時而已。一旦我們返回大陸，我們將給與基督教宗教活動以第一等地位。當然我國政府不致干涉宗教事務，而依據憲法規定宗教信仰自由，我國政府的官員，反將大量爲基督教徒主持國家政務。」又說：「我們已注意到儒教，佛教及道教，已大半衰落。此等支配人民心靈之信仰，已降至第二等地位，徒將在中國永遠保持其從前重要性之可能。儒釋道三教對於人類無多貢獻，但基督教貢獻甚多，必將在中國取得新信仰者數百萬人，」云云。

輿論早已譁然

這一篇近乎荒謬的演詞發表後，已引起輿論界不少的反響，多從文化的觀點指出其謬誤」地方，尤令人想起我國的使節人材，尤其是重要的駐美大使人材，有一代不如一代之感。

如果董顯光以個人資格發表這項意見，祗能說此公甚不通也，但董大使居然發表這類言論，則又能不說是荒謬了。

官方未有表示

台灣官方對他這篇妙論，似乎視若罔聞。最近在立法院質詢中，才聽到了半評論半彈劾式的言論。提出這項質詢的是立委廖維藩氏。該項質詢長達七八千言，引用國父遺教，總統言論，及中西學者關於中國文化的見解甚詳，因篇幅關係，這裏關於他對該項言論的評論內容方面，且不去提它，然他以立委立場對政府官員提出的「彈劾性」的質詢，確是應該的。

他舉出的主要理由，約有下面幾點：

董顯光在立院挨罵

「漢人學得胡人語，爭上城頭罵漢人。」

主罵者立委廖維藩

•趙傳•

質詢的幾點理由

（一）「董顯光此種言論，如以外國基督教徒身份，從事宗教宣傳，原無足怪。今日董氏身爲中華民國國民及駐美大使，在外發表荒謬言論，殊屬不當。」

（二）「董大使今日在外國發表貶抑儒教之謬論，而云儒教無多貢獻，已頻衰徵，永無復興之希望，誠屬有違國父遺教。」

（三）外長葉公超曾在台北扶輪社美國學校及北大校友會發表闡揚儒家學說及中國文化之演講，亦應爲使館人員言論之方針，董顯光以大使身份，發表貶抑儒教怪論，更違反長官言論，離經叛道，敗壞綱常，莫此爲甚。」

（四）董顯光身爲大使，竟像「個人主義」者及共產主義者一樣，不顧民族精神，國民道德之所寄，發表足以破壞原有人倫社會，民族優良傳統的言論，予儒教以當頭捧喝，殊爲不智。

（五）「董氏爲發展基督教之傳播，公開貶抑儒教，未免相逼太甚，縱不顧基督教在中國發展前途的影響，豈竟忘其本人爲中華民國國民及中國政府之官吏乎？」

（六）「董氏貶抑儒教爲次等地位，促其衰落，似欲在中國文化中，以基督教取代儒教，誠屬荒謬。我國憲法規定信教自由，祗歡迎宗教爲我國人民生活之一面，非欲以取得人民全部生活也。」

爲何不正式彈劾

質詢大意如此。這席話旨在揭開媚外主義者的嘴臉，是很應該說的。其實作爲一個駐外大使而發表這樣的言論，是應該正式提出彈劾的。但我們迄今似還未見政府的有何反應。俞院長的答覆如何，也未之聞。不過我們認爲像這樣有關國家體面及國家文化大問題，似乎不能說說就算。否則閉住立院大門說說就算，而董大使的妙論，早已傳遍玷壞了。有什麼用呢！

（編者按：十二日泛亞社台北消息，據台灣「新生報」載董氏因此有辭職之意）

水牢禁僑多數已成殘廢　獄中華囚生命岌岌垂危

菲島華僑苦況

諸葛明

【馬尼拉通訊】「水牢」，這個名詞，在共產國家極權暴政之下，似乎無人願意置評。不料菲律賓出現，號稱自由民主，[illegible]五年前菲島開始對華僑[illegible]被禁「水牢」的難僑，最多時竟三百名，經中國駐菲大使一再交涉結果，現時仍有百餘無辜，而其中多數赤貧或有錢「消災」之外，中產階級在長期出錢免辱狀態中，慘遭苛索殆盡者，已被凌辱得骨瘦支離，致成殘廢。日來盛傳將有二十名「禁僑」於本月中准許離境，其中十二名願意被遣回台灣，八名選擇了去香港。那二十名「禁僑」離開「水牢」的條件也不簡單，除了簽署保證永不再去菲島之外，伙食費雖免，光是一筆交通費就相當可觀。如

「水牢」

菲律賓政府對於這批「禁僑」在「水牢」中的生活情況，從來未予理會，「禁僑」唯一的「保障」是「人壽保險」，一經死亡則由保險公司負責賠償；保險費由「禁僑」家屬負擔（大多數均無力購置壽險）。一經離開水牢，保險單就被「水牢」管理人收沒。例如去年十月二日「保外就醫」的商人李文允，他被交保（五千元菲幣）出牢時，被迫交出「人壽保險單」；結清九個月伙食費（四百八十六元）九個月尚需加許飼金，積累五年的，破產也不够。基於此項原因，「禁僑」問題纏繞遷延莫決，受罪的難僑想要恢復自由，除非申請遣配出境，不然絕不是一件輕易速決的事。

「監獄」

「水牢」難僑受着生命的威脅。如所周知，菲境監獄由於非人犯案衆多，久有人滿之患。囚犯入獄之後，不僅沒有良好管教，獄方放任他們擅作威福，結黨立派，繁殖勢力。例如文珍惡已大獄，兩股惡勢力竟然持續械門，至上月終爲止，除了獄卒一名被殺，兩名受傷之外；囚犯互門中已有二十三人斃命。這個囚禁犯人逾八千的監獄，只有二百名獄警看守，自本月一日續有暴動情況發生後，二百名保安隊馳援，看來也無濟於事。械門的基本原因，據說係兩派力爭八十餘名華籍囚犯「入黨」引起。這批「禁僑」若不迅加拯救，其悲慘命運可想而知。

「遊客」

除此以外，轟動一世的「遊客問題」，現已成爲中菲懸案待決的焦點，也是參院論戰的主題。這批數達二千零六十五位問題人物，其中有六百人係永久居留菲島的華僑子女，三百三十八人是永久居留華僑的妻、母，其他均有直系親屬在菲永久居留。他們大多是在一九四七至四九年間大陸淪共以前，來自廈門或廣州，[illegible]

[illegible]

動盪中的印尼（六）

•驕英•

（上接第三版）後來，內閣因意見衝突[illegible]，期讓總統出國休養一個時期，並定於一九五八年一月六日[illegible]。因此，又引起了一陣[illegible]蘇加諾總統[illegible]出國的謠言，[illegible]印尼[illegible]動大失國際同情，[illegible]支持印尼的同情。

期間，總統職務不能無人負責，[illegible]以國會議長代總統職務[illegible]（現國民黨）議長[illegible]沙多諾[illegible]

人物介紹

越南駐華首任公使阮功勛

季平

最近越南政府已派出駐華公使，此爲中越兩國關係邁進於好轉的開始，西貢各華文報章均著論讚揚，一般旅越華僑對此歡欣雀躍。

西貢華文「自由報」曾以「中越邦交躍進新階段」爲題著論說，越南共和國政府派駐台北的首任公使阮功勛氏，已正式任命現在農林部長，這一個任命的新佈，顯示中越兩國的邦交，又躍進一個新階段，從此走進正常的軌道。中越邦交的新頁，固有賴于吳廷琰總統的明智創見，同時更有賴于阮功勛公使的大力去開創。故阮氏的爲人，極爲國人所關切。阮功勛氏是個忠厚誠實的人，

他的外貌生來十分飽滿，體壯力健，[illegible]可以說是標準的外交人材，他雖然是十分幹練的外交官家，但仍然是十分平民化，沒有官派，他在極繁忙當中，也很願意抽出時間，來接見那些需要見他的人。

他現年四十四歲，誕生在越北的農家，[illegible]小時候非常勤學，每次參加考試，成績多居第一人，爲老師們所讚賞，後獲得農業工程師，曾任[illegible]農林學校及田地研究學院院長，其後又再[illegible]越南科學大學研究院[illegible]著作甚多，計有「北越農地土壤之研究」，「[illegible]研究」，並曾多次領導越南代表團出席世界糧農組織會議，由於阮氏對于農業很有研究，故由一九五五年五月起，即正式出任越南農業部長一職，阮氏除對農業有着很大改革外，因而他所施行的種種方法，都很適宜于農民們的生活，爲越南全國農民所熱烈擁護及外國人士所欣佩。

阮氏平日的生活，十分嚴肅，他絕不染上任何一種不良嗜好，每天除了辦公的時間外，就是看書及研究農業問題，他認爲越南是個農業國家，就必需從改革及發展農業的工作做起，因而他對農業特別注意，他曾親自往各省實地去調察多次，目的就是欲想實地考察，及確切了解農民們的生活情形及各種所需求，由于阮氏所具有的這種不辭疲倦的服務精神，可見他在工作方面，實在負有很大的責任心。

西貢華文「自由報」指出：「中國如不反共，便無法收復河山，越南如不反共，便無法收復國土，統一越南，基于雙方的當前處境與共同目標，實不宜抱存獨善其身心理，獨存獨榮，各行其是，必須衷誠合作，集中力量，並肩作戰，纔可消滅當前的共同敵人。」中越邦交既走上正軌之後，過去兩國政府懸而未決的若干問題，自然可以通過正常外交途徑求得合理的解決。

這些願望的實現，中越人民都期待着這位首任公使！

展望日內瓦海洋法會議

由聯合國召開的海洋法國際會議，已於二月二十四日在「日內瓦」正式揭幕，將作為期九週的磋商，以期覓致一項「公式」以解決各國對於領海範圍問題的爭執。據悉：我國特選派駐加拿大大使劉鍇氏為首席全權代表，駐聯合國公使銜副代表兼駐聯合國辦事處處長薛毓麒氏（前曾任外交部條約司司長為我國條約問題專家），及台灣大學法學院教授桂裕等前往出席是項會議，代表團之陣容堪稱堅強。深信必能有所貢獻於此次會議。

日本以切身關係重視該會

作為海洋國家的日本，對此次海洋法會議特別重視與關心，日本政府特派了一個以駐荷蘭大使大江日光為首的強大代表團參與會議。在此次會議中，日本特別關心者為李承晚綫問題；北洋漁業問題；彼得大帝灣的內海宣言及阿爾法拉海的貝珠採取問題等。因此，日本深切期望這次會議能有所成就，間接有助於解決上述這些問題。

聯合國國際法委員會所擬訂的海洋法草案，與日本有切身關係者，為包含廣泛的領海的範圍問題；公海漁族資源的保護及公海汚濁問題，也無疑地會牽連提到大陸棚的問題等。

日本所堅持的四項主張

日本政府對這些問題堅決主張如下：一、領海之範圍應為三海浬。二、內海灣之條件，根據海洋法之規定主張：灣口十五海浬以內，海灣內海面須比以灣口為徑的半圓為大，或限於有歷史性的內海。三、貫徹公海自由之原則：為保護魚族資源之規制，應以科學之根據為基礎，反對一國片面規制的措置，主張應依據關係國雙方商討同意之規制，為調處問題的原則。四、至對大陸棚的理論，基本上即持反對態度，即或承認大陸棚學說，亦應作對大陸棚沿岸國之主權範圍限定為地下資源之主張。

各國對領海範圍主張不一

領海之範圍，現在各國主張不一，日本、美國、英國等廿個國家主張三海浬之說，主張六海浬的國家有義大利、印度等十四國，蘇聯及印度尼西亞主張十二海浬，韓國主張五十海浬，而智利、秘魯、厄瓜多爾等南美洲國家則又主張二百海浬。日本自古以來向主張領海範圍為傳統的三海浬，故日本參加這次海洋法會議即以「領海三海浬」「公海自由」兩大原則為其基本立場。

日本對公海漁業問題的態度

公海漁業問題，日本則強調海洋法案之「資源保存」一點，且願與沿岸各國達成協議，以謀求解決，片面的措置主張不予承認。此次海洋法會議，將簽署一項聯合國國際法委員會費時八載所擬之一項全文約有七十五條的海洋法草案，該草案為會議中的主要議題，將來該會議能否達成簽署該草案的目的，端賴參加會議的各國能否獲得一致的意見而定。

會議的成效與對日本的影響

筆者認為此項會議，如欲決定領海的浬數似不可能，同時七十餘條的海洋法草案中，亦可能尚有若干條難以獲致協議的，如以一部法典而想實現海洋國際法的目的，確屬不易。預料此次會議的結果，可能只將意見一致的條款作成個別協約或覓致某種「公式」（即國際性的協約或是他種的國際文件。）以應付那些海洋國家所提出關於它們領海範圍的各種不同要求。再此次會議中，以目前世界情勢觀之，未必趨向於日本有利，復窺海洋法案之內容，亦顯露不利於日本之傾向。因此日本的處境困難，當不言而喻。至所謂李承晚綫及日蘇禁魚區，為日本最感困擾的問題，日本雖切望能在這次會議中獲致某種協議，但恐亦難如願以償。

·嚴森·

清算陳沂

中共軍隊的「總政治部」「文化部長」陳沂被清算了，這是件並不平常的事。

在一九五七年五月以前，他曾經支持其屬下副部長陳亞丁、陳其通、編審出版處長馬寒冰，與軍中文藝工作者響應等四個人[illegible]章來反對毛澤東的「鳴放」政策；也只[illegible]權威之下，敢於公開作這種反對，陳沂以及他的幾個人[illegible]一個「極左派」。[illegible]個月後，在一九五[illegible]義，中共掀起了整風，來排除對於「鳴放」的[illegible]點力。在清算陳沂[illegible]候，陳沂作了一百八十度的轉變，[illegible]贊成「鳴放」，[illegible]沂的報導中指出，[illegible]堅持「鳴放」而且[illegible]共現行制度與各種措施，變成了「極右派」」。因之，陳沂被清算的罪名是「假左派」，「兩面派」，「投機份子」，與「黨內右派」。

誰清算他

基前所述，在去年五月以前陳沂反對鳴放，把主張「鳴放」的人，連毛澤東在內的一批人都得罪了。

去年五月，開始「大鳴大放」陳沂在這一階段中轉變了，這樣，又把原來與他站在一條戰綫上的反對「鳴放」的人，連劉少奇在內的一批人，也得罪了。

六月「鳴放」受到壓制，陳沂就陷入于既不能「左」，又不能「右」的空虛境地。他若要傾向到毛澤東這一邊，則毛派對他前恨未消，信心未堅，未必就這樣容易來支持他；他若要回到劉派方面，則劉派對他的臨陣叛逃，兩面作風，覆水難再收。在這種不獲左右兩派支持下，被清算的劫數似已注定。

從人民日報對於陳沂清算的報導來看，「左派」對於陳沂叛逃的懷恨似已入骨，發動這種清算的，大概是「左派」；過去「右派」亦吃過陳沂的虧不少，這時「左派」一發動清算，「右派」當亦使出共黨所慣用的撒手鐧下井落石；在這種兩面夾擊之下，陳沂一無依據，只得俯首就擒。

「紅色」知識份子的典型

陳沂在大學讀書的時候，就是共青團員，抗戰前的幾次學潮，都有他的份；隨後，奔入共匪區；戰後，林彪部去東北，陳沂出任林部的「文化部長」；林彪入關，陳沂又一躍而為「人民解放軍總部」「總政治部」「文化部長」以迄于今；當年一切尚在軍管理之下，軍中的「文化部長」就領導着赤區的全部文化工作者，其權傾一時，由此可見。

由上簡歷，可知陳沂要不是一個所謂十足的「紅色」知識份子，是很難在這樣短短的時間中，獲得這種權位的；但是，又從他的清算報導中可以見到，他的內心並不像他的外表一般的「紅色」，而依然是「白色」的；所謂「極左」的言論，[illegible]的表現，都是假的，一旦有機會自由發[illegible]，滿腔「白色」情緒即刻湧現。這樣的人，在共黨中稱之為外紅內白的「紅蘿蔔」。

上期本欄，曾經討論一切的所謂「紅色」知識分子都是偽裝的，他們為着要維持自己的政治生命，昧着自己的本意，裝着是「左」的「紅色」的，從陳沂的由「紅」到「白」的典型過程中，可以作為我們的論點的補充說明。

·田心·

本報專稿

動盪中的印尼（六）

·駱英·

數日後，治安機關報告，該政治謀殺集團份子被捕五十餘人，但不宣佈其姓名及其背景。有人推測也是「魯比斯上校的計劃」。至脫稿時止，還沒有在軍法庭開審。

十二月十一日，蘇加諾率男女公子返勿里達故鄉省親，道過泗水時曾在民衆大會上演說。並於十二日返回首都。事後忽傳出兩個謠言，一個說，總統在泗水演說時，有人企圖進行暗殺。另一個在總統返京後，荷蘭電台廣播，謂總統被推翻，印尼政府已由朱安達、哈達、納蘇賢組織三人執政團，行使政權云云。但都經有關當局加以否認。說實在話，蘇加諾總統目前的處境，是很苦的，畢生為國家民族獨立奮鬥而造成的威望，似已不能滿足人民的期望了。

（九）西伊里安的鬥爭

西伊里安即西新幾內亞，是印尼獨立時，荷蘭未曾移交給印尼的一大塊土地。當時印荷之間的協議，是在印尼政權移交後一年再談判。可是年復一年，拖着很長的尾巴，迄仍未解決。

印尼曾三番四次的向聯合國提出控訴，始終由於印尼的提案無法獲得大會三分之二的合法票數的通過。十一月廿九日，聯合國大會僅以四十二票的半數，又否決了印尼的提案。印尼在事前原極欲在聯大爭得一點好處，以轉移國內民衆的情緒，結果失敗了。這種因失敗而帶來的情勢，更加複什了。

印尼共產黨本已控制了印尼的大部分工會和工人組織，這次他們便利用印尼外長在聯大的宣告「西伊問題如在聯大失敗，將自動採取其他途徑」的諾言，印共乘機竊發，指揮荷蘭在印尼各種企業內的印尼員工，向業主荷人接收企業大權。十二月二日，最先在荷蘭皇家輪船公司要求轉移業權，荷經理初予拒絕，亦使印尼政府為惶失措。但印共指揮下的工人，仍相繼起而自動接管荷資企業不可遏止。印尼政府為控制局勢，表示向國際負責起見，乃跟在工人羣衆之後，再由工人手中接掌過來，局勢始見澄清。計首都椰嘉達的荷資企業被接管者，四十九家，荷蘭僑民以情勢惡化，紛紛離境返荷。

此種因西伊鬥爭問題而引起的印荷紛爭，荷蘭在印尼的經濟利益，損失固然重大（約十一億美元），但印尼本身招致的損失，亦不小。最大的打擊是荷蘭皇家輪船公司的接管，使其在海上的船隻，約有三分之一被印尼扣留。被逃掉的自然無法叫它回來，留着的也無法加以使用，造成印尼島際交通的癱瘓狀態。土產輸出減少，各島物價飛漲，引起財經危機不小。印尼還怕荷蘭海軍在領海內作騷擾活動，所以一方面宣佈擴大領海範圍，一方面向英國抗議讓荷蘭軍艦利用星洲軍港。但此問題已越過印荷兩國間爭執而成為國際糾紛了。

印尼因西伊問題而掀起的反荷運動，不獨造成內在的財經危機，且損失國際間的同情。蘇加諾總統出國休養之舉，實在使印尼國內外緊張情勢有所緩和。

（十）蘇加諾出國休養

恢復蘇加諾與哈達「二位一體」合作關係的努力，迄未達成目的。實為印尼民族團結的[illegible]若無法[illegible]深遠後[illegible]。印尼國會對此亦深感焦慮，特為此而組織了一個九人委員會，奔走說合。他們所獲致的結果，是蘇加諾希望哈達復任副總統或擔任國家企劃委員會領導人；但哈達卻堅決拒絕擔任副總統，亦不願出任國家企劃委員會領導人。他是反對蘇加諾「救時方案」的，如果要他出山任職，要求先行解散目前不代表民意的朱安達內閣，和取消蘇加諾俱樂部「民族委員會」。國會的合作，不因蘇哈二氏的聯合聲明而成功。於是有人建議舉行四角會議（蘇加諾、哈達、內閣、國會），以求最後的解決，但未有定期。可是「四角會議」又不比九月間舉行的民族會議更有力，成功的希望是渺茫的。實際上，哈達是由於地位的衰落，早已刺傷了他的自尊心，而蘇加諾則擔心哈達掌握政權，動搖他的地位。所以，目前他們兩人之間，最多是貌合神離而已。

蘇加諾總統原定十二月廿五日出國訪問歐洲及南美各國。但國內人士多認為國內情勢尚未安謐，出國訪問實非其時。（下轉第二版）

新書評介

「閱讀欣賞與寫作」

梁宜生著　人生出版社出版

·達之·

最近看到人生出版社出版的梁著「閱讀欣賞與寫作」一書，深深地覺得那是一本青年的好讀物，值得介紹。

一般國文教學上所感到的困難是，艱深的教材，不容易讀得懂，淺易的教材，又不[illegible]題。古文學的用語和意境，多不是現代青年所能了解的，白話文在他們心目中又自以為懂得了，便再也無心去讀。我看了「閱讀欣賞與寫作」一書，覺得要解決這些學習上的實際問題，書中對於語文，不但都接觸到了，而且提出了切實具體的答案。

全書共分三部分：一部分是談閱讀欣賞的，一部分是談寫作的，一部分是談讀寫基本修養的。他的特點，是無論談讀談寫，都注意到兩者的關聯，也都從基本着眼，不但有理論，而且有方法，所提的方法，又平易可行。如談讀，他首先指出多讀的重要，其次敎人怎樣養成文學興趣。這些平凡的問題，經一深入分析，便具有一種鼓誘的力量。尤其精彩的是「怎樣欣賞舊詩」一篇。他在了解青年程度的基礎上，首先指出青年不易讀懂舊詩的原因，然後告訴他們打破這困難的方法，由淺入深，逐步推進，舉極具體的例子，敎青年怎樣把握重點，向作品的形式，內容去追求，對作品整個意境，以至每一字每一句的好處，作用在那裏，用科學的方法，像分部機械似的，使人看得纖毫畢現，決非「神而明之，存乎其人」那樣籠統說法者可比，學者舉一反三，便可把握到了解舊詩的鑰匙。如談寫，先說「文改而後工」，次解釋什麼是「真」。末提出立誠的重要，正確寫作的態度。這雖是極普通的論題，却語語針對一般青年的心病。「談觀察」「張開想像的翅膀」，兩篇尤具啓發力，不但說出了觀察和想像的重要，而且指出了養成觀察力和運用想像力的方法，觀察方面，他分為內的觀察與外的觀察兩種，更是精當之論。

有些書是知識的累集，有些書是體驗的結晶，我覺得這本書後者的成分尤勝于前者，全部從頭至尾，每一篇，每一個問題，都是在教學上發掘出來的，也無不是青年所愛聽而且聽得懂的話，「深入淺出」四字，可當之無愧。中學生讀了，固然可以得到很大的益處，國文教師看了，也可得到不少的借鏡。

國際動態拾零

△艾森豪提議，美蘇兩國高級官員，互相訪問。杜爾斯曾以與蘇聯交涉，反應頗好。開始將由米高揚為首之代表團訪問美國，而共黨秘書佛達思佛則為其副。美國則由尼克遜為首，團員為若干參議員，訪問蘇聯。艾氏提議的理由為從布加寧之函看出蘇聯對美國之和平志願表示懷疑，故藉此可使其知道美國並不需要戰爭。

△民主黨領袖黎朋．約翰遜主張在一九五八年國會議員選舉時，不能攻擊政府過甚。因民主黨已經佔優勢，即使經濟好轉，與更多人造衛星進入太空，亦不會失去。惟如對政府作鹵莽不負責之攻擊，則反啓人民厭惡，可能使情勢逆轉。但杜魯門史蒂文遜仍在繼續攻擊政府，則民主黨內部，顯出矛盾。

△杜魯門在民主黨聚餐會演說，攻擊艾森豪，謂類于胡佛時代之不景氣，行將到來。艾森豪預計則謂三月間失業人數，將會減少，本年末季，經濟即顯出好轉。

△三十九億之援外款項，用途已經決定者廿一億，半數將用于遠東，四分之一，將用於中東及印度，其餘四分之一，則為歐、非、南美所分有。艾氏指出希臘、伊朗、南越三國，全靠美援始能阻止共產主義，否則早為赤禍所淹沒了。艾氏並稱援外，為兩黨政策，且為杜魯門主義云。

·陶然·

自由談

事後有先見之愚

馬五先生

素來被美國輿論界稱爲「蘇聯問題專家」的前任駐俄大使肯南，最近由「普林斯頓大學」刊行了他所著的一本書，名叫「決定去干預」，內容是檢討美俄外交關係的史論性質。

肯南認定蘇俄雖然憎恨資本主義世界，但在第一次世界大戰結束時，西方國家是可能跟蘇俄發展有成果之關係的。但由於一九一八年派兵赴西伯利亞，而構成播入蘇俄革命運動的行爲，美國敗壞了蘇俄的態度，以致落得今日對俄外交的失敗結果云云。他這項「專家」的論斷，可稱爲「事後有先見之愚」，完全是莫名其妙的胡說八道！

第一次大戰結束時的世界盟主是英國，一九一八年組織世界反共十字軍赴西伯利亞作戰的主持和指揮大本營，亦是英倫的唐甯街十號公廨。這時候，美國在國際上不過是一個尚未成年的小夥計，頭角猶未嶄露，在俄共心目中的美國觀感殆如上海人所說的「當伊癡介事」，並無強烈的印象。從一九一八年到二次大戰前夕的[illegible]中，俄共本其「職賊渠魁」的世界革命策略是集中全力以反英爲急務的。如一九三六年我在蘇俄旅行之際，俄人聞有操英語者，輒怒目疾視，問話決不作答，即其明證。

二次大戰後，美國躍居資本主義世界的盟主地位，取英國而代之，俄共的世界革命箭頭，乃以美國爲主要目標了。這是共產主義對資本主義鬥爭的最高戰略戰術，與美國四十年前出兵到西伯利亞那回事毫不相干，況且後來主張撤兵而首先實行的，亦是美國哩！

肯南竟以美國出兵赴西伯利亞爲「敗壞了蘇俄的態度」，是今日美俄關係惡化的基因。他若非有意變造史事，媚世沽名，便是淺薄無聊，儲話三千，世界上一般號稱爲某項政治問題專家也者，皆可作如是觀也。

寫作難

·人木·

說寫作容易的人，一定以爲作家可以不吃飯！想想自己並不用靠寫文混飯吃，能不額手稱慶？

一個同學看了我在某雜誌刊登的一篇小說，問我大約有多少稿費，我說大概有二三十元港幣。沒了不久，這同學便和人說：「現在做作家也很不錯哪！像人木登了篇五六千字的東西便有三十元港幣，合台幣一百七八十元，月中弄上六七篇，加上散文，論文和雜感，生活也就好過了。……」

他大概沒嘗過寫作的苦樂，更沒有嚐過投稿的苦樂；還好我只是閒來搖搖筆桿消消遣，弄兩個稿費貼補一下零用——蕭伯納說不爲稿費寫稿的是傻子！——若叫我驀地搖身一變，眞個做起作家來，那我也只得喝開水，吃白麵包。

所謂靈感有沒有是另一問題，有時興來一寫一萬八千字不算多，可是碰着心境不好，頭腦變成石塊般的凝重，對着書桌稿紙和牆壁，想了一整天，頭昏腦脹，結果一字不成，眞叫人欲哭無淚呢！

稍爲有點寫作經驗的人，都會知道寫作並不如臨帖，只把臨字塡進條格子裏便算數。一篇好好寫的小說或散文，往往發表時的樣子和最初原稿簡直是兩個面目，中間不曉得經過五六次以至於十數次的修改，有時甚至要重寫。結果即使是忙足一天，成果也不會很多。

一切的作品都是現實生活描寫或感觸，作家一定不像平常人想的，只躲在房間裏構想；而是往往是寫得才盡力竭，再也擠不出好東西來。若果還是勉強去寫，結果是令自己看了也噁心！但是靠搖筆桿吃飯的人，便不得不多寫些，因此成了「多產作家」可能不難，要不挨罵倒難。

還多少總得同情諒解一下，不隨讀者的趣味，老編只好割愛，故有「非寫低級趣味，無以換取斗酒隻鷄」的痛語！何況許多不只斗酒隻鷄，而是一家數口的生活呢！目前文學的衰落，讀者作者都要負很大的責任！你若清高，未嘗不可，不吃飯就可以了！

話還得說過來，甚麼都値錢，只是兩筆爛臭文章不値錢，寫了，老編登不登一個問題，稿費多少又一問題。況且一人，寫得不能太多，精力有限。說作家生活好，除了兩個「名」作家外，在寫作圈子混混吃飯的人，眞是有口難言！

寫作難，寫作實在難。多少有志作家爲了吃飯不得不寫許多低級趣味，終於汩沒才華！說寫作容易的人一定以爲作家可以不吃飯！想想自己並不用靠寫文混飯吃，能不額手稱慶嗎？

短篇小說　同情

·鍾靈·

有一天早晨，我又提前醒了，房裏輕微的響動，使我不用轉頭就知道是妹娣正在收拾房子。我自然還是轉過頭，隔着紗帳看看外面，一個不大尋常的景像使我緊張起來！妹娣脅下夾着雞毛撣子，兩手却捧着一個相框看：我馬上辨出這是懸在壁上的我的近照。起先，我還以爲她是專爲了拿下拂拭的，後來我就[illegible]想法了，因爲，她看得那樣久，[illegible]，而且是一直含笑盯着它看！

我不能制止自己不驚愕了，難道——？

床有了些響動，妹娣馬上警覺了，轉過頭看看，立即攀上椅子，把相框還懸在壁上，扶正它，然後輕輕下地，拿起夾在脅下的撣子，拂拂椅子，接着又拂到別的地方去。她好像有些草率做完些這事，一分鐘不到，就走出我的臥室，輕輕帶上門。

這使我以後特別留意起她來，我似乎察覺到妹娣內心存在着一種微妙的情感：是單純含着感激作用？或者還有別的？我害怕她會對我發生了超過好感以外的感情！

但我已不能禁止自已不多和妹娣接觸了。下班回家，我常會無緣故地到廚房去兜一轉；有時也會無話找話和她聊幾句。漸漸，她也不像初來時那樣拘束了，雖然見到我還常常臉紅。

妹娣總在黃昏時分，到附近一口公用的水井去挑水。儘管我們人口簡單，但每天也得挑兩三担水，儲滿一水缸才够用。對她來講，這成爲一件頗爲費力的事了！爲了她一條腿長一條腿短，往往一担水挑到家裏，已經沿途潑掉三分之一；而且，她挑重物時那種走路的姿勢，格外可笑。

不知怎的，我漸漸對這項工作，特別不忍起來；我不忍見[illegible]以彌補的缺陷這樣坦然無遺地暴露。

但是，這是她職[illegible]。自然有個辦法是可以兩全其美的，那就是另外花錢，僱人挑水，在我們未用妹娣以前就這麼辦的。

我考慮了一下，決定這樣辦，多花幾個錢，比整天目不忍睹總好過些。

第二天晚上，我正在房裏看書，出乎常例地，妹娣進來了！她臉紅紅地走近桌前，張着一對烏圓的大眼睛看着我，又不好意思地低垂眼皮，輕聲說：

「少爺，您爲什麼要另外僱人挑水？」

「這個……我看你個子矮小，太吃力。」

「我挑得動。」

「我曉得你不是挑不動——」一時我不曉得該怎樣說才好，「不過，你每天事情已經够忙。」

「不忙，少爺。」她露出一排怪潔白的牙齒，笑着說：「這一家裏，就侍候您和太太兩人，一點不忙。」

「好了，妹娣你就少做點事好了。僱人挑水，多花不了幾個錢，你不要爲這個放在心裏。」

「那麼……」她低下頭，手指在桌角輕輕按摩幾下，想說什麼，又沉吟着，好一會，才又含笑道：「那麼，少爺，我謝謝您了。」說畢，馬上一個轉身出去了，順手帶上房門。

我更深深地看出這女孩子具有一種善良的心地，不禁悠然嘆一聲氣。（四）

醉

·尤宗洵·

酒是醉的媒介，醉可獲得暫時的解脫。固然有人因醉招來煩惱，但酒總是値得人們歌頌的。試讀：『與爾同消萬古愁』，醉的功用多大啊！『莫使金樽空對月』，『勸君杯到不須辭』，多麼的豪爽！『今宵酒醒何處』，多麼的瀟洒！

醉，在『禁酒會員』看來，當然是『大逆不道』；在『正人君子』看來，也頗『不以爲然』，但是『醉』與『罪』在一般人們心中，總不會如此嚴重的關聯！

很早，就有人提倡養生之道，勸人勿要濫飲，更有人疾呼：『滴飲不入』！同樣的，有人提倡戒烟，說是尼古丁會致慢性的自殺！最近『預防癌症』又成了提倡戒烟者的口號。可是，不久前，報載吃米短壽的消息，那麼，我們該戒飯了？

有人每日的食糧依照所需的卡路里計算，令人聽了只能作一聲長嘆！這並不是說：人人都要長醉不醒『死便埋我』，向劉伶看齊；但是如果一個人的一舉一動都要受文明拘束，聽從醫生的吩咐！又何苦來哉！

『不飲酒而醉，不閉目而睡』，爲千夫所指的對象，然而『世事知如此，且進杯中物』，『但能爛醉三千日，楚漢興亡兩不知』，念此，對這些人何不稍作同情呢？

公文腔

西門齒

昨天一位海員因與船長衝突而辭職，他到我家閒坐，說出他辭職的原因是爲了幾句「公文腔」。即：

「……於法無據，礙難照准」「限於法規，歉難照准」等等。

粗看起來，這些批答，都是守法奉公之語。不過有些事情，實際上就不然了。我們的輪船，在十年前規定修理船上的小工工資每天十五元新台幣。現在市面上普通小工已是每天三十元的工資了。我簽呈調整，就批了「限於法規，歉難照准」，因此我生氣而辭職。

法律不外乎人情，法規也當根據事實，那有一成不變的道理。即如君主的王法，今日也變成了民國的憲法。難道公司定的法規，就不可以變更嗎？何況我們海員薪水，也調整了三次（十年之中）如什麼小工工資要十年如一日呢？所以我對於這些「公文腔」，深惡而痛絕之。」

我聽了這位海員的談話，也覺得他的道理不錯，在公司的法規上說起來，只要對於事情辦得通時，於法無據者可以改其法，限於法規者，可以復其限。則能成爲合情合理之法了。何況任何章程，都有一條「……如有未盡事宜，得隨時修改之」。

可惜今日在弄文舞墨的公文上常常用了上面那種「公文腔」誤了多少好事。誰也不願出頭說話。如那位海員能以理去爭，倒是一個硬漢。說他是反對「公文腔」，實在是反抗不合情理的「法」。

燕慶識小

三、恭薨翁逐　子弱母強

自康有爲前後兩疏、得達光緒後，又進呈所著日本變政考，俄彼得變政考等書。光緒久欲召見康有爲，但爲恭王所阻，直至戊戌四月初十日恭王薨於位，始與翁同龢謀，決計變法，乃於四月二十三日下詔定國是。二十五日下詔命康有爲於二十八日覲見。而二十七日西后忽出一硃諭，强令光緒宣佈，其文云

協辦大學士戶部尙書翁同龢近屢次經人參奏且於召對時出言不遜漸露攬權狂悖情形本當從重懲處姑念在毓慶宮行走多年著加恩准其開缺回籍以示保全欽此

光緒見此詔，戰栗變色，無可如何。蓋自四月初十恭王死後，光緒日與同龢謀改革之事，西后日與榮祿謀廢立之事。同龢一去，光緒之股肱頓失，康梁小臣，不足與榮袁巨猾相抗矣。

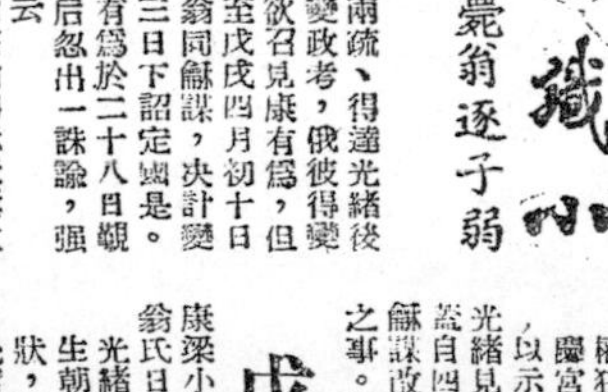

戊戌譚往

翁氏日記是日所書語極含蓄：

光緒二十四年四月二十七日。今日生朝，入內奉硃諭斥退。臣自省罪狀，而聖恩矜全。感激涕零。次日赴宮門在道右碰頭，上鴐過回顧無言，臣亦黯然如夢。遂行南歸哭墓。默省獲保首領從先人於地下矣。

四、明定國是決心變法

在常熟放逐南歸入覲之前數日，更有一事，必須闡述者，即四月二十三日光緒詔明定國是，表明決意變法。後之論者，以爲此詔紙下，變法乃決，人心乃一，[illegible]乃定。[illegible]發舊開新之大[illegible]詔。新政之行，開於此日。故談戊戌變法，在是年四月二十三日以前爲醞釀時期。一入此日，始爲實行時期。此日此詔，深繫時局，爰錄全文，以供佐證。（三）

燕負生

北大今事

故城一角

大概在三年前的光景，毛澤東爲了求「帝王之都」更像大，於是中共下令，把北平城擴大。幅員擴大後，接着又把各類輕工業工廠向北平集中，同時也新設若干所大專高校，於是北平[illegible]了，[illegible]添了許多烟囱，這表示北平政權下的工業發展了，郊外也新添了若干農業社，這表示「農業合作化」有前途。至於北平原是個文化城，於是除了新增的學校外，首先是北京大學獲得了擴展。

北大像個什麼樣呢？用康生（原是中共的特務頭子，現在好似改了主管黨內教育業務了）的話來說，是個「大學城」，「大學宮」，「大學閣」，也是個「大學園」，緊跟着一個北大的教授叫馮至的放了馬後砲，他說是像個大公園。又說：校園一大圍牆一高，就又把學生和「社會主義社會」隔絕了。意思是學生生活在象牙之塔裏，不再接觸羣衆了。

這些話聽來很新鮮，因爲就在半年前，我們還聽到有些教授們說學生會經要上街，要鬧事。如果眞是這樣，可想而知，學生並沒有在大公園的象牙之塔裏做夢，北大的學生還是保持着一貫的傳統，對政治懷有敏感性。

北大的情形在鳴放[illegible]，圖書館自從「解放」後，那些四年前的古典文學作品，早就封了箱，代之者是蘇聯作品和所謂中國現代作品。但現在，那些索然無味的八股文藝，已經大大減少了，[illegible]「傲慢與偏見」，「少年維特的煩惱」，「約翰‧克里斯朵夫」，「紅與黑」等等都重新從書庫裏被搬出來，但是在「反右派」高潮之後，有人指責了這些書使讀者感染到了多愁善感的思想情緒」，「個人主義的悲劇，[illegible]寫人物的變態心理的變化」等等……[illegible]有人主[illegible]作第二十[illegible]

自由人
THE FREEMAN
（第七三四期）

爲言論自由進一解

——從理論到實際

林伯雅

在「言論自由」這口號幾乎已成爲濫調的今天，問題還發生在處境險惡的自由中國內部，也並不是一件可恥可怕的事；這正說明了自由中國之所以爲自由中國。大陸上不是沒有這問題，因爲大陸根本就不容講這一套。何況自由中國今天言論自由問題的歸着，實質上還不在自由言論本身，而是在于言論背後所要表達的意向，其對象也不在于台灣的政權，而在于寄托于台灣的願望；因爲這意向與願望僵化了將近十年之久，使輿論趨向于面對現實，講老實話，急求打開僵局，而爲株守的現勢所衝擊，故言論乃有自由的問題發生。

一、

也唯有從這一角度去看我們今天的言論自由，問題才發生實際上的意義。

老實說，今天輿論的箭頭不指着過去失敗的舊帳，而指向未來勝利的鵠的，在共赴國難的原則下總該算是一種健全的輿論了。

有人說，今天台灣對言論自由的尺度，已經相當放寬的了。不錯，從一個民主國家政黨角逐的角度去看，原也不能過事苛評；但從有關共同福利的國是大問題底角度去看，尤其基于「期之深，言之切」的人心去看，言論尺度就更當儘可能放寬的了。

莊子「剖斗折衡而民不爭」的說法，在沒有發生問題以前，原也不算怪論；但既有了問題，這說法就不適應了。

然則所謂言論尺度，應該拿什麼去衡量呢？且不論法國大革命時代第一聲喊出自由的口號時沒有具體地作爲一種要求的標準而提出，就是在一百幾十年後的今天，還費解釋。

雖然一般民主國家大致承認一個原則，就是，每一個人批評有關公共福利的事件時，必須是「公平」的而且爲了一個「善意」的目的；但對于所謂公平與善意的解釋，法律或習慣所能爲力的終屬有限，其伸縮性很大，究無法一一規定何者屬于公平，何者稱善意；而公平與善意的正反面，又儘難有一個判然的界限和客觀的標準，尤其在彼此對某一問題先有成見存在的時候，更屬無法執以爲繩。在民主國家中關于人我之間的自由界限，當可有普通司法機構依據法律或習慣，予以判斷；倘爲政府與人民間對言論的干涉與自由底限度涉及憲法爭論時，關于憲法的解釋與引用，理論上有國家最高司法機構——如美國的大法官——去解釋，但如涉及國家政策的輿論時，實際上有非最高司法機構所能爲力的。在這場合下，議會實負有制衡的任務，如對政府投信任或不信任票。問題就在這裏了。

二、

在今天的自由中國，議會制度凍結在歷史環境中，實際上已失去了這種決定性的作用。正如一般論政者所指出，無論在立法院，在監察院，在國代會，其成員絕對多數[illegible]最高民意機構又幾乎與輿論脫節的場合下，實在找不出[illegible]最足以有效地監督政府的施政。所以輿論乃成一種呼聲，而不能透過[illegible]形勢之下，除非撤開[illegible]其唯一可能的方法[illegible]對現實的最大勇氣，表示出寬宏的政治風度，去容納輿論于政府政策之中。換言之，今日所以[illegible]

三、

從實際上言，言論自由與其他憲法所賦予的自由權利，固不能牽附到「天賦人權」上，視如傳統的「君權神授」那樣的不可侵犯，但也不能像[illegible]府對人民的一種賜與。在現代一般以言論自由的寬度去衡量一個政府的民主程度——爲民主或獨裁——時，如果把言論的自由看成政府的一項賜與，那應該視爲對民主政府的一種侮辱，而不是光榮。因爲祗有君主時代或極權政治下人民的自由是在君主或獨裁者的喜悅下賜給人民的。人們所懽懷堯舜禹湯文武周公時代，雖曰政治淸明，但一切自由完全是基于在位者的賜與而來，而非爲政治制度下的產物，所以除了桀紂一類暴君，便民不聊生了。伯夷叔齊[illegible]藏首陽山不食周粟，是對政治消極反抗的自由，而比干忠國，小民[illegible]涉，竟受剖心削壓的無妄之災；他們有沒有自由是完全寄于一二人的喜怒上。這種性質的自由，是不能與現代民主政治下的基本自由相提並論。

今天自由中國輿論的本意，無非在要求政府放寬對于國是發表意見的尺度而已，正如上面說過，要求放寬言論尺度的基本目的，不在自由言論本身，而在言論所要表達的意向與願望而已。雖然事實上言論的尺度決定于爲政者的意念，而本質上却不應視爲政府一種額外的賜與。

四、

但我們要提醒注意的：這種基于善意的意向與願望底言論，縱然撤開「公平」觀念不談，應該是屬于常態的傾向，而不應該視爲一種逆流。

然而有人目之爲逆流者，不外基于下面幾種心理：一、懷疑輿論批評的善意，而固執「批評」與「服從」爲「忠貞」與否的標準；二、顧忌批評足以破壞政府威信，招致親痛仇快的後果；三、以批評屬于破壞性而非建設性的，因而以爲緘默勝于批評；四、以爲批評均屬淸議，未能體念執政者處境的困難，足以增加國結的糾紛；五、以爲批評者不負責任，甚至會有分爲政權的企圖；六、或因覺得有人利用言論爲獵取利祿的武器，而生厭惡心理；七、把當局旣定的一套去衡量輿論的價值，而不能相容等等。

這些心理自有其主觀上的依據，但民主政治原以人民爲基礎；客觀上民心的傾向，無論如何是不能忽視的。民主政治原是一種平庸政治，所以表現于輿論的，也原是一種平庸的言論，固不能以「不負責任」「缺乏建設性」等理由，爲否定的根據。又如果阿斗都是諸葛亮，何需乎諸葛亮。諸葛亮儘管智足多謀，但首要的是以阿斗的意念爲依歸，而不能以阿斗的話爲平庸而忽視之——阿斗所需要者是一個意思的表示，一個目的的實現而已；就今天言，是反攻的希望及與此相關而來的政治進步底要求而已。

我們相信，輿論所表達的意向與願望，如果能夠達成，或有足以令人民信賴可以達成的表現，所謂言論自由問題目前便不會存在了。然而現在有凍結了將近十年的人民的意向與願望底事實存在，則輿論的緘默不但不可能，抑且不應該。緘默原是民主政治的死敵，此時此地，如果輿論趨于緘默，應視爲自由中國的疾病。故自由言論，祗有依法不依法的問題，絕無所謂正常流與逆流。尤其在政府外交上忍讓的「泱泱風度」已不能單獨應付今天的特殊環境時，應該有堅强的輿論，不論是正面與反面的（祗要是善意的），以爲之支援了。

半週述評

抗議日政府對中共的優容

此次爲了日人與中共締結貿易協定，界予共方駐日代表團以優異待遇，准其在日境懸掛僞旗，此在自由中國政府確是一件難予容忍的事。對於政府方面斷然停止對日貿易談判，並對日提嚴正抗議的舉措，無疑應予支持。

日政府把一切對共方貿易談判都諉之於「民間」行動，其實只是掩耳盜鈴的事。我們並不否認現今日本當局立場是反共的，但像這種對中共的貿易談判以至締結協定，在日政府方面至少是默認。在談判過程中有關指模與懸旗等問題，是日方過去都曾一度堅持，到最後却竟曲徇共方意見，這是經濟壓力高於一切呢？還是日本當局在內心裏確存有「兩個中國」的用心呢？但無論如何，像日方向中國政府所提的幾點解釋，特別是外次大野勝巳所提即使僞旗在日境懸掛也不承認其爲國旗一類話，簡直拿中國政府當孩提來玩弄。

我們不願見中日關係惡化，但日本政府自己應該認明與中共接近的危險性。日本文化界與勞工界的左傾，久已成爲日本內在的隱憂，像這次對中共貿易代表團的優異待遇，結果必然更增加共黨對日本滲透和顛覆的危機。

另一方面，日當局應該拿出誠意來與自由中國相見，像由來已久的對廖文毅一班狂妄之徒的優容，正與此次有關中共貿易協定的態度如出一轍。敷衍面子的手法，是無法在中日民族之間建立眞正友誼的。

日本的困難與我們的警惕

我們自然並不否認日本在對外貿易方面所遭逢的困難。從關閉夏的棉織商人到美國某些商業利益的代表人，都視日貨大量湧入如蛇蠍。值此國際經濟恐慌暗影漸次襲來之際，國際市場的狹隘是工業國家普遍的苦惱。在這種情形之下，各國爭向中共大陸開闢市場是必然結果。此次可能是在這種競爭威脅之下，日方通過去所堅守的最後藩籬竟也被衝破了。此其結果，究竟對中共貿易能夠替這些工業國家提供幾許利潤還是重大疑問，而自由世界共同對共的立場與禁運原則却都被突破，而且還發揮了分化自由國家的副作用。其間的利弊是值得深長考慮的。

目前國際間這種逆流正在繼續發展，這對於自由中國是個嚴重警告。幾年來我們久已缺乏可使國際間視聽一新的業績，接踵而來的盡是些擾人心曲的不快事件，照這情形決不足以抗禦方興未艾的國際逆流。

我們不怕挫折，却最怕無臭的萎謝下去，無論客觀的形勢或海島的處境，都只有從進取中求生存，保守無疑是條死路。

印尼的內戰

此次東南亞公約理事會，事前聲勢相當浩大，俄共也照例來一套建立非原子武裝區建議以爲對抗，但會議結果却是那樣平淡。最後公報指出共黨顛覆活動是東南亞地區最大危險所在，但對顚覆危機最形嚴重，且發展成內戰的印尼局勢却不置一詞。即使自由國家目前未便公開干涉，難道對蘇俄中共實行反擊，嚴厲警告其不得干涉印尼，也都有所顧忌而不敢作此表示嗎？

棉蘭加入反政府軍方面，巴東政府聲勢爲之一振，蘇門答臘有全部陷落之勢。但今後發展，第一要看外援如何，第二要看外島動向，第三要看經濟方面的實力。雙方成敗之勢，在今天還未見端倪。

李秋生

怎樣纔配稱學者

——青年要求于學者的是什麼

陳斧

在去年本刊七〇〇期，筆者曾發表「儒家學者的傳統」一文，意猶未盡，現請申其說，作爲一個青年對于現今學者態度的一種反應。在彷徨中的現代青年，其思想學術的領導者，舍士大夫階級的學者還有誰；因此對他們提出要求，是應該的吧！

中國士大夫的優良傳統，是律己以嚴，對事絲毫不苟，這尤其是東林學派所高度發揚的。

從前一切偉大的學者，對於最小的事情，即使只是一言一字之微，如果與名節有關，總是不惜犧牲生命來衛護自己的立場的。而蔡邕之附董卓，康海之附王瑾，也都使他的文章學問不爲人所重視，成就如何都不必問了。東林學派的人，主要的學問就在這裏，不管任何情形下曾經一度依附閹宦的人，他們總要竭盡全力加以排擊，使他們終身無出頭之日。

這種精神，近來似乎很受指責，說是不能與人爲善。發此議論的人，縱然不是爲自己辯護，至少是失却了儒家學者的基本精神。因爲旣能鶩身權門，可見其對於最大最淸楚的是非之辨都不認識，其他較難辨別的，還能期其認識嗎？其文章學術還有足觀的嗎？

學者們當然是知識界的領導人，但絕不是知識界的貴族。學者們以研究成績示人，不是一種賞賜，或强迫的給予，而是一種貢獻，一種服務。自己絕不可以把自己的東西，塗上一層色彩，不管好壞，作爲一種賞賜與人。貴族可以世襲，但學識不能世襲，故不能一旦掛上學者的招牌，便以爲自己學問已占有永久的領地，胡說妄言，也要使後之來者都向自己的權威稱臣。

文章學術除受制于極權政治影響不論外，是絕對民主化的，倘學者們以專斷獨裁的態度出之，而不容許別人批評置喙，就等于學術價值有問題。這並不否定「擇善固執」，而是說自己的東西，就算不會加上一層彩色，也不能永遠是對的是善的。

現代自由的思想之敵就是「盲從」，學者的任務是要廓淸那籠罩在被領導的知識界人們頭上的迷霧，使人們能睜開眼睛自己決定自己的生活，能運用腦子自己決定自己的思想。所以知識青年不但要求學者們自己不做什麼偶像權威，而且要求學者們幫助他們從偶像權威之下解脫出來。不管是聖賢經傳，玉冊金書，凡在那上面加上一層神秘的光芒來嚇唬青年，以其昏昏使人昏昏的學者，都必見棄於青年。

民主時代應該是包含着不以人間事爲卑俗，不以玄虛幽渺的東西爲「雅」爲「高」，不怕現實的泥土沾汚了學術的殿堂的意思。學術上的民主精神，就是要吸取青年的健康的士氣與汗氣來健康自己的學術思想，把貴族文化那種纖弱蒼白的「美」，當作天下最醜的東西，把貴族文化那種「高貴」當作陳腐的屍體而拋棄。但是這於學術的莊嚴，却無絲毫損害。

學術上的民主精神，就是要在謙遜的聽取別人的意見之外，還要勇敢地保衛自己的發言權，因此，就要學者們放棄那種「邦無道，危行言遜」的怯懦觀念，愈是處在無道之邦，愈要勇敢的說話，代替不能說話的人說話，幫助不能說話的人使他也能說話。又要求學者們放棄那種「紳士式」或「保鑣式」的民主觀念，不能以爲民主可以建立在雍容揖讓之上，更不能以爲民主可以建立在奴顏卑膝上。歷史的經驗告訴我們，往往一個學者之所以能獲得青年的敬仰，倒並不直接由於他自己的學術成就，而是由於他在某些社會事件裏或某種運動裏表現了正義的爭取時代理想之實現的行爲。由此而生敬仰之後，不管會否再進一步去研究他的學術，實際上都已成了他精神上的學生。

學者們的命運，決定於歷史；歷史對於學者們的取捨，就表現於大多數知識青年的從違。如果像昔日那些學術販子那樣，專想藉「上萬言書」「進呈御覽」等手段來爭取所謂「學術地位」的，終必爲青年所摒棄走到被歷史捨棄的路上去。史傳俱在，舊式的「學案」俱在，新式的「學術史」俱在。都可說明眞正的學術是在學者們的「出處進退」「辭受取予」之間。

按兵不動的文化戰

台灣通訊

●小雲●

旬日前，合衆社會報導，美國最高級外交官員，對中共在東南亞中東加強文化攻勢一事，深表憂慮稱：「中共已發動高度有組織的努力，擬與非共國家建立廣泛的文化接觸，刻已與七十五國（其中過半數並未承認中共）政府和民間團體作各式各樣的接觸。過去中共每月對外廣播宣傳的鐘頭為九十六小時，現則增為三百零八小時，（三倍以上）三年前中共派赴國外的文化工作者為三千人，去年已曾至六千人左右，今年更大量增加，最保守的估計不會少於萬人。」

中共對外展開如此強大的文化攻勢，美國友人表示憂慮，我們呢？這裏，且讓我們很客觀地對自由中國的文化作戰作一概括檢討：

政策機構散漫

直到今天，我們的政府可以說還沒有擬定一個文化政策呢！去年「養女湖」一影片出國丟醜，即為政府既無政策又無切實負責文化工作機構的惡果。或謂：既無政策干涉，又無機構管理，作家藝術家們不[illegible]了嗎？那又不然，因為，埋頭苦幹是作家藝術家的事，輔助文藝工作，加強文化作戰則屬諸政府責無旁貸。政策絕不是干涉的代名詞，給予作家藝術家充分寫作自由，和充分協助不也是一個文化政策嗎？

不講對外只講對內吧，以話劇言，去年曾一度起高潮，今年則一片冷落，新世界戲院原先是準備專演話劇的，終因不堪虧累，連這一個固定場所也沒有了，新世界的老闆是「中影」公司，中影要按期固定數字收費，戲院怎能不根據上級的「政策」，每年執行？以電影言，每年入口的美片最少有三百部，但美國人為了生意眼，打鬥與桃色的片子就必然分配得最多，因而影院變成太保太妹的溫床，國內製片則亦甚少兒童與青年的教育片。從去年起，台語片又一枝獨秀，畸形發展了，一個叫「海邊風」的台語片，竟鼓勵女孩子當酒家女，其影片的內容也不問可知！有人會問：日本政府以法令硬性規定，外片進口數量，美片不得超過百部，此百部片收入還要留存數百億日元作修建水壩之用，不能匯出。我們何不也依樣畫葫蘆呢？那又牽涉到我們的文化「政策」了。以出版言，各色各樣的報銷刊物，層出不窮，封面精美，內容一律，浪費的人力物力至足驚人，何不拿這些公帑集中起來，好好地出版一、兩種像樣的東西呢？或者是大量出版優秀文藝作品，廉價供應軍中戰友和青年學生呢？那又牽涉到我們的文化「政策」了。

例子舉不勝舉，以我們這種力量渙散，步伐凌亂既無政策，又無固定經費，更無專司機構的現況，想在文化宣傳，以及心理作戰上，打垮裝備齊全，組織嚴整，經費充足，有計劃，有策略的中共文化戰線上的部隊，那未免太吃力了！

宣傳技術落伍

文化宣傳又是一種高度智慧和技術的工作，運用得好，可以收效於無形，反之，有時還會引起反感。本來，標語口號的時代已老早過去了，而我們卻像一個假骨迷戀者緊緊抓住不肯放鬆，目前這種實例很多，茲就生活上的小事，略舉三例：

一、不久以前，日本記者團來訪自由中國，當中有一個「中國通」的日本同業私底下曾對筆者這樣說：「我下了飛機後的第一印象，就感覺這裏是一個「標語的城市」，不問走路，吃飯，看戲，買任何東西，皆可以接觸到這些標語，可是，我在極短的時間裏多方觀察，一般人對標語口號的反應很微弱，說很微弱還不很貼切，倒不如說視而不見，普遍反感卻實在些。我不懂這不斷的刺激，干擾會有效果嗎？」我只好報以苦笑。

二、這裏的「新樂園」牌香烟，等於香港的「白錫包」之類，為一般人「不可一日無此君」的消耗品，在這上邊，一邊印的是「建設台灣，反攻大陸」，一邊印的是「克難實踐，自力更生」，抽烟是不良嗜好之一，人在這時除了尋求刺激之外，誰也不願想到標語上提示的意義，設那末去想，這嗜好便只有放掉，台灣烟酒公賣局，豈不要關門大吉？

三、這裏的電影、話劇、平劇，在開場前後，一直離不開標語，有一次，演京戲「紅娘」，在白馬將軍的部屬集幡上赫然寫有一整套的標語，無非是「加強心理建設，實行精勤動員」等宣傳文詞。這安排得就有些出奇，普通市民，看場京戲本不容易，（票價貴過電影四五倍，又不好買），還不為了娛樂纔來。在這時，即使把理論專家請上台去現身說法，說不定還會被噓下台，何況標語文字與劇情完全相反，也破壞了舞台上的氣氛，觀衆如何不倒胃口？

宣傳的目的在要人接受它，更要緊的一點認識是：宣傳的對象是外在，而非內向的。若只顧及自己的胃口，孤芳自賞，濫派用場，那就與宣傳的目的背道而馳了。

戰鬥文藝形式化

政府遷台之後，首倡戰鬥文藝，無可非議；問題在要不落窠臼，事實上，經政府倡導了八年的「戰鬥文藝」，卻落於形式者多，收穫實際效果者少，像文藝生力軍的培養，對中共文學戰的展開，文藝到軍中去的呼喊，文化清潔運動的推動，乃至各種展覽會，歌詠會，座談會的舉辦，以及對海外華僑文化團體的聯繫等，不能說沒有盡一番心力，然而，大都是一窩風似的搞搞算了。即使是參加工作的人，也都抱着「不過是這末一回事」的心理，於是制藝八股式的文字觸目皆是，真正能發生作用的戰鬥文藝卻少之又少。

本來，戰鬥文藝的要素，是以民族精神與思想內涵為根底，未發揮文藝的戰鬥性能的，合于這個要素，作品才會有靈魂，有生命，不問用圖畫，小說或詩歌，皆能發生最大的鼓舞作用，如果呆板拘於教條，局限於指示，或玩弄名詞，或喊喊口號，便沾沾自喜，認為「戰鬥」，那也太欺人自欺了。

浪費的文化交流

這裏再講「文化交流」，這一名詞，雖常見於官方報告書及要員演講，然見諸實際者；除有若干「中×文化協會」的空招牌外，很難找出具體跡象。其外便是主管官署襲用「文化交流」名義，列下一項預算，爭取一筆外援，然後「流」到建設機構，蓋房子，只和國內營造商交流，而不和國外文化界交流，文化界人士，少有出國的機會（一般行政機關，特別是公營事業機關，為了芝麻綠豆大的事情，動輒出國「考察」），甚至友邦文化界人士組團來訪，竟亦違反國際慣例，不予報聘。從事文化交流及國民外交的文化戰友的出國，貴人，寓公，甚至嬌女等，[illegible]

可憐的遠交近攻

最後得談到「遠交近攻」了，這好像是來自海外的文化界人士，至及影星，歌星，以至歸來的「義士」，甚而至投降過來的「忠貞」份子，無一律待以國賓之禮，而對一直堅苦卓絕，堅守在崗位工作者，[illegible]殊階級外，則不大理睬。歡迎海外文友是應該的，但對於國內文化崗位上的戰士也應該同樣予以鼓勵。再如黃色雜誌可領到配給紙，而真正的文化人想印書就得買高價紙，又如政府以節約用紙為由，不顧[illegible]放任黃色[illegible]似乎[illegible]

[illegible]不談政治；又如正音樂家開演奏會，政府[illegible]

[illegible]民主絕不可分，文化與[illegible]漠然不理，這豈是人類文化史上最大的悲劇！（三月八日晚寄）

台北近事三則

台灣通訊

●雷聲●

僑胞要求管教

僑生

來自烽火漫天的印尼華僑回國觀光團，於本月三日拜會院長俞鴻鈞時，[illegible]要求政府嚴格管理回國求學的華僑子弟。該團團長說：「政府對於華僑子女回國求學的不加管束，就難免要誤人子弟，失去僑胞送子女回國求學的本意。」

海外僑胞處在今日的教育與經濟的困境下，給予種種優待，原是應該的，但[illegible]優待而不管束，[illegible]僑生回去後不能發生作用，不使僑生的家長失望，不使華僑社會看不順眼，筆者認為，關於僑生的優待政策，應該注意以下三點：一、招生時，應重質不重量，至少質量並重，濫收的結果，難免會使真正想回國深造的優秀僑生，不願回來。二、僑務當局和學校，應當和家長保持通訊接觸：學生家長對於學生的行為，因為平時缺乏瞭解，所以一旦[illegible]。三、[illegible]對於少數行為不良的僑生，不應姑息，[illegible]

白崇禧丟了職

最近行政院在立法院大聲地說：加強反共人士團結，政院已採各種步驟，但是，另外的一面，這幾年一直為海外知識份子和[illegible]所懷的白崇禧，[illegible]在有關當局消極的不合作和積極的反對之下，已把中國回教協會理事長的職務拿下來了。此時，也是政府極欲加強與中東各國的外交關係，回教國家的領袖如伊朗國王，土耳其總理，沙地阿拉伯國王，在本年相繼訪問自由中國之時，而在中東回教人的心目中，視為中國的奧穆爾將軍（按：奧穆爾係回教史中，神乎其神的功業彪炳的大將），竟不讓他發生一點國民外交的作用，這畢竟是怎麼一回事！「回協」是民間的組織，黨部自無任免權，但卻運用離間手段，而發生拆散作用，為什麼一口咬定是被迫辭職，回協的常務理事會又是被迫照准呢？回協常務理事會，為了保住白崇禧的領導地位，會停開了多次，以抗議黨部的卑劣手段。最後通過白崇禧辭職的時候，到會的常務理事，眼睛都腫了，一位女立委常務理事，不斷的用手帕揉眼睛。我們可以想到，他們內心的痛苦。新任理事長時子周先生，勉強接受新職後，曾在回教聚禮日，告訴教胞：他只是為了應付環境，過渡性的，將來回到大陸後，要白理事長的聲望來號召，要他的力量來領導的。這句話似乎有弦外之音！

參加五屆亞洲影展？

五屆亞洲影展，下月廿三日將在馬尼拉舉行。台北方面，正在舉棋不定。唯政府方面，頗有參加的意思。但能提出影片的中央電影公司，因鑒於台製的「養女湖」于上屆影展中在東京丟醜的教訓（結果廠長也丟官了），則不願參加。

中影的二部新片「歸來」和「長風萬里」，教育部有意思選擇一部送出去。「歸來」，在春節期中，有很好的賣座成績。「長風萬里」，仍在拍攝中，前者是家庭倫理悲喜劇，後者是以海軍官校學生生活為背景，而以國產第一部「闊視綜藝體」為號召的。筆者認為，「長」片的賣座成績，將不會低於「歸來」，因為一、有闊視綜藝體為號召，二、「長」片是目前風頭最健的張仲文參加演出的。但若參加比賽，還是「歸來」好些，因為「長」片有不少鬧的場面，必然缺乏值得坐下欣賞的氣氛，二因帶有宣傳的作用。而「歸來」，張小燕的戲很重，亦有很好的演出，可能還有拿童星獎的機會。

晉身之階　○尹震○

寶島經緯線

△「行政革改委員會」已於本月十日正式成立。這一機構之成立旨在簡化辦事手續，裁併駢枝機構，活潑政治機能。吾人對此一機構所期望者，是該會能否超越若干人事上之顧慮，先就應興應革的重要者手，勿事粉飾虛應故事，而求能為政軍實行，勿徒予人以開機關的印象。

△外長葉公超是位最好的「政治演員」，唱做俱佳，記得最近一位立委詢及其是否訪問越南時，葉卻不予證實，而且答以是一派外交辭令，他說：如果國家須要我赴某些國家訪問時，我即前往，反之，我就守在台北。」如斯外交「幹才」，如舊治業，本無可非議，但對自己人（立委），也把外交詞令派用場，似乎不可，否則予人以「不負責推諉」的印象。

△監察院繼彈劾[illegible]之後又一表演，是對國民住宅[illegible]以偷工減料決加以糾正，[illegible]

●季鸞●

逃進「天堂」的難胞

·祝修衡·

鐵幕邊緣

儘管中共一再譴責港府限制人口入境措施，大陸上力圖掙脫共黨血手的羣衆，根本就不知道香港入境條例。因此，僥倖避過邏者耳目，獲得進入「天堂」的難胞，大多數觸犯港例，被捕羈禁，現時被當局押於漆咸道集中營者，已有二百餘人。

逃出難胞的感覺

在他們心理上，當時不免有一種感覺：我們最低限度不致會有生命危險。同時，他們在漆咸道集中營，每天二飯一粥現存口糧，即令不能果腹，最低限度比大陸上好；在大陸上想找一碗飯塡饑，有時候比求死還要難。另一方面，他們在進入集中營不久，眼前就湧現出一大新希望：港府幫助他們辦理難民登記，備辦台灣入境申請，滿以爲可望迅速能够回到祖國去。

難胞的請求

可是，這批數達二百三十九名——可以說是準難胞，差不多已等待了七個多月。於是，迫得於上月十四日上書港督，請求先行恢復他們自由，營外等候發運赴台。這種要求原亦無可厚非，在港例說來，也許法定程序上容有困難，以致港督迄今仍在考慮，或者有待於難民救濟機構貢獻較好辦法，以使這些身無長物——甚多僅剩短褲一條的——難胞早日獲得安置，結果却毫無反應。這到底是什麼原因？說來殊覺令人費解。迴想一九五零年以來，香港不乏標榜救濟，援助難民的公私機構，善團以及私人解囊，所提供於這一方面的經濟、精神與物質，數字相當可觀，有時失於偏頗，不免招惹物議。諸如今日被羈集中營的難胞，竟然無人理會，任其轉側哀啼，則殊屬令人費解。香港九難民救濟事務，係由港九難民救濟委員會負責，代表難民向港府說話，除非另有特殊原因，對於上述二百多人恢復自由問題，該會理當設法解決，不能熟視無覩。

今後類似問題

今後類似上述事件，只要共黨暴政存在，依然無法避免。基於香港律例，凡是偷渡入境者不加處分，而逕行關進集中營，已可算萬幸；根據聯合國憲章與人權宣言，對於反抗極權，爭取自由之民，實在沒有理由使其喪失自由；來自大陸的難胞，不應與違法偷渡者相提並論。這尚有待於香港律政當局加以考慮，同時也需要港九難民救濟委員會勸驅筋，商請有關機構設置一個接待難民機構；這原也不十分難事，例如在調景嶺搭蓋幾座寮屋，就可收容今後來港難胞，只要警方認爲[illegible]者，確係難民身份，經由社會局派員調查屬實，即可予以登記並交接待機構收容。

救濟問題

香港的中國難民救濟問題，現經聯合國調同國際難民，將籌的款安置，何時實現，迄今尚無確期。基於救濟款項有限，吾人有理由相信：將來救濟香港難民能，至多一次過撥交一筆款、物，在香港政府協助下，就難胞志願予以輔導生產，或加以徒置。雖然，逃出大陸的難胞之中，其中有多數希望遣送台灣，而未嘗考慮到在九年來台灣和樂施，已成爲當前一大嚴重問題；除了必要的技術人員，參加生產的勞動者之外，長期供養難胞，似乎難有可能。因此，每一難胞對於今後生活問題，不能寄望於長期救濟，而需要自力更生。

香港公地仍多，只要難胞願意自力謀生，不論拓荒墾荒，建廠開發工業，香港政府固樂予贊助，並輔導生產。這種生產自救的求生方式，救濟訂有具體可行方案，端視聯合國救濟款撥到，即可付諸實施。但是也有少許難胞性懶惰，常年浪跡街頭，伸手度日，幾已養成積習，倘能把他們集中一處，在嚴格管教下，使其從事拓荒工作，未嘗不也是大德政。

竹幕秘聞

中共對日政策

中共對日的基本政策，可以去年七月二十五日周恩來接見田尻正憲所講的一段話說明之：「最近幾年來，中日兩國很多民間團體，半官方團體簽訂了不少的協議；……這樣先從民間的頻繁來往並且達成協議開始，把兩國關係大大發展，最後就剩下在外交上宣佈結束戰爭狀態，恢復正常關係了。」

這段話看上去雖很簡單，但其後面包涵着數種意義：一、他們所以要這樣做的顯著目標是要達成所謂「中日關係正常化」。二、若日本政府阻止其民間團體這樣做，那末，就擴大了政府與人民間的矛盾。三、若自由世界對日本政府不如此做，那末，就擴大自由世界對日本的矛盾。這是他們的險謀所在，結合當前日本處境，要對付它確實要費一番腦筋的。

日本人的需要

從去年第三季開始，日本的經濟即趨向萎縮，其所以萎縮的原因，是由于生產過剩，爲過剩的產品謀出路，這是日本上下的首要任務。中共針對日本的經濟情況，施以壓力，迫使日本政府不得不讓步簽訂了使中共獲得一些政治利益的第四次貿易協定。該協定[illegible]互設常駐的「民間商務代表機構」，[illegible]關鍵也就在于「政府的同意」這幾個字上。日本政府則對此採用了拖延的政策。

幻想而已

日本政府除遭遇上述困擾外，接踵而來的是協定中的「促進技術合作」的條款，對日本企業家所引起的幻想。目前我們已能聽到日本一些人的「樂觀」的說法，認爲中共會接納日本的工業設備和技術，像以前一般的去海南島開採鐵礦，這種想法自是天眞了些，日本人何以未曾想到，中共如果這樣做，將置其老大哥蘇聯于何地？

或者正如本欄以前所說，日本亦欲利用中共與蘇聯間的矛盾，但我們應該鄭重的指出，中共與蘇聯間的矛盾僅止于內部，而在對外的世界革命政策上是統一的。共產國家與自由世界的一切接觸均爲其世界革命政策的一部，甚此來論，若要中共接受日本的這種合作，首要條件是毛澤東變狄托。儘管我們說中共與蘇聯有矛盾，但我們絕不信毛澤東變狄托之說，因爲毛澤東與蘇聯爭雄在取共產國際的領導權，試問他若脫離共產國際，又將用何種方法擴大其影響力來奪取共產國際領導權？即使毛澤東有做狄托的想法難道經由日本的關係？試觀波蘭的現況，其反蘇的態度比中共明顯，而它却是接受美國的援助，即可爲例證。

若果認爲不會互派使節是貿易的障礙，那末，又可以英國與中共的情況說明之，它們雙方已派有代辦，貿易情況又如何呢？若果認爲「關係正常化」了就可以解決中共與日本間的一切問題，那末，也可以日蘇關係爲例，領土漁業等基本問題解決了嗎？日蘇關係的苦惱外務省大概已深深體會到了。

岸內閣若一任這種「商業外交」發展下去，即使達到了「正常化」的境地，也還是解決不了日本的經濟困難的。那末，岸信介即使再說，結果幻想終歸還是幻想。對日本來說，又有什麼用呢！

·田心·

國際動態 拾零

△美國廿一億元援外款項，其分配方法計爲歐洲約二億八千元；受援國爲西班牙，南斯拉夫，希臘，土耳其。至英、法、意、西德，荷比，則不再需要經援，而祇需原子武器之援助。中東各國，以五億九千萬元，較上年增六億八億。受惠者除巴格達公約國外，尚有印度錫蘭阿富汗。其餘遠東佔十億，非洲佔一億。此外十八億之百配，尚未確定。

△中共擬發起一遠東高峯會議，設法使印度參加。其目的爲討論在亞洲設立一非原子地帶，此一主張，則爲北越最近所提出。而背後之眞正目的，則爲促成南北韓，與南北越之統一。

△匈共領袖卡達，本爲平定叛變後之赤色傀儡，現將退出政界。當其于一月廿七辭去總理時，曾稱將專任黨部第一書記。實則去年共產國際開會後，蘇聯已經開始監視他了。

△中共已將鐵路伸至廈門，並請世界商船駛至該港，其對岸之金門如用砲轟，勢將引起國際糾紛。這是自由中國的一個難題。

△法國國務總理，曾問參謀總長，克服突尼斯需要多少錢，答覆爲現有財力人力，絕對不夠，而且其努力的效果將等於零。

陶然

來函照刊

編者先生：

本月八日本人在監察院所作報告。長達一萬六千餘字；而十五日貴報所載張健生先生之通訊，不及全文十分之一。惟其過於簡略，故難悉符原意。至謂中央日報社社長與中央四組間曾因薩孟武先生一文發生風波云云，弟當時絕未作此語，且未聞有此事。而所謂薩文係中央日報主筆所撰，亦與弟所講不符，今函請將來函惠賜披露爲荷。順請

撰安

陶百川上（三月十五日）

新書評介

「藍與黑」讀後

王藍著 紅藍出版社出版

今年自由中國出版的長篇小說，到今天爲止，長到四十多萬字者，恐怕只有王藍先生的「藍與黑」。

此書先在「中華婦女」雜誌連續發表，爲期三年之久，主要是描寫一個淪落風塵，却力爭上游，與另一個境遇優越却甘墮落的女性。

第一位讀者也是「中華婦女」的編者，說：「……這部巨作是他致力寫作二十多年來最爲成功的心血結晶。他創造了活生生的典型人物，描繪了我們這個時代的鮮明的眞實面龐，傳佈了自由民主思想，發揚了善良寬容的人性！表現了人間無比熱情，無限崇高的愛……」這是看過此書三年的人所下的詳語。

我只讀過它一次，僅費三天的時間，不敢說對它有了全部的了解，只是把故事的輪廓記下來，覺得它能够吸引人「入迷」，是有其原因的。

因爲故事發生于對日抗戰期間，男主角是一個愛國的學生，由淪陷區逃到大後方，參加過學運，在重慶讀大學。兩個女主角的一個在淪陷區認識，即——淪落風塵而力爭上游那一位。另一個在大後方認識的，即——環境優越而自甘墮落的那一位。以他們三人爲主，而演出的戀愛故事，在故事中夾着愛國故事。錯綜複雜如萬花筒一樣使人目炫神迷。

它的取名，據說：藍是代表光明面——自由，和平，向上，熱誠，希望，眞，善，美，愛。黑是代表黑暗面——奴役，暴力，墮落，冷酷，毀滅，僞，惡，醜，恨。因爲世界上這藍黑兩種勢力正在劇烈的搏鬥，進行一場戰爭。

用之于本書，則是以力爭上游的女主角爲藍，自甘墮落的女主角爲黑。作者是希望藍勝黑的，依照作者的結論，藍已經戰勝了黑。給讀者們的心理上一種健全而正當的暗示。倒沒有只是在愛情上兜圈子，然而又不曾完全離開了愛情。這兒也顯出了作者的才華與時代而具有啓發青年的力量。

今日自由中國的作家，寫小說的朋友不少。各有各的特長，「藍與黑」的作者，于特長之外還有「特短」。「短」在不及他人之寶灰，以顏色而言，短于不及他人之粗燥的。換句話說，作者是短于寶灰粗燥的。因而我更愛「我乃蜀中人」，此書後半部全是寫蜀事中。讀來更覺得親切有味，以作者寄居西蜀僅六年，而其觀察有如此的深刻，而且細緻描寫那一切人物，事又如此的精細，而且有趣味，本地人還不了解的，作者卻寫得維妙維肖，稱他爲「小說大家」者不算是過譽了。

江石江

藝壇一對忘年交
張大千與高嶺梅

藝壇一一消息

中國國畫宗師張大千先生與本港東方藝術公司主人高嶺梅兄，是很好的朋友，也是藝術界一對忘年之交。

由于張大千先生今年已六十歲了，而高嶺梅今年才四十六歲，但他們兩人的交誼可以從高嶺梅這次爲慶祝大千周甲誕辰之壽而舉辦的大風堂畫展看得出來。因爲：

第一、高嶺梅把他口國際攝影公司新址整個樓上樓下展出，而且不惜代價設計得非常精緻、美麗、堂皇。大大小小一百幅名畫中，差不多每幅都用漂亮的玻璃架裝着；光是樓上那幅一丈八尺高，約三丈六尺寬的荷通景屏，據說是在日本裱的，其工本費約港幣一萬元。

第二，尤其奇怪的是，這次展覽所費不貲，而展品均屬非賣，令人感到失望。不過，嶺梅兄也說得很有理由：這一百幅名畫，多半都是大千先生贈給他的，有的珍藏了很久，有的是最近大千自[illegible]的作品。同時，大千年事已高，有些作品恐怕以後再不能畫得出來了。所以，不願使大千這一整套的名畫分散開，要不然，一幅西園雅集圖，便有人出了三萬美元，可是嶺梅仍不忍釋手呢。

稿酬：

本報本年二月份稿費通知單已分別付郵，請惠稿文友，憑單領取爲荷。

編輯部啓

尷尬的邦交

自由談

馬五先生

由於日本政府藉所謂「民間貿易」問題，而對中共的「商業代表團」給予外交特權，不啻變相承認秩叛政權之故，自由中國與日本的邦交，突現緊張態勢，下文如何，未可逆料。

國際間只講現實利害，決無道義可言，這是一般現象，殊不足異。中華民國政府自對日抗戰之役結束以來，既聲明不報復主義，又以放棄賠款要求，首先與日本簽訂和約，重建平等互惠的邦交，而今日乃有此結果，可見日本人比英國人更爲現實，殊堪驚駭！

日本以戰敗新興之國，在建國工作中，無論內政外交和軍事問題，皆不能不仰賴於以美國爲盟主的自由國際間的贊助——也可說是「支配」！何以竟敢採取騎牆投機的兩面人政策呢？這可從日本軍人渡邊渡去秋對美記者馬丁（美國新聞世界報導社記者）所說的一段話得到正確的解答。渡邊說：「美國對華政策，究竟是怎末回事，殊難索解。既然允許西歐的盟國自由解除禁運限制，與中共從事大量貿易，卻不讓日本跟中共通商。美國對華政策如其是堅決反共的，日本自有作法；若對中共實行妥協，日本亦有作法。像白宮現行這樣不三不四的對華政策，實在教人莫測高深，無所適從呢！」

去秋我在日本旅行時，曾聞「自民黨」顧問嘉治隆一先生慨然說道：「台灣方面平時對於國民外交工作，應該注意才是。無事時未能發揮國民外交的作用，有問題發生了，即向執政者忙於官式的折衝，而沒有民間輿論力量予以支持，自然要感覺事倍功半的。」

綜繫上述兩位日本人的言談意旨，對於構成中日兩國現時這種極其尷尬的外交局面之所以然，即思過半矣。美國的糊塗領導，日本的勢利觀念，加上我們自己的人謀不臧，三項因素湊合着。我們如不願忍辱含垢，就祇有施行操刀一割的革命外交手術之一途，庶乎有瘳也！

談圍碁

•宗棠•

棋哲有云：「圍碁一局之份量，佈局佔三成，中盤佔六成，官子佔一成。」世界一棋局也，不知我們的政治家懂得其中奧秘否？

余本多年從事圍碁經驗，博覽圍碁書籍之心得，試就圍碁上達之程序與方法，貢獻一得之見。

初學至入門

圍碁之學，由初學而至高段，概括言之，可劃份爲四大階段：

一、初學至入門（姑以九級爲入門），易學難精。所謂易學，殆指做活與圍空而言。會此二者，因可與人對局，娛情於黑白之間，然不足以生雅趣，精進之過程，低級時每進一子，其中所含學問有限，故其進易；及其級漸高，則倍覺艱難有經年苦研，而不克晉一子者矣。所謂難精，意即指此。

九級至四級

二、九級至四級，首宜致力於定石之運用，死活之參研，邊角之變化，目數之損益。及至已皆有相當認識，宜進而究手劄之解劄，筋形之所在，手順之先後，方位之向背。由研究目數之大小，進而探求手數之省費。庶不至臨奕之時，損一手而不知，徒益對方而不覺。遂能運用巧思，作智力之爭衡矣。然此階段之佼佼者，尚未足以言得窺堂奧。中人之資，孜孜以求者，皆可達此。其中諳練者，可當業餘初段（平均實力只及專家四級，用以表非專門家，有技如此，亦已有成，本篇悉以專家段級爲準。）

四級至初段

三、四級至初段，臨奕之時，宜明勢力之消長，酌視急以先後，審攻守之要點，辨輕重而取捨；動靜相生，剛柔相濟，弱者能及，強者易披靡。此階段可謂兼備有象與無形之學，屬於較高級矣。此時棋力多與較高者切磋，以收潛移默化之效，熟能生巧，漸次可不爲定石所拘，形式所限，騰挪變化，在融通，可期入段。技至於此，可謂已登堂入室；然於控制全局之推移，掌握勝負之先機，仍有未足。即此已非智者莫能及，故達者寥寥焉。其中拔萃者，可當專家初段（日本名稱，爲入日本棋院職業之最低標準）。

初段至九段

四、初段至九段，基本之學識已充，實戰之技巧亦足；宜力求意境之培育。所謂意境，當代宗師吳清源氏曾云：「方余奕時，腦中所先察者，悉爲圓形，若電光之警過，乃得有所抉擇，作至當之處理。」欲期儕入高段，捨天才卓越，學養功深而外，復必須積多年之實戰經驗，有長期之專門研究。茲以後者而言，應閱名家棋譜，神遊乎其中，運思構想，目睹全局，意貫終始。其中境界，不盡可以言傳。此階段之精進者，更能不落他人窠臼，別創風格，發爲獨特作風，變至爐火純青，登峯造極矣。

綜上所述，圍碁之上達，有其必備之條件，有其可循之軌跡。樂此道者，可自審居何階段，具何學識，知其不足，革其陋謬，活潑其思想，善用其悟性，則不難飛躍進步。

舉三例答問

或有問：「自審學力相當，而運用之際，手不應心，如之奈何？」此其棋力未足與相合，進之在思。茲舉數例以明之：

十年前余居滬濱，聞顧水如氏語低級棋友云：「爾曹猶在學習階級，宜無以勝負爲念，應律己每日思出一妙着，以爲奕棋一日之交代。如是則一年積三百六十五妙着，已所思出，必能運用，何患無進步哉！」又過惕生氏答以棋力爲問者云：「懂得如何送子與對方吃，即可謂力量已有相當成就。」吳清源氏年前遊台，有中級棋友詢以進步之方，答以宜多作死活之研究。蓋以其眼光視之，若從事尚膚淺，死活問題，玄機最多，可益其智慧也。近余偶臨觀奕，亦有棋友問余曰：「圍碁如何下法才好？」余以幽默之語答之：「最好做空要別人幫忙，破空要別人請進，攻殺要別人自斃。」語雖近於詼諧，然而回味，自覺其中頗有哲理，願棋友三思之，力在其中矣。

以上數例，一言以蔽之：要在思想之啓發而已。中級棋友，薄有所學，臨奕之時，一意搜求，冀有所獲，仍有不思之弊。知其常，達其奕，斯可矣。

參考書籍

至若參考書籍，則東瀛高手所著述，可謂琳瑯滿目，美不勝收。屬專題有布石法則，中盤戰術，攻防要義，筋形研究，攻方消方，官子計算，死活問題，詰碁解答等等，閱者可自擇之。基本定石之變化，則購備鈴木爲次郎所著圍碁大辭典一部，即可無事他求。作高深之研究者，宜就性之所近，擇道策、丈和、秀榮、秀哉、秀和、秀甫、清源等全集，鑽研其意境，領略其神髓；如參閱我國名手黃龍士、施襄夏、范西屏諸氏之棋譜，而比較之，則更可明古今之不同，棋理之演變，庶幾有所遵循。雜誌之參考者，日本有棋道、圍碁、棋苑等，台灣有圍棋，皆可置之座右，以助了解棋界情形，時新其思路也。

上達另一要義

更有一義，須爲棋友明之。棋哲有云：「圍碁一局之份量，佈局佔三成，中盤佔六成，官子佔一成。」今日日本本因坊高川格氏即按此比例，作彼每局十小時時間之科學配置。此非謂佈局之三部份各有其獨立性，特欲使其思力，作不偏不倚之分配耳。夫棋成一局，自有其自始至終之連貫性，佈局之參差，涵育中盤之變化；中盤之戰鬥，預儲官子之利益。若必曰某人佈局佳而中盤不行，則其佈局非眞佳也；某人中盤力差而官子好，則其官子非眞好也。故知盲目抄襲，失之連貫；胸無成竹，易致茫然。而注其思慮全盤，放目光於遠處，務運用之精純，求己意之貫徹，自無阻於上達矣。

余之所言，或意有未盡；余之所見，或學有未充；只以他山之石，可以攻錯，故不揣陋，幸高明者有以教之。

詩兩首

•陸珍年•

有寄

亦知粗女含情去，不見鴻書帶信來；
歸誤無聊餘寂寞，滿園紅紫爲誰開？

無題

是色是空無二相，歸來萬里一阿難；
佛前大醉三千日，不向娥眉問宿緣。

短篇小說 同情

•鍾靈•

四

我們通常往往會對某些人給予同情，儘管所同情的人還不認識自己；然而，當我們知道了所同情的人對自己已發生了情感，那同情的程度跟着加深了。我對妹娣的同情，漸漸變成關切，有一次，媽在晾衣服時候，妹娣只有兩件衣服換洗，其中的一件那樣破了還穿着，我不由說：「媽買塊布給她。」

果然，幾天以後，妹娣有一件新衣服上身了。這天，她似乎特別高興，也更襯托出她的美貌。

有一天午飯後，媽正在打吨，我雖然也躺在自己的臥床上，可沒有睡意。忽然，我聽見一陣很響的爆裂聲，發自廚房裏面，我一驚，慌忙起來，趕了進去。妹娣木然呆立着，一手提着開水壺，地下一堆碎了的熱水瓶，還有開水流出來。這隻熱水瓶還是媽新買的，無怪乎妹娣要嚇傻了。

「砸了不要緊。」我安慰她。「燙了手沒有？」

她幾乎要哭了，這才注意到左手有一塊紅。我連忙說房，拿一瓶醫藥出來，給她抹抹燙紅的地方。

「少爺，我……」她眼裏流露着感激的光輝。

「不要緊！把碎玻璃片掃去，我跟太太說是我碎的，明天再去買新的。」

「少爺，我應該賠……」

「別說什麼賠不賠，任何人都有不小心的。快點，打掃乾淨，別讓媽回來。」

第二天，當我買了新熱水瓶回家時，妹娣特找個機會，背着媽向我道謝，

「少爺，您對我這樣好，我眞感謝您……」

「你別這樣說。」我攔住她。

一會，她又囁囁嚅嚅地：「少爺，今天我媽來過……」

「媽跟太太說要我明天請一天假，回去一趟。」

「好呀，你實在也應該好好休息一天，這一程子太勞累了。」

「我……」她怯怯地，「我眞不打算去。」

「爲什麼不回去！」

她又要說什麼的樣子，恰好媽喊她，她急忙忙走了。

後天，妹娣回來的時候，神色有些不自然。我不明白她家裏發生了什麼事，又不便問。但過後她做做事情，又恢復常態了，我想這該是我的神經過敏。

以後大約過了兩個星期，鄉嫂又托人把妹娣喊回去一次，但當日，妹娣就回來了，眼圈紅紅的，好像哭過。我正想找機會問她，她已經偷偷走進我房裏，神態淒切地說：

「少爺，我求求您，請您跟太太說：要是我媽來找我回去，叫太太千萬別答應！」

「你是說——？」

「我媽要我辭了別幹，您想：這是什麼道理！當初我們剛回到家鄉，沒路可走了，來請求太太收容，太太少爺都待我這樣好。」

我也止不住氣惱了，拍拍胸脯：「你媽假要來喊你，我第一關就不通過！你放心，我這就跟太太說去。」

當時，我就和媽說了，媽也說鄉嫂這人太沒心肝，不管怎樣，她要讓妹娣在我們家做下去。

我把媽的意思告訴妹娣，妹娣歡喜得了不得。（四）

燕塵識小

戊戌譚往

微角生

「四月二十三日上諭：數年以來，中外臣工，講求時務，多主變法自強，邇者詔書數下，如開特科，汰冗兵，改武科制度，立大小學堂，皆經再三審定，籌之至熟，甫議施行。唯是風氣尚未大開，論說莫衷一是。或託於老成憂國，以爲舊章必應墨守，新法必當擯除，衆喙曉曉，空言無補。試問今日時局如此，國勢如此，若仍以不練之兵，有限之餉，士無實學，工無良師，強弱相形，貧富懸絕，豈眞能制梃以撻堅甲利兵乎？朕惟國是不定，則號令不行，極其流弊，必至門戶紛爭，互相水火，徒蹈宋明積習，於時政毫無補益。即以中國大經大法而論，五帝三王，不相沿襲，譬之冬裘夏葛，勢不兩存。用特明白宣示，嗣後中外大小臣工，自王公以及士庶，各宜努力向上，發憤爲雄。以聖賢義理之學植其根本，又須博採西學之切於時務者，實力講求，以救空疏迂謬之弊。專心致志，精益求精，毋徒襲其皮毛，毋競騰其口說，總期化無用爲有用，以成通經濟變之才。京師大學堂爲各行省之倡，尤應首先舉辦。着軍機大臣總理各國事務王大臣，會同妥速議奏。所有翰林院編檢、各部院司員、各門侍衛、候補候選道府州縣以下官，大員子弟，八旗世職，各省武職後裔，其願入學堂者，均准入學肄習，以期人才輩出，共濟時艱。不得敷衍因循，徇私援引，致負朝廷諄諄誥誡之至意。將此通諭知之。欽此。」

蓋自上年十二月德兵侵佔膠洲，是年正月康有爲上書請變法宜先定國是，[illegible]事變起（說見後），光緒痛外侮之頻來，知不變法不能立國。而恭王奕訢謂祖宗之法不可變。光緒曰：「今祖宗之地不保，何有於法乎」。因使慶王告西后曰：「朕不能爲亡國之君，如不與我以權，寧遜位耳。」西后雖憤甚，然因別有所圖，姑應其請，乃使慶王復曰「皇上欲辦事，太后不阻也。」及至四月恭王薨逝，同龢輔政，御史楊深秀、侍讀學士徐致靖相繼上書，請定國是，光緒決心乃白西后，召軍機全堂，下此詔書，宣示天下，斥墨守舊章之非，著託於老成憂國者之謬。申門戶水火之誡，明夏葛冬裘之宜，以變法爲號令之宗旨，以西學爲臣民講求之著力。詔中特別指出京師大學堂一事，光緒當時大計，先從改良教育培養新人才入手辦法。由京師大學堂演變而爲北京大學。故言北大校史，今年已花甲重周矣。（四）

稿約

一、本報各版園地公開，歡迎投稿，來稿以一千五百至二千字爲最相宜。特約稿不在此限。

二、本報歡迎通訊、特寫、文藝、評論、書評、人物介紹、短篇小說、詩詞等；三、五百字之短文尤所歡迎。

三、本報對來稿有刪改權，不同意者請於來稿預先聲明。

四、來稿請用稿紙繕寫，行文請勿過於潦草，不宜一紙兩面繕寫。

五、來稿請自行留底，外埠郵票香港不適用，附有退稿郵票，本報不負寄退稿責。

六、稿酬每千字按稿暫五元至十元計算。

自由人

THE FREEMAN

（第七三五期）

中華民國僑務委員會頒發登記證台僑新字第一零二號
中華郵政台字第五〇〇號執照登記爲第一類新聞紙類
（半週刊每星期三六出版）

每份港幣壹毫
台北市售價台幣壹元

督印人：陳文華
地址：香港高士威道二十四號四樓
20 CAUSEWAY RD. 3RD. FL. HONG KONG
TEL. 771726

承印者：東南印務出版社
地址：高士打道六十四號

台灣總經理處
台北市西寧南路壹零壹號二樓
電話：四七三四六
台郵撥儲金戶九二二五二

海外總經銷：友聯書報發行公司
香港：德輔道中二十二號A二樓

談經濟的「基本」

——聽了俞院長談現行經濟體制以後

陳式銳

美國的經濟自去年下半年逆轉以來，國內已經發生了小問題，失業到本年二月份就達到五百二十萬人，美國總統艾森豪威爾現正在要求國會提出關稅、減稅、及公共建築法案，以資救濟；他對全國人民宣佈在年中將開始復甦。美國這一經濟逆勢，不但影響供應原料底落後地區，則西方工業國亦不無受到牽動。在這一世界局面之下，自由中國，大家知道，已不是閉關自守時代，對內對外自不能不兼籌並顧了。

革新首在觀念的確立

自開春以來，政府不無顯露着春底氣象，總統府成立臨時行政改革委員會，行政院把二十一個機構，尚在研究精簡組織，且在籌辦工業開發公司。雖人民以當局過去「改革」類多虎頭蛇尾，或竟空雷無雨，對此除欣慰外不免帶着懷疑；惟有了開端，朝野有心人士，自可共同督促其積極開展，莫讓其中道消沉，亦自可收到功效。

所謂革新，主要先在觀念上求確立，始能使政策有貫澈的可能。行政院長俞鴻鈞三月四日對立法院稱：「現行經濟體制的基本是戰時經濟，但我們是民生主義的經濟國家，除了要準備反攻外，應有建設台灣的任務，因此爲繁榮社會，擴充國民就業，提高國民所得，在戰時要求不衝突的原則下，我們儘可能發揮自由經濟的精神和力量」（三月五日台北徵信新聞）；他又說：「我認爲就戰時的需要言，爲了我們國家的利益，該管制的應該管制，這是世界各國的通例，即使實行自由經濟的美國，目前在平時，亦有許多管制的措施。不過，不必管制的則採行放手政策」（三月四日台北自立晚報）。在這些語句當中，有民生主義經濟、戰時經濟、自由經濟精神和力量、管制、放手、反攻、繁榮……等等；一個首相的腦子裏擠了這麼多名詞，難免感到複雜了。

現在是否戰時經濟體制

實際上，民生主義已經採納於中華民國憲法之內，而由憲法的條文，我們體會出一個私人企業經濟制度，也就是自由經濟體制；這是「基本」大家應該把它建立起來。俞氏引美國是自由經濟國家，而在平時亦有許多管制；況今還在準備反攻，所以不但要管制，而且「基本」是戰時經濟了。按戰時經濟，主要是擴展軍用物資的生產，因而限制民用貨品的製造，由此連帶地管制必需原料的進口與分配。其次，美國的些少管制，乃在濟自由經濟的不足，它不會搖動或竟取自由經濟而代之。明乎此，台灣並無大規模底軍事工業，而軍用物資主要取給於友邦；而且自己有豐富的米糧；棉、麥、豆等又由美援而來，我看不出台灣有以戰時經濟爲理由，乃至於以此「一」的「基本」動搖「基本」而代之！況且在政府要建設台灣，促進工業化之中，俞氏又提出「繁榮社會，擴充國民就業、提高國民所得」，這些於目前管制局面之中可以獲致嗎？

現行管制出了毛病

在現行管制——或戰時經濟——之下，台灣社會已流行着工商業「大做大虧」、「不做不虧」、「小做小虧」一句話。根據政府金融當局的研究，「目前本省工商業的毛利率相當於營業額百分之廿五，各種捐稅繳納約爲營業額百分之十至十五；倘資金的半數是銀行與市場借款而來，所負利息達營業額百分之十五至廿，平均恰是營業額的百分之廿五。……營業單位所獲的利益（收入），僅夠支付工資、利息、與稅捐，其一半（屬於投資）已無利潤可得。……本省負担利息最低的工廠，利息最低約爲營業額百分之二，惟此種利息負担單位，僅屬於極少數的幾家；情況較佳的，利息負担，相當於營業額百分之八；絕大多數的利息負担，都在營業額百分之十以上。……祇要產品滯銷，就會發生虧損，虧及投資；倘若向外借款超過百分之五十以上，該單位就會虧損，無法維持」（三月三日台北徵信新聞）。政府管制金融，至於黑市借貸盛行；管制外匯貿易，乃出口困難而產品滯銷，兩者無時不在加重工商業的桎梏，工業化云乎哉？而長期的管制，不但斷喪經濟的生機，而且敗壞了行政；演變到今日，殆非再是理論底問題了。自西藥外匯舞弊案發生以來，政府自內政部長王德溥開始道出外匯弊端，始把內幕公開揭發出來；尤其王氏以西藥外匯舞弊案不過是外匯舞弊的「九牛一毛」，益顯事態非比尋常了。他於二月十四日對記者招待會說：「查外匯舞弊係久有所聞，過去內政部也曾接到很多密報，不過此類案件頗苦於不易查到確切證據。……其中除有關西藥外匯舞弊部份經內政部飭警察機關澈底偵查，並查有證據移送法辦外，關於一般外匯舞弊部份，因牽涉極廣，情形至爲複雜，如期澈底調查，可能將遭遇很大阻力，必須各方面都予重視，密切配合始克有濟」（二月十五日台北聯合報）。我一向以管制有賴於政治（組織與政風）的健全，否則得爲不肖官僚利用爲營私舞弊的工具，世所謂「官僚資本」則由此而來，因此管制的目的未達，而且引出其他弊病，國計民生並受害無窮。單管制外匯一端，輿論在理論上的指責文字大可裝成鉅冊，而迄未獲當局有所採納；私人談話，咸認政策與執行長期在一班人馬手中，彼等利之所在，豈願放手，大家只以嘆惜作結論。所以近來批評的文章反而減少，不是大家不重視，實際是失望了！

管制造成了經濟特權

再以復興航業公司套匯案而言，就足以顯示外匯管制弊病的錯綜與複雜。復興公司涉嫌勾給外匯審核人員套取外匯進口管制物資，全案分爲：（一）該公司以自備外匯轉售黑市，（二）外貿會核准其進口管制物資。其中，還有一段不可思議底內情，全國各航業公司積欠台灣銀行（至去年）新台幣八千萬元，乃商准當局以自備外匯二百萬美元進口「其他物資」，以其利益收入清償台銀債務；再驅轉清准外貿會予放寬進口管制物資；該公司乃與其他同業先後向外貿會申請進口八成管制物資，嗣該公司獲准自備外匯進口廿三萬八千餘美元，其中有管制物資，包括高級墨水，高級紙張，中藥、特種燈泡等（三月一日及三日台北聯合報）。政府以其公營銀行爲收回債務，而竟准許債務人進口管制物資，讓其以特種利潤清償債務；我不知道當局會否顧慮到此例一開，其做尤者將何以應付？他人同樣請求而不予核准，則又將何以解釋給予特權的理由？而當局如此作爲，又曾否想到法的問題嗎？按進口「其他物資」，僅華僑投資有法律上的根據，倘有人提出「當局核准復興公司等進口其他物資何所根據」，不知將何以答復？至於「自備外匯」轉手黑市一節，一般人已視爲尋常，我但引報上的一段記載，就可以表現無遺：「私自買賣（外匯）幾乎已是公開的秘密，無論自備外匯、僑資外匯，甚至特種外匯，還有些政府賠償民間財物拆付的外匯，市上都有買賣，也不是今天才開始，台北一地專門做外匯生意的人，就數以百計，據說每一美元的外匯高達五六十元，管制物資還不止此數。……這些外匯爲什麼要流到黑市去呢？原因或許是因爲進口牌照有限，

（下轉第二版）

半週述評

以強硬對模稜是明智的

最近一次掩耳盜鈴的中（共）日貿易協定，引起了我國朝野積憤的總爆發。[illegible]的（當然不該把責任全都諉諸日本），其價值竟比不上北平三千五百萬鎊的利益。我自由中國固然需要日本這個友邦，但不講道義的友邦，我們才不希罕；台灣當然也需要占貿易總額百分之四十的對日輸出，但總不能以大的政治代價去換取。因爲過去曾用血債換取的教訓，政府此次以強硬對模稜的外交，是必然而明智的。

以忍讓對自私才是不智

記得當珍珠港事變未發生以前，日本曾派一位國民外交家到紐約社會科學年會與胡適先生辯論時，我親自聽到他曾以「人口過剩」爲不得不向東北移民的依據，拿日本是「沒有」（have-not）的國家，作爲應該向外發展（侵略）的理由。今天日本也可能以沒有貿易爲與中共貿易的理由，我們如果也以日本在戰後國際市場日趨狹隘無法生存，不得不向大陸做生意爲諒解的理由，在本質上也不啻昔日同情日本向外侵略的理由，爲五十步百步之差。以忍讓對自私的外交是不智的。

獲得支持的行動

日本過去與中共作類似的貿易協定，自一九五二年以來已經有過三次，當局雖有抗議，卻以爲沒有政治性而未澈底交涉，更沒有嚴重抗議，是應引以爲遺憾的。今天政府毅然採取堅決的強硬態度，其能獲千餘萬僑胞的支持，是沒有疑問的。台灣已決定停止一切對日商業行爲，正等候岸信介「滿意」的答覆，但我們需要日本與中共一刀兩斷，絕不與中共發生任何政治形式的關係。

雖有「滿意」的答覆

且看放寬對中共禁運問題，美國又正與西方國家——英、加、法、西德、比、荷、丹、挪、義、希、土及日本——檢討貿易管制。在美國壓迫下，各國會議上主張放寬禁運最力者，日本是其中之一，由此可見日本對大陸的貿易意向，要岸信介作「滿意」的答覆（而非敷衍）之情爲何如，良憂憂難！

日本與亞洲岐見

最近美國遠東的外交使節舉行會議，討論亞洲各國的歧見，有南韓反對所謂「日本商人」與中共的貿易協定，有中菲間關於華僑「避客」的問題，以及印尼、南越政府對華僑所施的限制，其中一半涉及日本。日本是亞洲團結陣線最有關係的問題，日本的曖昧態度，影響於亞洲自由陣線，並可以警醒日本。對我國之抗議，日本與中共貿易的態度問題作一個總清算。

且看新的「財經內閣」

今天行政院宣佈局部改組，由田炯錦、嚴家淦、楊繼曾三氏繼王德溥、徐柏園、江杓三氏分任內政、財政、經濟三部。這顯然又是以一個新的「財經內閣」姿態出現。別的且不談，國人對「不動的內閣」作何觀感，也不論新內閣的新人如何，我們要說的是：中日邦交惡化而歸于烏有，對日貿易將如何打開出路；此外還有已經發生毛病的管制經濟將如何清理，外匯貿易制度將如何修訂，政治社會風氣的污濁將如何洗滌，局部改組？凡諸問題，集于財經、內政三部，且看有無新的做法，當局的意向如何。此刻只顯拭目以觀其後。

●林伯雅●

蘇加諾可能遁走險招

——向共黨集團乞援

華仁傑

椰加達和巴東兩個不同政權，先後均曾下令逮捕對方的閣員。蘇加諾在共黨艾迪煽動下，授權印尼共黨指揮潛伏各地共特組成「狙擊小組」，陰謀行刺分赴海外活動的革命分子。巴東革命內閣對蘇加諾深惡痛絕，揚言有朝一日將蘇加諾拘捕，「把他活活吊死」。這種憤激情緒，顯示巴東政權已無妥協讓步餘地。但是巴東的革命勢力，在現階段儘管深受國際間精神支援，尚難獲得充分作戰工具，以瓦解爪哇頑強的反擊。

在表面上看，當中央軍攻佔了班哥里斯、民大威兩島之後，蘇中處於夾擊狀態；但形勢一度險惡之後，事實證明了中央軍內部並無堅決反對革命意向，於一批前鋒部隊倒戈之後，後續不繼，雙方已呈膠着。

在東南亞公約八國會議中，對印尼局勢採取「觀變」態度，美國認爲局勢不如一般意料中那樣惡化，極可能會使兩個不同政權妥協；菲律賓雖不直接支持革命政權，事實上無意看到蘇加諾這次「鋌」成功，演致印尼落入共黨之手。

一般輿論反映：印尼如果赤化，不出兩年，共黨勢力必遭遇強烈的民族主義排斥。諳知印尼內情的人士，相信這個島嶼國家，無論在任何時期始終難以統一，除非有一位極孚衆望的政治家出現，但絕不是十年八載努力，就可以具體實現。問題是各島存在着自私狹隘的鄉土觀念，以爲接受一個統一政權領導，有如斬割了自己的皮肉；但是一經外國勢力侵入，各省勢將聯合一致對外。現時革命政權把握了這一民族觀念，和羣衆心理，號召全國軍民聲討爪哇的共黨勢力，並促使印尼駐外使節背棄中央政府，支持革命政權。

蘇加諾很明白：這次他反擊革命勢力的成功失敗，取決於陸軍參謀長蘭蘇貸；跟革命政權妥協與否，則決定於共黨總書記艾迪；他個人只要保持總統權位，任何形式的政權都無所謂。處於現實的情勢，在共黨挾持下，卻已非決戰不可。誰都可以了解，爪哇共黨聲勢之大，凌駕各黨之上。例如二月二十五日泗水地方議會舉行選舉（去年七月廿九日選舉中共黨獲勝），結果共黨依舊獲得壓倒優勢，東爪哇勢力全落共手。共黨企圖控制中央政府，不能不任西爪哇處於饑餓狀態，迫使蘇加諾堅持排斥敵對勢力；如所周知，蘭蘇貸主管全國軍事，對蘇加諾以及印尼共黨的運命，僅在他一轉念間，要一夕之間將全國共產勢力消滅，易如拍蠅。蘇加諾對於這位曾經爭取他的政治生命的軍事領袖，豈能沒有戒心，但是他的左右除了艾迪，幾乎沒有更接近的人物。因此，他經常聽取艾迪意見，放任共黨勢力擴張，藉以鞏固個人地位。一方面對蘭蘇貸暗中監視，另一方面起用退休之後曾赴北平受訓的軍官，分批派赴軍中，使蘭蘇貸的勢力削弱，只有「効忠國家」——實際則爲蘇加諾與共黨，不容稍存異志。否則，蘭蘇貸隨時有被捕殺身之禍。

經過巴東首次戰役的考驗，已證明了中央軍內部除了死硬的共黨之外，仍有捍衛國土，力避內戰觀念。由于他們轉向革命政權効忠，已引起全省的變亂；蘇北棉蘭軍區司令與革命領袖胡辛代表持續洽商結果，已決定背棄中央，支持巴東政府（按：蘇北軍區已於十七日正式宣佈起義），這一重大變化，不啻敲了蘇加諾喪鐘，雖然棉蘭局勢成敗，未可立判，但趨勢已顯示：中央政府如無外援，相信其命運不久就可決定。因爲中央財源百分之七十取自蘇門答臘，其中大部分爲石油與油稅；巴東方面已分令轄區油廠不准將石油外運，並制止各外商在椰加達繼續繳納油稅。這種反抗蘇加諾封鎖爪哇海峽的措施，已使中央政府窘態畢露，顯然不易繼續戰爭。但有人相信蘇加諾可能採取兩項緊急措施：一、強迫外商繼續繳納油稅，藉外國勢力自蘇島將石油繼續外運；二、武裝全國各地共黨黨徒，並要求蘇俄中共支持。據說中共已有兩批軍火運赴爪哇，北平將派遣一個軍事代表團前來助戰。因此，椰加達謠諑紛傳。

目前局勢，顯然有利于巴東方面的革命勢力；但如果蘇加諾遁走險招，乞援共黨集團，而西方國家又依然採「觀變」態度，則未來局勢，未可以過分樂觀的。

（三月十四日寄自椰城）

參觀國劇團演出後記

台灣通訊

•萬香堂•

最近兩周來剛由歐歸國的國劇團頻頻演出招待，可謂盛極一時。筆者亦曾前往拜觀，觀後，又忍不住要想再說幾句話。

這不是我的「偏見」，我的感想，是從一個愛好平劇而曾留歐十餘載研究文藝的教授口中獲得證明，就是：『這次在歐洲演出的國劇，不是平劇，而只是雜耍』關於此問題之淺見，原想保持緘默，以免被人誤爲「批評狂」但後來見到報載，政府正在組織一百餘人龐大文化團遠征東南亞各國，故再寫本文提供愚見。

看過九個節目

我看過的戲，計有九個節目之多，而爲「跳加官」「斬顏良」「二百五」「天女散花」「泗州城」「三岔口」「小放牛」「拾玉鐲」「金山寺」等九劇，以二小時之時間，演九個戲，其簡短可知，而其變質亦可推想而知了。其九個節目中，除「跳加官」似不必要的以外，給我們印象的有三種。第一類是與跳舞相接近的小玩意，如「天女散花」所表演僅有一個女的在跳絲帶舞，數分鐘即完，如「小放牛」乃二人舞，亦表演數分鐘即完。對此二節目我相信觀衆沒有多大印象的。第二類乃與雙簧戲相接近的玩意的，如「拾玉鐲」「二百五」等的技術不無可取，但究屬不是平劇的上乘玩藝，以之作爲堂會的節目，以博觀衆一笑，則未嘗不可，以之作爲出征國際之主力，實屬不夠。（聽說此二節目頗受國際人士歡迎），其他四個打門戲「斬顏良」「泗州城」「三岔口」「金山寺」等自然都是與奮鬥。各演員的武工自有其成就，但大都把唱工做工删去，故事是縮得很短的。集中打門方面，未免太單調了，這些節目看一，看到三四個以，覺之趣了。另外，打門戲，外國人雖較容易看懂得，但以之作爲表揚國劇的本領，這也不是上策。我們看了外國空中飛人的戲，及馬戲班中武術的表演，便可窺見一班了。

感想與意見

以上觀感，有不少觀衆是有同感的。淺見以爲我國平劇的要素以唱功爲第一，做工爲第二。平劇出國表演，其目的在於發揚民族藝術之優秀，達到國際文化交流，獲取國際人士好感，爲了使外國人士較易看懂，我們雖然要稍爲遷就他們，但不能把我們平劇的優點全部删除。何況，要使外國人士看懂平劇的表演，並不是很難的事，何必硬從外國戲院經理之意見，去削足適履。導致外國人士僅得看平劇的方法除說明書，及分幕廣播以外，最重要是把外國人不易看懂的紛亂的上場下場及過場檢場等取銷而另外編排，如合於「獨幕劇」方式者，儘量利用此法編排，如合於三一律的多幕方式者，即利用方式編排；否則亦可參照多幕編排編成，或仿西洋多幕歌劇編排；使觀衆一目了然，自易了解，據筆者的淺見，只重於此道，就照平劇的現狀改編一下，實也輕而易舉；譬如「法門寺」一劇，就是最容易改編的一幕了。戲劇編排合於戲劇原理，觀衆只要先讀到所演的戲的綱要，便可順序愈看愈入勝的，我們中國人之看西洋歌劇，雖然不懂唱的歌詞，也看得懂其大意，其道理和外國人看得懂中國平劇也如同一轍的。

外國觀衆與遠征劇

昔年筆者旅美時帶有平劇唱片甚多，偶然唱給外國朋友們聽，他們非常欣賞，他們以爲「黑頭」所唱的，接近西洋的男中音；劉鴻生所唱的「轅門斬子」是似西洋的男高音，梅蘭芳唱的似西洋女高音；言之不無成理。前星期台北聯合報刊載了一篇文章『卓別麟與「國劇」』其中有說：『歐美人欣賞國劇藝術，他們是以新奇的眼光和尋求趣味的心情來欣賞的。雖然如此，但是他們在國劇藝員的表演技藝上，可以找出歌和舞的兩種重要成份，都是極其優美的，亦就是說：唱工和做工兩者是緩慢：……等，已足走他們浸醉其間盡視聽之娛了。』這也是外國人聽平劇之一項頗具價值的意見。由此，我們得到一個結論，平劇之遠征外國，當以唱工做工（舞蹈的身段）的劇爲主；絕不宜草率地把唱工做工都删去。所演出之劇自然須要精編而不可冗長，比如演「全本紅娘」一劇，可以抽演「紅娘下情書」一幕即足，其間連唱帶做，的確很有看頭的。又如演「醉酒」也可擇最精的一二場演出，必能奏最高的效果。

關於佈景燈光應該力求現代化之能事，惟筆者所見者乃招待會性質，佈景燈光全缺，或因採簡便而不裝置。（三月十七日）

洋酒十四噸運台！

加拿大的僑報「大漢公報」刊載二埠（舊金山）消息：今年二月間有數達十四噸的加拿大威士忌酒，運往台灣，有如這裏影刊的剪報。

對於這一則消息，我們有幾個問題，擬請有關當局公開答覆：

一、希望有關當局提出證據，證明此消息之是否正確；

二、這十四噸洋酒，是何人承辦運台的，銷售的對象是誰；（據說洋酒在台是不能公開出售的）

三、如果這消息是正確的，允許巨量洋酒入台，是否浪費，與克難生活抵觸；

四、有關當局應否澈查。（介徵）

二月間十四噸威士忌運臺灣

二埠訊。據省報載稱。今年二月。曾運加拿大威士忌酒十四噸往台灣。此等使人醉生夢死。過其酒香金迷之消耗費。中國大陸當局。必定引以爲快云。

無頭之蛇！

。尹震。

人物介紹

法學界碩果的凋落——紀王亮疇博士

•養之•

我國碩果僅存的老法學家司法院長王寵惠博士于本月十五日病逝台北，消息傳來，使大家感到的是法學界的凋落；但因爲王氏已七十高齡，且得病經已三兩年之久，去年內入醫院療病不止三四次了，所以大家祇有惋惜之情，却無驚異之感。

王氏是我國留學生的前輩，曾獲耶魯大學法學博士，又曾將德國的「民法典」譯成英文，迄今仍爲英語國家流行的參考課本。他于一九一二年三十一歲時即任中華民國臨時政府外交總長，後曾任北京政府司法總長等職，他又在海牙國際法庭任過六年法官，一九四五年曾代表我國出席聯合國創立會議，制訂聯合國憲章，故亦爲國際名之法學家。

王氏具有一副目字形的面龐，微蓄一撮小髭，顯得嚴肅有神，但很平易近人，一點院長架子也沒有。聽說他公館裏的用人極少，日常不輕易指使人替他做這樣做那樣，用人做錯了事，他也不輕易大發脾氣，或開口便罵人。

王氏讀書人不肯自我誇耀，就以那部汽車來說吧，其他的部長，院長坐的，大都是比較新式流線型車，可是他的一輛，依然是三十年代的舊式車。他一向是一個謹嚴虔誠的公僕，辦事認眞，可追溯到很遠。不過他一生的事業，大都在法律界。因此，一般人都以爲他必善於「辭令」，其實他的長處倒不在于辭令。在說話時，配合其東莞口音的國語，……英文。他每次演說都是……，從未見他說笑過，也從未曾說過一個動人故事，但不敷衍，而……

王氏一生有「三不倦」的座右銘：一是不倦讀書，無論在嚴寒酷暑的季候下，每日都於閱讀書報數小時，所閱讀的，以英文法文的原著較多，內容是有關人生哲學，法律學，和宗教方面的。惟近幾年來，更喜歡閱讀靈魂學，及精神方面的書籍；二是不倦於提拔人才，他在三四十年來所表現的事實，如現任外交部長葉公超，司法院副院長謝冠生，最高法院院長謝瀛洲，司法院秘書長端木愷等可說由于王氏提拔而成名的；三是不倦於正當的娛樂，如看戲、打球、下棋，及其他運動等。

王氏過去每天都喜歡喝兩杯。且有雪茄，每飲必以兩杯或碗計。然自隨政府遷到台灣後，因氣候關係，血壓增高，經常患着氣管病，故遵醫囑將烟、酒一併戒掉。王氏常對人說：「嗜好如果判了死刑，則生活便沒有意義了。」因而他每天還是乘濟家人不在身邊的時候，偶爾吸上一二枝香烟，或飲幾杯酒。

王氏不僅喜歡喝酒，而且也喜歡喝茶。本來廣東人喝茶的習慣是有其傳統性的。這位半生歲月都消耗在西洋方面的王博士，他却與一般飽受西洋洗禮的學者不相同。他不獨不愛喝白開水，同時還不愛喝所謂「龍井」，「香片」，「鐵觀音」……這一類的地名茶，而是喜歡喝味濃的錫蘭紅茶。

談經濟的「基本」

（上接第一版）其次是進口有管制物品。……這次復興公司的案件如果確屬有套匯的情形，那也只是許多套匯案件中的一件而已。……據我們所知道的，外貿會方面的高級人員由於職務上的便利，做這種外匯生意的，外間頗多傳言。據說復興航業公司的進口物資雖說全部由物資局代售，但是物資核准以後，該公司都預先售出，以後不過是與物資局方面辦理售物契約做做形式而已」（三月四日台北聯合報）。管制經濟到了失去準繩，管制人員可以隨意上下其手，造成經濟特權，這一管制還有意義嗎？

行政改革刻不容緩

新春開始，希望它帶來新底景象。行政改革確爲刻不容緩底事，它關係自由中國的生命至深且鉅。而在改革之中機構簡化與工作調整當然是主要底課題；而制度的建立，尤貴有精確底觀念。因此，我就愈院長所指出底經濟體制作一闡釋。依照憲法，我們經濟的「基本」是自由經濟；此時雖在準備反攻，以實際情形言，它應非戰時經濟。如以戰時經濟爲「基本」，則管制就成爲必然底措施；那末，它也就可能動搖甚至取自由經濟而代之，無法如美國的以管制來濟自由經濟的不足了。況且今日的管制，以外匯貿易爲例，其阻碍經濟發展固不待言，它自身的弊端且已公開暴露出來，已不再是理論的問題了。看美國的經濟小有問題，行政負責當局就急求解決辦法；我們的經濟問題遠甚於美國，希望政府速採措施，以求改善。至於必要底管制，其效率寄望於行政改革而達到健全之際；此時，我們實可先加「放手」。而在調節之中，政策及辦法的制定應與執行分開，多少還可防止不肖官吏藉爲舞弊的工具。（三月十四日）

論基督教之世界性

•簡又文•

邇來有人在報上，爲宗教問題而大起辯論。朋友們有邀我參加討論，發表意見者，未嘗不「見獵心喜」。然因現方校讐拙著「太平天國典制通考」，百忙中未暇執筆。適書中有「宗教考」三篇，內容論及「太平基督教」之世界性，爰摘錄其中二段，涉及基督之基本性質者，發表於此，以當專論。

基督教在本性上與歷史上原是具世界性的宗教，超越了猶太教之狹隘的部落性與國族性。耶穌所樂事的神是人類大共的天父，人人——不分種族國界，一律是其尊貴的赤子，彼此是兄弟姊妹。其基本信歸是以愛神愛人爲總原則，而以個人「得救」爲出發及歸宿，由個人與上帝直接發生如父如子的倫理關係；聚人而成社會，則復實施仁愛的教道於人類倫誼中。惟其能以個人爲基本單位，故能超越種族國家的界限而成爲普遍人類的、即是具世界性的宗教。（按：世界的各種宗教中，惟佛教堪與基督教比擬，而同具世界性的，因其亦以個人爲單位之故。儒學本來注重仁義道德，也是具世界性的，但不幸自漢而後，上由專制帝王之獨尊利用，下由儒者之過分推崇或附會誤解，遂演成爲制度化的「儒教」，已將其原有的世界性大大的限制了，強使其變爲國族的宗教。試觀，自來世界學者與歐美人士不少服膺孔孟之教訓，但又試問，幾見外國人肯到聖廟去向「大成至聖孔子先師」或「文宣王」或「亞聖孟子」的牌位前焚香叩拜的呢？所以，作爲國教的儒教，永不能成爲普遍世界的宗教，但作爲具世界性的，道德倫理的哲學系統（儒學、儒道），則可得各國各族甚且各教人士之接受及敬服焉。其他祇是國族性的宗教尚多，茲不及論列。）

在歷史上，耶穌一出生，便是「無國之人」。（按：猶太國於紀元前六三年，羅馬大將彭不攻陷耶路撒冷，自是即成羅馬帝國之藩屬。而其所傳之教，則是超越國家與種族的限隔，突破物質與制度的藩籬，而是屬於純精神，純倫理道德之境界的。是故萬族、萬國；萬民一律可以自由皈依而不致失去其國族的意識（覺心）。若外國傳教士則不過居間傳遞的使者，國籍不同，不使信教者有「歸化」或「投降」於其所自來之國家之感覺也。耶穌死後未幾，即有制度化的基督教出現。最初時，猶太籍的——尤其出身法利賽一派的——教徒，堅持凡「異邦人」之皈依者，必須先守割禮成爲猶太化了方可爲基督徒。但未幾此新教傳入異邦，保羅即率先反對，提倡改革，恢復教祖超越國族的、注重精神化的主張，於是基督教會廢除猶太化的割禮之條件（看「使徒行傳」十五章），由是衝決制度主義與國族界限之藩籬，而揭出基督教永性的世界性。自是而後，作爲普遍世界人類的基督教傳至希臘羅馬世界，遂得遍傳於歐、美、亞、非諸洲各國，而成爲世界人類共有的文化遺產。若有人焉，仍以「洋教」敵視之者，無異以西洋哲學及科學爲「洋學」而拒絕之，或以「金山橙」爲「洋果」而不食焉，是自暴其狹隘及自棄其權益而已。

人民資本主義論

•曾旭軍•

共產黨那一套「階級鬥爭」，「資本主義剝削大衆」刻舟求劍的理論，在今天的現實社會中看，眞不知落後到那種程度。簡直「夏虫不足與語冰」。而他們那種「新階級」壟斷經濟制度，比封建制度還更專橫殘酷的所謂社會主義共產主義已被活生生的事實揭露其眞相，已瀕於破產。

如馬克斯所說那一種資本主義，事實上早已蛻變了。現在正向着『人民資本主義』（Peple Capitalism）前進。

美國推進一種新運動

在過去十年，美國的掮客及證券買賣者，合力推進一種運動，使中等人家擁有美國聯營公司的股票，換言之使人民大衆，成爲資本家。這是自由供應與購買的。

像電話，通用汽車，通用電氣等聯營公司，不下一千二百餘間。其股票每天在紐約證券交易所買賣。那些掮客就是成千累萬顧客的代表。

那些用拍賣方法造成的行情，由證券交易所拍電信機傳到全國股份經紀的辦公室。每天的報紙登載股票與證券之行情。

美國證券經紀，每天售賣值若干百元一張的證券，給千千萬萬的投資者。美國商業的前途，繫於他們的成功與失敗，因爲在這種沒有國家社會主義的環境中，祇有藉此方法才可以使工業籌集新資本。今後的工廠及裝備是需要資本的。

廿五年來經濟革命的結果

爲什麼美國的商業——和那些掮客——目前必須仰賴那些小市民和極多的小康之家來投資呢？答案是相當的簡單。這是由於在過去二十五年經濟革命的無可避免結果。

由於實施所得稅與遺產稅遞增的辦法，百萬富翁日趨減少，而赤貧之人亦日趨消滅。祇增加少數的數十萬元富翁，而大大增加許多的家資有若干萬元的人。這種事實剛剛和馬克斯的預言相反。馬克斯斷資本主義社會貧富兩極化。但美國資本主義社會剛剛是『反兩極化』，而成『中桿膨脹化』。

在現代社會中有一種新奇的現象，——擁有金錢的新中等階級。當然這是產生在自由世界工商農業發達的社會。在鐵幕中是不會產生的。因爲鐵幕內只有共黨的「新階級」少數人壟斷『民生經濟，奴役大衆』制度。如稍有自由使用自己勞動成果，或儲蓄的意向，便被指爲「右傾」「右派」，而立遭整肅誅鋤。擁有金錢的新中等階級，是趨向——自由的，是與共產黨爲敵的。

自一九四一年來

自一九四一年，即美國參加第二次世界大戰時起，到現在，美國家庭戶口，已增加百分之四十二。至一九五六年達五千六百萬戶。在戰前美國每一普通的家庭，每星期平均收入二十五元。現在增加到七十五元。雖然物價和徵稅都增加，但平均收入的增加比物價和徵稅的增加更快，結果游資增加，十五年前游資是四百億元。現在增加到二千億元，這是證券經紀企圖將其引導入私人投資的金錢。

一些統計數字

作經濟研究與調查的布洛京學院，在一九五二年作可靠的美國持股票證券人之統計。據稱：共有六百四十九萬人。換言之，每十六個成人當中有一個，每十家當中有一家。

這不算多。但已成增加之勢。直至一九五五年尾，持有股票人增加到八六三〇〇〇〇人，——增加百分之三十三。

然而這增加的程度，比較其他的繁榮進步，並不算快，簡直是大爲遜色。現在美國有投資的戶口只佔百分之十三。但須知：這不是能力問題，而是興趣，及宣傳力未够的問題。試看擁有自己住宅的戶口佔百分之四十八，購有人壽保險的戶口佔百分之七十八。

據紐約證券交易所的測驗調查，願購買政府公債券的佔百分之八十三。願買人壽保險的佔百分之六十七。願放入儲蓄銀行的有百分之四十二。最後說願購普通股票的只有百分之十六，預購聯營公司的只佔百分之十三。

這種現象，並不是人民佔不景氣，而是人民還是認識未够。現推進人民資本主義的運動，還在積極進行中，利用電視，播音，或電影宣傳。

許多公司發動受僱職工人員購買股票運動。可以分期付款，即係按期扣出工資，或薪金。此種股票通常比普通的股票較廉。

勞資雙方融合化

這樣的把勞資雙方融合化，對於經濟有很大的裨益。因爲勞方佔着資方一部份的地位，業務的盛衰，比以前更有切身關係。工作必更加努力。假如能使勞動者都變成了自己的資本主。那麼這是很好的『均富社會革命』。共產主義是强要劃分階級造成階級仇恨。人民資本主義是融合勞資的方法，消除對立猜恨。共產黨，假藉無產階級革命名義，實行新階級壟斷經濟，除少數集團外，將大衆化爲赤貧。人民資本主義足以使人人成爲資本家。

僱員成爲股東

『僱員成爲股東』不但在美國促進推行，在英國亦然。例如約翰遜（染業）有限公司，留有每股一鎊的股票凡三十三萬九千股，已有八百四十三個受僱職工人員分享有此股票。此等股票已佔了發出的普通股票的四分之一。

然而我們須知：人民資本主義不是一個絕對良好的主義。它是從資本主義自然蛻變的。認眞說，不是普通有提倡意味的主義，而是大衆求經濟自由發展的傾向而已，不必提倡。例如英國認爲鼓勵受僱人員購買股票，是愚蠢的措施。但在適當環境之下可以建立。

人民資本主義尚有弱點

人民資本主義的弱點何在？這不是在這裏可以詳述。然而總不是某些人所謂不脫無計劃生產之弊，因爲若消除了寡頭巨富的壟斷，而由大衆資本主作主，對於供應需求，看得很清楚，也不至于盲目生產。

人民資本主義如有缺點，則可說尙在過於趨向自由競爭功利，而尙缺乏天下爲公的一種人文哲學。若使人民資本主義，足以對抗共產主義之邪說，必須加上『人文資本主義』的精神。

調景嶺居民電台灣 請擴設嶺中附小班次

本港各中小學校，每月收學費頗巨，實非大多數貧苦難民子弟所能負担，而本港之免費學校，僅調景嶺中學及該校附小，故每屆報考人數特別擠擁，因名額有限，無法廣爲收容，失學兒童日衆。年來大陸逃港難胞日衆，拖兒帶女來港者甚多，不少失學兒童愈多，且已成爲本港嚴重之社會問題。現僑居本港的革命老人錢耀英，吳考傑等及居住調景嶺難胞因此特電台灣有關當局請自本年春季起擴設嶺中附小班次並增設補習班。（云）

管窺

安徽幹部反黨

安徽省接制肅政法部門的幹部多人，在省委書記曾希聖主持之下，反對黨的兩方面的政策：一方面，認爲專政無需要，對於「反革命」份子無需再專政了，認爲人民國家都是受共產黨迫害的；另一方面則反對安徽省的農業發展冒進。

據人民日報的報導，李世農是個出名的老實人。他「誠實，溫和，樸實」，是一個「德有餘」的人。也惟有這種氣質的共產黨徒才會同情反黨的大陸，硬着頭皮說出自己的心裏話，惟有這樣的人，才會與那些僞裝份子不同，到時候不顧「心爲形役」，置反黨於不顧。

「雙反運動」降低生活

以反浪費，反保守爲中心的雙反運動已經在大陸如火如荼的開展了，這種運動不應該從消極方面來理解，而是一種積極性的運動，例如反浪費中的最重要的措施應該是要求人民多吃雜糧，多吃薯類，將薯類作爲主糧，換句話說，吃細糧是一種浪費而反對它。又例如反保守的突出要求是「打破舊的平衡」，具體的說，就是要求各部門以冒進以突破舊的平衡，然後以冒進的方法來提高落後的部分而達到新的平衡。在這一種思想要求之下，各工業部於是訂出了比五次「人代會議」所決定的要更冒進的計劃，若有人要維持舊的平衡，那麼就把它作保守者反對它。

由上可知，所謂反浪費的重要標的是削減人民的基本消費，其對於糧食消費的削減尤爲突出；所謂反保守是要求不顧實際情況作經濟上的冒進，這種冒進的後果必然也間接的要轉嫁到人民生活方面。

由此可見，所謂雙反運動是降低人民生活的運動。

蘇聯的經濟政策

最近一年來，蘇聯的經濟政策有兩大措施，其一，將原來集中于中央的工業管理權力分散到地方，建立一百多個經濟區；其二是撤消農業拖拉機站，將農業機器售給集體農莊。

不管他們用任何理由來解釋，這種經濟政策是與「社會主義到共產主義的基本道路」違背的；這種政策施行的結果，是使某種私有形式的經濟復活；固然，這種經濟制度現在還未能確立，就算這種改革成功，亦距離自由經濟還很遠；但是，這樣的轉變可以標明：馬列主義理論的實踐已經遭到了自身所演出來的强大阻力，以致不得不將一部份已經公有化了的生產資料重新回復其私有，不得不將高度集中于中央便于計劃管理的權力分散到地方去。

蘇共之所以要實行這一種與馬列主義理論違背的經濟政策，唯一的目的是增加生產，這樣，也就說明了以前所行的經濟制度有阻礙之處。

由于經濟制度的改變，必須同時進行政治制度的改變方能適應；這對赫魯曉夫的政治地位實在是一項考驗。

•田心•

新書評介

讀「賈雲兒前傳」（上）

兼論陳紀瀅先生的小說題材

•凱德•

一、

近年來，我方始愛讀巴爾札克，多讀了他的作品之後，才發現他像一個高明的廚子一樣，能把同樣的一條魚，配上各種不同的作料，烹製出種種不同的魚羹，由於廚子的高明手藝，不惟把魚的吃法有了多樣的變換，就是口味也因了烹法不同而改變了食者的味覺，斯即巴爾札克不同於一般小說家的偉大之處。

可是我第一次讀巴爾札克的小說「薩伐龍」只讀了一半就丟了下來；第二次讀他的「高老頭」也是在非常吃力的心情下讀完的。評論家們也說他的作品結構不好，甚至說他的單字和文法都常犯錯誤。但是巴爾札克仍不失爲世界公認的第一流的小說家。英國近代小說家毛姆寫「世界十大小說家及其代表作」時，選了托爾斯泰及其「戰爭與和平」列爲卷首。他說：「我認爲巴爾札克是文章的第一流作家」，他又說：「巴爾札克是有史以來最偉大的小說家」，可見毛姆對巴爾札克的推崇。巴爾札克之所以爲世界文學史上最偉大的小說家，並不是藝術家所表現的文字的華麗，趣味，技巧，以及形式的特點，最主要的還是作品中所載負的內容，一件偉大的作品之所以偉大，乃是作者在作品中充分表現了人生中深刻的感受。毛姆之所以推崇巴爾札克，正因爲巴爾札克在其人生中感受的深刻，方能把相同的題材用不同的技巧予以表現，一如一個高明的廚子一樣把一條魚烹作各種不同的吃法。所以毛姆說有些作家只有一二本作品得享盛名，有些作家則僅靠其自身的一點生活經驗寫作，獨有巴爾札克的寫作範圍和他的國家和地域同樣遼闊，這就足以說明一個作家除了學識豐富，更重要的還是他在其豐富的生活中體驗的深刻。

我讀了陳紀瀅先生的第三部長篇小說「賈雲兒前傳」後，它迫使我不得不再讀一遍他的「荻村傳」與「赤地」。因爲我發現了陳紀瀅先生的「荻村傳」與「賈雲兒前傳」，每一本書的人物，故事，雖不相同，但主題則極類似，他都是把他整個的創作內容統一起來，以充分的表現他在這個時代內所感受的憂傷和悲憤，所以「荻村傳」以及正在香港時報連載的「華夏八年」，「賈雲兒前傳」，「赤地」，所採用的都是相同的題材，在不同的角度下透過他精確的觀察而表現出來。我們知道「荻村傳」是由一個北方農村「荻村」反映出義和團事件至共匪佔了整個大陸之間的五十年來的社會變遷。「赤地」寫北平范府在抗戰勝利至北平陷匪後，和各界人士接觸的情景，以反映這個短時期中的社會動亂與人心演變。「賈雲兒前傳」，則係藉賈雲兒之口，敘述西安事變到今日這一段二十年來的社會變遷，以及世風日下的世道人心。所以，三本書的題材雖取自不同的時代，但皆在反映同一社會，愈來愈險惡的時代，這是作者在這個時代內所感受的深刻，遂能從不同的角度觀察出各個階層在這個時代中的演變，這是陳紀瀅先生之創作與巴爾札克之創作意旨頗爲類似的地方。所以，我首先推崇他這一點。

陳紀瀅先生的這本新著「賈雲兒前傳」，與「荻村傳」、「赤地」，顯示出共同的題材，按前兩部所採用的是大時代中的動亂，處於這個動亂中的社會所反映出的現象，作者在這兩本書中，並未顯示出造成這種現象的內在因素，讀者也可從「荻村傳」「赤地」中，體察出作者的思想，作者的希望。「荻村傳」中的荻村，「赤地」中的北平，是我們所熟知的社會；「賈雲兒前傳」則反映了一個怎樣的社會？

（二五九頁）

自由人

自由談

談革命外交

馬五先生

中共藉口印尼革命軍佔領棉蘭市，聲稱將要「護僑」，這是居心干預印尼內戰的伏筆，不言而喻。現棉蘭雖然再落入蘇卡諾政府之手，但印尼內戰方興未艾，將來很可能全國各大都市皆陷於混亂狀態中。

旅居印尼境內的華僑數以百萬計，他們大多數都是反共非共的，平時一面受着印尼人的排斥，一面又爲中共的使館人員所挾制，處境極其艱苦。由於中華民國與印尼沒有邦交之故，我政府對於當地的華僑，一時無從恪盡其保護的職責，當爲僑胞所諒解。

現在印尼內戰勃起，全國騷然，中共急圖乘機插手，爲蘇卡諾的親共政權撐腰，華僑的厄運更危殆了。此時此事，我政府似應有所籌策，必要時向世界表示中華民國的態度，決不坐視當地華僑受共黨宰割，依然拘泥於平時的國際慣例。如果中共實行以「護僑」的名義介入印尼內戰，自由中國政府更須採取護僑的行動。我們既然認定旅居海外一千萬以上的華僑都是擁護中華民國的，即不能只是接受僑外團僑領之歸國獻旗祝壽，而在僑胞遭遇危難時，放棄其保護的責任。

印尼華僑如其由於當地的戰亂而陷入赤禍恐怖中，我們必須出以實力護僑的斷然處置，這才是革命的精神。萬一因此而與中共應援蘇卡諾政府的暴力相周旋，我認爲那是最好不過的機會，拯僑民於水火，揚大漢之天聲，善哉！凡事預則立，我們應該有這種計劃與決心，問題祇在事前取得各個有關友邦的同情協助而已。所謂革命外交，道在是也。

夫人與女士

・燕盧・

三八紀念的第二天，我在報上看到了香港婦女界慶祝會的新聞：這原是每年都有的，通常是鳥瞰一下，後來忽然瞥見了一列排在一起的女士的字體，仔細看看，這些女士們的名字，平日出現在報上時，似乎原是稱爲夫人的，于是不免覺得怪訝，這也許是一種偏見，但照一般估計，較有僞實性的言論，反而因爲它是偏見，故也不妨寫下來：

我想：這大概跟反抗大清律例繼續有效的運動不同，因爲夫人們所痛心疾首的事，無過于納妾，所以必須親赴前綫。而這個所謂三八節，據說爭的只是工資或選舉權之類，在香港，凡是已經稱爲夫人的人，其在經濟上要跟先生們爭的，可能只是家用或銀行存摺的保管，至于工資，因爲自己既不屬于勞方，又不是直接的資方，自然只好不管。至于政治的選舉權，目前的香港，仍然沒有啥政治，所謂選舉權，不過是若有若無的東西，因此只好把夫人的頭銜棲且放在一邊，恢復以自己的身份出現一次。就我們所知，一個女人，當其已經成爲夫人之後，即已不大像個戰士了，她們整天打扮得天仙一般，目的不外在于殺退那些抱有領土野心或足以動搖根本的妾侍，至于想跟派發工資的老闆戰，或賦予選舉權的法律戰，却必須用女士的姿態登場。

海通以還，中國人也逐漸增加了一些國際性的節日，如：婦女節，愚人節，勞動節，聖誕節等等，這些節日帶來些什麼，似乎不容易說，至于照例來一種儀式，則已爲許多社團和學校所遵行。如要問：當這些社團學校在舉行這些儀式時，到底有着怎樣的心情，就恐怕只有人們自己才知道了。

全世界的女人社會中，當有人開始發現須要起來革命時，她們就增加了許多麻煩，看情形，這些麻煩，已不是目前這種革命可以革掉的了。問題是：一個女人，她不能一輩子都做女士，她如能一輩子都做女士，自然就可以一輩子都做戰士，跟她們的敵人鬥爭，但女人是天生也該做夫人的，因而她的革命大業，就往往要半途而廢，像傀儡家庭中的娜拉，雖說是最徹底的，但也可以說是最沒有結果的。婦女要革命，目的在爭取獨立自主的人格，而獨立自主的人格，却並非人生的全部，它必須加上配偶，兒女和家庭；而這些東西，偏不是一個戰士所能擁有的。如所週知：在社會上創造業績的婦女，自然是戰士，並且可以攝取跟某些男人所有的榮名，然而在家庭中擁有的配偶，兒女，也是一種使人欣羨的福氣。不過，這些東西，可以兼而有之的，宅目前甚至相當遙遠的未來，恐怕都只能讓男人們獨擅，至於要改稱女士的許多夫人當中，很可能先前原也是一個戰士，她今日之所以不再雄飛，很委屈地做了夫人，不過對爲她的急流勇退，或落荒而逃的；所謂三八節，在她們心目中，早已變了和平的紀念日了，此刻悄悄地換上一種身份，到故壘殘址的旁邊巡視一遭，只能說是一種憑弔，至於如果竟然發現那些二十年前的戰友們，照舊高擎着牌，揮舞着剃刀，那些沒有脂粉的一臉上，雖說依然閃爍着一種戰鬥的光芒，却實在已經掩不住憔悴憂傷的神色時，說不定也會感到一絲絲幻滅的悲哀，但到底隔了一種障礙，再也喚不回當年的敵愾了。

不久之前，我在報上看到一篇讀者投函，那是一個女校的學生，訴說她們的校長禁止同學們燙頭髮，執行得十分認眞，有些同學受了指摘，便索性打扮作不男不女的樣子，但女孩子是敏感的，她們又少有接觸男孩子的機會，于是都幻想着那些短髮的同學就是男孩子，拚命追求起來。在學校當局的用心，是要她們儉樸，但也不能說不是想把下一代也培養成戰士，這種企圖，也許是偉大而可敬的，但始終持其戰士的光榮，就一輩子都做女士，却是大多數女子所不能容忍的。因此，最聰明的辦法，就是儘管自己已經做了夫人，到必要時，仍不妨以女士的身份出現，聊以使先前的戰友們不憚于前驅，這是中國人的圓通處，尤其是中國女性的偉大處。

張大千澤畔行吟圖題記

・劉百閔・

此張大千畫澤畔行吟圖也。大千病目，就醫於東京，其友高嶺梅自香港往視，大千爲畫此圖以贈。自謂「生平作畫，獨少蒼茫古拙之氣息，不謂無意中於此圖得之也。」

嶺梅既歸自東京，以大千今年六十之壽，乃選其所藏大千畫之精者凡百幀而展出之，與大千朋友共謀以爲遙祝。及門王文卓學畫于大千，乃求所以壽其師者；予故不能以無言。

大千其傳人矣！劉彥和嘗謂：「模經爲式者，自入典雅之懿。」凡學於其藝，蹙蹙獨造之前，必先有其模古之功，然後乃能吐納英華，輝光日新。予謂大千之模古畫，腕下有神，其所臨青藤、白陽、石濤、八大、石谿、老蓮、多心、新羅諸家，維妙維肖，足以亂眞；其所模石濤畫，且已散布海內外，而顛倒一世人。大千其天縱之乎！大千初師李瑞清曾熙，嘗三登黃山絕頂，見奇秀天成，乃師之心，師之目，悉以自然爲師。既而跋涉長途，走中國西北角，在荒僻無人烟之鳴沙山下，有所謂墩煌石窟者，獨居其中，凡二年半之久，從道士王圓籙，盡發上起北魏，下迄宋元之壁畫，解衣磅礴，無間晝夜，臨摹凡千數百紙，揮毫造化，動筆合道，尤以子女衣服，萬品千門，筋脈連帶，彩狀奇絕；而大千於是乃無競于時。世固謂墩煌之行爲大千一生劃時期之史，其前其後，則爲兩大千焉。自宋元明而上溯于北魏、西魏、隋、唐、五代先人之繪畫遺產，由大千一身扭當而承受之；其功之偉，歷觀前古，一人而已。大千又遠走海外，蹤印度頭金塔之壁畫，以求中印美術會合之遠跡；嗣又往歐洲南北美，在巴黎近代美術館，展出其作品，與畢加索合影，此中西兩大畫人之相遇，亦即爲中西美術嘉會之象徵，可謂盛矣。

然予於畫無所知，無可以論大千。古人圖畫，皆指事爲之，未有無因而作者焉。今大千何爲而作澤畔行吟之圖乎？靈均嘗作離騷——離騷者，離憂也。大千去國且十年矣，其有靈均之離憂乎？楚有先王之廟及公卿祠堂，皆圖天地山川神靈琦瑋譎詭及古聖賢怪物行事，而靈均天問則即爲此壁畫之題詩，靈均殆今所謂藝術愛好之人者歟！靈均作離騷，自述去國之頃，以飛龍爲駕，瑤象爲車，瓊林爲羞，瓊靡爲糧，麾蛟使梁：詔西皇使涉，朝發軔於天津夕至乎西極，行流沙，遵赤水，陟崑崙，過不周，度西海，舞九韶，升天庭，據光曜，方假日以聊樂，及其臨睨舊鄉，則僕夫悲，余馬懷，蜷曲顧而不能行；此靈均之離憂也。大千去國以來，南走大吉嶺，西走巴黎，東走東京往來阿根廷、巴西、紐約及香港御風而行，陽光曬傚，邊見故國陸沉，風沙霾靈，人無生意，懷府愁苦，身無完衣，取麻紉麥鉄，杏米爲糜，或茹木塞草根，老鎖械，寫負瓦揭木，漫山遍野，不忍卒覩，大千於是鬱悒侘傺而不可仰；此大千之離憂也。大荊天棘地，血雨腥風，人民驚鴑爲囚爲虜，當道而跋扈，其有孑遺，亦僅如雞兔之偷生豺虎！大千之所遭際，有非靈均之所能想像其萬一者，此大千所作澤畔行吟圖之無諱之語也。文卓其知之乎？戊戌仲春劉百閔題記。

墨魚與鷓鴣

漁翁

在魚類橫行的無異，墨魚是最善於放煙幕的，牠腹內的一囊充滿着黑色的液汁，一遇敵襲時，放出去以爲可保安甯了；可是捕魚的就利用牠的「巧」的弱點，在出現黑水的地方，一網打盡。結果正如諺語：墨魚放墨，弄巧反拙，世之慣用煙幕來嚇唬別人的，結果終不免被人揭穿而自取滅亡。

鷓鴣的性格，特別強悍，在山上結巢，一旦別它一頭侵犯界限，就不能縱，便出擊，頭破血流，也要拚命，這種羽毛，跟人類某種雄性的觀念相適，似。據說牠死了以後，羽毛和皮不容易拔脫，足見其至死而黏力猶強，牠更具有一種過人的自信的特性，不怕生人，非到牠面前，不肯引翅高飛，所以容易爲人所捕獲。牠可爲世之剛愎自用者照寫。

吹牛

昔老子騎青牛而過函谷，關卡森嚴，不得偸渡；無奈就牛後而吹之，鼓鼓然若氫氣球焉，乃跨之飛越函關。後人遂有白晝飛昇之說。仙道之傳，由此始。（查無實據）。

後人仿而效之，於是吹牛便成人生法寶之一寶，任何難關，吹之可過。然則吹牛畢竟不爲高士們所嘉許，所謂「寧爲雞口，不作牛後」。牛後之腥膩難聞，自不待言，何況用嘗嘴就而吹之？

吹牛有上下之別，大小之分，所謂「吹亦有道」。若現今列國中宣傳部外交部長等人物，一輪牛屁，休管他別人扯腿，且任我臉上貼金。

至於小吹牛的，爲一項職業，一餐飯，甚至一些虛榮便爲自己大吹大擂，臭氣薰天，人所不齒。但是這樣的人亦有他的成功之處，我嘗見有人把事業吹得蒸蒸日上，把小姐吹進自己懷抱，即便事後揭穿，老起一張面皮，也無可奈何

善哉！吹牛之術也。

・陸夢墨

短篇小說

同情

・鍾靈・

五、

沒想到事情並不這樣簡單！三四天後的下午，我上班有好一會了，傳達進來，說外面有個女孩子要會我。原來竟是妹娣！這太使我覺得意外了，妹娣從來沒有到辦公廳找過我。

她大概是跑着來，不住的喘氣，沒等我帶她到會客室，先急急問：「少爺，你是騙我！」

「騙你什麼？」我惶然問。

「您說太太答應了不讓我走，可是剛纔太太當着我媽的面，要我走！」

「你媽今天又來了？」

「是的。」她激動地：「可是我不管她，我死也不走；任她怎麼說我都不走！我，我願意一輩子服侍少爺……」

「你——？」我心中奇怪而且惶惑，盯着她那一對似懸含怨的眼眸。

「你們都待我這樣好，我媽眞是……」她又偸看看我，俯下頭，擦着眼睛。

我覺得我們不能僵在這裏，便說：「好吧，你先回去，等我下班回家再說。」

她起先似倘有些不願意，終於懶懶地走了。我回到辦公室，心一直煩。

這一定有什麼重要緣故的：媽居然變更了決定！妹娣又爲什麼下那麼大的決心，一定要在我們家做下去呢？而且竟說出那樣話：「我願意一輩子服侍少爺」！難道她眞把我對她的同情好關切全看成別的？是否我在形跡上有引起她誤會的地方？儘的我曾有意無意地玩弄自己的感情嗎？……

「這太糟了！」我禁不住暗暗叫了一聲。

下班回家，媽馬上喊我到她房裏去。

「小零，今天鄭嫂來過，原來她已經爲妹娣說好一門親。對方子弟職業不錯；人品也很好；年紀只比妹娣大幾歲；而且就是她鄉裏人，從小跟妹娣一塊玩過的，所以並不嫌棄妹娣有缺陷。鄭嫂也是個可憐人，年輕就孀居，一直沒過好光景，如今自己爲人幫傭，總不成長遠把兒子帶在東家，荒廢時日，將來就指望他吧！這門親事，一半也爲了可以解決這個問題，女婿答應連小舅子也帶過去，還栽培他念書。鄭嫂也不是沒顧到我們家，她另外給我們找了一個人，代替妹娣。我還有什麼話說了呢？就當着她的面找妹娣來，要她聽她媽的話，辭工回去。」

「媽，您也許還不知道，妹娣跑到辦公廳找我哩！」

「奇怪，她又找你幹什麼？」媽一臉狐疑。

「還不是那句話：她不想走！」

「這孩子也糊塗！女孩兒家遲早總有這麼一天的，賴在娘家不嫁還能可說，總不成長在東家裏做佣人！」

「我再去和她說說看。」

妹娣一個人坐在灶下發呆，臉對灶門，給映得紅紅。我想她大約聽見了我和媽說的話，我走進去了，她竟不理我。

我故意裝作玩笑的口吻，想沖淡這空氣：「妹娣，原來我要向你道喜哩，剛纔——」

「少爺！」她猝地起立，截斷我的話，氣鼓鼓地：「你也咒我」

我怔得再說不出話了。在我們相處這麼久的時間裏，還沒有見過她這樣生氣。接着，她端正了臉色，走上前兩步，用異常鎮靜的聲調向我說：「少爺，我明白了，你是不是要我走？」

「……」

「你是不是說：不留我？」

「我，我沒辦法留你……」

她奇怪地盯視着我，臉色漸變，不住的點頭，說：「行，有你這句話就行了！」說着，似乎再也無法克制，突然掩面，衝上擱樓去了。

我獨自凝立在廚房裏……

吃過晚飯不久，我和媽都坐在後房裏，有一句沒一句地談着，妹娣進來了，手裏提着一個包袱。

媽有點驚愕：「妹娣，怎麼你臨夜走？我不是跟你說守明早走嗎？」

妹娣站在門邊，一手還拉着門的把手，並沒有正面答覆媽的話，只暗啞說：「太太，這幾個月蒙您看顧，非常謝謝太太，妹娣永遠記住太太的好處，我，我走了。」說完，又對我看一看，沒說什麼，就把門帶上出去。

一會，就聽見外面開啓大門的聲音。

媽悶悶不樂的樣子，呆了一會，忽轉頭看看我，意味深長地說：「小零，你不覺得這孩子有點蹩扭嗎？……」

「啊，是的，我也這這樣感覺哩。」我避過媽的眼睛。（五）

——全文完——

自由人
THE FREEMAN
（第七三六期）
中華民國僑務委員會
頒發登記證台救新字第一零二號
中華郵政台字第五〇〇號
執照登記爲第一類新聞紙類
（半週刊每星期三　六出版）
每份港幣壹毫
台北市售價台幣壹元
督印人：陳文華
地址：香港高士威道二十四號四樓
20 CAUSEWAY RD. 3RD. FL.
HONG KONG
TEL. 771726
承印者：東南印務出版社
地　址：高士打道六十四號
台灣總經理處
台北市西寧南路壹壹零號二樓
電　話：四七三四六
台郵撥儲金戶九二五二
海外總經銷：友聯書報發行公司
香港：德輔道中二十六號A二樓

略論美國經濟不景

林伯雅

關於目前喧動一時的美國經濟衰退問題，可分爲下面幾點看：一、美國目前經濟衰退至何程度；二、這種不景現象是屬于政策性的，抑爲制度性的；三、白宮對策的動向如何；四、從整個自由世界去看。

一

美國經濟的不景現象，是起於去年初夏，到了今天，據一般報導所指示，是失業數字的增加，工業生產的低落，工資的低降，公司營業的減少。目前失業工人已達五百萬爲一九五〇年以來的最高數字；一月份工業產量比一九四七至四九年的平均數字少去百分之三十，成爲一九五五年春以後的最低數字；工資比去年多季由平均週薪約八十二元半，降至八十一元强；百貨公司營業量在二月下旬一週內突然降低了百分之十八。

就這現象而言：不景現象的暴露，的確是一項事實。但比起一九二九年，一九三八年，一九四九及一九五三年，尤其是一九二九年，無論如何說不上嚴重。譬如，失業情形，比諸一九二九年經濟恐慌後的一九三二年所謂黑暗時期失業工人一千五百萬，可謂小巫見大巫；工業生產量的低降是集中於幾州而尚未普遍全國，而且也只及於大部分耐用品的製造業如汽車等；工資低降的比率也並不很高；公司營業量的低降，其比率是以歷史上最高額的今年一[illegible]爲標準。

這個現象趨勢的演變，原是不可捉摸的。因此世界經濟學家，政治家們各從不同的角度去下判斷。不但蘇聯經濟學家又再度預言美國經濟大風暴已經到來，即美國也有一部分民主黨人士以及經濟學家否定了艾森豪，尼克遜的樂觀的說法，認爲白宮當局所下「三月後必將好轉」的預言，縱然幸而言中，也只是說明一項顯而易見的事實——季節性的一時好轉——不可據以爲不景氣即將過去的說明。

關於這點，白宮當局也沒有否定經濟衰退現象的存在，不過認爲這現象，是可以克服的，絕不是由于制度上發生的必然結果。正如副總統尼克遜于本（三）月廿二日所說：艾森豪政府掌握着經濟形勢，將不讓經濟蕭條長期或深入的拖下去。所謂白宮能把握的經濟形勢，是仍須在彙集三月份全部統計數字之後，才能「知道」有無採取進一步解除蕭條措施的必要。其所謂進一步的措施，主要的將爲削減稅收或增加公用事業等建設支出。美經濟發展委員會正準備於三月後萬一經濟衰退的現象仍然繼續時，將實行減稅。

這次的經濟衰退現象，是屬於一時的政策性的，抑是屬於制度性[illegible]所謂資本主義發展的必然性的，姑且不[illegible]斷言。不過對於當前這種現象，一般反「資本主義」的經濟學者，勢必過甚其詞，甚至目前在野的民主黨人士也可能選作下屆競選攻擊共和黨的資料而予以渲染。

二

目前蘇聯的經濟學者自然在嘲笑美國資本主義又已瀕臨危機，認爲美國經濟繁榮已達頂[illegible]經濟界及一些經濟學家以至輿論界也有不少人承認這是事實。所不同的[illegible]於制度，必然無可挽救[illegible]

自從馬克斯指出資本主義經濟發展至繁榮的最高峯，即其資本制度的崩潰的開始。這種理論上的爭論恐怕再過一世紀，也難找出一個答案。從這三十年來美國經濟的發展去分析，蘇聯的經濟學家依據馬克斯的理論去下判斷，也不知若干次了。

但是，一九二九年美國經濟大恐慌發生時，正是馬克斯主義者[illegible]羅斯福上台[illegible]實行「新政」，以行政的力量克服了[illegible]其後一九五三年瓦加教授[illegible]又公開斷言「美國已遭到繁榮的終點」，並指出「美國在一九五三年上半年的工業生產比二十世紀以來任何一年爲高」，因而強調馬克斯的見解，認爲「經濟危機之前，生產一定是高的」。但是到了共和黨再登台以後的美國情形，卻並不如瓦加教授所斷定的又瀕臨崩潰階段。何況今天美國所顯露的不景現象，一如上面所述，遠不如上幾次之甚，這個預言，當然更不適宜了。在羅斯福實施新政以後，[illegible]馬克斯主義者恐怕永遠不能爲馬克斯找出理論的根據吧。

三

其次關於此次經濟衰退的對策，美國當局所採取的措施，是：增加一九五八年防務方面的[illegible]以後的公共建設計劃，如郵局近代化計劃，開發計劃等；以及降低[illegible]的貸款利率，甚至最後于必要時準備致減聯邦稅，這些都是針對上述失業增加，工資低降，工業生產衰退，商業不振，以至民生問題[illegible]羅斯福的新政[illegible]渡過了一九二九[illegible]的恐慌，我們就沒有理由來相信，今天美國的經濟衰退，將會陷于不可收拾的地步，一如瓦加教授所預言那樣。

[illegible]一九五三年經濟不景氣時[illegible]國防支出[illegible]他方式，有待于事態的發展。至于它們是不是一個永久性的克難法寶，[illegible]進一步的闡明。本文祇略述其梗概而已。

四

從自由世界言，目前可慮的，是蘇聯第一枚人造衛星，曾經使世界人士懷疑美國軍事的優勢，直至美國也放出了[illegible]人造衛星，才把這種悼惑心理平服下去。今天蘇聯的宣傳家一定是經濟學家，又在宣傳蘇聯的經濟制度已壓倒了美國，蘇聯的經濟制度優于資本主義國家制度了。所謂「美國的經濟傷風」，等于國外各地的「肺炎」的說法，美國經濟的不景，影響于依賴美國經援的國家[illegible]家威力爲大；倘若因此引起自由世界心理上的恐慌，又當比克姆林宮任何一種宣傳攻勢爲厲害。而且這個問題如果發展下去，也勢將影響美國對世界的領導力量與威信。[illegible]經濟學家作進一步的闡明。本文祇略述其梗概而已。

半週述評

中日關係再檢討

因中（共）日貿易協定引起的中日緊張關係，在此時此際來看，實不下於廿年前中日事變前夕的態勢！

日本官方對此所持之態度和發表的各種解釋理由，看來也和昔日一樣的蠻橫幼稚。如果說因爲自由中國未在日本與中共商訂協定前，作出堅決的反對表示，即認爲日本政府不能因此接受抗議的約束，而企圖以數術解釋加以婉拒，並批准該項協定，則吾人也要反問日本政府，何以不在事前指令約束池田正之輔代表團與中共訂約之鹵莽。否則祇能說是岸信介的眼睛裏根本就沒有對自由中國存絲毫重視的心理。

根據本報東京航訊（見第三版）所報導，日本爲了中共拒絕「通商代表團」人員必須捺指紋，竟不惜經由國會通過了有關修改案，則可知中共「通商代表團」人員在日本必須享有外交團之一般待遇，實爲日本政府當局早已首肯的！既讓中共人員在日本享有外交官待遇，則懸旗和使用密電碼等要求，日本政府自難再作反對了。這種對中共作事實承認的嚴重事態，又怎能令人不懷疑日本與中華民國間今後的友好關係呢！

民間官方相勾結

日本過去的侵華方式，一貫地以先製造既成事實，然後繼之以軍事外交。而這次與中共締結貿易協定，出面主其事者，雖是所謂「民間」，實則岸內閣和國會不僅表面上眼開眼閉故作不聞，抑且尚在暗中予以鼓勵，若非官方、「民間」早有默契，池田正之輔之代表團豈能大胆如此擅作主張甚且要內閣「認」批准，即中共也必有所考慮的。因此，就整個事件觀察，日本政府蓄意以既成事實來欺騙蒙混自由中國，殆無疑義！

岸信介態度可疑

岸信介內閣對「中國問題」的態度，早在他上台時即已表現了兩面派的手法——主張「政治的中國」和「經濟的中國」，此種態度，實際上也正是日本兩大政黨的共同觀點。換言之，岸信介不採取此種曖昧的對華態度，其能否出而組閣，在當時實也是個問題。現在，不過是他在實踐諾言而已。

日本兩黨內部在對華問題方面，均有所謂親共派，至於一向對日本政局具有影響力的財閥集團，則根本是澈頭澈尾的唯利派，他們既要與台灣做生意，也要與大陸做買賣。

我當局應知有所作爲了

自由中國與這樣一個「現實主義」的國家往還，豈能單憑國際道義精神來維繫！惜自戰後以來，我政府對日政策，竟完全出諸主動的「市恩」方式，以泱泱大風，放棄對日本的一切權利主張；迨退出大陸後，由於形勢之變易，對日本似乎更寄予了某些幻想，蓋此皆爲藏在不言中之事實，於是乃益見對日關係之軟弱，固無庸諱言。時至今日，主客之勢互易，則中日關係之陷入僵局狀態，實非無因。惟試觀近一周來國內外同胞反日情緒之高漲，輿論之憤激，當局者似應知有所作爲了。

抗議！我們竟容忍到現在才抗議，而政府的抗議甫發，民情即繼之而起支持，筆者以爲日本當局固可忽視抗議於一時，但實不應長期輕視我國人民數十年來心底的反日情緒！

日本當局亦應三省

中日關係又面臨到考驗的重要關頭了，自由中國的政府當局固需要深自檢討戰後以來對日政策的得失錯誤，而日本政府當局，也需要三思三省。恩將仇報，此究非東方民族的民族性。再退一萬步言，中共也非易與的善者。日本如果要做出賣耶穌的人，其下場也一樣是可悲的！

●李金曄。

輿論勿須畏

●魏雲●

近一個時期，我國言論界，對于憲法的維護，反對黨的倡導，政治的改革，貪污的肅清……等一連串大問題，不斷地提出種種不同的批評和建議，雖不免因此引起是是非非，卻已辯出問題的癥結所在，從國家不能沒有輿論的角度看來，這不能不說是一種好現象。

日前來華訪問已賦歸去的日本記者團所說：「我神奇的發現並證明自由中國確是一個言論自由的國家」，這些話，也許就是看到這種現象之後而發的。

不久以前，聽說當局對這些言論，尤其海外輿論極表重視，作爲一個民間的獨立報人，站在國家和人民的立場，的確喜見清議尚存，並能爲當局重視；頗覺得當局對輿論的態度有所改進。不過，同時在若干大問題的爭論中，我們也明顯地看出一種相反的趨勢，那就是執政當局若干代言人及官辦報刊，對國內言論所採的言論態度，未免缺之執政當局方面應有的風度，致激起言論界更大的反感。那是令人引以爲憾的。

政見儘管分歧，原是以促成進步爲目標的，而我們將如何朝向這目標呢？這該是爭取團結的前提。

有人認爲：「要政府與執政黨照在野黨派人士所開出的「條件」來作爲團結合作的基礎，事實上也有其困難與窒礙難行之處；但是，反過來說，如果政府一定要依據本身既定的做法來作爲對在野黨派人士的衡量尺度，那也就難于以德服人。輿論是一種傾向，抑遏祇能激起波瀾，如果老是反此傾向而行，各走極端，則所謂「各行其是」的現象，縱不欲其存在，亦必勢所不免。若政府方面能有克己容人的氣度，與開誠佈公的作法，相信「各行其是」云云，祇是一句話而已。又如果當局不拿狹隘的觀念，閉塞合作之門，也絕不會有所謂「不合作」運動發生。

今以召開反共救國會議一事爲例，政府倡導於民國四十二年，迄今五年，終未舉行，該項會議未可看成團結的一劑靈藥，如果不開以開，何必多所顧忌。而當局初則曰：要在適當的時候舉行；再則曰：不舉行並非不團結，真機說法反而易招物議。因爲在一般人看來，政府連召開反共救國會議的決心與誠意都沒有，遑論其他。

國是爲國人大家之事，爲每個人民的安危禍福所悠關，凡屬國人，皆有提出意見的義務和權利。執政當局容納一些人民的意見並不是讓步，實更足表現「天下爲公」的雅量。如果認爲輿論界的建議或批評爲不正確，官方言論亦應以辯論和啓導方式，代替了攻擊及抑壓方式，才能爭取民間的合作與輿論的支持。一種言論，如果本身站不住，自然不爲人所接受。目前這種對言論批評面，非反攻，即忽視不理的作法，勢必發生不良後果。

在政府一般人員心目中，新聞記者常成爲「討厭的人」，縱在美國，亦不例外。但輿論原是民主的標誌，如果處處當作敵人來防備，則人們勢必懷疑政府沒有接納輿論的誠意。民主習慣及言論界責任感的養成，輿論界固應勉力求之，而政府尤其應善爲報導。否則清議亡了，所謂民主政治制度豈不是成了空殼。

就作記者而論，要做官員討厭的人易。要捧一個「我的朋友×××」也不難。不過如果舍前者而取後者，那就不是個代表輿論的記者了。

任何言論，如果祇爲了捧場，爲了做啦啦隊；不站在人民的立場，就失了輿論之所以爲輿論的價值。輿論本身先天就有一種監督政府施政的本質，所謂輿論後援者，祇是在政府的施政完全適合人民的意向時的現象。輿論總向于批評方面，就表示了政府施政多少與民意不能相符。

如果不談民主政治則已，不談言論自由則已，否則祇有政府設法使它的施政適合民情；絕不能使輿論適合于它的施政。當然所謂輿論是指的確能夠反映，大衆意見而能獲得大衆擁護的言論，而非謂祇要有一間報館一間雜誌，或出版一種刊物，在白紙印上黑字，都一一要政府去採納施行。一種言論之所以能形成爲大衆的輿論，必是有其本身存在價值與理由。

輿論是無須怕的，反之，應該爲一個民主政府所歡迎。輿論趨向批評的現象，不是反常；畏懼輿論批評才是一種反常現象。

輿論支持政府對日措施

過去委屈求全的外交再也要不得了

可見政府合理的施政無不獲得擁護

·劍聲·

（台北航訊）此間輿論界與民意代表連日對日共貿易協定一致抨擊，輿論界的態度表示支持政府。在立法院會中，且有立委提議發動東南亞所有華僑抵制日貨，甚至斷絕對日邦交，亦在所不惜。

政府當局準備採取進一步的措施，現宣布停止對日本一切商務合同的簽訂，並在日本政府未提出滿意答復之前，將不向日本所有民間工廠及日本出口商訂購貨物。

中央日報

中央日報的社論認爲我們對於堀內大使對記者所說的「滿意答覆」，不要存太多的奢望，日政府的答覆果如新聞電訊所透露的幾點，我們決不會認爲滿意；其次我們要請求政府當局，對於中日兩國之間不愉快的友好關係，在這個時候作一番苦痛的再估計。該報進一步說：我們堅持八年抗戰，不是爲的打倒日本，而是爲的糾正日本軍閥的錯誤。儘管我國是在患難之中，而對於日本的獨立復興，仍竭力予以支助。過去幾年的事實證明，我們對日本的想法和看法又錯了，日本政治家另有一套想法和看法，他們雖然勉強和我們政府簽訂了和約，建立了外交關係，心裏頭却缺乏和我們友好合作的誠意，因而處處在表面上敷衍我們，使我們感到非常失望。因此該報主張中日兩國友誼演變到這種地步，我們應該鄭重考慮，究竟是否還需要這種苦痛的友誼。

中華日報

中華日報的社論認爲：「日本民間」多年來不顧與自由中國的友誼和國交，年復一年的與中共匪幫訂立「貿易協定」，我們基於中國傳統的恕道，爲了顧全日本經濟考慮，一直容忍下來，雖然我們也曾表示我們始終對此不同意，但也僅止於我們態度之澄清。日本政府得寸進尺完全抹煞我們的意見，則我們又何必定非爭取日本這一朋友不可？因此該報表示：支持政府停止中日貿易計劃會議的決定。認爲今天日本政府如果允許中共商務代表團享有外交權利，懸掛僞旗，那豈非「兩個中國」的先倡導並予實行嗎？

聯合報

聯合報的社論認爲：我政府應當就中日邦交前途，作最嚴重的考慮。這不僅能維護國格，應當有這樣的打算，就是爲了防止再有一個國家仿效日本的作爲，也應當有採取斷然措施的決定。該報並指出日本政府慣用一套「軟功」，從顧全我政府的面子，而至在中日貿易談判上作若干讓步，也就是「哄一哄」的做法，搪塞我方的抗議，這樣，只要我政府不爲已甚日本就可以在中國陣營叫得響叮噹，而導引許多淺見的國家步其後塵。到了那時候，日本政府就可以返過來說：「大家都如此，怎能獨怪我」？這是很毒辣的一手，我政府當局決不能貪近利而忘了日本所在，而必須使用自身的力量和國際影響力，迫使日本不作損害中日邦交的任何一件事。

公論報

公論報的社論認爲：我外交當局這次能夠一反過去柔弱的作風，當機立斷，作此嚴正的表示，明快的措施，舉國人士亦無不表示全力支持。

我們由此看到一點

由此看來，台北輿論界和我們所知道的海外輿論界的意見是一致的，認爲我們過去的對日外交太過委屈求全了。如果日本政府還要玩弄外交辭令，達其所謂「事實之認可」的目的，一切解釋全是無用的廢話！我們不能再踏過去軟弱外交的覆轍了。由此可見我國輿論界對政府的一切設施，認爲對的，無不熱烈擁護，全國一致。年來言論界對國是意見的紛歧，其原因安在，由此可思過半了。（三月十八日）

旁觀門司博覽會台灣館

我們的館址在會場外？

並且拒該館懸掛國旗！

·行者·

日本關門地底隧道，於三月九日正式通車以後，接着即於三月二十日舉行博覽會，分在下關及門司兩地設有會場。據說也有我台灣館之設立。但奇怪的是我們的台灣館，並不設在會場之內。據說：台灣館是由於有人在國內弄了一萬元美金的免稅輸日香蕉，才有興趣搞的。而政府方面是要爲自由中國台灣的產品宣揚宣揚，所以也不便拒絕。

不過台灣館，並沒有冠以中華民國字樣，不知是何道理。再者該館不設於會場之內，而在場外，顯然已被人利用了。又聞門司博覽會乃「日中友好協會」提供展品，因會場尚待二十日開放，場內情形無法得知，大概中共又不會放棄展出與宣傳機會的，台灣館沒有什麼特別產品提供，僅是一些台灣鳳梨等土產品，最妙的是兼營飯店生意，因此說，台灣館是飯店又有何不可呢！又聞博覽會方面拒絕台灣館懸掛我國旗，此事已爲此間僑領注意，正向有關方面報告促請提出交涉，因爲我們駐領館方面自始就沒注意這事！是不是駐領館的精神都集中到「日中貿易」問題上去呢了？（三月十九日於門司）

由莊萊德使華說起

·吳本中·

二次世界大戰之始，法國慘敗之餘，戴高樂以少將及屢職軍政部次長的地位，隻身渡英，寄人籬下，無權無勇，然而謀復興祖國之心無時或已。會廣播呼籲國人，「自由法國在此！」於是招集流亡，號召英俊，組織軍旅，復國大業，從此轟轟烈烈而起。當時他對盟邦英國首相邱吉爾凡有所洽商，與法國尊嚴或主權有關者，絕不退讓。不惜面紅耳赤以相爭。邱氏往往首肯。[illegible]這樣一個人！」亦不過以幽默解嘲而已。其實，當時戴高樂欲復興法國，非邱吉爾大力幫忙不可，同時邱氏要打敗暴德，亦非扶助戴高樂不可。此法國復興與不爲功。此亦今日自由中國與美國關係相似之處也。

美國今日對抗共黨極權，自不能不要自由中國。其理正同。自由中國擁有海內外數千萬人民，有台灣寶島作爲基地，三軍精銳，以視昔日自由法蘭西者誠有過之無不及。自不應妄自菲薄，在外交上稍存自卑之感。吾人今後當以大無畏精神，從事大膽外交。最近杜勒斯訪台，美駐遠東使節又在台北開會。美新任駐華大使莊萊德適於此時呈遞國書。筆者認爲此正我自由中國外交上可有大作爲的開始。試言其故。

於此吾人有三個簡單要求，相信有許多人也會是這樣想的。就是：第一，反攻大陸是我們的主權，至上的，是不容任何外來力量稍示干預，或挫折的。任何物質或精神的干預，吾們必不應接受。凡條約協定，默契，一於此，一字一句均必須[illegible]，應廢者必廢，應改者必改。反攻復國是我們的最高目標，當[illegible]作互存。務期早日反攻。[illegible]高樂尊島登陸，不停的沿[illegible]到最後能立足大陸，收復[illegible]。第二，我們對亞洲乃至中東的反共國家或人民，必須以實力相助，必要時應組織志願軍，前往參加。譬如說現在的印尼反共革命政權，我們是可以而且應當，拔刃相助的。我們與蘇諾政府沒有外交關係，我們又不是東南亞公約組織的一員，爲什麼我們要像其餘的反共國家爲畏首畏尾，而不爽快的，馬上以實力幫助他們呢？這是東南亞是否赤化的問題，與我們生死攸關，是絕不能坐視的。我們要告知盟國，我們要動手，請朋友們義氣一點，不要阻撓。第三，美國駐華軍事人員在台享受治外法權一事，我們要堅持平等，互惠，尊重駐在國主權等原則，從速重新與美交涉，訂一新協定。此乃永保友誼，彼此均有利之擧。欲免去歲台北嚴重事件之再發生，非切實做到這一點不可。

大陸淪陷後，我在香港遇到美國少壯派的兩位外交家，印象頗深。第一個爲 Walter McConauyhy。他少年英俊，對事物瞭解敏銳。此人後返國務院，主持中國司，現已爲駐緬大使。第二個，即筆者自英返港後所見的莊萊德總領事，初遇乃在交際場合，泛泛交談，已覺其人爲誠篤之士，非以油頭滑嘴，巧言令色爲能事者也。間在太平山頂上，鳥語花香，曲徑通幽之處，遇莊氏伉儷，公餘散步，又覺其人確爲「甯靜致遠」之士，非雞尾酒會中之凡夫俗子也。去歲巴黎高峯會議前夕筆者曾草「願對美國外交進一言」一稿，重點在引用華盛頓之言以貢獻美國朋友。不意發表後（大文合十二月十四日），題目加上「美國喇叭筒外交」字樣，筆者頗感尷尬。深恐引起美國朋友誤會。不意莊萊德讀後，不但毫無閒言，且正式告筆者：「合衆國有您這樣爽快直言的朋友，是有幸運的。」彼當時未出任大使，然筆者已確認其有代表泱泱大國的風度矣。二月初彼爲榮任駐華大使，莊氏並對筆者說：「無庸諱言，我正是期望重回到中國事務裏來的」。

莊大使已多年離開中國事務，如今「捲土重來」。故我希望這是中美外交的新紀元。

一九五八年三月十四日草

寶島經緯綫

·季鸞·

△彈劾俞揆案剛剛結束，外滙舞弊案又代之而起，因這件案子牽涉有立法委員及若干大員在內，這就顯得不平凡了。

多數立委正在發起一項自清運動，這是一個好現象，但願此一運動，不僅以外滙舞弊涉嫌一案爲限，也不僅以立法院爲限。

△當局爲精減機構，將裁汰若干人員；由於台灣地域有限，就業的機會不多，驟然裁減大批公務人員，勢將造成大量失業現象，會增加社會的不安。當局對這個問題，此刻應該着眼於發展經濟環境增加就業機會。

△在政壇中，外交圈中「小鐵幕」，頗引人關切。此所謂小鐵幕者，是指人事不公開而言。最近這一次立法院院會中，立委喬一凡對此特別提出質詢。

喬氏首先指責我駐日大使沈覲鼎之「無能」，不分敵友。他說：「沈覲鼎於使日之初，在立院報告；一則稱國民政府主席，再則稱國民政府主席，不知中華民國之有憲法，有總統，沈大使對國情瞭解如是，宜乎日人之肆無忌憚，而戲弄我也。」因此他「甚望葉外長今後能虛心實腹，先行打破國內外交界之小型鐵幕」云云。

俞揆則否認此說：「外部絕無小鐵幕」。喬氏當即指此語爲外交部某次長處得來，經已傳出，已不屬「機密」矣。果有小鐵幕云乎，然耶否耶？

△徐傅霖氏逝世後，民社黨內部之團結問題，成爲致國內人士所矚目。據悉，前所獲致的徐老派與「八常委」派之間的合作，近似有動搖跡象。因爲前次未參加「團結」的「民社黨中央改造委員會」一派，邇來顯得很活躍，且曾向外宣稱上次的「團結」「並非合法」。因此有人建議，如求民社黨眞正團結，勢非力促張君勱氏返國不可。惟張氏由於對整個政局的主張關係，看來是不輕易「擺駕」的。

△據有關方面透露：在去年一年中，公務員被移送全國公務員懲戒者有二百六十人之多，其中有廿三人經議決結果，認爲並無過失而議決不予懲戒，另有四人則因情節輕微或送懲戒程序不合而經議決免議或不受理。被全國公務員委會懲戒者爲二百三十三人，且均呈經總統核准執行，俞揆亦是其中之一，因彈劾案係去年移送懲委會，故列爲去年度也。

中越關係好轉中

西貢通訊

中越關係由于近年來兩國朝野人士之奔走斡旋，多方解釋，消除誤會，友誼有顯著之增進，在文化上如越華會之設立，尊孔運動之推進，經濟上如自由中國紡織專家之訪越，發動工商業合作等，在在足以證明。最近越南政府還派阮功勛爲駐華公使，更爲中越文化交流開一先河。

貿易可望展開

隨着中越外交關係的好轉，兩國的經濟貿易，亦將全面展開，據此間報界透露，越南政府經濟當局表示，凡台灣可以出口的產品，越南將盡量採購及批准輸入。同時，越方並擬派載重五千噸的輪船一艘，經常航行中、越間，雙方貿易當可由此獲得展開。

據說，越南官方對華僑捐辦紡織廠一事，期望甚爲殷切，中國銀行總經理陳長桐，在訪越期間曾表示，中國銀行願予經濟支援，越南政府獲知後，極表滿意，認爲中國政府對這個紡織廠的協辦，等於間接予越南一項有效的經濟發展。越南政府並表示，今後台灣可以供給的貨物，越南可儘先向台灣採購。

各報著論讚揚

西貢各華文報對中越經濟關係的日趨好轉與合作，均著論讚揚，爲兩國的經濟前途額手稱慶。「越華晚報」說：這眞是一個使人興奮並且寄與重大希望的消息，國與國之間的團結合作，除了有一個共同的目標和共同的利害之外，最主要的還在於彼此之間的相需相成。因此，經濟合作，裨益兩國的國計民生，實爲奠定國際關係的一個最主要的因素。

該晚報復指出：越南是二次世界大戰後，東亞一個新興的自由獨立的國家，在農業生產與工業建設方面，正在大規模從事於創始的工作，因而對隣近國家間之互通有無，藉以滿足民生的需要，平衡物價的安定，實有賴於對外商業貿易的進展。去年三月底，中華民國商品展覽會，在西貢開幕，陳列台灣方面近年工農業生產的成果，目的即在使東南亞各邦人士與當地僑胞，對我國商品獲致較深刻的認識，從而促進我國與東南亞各友邦的貿易，作緊密的聯繫與交流。同時我國有關方面更就越華兩國可能貿易的貨品種類指出：

台灣輸越產品

台灣輸入越南的產品有：煤、焦煤、柏油、硫酸、香茅油、純鹼、木材製品、棉製品、罐頭食品及紙、糖等。

越南輸台產品

越南輸出台灣的主要產品有：橡膠、木材、魚類等。

至茶葉、水泥、鋁製品等，在此間市場，亦有甚大的需要，不過有若干貨品的種類，由於供不應求，如水泥，則台灣方面暫停外銷，或由於當地政府，限制輸入，如台茶入口，數量亦屬有限，故今後爲加強雙方的貿易，最好透過兩國外交途徑，雙方各就主要的供求關係，商訂一個貿易協定。我國目前與韓國、日本、菲律賓間，均簽訂此種協定，進行亦甚圓滿。日本方面近因與中共簽訂貿易協定，致引起台灣的杯葛，乃屬不幸的事。此外，如一般商人請求對台貨輸入貨物的外滙額，如當局能盡量放寬，如是則中越經濟合作，變今後商務貿易是很有前途的。（三月十一日）

稿酬：

本報本年二月份稿費通知單已分別付郵，請惠稿文友，憑單領取爲荷。

編輯部啓

「日中貿易協定」幕后

·觀游·

日本與中共簽訂第四次貿易協定實任並不全在商人，國會通過了修改按捺指紋案，就爲便利中共「通商代表國」，如果僅有商人的貿易幻景，而沒有政客從旁鼓勵，中共的魅力是不足以動搖岸信介的。因此不能不使人懷疑岸首相自己的態度了。現在，日本官方正運用雙簧技倆應付我政府當局的抗議，實則能令我們接受的藉意解釋，祇有讓岸信介來否定日本與中共簽訂的協定。

【東京航訊】所謂「中日貿易協定」，經由自民黨池田正之輔代表於三月五日簽字以來，到今天（三月廿一日）已兩周了。我們因未能促使日本於事先之諸慎從事而致釀成大錯，但仍能於既成事實之下，在該協定有待日本政府批准之前夕，提出強烈抗議，但是「爲時不算」太晚。

迄目前爲止，日本政府所持之藉口實的，即說我國誤解此項協訂，爲非民間性的。岸信介和藤山，將以私人函件分別向我總統及葉外長解說此一誤會，甚至愛知官房長官對記者說：「中華民國是會滿意接受我解釋」的。日本當局企圖以甜言蜜語敷衍的迹象極爲明顯，而事實卻是允許「中共通商代表國」懸掛中共旗幟，使用密碼，並允享受免稅，自由進出日本國境特權。日本以外交上一般的待遇對待中共的通商代表團，能說不是作事實的承認中共政權嗎？還用得着作什麼解釋呢？唯一的辦法祇有馬上由日本政府公開聲明否決這一項「日中貿易協定」，否則，我們不需要什麼花言巧語解釋。

筆者推定，日中貿易協定是由日本一般短視唯利是圖的商人的幻景所促成，以爲未來三千五百萬英鎊的貿易額是大有可爲，爲了要取得政府的保證，一定不會放鬆這已經簽字的協定的。但另一方面，也顯示日本官方早有優容的決定。爲什麼，因爲日本政府爲了第一道難關，按捺指紋問題是「日中貿易協定」受阻的第一障礙，即不惜於本屆國會提出修正案並予通過，故可以說日政府與民間是早有默契的了，實爲日本政府在事先同意的佐證。因此，在目前岸內閣欲不予批准恐怕是很難的，也因此，我們對於日本當局以唱雙簧的方式來向我政府當局解釋，不能不認爲是欺人之談！

反觀多年來我與日本的貿易多數是以現金交易，而中共所的採取方式，則爲物物交換，所謂三千五百萬英鎊的未來交易，百分之六十以上是以大豆運給日本的，中共那麼多剩餘的，而且目前日本出口給中共的鋼鐵產品的價格，中共也已經放出要日本以最低價格出售的要求。實在地說，「日中貿易協定」祇不過是中共先以經濟利誘，繼以政治壓力，從貿易上說，絕對是不樂觀的，其奈日本短視無知呢！

日本與自由中國間有很多極不合理現象，老實說，日本的影片在台灣到處可以放映，我國影片卻一部也沒有在日本上映，在某種情況下，爲了維持友誼關係，採取現金付款方式，照說有錢到處可以買貨，何以一定要買並不是優良的日本產品。儘管是這樣，我們仍不免這一考驗。

這祇能說是中華民國過去對日本太過寬容了，如果再說對日關係有錯誤，也就是錯在這基本的態度上，我們豈能再不猛醒回頭！

（三月廿一日）

經濟壓力增長下 中共降低部隊供給

中共在發動「雙反運動」以降低人民生活後，又確以部隊發出相繼之指示。社廿一日消息透露，僞國防部向全軍發出降低和改訂部隊各項物資供給制度的新標準，是：供給制人員的糧食減少一兩，炊事用煤減少大兩五錢。各級軍官的單軍服由一年發兩套，減爲一套。部隊中工作服的發放範圍也適當縮小，由發給個人改爲公用，並且改訂一部分勞動工作用品。發給士兵的毛巾由每人每年三條改爲兩條。施工部隊人員的補助鞋，由平均每人每年三雙到四雙改爲兩雙。騾馬的每日半斤補助飼料也予取消。軍事學校開學、畢業的會餐費也予取消。降底軍醫護士學校學員的生活待遇。並增加軍屬軍眷的醫療費等等。

中共對部隊所施行的此項新的降低供給辦法之措施，已充分顯露中共不堪長期維持龐大軍費的壓力，經濟情況之嚴重在日漸增長中。（賚）

對外統戰加强

最近，「國務院」成立一個外事辦公室，主任是「國務院」副總理兼「外交部」長陳毅，副主任是廖承志、劉甯一、孔原、張彥。

廖承志原是中共中央海外工作委員會主任，後海外工作委員會併入統戰部，廖任統戰部副部長，仍領導着海外統戰工作；劉甯一原是總工會的國際聯絡部長，後且被任爲總工會副主席與國際赤色工會副主席，是亞澳工會聯絡局的實際負責人；孔原本來是「對外貿易部」副部長，于上年十月被免職；張彥原爲「總理」辦公室副主任。把這樣一批主持各方面對外工作的首腦集中在一起，就會明白這個辦公室的作用是爲着統一領導與加強對外統戰工作了，把所有的對外工作統一起來，做什麼？致力對亞洲自由國家的顚覆活動。

特別着重東南亞

中共之加强對外工作，除了前述的成立外事辦公室來統一領導以外，還有兩項跡象值得提出的：

一、較早以前，中共把「對外文化聯絡局」擴大爲「對外文化聯絡委員會」，並調原來的「教育部長」張奚若爲主任，這種擴大的目的當然是爲着加強對外的文化統戰工作。

二、原駐緬「大使」姚仲明免職，調李一氓繼之。李一氓出身新四軍，原爲蘇皖邊區副主席，中共旅大區委的書記，一九五二年曾率文化代表團訪緬，一九五五年出席世界和平理事會會議，並被任爲該理事會的常務負責人，後且爲中共在和理會的實際負責人，一九五五年出席在新德里召開的亞洲國家會議。他這幾年來一直就背着和平的招牌，作其國際統戰工作。

目前緬甸對於中共的態度正在轉變中，邊境劃界問題始終不能解決，緬共的投降數以千計，這一切事實表現，都使中共有加強對緬外交陣容之必要，以富有國際統戰工作經驗的李一氓到緬甸活動，自然爲的是想挽回上述的各種頹勢。

上述這些跡象可能還僅是一些對外統戰攻勢的開始，其後，必然還有一些行動會接踵而來，特別是對於東南亞國家。

打得響如意算盤嗎？

去年下半年以來，中共在共產國際中的地位開始低落，毛澤東的對內和對外的聲望亦在下降。

匈牙利事件以後，國際共產主義運動，不問是共產集團內部的，或共產集團以外的，都有被各種各樣的修正主義所分化與腐蝕，已經處于渙散與停滯的邊緣。

毛澤東目前着重要解決上述其個人的與國際的兩大困難，並加強其對外統戰工作。他之所以如此，是基于他個人的下述迷信：他認爲中共所能影響的東南亞地區是長期經受帝國主義壓迫，對西方有着潛在反抗的客觀條件；他又認爲共產主義「新民主主義」革命政策與和平共處五項原則的外交政策是易于迷惑人，善于誘人墮入其陷阱的；因此，他大概認爲：只要在中共的支持鼓勵之下，能創出一片由中共領導的共產主義統治的新天地，則他個人的，以及共產主義運動等的問題都可迎刃而解。

毛澤東的這種自以爲是的想法，在東南亞地區的人民逐漸了解大陸的實況以後，事實已很難達成預期的目的了，此次調整對外關係業務方面的人事，也無非是黔驢之技而已。

○田心○

讀「賈雲兒前傳」（下）
兼論陳紀瀅先生的小說題材

○凱德○

新書評介

作者借了賈荔之口先說出了社會的形成與好惡互相激盪的因素。繼而他又由賈荔之口道出了如何改造社會收拾人心的辦法。他說：

「凡事務必說根本理解。我的意思是說，社會無辜，其罪在人；有一位動物品位分析學家曾說：人雖爲萬物之靈，但在品格方面，人類毋寧最低！所以要求世界大同，天下一家，必須從根本方面醫治人的內心離亂。因此人格教育，佔教育首位。宗教影響，也不可忽視。要從廣大方面理解事物，不從自己窺探世界。」（二五九頁）

作者在這裏提出了「人格教育」與「宗教影響」作爲收拾人心的首要課題。于是作者不惜苦口婆心地舉出了聖經上一章章基督的話作爲他提供培養人格教育的精義，賈牧師與康會長之所以能在黃河決口時，率領着全城的男女老幼，不下五千之衆的集團，一路上冒着槍林彈雨，跋涉了一個半月，走了近千里路，到了陝西地界的一個小城。傴瀏關懸荒山而自力更生，若非受了宗教的影響，以及賈牧師與康會長崇高品格的感召，是很難把一個散亂的集團結成一個整體度過那艱苦的八年抗日戰爭的。所以作者在本書中顯示了他的如何建立天下一家（即世界大同）的思想，是還接受基督的博愛精神。他借賈牧師的口說出了他和睦同居的理想。說：

「上帝造人之初，原是天下一家，既沒有國界之分，也無種族之別；不過因爲氣候、土壤、山川等等的差異，就形成了人體、膚色、語言的不同。因爲有了種種分別，於是也就有了紛爭。紛爭最重要的東西，卻是物質慾望與爭所有權。但是信奉上帝的人，須要免去一切貪心，因爲人的生命不在乎家道豐富。信奉主的人所爭的不是家道豐富，乃是生命永恒。」（七五頁）

作者復不惜舉出了路加福音與使徒行傳中的經句說明人與人爲了競爭物慾的毫無意義，「凡爲自己積財，但在神面前卻是赤貧。」說真的，倘使每個人都能遵從耶穌基督的話去做人處世，則世界永遠無戰爭矣！人與人永遠和睦同居矣！這是作者在「賈雲兒前傳」中讚出的「和睦同居」天下一家的理想。也是這本書和「荻村傳」與「赤地」的絕大不同點。

三、

「賈雲兒前傳」雖說是作者以基督的博愛無我的犧牲精神來作爲表現他「和睦同居」天下一家的理想爲主題。——兼且給現社會病態開出一張處方。何以又要書中的女主角賈雲兒大反宗教呢？（見第十五章詛咒）我認爲這必須再回頭讀一遍第六章「開荒」才能了解作者用以烘托這一主題的沉重心情。他寫着：

「說起教堂來。我們眞可憐，自從離開家鄉以後，我們就從來沒有在一間像樣的房間內，崇拜過上帝。無管是風吹日曬，甚至廣場上，降着羽毛似的雪片，大家都得捱到崇拜節目完畢才走開。老實說，這樣一個環境對於那班信心不堅而受勉強的人，眞是痛苦懲罰。起初隨時可見人體浮動急躁，慢慢便安定下來。再過了些時間，大家不僅忍受得住風雪吹襲之苦，而且臉龐竟掛上了笑絲，從內心裏表現出虔誠。

「原先反對奉宗教的幾個年輕壯漢，在建築教堂工作上，比任何人都熱心努力。平常在表面上信仰宗教卻够虔誠的人，這時候似乎也特別顯得謙卑。我當時對於這種情形無分辨能力，後來我才知道他們所以那樣有表現，仍然不是眞心信神，卻由信人而起。

「因爲當時這些人常有一種說詞：『上帝也好，老天爺也好，誰看見過？沒看見過的事物，儘管說得天花亂墜，也不相信！與其相信那虛無飄渺的神，還不如相信康會長和賈牧師呢，因爲他們的所作所爲，我們都親眼得見！』

當然，康會長與賈牧師在那種極艱苦的環境下，和五千個人和睦同居了八年，自是因了康會長與賈牧師的所作所爲影響了那些人。這就難怪賈雲兒要破口大駡那些假仁假義藉上帝之名而行欺騙的人了：「他們若離開上帝與耶穌，他們喫上帝，喫耶穌，喫盡天天下一切人，只爲他們自己的生活，爲自己的榮譽。」這些話推有爲信上帝篤信眞理的人才能寫得出；也惟有把希望寄託於上帝最切的賈雲兒才會駡得出。到最後，賈雲兒不是又走到報佳音隊伍的前面，三過家門而不入，決心繼續她的夜漫步，要一直走到人生的天明嗎？從這裏，我也體會到作者在寫「賈雲兒前傳」時，比寫「荻村傳」與「赤地」時沉重。所以他在「荻村傳」中指示豆汁兒張等人一個去向。在「赤地」中寄望於另一個荻村的新生；在這本書中，他則未讓他的書中主人翁賈雲兒重新跳入八海，披上甲胄作一名鬥士。何故？因爲賈雲兒已悟徹了這個社會的時生突兀與人性一再反常等因素。她說：「以奚依我事件爲例，我眞想不出人性爲什變得這樣突兀失常！」個人的失敗自然是小事，多數人失常，便會構成社會不安。我覺得近十年來，人性失平衡，社會風氣已入邪途。最顯的現象，是物慾超過能力，道德低學識。順實現，無理想。缺少信心也無所敬畏。表面講科學，實際是迷信。把說謊當成家常便飯，奉欺詐爲處世哲學。過難則推拖，逢利則爭取拉。人心不古。世風日下，這就是世界末日到臨的朕兆。」

四、

陳紀瀅先生的小說，最可喜的是他能面對現實，無論在那一部書，他都像一名衛鋒中的兵士一樣，是有敵無我，彷彿根本不知道有槍彈雨那回事。先不管他所採取的攻擊方式對不對，但他的敢於面對這個亂時代的勇敢氣，就值得令人敬佩。他絕不像一般逃避現實的作家，一去撰擇所謂「超越時代有永恒價值的題材；更與那些今天以畫家生活的題材，明日又以音樂家生活爲題材天又以飛行員生活爲題材的天才作家有所區別。因爲陳先生的小說所撰的題材，不惟是他個人所親身熟知的，而且也是大家所熟知的，康會長賈牧師不都是我們在抗戰中習知的物嗎？在敵機的翅膀下逃難、開荒不也是我們親身體受的生活嗎？

一部小說，等於一面鏡子，使讀小說的人，如攬鏡自照，能發現己也在那部小說裏，雖在一些看來悉的人和事物之中，一如瞧見鏡子的自己一樣地那麼親切，這就是的反映性。陳先生的每一部小說都讓你在其中找出你來。有人說：『藝術是反映人生的。』那麼，人生又嘗不是反映時代的呢？陳先生的幾小說，可以說都是反映這一世紀來這個大動亂時代的優異作品。二十紀的中國，有着這樣巴爾札克的「人間喜劇」一樣有氣魄有系統的小說，當推陳紀瀅先生爲第一人。我覺我這話並不過分。

慶祝自由人創刊七週年紀念

朱家驊

陳[illegible]　林[illegible]　戴[illegible]
鄭[illegible]　趙[illegible]　潘[illegible]
黃[illegible]　程[illegible]　劉[illegible]
周作[illegible]　賈[illegible]
江鴻　袁守[illegible]　汪[illegible]
白[illegible]　章[illegible]　鮑[illegible]
林[illegible]　樊[illegible]　李[illegible]
唐縱　譚嶽泉　[illegible]
鄭永　洪[illegible]　蔡人龍
俞國華　[illegible]　邵[illegible]
黃[illegible]　郭[illegible]
陳[illegible]　趙[illegible]　蘇[illegible]
張[illegible]　張[illegible]　劉[illegible]
林柏壽　張[illegible]　蔣[illegible]
黃國書　[illegible]
陶玉田　[illegible]
陳[illegible]　林[illegible]　林[illegible]
林[illegible]　謝[illegible]　楊[illegible]
石[illegible]　[illegible]　劉[illegible]
華壽嵩　[illegible]
[illegible]　蕭[illegible]　陳漢泉
王[illegible]　[illegible]　劉[illegible]

究竟為的甚末？

自由中國談

在台灣刊行的「自由中國」雜誌，去年曾以「科學的邏輯」，分析自由中國政府沒有軍事反攻大陸的可能與勝算，對於民心士氣，影響不淺，尤其給共黨以在海外從事統戰宣傳的大好資料，這是無可否認的事實。

最近又有以「中國人看美國的遠東政策」為題目的社論，主張美國須以軍經援助作手段，公開而且嚴格地干涉遠東受援各國的內政，更為驚世駭俗之談。連日來，海隅的共黨刊物，即以此為頭條新聞，大力表揚，說「自由份子要求美國接收台灣政權」，言之有據，繪影繪聲。反共人士發出這種使親者痛，仇者快的言論，我不知道究竟是為的甚末？

「自由中國」在同期的社論（二）題目為「究竟誰在給共匪利用？」內容是替海外一般批評政府的所謂「民主鬥士」們的言論辯護，認為給共黨利用的，乃係政府的措施，與民主自由人士無關。可是，我現在每天看到中共在海隅的報紙，利用「自由中國」雜誌的社論，作新聞分析，寫時評文章，這算不算是「給共匪利用」呢？

反攻無望與干涉內政這類想法和說法，如果是先意承志地反映着國際友邦潛在的一片心事，那我雖不敢說這就是甚末大逆不道的主張，但至少也覺得不免有些「買辦階級思想」的成份哩！吾友黃宇人兄曾說過：「自由中國雜誌的政治主張，十九我都贊成，但其立言的態度和方法，却沒有一樣使我能够同意的。」這是最客觀的批判，我亦云然。

不管建議美國干涉別國內政的用心何在，我為保持個人人格與民族自尊心起見，對於「自由中國」雜誌社論所謂「我們相信東南亞各國沒有一國的人民會反對這種干涉」的論斷，應該特別聲明：區區這個接受美援的中國人民是例外的！

馬五先生

夫子造像

現實小說

桑雨

我剛去機關到職，小王就對我說：「去見見我們的『夫子』先生吧。」

我驚奇而懷疑的眨眨眼問他：「夫子？笑話，那是幾千幾百年前的人物了。我不承認現在還有誰竟敢擅用這個偉號。」

他調侃的聳聳肩：

「你這人怎的成見如此之深？不必與我饒舌，你去見了再下定論，並不為晚，或許你先入為主的觀念會有所改變」

信疑參半，我去謁見「夫子」。

所謂「夫子」，是我的頂頭上司。在職務階級名銜上是「單位主管」。光禿的頭頂，蒼蠅可在上面溜冰；過於豐滿而下垂的臉蛋，泛映出一種死魚的暗紅色。小耳朵，像貓一樣的豎起；厚嘴皮、賊溜溜的一雙細而小的老鼠眼，扁扁的鼻樑上架着一付金邊框的眼鏡。肚子挺出，宛如膨脹的氣球。

「您是新到職的？」冒着烟的雪茄在兩片厚嘴皮上轉了幾轉，聲音像是由牙縫中擠出來的。

「是是。」而對「夫子」，我謹慎有如。

「大學畢業？做過事？」

對於他這種仿彿向犯人問口供的態度，私下已頗感到有些不快了，但我想到飯碗問題，立刻用仍然很謙順的口吻說：

「是的！是的！剛畢業，還請主任多栽培

我說出了違心的，從來不恥的話，臉孔燒得熱刺刺的，像很多螞蟻在嘴噬着一樣。

「嗯！很好。這裏工作不重。」他在看錶。我會意應該知趣而退了，便站起來辭出。半個身子已在門外，忽然聽見背後在說：

「貴姓？我幾乎忘了。」對方伸出一隻白而柔軟，肥膩得如一團棉花似的，看來眞是一位夫子的手。

我道了姓名，門便在身後拍的一聲關上了。

回到辦公室，小王為我與同事們彼此介紹了一番之後，我將他拉到一隅，低聲問道：

「這個腦滿腸肥的傢伙，怎麼叫做夫子呢？」

「你沒有入境問俗，自然有所不知了，」他嘻皮笑臉的聳聳肩，噴出一口烟道：「我先告訴你，此地的行事標準是『中庸』，任何事不必走極端。」

「你說這個與我問的有何相干呢？」

「夫子之道，中庸而已矣。」

「我明白了，」我恍然大悟道：「這是我們的『夫子』規定的原則。」

「不錯，所以我們稱他為夫子。」

上班月餘，暗中察看「夫子」言行，果然不出中庸之道，擇兩列之，有下述各點：

第一穿衣服。好料子都是來路貨，「夫子」實力或尚不足，但黃卡其又太通俗，於是採用標準國產西服料，雖則經不起日晒風吹雨打，不到兩個月就面目全非，却到底是西裝。克難時期，不願吹毛求疵。

第二吃。山珍海味，川廣大菜事實上心有餘，而力不足，無異白日夢，然每月二百元的大伙食又嫌營養不够，難於下嚥。折衷辦法，是每月花三百吃飯，其他零食，概被目為奢侈。

第三住。花園洋房，因為自己尚未位居要津，不可妄想。但公家的大雜院宿舍，又覺紛亂，空氣污濁而難以忍受。索性請求公家每月支給房租金，另覓一廳一室，自己不花一個大錢。

第四行。「夫子」還談不上也不配來一部自備小汽車，但每天乘巴士來往未免太不够派頭。乃向上方請求三輪車一輛以為代步。

除此之外，「夫子」對於「中庸」之義，頗有「吾道一以貫之」的精神：

早上十點上班，下午三點下班；逢年過節，下屬送禮，為擁護政府提倡節約運動，一律減半，如此人情法律兩全；抽香烟，以洋貨欠缺，且也昂貴，「新樂園」過於寒酸，遂用「雙喜」……等等。

再者，「夫子」身為主管，金錢過手，豈可一文不取？大貪污又有鋃鐺入獄之憂，退而求其次，小揩油劑，細水長流，集沙成丘。

關於夫子的學歷，是××中學畢業。據他自己解說：「大學是天才家的樂園，造就專才的，在於中學，已可求得一般知識，人生至此，已可自足。況事在人為，大學畢業，也不過小公務員一個。」

對！夫子言之有理，時代變了，只要吹拍有術，裙帶關係拉得通，你就可扶搖直上。君不見台灣只有幾所大學？國民學校畢業，有錢有勢，照樣是風雲人物，霸據議壇；而捧着大學畢業文憑喝稀飯的不足為怪。

夫子不愚，現在已經陞任一級了。

最近有一事幸運「夫子」，原來在辦公室內專司洒掃倒茶的下女阿秀突然被「夫子」以「禮貌欠缺，態度不馴」為由，予以辭退。阿秀二八芳齡，活潑可人，做事認眞俐落，深為「夫子」所喜，何以竟被「開刀」，令人費解。

小王私下對我耳語，我明白了。

「夫子？」我不覺叫出這兩個字。

「不必大驚小怪如夫子者比比皆是呀！」

「混蛋！什麼夫子！」

「他本來不是夫子，但你也錯了，夫子行事，有所出自的。」他裂嘴，露出一排黃牙，尖酸的說：

「飲食男女，人之大欲存焉。」

「他不是有位裙帶風的太太麼？」我問。

他笑了：「孟子曰：『魚吾所欲也，熊掌亦吾所欲也；二者不可得兼，捨魚而取熊掌者也。』」

我沒有再說什麼，只是對我自己的看法感到滿足的喜悅，因為「夫子」二字，眞是只有在歷史堆裏去找了。

小啓：稿擠，戊戌談往續停一期。

自由人

THE FREEMAN

（第七三七期）

中華民國僑務委員會登記證僑台新字第一第二號、中華郵政台字第五〇〇〇號執照登記爲第一類新聞紙類

（半週刊每星期三六出版）

每份港幣壹毫　台北售價每份新台幣壹元

督印人：陳文蔚

地址：香港高士威道二十號四樓 20 CAUSEWAY RD. 3RD. FL. HONG KONG TEL. 771726

對最近中日爭議的我觀
不懸旗須得日本切實保證

·左舜生·

日本外相藤山愛一郎，在本年的一月二十九日，曾於第二十八屆國會席上，發表了一篇外交政策的演辭。這篇演辭不怎樣冗長，但可以說面面俱到；除沒有一字涉及中華民國以外，對於中國大陸的中共政權，卻有一種非常明朗的表示，他說：

藤山的方針

『政府目前尚無承認中共的意思，但，將繼續致力振興我國與中國大陸貿易，擴充對中國大陸貿易，認爲至要。政府至今一方面與自由國家協力，另一方面努力採取必要手段以求放寬對中國大陸的禁運。吾人今後將循此路線，繼續採取必要而適當的措施。』以我所了解，一個負有實際責任的日本人說話，是不會太隨便的，藤山這篇演辭，他是對國會說明日本政府在這一方面的政策，事前當然要經過慎重的考慮，決不肯以草率出之。根據他這番話來分析，日本對大陸的主意已定，是要做的，至於對中共無意加以承認，也僅以『目前』爲限。進一步看，這裏的所謂『目前』究竟有多久的時間，便完全要看形勢：第一，美國對蘇俄的反共政策究竟堅持到何等程度，尤其是遠東，乃至對中國問題，美國眞正的打算到底如何？第二，日本國內的輿論，或說一般國民的心理，也顯然與他們這次的打算有關；自民黨的對手社會黨與日共及一般無所屬而傾向左翼的若干傾共思想的學者，可能給予社會黨多少的助力與影響。自民黨以維護他們的政治地位政權爲目的，當然對這一形勢的估計，也不肯忽視。第三，半年內中共這個所謂『貿易代表團』，便會在東京出現，他們這個代表團今後在日本的活動是否不踰越貿易的範圍，乃至協定上所規定的貿易數字是否能圓滿達成，這些也必影響到日本今後對中共態度的變化。至於中華民國政府是否能在最短期間反攻復國，日本人當然也有他們的一套看法，我們看藤山的語氣，一則曰：『政府「目前」尚無意承認中共』，再則曰：『日本無意因爲與中華民國的「現存關係」，而中止與中共的貿易』（見本月二十五日藤山在記者招待會的談話）假定藤山這類的說法可以代表大部分日本人的心理，則日本對中華民國的前途，便顯然是十分的漠視。

中國的精神

戰後中國政府發揮一種『不念舊惡』的精神，對日本表示一個異乎尋常的寬大態度，這決不是政府一二當局的示惠行爲，而確實是依據全國國民一種崇高心理；以中國在八年戰爭期間精神上物質上所受的損害，比之亞洲其他被侵略國家所受者，何止百倍？可是一經政府決定不向日本索取賠償，全國國民即無任何反對，即以戰後這十餘年來中國人對日本的態度而論，一聞日本復興迅速，而欣然色喜；一聽到日本武備重建而漸趨積極，也毫不蔑視；這在一方面固然表現中國國民的偉大精神，一方面也可看出中國人對日本是何等的重視！現在所得到的結果如此，即默察日本對美國的態度，也好像這十餘年來美國對日本的大力扶持，在美國只是理所當然，在日本是分所應得！立國在現代這樣一個世界，一切只爲自己打算，而毫不顧到別一方面的感情，放長遠一點看，我總覺得日本民族的前途，還是相當的可慮。至於期待日本對反共這一偉大使命能有如何了不起的貢獻，恐怕也是跡近多餘！

離奇的變化

根據最近葉外交部長及駐日沈大使的一再表示，好像只側重在懸旗一點，其他都略去不談，我覺得以知己知彼的心情來說，確不失爲一種穩健的態度；即岸首相本月二十五日在國會所表示，也好像對這一點還能接受的樣子，似乎是一個轉機。就我所知道，關於中共派遣貿易代表團這件事，共方最初所堅持者，只是不願打手模，代表名額不受限制這類的事，至於外交待遇以及懸旗等等，原非中共所一定希望；甚至還有人說，中共根本便不希望懸旗，其理由則以東京原有一面合法的青天白日旗，假定再出現一面五星旗，即無異中共自己承認了兩個中國，這與中共最近的宣傳確實相反，就事論事，不能不說還在情理之中；但何以最近這一次又鬧出懸旗這一幕，我很懷疑是日本這次派赴北平的代表出了毛病；或中共接受了他方面的另一陰謀而生了變化。我相信，假定岸首相對不許中共懸旗這一點確能堅持，中共也頗懂得現實，只要他們能藉貿易關係可從容向日本進行滲透，也未嘗不可讓步。不過在中華民國一方面，仍非以堅決態度取得日本的切實保證不可，決不是一種隨便的口頭或私人函件的表示所能了事。

國產大鼻子　。尹震。

半週述評

布加寧的沉淪

沉寂了短時期的蘇聯政局，目前又有新的鬥爭發生，現任總理布爾加寧要下台的消息，說明此一鬥爭的形勢。

根據路透社莫斯科的電訊，布加寧被黜的徵象有二：第一、蘇聯最高蘇維埃（國會）于二十七日舉行會議，這一會議照例會發生戲劇化的事件，而且於大會議前夕的蘇京，有一種抑鬱的氣氛，因而很可能成爲貶抑布氏的序幕。第二、在最近莫斯科若干重要場合中，均未見布加寧的蹤迹，如克里姆林宮歡宴聯合國秘書長韓瑪紹及瑞典大使所舉行的宴會，布加寧均未露面，因而判斷這是被黜的先聲。

雖然這一些還是推測，但布加寧的沉淪則是注定了的。第一赫魯曉夫現正走上史達林的專制老路，所謂「集體領導」已爲他個人獨裁所代替。自莫、馬、卡、謝四人被貶後，特別是朱可夫被貶後，布加寧已成赫魯曉夫的次一鬥爭目標。排除了布加寧，赫魯曉夫才可更進一步形成他的極權局面。其次，從布加寧一九四一年任紅軍西線政委，一九四七年接替史達林任蘇聯武裝部長，一九四九年任蘇聯部長會議副主席等經歷來看，他是比較接近史達林的，而與朱可夫又是二次大戰的袍澤，所以在赫魯曉夫反史和鬥爭莫、馬以及朱可夫時，布加寧都站在中間立場，沒有像米高揚那樣的助紂爲虐。這也是他終不免被鬥的另一原因。

眞正情形日內當可分曉。現從上述情形看，布加寧下台的可能性很大。即使他僥倖逃到了這一關，但在不久將來，他還是會給赫魯曉夫鬥倒下去的。

大陸上的「交心」

中國大陸上目前還是在殘酷的鬥爭中，除中共黨內不斷發生鬥爭事件外，各附庸黨派和所謂「無黨派人士」更受到嚴重的排斥。例如在「人代會」開除右派份子名額後，「政協會議」又繼續撤銷右派人士的有關職務。同時作爲各附庸黨派機關報的「光明日報」和民盟經營的上海文匯報都已被共黨接收。至次，偽憲法所載的言論出版自由已被抹除淨盡。

另一方面，他們對於各黨派成員和文教部門中的高級知識份子，則推行所謂「交心」運動，要他們「向組織交心」，製訂「改造公約」，提出「兩年改造，兩年鍛鍊，五年全紅」的口號。這些具體事實，說明毛澤東已由右傾機會主義，變爲左傾冒險主義者。如果不正視他們的基本政治路線，只看到毛澤東在抗戰時的嘻皮笑臉，而不注意他當前整右的金剛怒目，仍然自欺欺人地發出毛澤東「同情右派」和「對右派黨寬大」的妙論，則不僅表現對共黨本質的淺薄無知，同時也將在海外發生若干不好的副作用。

我們大團結

面對上項情勢，我們政府和海內外自由人士，實應捐棄成見，一致對共，展開一個大團結運動。南宋那樣一個不成器的朝代，但在敵人加緊進侵時，朝野之間還是合作對外。當時一方面有僞黨禁的解除，一方面一般士人如朱熹、葉適、公及辛棄疾等均出任艱巨，終於形成了開禧北伐的高潮。今日形勢自非當日可比，但歷史上的事例，還是值得我們記取的。

·金達凱·

緬甸「中立」得「離譜」
——內戰十週年後的現局

華永雋

緬甸的內戰，到三月廿八日剛巧十周年，雙方損失從無統計，是一筆爛賬。無辜平民的死傷比官兵多，比共黨黨徒更多。緬甸人提到內戰，每個人幾乎都搖頭太息：打什麼仗？簡直是開玩笑。軍隊下鄉剿共，一經離開仰光，共軍早已撤走，良民受圍剿、槍殺，房屋遭密軍炸毀，軍隊將民間財物一搶而光，「勝利」班師；共軍又來了。這情形正好十年了！

共黨黨的勢力擴展了。表面却裝模作樣退於被動地位，口口聲聲要跟政府「協商」，從事「公平合理談判」，特別是在內戰十週年前夕的今天，緬共首領德欽丹吞，通過左翼作家德欽哥都邁，致函宇努，要求終結打了十年的內戰。

宇努很明白：緬共在國人心目中，可能認爲比同盟政府的印象好。但是政府中他和宇巴瑞、宇覺迎三派鼎立，有時候還不易調和歧見，一旦容納共黨黨，恐將攪得眼花撩亂。於是，堅決要求共黨「以武器換取民主」——這句話的含義是「棄械歸順」，仍可參加選舉。當然，這跟共黨所持「對等立場」，是有根本區別的；何況共方所提的條件，還甚是協商基礎，還下列五項從事談判：（一）雙方不得既往；（二）在法律範圍內者，對叛國不得恫嚇和迫害；（三）取消一切鎮壓條例；（四）釋放一切政治犯；（五）保證緬共和共他地下黨派合法存在和自由活動。宇努的回答是「無此必要」，並重申一九五七年六月的聲明：准許共黨率部歸降，並公開聲明與地下作亂的叛軍脫離關係。

緬共的態度很明顯，儘管它並沒有說：就寮國先例，同盟政府應邀請緬共參加，組織容共的聯合政府。實際是同屬他們一貫的顛覆手法。雖然，緬共的主觀條件跟寮共、韓共、德共不同，客觀環境無不跟越共、寮共、棉共一樣——直接受中共領導，間接聽命於莫斯科。年來它向仰光政府所發一連串的和平攻勢，無一不是克宮授命而行。然則，緬共對同盟政府早已滲透，如副總理兼經濟部長宇覺迎；製造叛國輿情的左翼作家欽德哥都邁，都是國際共黨的耳目，無一不是阻撓緬甸自由獨立的絆腳石。他們對於宇努的決拒絕跟共黨「和議」，都曾表示不滿，尤其是最近拒絕了蘇俄三千萬元緬幣貸款，更使宇覺迎不滿。因爲這筆借款係去年他訪俄時經手的，用以建築兩個水閘，開發緬甸水利。但是全部費用需達七千五百萬元，背上三千萬國債無濟於事；然而另外四千五百萬元同盟政府並非無力籌措，問題是政府向共黨國家所拖欠的款項，正越拖越重；直邁紡織廠擴建生產，原期可望增加國家收入，結果，祗有中共獨占利益；是否可以折償？誰也不能獲得答案。

儘管中共南侵勢力已深入孟加拉灣；仰光市面充斥共貨；蘇俄中共使館參發的共特橫行無忌，旅緬華僑沒有一樣看得入眼，每當令節，總是懸旗、集會，以表示他們熱愛祖國，和反對中共的無言抗議。這些在共黨看來，對它陰謀顛覆是一大障礙，也是促成同盟政府對共黨戒懼的提示。因此，中共「大使館」本月初致送通牒，堅持同盟政府必須下令，將市區大廈中所有中華民國國旗撤除。這是針對三月十二日國父逝世紀念而發，也是遷因於緬共的「和平攻勢」，以減少緬人及同盟政府的刺激。

這種無理的要求，緬方竟然被迫接受，並且動令各僑團在三月十二日以前，將青天白日滿地紅國旗及有關照片，全部自僑團的辦公地址撤除。警方首長還在十三、十四兩日，分赴市區各大廈視察。假如不是受到中共重大壓力，不致這樣慎重認眞。但是官方對於這種有違道義的行徑，却推說是「華籍反共游擊隊刻尚侵略緬土，所以有下令移除中國國民黨黨徽、封閉黨部必要」。這種不盡不實的解釋，正如緬甸外交政策那樣，使外國記者感到莫名其妙。例如同盟政府一方面承認南越吳廷琰政府，同時也和北越胡志明政府互換使節，讓他們兩個不同旗幟的使館在仰光開設，讓他們各自從事相背的宣傳戰。一位外國記者很感慨地說：緬甸的「中立」，簡直中立得離譜。

（三月十八日寄自仰光）

外館春秋

——紐約航稿——

·沈泉鳴·

多少年來，我國駐外使領館，因失整頓，情況至堪關懷，國內的人，過去和現在，也很少將視線注意到駐外各館的。由於外交業務不同於一般行政業務，局外人也極少置喙，實則已經到了亟須整頓的時候了。而主要的還是人事和經濟上的問題，館長專斷，業務又缺乏一定規則，和在下情不能上達，家醜又不願外揚之情況下，若再繼續包容下去，是不堪設想的。但願主管當局能積極改善之。

據說外交部某大員訪問中南美各國歸國後，對外交部駐外使領館人事，有「才難」之嘆，若非觀察細微，豈能有此一針見血之言。而此言又出諸外交部大員之口，就更加值得注意了。

如果就駐外各館表面的堂堂陣容以觀，不僅難以覺察「才難」，且是人才充斥，故若非就工作處事方面深加注意，頗難見其實況。

但是如果說外交部若具有誠意有計劃培植人才，銳意注重增加新血，相信五年以後是不患無可用之材的，就怕的是內外互調，各予高位，那麼不出五年，回部工作的，將全為具有參事、總領事頭銜官員了；同時，駐外館官員也都屬參事、秘書之天下了，好像整個外交系統全部是「大人物」在辦事。

今天外館的一般問題，實則毛病多數是因為館長獨斷獨行，愚而自用，以致與館員間勃谿時起，成為笑譚，言之實堪痛心。環顧駐外各館，館長夠得上稱幹才的實在太少了。此種現象當然也非僅限於駐中南美各國使領館，其他各地也莫不如此。外交部如欲整頓，不難可於各館的工作報告中窺見眞相。館長既非大器，於是便對屬下有才具的館員壓抑，館長既坐井觀天，館員也就無出頭之日了！筆者旅外多年，接觸到的外館官員頗多，館長多是不可一世之氣概，而館員則多是只能搖頭太息，特就所知作簡略報導：

館長在外國可說威風透頂，居有館舍，行有館車，手中有權，腰中有錢，又焉能不對館員頤指氣使呢？說來他是綜攬全館館務，拆穿了，館長是什麼事都管了，也是什麼事都不管。依照通例，公事一律由館長批交館員辦理，聰明的館長是對任何公事皆不加批示的，由館員動腦筋，擬好了簽稿上呈，館長只隨手一劃了事，改一兩個不重要的字，那已是難能可貴了；工作報告則例有高級館員執筆；對外交涉也有館員代勞（天曉得，那有那麼多交涉可辦，實在是瞞騙外行，如有所謂交涉，也祇是買汽車，以及辦理免稅等手續，而這些一個雇員就辦通了），報銷行政收入，都有專人負責，包辦一切公私開銷；各種簽證可以授權高級館員代簽，報部備案就行，不過，一切的文件，都得由館長蓋上官章，於是，什麼事不管的最後就變成什麼都管到了。但是館長經常也管事的，那就是文具紙張不可浪費，甚至稿紙也定額發給，有的甚至管到館員私人的往來信件。所以有些乖巧的館員便只好另在郵局租一信箱，以防館長拆閱私人信件了。

館長既自以為綜攬一切，所以事無巨細，一手撫天，館員縱有好的建議，在館長看來是多餘的，館員說多了，館長會反過來咬一口說「某某館員反對我」，於是館長乃可開殺戒了，最可是所謂反對他的館員加重工作，處處為難，目的在逼館員自己請調回部，館員並不都是把外國月亮看作比國內圓的，其所以「忍受」者，都是由於經濟困難，動彈不得，於是只好忍受下去，但是有時館長仍不肯甘休的乃生二計，一切公事概不交辦，請君坐冷板，如果館員還要繼續忍耐，館長索性通館員的辦公桌也給搬一次家，要就放在接待室與傳達小姐同房，要就放在儲藏室與司機為伍，任何場合都予這位館員以不可想像的難堪，至於年終考績，那就更不在話下了。像這些館長既不以禮待館員，自然更不重視館員的「效用」，感情上、運用上，還有某些館員處處受其迫害的，有某一館的一位館員曾被館長逼進了神經病院；另有某館的館員一位因恐怖，威脅他生命的安全；又有一位館員被館長毆打成傷，涉訟外國法庭。這一類的怪現象實要由一位外交界服務卅年以上的老外交官員講出來，頗有雖是情事代相傳仍層出不窮，那麼外館的工作那裏還會有什麼績效呢？一方面又恐家醜外揚，再加以官官相護，所以館長永遠是站在上面的。在國內的部裏有雇員，事多而繁，在這些外館也一樣用有雇員。這些雇員有的從開館時就雇用了，所以他對這一個館的事，全曉得，全能辦，好壞那是另一回事，於是糊塗的館長也就跟着錯下去的。所以外館有辦洋務的洋雇員，辦僑務的有土生那僑雇員。館務也就不愁辦不通了。館長既如此借重雇員，當然，館裏的一切人事經費，外界也莫不能于雇員口中得知梗概，所以儘管外交部派出堂堂大員，到外館調查，在稽核，初到時總要摸索之再，這還是要幹練委員才成，如果一向是在部裏享清福的，那麼館長還要耍耍他。

多少年來，外館因失於整頓，眞正有規模，上下一心一德融洽的實在太少了！有的館長，有過人的聰明，無論大小事情一律以電報報部，被稱為「電報館長」，照他的說法，外館的代電報告很少能使外交部次長以上的官員過目的，唯有電報才是部次長非看不可的。所以駐在國的大小動態無不從新聞報紙上摘錄下來，斷章取義，妄加猜測，當作重要電報發到國內去，此種迹近曚混之作法，居然也並未得到部裏的糾正。還有一類是報喜不報憂的「文章館長」，自吹自擂，有如發新聞稿一樣，將其「得意之作」分送國內各大機關以資表功，另外有一類是「情報館長」，儘管是道聽途說內幕新聞，也會不加思索，煞有介事拾來當作寶貴情報，向國內請功。眞是形形色色，不一而足。

總之，外館換一任館長，就換一個作法，但又都不外是為自己打算，為自己邀功，假如外交部對駐外各館都有明確的辦事細則，各員都有固定職掌，不怕人員如何變動，業務總是有其一定的軌道可循，自不會停滯的，否則館長既選派不慎，而館員又深受淫威壓力，業務辦得好壞尚在其次，而難免不貽笑異邦，更使僑胞對使領館人員搖頭嘆息了。有人說，葉外長掌握外交政策是不錯的，但這些行政上的事務也總要多加整頓才好，「才難」固是癥結之一，但若能精選館長，修正外館長務方針，不使館長之權力過於膨脹，相信外館的情況會稍有改善的。（三月廿日寄）

海外通訊

也談談國劇團出國問題

給『萬』、『陳』二先生筆戰的一點補充意見

·陳真理·

（瑪德里通訊）一週來拜讀過萬香堂及陳驚興兩先生在本刊發表的四篇關於國劇團出國歸來所發生的不快愉之報導。讀後可喜又可憂。可喜的是今天的中國人，已能共同利用報章之便利，各抒所見，討論有關國家之大小事；可憂的則是為何政府很多次「完成某項任務」後，總有許多人加以批評，很少看見百姓們不約而同的喝彩鏡頭這或許是筆者距離祖國太遠，聽不見的緣故。

一點感想

讀過上述二位先生之大作後，敝人以一海外中國僑民身份，提出一些感想。陳先生以「中華民國國劇團」團長之名義給萬先生說明所論各節，自是無可非議。唯對陳先生在「再談關於國劇團的出國」一文所談的宣傳問題，不敢加苟同，萬先生在他「再談平劇遠征國外問題」指出的非常有理。原因是陳先生把國劇團出國宣傳中國文化之內涵，與在各地被招待情形，混為一談。若以此即認為收到宣傳文化之意義，外國人對中國戲已有所瞭解，那實在太簡化問題之複什性了。

還是未曾做到

陳先生還說：「關於宣傳的問題，我們絕對承認，因為經費不足，作得不夠；但萬先生與收入先生所指責劇團沒有做或當做的，事實上我們都做了。劇團出國前三個月，就製攝了一部十六釐五彩的平劇短片運到歐洲放映。關於介紹平劇，藝術的文字，準備好了八篇，譯成了英、法、西、義、德、葡各國文字，並且都在演出前由當地報章登載」。

我所見是如此

這段話是多麼冠冕而堂皇啊！陳先生敢說：「沒有做的或當做的，事實上我們都做了」。現在我給讀過陳、萬二先生大作的讀者們，補充一點實際的意見。以劇團訪西班牙為例。該劇團是去年十一月廿九日晨抵達西京瑪德里。當晚即上演。對於宣傳，瑪德里的三大日報，四大晚報，的確刊登過一些中國的劇照，單單說明將有中國戲首次訪西。在ABC日報上，還發表過一篇，長約二千字，署名「黃瑪賽」（這位女士有中國血統，但對中國很不瞭解），介紹中國劇團訪西及一些說明劇情的文章。嗣後，此文還在戲院「說明書」轉載過。在同一日報上，還登過二天廣告，據說這是戲院方面之事情，再以張貼「海報」一事言之，那是在劇團抵西前一天或二天才匆忙貼出，為數不多。這就是劇團訪西時所作宣傳的總和。對於陳先生所說準備好的八篇譯成六種文字之文章，別的地方我不敢說，在西班牙大約是太匆忙之故，忘記發表了吧！一部十六釐五彩的平劇短片，又在西京何處放映過？故且不論一般戲院放映之新聞片皆為卅三公釐的問題。

送「空殼包」

據中央日報之報導，該劇團來歐時，還攜來多少萬小包的中國茶葉等小禮物，贈送觀眾及僑胞。這一點若屬實，則西班牙之觀眾與僑胞一定吃過「空殼包」。是不是以九幀照片，一篇短文，貼幾張「海報」，一部十六釐之五彩短片，就算在宣傳工作上「沒有做的或當做的，事實上我們都做了」呢？讀者們自會有公正的評斷。

文化不能與僑務無關

其次，對於僑胞的問題，萬先生以僑胞能懂京戲之人有幾為慮。陳先生則以此行對象為外國人。敝人認為問題不在招待與否問題？而是一個做事的對人之態度的問題。海外的中國人像在法之劉先生有的是，但像另外一位齊先生之遭遇，又是誰造成的惡果呢？天下間再沒有任何事比一個代表政府和國家出來做文化宣傳訪問工作之組織或個人，對僑胞之淡漠，更令人傷心之事。陳先生或會說這是僑務，與咱們做文化工作之人無關，若如此，則我祗好主張，同時，也不必再向一個一直到現在仍為大家視為代表中國之唯一合法政府，做任何美麗的幻想。未知陳先生以為然否？（三月十七日，于瑪德里）

人物介紹

以玄奘的法顯自況的周祥光

·唐致·

中國和印度同是亞洲的文化古國，二次大戰後，印度脫離殖民地而獨立，尼赫魯主政，倡中立主義，中印邦交頗受影響，然中印的文化交流，並不至以此而中斷也。

漢明帝夢金人，佛教傳入中土，為中印文化接觸的開始。千餘年來，西域大德東來，中土名僧西去，不知凡幾。迦葉竺蘭法顯玄奘，尤為個中翹楚。兩宋時代，印度莫臥兒王朝成立，中印文化關係，暫時中斷。現代中印文化關係的再度復活，則始於梁啓超與張君勱諸氏之邀請印度大詩人泰戈爾來華講學。嗣後，我國人之留學印度的，即先後有徐悲鴻、譚雲山、沈鑄及周祥光諸氏。可惜，徐悲鴻已被中共磨折死於北平。譚雲山於去秋投共，出任所謂人民政協常委後，已經失去學人應有氣節，為印度學者和華僑所輕鄙。沈鑄也到了台灣，出任行政院新聞局長。現在能夠始終以溝通中印文化為職志，孜孜於學問工作，而有所成就的，只有一個周祥光博士。周氏本人居常以今日之法顯玄奘自況。

周氏年近五十，浙江黃岩人。他的父親係前清舉人，曾經在北京做過不大不小的官。革命後，返里務農，課童為業，對他從小就教以四書五經，所以他有了國學基礎。他十五歲畢業於黃岩縣立中學，因家道中落，做小學教師。後來又到江浦縣做縣政府的科員。抗戰軍起，日軍攻陷江浦，他逃難到陝西。武漢失守後，他再由西安逃到重慶。這時候他考入了民族文化書院，跟張君勱羅文幹諸氏習社會科學。又跟隨雲白大師習印度哲學。他常常和太虛，歐陽竟无，熊十力諸氏論難請益，因此他決心研究印度文化及佛學。

民國卅一年，民族文化書院停辦，他從滇邊回到重慶，入國民外交協會工作。後來周鍾嶽做內政部長，因為周鍾嶽做過民族文化書院董事的關係，請他到內政部禮俗司做個小職員。他覺得志趣不合，於是決心到印度讀書。到印度後，先入國際大學，不及一年，又轉加爾各答大學。這期間，周氏一面讀書，一面還和那裏的中印人士共同創辦中華語文補習學校，和中國國民外交協會印度分會，努力文化和國民外交工作。他任外交協會分會的秘書長，致力於中印邦交。同時他又把三民主義譯為孟加拉文出版。

抗戰勝利後，周氏有意回國，當時教育部曾允許留印學生購印幣三千盾，作為考察費用（實即回國旅費）。他備文申請，未獲邀准。因此他無力返國，祇好留在印度。不久他便到德里，在印度中央出版署任編譯工作，他負責編印一本中英對照的「世界畫報」和「新印度月刊」。同時又考進了德里大學的研究院。從此，他跟當代史學家孫老博士（Dr. Surendranath Sen印度國家文獻檔案局局長）及回教學者柯雷蠟老博士（Dr. Ishtiaq Hussain Qureshi曾任巴基斯坦教育部長及內政部長）研究中國與西域佛教的源流，（包括大月氏，安息，康居，和闐，龜茲，疏勒，高昌，鄯善，及犍陀羅等地），凡六年之久。於是以研究所得寫成長達二十四萬字的論文。曾經德里大學聘請意大利東方研究院院長杜奇（Dr. G. Tucci），英國漢學權威迦爾斯（Dr. N. Giles），及前國際大學副校長故獅覺月（Dr. P. C. Bagchi）三氏共同審定，民國四十二年（一九五三）冬，由德里大學校長（現任印度副總統）羅達克立須那（Dr. Radhakrishnan）授予哲學博士學位。

周氏任職於印度中央出版署凡四年，民國卅八年（一九四九）改任印度國防外語學校中文講師。兩年後受聘為德里大學經史系東亞史教授，兼任印度中央行政人員訓練所外交組中國現代史講師。民國四十四年冬，受聘為阿拉哈巴大學漢文教授。

周氏留學印度，到今已經十有四年，和印度當代學人頗多交往，對印度朝野人士亦多有交誼。前年冬，尼赫魯推荐周氏出席印度佛教徒有關梵文學及哲學的講習會議。去年冬他出席全印東方學術會議，宣讀「王學要旨」論文，極得印度及各國學者之稱許。最近日本國家科學會還邀請他前往參加今年八月間在東京舉行的「國際宗教歷史會議」。

周氏常在印度各大報發表許多學術論文外，曾寫過英文著作八種：即「中國佛學史」，「中國文化史」，「中國政治思想史」，「中國近代史」，「無相頌講話」，「佛教與禪宗」，及「太虛評傳」是也。他的中文著作，也不少，有「印度通史」，「眞理之光」，「吠檀多哲學」，「尼赫魯給女兒的信」，「印度獨立之人物及其思想背景」，「印度政黨」，「新生的印度」，及「薄迦梵歌研究」。他的印度文著作「中印文化關係」一書，約十二萬言，曾得印度政府的獎金。

英國學人奧斯丁博士（Dr. Jack AuStin）近曾郵書周氏說：「足下今流亡異域，固為個人之不幸，惟足下能將中國文化與大乘佛學傳播亞洲，則足下之不幸，未始非學術界之大幸也。」（民國四十七年二月十五日）

鐵幕真相

從天安門外的「交心大會」透視大陸附庸黨派的悲劇

·王強·

三月十六日下午，北平的天安門外，舉行了一個史無前例的「交心大會」，也就是所謂「社會主義自我改造促進大會」。參加大會的成員，包括了一些投靠中共的人士，他們在中共的導演和擺佈之下，高呼「把心交給共產黨」，簽署「自我改造公約」。

參加行列的一幕

會後還從天安門分東西兩路舉行「盛大」遊行。

新華社對遊行的光景描寫說：「八十多歲的沈鈞儒和年近七十的郭沫若走在西路遊行隊伍的最前面。無黨無派民主人士李德全，張奚若，民盟中央常委鄧初民和胡愈之，他們抬着一個高大的木架，上面縛着各民主黨派和無黨派民主人士的公約。」這種光景，說它是喜劇也好，悲劇也好，反正都是中共一手導演的惡作劇，如果要把它解釋為喜劇，那指的是中共玩弄民主欺騙群衆最荒唐可笑的行為，如果把它解釋為悲劇，那便是投靠毛賊俯仰由人者的悲局。

中共為何導演這一幕

值得注意的是：中共為什麼要迫使附庸黨派進行「自我改造運動」呢？難道中共不瞭解「過去歷次改造運動的失敗嗎？難道不估計此項玩意所發生的反作用嗎？中共都知道，問題的焦點是由於去年大鳴大放以來，反共的思潮，已深刻地影響到大陸上每一個階層，震撼了偽政權的基礎，直至今日，中共仍不得不採取各種措施來鎮壓各種有形和無形的反共力量的發展。根據投共人士「自我改造公約」的內容，以及十七日「人民日報」的社論，便能瞭解到中共製造此項運動所包含的動機是些什麼：一、「人民日報」說：「去年這個時候，資產階級右派正在發動對我們的猖狂進攻，並且妄圖篡奪各民主黨派的領導，把它們作為反共、反人民、反社會主義的據點」。於是，今年此時便不得得利用投靠份子欺騙群衆作「交心運動」的遊行，其實是要附庸人士公開向中共認罪。二、關于「自我改造」的內容，除了提到學習馬列教條以外，中共特別強調到要做到「公約」第三條的規定：「通過社會實踐，向工人農民學習」，這一方面是企圖藉民主黨派的名義，支持其迫害「右派」份子的下放運動，另一方面也說明了投共人士的「自我改造」，決不像過去參加「開會」、「坦白」便可以「過關」，而且必須接受中共的「勞動改造」。這顯示中共對附庸黨派在經過利用，限制之後，已進入消滅政策的階段。

人民會把心交出來嗎！

大陸上的人心，會不會因着附庸黨派的「交心運動」而把心交給共產黨呢？結論當然是否定的，因為「人民的眼睛是雪亮的」，去年「大鳴大放」期間所有被指為「反黨、反社會主義」的言論，無一不代表人民利益的立場，也無一不大快人心。現在，盡管附庸黨派替中共做幫腔，高喊「向社會主義大躍進」、「跟着共產黨走」的口號，群衆卻清楚這般投靠者的呼聲，乃是一種冀求饒恕的悲鳴。

其次，中共企圖撲滅大陸的民主力量，事實上也是白費心機的。雖則大陸上的附庸黨派業已名存實亡，而今日大陸上民主革命的種子，已不僅廣泛存在於知識份子的階層裏，也隨已在中共的組織之內潛滋暗長，並散佈在廣大的農村中，這些力量，有的已結合為有形的所謂「反黨集團」，有的卻以隱蔽的姿態在群衆中間對中共進行「合法」的鬥爭，正如中共所自己強調這些民主的力量，像「汪洋大海」地包圍着他們。

民主力量消滅不了的

自中共以狂風暴雨的手段進行「反右派」鬥爭以後，大陸上新興的民主力量，雖會受到一定程度的摧殘，但由於一場鬥爭，是思想的鬥爭，而中共在鬥爭過程上除了以「反黨」、「反社會主義」的罪名加諸對方以外，在思想說理方面，並沒有任何一點取服於群衆，相反的，「右派」人士基于群衆利益立場對中共所作的種種抨擊，事實俱在，中共無可置辯。這證明中共在思想戰線上業已潰不成軍，既然如此，大陸上民主的力量，中共便難以消滅。至于以勞動改造為中心的「下放運動」，在中共看來，這是消除黨內外反共民主力量的有效步驟，所以在這次附庸黨派的「自我改造運動」中，也特別強調透過勞動改造轉變「階級成分」的作用，可是問題是廣大勞動人民因中共實行社會主義改造所感受的痛苦，和迫切爭取解放的願望，比大陸上的知識份子有過之無不及，在這樣的條件下，民主革命的力量，不但不會消解，反而更易與廣大的反共群衆相結合，不難想見，今後大陸上的民主反共力量，將逐漸深入生根而日趨壯茁。今天，盡管中共仍在繼續利用投靠份子扮演戲劇，大陸上方興未艾的民主力量，終究要把中共這個暴力政權結束的。

竹幕幽秘

中共對原子爐的反應

據新華社轉據莫斯科電台本月八日廣播稱：「中共在蘇聯幫助下已建立它的第一座原子反應堆。」稱后，我們一直在等待中共的正式宣佈證實，但出乎意料之外，十四日「人民日報」僅淡淡的報導：「科學規劃委員會」副秘書長武衡在該委員會上說：「蘇聯幫助我國建立的重水反應堆和核子加速器基本上已經建成。」

這兩則消息可懷疑之處有二：一、中共認為僅是基本建成，兩者之間是有差異的。二、消息在莫斯科則是鄭重宣佈，而中共對此反應出乎意外的冷淡。

這似乎意味着，名義上這個原子反應堆是蘇聯替中共建造的，但並不如中共的理想，況實際上完全操縱在蘇聯人手裏，於是自然地表露有所不滿了。

外蒙反個人崇拜的影響

據西方通訊社報導：外蒙共黨的第一書記澤登巴在最近的黨十三次代表大會上曾指責其已經死去的黨魁喬巴山像史太林一般的犯有個人崇拜的錯誤。但在新華社的同一報導卻被删去了，並且中共派往參加這次大會的代表團，還去喬巴山的陵園獻花圈。中共的行動顯與澤登巴的指責相左，暗含有反對的意味。

按在一九五六年二月，蘇共提出反史太林運動以後，東歐共產國家紛紛立即作類似的批判，以致有若干東歐的小史太林被趕下台來；但在亞洲方面，各國共產黨在中共的威脅之下，未曾對此有所行動。而今，外蒙開始了這一種類似的反史太林運動，似乎將蔓延到亞洲來了。果若如此，那麼外蒙之所以突然提出反個人崇拜，其背後定是由蘇聯支持着的，因為外蒙本身並無力違背中共的意旨；蘇聯所以如此做的目的，對中共來說，則是要使這種反史太林運動蔓延到中共的周圍，利用其影響力，來鼓勵中共內部的反史太林運動，間接打擊毛澤東，和中共內部迄仍存在的個人崇拜傾向。

中俄共關係的新態勢

國境河流通航協定

中共與蘇聯最近簽訂一個「國境及其相通河流和湖泊的商船通航協定」，這個協定包括黑龍江，松花江，烏蘇里江，額爾古納河，喀喇額爾齊斯河，伊犁河，松阿察河和興凱湖上自由通航。這種協定表面上是互惠，究其實際則不然，因為：

一、這對船隻多的國家，亦即造船工業發達的國家有利。目前中共的造船工業較蘇聯瞠乎其后，顯然，蘇聯佔盡了通航便宜。

二、特別應該注意的是松花江，因為協定中的其他河流與湖泊均在邊境上，開放之以「互惠」，世界相鄰國家間不乏這種先例，但松花江流域全部在中國境內，其流入黑龍江之點亦在中國境內，是東北三省可以通航的主要河流，這樣的河流予蘇聯自由通航的特權，其意義與「中蘇共管中長路」並無不同之處。

這是蘇聯退出中長路與旅大以後，再次將其特權伸入東北的首次公開表現。

轉變中的新趨勢

如上所述，蘇聯對於中共的壓迫已在重新加強中，雖然中共頗感不甚自在，但主僕形勢早已確定。目前的情況是斯大林死後，蘇聯對中共再次加強壓力的新趨勢，值得密切注意了。

毛澤東去年自蘇回來以後，共產國際的以「蘇聯，中共為首」的字樣也已不再看到了，只剩下以「蘇聯為首」的字樣了，這一轉變，顯係中共再度更附庸化的附註。中共在共產國際內的地位，在一度抬高之後，現在又打回原形了。

·田心·

太平山下

天堂裏的白衣天使

陳永昌

在香港人們終日談的都是小中大學問題，罕有論及護士教育者，其實，除非你不病，要入醫院的話，你便覺得除醫生外，便覺得一個吩咐你食藥，替你打針說洗傷口的護士底重要了。

假若你遇着一個賢明溫柔的護士，你會覺得病魔的煩擾可以減輕，最後你便會帶着感謝的心情出院，永遠留着印象。假使你遇到一個扳起面孔，尖酸刻薄的護士，你會覺得是一種精神虐待，滿肚子悶氣，直到出院後也不能忘懷。

香港護士的起源

如果說南丁格爾是護士鼻祖，那麼，史蒂芬可以算是香港護士的鼻祖了。她是一八九一年倫敦派來訓練護士的。本港之有女護士訓練的歷史，雖然也有六十多年前的歷史，但開始訓練華籍護士，只是大約三十年前的事而已。根據紀錄，那打素醫院是最早的一家，早在一八八七年該院便成立，四年後史蒂芬女士便來開始訓練，此後女護士一年一年增多。

三十多年的往史

政府醫院大約在一九二〇年間才開始訓練，至今三十多年間，本港各醫院開始訓練護士的時間大約有如下述：東華醫院成立於一八七〇年，至一九二八年一月一日，開始訓練護士。廣華醫院成立於一九一一年，由一九二四年開始訓練。東華東院於一九二九年開始訓練，至今已有廿九年歷史，嬰育醫院成立於一九二二年十月，第二年開始訓練助產士。養和醫院於一九二二年九月成立，一九二七年開始訓練。政府醫院訓練護士者，在香港是瑪麗醫院，在九龍是九龍醫院。

本港護士知多少

香港接生局，是管理助產士的機構，成立於一九一〇年；香港護士局，是管理護士的機構，成立於一九三一年。本港目前有二十多家醫院，也有無數的醫務所，在每一家醫院或醫務所中都有護士，但本港究竟有多少護士呢？根據港府去年公佈，全港登記的註冊護士計有：女護士一千二百六十八名，男護士則只有七十一名，合共一千三百三十九名。在本港執業的護士，是必須每年要向護士登記局註冊的，否則不能算正註冊的護士。在港外受訓的護士，根據護士則例，也可在港執業，但須經過護士局的考試及認可。

護士待遇一般

護士一般的待遇可以說不錯，初進醫院學習的護士生，每月可獲生活津貼一百五十元至二百元，已登記護士，大約每月獲薪津三百五十至五百五十元之間，資歷較深的按年遞增，月入可至七八百元之多。若不結婚而升任看護長者，月入高至一千二三百元之巨。

怎樣取得護士資格

做一個白衣天使，說來可算不容易，投考護士生的資格，要有高中畢業會考合格，年齡十八至廿五歲，未婚。入院後經過嚴謹四年的嚴格訓練，三次考試才能成功。各大醫院每年均招考護士生，應考的小姐輒以千計，祇從這千數的小姐中挑選三幾十名。獲選後，在醫院裏除以護士生的資格接受訓練，一邊在病房工作，一邊要上課，訓練期間共四年，第一年要參加護士局初級考試，第三年要參加護士局高級考試，第四年學習產科，參加護士局產科試，經過了四年訓練三次考試合格，才可以正式註冊為護士。

一面工作一面上課

這四個年頭的訓練，往往使不少小姐吃不消的，所以每年中途退學者大不乏人。當小姐們進醫院裏第一年，她們要幹最刻苦的工作，如一般住醫病人所習見的。除了在病房工作，還要上課，唸書本，學習一切護士基本常識，可是他們卻沒有很充份的書本參考，常要死記絕難記憶的生理及解剖的專有名詞，和最易混亂的西藥份量，內科、外科、兒科、護病學、飲食學、藥物學等，一到考試，更非加工「死咪」不可。一個白衣天使的長成，起碼要十二年中等教育，和四年護士訓練，何嘗不是和讀大學一樣呢？而且，考試是這麼樣嚴格，不合格乃是很可能的事，遲一兩年畢業不算是奇事啊！

護士小姐一席談

下面是一位東華醫院初級護士生對筆者所談的一席話。

自去年九月進入東華醫院護士班以來一年當中，我除了學會了很多護士學識外，還學懂了怎樣去應付貧苦的病人。

「白衣天使」這個榮銜是社會人士常喜和我們的名字混在一起的。我為着這個「天使」的稱號，真是誠惶誠恐。最初，我進入病房之時，真有點手足無措，病人左呼右喚，前哀後號，令人真有點不寒而慄，但是，後來生活慣了，也不覺得甚麼，甚至要親自打包（病人死後的包裹工作），也不會有點那個的感覺。

我們所學習的功課，範圍是相當廣的，包括了解剖學、護病學、衛生學、救急學、細菌學等，還有各種實習：如繃紮、打床鋪等等，不能說清閒。我們感覺最艱的一科是解剖學，因為名詞太多。

除了上課外，我們還要做足八小時的病房工作，打針與換藥或派藥的工作，多是我們第一年護士生做的，當初替病人打針時，真有點顫悸，尤其是當替肺病者打靜脈針時，脈管滑動，真有點無從捉摸，令人啼笑皆非，後來熟習了，這種困難便不再有了。

工作時間分早上六時至下午二時，下午二時至晚上十時，晚上十時至早上六時，每星期換一次更，多由星期日起換，早更時通常最忙，為打針，換藥或派藥，午更比較清閒，為換床單，晚更則多在更清閒時間，但晚更是兩個月才輪到一次的。

至於我們的私生活，也許很多外界人士欲知的。我們於工餘課餘，多留在宿舍睡眠，因為我們的生活方式不協調，睡眠的時間是沒有一定的，睡眠夠了，間中也有和同學一起去看戲、逛街購東西、遊花園或到郊外散步及旅行，假日則躲在家中做點衣裳，所謂工餘的消遣，如是而已。

必須改變觀念

馬五先生

行政院俞揆鈞氏，最近在立法院表示要改革政務以促進行政效率的決心，詞意頗爲堅定，大有只許成功，不許失敗的氣概，先生之志，可謂壯矣！

不過，俞氏過去曾以「財經內閣」相號召，自信能夠把國家的財政經濟事業搞好的，結果怎樣呢？淺之視今，我對今次之誓言，我對於俞氏這次下改革政務的宏願，實在不敢寄以太多的期望。因爲光是依照個別技術的改革，擬訂幾套「美式」的行政組織法規，那是無濟於事的。今日我們並非缺乏完善的法制，而是徒法不足以自行，最大關鍵就在執政與行政人員的觀念問題。我們國家現在是實行「憲政之治」，與過去「訓政之治」的情形，迥然不同了。可是，一般操縱政治的人，習慣了過去那種「訓政」生活，使意識形態到了今日，總是依然故我，以不變應萬變，因而一切作風皆與現實環境脫節，憲政之治的法制，便無從發揮應有的作用，有時候且等於具文。譬如若干依法負有全權處理某些事項的行政機構，實際上卻不是那末回事，祗能辦些奉承轉合的官樣文書而已。

大家不從心理建設入手，顯別選人物，立志創造憲政生活，自要自制，禁法務實，而但知政治設計紙上作業的法令規章，以爲這樣就可以增進行政效率，恰蓋了改革政務之能事。這是本末倒置的措施，決無成效可言的。不信，請大家面對着現實，仔細想想看！

童軍教育今昔談。

李樸生

民國六年，我在廣州高等師範文史系一年級，朱慶瀾任省長，由于桂系軍閥及政學系的大民，民及經建下的財政標，他只有提倡教育來消遣。當時，童子軍是很新鮮的玩意兒，嶺南小學等幾間教會學校組織的童軍，衣服齊整，行動活潑，大受社會的歡迎。他便下令高等師範選學校選送學生數十名往受黃憲昭主辦的童子軍領袖訓練班，報名參加的人有黃維漢（今港大學教授）、陳錫禮（聯合書院教授）、張壽石（西貢廣播電台負責人）等數十人，得見明有兩晚上課。後來因爲朱省長被迫去職，很多人發生了興趣，也就大減了，到了結業的時候，人數不及開課時之一半。

我受童軍教育最大的益處，是微笑。童軍受遇到常微笑，我們舉手禮用拇指壓住尾指的圓形，就是微笑的口形。我性情卞急，易於樂天派！更有「天變不足畏，人言不足恤」的從容微笑，及我行我素的優氣。我遇過很多危險，緊張時微笑一下，在氣氛嚴重時微笑一下，在受過很大的挫折，在精神在四面楚歌時微笑一下，在生死呼吸時微笑一下，旋乾轉坤之效。我能逢凶化吉，履險如夷，

童軍給我第二大益處，是養成「日行一善」的習慣。童軍需要知所能之內，看見人需要幫助，只要對大衆有益或對他人有助，不論大小事，都應該去做，如把街中的蕉皮、碗片、石子丟開，人家問路時客氣的指點，都屬於善事，瞭解了它，遇事吃虧也就不予計較，便可不煩惱，不憤恨，不牢騷，保持精神上的和平，泰然，坦蕩，不生芥蒂。像我們那嶺南山，又沒有好資格，沒有大能力的人，生當亂世，若要事事都非常分明，事事利害公平，不肯讓人家，徒有兄已『徒自苦耳』，『唯有兄已，便人能不爭，不妒』。

童軍教育給我第三益處是以大自然爲友。童軍要野外生活，在野外跑來跑去，眼光也看得遠些，胸襟擴大，青山綠水，明月清風，鳶飛魚躍，花開葉落，都可以對人生的觀感及科學的研究，有不期然而然的教育啓示，有如孔子在川上看見流水，不舍晝夜，感悟到流水源源不絕；讀「有本者如是」，釋迦牟尼坐在樹下看見明星，忽然大徹大悟，牛頓看見蘋果落地，發現三大定律，馬可尼偶然把石子投向海中，看見波浪推動，即發明無線電之使用。大自然就是人生最好的教本。尤其今日工作辛勞，精神緊張的都市生活中，如果不向大自然吸取營養，一天比一天更要加重老病！所以吸收孔子當年樂觀的精神力，更應借鏡，歐美文明國家的週末，大家都到郊外去遊玩，我覺得以自然生活者，

對童軍教育打擊的大，首是共產黨政權的取締童軍組織。共黨要得人郁儂牛頭獄卒，苦心苦臉，要對人們事，哄弄多數兒童學壞事，要地獄中，把人禁在裏面，四處都有鐵幕。另一個對童軍教育打擊的，是利用其組織，施以斯巴達式訓練。他們活潑的精神沒有了，老是立正稍息；他們自覺的紀律沒有了，成爲教條的陳腔濫調。（三月五日童子軍紀念日于台灣）

多福

——現實小說——

符兆祥

住在這巷子的人，只要認識我，無不知道我的太太；即使是不認識我，只要有眼睛，有耳朵的，也不會不知道她，原因是我底配偶，不但醜，而且古怪多。

廢話少說，且言歸正傳；昨天，我下班回來還未走到巷子口，太太便緊張得好像台灣銀行發行了百元大鈔，讓她檢到一張了似的鋼過來：「樓上那個陳老頭死了。」

「啊！」我吃了一驚。

「早該死的了，」得晚十二點回來，吵得我睡不着，她一向不滿意我們樓上那位二二科的陳科員，人既不比她漂亮，樓子又沒有她大，這就難怪晚上出去禁消遣人細讀，回來上樓梯下樓梯的吵得她睡不著？我問。

「甚麼死的呢？」我會突然死了呢？」

「突然？」她奇異的瞪了我一眼。

「這還不突然，前幾天還看到他，現在卻死了。」

「他今年六十歲了，你應該知道。」

「六十歲又怎麼樣？去年有一位元老，六七十歲了還結了婚，再說，你母親今年七十五了。」

「七十五又怎麼樣」她狠狠的盯着我：

「我早就知道，你恨不得我媽早點死。」

老實話，雖然我不會厲害頭到咒我母大人早點死，但，平時嫌她活到七十五了，仍那麼「老而健」確是有的。

我說：

「得了，誰又提到你母親？我只是說陳科員。」

「你也用用腦筋，像他這把年紀，每天上班下班，上樓下樓，洗衣服煮飯，晚上又在上課，就是不病死，忙也忙死。」

「怎麼死的？生甚麼病？」

「我怎麼知道，」她把眼一翻。

難得她倒清高起來了，不是我愛問，不是別人都在背後叫她爲包打聽，我也不多這個嘴。

「他捧死的，」她還是忍不住說了。

我嘆了口氣，我說：

「陳老太太和他那兩個孩子，以後可怎麼辦？」

陳老先生的兒子，徐蚌會戰的時候被打死了。

我對妻說：

「待會你送兩百塊錢上去給她們，表示我們一點：：：」

「兩百塊？」她睜大了眼：

「你中了馬票呀」

不怕諸位見笑，儘管別人把公款當人情，隨意可以一借幾百萬，或是家裏的煤炭，一個月可以燒七千多塊錢也不在乎，我的這份薪水可沒這份豪氣，我的說也難怪，誰叫她底「喂呀喂」一個月賺的比別人的零頭還少呢。

「他們的情形你不是不知道，況且人情也只是一次了。」

「你好大方，一出手就兩百塊，你爲甚麼不去當大官去？你出差這幾天，我省吃儉用的都捨不得買，你知道嗎？要你這樣好心」她鷗起我來，好像我讓酒家女看上了，她說：

「陳老頭在你們機關當了卅年的科員了，難道你們機關不替她們想辦法，要你着急。」

「太太，」我說：

「假如機關要照顧也，他早拿了退休金養老去，還會得天天上樓下樓，」我想起我的將來，感到寒心。

「那也不干我們的事呀？」

好，她的心腸竟比黃蛟光的還硬，這就不得我不願十八年夫妻，爲感情，時時刻刻要想和她離婚了。

我正要開口，一部汽車在身旁飛馳而過，妻呀的叫了一聲，我以爲車上掉了一塊錢下來，讓她看到了。

她得意洋洋的說：

「那車上的女人我認識的，就是我說的那個美國下士的太太。」

「美國下士的」：：」我一頭霧水。

「著」她對我說：

「去年正月十二號我不是告訴過你嗎？」

「去年正月十二號？」

我想不起是那甚麼時候，虧得她有這份記性不去中央研究院當一名院士，實在有點可惜。

「我不是告訴過你嗎？」她說：「你忘了她的父親就是甚麼司令。」

「哦，」我想起來了，我說：

「她怎麼樣。」

「你別瞧她的先生在美國是：：」

「別缺德。」

「我缺德不過你，她先不說：她是怎麼享福了，就是她家那條狗，也好命得很。」我忍着她那羨慕的樣，我爭氣說：

「怎麼好命呢？難道它坐了專機到外國去聽京戲了。」

「你說甚麼話？你是知道那隻多福的。」

「多福」我想起來了，我說：

「它很老了，還沒有死呀？」

「這麼快死，這麼多年的牛油麵包不是白吃了嗎。」

「怎麼了呢？」

「它退休了，美國下士認爲它替他們守了這幾年門，太辛苦了，現在老了，不用它看門了，讓它睡在冰箱的旁邊，叫煮飯的大司務照顧它，這兩天它生了點小毛病，送它去看病了。」

「哦，」聽着，我也神往起來。

回到了家，樓上傳來一陣淒涼的哭聲，我忽然感觸的對黃臉婆說：

「可憐，眞是人不如狗。」

「怎麼又人不如狗了？」

「拿多福來跟他比，不是人不如狗麼？」我說。

厚面皮

閻王也吃不消

據說，一日閻羅王升殿，要審人間新亡人類的靈魂，見牛頭馬面押了一個白面書生上來，皮膚怪白怪滑，整臉見不到一點毛孔，不禁動了好奇心，向旁立捧生死錄的判官問：「這人死時幾歲？」

「三十歲了！」判官查了生死錄，答：

「怎麼沒有鬍子？」閻羅王愈覺得奇了，遂向階下的書生問道：「三十歲，爲甚麼還把年紀連鬍子都沒有？」

「大王，」書生戰戰兢兢說：「小生因爲從小鍛鍊，使面皮加厚逾寸，十七歲開始發育，平均鬍子每年長不到一分，至今大約尚差少許便可露出。望大王慈悲，放回陽世，等生了鬍子後再叫我死不遲。」

閻羅王猶疑不決，只聽判官急急地說：「不可呀！大王不曾聽過撒且說所說的達爾文進化論？人類的面皮愈來愈厚，有的下了苦功，磨練幾年，便做到槍砲不入的地步。有一位叫李宗吾的曾經出了很多厚面皮和黑心肝的古人，何況書生一人不可知！倘若叫他回陽，此人回陽後面皮更加變厚，鬍子永不生出，大王又不得食言，到時叫他死也不易呢！」

判官剛說完，又從牛頭馬面隊裏走出一個極大的蚊蟲，嗡嗡聲：「大王，蚊王求見。」閻羅王點點頭，「蚊王求見，些甚麼？」

「大王，」聽蚊蟲王那股口氣，便曉得在訴冤：「近日我們的同類由於饑餓，死亡率特得太高了；人類不曉得那裏學得一身能耐，臉皮厚到兄弟們儘在他們臉上猛毅，總是戳不進血管裏去，白白餓死無數。望大王設法增長蚊類的吸器，否則，我們有滅族之憂：：：：。」

閻羅王作個手勢，表示把蚊王帶下，改日再作定奪；遂轉向厚面皮的書生說：「以你這般厚面皮，必定不是好人，看你的心倒不黑，罰你投生做狗去罷！」

「大王，」書生跪伏請求：「請大王給我投胎爲母狗。」

「爲甚？」

「古語有云：臨財毋狗得，故求大王給我一個機會，投胎做母狗！」

「眞豈有此理，眞豈有此理，此人讀古書混想這些東西，改判打入十八層地獄，永不得超渡！」

閻羅王宣佈退庭，打算去找黃母娘娘聊天，因爲心中那股冤氣，實在使他吃不消。

。人木。

燕臺識小

五、前席對揚君臣魚水

戊戌譚往

燕角生

戊戌四月二十八日，清德宗召見康有爲於頤和園之仁壽殿，曠典也。新進小臣，明廷獨對。在當時爲創舉，在今日爲陳跡。溯其始末，可得而言焉。

康氏先一日（二十七）詣頤和園，宿戶部公所。即見懿旨逐翁同龢，令王文韶即速來京陛見，以榮祿出督直隸，統三軍。並召見榮祿，令天津閱兵。又論編後在廷臣工，如蒙皇太后賞加品級，及補授滿漢侍郎以上各官，均具摺恭詣皇太后前謝恩，各省將軍都統督撫等官，亦着一體具摺奏謝。此皆后黨謀廢立之初步佈置也。

二十八日早，有爲入朝房，候榮祿下，即入對。德宗問年歲出身畢，有爲即言「四夷交迫，分割洊至，覆亡無日。」帝謂「皆守舊者致之。」有爲稱帝之聖明，洞悉病源。因云「既知守舊之致禍敗，則非盡變舊法，與之維新，不能自強。」帝云「今日誠非變法不可。」有爲言「近年非不言變法，然少變而不全變，舉其一而不改其二，必至無功。今所言變法者，皆略變一端，而未嘗籌及全局。又所謂變法者，須自法律制度，先爲改定，乃謂之變法。今所言變者，是變事非變法也。臣請皇上變法須先統籌全局而全變之。請先開制度局而變法律，乃爲有益也。」既而有爲問「爲何久而不舉，坐致削弱。」帝以目外視。嘆曰「奈掣肘何。」有爲曰「就皇上現有之權，行可變之事，雖不能盡變，而扼要以圖，亦足以救中國」。繼又曰「皇上欲變法，惟於擢用小臣，廣其登薦，與之召對，察其才否，皇上親拔之。不吝爵賞，破格擢用。其舊人且姑聽之。惟彼等事事守舊，然皇上多下詔書，示以意旨所在，凡變法之事皆下特詔，彼等無從議駁。」有爲又論八股之害曰「今日之患在民愚不開，故雖多而不可用，而民智不開之故皆由以八股試士爲之。學八股者不讀秦漢以後之書，更不考地球各國之事。無以任今日，皆出八股致之。故遼台之割不割於朝廷而割於八股，二萬萬之款不賠於朝廷而賠於八股，以至膠州衛廣州灣亦莫不割於八股。」帝以爲可廢，請下明詔，勿交部議，部臣必駁斥矣。」帝曰「可。」乃問籌款之方。有爲對曰「日本紙幣銀行，印度田稅，皆可取法。「中國地廣物博，富藏於地，但患變治不得其本耳。全局，大舉而籌款數萬萬，練民兵，購鐵艦，備開郡堂，水師學堂及建立水塢等，則一舉而大勢立矣。」於是更言譯書及派游歷等事。每終一事，待帝命，否則退而重提。其請帝命人行政，未及推廣社會，以激民氣。並請各會匪，又謂爲保全之恩。帝皆點首稱是。又謂書及教會事。久之，始命退。時已倘有言，可具摺條陳。（既退，過李文忠，對先告以榮祿之參劾，剿殺之阻抑。）

（五）

自由人

THE FREEMAN

（第七三八期）

中華民國僑務委員會頒發登記證台救新字第一第二號、中華郵政台字第五〇〇號執照登記爲第一類新聞紙類

（半週刊每星期三　六出版）

每份港幣壹毫

台北市售價台幣壹元

督印人：陳文鶴

地址：香港高士威道二十號四樓

20 CAUSEWAY RD. 3RD. FL. HONG KONG

TEL. 771726

承印者：東南印務出版社

地址：高士打道六十四號

台灣總經理處

台北市西寧南路壹零號二樓

電話：三七九六

台北郵政信箱一九二二

海外總發行：香港書報發行公司

香港德輔道中二十六A號二樓

日本經濟出路的抉擇

鄭竹章

最近由於日本「民間通商代表團」與中共簽訂第四次貿易協定，而引起自由中國的抵制運動，已令中日兩國的關係，陷入戰後最低潮。這一事件的根源，雖由於日本朝野年來頗熱心於「兩個中國」的塑造；而最基本問題是日本對其經濟出路迄今還摸不出一基本方向。大部份的日本人士，仍在追尋二十年前大陸市場的舊夢，而未能認識這一市場根本性的變化，因而一切的錯誤觀念與行動，乃由此產生。

大陸市場今非昔比

日本是島國形態的經濟，對外貿易爲其經濟的命根。戰前日本的對外貿易，係由三個環節所構成，即對中國大陸貿易，對東南亞貿易及對美貿易。一九三四至三六年間，日本對華輸出，曾佔其輸出總額百分之十八點三，成爲日本的生命綫。後由於中國市場及東南亞市場的喪失，對美貿易乃呈一枝獨秀，一九五六年對美貿易佔日本輸入貿易百分之三十二，佔輸出貿易百分之二十，大大超過戰前的水平。隨着日本經濟的復興，對美貿易已無法滿足其需求，因而恢復大陸市場遂成爲日本朝野迫切尋求的出路。

但不幸的是，今天控制中國大陸的，已不是二十年前的政府，而是一個以實行共產國際赤化亞洲爲基本任務的共產政權，大陸市場因之發生三項基本的變化：

第一項變化是隨着其外交路綫的「一面倒」，大陸市場已成爲共產集團的獨佔市場。自一九五三年以來，蘇俄及東歐共產國家對大陸貿易，即始終佔大陸進出口貿易額百分之八十以上，一九五五年且達百分之八十二點一，其餘與中共貿易的五十餘國，合計佔其總貿易額尚不及百分之二十。

第二項變化是中共控制下的大陸，正依照蘇俄計劃經濟方式，排除私人企業，進行工業化運動。爲實現這一工業化計劃，一方面在國內厲行聚斂，緊縮民間消費，強化資金積累，同時接受蘇俄的技術及設備。其整個工業化，仍在蘇俄直接控制下，任何非共國家的資本輸入及技術輸入，均不可能爲中共所容納。

第三項變化是由於中共的緊縮國內消費，對輕工業品不但早已停止進口，且開始大量輸出。因而戰前以大陸爲傾銷對象的日本紡織工業，不但已無法恢復舊市場，且在東南亞市場上已遭遇這新勁敵。

這三項變化，表示大陸市場所能容許日本插足的餘地，可以說是極爲有限。

中共對日貿易的策略性

但爲了政治上滲透的目的，中共政權仍不斷以貿易爲釣餌，來達成其政治上的企圖。

中共對日本佈下的棋子，第一步是中立日本，力圖使日本脫離自由世界；第二步才是赤化日本，進一步使日本陷入共產黨圈。爲了實現第一步策略，一方面是要拆散日本與自由中國關係；一方面拆散日本與美國關係。而在拆散日本與自由中國關係中，運用貿易來促成外交上的轉變，正是中共五年來一貫使用的策略。一九五二年六月，中共首先與日本左派份子爲骨幹的代表團簽訂第一次貿易協定，隨後在一九五三年十月及一九五五年五月，先後簽訂第二及第三次貿易協定。這三次貿易協定所規定的貿易金額，雙方輸出入雖各達三千萬英鎊，但眞正執行的成績，據中共官方所發表數字，第一次祇完成百分之五點零五；第二次只完成百分之三十八點八；第三次協定經過了一年的延長，亦只完成百分之七十七。可見中共對日本的貿易，一向是採取「雷聲大，雨點小」的政策。

隨着貿易而來的，是各種政治活動，同時開始以外交上的初步承認作爲貿易的附帶條件。其主要目標，便是要求互相派遣常駐商務代表團，且要求具備外交官的一切待遇。如能懸掛其國旗，其隨員無須蓋指紋，犯法時不按日本法律裁判等。在去年九月第四次貿易協議時，中共即提出這些條件，致談判無結果。今年三月談判恢復後，但日本代表團受國內左傾勢力的壓迫，終於達成協議，接受上舉這些要求作爲新貿易協定的「附件」，「成爲貿易協定不可缺少的一部」，正式墮入中共設定的圈套。

這次負責與中共簽訂協定的，雖仍是日本民間的「通商使節團」，但誰都知道日本政府乃幕後支持者。沒有日本政府的批准，協定不會生效。因此，中共的策略，使日本政府陷入進退維谷的困境。

魚與熊掌不可得兼

自從日本代表團返日後，自由中國立即展開前所未有的強硬反應，一方面宣佈停止對日一切經濟關係，一方面抵制日貨運動。這一掀起的強硬態度，可以說遠非日本人士所能意料，迫使日本朝野不能不對其未來的經濟出路，作一基本的決定。

第一個決定是日本不顧自由中國的反對，按原定計劃批准對中共的貿易協定，雙方正式派遣商務代表團，履行「附件」所列各項。這一做法充其量可使日本獲得一年內七千萬英鎊的生意。而其後果，有三：一、是將喪失對自由中國每年一億五千萬美元左右的貿易；二、是南韓已表示支持自由中國，因而亦可能喪失南韓市場；三、菲律賓華僑亦已表示支持自由中國政府，可能連帶影響東南亞市場。

第二個決定是日本政府放棄對中共貿易協定，根本上不予批准。這一做法可能使中共勒索不遂而老羞成怒，但可保留台灣、南韓及東南亞市場。

向大陸上追求共產集團的餘蔭？抑或向東南亞打開一新的出路？日本政府已到了必須攤牌而無法再猶豫的階段。

日本經濟出路在東南亞

如果從長遠發展觀察，假定中共政權繼續控制大陸，日本的唯一經濟出路，可說只有開發東南亞。關於這一問題，可從幾個角度予以分析：

一、向來亞洲的經濟，日本是唯一的工業國，中國大陸與東南亞都是農業國。因此，日本在原料供給及商品推銷上均不發生問題。今後如果中共工業化成功，其地位將與日本相同，同樣要向外吸收原料，推銷成品，如鐵砂、大豆、原煤、原鹽等，隨着大陸工業的發展，今後將供不應求，絕不可能如戰前的供應日本。祇有東南亞地區工業化過程比較長，在相當長期內仍可能維持日本的商品市場。

二、根據去年十一月莫斯科會議的決定，蘇俄希望在十五年內工業追上美國，而中共亦將在同一時期內趕上英國，如果這一估計能實現，日本更難望由大陸上分一杯羹。相反地，隨着中共工業化的進展，今後的東南亞，將成爲自由世界與共產集團角逐的場地。日本如不能預著先鞭，將來可能連東南亞市場亦無法保持。

對上述問題，相信日本有識之士，早已見到。岸信介氏上台後所提倡的「亞洲基金」計劃，既已繪下開發東南亞的藍圖，日本朝野何不在對大陸碰壁之後，一心一意求其逐步實現。即使從眼前利害着眼，日本放棄對自由中國現有的貿易，追求未可知的大陸貿易，正應着中國一句俗話：「丟掉饅頭去搶餅，結果兩樣俱落空」。何去何從，日本朝野已到了用理智抉擇的時候了。

半週述評

忠告日本政府

日駐華大使堀內謙介卅日由東京飛返台北任所，對新聞記者就日本與中共貿易問題發表談話，不意竟閃爍其詞，且率直表示他的「並不樂觀的看法」，並說「他將盡最大努力，但結果如何？祗有天知道」。

然而岸信介首相廿九日對美記者却明白宣稱，日本將不賦予中共貿易團以在日懸旗的權利，但「現無國內法律，阻止任何國家旗幟的懸掛」，這即是說日本政府仍將藉口法律問題，予中共貿易團以懸旗的便利。

就堀內的說話態度，和岸信介的表示看，日本政府對中華民國的抗議，實無絲毫妥協讓步之意。日本內受左傾黨派的牽制，外受中共蘇俄的威脅利誘，以致態度曖昧模稜，此即堀內所說日本自己的政治問題。然而日本應知此一問題影響所及，不僅是中日邦交問題，亦爲東亞自由世界的團結問題與日本自身的安全問題。日本政府如缺乏遠見，貪圖未來不可確見的貿易利益，輕許中共貿易團在日懸旗，則其所得必不能償其所失。與其貽他日以無窮之禍，何不如壯士斷臂，忍痛一時。此決非投機取巧，自欺欺人，玩弄小聰明，小手段，所能根本解決的。日本不乏聰明有見之士，當不至輕率愚昧，受共產國際的陰謀擺佈也。

泗水的毀旗事件

中共貿易團在日懸旗問題，正在中日政府嚴重交涉，尚未露出解決曙光之際，印尼竟又發生暴徒撕毀中華民國國旗事件。泗水一間華僑學校的國旗，於卅日爲暴徒十餘人扯下，加以焚毀。此雖與中共貿易團在日懸旗問題無關。然同爲共黨在亞洲各國擴展勢力，顯示其滲透顛覆活動已日益加強，意義則一。

印尼內戰發生後，排華運動即在醞釀中，毀旗事件，不過其開端而已。印尼華僑過去對印尼經濟開發，與獨立運動，均貢獻甚多，彰彰在人耳目。故吾人希望印尼當局能採中立態度，不要因祖國內戰而遷怒華僑，更不要爲中共所慫恿，而爲淵驅魚，助紂爲虐。華僑受排擠迫害，即爲共黨製造滲透的機會，決非印尼之福，明眼人當然會看得很清楚的。

赫魯曉夫的命運如何

赫魯曉夫把他認爲最後的敵人布爾加甯擠下了台，成了黨權政權集於一身的新大獨裁者。雖其傳聲筒爲他辯說。但世人都很清楚的認識赫魯曉夫已開始建立了「個人崇拜」，走上了兩年前他自己所痛斥的史太林路綫。

然而，赫魯也自有他和史太林大不相同的地方。第一，他取得獨裁的地位，除了屠殺貝里亞外，其餘馬，莫，謝，卡，四人的推倒，朱可夫和布爾加甯的垮台，都是不流血的陰謀結果。第二，他的經濟政策，取消中央集權，取消拖拉機站，是和史太林政策相反的。第三，他的外交活動也比史太林時代更富彈性而潑辣。第四，他擁有了太空時代的新武器，是史太林時代所沒有的。因此，這個新的大獨裁者，對於世界和平的威脅，恐怕要比史太林更爲危險。自由世界對付蘇俄的侵略，也決不是過去用以對付史太林那一套老辦法所能收效的了。

赫魯今日雖然志滿意得，莫可一世，然而他前途的危險也要比史太林更大。以蘇俄這樣的國家，加上共產制度本質的自然演變，我們可以預言，赫魯的敵人既沒有殺盡死絕，隨時可以禍起蕭牆，慘遭殺身之禍的。我們且看今後的事實罷！

・陳克文・

論政治改革

・李樸生・

中國歷史上有幾位負責改革政治很成功的大人物，而極著名的是管仲與商鞅。他們能夠改革成功，分析其主要的原因有如下述：

第一：他們得到最專的信任與必要的權力，可以發揮他們的抱負，擊敗反對的力量。因爲是一種改革，必定有若干阻力；無論這種阻力是由于既得利益之維持或是由于守舊思想之反抗，如果沒有足夠的權力，必不能使新政策有貫澈到底的執行。管仲商鞅都遭遇有強力的阻抗，如果不是齊桓公，秦孝公對他們專信不疑，他們一定也和六十年前的康有爲，譚嗣同，梁啓超等一樣——戊戌變政的失敗：死的死，跑的跑。民主時代，既沒有皇帝，就要靠人民的支持。現在民主國家許多大改革，都是經過熱烈的宣傳，取得選民的擁護，所以放手去做。這是多數的皇帝，擊敗少數的皇帝。

第二：他們能重視人民的基本生活。管子強調『倉廩實而後知禮節，衣食足而後知榮辱』，故積極開發漁鹽鑛鐵之利，人民得到飽暖，就願接受寓軍令的新內政。商鞅重視農民的收入，大開墾地，並使耕者有其田，便能招來大量壯丁到秦國，增加生產，擴充兵力，收富國強兵的明效。如果一種新的改革，不是提高人民的生活，而是壓低人民的生活，必定是不會長久的。共產的所謂改革，剝削人民，壓低人民生活，把人民變作農奴，工奴，商奴，必然是失敗的。雖有嚴法酷刑，但到了『民不畏死』的時候，人人起義，殺不勝殺，共產的殘暴政權，一定像冰山的崩潰。

第三：他們是執法如山，信賞必罰。改革必定是從訂立新法開始，如果人民對新法沒有信仰，改革必然失敗。管仲要『君臣上下貴賤皆從法，』要『以法制行之，如天地之無私也。』商鞅爲要人民重視法律的頒布，先來一次徙木示信。爲要表示新法的公正，不惜『刑黥太子之師傅』，于是令行禁止，政風丕變。如果法令有許多例外，應罰的因其有特殊地位而不罰，應賞的因其沒有人事關係而不賞，上下其手，不公不平，法律既失其尊嚴，改革便成爲兒戲。歷史上許多改革的失敗，我們許多改革的不成功，都由于不能做到『法律之前人人平等』的必要條件。中國成功的改革家，都是屬于法家，不是儒家。但寫歷史的都是屬于儒家，不是法家，所以對于法家的成功，有許多挑剔，有許多苛責，不免使有志改革的人洩氣，發生許多顧慮，不敢堂堂正正，大踏步出來主張法治，以振敝起衰。當代政壇上見不到子產，見不到諸葛亮，見不到張居正，這是共匪猖獗橫行的一個大原因！

現在全國輿論都希望改革，當局也很起勁來提倡改革，改革將來成功到什麼程度，上舉的三項條件就是測驗的根據。在今日的台灣，推行改革運動本來不應感到困難。理由是：

一、台灣面積不大，交通便利，宣傳極容易普遍；

二、人民教育程度較高，（入學兒童達百分之九十一以上）且向有守法習慣；

三、總統事權統一，可以如身之使臂，臂之使指，貫澈到底。

四、我們所謂新的改革，都是歐美國家現已行之有效的事情，這是像一套西裝的修改，以求適合我們的身裁；又像是一種工具的運入，只需懂運用的技術，並非要很費腦筋的創造，只要我們有誠意，有決心，不偷懶，不作僞，就可以有成就。如果這樣的改革都辦不到，是道在邇而求諸遠，事在易而求諸難。

五、現在我們的朋友及敵人，都在力求進步。大陸的淪陷，由于不改革。今日的縱有若干改革（如土地改革），何憚而不更求進一步更大的改革。

六、現在若干人民不滿意的事情，如法令之繁雜及更改無常，行政效率之低劣，工作人員之貪污，都是一個現代國家必須立刻剷除的弊病！如不立刻剷除，熟視無睹，只有敗亡，決難中興！這又是一般常識所共瞭解的危機，也正使我們應有劍及屨及的警覺！

除非我們想苟安旦夕，無意中興，否則改革運動必然有成就。

（四十七年青年節）

餘風猶在的兩個惱人問題

「錄音」問題．色情問題

益之

近數年來，從某些角度看，我們不能說台灣完全沒有進步。如工業建設，農業改進，不能說沒有若干成績。奇怪的是：這種進步，並未能提高政治的聲價。許多外國官員訪台後發表的談話，只說台灣社會如何安定，工業如何進展，農村如何繁榮，軍隊如何精良，從未聽到有人說過台灣政治如何民主。

台灣通訊

我們很明白，台灣不僅是我們的反攻基地，搞好了台灣，大家沒有益處，弄糟了政府，也是大家的損失。因此，凡是不利於反共抗俄國策的，事無大小，我們都不願多嘮，可以止則止。不過，我們得有勇氣，面對現實。本篇所說的是兩個惱人的問題，作者已經算月餘，欲言又止，終以一吐爲快。

爲何錄音變了啞吧

監察院彈劾行政院俞院長事件，已成過去，原沒有重提的必要。可是，由這事件帶來的一個錄音問題，在新聞控制之下，卻始終沒有發表。原乃是錄音所說的，不獨俞鴻鈞應負其責，而且牽連到最高當局，而且妨礙了監察權的行使。這事件乃在習慣的政治作風之下，幕後疏解的結果，監院的錄音，變成了啞吧，有話說不出來。監院第一次調查中央銀行供應俞兼總裁公館雜用的賬目，啟人疑竇之處甚多，由是監院決定，通知央行，約期作第二次調查。不料央行函覆，說是奉俞總裁命，不能查賬。監院乃定期派調查小組委員，攜備錄音機，前往央行，邀俞氏到場說明理由。當時俞氏聲稱：「奉總統指示，不能查賬。」監院委員聞訊譁然，羣情激憤，僉認監院因案調查各機關檔案文件，乃憲法賦予的職權，非總統所能干涉。黨政兩方，誠恐風潮越鬧越大，經過一番幕後活動，乃把錄音壓下不放。一場公案中的一件秘密私案，就是如此這般了卻。

在服即使遭到拒絕，其責任應由內閣而不應屬在元首。據說，俞氏當時用電話向總統請示，說是監院要查國庫，總統不能隨便查看，俞氏便據爲口實。這分明是一種取巧推諉的手法。在民憲時代，作爲一個責任內閣的行政首揆，是大不該的。

從前總統府秘書王鑑樸氏被免職，是爲當局抗戰時的債務問題，理由是「請國不報」，其實責在的，只因「報」的時間太久，給淡忘了，由於批示「緩辦」，便延擱下來。以此事與錄音一案比較，隱的程度又如何？可謂有幸有不幸！

我們不明白，說是上峯不知內幕，那自然是由於氣小；若說了知內情，那麼「慰留」，就不啻縱容姑息了。此風是不可長的。

監院的彈劾案，可謂雷聲大，公懲委會的避實就虛，捨重取輕，大事化小，小事化無，這不是官僚作風而何。

爲何色情成了問題

此外另一個所謂色情。不論任何大都市，色情原是不免的。巴黎的裸體歌舞，日本的脫衣舞，色情氣氛不爲不濃，然從未聽說有什麼問題存在。在台北，倘無裸脫那一套，爲什麼卻有了問題？吾之所謂問題，不在色情的表面，而是由色情引起的反感。

年來台灣對伶星的捧場，實在過分。如人所周知的，有影星夫婦到台度蜜月，高階層官員歡迎召宴，奉之如大賓。相反的，文化界學術界教育界以至最吃香的科學家回國，卻顯得一片寂靜。政府縱不築黃金台以禮士，也不應把士的階級，等伶星而下之，扔到廁坑去。知識分子是最敏感的，對此會作何反想，不難推想而得。

「上有好者，下必有甚焉！」色情新聞，報紙特別渲染。甚至競選議員，竟然在宣傳車上放出「給我一個吻」，作爲「政治號召」，眞是莫明其妙！心情苦悶者，要向色情方面找刺激，因而形成社會的浮靡風氣。憂時之士，卻又認爲這種風氣，非反共鬥爭的社會所應有。由是色情兩字，在正反兩面都成了問題。

然而，問題的演變，還不在此。當國軍舉行「昆明」大演習，兩路會師的時候，總統親臨檢閱。只有統帥座車，可以直達閱兵台，其餘文武官員，都要停車在校場外。可是影星新婚夫婦的專車，卻與統帥座車享受同等的待遇，而平日現身銀幕的，就一變而爲閱兵台上的大人物。事後，有一位指揮閱兵的將官對人說：「他們憑什麼資格來閱我們的兵！」昔者衛懿公好鶴，鶴有乘軒出遊，後來衛國有事，國人不肯作戰，謂鶴有祿位，請鶴出戰。這種心理反應，想來不寒而慄！

上述兩個問題，影響所及，迄今猶在。其嚴重性遠甚於外。不治民情的事，會失人心，足以導致反感；的事，會失軍心。佛家說『人心惟危』，也說『一切唯心造』，也許我們是杞人憂天，未免過慮。然禍發於微，當國者豈可不慎。

三月廿五日

外貿會

換口味

讀者論壇

遠在比京友好轉剪寄一份刊於「自由青年」上，署名高明的大作——「孔子與少正卯」，我嗅到一股血腥氣味。去國萬里，讀之不寒而慄；骨鯁在咽，以一吐爲快。

我不知道這位高明先生何許人也？找遍南來，才看到他「著」的一部正中版的教科書，據說還是台北政大暨台大師院底國學教授。

在這篇文章裏，首先引用了一段「孔子世家」後，就洋洋灑灑，「下筆不能自休」，像「吳鳳傳」中的山胞高呼「要人頭」了，卻明言「殺雷震以謝天下」，雷震比少正卯爲可殺無疑。

他自問自答地說：「少正卯是怎樣的人，孔子當政，何以首先殺他？孔子宣布少正卯的罪名，是否値得一殺？我們對於現代的少正卯，……現代有無少正卯一類的人呢？我們以現代的人物，我們不……在世界政治上所……「守辯而堅」、「……」、「順非而澤」嗎？……「姦雄」，中國永遠不能復興，世界永遠不能安甯。但是我們自由中國的境內，也有一些「聞人」，以『自由』爲標榜，以『科學』爲號召，以『民主』爲掩護，從事「亂政」的工作。他們根據所謂『科學的公算』，大放厥辭，倡爲『反攻大陸不可能』論，想瓦解我們的民心和士氣，他們對於政府的一切的施爲，都是加以惡意的攻訐，從來沒有給以公平的判斷，目的只在破壞政府的信譽，阻撓反共抗俄的努力……我想：孔子如生在現代，對於這些現代的少正卯，恐怕也不會輕輕地放過，而不予以制裁的。」

雷震安可殺

——讀了一篇『孔子與少正卯』文後

．孟戈．

綜合這位高先生的話，不啻替「現代的少正卯」羅出兩種臉譜：在世界政治舞台上的是「俄帝與共匪」的一羣，在自由中國境內是以「自由爲標榜」、「科學爲號召」、「民主爲掩護」的「聞人」。他們都是「壞事做盡，好話說盡」的「亂政姦雄」；不予通通殺掉，「中國永遠不能復興、世界永遠不能安甯」。他們是「現代的少正卯」，罪該萬死。好不厲害的「口誅」「筆伐」！

讓我們現在看：包括大鼻子在內的，「俄帝與共匪」一羣該否統統都把他們的鼻子削平，列入地道的「現代少正卯」的一羣，故且弗論，因爲這位高先生本來志不在此而在彼。單拿以「自由爲標榜」、「科學爲號召」、「民主爲掩護」的聞人來說，他們究竟是不是現代少正卯的典型呢？

這位高明先生指責的是自由中國境內的「亂政姦雄」又竟是以「民主爲掩護」、「科學爲號召」、「自由爲標榜」的聞人。他憤憤然說，『「焉用殺」的原則，對於有聲望的「聞人」，而又「亂政」的「姦雄」是不能適用的。』『唯其是「聞人」，他便有眩惑羣衆，號召羣衆的力量。「聞人」如果用他眩惑羣衆，號召羣衆的力量，來亂政，來破壞政府的信譽，干擾政治的措施，則執政的人必感到極大的困難』，但我覺得奇怪的是：我們一部憲法，原是以自由、科學、民主爲基本精神的，既然這種「聞人」是以「自由爲標榜」、「科學爲號召」、「民主爲掩護」，不是有利於我們推行憲政麼？今日的政府是人民的政府，今日的政治是民主政治，他們拿這些合法的武器，還能算是眩惑羣衆？號召羣衆嗎？又怎會破壞政府的信譽？干擾政治的措施呢」？在我們遠渠先人臘墓的化外流民看來，倒無法領會高明先生的高明說法，反之，倒令人懷疑我們的政府是在與民主、科學、自由爲敵呢！這位高明固然爲政府用意拳拳，但讀者會不反而誤會高先生的用意嗎？

而且，所謂「孔子殺少正卯」，如果舊案新翻，孔子是否出諸公忠謀國之道？抑或誅誅異己，還是一個歷史疑案。據孔子家語云：

孔子爲魯司寇，攝行相事。七日而誅亂政大夫少正卯，戮之於兩觀之下，尸於朝三日。子貢進曰：「夫少正卯，魯之聞人也。今夫子爲政，而始誅之，或者爲失乎？」孔子曰：「居！吾語汝以其故。天下有大惡者五，而竊盜不與焉：一曰心逆而險，二曰行僻而堅，三曰言僞而辯，四曰記醜而博，五曰順非而澤。此五者有一於人，則不免君子之誅，而少正卯皆兼有之。其居處足以撮徒成黨，其談說足以飾褒榮衆，其強禦足以反是獨立，此乃人之姦雄者也，不可以不除。」

從上面記述看來：孔子殺少正卯之「罪證」，確也「空洞」極了。尤其是所謂「其居處足以撮徒成黨，其談說足以飾褒榮衆，其強禦足以反是獨立」，這祇僅僅是一種「可能」，而不構成足以處極刑的罪狀。孔老夫人，就濫予殺戮，難怪乎連他底得意門生，亦不敢苟同而疑雜滿腹了。何況今世何世，民主世界也，殺一個「現代少正卯」，不是那麼簡便的！「少正卯」竟是一班敢言的民主鬥士，所謂「聞人」者，當是指主持「自由中國」雜誌的雷震了。按諸上文，這絕不是武斷推測。我們固不同意所謂「反攻公算論」一類機械唯物論觀點，但又何至於「可殺」。可殺的人，多着呢，怎麼這位「現代孔子」，反而……『鄒忌入朝見威王曰：「臣誠不知徐公美，臣之妻私臣，臣之妾畏臣，臣之客欲有求於臣，皆以美於徐公。今齊地方千里，百二十城，宮婦左右，莫不私王；朝廷之臣，莫不畏王；四境之內，莫不有求於王。由此觀之，王之蔽甚矣！」王曰：「善」。乃下令：「羣臣吏民能面刺寡人之過者，受上賞；上書諫寡人者，受中賞；能謗議於市朝，聞寡人之耳者，受下賞」。令初下，羣臣進諫，門庭若市，數月之後，時時而間進，期年之后，雖欲言無可進者。燕趙韓魏聞之，皆朝於齊。此所謂戰勝於朝廷。』

今日自由中國偏處台灣，逸步艱難，朝廷之上袞袞諸公，究有幾人能有鄒忌之精明果敢。能使當局納諫如流。我想在台灣千餘萬軍民海外千餘萬華僑，一定「深有同感！」否則殺一個雷震，封掉一間「自由中國」，更將有千百個雷震，千百個「自由中國」雜誌出來。雷震豈可殺哉，高明先生大可以休矣！

我願以這枝禿筆，高呼：「刀下留人。」

（寄自帝汶島）

編者按：本文作者係海外僑界文教中人，承他自帝汶島遠道來鴻，關心祖國，溢于字裏行間，其觀點正確，正與我們觀感相同。惜以來文過長，中有省略之處然絲毫不失原意也。玆以據高明先生者，想正有人在；其引起海外如孟戈先生的反感者，又必然比比皆是也。爰爲發表於此。

黃少谷與雷震密談自由言論態度

．台北通訊．

最近「自由中國」半月刊的「中國人看美國遠東政策」一文所引起的論戰，將見趨于沉寂，其原因似與胡適將回國一事有關，因當局若干年來對胡適非常友好，而外間前既傳胡適的病及其歸期之拖延，均與「自由中國」視爲專號有關，不管這種傳說是否確事，今胡有歸期就研究院職，即宜歸好一條路給胡走。

一度密談

因之許久以前，負有決定性的「宣傳小組」的負責人便進行設法結束這不快的紛爭，這當然是奉命辦理的，至於其以這項任務不由中央第四組負責，亦有兩點：一、中央第四組主辦一般性的宣傳業務，多是有組能勾通性的工作，而「小組」則是「御前會議」的「黨」「政」兩方宣傳小組，且組裏有一部分，可以在「核准」動用；二、黃少谷過去和雷震交甚好，即在政治活動上亦會往頻仍。基於這種因素，「自由中國」言論糾紛事件，兩人曾密談了多次。事後有人詢及雷震，彼笑而不答。

後來從各方面打聽，他們談的大概有下面三個問題。

公評政論

政府方面以爲，目前中國很需要在野黨的公評批判，使執政黨有所顧忌，但認爲謾罵指責，絕不是公評政論，同時以爲歐美民主國家政府無不重視在野黨的批評，即對任何報章雜誌的言論，也無不重視，但也是着重善意的批評及獻議；同時又會指出多期的「自由中國」底言論態度，今後希望予以改善，才能使執政黨悅服。

一視同仁

雷震過去乃國民黨之老幹部，自從來台灣「不歸隊」後，他便算無黨無派人士，其所主持的「自由中國」半月刊，不代表任何一派，所發言論自然對執政黨的施政多所抨擊，而對民青兩黨則態度不同，執政黨方面而以爲在公正立場說，當一視同仁，才適合無黨無派之立場。

諍友態度

雷震本人及「自由中國」半月刊，在政治法律上說，只是一個「公民」，故一談不上「法人」，而不是一個「在野黨」，因此在國會裏的在野派之反對派，政府方面以爲該刊以諍友自居，不是以反對派出現，以上三點，黃雷二氏曾以最坦白的態度檢討，同時又以胡適有回台一行之訊，故政治圈中對自由中國言論事件的發展，十分重視。

（三月廿七日）

．萬家珍．

「今日的愛恩斯坦」的成就

——「統一力場數學公式」蘇聯已搶先注意它

曾旭軍

當今的愛恩斯坦是誰？他就是德國的海辛堡教授（Heisenberg）。

今後的幾個月，科學界將有一項成就，其意義比人造衛星的不知大若干倍。這就是海辛堡發展成的『統一力場數學公式』。（Mathematical formula for a unified field of forces）

驚動了科學界

海辛堡在德國的格丁根，宣佈他已發展此公式後，引起科學界的震驚。

據一記者報告稱：莫斯科已緊急召開科學家會議，討論此項宣佈的重大意義。引起許多人的濃厚興趣，會場雖大，但來聆聽的人特別多，以致許多科學家不得不站在會堂外，聆聽播音而已。

在物理學門外漢看來，不覺得它的重要性。因爲「統一力場」是屬於科學的一個區域，甚至科學家中，也很少能到達這個區域。然而大多數研究科學的人知道：假如能證明，而確立此力場的原理，及了解其性質，那麽此種發明，將是科學歷史中最偉大的一件事。也許被認爲當今理論物理學最卓越之成就。

愛氏曾因它想修改「相對論」

但我們須記得：此種發明之阻障難題，是最困難的而爲整個物理與數學分析最深奧，而又費解的。甚至愛恩斯坦因這個原理，而想修改其『相對論』，但他以其三十年的苦心研究理論物理學的心得，也不能滿意的和周詳的去解釋這原理。

兩個基本根源

扼要的來說，這難題是要尋出一切自然現象的共同根源，與構成一偉大的綜合，去解釋宇宙間一切的現象，以及發現一普遍的法則，可爲一切物理力學特殊規律共同之基礎。經過許多年的調查，及合併研究，可見一切的「力」，可追溯其有兩個基本根源，此即電磁的力與吸力力（Electro-magnetic and gravitational forces）

這是兩個基本力場。一切力皆發生在其中。但由於急於要找尋各種現象的統一性，致令科學家去研究此兩力場當中的連環鎖。愛恩斯坦認爲此一環必然存在，亦已有若干試驗的證據，去表示其某種之連繫。但其關係未十分明瞭。假如能周詳的證實此兩者係公共統「一力場」的兩部份，那麽這種組合的說明便完成。

現還不能爲普通人領悟

現在海辛堡之理論，可能給予周詳的解釋，雖然他說還需多更多一點研究和實驗，才能證明此理論係正確的。他還未向普通人解釋此理論，因爲他以爲：在目前階段，這種解釋是沒有多大用處的。科學界將首先試去了解和考驗。其後可以用普通人能領悟的說法去解釋。

無論如何，在未來的若干月中，將聽到有關此事的消息。海辛堡定於下（四）月，於柏林發表演說，必給予世人許多的闡明解釋。

同時，在此談運帶頌揚海辛堡，關特弋的

海辛堡以往的發明

海辛堡在二十四歲時，便獲得諾貝爾獎金。他以發明「常變原理」著名。此項發明，連同麥斯普蘭克在先研究的，導致量子力學的發展。這是現代物理學大多數偉大進步之理論基礎。

在此種科學進步的歷史中，海辛堡的名字幾乎與愛恩斯坦同樣的顯著。此現年五十七歲的海辛堡，現在似乎可以完成愛恩斯坦未完成的工作去完成了。

愛恩斯坦經過三十年的努力，才於一九五○年出版一本『統一力場的一般定理或總論』。但到了一九五三年，他仍感到不滿意，又修正他的相對論。在普林斯頓大學出版了他的『相對論意義的第二次附錄』。他修改的統一範疇學說。他修改的，正是一個極偉大的原理。簡而言之，這原理是用一個法則，可以解釋整個人類宇宙一切事物，但當時他尚不能知道怎樣去證明，現在海辛堡就是替他去完成了。

主要的困難

據說主要的困難，是解釋吸力和電磁力，有許多不同的數學規則。這種吸力的數學，由所謂「對稱的」方程式表示。但描述電磁力的數學方程式，是不對稱的（Non-symmetrical）。愛恩斯坦便是希望不對稱方程式電磁力規則，與吸力有好的連繫。如果能成功，便可以解釋許多未知的或仍屬疑惑之事物。這可能弄清吸力，電力，和磁力是什麽。更了解原子裏的力，空間的力，以及人類生命的生理力量了。（本文取材自本月十五日的新德里『思潮週刊』）

布爾加寧下台

布爾加寧終於被免去了蘇聯總理的職務。這表示着蘇聯的黨爭又達一個新階段；赫魯曉夫兼任蘇聯總理，正反映出在共黨政治制度下，集體領導制是沒有地位的。

一九五三年三月，史太林逝世後，馬林可夫以黨的第一書記兼任總理，隨後蘇共中央以黨的書記不能兼任總理的理由免去了馬林可夫的第一書記職務，赫魯曉夫代之；接着，東歐附庸國家紛紛起而效尤，以爲這是集體領導的典範；而今，不知赫魯曉夫如何自圓其說？

黨爭尚未終結

自史太林逝世以來，赫魯曉夫表現于黨爭中的手法確屬高人一籌。初，聯羣雄鬥倒最有力的政敵貝利亞；繼之，又喊出進一步的集體領導的具體形式迫使馬林可夫辭去黨的第一書記職務；接着又以布加寧代替馬林可夫爲蘇聯總理；再把馬林可夫，卡岡諾維奇，莫洛托夫作爲反黨集團逐出蘇共中央委員會；然後，又把朱可夫排除于蘇共中央主席團之外，免去其國防部長的職務；最近，又免去布加寧的總理職務自兼；這一連串行動的勝利，足已使人認爲赫魯曉夫已成穩定地位了。

但是這樣的看法，也只是表面的，因爲：

一、在蘇共中央主席團中，尚有米高揚與蘇斯洛夫有一些勢力，這些勢力雖然不能與赫氏對抗，但赫氏在黨內尚未到爲所欲爲的地步，若要做眞正的史太林，必須先驅除米高揚與蘇斯洛夫。

二、這幾年蘇共高階層之特點，就是除了貝利亞以外，均未遭公開的拘禁與殺戮，這是由獨裁趨向溫和的第一步，並非在學步民主，而是爲着避免有原來在黨中極有勢力而想翻身，果若如此，除非赫魯曉夫能够斬草除根，或有新的手法使他們永無活動的機會，否則總有一天會被這些失勢者聯合起來而推倒。因此往遠了看，黨爭是不會結束的。

與中共的關係

在某些思想方面，毛澤東與赫魯曉夫是有相同的。當赫氏在爭取權力鞏固其國內地位時，毛澤東曾在聲勢上予以不少的助力。但是赫毛之間有一基本衝突，即他們兩人都有領導共產國際的雄心。從眼前來看赫魯曉夫是爲了要鞏固他在共產國際中領導的絕對地位，必需將足以與他抗衡的毛澤東再壓下一些；去年十一月莫斯科會議以來，已經顯露出了這種跡象，這是上期本欄已經說過了的。赫氏此次獲任蘇總理，表示他在蘇聯國內的地位更趨鞏固，其對於毛澤東爭奪共產國際領導權的資本更加充足，其要求毛在共產國際領導地位的雄心亦當更堅強，果而，則此事的結果，對毛共來說，只有長期屈從下去了。

○田心。

中國文藝創作叢書

自由中國的文藝界，最近出版了五種「中國文藝創作叢書」，第一種「小說創作集」，第二種「詩創作集」，第三種「散文創作集」，第四種「青年創作集」，第五種「獨幕劇創作集」。每一種都有二篇導言或序文，說明自由中國的文藝趨勢，和選錄文字的旨趣，標準，範圍等。

這是一種對自由中國文藝的發展很有意義的工作。這些叢書不僅使海外讀者，得以了解過去十年來，自由中國文藝界在國家多難，個人生活困難的環境下有了如何的成就，同時海外許多青年，現在正苦有缺乏的讀物，感覺精神糧食極度缺乏的時候，這正好是適合時機，極有寶貴的貢獻。

「小說創作集」，包含十五個作家的短篇小說各一篇。「詩創作集」包含卅四個新詩人的作品，都是新體白話詩，各家的作品由一首至八九首，多少不等。「散文創作集」共選散文八十八篇，作家四十五人，各選一篇至三篇不等。「青年創作集」共選青年作家作品卅四篇，有短篇小說也有散文，作者卅四人。「獨幕劇創作集」共選獨幕劇八本，作者八人。

以上五種叢書，均由「中國青年寫作協會」主編，台灣復興書局印行，出版時間最早的去年十一月，最遲的今年二月，第一種上下兩冊，基價各八角，第二種一冊基價一元二角，第三種上下兩冊，上冊基價七角下冊六角，第四種一冊基價九角，第五種一冊基價一元二角。

○文華。

中越合作聲中籌建大規模紗廠

我專家擬具計劃再度赴西貢

（西貢通訊）邇來中越合作的呼聲，甚囂塵上，前此曾一度來越考察此間紡織業的我自由中國紡織業專家蔡元，趙鑪東二氏，最近復再度訪問西貢，益使中越合資籌建大規模紗廠一事，趨于實踐的階段。

據有關方面透露，蔡趙二氏已擬就建廠計劃書，日內與此間投資廠商洽談，詳加參考後，規模宏大紗廠即着手興工建築。

趙蔡二氏此次來貢，攜帶擬行將在越籌建中越合辦規模完備紡紗廠設計計劃書，內包括紡紗廠所需佔地面積，器材佈置設計，與選用及購置技術工程師，工人之數量等。此計劃書即交由此間投資僑商參考後，即行興建。開廠後技工可由本地招聘，加以訓練，器材購置乃由投資僑商之行政權所決定。又據滯：目前合省出品紗之器材雖有出品，但仍感不夠供給自用，並需向美國或日本購置，故無可能在合訂購，目前越南所用原料，因越南出產數量極少，故必須向東南亞各國搜購，將來越南增加出產後，才就地取材。此紗廠目前仍在初步計劃中，其與建日期，雖言之過早，但這是一項中越經濟合作計劃，一切希望早日成功。（云）

國際動態拾零

△英國和平運動者，反對英美原子基地協定中之一項未發表的秘密條款，謂美軍司令，如遭遇敵方攻擊，可以繼續發出中程火箭，而不必停止放射以靜待與英方之協議。如此即發表的條款上所謂事前協商，無異爲放射後之事後協商。

△舊金山爲聯合國的產生地點，或將成爲四強高峯會議的所在地。自從艾森豪露出蘇聯領袖可以來美開會之後，舊金山市長克里斯多夫，殊努力于促成此事。舊金山是在太平洋沿岸，其對遠東各國，比在美國他處爲關懷，乃反共民意集中的地方。如此可期望共產集團，在高峯會議上，因當地民意之監督得不到什麽大便宜。

△艾森豪將簽出原子運輸機之第二批定單。海軍將領以爲如此可暫時救濟原子動力工業，與鋼鐵業之不景氣。此批定單合計爲三億美元。

△大西洋公約國，不久將請美國派遣新的有力艦隊，赴東地中海與北海駐防。尤其北海方面，因英方取消了十隻巡洋艦與運輸艦，益形暴露于蘇聯海軍威脅之下。

△共產集團欲先行舉行自己的高峯會議，包括赤色中國在內，以爲東西集團高峯會議之準備。其用意在支持波外長所提歐洲非原子地帶之會議，並以共產國家之一致性，來威脅西方國家。

○陶然。

香港整飭吏治

公務員須填報財產

●祝修衡●

香港號稱「法治社會」，貪污案件屢見不鮮。故港府於本年度推行一項整飭吏治清除貪污措施，對公務員及其家屬資產進行調查。第一步先就一、二、以及三級公務員開始（以後逐級推行），由輔政司主持其事，擬就表格分發，不論是否全日工作的公務員，均須依實填報。以備隨時調查。此項辦法原係前任港督葛量洪爵士退休前決定。該項規定非常嚴格，填表人須上另一誓約上簽署，陳明所填報各欄確實無訛，倘有不實，願受制裁。

填報表格各欄，並非限於在職男女公務員本身，而係包括有他的家屬在外投資，如公用事業股票，工商企業，機構股本，地產物業，銀行存款等，均須逐項填明，然後連同誓約密封，親自送交各部門主管彙報，輔政司核辦。倘丈夫所有資產係屬女性，填表時應將同樣要資報，通過服務部門主管彙報，同樣要資誓約，不再同樣保證除事先獲准許外，不在事先透露獲得上述各項利益或股份，倘明資金來源遙行投資，將被視爲「舞弊」或說那是一種非所謂嚴重的罪行」，即應受適當懲處；事先透露，但必須指填表以後獲得轉讓，收入，亦須經輔政司認可；出售股權亦須輔政司備核。

輔政司對於每一公務員所填表，在原則上，給予他們以最大限度的自由；但保留充分管制，以保證公務員不利用職位獲利，使公務員在公衆心目中保持名譽。因此，輔政司另行製備一份名單，發交各單位主管參考，藉以保證這一部門職員及其家屬的投資絕不涉及該名單範圍，有損公濟私情弊。不然，輔政司有權通知該公務員，剝奪他的股份或利益，與或禁止其獲得股份或利益。這是說某一公務員的職務，必須與所投資的公司或任何企業，完全沒有聯繫爲限；倘吏何一個公務員，在任何公司擁有利益或投資，如在職務上將被派往，使他對這一公司採取任何行動，那麽，這一位公務員需要即刻向他的主管說明，再由主管人審度利弊得失，向輔政司提出報告。這是說：公務員雖然可以涉商，可是，他的職務必須跟他、或他的家屬所投資的機構無關。假如隱匿而甚於私人利益不報，他（或其妻或夫）的股份或利益，將會被剝奪，或被禁止獲得股份或利益。這種公私混淆（原條例中稱爲「衝突」）情況，輔政司認爲很少會發生。

站在港府立場，這一般是以一個周詳的肅清貪污方案，然從發掘貪污觀點去衡量，畢竟還是一項消極措施。

防止，舉例說來，港府的對被控涉嫌貪污案件，報紙常有紀載，諸如三年前民選議員貝納祺指摘警察在熱食檔吃食不給錢；一年前某有一「外籍警察幫辦涉嫌包庇烟格勒索」，最近更有「外籍警察涉嫌向煙販勒索」。這些事迹，無不證明警察下延挻身，絕非防止貪污的根本措施。雖然過去檢舉貪污案件提出，大多數均由專設調查貪污機構而懲戒會污寓意，乃爲杜漸防犯。但構成犯罪因素，殆爲不良風氣與物質誘惑造成，貪污所固不僅公務人員；工商企業之中，殆所在皆有。主管人員對工私人生活雖無權干預，至少亦應隨時審察其生活環境負擔輕重，尤其不應忽視。所謂從法不足以自行，如何扭轉社會不良風氣，爲樹立優良道德觀念，促進人心向上心理；則與文化教育有關。故香港這一套防止貪污辦法，固有參考價值，然也須同時向糾正社會風氣方面着力。當然，此亦不獨香港一隅爲然。

自由談

惰落的文化精神

馬五先生

英國爲着要爭取世界強國的領導地位，將大部分的財力物力，消耗於原子武器的發展事宜，而不惜破壞聯合國的禁運政策，向共產區域從事大量貿易，企圖挽救經濟上的崩潰之虞。這原是極矛盾的政策，祇是打腫臉充胖子的作法，神經殊鋅。因爲英國的原子武器發展能力，無論如何亦趕不上美國，否則英國的中程飛彈，即不必存儲在英國的軍事基地中了。可是，英國的學者與政治人物，對於本國政府這項枉耗財富，而又無濟於事的原子武器製造工作，並無異議，卻無時不在籲求緩和對國際共產主義者採取強硬政策。最近那位名聞全球的哲學家羅素，且公開主張不妨向國際共產主義屈服投降，亦不應發生「狂妄」的戰爭行爲。果若是，英國人民長期間束緊褲帶，過着惡衣惡食的生活，爲政府節約財力物力，以投入原子武器的純消耗事業中，所爲何來呢？既然絕對不要戰爭，又贊成政府耗費如許的經濟力，製造戰爭工具，豈非笑話？我不相信英國當局跟俄帝舉行高層會議之後，得到一紙像過去「日內瓦精神」的口頭和平諾言，就能夠把存儲着的原子彈氫彈，一過拋到海裏去！小孩兒最怕爆竹之聲，見着有人燃放爆仗，飄是飄然掩耳竊走，卻要求父兄們替他購買，要求父兄們替他燃放。羅素，湯姆斯比這類學者，以及英工黨的一些和平政客，對於反共運動的心情，恰與玩爆竹的小孩兒一樣，內而常常表現着既不能強，又不服弱的可笑姿態。我認爲這是英國！——也可說是歐洲固有的文化精神惰落空虛，接近崩潰邊緣的象徵，非人力所能挽回了！

在那灰色的圍牆內

慕容羽軍

據說「讀萬卷書，行萬里路」兩者對知識的增長都同樣重要，我這個人，雖未讀過萬卷書，但卻行過萬里路，從僕素的山村，跑到豪奢的城市：看過一些柴花稻穗，秋柳春花，也看過一些朱簾繡戶，叠石行泉，對「清幽」兩字，算正嘗到了一些並非小學生時代拼詞造句那麼囫圇吞棗的領會。所以，一閉起來，腦袋免不了又重溫一遍那些曾經在眼底瀏覽過的景物。而惜我所到過的地方，都不是什麼名山勝景，即使說出來也沒有多大意義。

來香港幾年，我覺得傖俗得可憐的，要算在別人家別墅門前拍照，這也猶之乎拿着照相機，架起三角架，閉着自動快門，倚在別人的汽車旁邊，把人和汽車連號碼一起拍下來那麼可笑。由於我有了這種「不長進」的想法，所以提不起興趣去遊山玩水，因爲我所見到的「風景」，都是一些高掛着「內有惡犬」的別墅，也許由於我太短視，我的印象中，香港雖大，卻沒有什麼好的去處，如果說有，據我的想法最好是大霧天去山頂東南方那山坳，遙望海中隱約的島嶼，差可有入畫之妙。

早些時，筆會舉辦一次春遊，事前決定去的地方是淺水灣余東旋別墅。提起別墅，我除了興起上述的感覺之外，免不了連想到兵頭花園和萬金油別墅來。我總覺得斧鑿的痕跡過多，經營的的心力不足，即使做作得神奇變化，終歸是欠缺一些神韻的。據朋友告訴我，余東旋別墅另有一種不同的情調。因此，我也就趁機會去涉獵涉獵。

這家別墅，地方很少，完全是依傍山勢，利用地形建造出來的，建築的外形，是採用中世紀的古堡形式結構成爲一個整體。一進門，站在面前的，是一個披着古銅盔甲的武士，……「三寶殿」來，那一種帶有威嚴意味的神氣……義，我可不大懂，不過，進門處的第一個印象，眞的喚起了一種大不……一列頗金雀花王朝愛德華一世時代的憧憬。穿過了幾個廳堂，進一步便是對着海灣的陽台。陽台前面是一度城堡式的圍牆，每二三十步，便有一個碉堡，全是用深灰色的磚石砌成，牆上密纏着的，全是枝枝蔓蔓的枯藤，也許是冬天的緣故，特別顯得古意盎然。每一座碉堡，都可通到下面的海灘，可惜上了鎖，否則，從那狹小的門走出去，玩玩海灘，很可能把我童年的海濱憶戀重又喚回來呢！

起初，我看看陽台上，看看隔牆的海灘，再看看旁邊鐵柵圍着的網球場，頗覺失望，因爲在我的視綫以內可再沒有什麼地方了，這樣一個別墅多麼單調呀！還虧它有古典形式的城堡，也是沒有多大的趣味的。後來我獨個兒往裏闖，一個拐彎，通過了一個橫跨石缺排水道的長廊，那邊赫然還有一塊小天地。一片草地悄悄地躺在高聳的碉樓下面，對着海仍是深灰色的磚牆，這兒沒有什麼石凳石台，也沒有種植什麼花樹，如果說這別墅像一個童話王國，那麼，這塊草地倒像一個王國裏的校閱場，那碉樓上可以讓國王，王后和宮主們閱兵之用呢。不過，這是別墅，這塊什麼都沒有的草地，還斷設計人設想得到，在這兒，眞的可以廓清思慮，一無牽罣的席地而坐，或倚牆閉目，傾聽那沙沙濤聲，或縱目遠望，欣賞那隱約的島嶼呢！

轉彎抹角，上高下低，最后的那一段迴廊倒有點情味，每上到一個階梯的盡頭，必然有一個大小形式不同的露台，階梯的層次高低並不一致，有時露台是比鄰的，有的卻高出半層。這樣轉了幾轉，更是最高的花圃了，這花圃大概有專人在那兒種花，花的種類不少，在公開的園圃裏很少見到的熱帶劇，這兒卻有各種不同顏色的四丘種，與其他如西洋特有的藩犬星，及嶺南特有的野生杜鵑，也有幾株，看到那兒養花的玻璃房子，使人想到養花和養小動物一般，並不是一件簡單的事情。

走完這一連串的草坪、長廊、花圃、露台，慢慢的從較高，較開朗的地方回望，實在這所別墅的佔地並不廣闊，他能使人感覺到有許多地方，這佈置的人胸中眞有有點丘壑呢！噢！我還忽略了一些呢，那是別墅中央的泳池，池水很清，我想，它一定是從海裏抽水並經濾過，才注到池裏的，看到網球場游泳池，彷彿又年輕了幾歲似的。人，眞的容易受環境的左右呵！

我忽然想起了「蝴蝶夢」的故事來了，莫里哀筆下似乎描繪了我倚着灰色鐵欄凝思時的心境。——

這是夢特里，神秘和靜寂得好像以往一樣，灰色的石在我夢中反照着燦爛的日光，玻璃窗映着綠色的草原和石階……

陽台傾斜的對着草原，伸張到大海。我轉身便見一片銀光……

——彷彿可以移來描寫這古堡的夜色，我想，這兒的夜色也許應該是如此吧！遺憾得很，我並不會親自體驗到。

這兒沒有缺點嗎？並不，在我的想法，那些騎樂上三具古銅的士兵也許是多餘的點綴品，不過，也有人說這代表了一個系列的情調，他們說：這是中世紀的明證嘛。

話又得說回來，香港眞的沒有好去處嗎？有的，我想。歷來中國有城的市，總有些名士替它編一些像杭州的「西湖十景」，廣州的「羊城八景」等作爲文化的點綴，香港卻沒有什麼「香城八景」，是不是它的文化還不夠深厚呢？你說，你說！

拍馬

陸夢墨

昔伯樂過冀北，見一馬自後蹲徐徐洩其氣，伯樂捫之嗅之，知其爲千里之駒也！乃手拍其臀，閉目搖首而讚曰：「善哉！此馬之屁也。香哉！此馬之屁也。」此說亦查無實據，不知出自何典，然自伯樂以後，世人皆知拍馬屁爲韻事，紛紛仿之效之，以期能拍上一隻千里駒，從此附驥尾而青雲，亦是仕進之術。

我嘗謂吹牛爲人生法寶之一，但拍馬亦爲不可缺之一寶，尤其是做官爲宦，如果不肯逢迎，那和自己的紗帽過不去。其實拍馬也很容易，千里之駒都喜歡放屁，儘管其臭無比，你祗要品之嗅之，而讚其爲香哉！善哉！就夠了。這樣再「附驥尾」，多烈性的馬也不會朝你掀蹶子。但是也有的笨瓜一掌拍錯，而拍到馬腳，反被踢個鼻青臉腫，自討苦吃。

其實馬屁之味，實難恭維，但拍的人不覺爲恥，受拍的人亦含笑默認，都不以之爲腥臭難聞，反覺香甜可口。豈不怪哉！

現實小說

鷩蟄

金溟若

陳瀚和他的太太正在爲了競選的事爭得面紅耳赤，朱三爺適逢其會進來拜訪，把夫婦間的空氣給緩和下來了。夫婦倆爭論的重心，集中在競選縣長抑省議員的一點上，與參加競選的本題無涉。

先生的主張是：既然花了大本錢參加競選，總得撈個正牌官兒，縣市長究竟是正官正印，權勢兼得，不像議員那麼有氣無力，像個沒着落的孤魂，連個衙門都沒處安身，那才犯不上哩。

太太的主張很簡單，是避難就易：到底是省議員的名額多，容易中獎，而且所繳付的資本也可以輕鬆些。其實，這祇是表面上的理由。事實上陳太太——何秀玉的姊姊也嫁給一個合灣人許炎，準備參加競選本屆的縣長，她不願意丈夫與姊夫同逐一鹿，弄得兩敗俱傷。假如分道揚鑣，必能相得益彰，都能如願以償，便可左右逢源的了。這就是陳太太深藏肺腑的心願，是她所以反對陳先生出馬競選縣長的眞正原因。

「我們這次的參加競選可說是破釜沉舟，要把住屋和田上留下在這裏給我們的那點田池，統統拿出來作孤注一擲的，總得揀平穩的路來走——是嗎，三老爺？」

「是極——是極！我始終支持何老師的立場，而且竭力支持陳先生在競選議員。」朱三爺把定滯的神眼從長條桌上供奉着的招財進寶的紅紙條上收回來，兩眼迷得細細地，祇剩下一綫。他與陳太太是省立中學的同事，一直稱慣了陳太太爲何老師，而陳太太也樂此稱謂，有別於丈夫的附庸。

朱三爺與陳家隔路相鄰，是陳家的常客。但貼鄰而居不是朱三爺常出入陳先生家的整個因由。朱三爺是著名的水龍頭，陳家有錢，他才不惜卑辭納交。路的遠近，在他是滿不在乎的。住在鎮上的所有外省人，凡是認識朱三爺的，都知道朱三爺是出脚蹄的狗，到了誰家，誰家就會倒霉。「狗」字到底叫不出口，不曉得誰家的鄉風稱狗爲「三爺」，先是有三兩個人背地裏叫他朱三爺，後來叫順了口，大家都當面尊他一聲「朱三爺」，反把他的眞名給埋沒不聞了。朱三爺不明底細，他雖明知自己沒有兄弟，決不會排行第三，但到最後也就儼然以三老爺自居，沾沾然而有喜色了。

「而且——」半響，朱三爺試探着說：「聽說令姊丈也有意於縣長寶座。……」

「是嗎，彼此至親，好意思對壘，叫我怎麼做人？」陳太太終於開門見山地攤牌了。

「然也，然也！是可忍孰不可忍？」朱三爺幌着腦袋稱善。

朱三爺原是軍政員，現在年過半百，自知體力不敵，棄武從文教起國文來了。好得同是中國人，對方塊字總得有些面善，但樣子可不得不裝得像樣些，先些斯文模樣，說起話來搖頭擺腦，還得在談話中掉些文句。自古道習慣成自然，到後來竟也不知不覺出口成章的了。

「算了，算了。」一直踱着方步，默不作聲的陳瀚，停步叫道：「讓他去吧。我只有退而求其次了。」

「虧你說得出……」陳太太向丈夫斜瞟了一眼。

「其實，」朱三爺插口說：「說起財源，議員遠較縣長路闊，有出息的財經機關，台灣有的是，眞個是遍地黃金，……以瀚老的幹練精明，還不是很快就能撈回老本，嘻嘻嘻……」

夫婦倆看他笑了。朱三爺得意也露出一副饞相，彼此望了望，做聲不得。（一）

燕塵識小

戊戌譚往

魚負生

由上所述，足見此次召對，君臣之間，亦頗暢所欲言。在昔殿陛森嚴，尊卑懸絕之專制時代，而有此振動一時之盛舉，比之賈生前席，何多讓焉。然西后與舊臣忌康之甚，德宗深知之。故不敢多召見。有所詢問，惟命總署大臣傳旨，康則具摺陳奏而已。而七月間特擢楊銳譚嗣同等四人參預新政，自此有詢於康，則命四卿傳旨，康有所陳奏，亦由四卿密陳。故自四月廿八日召對之後，君臣之間曾否再見一二次，或竟僅此一面之緣，亦不可考矣（南海年譜當有明文，惜無此書，不克引證）。

六、隱謀廢立母子參商

當此之時，德宗一方面，正在拔擢新進，發憤圖強，而另一方面頑固守舊之臣，亦復包圍西后，危言聳聽，以求掙扎。母子之間本有嫌隙，至此益成火水，而廢立之隱謀，轉而加速佈置，無所顧忌矣。

蓋自四月二十三，明定國是之詔甫行宣佈，西后任德宗辦事之言甫於出口，而帝之師傅親臣在樞垣者，即已見逐。而后已歸政數年，例不見臣工，不測具摺，至是忽令二品以上大臣謝恩陛見，並令外官具摺，蓋二次垂簾訓政，其機已兆矣。榮祿爲西后第一親信。恭王既薨，不令榮祿領袖軍機，反而出督直隸者，蓋以統北洋三軍，預發天津閱兵之詔，以謀廢立之事也。康有爲之召見，尚在二十八日，一切新政之行，皆在二十八日以後，而二十七翁同龢見逐，榮祿督師，篡廢之謀已伏。內之則軍機大臣中禮親王爲榮之姻家，剛毅爲榮之羽翼，外之則北洋三軍董福祥聶士成袁世凱爲榮之腹心。一切布置已定，大權在手。故榮祿到直隸總督任，瀝陳池方情形之摺，上於西后，而不上於德宗。蓋隱謀久定，故敢藐視德宗如此。此實幽廢德宗，誅捕帝黨之先聲，而禍源不在八月六日，而在四月二十七日也。蓋廢立之謀早已定議。西后榮祿，預布網羅，聽其跳躍，專待天津閱兵以行大事耳。德宗於此，亦非不知，猶冀收攬人才以救危機於萬一，康有爲亦明知之，但以中國危亡，君主履險，亦思有以救之。蓋皆有萬難之苦衷。特未深知西后榮祿之密謀，不能論維新成敗之大局也。（六）

更正：

本刊七三七期第二版標題「以玄裝法顯自況的周祥光」，應爲「以法顯玄奘自況的周祥光」。

「福利會訊」

西區街坊福利會同人宴陳廣福醫師

西區街坊會理監事長同人暨何松涇林子實黃秀山等，聯宴歡送該區醫師陳廣福不日榮任政府醫務署醫官。今日席設金陵酒家，查陳醫師在該會任內造福坊衆殊多，是以該區同人設席以表去思。

自由人

THE FREEMAN
（第七三九期）
中華民國僑務委員會登記證僑台字第二〇一號
中華郵政台字第五〇〇號執照登記爲第一類新聞紙類
（半週刊每逢星期三、星期六出版）
每份港幣壹毫
台北市售價新台幣壹元
督印人：陳文華
地址：香港高士打道六十四號三樓
20 CAUSEWAY RD. 3RD. FL. HONG KONG
TEL. 771726
承印者：東南印務出版社
地址：高士打道六十四號
台灣總經理處：台北市西寧南路壹零壹號二樓
電話：四七三四六
台郵撥儲金戶九二五二
海外總經銷：友聯書報發行公司
香港：德輔道中二十念號A二樓

「訓政」結束得不澈底的一例

——談國歌和三民主義

王厚生

行憲以後，我們見到許多公共機關場所和紀念性集會上，國民黨的黨旗是取消了，這象徵了訓政的結束，可是這結束做得不很澈底，還有不少地方，仍舊遺留着黨重於國、至少也是黨國並重的痕跡。我們可以舉出國歌遲遲不加修改一事來做證明。

一、

國歌開頭二句是：「三民主義，吾黨所宗」。所謂「吾黨」，當然是指的國民黨，這個國歌，實際上是國民黨的黨歌，但是，它一直是以國歌在演奏歌唱着；在任何重大集會的秩序上，照例有全體肅立唱國歌這一個節目。遇外交上迎送貴賓時，樂隊必演奏中外國歌，尚還沒有可以批評之處；但遇演唱的時候，我相信有許多人是顯得不很自然的，對於無黨無派人士來說，簡直是開自己的玩笑；對於非國民黨籍的有黨有派人士來說，更是唱不出口，顯得格外的尷尬，不免引起人家心中的不快。所以，這個樣子的國歌，實在非加修改不可，即使歌譜保存，歌詞非重新訂定不可，好使全國人民在唱國歌時，情緒上能够顯得興奮和肅穆。當然，拿現有的國歌來講，凡非國民黨籍的人士，儘管保有不唱國歌之自由，但不能以此爲理由，堅持國歌的現有歌詞而不更改，因爲我們不能爲了保存「吾黨」（國民黨）的字樣，而使許多人對唱國歌發生不自然之感。國歌爲代表國家的形式之一，全國人民都有其份，決不應爲了祇代表一部分人民的黨派，而妨礙絕對大多數人民的公共行爲。行憲以後，黨旗可以撤退到國民黨的黨部裏去，爲什麼國歌不應該考慮修改呢？

二、

自由中國政府當前的重要國策之一是反攻復國，準備工作，當然是千頭萬緒，眼前迫切待做的事很多，修改國歌或許還算不上是重要的，但是，我有幾點意見，認爲乘現在修改國歌，仍不失是一件要緊和可行的事情。

第一，國歌是隨時要唱的，不必等到反攻大陸以後再行着手修改。現在修改，輕而易舉。立刻便可做到；縱然爲了徵求新歌譜歌詞必須慎重，三、五個月也就够了。

第二，國民黨可以藉此表示一下實施憲政的決心和誠意，另一方面，對於大陸上的人民，特別是知識分子，可收心理作戰的效果。

三、

我於提出修改國歌意見之後，對於自由中國的執政黨——國民黨，還有一個意見。現行國歌的頭上二句是「三民主義，吾黨所宗」；雖然也見諸憲法條文上，但似乎也不必再在國歌上謬入，以表示在思想和心智上進行一次開明的運動。

國民黨一面在喊革命，一面也維持一種正統的東西，是不大好的。革命意味着發展和改革，正統代表着凝滯和保守，二者在精神上有不能相容的地方。故任何革命性的政黨或運動不能在背上揹一個「正統」的包袱前進。共產黨人揹了一個馬克思列甯主義的包袱，所以，在他們的革命路綫上，經常遭遇到所謂路綫上的——左傾、右傾——困難，以致不得不以整肅和互相殘殺以爲尋求解決的方法。中共在大陸上實行整風，聲言要除三害——主觀主義、官僚主義和宗派主義，然不將包袱拋開，三害永遠不能根除。國民黨的情形和共產黨的沒有二樣，他們揹着一個大包袱，無論在任何地方，都要放上正統的東西，豈是明智之舉。因此，國民黨的三害病痛注定不會比中共輕些。

這是理論上的爭辯，我們可以不去管它，但是，二方面都有一個包袱揹在背上，乃是無可否認的事實。也許國民黨人還說：我們的是眞理，包袱值得揹。值不值得，不能絲毫搖動揹包袱的事實，我們仍舊可以不去管它。

四、

我們知道，正統源出宗教，宗教的團體爲事有特權的教會。無論在什麼地方，凡有正統，便有教條；凡有教條，便有盲目的服從，因而，一個人不可能既要維持正統，又是一個熱愛智慧和眞理的人。革命如果是爲了眞理，則當教條阻礙其前進時，革命便非冲倒正統不可。如果國民黨還要繼續革命，則任何包袱應放置一邊，不可揹在背上，要不然，大陸上知識分子普遍反對馬克思列甯主義，難道不是很好的教訓嗎？

假使國民黨能够放下包袱，不以三民主義爲唯一的獨佔，是不就等於解除了國民黨的思想武裝呢？不是的，情形剛好相反。當時勢有所變遷時，就總該有適應到環境的一套。大陸上，知識分子吼了一聲「馬列主義過了時」，已使中共大驚失色，累得毛澤東不得不一再辯正，說馬列主義並沒有過時，還有加強學習的必要。共產黨人說馬列主義是放之四海而皆準的，共產國家中的人民卻說馬列主義失了時效，究竟馬列主義要不要得，只有在人民身上推行之後才能作證。現在，人民都說過了時，要不得，少數共產黨人硬說馬列主義是眞理，終歸是行不通的。三民主義，也必須有了新的補充，或修正，才可以適應時代的需求。

再說，孫中山先生的思想經過中共和民革的宣傳之後，頗能使人民已有些地方疑惑。譬如說，中山先生曾說過共產制度不能存之於中國的話。中共則說以工農聯盟爲基礎的「人民民主專政」才是三民主義的眞正發展。甚至印尼的獨裁者蘇加諾也自認是中山先生的信徒，他的「指導民主」也是以「訓政」爲藍本的。在這樣一種混亂的思想之下，爲了加強一般的號召力，即使要作正統性的解釋，也是很困難的。

五、

三民主義和國民黨的關係自然已不可分，但國民黨儘管要實現其所解釋的三民主義，但也不可拿來作爲唯一的指導思想，應該在心理上作吸收和接受其他思想的準備。我們常說，美國作爲一個自由世界的領導國家，只具備物質條件，沒有精神條件，其實，這是我們東方人的看法，美國何嘗沒有精神條件呢？民主自由就是美國的精神條件，我們東方人覺得民主自由太空洞，不足以對抗共產主義，實際上，在美國人民看來，民主自由就是很具體的東西，所以，他們不需要有一個固定的唯一的主義，以爲抗共之用，故一時一主義；而我們東方人因爲沒有民主自由的實際生活，故常生錯覺，以爲美國沒有思想，唯有我們的什麼主義，始生反共之效力。

半週述評

微妙的中日交涉

日本駐華的堀內謙介大使，已於上月三十日返回台北。他這次攜了兩封重要的函件，其一是他們的外相藤山寫給我方的葉外長的；其一便是他們的首相岸寫給蔣總統的。

這兩封信的內容究竟說些什麼，截至現在爲止，我們無從知道，也許我們永遠無從知道。這兩封信件的內容，僅僅在惟一的情形之下才可能公佈，那便是說，中日兩國的邦交，因這回事件果然鬧到正式決裂，政府爲了說明他們所採的立場，求得一般國民的支持與諒解，他們才有使大家略知道一些內容的必要。

「文章人人會做，各有巧妙不同，」日本政治人物的文學天才雖不見得怎樣了不起，但相隨作文，他們也必然有一套他們的說法。

據我臆測，岸與藤山這兩封信，在內容的重點上可能微有不同，然大抵不出『動之以感情，誘之以利害』；關於前者，在岸的信內一定說得比較爲懇切；關於後者，在藤山的信內可能說得比較踏實。

所謂『動之以感情』者，岸可能提到他個人乃至自民黨處境的爲難，同時他還要說明自民黨的反共是如何堅決，而顯與中華民國爲友的希望，也是異常的眞誠。萬一不幸援社會黨以可乘之隙，而使自民黨的政權發生動搖，則未來所加於中華民國的不利，可能十倍於今天還不止。儘管他的措辭不會如我們所臆測的這樣露骨，但他心理，一定會在他的來信中曲曲折折的透出若干，即令我方當局對他這種說法可能疑信參半，但果然他是這樣立言，究竟還不失爲一個朋友的態度，其足以增加我方若干同情的考慮，而使形勢趨於和緩，自屬大有可能。

至於藤山，他是外相，他的措辭便可能有些不同，而專就『利害』加以推敲。他可能強調中共與日方互派貿易代表團這件事已無法變更，至於將來共方在東京這一代表機構是否一定要掛出他們的一面旗子，日本政府只能以局事人的姿態予以勸告，至於如何嚴格的加以制止，則『在法律上並無依據。』假定藤山來得更爲露骨，他更可能舉出兩個眼前的例子：其一是英國，英國是正式承認了中共的，而對中華民國則已經沒有正式的外交關係，可是中英間的貿易，私人間的往還，乃至多少有政府支援的藝術訪問團之類，並未完全斷絕。甚至在若干英國政府權力所及的地點，但凡是華僑集中之處，若干年來總是兩種旗子同時懸出，而英國在各當地的政府也一切聽其自由，並沒有做出如何左右袒的表示，英國這樣一種態度，是不是可供中華民國的參考？其次是美國，美國的國旗，在去年五、二四事變中，確曾遭受相當侵犯，但美國爲了反共陣綫的團結，不願過度拂逆中國國民的心理，事後也沒有澈底的追問責任，美國這樣一種心情，是不是也值得中華民國留意？假定藤山果然是這樣說，我便不知道這位辯才無礙的葉外長，將作如何的答復？

據東京前天傳來的消息：『蔣總統已授權葉外長若干權力，俾就爭執中的懸案問題，達成一項政治的諒解。』（見本月二日香港時報）這倒是葉外長外交才能一次重大的考驗！近年海外輿論，對俞鴻鈞這個『財經內閣』，確有若干的不滿，但對近年葉外長的若干外交活動！卻時有好評；平心而論，今天俞內閣的人才，可以與周恩來鬥一鬥的，也只能以葉公超首屈一指。究竟對這件事如何得到一個不亢不卑的解決，我們惟有對葉外長寄以信賴而已。（下轉第二版）

・左舜生・

及時而果敢的呼籲

壯哉南韓李承晚總統

雅斯

正當印尼革命軍在蘇門答臘中部展開艱苦的戰鬥時，共黨集團已從事援助耶加達政府。據傳：耶加達政府經與南斯拉夫及捷克簽訂滿意的軍事合約；南斯拉夫軍火已有一批運抵耶加達，捷克軍火也將有一批運達（合衆社星加坡一日電）。同時印尼中央當局承認印尼與共產波蘭于一月間曾協議由波蘭海軍人員赴印協助管理印尼的造船工業（泛亞社耶加達一日電）。印尼航運部發言人也稱蘇聯尚有船員一百九十人仍逗留耶加達（美聯社一日電）。

這些事實很足以說明印尼的革命勢力與耶加達政府之間所發生的，並不是一種單純的內戰，不是革命軍人與蘇加諾個人間的權力之爭。——如果是這些，任何國外支援，固都屬于干涉內政。但是一如上述，由于共黨集團已由秘密而公開地以軍用物資及人員供應耶加達政府，而又早已爲共黨滲透的耶加達政府所接受，那麼，巴東革命政權與耶加達政權之間的戰爭，已無疑的要成爲反共與親共政權之間的鬥爭——一項帶有國際性的鬥爭。這也不單是印尼一國的反共鬥爭，而是正如南韓政府發言人所指出，是「對亞洲共產主義的鬥爭，是自由亞洲的戰鬥」。

如果不否認這個看法，那麼，凡是反共非共的國家，尤其美、菲各國，自不容忽視。凡是像印尼一樣的一些爲共黨滲透有顛覆危險的「中立」國家，如中、韓、越，更不容袖手旁觀，坐視同自己一樣命運的反共革命政權功敗垂成。

基于上述的事實與看法，我們認爲支援印尼反共的革命政權，乃是一種國際道義的，也是切身利害的行動——當然如果蘇加諾翻然改圖，能斷然擺脫共產集團的圈套，或尚有這個希望的可能時，這個支援，自然是不該的。

但是印尼局勢演變到今天的地步，已足以嚴重地影響于整個亞洲局勢，如不及時支援，而任由共黨集團單方面接濟，則勢之所至，印尼可能變成「韓國第二」，「中國第二」，甚至變爲「匈牙利第二」（雖然印尼目前祇是「指導民主」政權），是有很大可能的。

不久以前東南亞公約國會議之採取隔岸觀火的態度，自然是印尼革命勢力一個精神上的打擊，也爲一切堅決反共國家所失望。此時此地，南韓李承晚總統首先發出「支援印尼革命軍」的呼籲，公開表示願派遣海陸空軍助戰，並呼籲自由國家協同行動。

我們不能不認爲這是一個及時的呼籲，一項果敢的行爲！

這裏所謂「及時」者，實包括兩點意思，即：再早以前，即蘇聯共產集團未曾那麼公開地干涉印尼事件以前，或自由世界所期望于蘇加諾政權尚有一綫懸崖勒馬改弦易轍的希望以前，也許太早；再遲以後，即在蘇聯集團的滲透政策轉入顛覆政策以後，則太遲了。這裏所謂果敢的行爲，如果東南亞公約國或其他自由國家不採袖手政策以前，這位亞洲「少壯老人」此舉也許不顯得那麼意義重大，而今這一呼籲卻成爲整個自由亞洲的巨大呼聲，他本人及其領導的南韓也將因此（其實如果目前印尼政府不改圖，不「因此」也是一樣）要被耶加達政府視爲「支持蘇門答臘反革命份子」的「罪名」，也所不惜。稱曰「壯哉」，並不過份。

我國對李承晚總統建議之保持緘默，是大可不必，也不應該的。因爲我國原與印尼沒有邦交，而且據耶加達合衆社電（其實也無需如此），中華民國也早已和今日的南韓被同樣看待了。如果要等待美國其他更多的自由國家有此表示方不再保持緘默，那就恐怕永沒有不緘默的可能了。何況中共在印尼局勢中扮演主角的，除蘇聯外，不是北韓共，而是中共；我國應有的發言權，不比南韓更多嗎？更何況泗水暴徒毀旗事件，正指出與印尼人民合法和平共處已歷三百年愛護自由的百萬華僑，正遭受中共煽動下不合理的歧視與壓迫；而耶加達政府之誣揑「國民黨活動」等行爲，也不處處表現與台灣爲敵嗎？斤斤于「干涉」「不干涉」一詞，實際上已毫無意義！但不知政府當局對此作何想法！

春天裏的報人報事

雷聲

台北近事

△入春以來，新聞界是够熱鬧的。台北的報街，已在市中心形成起來。去年五廿四事件中心的台北中山堂附近，除了新生報的新聞大樓外，聯合報已遷入原美國新聞處的地址（五、二四時曾被暴徒搗毀）。中華日報，正在準備遷入新址，新址是最林公司的原址。未來的新生、聯合、中華三家的地理關係，若以聯合報爲頂角，恰好成爲等腰三角形。

△中央社總公開招考新人之後，又要加强駐外特派員之陣容，已決定的爲倫敦和西貢的二個據點。前者聞姜春的人，爲該社副總編輯曾恩波，已整裝待發，西貢要擴大組織，特派員人選聞已內定。

△英文中國日報已搬入新樓，並在報上以顯著的地位，徵求人才。英文中國郵報的女老闆余夢燕，亦感到人才缺之。

△台灣唯一軍報的青年戰士報，已擴充爲一大張半，這是台北大報極限的篇幅。

△廣播界，各電台都在盡力討好聽衆。多在美國流行歌曲上用功夫，這不是正途。惟中國廣播公司的節目，此時，已抓住了全部的觀衆。它的早，午，晚三個最精彩節目是：「早晨的公園」，「午餐俱樂部」和「甜蜜的家庭」。

△關於報紙開放民營，筆者在「新聞開禁，又復胎死」通訊中（上年十二月廿八日本報），會有結尾：「雖然開放的希望，付之東流。但，春天是有希望的季節，過了年後，甚於時勢所迫，舊案可能還要重提呢！」。最近從立法院傳來言傳政府有意思把現行的報紙登記制，開放後改爲申請制，（二者有很大的不同，前者是合乎條件，即可依法登記辦報；後者把你是否有資格辦報，完全操在審查機關手裏。）這是開倒車的作法，我們希望這祇是傳聞。

△名報人程滄波，在立法院一向是只顧抽烟的，不多講話的。財長徐柏園下台的前一天，在立法院說明外滙舞弊疑案的時候，程滄波送了他一個最後的軟拳頭。徐柏園正報告舞弊案的中途，他有點不耐煩，忽起立發言稱：「我們所要聽的是外滙舞弊案，請徐部長發言不要兜大圈子。」

談談：表揚「好人好事」運動

◁台灣通訊▷

「近來台灣各報，普遍登載一項新聞，就是，人民團體活動中心倡導『好人好事運動』，辦法由各級人民團體推選好人好事，並提出資料，會同有關機關組織審查決定。對於這件事的看法，我願想提一些感想。

揚善該自官常做起

首先，由人民團體推選好人好事，加以表揚，比較浮而不實的官方考核，雖然確實多多，但推選僅限於團體，不能普遍到社會各方面，更不能影響政治階層鼓勵，又僅止於表揚，固然可能使好人好事，却不能使賢者在位，能者在職。須知『今世亂之事，由官邪也』，縱然好人好事到處宣傳，而哪官壞政，依然故我，終於無補於事。我以爲政府也應該在這時候實行考核，獎拔好官好政，各級官吏中，如果確有賢能之士，應該不請託任何關係，予以超拔，使真正的好人皆有出頭的機會。

揚善也該懲惡

我國自古有「隱惡揚善」之說，隱惡揚善是不錯的。但是，在相反的一面，罪惡究竟是存在的。社會中有好好先生之稱，在政治上有含污枉法之輩，在社會上雖然存在，但不能說他是一個好人，爲什麼用隱惡！故我認爲社會中表揚好人好事，更要懲治壞人壞事；在政治上獎進好官好政，更要懲治壞官壞政；要以「懲惡獎善」來代替「隱惡揚善」。否則徒然「煦煦爲仁」，恐怕沒有什麼作用。

勿讓美點落在囊士上

再次，古人說：「賢者避世，其次避地，其次避人。」真正的好人，可能因爲他一避再避，終於不爲人所發覺；反之，假貌爲善的人，因爲他好虛榮，愛表現，而且更善于沽名釣譽，所以被選出的結果，很容易把美點落在囊士上。國家設有調查機構，人力財力，所費不少，調查的對象，應該是那些不被人知的真正好人，把他們發掘出來。古人勸賢，舉在漁樵之中，也就是說到市井平民中之才，問題就是政風如何，調查本身是否公平合理！

揚善何必限人數分地區

台灣省的好人豈僅四十？何不同時進行整肅官常！

最後，將來表揚大會所要表揚的好人定爲四十五人，除台北市定爲十五人外，其餘在各地平均分配。對此有點令人莫名其妙。今天台灣究竟有多少好人？既沒有調查清楚，怎能預先估定；好人也不會自動分散于各區，怎麼好平均分配？這不禁使我聯想到各機關考績制度了，不管人員多少，成績好壞，皆硬性規定甲等佔全體三分之一；假如不足三分之一，勉强湊數，就有「濫竽」之嫌，超過三分之一，硬行摘去，就有「遺珠」之憾。爲什麼每一機關裏的優秀人員，不該多，不該少，偏偏就有三分之一呢？機關主管所報甲等人員超過三分之一，便不合規定，也就是違法；那麼他所用的優秀人員，果眞超出了三分之一，也不就算「犯罪」了嗎？我認爲表揚好人，其目的既然在轉移社會風氣，自然好人越多越好，如果全社會都變成了好人，豈不合乎我們的理想了嗎？最好凡值得表揚的人，就表揚一番，不必有什麼數目的限制，也不必談什麼分配。如果這是一種運動，千萬不要落入「官樣文章」的圈套才好！

台南點滴

台省主席周至柔第四次出巡中部縣市時，台南市第四屆議會第一次大會議員曾經有這樣的詢問：「周主席去年十二月初巡視本市，僅留天半時間，市府何以開支招待費竟達三萬七千餘元，是否符合政府提倡節約之旨」。主計人員答覆謂：「其款是動用預備金，用於便餐費達萬餘元，此外爲印刷，汽車租費，汽油費及房屋修理等」。談着又說：「招待主席，一面要節約，一面又要顧到面子問題，因聽說高雄屏東的招待不錯，本市也須招待一番」。最後將開支情形列表送議會審查。

·呂增勳·

海外通訊

（本報吉隆坡通訊）

週來最惹馬來亞人士關注的消息，不是世界高峯會議的能否召開，不是蘇門答臘的印尼島國分裂戰爭，而是此間馬華公會的改選總會長問題。

馬華公會是馬來亞華人的最大一個政治組織，簡單點說，就是一個政黨。它不特會員衆多，遍及星馬每一角落，更是馬來亞執政黨——華巫印聯盟——的成員之一。所以它的領導人物如有變動的話，很可能影響到聯盟政府的政策及民族間的和諧共處，數百萬華人爲着本身利益固然對這個改選問題密切注視，而其他民族何嘗不同樣感到關切。

馬華公會成立於一九四九年，創始人爲陳禎祿爵士。他當時的動機原爲謀取華僑的福利及團結，以適應英殖民地政府的緊急法令。因爲那時

馬華公會改選后的動向

·容與樓·

英軍正劇烈展開撲滅馬共的戰爭，華僑之危機重重，沒有這個堅强的組織和領導人不屈不撓的精神是不容易克服困難的。後來民族自決的呼聲日高，陳氏更領導着這個組織邁向獨立途徑，從而與比較開明的馬來民族政治領袖合作，卒達成建國大業。從這一段歷史看來，陳氏的蟬聯總會長原是順理成章，無可置疑的。但是在三月廿三日該會的第九屆總委會常年大會中，陳氏竟以六十七對八十九票落選總會長，（出席總票數爲一百五十六）代之者乃爲一年才卅九歲的林蒼佑醫生。

林醫生原籍福建思明縣人，生於檳城，幼受英文教育，長習醫於英國愛丁堡大學。中國抗戰後期，曾隨盟軍自印度入四川服務。這是他對政治發生興趣的一個原因。不過他的實際政治生命却開始於一九五二年。他組織急進黨競選檳城市議員，初獲勝利。後來華巫印聯盟產生，他即要求參加，而成爲馬華公會檳城分會的組織主任。從此一帆風順，扶搖直上，數年間便登上總會長的席位。這雖然出於他的才能卓越，但以其在馬華公會的歷史而論，這番競選，豎倒陳禎祿，也不能不算是個不大不小的冷門。

在芸芸諸會員中，論聲望，林蒼佑遠不如喧赫一時的現任馬來亞財政部長李孝式；論資歷，他又遠不及追隨陳禎祿多年的柔佛州分會長黃樹芬，何以他竟毅然接受競選提名，而又以較多票數獲勝？這問題，數日來一直就在此間人士的腦海縈旋，有些人因而聯想到這一結果，可能招致馬華公會的分裂，甚至影響到今後的聯盟政策將不會一致。

筆者以局外人的眼光對這問題的看法，却與他們有點不同。我以爲這番改選不特不會招致馬華公會的分裂，且會促進團結。事實上，馬華公會年來的工作，確有許多未能盡如人意的地方，內部也曾有過派系的對立。這些固然涉到該會的組織健全問題，但與陳禎祿的健康也不無關係。陳氏以七十多歲的高齡，對於會務的繁劇，早已感到吃力，加以年前的動脈小節，記憶力銳減，很多事務多靠其他元老人物，會員間的不必要爭論，也就由此而起，所以改選總會長問題早已醞釀。不過，一般元老分子素重情感，依然投陳氏的票（據筆者事前估計，元老派擁有七十票，現在還相差三票）。這實在不能怪他們是對立分子。其後代表們，一致通過推陳禎祿爲名譽會長，這聰明的做法，一面是崇德報功，同時也在團結上起了促進的作用。

至於林氏的當選，從選舉上看來，除元老派外，其他各派系分子事前顯然已取得一致，事後諒不至再鬧分裂。林氏雖有健全組織的動議，實則一再聲明決遵循陳禎祿政策。對內對外，無甚更張，在短期內，斷不至動搖聯盟既定的綱領。又大會一系列議決案中，有「順應民意，修正教育政策」，既未列舉具體意見，還未準備作積極的爭論，即此一端，已可概見。

最後，我還要附帶一提巫統方面的錯見。它說：「馬來人！切以爲華人會領袖更換爲尊當一回事，由若干新領袖人物看來，親台灣國民黨分子在該會之勢力，較前更雄厚……」它的結論就是恐怕由於這樣强烈的種族氣息，而使到民族間蒙上一層陰影。弦外之音，頗具挑撥意味。我實在不明白該報何以在此時說這種話，是否因爲林蒼佑在戰時曾到過重慶，還是他能够說得一口流利的「普通話」？就算是這樣，我想問：一個還在殖民地的國家，爲什麼傷以既經宣誓效忠的公民親近另一堅强反共的國家呢？該報未免有點那個了。

（三月廿八日寄自吉隆坡）

實力保僑！

（上接第一版「半週述評」）

據耶加達方面不斷傳來的消息，我們留在印尼的華僑顯然已有遭受重大威脅的可能；甚至我們的國旗，也已經遭遇了一種重大的侮辱；這不是一件小事，而是關係整個亞洲反共全局的一件大事！

截至目前爲止，我們似乎還沒有從正面以實力去援助印尼革命軍的準備，但保護華胞的生命財產，却是我們政府一種責無旁貸的天職！美國對亞洲的態度過於審慎，我們要動員十分之一的海陸空力量去實行保僑，他們也可能不予贊同，但我們必須以理直氣壯的態度對美加以說服，事事以美國的態度爲從違，這是不應該的。

當前第一步的辦法，便是要對蘇加諾政府發出堂堂正正的警告，而且必須同時實力爲後盾，要使他們確實知道：中華民國儘管有其自身的困難，但畢竟不是一個支離破碎的印尼所能欺負得了的！

我相信：只要這一著做得好，中華民國的政府，便可能在海外一千四百萬的華僑中，提高無限的威望，而且可能免去將來無數的麻煩，否則是不堪設想的！

·左舜生·

何去何從？

·尹震·

國劇在海外演出票價不高

自由人編者先生大鑒：

前次爲說明中華民國國劇團訪歐之行有一封長信，承蒙賜登大部份，非常感謝。本月十二日及廿二日 貴刊上，又看到萬香堂先生的「再談平劇遠征國外問題」及「參觀國劇團演出後記」兩文。萬先生對於平劇應該如何改編的指示，我們是願意接受的，但前一文中說『假定國劇團每票能折分到美金二元，總數也有美金五十萬』，使我不得不請求 貴刊，再給我一點篇幅來說明眞相。

歐洲演出的票價，遠沒有萬先生所臆想的那麼高。以倫敦說，最貴的票價是每張一英鎊，折美金二元八角，最便宜的是五先令，折美金七角。在巴黎的票價，最高一千五百法郎，折美金三元六角，最低二百五十法郎，折美金六角，其他各城市，比這兩個地方更低，我想萬先生一定知道任何戲院，總是便宜的座位多，貴的座位稀。把上面的票價平均起來，一張票絕對合不到兩元美金，這是有海報、廣告和說明書爲證的。

而且，票價收入並不全部歸劇團獨收。戲院老闆要抽成，外國政府要抽稅，不但讓有捐，劇場和演員還要交所得稅，代理劇團的經紀人，照歐美劇界的規矩要抽百分之十的佣金，東扣西扣下來，才是劇團的收入。以西歐生活程度的高，全團五十個人，三個月的公私行李，在歐洲旅行就將近一萬公里，住旅館要錢，吃飯要錢，交通，郵電，宣傳，醫藥，再加雜項開支，在在要錢。這樣算一算，就瞭解劇團開支的浩繁和所得之無幾了。

劇團在歐洲全部收支，都有很完整的紀錄，現正在有關機關審核中。除了包場制（即每場淨拿多少錢，不問賣座）以外，每場賣了多少票，每種票的張數與收款數，都有會計師證明的清單，這是可以附帶說明的。

敬祝編安

陳雲興敬上（三月十六日）

關於此次國劇團出國問題，本刊曾經刊過好幾篇文章，其中情形，讀者大致已經清楚。茲篇陳先生對票價方面亦有詳盡說明，特照原函刊出。本問題也告一段落。——（編者）——

北非何以動盪不安

由於莫斯科要導演一九三六年在西班牙的把戲

碼德里通訊

以「鄧洛夫供應北非武器的鬼計」爲題，羅馬的 SECOLOD IT ALIA 報記者薛美諾（Umberto SIMINI），發表了這樣的一篇文章，茲譯於后：

北非的戰爭風雲日緊，殖民地人民反對他們的統治者之聲浪日高，一般的人們都完全以爲是法國的政府不讓北非人民獨立和自由所致，其實這只是事情的一面；現在我再告訴你更驚人的另一面吧！

撫今追昔

由蘇維埃參謀部指揮和組織的北非武器走私，使我們想到在西班牙內戰時，蘇聯所幹的大走私案。那時，克里姆林宮原想把伊比利亞半島變成一個蘇聯的衛星國，於今他們的意圖卻想將摩洛高——西班牙半島自然的延長——及其他北非國家變成反西方的集團。

西班牙由於反共而又與美國有各項協約的關係，一旦戰事發生，當然是歐洲的一個最好沒有的跳板。爲了這個原因，莫斯科方面乃積極的將他在一九三六年的計劃，指向摩洛高，進攻西班牙，以收背擊伊比利亞半島之野心。

蘇聯進攻摩洛高的方針稍有變更，但他之對象與方式卻與廿年前如出一轍。他們的體系是永遠不變的，於地中海的遼闊海面上，公然的走私武器。

西班牙內戰爆發時

此後薛氏又提到西班牙的內戰爆發後，史太林曾訓練「格別烏」的負責人雅高陶創立供應武器的體系。雅氏於是負責自寫秦善運戰略物資，而負責西歐情報工作的克利維茨基則肩任那些運來之武器設法在各國轉運。他說：

「克利維茨基在外表上獨立地創立了一個走私武器代理處，實際上完全受蘇控制。就是這樣，在巴黎倫敦，安士德旦，將本哈根，蘇黎支，華沙，布拉加，布魯色爾及其他的歐洲城市，展開武器走私工作。

從一九三六年的十月廿日至同年十一月廿日，共運來西班牙十萬枝步槍，三億顆子彈，一萬五千支手提機槍，六千支噴火器，二百門大炮，二萬枚燒夷彈及二千枚炸彈。在不到三個月的光景，蘇聯送來西班牙三百架飛機，三百個坦克和足夠裝備三十萬人的武器。一九三七——三八年間，增援武器情形如故。所以，沒有蘇聯的參戰，西班牙的紅軍是無法支持一九三九年的四月的初。」

薛氏還指出過從捷克斯拉夫及英法向西班牙運輸武器情形。

蘇幫武器走私

下面就是薛氏所說是誰負責向北非走私武器的情形。那就是蘇聯的反間諜工作頭子齊洛夫。他說這些武器的中心是在布拉加及特里波里。那些武器並不是蘇製的而是捷克，匈牙利 WERMACHT 舊式的東西。他說：

「那些物資是從布拉加運至亞爾巴尼亞的，然後保存在持拉納、博牛，德比利尼及其他地方的貨倉裏。別的時候，則是自捷克斯洛瓦克運至南斯拉夫的保拉及非羅的港口。其後之轉運往摩洛高，還是自亞爾巴尼亞的杜拉蘇、聖地瓜爾德及聖若萬尼德爾那等海港起程。

•牧人•

「史洛文尼哈」號

上次給法國政府在奧蘭海面捕獲之「史洛文尼哈」號輪船，原是駛向「加沙布蘭加」登岸然後運送摩洛高之「解放軍」的，這就是西屬之尹佛尼及薩哈拉兩地戰爭之由來。「史洛文尼哈」號戰略物資有三六箱，足夠供給裝備五或六個戰鬥營。

第二個武器走私的中心就是特里波里，那是自利比亞與蘇聯建立外交關係時開始的。蘇聯駐特里波里大使任用了官諗人員在他的手下，那是超過正常的外交工作之發展，但是若果我們記起了這個大使館是爲了給予亞爾及利亞、突尼斯及摩洛高之共產黨運輸武器，它當然有此需要」

提北非就想到摩洛高

[illegible]——西班牙在北非的前哨——西班牙當然時刻枕戈待旦的衛防着，但在伊佛尼及薩哈拉兩地，西班牙的軍隊已以鮮血在抵禦那接受布拉加及特里波里方面的武器裝備之「解放軍」的侵擾了。（一九五八年三月廿五日）

黨員改造

「國務院」秘書長習仲勳說：中央國家機關的右派份子，現在已經處理完畢，這些右派份子具有黨籍的，都已經全部開除出黨。又說：許多黨內揭發出來的右派份子，只要他們眞心悔過，決心改造，將來還是有機會入黨的，這幾句話，明白的道出了：

一、凡是要想有政治前途的人必需入黨，這就造成黨員在人民羣衆中的特殊階級。鳴放中右派份子所謂的「任人唯黨」，一些也沒有錯。

二、他又指出了這些右派份子只要不堅持右派言論，就有機會再入黨；也就說，奴性是黨員必需具備的條件之一，不可堅持反對上級的意見；申言之，所謂改造，就是學習奴性，奴化自己而已。

新宮廷革命

△在鬥倒了布加寧後，赫魯曉夫終於成爲斯大林第二，登上了斯大林的寶座。

△米高揚穩着下的黑鎗，使貝利亞措手不及，貝利亞固是共黨有史以來的第二次「宮廷革命」！其唯一不同的只是在全部過程中，僅有貝利亞是死在米高揚槍下的。[illegible]

△俄共二次「宮廷革命」的結果，[illegible]

△米高揚現在在俄共中央的地位，[illegible]是處於第二位，在「宮廷革命」後，多，如果繼之以殺功臣的話，名單在前三名之內。（齊）

四川石油

據說四川發現了產石油的新礦井，賀電雲片飛來，似乎已經解決了中共的石油問題。[illegible]呢？因爲中共從蘇聯每年輸入石油產品的價值計：一九五〇是四•四六億盧布，一九五二年爲十三億盧布，一九五三爲十七•八五億盧布，一九五六年爲三四•四億盧布；其在對蘇貿易額中的比例則由一九五〇年的佔百分之十一•七，增加到一九五六的佔百分之二十一•九，可見中共對於石油的輸入在逐年增長。石油是現代機械化不可或缺的燃料，目前中共正在擴大機械化，則對於石油的須求必然增加；何況，現代軍事機械的燃料幾乎全部是石油，中共若要將其軍隊全部現代化則其所需將更多；在這種情況之下，缺少石油也是阻礙中共的奢侈建設軍要因素之一。因此，消息傳來，四川發現到石油，安得不欣喜若狂？

但是四川石油勘探局提出的計劃，卻是要在一九六二年爭取年產二十五萬噸石油，這一數字等于中共一九五八年產石油一百六十萬噸的百分之十六弱，也與就算把這一數字加在一九五八年產量上，第一個五年計劃所要求的五年產二百一十萬噸有一距離；這樣來看，不知喜從何來？

勤工儉學

勤工儉學的口號最近又被中共提出來了，這種勤工儉學本來是一種好的精神，更得貧窮的人可獲得半工半讀的機會。但在計劃經濟的中共制度之下，一方面中國的勞動力本來有多餘，失業問題至今仍未完全解決，而今又增添這樣一批勞動力，則勞動力更加多出來了。另方面共產制度之下，像這樣的一種事，勢所必然將流于形式化，眼看將變成浪費學生學習時間的制度形式。在勞動鍛鍊方面他們有一套運動式的鼓勵，如此則又變成中共政府藉以無限制壓榨青年學子勞動力的制度。

•田心•

國際動態拾零

△赫魯曉夫雖備受蘇聯各報的頌揚，但其取消拖拉機站之舉，正受黨內暗中之激烈反對。蘇共中央委員中，有誣其爲贊助資本主義型之農業制度，並有誣其有培養個人崇高地位之企圖，這是史太林的罪名。

△英國專家估計中東今年夏天情勢之發展，阿拉伯與埃及特務人員必努力打倒約但之哈辛王。伊拉克與土耳其，將繼續受到埃及敘利亞之聯合壓力，謂其暗中支持敘利亞之民族主義者。

△以色列因美國之不景氣，受到美國方面之私人捐款，必大爲減少。

△非洲西岸利比亞黑人國，以親西方著稱，爲美國在非洲基地之一。聞將接受蘇援，蘇聯將助之建立兩間醫院，與一個學校。蘇大使館許以派遣蘇聯專家，任期爲五年。

△蘇聯，紅色中國，與歐洲衛星國，將歸款二十億美元，以經援亞洲及中東國家。東德共產黨領袖曾參加此一會議。負支配款項之責的局長，則爲俄人。

△美國現有國債爲二千七百五十億，國會議決已將國債之最高限額，提高爲二千八百五十億。但如支出增加，而爲應付不景氣，不得不減稅，則預算赤字可從一百億，增至一百五十億，至一九五九年六月爲止。勢非再提高國債限額或延期付款不可，在本年國會選舉中對共和黨是不利的。

陶然

論民主社會主義的矛盾問題

——再答高叔康先生

•冷定菴•

一九四四年海耶克教授的大著『到奴役之路』，曾在歐美風行一時。其實，該書仍本海氏本人及其師米塞斯十餘年來一貫反社會主義的思想立論，並無什麼新奇的內容。惟由於戰時各國長期實行社會主義措施之故，部份人心裏有不快或不慣的感覺，而美國宣傳家又有意爲海氏捧場，所以大戰一結束，海氏大著便不脛而走。這是筆者當時在歐洲親自目覩的事實。但後來許多著名學者把海氏思想駁得體無完膚，故近十年來，在西方學術界中，海氏思想已經銷聲匿跡了。

高叔康先生深受米海爾氏的影響，曾在本刊撰文申論民主社會主義的矛盾，筆者亦曾撰文答覆。茲高先生又有「再論民主社會主義的矛盾」一文發表（見本刊七二八期），拜讀之下，深覺高先生討論問題不厭求詳的精紳，殊足欽佩，爰再就高先生所提的三點，略抒已見。

道德哲學與個人主義

高先生認爲英國社會主義以道德哲學爲基礎，這當然是不錯的，因爲七十年前，費邊理論家奧利菲（S. Olivier）即謂建立道德秩序爲社會主義的最高任務（見費邊論文集），但我以爲與氏的說法並不足爲英國社會主義的特色。原因是社會主義屬於理想主義的範型，本質上具有道德或倫理的色彩，所以各派社會主義都有幾分道德哲學的基礎（德國有倫理社會主義派，更標榜道德），並不獨英國爲然。

高先生說若干工黨理論家既主張社會主義，又強調個人主義，深以二者如何結合爲疑。其實，柯爾所謂『我是一個社會主義者，又是一個個人主義者』，又不難從兩個方面理解：一方面，據西方著名社會主義思想家，如沙佛爾（A. Schäffle）即認爲個人主義是社會主義的目的，社會主義是個人主義的手段，二者間並無衝突。考茨基更認爲社會主義是達到個人自由平等的手段，如其不能達到自由平等，我們可以隨時拋棄社會主義。依據沙考兩氏的說話，可見柯氏的言論是不矛盾的。另一方面，社會與個人乃相關的邏輯概念，誰先誰後，孰輕孰重，都無意義。人是生而具有社會性的，他永爲社會的成員，離開社會而言人的存在，那是不可想像的事。所以在人類行爲的研究中，社會的實體確實存在，而且社會之存在，建立於分工合作的關係，個人與社會互相關聯，並非對立。因此，個人利益固須重視，社會利益又豈容忽略？『個人爲社會，社會爲個人』，是費邊主義者首先提出的理想，故在這種意義上，柯氏的說話也是未可厚非的。從以上兩個方面觀察，可見高先生所謂道德哲學與個人主義間的矛盾是不成問題的。

計劃與自由

高先生提出計劃與自由間的矛盾問題，這倒是計劃經濟與所謂自由經濟間爭論的焦點所在，也是一般人認係民主社會主義無法消解的矛盾所在。解答這個問題，首先，就自由言，我們要明白英國已有傳統的議會制度，自由傳統，以及保護個人自由的國家性格。所以計劃經濟行之數年，不但並未妨害到人民的基本自由，而且反因福利制度的創立，擴大了大多數人的基本自由。這是不容易否認的事實。再從理論上看，自由這一名詞只能適用於人際關係，所謂行爲學上的『社會人』，既不能單獨生存，自必須利用社會各個份子的合作。因此，他的自由不能不因別人的自由之故而受到道德及法律的約束。

其次，就設計的目的言，我們知道它在使謀利動機與國家利益協調一致，特別是基本工業衝突，因爲二者時常既不能完全保證全民就業，又不能避免循環性的經濟危機。對於這種私人企業的基本毛病，古典派經濟學者雖提供若干解救理論，但大都似是而非，不切實際。（上）

新儒學

陳健夫著

出版消息

這是一本綜合東西哲學思想，創立生命力學的新著，內容自人性善惡分析，建立倫理哲學，社會思想，並展開一個新世界的藍圖。著者陳健夫先生，近年致力倡導新儒學，主要作品有「孔子學說新論」，「王陽明學說新論」「國父遺教大辭典」數種，本書定價台幣一二〇元特價五十二元，洽購處台北信義路四段通化街卅九巷四十九弄十三號。（文）

「展望」

最近香港出版了一本雜誌——「展望」。

該刊是以思想性，青年性作爲目標的刊物，思想性的成份較其他文章爲多，從內容看，像「黨性，人性與個性」，「魯迅的思想與道路」，「列寧與考茨基」，「民主與專政的爭論」等篇，都是屬于一個系列的；還有「歷史文化問題，中國的指南針和指南車」，「廣州暴動（中國共產黨黨史初稿）」。此外就是邏戲部份，如丁玲的「三八節有感」，王實味的「野百合花」，艾青的「西湖」。編排形式方面，雖稍嫌古老了一點，內容尚佳。（少莽）

自由談

俄共頭目布加甯調職為「蘇聯銀行主席」後，西方人士大感驚異，且有表示訕笑者，認為這是布爾丟臉的事，我却認為這是資產階級最無聊的思想。

官僚思想

馬五先生

政治上的職位，不過是人生過程的一種符號，有如戲台上的優孟衣冠然，一切都是做戲。今天作大官，明天任小吏，若從「人民公僕」的民主觀念設想，本質上並無高下之別，這有甚末值得大驚小怪的？至於以不斷鬥爭為生存發展原則的共產社會中，每一個被鬥下台的高級官員，都是待罪之身，能夠保持一種低微的公職，依然騎在人民頭上，過着國家的配給生活，已經算是倖運兒了。馬倫可夫以曾任總理、部長兼共黨中常委的資格，可降為荒僻市鎮的電力站長，布爾加甯從總理位置轉為國家銀行主席，視那百戰功高的紅軍領袖朱可夫之被打入冷巷，幸與不幸，實堪想像嗎？何況布爾原是個不文不武的庸愚之徒，做國家銀行主席，亦就很慣感了。

做過某種等級的官以後，那怕他是個天下第一等的蠢才，亦不能再任較低級的職位，這是十足的官僚主義。我原以為這種官僚主義思想，只有咱們中國的政治人物最盛行，不料號稱民主先進的西方人士亦未能免俗，可見官僚思想之深中於人心，古今中外，莫不皆然，只是程度上的差別而已。

廿餘年前，鄂人張難先於交卸浙江省政府主席後，自請充任沔陽縣府秘書，時人皆識其矯情弋譽。然三十年來，却未聞有第二個政治人物亦如此卑以自牧的矯情者，阿貓阿狗一旦鑽營得道，紆紫紆青，雖乳臭未乾，之無莫識，亦照樣地往上爬，恬不為怪，宜乎政治上蒙受國際間「腐敗低能」之惡諡也。大家滿腦子的官僚思想，而侈言民主憲政，可哂孰甚耶？

說書的藝術

門外漢

在台灣的說書，還有「彈詞」；尤其是在夏夜，月明星稀，萬里無雲的時候，你可能在大街小巷裏看到有人操琴，邊彈邊唱，並且還在地上點燃一盞小煤油燈，引人注目；但並沒有內地的桌子一個，醒木一方（或是紙扇一把）的「評話」說書。

「評話」說書，又稱為「說大書」；「彈詞」說書，又稱為「說小書」；這是從內容上分的。因為「評話」所述的多半是英雄義士之行事，以及歷史興衰之類，故亦稱「開講」。而「彈詞」所演者，不外才子佳人之艷遇，春花秋月之心情，並且藉音樂以傳神。不過，大書以勁見長，勁中須有精神，脫去火氣才行；小書以情為美，情而不流於淫，斯為上乘。

可是，不論小書大書，說起來都不容易的。說書的藝術，吳梅村所撰柳敬亭傳中有數語：「取之欲其肆，中之欲其微，舒而繹之欲其安，進而止之欲其留，整而歸之欲其潔。」這是陳汝衡在他的大作「說書小史」裏的引證。同時，陳氏又以為：「說書家狀物表情，須五到：心到，口到，手到，足到，目到。欲求驚人，須擅八技：吼叫，爆頭，鷄鳴，狗吠，牛喊，馬嘶，狀哭，狀笑；又在說書時間內，自始至終，必有激處故作滑稽之語，俾聽者攤口葫蘆，或捧腹大笑，蓋說書本在娛樂，如一味情節悲苦，或聲容過壯，皆非其道；故說書家插科打趣，最見能力，決非率爾者所能辦於萬一。」

據陳氏考證，在唐朝已有「說書」的風氣，到宋朝堪稱最盛，一直流傳到現在。論內容不外乎耐得翁「都城紀盛」中的「說書話有四家」：一、小說，謂之銀字兒，如烟粉，靈怪，傳奇。二、說公案，皆是搏拳、提刀、趕捧、發跡、變泰等事；還有說鐵騎兒，謂士馬、金鼓之事。三、說經，謂演說佛書；說參請，謂賓主參禪悟道等事。四、講史書，即前代史書文傳興廢戰爭之事。」

我以為反共抗俄的宣傳，與其用千篇一律的八股，不若說書一類較有效。說書是民眾最容易瞭解，也是最容易接受的一種民間藝術；祇看我們應該怎樣在這舊瓶裏裝進新酒去。

鷓鴣天　雛鷄

雅斯

小小心兒未識愁。啁啾叫出語輕柔。司晨莫辨東方白。鳴夜難驚百尺樓。

安翼下。夢悠悠。有冠他日戴高頭。一聲喔喔醒多士。不破黎明不肯休。

民國四十七年兒童節日偶檢舊作改咏寄感。

搬家後記

李仲侯

「明日落花寒食，得且住，為佳爾」。

自從我的搬家記在「自由人」刊出，寄居嘉義的老友尹君，特地從遠道趕來，贈我一副屏，一手米南宮字，屏端先錄辛棄疾的賀新郎詞，隨後加了一篇長跋，中有：「吾友李君仲侯卜新居于東海之濱，峯巒環繞，風景清幽，山色海雲，誠如辛幼安之晦跡林泉，斯情斯景，來娛詩酒時也」繼又說：「幼安於宋室南渡後，以氣節自負，功業自許，所交皆一時俊彥，負天下重望，皆發其忠憤鬱勃之氣，此又與李君之性境後先相映者也」云云，讀之不禁汗涔涔下。讀書人尚友古人，原無份事，但如辛幼安這樣蓋世英才，精嫻韜略的大人物，何敢比擬，雖幼安早年曾任耿京記室，一樣搖筆桿作過幕僚，宋史載：「辛棄疾在耿京軍中，僧懷義竊印以逃，辛追獲之，懷義曰、我識君相乃青兕也，力能殺人，幸勿殺我，辛立斬其首歸報京。」我既沒有那股勇氣，更沒有那種機會。至幼安的詞，橫絕六合，掃空萬古，我這枝禿筆，連雕虫篆刻還談不上，又安敢比擬于詞人。幼安早年自脫虜南歸，改任文職小吏，雖曾有一段抑鬱不遇時期，但爾後入參朝政，顯赫一時，晚歲在湖南被謗罷官，退居上饒之帶湖新屋，婆娑風月，填詞尤多。讀他那時所作水歌頭：「帶湖吾甚愛，千丈翠奩開。先生杖屨無事，一日走千回。凡我同盟鷗鷺，今日既盟之後，來往莫相猜。白鶴在何處。嘗試與偕來。」是何等瀟灑俊逸！我則埋首竿牘，隨人俯仰，惟日汲汲，稻粱是謀，較諸幼安，何啻相去十萬八千里。朋友恭維原屬一番好意，却令我汗顏無地。何況遯跡海角，原是飄泊生涯。昔王禹偁客黃岡作竹樓記曾說：「明年不知又在何處，豈懼竹樓之易朽乎」，然而看情形畢竟在此要住下去的，正如辛幼安填霜天曉角詞有句云：「宦遊吾倦矣，玉人留我醉，明日落花寒食，得且住，為佳爾」。

現實小說

驚蟄

金溟若

陳先生是「半山」（按：[illegible]稱生於台灣而長期旅居大陸的為「半山」）陳太太是[illegible]「阿山」，出身北平，滿口的京片[illegible]點標準國語，她在省立中學擔任國文。日據時代，陳瀚誕生在中部一個小縣裏，[illegible]小學（按：相當於國民學校）畢業之後，[illegible]日本人讀的中學，[illegible]少年，已經是莫大的榮幸了。陳瀚讀中學的時代，日本人早已開始對台灣人採取懷柔政策，皇民奉公會（按：[illegible]）[illegible]工作正在開展，這些可憐的殖民地的兒女們，所謂民族的意識與國家的觀念，說句不客氣的話，是渺茫得很了。陳瀚有了這樣的機緣，中學畢業之後，與當時的統治階級之間，關係弄得相當密切。民國十七年內五三濟南慘案日軍第二次出兵山東時，他以人地相宜被派遣[illegible]調，後來歸入土肥原的麾下[illegible]間，他用陳瀚的名字在北平一[illegible]裏掛了名，而在日軍部隊裏還[illegible]民奉公會裏所改的竹內原一的[illegible]。他與阿秀玉的結合，就在這[illegible]盧溝橋之戰前後，有人知道他[illegible]而且非常活躍。從盧溝橋戰爭[illegible]利，這八年間的他的行蹤，便[illegible]了。三十五年春他從大陸回鄉[illegible]國志士的[illegible]各種場合[illegible]躋上縉[illegible]算是衣錦[illegible]帶回了一位年輕的大陸太太。[illegible]的北方胭脂，高頭大馬，走[illegible]錯混，立在矮胖的陳瀚傍邊，[illegible]的對照，給人「南腔北調」的[illegible]是在今日的政治舞台上長袖善[illegible]大陸太太與一口標準北方的流[illegible]件，但因他離鄉已久，雖是大[illegible]士，却缺少本地的政治資本。[illegible]他竟走了許多徒然的日子。[illegible]行憲政，進入縣市長民選的階段。

陳瀚的血液中孕育着兩種因素：殖民地人民的堅忍與對日本軍閥的驕狂自大。這兩種因素凝結而成堅韌，自信，猜忌，仇恨和輕視一切的錯綜心理。他不信任自己以外的一切人類，同時能容忍任何加在他身上的侮辱而把它深藏不洩。這是時候了。地方自治的實施，正是及時崛起的一個契機，他想。他把幾年來在地方上所下「忍辱負重」的工夫，估計自己在這方面所贏得的人心，有着十拿九穩的把握。他把這意思告訴了太太，獲得了她的贊許與鼓勵。兩人的歧見，僅在縣長與省議員之間，現在這點歧見既經消弭，便是一天雲霧盡消的了。

朱三爺走了之後，兩夫婦便分派職務，調兵遣將去了。陳太太望着木然的丈夫說：

「我現在先去找省中的葉校長，設法控制學校的選票。你把登記手續辦好之後，馬上找林金灶來談條件，要他們趕快行動。」

「你先去罷。……登記手續辦好之後，我還得先去打點費用，調動一筆頭寸。那批東西是非錢不行的。」陳先生怏怏地說。

在省中校長葉驥公館裏，陳太太受了熱情的招待。對於這位「地頭蛇」的太太，是誰也不敢得罪的。

「聽說陳先生要出馬競選T縣縣長……」葉太太獻茶遞烟，用探詢的口氣問道。

「不，這是地方上一般人的意思。」陳太太搶着答道：「但他自己沒有興趣。他說，與其做官，倒不如替地方上真正做點事，替老百姓作傳聲筒，向政府貢獻建議些興應革的事情。」

「很好，」葉校長接口說：「以陳先生的聲望，出來競選省議員簡直是易如反掌的，我當然竭力支持。」

「真的？」

「怎麼會假的呢！本校同事的選票總得盡量去拉……」

「好極了，我知道校長會給我面子的。」她笑着伸手到手提袋中摸索着說：「我早把請客的錢都準備好帶來了。」（二）

燕塵識小

戊戌譚往

七、廢除八股

南海之召對，力陳八股取士為致弱之根源，光緒亦言「西人皆日為有用之學，我民獨日為無用之學。」有為即請曰「皇上知其無用，廢之可乎？」光緒曰可。於是有為退朝，即告宋伯魯上請廢八股文摺，蓋早已草定者也。此摺上於四月二十九月。光緒閱後，即令降旨。以剛毅堅阻，請旨後，始於五月初五日下詔曰：

「我朝沿宋明舊制，以四書文取士，康熙年間，曾經停止八股，考試策論，未久旋即舊制。一時文運昌明，儒生稽古窮經，類能推究本原，闡明義理，制科所得，實不乏通經致用之才。乃近來風尚日漓，文體日敝，試場獻藝，大都循題敷衍，於經義罕有發明。而淺陋空疏者，每獲濫竽充選。若不因時通變，何以勵實學而拔眞才。著自下科為始，鄉會試及生童歲科各試，向用四書文者，一律改試策論。其如何分場命題考試，一切詳細章程，該部即妥議具奏。此次特降論旨，實因時文積弊太深，不得不改弦更張，以破拘墟之習。至於士子為學自當以四子六經為根柢，策論與制藝殊流同源，仍不外通經史以達時務。總期體用兼備，人皆勉為通儒，毋得競逞辯博，復蹈空言，致負朝廷破格求才至意。」

此詔既下，四海震驚，天下移風，爭趨新學。然愚陋守舊之徒驟失所業，痛恨有為，椎心切齒，至有欲聚而毆之者。自是謠諑大興，遍於天下。后黨又乘機鼓煽，而變法前途，益增梗阻矣。至六月初一日再奉論旨云：

「張之洞陳寶箴奏請飭妥議科舉章程，並酌改考試詩賦小楷之法一摺，鄉會試改試策論前據禮部詳擬分場命題各章程，已依議行。茲據該督撫等奏稱宜合科舉經濟學堂為一事，求才不厭多門，而學術仍歸一是。擬請先博後約之法，將三場先後之序互易等語。朕詳加披閱，所奏各節，剴切周詳，頗中肯綮。著照所擬鄉會試仍定三場，第一場試中國史事國朝政治論五道，第二場試時務策五道，專問五洲各國之政專門之藝，第三場試四書義兩篇五經義一篇。首場按中額十倍錄取，二場三倍錄取，取者始准試次場。每場發榜一次，三場完畢，如額取中。其學政歲科兩考生童，亦以此例推之，先試經古一場，專以史論時務策命題，正場試以四書義五經義各一篇。禮部即通行各省，一體遵照。[illegible]主，不得憑楷法之優劣為高下，以勵碩學，而黜浮華。[illegible]妥議具奏。」（七）

燕負生

高調與低調

孫廣德

現在的人，多怕被人譏為「唱高調」，因而在講演、談話、作文，往往先自作聲明：「我不是唱高調」。更有許多人，乾脆地唱起低調。

高調是語文脫離心意而高於心意的言論。所謂語文脫離心意，進一步可說是說話沒有誠意；所謂語文高於心意，也可說是說話多如政客官僚，常在大庭廣衆下高聲疾呼，或在報紙雜誌上大發言論，其用意只在爭取同情，或在求得支持者。

低調是語文脫離心意而低於心意的言論。所謂語文低於心意，如非為了避免「唱高調」的諷刺，就是認為可能或有信心的事，作進一步不作適當的真實表示。如同事中，常有人自己工作已經做好，而對別人却說：「馬馬虎虎算了，誰能做得好？」

高調與低調都是語文與心意不一致的言論。若語文與心意一致，則不管言論唱得多麼高，仍不算高調；不管言論唱得多麼低，仍不算是低調，唱高調與唱低調都是要不得的。

自由人

THE FREEMAN

（第七四〇期）

每份港幣壹毫

社址：香港高士威道二十號三樓 20 CAUSEWAY RD. 3RD. FL. HONG KONG

電話 771726

亞非混合制與中立主義

宋文明

亞非地區在國際政治上的比重，現正與時俱增。雖在嚴格意義上這一地區至今並未形成一個單一的區域集團，但無形中在思想上已形成一種混合制以與西方集團和共產集團相頡頏。不論西方集團或共產集團，對於亞非地區無不予以重視。

兩大集團與亞非

今日這三者間的關係，正猶如男女間的三角戀愛關係一樣，西方集團與共產集團鬪爭激烈，相持不下，但對於第三者的亞非地區，則極盡其拉攏與爭取之能事。這一情勢的形成，主要有兩個原因：一是亞非地區先天具有廣土衆民，在未來的世界中自然佔有重要地位；二是今日盛行亞非地區的中立主義的轉向，將對兩大集團的冷戰具有舉足輕重之勢。換言之，共產與西方鬥爭的結果，至少有一半將取決於亞非中立主義最後傾向於那一邊。

「中立主義」的詮釋

「中立主義」一辭，在今日已成爲一個國際間衆所週知的政治述語；但要把這一名辭就事實加以精確的詮釋，便發現這一名辭並不如一般所說的那樣簡單清楚。在過去，我們所謂「中立」，便是指着在軍事與外交上的不依附相爭中的任何一方而言。可是現在，盛行於亞非地區的這種中立主義，除了具有所謂不參加任何集團，任何軍事同盟，並願與世界任何國家維持友好關係的傳統中立意義以外，顯然已經發展到了思想的，政治的與經濟的領域。這就是說，過去的中立祇是不參與這種鬥爭之外，還企圖以積極的作法，採擷兩者之長，去其兩者之短，調和及消除形成這種鬥爭的實際因素。過去的中立，完全是一種嚴格的不介入，關門不問外務政策，而今之中立，便是要他自己變成一種楷模，嘗試從中縮短兩敵對者間的距離。由於這種基本事實的變化，所以我們亦不能再以傳統的眼光來觀察亞非中立主義的發展。

所謂思想上的中立

所謂思想上的中立者，就是這種中立一面反對西方與共產集團的兩大壁壘。所謂政治與經濟上的中立者，便是這種中立一面反對民主與共產的兩種政治及經濟制度，一面又嘗試同時接受這兩種政治及經濟制度。從思想方面講，今日亞非地區反對西方資本主義的同時，又尊重西方的人權與個人自尊觀念；反對馬克思共產主義的同時，又接受一般的社會主義觀念。從政治與經濟方面講，今日亞非地區在接受西方民主議會政治的同時，又厲行一黨制度，如納塞的全國同盟和蘇卡諾的「指導民主」，然；在接受私人企業的同時，又普遍實行「五年計劃」，對資本，勞力與資源嘗試實施全面的國家管制。這種事實證明，今日亞非地區不僅在軍事與外交上維持不偏袒一方的立場，而且在思想，政治與經濟上，亦實行一種左右逢源，兩面兼顧的作法。而其最後結果，便是使這兩種敵對力量在亞非地區變成混沌不可分。

尼赫魯的理論與影響

在推行這種混合制的中立運動中，我們最不能忽視的，是尼赫魯的理論及其影響。數年前，尼赫魯在說明國有與私有的關係時，曾作譬喻說：「國有猶如一維持防衞與安全的武力，實屬不可缺少。但要維持安全與防衞的實際有效，那不必在每個村鎮和每個角落都駐守軍隊，而祇需要選擇最重要據點實行防守，足以自高臨下，控制全境即可」。最近不久，尼赫魯於接見美國記者團席上又說：「我並不反對共產黨的經濟改造；我所反對於共黨者，一是它們常訴諸暴力，二是它們不遵重我們認爲值得遵重的價值原則」。尼赫魯這兩次談話，已把今日亞非中立主義的全部思想含義完全說明了。這種思想便是：在經濟上逐漸接受共黨所已實行的那種計劃和改造；在政治上則致力保持西方所崇尚的那種自由傳統和遺產。

亞非地區思潮的激變

現在人們時常感到驚奇的是：何以亞非地區的一般思潮會有如此的激變？這一問題可從三方面去看：（一）今日亞非地區除了少數幾個國家外，幾乎都是第二次大戰後才獲獨立的國家，也就是都是從西方國家的殖民地脫化出來的。由於這些新興國家都受了長期的殖民主義的迫害與統治，所以這些國家對於西方的殖民主義及隨殖民主義而來的私人資本制度，具有一種莫大的厭惡與反感。同時這些國家現在雖已獲得獨立，可是過去殖民主義的殘餘仍在這些國家內部繼續存在。爲了掃除這種西方國家的殘餘勢力及保持民族自尊，所以這些國家的反西方運動，並不因獲得獨立即告停止。（二）這些新興國家都是經濟上與工業上的落後者，這種落後是過去殖民統治與貧窮的結果，同時也限制了對人民生活水準的提高。這些新興國家的首要之圖，便是設法改善這種貧窮與落後情形，實行全面的工業化。可是要照西方國家過去的先例，實行工業建設，已緩不濟急，於是它們便掉頭傚慕共產集團實行工業化的效率，以迎頭趕上的精神，採行集體的與計劃的工業建設辦法。（三）現行西方資本主義制度，並非一蹴而成的東西，內中且包涵有各種複雜的機能與內容，這對新興的國家是一件頗不易瞭解的事情。西非洲迦納國總理克魯瑪已經說過資本主義因太複雜難以接受之話，便可知其他一切。這三個基本原因，使西非地區這些新興國家覺得，舊式的資本主義和西方的政經制度並不是它們所願以建國的唯一指標和道路。

亞非國家接受的方案

由於今日亞非地區的實際情形如此，所以要爭取亞非各中立國家，絕不是一種簡單的口號和單純的經濟援助所能爲力的。這一說法適用於西方國家，也適用於共產國家。不論任何一方，都沒有辦法可輕易使亞非地區跟着它們自己走。西方國家假若要改弦更張，準備在這一冷戰中重新掌握優勢和主動，也就應該根據上述三項基本病因，對症下藥，提出爲亞非各國所樂於接受的方案。這種方案便是：（一）積極徹底放棄殖民主義及其殘餘勢力；（二）積極幫助亞非國家進行工業化；（三）接受並支持國有原則。

半週述評

印尼華僑被迫害中

印尼人民反共革命運動發生後，蘇卡諾政權仰承俄帝意旨，利用印尼共黨捏造革命軍武器是來自台灣的謠言，乃頒佈所謂「監督外僑活動」的命令，專門對華僑實行迫害，繼之即有泗水方面的僑團僑校被搜查，負責僑領被監視，華僑商店被勒索敲詐等行爲。近日蘇卡諾政權的司法部長馬鼎戈姆，又公開宣佈對旅居印尼的中國國民黨人士，實行登記，如認爲有從事政治活動者，即予以逮捕，驅遣出境，而印尼共黨報紙經常叫囂着排華之聲，要求對反共非共的華僑實行懲處，更係一般的事實。

然而，我們政府對於印尼人民的反共革命運動，固然以不干涉別國內政的理由，未能作精神上的聲援，即對於印尼親共政權公然迫害我僑胞的暴行，亦不表示一點強硬的護僑態度。日前雖由外交部發言人說出一種「關切印尼僑胞」的言論，仍將迫害華僑的責任，完全歸之於印共與親共的華僑身上，不啻否認蘇卡諾政權有上述迫害華僑的行爲，而口口聲聲「希望」耶加達政府對於「守法」的華僑，妥加保護。似此萎靡不振的官樣文章，有如奄奄一息，毫無氣力的第三期肺病者的聲調，祇有令人聽到即大爲洩氣而已。所謂「革命外交」，固如是耶？

看看別人的作風

南韓政府當局，基於自由世界的集體安全關係，宣稱願以陸海空軍援助印尼的革命政府，俄共集團亦未敢藉「干涉內政」的理由，就對南韓進兵襲擊。李承晚總統更未見得坐言起行，眞的派兵到蘇門答臘去助戰。但其反共抗俄的勇氣與決心，却爲世人所讚佩，而對印尼革命政府的精神支持潛力，此時此事，尤屬可貴之至。

我們有二百萬以上的華僑住在印尼境內，且被當地的親共政權無理迫害，難道不應該表示堅強的護僑決心嗎？若說因此可能激起蘇卡諾政權更加仇視華僑的心情，那是半吊子的想法，蘇卡諾政權並不因爲我以的和平忍讓姿態，而終止其迫害華僑的暴行哩！

我們常藉海外一千餘萬華僑擁護自由中國以自慰自豪，現在海外僑胞遭受國際共黨迫害，倒不能恪盡保護之責，連堅強護僑的話亦不敢說一句，這是革命外交的作風嗎？

革命外交的典範

國父於四十年前，在廣州組織護法政府時期，因爲粵海關稅務司（英國人）拒不將關稅餘款繳交護法政府，即下令撤去該洋員的職務，另行派人接充。當時英國兵艦由香港駛入廣州白鵝潭，卸去砲衣，實行武力干涉。然國父決無所懼，電詰英倫政府，是否使用帝國主義的砲艦政策，來干涉中國革命政府的政務？而英艦即悄然退去了。這種革命精神，正是我們目前必須具備的。

我們今日要保護海外僑胞的合法生存，不許當地政府加以無理的迫害摧殘，名正言順，理直氣壯，並無任何顧慮之可言。若論政府實力和國際環境，國父當年在廣州的護法政府，實不能跟現在的中華民國相提併論，我們爲甚末不能表現一些革命外交的氣魄呢？況且印尼的親共政權，竟藉口中國國民黨的關係，作其迫害華僑的目標，尤爲不能容忍之事。

涓涓不塞，將成江河

印尼華僑遭受無理的迫害這回事，我們如其瞻顧徘徊，毫無作爲，將來不特東南亞各個國家的僑胞，皆有陷於同一命運之可能，甚至於尼泊爾，帝汶島的華僑，也會在「親國民黨」的口實之下，遇到非法的排斥凌辱，亦不稀奇。國民黨現在是自由中國的執政黨，是可忍也，余欲無言矣！

。雷嘯岑。

印尼局勢不容再旁觀

我國更應作積極的護僑準備

華仁傑

印尼局勢驟變，已使自由世界輿論大爲困惑。繼中共於三月十日恫嚇美國「不得干涉印尼」後；蘇俄跟印尼中央政府即於十七日簽署俄輪購買協定，第二天就有十艘俄輪駛抵椰加達港口，載重總噸位達二萬三千噸。這批船隻係自三月五日駛離海參崴，船上滿載軍火物資，以及蘇聯技術人員。

據目擊者指出：坦克、大砲、登陸艇、輕重武器以及電訊設備等項，無一不是顯示椰加達政府在蘇俄支持下，準備長期作戰，以撲滅蘇島革命之火。另外尚有七萬噸海軍艦艇；係向義大利及日本訂購；以椰加達政府經濟情況之惡劣，何來如許鉅款？說是蘇加諾不理國會反對力，自俄取得一億美元貸款支持，不是一個邏輯的結論嗎？

不久以前，蘇中革命形勢，正向有利發展，蘇北回教軍紛紛響應，中央軍內部譁變，蘇南軍區司令巴星安，亦有捲入革命熱潮趨勢；可是俄援一到，予中央軍不僅是一大鼓勵，陸軍參謀長南蘇堅被迫於不能不策動政府軍大舉進攻，以致已入革命勢力範圍的棉蘭；遂又落入政府軍之手；棉蘭係蘇北重鎮，假如蘇加諾不是及時取得俄援，採取閃擊攻勢，整個蘇島不難改觀。現在，蘇南保持中立，蘇北已恢復現狀，退入森林的革命軍陷於被動；巴東基地——武吉丁宜，正面臨椰加達軍三面威脅。革命軍顯已改變戰略，極力避免跟政府軍作戰，甚至可以放棄革命基地，退據森林，改取游擊戰術，以政治戰來對付椰加達威力。

蘇俄干預印尼內戰，事實明顯，當非椰加達政府於廿七日申辯十艘俄船「容輪而來」，可以令人置信；艱以同日中央軍總部宣布禁止美國「時代周刊」進口這一行動，可以斷言蘇加諾將不理國際輿情，扼殺民意，當地除了共黨報刊，甚至國民黨的機關報（蘇絲報），視同其他報刊一律嚴加檢查，有關軍事內政消息，非官方正式公布，不准採用外電；「塔斯社」、「新華社」記者則已在椰城露面。這種趨勢，已明顯地反映出蘇加諾已向共黨靠攏。因此東爪哇的共黨更加無法無天，他們不但誣指中華民國「出賣印尼」，對華僑橫加迫害，在泗水街頭毆打華僑商人、學童，扯撕僑校中國國旗。共暴尤甚於過去在椰城對荷僑的迫害。

這次迫害華僑的基本原因，厥爲共黨用以刺激人心，轉移國人目標。旨在促使國人對革命政權發生反感，造成一種幻覺——即革命勢力係受中華民國政府「利用」，以推翻中央政府。然而，爪哇東部政治雖遭共黨掌握，廣大羣衆與回教勢力，並未憑爲共黨利用；他們對加予華僑的惡劣遭遇，普遍表示反感。就目前趨勢看來，中共和印尼共黨對於非印尼籍與拒絕登記中共僑籍的華人，將採取敵對態度，迫使椰加達政府視同「無國籍」之民；另一方面，中共顯已對蘇加諾繼續施壓力，要求印尼採取一如緬甸的行動，以對付中國國民黨在緬甸的機構。今天印尼仍不乏正義感人士，特別是回教大黨——瑪斯友美黨，甚至執政的國民黨分子也不例外，他們要求世人正視當前局勢。

這情勢蘇加諾很明白。祗要將革命火燄控制住以後，對全國性的反共怒濤，勢將運用政治手段去平伏。這種「政治手段」，不出其一貫的愚弄手法，允許各外島「更大權利」。其目的是力圖將革命勢力孤立，然後迫使各軍區藉「自衞」口實，清除境內革命分子。這樣，在共黨策劃下，縱不致迅速使印尼全境變色，可以預見各個軍區將爲共黨軍政幹部滲入，而這一島嶼國家關進鐵幕祗是時間問題。

因此，具有上述觀感的印尼人士覺得自由國家，特別是中美兩國，前者跟印尼並無外交關係，理應派遣武裝護僑；後者不應僅取必要時「撤僑」的消極手段。中美兩國縱不支持巴東革命，倘予革命軍以精神上鼓勵；國際共黨亦不敢明目張胆干擾印尼內政，與無所顧忌地迫害華僑。假如印尼全國一旦落入共黨掌握，不僅外僑財產權益難保，星洲、馬來亞、泰國均將感受嚴重威脅。

（四月一日寄自椰城）

（更正）本刊七三九期一版載「及時而果敢的呼籲」一文內末段第七行「自由中國」爲「自由國家」之誤；「對字」爲「才」字之誤。

要注意什麼勢力左右政風

從內長王德溥辭職一事說起

·東方明·

「財政內閣」俞鴻鈞氏組閣伊始，揭櫫「崇法、務實」的政策，自遭監察院彈劾，公務員懲戒委員會申誡，總統的慰留，政院的局部改組，意謂「崇法務實」的政風再來一個考驗。從改組財、經、內三部看來，田內部長向以學者聞名，經部楊繼曾氏原非經濟學科班，財部長馮婦實來，以昔視今，可以綜合起來，去看這個考驗。

台灣通訊

政風胡自來

一個國家的政風，國際間屬目於「內閣」之行政院，國內則屬目於「內部」，而決定當然與「財政」「經濟」兩部，大有關係。欲民心傾向於政府與否，討論政風如何者，也只得以內政與外貿會（該會係合財、經兩部人員）爲之衡準了。

王德溥的辭職

內政部前部長王德溥氏最近在立法院之表示，內政部之有無難做，人才固是要素，唯無錢也就等如「巧婦難爲無米之炊」，內部主管九個部門的業務，事關國計民生，尤其攸關民心，實際上卻成窮門。王德溥氏爲立[illegible]貴，前時立委李文齋在立院指責王太太孫德芳女士要賭三萬元，孫德芳女士向法院提出控訴，據傳三萬元純係借貸，按月付息，此項債務的借據齊備，官司打下去，事屬平常，僅是李與孫女士間的法律問題，如果這問題竟關係王德溥氏辭職，但也不尋常了。王氏處理內政部西藥外滙舞弊案，將藥品管理處長劉遜、處長陳東等一干人犯，悉數移送法院辦理，在曆任司法工作多年，且爲其主管的王氏，能將全部人犯不加庇護移送法院法辦，本屬難能可貴的了；據說立委李文齋、監委曹德宣曾以友人或同鄉關係，向王氏爲彼等解釋，關說從輕處分，而爲王氏所拒絕；我們不能說此與監委的彈劾令政院院案，及立委的猛烈質詢有關，但王氏的辭職，如果與此有關，則所謂政風也者，的確值得注意。

談到西藥舞弊案

「財經內閣」內，王德溥氏自認其不是「財經專家」確屬事實，但是內政又非一財經專家所可勝任者。王德溥氏去職的原因，倒不是王氏是否爲財經專家問題，然則說是他先後處理兩起西藥舞弊案，與財經兩部交惡所致，也不無蛛絲馬跡可尋。王氏最近的談話，認爲內部之兩起西藥舞弊案，不過是該會「九牛一毛」而已；在王氏送法院辦理劉遜等一案時，據傳，與外滙貿易委員會有關人員，曾向王氏部屬進言，希望王氏不要過於固執。並言：「外滙漏洞百出，舞弊案簡直多如牛毛，西藥外滙的舞弊只能說是『九牛中之一毛』而已；而且外滙舞弊，其中干涉甚多的財經大員，牽一髮而動全身！」如果所傳確有其事，可謂駭人聽聞。據以司法專家著名的王氏表示：如果外滙舞弊不能予以澈底肅清，那簡直是不堪設想。外貿會一向均爲物議重心，唯事關秘密，且關涉到政治，經濟、商業、文化各界人的申請通融，所以很少切要指責；現在由前內部王部長及外貿會有關人員道其務密之詳，實在有評論價值了。外滙申請的法規，本身留下不少漏洞；復加以不法運用後，自然可以發現其中許多玩法的機會。其中不論外滙額之多寡，皆須打通關節，由其申請數額多少而決定自上而下與自下而上兩種方式；申請額少者，取自下而上式，有「紅包」三五天可獲批准；但如關節不通，人情未送，對於外滙也只得「望滙興嘆」，萬一獲准，也難免倒之又倒。數額大者，取自上而下式，「紅包」之大，更屬可驚了。任意倒滅外滙申請額，無異開老百姓的玩笑，更屬國家財政上的一大贅瘤？

外貿委會的弊端

據王氏表示，人民對政府的信賴，鄉下仰首城市，城市則仰首於政府，接觸之貿易商，則仰首於外滙審核機構；以外滙貿易而言，其弊端則是貿易商對政府失望，人民也對政府失望。

當王氏處理劉遜一干人的西藥舞弊案，正在調卷清查時，外貿會藉故拒絕內政部調閱有關文卷，最多只可派員前往該會查閱；而內政部只有一位承辦科長譜其事者，他白天本身工作辦不了，自於上班時無法前去調卷，事實上形同不准調閱有關文卷了；立法院對已移送部份迅予先期結案，接着是監院對其本人及太太進行調查，司法行政部調查局也對畄進行調查；王氏表示處處干礙，調查無分順序，還消他成了亂抓狀態。王氏弄得不得不辭職，行政院因此也局部改組。這個分析的事實如果不錯，所謂政風，寧不值得深思。

政風應從何處革起

政風又以裁撤駢技機構，擬訂財經新法，繼續其「崇法務實」的政風的改革，而政風敗壞之上層原因不加以剪除，失令再多，機構名目再變更，又有什麼用處！（三月卅一日午於台北市）

雷黃密談並非事實

·苦·

（台北通訊）「自由人」四月二日載「黃少谷與雷震密談自由言論態度」通訊一則，如果確是事實，頗足令人興奮，但據筆者多方打聽，只是爲寫通訊的萬先生個人希望而已。因爲有關方面透露，雷震先生於去年九月間因爲「自由中國半月刊」的編輯黃中先生赴美留學的事，曾經和黃少谷先生接過頭，後來十二月中旬，又在台北賓館（美大使）藍欽大使的餞行酒會上和黃先生談過一次話，據說談的仍是黃中先生出國留學問題。從此以後，雷黃兩人一直沒有見過面，密談之說從何而來呢？就在萬先生寫通訊的前一天（三月廿六日），黃少谷先生還在第七屆廣播節目討論會席上，發表一篇演說，其中第一段，很明顯大部份是針對雷震先生主編的「自由中國半月刊」而言的，措詞也很嚴厲，也可證明，他們兩人始終沒有「以最坦白的態度檢討」，而「密談了多時」。此事爲關心自由中國言論自由問題的讀者所注意，謹以所知事實奉告。（四月三日，台北）

曼谷通訊

泰國局勢仍未晴朗

泰共在利用民生離間英美關係　官民爭利欺詐成風爲目前病根

·祝君健·

泰國東北貧民的苦況，歷屆政府首長向來極少關懷，在共黨心目之中，那兒就是蠱惑，和爭取的唯一對象。現任總理乃他隆，最近破例地作了一次深入訪問；所得到的收穫，是鼓舞起羣衆們對政府冷卻已久的心情。

另一方面，給予反對黨的刺激也很強烈，特別是民主黨（代表資產階層）所感受的打擊，比較最重；至於共產黨及其同路人，在廣大衆多的平民心理上，也有這麼一種感覺：祇有口惠，沒有事實上的幫助。

貧苦的大衆最易感染，最能遷就現實，對共黨的向心動搖，對政府乃是一大助力。於是，莫斯科怔忡危懼，在三月五日深宵十一時，向全世界廣播，一方面讚揚乃他隆，同時在煽動泰國人民離間英美，言外之意似乎對他隆中將這次承諾扶助泰北貧民表示感激，與挑撥泰人對英方阻撓開發湄河之罪惡感。暗示當遜總「不受歡迎」的貝素普使泰，泰國的親美政策，將是動搖。實際到底有何作用呢？假如乃他隆政府能夠堅持一貫反共立場，多了解民間疾苦，共黨顯然無隙可乘。

共黨謀泰已非一天，泰共及其同路人得在政變中崛起。去年九月鑾披汶和乃炮這兩大强人跨台，本來是給予共黨一個很大的機會，他們潛伏於聯邦黨內部，大可以設法控制政府。可是，聯邦黨的本質及其內幕，一再受到國際間輿論不滿，並揭發出它是內襯虎皮外披社會主義外衣，實際是共黨謀變集團，乃沙立不能毫無顧慮，不能不組織國社黨。雖然，國社黨內部甚多係「聯邦」跨黨份子，難保沒有共特混入，在現階段，除「運用影響力促使政府趨向極端中立，似乎很少有決定性作用。他們的手段是在「變政團」中製造糾紛，散佈謠言，說鑾披汶、乃炮他們的蓄併，乘乃沙立在美治病中發動政變，建議政府沒收他們的財產，例如他貴河畔的「三華官邸」，披汶元帥當年曾斥資三百萬泰幣，所建築最宏偉的別墅，已被沒收改作國立專修學院（大學預科）。政府無故沒收一個被逐出政壇之人財產，任何人都持異議；於是，共黨又倒向這一邊，向親披汶民份子搧煽，力斥當權的一小撮人物「行同盜賊」，極力攻訐政府官員的新創搞損。

最近許多徵象看來，共黨對泰國的陰謀是表面退讓，側背進攻。那就是不再如以前那樣，批評得政府一無是處，祇消極地要求實徹中立政策，與世界各國廣泛地建立邦交，繼求明白要求政府承認中共，對於與大陸發生貿易關係的叫囂，卻無孔不入地分向各方面進攻。當然，這還並不是主要目標；而且礙於防共條例，不敢過分囂張，而祇能滲透右翼黨派，企圖以勞敵側擊的手法，促使政府考慮廢除防共條例；因爲他隆內閣曾經組織了一個「修改不合理條例委員會」。這一個機構在開始組織時動機，無可否認是要一洗當閣「承先」的舊病，也是避免反對黨派無理干擾的結果。經過幾次集會，如教次乃樂，交次乃匿與合作部次長乃阿里等這些左傾委員，儘管一再堅持要取消防共條例，終因該例係由「內政部主管」擱置。

購買力普遍低落的今天，除非提高人民生活水準，不易拒斥共產主義輸入。如何提高人民生活水準，問題並不太難，祇[illegible]官不涉商，放棄過去與民爭利惡習；舉[illegible]農工商業各項低利貸款，政府財力並非[illegible]能負担，據財長乃森說目前國庫庫存仍厚，[illegible]穩固，準備金達發行額百分九十。雖然他對政府財政赤字略而不談，大致並[illegible]嚴重急迫，何況日本所欠五百萬英鎊借款，已有三百萬鎊歸還，尚餘二百萬鎊將期攤還。爲了挽救農工商業危機，增加人民收入，舉辦貸款實爲當前首要急務，是，泰國政府對此從未考慮。

泰國國民經濟而臨怎樣嚴重地步？也許泰國人士尚無深切了解，[illegible]爭民利，近果自私詐欺，以達到營私牟利目的。舉例說來，諸如泰國市而充斥陳舊汽車，[illegible]但每一保險業務，總是換架新車。可是，[illegible]動壞腦筋，設法把舊車撞毀，要求保險公司賠償；結果，糾紛不時發生，而保險公司的業[illegible]也就越攪越糟。假如不是那些不肯官吏與民爭利，欺詐不致蔚然成風，爲了泰國前途設想，官商法當擇一棄求，而政府必須於同時登記公務員及其家屬資產，定期清查。既杜官絕商途，且寫會污漏卮。則不[illegible]持共產主義無由輸入，殘有勢力亦不難減，政經危機當可不復再見。（三月十日寄自曼谷）

央行成都分行國庫存金失蹤之謎

（台北通訊）三月十八日的立法院院會中，立委包華國提出一項有關中央銀行成都分行撤退時國庫損失黃金萬兩的盜金巨案，文長兩千餘字，他首先指責財政部長徐柏園有牽涉包庇之嫌，並謂該案由半信半疑而認爲大有問題。內容有關下列各點：

關於成都分行庫存黃金總數：央行成都分行於三十八年十二月三十一日報繳總行庫存黃金爲六千六百餘兩，而該分行四十六年四月之試算表又說溢繳了二千○三十多兩，而總行查賬報告前云短繳五百四十三兩餘，據總行查報則缺一千○三百三十七兩餘，審計報告則又謂溢繳六百九十三兩强。到底成都分行庫存之黃金應爲若干？從各種文件看，眞是一篇糊塗賬。總行送立院查賬會議紀錄載明「爲了就事實將成都分行之試算表送出」，究竟係何種事實？而成都分行主管人藉口庫賬未帶出，又說撤退前最後之庫存表沒有。然而重要之帳表已帶出了箱，而如此重要之庫存表，竟未帶出？總行似不能自解。其中尚有許多蛛絲馬跡，令人懷疑。

關於銀元券[illegible]錄表：[illegible]銀元券之多達三十三萬餘元，查此項記錄係由分局長[illegible]證明，[illegible]會同審查證明。現有始由刁局長[illegible]加記四十七萬餘元之[illegible]章證明，此案[illegible]可疑。

關於遷行撤退來台之後之程序：央行成都分[illegible]撤退時[illegible]，其他地方分行[illegible]，而遷行撤退來台後，十餘日始由[illegible]，其保管之金額[illegible]封閉，且以現金辦理支付。

有關徐柏園對此案之關係：徐柏園於四十[illegible]

來一函一照一刊

主編先生：拜讀貴刊三月十九日第二版署名小雲先生的台灣通訊「按兵不動的文化戰」，我覺得應該給您寫這封信。

本年元月五日六日兩天，我有一篇文章「談官說真話」在台北聯合報發表，文內檢討了年來我國的文化政策和文藝工作，事後曾見貴刊刊出署名帝白先生者以「文藝界的真話」爲題的一篇文章，對我那篇文章多所轉載，但是帝白先生的態度很好很對，他是以報導的手法，清清楚楚寫明那些話是我所說的，蒙他贊同我的淺見，應該謝謝他的厚愛。可是，小雲先生這篇「大文」就完全不同了——他整段不改地照抄拙文，另外又夾上兩段聯合報黑白集的短論，卻根本不提這是轉載別人的意見。

小雲先生背照抄拙文，當然表示他還贊同我的淺見，能够使此知音，實在也是很可安慰的事；但是，誠如何，我總覺得還應做，有點遺憾。因爲，不知道的人，會以爲我在搶一稿兩投的把戲，除了台灣通訊爲了時，同可將來我要印行一個專集，如果把拙文編入，可能自由人的讀者還會認定我是文抄公——照抄小雲先生的文章。除此之外，一篇照抄的文章在台灣兩地發表，對於貴刊，聯合報也都不太好。所以我想求您，站在愛護我們和愛護小雲先生的立場，找應該說明這一樁事。

現在我附上一月五、六兩日的聯合報，請您對照一下，小雲先生的大文註明是三月八日寄出，較拙文發表遲了兩個月，但其中的文章清楚註明引用拙作的間，復有宿白先生的文章，我均用筆劃出原文。小雲先生照抄的地方，我均用筆劃出，您可一目了然，九其後一大段，不但一字不易，連標點符號都沒有改動一個。其中「短評」的文化立場」一段，係照抄聯合報黑白集短評。——專此

敬頌編綏

王藍拜（三月卅一日）

論民主社會主義的矛盾問題

·張健生·

（上接第三版）國有化的目的並不在所有權的轉移，乃在增加企業的效率和消滅權力集中的現象，關於這，前已言之，然不多贅。

最後，關於最近提出計劃經濟論的學者，除筆者上次答復高先生時所提到的三位著名經濟學家外，另有四位學者還寫成了專書：如芬納教授（H. Finer）的『到反動之路』，藍道爾教授（C. Landauer）的『國民經濟設計原理』，勞文（L. Lorwin）的『設計時代』，以及伍登夫人（B. Wootton）的『設計下的自由』，均可作爲筆者與高先生辯論的參考。（全文完）

赫魯曉夫下最後殺手鐧

·養之·

蘇俄共黨第一書記赫魯曉夫於三月二十七日由最高蘇維埃聯席會議推舉為俄國部長會議主席，並繼布爾加甯出任俄國總理這是他的最後殺手鐧。在蘇俄歷史上，以聯共書記而兼任總理的，赫魯曉夫算是第三人。當這決議宣佈時，會場發出陣陣歡呼；赫魯曉夫手合抱，高舉頭頂，向歡呼者作拳師式的答禮。這一幕戲劇化的變化，究將對世界有何影響呢？

華盛頓所關心的

華盛頓官方因此密切觀察莫斯科的動向，認為：蘇俄最高蘇維埃本屆會議，可能在美俄關係上有新的發展。他們極為關心的事項有：

一、艾森豪總統將在可能的高層會議中，如何去應付一位集權新總理。

二、美國務院專家認為：俄國要是宣佈停止核子試驗，和停止製造核子武器，將使美國對世界進行宣傳時，感到困難。

三、蘇俄一項關於俄國外交政策的聲明，將使艾森豪及杜爾斯感到興趣。因為該聲明中，可能暗示俄國願降低舉行高層會議的條件。杜爾斯曾稱莫斯科的條件為「可怕的高價」。

不過，有一點是美國專家們所同意的，便是俄國政府高級官員方面不論有何更動，俄國對於其他國家的政策，將無甚基本上的改變。由於數年來，處理俄國事務的真正權力，顯然掌握在俄共黨魁赫魯曉夫的手中，而布爾加甯祇是一個傀儡而已。所以，美國當局不認為表面上蘇俄領導權的易手，會使美蘇關係有所變化。

赫魯攬權「逐步攻略」最後一着

在過去五年中，赫魯曉夫所作所為，是在排除異己，鞏固權勢。如所週知，從捕殺特務頭子貝利亞，擠垮前總理馬倫可夫，貶抑莫洛托夫、卡岡諾維奇、朱可夫等不過赫魯曉夫採的是一種「逐步攻略」。由於他們過去是史達林的左右手，尤其是莫洛托夫，是俄共老黨員留在蘇俄政府中的最後一人，他更是史達林的老搭擋。他的腦海中，自然不會衷心擁戴後起的赫魯曉夫。始終無法實現名實相符的獨裁。今天布加甯的被黜，祇是去年十月朱可夫，莫托夫等後被黜的餘波，其實，自朱可夫被黜後，正如英國一位專家所說：蘇聯武裝部隊的控制權，已由此所餘唯一阻攬赫魯曉夫專權者的手中奪去了。

下確論還早一點

赫魯曉夫過去之喊出的所謂「集體領導」口號，不過是一個幌子而已，雖然布爾加甯在這五年當中，一向是赫魯曉夫在政府中的有力工具，但布爾加甯過去並沒有附和赫魯曉夫對史達林的清算；同時在去年莫洛托夫馬倫可夫反對赫魯曉夫的鬥爭中，布爾加甯亦曾一度採取中立態度。由於赫魯曉夫這次罷布爾加甯自任總理，西方人士認為正是集體獨裁制的一種必然方式，正如赫魯曉夫的微笑，與史達林的兇惡阻險同樣的不祥。相同的原因，產生相同的結果，一度使史達林成為俄國統治者的把戲，現又再度重演在俄國的政治舞台。但是，若說赫魯曉夫的權力，畢究能鞏固至何程度以及能歷幾何時，還要再從分析朱可夫一脈下來的職業軍人努力內部變化如何，才能下確論。

國際動態拾零

△美國勞工領袖，對政府之要求，較上年大為減少。因為羣衆怕不景氣，而工資跑在物價前面，亦確為促成不景氣之一因。

△美國本年度軍事預算，又追加十六億：空軍增加七億，其中四億為加造B52型轟炸機；海軍增加五億，多為製造深水放射火箭的六隻潛艇之用；陸軍增加四億，其中三億用于火箭及改良武器，一億則為陸軍之太空研究費。

△史塔生欲自己競選賓州州長，而邀三位共和黨人之想競選參議員者，與作聯合競選運動，皆被分別婉謝。此三人俱為共和黨黨部所支持，深恐與史塔生合作，開罪尼克遜一派，故均不願。足見尼克遜勢力之抬頭，與共和黨內，左翼與艾克主義者，漸漸衰落。

△從阿爾及里所得之武器，俱為法國自製之新型武器，而尚未發給法國軍隊者。這是阿爾及里人，在法兵工廠工作者，偷運出來的。

△非洲八國，下月將有高峯會議。包括突尼斯總統，埃及那塞，利比亞、摩洛哥、蘇丹、加納的總理。亞比西尼亞王，與阿爾及里叛軍領袖，均將出席。

·陶然·

竹幕幽秘

「闊老」真相

本月二日香港「大公報」載：四年來中共共撥八億元，助越南建設。內容是：「中國方面將自一九五八年起到一九六一年內，用無償援助越南的八億元人民幣援款中的一部份，幫助越南新建和改建十八個工業企業項目。」我們不曉得這是那一門宣傳技巧，「把八億元的一部份」，說或是八億元。

還是讓我們來說吧，這八億元是一九五五年七月胡志明訪問北平時所訂協議，贈給北越的，距今已兩年有半了；假定說在以後的四年中將撥盡這八億人民幣的贈款，那麼加起的時間共計六年半。

與中共援助北越情況相類似的，是它對北韓的援助，款項同為八億，時間是一九五四到一九五七年當年；兩相比較，中共對於北越的援助拖長兩年又半。

八億援越

我們說中共拖長援助期限，似乎還有應該說明之處：

一，在一九五五年七月中共決定以八億元援北越的公報中規定，用以：修復鐵路，內河碼頭，公路橋樑，恢復與新建紡紗、製革，醫藥器械，電氣材料，農具、造紙等企業。現在幫助北越建設的十八個企業的項目則包括：造紙，鑄鐵，製糖，橡膠製品，文教用品，搪瓷，陶瓷，肥皂牙膏，捲烟，針織，蓄電池，乾電池，塑料製品，熱電廠，機工車間，江高引水工程閘門，電解食鹽等。這些項目固然並不完整，但大體，與原撥援助的項目，可以說幾乎完全不同了。若說一九五五年所規定的項目已經完成，那麼就不應該再有餘款；既有錢多，來援助原定項目以外的企業，就顯得前一些項目根本未曾完成，或是中共早已經食言了。

二、根據記錄，中共對於北越的援助實施方面除鐵路，公路橋樑以外，僅有一個在一九五六年十一月開工興設的碾米廠，據說同一規模的將建十個，但後來並無動靜。這大概就是中共過去幾年大喊援助北越的實際完成情況。

三、因此，在一九五七年一月，北越勞動黨中央委員會會議公報中指出：「財經工作上的一切政策都必須以自力更生的精神推進生產厲行節約為主，雖然各兄弟國家的幫助仍然是很重要的。」──這似乎說明了越共在此以前一心想依賴中共的援助所誇下的謊言，至此才覺悟了並不盡然，於是喊出了「自力更生」。綜合上述三點，我們相信中共在拖延援越期限。

苦了百娃！

中共何以把援越的期限拖長呢，若根據醫雲含蓄的說法，則是「援外的數字太大」。此語還是有問題的，豈止太大而已，根本不應有這種叫人民束緊肚帶的對外援助。

今年上半年，北越大旱，眼看農業減產；中共若不加以援手，蘇聯必乘機而入，奪去這個中共現在僅有的附庸國；再加上以前答應過了的話，自行廢棄，在附庸國面前，終究不好看；綜合這許多原因，於是中共打腫臉充胖子，繼續援越。

這樣，可苦了老百姓了！

·田心·

新書評介

這是一部近四十萬字的長篇小說，作者姜貴是當今自由文藝界尚無藉藉之名的名家；此書由作者印五百本分贈各方。旨在取楚史「檮杌」以「紀惡為戒」之意。

在時間上作者貫串了近三十年，自共產主義研究會組織迄抗戰勝利後中共成長止，地方以T城（或係濟南）、C島（或係青島）及方鎮為舞台，以一個土共集團的變幻為描寫點，由方鎮最大的一世家之衰落，串結共黨活動過程，在這一個時代裏面，浮離着主要人物如軍閥、官僚、土豪、劣紳、妓女、土匪、墮落文士、日本商人和浪人，以及許許多多鷄鳴狗盜的小人物。這樣的一個時代正是中共造成鐵幕之前的時代，正好是中共的溫床，創始地方共黨者及其培植的力量，終於退出其集團或身入囹圄，為他人作嫁衣裳，食果者另是他人。論其歷史價值，與曾孟樸的「孽海花」有其同等價值，所不同的是描寫點及其題旨而已，而在那一特殊的歷史時代，呈現出史學價值者則一。

一部未發行的文獻性小說：「今檮杌傳」

·孫旗·

第一、唯其它是小說，以一土共活動點表現全面，唯有歷史才是作全面紀實，作者「舉一隅而窺全豹」，不同於時下小說，動輒以「報告文學式」作某一時代的全面紀錄，蕭伯納說：歷史除人名地名以外都是假的，小說除人名地名以外都是真的。作者姜貴能諳此三昧，這是值得我們指出的。

第二、近代小說，不論長篇短篇莫不是單綫式地展開故事情節，準之於長篇名著卻不是如此，作者是以複綫式地展開故事情節，穿插陪襯，使太多的人物活動，情節曲折有致。

第三、小說的時間空間背景、人物性格都與民族性時代性十分關遞的，中國生長出中國人。作者寫的空間時間是山東北部中共成長的時代，人物的語言是那一帶人的口語性，性格也是那一時代人的性格，作者行文的用語，也都帶當地的口語色彩，雖然讀慣歐化語法小說的人讀起來有點不太流暢，但真實感是充份的，在小說創作上合理，比起「歐化」「日化」總要好得多。

第四、在「反共口號八股化」的文學時代，作者卻全書沒有一句「反共八股」，深刻地發揮「紀惡為戒」的題旨，頃力於描寫人物們及其活動的時代面之刻劃。

第五、這部小說風格，是採用「章回體的形式」，「新文藝的描寫法」，用意在於更能適合大多數讀者的興趣。這一方法與加配插圖的用意相同，惟加上「對仗回目」，為了對仗，以致不能完全與情節貼切配合，微有瑕疵。

第六、作者因全書結構複雜，時間較長，人物較多，情節方面，不無枝蔓之處，惟此又屬長篇小說所不免者，與單綫式展開故事情節者較，自是作者吃力不易討好的辦法。但如果作者能將不必要，次要的情節與場景，酌予刪節，當能補此瑕疵了。

第七、作者因年近天命，對人情閱歷、生活體驗，均極豐富，故寫當時之「實」，十分深刻。

反共小說極多，而能描寫中共成長過程之惡事，使人引以為戒，復無「八股」氣味，純粹中國氣派、中國句法章法者，尚屬少見。我所以樂予推介者在此。（四十七年二月廿八日夜於台北）

論民主社會主義的矛盾問題

──再答高叔康先生

·冷定菴·

今天我們不但能從經濟學上說明設計的必要，而且能根據行為學原理及社會生活條件來建立國家干涉的範圍，尤其能指出何種企業適於私營，何種企業適於公營。雖然如此，我們並不要求取消市場，我們反要盡力保護市場，使私營部份充分保持競爭的自由。

最後，就設計的對象言，這當然是資本家中的少數資本家。由於他們平日所享的自由幅度太廣，未免侵害到別人的自由，所以國家不能不為大多數人的自由而設計限制極少數人的自由。拉斯基說，這樣可使人民從恐懼及匱乏之中解救出來獲得自由，而得見自由的積極目的。他認為只有獲得了積極自由，纔能發揮人的完全性格（見拉氏著：我們時代的革命反映，頁四〇一）。

至於高先生說要增加生產，只有恢復自由經濟一節，淺見亦不敢苟同，因為增產的因素很多，但經濟制度卻不是主要因素。試以工黨執政時代的增產情形為例，如果我們把一九四六年作為基年（Base Year），那末從一九三八年的百分之一〇四，到了一九五〇年便升到百分之一四〇，其增加的產量亦不為不高了。退一步言，縱許自由經濟的增產較速，但無計劃無組織的生產不一定就是好處。如像美國現在又發生循環性的經濟恐慌了，顯然是生產過剩的毛病。

高先生又說保守黨上台恢復自由經濟，英國經濟立即好轉，這也近乎臆測，不完全是事實。相反地，英國近年來生產停滯，信用緊縮，貨幣危機，失業日增，都是經濟極不安定的徵候。最近保守黨的財相因理財無方，憤然掛冠而去，更是保守黨無法解救經濟困難的明證。

產業國有化問題

關於產業的國有化，這不獨實行經濟設計的國家有之，差不多所有的工業國家都多少具備這項事實，即號稱自由經濟典型的美國，亦不能例外（儲備銀行TVA均屬之）。所以一般人把國有化與社會主義等量齊觀，不是有意抹煞事實，便是犯了嚴重的思想混亂。茲就高先生對國有化問題所提的三點意見，分別解答如下：

第一、關於國有化效率問題，這是一般爭論的要點，依工黨意見，認為產業只有經由大規模的經營，纔能發揮高度的效率，而且只有在一種單一所有制之下，纔能做到產業上的統一和調節。競爭只是浪費的別名，獨佔管制才見效率。至此，或許有人要問：何以獨佔企業有效率，何以獨佔企業又要收歸國營呢？工黨的回答是：這不是因為獨佔企業沒有效率，乃是因為這些企業代表一種危險的權力集中耳。高先生說國有化消滅了自由競爭，沒有自由競爭，消費者便不能不忍受漲價。這確是書齋裏的看法，並未認清英國的事實。須知工黨國有化的目的之一，即在減輕消費者的負担，豈容反其道而行？工黨在不得已情形下，曾用貼補辦法，亦不許國營事業漲價，何況漲價程序要經過重重的民意監督，焉得任意為之？

第二、關於工業補償問題，誠如高先生所言，工黨不是以革命手段沒收產業，乃是以債券方式予業主以補償。高先生認為這樣，便造成許多不勞而獲的「金利生活者」。其實，這樣做法不但不足為工黨病，卻正足證明工黨政策的明智與溫和，我沒收產業而不予補償，那才是強盜的行徑。我不明白為什麼這樣合理的政策，還要受人指責？難道要叫工黨採取強盜政策而令業主們活活餓死嗎？至於所謂「金利生活者」的不勞而獲，政府自有租稅方法限制之，與工黨的原來主張，似無不合。

第三、關於所得平等化問題，高先生認為要實現所得平等化，根本方法在取消財產所有制，而工黨祇有化除財產所有制的意義；他又認為補償辦法只算是財產形態的轉換，並不能實現所得平等化云云。關於此點，據個人理解，所得平等化只是早期社會主義者的空想，費邊理論家自始即反對所得的平等，伯納反對尤力。今天工黨所謀求者為縮短貧富的距離，除提出租稅方法實行再分配外，他們並不敢侈言所得的平等。何況工黨理論家早已肯定財產所有權的存在，並無任何取消的意圖。

（下轉第二版）

自由談

斯文掃地

馬五先生

台北市最近出現以匿名揭帖的方式，印發攻訐胡適之先生的文字，名曰「胡適與國運」，嗣經政府機關調查究其來源，乃有兩位在大學校執教鞭的，據說並無任何政治作用，只係基於學術觀點之不同而已。

高級知識份子恭於學術觀點之不同，各抒所見，辯論質難，這是光明正大，有益於學說思想與世道人心之所為，幹嗎要出以散發匿名傳單的卑怯作風呢？我不相信自由中國以及海外的各種刊物，皆不肯刊載與胡適思想相對立的文字，只要真是為着學說探討的話，且將歡迎之不暇的。舍正路而弗由，化名變姓，枉耗數千元台幣，以從事於鼠竊狗偷式的勾當，所為何來？我雖然未看到「胡適與國運」這項小册子的內容，但就上述情形來推測，那些大作一定與「學術觀點」不相干，毫無疑問。

身為師表人倫的大學教授，竟有此「並無任何政治作用」的不光明行為，我以忝居知識份子之列，竊引為愧恥難安哩！胡適之並非擁有生殺予奪之權力的專制帝王，而是一個提倡民主自由生活的學人，對他的言論思想有所立異，堂堂正正地來辯論好了，夫何憂何懼，而要躲在黑屋裏放暗箭呢？並且還教自己的學生亦參預其役，直是「賊夫人之子」了！

南明一般士大夫，於外寇壓境，國破家亡的危難期間，猶沾沾於黨同伐異之爭，匿名揭帖滿天飛，終致正人君子銷聲匿迹，而馬士英、阮大鋮之流得其所哉，把大明江山搞垮完。我希望在台北散發匿名刊物的大學教授，對着這面歷史的大鏡子，仔細地照照為佳。胡適的言論思想，儘可以反駁，作為一個學人，却絕對不應該有匿名攻訐的醜種相，此風一長，斯文掃地矣！

幽默與惡趣

·燕廬。

三月十日，合眾社的紐約記者，會經發出這末一個電報：「前笨拙雜誌總編輯蘇格里吉，本日在老爺雜誌內發表論文，說嘲笑幽默及諷刺，現在英美均日見絕跡；這比氫彈及人造衛星更為驚人，彼更謂：「當機關及當局自身感覺安全的時候，嘲笑諷刺是容許的，今日當局日益感覺不安全，故不容人嘲笑，在今日以「不敬」是絕對不可的，甚至丑角及諷刺者，均須小心他的對象是誰，他又說：「英美兩國，現變成順從的社會，因此嘲笑顯然日見減少，所有好的幽默均被人呼為惡的趣味，我覺得人生唯一的快樂，是有笑話可講便講——不論對象在那方面——」。

幽默在中國，是公開提倡過的，時間彷彿在民國二十年前後，首先舉起那大旗的就是林語堂博士，後來他因而被人尊之為幽默大師。所主持的論語半月刊，就是他的大本營，那時我剛好在學校中走出社會，在一個小城市裏謀食，為了消遣，讀論語也就成了我的長期讀物，因為我的讀它是為了消遣，只要覺得有趣的就看，但我覺得那裏面的說話，竟有些比較在報紙上看要人們的文告，或自以為學者們的講詞之類，看得發膩的時候，讀論語實在是很有意思的。後來是戰爭爆發了，上海淪陷，論語回到內地出過一些，[illegible]對着鬼火一般的報紙，植物油燈下，[illegible]登着襯子糧食，看雜誌，根本無情的衣着，[illegible]直是就一停下來，而享受林語堂博士，從此就再沒有看到美國了。我在香港的書店裏，一九五三年忽然購到兩冊在香港出版的論語，兩版本只有國光前版的一半那麼大，大抵是為了迎合[illegible]，似乎刊的有李金髮的文章，也許說起來却太幽默了，有些實在是太失望，看不懂，於是又擱着了，其實也並不在生活的困難，所以也就不覺得惋惜。後來我知道論語已經在香港出版，並且零星地買過幾本，那上面有同人減除，也有半月期刊，而且跟先前沒甚麼改變，作者則多半是陌生的，因為這對於我並不重要，的，不外乎於消遣，覺得仍寫稿人雖也極力想，讀者們相當鬆弛一下，但彷彿是感興趣，力在追憶先前管我也極力的，而結果往往是非常渺茫。也許是時代不好的了。那樣的所以是：「不再存在的幽默」，均被人呼為惡的趣味了，這又使我想起那幾年，語堂博士當南洋大學校長的時候，他第一次由美國回到南洋，報紙上刊出他的談話，照例是提倡吸煙和幽默，他不打領帶的興趣，是很高的，十九是生意人的南洋僑胞，但他們也許都不會讀過先前在上海出版的論語，也就是說，他們因而他們不懂得幽默的，似乎並沒有超過甚麼作用，後來據說是這大學有許多事不容易辦，林博士知難而退，默然地返回美國去了。

幽默一詞，如果照翻譯的里吉訊的解釋，似乎指的是嘲笑或諷刺，並不像先前的論語諸公所說的那樣，人過去所向往的境界所欲是謀的時代已是東們[illegible]

中國人的心情，却也是很可疑的。誰都知道：「人生唯一的快樂，是有笑話可講便講。」其實這已是苛求，我以為「人當想哭的時候就哭」，也仍不失為一種快樂，只可惜我們目前的情形是：笑則近乎不情，哭亦無濟于事。就因為如此，我對於那種依然一枝烟捲，一盞清茶，手執論語一卷，消遣世慮的生涯，實在不勝其向往之至的。

據林博士先前的解釋，要「不求士大夫之贊譽，不要得幽默須博庸人之歡心」。今天我之所以不再獲得幽默的情趣，很可能因為自己到底是個庸人，至於不是士大夫，則自己心裏也得承認，記得一段傳說的故事，日本的幽默大師，同時也有一個譯過鶴見祐輔的一本書，大意是說：甲乙同在地上看見一個黑點，甲說：「是黑豆。」乙說：「不，是黑虫。」甲說：「像一顆黑豆。」過一會兒，那黑點走動了，甲還是說：「是黑豆。」乙說：「是爬蟲了。」甲說：「不，是黑豆，雖然會走動也還是黑豆。」爬蟲清楚了，就是那仔細的論戰，其實是個思想上的論戰，在清代語言的時代，明白是兒子打老子，也似乎差不多？我們近來讀到一段五代史馮道的一段文字，據說契丹王的親兵攻下京城以後，召見馮道，問他：「你是甚麼人？」答道：「無才無德，癡頑老子。」又問：「天下百姓，如何救得？」答道：「此時佛再出世也救不得，惟皇帝救得。」這話說得不錯，但後世史家却說：「百姓當時蒙此一言之救，後世史家往往往上論了幾等級，說道，可見幽默是有惡趣，容易分別的啊！」

重印澄宇齋詩序

晉和晚明，因而世說新語裏許多人物都是理哲，袁宏道、袁中道兄弟的小品，全成了妙筆。陶潛、蘇軾、李贄、龔璱、沈三白，我受到了格外的禮遇。我不敢說目前的時代，跟東晉，晚明有沒有相同的地方，至於像林博士那樣長久住在美國的人，到底還有多少像今日

金韶甌澄宇齋詩。原刻於廣州，初版不多，存者亦無幾矣。及先生既沒，旅港廣南門人不忍先生詩篇之散亡，辭名之磨滅，[illegible]

[illegible]

民國四十七年三月十日門弟子王韶生謹序

存者亦無幾矣。……然世之為詩者，或尚聲調，或研美詞華自見。……先生窮身戡亂時，先生每得知於風雲中，蓋有舟師十萬溯長江，何也；忠憤之所抒，使以時勢之推，使然天下則以得喪，然則吉光羽片，蓋亦當代之鳴，與張伯苓、王之餘，有不禁滑甚師，即所以重[illegible]。王韶生。

燕塵識小

八、裁汰九卿

細繹此旨，是廢八股而未全廢科舉也。當時維新之論，不但謂八股當廢，科舉亦當廢，而一切人才皆由學校出。然此次降旨，蓋使數百萬之老秀才、老舉人，盡失登進之路，恐未免傷於急激，故借策論科舉，以為過渡之階，亦非[illegible]之道也。

此論又於同章指法特詳。蓋清自乾隆以後，事以楷法取士。自擧人之覆試，進士之殿試，朝考，以及考試大考，考差，考軍機章京，考御史，考中書，考總理衙門章京，考優貢，莫不惟楷法是重，一筆一畫，不推當之學，管樂之才，則雖一書不讀，一事不知，亦可以致高位，持國柄。故楷法之弊，使人才凡百，甚於八股焉。此論一出，得以有用之精神，然後舉國之士民，得以一切掃除而治有用之學矣。（引飲冰室話）

戊戌譚往

「詹事府本屬閒曹，無事可辦。其通政司光祿寺鴻臚寺太常寺太僕寺大理寺等衙門，事務甚簡，半屬有名無實，均着即行裁撤，歸併內閣及禮兵刑等部辦理。又外省如直隸甘肅四川等省，皆係以總督兼管巡撫事。惟湖北廣東雲南三省督撫同城，原未畫一。現在東河在山東境內者，已隸山東巡撫管理。只河南河工由河督專辦。今昔情形確有不同。所有督撫同城之湖北廣東雲南三省巡撫並東河總督，着一併裁撤。其湖北廣東雲南三省，均着以總督兼管巡撫事。東河總督應辦事宜，即歸併河南巡撫兼辦。」

撤者數十人。此輩老臣，積資數十年始躋通顯。一旦去位（也就是砸破了鐵飯碗），焉有不切齒痛恨，以謀報復者哉？此又變法不成又一隱患矣。（九卿至此已裁其七僅徐郙等院閣子監而已）

（八）

紙帳生

現實小說

驚蟄

·金溟若·

恐有未便……」葉校長瀟灑地揚着眉端說。

「這有什麼關係，我們不過替陳先生經手一下，請同事們喫喝一頓——可不是嗎，何老師。」

校長太太搶去了丈夫未完的話，兩眼瞪在陳太太手中的支票上，而越瞪越大，但隨即謎得細細地，臉上的蜘蛛網，也跟着擴展開來，從兩眼角直布到鬢脚邊上去了。

「是嘛，是嘛，倒是葉太太爽直明理，又不是給你們的賄賂，只是請校長過手一下就是。」陳太太一本正經的說。他索性把手中的那張支票，遞給了校長太太。「這裏是一萬元，葉太太幼稚園裏的同仁，請順便請請客。幼稚園的家長們，是容易接近的，也一起不比中學，錢不夠分配，儘請吩咐，拜托拉攏。」

「不必客氣。」她說着，站了起來。

「一萬元，還要人家替她去關三家五舍的，算計好。」校長太太走上的絲網中心，由眼角移到了嘴角上，「不必性急，既肯出錢，總好商量。」葉校長意味深長地微笑着說。

陳太太，送走了陳太太，校長夫婦不覺相視而笑。

聽到一個「錢」字，校長太太的臉上立即展開了一層蜘蛛網，不住伸長了脖子。

「這——個，

陳太太從葉家出來，轉上中山路大道的明德醫院去找委員賴明德醫師。

賴明德委員，是台灣光復後攢紅的許多台籍人之一。英雄不怕出身低，日據時代的賴醫師是個什麼東西，光復後却在研究的的必要。總之，除了一部份本土的台灣人士之中，以革命志士的姿態衣錦還鄉的之外，日據時代喫得開兒得轉的御用人物，雖因台灣易手而沒有了勢力，但仍不失為財富之家，一樣受人的尊敬，容易混出頭角，恢復往日的榮勢。要不然就是日據時代過刑的所謂好漢，日本帝國主義社會的叛徒，當然都是愛國先烈，那些不甘愛國會脫穎而出的嗎？而那些帶罪錄錄的良民，自然永遠將錄下去，被浮載沉而終其一生的。賴醫師光復前一直在中部一個鄉鎮上開着一家不得不能再小的診所，既非革命志士，也夠不上御用人物，當然是好漢一流的典型了。現在的明德醫院，是佔地數百坪的三樓建築，前面是診察室與病房，隔着庭園的綠蔭深處，是院長的住宅，現在則權充委員官邸的了。

賴明德對醫生本來不感興趣，做了官之後簡直怕見病人，他把整個醫院交給他的弟弟和幾個雇用的醫師，而把自己的官邸從醫院隔絕了，另從旁邊的巷子單獨出入。他為了能讓顯要們的汽車可以一直駛至大門，把那小巷的狹道擴展到六尺以上，鋪上水泥。好得兩邊都是公地，賴委員的事，鎮公所還敢怠慢地。陳太太的單車轉入這條水泥道，遙見賴委員的別克，正停靠在大門外。她撳車向前，去撳門上的電鈴。別克上的司機正懶洋洋地在打瞌睡。

陳太太被招待到會客室中。賴兩家，原是過從得很密的朋友。陳瀚會同賴明德是委員，走衙門溝通官場有許多方便；賴明德則看在陳瀚在地方下層社會上的勢力，能取得「民衆」的力量，吳家的春屬此來彼往本來，可以不拘形式，但從賴明德做了委員之後，他聽說自己的官階已相當於前清的封疆大吏，開防不可不嚴密，否則有失體統。他吩咐家中佣人，不論什麼人來拜訪，均須按程序先招待到客廳中。然後通報，不能讓客人橫衝直撞。後來連老太爺從鄉下出來，也得委屈他先在客廳裏坐上一坐了。而竟有其子必有其父，見別人對他兒子稱「委員」，本來怕官怕警的鄉下老頭兒，先是對別人稱「我家委員」，後來叫順了口，當着兒媳的面也叫起委員太太來了。賴委員對此倒不以為意，日據時代受了日本警官的賍喝，現在一朝權在手，反過來可以對那些警察之流的傢伙氣指頤使，給他出盡了悶在心中已久的悶氣，還不是全靠着這「委員」兩字，所以一聽到人家叫他委員，適自己都會肅然起敬，上上下下，是飄飄然感到輕鬆愉悅而已。陳太太在會客室中坐了很久，雖然心中焦急，看時間漸近中午，但她熟悉賴委員的家風和他碰得擺架子的心理，不敢離開客廳；而漸次還是向人誤有所乎求的呢。

（三）

自由人
THE FREEMAN
（第一四七期）
每份港幣壹毫
台北市售價台幣壹元
社址：香港高士威道二十號三樓
20 CAUSEWAY RD. 3RD. FL.
HONG KONG
TEL. 771726
承印者：東南印務出版社
地址：高士打道六十四號
台灣總經理處
台北市西寧南路壹零號二樓
電話：四七三四六
台郵撥儲金戶九二五二
海外總經銷：友聯書報發行公司
香港：德輔道中二十六號A二樓

自由。容忍。安全

司馬璐

民國二十一年，張君勱先生翻譯了一本「非希德對德意志國民演講」，在那本書中，非希德有一節話說：「德國今日之失敗，非一二人之咎。負其咎者，曰全體，曰時代，曰愚昧膚淺與怯懦；曰以上諸種之不可分離之結果。」我們今天重讀這幾句話，不禁感慨良多。瞿菊農先生當時在張君勱先生那本書中作序說：「非氏的演講，可以認為不僅是對德國人的演講，而是對人類的演講，尤其是國家危險與他當時的普魯士相彷彿的國家，應該在他的演講裏得到感勵，得到安慰，得到努力的方向。」

非希德的演講中，還有幾段話值得我們今天深深反省的：

「吾人今天不能為積極的抵抗，此人所共認。……如今之報顏人世，為天下所非笑，負怯懦與偷生之重謗，吾人其何以自解乎。所以自解者，只有二途，一曰以誓不欲生之一念，證之于事實。再則曰以下代之善良種子之播種者自居，且希望此種子之根株深固耳。」

非希德當時號召國人團結，『在共同的宗旨的基礎上，集合其同宗旨的人為一體，在此中心點上乃生唯一的，繼續不斷的愛國心火。逐漸蔓延，廣及于四境而靡遠不屆。」凡「誠心愛國者，應立即下一決心，由自身執行之。……今後之能否由惡而善，皆決于吾人之自身，天下決無有善境之來而不出于吾人自身之努力者。」（以上均引自張譯全文）。

張君勱先生這本譯書，給我們今天一些什麼重要的啟示呢？

第一、我們過去的失敗，「非一二人之咎」，而是人人有責的。

第二、我們今天「報顏人世，為天下所非笑」，應求「自解」之道。

第三、「自解」之道應在共同的基礎上，集合其同宗旨之人為一體。」燃遍「愛國心火」。

第四、凡「誠心愛國者，應立即下一決心，由自身執行之。」

人人對國家負責任，由自身的努力做起，人人救國與報國有舍我其誰的決心與勇氣，我們的國家當然一定有光明的前途。

自由與安全

我們今天要救國，需要舉國一致，民主團結，這是一個起碼常識，任何人都能明白的。但是，我們今天的時代和所處的環境當然與非希德的時代不盡相同；非希德對國人號召拯救「國家」，而今天我們所面對的時代，不僅要強調國家自由，同時也包括強調個人自由的意義。

我們所需要的自由必須是國家自由與個人自由兼顧並重的，必須是國家的獨立，人格的平等，社會的安全與自由的利益相一致的。

羅素說，政治的主要問題，由民主主義的立場言之，就是政府權威與個人自由的均衡問題或適當的配合問題。「對于個人給予過少的自由，則社會陷于停滯；給予過多的自由，則社會陷于紛亂，兩者如何均衡配合，是民主憲法的基本問題。」（見羅素：「世界之新希望」）

自由與安全不是衝突的。正如美國著名哲學家柯亨說：「保護某種自由，鎮壓某些其他自由，這是法律制度的主要功用之一。」（見柯亨：「自由——它的意義」）

換言之，正因為我們要保護自由，所以我們需要「法律制度」，「法律制度」為保護自由必須具備的東西，「法律制度」又必須是經過自由的程序所產生的東西。「法律制度」適當的配合政府與個人之間的關係，「法律制度」產生的程序中，「個人」所享受的自由愈多，則「個人」愈能心悅誠服地接受這種「法律制度」。

因此我們說，自由與安全並不衝突，當「個人」愈能夠心悅誠服地接受這種「法律制度」的時候，政府的威信也愈高。

傑弗遜在「獨立宣言」中說：「一切的人都是生而平等的，造物之賦予人類不可侵犯的權利，例如生命，自由與追求幸福。」捷克的著名政治家史提梵、歐蘇斯基說：「自由與追求幸福是併行的，因為他們是互相依賴的。」（見歐蘇斯基：「自由之道」）

把自由與獨立，平等，安全的觀念對立起來，無論他的理由從那一個角度出發，都是十分愚蠢的行為，我們可以說，這一類的看法，對于當前國家利益來說，是十分不幸的。

自由與容忍

自由應該同時包括容忍的意義，同時應該包括自動約束自己的內容在內，沒有這種「律己」情神，個人自由就會變成無視別人的「自由」了。

柯亨說：「自由氣質的特性，是它把寬容各項觀念的態度，與鑒別力的感覺，併合起來的。」（見柯亨：「美國自由主義的將來」）

柯亨說：「自由主義在藝術、道德、政治中的主要本質，就是將那些有替代可能的理論，逐項加以同樣的邏輯的剖析，以決定究竟那一種理論是比較最有根據的。保守主義則不然，牢不可破的堅持着那些既定的事實，深恐我們一旦鬆手，人生一切寶貴的價值，就將完全化為烏有。」但是，一個自由主義者面對那些新的東西的時候，「究竟一定是好的嗎？或是真的嗎？並沒有確切的保證。」因此，自由主義也應該「正和科學一樣，對于我們所有的信仰、原則，開始的假設等等，也堅持着先要用批評的態度，把它的實際內容，來詳細考驗一下，並再經過不斷的種種證明方法，使得它們在經驗上及理論上的基礎，得逐漸的鞏固。」（見柯亨：「我們相信什麼」）

自由的價值在于它本身是一種進步的動力和進步的源泉；它的價值又在于它所發現的面對的和信仰的一些新的東西，一樣能夠接受「考驗」，否則，如果自由的本身也變成一種教條、偏見、八股，就失去其意義了。

一向反對自由主義的人們，來自于兩方面，一種是保守主義者，一種是共產主義者，他們漠視眞理，他們手上有了一兩本小冊子，就自以為可以代替一切的學問了。

一個自由主義者倘使不顧事實，盲目地否定別人的一切，剛好與保守主義者，共產主義者走向相同的道路；一個自由主義者遮着自己的眼睛，故意的無視一切新的東西，阻止自己的進步，也是十分愚蠢的。

自由不是教義

羅素在「布爾雪維克主義的理論與實際」一書中，承認共產黨人「武斷的信條在一段簡短期間內有助于戰鬥力。」但是同時指出一切經過「把人們的自由思考封閉起來」而產生的「戰鬥力」是不會持久的。

自由主義經過科學懷疑而產生「戰鬥力」，它的步調或許是緩慢的，却是堅實的。如果「自由主義」者也堅持一種「武斷的信條」，它所產生的「戰鬥力」也一樣是不會持久的。

柯亨說：「我們雖深信我所信仰的眞理，確是眞理，可是別人或許有些道理從未說出來，或為我所從未聽見過的，是別人也許有一種見解，是值得加以研究的。」（下轉第二版）

半週述評

中日爭端幸獲解決

據報將近一月的中日爭端，最後經日方提出保證，表示尊重中國政府的關係，不予中共駐日貿易代表以官方地位與懸旗權利，中國政府方面即由外交部發表聲明，認為滿意。日本「民間」與中共所訂立的貿易協定，則由岸首相加以批准，並保證其實施。於是中國方面滿足了面子，日本人可以放心和大陸做生意，雙方各得其所，一場幾乎鬧成斷絕邦交的糾紛，總算是解決了。

值得欣慶，使共黨分化的陰謀未能得逞，日本變相承認中共的企圖也未能暢遂，亞洲的反共陣綫，至少在形式上還保持着完整。但是實際上，五星旗卻在代表團所在地懸掛出來了，而且受到日本「國內法」的保護。對於貿易協定及其最成問題的附件，也根本沒有更動的餘地，中國方面所爭得的，也只是一點空泛的保證而已。

我們無意再苛責我們的外交當局。老實說來，在極端不利的形勢之下而能得到如此的結局，已算難能可貴。但日本中共此項談判，在去多即以備忘錄中各項具有變相政治承認性質而一度中斷，到池田政之輔一行於二月中旬再度前赴共區時，已經具有無條件簽字的存心；假如在當時我們的使節能夠機警，即時促請外交當局作斷然應付，結果總比在既成事實造成以後再謀挽救要好。我國外交本來難辦，若再加上顢頇遲鈍，就簡直不可救藥了。

日本對外貿易問題

現在是一個利之所在金石為開的世界，責備日人見利忘義抑或以怨報德，都是多餘的。可慮的是戰後以來在經濟上一向依賴美國的日本對外貿易，有漸向中共大陸靠攏之勢。經濟是政治的先鋒，此其嚴重性更遠在形式上的懸旗之類以上。更不要說此次日本與中共貿易性質，正如美國百萬人委會及布里奇參議員等人所指出，完全是助長中共工業建設，增強其戰爭潛力。這決不是商人們所關心的問題，在政治家却不能輕忽視之。

近幾年來，共黨竭力利用貿易攻勢分化自由世界，美國若干政客却依然墨守許多年前保護政策的陳舊傳統，甚至為了保護本國工商業者一點點頭微利，竟不惜有意讓各盟國向共產世界尋求貿易出路，可說愚不可及。

本月九日艾森豪總統在記者招待會曾談到日本貿易問題與互惠政策，可見白宮當局不是沒有看到此項問題的嚴重，這決不能聽其自然，一定要拿出辦法來。否則，大的國際總決戰一時不會爆發，自由世界的反共陣容到先在共黨的貿易攻勢面前瓦解了。

歡迎胡適先生返國

胡適先生終於回國一行，是一件極可欣慰的事。除非深具偏見成見的人，誰也承認胡先生是國之瑰寶，我們希望他不只是短期居留，更盼能夠使他從此結束流亡異域的生活。只要我們不想故步自封，老死海島，便不能不講求所以團結海內外同胞之道。能夠容人，纔能有所做為。鬧感情，逞意氣，是絕對不會有助於我們反共復國的前途的。

・李秋生・

人家替我們說了話

——讀南韓駐美大使梁裕燦的談話後

・雅斯・

自從日本之「政治台灣經濟北平」的騎牆政策，表現於附有政治條件的北平第四次貿易協定以後我國朝野及海內外自然一致的發出第二次大戰結束後第一次的反日呼聲。這是勢所必然的。

也許有人這樣想：

一、中日邦交對亞洲反共陣綫至關重大，我們為了反攻復國，不能樹敵；否則中日與東北亞同盟一類反共組織，勢將成為幻想。

二、像英國是自由世界的領導國家，就第一國與中共貿易而且承認中共，我國尚且默然無言，為什麼對日就薄此而厚彼呢？

這兩項心理表面上似是為着現實利害打算，實則最不現實，因為：

一、所謂「樹敵」，也要看樹敵是否必要，或不樹敵是否可能，以及不樹敵能否化敵為友。古人所謂，「小不忍則亂大謀」，是不適于這種場合的。如果一位正人為了一時之憤向你「唾面」，你為了「不亂大謀」而「小忍」，那未嘗不是一種品德；但如果一位「闊人物」向你心口打了一記致命的打擊，也為「不能樹敵」而「忍」，那簡直是其愚不可及也。日本不但接受附有趨向承認中共的條件為不愿，即與中共貿易本身也不啻間接資敵為害，應視為不可容忍的舉動。如果可以拿日本需要向外找市場為容忍的理由，則自由世界眼看大陸「金蘋菓」（？）垂涎欲滴者大有人在；然則普天之下我們的友邦，實際只是一個空洞的名詞而已。

二、我國對英日關係不同，英國之承認中共而與中共貿易，只能站在國際道義上的立場去批評，而日本則除了這立場外，還有一個以血債為背境的私的道義立場，不可同時而語。所謂厚此薄彼，自難為喻。

上述兩種心理，都不可以作為我國容忍根據。

中日關係發展到現階段，據日來葉公超與堀內兩大使會談所謂進一步的「了解」，不知「了解」的畢竟是些什麼？是了解日本執政黨因為受「民間團體」的壓迫而有困難嗎？是要了解日本執政黨一旦與中共決絕而政府就要垮台嗎？還是要了解日本非與中共貿易就不能渡過經濟危機嗎？還是要了解日本當局如果不下台，就勢須與中華民國斷絕邦交的趨勢呢？屬筆至此，看到中央社電訊，中日會談已獲致協議，就外交部發表的聲明看：那祗是由日方將濫調重複一次，聲明該協定係由「民間團體」簽訂，日政府無意承認其具有官方地位或任何特權；對懸旗一節亦不予以承認；此外則是官樣文章了。日來所謂繼續努力獲取台灣的「諒解」者，不外如此而已。

就我國言，這是一個「大事化小，小事化無」的外交，也是「頭痛醫頭，腳痛醫腳」的辦法，沒有一個「原則」的堅持。換言之，我國對日「諒解」，實則是一個面子問題，而非「原則」之爭了。

南韓駐美大使梁裕燦卻已替我們言之了。他認為：「如果日本不改變對共產國家，特別是對中共政權的政策，則中華民國海內外人民和別的自由國家，應當一致發動抵制日貨，讓日本知道與中共貿易的後果」；「日本雖然自稱是自由世界的一份子，却鼓勵日本商人和共產政權貿易，甚至願意讓共產政權的旗幟在日本飄揚」，因此「我們自由世界有些人對日本的態度實在無法諒解」——「有些人」中，豈我自由中國反而不在內。

中國人久已沒有仇日之意，如果有，那是日本年來重新激成的。正如梁裕燦氏所指出：「除非日本改變這種政策（這當然不僅是隨時可變的掛旗問題）否則韓國將加入自由中國及千百萬華僑，杯葛日貨」。

這些話出諸友邦南韓駐美大使之口，而非出諸我駐美大使之口。我們要大呼「董顯光何在？」「我們的外交往那裏去？」

再把梁裕燦大使的話說一遍：「日本此舉僅害了自己」，這是日本有自己的算盤用不着我們替它打算；「對日本的動機發生懷疑的，不僅是亞洲反共國家，連美國人民也開始不敢信賴」了。縱然美國官方曾指出中日邦交破裂，是中共所期待的，但自由中國對日本的屈服，更是中共所企待的。我相信我國的強硬外交，不但為了自己，也為亞洲的反共陣綫，我相信連美國也當心許的吧！

我感到：我們應說的話，人家替我們說了！

台灣通訊

「九牛一毛」的外滙舞弊
外滙管制竟是如此這般

東方亮

，前內政部發生西藥外滙舞弊案，移送法院法辦時，外貿會中人曾向內政部負責人說項，略謂外滙舞弊，這祗是「九牛一毛」將會牽涉甚多財經大員，以一內政部長無法能夠整理清楚；報載立法委員尙有一、二人參與。這應是「財經內閣」的諷刺。日昨據台北地院檢察處提起公訴的一宗，也眞是駭人聽聞的。

又是官商勾結

這一宗外滙舞弊案，是官商勾結，被起訴人犯中，計商人周煦龍、公務員楊清、高炳泰、曾亮、何家駒。前華強貿易行董事長周煦龍會向航業界購進運費外滙十七萬美金左右，向外貿會活動准許進口管制或暫停物類，冀圖獲得高利潤。外貿會專案較入審核組長楊清、對其請求進口管制物資，雖明知與院令規定不合，仍故意不予批駁；條於交通部擬具「當前獎勵航業方案」，經行政院核准「公民營航業公司在國外獲外滙請准進口必需物資」數量，「暫以兩百萬美元爲限」，交外貿會議後，擬具「處理原則六項」經政院核准後，即分函有關單位查辦，輪船商業全國聯合會即按各會員公司現有營運船舶噸位比例，分配外滙數額於招商局等十四家公司，計復興航業公司配得美金三十四萬四百元，其中採購變價物資佔百分之七十，計美金二十三萬八千二百八十元。此項消息外佈，舞弊案已開其端倪了。

貪官收受酬金

華強貿易行董事長周煦龍得知上項消息，與程烈謀議購買再行轉售，乃將該一部外滙美金十七萬元左右，以美金每元折合新台幣四十五元，由其妻吳亞隱與程烈出面，與復興航業公司簽約，惟一百五十萬之保證金不易籌措，先後邀宜錫鈞、劉萬雄、姜守全參與負責，但變價物資以准予進口類爲限，利潤較少；乃向外貿會請准管制或暫停類物品進口，洽定按每美元抽新台幣三元二角，如係普通物資，則抽新台幣二元，作爲酬金，程烈以船聯會會計顧問兼該事之主事者，以船聯合會名義電請外貿會從寬辦理。惟限於行政院之規定，希望船聯合依規定申請。

奸商轉賣外滙圖利

周煦龍等復提出理由，電請交通部轉呈政院飭知外貿會解決，復與該會說情，經政院轉發外貿會核議，乃由外貿會審核組長楊清簽請彙該會主委財政部長徐柏園批准，並未報復上級，亦不以公函通知船聯會，留作秘密進行，以便減少其他船商援例申請。周煦龍將買得之外滙，分別賣與商人楊光順、張德明、蔡崑山、李書楷等，並提出所需進口物資清單，交由復興公司出面申請，如係管制類者，每美元售五十五元新台幣，如係暫停類者，每美元售四十八元至五十二元不等。至此便得傾全力打通外貿會的關節了。

獲利百卅餘萬台幣

自四十六年三月起，外貿會之正副組長秘書辦事員楊清、高炳泰、曾亮、何家駒等，每月約請在台北市鳳林、鳳仙、東雲閣、蓬萊別館等酒家，及北投逸村、東薈閣等旅社宴飲，多則四、五次，少則二、三次，每次化費，多則四、五千元，少則二、三千元。逢年過節，分別贈以白蘭地，威士忌洋酒及洋烟，火腿、奶粉、月餅等。五月間復送楊清美金一千五百元，高炳泰一千元，楊等乃盡力予以利便，不惜違背職權，使之核准。所以派克鸞奇墨水、郵封紙、白果、櫻桃仁、杏仁、紅棗、黑棗、蓮子等准進口或不准進口物資，均經分別予以理由審查核准進口，計核准管制進口物資共美金五一、八〇〇．〇〇元，暫停進口物資共美金四七六、三五元。比次周等獲利共新台幣一百三十二萬元左右。

內部分贓不勻敗露

該案因內部分贓不勻，以及與復興公司合約之不感或收回，事機不密，以致敗露；但立法院之一、二立委，涉嫌參與外滙圖利者，也是此案；即以此宗舞弊案而言，除官商勾結外，尙有民意代表參與。

應澈查「九牛」所在！

我們推想類此之舞弊案或者眞是尙有「九牛」，因爲此不過九牛之「一毛」而已，應澈底查出，官員們以職權利便舞弊，民意代表以職權強制國家官員，上下交爭利，前途眞是不堪設想，又豈能對於負責之士多所加以監督呢？除非不要國家，甘心降敵助敵者，大概沒有誰人願意閉目緘默的吧？

（四十七年四月三日午於台北）

中日關係惡化聲中

越報論

中韓日越一家

（西貢通訊）自由中國之友雷震遠神父主辦的西貢自由太平洋月刊，在最近一期的社論，以「中韓日越一家」爲題，強調中韓日越四個國家地緣血緣接近的關係，認爲「這四個國家，不只是構成『天下一家』『人類同原』的主要份子，而實際這四個國家原本是一家。」並進而有所論列說：

「爲實現「天下一家」，「人類同原」之理想，最簡便而切實的辦法，莫如先由地緣血緣接近而同種之地區，國家先形成一集團；而後擴而大之，形成大集團，則「天下一家」，「人類同原」之理想，就不難實現了。

「如果上述辦法可以實現，在東方國家中，地緣血緣接近而同文同種者莫如中日韓越四國，因此這四個國家，不只是構成「天下一家」「人類同原」的主要份子，而實際這四個國家原本是一家。在過去歷史上，固然曾經發生過若干互相殘殺的悲慘事實，但這四個國家的人民都具有「既往不咎」的心理，「以前種種譬如昨日死，以後種種譬如今日生」，我們該把過去的沉鬱陰影，化爲溫暖光明，使這四個國家人民，不只能握手言歡，且能甘苦與共。古人云：兄弟鬩牆，外禦其侮」，此正其時矣。

「以上所言，也許偏於理論，茲再就當前實際利害言之，更見促成中日韓越四國一家的問題之不可或緩。蓋此四國家無論就軍事，政治，經濟，文化各方面，爲阻遏外來侵略，保護本身權益言，非形成一個整體，結爲一條陣綫不可，否則各自爲政，必難免於被共同敵人個別擊破也。

『因感於未來世界的趨勢，更怵於當前危殆的現象，我們摰誠提出，中日韓越一家的口號，爲實現「天下一家」，「人類同原」的理想鋪路，爲阻遏侵略者的野心努力。』

正如這篇社論，所指出，中韓日越四國的團結，原是四國人民心中所憬憧的一個正大的路向。可惜越南曾經有過華僑被歧視而引起的撤僑事件，到今日才改進邦交走向合作階段，而日本又因迷于現實利益，與中共貿易，致使中日邦交瀕于決裂邊緣。惟茲篇所論，當爲四國人民所「人同此心」的。（志三月廿五日）

允中共在日懸旗爲失當

日本法學博士田村幸策著文評述

觀游

（本報東京航訊）日中貿易協定掀起的風浪到今天還沒平息的現象，日本政府遲疑不決的態度實有以助長此項風波的擴大，豈待我宣佈中止貿易談判及停頓日片始引起。自我宣佈中日停止貿易談判後，近半月來，日本報紙對我抗議一事及有關消息均一一加以報導，上月廿八日，日本朝日新聞刊載一篇討論日中貿易協定」一文，乃日本中央大學教授法學博士田村幸策純粹依據法的觀點所作持平之論，也就是說明國民政府作此嚴重抗議以及抗議的完全合法合理，比起短視圖利，以忽視他國之抗議者，眼光是深入一層，高明百倍。

他說：「日中貿易私人協定」竟然承認中共通商代表部可以懸掛中共旗幟，此爲對中共之事實承認，使領館之懸掛國旗甚至於條約的規定，日本既不承認中共，怎能容許中共通商團懸掛中共旗幟？有人辯稱在中共展出之日本展覽會，及在日本展出之中共商展，都可以懸掛雙方國旗，當然可以允許中共通商代表團懸旗。但他說：展覽會懸旗是臨時性，也可以說是廣告性，是一種標識，性質完全不同。譬如橫濱之中國僑胞有在中共「十月一日」國慶日懸掛中共旗幟，有的在雙十節懸掛國府國旗，這都是臨時性的。但是讓中共通商代表團設置及允許其懸旗，乃是事實上之承認，卻又而說日本不承認中共，那是掩耳盜鈴的愚蠢行爲。

可是「日中貿易協定」竟予中共通商代表團團員享受海關免除檢查，免稅之權利，連其家屬也包括在內，至于安全的保障，可以說完全是外交特權的待遇，這種國家權利的所作承認以及法律的牽涉完全不是私人事實上對中共的承認。

田村博士又說進入日本之外國人都要按指紋，除非享有外交特權的才可以豁免，蘇聯駐日通商代表團亦只首席及副代表二人享有此種權利，至于使用密碼和在日蘇通商條約的備忘錄第二條明文規定，田村博士更指出「日中貿易協定」對於雙方發生法律上的紛爭時，規定日蘇雙方發生商業契約糾紛時，應服從日本之法律裁判，豈不是中共尤較蘇聯更是狡猾。

末後田村博士指出，中共對于日本與美國的關係，非常清楚「日本承認中共」不像英國那麼單純，所以避免取得事實上的承認，取巧的只要取得事實上的承認就行了，更知道日本對中共之貿易，如飢如渴，迫使日本就範，走此事實承認之路。北方蘇聯之魚，南部朝鮮之魚，南部中共貿易早是日本的心腹之事，當局看的很清楚。田村博士最後勸促日本政府應該早日對此作一明智之決定。（四月二日）

又訊：日本國策研究會常務理事矢次一夫于廿七日八時五十分與岸信介晤談三十分鐘之久，據傳矢次氏對岸勸促將懸掛中共旗幟一條取消，同意「雙方以同一方法處理」，竟輕易的連日本之裁判權都要失了，決定……云，此事張羣秘書長岳軍曾有私人信致矢次一夫，又聞日本政府將在本月底對「日中貿易協定」一事表明其態度與立場云。

我想我們不應該再作次一步的考慮，日本中央大學田村博士的法的依據的持平之論是值得日本政府警惕的，難道說日本對中共的事實承認，我們就不能對日本予以實質上的否認嗎？這就看我們的決心了。

讀者論壇

立院秘密會議通過電力加價？

電力公司第四次加價，昨（一一）日經立法院秘密會議議決通過，原增加電費率百分之十一，結果准加電費率爲百分之八。台電爲公營事業，事先漲價有當嗎？立委爲民意代表，既討論關係人民負担之電費，用得着「秘密」嗎？

台電增加電費，四十六年第一次，四十四年第二次，四十五年第三次，此爲第四次。幾乎年年增加其原因所在，據台電說是爲彌補差額，因每年盈餘及政府股息全部用於公司之再投資，以致收支差額減低而至於無。就是說，由於煤價上漲，租稅增加，應於四十七年度營業預算提百分之六股息作再投資，而預算中的收入就有五、六十萬元的差額，並用作償還美援貸款本息，如不加價便成大問題；政府不給款補貼，台電惟有加價一途。我們表示疑問的，台灣產煤，無須外煤進口，何以要煤價上漲？台電爲公營事業，租稅亦爲公務行爲，何以不能挹注，略有增加而影響台電營業收支差額，要向人民索取補貼？人事管理費如何不妥爲審議，一任其浪費下去，以致於有此情形呢？

在台電本身與立委們看來，電費增加百分之八，不過是由每度〇・二九一一元，加至〇・三一四四元，依每度之漲價言，是微乎其微的。可是用電是每一個人所必需的，台電爲公營事業，試想公營事業漲價了，民營事業照常例是跟踵而漲的，獨農產品、人工製品、機器加工品均不漲價，上述人們便增加負担，而軍公教人員呢？去年十一月十三日立法院通過軍公教人員自四十七年起，士兵增加六成，士官長增加五成，尉官四成，校官三成，將官二成半，公教人員增發一個月薪給，均還未領到，自彼時起，民營事業已有增加物價，今又增加電費百分之八，依軍公教人員底薪計算，經公營民營事業變相壓力，勢必又弄得民不堪命了。

民意代表的立法委員，竟這樣用「秘密」會議的方式決定了，「秘密」會議時，拒絕新聞記者的採訪，對人民想表示反對也無機會！

關係人民負担的電費加價，應由民意代表討論，對人民也……，該案既非國防又有什麼「秘密」可言？（四十七年四月二日夜於台北）

民丁

能不折腰乎？

尹震

自由　容忍　安全

（上接第一版）總而言之，我們從衝突的意見中，比較在高壓的手段下，可以發現到更多的眞理。

柯亨說：「自由主義常被認爲是一種教義，由一般自稱『自由主義者』的新派教士來把持教導。但是自由主義，是一種態度，而不是一套教義。」

柯亨說：「自由主義者的信念，也與科學家的信念一樣，都是從謙虛中產生出來的。」

柯亨又說：「自由主義之能向前進，正如科學一樣，因爲它經藏着自動更正的原則，所以一遇到錯誤，或偏窄的見解，隨時可能予以糾正。」（以上均見柯亨：「美國自由主義者的將來」）

試想，一個人如果他一方面標榜自己是自由主義者，一方面又是一派大師和開山鼻祖，豈不可笑？

試想，一個人如果他一方面標榜自己是自由主義者，一方面又和保守主義者共產主義者一樣，對于「新」與「異」的東西，不肯採取寬容的態度，豈不可惜？

試想，一個人如果他一方面標榜自己是自由主義者，一方面又不肯「自動更正」自己的見解「錯誤」與「偏窄」。豈不可惜？

滔滔天下皆是也，有志之士，如果我們能救「國」，無論朝野，皆能「下一決心」，從「自身」做起，豈不善哉！

捷克與波蘭之異

風行譯

下面是一個遊歷波蘭和捷克的印度記者，寫給印度新德里『思潮周刊』的一封通訊的節錄，雖然他的觀點未必正確，但可供我們參考。

不管我閱讀有關某些國家的書報如何之多，但當我眞的到了這些國家時，便感覺當前的印象，和以往的想像有很大的差別。我到捷克和波蘭後，便感覺有關他們的歷史，言語，及文化與社會的智識太貧乏，或甚至若干是不正確的。

他們的人民，和我在倫敦看見的波蘭人與捷克人，似乎完全兩樣。在倫敦的波蘭捷克菜，和在當地吃的菜，更不消說是極不相類的了。更令我注意的，是他們了解西方的程度，出乎我意料之外。他們知道我們的情形，比我們知道他們的情形較多。

我在華沙和布拉格，遇見了許多記者，都會說三種以上的言語。他們經常看西方的報紙。報社內的圖書室，有最近出版的「紐約時報」，「前鋒論壇報」，「時代周刊」，倫敦的「泰晤士報」和「曼城衛報」，及其他的著名的報紙。華沙某報的編輯，會到倫敦在「每日鏡報」社學習經驗。許多報社定購「路透社」與「法新社」的電訊稿，雖然我尚未知究竟登載了若干。

雖然外國的報紙和雜誌，沒有普遍出售，——祇有從兩大售報社可買到——但可託代理商代訂閱。至於文學書籍，許多外國作家的創作（不論新舊）可在書店買到。

政治常歪曲了我們對外國的想像。民主世界的人們，通常以爲東歐是一羣無甚差異的共產國家，一律稱他們是『附庸國』。政治家和記者對於構成此種混然一體的想像，負責最多。也許在史達林時代是如此，但現在却不是了。在今天東歐極顯著的情形是『民族主義』的復活，（也許我可以說是『民族的特性』）在各別不同的共產黨統治下國家。一九五六年發生於波蘭的情形就是這樣。波蘭的波茨南暴動和智識份子當中所醞釀的，不單是對可憐的經濟及社會抗議，而且是再申明波蘭要維持其民族特性。現在的戈慕卡就是這種民族主義的象徵，正是由於這種民族主義的感覺，他才能維持其政權，和他的反共產黨老衞士之運動。

甚至在捷克亦不斷的進行『寬大化』，雖然沒有像波蘭這樣的幾動人的覩鬬。和記者談論政治的布拉格『正統共產黨徒』企圖佯作表示不了解我的所謂『寬大開明化』，並且訴諸向來是如何他們所願的開明的共產黨員。承認在過去之舊政權專屬拘束，但指出目前『[illegible]』的放寬束縛。

捷克人是乖巧精明的，不訴諸感情，而常謹慎的將自己的利益放在其他一切事物之上。捷克人有很多點像英國人。（捷克人）他們的民族英雄『大兵』，便有這種性格，他可以抵受任何的磨折，但不會被打敗。

捷克與波蘭對俄國的態度，有強烈的相反對比。在波蘭很難遇到一個對俄國表示好感的人。但捷克人認爲俄國是他們的朋友。這種態度之差別，一部份的原因在與文化，但屬歷史上的原因，因爲在過去兩三個世紀，捷克人認爲俄羅斯人，是他們的良友，從德意志人，奧大利人，與匈牙利人手中解放出來。與被蘇聯欺騙的波蘭人士，也認爲俄國是不可少的共同防衛的盟友。俄國與波蘭與俄羅斯關係的歷史，是一連串的不幸與含冤。波蘭人在政治上被迫與共產蘇聯緊繫，但在文化上是屬於西方的，現在似乎向着中立主義移動。

國際動態拾零

△現在美蘇各有兩個人造衞星放在太空，但多數人仍認美國較蘇聯落後。原因在電量問題。蘇聯之第一人造衞星爲一八四磅，第二人造衞星爲一一二〇磅；美國則「探險者」爲三十磅另八，前鋒號僅三磅又四分之一。

△重衞星能放上去的原因，證明其火箭力量之巨大，即間接表示其越洲火箭之成功。但前鋒號重量，僅及「探險者」九分之一，而探險者之主持人布朗，且承認前鋒號較優。因爲前鋒號有整套之測驗太陽線儀器，且使太陽線之電流可以廣播，而探險者祗是通過的區域較高而已。

△蘇聯二號人造衞星最高度爲一千哩，探險者爲一千六百哩，前鋒號爲二千五百哩。而二號人造衞星爲特殊點，爲實驗生物在空中之生理變化，期于先把人放入太空。此外則有旋轉輪，以測驗太陽線之短波，紫外綫與X光區域之光波。

△惟在計劃上，美國立求超過蘇聯。本星期美國衞星委員會，已發表其五年計劃：（一）在月球軌道設一擺，以測驗其結構；（二）放射一炸彈至月球，以測驗其吸力；（三）放射人造衞星至火星木星等星球，以測驗其大氣上層之情況。而且空軍之火箭是最進步的，決不讓陸軍之探險者，與海軍之前鋒號專美，故擬于本年底放出偵察衞星。而美國已製成尚待放射之衞星，開共有八種之多。

·陶然·

竹幕內幕

毛澤東何事到武漢？

毛澤東到武漢

毛澤東從去年十二月起，遍歷浙江、山東、廣東、廣西，在五次「人代會議」時回到北平，「人代會議」一結束，又去東北，最近又到了武漢。看樣子，還將往西南地區一行，也未可知。

本欄已經多次指出，毛澤東這種廣泛的巡視，是爲着重整地方黨。從其在杭州，濟南，廣州等地的參加地方黨會議的情況來看，我們的這種說法有若干的可靠性。

但是，此次到武漢，似有不同，因爲湖北是毛派要角李先念根深蒂固的區域，其情況並不像陳毅的過去根據地現在又實際是柯慶施所掌管的上海一般的那麼複雜。

本欄前曾提出的「試驗田」，就是湖北省委第一書記王任重搞起來的；現在，不論在什麼地方的幹部，都以爲搞「試驗田」是解決幹部不接近羣衆不了解下情的辦法，可說王任重風頭之健，一時無兩。

在這種情况之下，我們覺得毛澤東在武漢並沒有整地方黨的必要；不但如此，可以說，湖北省是毛澤東勢力最鞏固的地區。那末，毛澤東到武漢做什麼呢？

鼓動科技工作者

據新華社電，毛澤東在二日于武漢接見了以波蘭部長會議副主席雅羅謝維奇爲首的代表團，五日又接見羅馬尼亞部長會議主席斯托伊卡爲首的代表團，可以見到，在四月二日以前，毛澤東已到達了武漢。

毛澤東除了接見上述的波羅兩個代表團以外，還于六日接見了武漢科學技術工作者。新華社報導說明，這次會見是在武漢地區科學界舉行的躍進誓師大會中間進行的，參加這次大會的有五千三百人，並且向他彙報了進行思想改造和爭取科學事業躍進的決心。

自從鳴放轉而爲反右派以來，大陸科學界被「紅」「專」的問題搞昏了頭腦；又由于毛澤東的言而無信，聽毛澤東的話大胆鳴放者都被戴上了右派帽子清算了，於是也都消沉悲觀起來。

毛澤東要經濟方面躍進，不獲科技界的協助是搞不成的，看來這次他參加這種科技界的會議似乎是想在他最鞏固的基地上發動一項科技界的運動，以之來推動全國的科技界對於共產主義的「積極性」。

毛派小集會

毛澤東接見武漢科技界工作者的時候，陪同接見者有政治局委員李先念，上海市委第一書記柯慶施，湖北省委第一書記王任重，武漢市第一書記宋侃夫。這幾個人中，王任重與宋侃夫是現任湖北與武漢的統治者，自應隨侍左右以備垂詢；李先念則是該地的前任統治者，亦還可說有隨侍毛氏左右到武漢巡視的必要；最不可理解者是柯慶施，他與湖北、武漢毫無歷史關係，但特別趕去參加這樣的會議，爲的什麼？

我們的看法是，正當毛氏整地方黨已將告一段落的時節，對於黨內的對付反對派的辦法需要作一新檢討，似乎毛澤東去到武漢的主要目的還在這裏。

。田心。

談英語的直接教授

——習英語應注意的二三事——

教學經驗談

現在英語差不多有點世界語的性質了，許多學習英語的人，往往有一種錯誤見解，認爲英文比較中文易讀。以爲在英文書院畢業後便把英文讀通了。

英文比較中文難讀

筆者若果向普通人說，英文比較國文難讀，他們一定不肯置信。許多人認爲中文是世界上最艱深奧妙的文字，是比較任何國的文字難懂的。可是事實上，英文的確比較國文難以領會。第一個理由，是英文是外國文。中國人習英文先得學會發音，又得強記意義，而且一個英文字時常有好幾個不同的意義。二來，英文過於活動變化相當大。所以初習英文的對於文義常發生困難，全篇的字都懂得了，還是解釋不出意義來。三來，英文的文法複雜。若以動詞爲例，中文的動詞只有三種時間，英文動詞有十六種時間。所以中文小學畢業學生，雖只讀了國文六年，對於中文報紙大多數能夠閱讀。英文書院畢業生讀了英文八年以上，能夠懂得英文報紙的恐怕不及半數。

爲了英文難讀，一般環境好一點的學生家裏總聘有家庭教師。學生在學校裏上了一日課，回到家裏，還得靜靜坐着，聽家庭教師以注入方式用中文解釋課本。家庭付出幾倍學費；學生呢，日間在學校上課，晚間在家裏聽講。一天的時間太長了，經過了兩三年的時間，眼睛近視了，或者胸部也有些少彎曲了。

從內地來港的學生以爲英文比較中文易習，投考私立英文書院的候時，總要求進入高年級。爲了營業關係，私立學校多數敷衍學生的請求。一部份英文專修學校還可以任從學生指定班級。班級高了，課本也深了。大部私立學校是用中文講解的。因爲程度相差得太遠了，便是聽中文講解還是趕不上。一小部份好一點的私立英文書院，中學二年級以上是用英語直接教授的。內地來的學生遇到直接教授，更是莫明其妙。讀不上，沒有進步，祗好退學。

讀英語不宜獵級

中國人習英文因有種種誤會，而且喜歡獵級，所以英文書院患近視的學生特別多，中途退學的也比較中文學校要多許多。

讀中文和讀英文有很大的差別。讀中文，教師是習慣講解的，如讀古文用白話解釋，讀白話文用廣東話或者各地的方言解釋。英語直接教授是一種啓發式的教法，教師總設法避免講解，使用種種方法向學生發問，使學生作一種有系統的答覆。是以中文學校的學生拿了書便可以上課，事前不必有所備。英文學校學生若不於事前準備，上課的時候莫明其妙，是得不到益處的。

要怎樣才算不獵級呢？若果以中文學校爲例，小學六年級或者初中一年級的學生對於課本的文字，古文除外，是大部能夠明瞭了。英文學校的學生若果打開課本，滿紙生字，非經家庭教師講解後不能明瞭，那便是獵級。獵級是一種十分危險的事情。數年前有兩位英文書院中學五年級（F.5）的學生要求筆者教他們讀西報。距離會考祗有三個月，他們想找尋一種救急的方法。可是他們的程度實在太差了，只有中一程度，讀西報經講解後還不能夠十分明瞭。他們雖然讀了七八年英文，因爲獵級而至越讀越不懂，讀到了五年級要會考了，時間浪費了，金錢浪費了，程度還够不上一年級。而對於英文一無所知。就是因爲獵級和誤會英文是一種淺近而易學的文字而發生的結果。

讀物的選擇

英文是一種很複雜的文字，日新月異，不斷跟着時代進展。所以筆者以前曾在本刊發表，「讀英語的五關六將」一文，主張讀英文應該從讀英文報着手。

從前中國學校教讀英文，總喜歡選艱深的讀物。什麼是艱深的讀物呢？深便是古。英文聖經距離現在不過四百多年，可是裏頭許多字句現在已經不通用了，所以許多人說英文聖經深奧，不容易讀。莎士比亞距離現在不過三百年。莎翁一本劇本不過一百多頁，而註解倒有兩三百頁。三百年前，莎翁以當時的文字寫當時的戲劇。現在的人讀莎翁的劇本，若不詳讀註解，對於原文總覺得不容易領會。

國內大學英文科讀許多古老的英美文學和古詩。好些學生出了學校，拿起英文報紙看不通，甚至連普通應用的商業函件也讀不懂。可憐他們脫離了時代，讀了幾年廢物，結果一無所知！

香港現在的中英文學校使用英國新編的讀物如牛津馬來亞課本七冊，最近 Longman 書局出版的「英語直接讀本」五册等。這些課本都是根據兩千個字編成的。此外，英國書局還編印了許多根據兩千字標準改淺了的文學讀物，這些讀物全是爲外國人而設的。雖是淺近而易於明瞭，可是和現實隔得很遠。學生讀了許多爲非英美人而編的讀物，拿起一本英文雜誌或者一份英文報紙，總覺得程度相差太遠，沒有辦法讀得下去。

所以筆者主張在中文學校（高中）和在英文書院最後的幾班，英文課程應包括英文報紙或雜誌一類的讀物。

幾年前一位姓陳的學生請求筆者教讀西報。他是一位四十歲的商人，很用心地把每天的課程都讀熟了。他問我讀報紙要讀到怎樣才合標準。我告訴他，像你讀中文報一樣，一覽而知，[illegible]五個，才算合標準。讀了一年半，陳君把報紙讀通了，退了學，可是每天仍不斷的讀報。

年前，陰曆除夕，陳君拿了兩條大魚到筆者家裏，對筆者說：『離開了師門，我仍然不斷的讀報。真奇怪，報紙讀懂了，[illegible]並不覺得困難。我的大兒子升入英文書院中學四年級（F.4），我指導他每禮拜讀兩篇西報，把紙上的新聞讀完了。我讀了一年半，兒子已經讀了五年英文，化了兩千元學費，我反而當他的老師。我每禮拜不斷指示他讀報，過了一年多，他也把[illegible]。他參加會考，英文各科都列優等。父子同受了師門的大德，無以爲報，今天友人送了兩條大魚給我，我拿來轉送老師，希望老師食有魚，有餘。』

外國語的直接教授，在教育原則上是不能置疑的。從前內地教授英語，多採註入式，教師不停地把課文用中文對學生講解，所以內地中學生的英文程度能夠合乎上標準的恐怕不及百分之五。香港呢，因爲國人對英語發生種種誤解和喜歡獵級，成績也不能盡如人意。筆者在本刊發表第一篇文章時，曾提起英語直接教授的補救方法。香港學習英語學生若能糾正上述誤點，按步就班，是不會沒有成績的。

·李加雪·

自由談

拿出勇氣來！

馬五先生

據印尼首都耶加達消息，有旅居該國的華僑廿餘人，將被驅逐出境，這些人都是當地僑胞中知名之士，罪名不用說就是所謂「國民黨份子」。這猶之乎中共對於海內外任何一個具有堅決反共意志與言行的人，皆指為「國民黨反動派」——除非標榜反共又反台者。蘇嘉諾效法共黨作風，藉口「國民黨份子」來迫害華僑，殊不足怪。

我們所注意的，乃是中華民國政府究竟有無護僑的對策？截至現在止，政府主管機關對於印尼迫害華僑一事，只是發表了一項，希望印尼當局保護合法生活的華僑們的聲明，而且把迫害僑胞的責任，完全歸之於親共的華僑身上，好像與蘇嘉諾政權和印尼共產黨毫不相干的。如今耶加達政權已公然驅逐僑領出境，並聲明將要封閉華僑所辦的學校，再進一步，即可能沒收華僑的工商企業和財產，這還能說不是蘇嘉諾的意旨嗎？

我們常說海外一千二百萬華僑多是擁護自由中國的，亦常有僑團回國觀光獻旗祝壽。現在海外僑胞遭受了非法迫害，難道僅僅發表一篇無關痛癢的官樣文章，就算是盡了護僑的責任？不管事實上能否不顧一切地採取有效的護僑行動，但必須表示不能容忍敵國非法迫害華僑的堅強態度，庶足以鼓勵海外僑胞爭取合法生存的奮鬥精神，使他們知道祖國政府並未漠視他們的危難境遇，增強其向心力。

護僑與干涉內政是截然兩回事，決不可被共黨的叫囂宣傳所脅持，而放棄政府對海外僑胞應有的職責。否則今後還甚末來號召海外的千餘萬僑胞，從事反共救國呢？老成謀國與因循誤國的分野，相距不遠，就看面臨着重大的利害問題之際，有沒有敢作敢為的勇氣而已。

閒話寒山寺

張瘦碧

「姑蘇城外寒山寺，夜半鐘聲到客船。」張繼寫了一首絕句，竟把寒山寺變成一個最富於詩情畫意的遊覽勝地。其實以我這一個蘇州人看來，除了寺前一泓清流，一座石橋以外，再也沒有甚麼足以引人入勝的地方。假如這旁沒有這座蕭瑟着的石橋，那簡直誰也不會想到路旁的兩扇小木門裏面，便是亘古流傳下來的寒山寺古剎。

那裏我常安步當車去遊覽，官塘大路，迴行而上，直抵達寒山寺的山門，當你在這條官塘上向前走着的時候，小河常有船隻來往，也正是那些江南著名的精巧玲瓏的畫舫，舟中人大半是些遊山玩水的清遊者。[illegible]

[illegible]每次我踏進寺門，心裏總感到有一種荒涼的氣味。寺中[illegible]有一座小樓，樓中央懸掛一隻堆滿了塵垢的銅質古鐘，四周並鑄刊着許多花紋，模糊不清之物。惟一般父老傳說，早已不是近代當年詩中「夜半鐘聲到客船」的那隻古鐘了。根據官野史上的記載，當時的舊鐘，很久以前，被日人竊走，搬到九州去了，加以中間迭經兵燹，河山一再興廢，[illegible]目全非。因為詩中曾提到鐘聲，所以後人不得不再建，[illegible]了多少次，[illegible]本找不出唐代絲毫遺物了。

關於寒山寺的前因後果，曾有地方人士，為之編纂寺志，最近出版的乃為邑人長洲葉昌熾所著。他在民國元年寫完後序，計分全書三卷，類別精詳，收羅豐富，內容分目，為志橋第一，志寺第二，志象第三，志鐘第四，志碑第五，以上為卷一。志僧第六，志產第七，志游第八，志事第九，以上卷二。志詩第十及附寒拾事跡，寒山詩集解題及諸家事讀，詩跋，考證，以上卷三。誌為吳縣潘氏刊本，吳縣潘氏署簽，是在寺中最完備的一部。

是是非非

陳宗敏

史記載：「趙高欲為亂，恐羣臣不聽，乃先設驗，持鹿獻於二世，曰馬也。二世笑曰：『丞相誤矣，謂鹿為馬。』問左右，左右或默或言馬以阿順趙高，或言鹿，高因陰中諸言鹿者以法。後，羣臣皆畏高。」

從這段文字看，可以看出其時秦已少抗辯之士，更可以看出秦朝暴政之下，臣民習於緘口。

君子之德風，小人之德草，社會之中，若全是唯唯否否的人，一味阿順權貴，而無直言之士，則此社會勢將漸成以是為非，以非為是的顛倒的鄉愿風氣。

明知道情理如此，偏偏「強詞奪理」，以逢權貴意，粉飾已過，於是有人「指鹿為馬」，為了名利地位，不得不違心做謊，假裝老眼昏花。「世道澆漓」，于斯已極了。

而當前，移風易俗，辯別是非，實還得為第一要事。

燕臺識小

九、斥革六堂

[illegible]

戊戌譚往

十、超擢四貴

[illegible]李端棻者，歷上封奏，請開學堂，[illegible]二品以上大臣言新政者，一人而已。王錫蕃[illegible]以上大臣[illegible]。然光緒向無用人之權，授二品以上官，必須請命西后，此最為放手辦事，無權實授也。[illegible]

同日又奉論旨：「內閣候補侍讀楊銳，刑部候補主事劉光第，內閣候補中書林旭，江蘇候補知府譚嗣同，均着賞加四品卿銜，在軍機大臣章京上行走，參預新政事宜。」時人謂之四貴，樞[illegible]此時光緒銳意維新，而[illegible]能贊佐。又無權去之。[illegible]之權，乃選新進小臣以[illegible]。楊銳劉光第為陳寶箴所保，[illegible]徐致靖所保，林旭為康有[illegible]之弟子，故均深信之。至此特加卿銜，[illegible]參預新政。別授誅論[illegible]新政條理開列，竭力輔[illegible]。所有新政奏摺皆令閱[illegible]令撰擬。蓋懸諸舊臣既[illegible]則宰相也。後此新政皆[illegible]，而以國政係於四卿，[illegible]詔傳授亦交四人。蓋自[illegible]來，心膂股肱之寄，端[illegible]而此意實發之於康有為也。

（九）（本節完）

愚負生

言論最自由的地方

——大城小景——

簡眞

如是我見

大塊假我以文章，材料俯拾即是，筆者嘗在公廁發現很多雅俗共賞的大作。如果選精去蕪，雖不能把它躋進文藝創作之林，也可作民俗意看。

最普通的是「打倒×××」這一類，正是心有所不平而鳴。要罵又恐防被拿，要寫去報館又絕對刊不出，正好在大便之餘說個痛快。這寫出來的多是眞心話，所以闡明的為政者應該事設廁所文章採訪部，以採訪眞正民意。

次一類便是攻擊別人的咒語，廁所牆壁無形中已成了不收費用的蒙闢人好所在，為的罵而罵，會被人知道誰在罵他，不難逢彼之怒，要吃官司。所以溜進毛廁去，一瀉同舒，不亦暢哉。無怪很多人從毛廁出來時候，飄飄然好像已經摸過尼姑頭以後的阿Q。

記得前時讀中學，先生要我人每星期出壁報一次，要同學寫些好文章，可是，未貼出時得，要經過教師檢討，不得談政治，更不得攻擊別人，談情說愛，只喜歡「千篇一律」的死板板的說教式文章，因此便不能隨心所欲。這個公廁壁報便不同了，它歡迎各式各樣的文章，只要你想到甚麼便寫甚麼，筆者大胆地說一句，世界最自由的地方莫有過於毛廁者乎！

「××正衰仔。」眞的是表示××正是十足標準的壞種，最低限度他在寫這話的人的心目中是如此。縱使他對××會經歌功頌德過，那也不能算數，只有上了毛廁門的鬥，以後寫的才作數。

廁所牆壁也是市儈舒「情」的所在，雖然字眼運用得非常粗鄙，但也斷他們想得到，有時含蓄得連自稱上流社會的人，也自嘆不如呢！如『「出入」平安』，『「毛」主席萬歲』等等，……眞可謂諸而諧者也。

我們常見報章發表了一篇文章後，有人附和，有人反對，撤起了一陣風波，其後便又不了了之。廁所文章也有同樣的情形，茲僅引所見以證：有些情人在某公廁裏寫了一：「愛情何價？」另有人在旁答道：「愛情是無價之寶，是嗎？」更有人另加答語：「愛情價錢不等，高等的愛三四十元，低等的一二元也有，至於長久的愛情則是每個月的薪金，都不見了。」好問好答，反映了一般衆生相。

尚有很多很多杜撰的名詞，例如：大豬（珠）小豬（珠）塔浴（玉）盆，（原意香樂美好），｜｜一團糟；盜褲（杜甫）｜｜壞東西，你太白（李太白）｜｜雜種；眞那來路（外洋）傻裂鷄且（意鏞女影星珍娜羅璐寶列吉妲）；上鍾練｜｜給太太扭耳朵，……等等，不一而足。

更有一種「民間藝術」，可以在每個毛廁發現的，不知道就是那些各種漫畫家，是否天天在毛廁裏學習及練習的。有些漫畫實在是相當好，譬如那邊一個×主席，這邊一個×總統，如入紀念堂；同一壁上也有男女間綺賦事報人，那裏眞是自由世界者！因為筆者尚未發現公廁裏有寫着「不准亂塗牆壁」的告示。

更正： 本刊七四〇期「寘印澄宇齋詩序」，「當延平守金廈」句，漏植「平」字，特此更正。

現實小說

驚蟄

金溟若

賴委員偕同第二個姨太太出現在會客室門口，是陳太太到此半小時之後了。

「對不起，對不起，……這個，有點公事放不得手，累您等久了。」賴委員一個字一個字拉長聲音說。

他先是用的日本話，剎時記起陳太太是阿山，改口用了台灣土話。賴明德雖做的中國官，但崇拜的是日本；台灣光復雖給他帶來了好運，從十八層地獄一躍登天，但他所感激的卻寗是總督府。他念念不忘舊日的主人，而為了自己的官職，在公共場所不得不昧了「良心」歌頌「祖國」，反痛罵日本軍閥的侵略台灣，自己都覺得好笑。光復之初，他一直使用着日語，要不然便是台灣土話，直至掙得一官半職，因事實的需要，才跟國民學校念書的小兒子學習注音字母，但一直到今天，非萬不得已還是不用國語談話的。而他的國語實在難讓人家聽懂，有些轉彎抹角的地方，簡直無法表達自己的意思。他這位二太太是生在江西長在北平的大陸小姐，就是應此需要而結合的，晚上是他的太太，白天是他的秘書，有了什麼事與內地人交涉，便權充通譯。

陳太太向賴明德的二太太白令嫻打過招呼，各自歸座。因她是生長北平的，陳太太對她感到特別親熱，平日混得很熟絡。陳太太嫌賴家官氣太重，架子太大，沒有常去賴家，白令嫻卻得空常到陳家閒聊。白令嫻是未到三十歲的少女，出生在江西瑞金，寄籍北平，大陸淪陷前在北平一家教會大學外文系唸書。民國二十年共產黨徒在江西瑞金樹立「偽政權」時，她家的父母都曾親眼目覩共產黨的暴行，所以卌八年春北平「和平解放」之前，把她托給一位親戚逃離虎口，轉輾來了台灣。到台後不久，她的親戚死了，她成了孤女，不曉得怎麼會碰上這位與她年齡相差二十餘歲，論學歷至少相差十年的賴委員，而且還是二號太太。

——眞是一朵鮮花插在牛糞上去了！

每次，她見了白令嫻，聽她娓娓動人的談吐，不禁為她難過，因而忿忿不平。而她竟忘記了自己的丈夫，正與賴明德同一類型，只是五十步百步之差罷了。

「陳先生沒有一起出來嗎？」白令嫻紅潤的雙頰上，浮起兩顆漩渦，恰像剛從石臼裏提出來的玫瑰紅染成的桂花年糕，揉成圓塊，有人用指尖輕輕地按了一下似的，是那麼細膩而圓勻。

「他那裏還有工夫呆在家裏，一早便出門去了。」

「陳瀚兄出馬競選縣長的事，進行得怎麼樣了？這幾天就是忙着這件事吧？」賴明德接口說。

他穿着畢挺的淡黃色西裝，一隻手托着下顎，另一隻手支撐在沙發墊子上，拚命把胸膛挺得高高地，但這身高貴的裝束和裝腔作態的姿勢，仍裹不住他那骨底裏滲透出來的猥瑣。

「不，他現在是想競選省議員了。」

「那也好。」賴明德說：「其實，還是省議員實惠，不必負實際上的責任，却是到處逢源。現在的縣市長可不好搞，掙錢容易，得放寬褲帶預備受氣，哈哈哈……」

「是呀，他在軍隊裏呆久了，就是怕受這口閒氣。」陳太太搭腔說。

「至於我這個委員，」賴明德繼續着說下去：「地位儘高，提起錢字，那裏比得上縣市長和議員。我現在是掙名不掙利，休提了；有些積蓄，還不是那幾年做省議員留下來的。」

「那還用說，您現在是富貴雙全了，還爭這些個錢。」陳太太說着，向坐在一傍的白令嫻含意深沉地微笑。白令嫻也報以一笑，沒有答腔。

「這却不然，」賴委員也笑着說：「誰還會嫌錢太多了的，只是那些『阿山』也確有兩手，把你抬得高高地，讓你開口不得，啊哈哈哈，啊哈哈哈……」賴明德粗野地笑了；得意忘形中，不禁原形畢露。

陳太太愕然。白令嫻低垂着脖子。

「我是說的眞心話，」他自知失言，從椅子上站了起來，彌縫着說：「閒話休提，倒是陳瀚兄的事，到底進行到怎樣程度了？」

「就是為了這，想請賴委員多多幫忙。」

（四）

自由人
THE FREEMAN
（第七二四期）
中華民國內政部登記證內警台誌字第二零一號
中華郵政台字第五○○號執照登記爲第一類新聞紙類
（半週刊逢星期三、六出版）
每份港幣壹毫
台北市售價每份新台幣壹元
督印人：陳文華
地址：香港高士威道廿二號三樓
20 CAUSEWAY RD. 3RD. FL. HONG KONG
TEL. 771726
承印者：東南印務出版社
地址：香港高士打道六十四號
台灣總經理處
台北市南京西路壹零壹巷二樓
電話：四三七七六
台灣郵政劃撥帳戶九二二二

如何避免失業恐慌

·樓桐蓀·

美國現在正鬧失業恐慌，失業總人數已達五百二十餘萬，爲二次大戰後最高數字。樓先生此文從經濟學理探討失業原因，從而研究其對策，極具參考價值。（編者）

一、

一九二九至一九三四年之間，美國失業人數常在一千萬至一千二百萬之譜，英、德、意諸國之無工可作者，亦皆率以數百萬計。當其時也，百物停滯，市況蕭條，農、商、工各業無不蒙重大損害，致各國當局張皇失措，有如面臨另一種之大戰。此即學者所謂經濟之循環恐慌也。如何方能避免此種危機，已成爲各國朝野所苦心焦思之莫大困惑，幾若鬼魅附身，馴致發生心理上之變態，成爲一種「經濟精神錯亂」之新瘋癲病。其病態又可因對象之不同而分爲二：或歸因於幣制，或凝神於景氣。要之，各遵所信，各國學者議論紛紜，奇離怪誕之主張，均自以爲對於經濟恐慌具有藥到病除之特效。

二、

關於幣制。溯自一九一四年各國不幸相率廢棄金本位以還，有倡行所謂「彈性貨幣」之法者，使幣值日貶一日，不及一年，即化爲零，認爲此乃避免恐慌之良藥。持此說者，意謂即就經濟生命本身之節調言，私人之儲蓄實爲險惡之事。如此說而果確，則其藥之爲害，且必將更甚於病。何也？此不獨不能擴充一國農工生產工具之設備，且將無法加以保持。另有倡爲「雙重貨幣」之說者，一種貨幣僅用於消費財之購買，另一種則專用以購買生產財。並有發明所謂「生產貨幣」，及「儲蓄貨幣」者，乃爲上述雙重貨幣之變體，其概念初無不同。凡此種種，一時之間，生面別開，奇葩競放，儼若人類有限之聰明才智，忽煥發於此同一時期，爲前人所絕未夢及。殊不思伊古以來，人類之知所以採金銀寶礦爲貨幣本位，並於十九世紀間以黃金作爲國際滙划之基準，促成貿易之自由而功效大著，要非爲偶然之史實。須知一種貨幣制度之建立，斷非個人才智所能創生，而係基於實際物質生活長時期之體驗。幣制如此，任何其他經濟制度亦莫不如此。舉凡一種經濟建制之成立，姑不論其延續之久暫，要皆有其足以適應人類心理之所歸趨，適合一切物質之有其自然之原理。否則「漢似胡兒胡似漢」，改頭換面，終將勞而無功，徒滋紛擾。

三、

關於經濟景氣，人皆知早在半世紀前，英國大經濟學家傑逢斯（William Stanley Jevons），曾倡「太陽黑點」之說。其後又有查勃曼（C. J. Chapman）者，將經濟恐慌之週期斷爲十二年，竟與我國春秋時大財經家計然所言「……六歲穰，六歲旱，十二歲一大飢」遙相暗合。一般論調，則認爲循環恐慌之誕生，係因消費者購買力之不足，亦有歸咎於企業家之營運無方，致使生產超於過量者。此均爲刻舟求劍之談，未能洞燭癥結之所在。

當夫一消費物之提供於市場也，其凡參加此物生產之[illegible]企業家或用之以供個人之消耗，或復以投之於其他企業。是此項利潤所攝有之購買力，即又重現於成品市場或生產工具之中。依此，則在發生經濟恐慌之際，就整體而言，其購買力初無若何之匱乏也。至於作爲價值之準繩與交換中介之貨幣，其斷斷莫能以魔術手法，無中生有而加以解決，更不待言。

實因經濟恐慌爲全部政治經濟學中最崎嶇繁複，難於捉摸之現象，見於此者，其因或伏於彼，而起於彼者，其果又易及於此。故非有全盤之精密研究與分析，實不易獲有較爲圓滿之解答。顧人類之神智，每遇項尾流離之際，輒易相驚伯有，設爲杯弓蛇影之談，往往適足以增益問題之晦澀。故吾人亦祗能就問題之大體情形，以作極粗淺之觀察而已。惟就現代經濟體制之結構言，後之所陳或亦未始不足以供有志此學者之參考。

四、

君不見海濤之幌動，永無止息之時乎？各稱經濟價值之起落無常，其本質殆有似於此。學者對此問題之究心鑽研，眞可謂汗牛充棟，無法縷述。但一般目的，無非欲於此極度複雜之情事中，執簡馭繁，以期於人類心理動態與物質客觀現實之間，謀所以縮小波動震盪之幅度，建立小橋，俾遠變方互相通曉，利害一致，而作防患之計。此吾人所應先爲讀者鄭誠相告者也。

前已言之，工人失業之恐慌，爲近今社會問題之主要現象。故吾人自宜面對社會現狀，不憚加以盡情之闡述，然後方能明乎合作秩序之發揚，實値得普天下有心人一致之努力。

建立社會各階層間更普遍之正義，自爲世人一致之要求。然試觀夫影星也，歌后也，拳師也，或專以三圍玉貌誘動全球之「世姐」也，一夕所入或其年薪，較之元首宰輔，科學家或企業家畢生勤勞之所獲，殆猶過之而無不及。此類怪象，雖曰自古有之，究屬於今爲烈。在此種財富分配極度不均之社會，又安能不生人心之反逆？人類生活之惴惴難安與世界和平之危如纍卵，蓋不待智者而後知。顯猶曰此乃文化之缺陷，與經濟當無直接之甚大關係。然此類現象之畸形發展，有意無意間實足以構成大衆及勞動界一種「低劣感」之混合意識，而思所以求此於其他較佳經濟體制之下，殆無庸疑。故經濟落後，財富不均之國家，最易爲共產主義所滲透而成爲克里姆林宮之俎上肉。吾人非不知此種不合理則之反常意識，初與經濟生活之本體無干。但無論任何文明，亦無論任何民族，若一旦既潛存有此種意識狀態，則無論現在或未來，常足以釀成尖銳之社會問題，而其所祭之旗幟，又必常以不公不平，不能與各人以應得之待遇爲口實，證之世變，歷歷不爽。此中關係，另當就經濟觀點爲文論之。

半週述評

「抗議」與「協議」

[illegible]……自由陣線，因爲日本態度模稜……英美對中共及共產集團關係……！[illegible]足以破壞所謂圍堵政策，有非若干飛彈基地所能彌補的。

「團結」與「忠貞」

[illegible]「局部改組」後第一次在立法院……又重複一次「反攻」與「團結」……固然在名詞上比此間的「不合作」……但在所謂「團結號召」下，我們又分明……所謂「抨擊政府」……是表裏爲用的……彷彿與「忠貞」……這不是台灣高層的決定的錯誤（有如中共所謂「偏差」）……這對于團結運動的影響是[illegible]

「胡適與國運」

胡適先生返國之頃，台灣突然發現一部神秘性的書[illegible]胡適」，現在神秘一揭穿了，[illegible]挑撥」，更不是任何一方面的[illegible]在對胡氏的高層智識分子可能而因[illegible]對我國朝野對胡氏之重視而[illegible]平心而論，這原是大可不必的。[illegible]棋，而論，棋局演進到某一形勢，一個過河卒子，有時還比馬炮……重要。何況胡氏的學術地位以及目前對執政者的影響是不可以否認的。

但是，這一幕不大不小的風波，却說明了一項事實：那是，當局祇重視任何一個人的重要性而忽視大衆心理，實不足以爲法；同時也說明任何一件小事，都可以在敏感的大衆心理上引起一震。這是人心對台灣政治早已存在着隔閡的一種表現。

自然今天的胡適，如果不說與「國運」有關，至少在台灣的改革上，有一種心理上的影響力。

外滙管制的改進

·林伯雅·

過去一般對外貿會對外滙管制所發生的流弊；抨擊其重要點着重在外滙管制，不應祇着重財政目的，而忽略了經濟的外滙管制，有利于貿易的目的。現在宣布改革了。據十二日公佈的「外滙管理辦法」及有關方案，包括簡化稅率，改進結滙辦法，開放自備外滙，實編進口物資分類，廢止貿易商的登記，廢止工業原料外滙核備制度等辦法。

這一改革，是否一個「方向正確的設施」，當還要看今後實施與運用如何。例如，衆目所集的外滙當汚流弊現象有如何防止的實施，以及防衛捐（以前爲二成進口結滙防衛捐，現改照進口關稅征收二成防衛捐）將如何納入正途的運用，都不是看條文可以看得出來的。然而當局從諫如流，從事改革，總是一種好現象。

論台灣出版法的修正

·李金曄·

是新聞自由一大考驗
也是立法院一大考驗

最近台北的輿論界又怒吼了！他們是爲保衛「新聞自由」，針對內政部提出尙待立法院審議的「出版法修正草案」怒吼的！

台北輿論界的評擊和呼籲，是値得海內外一致重視的；在我們看來，內政部秘密通過批准修改出版法，行政院院會秘密通過批准，尙不足以令人驚訝；問題是，此修正案是否也將在立法院的秘密會議中審查。我們甚希望立法院的諸位委員們能夠愼重地接受該案，並爭取在公開的院會中進行辯論和審查。

站在行政當局的立場，當政者自希望權力愈集中愈大，愈可以便宜行事，發揮「效能」；但是居於立法者的立場，相信立委們會切實的考慮到新聞自由與民主政治間相輔相成的關係。尤其是當今的立委中，不少是過去中國新聞界的前驅，相信他們能感受到作爲報人，是如何的渴望新聞自由。

我們很遺憾，到今天，作爲一個自由中國的報人，還要爲新聞自由問題操心勞神；我們也很遺憾，當局對於修改出版法竟要秘密進行，以致讓外電渲染暗示自由中國的新聞自由又遭受到了厄難！

就目前台灣的輿論界情況言，民營的報刊，爲數不多，若謂爲防止民營報刊「濫用」新聞自由，而必須修改現行出版法，那末，過去的事例很多，究有那些報刊的基本態度是違反了反共抗俄的國策的呢？在不同的角度下觀察同一問題所產生的不盡相同的言論，這正是民主政治下和而不同的良好現象，應有的現象；如果行政當局和國民黨中央對民營與論的觀點結論不能同意，儘可以各抒所見，互相辯難，公道自在人心。何須乎要出以修改現行出版法，以箝制新聞自由，致予自由中國與論界以心理上的威脅。行政當局此項措施，能說是「高明」嗎？

至於說修改出版法是爲了對付黃色刊物，行政當局應該自行檢討，何以在「自清運動」以後，黃色刊物又會逐漸抬頭。黃色刊物之又逐漸抬頭，能完全諉過於是內爲出版法不夠強化嗎？市面上有很多流行的刊物是打起了反共的牌子，在曲曲折折地販賣黃色的，而這些刊物又是誰准許它流行的呢？

徒法不足以自行，持平以論，有許多事，是不能專乞靈於法令的！

再進一步說，把黃色刊物和民營的政治報刊等量以觀，如果修改出版法明爲取締黃色刊物，實則爲了箝制新聞自由之目的，是絕不能逃避非議的。

在大陸上，自「鳴放」以后，「大公報」「文滙報」「光明日報」等，都經過中共運用黨權，先則撤換其編輯人員，繼則加以全部改組（接收），其目的何在，世人皆知，不待贅言。

今則自由中國行政當局以秘密方式進行修改出版法，而予民營與論界以精神上威脅，實不能不認爲是可遺憾者！

生活在自由地區，研究中共問題，大家都有一共同看法，中共愈壓制知識分子，潛在的反共意識必愈形加强。這種因壓制而產生的反共意識，且已在中共黨內中上層文化新聞工作者內部滋長。這一趨勢，且被共認爲足以對將來傾覆中共政權產生極大的作用，是中共從內部反出來的主要動力之一。

「防民之口」在民主政治時代，是極不智的舉動！

在海外來看台灣今日的輿論界，正呈現出蓬勃的公開討論政治的新氣象，這種現象絲毫沒有與政府當局存對立的意味，此時此際而出諸以修改出版法，豈非杯弓蛇影，自亂陣脚！實爲智者所不爲也。

目前此案已被「秘密送達立法院」，將來結局如何，全在立委諸公一念之間。而此一念，關係之重大自不待言。故此案之被提出，不諱是予新聞自由以一大考驗，也無形中予立法院以一大考驗。此案若不幸在立院秘密會議中討論或通過，則我們不能不爲民主憲政的前途担憂了！

從台北報紙

看台灣人心

·杜蘅之·

台灣通訊

台灣人心，是擁戴獨立的輿論，歡迎對現實問題作率直的批評。讀者水準日見提高了，報紙必須解禁。解禁之後，絕不會造成混亂的局面；法令握在政府手裏，幾個報人還能造反嗎？當然，人們也不希望法令被隨便運用。

報紙之於今日，已成了大衆的精神食糧，從報紙本身演變的動向，來細細分析，最易看出政治社會的發展趨勢。現在且說從台北的報紙，我們看出了自由中國人心是什麼徵象。

首先，最近三四年來，最明顯的一樁事實，是聯合報發行的數字直綫上升。在若干年以前，一向以國民黨的中央日報爲第一大報，其次是省政府的新生報，再其次是國民黨的中華日報。這是三大報，也都是官報。自從全民日報，民族報及經濟時報合併成爲聯合報，形勢一日一日不同了。聯合報的主持者雖然都是國民黨黨員，報的立場却盡量保持獨立性。尤以一度直率檢討財經問題，使其個性（獨立）大顯於世。於是這家民營報紙的銷路大增了。最近的情形是：中央日報固然仍保持爲第一大報，而聯合報躍居爲第二大報。原來的第二大報新生報已退居第三，甚至有退爲第四，而被另一民營的徵信新聞搶先爲第三大報的趨勢了。至於原來的第三大報中華日報更是遠遠落後了。

大衆歡迎民營報紙

這兩家民營報紙（聯合、徵信）之崛起，說明了一般讀者之厭倦於官方的論調，而歡迎比較站在民間立場的報紙。而事實所示，中央日報的大宗訂戶是在軍中。這是聯合報很難插足的一塊地盤。而各級黨政機關，中央日報也成爲必備公物之一。除了這兩方面之外，聯合報應該已與中央日報並駕齊驅了。

新生報與中華日報的主持人，都是美國米蘇里大學新聞學院的高材生，也都銳意經營，花樣翻新，無時不在求進步之中。甚至在版面上，新生中華二報，都還比聯合報爲新穎而美觀。只緣必須不脫官方的立場，一切的努力皆被抵消，而莫挽頹勢。

官方的立場如何成爲絆脚石呢？這裏可以舉例說明。這次監察院成立對俞鴻鈞的彈劾案，有關當局會關照各報不刊露全文。但是結果只是中央日報非聽命不可，而民營報紙全文照登，搶走了新聞。薩孟武駁斥「八十老翁」的憲法意見的文字，原是中華日報派人洽請執筆，薩提出要旨之後，却爲中華日報所拒，結果在聯合報發表了。而許多政治社會弊端的消息，乃至監察院的糾舉彈劾的決議，在官報都得避免刊露。所以，官報的新聞圈縮得大小，以致第二版的要聞儘是講詞聲明以及要人訃聞。在這種情形之下，與民營報紙怎能競爭呢？

短評熱

再說台北各報社論大都是談論國家大事或國際間的重大問題。對於日常生活以及政治社會的枝節問題，多以「短評」的方式，來剖析檢討。這些短評雖然語焉不詳，却往往一針見血，抓着癢處，所以很受讀者的歡迎。中央日報在不久以前也闢了一個「短評」。這說明一般讀者熱切需要那些針對現實說老實話的評論，即黨報也不能不設法適應這種情緒。我對於中央日報的這欄「短評」，很感到興趣，因爲照中央日報的一貫的言論方針，在這一欄實在沒有什麼可寫的。可是我發現中央日報的這一園地裏，也偶然提出一些小市民的實際問題（如違章建築，公共汽車），而指責政府機關之措施。這不但是中央日報的一個進步，也是讀者的一個勝利。

社會新聞問題

再其次，台灣各報國內外新聞的來源，百分之九十是中央社的稿子。所以，政府不必管制新聞，祇須管制了中央社，就把一切新聞全都管制了。總之，目前各報所能出奇制勝之處，是在社會新聞。而一般讀者大致看看要聞版之後，也就聚精會神於社會版。幾家民營報紙都在這塊地盤上用勁吸引讀者。於是產生了黃色新聞的問題。這些黃色新聞之誨淫誨盜，決不下於所謂黃色刊物，祗因一張報紙除了這部分黃色新聞之外，還有要聞國際經濟文教各版，故還不能加以黃色報紙的頭銜。這種現象當然是不健康的。這也說明一種不健康的社會心理，就是大家不關心國家大事，而樂意多讀些冰淇淋，以求一時之快，從另一角度看，如果國家大事都能照實刊露，毫不隱飾，一般讀者決不至於如此不務正經。就是由於許多大事，在報紙上出現時已經走了樣，讀者一再上當，就索性不看這些大事了。

從上面三種現象來分析，我們可以看出台灣的人心，（一）是擁護獨立的輿論，故民營報紙日見增多；（二）是歡迎對於現實問題，加以率直的批評，所以「短評」湧現於各報；（三）是對於官方新聞，由於不信任而失掉興趣，故提高社會新聞的身價。從這些也可以看出台灣讀者水準已日見提高。有了具有正義感的讀者，自然就鼓勵了「自由新聞」之發展，而限制了「官方新聞」的活動。我相信台灣的輿論權威之建立，以至民主政治風氣的養成，都是有希望的。

無題

·尹震·

兩個建議

爲了順從這個人心的動向，我對於台灣的新聞事業，提出兩個急切需要的建議：第一、報紙必須解禁。新聞自由並非只是一個抽象的尺度問題，其中至少有一項具體的要求，是讓大家自由辦報。一年來大家討論台灣有無新聞自由的問題，儘管斤斤於言論的尺度，而忽略了這一限制。國民黨中的有識之士，在去年也曾建議解禁。聽說這個建議曾遭遇到劇烈的反對，使此建議一度終歸打消。這是很可憾的。爲政府着想，有了這一限制，一切關於新聞自由的宣傳都難以措辭。而開禁之後，絕不會造成混亂的局面。總之，法令握在政府手裏，幾個報人還能造反嗎？當然，人們也不希望法令被隨便運用。

第二，新聞的報導配合國策，須有一個限度。明明自由世界的領袖已決定與蘇俄開高階層會議了，而我們報紙上的頭條消息，仍說美國已拒絕蘇俄的開會要求。這是過分的配合，也是失實的報導。這種新聞編輯方針，愚弄大衆還在其次，最危險之處是迷惑了政府決策當局，誤以爲一切都在所料之中。

在促進民主政治聲中，我認爲如何促進新聞事業，運用輿論來輔導政治，是一個根本之計。現在，台北報紙的發展動向，也證明這是一條可行的途徑。如果政府能開放報禁，而報人本身也確實把握新聞第一的觀念，才談得到新聞自由與民主政治。否則仍是空談。

讀者論壇

軍中「的問題」

·常上士·

據近日某報的社論指出，對軍中問題的正確認識，頗多使筆者如梗在喉，凡屬問題，必須面對問題，採取合理合法的行動，予以解決，尤其軍中問題，斷非措詞淺寫說說了事的。

據其統計，現在軍中存在的諸如：人事，待遇、婚姻、醫藥、康樂等問題，均被認爲是「不成問題的問題」，試問：什麼才算是問題的問題？

我認爲問題，即以醫藥一項而論，一個士兵如果生病了，公家無醫藥供給，購買一粒特效藥，至少得化去一個月的薪餉，如果是最高級官員，每月有××元的特支費，自然是不成問題的了。

軍中問題的造成，由於主觀條件造成者半，由於客觀條件造成者亦半。屬主觀方面；例如從當權者看，或站在某一角度，某一階層來衡量某一政策某一制度的利弊……。屬於客觀條件方面，不外乎下列各項：（一）因制度形成的限制而發生者，（二）因環境的影響而感染者，（三）因社會風氣的刺激造成者，（四）因領導方法的不當而遭遇者，（五）因作業人員的偏差而招致者，（六）因物質條件的缺乏而難于避免者，（七）因時間空間配合的不當而產生者。

其解決方法，更是正確之至：（一）在積極方面；加強官兵思想教育，消滅軍中問題於無形。（二）在消極方面：要求各級幹部面對現實，研究問題，解決問題。

今日軍中問題，實際與思想無關，因爲士兵有足夠能力使之認識正確，分辯敵我。我以爲如果正確而進一步分析軍中問題，其實不外二點：一爲待遇，二爲人事制度。試看調整後的軍人待遇，一天的酬勞，仍換不回一包廉價的「老樂園」香烟，這不是軍中問題主要的徵結所在嗎？再者人事制度，表面上雖然上了軌道，遺憾的是在建立制度之先缺乏妥善的計劃。如處理第二期青年軍問題，就是一顯明的實例。

解決問題是要面對現實，今日不談解決軍中問題則已，如欲解決，重新提高待遇的切合實際，獨立人事制度的整嚴，還不是軍中問題的問題嗎？

（三月十八日夜于台北）

台灣通訊

從國防部長俞大維美國去來看：

國軍改進問題

·王牌·

向有「國軍褓姆」之稱的國防部長俞大維返抵國門，軍中揚起一片興奮氣息。俞氏於去年十一月以檢查耳疾赴美，即傳出將與美國官方商談解決中國的軍隊待遇、新裝備增補，中韓菲泰越等國軍事聯合三大問題。四個月內，又曾有俞氏暫不返台之傳說。而今已成過去。不久之前美國務卿杜爾斯率參加遠東區會議一行逗留台北時，據傳與上述問題取得協議，與俞大維返國，不無關係。

待遇問題

一度傳說俞大維暫不返台，原是事出有因的——俞大維常在前綫或各軍營中，深知軍瘼，許以負責解決待遇問題；未赴美前，國軍官兵的待遇，若於無法解決，到美國與官方商談，美軍援與台灣方面頗有距離，難於達成協議。據有關方面談，俞大維原可不必赴美作例行檢查耳疾的，緣於他自美返國任國防部長伊始，即已將「改善官兵的生活」列爲首項任務，因爲美式訓練與裝備，必須輔之以美軍待遇，才能提高素質；某大學教授說，如果國軍待之以美式待遇，則學能之士必皆流入軍中，我連大學教授也不幹，投筆從戎了。去年行政院會作了調整，限于財政支絀，但在俞大維的意思，距離實際要求尚遠。俞大維認爲這是軍隊的迫切問題，所以在美四個月，作其中美雙方的「折中」任務，希望雙方來就事實，解決實際問題；據說前時杜爾斯一行在此間，中美雙方高級官員已達成協議，國軍待遇照美軍三分之一發放，如一個美軍上士八十美金一個月，國軍七士則發二十元美金，折合官價兌換率，當有五百餘元台幣一個月。

裝備問題

其次是國軍的裝備問題，去年多美一權威軍事觀察家指出，台灣國軍亟需最新式飛機和中程飛彈，數日前美國空軍第十三航空隊駐台前進指揮部司令狄恩准將，曾在飛彈基地作「屠牛士式」之表演，中程飛彈基地或可能建立。尤其當美軍方證實俄帝已將飛彈導飛彈供給中共軍，設置於台灣海峽對岸時，對台灣防禦力量的增強，自是意料中事，如最新型F一〇〇及F一〇二等戰鬥轟炸機的增援，以及屠牛士飛彈數量上增多與長程一千五百英里以上之中程飛彈之配備，都是急需。

附帶的問題

最後，也是附帶的問題是，中韓菲泰越軍事聯合。這問題當俞氏在美府已有所洽談，杜爾斯訪台時，曾有進一步商談。東南亞反共勢力的聯絡，當有進一步進展。

以上三個問題的獲得解決，俞大維氏倒盡了最力努力，據云我國官方在原則上同意美國務卿之意見，對若干方面尚要有所更張，最怕的就是再擱淺下去，只有國軍具備「防禦」與「攻擊」的堅強實力，反攻復國始有希望，因爲決定現代戰爭的實際力量，是不可以被否定的。（四十七年三月卅一日夜於台北）

來函照刊

敬啓者：本會前理事長白健生先生，自民國廿七年春領導本會瞬已廿載，對於愛之推行與教務之促進，莫不竭忠盡智，悉力以赴。自本會隨政府遷台，屢有薦人自代之意，年來會衆勸予周繼長本會，當以譯註國語古蘭經工作繁重，未敢接受。近白先生又兩函本會常務理事會懇辭，乃經決議由予周繼任。貴報第七三四期所載涉及理事長改選一節，或係傳聞之誤，即希賜予更正，爲荷

此致

自由人報社

中國回教協會理事長時子周

民國四十七年四月五日

受文者：自由人報社

一、貴報本年三月廿二日登載洋酒十四噸運台消息一節，查本局並未進口是項洋酒，經轉向海關方面查明，亦無此項洋酒之進口。

二、前項轉載消息內無確實運來台日期，亦無裝儎船名，恐係傳聞失實，尚祈貴報惠予更正披露爲荷。

台灣省菸酒公賣局啓（四月五日）

英國人眼中的印尼戰局

·式一譯·

蘇門答臘正籠罩一層內戰迷霧，印尼人包圍控訴的一片叫囂，卻掩蓋了戰局眞相，使人摸測迷糊，很難窺出明顯的輪廓。已對革命軍首都武吉丁宜縮小包圍圈，革命軍總理沙費魯丁背離了蘇卡諾總統，並發表進入森林和大山作戰的慷慨演辭。

如果革命軍被消滅

如果革命軍現在被消滅了，或被驅入某遙遠的角落，反共運動一旦被粉碎後，則現在爪哇的強大共黨就要由遙隔的島嶼，一擁而來。這樣共黨印尼便將迂迴澳洲側翼，進取商業中心和海軍基地的新加坡；暴露東南亞公約組織的柔弱腹部。或許就要向中共敞開。自由世界的經濟損失，與赫毛大陸帝國的收穫，單就錫與橡膠兩項，就是很大的。另一方面，如果革命軍實行長期遊擊戰，仍有一個更大的危機；戰事可能陷入綜錯複雜，不是像越南，或是像韓國，而長程核子彈與我們不在一道，黯然是最危險不過的事。

如果同盟國立加干涉

所有這些，要經過在馬來亞集會的東南亞公約國家外長討論和決定，是感棘手的，怕拖下去，另一方面，可能使共黨成功，雖然同盟國家立即干涉，可能阻止核子戰爭；可是採取行動的任何形式，在反共亞洲國家中，及他們與西方國家，將有出現新裂痕的可能。東南亞公約組織採取不干涉，則對不幸的兩方，是較弱的一方不利。許多政治家包括澳洲的卡西在內，堅信此一見解。

如果戰事長期化

同時，中共已囊着台灣曾把武器供給革命軍，認爲是美國干涉的證明。而武吉丁宜則譏言俄輪交給了雅加達，指爲蘇俄的干涉。如果戰事變爲長期的，外國的武器幾乎全到得了雙方的手裏，那恐將成爲事實。另一方面，必須認清莫斯科，甚至連中共在內，與華盛頓方面，對於避免可由雙方無限制援助引起的這樣國際化衝突，都有一個迫切的利害關係。

可能變爲森林戰

除此之外，印尼內戰可能在中蘇門答臘的大山和森林裏打下去，雅加達佔上風而不能消滅，而且革命軍尚表示無論如何他們能夠保持長期遊擊戰。他們爭取地方共同陣綫的機會受了限制。由於他們極力主張回教神權的國家，不由得把自己給束縛了，他們可能失去他們所需要的國內外對其同情，南蘇門答臘守中立的司令巴林上校與革命軍將取一致行動，仍是可能的，因爲他們剛宣佈成立革命政府時，他就期望這壓幹一下。

如果局面妥協

如果局面是另一次妥協，至少是蘇卡諾仍掌政權。自一九四九年印尼共和國成立，荷蘭捕獲其部長後，沙費丁博士逃到蘇門答臘，自宣布組織臨時政府，那一段日子鬧得風浪很大。他由荷蘭秘密警察逃出來，乘美國飛機回到爪哇，向蘇卡諾總統覆命，今天的沙費魯丁必再演九年以前的歷史了。以前與荷蘭殖民主義抗爭，贏得聲譽的是他，去年十二月抨擊蘇卡諾的反荷過分，違大違反憲法條款的亦是他。幾個星期以後，也決定參加去蘇門答臘建立的反共民族陣綫。雅加達瀰漫了腐化氣氛，他顯然放棄對這政府的希望。革命軍仍希望副總統哈達勸說蘇卡諾叫他組織一個民族統一的政府，但是此一希望已失敗了。

蘇加諾扔下一顆炸彈

革命軍總理是否意外地判斷錯了他的命運，言之尚早；但是過去相信法西斯政權能在二次大戰獲勝的蘇卡諾，這次自己又算錯了。誠然，他個人責任太大，他採取「指導民主」的概念，把國家給分裂了；由於他驅逐荷蘭人，推毀了自己的經濟，他在能夠避免的內戰中，扔下一顆炸彈。（譯自「經濟學人」航空版）

國際動態拾零

△美國放射火箭至月球軌道運行計劃，據艾森豪總統向國防部研究處陳述，這是海空軍火箭合併爲一個計劃，與陸軍火箭又另爲一個計劃。陸軍援助放射的火箭，或爲兩個，開銷費亦僅八百萬元。

△放射衛星至月球及火星水星與其他行星計劃，自然再需更多金錢與努力。衛星至月球之距離，爲廿四萬英里。火箭須以每分鐘二萬五千里之速度，始能脫離地心吸力，二十萬英里後，此速度減至每分鐘五百英里。衛星直徑二十英尺，以光亮金屬製成，內有照相器材，可以環繞月球爲五十點鐘的探測，當有意想不到的新發現，隨着傳遞至地球。

△至月球登陸的火箭，爲測驗月球之構造成份，月球周圍大氣稀薄之程度，則在其未到達月球前即將給與吾人以報告。三種衛星至月球計劃，業已至準備完畢階段，擬于本年十月十二日放射云。

△衛星測生物昇入太空，在衛星專家方面，技術上已無困難。所剩問題，僅爲生物學家之事。

△美國援外與減低關稅二項政策，政府與議員們的意見頗成相反。政府以爲如此可以拉攏盟國，如有三次世界大戰，戰費可以省去很多。議員們以爲是贈與浪費，政府則謂是說傻話；謂援外三十億，實在用在美國本土，維持了六十萬工人的職業。減低關稅，則維持了四百五十萬進出口員工的職業。但國會議員堅持削減，減低關稅法案，國會恐只有批准一年。援外經費則將削去十億。

陶然

赫魯曉夫給東歐的支票：「穿得好」？「吃得好」？

赫魯曉夫於兼有了蘇聯部長會議主席職位以後，迅即率代表團訪問匈牙利，看他在匈的言行，此行的主要目的似有下述三點：

一、向匈牙利人民恐嚇，不要再搞像一九五六年十月的革命，否則蘇聯將如那次革命時節一般的「幫助」（鎮壓）匈牙利。這種恐嚇的對象，不僅祇有匈牙利人民，而且包括整個東歐各國人民；特別應該注意者，在三月十日他對波蘭人民論壇報編委發表談話時，也有這種恐嚇之詞，他說：「波蘭勞動人民絕不能讓資本家和地主的統治復辟。在現在，當每一個社會主義國家都有整個强大的社會主義陣營的幫助和支持作爲後盾的時候，這種復辟是尤其不可能了。」

二、要加强共產國家經濟建設的規劃。一九五五年十二月，東歐八個共產國家在蘇聯的主催下于布達佩斯召開八國經濟互助委員會，決定設立一常設機構，這一機構就是爲加强共產國家經濟建設規劃所設立的機構。這種規劃分成兩個方面，其一是工業的，其二是農業的。由于共產國家不顧本身條件盡力發展工業的結果，導致一種異于自由世界經濟恐慌的計劃經濟下的新恐慌，這種新經濟恐慌的具體現象是：一、原材料恐慌，尤其是鐵礦砂，黑色金屬，與燃料。二、糧食恐慌。捷克，羅馬尼亞，波蘭，匈牙利，保加利亞所需鐵礦砂，由蘇聯輸入者均在百分之五十以上。燃料中的煤，一大部份是由波蘭輸出的。一九五七年蘇聯輸予東歐各國的糧食達四三七萬噸。

在一九五六年五月，八國經濟互助委員會常委會議曾作出決議：要求蘇聯保證鐵礦砂，波蘭保證煤的供應；也就是說到目前爲止，這種規劃僅限于原材料供求的規劃。後來波蘭的煤產量不足，削減對外輸出，在一九五七年幾乎使幾個依靠波蘭燃煤的國家工業有局部停頓的危險。這是八國工業方面的規劃情況。

一九五七年四月，東德，捷克，蘇聯，保加利亞四國舉行會議，要求各該國的農業發展專業化與遵守分工原則，這一種要求據說已被通過。但是參加這種分工的，僅止于上述四國，其餘的呢？未曾參加。也就是說農業方面的規劃根本未曾普遍建立起來。

由上所知，共產集團的經濟發展規劃確有加强的必要。

三、提出新的動人口號：要比美國吃得好，穿得好，——這句口號較之他們原來的口號提高人民生活水準更現實，更鮮明，決不像以前一般的可以含糊其詞的詭辯騙人民的。赫氏所以要到匈牙利去提出這種動人的口號，爲得東歐國家人民對於吃得好穿得好的要求異常强烈。

上述三點，若從蘇聯對於東歐的關係來說，第一點是强壓，第二點是加强經濟控制，第三點是引誘。

我們覺得，赫氏的這種表現，顯得共產國際內部的不安並非在減弱而是在增加中。「計劃經濟」一詞初聽起來，是很動人的，但實行起來，從各共產國家內部計劃效果來看，是並不完滿的，說它比自由經濟制度好則完全是宣傳之詞。計劃所及的範圍愈大，則其流弊所及的影響尤爲廣泛，赫魯曉夫好大喜功，企圖以加强共產國際的經濟規劃到來達到改善經濟現狀的目的，看來其結果更糟。提出吃得好，穿得好的口號是很冒險的，若久久不能實現，則將導致人民更强烈的反抗是必然的。

○田心●

新書評介

「賈雲兒前傳」之宗教觀

宗教小說是以談論宗教，勸人信仰爲目的。在託爾斯泰的名著「戰爭與和平」中，大家認爲宗教色彩濃厚，也有說教的意味，然而沒有表面化的宗教色彩。多少創作家是宗教信徒，卻不會赤裸裸專門以宗教題材而寫小說。即使含蓄的說教，也會給有些讀者發生反感。

陳紀瀅先生最近出版的「賈雲兒前傳」，純然是以宗教故事作題材的一篇小說。卻震動了整個文壇，尤其是一般基督教徒幾乎人手一册。各報刊上的評介文字，揄揚不遺餘力，然而以宗教眼光予以批判者尚未一見。

作者是一個虔誠的信徒，對於聖經熟習而且自問有極深湛的研究，在「賈雲兒前傳」中所引的聖經章節甚多，都很適合故事的需要。也可以說，是他願意把選擇的眞理，告訴讀者，使信主的人得以重溫教義，未信主的人，得以明白教義。

書中的故事是宗教的，人物也多是教徒。看起來好像是之了教會的指示的作品，其實的確是純粹的一部文藝小說——只採用了宗教的題材。但，他對於宗教的信仰很篤實，眼見今日教會的發達到了「不正常」的狀態，在本諸信徒的本分，以及文學家的藝術良心，不能不向世人指出宗教的眞正目的。

當讀者未談到「咒詛」一章，不知賈雲兒還有反宗教之時，都有人誤會作者純然宣傳宗教的美善，及至談到反宗教的那些牢騷與怨懟的語言，更知道作者也代類似賈雲兒所遭遇的信徒們，吐出了胸中的老實話。這兒表現了作者內心的坦白，毫無異于「褻慢」上帝之嫌。

我以信徒的眼光看來，「賈雲兒前傳」之宗教觀，其精華即在此「咒詛」一章，表露無餘了。世上不知多少基督教的信徒，沒有賈雲兒那樣的全家信主，個人虔誠，一遇挫折怨懟叢生，離主而去，難道賈雲兒遭遇次婚變至於殺身之禍還口無怨言嗎？信徒是人，人在神面前有人的弱點，所以作者藉賈雲兒的反宗教怨言，證信徒是有不可避免的弱點。

但，賈雲兒的咒詛詞中，已暴了一切「吃教」的假冒爲善者的臉心腸，無異乎是給教會一次「肅奸」工作。惟不是驅逐他們，而是警惕他們，希望他們悔改。

賈雲兒的咒詛上帝，上帝是不降罰她的，然而其遭際如是之慘，乃肉體與精神在塵世上的痛苦，若在神的角度中，她還是有份的，因爲她虔敬奉主至於完全暴透了人的弱點。這便是「賈雲兒前傳」所持的宗教觀點。

無疑的，作者還有極寶貴的宗教意見，留待「賈雲兒後傳」發揮。這種富于宗教眞理……的小說，眞當得一部「傳道書」。在小說的立場看來，還是一種嘗試，這一試可說是成功了。

○江石江●

高棉改稱東浦寨

一個戲劇性的故事

·文鑑·

最近高棉政府已正式宣佈改稱「東浦寨」，並希望報界今後不再用「高棉」這個名詞，應改爲「東浦寨王國」及「東寨政府」。因爲高棉事實上即是「吉蔑」，祗是東浦寨的一個民族，不能代表整個國家。但高棉在漢時代稱「扶南」，隨朝曰「眞臘」，唐代又名「吉蔑」或「閣蔑」；迄至萬曆年間才改爲「東浦寨」的。清代謝清高口述的海錄，又稱「本底國」。今我華僑所住的地方，其名稱的複雜，均稱之爲「高棉」。可說爲中南半島任何國家之冠。

高棉雖是東南亞的古國，然其國究始于何時？古史並沒有詳細紀載。不過據說高棉第一個國王名叫特蒂拔摩，是一個目不識丁的農人，而其所以取得王位，是殊饒戲劇性的。由於特蒂拔摩在未登大寶之前，一日躬農田野，便有當時統治該國內異族君王狩獵經過，因逐獵物迷了路途，頓覺飢餓汎來，乃採田中的胡瓜充飢。特蒂拔摩開始不認識他是君王，憤其不告而取，便把那位異族君王打死了。衛士趕到，見君王已被農人打死，便詰責特蒂拔摩說：「你爲甚麼打死國王？」可是特蒂拔摩不知國王爲何物？即答：「你家主人偷我田中胡瓜，罪有應得！」好在衛士聰明，以人死不能復生，便隨機應變地改顏對特蒂拔摩說：「弒王者宜爲王」。但特蒂拔摩仍念瓜重王輕，答道：「我的胡瓜被他偷去，爲王將來何用？」衛士復誘之說：「胡瓜所值幾何，而國王乃極人間的尊榮富貴，不僅豐衣足食，且金、銀、象、馬、牛、羊莫不具備。」於是特蒂拔摩始爲所動，並改着國王衣服隨衛士入宮。

稿酬：

本報三月份全月稿費通知單已分別付郵，請惠稿文友，憑單領取爲荷。

編輯部啓

自由談

談對日外交

馬五先生

中日兩國的邦交，這次因日本與中國大陸上的共黨政權簽訂有政治條件的貿易協定，幾告決裂，最後雖已化險爲夷，前途依然未可樂觀的。

國際外交固然是以勢利爲前提，但勢利之交更需要高度的智慧和技術以相周旋，纔不致構成所謂弱國無外交的窘迫狀態。我們若於日本商業代表團與中共簽訂政治性的貿易協定之際，即對日政府表示，如果承認中共的商業機構和人員在日本享有外交特權，中華民國馬上與日本絕交的堅決態度，似乎更爲妥當而有迴旋之餘地。尤其不必强調懸旗這一點，視爲絕交的唯一因素。懸旗只是外交特權中之一端而已。

來日方長，後患堪虞，在國際形勢沒有變化，我們對大陸尚未採取軍事行動以前，日本的跟中共的勾搭，將在「擴大貿易」的煙幕下，層出不窮，可斷言也。我們似應從整個外交政策設想，纔維大計，加强外交陣營。像現階段的對日外交，遠比對美國困難多，不特大使人選須有奇才異能之士，即一般幹部，乃至於一名書記和雇員，皆得特別甄用，不能馬虎的。我有許多事實可資反證，證明我國現時所有駐外的使領館，十九都是過去那套舊觀念與作風，暮氣沉沉，沒有[illegible]親，派系之爭不絕，官僚習慣如故，除沾沾於人事關係外，誰也不以恪盡職守，爭取外交績效爲念，光靠一個外交部長奔馳遊說於國際間，爲乎可呢？要談革命外交，請先從選拔非常的人才始，而以駐日本的外交人才，尤爲重要。否則中日外交前途，荊棘叢生，終歸是凶多吉少的！

春風桃李花開日

陸珍年

「但隨流水到花邊，便覺心情似昔年。」——唐寅

台北一位朋友來信向我說：「陽明山的櫻花早已開了，你沒福份，我已預約數位好友明日上山，只望天公作美。」我後來知道那日天公很作美，因爲我在報上讀到士女們踏春的報導，並且也看到陽明山的櫻花，雖然只是銅板的攝影，宛然如在目前。

嬉春的聯想

這竟使我聯想起春天的青島。大概在三月十二日這天，青島的中山公園有所謂櫻花會，車水馬龍，遊人如織，總要熱鬧一陣。女孩子們都打扮得花枝招展，好像與花爭豔。可惜我不曾趕上過台北的春天，但阿里山的櫻花僅寥寥數棵，只是象徵春意而已，不似青島櫻花，到處都是，紅白相映，目窮不盡，堆滿花朵的枝極常常會拂到遊人的頭上。那時我往往要等到夜闌人靜，獨自[illegible]去呼吸花香，在星光及花海中沉醉，覺得世界是莊嚴而美麗的。

故都當日

北平此時花開甚多，像杏花、丁香、牡丹、芍藥、芙蓉、海棠等都是較普遍的，在我書房的窗外，便有棵海棠樹，那花紅得可愛，像少女頰上的胭脂。我還嫌不夠，常要採下一枝放在瓶裏，但如果被姐姐看到的，就會罵我，她是個很愛惜花的人。我童年時代一直和她學讀舊詩，後來她也出閣了，北平國立北平圖書館，便成了我找知識的地方，那兒依然有許多海棠，每當我伏案勞累時，便到窗前去欣賞，在求學時代海棠花可算我讀書的良伴。此後我流浪到南方，就很少看得到海棠了。近讀龔定菴的詠海棠詩：「不是南天無此花，北肥南瘦兩分差，來開顯移此地燕支社，南朝油壁車。」我的心情也有幾分相似呢！

北平的中央公園最多牡丹，牡丹爲花中之王，不下數十種，每種都有一個詩意的別名，吐蕊時姿態綽約，光豔照人。蘇曾贊牡丹爲：「秀色洗紅粉，晴花生雪腐，黃昏更鱉紫，頭重欲人扶。」只四句話就把牡丹的風姿包括無遺，老北平人每年的春天，都要到公園去賞牡丹，看金魚，吃來金魚軒的蘇肉燒餅。

牡丹的顏色本來是以白色爲正宗的，但是北平城外某寺却有一個老和尙以植綠牡丹著名的，花開時節，就開放寺門供人遊覽。

寶島而今

台灣的花朵我比較歡喜杜鵑，春天開的最早，也最鮮艷，滿山遍谷都可看到她的笑靨，在大陸我們叫它做映山紅，也是很詩意的名字。此花的姿態遠看有些像青島的春花，只是一種是紅色的，一種是黃色的，吐蕊時都有些芳香。

我住的宿舍背後有一片田野，在冬天，開滿了金色的野菊花，很像朵朵袖珍的向日葵。我常常折幾枝插在瓶中，點綴書案。可惜這種花擺得不久，入春天便凋謝了。入春以來，別的花草都生長，這種金色的小花却一朵無遺，只剩下一片蔥蘢的綠葉。春天來了，[illegible]的玫瑰樹沒有花，康乃馨沒有花，晚香玉沒有花，我案上的花瓶都是空的，祗有南國僅有的[illegible]娃娃，這是一個[illegible]小孩子，離開南部時送給我的，並且我還願它能爲我裝點一些寂寞。在這惱人的季節，成年人的寂寞自然不是洋娃娃所能塡補的。但我總可以想起那孩子給我的笑，總覺得春天畢竟是屬於她們的。日前我敵不住春風的誘惑，作了一次郊遊，祇看到一些野草花和木棉樹，到也別具情趣，想起唐寅這首詩：「但隨流水到花邊，便覺心情似昔年，春夢裏，人生何[illegible]前，平原席上三千客，金谷園中古萬錢，俯仰繁華是陳跡，野花啼鳥漫留連。」自覺我踏春的心情，亦復如是。

排隊

尤崇洵

排隊是法治精神的表現，個人的道德，尊嚴往往在排隊中表現出來。

還有一部份人，因爲表示「高人一等」，不屑於排隊；或者因爲自己是要人，而不守秩序的大毛病，排隊就更苦了。加上不守時，人們似想免苦，因而有人便「乘虛而入」了。不可否認的，排隊是件苦事。而當要人的第一條件是忙，忙人還有「悠閒」的時間？因此之故，在電影院，就有「黃牛」，一部份利用了這種心理替「大人」、「要人」、「忙人」等效勞了。

再者，排隊的行列中，往往有「通容」的怪象出現，最後識者撩援句便逐步走近，最後「成功」了，「勝利」了。因此排隊在時「獨」中，雖然有一點總不至「食無立錐之地」的吝嗇出現。總之，從排隊裏，我們可以發覺恣肆、自私、投機、製作……等心理。排隊也是培養自治能力的基本訓練，如果兒童耳濡目染，學習大人先生們的作風，則影響所及，所以，排隊雖爲「小事」，却可以「小」見「大」！

燕塵識小

十一、維新百日

談戊戌維新者，必始自四月二十三日上諭之明定國是，而終於八月初六日西后之再度垂簾，計時僅及百日，史家稱之爲「百日維新」。實亦名符其實。此百日中，西后與榮祿在天羅地網，光緒不能逃脫，所爲改革，光緒反因此得一二分之主權，以行改革之事。此外與革命有關，分述於左。謂之維新實錄可，謂之流水帳亦無不可。

四月二十三日頒明定國是之詔全文，見前。

四月二十五日上諭翰林院侍讀學士徐致靖，奏保舉通達時務人材一摺，工部主事康有爲，刑部主事張元濟，着於本月二十八日預備召見。湖南鹽法長寶道黃遵憲，江蘇候補知府譚嗣同，着該督撫送部引見。廣東舉人梁啓超著總理衙門查看具奏。此爲康梁參與新政之始。

四月二十七日諭錄翁同龢着即開缺回籍，以示保全。說見前。同日上諭在廷臣工仰蒙皇太后賞賜，及補授文武一二品滿漢侍郎，均着於具摺後，恭詣皇太后前謝恩。各省將軍都統提督等官亦着一體具摺奏謝。說見前。

戊戌譚往

同日上諭王文韶着迅即來京陛見，直隸總督着榮祿暫行署理。說見前。

四月二十八日召見康有爲。說見前。

五月初二日上諭御史宋伯魯楊深秀奏禮臣守舊迂謬阻撓新政一摺，着許應騤按照所參各節，明白回奏。此爲新舊門戶爭端之始。

五月初五日上諭廢除八股改試策論。全文見前。

五月初八上諭茲當整飭庶務之際，部院各衙門承辦事件首戒因循。前因京師大學堂爲各行省之倡，特降諭旨令軍機大臣總理各國事務王大臣會同議奏，着即迅速覆奏，毋再延遲。其各部院衙門於奉旨交議事件，務當依限覆奏。倘再仍前玩愒，並不依限覆奏，定即從嚴懲治不貸。此因京師大學堂一案，自乙未年下詔至今三年，尚未見覆，故有此詔。

五月十五上諭派孫家鼐管理大學堂事務，該總教習綜司功課，尤須選擇學貫中外之士奏請簡派。其分教習各員，亦一體精選，中西並用。所需興辦經費，及常年用款，着戶部分別籌撥。所有原設官書局及新設之譯書局，均着併入大學堂，由管學大臣督率辦理。此次設立大學堂，爲廣育人才講求時務起見，該教習等，按照奏定課程，認眞訓迪，日起有功。用副朝廷振興實學至意。此爲大學堂規模粗定之始。（十）

燕負生

岳陽樓

吉庭

岳陽樓在古巴陵郡（今湖南岳陽縣）的西南角，仰望君山，俯瞰洞庭，氣象萬千。當唐朝開元四年，有個張說出守是邦。與當地文人學士，登臨詩賦，始表露這樓的頭角。這後號稱詩聖的杜工部，經過此地，作了「昔聞洞庭水，今上岳陽樓」的五古一首，[illegible]攝影這樓的半身，到了宋朝，有一狀元及第的范希文，他作了一篇「岳陽樓記」，把前後左右的風景，描寫無餘，不啻再爲這樓拍了一個全體的照片。還有那八仙飄海的呂純陽道人，傳說他羨慕那裏的風景，飛來飛去的三醉樓頭，而人不知其爲仙者；一經點綴，聲價更增添了十倍。凡讀過古文和唐詩的，莫不以一遊勝地爲快。筆者曾往來於湘鄂，幾度登臨，尤其於夕陽將下，霞光迴照的時候，見君山形影，若隱若現，洞庭波濤，若起若伏，令人醉臥樓頭，流連不忍去。而樓上古今名人所留題的詩歌，琳瑯滿目，不可勝紀。其中有一很通俗很滑稽的聯語，每爲遊人茶餘酒後暢談資料的，寫在下面：「呂道人太無聊，八百里洞庭，飛過來，飛過去，一個神仙誰在眼；范希文亦多事，數十年光景，甚麼先，甚麼後，萬家憂樂總關心」。可惜在抗戰後，此聯不復再見了。

二十年前，筆者在此地住過相當時間。也曾作了「岳陽樓」的五古一首詠懷。撫今追昔，感慨萬千！

現實小說

驚蟄

金溟若

「應該，應該，彼此都是義氣上的朋友，還用大嫂多吩咐嗎。但不曉得他要我做的是：……」

「等一回兒他自己會來專誠拜懇的，是希望賴委員向政黨疏通提名。」

「政黨提名的競選人當然佔便宜不少，祇是黨裏人多口雜，非得着實上一番工夫不可。」賴委員說到這裏停了一停，兩眼瞪住在天花板上，半晌纔擠出一句話來：「而且又不能太寒愴了。」

「當然哪，一切仰仗您的大力，聽您的交待，讓我們兜圈子走遠路的嗎？」陳太太滿面春風地說。她看了看腕錶嚷道：「啊呀，不早了，孩子們要回家喫中飯，我得趕快回去了。一切拜托，回頭他會上這兒來的。」

「好說，總之我不會讓你們花冤枉錢，走冤枉路的。……令嫻，」他回頭對他的二太太說：「你送大嫂，我要失禮了。」

他向陳太太頷首爲禮，隨即挺直胸膛，大踏步轉進內室去了。這是他從那些大人物處學得來的派頭，自鳴得意的一種姿態。

陳太太回家，陳瀚正送朱三爺從門口出來，一路上咬着耳朵。

「朱三爺，喫了飯去罷。」陳太太迎上說。

「不，我們是貼鄰嗎，有什麼好客氣的。……那麼就這樣決定，下午我先去兜一個圈子，打定底子再說。」他半對陳太太，同時也對陳先生，邊說着匆匆走了。

「他說的下半天就去，是怎麼一回事？」待朱三爺走遠了，陳太太問她的丈夫。

「他說自己認識這裏的幾個駐軍司令，已經探過口氣，他們可以介紹到各部隊去拉軍眷的選票。還有那些退伍軍人，他說也有辦法。祇是他的胃口太大了。」

「他怎麼說？」

「吞吞吐吐攪了半天，一開口就是五萬。」

「你答應了嗎？」

「討價還價，我答應了二萬元，兩處在內，包括一切。」

「你要曉得這個人是靠不住的呀。」

「我知道，但我們現在不能樹敵，不能拒人於千里之外，明知道這二萬元給他擲了木鐘去，也說不得了。」陳先生皺着眉心，突然想了起來說：「他說這二萬元把許炎的競選縣長也說在一起，不過有個條件——」

陳瀚不再說下去，望着自己的太太咧着嘴巴儘笑。看太太沒有答腔，便繼續着說：「你猜是什麼條件？他說縣長中選之後，要你的姊夫在縣政府中替他的太太安插一個會計的位置哩。」

「什麼？他的太太——哈哈哈……」陳太太是一陣大笑，好不容易噤住了笑說：「看她那一頭白髮，怕不有六十過外了吧。」

「他說還不到五十哪。」他朝客堂走去，一面回頭吩咐太太：「林金灶和另外幾個嘍囉在這裏喫飯，你先向廚房裏關照一聲。」

說了後，他便進了客堂。那裏正在展開着一陣激辯，嘈雜的語聲直達戶外。

他們爭論的重點，是地區的分派，再簡單些說，就是關於助選活動費的支撥標準。一部份的人主張十六個鄉鎮平均支配，另一部份的則提出按鄉鎮的大小和人口的多寡作適當的調排。雙方面都固執着自己的主張，不肯相讓。

「儘管鄉鎮有大有小，辦理助選總得有個地點，就算在自己家中不必花錢，也得邀弟兄們跑腿，招待酒食香烟，同鄉鎮的大小無關，差不到那裏去。」一個矮矮胖胖，戴着深度近視眼鏡的中年人說。

「這方面的費用固然出入不多，但地大人多，路也要多跑些，弟兄們也要多拉上幾個。這些還是其次，人口一多，用在選民身上的活動費就大有不同了。」一個赤足蹺在木凳邊上，口角刁着一枝雙喜，兩臂交叉在胸前搖幌着身子像麻雀一樣的小伙子，反駁着說。

「這更不成理由。」一個尖銳的聲音叫道：「選民的活動費不在地大人多，要看那裏的人品種類。像我那落湖鄉，雖然地方最小，刁鑽古怪的東西多得不能再多，在我們這一縣要算頂括括的了。」

「無論他們多麼刁狡，還能狠過你吳阿火的嗎？」剛才說話的小伙子從木凳上一躍而下，半奉承地說。

（五）

自由人

THE FREEMAN
（第七四三期）
中華民國出版委員會登記證台誌字第一零二號
中華郵政局出版執照第五〇〇號
中華郵政掛號登記爲第一類新聞紙類
（半週刊每星期三六出版）
每份港幣壹毫
台北市售價每份台幣壹元
督印人：陳文等
地址：香港高士打道二十二號四樓
20 CAUSEWAY RD. 3RD. FL. HONG KONG
TEL. 771726
承印者：東南印務出版社
地址：高士打道六十四號
台灣總經銷處
台北市西寧南路
電話四三七六
台北郵政信箱
海外總經銷

從失業恐慌談經濟體制

樓桐蓀

作者曾于「自由人」七四二期「如何避免失業恐慌」一文內，論及工人失業恐慌，爲近今社會問題之主要現象；此一現象實與現代經濟體制之結構息息相關。就經濟觀點言之，此中關係，不可不預加愼思而明辨，其義又有四點，請申論之。

一

每人之所得及其待遇，果皆應歸於平乎？此爲不可想像之事。何也？人心不同如其面，而聰明才智，職業技能，又萬有不齊，決難以一槪論。在社會上或經濟上，以一身之成敗，繫千萬人之榮枯者，有之；不但行尸走肉，毫無事事，甚且紙醉金迷，暴殄天物，足以貽害於社會之風尙與後生以惡劣之影響者，有之；扣槃捫燭，不辨菽麥者，有之；抱殘守闕，食古不化，而喃喃喋喋，自以爲爲世師表者，亦有之：——凡此不齊之品類而顯與以相同之待遇，豈得謂乎？抑需要之爲物，至不等而又歸者等者也。何以言之？或如顏淵之簞食瓢飲，不改其樂；或如楊朱之豐美享姣，引以自娛；或如陳仲之拒食兄祿，避居於陵，至於耳目無所聞見；或如國父孫中山先生分生活程度爲三級，由需要、安適而至於繁華。此不等也。然人性嗜而好利，物有限而欲無窮。無窮之境如公海，如太空，人人皆有自由嚮往之希望與權利。捷足先得，孰能怨之？苟欲從而限制之，匪獨不能，蓋亦不可。此不等之等也。是以慾望與需要之爲物，我國儒家雖欲以道，以義，以禮，以分等種種抽象準則加以局限，即已落入於道德之範疇，於實際殆無多補。道、義、禮、分之未能果限者，法家進而欲限之以法。此法治之謂也。然而近今社會問題之生，適多生於泰西法治之國。此無他，現代科學之昌明，固已對天文物理有精密之計算，或將不難與月球或其他行星篩求睦誼，但獨對於人類之需求，則迄尙未能發明一客觀之尺度，而欲待遇之均，何異癡人之說夢？此其一。

二

考之邃古，亦多爭奪，探厥原因，無一而非起於需求之無度與分配之不均。故自孔子以次，即有不患寡而患不均之言，歷世賢哲所倡導之治理，莫不以均富爲崇高之理想。但直迄於今，雖謂關於財富之分配，絕未有能建於公平之境者，亦無不可，（少數修道院之超人生活，自當別論）。試觀各國往史，雖有心人皆未嘗不以不均爲殷憂，然又孰能使全面分配建於平均之境乎？一般社會主義者流，對於私產積之根源，固皆痛加抨擊，甚有指爲賊贓者，獨對此分配之不均，多未常作認眞之控訴。非不欲爲也，蓋有所不能也。即以當前以共產相號召之鐵幕諸國而言，蓋觀其內部各階層各職業之待遇，相去或倘有甚於非共產之國！可知分配之不均，非資本主義經濟秩序獨有之新現象。世多以此歸罪於資本主義，可謂誣矣。任何時期之任何社會，皆有貧富之懸殊，貧者多而富者尠。此殆屬人性之本然，利慾之薰於心，往往不惜使用暴力及卑鄙之手段以自求饜足。資本主義經濟體制，要非爲不均現象之成因。此不可不愼思而明辨者二。

三

顧自工業革命以還，昔之獨立工匠，相率破產而奔赴工廠兜售勞力以自存；昔之家庭工藝，相率廢棄而集中於大規模之生產與廣大之經營；昔之農村人口，不分男女老幼，均突告流離播遷，相率於黑烟蔽天之下，塵汚嗆鼻之中，仰資本之鼻息以圖苟活：——總之，有血有肉之人，已如畜犁之彼驅入於廠場之內，受機器之羈絆，過犬馬之生涯，此實在資本主義自由經濟下所最爲突出之現實，其足以使人怵目而驚心，無殊於高聳雲霄之烟突，斷斷無可爲諱。是以凡具良知，未有不亟思加以改善者。此正人性之所以可貴，而亦即爲二十世紀人類文化光明之一面。

惟欲解決此與人類本身同其久遠之問題，決非徒憑筆舌所能有濟。誠以私產也，利潤也，既不失爲個人活動強韌之動機，而此潛伏於人人心坎深處之動機，或爲謀社會之公益，博自身樂善之名，或爲保子孫之富貴，創墨世不衰之業，均且往往延展至於死亡以後，而當其生前之鷄鳴而起，孳孳爲利則同。若美國近今所演化之新資本主義，關於社會正義問題姑置不論，論其生産力之發皇，可謂已達於極點（未來之原子生產，自不在此限）。故以今之情勢觀之，不顧人類之利己心而侈談新社會之建立，如共產主義云云，未有不終歸於失敗者也。此所應愼思而明辨者三。

四

或將謂昔之奴隸制度也，封建采邑也，農奴制度也，黑奴販賣也，或對於戰爭俘虜之屠戮也，固皆已逐漸廢絕，以此例彼，則今日勞工大衆所受之不平與其所潛存之自卑感，自亦斷無絕對不可能予以廢除之理。此固合作秩序理想之一，爲吾人所衷心嚮響者。惟吾人之意，以爲欲達此目的，其鼎革之法與努力之方，必須無違於人性之自然而有奪胎換骨之妙。否則非實踐往昔社會主義空想之覆轍，即易墮於目前蘇俄共產政權之陷阱，利未見而禍先生。此又今日談經濟體制所宜愼思而明辨者四。

須知經濟秩序，萬緒千頭，斷無奇蹟之可待，即無速效之可[illegible]，唯有一方從事於市場結構之探求，同時須致力於消費大衆之教育，寄期新制度之必優於現制。非然者，或徒勞無功，或以暴易暴，又何貴於革命或改革云乎哉？

更正：本刊七四〇期中「亞洲混合……立主義」文內第二段第二行「術語」誤植「述語」，廿二行「，而今」誤植「之外，」第三段第四行「大思潮」之下誤植「一而又嘗試調和兩大思潮」句；第五段第廿四行「自像」植誤「自」，同段倒數第五行「竟非」誤植「西非」。

本報增設服務部啓事

本報海內外讀者，委託本報代購新舊圖書什誌、美術品，教育用具等之代購代售或查證事項，年來日見加多。玆爲便利讀者，並貫徹本報服務宗旨起見，特於本年五月一日起，增設服務部，添用人員，釐定辦法。務期手續簡單，辦事迅速周到，收費合理，應宜爲目的。有關辦法，如荷垂詢，另行奉寄，請爲注意爲幸！

自由人報社敬啓　一九五八年四月

半週述評

法蘭西的悲劇

又一個法國內閣垮台了。這是法蘭西的悲劇，這是法蘭西連續的悲劇之一。

我們說「這是法蘭西的悲劇」，因爲全世界的輿論無疑是同情被推翻的蓋伊內閣的。我們說「這是法蘭西連續的悲劇之一」，因爲蓋伊內閣的失敗，是由于他的對北非的妥協政策；但是，世人要問，法國對北非，不妥協又如何？如果不能回答這一問題，「法蘭西的悲劇」祗有另換一個主角登台，「連續」下去。

在北非的泥沼中

爲法蘭西人民的利益着想，陷入北非的泥沼，陷入既不能勝又不能和的狀態，最爲不智。

爲法蘭西人民的利益着想，北非的三十萬法國軍費的負担，對于他們來說，實在是寃枉的。

爲法蘭西人民的利益着想，法國過去的光榮與傳統，他們對于維護自由與防禦共黨侵略，應該負担更多的責任。

盲目瘋狂反美

法國的泥足，法國力量在北非的消耗，不僅是法國的不幸，也是整個自由世界的不幸。英美調停法國與北非的糾紛，是符合法國人民的利益的，也是符合整個自由世界的利益的，原則上沒有什麼不對，它受到世界輿論上和道義上的支持。

在這種情形下，法國極右派份子盲目與瘋狂的「反美情緒」，完全是沒有理由的。

自私頑固愚蠢

美國的政策，人們可以在許多問題上加以指摘，但是就這個「北非問題」而言，無論自由世界所提倡的觀念，反殖民制度的人道主義的精神，我們還什麼可以在這件事上指摘美國呢？

法國的極右派份子堅持自私的頑固的愚蠢的北非征服政策，法國極右派的殖民主義與帝國主義政策，今天獲得一些什麼人的支持呢？

落後國家友敵

我們要問，今天在法國，對北非妥協是正義的行動？還是對北非使用武力是正義的行動？我們要問，今天在北非問題上，我們應該同情殖民主義者，還是應該同情民族主義者？

共產黨人今天在北非問題上，是和法國的極右派份子站在一邊的。

誰是殖民地或者落後國家民族主義者的朋友與敵人，北非事件中，最清楚不過地回答了這個問題。○司馬璐。

閒話法律常識問題

○瞿叔超。

假如以報紙報導的司法新聞，及法律學者以外的學者所發表關於法律見解的文章爲標準，可以說，國人的法律常識頗爲欠缺。

且從自由心證說起。自由心證是證據法上一個大原則，所謂證據，含有兩種意義：第一種是，指某人或某文書，在一件具體案件上有做證據的資格，稱爲「證據能力」；第二種是指有證據能力之證據，對於待證事實能否證明，及其能證明之程度如何，稱爲「證據價值」。即有證據能力之證據，是否能證明待證事實，由法官憑其良知，自由判斷。因此，所謂心證，並非較人所想像的自由，也必須具備幾個條件：第一、必須先有證據存在；第二、該證據必須依刑事訴訟法之規定，經過合法調查；第三、該證據必須和待證明的事實有關；第四、法官判斷證據價值須依據經驗法則。因此，可知自由心證在實際運用時，有其一定之含意，絕非法官可以憑空臆斷，[illegible]

[illegible]

若注意報紙上的司法新聞，便可發現這一類的新聞：即某人某案件經某地方法院檢察處偵查終結，認定某人犯罪，[illegible]徒刑若干月，殊不知判斷被告有罪無罪，其權屬於審判部門之法院，並不屬於檢察處，檢察處僅有提起公訴或處不起訴之權，如其有罪無罪，應以判決行之，並非用裁定。這些區別，在法律上早已成爲普通常識。

我們又可看見報紙上，常有檢察官協助警察偵查犯罪的消息，這又是一個常識的錯誤；因爲偵查犯罪的主體是檢察官，並不是警察，依法律規定，警察及警察官長，應聽從檢察官的指揮命令，而警察局長警察隊長，祇應該是協助檢察官偵查犯罪而已。故不論目前檢察官是否已完全運用其指揮命令權，然如說檢察官協助警察偵查犯罪，則屬本末倒置。

去年黃孝先案經最高法院判決死刑確定，司法行政部審核判決準備執行，頗有人認爲事理行政之司法行政部，居然有權審核研究判決，是一件怪事；然而這事並不[illegible]定，死刑應經司法行政最高首長核准後，才能執行，而所謂司法行政最高首長，即指司法行政部而言。[illegible]

[illegible]

這些問題，就是我們的法學教育不普及，法律常識水準低，是推行法治的一大障礙；[illegible]法治航道，這障礙是應該設法排除的。

論公共關係

如果真心要增進公共關係，便應有決心從事政治改革。

·李樸生·

近來不少人提倡增加公共良好的關係，是一種進步的現象。不過，公共關係是指與民衆的關係，不是指官與官的關係，也不是指機關與機關的關係。官與官，機關與機關的關係當然要搞好，以免互相磨擦，但還在機關的組織法及官吏服務規程，早有明白規定不能說是公共關係。

基于自由選擇之權

現代注重公共關係的開始，是由於工商界與商店有進步思想，希望多賺錢的老板與經理，他們要把出產品大量推銷，就要瞭解顧客的興趣與心理，以便如何在廣告上，在包裝上，在出售的方法上，（如分期付款的方法上，在送貨的方法上，（如郵寄）甚至在品質的製造上加以改善，能夠取得顧客們的好感，推銷他們的貨物。設使顧客們沒有錢，或有錢而沒有自由選擇之權，老板們便不會努力去研究顧客們的興趣及心理。所以公共關係的價值，是由於有自由選擇之權。民主國家的政府與官員所以注重公共關係，是因人民有權選舉政府最高的負責人（總統或主席）並選出若干代表組成議會去監察政府的施政與用錢。如果他們對這個政府的某負責人不滿意，可以另選一位來負責。如果人民沒有這個權力，只有服從，受指揮，像奴隸，一切欽此欽遵，便不必談公共關係。

中國古代聖賢的政治思想很夠高明，雖生當君主時代，但他們很不客氣地警告那些皇帝說：『你做皇帝，權力雖然很大，但在你權力之上，比你權力更大的還有天。如果你不好好地做事，天意，不好好地做事，天就不滿意你，懲罰你，擯棄你，不要你做皇帝！天意在那裏？如何表示呢？人民的眼睛，就是天的眼睛；人民的耳朵，就是天的耳朵；人民的意思，就是天的意思！』所以他們斬釘截鐵說：『天視自我民視，天聽自我民聽。』不說『天視自我帝視，天聽自我帝聽』把皇帝自以為『受命于天』的驕傲貶低，並把他們自稱『朕即國家』的荒唐糾正。所以中國開明的好皇帝，好大臣都凜于天命，重視民意：大禹拜昌言，子產支持鄉校，都是有名的榜樣。反之，『防民之口甚于防川』的，終于失敗；而弄權恃勢，殘民媚上的，災必及其身。

對民意之三大原則

自從有了報紙什誌之後，民意如何，就在報紙什誌上很容易可以見到。還有專門研究測驗民意的，更可透過這類測驗而把公共關係搞好。如何能把公共關係搞好？孔夫子早就有極簡要的原則提示：（一）民之所好，好之；民之所惡，惡之；（二）所欲，與之聚之；所惡，勿施爾也；（三）民可，使由之；不可，使知之。有人認為民意是不可靠的，民意是隨時可以變的。因為人民所受的教育程度不同，所處的環境情況不同，對於同一個問題，有遠見的，也有近視的，更有自私自利，苟安一時的，所以民意不一定是屬于真理，而尊重民意的結果，也許就會對國家的前途有阻礙。世界上若干大改革，初時都會為民意所反對，但後利益昭著，民意又由反對而變為歌頌。子產執政前後不同，就是最具體的例子。這是事實。但更有一基本事實，就是人民對自己的生活是好？是壞？是快樂？是痛苦？總知得透切。而且祗有要求過更好，更快樂的生活；絕沒有要求更壞，更痛苦的生活。所謂民意會變，變的原因，是由壞到好，由痛苦到快樂，由好到壞，由快樂到痛苦則反對。他們自己會選擇，會根據事實來選擇。所以真的民意，就是屬于真理。假的民意（由威迫利誘使其指鹿為馬，指白為黑）終竟會被拆穿西洋鏡。數年來，俄共黨花多少金錢宣傳，用多少方法洗腦，而東德的人民大批大批的逃到西德；共黨大陸的人民不斷不斷的逃到香港澳門，台灣，而絕不見有人願意從自由地區逃入鐵幕。如果共產國家是人民安居樂業的天堂，就無需要落鐵幕，嚴格限制人民的自由出入。

吠影

要瞭解真正的民意

應利用好的條件、

係，以增進良好的公共關係，在主觀還有一個最重要的條件，就是真心真意聽真話。真話有時不是好聽的，所謂『忠言逆耳』，『苦言藥也』，就是真話有時使負責的人難過，尤其自以為是天亶聰明，超人一等的領袖難過。如果不是天下為公，而希望用權術可以掩天下之耳目，對真話總是不願意聽，聽也聽不進去的，所以歷史上很不少英雄豪傑，初時叱咤風雲，威名震世界，但以悲劇結局，徒使後世增『鮮克有終』的感慨。

要真心真意聽真話，還要注意左右親近的人，可能希旨承風，把民意淨濾過，或偽造過以固寵獻媚。鄒忌對齊威王的諫諷，真是做領袖的人所應熟讀而奉為座右銘的。袁世凱要做皇帝，想看看上海報紙言論，以覘民意，那些攀龍附鳳的園子裏人，把上海報紙全部改印過給他看，把反對的真話都變成歌頌的諛辭，袁世凱捧得飄飄然，瞞得昏昏然，結果把他氣得嘔血身亡，為天下僇笑！

故民主制度，寬容反對份子，予以法律的保障，則真話無所顧忌，正直的人性得受尊重，民意得以大伸，公共的要求為目所共視，欲增進其良好關係，便有具體研究及採取措施根據。

我們要增進公共良好的關係，本來有很好的條件，人民對國策無不擁護，對庶政雖有不滿，如貪污案件之叠出；行政效率之低下，辦事手續之麻煩，尤其機關之架牀叠屋，法令之朝布夕改等，而要求改革，但那不能怪人民要求過高，而是政府因循太甚，不能與人民合作，國人並不是沒有判斷力的，郵政局辦得好，大家都稱讚；農村復興委員會辦得好，大家都稱讚；台糖公司辦得好，大家都稱讚；而『胡適與國運』之匿名誹謗，大家又不直其所為；同是一位王德溥先生，以『九牛一毛』辭職，大家予以同情；而李纘權局長從以律師出庭之法衣，大家又誠其不可效馮玉祥之矯情欺世；從這些是是非非來看輿論，我們的輿論，夠公道。現有人以為輿論不公道，是『奸臣所教』，而不[illegible]奸臣所教，絕不會[illegible]。輿論[illegible]蒸熟的黏米粉，歡喜[illegible]的時候，可以[illegible]，長的時候，又可以隨手拉之使長。輿論是有其無比的決定力量，這可以[illegible]崇禎稱帝[illegible]，是一管毛勝於毛瑟三千。』更能使平日受人高呼萬歲的大帝，變為一獨夫。（孟子曰：『聞誅一夫紂矣，未聞誅君也。』）[illegible]縱與輿論的人，常失敗在輿論之下。

「如要改革，乃可倡此」

所以，如果真心要增進公共關係，便應有決心從事政治改革。增進公共關係並不是一句空洞而美麗時髦的口號，喊喊便算；要有組織內容，要有具體的研究，要有改善的行動。否則公共關係喊出來以後，而是掛羊頭，賣狗肉，貨不真，價不實，公共關係便會惡化，生出許多嚴重性的麻煩。故提倡增進公共關係，一定要真心真意，準備必要改善的行動，做到好的方法，就是『如要改革，乃可倡此』。（四十七年四月十日）

新聞界反對修正出版法

有人視為「嚴刑峻法」的草案　防止黃色泛濫，實非醉翁之意

台灣通訊

內政部藉『適應當前需要』之詞，將現行出版法修正條文草案，送請立法院審議，且已列入立法院的議程，將在本會期第二次秘密會議中提出討論。

中華民國報界，特於本月十一日下午三時，在台北記者之家舉行緊急會議，全國報社均推派代表列席，發言至為激烈，全部議決四點：（一）推派代表晉謁院長，陳述新聞同業之意見；（二）推定小組，研究原修正草案條文，並提出新聞同業之意見；（三）定下週四在台北記者之家，舉行茶會，招待新聞界選出及曾在新聞界服務之立法委員；（四）推定起草人員，草擬聯合宣言，及致全體立法委員函稿備用。

本月十一日台北晚報均以頭條新聞，在一版以五欄篇幅刊載這項新聞。全國人民認為『嚴刑峻法』的草案，如被立法院通過，則中華民國將從此不復存在有新聞自由。

翌日，台灣各報均以顯著的地位報導新聞界扼殺新聞自由的消息，並且撰述評論，陳述草案對新聞自由的影響。顯然這項「出版法修正條文草案」確可視為建立在「嚴刑峻法」的基礎上的，如下列幾點便是現行出版法上所沒有的：

（一）撤銷登記。該草案規定一家報紙受到三次警告，即將「定期停止其發行」，如受到三次定期停止發行處分，即行撤銷登記。

（二）罰鍰加重。現行出版法對於出版品的罰鍰，最多一百銀元。草案條文則提高至一千銀元。只要稍加羅織，出版品便將遭受罰款的處分。

（三）主管官署權力大增。依照「修正草案」規定：「本法中央主管官署為內政部，地方主管官署為直轄市及縣市政府」，以後內政部或縣市政府根據該法所列「行政處分」，有權罰報館之款（第三十八條），撤銷報紙之登記（第卅七、四十一條），而不必經過法院的審判，是國家絕無僅有之現象，尤其地方政府可隨時置報紙於困境。

如果立法院照「草案條文」通過，則我們的新聞言論自由，即將連根斷送，動輒要任何報紙雜誌均將成為待罪羔羊，則遭到重罰，甚至撤銷登記的厄運。從「草案」反映出政府當局對新聞言論自由的程度如何了。新聞界對這種開倒車的措施提出抗議，非僅為了新聞言論自由，也是為了憲法所賦予的基本權利，為了維護民主政治。新聞言論自由是民主政治重要支柱，而當局不唯不作進一步的尊重，反加以抑制，是不可思議的。

自由中國雖無新聞檢查制度，報界對政府庶政得失常有批評，可是事實上，新聞言論自由在各種巧妙的安排下受了不少限制，這情形，從台北各報千篇一律的新聞報導中尋味出來。尚有少數新聞從業員在莫須有的罪名下喪失言論自由，及少數民營報紙雜誌訂戶也不時遭受干擾的情形。

內政部長田炯錦對記者說：「出版法修正條文草案」係根據憲法所賦人民言論及出版自由而訂，復遵從總統本年元旦昭告全國提出六大自由，政府在此一原則下，絕不限制人民的言論自由。又說：「草案為防止黃色刊物的泛濫」。醉翁之意，豈在酒乎，令人不無可疑。（四月十一日夜於台北）

·劍聲·

寶島經緯綫

△台北有經常奉派出國考察和出席國際會議的兩位知名人士，一位是招商局董事長陳清文，近幾年來平均一年要出國兩三次，時間最久的一次是以顧問名義隨同外交部次長沈昌煥赴南美，本年三月間又赴吉隆坡參加聯合國遠東經濟會議。另一位是中國廣播公司總經理魏景蒙，近又因公差赴曼谷和新加坡。

△花蓮第四屆議員選舉，落選人王斌曾以有欠公平向台灣高等法院告了一狀，且經法院宣判此次選舉無效。再度競選時，王斌以多數票當選。這是震動台灣東部的大新聞，台北各報，均會以大號標題刊出王斌獲勝的消息。

△「王斌」者，據筆者所知，在台灣有廿幾位之多，就在台北一市，也有多位；陸軍總部有位上校也是王斌，××國民學校一位教員也是王斌，最巧的是台北新聞世中竟有兩位「王斌」，而且兩位都是外勤「老記」，一為「經濟」記者，一為「影劇」記者，後者筆名「司馬芬」。公論報社長李萬居，曾特別在該報撰社論以示祝賀：「王斌當選，衆有榮焉。」一時引為佳話。

△關於外滙舞弊案，因傳聞有若干立委涉嫌，於是在立法院乃有立委李躍隱等提出動議請予調查明白，輿論美之，稱為立委的「自清運動」。

立委掌質詢之大權，某部長會言，列席立法院院會，有如「三堂會審」，其權可知，「自清運動」實為必要。

△立院質詢徐柏園涉嫌包庇一案，尚在等待行政院答覆中。該案的發展，尚不止於國幣之被乘危盜竊，而在這一套保守的財政制度，百弊叢生，能否由於本案的教訓，改絃更張，意義殊重大。徐柏園氏竟以涉嫌，遭立院抨擊，可見，制度是人設計的，有時設計的人自己亦同樣為其惡果所困擾。

△繼徐柏園掌財政的嚴家淦，在工商團體國際會上說：世界各國對經濟，程度深淺之別。又似乎[illegible]的特徵之一。其實，今天不是[illegible]代，而是財經當局追上時代。

△據稱：台北縣中和鄉有人醞釀罷免台北縣長戴德發。桃園縣也曾鬧過同樣事件。罷免權雖可用，但不可濫用。

季鸞

在爭取新聞自由聲中我們試看：

英國黃色讀物問題

。旭軍譯。

人類爭取言論自由，是一種歷史很長久而仍在進行的行爲。英國是一個法治相當嚴明的國家，對言論自由尺度是不能隨意縮緊的，然而對於黃色讀物之處置問題，仍有爭辯。下面是譯自上月出版的『英國文摘』。（最初原文登載『世界出版界消息』什誌）。

該文有三主旨：（一）爭取修正公衆意見。（二）不能以指導爲名，實行警察國家制度。（三）行政不應干涉司法範圍。這三項主旨實與我新聞界所爭取者相同，至于黃色問題，則當別論。

作者怎知什麼會觸怒當局

現在每一個編輯，作家或發行人，都可能被控告發表當局認爲是猥褻的文章。令人頭痛的是：那一部書被認爲屬於猥褻？諸裁判官也持有不同的見解。因爲沒有標準可遵循，完全屬於意見問題。當局決定審問的條件，作者及出版人必須辯護。

出版界須冒着一種之危險，就是，什麼會觸怒當局的感情，國家沒有法律上的指導，要等到一部書或一篇文章刊印出來了，才被控告，那是要令人反感的。

當局不能替讀物決定題材

沒有人想到將莎士比亞或米爾頓，在三百一十三年發刊他們的一本名 Areopagitica（希臘裁判所）的書引述。這本書是當日在英國國會爲出版自由而作辯護的。這部書給予國會很深刻的印象。米爾頓爲寫作自由辯護，引述此書，證明如果編輯或作者的動機是純正的，那麼他發表有關性的文章，是一種不能讓與的權利。

如果當局替我們決定我們的讀物，那麼又干涉到題材的自由了。

不容「警察國家」制度發展

現在此種之控告不但由地方警長提出，而且由檢查長，及首都警察總監提出。新聞界應集體採取積極行動，否則我們的自由，可能又有被剝奪的了。

我們一旦容許國家決定應刊出和不應刊出的東西，那麼我們便朝着『警察國家』制度前進了。在警察國家，報紙的編輯，被指示什麼應刊出，和什麼不應刊出。——這即是束縛報紙的第一步。

警方不是文學的判斷者

我們可以清楚地，看到對於什麼是文學，什麼不是文學，警方不是最好的判斷者。關於官方的態度，可能有矯飾爲善的舞台。例如在一八四三年之前，任何寫成的劇本，不必送交英國皇室侍從長審核。有些在伊利沙伯時代寫的，而在今天演出，假如現代的尺度看，是下流的，但因爲他們是數百年前寫的，所以就被認爲是文學了。

今年看來是有問題，在三百年前可能被認爲是文學。爲什麼現在不看作文學呢？下流紙是在讀者的心裏。在純潔的人，看來一切都是純潔。

當局審查標準是難測的

當局的態度是令人驚異的，因爲他們認爲一性感是唯一足以敗毀大衆道德的題材。一本小說可能談到暴行，謀殺的罪行。他們可能攻擊宗教，爲無神論辯護，他們的故事佈局可能基於斯文賊，或爲製僞品者。然而當局，卻沒有表示不滿。

在英國少年犯罪，大部份受電影及此種讀物所影響。但當局十分疏忽。任何人都可以在公共圖書館，看到拉比萊，福羅貝爾，巴爾扎克，及其他法國描寫精神不健全的作家的作品。

一部觸動衆怒的書，不爲人所需要，是自然的懲罰；讓大家在法庭注意到有問題的書，不是解決這問題的辦法。報界本身應聯合起來，提出一方式，派遣代表到內政部，目的在使其接納作爲作者，編輯及發行人的指導方針。

審判方面英美觀點不同

在美國關於詹姆斯佐斯的Ulysses之一案，當局在初審法庭，其後在控訴法庭敗訴了，這兩個法庭都認爲雖然此書內某些字眼，和某些句段，是淫猥的，但書的整個本身上看，不是淫猥的。法官的意見是：一部書必須整部看是淫猥與否，在全書而不在書中之一部份。

英國的法律完全不同。在一九五二年決定：假如一部書一部份是猥褻的，則全部都是猥褻的。

在史溫頓警察搜出六十五部的『十日故事集』（Decameron），法官命令將其毀滅。『十日故事集』是已銷售了五百年的書。後來因上訴而將該項命令擱置。其後不久在蘇斯東，蘇格蘭高等民事裁判所，將一發行人判處九個月的徒刑，其罪名爲刊印「淫猥」書籍。在另一案件中，一市議員和一位教師的著作家，各被罰鍰一百鎊，印刷公司之秘書也被罰，因刊印說及暴行與性慾之書。

在瑪波盧街的裁判官，對於另一件出版案持不同的見解。他拒絕受理，而送給陪審官審訊，其理由是：『這是一件輿論對它正在不斷改變的問題』。

然而這僅是出版界一綫希望的微光。

大使級會談

四月十二日，中共「外交部」發表聲明，公佈中共美國大使級會談長期陷于停頓的經過。結論很簡單：它指責美國繼續拖延而派出與中共會談的代表馬丁非大使級，因此，它把停頓的責任推在美國頭上；要求美國迅即派出大使級的代表重新會談。

既然說，美國對於這種解決不了問題的會談不感興趣，中共何以要這樣委曲求全的繼續會談呢？

難道它有求于美國嗎？若果不按共黨意圖美國即使要主動來解決些問題，中共也未必接受。譬如說，美國現在承認國民政府，即使美國退一步要在這種情況下同時承認中共，中共也未必接受。

問題在什麼地方呢？毛澤東根據其矛盾論，喊出了要與自由世界「和平共處」的口號，要通過這種「和平共處」的手段來實行世界革命，這種革命方法，先遭史大林反對，後遭莫洛托夫的杯葛，待到赫魯曉夫權力鞏固以後，才同意這種和平共處的做法。這種做法的被共產國際正式承認還是一九五七年十一月裏的事。那末，若不在最近階段中做些和平共處的成績來，豈不是用事實來說明和平共處的革命方法無效？因此，毛澤東必須使盡方法來纏住美國。

中共日本間貿易

四月十五日，中共的國際貿易委員會主席南漢宸，因爲岸信介政府對於中共的商務代表機構不予以其所要求的特權；認爲：在日本政府設置的障礙沒有掃除以前，這個協定是無法實施的。

在我們的看法，中共的這種裝腔作勢，不是已決絕到了毫無討價還價的餘地，因爲，中共的「對外貿易部」副部長雷任民四月四日在武漢接見記者時曾說：「商務代表機構問題沒有解決以前，中國不會宣佈和日本人民停止貿易往來」，這與南漢宸的態度雖有矛盾處，但絕不會與中共藉貿易滲透日本的基本政策相違背。何況南漢宸的電文還是色厲內荏的。只是討價還價的手法而已。

此外，我們的觀點決不以中共需要依賴於對日貿易，而是目前共產國際所唱的「和平共處」的政策，必須使中共對此僵局讓步。

共產黨人多是比較現實的，中共對日的貿易關係，只是在等待一個轉圜的機會，就像日內瓦大使級會議那樣，當美國久久不理睬它的時候，北平就自動的讓步了。但是在中共讓步之先，必會煞有介事地痛駡「美帝」一番。同樣的，日本，北平對岸信介，也正不遺餘力地加以咒詛呢！

停試氫彈

據丹麥報紙的傳說，蘇聯因爲氫彈試驗而使其本國與外國某些地區的輻射塵達到危險的程度，因而迅即決定停止氫彈試驗。這種傳說，未必可靠。但是共產國際的內部有着要求停止核子武器競爭的力量是非常龐大的。本欄前已指出，波蘭堅持提出設置非原子武器區就是一例；除此以外，中國大陸的華北地區亦會有過反對蘇聯在外蒙試氫彈的呼聲。

這就顯示了：所謂「和平共處」固是其對外進行世界革命的政策，而在共產國際內部言，如果不能維持長期的安定，共黨附庸國與共宗主國間，也會要內鬨的。在共黨國家內部，對試驗核子武器既有反對之聲浪，這就造成了目前蘇聯首先宣佈在蘇聯境內停止試爆，而同使要求西方亦停止氫彈的試驗了。因此，西方在制定對付蘇聯停試氫彈的攻勢時，也必須同時考慮到這樣的情況，把共黨內部的因素估計在內。

•田心•

寄望於胡適之先生者

○陳紀瀅○

自政府遷台，胡適之先生在此以前，曾回來過二次。本年四月八日是第三次。第一次回國在四十一年多，他是被邀作學術演講。第二次在四十三年夏，是來參加國民代表大會開會。這次是爲就任中央研究院院長的職務而來。由於胡先生的國際聲望和他在學術界的地位，當報紙刊佈他要回國消息的同時，就帶給國內各界一種無形的歡欣鼓舞之情。從他所乘飛機，一降落在機場，每次都有相同的熱烈而動人的場面，在歡迎他，在包圍他。尤其這次回來，機場上依然擁擠着五六百人，從老到少，男男女女，都張着一副笑臉，在尋找胡先生的身影。他從機旁與人握手，足有十分鐘之久，被歡迎的人流阻擋無法前進。他抱着一束鮮花，被人擠得東倒西歪。有的人若跟他握不着手，就好像白來一趟；有的團體得不到他在旗幟之前，照一張像，好像就無光彩。這種極欠規則而不守秩序的熱鬧場面，乍一看來，完全是近年來一派作風，絕非歡迎禮敬一位年已六十七歲著名學者的應有禮貌與態度。但反過來看，那些擁有萬千影迷的第一流明星，初次二次來台，也許會有相當多的羣衆爲她製造若干鏡頭；但第三次能否也如胡先生那樣仍保持一個相當可觀的高潮，恐怕任她是好萊塢的最紅明星也無此把握。自由中國政府官吏與專家學者，常川出國回國大有人在，但能吸引如此有份量而自然而來的，衆多人士歡迎歡送，恐怕也無第二人。

基於這種觀點，我們不但不應責嫌歡迎羣衆的失禮，倒覺着應該有胡先生才有這麼大的吸引人的力量，也只有他才能贏得這份光榮。往次，自胡先生抵達國門之日起，一直到他離開台灣之日止，報紙上幾乎每日都刊有關他的消息，在各種場合上，也無不以胡先生在台動態，互相傳播。胡先生所作的事既非熱門，也甚少新聞價值，爲什麼他所到之處就自然的形成爲新聞中心？新聞界何以偏愛胡先生不惜篇幅替他作起居註？這股多情的熱風爲什麼偏偏吹在他身上？似乎都有值得社會人士作冷靜思考的價值。

我覺得各方面對胡先生這份熱愛與熱敬的表現，是基於多種觀念與期望。這些觀念期望，不見得人人一致，個個相同，但部份存在於多數人良知上。也埋藏在多數人的內心裏。

一、一個國家產生一位馳譽國際間，具有相當影響力量的人物，決非一朝一夕之功。在科學發達的今天，如李政道、楊振寧二位物理學家的成就，也許將來大有人在。尤其在近代，核子武器如此發達，一旦打起仗來，證明一個國家與戰場上的英雄名將，一定是一個接連一個揚名世界；但若是找尋一位對於本國文化與思想有鉅大影響兼備國際信譽的學者，即使在歐美等文化發達的國家，也並不容易。世界上也僅有一個莎士比亞，一個悲多芬與一個艾因斯坦（此項比喻自知尙欠允當），至於英雄名將何止千員？胡先生對本國文化與思想的眞實貢獻雖待定論，但中國文學已受他的鉅大影響是無疑問的，他在國際間已替中國博得崇高的榮譽，也是世[illegible]。外國人把胡先生看成中國文化的象徵，在他身上，尋覓中國文化的一切；他的一擧一動，都爲國際人士注意，也爲人所共知。不用說胡先生對於此項信譽自當得還夠得上名符其實，更非倖致；即使有若干成份的僥倖，試問他的聲望與我們本國有什麼損失？再試問，再能出現第二個胡適？特別是在我們自由中國，國際地位日益艱難的今日，胡先生兩面文化大旗，插在那裏，那裏就是光芒，那裏就會增強反共文化的力量。不但可以自由中國反共陣容壯大，同時也影響海外文教界人士的精神嚮往。

二、胡先生是以無黨派的學者身份參予政治，所謂「文人論政」，也除[illegible]先生在抗日時期，胡先生曾一度出任中國駐美大使外，三十年來，總算與實際政治絕了緣，不像一般學者專家，不問國事，[illegible]研究，[illegible]，胡先生[illegible]批評家的身份[illegible]，因爲如此，他在[illegible]人自由中國人心目中，胡先生的號召力[illegible]，雖然他的政治見解，[illegible]也是期望他們有前進有改善的，[illegible]迎接他們歸來，[illegible]助於現實政治的改善與民主陣容的加強，不僅是反共陣容的加強（上）

國際動態拾零

△西德購買美國二十四個火箭，引起社會黨反對。政府派控制百分五十四議席，故社會黨不贊成在國會辯論而主張交人民複決。現已開始民衆示威運動，主張總罷工以反對核子武器。擁有六百萬工友之總工會，倡議不爲火箭基地工作，市區運輸工人，至怠工十小時，以表示同情。新教徒在西德有四千萬人，其名義上之總主教亦以核子武器爲罪惡。但西德執政多數黨爲天主教黨爲美國所支持，故仍照原計劃做去。要看歐洲社會黨四月廿八日的國際會議，能否組成全歐社會黨的集體力量，以事反抗。至東歐派來組織示威者，有數百人，則均被捕了。

美商與沙地阿剌伯合作，各佔半數股本的石油礦，每年收入共一億二千萬，有一億[illegible]萬歸沙地王，占其國庫總收入百分之八十五。美商與印尼合作的石油礦，亦各占半數。印尼政府每年此項收入，爲一億二千五百萬，並養活了一萬六千印尼工人。蘇聯利用納薩與印尼共黨，以威脅美國有股份之油田，作爲冷戰對象。尤其納薩控制運河與輸油管所經地之叙利亞，迫得美國對印尼內戰，及沙地阿剌伯與納薩之對立，只好暫守中立。

•陶然•

自由談

政治的「龍門陣」

馬五先生

最近跟一位來自新大陸的本國朋友擺龍門陣，談到我國有人主張要美國將其援外的財力物力，分給各友邦的民間「羣衆」或團體，並且實行干涉受援國家的內政這項問題，問他作何觀感？

他說：一個強國要在別國內培植一種「外向性」的政治勢力，如俄帝的第五縱隊這類「漢奸」集團，唯一先決條件即須運用秘密外交策略，才有成功希望。這在極權獨裁的共產國家和一般帝國主義國家，是可能的，然在美國却絕對辦不到！因爲美國是極端民主的國家，政治上幾乎沒有甚末秘密之可言，言論又很自由，所謂內幕新聞，隨時揭露政界的秘事，連總統夫人或副官接受了別人一點禮物，亦被宣揚出來，其他更無論矣。美國且實行「兩黨政治」，國會議員們對於政治問題，過事澈查究問，不遺餘力，在野黨尤其悉心偵查執政黨的外交行爲，稍有不合，即資爲攻擊的材料，甚至引起政潮，誰敢自尋煩惱，秘密在別國內培植反政府的力量呢？過去蔡某在海外轟動一時的政治活動，招兵買馬，其勢張甚，結果終於消散，即此故也。至於贊助友邦民間的文教事業，這是公開的，美國固樂爲之。

最後，他附帶地說出我國那位以爭取美援流寓新大陸的某巨公，以及曾在美國修讀民主的吳某，何以近年來未聞他們發表高論了呢？原因是美當局認爲他們的言行與美國外交政策相牴牾，警告他們莫再隨便亂來，否則要請他別尋去處哩！

友言如此，其然豈其然乎？我未曾到過美國，也很少與美國人接觸，未敢判斷，謹舉以供留心政事的讀者們作茶餘酒後之談助焉。

原子和平頌

・陳永昌・

「三十顆鈷彈可將全世界人類及動植物完全消滅」；但如果有了原子能和平利用，即使有一天太陽變暗時並且地球上的燃料用罄了，也並不再是可怕的了。何去何從，最後決定在人類，而不在原子能本身。

幾千年來，人類一次又一次地尋覓打開自然秘密的鑰匙。人類愈能探破自然的秘密，自然也便愈變得順從。

因此，水、風、鐵、煤，都馴順地爲人類服務，給人類以光和熱，給人類以喝的和吃的，給人類以衣服和交通工具，載人到他所想去的地方——陸地、海洋、天空。然而，人獲得了自然的力量之後，不僅把它用在和平事業上，也把它用在戰爭上。現在經過兩世紀間直到第二次大戰末期，人類得到了打開那收藏原子能最秘密的鑰匙，情形也是一樣。

爲了生還是爲了死？

成千成萬不同國度的人們，在報紙上讀到了關於中子、原子核、鈾國、原子彈、氫彈、鈷彈、飛彈、人造衛星等的報導，從收音機裏聽到了關於這些的廣播。人類掌握了隱藏在原子裏的強大力量，現在究竟是爲了甚麼呢？——爲了生，還是爲了死？爲了破壞，不是爲了建設？爲了人類更進一步，還是爲了叫人類再恢復野蠻呢？

現在各個正在劇烈競爭，怎樣利用原子能，製造原子武器，希望能制勝他國，於是遂有各種新式武器的產生，希望能制勝他國，於是遂有各種新式原子武器的產生，各先進國家均有原子武器試驗場，來測驗這些可怖殺人武器。西德科學家哥當博士曾說過：三十顆鈷彈可將全世界人類及動植物完全消滅，氫彈則能將二十五公哩半徑內的一切毀滅。假如估計屬實，則人類前途實在慘淡和悲哀之至，怪不得很多人整日憂慮世界末日將到了。

人類不會是瞎子呀

難道原子能一定得担任破壞工作嗎？難道是人類瞎子，絕不明白這條路會引到懸崖的邊上去好嗎？不，很多國家領袖及宗教家都呼籲禁止使用原子武器；很多國家且已組成原子能和平委員會，要求將原子秘密公開，禁止使用於戰爭，停止試驗氫彈和核子武器，盡量發揮原子能於和平用途了。

原子世界展望

原子能和平用途究竟能給我們甚麼好處？爲了回答這個問題，我們不妨展望若干年的未來。將來原子動力普遍使用後，既不需要煤，也不用人照顧機器。可以在原是沙漠的地方，建築起城市來，創造出果園和良田。可以不費力地在短期間內，開掘運河，在深山裏鑿出寬闊的河道，使河裏的流水改變方向。又可以改造氣候，地球上不至有過於寒冷和過於炎熱的地方。可以大規模改變地形和海岸綫，可以創造新的海洋，更可以支配水和空氣。使大氣把熱攜到缺少它的地方，緩和了地球上某些地區的酷熱，我們更能管理天氣，創製人造大暴風，更改各種氣團的路程，在冷氣團的出生地——北極，把冷氣團烤熱。於是人類在地球上便得到更多適宜的地方居住，人口的激增，糧食的恐慌，這一類問題，便迎刃而解了。

可佔領太陽系

未來的原子船，用不着叫人整日消磨在運煤工作上，只消送一公斤的鈾到港口去，就可以不再爲燃料操心了。而且，原子發動的交通工具這般快捷，人類空間的距離已縮至最低限度，這有助於人類相互的了解。原子能幫助我們征服太空，近日火箭之成就及人造衛星的成功，已證明了這一點。不久的將來，行星間的原子太空船，將克服地心吸力，飛向遙遠的世界，比說在火星的荒原上，原子能將幫助從地球上飛去的太空旅行隊，考查那顆陌生的行星。人們將攜帶製造氣候的機器到那裏去，現在已有這種機器了，這樣在別的行星上，人類將感覺到像在家裏一樣舒服。原子能將幫助人們佔領太陽系，領人們到另外一個遙遠的領域去。

原子健康

如今科學家已經在用人造放射性元素，醫治病人，做化學檢驗，研究生物體內的生活。可以給病人吃些握有一點兒放射性元素的原子食物，便跟縱這些原子的旅行，以研究生物的生活，跟疾病鬥爭，這種化學的透視，比之×光，使我們的視力變得更強更尖銳，看不見的事物，將變成看得見，接觸不到的東西，將變成接觸得到，科學家像透過試管的玻璃一樣，看見在活的細胞裏進行化學反應。這麼一來，人類將來的健康，勢必空前增進。

太陽變暗不要緊也

科學家認爲，太陽裏面在進行着從氫合成氦的變化，在進行這種變化的時候，解放出原子能。因此，太陽永遠無休無歇地燃燒着，假如太陽是由煤做成的，一定早就熄滅了。在未來的時候，可以利用原子能，在地球上也引起直至如今還只有在太陽裏可能發生的反應。太陽將永遠這麼明亮地在我們的上空照耀，但是，即使有一天，太陽變暗了，並且地球上的燃料也完全用罄了，也並不再是可怕的了。

可到較舒適的星球去

我們現在從貯藏太陽光的煤、石油、柴薪等裏取得能，假如沒有太陽光使水化成蒸氣，升到空中，那再變成雨水降落的話，江河就要乾涸了，我們也無從取能。有時我們不用媒介物，直接地由太陽取得能，例如溫暖或太陽廚房和太陽加熱氣等，開動我們的各種機器是從太陽產生的能。但是，假如我們利用原子發電，便不需太陽的任何支援，地球的原子便給我們太陽的能，地球自己給我們所需的光。假如有一天，我們的地球變得不宜居住，或者住起來不那麼舒服的話，有甚麼能阻止我們搬到另外一個比較方便比較舒適的其他星球去呢？

爲未來祝福

未來怎麼樣？原子能是否會變成人類咒詛的東西，還是變成人類幸福的創造者？現在應由我們全人類來決定。有人想把它變成侵略和奴役別人的戰爭武器，但我們的希望跟他們不同，我們相信，原子能要變成爲了更美好將來而建設和改造世界的工具，原子是會來臨的燦爛幸福的未來的預兆。

清明

林瀚年

萬方多難又清明。眼底鶯花故國情。
我欲留春春已老。淡烟疎雨黯蕪城。

燕塵識小

同日上諭舉人梁啓超着賞給六品銜辦理譯書局事務。梁啓超以是日召見，光緒命進所着變法通議，大加獎勵，遂有此命。

五月十六日上諭略以農務爲富國根本，亟宜振興。各省可耕之土，未盡地力者尚多。着各督撫督飭各該地方官勸諭紳民，兼採中西各法，切實興辦，不准空言搪塞。其外洋農務諸書並着各省學堂廣爲纂譯肄習。

五月十七日上諭略以近來各國通商，工藝繁興，風氣日闢，中國地大物博士，聰明才力，不乏傑出之英。只以閩於舊習，未能自出新奇。現在振興庶務至計，富強，首在鼓勵人才。各省士民，着有新書及創行新法，製成新器，果係堪資實用者，允宜懸賞以爲之勸。或量其材能試以實職，或錫之章服表以殊榮。所製之器頒給執照，酌定年限，准其專利售賣。其有能獨力創建學堂，開闢地利，興造槍礮廠，有裨於國計民生者，並着照軍功之例給予特賞，以昭激勸。以上兩論是爲特重農工商各項新學之始。

戊戌譚往

五月二十一日上諭略以改練洋操，爲練兵要務。各省綠營練勇，一律挑練洋操，認眞操練，挑選馬步官兵一萬人勤加訓練。即着汰弱留強，實力講求，務成勁旅。八旗滿洲蒙古漢軍驍騎營，兩翼前鋒護軍營，均着以五成改習洋槍，五成改習洋操，並着派委勤明練之王大臣管理八旗驍騎營，兼管理兩翼前鋒護軍營。務須認眞講求，按照泰西兵制定新章，將軍督撫及該管王大臣等務當振刷精神，屏除積習，毋得始勤終怠。」此爲改革軍政之始。

五月二十二日上諭略以「前經降旨開辦京師大學堂，入學肄業者由小學中學以次而升，必有成效可覩。惟各省中學小學尚未一律開辦。總計各直省省會及府廳州縣無不各有書院。着該督撫飭地方官將各處所有大小書院一律改爲兼習中學西學之學校。至於學校等級，以省會之大書院爲高等學，郡城之書院爲中等學，州縣之書院爲小學。皆頒給京師大學堂章程，令其仿照辦理。其有中學小學應讀之書，仍由官書局頒發。至民間祠廟其有不在祀典者，即着由地方官曉諭民間一律改爲學堂，以節靡費，而隆教育。似此實力振興，庶幾風氣遍開，人無不學，學無不實，用副朝廷愛養成材至意。」是爲創立中學小學之始。

同日上諭責成各省將軍督撫保護教堂教士。

燕負生

現實小說

驚蟄

・金溟若・

陳先生偷眼去看，吳阿火正悠然噴出一口烟，顯得滿不在乎的樣子。他是吊眼皮，滿臉黑麻子，露出兩個赭色的手臂，壯健如牛的漢子。

「不管你們那裏的人多麼刁惡，落湖鄉不到我們石頭村一半，也多不了那裏去。而且，你吳阿火沒有能耐降服那批傢伙，誰還大魚大肉請了你來。你狠，可不能狠到我們頭上來。」

說話的，是一個絡腮鬍子的大漢，原是屠戶出身，石頭村的一霸。

「靠你——××！」吳阿火霍地站起，丟了手中烟蒂，張開兩臂吼道：「我狠，你待怎地？」

「你狠，我就——」那大漢也不示弱，立定了架式。

「慢着，慢着，這還成話！聽我的……」不讓兩人靠近，林金灶挺身而出，揮着右手攔住了鬍腮大漢的話頭。

你不要看林金灶那一身瘦骨，他的話就像千斤重閘，使兩個彪形大漢都呆住了，釘在那裏不敢挪動。

「你們先不用爭執，」他交互望着雙方說：「我把錢先給你們平均分攤，照着鄉鎮數分作十六份，作爲助選活動費，你們自己的酬勞另算，有幾處地區特別大，人口特別多的，我請陳先生另補些個，只要事情攪得括括叫，他還在乎這幾個錢！」

他說着，回頭望了望陳瀚，像是徵他的同意。陳瀚沒有作聲，祇是用眼睛表示了默許。於是他再掉頭對着那十幾個高高矮矮的漢子，捋着花白的鼠鬚，瘪着喉嚨叫道：

「怎麼，你們都同意了嗎？不服氣的，儘說。」

大家默然，誰也不敢開口。半晌，倒是那個絡腮鬍子囁嚅着說：

「阿哥吩咐，還有什麼爭的」

一場風波既已平息，酒菜上了桌，又咭嘍了一陣，方作鳥獸散了。

如此多日的部署，競選的舖路工作總算初步完成了。在兩夫婦的精力交瘁之下，鋪上粗石子，路基是輾平了的，只差加上瀝青了。

陳瀚登記的省議員的競選，是由××政黨提名的，總算是如願以償的了。這方面賴委員給他的幫助不少，竟可以說是賴明德一手包辦；而陳瀚所支出的代價——則相當於良田一甲的時價——十五萬新台幣上下。

「老兄，政黨提名的競選人，就已經成功了九成九了。一甲水田算得了什麼，不到幾個月就撈回了——不，搞得好，祗須一筆交易哪。哈哈哈……」

賴明德見陳瀚肉痛，當競選演講的卡車出動前，安慰着說。賴明德與陳瀚間的談話，一向用慣了日本話，有時間雜幾句閩南話。自從他做了官，與大陸人士接觸多了，常常引用一兩句國語的成語攙在談話中，覺得很夠派頭。他得意地在陳瀚的客堂中搖來擺去踱着方步。這也是最近一個鷄尾晚會席上學的，一個大陸老頭子的姿態，一有閒暇便加意練習起來。所謂近朱者赤，他現在是竭盡全力在忘去日據時代那個英雄好漢的本色，有了甚大成就。他見陳瀚不作聲，便緊接着說下去：「一轉眼，議長和副議長選舉，就可以撈回一筆了。」

「你眞是，這還用說嗎！現在是非錢莫行哪，我的老哥。」

「唉，眞的，官場上確與部隊不同，我在『皇軍』裏，對內就沒有這一套，以後還得多多請教。」陳瀚拱手說道。

「這還用說，自己弟兄嘛，見得到的還會不告訴你的。」賴明德說着，瞥地剎住了正在興頭上的方步，尖聲怪叫起來：「啊啊，該死，該死，險些兒又忘了。」

「什麼大事？」

「是這樣的，昨晚在路上碰到省中的校長葉驥，說起他那裏有一位郭老師，想在這一次競選中賺一筆外快，早就聲稱，出來參加競選省議員，到處拉票，雖然只是乾號而不花一文錢，親戚朋友，同事，倒也有了好些人答應支持……」

「一毛不拔怎麼成呢？」

「不要性急，聽我說嘛。」賴明德擺着右手：「說也可憐，他那裏會不知道這是絕對落空的勾當，原是裝模做樣，所謂『待價而沽』呀！」他掉了一句剛學了來的國語，洋洋自得。

「怎麼叫做『待價而沽』？」

「哈哈，就是等着買主嘛，」他昂然答道：「譬如說，你老兄若肯出錢，他便把自己拉來的選票一股腦兒出讓給你不算，還可以爲你跑腿，去向人家打拱作揖都無所謂。」

「這種人還能拉得幾張選票呢！」

（六）

自由人

THE FREEMAN
（第七四四期）
中華民國僑務委員會
僑發登記證台教新字第一零二號
中華郵政台字第五○○○號
執照登記為第一類新聞紙類
（半週刊每星期三、六出版）
每份港幣壹毫
台北市售價台幣壹元
督印人：陳文華
地址：香港高士威道二十號四樓
20 CAUSEWAY RD. 3RD. FL. HONG KONG
TEL. 771726
承印者：東南印務出版社
地址：高士打道六十四號
台灣總經理處
台北市西寧南路壹號二樓
電話：四七三四六
台郵儲金戶九二五二
海外總經銷：友聯書報發行公司
香港：德輔道中二十六號A二樓

從出版法修正案說起

雷嘯岑

最近自由中國輿論界，對於行政院擬訂出版法修正條文，送交立法院審議這一問題，引起了激昂的抵制情緒，認為不能容忍。然政府主管當局却再三聲明，決無妨礙言論自由的意念，修正案的主要目的，祇在遏制黃色新聞之氾濫，免於危害社會善良風俗而已。這案既須經過立法程序，在立法機關審議的過程中，大家不妨就事論事，平心靜氣地各抒所見，藉供參考焉。

黃色新聞的涵義如何

所謂「黃色新聞」，據一般人的說法，是指誨淫誨盜，遇事捕風捉影或擴散虛構，而作過份描述渲染的社會新聞，殆與涉及政治性的言論文字有別。它的內容，最壞亦不過止於揭發別人的陰私，損害人們的名譽信用罷了。這類問題，輕則有違警罰法，重則有刑法可資依據而究處之，政府似不必冒着箝制輿論的惡名，使用獅子搏兔之力，乞靈於出版法以善其後。因為取締黃色新聞的法制效用，現時並未發現有陷於「窮」境的事實，焉用小題大做為哉？關於黃色新聞的法律責任，原是「告訴乃論」的，在法理上，政府亦沒有代表國家作原告的權利，自不能以命令變更法律，不循法庭裁判的途徑，而予以吊銷登記證的行政處分。何況同是出版物，其他的報章雜誌，縱使觸犯了內亂外患罪行，亦非經過法律裁判，不得作任何性質的行政處分，獨對黃色新聞而頒訂嚴峻的法令，未免有失公允，即不談「違憲」的話，政府此舉總是有欠考慮吧！

黃色新聞與一般政治性的所謂「內幕新聞」──也可名之為「黑色新聞」，本質上相去無幾，並且各種報紙皆有「社會新聞」一欄，關於社會上發生的姦盜命拐事項，必須刊載，記者們於記述事實經過情形，雖免沒有過甚其詞之處。果如政府當局所擬採取行政處分的法意，則任何一種報紙，將來都由於刊載黃色或黑色新聞之故，而有被吊銷登記證的可能，這豈是立法的本意？可是，一般黃色或黑色新聞，實屬貽害世道人心，殊有禁制之必要，因為這類新聞每多惡意誹謗的情形。凡是言論自由的先進法治國家，如號稱為憲政之祖的英國，對於誹謗罪的懲罰，是採嚴峻主義的。所有報章雜誌，申請登記時，必須繳納相當數目的保證金，萬一犯了誹謗罪，被人告發，經過法院偵訊不虛，處罰絕對從重，如果被告無力繳納罰金，即以保證金作抵。沒有保證金，刊物便不能繼續出版，事實上無異於自動關門了！我國現行法令，對於誹謗罪的最高罰鍰，只有一百元，而幣值又不穩定，耗費一百元即可以肆行誹謗他人的名譽信用，危害善良風俗，這不但是沒有積極遏制黃色新聞的效力，消極的且有獎勵誹謗行為的作用。所以，政府須次擬將誹謗罪的罰金提高，似屬未可厚非，我認為越高越好。如說這樣就有摧殘言論自由的嫌疑，那我便要問：誰教你漠視法律責任與新聞道德，而隨便造謠誹謗別人呢？人民的自由權利多得很，政府依法予犯罪者以懲處，就說是摧殘自由人權，這種無法無天的自由，豈是我們所應有的？

言論自由的病態

吾儕新聞記者固然要爭取言論自由，不能接受非法的箝制，但亦得隨時保持戒慎恐懼的心情，避免濫用言論自由權的毛病，而新聞道德尤為重要。法律上賦予我們的自由權能越擴泛，即須嚴格加以珍惜，防制濫用或誤用。例如：因在政治上不滿現狀，即隨便揭露政府的軍事政外交秘密，置妨害國家安全關係於不顧，社會上發生某項重大的刑事案件，法院尚在偵察期間，而輿論界却已表示左袒右袒的主張，代為裁定了罪，這都不是合理的言論自由現象，不足為訓的。目前我國輿論界還有一種極可哂的流行病，[illegible]方的報章刊物，對於反對意見有所批評反駁時，動則加以「圍剿」的形容詞，[illegible]言論自由。民間既可以批判庶政得失，臧否政治人物，官方又何嘗不可以質疑論難，有所辯駁呢？[illegible]文過飾非，強詞奪理，民間再予駁斥可也，一定不許官方回駁，豈是言論自由，這道理是說不過去的。

自由中國是實行憲政的國家，最好連那些什子的出版法，亦將它廢除掉，以免引起若干無謂或無聊的是非爭議。但，這種法治精神的實現，首先即須我國新聞從業人員，發揚高度的自治精神，在法律軌範之內，充分行使言論自由權，決不需要政府來操心指教，自然構成輿論權威，受到世人的重視和尊崇。我們現在為着政府要修改出版法而據理力爭，這已經不是現代法治國家的常態，即使如願以償，亦只能說是享有言論自由權的一半，距離理想的憲政生活尚遠。「行有不慊於心，則反求諸己」，今後我們一面要為廢除出版法而努力，同時更應注意本身的修養工夫，以期不愧為一個法治國家的文化戰士！

本報增設服務部啓事

本報海內外讀者，委托本報有關新舊圖書什誌、美術品、教育用具等之代購代售或在港事項，年來日見加多。茲為便利讀者，並謀擴本報服務宗旨起見，特於本年五月一日起，增設服務部，添用人員，釐定辦法，務期手續簡單，辦事迅速周到，收費合理廉宜為目的。有關辦法，如蒙垂詢，另行奉寄，請為注意為幸！

自由人報社敬啓　一九五八年四月

半週述評

葉外長越南行

外長葉公超訪越之行，是說明中越關係已達到澈底明朗化。這是中越關係自僑胞國籍問題以來的最佳的表現。

西貢的華僑熱烈歡迎這位部長，是必然的，他們除了在感情上要歡迎這位來自多難祖國的部長外；他們還會以理智來歡迎他。因為他從臨危受命兼代這個人所不屑為的部長以來，一直幹得有聲有色，即使在今天，局面有了顯著的「安定」的自由中國，政府能夠打得出手的王牌，除葉公超，可說不作第二人想。

內政與外交

在對外關係上，國家需要一位幹練的外交部長，那是極自然的，但辦理外交究不是單靠一位幹練的部長所能濟事的。葉氏固善於為「巧婦」，但他未必能作出「無米之炊」的！因此，我們除了在百官大員中欣賞這位「巧婦」之外，還担憂着國內的政治，多年來是進步得太緩慢了。國內政治既牛步化了，外交的努力，也祇能止於事倍功半。

新聞自由與國運

反對修改出版法的事件，似已[illegible]態。對外的宣傳曾一度有消息謂最高當局表示尊重輿論，無意破壞新聞自由。但從事實，却又與所宣傳的不相脗合。台灣的輿論界為反對修改出版法所作的努力，實已達到了一定的階段；而政府的所謂「讓步」，在本質上仍是違新聞自由的原則；立法院三小組聯席會議上對於該案究應以公開抑或秘密的會議來審議的激辯，也顯示了當局透過少數部分立委的口舌，傳達其真正的心意。

因此，新聞自由確已進入了最後決定命運的關頭了！我除了要重複說：本案是新聞自由，和立法院對維護民主憲政的考驗外，實在也是國運前途的考驗！

高層會議的現階段

國際高層會議主張由大使級會議來安排，本是蘇聯所提出的主張；當西方在放棄了由外長會議來安排的主張，順從蘇聯的主張後，莫斯科却以個別邀請美英法大使商談的手法，作破壞盟國活動。另一方面，又召見了絕大多數附庸國大使和二個「中立國」使節，表示能夠擴大此項籌備會議。其手法，其用心，皆充分表現了對高層會議之無誠意。而主張召開該會議者，本是蘇聯，但經年以來，當其已經獲得了宣傳效果，和瞭見西方的意見在逐漸一致之後，在三比一的形勢下，蘇聯除了節外生枝作破壞性的活動外，還能有何作為？

高層會議能否實現呢？最後或許仍將不免召開，但也必然是一個無意義的會議，是一個無法解決現實國際問題和安排弱小民族的會議！

印尼的現狀與前途

印尼的戰局，對革命政府方面不利了，如果沒有奇蹟出現，巴東政府今後只有局處一隅，從事游擊戰。

印尼的戰局，當然也絕非毫無意義的。對巴東方面來說，[illegible]吸取革命的經驗，讓這些印尼的革命志士，有機會對他的國家和對國際形勢認識得更清楚些。革命不是僅有理想可以實現的，還必須經過多少次失敗和掌握有利的形勢，[illegible]，如果其革命僅止[illegible]和大多數人袖手旁觀，[illegible]助，自不能有效的擴大發展。對目前雅加達方面來說，這已是個為人厭棄的政權，而且正在逐漸的趨向於獨裁政制；在國際共黨的協助下，縱然擊敗了革命軍，但也不足以挽回失去的民心。而其最大的危機，則在於終將難逃共黨的赤化。如果印尼的國民黨不圖振作，腐化無能一仍舊貫，共黨奪取政權將是指日可待的。

。李金畔。

哲人其愚

──關羅素的乖謬談話

張道生

邱吉爾曾說共產黨人是「普遍的下流」，而羅素竟說可以和俄酋談「和平共存」，且謂「與其被核子武器毀滅，倒不若暫對共黨屈服」；可見面對現實時，一位體驗的政治家底看法，往往比一位哲學家的玄想來得高明。

據倫敦路透社電訊，英國當代哲學大師羅素近曾在電視訪問中，發表了一篇對世局的談話，說人類與其被核子武器毀滅，倒不若暫對共黨屈服；又謂「過去有過很壞的征服者，比方蒙古人，在成吉思汗時，殘酷無以復加，但他的孫子忽必烈，却是很文明而有人情味的，現在如果共黨征服世界，則將有個時候令人不快，但並非永遠如此。然，假如人類被核子武器消滅了，則一切都完了。」

我們讀完這篇談話後，不禁有「哲人其愚」之感！近來這位老哲人，或由於酷愛和平之故，曾致書俄酋修談「和平共存」的道理，俄酋亦儼然有介事似的與之應酬；看來，幾乎世界和平將要降臨似的！

我眞想不到，一個偉大哲人如羅素者，竟有如此幼稚的想法，竟然發此囈語。先覺之人，尚如此愚昧，難怪這個世界要動亂不已了！

凡是一個具有理性的人，原是希冀人類走向和平之路的，何況一個大哲人呢。綜觀羅氏曩日對共黨理論批判之文字，常有精闢獨到之處，何以此次言論懸昧一至于此，誠令人百思不解！

以羅氏之地位，居然有此見解，影響世道人心自不待言，吾人不能不鄭重闢之。

第一，羅氏認為人類與其被核子武器毀滅，倒不如暫對共產黨屈服云云，當然，一個人一生下來，無不希望能好好的活下去，這原是人之本性。但，人畢竟不是光活在世界上，就算是達到了人生的目的；苟如是，則人類又與其它動物何異？相反的，人生的眞正意義，並不僅在求一般慾望的滿足，而是在於追求文化的、精神的滿足。

共產黨人的殘酷，不僅在以暴力方式統治人類；而尤在用奴役方式摧殘人性──他們把人當做一種工具。因為所謂人性、理性在共產黨人的意識裏，根本就不存在；因此要與共產黨人談「和平共存」，實無異與豺狼共丘，何能安身立命！

英國邱吉爾曾說共產黨人是「普遍的下流」，這可說是對共產黨人最適當的形容了，非對共黨有深切體驗的人，是不會說這話的。我們也可以說這是共產黨的本質。共黨之狠毒殘酷，非深受其害者，是很難理解得到的；僅以觀察、訪問、想像實無法窺其眞象。我以為如其在共黨暴力下討生活，倒不如在核子武器下毀滅的好。實則一個人果與共黨鬥爭而犧牲了生命，猶比在其奴役下過着殘喘的生活，要更具價值些！

第二，今日共產黨的極權奴役統治，是史無前例的。但羅氏竟以成吉思汗，忽必烈與之比較，這是一大誤謬。須知，今日共產黨的統治方法和手段，絕不能與蒙古人的統治同日而語。蓋共產黨的統治是新型的──政治性的思想控制，目的在把人變成一種工具，供其驅使。而蒙古人的統治，則是軍事性的──武力佔領，其目的只求被征服者的歸順。至於忽必烈何以會比成吉思汗好一點，我想這是由於忽必烈時代的蒙古人已被中國文化所薰陶的緣故。但今日共產黨却不如是。共產黨自己有一套「俄式的文化」，它以其四十年來統治者的經驗，和馬恩遺給他們的「鬥爭理論」為依據，從列寧、史達林、到赫魯雪夫，一個比一個獨裁、殘忍、狡猾；他們企圖消滅人性。這是共產黨和蒙古人不同的根本所在。我們絕不能以古比今，等量齊觀。

總之，羅氏之言，怕是出於一時情感，受了核子武器宣傳的影響，以為核子大禍將臨頭了吧！蓋不知當前威脅世界的，不是核子武器，而是比核子武器更厲害的共產黨征服世界的陰謀。羅氏是近世人類思想的彗星，他在哲學上的成就是驚人的，但對於現實政治觀點，竟如此不敢令我們恭維！

評「出版法修正案」

·何日中·

（台灣通訊）用秘密方式，由內政部主稿，經行政院通過，並送立法院審議的「出版法修正案」，這兩天在自由中國正引起軒然大波，筆者忝附文化界驥尾，對此一問題，自忖有不能已於言者：

王德溥的回馬槍歟？

縱觀前內長王德溥任內，對出版事業所持之一貫態度，筆者不敢謂其懷有錯誤之成見，但其爲社會所詬病之措置，實在是不勝枚舉。但比起王氏臨下野前，秘密提出的這個「出版法修正案」來，則又是小巫之見大巫了。

據報紙所載，這次「出版法修正條文草案」，對現行「出版法」修改了有十八條之多（內合併一條），另外並增列了兩條，而共成四十六條。據說新「草案」中幾個特殊之點是：一、撤銷登記：一家報刊，受到三次「警告」，即受「定期停止發行」處分；三次「定期停止發行」，即予「撤銷登記」。二、罰鍰加重：對出版品之罰鍰，從現行法之一百元，一躍而爲一千元，增加了十倍之多。三、主管官署權力增大：「草案」中，主管官署除增加了可以上下其手，予取予奪的「撤銷登記」大權之外，另有現行出版法第九條規定：出版物登記，「各級機關應於十日內爲之」，而「修正草案」中則加以「除特殊情形外」之字樣，這樣，主辦人員則可據以任意刁難了。

凡此三點，不論在法在理，都值得愼重考慮。尤其第一、三兩點，根本違反了憲法中民主自由的精神，以及現行出版法保護出版業的初意。試想：如果此一「惡案」得以完成立法程序，則主管官署，可將任一民營報刊玩弄於股掌之上，如此，不但憲法第十一條及第十五條所賦予人民之基本權利完全喪失，且「自由中國」言論之不能自由，與任何「不自由」國家相較，亦將絕無「遜色」了。據說就是王德溥一招惡毒的回馬槍。然不論是誰的傑作，自由中國的言論自由，將大打折扣了。

爲了蝨子燒棉襖

去年十月二十六日，王德溥以內長資格，在記者招待會上發表了一篇談話，聲明爲節約用紙，目前尚無開放新聞報紙登記的計劃；至於雜誌之出版，則謂：除「發行旨趣爲目前需要者」外，亦將不予登記。當時筆者曾在本報爲文駁斥，後來總算查禁了幾家所謂「黃色雜誌」，但餘悸猶在，這次「出版法修正案」之提出，可說是那件事的延續。

一位外國朋友說：出版事業採取登記制度，其本身已經是不民主了。我們固不敢過於「奢望」，但爲了幾本「黃色刊物」，而企圖以峻刻之法條，予整個出版界斲喪生機之摧伐，這正像某立委對筆者所說：「爲了蝨子燒棉襖」的故事了。

田炯錦胡爲如此？

田炯錦上任伊始，本應對此案採取愼重考慮態度，靜待立法院的裁決。但也許是時下官場心理所使然，田氏竟甘自不諱，聲稱「此次修正的最重要目的，是在防止黃色刊物的泛濫」，並無礙新聞自由。田氏此說，竟把全案攬在自己身上來了，也就令一般期望者爲之失望。除去憲法精神不論，單就法律觀點而言，如果眞如田部長所說：「此次修正的最重要目的是在防止黃色刊物的泛濫」，那麼所謂「黃色刊物」也者，就常識判斷，不外妨害風化，妨害名譽，恐嚇勒索或詆毀他人者屬之。如此就妨害風化而論，有刑法第二百二十一——二百三十六條；就妨害名譽而論，有刑法第三百〇九——三百十三條；就恐嚇勒索而論，有刑法第三百四十六——三百四十八條；就詆毀而論，有刑法第一百五十三條。任何報刊，違犯上述法條者，自可由司法機關依法論處，而不必行政機關「越俎代庖」。又何需修改出版法！

新聞

步履爲艱！　尹雪。

出版法

從台中公園拆除藝術裝飾說起

·蕭勤·

【西班牙航稿】日前閱報，看到台中中山公園門前現代彫刻的裝飾被拆除的消息，站在一個作爲研究現代藝術者的立場來看，不禁感慨萬千！

我國在公共場所，以現代藝術品來作裝飾幾乎向未有之，而此次也許是創舉（可能在別處已經先有了，且不說它。）藝術作品本身無論程度高低，究竟是一個好現象。歐美各國從二十世紀以來，現代藝術有光輝燦爛的發展。無論在繪畫、彫刻、建築各方面都可以見到。有人以爲現代藝術僅是西方的東西，這是錯誤的，東方的藝術傳統一樣地可以銜接上這個潮流而得到它新的發展；以東方的日本爲例，在建築方面，他們知道發揮他們傳統建築的幾何分劃的特長，溶合現今建築思潮而創造出嶄新的式樣，在世界上確定了它的特殊地位；在繪畫、彫刻方面亦然。也可以說西方現代藝術能發展到今日，其有一部份受東方古代藝術的影響是無可置疑的，因此現代藝術可說是把以前狹窄的地域性的藝術帶到了廣大的世界性表現的道路上去了。

再看我國現代藝術運動都未曾達到，實在是可悲的現象！國人往往以「五千年悠久的文化歷史」自傲每每對西洋人誇耀我們自己的「古代文化」；不錯，我們祖宗過去的遺蹟確有其不可磨滅的光輝價值，然而要注意：生存在二十世紀五十年代的我們，如果僅僅誇耀我們過去的遺蹟，便會被別人恥笑爲「破落戶子弟」的！我們「今日的文化」在那裏呢？我們應該回頭深省的。

近四、五年來台灣原有一個可喜的現象，就是研究現代藝術的人日多（現代藝術在大陸及一切共產國家是被禁止的，因現代藝術基於崇高精神活動的「唯心論」與共黨的利用藝術作其他用途的「唯物論」相反。）一種新的潮流的出現，總是有其客觀存在的理由的，我們不能因爲自己的知識水準不夠，而盲目的反對。我們必須認清：不能由大衆來領導藝術，是相反的，大衆應接受藝術的領導。台灣研究現代藝術的人日多，就表示我國究竟還有人對這一項新的潮流的價值發生尊敬。不過以這次台中中山公園門前的現代彫刻的拆除而論，是一個相反的現象。令人遺憾！雖然這是件小事，但畢竟是中國現代藝術前途的陰影。筆者的意見認爲應該：

一、設立現代藝術學校，研究中國古代藝術的優點以配合現代藝術潮流。

二、創辦現代藝術展覽會（去年在台北創辦的「東方畫展」是最好的例子），以嚴格及富有教育性的審查制度來提倡。

三、出版現代藝術理論的書籍（無論翻譯、介紹或創作均是），及支持發行學術性現代藝術雜誌。

四、在各項建築及公共場所儘量以現代藝術來作裝飾。這是一項極好的社會教育。

五、舉行邀請展覽，邀請歐美國家把優秀的現代藝術作品運回我國展覽。日本現代藝術在國際上有如此的地位，實歸功於此。我們也應該這樣做。（四月十四日于巴塞隆納）

海外文庫社參觀記

·尚文·

台北通訊

筆者因回國觀光之便，在台灣訪問過一間很特別的出版社——海外文庫出版社。它給我一種頗爲深刻的印象。這一間出版社「版權開放」的。任何人都以翻印它的書籍。它每出一種書，都製備紙型五套，翻印的可以借用。但翻印的不能以賺錢爲目的，祇能在翻印某一種書時，附帶印明，收回工本費若干，以最低廉的價格出售。這是出版界別開生面的作風。

該社提出「歡迎翻印」的號召後，已引起海內外出版界的普遍響應。去年一年間，各方翻印的書籍，已達三萬三千多册。筆者訪問時適值香港南天書業公司，中國圖書藝術館，海潮出版社等向該社洽商翻印中。

該社的作風不僅「版權開放」，它對於收稿辦法，也與衆不同。你如果認爲對該文庫所定的出版目，自信可以寫作時，也可自我介紹，請該社採用你的作品。據該社編委會負責人說，現時將有該文庫各書的作者，大部份是不相識的。有些是享有盛名的專家、學者，由該社邀請担任寫作；有些是作者自己感覺興趣，自動投稿的。該社現時的稿費，是每萬字新台幣千元，（如作者在海外，請政府官價外滙），依照各書的文章價值說，似乎較爲低微些，不過有心作海外文化運動的人，也不會計較稿費多少的。

該社的開放政策，也並不是隨便選稿，隨便印行的。他們對於編審態度極爲謹嚴，對讀者是負責的。他們收到書稿之後，先分別送請學術機構或有關業務機關先予審查，然後由編委會作最後的審查整理，方才付印。如果書稿內容，或文字上有未適合編輯宗旨的地方，還要請作者加以修正。

說到該文庫的編輯宗旨，是闡揚祖國文化，表彰華僑精神，供給海外僑校小學五六年及初中學生的課外讀物，以及教師的參考資料。內容共分十大類：即名人傳，地方小誌，華僑海外開發史、物產、海外與中國、自由中國，中國文化、風俗習慣，一般基本知識，華僑姓氏先賢列傳等。預定書目共一百六十種，現已出版的一百種，還有三十餘種正在編審或寫作中，三十餘種尚在徵求作者。該社打算在今年一年內將預定書目全部編印完畢。

該社已出版的書，有若干種是特別適合某地區讀者興趣的，於是便被該地區的僑校採用爲特別教材，或參考書。例如詩巫中華中小學採取「黃乃裳」一書爲該校的鄉土教材；菲律賓大[illegible]廣播社便選用該社的各種書籍做空中教育的補充教材；越南古學會又將該文庫各書遍寄它的會員輪流閱讀，台南農校採取該社的「中國書法」、「鄭成功」等書，作爲補充教材。台灣光復大陸設計研究委員會，又選用「海南」、「話嶺南」、「漫談廣州」等書作爲參考資料。由此，可見該社的文庫已受到各方的重視。它的作用，已不僅限于僑校了。

海外僑辦報刊，也相當重視該社的文庫，有些將該文庫的名人傳，逐日轉載，有些將該文庫各書逐本介紹並作書評；此外對該社文庫加以評論或介紹的，不知凡幾。

可惜的，該文庫各書的插圖及印刷，尚未盡精美。又其中搜集的材料，不免間有錯誤或疏漏。希望該社以後能夠改正。又該文庫不易在坊間購到。如能交其他書坊翻印應售，使能普及，則更佳矣。

星洲大選將採強迫投票制

——星洲航訊——

海外通訊

【本報特約通訊】根據倫敦協商，新加坡可能在今年內脫離殖民地的地位，而以一個國家的姿態出現於自治的前途。這雖然不是完全的獨立，但在政治發展過程上，總算邁進了一大步，意義是相當重大的。爲了執行這自治的權力，需要一次大選，擴大立法議院，以產生一個民主政府。這個大選日期，最後一任總督顧德爵士在去週三立法院復會致詞中，還未有明確的決定，可是此間卻早已展開一幕大論戰，問題是：下屆大選應否實施強迫投票制？這個問題好像無關宏旨，但稍爲明瞭本坡各政黨來龍去脈的人，便會覺得它不尋常了。

這個問題的發生，該回溯去年十二月市議會的選舉。在三十多個選區中，人民行動黨（按：[illegible]黨已爲共黨滲透，又該黨若干名要員迄仍在拘禁中，）雖僅參加十三區選舉，結果以十三席獲得優勢，出任首屆市長。事後統計，選民投票人數，僅得總額百分之三十三，換言之，就是有三分之二的選民沒有投票。而投票的選民中，又不少是給人民行動黨利[illegible]空前勝利。接踵而來的[illegible]幾乎每一議案的討論[illegible]充滿了不合作氣氛。[illegible]民行動黨對於市議會[illegible]功的，但矯枉過正的[illegible]

由於這個教訓，[illegible]下屆立院大選會重蹈市議會覆轍，[illegible]票問題，向各方試探。[illegible]持。（按：自由社會黨[illegible]競選的大黨，但結果[illegible]選民對政治冷淡，[illegible]口，因此也贊同強迫投票。[illegible]勝利果實的人民行動黨[illegible]復新組的工人黨，和若干所謂前進人士。[illegible]人的政黨——巫統——也不贊同強迫投票，除非採取[illegible]是有條件的。[illegible]例代表制，以保障少數民族的利益。）這樣一來，便形成兩大壁壘的對立，論戰於是乎展開。

除了各政黨人物在報章上表示意見外，中華總商會及馬來亞大學先後爲這個問題舉行辯論會，參加辯論者大都是社會名流。歸納他們的意見，反對方面的最大理由是：（一）強迫投票爲不民主，選民應有投票與不投票的自由；（二）執政黨意圖藉[illegible]拖延下屆大選。贊同方面的主要理由是：（一）[illegible]民對政治的認識，然後產生[illegible]州爲例，在一九五五年以前，[illegible]實施不投票便須處以罰金的法例以後，[illegible]。（二）經過立法的程序所產生的[illegible]避免政黨利用黑社會勢力對選民[illegible]員會報告書承認私會黨對選舉工作進行[illegible]

根據今天（十六日）的報章[illegible]各社團代表，對強迫投票制[illegible]又據較早的消息報道：支持這項制度的[illegible]議提出討論，並主張定大選日[illegible]階段，林氏之召集社團會商，[illegible]作爲防範共黨對議會滲透的一種手段，實施強迫投票制度在目前原無可非議，不過，這只是消極的，不徹底的。我以爲建立更開明的政治，加強民衆的組織和改善人民的生活，這才是對症下藥的根本治療。（四月十六日寄自新加坡）

·逸儂·

困惱着中共的「紅」與「專」問題

·王強·

鐵幕真相

中共爲了「社會主義工業建設」，需要又「紅」又「專」的人材，但「紅」則不能「專」，要「專」則不能「紅」，因此又「紅」又「專」乃不可能。這矛盾問題爲了中共「建設」的死結。

中共在現階段的總任務，是亦步亦趨地配合俄共的戰略要求，以加速進行擴軍備戰的工業建設爲其中心；但這任務不是打江山的共幹所能勝任，而必須借重於知識份子的科學技術。在這樣的情形下，便發生了「紅」與「專」的問題了。

所謂「紅」與「專」

所謂「紅」，就是政治立場是完全站在共黨這方面；所謂「專」就是指有沒有具備實際的科學技術和知識。事實是：替中共賣命的老共幹，以及那些對共產主義一知半解，自以爲「紅透」了的「積極份子」，對於科學技術是一竅不通，而那些接受了西方現代科學知識的人，在中共看來，又先天地具有資產階級的意識，非加澈底「改造」不可。這是一個不易解開的死結。

現成的「專」不能「紅」

科學技術人才的培養，不是短期內可以完成，而任務又十分迫切，所以只有利用知識份子最合算。這樣，便在一九五六年提出了「解決知識份子問題」的方針，提出了「向科學大進軍」的號召，並且在某些程度上改善了對待高級知識份子的待遇。可是知識份子的思想與極權制度實不相容，到了去年大鳴大放期間，他們便具體表現了他們對現狀的態度。他們一、反對思想改造，反對馬列教條對學術思想的約束；二、認爲「外行不能領導內行」，主張「智者在位，愚者下台」；三、主張共產黨退出學校，支持學生不過問政治的傾向；四、反對盲目抄襲蘇俄的政策，主張接受西方的科學知識。這樣便導致了以壓迫知識份子爲主的「反右派」鬥爭運動，而利用知識份子一籌，便告失敗了。

製造後一代的「紅」

「紅」與「專」的矛盾這樣也便越來越嚴重。至此中共便採取下列措施：

一、青年下鄉運動：此一運動的消極意義，是迫使思想右傾及階級成分有問題的學生，實行勞動改造；另一方面在鍛鍊一部份青年科學機會的過程中，優先讓工農階級成分的學生升學，以便培植又「紅」又「專」的下一代。最近許多下鄉的青年寫信給「中國青年報」，請問可否參加今秋升學考試問題，該報以「照顧工農子弟升學」爲理由給予否定的答覆，便是例子。

二、勤工儉學方針：根據中共「人民日報」三月十五日的供認，上海復旦大學物理系學生今年參加生產勞動的工作日，不得少于一萬五千個。這種情況就表示中共的基本企圖，乃是認爲透過生產教育可以斷絕青年學生的小資產階級意識，造成又「紅」又「專」的人才。

三、迫使學術界低頭：中共在科學與哲學思想上，提出了所謂「興無滅資」的總方針，把資產階級的思想攻擊得體無完膚，把一切優點歸結於「無產階級專政」的理論上，脅迫學術界人士在討論會上公開認錯，發表「向社會主義思想躍進」的宣言，簽署「把心交給共產黨」的保證，迫使一般學術界人士接受驅使。

「紅」而不可「專」

但是又「紅」又「專」的矛盾是終于不能解決的問題。事實是：一、據三月份「人民日報」供認，學生成績低劣，是當前大學教育中相當普遍的現象，如北平地質學院水文地質系及工程地質系的畢業生有百之二十五是廢品；北京大學物理系畢業生有百之三十是廢品，北平農業大學農學系有些快畢業的學生，分不清稻子和稗子，學耕作的學生不會整地，學昆虫的學生，跑到玉米地裏認不出螟虫來，北京醫學院有些應屆畢業生不會紮石膏繃帶，碰到了蒼蠅蛹不知爲何物。復旦大學化學系四年級因成績低劣被淘汰的學生達百之二十七。一個特別值得注意的，就是工農成分學生淘汰率的驚人，如北大物理系三年級工農成分學生的淘汰率，竟達百分之六十。這是什麼原因，顯然是由於偏重政治活動以及工農學生基礎太差的緣故。

後一代也不願「紅」

二、又據中共報刊供認，現在大陸上有一種「勁力値空論」出現在青年學生中，意思是指青年學生幹什麼也「沒勁」。不久以前，「中國青年報」曾指責農村的青年團員不安心農業生產，在工廠的團員鬧工資，比福利，挑工種，不守紀律；在知識份子青年的團員中，表現了不問政治，輕視勞動的思想。高等學校的許多學生，不但不想「紅」，而且也不要「專」，經常設法來逃避政治運動，對思想改造抱着對立的態度。

三、又據僞國務院副總理聶榮臻在「科學規劃委員會」的報告，當前的科學工作者，仍然存在着下列情況：一、有些人表面上好像在走「社會主義」的道路，實際上仍舊是資本主義的那一套，不願接受交付的任務。（二）有些人驕傲自大，存在着知識私有的思想，不肯把科學技術貢獻給「人民」，把稀有的或比較新的資料壟斷，不肯同別人交流經驗。（三）有些人死守過去一套，對科學事業的前進起着阻礙的作用。

不可解的矛盾

從以上的情形看來，今日大陸上的學生，既不能「專」，又不願意「紅」，而具有現代學術知識的人士，又不肯同心的與中共合作，中共要想藉「大躍進」的口號來解決「紅」與「專」的矛盾，事實已證明其沒有可能，這是中共僞政權致命的死結。

改造·躍進·紅專

四月裏，中共召開了兩個青年方面的會議，一個是上海舉行的「青年工人代表會議」，另外是在北平召開的「中華全國青年第三次代表大會」。

在「青年工人代表會議」上，「全國總工會副主席」許之楨于開幕時說：「目前特別要加強青年工人中的思想改造，只有思想上的大躍進，才能有生產建設上的大躍進。因此，通過這次會議，總結和推廣青年工人在整風運動中接受社會主義教育的經驗有很大的意義。」

在「中華全國青年第三次代表大會」上，陸定一代表中共中央說話，要求「青年必須頑強地進行思想改造，做又紅又專的社會主義勞動者。」

顯而易見，這兩個會議有着一個相同的目的：「加強改造」，「在生產建設上大躍進」，做「又紅又專」的勞動者。

年老黨員的衰退

年紀大了，做起事來，總是瞻前顧後，計較利害得失，共產黨員亦不例外。

我們且舉一例：陸定一在「青年第三次代表大會」上，要求提前實現「全國農業發展綱要」（修正草案），我們曉得這個全國農業發展綱要草案是一九五六年春提出來的，中間經過全國人民的「討論」，三次「人代會議」的審核，一次黨代表大會，兩次黨中央委員會會議的審查，兩次「最高國務會議」的研究，無數次的「人代常委會」與「政協會議」的複議，結果，到現在還是在草案階段。其原因是由于這個草案太過冒進，年紀大的黨中央委員，黨代表，「全國人民代表」，「政協委員」，都不能贊成這種冒進的農業發展計劃；主要的當然是因爲年齡大的中共黨員大部份對此杯葛的緣故。

由此可見，共產黨員亦非特殊材料製造的，年紀大了，不顧一切的勇氣也會與平常人一般地衰退的。

只有利用青年

既然，綱要還在草案的階段，誰都明白沒有履行它的必要的；但是陸定一不但不考慮到這一點，卻反而要求青年們去提前完成這一個綱要草案。這種做法實在是夠別緻的。

陸定一之所以這樣說這樣做的原因是由于：一、農業發展綱要是毛澤東提出來的，是標誌着他的經濟發展政策的；他的意見雖然不能說是聖旨，但是就算不經黨中央通過，也要硬做的；譬如農業合作化的加速，鳴放的開展等都是在黨中央未會通過的情況下施行的，陸定一是奉旨行事的。二、前面說過，年紀大的一批黨員，已屆衰退的階段，若要等待由這批中年以上的人把持的黨中央通過，可能已失時效；毛澤東搞運動起家，他明白青年人的純潔熱情，不畏危難，勇往直前，於是利用他們，鼓動起他們，來爲自己的幻景作努力。三、當然還有懸榨青年勞力的目的存在。這也就是說，要實現他個人的預謀，也只有通過利用青年的途了。

青年固然有其熱情，勇敢的一面，但是也有易于失望的一面，固然有一部份青年現在似已被鼓動起來了，在高壓之下而爲毛澤東個人理想的實現而服務了；但經濟工作決不是幾個運動可以搞好的，社會中的中堅份子終究還是中年人，他這種近于欺騙方式的利用青年，到頭來是有失敗的一天的。

·田心·

寄望於胡適之先生者

·陳紀瀅·

（續上期）

三、「五四運動」無論有功有過，似乎都不應該記在胡先生一人身上。雖然因爲胡先生名氣太大，成就最多，後世談起「五四」來，就以胡先生爲代表。但眞正瞭解歷史的人，不會忘記「五四運動」實是「學生愛國運動」與「新文化運動」的綜合代名詞。其中若干過激的言詞及主張，多半出自陳獨秀等人之口。胡先生當時致力的，則是「文學革命」。在「文學革命」的論戰文獻中，我們至今還發現不出胡先生有什麼罪大惡極之處；反之，近三十年來的青年子弟，無一不靠它吸收新知識；就是今天他們不也使用語體文嗎？胡先生並不是外國人所稱「白話文的發明者」，可是畢竟因他有強烈主張，中國才由死的文言文蛻變而爲活的語體文。現代青年實受其惠，中國文化也蒙其利。假若說中國因實行「文學革命」，才有共產黨；中國因通行語體文，以致大陸淪陷，那就是「拉不出屎來怨茅房」了！

我相信每次到飛機場上去，迎接他的人，與新聞界不惜連篇累牘紀載他的言行，其原因之一，由於他倡導「文學革命」，使後代思想得到解脫，文字走向自然，也最關重要。自「五四」以來，胡先生的文章，何止數百萬字？但能夠流行世間，仍是胡先生的「胡適文存」。可知光還驚人，是驚不倒的！至於還有其他因素，則非筆者盡知，也不願多所論列。我相信僅以上所舉三項，已足以說明一般知識份子對歡迎胡氏歸來的重要心情。

我親眼看見自陳副總統以下的黨政軍各級首長，人民代表，以及中外教育界人士擁擠在一起，與胡氏握手寒暄，也令人嗅到新的氣息，不同凡響。可見中國上下，包括黨政首長，無不至誠的歡迎胡先生歸來，倘若再有人以惡意挑撥，那個是存心叵測了！

胡先生這次回國，是來就任中央研究院院長職位。我們覺得這個職位予胡氏最恰當不過。……爲什麼？中央研究院是我們國家的最高學術機構，直接隸屬總統府，也是一國元首學術上唯一的最高諮詢機關；[illegible]

（四十七年四月九日）（全文完）

國際動態拾零

△赫魯曉夫單獨放棄核子實驗之宣言，騙取不少世界和平主義者以同情，在宣傳上不能不稱爲勝利。在宣言公佈十日以前，美國即已打聽到此一消息，有人主張美國先發停止實驗的宣言，獨杜爾斯不肯。杜氏以美國不能如蘇聯之毫無顧慮。美國宣傳所以處于劣勢，而在心理作戰上有時非甘于失敗不可之故，固不能單于宣傳有利，而不顧到其他方面。

△美國太空研究機關，將不歸國防部，而另設立獨立委員會管理，此點總統與國會主張是一致的。惟國會尙嫌一個機關不夠，提議分設若干機關云。

△哈馬紹歸自蘇聯後告英國當局，謂高峯會議之舉行，至少將在六個月之後。赫魯曉夫在內政外交上勝利之後，將頗持盈保泰，不願在高峯會議上，冒失敗之危險。

△蘇聯經援埃及五億美金，其條件僅爲派專家監督用途。專家駐埃及的時期，爲三五年，並可任意延長。如此則蘇聯勢力，不特可以滲透阿拉伯國家，且將以埃及爲總站，而遍及亞非集團各國了。

陶然

觀念與名詞

自由談

馬五先生

國父孫先生闡述「訓政時期」的建國之道，把一般民衆比作有主權而猶缺乏行爲能力的阿斗皇帝，一切國計民生問題，須有文武兼賚的諸葛丞相綜持訓導總行。訓政時期的革命政府就是諸葛丞相，不特要代表人民行使主權，而且遇事還要對民衆執行訓育的職責，目的即在創進憲政時期的民主生活，階段分明，毫不含糊。

我國實施憲政將近十年了，一般「阿斗」已有行使主權的能力，諸葛丞相縱不告老歸田，亦得改變訓政觀念，不復以萬能的主宰者自居，藉符國父遺教的建國程序。這樣說法，自信對於三民主義的原理原則，決無曲解之嫌。

因此，我認爲今日許多關於內政上的是非爭論，癥結就在於執行治權的人，沒有改變舊有觀念，依然以訓政的方法來處理憲政時期的政務。阿斗們已經長大成人，堪以勝任自己固有的職位了，而丞相却照樣越俎代庖，事事要管制，烏乎可呢？我並不否認「革命」思想，但理論必須脗合事實需要，於義庶幾可通。革命的大前提即係否定現狀，無視常法，然憲政生活是崇尚法治的。人民超越法律範圍以外，從事於破壞現狀的革命行爲，即須受到法律制裁，憲政國家的統治者，更不能說以革命手段處理國事，否則憲政之謂何？若說我們是要革共產黨的命，尤其擬於不倫。共黨乃是內亂罪犯，政府居於討伐叛逆的立場，豈可妄自菲薄，竟儕於以下犯上的革命份子之列乎？

大家祗要把觀念改變，認定現在不是訓政時期了，一是皆以法治爲本，亦不要濫用名詞術語，企圖法外求治，則若干無謂的是非與煩惱，皆將一掃而空，化乖氣爲祥和，善莫大焉。

鳥

鄭士珪

我愛鳥

記得做小孩時候常常喜歡同友伴們舁着木梯，爬上牆壁伸手去抓麻雀。夏天在海灘玩耍看到脚長體小色白善走的魚鳥（鷸涉禽類專食小魚貝殼）往往奔馳去追它，多初羣雁南飛，我們又跑到山上用竹製的弓箭射擊，然而似水的流年過去眞快，回想起來，我同那些友伴在家鄉的往事，好像是隔世生涯，去今已有幾百年的樣子。

那鶯鶯嚶嚶要喋並游的鴛鴦，那風姿飄洒有出塵之概的白鶴，那一列列有規則的雁陣，那輕盈飄浮花浪花之上的鷺鷥，那從容打從人們身旁溜過斜飛于地面的燕子，那悠閒憩息于柳堀上唱着清脆短歌的黃鸝，就是抓小鳥老鷹在天空盤旋，它的雄姿，都使人發生一種衷心的喜悅。

文學不能無所緣，文學所緣的東西，在自然現象中要算草虫鳥獸最普通。試翻毛詩來看第一首關雎是以鳥爲緣的，第二首葛覃是以草木爲緣的。我們讀「斜陽外，寒鴉數點，流水繞孤村。」「枯藤老樹昏鴉，小橋流水人家」眼前呈現一片蕭瑟的空氣，我們再讀「鳥雀之巢可俯而窺」或「以鳥鳴春」「春眠不覺曉，處處聞啼鳥」又不禁令人神往。

「平生最不喜籠中養鳥，我圖娛樂，彼在囚牢，何情何理而必屈物之性而適吾性乎？」（鄭板橋語）假如鳥不給人們抓住，則天高海闊，它永遠可以自由自在地翱翔于天空，跳躍於原野，不像我們人類互相踐踏，處處被那殘忍成性者的枷鎖阻住行動不自由，如同常年關在柵欄裏鳥兒的苦悶。

有健康是永遠接近自然的人們，從大自然我們取得我們的生命，但自工業革命以來，鄉村的人多羣趨都市漸漸遠離自然，也慢慢少聽鳥音，忘本的結果，造成文明人的許多不可醫治煩惱，你如回到原野樹傍看枝頭小鳥跳躍、或攜着小孩往花叢深徑看它們從花梢飛過你肩上的負担就會輕鬆了去的，鄭板橋在寫給他弟弟的信中，有一段論到不應該將鳥兒關在籠中一節，也最能發表出人類怎樣去和自然融和而得到快樂之思想。「所云不得籠中養鳥，而余未嘗不愛鳥，但養之有道耳，欲養鳥莫如多種樹，使遶屋數百株，扶疏茂密，爲鳥國鳥家，將旦時，睡夢初醒，尙展轉在被，聽一片啁啾，如雲門咸池之奏，及披衣而起，頮面漱口啜茗，見其揚暈振彩，倏往倏來，目不暇給，固非一籠一羽之樂而已，大率平生樂處，欲以天地爲圃，江漢爲池，各適其天，斯爲大快，比之盆魚籠鳥，其鉅細仁忍何如也！」

在台灣不容易聽到鳥叫，尤望是鷓鴣杜鵑，自從遷徙山上，每能在清晨聽于牀上朧曉風中總聽到幾聲輕美的鳥叫，所謂「鳥啼山客猶眠」。這是一種愉快，但它因此惹起了我一縷兩縷深深的「鄉愁」來了。

惜分飛　悼亡兄

謝名進

陣陣狂風兼暴雨，驚散雲天雁序，一別成千古，亂離心比秋蓮苦。異日南歸誰共語，忍覩孤泣訴，觸景添愁緒，夢魂飛繞知何處。

名士與女人

古月

抗戰期間，廣西曾發生過三件風流案子，便是馬君武之詐小金鳳，徐悲鴻之捧東珠關，梁宗岱之娶甘少蘇。

小金鳳是桂劇名伶，甘少蘇爲粵劇紅角，東珠關僅勉强說得上是桂劇的要角罷了。

若論姿色，小金鳳漂亮，甘少蘇平平，東珠關最差；若論扮相，小金鳳第一，甘第二，東珠關第三。總之，無論在任何角度來看，小金鳳也要好過東珠關。但論水準都不怎樣够，可是這三位名士却分別愛上了她們。「情人眼裏出西施」，一點不錯。

再談名士，無疑馬君武地位最高，那時他是廣西省最高顧問，國立廣西大學校長，徐悲鴻居其次，是廣西省府顧問兼藝術館館長。至於梁宗岱乃花百色一家私立中學做校長。

馬是教育家，而又是政治家、文學家，科學家；徐則是大畫家，教授，梁則以法詩人保羅梵雷的水仙詞（即蓮花別稱）譯作而成名，是任過北京大學教授，一位爲青年崇仰的詩人。

論年齡，宗岱最輕，那時還不過四十左右；悲鴻較大，已五十以上了；君武最長，已是年屆花甲的老翁了。[illegible]

他是誰？

·楊有釗·

燕塵識小

戊戌譚往

阮負生

五月二十三日上諭舉行經濟特科以廣登進而勵人才。

五月二十八日上諭「裁汰糧餉爲方今救弊之要圖。前經諭令各省體察情形，妥速具奏。現據該將軍督撫先後奏覆，或裁制兵，或裁防勇，或裁練軍，或稱業經裁併，無可再裁。當經詳加披閱，各省情形雖屬不同。但法敝則亟宜變通，財匱則尤資補救。其已裁者即照擬定章程妥切辦理。其未裁者，仍着再行切實嚴覈，總期裁一名空糧即節一分靡費。空糧裁盡，餉項自舒。無論水陸各軍，一律挑留精壯勤加訓練，俾成勁旅。並着遵照前降諭旨力行保甲，詰奸禁暴，相輔而行。再能整頓釐金，嚴杜中飽。富國强兵之計，無有亟於此者。當茲時事多艱，朕宵旰焦勞，力圖振作。每待臣下以誠而竟不以誠相應。各該疆臣身膺重寄，具有天良，何至諉諉諄諄，仍復掩飾支吾，苟且塞責耶。經此次諄諭之後，儻再有仍前敷衍，不肯實力奉行。經朕查出，或別經發覺，試問各該大臣能當此重咎否也，將此通諭知之」。此詔可謂痛切言之，而當時內外敗象積弊之深，尤流露於字裏行間。爰錄全文於此。

六月初一日上諭鄉會試改試策論，准照張之洞陳寶箴所擬章辦理。全文見前。

六月初八日上諭「孫家鼐奏上海時務報改爲官報一摺，着照所請將時務報改爲官報，派康有爲督辦其事。所出之報，隨時進呈。至各報體例，自應以臚陳利弊，開擴見聞爲主。中外時事，均許據實昌言。不必意存忌諱。用副朝廷明目達聰勤求治理之至意」。此爲創辦官報之始。

六月十一日准李端棻奏。各省中學堂小學堂，由督撫慎選在籍紳士，秉公明派充，以專責成。同日又准李端棻奏請刪改則例，着各部院堂官督飭司員將該衙門舊例細心紬繹，另定簡明則例奏准施行。

六月二十三日上諭略以中國創建水師歷有年所。惟是制勝之道首在得人。欲求堪任將領之才，必學問爲根本。應如何增設學堂，講求駕駛，諳習風濤。以期異日增購戰船，可期統帶得力者，着沿海各將軍督撫一體具奏。至鐵路礦務，[illegible]造端伊始，亟應設立學堂，[illegible]才方可冀收實效。[illegible]

六月二十九日上諭[illegible]

[illegible]有厚望焉。」此爲[illegible]司之始。

驚蟄

現實小說

金溟若

[illegible]

（七）

自由人

THE FREEMAN

（第七四五期）

中華民國僑務委員會頒發登記證台教新字第一第二號
中華郵政台字第五〇〇號執照登記爲第一類新聞紙類
（半週刊每星期三　六出版）

每份港幣壹毫
台北市售價台幣壹元
督印人：陳文華
地址：香港高士威道二十二號四樓
20 CAUSEWAY RD. 3RD. FL. HONG KONG
TEL. 771726
承印者：東南印務出版社
地　址：高士打道六十四號
台灣總經理處
台北市西寧南路壹壹零號二樓
電話：四七三四六
台郵撥儲金戶九二五二
海外總經銷：友聯書報發行公司
香港：德輔道中二十六號A二樓

論政治興趣

伍憲子

政治興趣四個字，本是一句很普通話頭，無拿來做論題之必要。最近胡適之先生自美返台，在飛機場對新聞記者特別提出，謂「年老矣，無政治興趣」。於是政治興趣四字，古老變時興，引起許多人議論。因之連帶引起我寫文興趣。但我先聲明一句，我絕非批評胡先生，請讀者切勿誤會。

一　先爲政治下一定義

什麼叫做政治，我們應先了解。中國古代說：「天生民而立之君，使司牧之，勿使失性」，故政治是爲人民而設，政府爲人民而存在，不是人民爲政府而存在，不待西方近代人權之說興而始明，稍留心中國政治者，當無不知之。[illegible]……無論何人，皆不能離開人民之位，換言之，政治就時時刻刻皆與我有關。人類自呱呱墮地以後，[illegible]……其興趣都會悠然發生。

二　說到政治興趣

政治興趣之發生，有兩大原因。其一，由於聰明才力之擴充，自然而然，不期然而然，就趨向到政治。[illegible]……其二，由於不忍人之責任心所驅使，[illegible]……不能遏阻。世界上有一種人，根本上是知識缺乏，或不健全，他們所知者，只是瑣瑣家人饈饌之事，日爲營田宅長子孫之計，終其身爲金錢奴役，爲子孫馬牛，他們對國家大事，掩耳不聞，何有政治興趣。又一種殘暴成性之人，視人民爲芻狗，不知政治爲何物，在歷史上如黃巢張獻忠李自成之流，在眼前如共產黨徒，他們絕無些須道德觀念，亦無政治興趣，他們只有屠殺人民興趣耳。欲談政治興趣，仍須向有知識兼有道德者求之。

三　不應指鹿爲馬

或者謂當政治混亂時候，許多無聊之人，闖入政治場中。他們目的，只是做官，以投機心理高談主義，以奴才色笑逢迎領袖，以陰險手段排擠同僚，以卑鄙行爲奪取利祿。於是高節之士，難進易退之君子，羞與爲伍，不願捲入漩渦，因此不發生政治興趣。是說也，未嘗無理由，但欠充分理由，爲其只有消極理由，無積極理由。而且指詞含混，將官僚與政治，分畫不清。謂政治場中充滿官僚，因此無做官興趣則可，謂因此無政治興趣則不可。或者又謂爲國家效力，應取之途徑甚多，不一定攢向仕途。尤其是學者之地位高貴，學術之成就，裨益於國家民族至大，何必會意虛榮之官位，爭取肉食者鄙之政權。是說也，亦有理由。學者能專心於學問，不分心於利祿，我們應當敬重之。然謂不貪官位，不爭政權則可，謂無政治興趣則不可。故以官位政權爲政治，近於指鹿爲馬。儒家最重正名，名不正則言不順，我們不妨尋求眞正的政治興趣。

四　儒家對政治興趣最濃厚

中國數千年來傳統文化之主流在儒家，而政治興趣之濃厚，亦莫過於儒家，蓋儒家深切認識政治是爲人民，故其教育之目的，就是政治。大學開宗明義，說大學之道，在明明德，在新民，明明德是教育，新民是政治。自格物，致知，誠意，正心，修身，齊家，是教育；推到治國，平天下，是政治。一家仁，一國興仁，一家讓，一國興讓，其機如此，故堯舜率天下以仁，而民從之，桀紂率天下以暴，而民從之，是政治即教育。孔子一生栖栖皇皇，其政治興趣之濃厚可知。即在息轍還轅以後，著作六經之時，其政治興趣，一樣濃厚。故春秋當新王，因十二公之行事，加吾王心。孟子曰，春秋天子之事也。天子之事即政治之事，孔子嘗言，發憤忘食，樂以忘憂，不知老之將至，蓋一面爲學問興趣，一面爲政治興趣也，孔子豈爲做官耶。晨門譏孔子「是知其不可而爲」，不知其爲乃政治興趣鼓之也。桀溺告子路，謂「滔滔者，天下皆是也，而誰與易之」，不知有政治興趣鼓其氣，則不患無與易也。荷蓧說：「莫已知也，斯已而已矣」，又豈知興趣發於內心，自負責任，固不須求人知乎。興趣非他，悲天憫人之心也。孔子痛切自道之，曰「鳥獸不可與同羣，吾非斯人之徒與而誰與，天下有道，丘不與易也」，然則斯人之徒，就是興趣之所寄也。離開斯人之徒無政治，離開斯人之徒又豈有學術耶。

五　今後要開創新局

自中國文化衰落，學者忘記了孔子以元統天以仁統政之教，政治漸變爲骯髒之物。潔身自好之人，內之亦厭談政治。適遇近代人權之說大興，好動者高喊自由民主，而不識運用，政局愈趨於動盪不寧。其實政治而不從正本清源做起，專向末流競爭，只有紛亂，絕不能解決。厭惡亦非解決之道，而况長沮，桀溺，荷蓧丈人，生在今日，亦不能安於隴畝。只管你無政治興趣，殘酷之政治，亦傷害到你本身。我以爲要扭轉今日之危局，非空喊民主自由所能。要做成政治家之模範，更非避世金馬門，或借終南爲捷徑之作風，所能令人感動。必須領略出儒家以天下爲己任之精神，恢復其政治爲人民之濃厚興趣，有一夫不獲時予之辜之抱負，自然可與大多數之人民合爲一體，造成雄厚之力量，開創中國民主新局。此非迂爛之談，此以人性運用人權，現代西方民主國家尙未做到，有待於改進。惟中國數千年來，人性文化之根基深厚，今日正好培植之，不要戕賊之。最近英國哲人羅素有一段演講，謂科學技術之前進，如坦克車失去駕駛人，盲目闖衝，終於自毀，急須尋找人生價値以驅使之。此就是感覺到科學民主之現象存所不足，待人性民主以救之。可證世界人類已向人性民主呼籲，正是中國復興之光明前途，有大智慧之哲人，應自鼓起其發揚人性文化之興趣，合羣衆之力，造成，惟仁者宜在高位之政治，無負孔子以元統天以仁統政之教。夫然後中國復興，方有希望，人類和平，始有可期，此世界政治家所應努力，中國學者尤當負責者也。

本報啓事

本報台灣總經理處電話改爲三〇三四六號各界事務接洽，請爲留意。

半週述評

蘇聯的碰壁

蘇聯的外交策略，現已遭受連串失敗，美英法三國立場之一致，安理會正氣之伸張，使他們處處碰壁，最後又由赫魯曉夫向艾森豪寫信，重彈布加寧的舊調，黔驢之技，不過如此而已。

當前蘇聯對外的主要企圖，第一是分化西方的團結，第二是打擊美國的聲望。所以他們拒絕集體接見美英法三國駐莫斯科的使節，而主張個別商談。並乘時向安理會指控美國戰略空軍之攜氫彈在北極蘇聯邊境飛行。前者顯然是孤立美國，後者則是宣傳美國的好戰，打擊美國聲望，以便在高層會議中製造有利的形勢。蘇聯駐聯合國代表索波列夫招待記者說：「蘇聯對美國提出指控，並沒有減少高層會議的機會，相反的，如果安理會能夠迫使美國停止攜帶原子武器飛機的飛行，還可能造成對高層會議的有利氣候」。其言外之意已昭然若揭。

但是此一控案，在安理會的辯論中，十一個理事國除瑞典一國未發言外，發言的各國代表除蘇聯代表外，均支持美國，[illegible]……使蘇聯不得不自動撤回控案。至于蘇聯所提的個別談商方式，西方三國亦發出聯合照會，表示反對。而現在赫魯曉夫之出面寫信艾森豪，不過是爲了轉移世人視綫，自不會有什麼結果的。

南蘇關係新低潮

在共產陣營內，蘇聯與南斯拉夫的關係又在變化中，南共最近頒訂的「綱領草案」與其黨代表大會上的言論，已顯示他們關係之再度惡化。自一九四八年南斯拉夫被蘇聯主持的國際共產情報局開除以來，[illegible]……直至一九五五年，赫魯曉夫[illegible]……訪問南斯拉夫後，兩國始再建立關係。[illegible]……在此情形下，蘇南關係又將步入一九四八年以來的低潮，[illegible]……赫魯曉夫原定下月訪問南國的計劃，也將予以改變，而狄托訪問波蘭的計劃，也許受到赫魯曉夫以沉重的打擊。這一情勢的變化，將予赫魯[illegible]……

正確評估狄托

但是南蘇之爭，究竟是共產集團內部的權利分歧，而基本上[illegible]……狄托還是一個狂熱的共產主義者，他之不斷對西方國家的攻擊，以及對[illegible]……都說明他決不會改變政治路綫。因此，自由世界決不可由此增加對狄托的幻想，而應該憑自身的努力。

金達凱

爲亞洲局勢開新運

——有賴于中韓越領袖的遠見宏籌

雅斯

近由于中韓越使節往返頻仍，及言行表現——如南韓外交大員爲中日邦交仗義執言，南越首派駐華公使的赴任，以及最近葉外長的南越行等等，均在顯示三國邦交日趨敦睦，令人想到三國的歷史淵源關係與目前處境的相仿，自然也聯想到亞洲局勢的基本問題。

我們對于台灣其他外交上的活躍，如外長的報聘中東，特使的報聘中南美，宣慰大員的宣慰美洲及南洋僑倫等等，未嘗感覺有同樣意義者，因爲我們對那些活動總覺得有點「捨本逐末」，「捨近圖遠」，「緩急不分」；遠不若我們亞洲國家，尤其幾個堅決反共的國家，首先能夠勇敢地攬出一個名堂來。

遠的且不說，自五十年代以來，整個亞洲局面，迄在各自爲政的狀態中，一任共產集團的滲透政策橫衝直撞，一任尼赫魯的「中立主義」左右逢源。如果我們概把責任推諸美國，那是不甚了解美國的作風，也是自己太沒有責任感了。

從歷史看，第二次大戰如非日本軍閥操之過急，在珍珠港做了一項不智的暴動，縱然當年一般反侵略的志士把「今日中國，明日美國」叫破了喉嚨，美國也不會及時起而參戰，以至最後把一枚原子彈落在廣島來縮短那場大戰的時間。羅斯福總統在芝加哥一次演講中，喊出一句「隔離日本」（Quarantine Japan）的口號時，竟遭輿論的不良反響，認爲有引起戰爭危險傾向，當時紐約的中國學生會曾上書羅斯福總統請援助中國抵日，羅斯福曾引述這反響來答覆學生會，反而請中國朋友要幫忙他來說服他的選民。

我們相信會叫出「和平共存」的蘇聯或共產集團絕不會像日本軍閥那麼鹵莽去替艾森豪做喚起民衆的工作的。唯一的辦法，祗爲遠東國家，尤其受害最大的國家——自由中國，南韓，南越……，自己能夠首先造成一個有利于白宮執行反共政策的方便，才有打開遠東僵局的可能。

美國如是，別的國家更枉論了。尋求與國是在人家看得起我們的時候，才能發生實際効果，絕非跑到人家面前敬兩杯香檳，互祝兩國元首健康一類表演，就可爲力的。這並不是說這一套都要不得；而是說，比這更重要而須首先集全力以赴者，爲如何使亞洲國家自己結集一起，顯出一個足以令人不能漠視的反共力量。如狄托，如尼赫魯，如納撒，甚至最近如蘇加諾之流，雖其心不可測，而其放膽勇幹，却是我們所缺乏的。

爲什麼親共的國家能出現一些硬碰硬的人物與國家而自由世界却沒有呢？

我想美國白宮甚至朝野領袖如諾蘭，如周以德諸氏心中也許有此感覺吧！

就現勢看，能率先負起這責任，打開這個「沒有政策的混下去」的亞洲僵局的，除了中韓越幾個受害最深，久被共黨割裂的國家還有誰？

我們相信中韓越一旦密切攜手，將會成爲亞洲反共基礎的起點，相信這基礎健全的結果，勢將成爲整個反共勢力的胚胎。「天助自助」，我們的看法是：如果亞洲能先形成一個眞實的反共勢力。白宮將再不會有「單獨作戰」之虞，對自由中國的反攻，將會另眼相看，對南韓的統一問題，對南越的各項援助，也將會更趨積極。自然，像菲律賓此次對印尼局勢的態度也不致由積極過問轉趨于消極的以獲得耶加達外長一句空話保證爲滿足；甚至日本的騎牆政策也不會公然暴露；尼赫魯式的親共中立主義也不會那麼猖獗；甚至有如巴東的革命勢力，將會成爲亞洲不可失的時機。自然，像東南亞公約組織等將不會再對類此印尼的局勢，採旁觀態度了。像近東反共主要國家土耳其總理孟德勒斯最近的遠東之行，將可獲更深的印象回去，爲整個亞洲反共勢力聯合的張本。

然而一切都爲目前這個大家「混」的局面拖誤下去。基于這個觀點，我們對于最近中韓越邦交的日趨密切，感到無限興奮，認爲那不僅是被共黨割裂的國家的自救之路，也是與亞洲以至整個世界有決定性的關係——如果不否認中共問題是亞洲局勢以至世界不安的中心問題的話。

爲亞洲局勢開新運，我們懇切寄望于三國領導當局的遠見宏籌。

台北掀起爭取言論自由高潮

●劍聲●

立委記者紛紛發出言論自由的呼聲
胡適認爲爭取新聞自由是最好方式

關於出版法修正草案，此間報界連日著論抨擊，並且就報業公會決議的各案加緊進行。除了一部分官報認爲政府提出出版法修正草案是爲了消除黃色新聞，並非意圖限制新聞自由以外，各民營報無不力爭。

報業公會於十四日爲了此案邀請新聞界出身之立法委員舉行茶會，立委吳望伋、程滄波、劉湘女、成舍我及各報社社長，一致說「草案」違憲。

記者立委的意見

立委吳望伋認爲現行出版法若無重大錯誤，不宜輕事修改。而且此次政府也修改得太過份了。修正草案如果通過了，實有違修正原意。程滄波[illegible]黃色新聞，而未考慮到已危害到新聞出版事業，[illegible]代精神言論自由而奮鬥，題目光明，目標正大。他建議新聞界應將民主自由的理論，多多灌輸給一般官吏。劉湘女說：以政治力量壓抑輿論，是最蠢的行爲。此次行政院修正案，若自動撤回最佳，如果送到立院，勢必[illegible]保障和獎勵出版事業的問題，[illegible]作一結論。宋淑石說：以國家利益而言，也應使民營報紙得發展，若只有公營報紙存在，並非國家之福。成舍我說：民主國家對新聞報之登記係採「報告主義」，而現在的草案，則係採取「許可主義」。撤銷登記事，可說是比張宗昌時代更兇。張宗昌槍斃邵飄萍、林白水，把他本人抓去，其報紙並未封門。張宗昌表示：犯法者爲人，而非報紙故不能封報館。劉博崑說：他以耶穌受難比新聞界目前的情形。新聞界爲耶穌，政行院頗以彼得，但立院不會像猶太那樣出賣耶穌——新聞界。錢納水說：草案既不合理又不合法，如立院通過，則我國駐聯大代表，將再無法向別人宣傳我們是自由國家。李文齋說：政府即使不能積極扶植報業，也不該摧殘報業。林桐康說：政院提出修正草案的動機，目的在控制新聞界，觀念既非常錯誤，而秘密提出，尤其錯誤。

民營報的意見

聯合報社長范鶴言說：新聞界現在只有一個要求——希望政府懸崖勒馬，撤回修正案。草案如獲立院通過，民營報紙雖首當其衝，而事實上國家因此所受的損失更大。

徵信新聞社長說：過去歷次制訂出版法規的沿革，從來以獎勵扶進新聞事業爲原則，惟此次嚴峻苛細，不僅新聞自由將大受限制，一切新聞的存在價值，亦將大成問題。

中國郵報社長余夢燕說：去年國際新聞協會開會時，人家指責我們無新聞自由。此時又做出這樣的事，實予人以口實。

公論報社長李萬居說：政府過去強調有新聞自由，但現在的新聞自由而臨考驗。現在的作法，實比軍閥時代更厲害，所不同者僅「控訴」的方法，比過去更「聰明巧妙」而已。

自立晚報社長李玉階認爲草案如獲通過，民營報將無法生存。政院以秘密方式提出此案，已將過去標榜的民主自由，自行抹煞。

民族晚報社長李漢儀說：此案通過爲變相的「新聞紙檢查」，也是封報館的大門。

大華晚報社長耿修業認爲不僅政院違憲，而要五百多位立委贊助違法。修正辦法即使在立法院通過，我們也要奮鬥到底。

代表十一家縣市報紙的基隆聯合版的洪吉嵐說：這辦法如果實行，在一年內，十一家報紙，將全部關門。

報界代表訪行政院長

報界代表李萬居等九人於十五日拜訪行政院正副院長，陳述報界的意見，要求撤回修正案或函請立法院緩議，申明反對修正案，非爲其中的幾項條文或自身的利益，而是爲了「草案」本身違背憲法保障言論自由之精神。兪揆表示願再向立法院提出兩點補充修正意見：撤銷登記由行政機關裁定甚爲不妥，改爲須經法院判決。出版品違反第三十三條第三項規定者，改由中央主管內政部命令撤銷登記。經過兩小時的談話，可謂未有結果。

官報態度

官方報紙的態度，可說是支持兪揆的觀念。

中央日報社論認爲：「兪院長對於出版法修正案文草案之再修正，應可轉變新聞界一時的不安情緒與緊張狀態，而立法院對於這一修正案的審議，亦可在平靜的氣氛之中[illegible]的進行，務使新聞自由與國家利益，一般國民的自由以及青年的心理，反共抗俄的士氣，相互之間得到直接間接有其重大的貢獻。」（四月十六日）

新生報社論認爲，此案主要目的，絕非意圖限制新聞自由，乃在消除爲朝野所一致詬病的「黃色新聞」。其動機與目的是對的。（四月十六日）

中華日報社論認爲新聞界據理力爭，原是極自然的事，但這是一個法律問題，必須用冷靜的理智來考慮，而不是激動的情感所能解決的。

聯合報社論

聯合報社論認爲：「修正案最大的荒謬之處，是在於[illegible]行政處分來代替了正常的司法程序，[illegible]只是司法機關[illegible]才對於人民具有直接的強制執行權，即違行的出版法中所規定的那些行政處分，都並不適當，而今天所提出的修正案，不但不予以取銷，反而把它加重加強，這是行政權力進一步的侵越司法。」

公論報社論

公論報社論：新聞界今天所處環境已够艱苦，如果還要時時担心撤銷登記，勢非除了歌功頌德以外，只好保持極度沉默，這正如立法院之少數明的質詢，還談什麼民主政治？

徵信新聞社論

徵信新聞社論：指出田部長的防止「黃色刊物」是大笑話。政府認爲某報某段記載是「黃」色的話，可以引用刑法條文或現行出版法，用不着開減審院會訂這草案。正如政府認爲電影院門口有黃牛便要關掉電影院以「正本清源」一樣可笑。

一段消息

自該案發生後，已引起朝野重視，最使人注意者，報界代表向兪揆陳情前，兪氏尚不知該案內容但今日此間新生社有消息一則，說兪揆於十五日下午，翻閱該案卷宗，發現公文上均未經兪氏本人簽字云云。同日，內政部田部長向各報更正，中央社發佈有關該案消息與事實不盡相符云云。（按：官報根據田氏與中央社記者談話新聞而撰評論）這兩則新聞頗耐人尋味。

民主國家的法治，應以民意爲主，絕不能以行政當局基於統治之方便爲之。

胡適先生的談話

新近返國的胡適先生也曾答記者詢問說：「新聞言論的自由，不是天賦的人權，而是要靠人去爭取得來的，兩年來國內新聞自由的尺度，確是寬多了，另一方面，覺得大家這一聯合行動（指反對修正案）是合理的，是一種負責任的爭取新聞自由的最好方式」（見台北民營各報）（四月十八）

讀者論壇

平劇是否值得出國

——一個越南華僑的看法

●甘宗正●

最近在本報連續[illegible]幾篇討論平[illegible]外的文章，[illegible]平劇團訪問[illegible]一個華僑的[illegible]表示一點意[illegible]爲關於劇國[illegible]和美金行市[illegible]我覺得都是不值得討論的小節，中心問題應當是：平劇值不值得出國表演？我覺得是值得的！照我僑居的當地，越南來說，前次平劇團的演出，確是轟動了僑社，也的確得了外人的讚許。僑胞看到了[illegible]的東西（[illegible]）[illegible]與興奮，外國[illegible]喝彩，歡[illegible]清楚，不過[illegible]評論，也似[illegible]稱讚也許會[illegible]好過人家有[illegible]心連網，而苦於找不到話頭呢！自然這些反應，若一定要論斤論兩，說它「反了多少共！」那也只好不談。

外國人很欣賞特殊道地的東西，不重視劇藝來的玩意，對於那些從他們那裏學來，再向他們搬弄的半桶水，除了偶爾也用我們看猴子做戲的心情，喝兩聲彩而外，其在心裏另外有數。藝術要眞才能求美，求善，這種態度，總當是對的。

平劇是純粹的中國藝術（胡琴二胡雖傳自胡人，但胡人早已融滙於中華民族了），它治音樂、歌唱、舞蹈，技擊於一爐，演唱得好，每方面表現出來都是够優美的，它雖不能完全代表中國文化藝術，但無疑在中國文化藝術上，佔有有相當重要的地位，在表演的藝術方面，我實在想不出，還有甚麼更能够代表中國的東西？萬先生懷疑平劇出國表演的價值，他心目中也該認爲有更適當的。

我聽人說過一件故事：在一個有好幾國人的私人集會裏，餘興時，決定每人講個神怪故事，輪到那位中國人，他講的竟是一段天方夜譚上的東西，事後有的外國人質問說：你們中國號稱五千年文化，爲甚麼一個神怪故事都沒有？我也在左舜生先生的一篇文章裏，看到他說起，在一次有幾國學人的私人集會裏，各人朗誦一段詩歌，一位中國人，用昆曲的腔調，朗誦了一首有名的唐詩，鏗鏘優美，贏得舉座特別熱烈的讚賞，試想如這位先生，也學那講天方夜譚的朋友，搬弄一段但丁或者莎翁的洋古董，該多麼丟人？

如果平劇確係值得出國，雖然不是最理想的，那麼，七萬多美金的費用，確是應勿需議的了，東南亞國家有那樣多的華僑觀衆支持香港來的粵劇班，一演幾個月，弄得不好，也要賠本的，平劇團數十人，旅行幾萬里，各處作短期演出，還要作義演和招待貴賓，貼錢也原屬常事，這樣軍鑿會邀請一百名中國青年，去麥島受訓三週，食宿由總會供應，還花了二十多萬美金，就不難比較的，恐怕商業性的組織，老早捷足先登了，政府每年用於國際宣傳，和僑務方面的錢也不少，比較起來，這七萬多美金我認爲花得並不太冤枉，很多僑胞說起一次平劇的演出，或者克難籃球隊的出賽，要比十幾位大員的宣慰，或者十幾次祝壽觀光，更有意義，更能引起僑胞對祖國的響往，我也同意這種說法的。

台灣方面的設施，可以批評的實在很多，我們應當選擇重大不當的地方，去徹底批評，不宜對任何東西都一概譏評，這樣只能使當局者發生兩種反應：一種，一味擬幹，索興不理批評；一種，怕動輒得咎，滾無作爲，只管做官，樂得清靜，這都是同批評所希望的效果相反的（三月二十一日寄自越南）

越南航稿

從國劇團出國

——想到宣慰大員

●太不●

讀了「自由人」刊登陳驥與和萬喬堂兩位先生，關於國劇團出國的談話，談得那麼有勁，確曾令人興奮，同時也不免會引起其他方面的感慨。三月廿九日又見「自由人」發表了一則馬德里陳質理先生的通訊，題目是：「也談談國劇團出國問題，並給萬陳二先生緣啟的一點補充意見」後，我覺得陳質理先生有些地方做了陳驥與先生說證的俘虜，不過他也毫不客氣地揭穿了「十六歲五彩的平劇短片和空亮包等等「的假面具，倒值得我們僑居海外的孤兒，爲之浮一大白。

辦海外工作的人，往往不免是有點誇張渲染的，乃是常事，我對於陳驥與先生的報導底看法，也不例外。我因此想到一些出國的宣慰大員來。那些大員，大部份攜備了一把玲瓏的嘴巴出國。（當然我不是指全體都如此）一方面喫魚翅燕窩，一方面替政府說漂亮話，連篇累牘，滔滔不絕，但向來都不必向僑胞兌現的，正好像喫魚翅燕窩一樣，喫好了魚翅燕窩以後，祗要揩揩咀邊的油膩就算了。記得去年我們爲了國籍問題，弄得大家惶恐不定，食不甘味，寢不安席，其時政府也會派遣好幾位大員蒞越慰問，都是左一句是鎮靜，右句也是鎮靜……政府一定有辦法做得到。許多僑胞們信以爲眞，大家都「鎮定」異常，中有一班比較硬骨頭的僑胞，十足天眞也似的，關門坐吃起來，竊行消極主義的杯葛態度爲政府的外交鬥徑鋪路。後來有的把資本吃光了，結果還是一樣得入籍。這樣，大員先生一貫的濫發空頭支票，令僑胞們固然害得啼笑皆非，而政府在海外的威信，也給這些空頭支票破壞無遺。

政府自從退守孤島以後，我們相信應不至於像大陸時的腐化無能，然而說句實話，數年來，大員對海外僑胞說的那一套，依然不改，至少可說餘風仍在。小學課本有一則，牧羊童子誑言狼食羊的故事，牢至羊嘗狼吻，喊救無人，自食其報！這故事在僑界是耳熟能詳的。執筆至此，我還是衷心一意，希望我們的宣慰大員現應一言九鼎，我們一介庸夫，也知坐言起行。說敷衍話，不是時候了，是要不得的。

上面似乎是題外話，其實久藏于心，一觸而發，蓋不已于言也。（四月十七日寫于越南芽莊）

台灣新生報來函照刊

敬啓者：頃閱四月十六日貴報第二版，所刊杜衡之先生撰寄之「從台北報紙看台灣人心」一文，內容有引述台北報紙最近消長情形一點，與事實完全不符，殊之不勝遺憾。

按台灣各報自實施新聞用紙配售制度而後，曾由台北市報業公會，新聞用紙調配委員會，會同主管新聞業務之台灣省新聞處，共同派員公開審查各報發行數額，以爲配紙之根據。雖經歷次調查結果，因報界同業之要求，未能對外界公佈，但新聞界及主管官署，均能確知各報發行之實數。本報南北兩版發行份數，經歷年調查所得，均在各報之上，此乃鐵之事實。決不容妄測已見加以武斷品評，該文或稱本報爲第二大報，或稱本報爲三大報云者，誠不知何所據而云然。作者可能受同業競爭宣傳之影響，未加細察，遽而引爲立論之根據，然其影響所及，殆足以混淆視聽，愚弄讀者。良深惋惜。

本報近以發行不斷上昇，而同業間競爭日甚，外界揣測之辭，每有惡意攻訐之處，已迭向台北報業公會建議，倣效美英報界成例，樹立發行稽核（ABC）制度，對台北各報發行數字，經常由報業公會、新聞處，以及各廣告客戶、外界人士，共同參加調查審核，公佈稽核結果，使各報發行實數得以公開，即上文作者杜衡之先生，亦儘可參加調查，以明眞相，而昭公信。

本報以素仰貴報態度公正，對該文報導不實之處，誠恐影響報譽，用敢函陳眞象，務希惠予更正爲荷。

此致自由人報編輯先生

台灣新生報社啓

南共反蘇趨勢

金曄

蘇聯與南斯拉夫又再度火拚了！

從南斯拉夫副總統蘭克維奇廿三日在南共大會上發言指斥蘇共再度開始對南斯拉夫施加壓迫的政策的片斷報導中，可窺見蘇共目前正在運用其復活的共產國際情報局以孤立南斯拉夫。但是南共不屈和反抗，也正同以往一樣給莫斯科帶來困擾！蘭克維奇在大會上，當着蘇聯共黨觀察員的面，以其驕傲激昂的語調說：「如果我們南斯拉夫人有柔軟的脊骨，早就在一九四八年的重大壓力下便已經屈服了」。南斯拉夫的堅決與蘇共對立的態度，當然使所有的共黨附屬國家的統治者汗顏。因此，在南共的猛烈抨擊下，這些代表附屬國家統治者的觀察員，只能跟隨着蘇聯（大使）觀察員中途憤憤退席。

南蘇之間的關係惡化並未因一九五六年六月的談判而有絲毫的改善，反之該次會談實際上更蘊釀了共產國際內部的「分裂」。狄托所明白表示的南蘇之間的意識形態上的分歧，基本上迄未獲得新的調整。莫斯科之意圖將南斯拉夫納入其衛星軌道的「努力」，也反更刺激了南共的反蘇情緒。這種情況，竟導致去年十二月間南共拒絕簽字於莫斯科宣言，固是一項明顯的舉動，實則導致這一結果的因素很多，比如朱可夫之在南斯拉夫訪問並突然免職，無異是表示蘇共對南斯拉夫之決心，蓋朱可夫訪問南斯拉夫所商談的內容雖未見公佈，然其遽然被免職一事，也可解釋為是蘇聯不再對南共存任何幻想，至於朱可夫，雖不能說他有直接支持南斯拉夫的最高領導地位，但至少表現他是同情南斯拉夫的。另一方面，赫魯雪夫在鞏固其本身地位之後，蘇共重新回到斯大林路線之趨勢益形明朗，而斯大林路綫則在蘇聯內部逐步復活，同時東歐附庸國家的「小斯大林」式的統治者，在莫斯科的卵翼下，正開始重行抬頭。因此，也可以說這次南蘇交惡的發生，就是莫斯科欲領導東歐附庸的野心亦破滅了。

一九五六年六月廿日，南蘇會談之後，曾發佈了一項關於兩國共黨的「關係的宣言」，該宣言的第三項，曾明白肯定「在不同的國家和不同的條件下，社會主義發展的形勢是不同的」，並肯定這種「多樣性有助於」共產主義活動的加強，而南斯拉夫堅持彼此不得強加干涉對方的一點，在該項宣言中也就明載着。換言之，這無異是使莫斯科承認了南斯拉夫共黨的路線。我們可以相信，也就是該項宣言起了作用，南斯拉夫可以在理論上和行動上與蘇共走不同的道路，並且可以從此公然地吸引東歐和其它地區的共黨，仿效南共的路綫。此後的事實也證明，狄托不僅在蘇聯方面而取得了勝利，影響所及，也引發了波蘭和匈牙利的反蘇運動，而當其時莫斯科的態度，也在搖擺不定之際。這一連串的事實，雖不足以說共產集團會因此分崩離析，但至少可以說對國際共產主義是生過破壞性的影響。

至於狄托，他對於波匈事件的態度，可以在同年十一月間於普拉向南共積極分子發表的演說中獲見。狄托在基本上認定波匈事件的根源是出於現行蘇共統治下的制度有問題，他認為產生個人崇拜的制度，比個人崇拜問題更嚴重，他更認為莫斯科宣言無可供所有的共黨國家應用。這無疑明示附庸各國的共黨如果要擺脫莫斯科的控制，就必須走南斯拉夫的路，也無疑說如果是正確的走南共的路，南共是會支持的。這一點我們只需要看，狄托一再關心匈牙利革命的失敗與蘇聯的安全，即為一例。至於南斯拉夫與波蘭的關係，大抵上說，是頗為融洽的，雖然戈慕卡並不完全相同於狄托，但波蘭共黨之傾向於民族主義的色彩是頗為濃厚的。不過在此次南蘇決裂後，波蘭今後的動向是否會受到影響呢？蘇聯對戈慕卡的壓力是否會加重呢，在當前未掌握更多的事實資料時，似不便加以臆測。但是根據外電的報導，波共此次對南共的態度是比較溫和的，當然戈慕卡不能也不便於公然支持狄托，那也是事實。

嚴重的社會問題

香港醫療現況一般

陳永昌

一般來說，香港在醫藥的設備上，足以和其他大城市相比擬，問題不在醫療設備的不佳，而是在於不夠。香港的醫生，醫院，設備都是一流的，但是，由於人口密度不斷的增高，使到供不應求。

人口生死七比一

香港人口在不斷地增加，總在三百萬上下，其確數雖負責人口登記的人也無法統計，迄今仍難答覆，原因不外下列數點：（一）散處新界各村的村民，不少未辦登記；（二）新自大陸逃港來的；（三）十二歲以下未有登記者；（四）……

據各方面可靠的報導，平均每六分鐘本港就有一個嬰兒出生，即一天平均有二百四十個嬰兒出世，一個月共有七千多個，一年便有九萬多人了，出生與死亡之比是七比一，長此下去，本港醫療設備自是應接不暇的一回事。

現有的醫院

目前本港共有大小公私醫院廿七間：在香港方面計有瑪麗醫院、東華東院、那打素醫院、養和醫院、浸會醫院、凌月仙醫院、港中分科醫院、法國醫院、寶血醫院、山頂醫院、律敦治療養院、贊育醫院、意大利嬰兒醫院、灣仔留產院、海軍醫院、精神病院、東華醫院、西營盤醫院；九龍方面有九龍醫院、廣華醫院、荔枝角醫院、聖德肋撒醫院、寶血醫院；新界方面則有元朗博愛醫院、赤柱監獄醫院等。

現有的病床數目

目前本港政府醫院共有病床一千八百八十張，接受政府資助之醫院病床有二千二百八十張，私人醫院病床二千二百八十張……合共五千二百七十一張。計瑪麗醫院五百八十九張，荔枝角醫院四百八十二張，九龍醫院二百卅七張，贊育醫院二百張，精神病醫院一百四十張，青洲聖約翰醫院一百〇二張，西營盤醫院八十八張，赤柱監獄醫院七十八張，灣仔社會衛生處廿八張，東區留產所廿四張，荔枝角監獄院十一張，荃灣葛量洪夫人健康院十三張，上水何東醫療所十三張，大澳公立醫院九張，大埔公立醫局八張，元朗公立醫局七張，赤柱公立醫局六張，沙田公立醫局六張，銀礦灣公立醫局六張，西貢公立醫局四張，新墟公立醫局三張，沙頭角公立醫局三張，東華醫院四百九十五張，廣華醫院四百四十張，東華東院三百廿張，那打素醫院二百五十六張，律敦治療養院二百三十張，元朗博愛醫院卅九張，喜靈洲痲瘋院卅七張，養和醫院三百三十一張，聖保祿醫院一百七十三張，凌月仙醫院一百廿五張，中區分科醫院九十六張，聖德勒撒醫院九十張，寶血醫院九十張，山頂醫院八十張，聖方濟醫院七十二張。

醫院、長洲醫院、梅窩免費公立醫院等。

此外，屬於公立性質而設有病房留醫的，計有中環醫局、西區醫局、香港仔醫局、油蔴地醫局、紅磡醫局、深水埗醫局、赤柱醫局、筲箕灣醫局、粉嶺何東醫局、大埔醫局、元朗醫局、屯門新墟醫局、沙頭角醫局、西貢醫局、大澳醫局、夏慤肺病診所，貝夫人健康院、西區嬰兒健康院、九龍嬰兒健康院、港九醫生診驗所、大道西牙科診療所，夏慤牙科治療所、灣仔性病診療所、西區性病診療所，亞士甸性病診療所、尖沙咀婦女性病診療所等。

病了進醫院療治是最理想的去處，可是，往往有許多病患者都未能如願以償，原來以醫院的病床和本港的人口作比例言，每二千人大約僅有病床二張。

比標準尚差七培

根據英國權威關於此一問題之標準教科書引用說：為一般目的所用之病床每千人中應有六張，肺病患者病床每千人中應有一張半，傳染病隔離病床每千人應有一張，精神病院和神經衰弱病床應在六張以上。內之，應付全部病症，每千人中應有十四張半醫院病床，約等於本港現有病床之七倍，為病人着想，本港應多設病床，方可解決病床人滿之患。

留產的醫院及用費

沒有病而又為一般大衆所注意的，輒為留產所，除非你不結婚，結婚便產孩子，產孩子最安全妥當莫如到留產所，私家留產院取費甚昂，非一般受薪階級所能負担得起，所以最好還是到大衆化的留產所，下面幾間醫院是附有留產病房的：東華東院，廣華醫院，東華醫院，那打素醫院，贊育醫院，每一間隨時都收產婦。

東華三院設有免費留產所，由入院至產後回家，一切房租，針藥概不收分文，這主要是照顧家境清貧的小販及泥工等。如果一般能負担得起生產費用者，卻須繳交房金每天六元，包括一切手術費用，生產順利的，住院兩天付十二元便夠了。要是能力還夠，想住得舒適點，另有私家房十二元及二十元一天兩種。

贊育醫院的收費與三院差不多，大房每天收費一元半。那打素醫院則比較貴，他們規定一個產婦最少要住院一產期，一次過繳交，分大房七十元，雙人房一百五十元，頭等房二百五十元，私家房另要人件者收三百元。這些都不包括針藥費，假如不是順產，要施鉗的加收十元，剖腹生產加手術費五十元。該院還規定產婦入院須預先登記，如果是臨時入院則須備按金多者二百元，最少也要一百元。還有一些早產兒，要住院超過一星期，另計每天房租三元或十五元不等。上述各項費用，都是包括膳費的。

大規模醫院在興建

據說，不久本港有一所新型龐大的醫院在九龍京士伯興建，名為新九龍醫院，本港基督教會已獲政府在九龍窩打老道附近撥出八萬方呎公地，興建規模現代化的醫院，他如西營盤醫院在進行擴充為十層大廈。

醫生數目及問題

至於本港的醫生，經註冊的僅六百多人，照估計，近千多人才有一個醫生，實在是不够的，根據本港醫務條例的規定，本港有資格註冊的醫生必須在香港大學或在英國及各英屬大學醫科畢業，最近准許內地醫生考試的實施，在很多人看來，這是解決醫生荒的很好辦法，其實勢將引起另一問題，就是入港大習醫的，因為習醫既有種種特別困難，如果畢業後出路因此受影響，勢將望而卻步，在這方面看，所以香港的醫生，仍是一個問題。

國際動態拾零

△美國不景氣狀況，仍然繼續，預測夏季以後纔能好轉。但不至更壞下去；就業職位多了二十萬；生產狀況，只下降百分之一強，但失業人數，仍增了七萬餘。

△國會已撥款十八億，為公路建設之用，上月且已撥款十九億為興建房屋之用，均用以應付不景氣的。

△阿特拉之五千里越洲飛彈，現已實驗完成。但人們所注意的，是潛水艇放射的一千五百里中程飛彈。無論從太平洋，印度洋，中東，北海放射，都可達到蘇聯各地。尤其鸚鵡號潛水艇，試航北冰洋冰層下五日夜之結果，則從北冰洋冰層下放射，更難防禦。放射火箭之潛艇，本造三隻，現已加造至五隻，預計一九六〇年十月可以下水。每隻潛艇載中程火箭十六枝。如此海軍面貌，將有改變，現以航空母艦代主力艦，將來或以火箭潛艇代航空母艦，為海軍主力，亦未可知。

△艾森豪統一三軍計劃，以全權畀與國防部長，而聯合總參謀長僅為國防部長之副手。艾氏以三次大戰，不復如二次大戰，所應付的為貨源豐富之德日意諸國，而是資源不下于美國之蘇聯。所以平時就要統一，以免浪費。反對此一計劃者，現非三軍首長，乃是參議院。緣三軍款項之支配，本由參議院通過將款撥由國防部支配。不啻行政機關，搶奪立法機關之原有權力，致發生違憲問題。但統一三軍勢在必行，政府與國會，正謀以調和辦法為過渡，而不至各走極端。

。陶然。

竹幕揭秘

蘇南之間

消息傳來，蘇聯集團的十二個共產國家對於南共四月二十二日的代表大會，拒絕派遣代表團，（祇派外交官充觀察員列席）實行杯葛了。

自一九四八年六月，南共被逐出共產國際以來，蘇南間的關係始終沒有明顯的改善過，中間雖然經過史太林的逝世，經過重新互派大使，但一陣陣的互相責難之聲也未曾停息過。

現在，共產集團正在大力批判修正主義，蘇南間的間歇性的再次互相杯葛是不足為奇的事。

基本原因

蘇南交惡之所以始終未能獲得解決的原因，是由於南共持有下述三項基本思想：

一、南共主張民族共產主義。——亦即要將民族利益置之于國際共產主義利益之上，這一種思想對共產集團來說足以破壞其國際主義，足以分裂共產集團。

二、南共認為無產階級專政，不能以共產黨專政代替之，必須還政于無產階級。——因為目前共產集團強詞奪理的說共產黨是工人階級的先鋒隊，認為無產階級專政一定要由共產黨領導；而南共都認為無產階級專政必須是真正的無產階級專政；其具體的做法是組織「工人委員會」來代替共產黨的領導。

三、南共認為資本主義自然地會轉入社會主義。——亦即無需亦不必經過暴力革命，經過資本主義就會達到社會主義的。

南共既持有上述三項思想，蘇聯共產黨就斥之為修正主義；而南共則認為蘇共是教條主義，史達林主義；這是互相指責的基本原因。

蘇南關係的展望

儘管共產集團當局大聲呵責修正主義，儘管它們對于南斯拉夫的思想傳播竭力阻止，但在其內部始終受着這種修正主義的威脅。一九五六年十月，波蘭、匈牙利革命的目的，就是企圖實行這種形式的共產主義，這可以說是共產主義由擴大上升而至縮小下降的一個歷史發展的轉捩點。

共產主義是宗教形式的主義，要使其信徒們自動衰頹，基本上要使其行為失去信念，方能使其狂熱的程度低減，修正主義就具有這種作用。固然南斯拉夫的社會制度不盡如人們之所希望，這種修正式的思想亦非狄托所首創，但它的堅強不屈的存在，對於共產集團的崩離析過程中，具有上述的歷史意義，是不可以否認的。

既然，南共對於共產集團具有這種思想上的破壞作用，是否意味着蘇共對南共施行強硬政策，甚至於有以武力解決的可能呢？

照眼前的共產集團的對外「和平共處」的政策來說，連到對其他國家的左傾社會黨都在極盡其拉攏聯合的能事，對於它具有同類的南共是沒有理由明目張胆的施行更激烈的措施的；二十二日，南共舉行會議時，蘇共又派其駐南大使為觀察員參加會議了，當然，這並不意味兩者之間不會再有爭執和異見。

若謂這個修正主義的巢穴南斯拉夫這般的存在，那麼必將導致共產集團的勵滅甚至于毀滅，若採取激烈的措施，則又違反他們幾經辛苦而決定下來的「和平共處」的世界革命政策，這是困擾着赫魯曉夫的重大問題。

。田心。

編者與讀者

健生先生：本刊七四三及七四四期所刊「寄語于胡適之先生者」一文，係陳紀瀅先生自已寄來者。承詢特覆。（編者）

閒話經濟衰退

自由談

近來美國發生經濟衰退的現象，全國約有五百萬人失業，艾森豪總統準備實行減稅計劃，以期挽回經濟衰退的趨勢。莫斯科和北平的共黨宣傳機構，皆藉此指證「美帝」經濟恐慌已到嚴重階段，岌岌不可終日了。一派幸災樂禍的心情，溢於言表。

實則美國目前所謂經濟衰退情形，是以戰後高度繁榮景象爲比較標準的，距離「恐慌」程度還遠着哩！美國人之所謂失業，亦多是像加州那位「雄特夫人」在大街上作行乞的表演樣，只因丈夫十年來僅做散工，每星期從政府發給的四十元救濟費過活，自己的汽車也賣去了。這樣的失業狀況，至少比匪區匪僞下十年來就業不敷的生活好得多啊！以美國爲盟主的自由國家，如果不改變現有經濟政策，將自由世界的經濟問題統籌計劃，互助互利，不要專爲自己一個國家的安全繁榮是務，有如西歐各國對德戰後那種作風，則史達林臨死前對俄共所講述的最後一課——「社會主義經濟問題」中，關於資本主義國家經濟發展前途所作的惡毒論斷，必有不幸而言中的一天。眞正的經濟大恐慌情形，在美國尤有重現之可能。要想急救這種惡疾，只有一劑特效藥：那就是戰爭！

[illegible]戰神[illegible]，也就是自己找死。大戰一旦勃發，俄共集團各個暴力政權，[illegible]一點意見，即美國經濟生活有惡化的情形出現，世界大戰的號角便要響起了。否則無論俄帝怎樣地蠻不講理，[illegible]會起來的！

所以，中俄共們此時大力渲染美國經濟恐慌，殆無異於盼[illegible]

馬五先生

攀與踏

・木人・

或說：高峯有啥去頭？又冷，又人跡罕至。殊不知世人爲了「出人頭地」而甯願死了也是個英雄，過一過「高高在上」的癮才夠勁。然乎，否乎？

我想古人登高實在很有意思的；自然，「捫蝨登塔遠」的境界並不是攀擴躋礫的人所能得到的，而「欲窮千里目，更上一層樓」的精神，更是值得我們敬仰和學習。爬得高高的，看得遠遠的，自然而然的便會變得胸懷寬大，漠視人生的得失苦樂；但也有人站到峯頂上竊竊自喜，以爲自己比一切人都高。

人各有志，也各有各的能力，想爬喜馬拉亞山的額菲爾士峯的人多的是，有的人相信自己可以嘗試，便冒了風雪和極巇巇的路途，拚了命的向上爬，可惜的是，即使你爬山技術高超，也得有一個好的氣候，給你一個好機會：有的爬不到半腰，有的甚至爬了十之八九，橫來一場風暴，只得退回來。僥倖的，還是活人回家，但還是野心勃勃，又計劃下一次的登山計劃；倒楣的連屍也找不到，還認爲自己這樣死是個英雄，是絕對值得的！

其次下來，爬些不太高也不太矮的人更多一些，他們並不一定不想爬額菲爾士峯，或者是由於能力不夠，或者由於不夠膽量：管他是不是最高峯？總之爬上了頂，也頗令人羨煞呢！但爬山畢竟不是容易的事，於是有人跑上小丘陵，小土堆上便高興到了不得，那就更多了！

實在的，上小丘陵，小土堆萬比不上爬山難；上小丘陵、小土堆只是跑跑，最多心急起來摔一兩跤跌破了皮便了事；爬山，只要是成爲「爬山」的山，一定不容易爬到峯頂，所差的只不過是難、更難，最難罷了！

爬山專家除了一套工具外，主要的技術還是攀與踏，攀着比自己更高的，踏下拉；踏着下面的，往上挺。如果給他攀着踏着結實的，他便步步高陞，萬一是攀的東西上升了，他便能受到提攜；如果踏着的要蠢動，要越自己的頭，狠命踏住，也是防犯那「以下陵上」的可惡舉動。

說起來，踏得實比不上攀得緊！有人會說這話不對，但我有物理的根據：如果踏的猛地崩了一大塊，只要攀得緊，不至於往下墜，尚可再找立足地。如果攀不緊，一下墜了，重心和踏的支點成一力矩，向後一仰，想不倒摔粉身碎骨才怪！如果再倒塌點，踏了浮土，加上攀錯了枯草，崩下來一個總崩潰，那便縱有天大本領，也沒得救。

或說：高峯有啥頭？又冷，又人跡罕至。殊不知世上人爲了「出人頭地」不惜把命去拚，一路上僥倖沒死，還怕什麼寒冷與孤獨？過「高高在山」的癮才夠勁哩！大哉攀與踏！有誰想要「登峯造極」，請首先練一練好的「攀」「踏」身手，去碰一碰運氣，摔不死，不可一世；摔死，活該！

戊戌清明偕旅港北大舊同學祭奠蔡故校長墓

○易君左○

海角雲飛捲，哀哀一弔公。門牆桃李老，國運棘荊同。心喪三年祭，人文百代雄。英靈長在上，廣扇自由風！

儒家不是宗教

・明稚・

宗教的，基本理論是要講到因果報應，提到人是怎樣生的，死後要怎樣，人在世上，怎樣做人，死後便可以得到如何的報應。再則要崇拜一位是人而又是神的人如基督教的耶穌；佛教的釋迦牟尼；回教的穆罕默德，是一位神聖而不可侵犯。信他可得永生賜福，不信他便爲有罪，不可赦免，而孔子則對神鬼不能事奉，對生死皆不知。（見季路問事鬼神章）孔子沒有提到他自己是神，可以賜福或降禍與人。中國人所以敬拜他，不過是因爲他對中國的文化所有的功勳而已。絕不是求他賜福或赦免，當然外國人也不會去叩頭禮拜。

儒家的學說，主要是提到要人如何做人做事都是很現實的報應，如殺人者人恒殺之，愛人者人恒愛之，是生前的個人成功，和死後的被人尊榮。絕不以來生的報應來欺騙世人，因爲現在的人類，智慧發達，不容易被愚的。

我也是吃金山橙的人，但也吃香蕉、橘子、鳳梨、西瓜，從沒有因爲了金山橙，而把其他的都棄掉，以爲皆沒有一點可吃的價値，唯有金山橙才夠滋味。

談讀古書

古書所賜給我們的最大好處，應該不是限於記誦、考據、義理。應該是實實在在的把它作爲一種經驗的教訓，在生活中驗證我們的思想，幫助我們走向正路。

古書雖非句句金銘，字字珠璣，亦絕非一無價値。

積數千年的時代思想，滙集數位作家的見解，無論如何，是不可以抹煞的。

但古書不是死古董，古書是文化的種子袋，它隨時播種，隨時發芽，隨時新生復活。

人既不能離開「今日」，也就不能脫離「昨日」，今日是昨日的兒子，是明日的父親。由這種時間觀念上看，古書似如是位生長了數千年白髮斑斑的老巨人，我們則如一位活了數十年幼稚生命的小孩。

我們可以說：我們不盲目的相信這老巨人的一句話，不做一個食古不化的冬烘先生，須要選擇合於眞理的教訓。但我們不可天眞的嚷：我們不要這老古董。似我們生命的短暫，和數千年高齡的文化老翁一相比較，我們會自信我們懂得些什麼？

○陳宗敏○

燕塵識小

戊戌譚往

七月初十日上諭「近來朝廷整頓庶務，如學堂商務鐵路礦務一切新政迭經諭令各將軍督撫切實籌辦。乃各省積習相沿，因循玩愒，雖經嚴旨敦促，猶復意存觀望。即如劉坤一譚鍾麟總督兩江兩廣地方，於本年五六月間諭令籌辦之事並無一字覆奏。該督等皆受恩深重，久膺疆寄之人，泄沓如此，朕復何望。倘再藉詞宕延必予重處。直隸距京咫尺，榮祿於奉旨交辦各件，尤當上緊趕辦，陸續奏陳。其餘各省督撫亦當振刷精神，一體從速籌辦，毋得遲玩，致干咎戾。」此旨雖明責譚劉，實則深惡榮祿而宣其罪。榮祿平日之跋扈，光緒深怒而無如之何。至明發此詔，榮祿自知不保，而篡廢之謀益亟矣。此於政變原因甚有關係。撮要述之於此。

七月十四日上諭裁汰京卿及外省同城督撫。全文見前。

七月十九日革禮部六堂二十日以裕祿等署禮部六堂，均見前。

七月二十日上諭「京師爲首善之區，現在道路泥濘溷汙，河道壅塞不通，亟宜大加修理，以壯觀瞻。着工部會同統領衙門五城御史暨街道廳，將京城內外河道溝渠一律挑挖深通，並將各街巷道路修墊坦平，無得敷衍。其款着由戶部籌撥」。京師街道之汙穢，直至宣統三年猶未改觀。光緒此諭，可謂近處下手略新面目，然仍託之空言而已。

同日超擢四卿參與新政，說見前。

七月二十二日上諭李鴻章敬信，均着毋庸在總理各國事務衙門行走。守舊諸大臣至是咸懷震動之心，榮祿亦懼不免。於是禍變益促矣。

七月二十七日上諭「國家振興庶政，兼采西法。誠以爲民立政，中西所同。而西人考究較勤故可以補我所未及。今士大夫昧於域外之觀者，幾若彼中全無條教。不知西國政治之學千端萬緒，主於爲民開其智慧，裕其身家，其精者乃能美人性質，延人壽命。凡人生應得之利益，務令其推廣無遺。朕夙夜孜孜，改圖百度。豈爲崇尚新奇。乃眷懷赤子，皆上天之所畀，祖宗之所遺，非悉使之康樂和親，朕躬未爲盡職。加以各國環交陵迫，非取人之所長，不能全我之所有。朕用心之苦，而黎庶猶有未知。職由不肖官吏與守舊之士夫，不能廣宣朕意，乃反胥動浮言。使小民搖惑驚恐。山谷扶杖之民有不獲聞新政者，朕實爲歎恨。今將變法之意布告天下，務使百姓咸喻朕心。共知其君之可恃，朕上下同心，以成新政，以強中國，朕不勝厚望。着繕錄四月二十三日以後所有關乎新政之論旨，各省督撫均迅速照錄，刊刻謄黃，切實開導。着各州縣教官，詳切宣講，務令家喻戶曉。各省藩臬道府，飭令上書言事，毋得隱默顧忌。其州縣官應由督撫代遞者，即由督撫將原封呈遞，不得稍有阻格，總期民隱盡能上達，督撫無從營私作弊爲要。此次論旨並着懸掛各省督撫衙門大堂，俾衆共觀，庶無壅隔。」此眞可謂垂涕而道矣。論者以爲惻怛愛民，飢溺自任，爲有淸一代第一詔書。雖或稱之太過，然光緒孜孜圖強之苦心亦可見矣。（十二）

燕負生

現實小說

驚蟄

・金溟若・

宣傳車進城，已是萬家燈火了。宣傳車上點綴着的紅綠小電燈也一齊放亮，競選人和他的助手們喊得聲嘶力竭，方纔打點回去。

幾天來的勞頓和那老頭子的一鼻子灰，攪得陳瀚精疲力盡，已經沒有一點氣力了。到家後，他上樓，躺下來喘氣，感得自己的身體貼在床褥上，已經融作一起了。閉上兩眼，神思恍惚地正有些意識模糊，他聽見樓下太太的尖銳的聲音：「郭老師，等候，等候。」

他知道非掙扎着起來不可了。他用一隻手撐住了身子，剛坐起來，樓梯上已響着腳步聲。他聽自己的太太把郭老師帶到隔室安頓下來，向這邊走來了。

他向太太頷首示意，湊近她的耳邊低聲說：「早點開飯，喫了打發他去，晚上還有事呢。」

太太向隔壁呶了呶嘴巴，逕自下樓去了。

郭老師正坐在圓桌邊翻閱當天的報紙。陳瀚一進去，便打拱作揖地說：「得罪，得罪；勞駕了。」

「說那裏話，」郭老師伸出右手說：「早就應該來問候了。」

陳瀚在葉驥家中會與郭老師見過幾面，每次見了他那圓圓的，紅撲撲像貓一樣的臉，貓叫似的聲音和裝模作樣的神氣，便會連想起卡通片上那個饞嘴紕貓而忍俊不住。

「不敢當，不敢當。」他把湧上喉頭的笑意拚命的咬住了說。

他們的談話，從天氣好，功課忙，轉入陳瀚的競選政見，慢慢地言歸正傳。

「這個，這個，承郭老師的美意肯支持兄弟，是非常感激的。」

「說那裏話，陳先生能夠爲省民多多說話，像我是應該退讓讓賢的，還有什麼說的。」

「言重，言重，」陳瀚拱手說道。一面他從上衣口袋裏拿出一張支票，吞吞吐吐囁嚅着說：「照理呢，郭老師是淸高的孔子門徒原不敢拿金錢來褻瀆了您。只是那些肯幫忙小弟的貴同事，都煩郭老師代表兄弟，邀請他們喝一杯，聊表敬意罷了。」他邊說着，把那張支票恭恭敬敬隔着圓桌遞到郭老師手中。

郭老師把本來已經滾圓的兩眼鼓得更圓，計算着三千元等於自己半年的薪津，期期艾艾把想說的話反而說不上嘴了。飯後，他帶着一肚皮的高興，感激零涕地辭別了買主，急急乎要趕着回去，把這好消息早些讓自己的太太知道，也同享那一份的愉快。

陳瀚送客回來，客廳裏林金灶和吳阿火們還在那裏爭論，高大的聲浪越過玻璃窗外。他懶得去理睬那些客，逕自上樓去了。

客廳裏的議論風生，正是如火如荼。首由吳阿火把在落湖鄉宣傳助選，被客家幫在半路上截住，險些火拚上的情形作了一個詳細的報告：「火拚就火拚，怕他怎地！」石頭村的屠戶——前次爲了分攤助選活動費同吳阿火抬杠的絡腮大漢吼道。

「慢着，」林金灶阻止着那大漢向吳阿火問道：「客家幫的老大是誰？是不是跑龍套的滑子？」

「不，原先是他，這兩年他跑碼頭『開明地』（按：江湖切口，詐賭的意思）去了，由他的徒弟蟹殼，接他的地盤，比他更狠。」

「我還以爲是怎地了得的好漢，原來是蟹殼，老子一腳踹碎了還不夠勁兒呢！」絡腮大漢不屑地嗤之以鼻。

「倒也是，是蟹殼就不怕他飛上天去，干脆拚上一拚，趁此鎖住了他，圖個日後清淨。」另一個聲音從客廳的一角呼應着說。

「你不曉得今天的蟹殼，手下有二三十個打手，個個要得，咱們這邊討不了什麼便宜，頂多弄個平手。」吳阿火一面伸長頸子找那說話的人，是甚意。

「你這洩氣，人不夠還有我們哪！」坐在絡腮大漢左邊的青年小伙子。

靜了這麼幾分鐘，仍由林金灶採着花白的鼠鬚下結論說：「這樣罷。」他環視了一下全室，大家都屏息無聲。他接着說：「先由我派一個人去說服他，肯聽則已，我也給他一面子，最後一天請陳先生把宣傳車開到落湖鄉，另下他一份禮，隨車帶去。要不然就揍他一頓，這裏再撥些人馬去幫阿火。」他再環視了一次衆人，沒有一個人答腔。

「這叫做先禮後兵，咱們不讓人家抓住錯兒。」他掉向吳阿火說：「你明兒等我的通知行事。」

雖然有幾處起了嘈嘈切切的私語聲，但沒有人敢大聲出來說話。

「好了，就這樣決定。」林金灶站起來說：「明兒還有事呢，我們散了罷。」邊說着，他逕向門口走去。（八）

自由人

THE FREEMAN

（第七四六期）
中華民國僑務委員會頒發登記證台救新字第一零二號
中華郵政台字第五〇〇號執照登記為第一類新聞紙類
（半週刊每星期三六出版）
每份港幣壹毫
台北市售價台幣壹元
督印人：陳文蔚
地址：香港高士威道二十號三樓
20 CAUSEWAY RD. 3RD. FL. HONG KONG
TEL. 771726
承印者：東南印務出版社
地址：高打士道六十四號
台灣總經理處
台北市西寧南路壹壹零號二樓
電話：四七三四六
台郵撥儲金戶九二五二
海外總經銷：友聯書報發行公司
香港：彌敦道中二十六號A二樓

自由世界需要出一聖人

宋文明

今日世界兩大集團間的鬥爭，可以從各個角度來解釋；但分析到最後，這一鬥爭的本質，實際就是思想鬥爭。所謂思想鬥爭者，主要在於對人類將來及世界前途的看法有所不同之故。共產集團認為人類是在走向共產化的世界；而自由國家則認為集權共產主義是違反人性的本然，最後必趨向毀滅。

一、

由於這一根本看法不同，所以共產集團站在一種反現實的立場，對自由世界採取攻勢；而自由世界則站在一種保衛人類自由傳統的立場，對共產集團實行反擊。這一鬥爭的最後結局如何，端視自由世界能否更進一步發揮自由的價值與意義，使自由社會能配合人類的進步得以不斷充實其內容。

我們須要承認「變」是人類社會的常態，而「變」就是走向「進步」的必需條件。百年來人類在自然科學與物質文明方面的進步，是非常驚人的；可是在社會科學與維持人類社會的基本原則方面，究竟這種進步能否與自然科學與物質方面的進步相適應，確屬值得懷疑。再從另一方面去看，共產黨人正式掌握某些國家的實際政權，至今也不過半個世紀，可是它們已由列寧主義變而為史達林主義，而赫魯曉夫主義，而戈慕卡主義等。列寧主義的特徵，在於以高度的羅曼蒂克精神推動世界革命；史達林主義的特徵，在於一國社會主義的建設；赫魯曉夫主義的特徵，在於從「經濟上超過資本主義」；而戈慕卡主義更在於使共產主義的原則，能遷就和適應波蘭的具體情況。這可見就是以教條主義著稱的共產黨人，在大的時代潮流和環境條件下，也不能不經常改變其大的政治原則。我們自然也不能否認自由世界在這方面的甚大進步與改變，但這些進步與改變往往有兩個缺陷：（一）這種進步與改變多半歸功於科學技術改進所帶來的結果，而不是思想與政治體制的產物；（二）這種進步與改變大半屬於微小的具體的技術性問題，而不在於大的原則與制度方面。羅斯福總統的「不虞匱乏的自由」，頗有使傳統的自由意義有更形擴大的趨勢，可惜這一認識尚未普遍見諸於西方社會的實踐上。

二、

自由民主是屬於神聖的字眼，在理論上這是準繩可以非議的。但祗有抽象的自由民主的概念，而無活的自由民主的真實內容，則自由民主對於解決當前人類的問題也將無所裨益。假若說單有自由民主這個字眼就能解決問題，那麼在馬克思時代甚至馬克思以前，西方社會已有自由民主存在，何以就不能阻止馬克思主義的出現？而且自由民主這個東西既不是專利品，也不是絕對的，如波蘭現時的自由民主比沙地阿拉伯更多，而蘇聯今日的自由民主也比許多國家要多，這種情形又要作何解釋？所以我認為要想自由世界在與共產主義的鬥爭中獲致最後勝利，就必須要求自由民主由抽象的概念變成一種活的理想，由不斷吸收新的營養而使其能充分適應社會現實。要作到這一點，顯然不是一如過去專憑社會的自然發展所能為力的。所以我們必須要有一個大思想家，以超乎常人的智慧，徹底剖析社會現實，對症下藥，根據人類未來的可能趨勢，適時提出一個遠大的理想才行。換言之，自由世界必須出一個新的聖人，大大發揮新的自由理想，為天地立心，為萬民立命，自由世界才會有希望。

三、

根據過去幾百年的人類歷史，幾乎每一代都有大思想家出世。如馬丁路德，孟德斯鳩，盧騷，聖•西蒙，馬克思，浦魯東，和克魯泡特金等然。所謂百世一聖人出，五百年必有一聖人出，現在該是出一個新的聖人的時候了。環顧世界，我們現在還看不出這個新的聖人究竟是誰。過去西方在思想上是居於領導地位，而現在西方在思想上已呈乾澀與遲滯現象，一如一個腦力已經衰退了的老人一樣。現時盛行西歐的存在主義，便是一個明證。美國今為自由世界的領導者，但美國在思想上的貧乏，正與它在物質上的豐富恰成正比例。任何一個偉大思想家的出現，必須要經過時代和個人的深沉磨練，必須正如孟子所示「天降大任於斯人也」的說法，要有長期的血和淚的苦痛經驗。而今日的美國，便無這種條件。百年來影響美國人心最大者，一為上一世紀的美國內戰，一為本世紀三十年代的經濟大恐慌，但兩者影響已逐漸減退。美國參與世界兩次大戰，對美國人心多少也有影響，但以這些戰爭都不在美國本土進行，所以這種影響也是非常輕微的。這一根本原因便決定了我們不能把出現一個新聖人的希望放在美國的身上。

四、

那麼這一自由世界的新聖人可能將出自於何方？照我個人的瞭解，這一新聖人的出現將在下列三地：（一）這一新聖人或將在以色列或受納粹迫害過的猶太人中出現；（二）這一新聖人或將在印度出現；（三）這一新聖人將在苦難的中國人中出現。二次大戰前後歐洲猶太人在納粹鐵蹄下所遭過的災難，幾乎是歷史上空前的。一個匈籍猶太人的五十三個家屬中最後祇剩下他一個人。這批若難的剩餘者，正追尋這一禍患的根源，正設法對人類未來有所補救。印度今日已成各種思想的競技場與實驗所，不但東西文化在此相激相盪，而凡自由民主與共產主義亦在此相克相成，它們必須在此矛盾與衝突中，尋出一條最後的出路。中國今為世界最大的不幸者，萬千人正忍飢耐寒，萬千人正顛沛流離，這些人無疑要追究這一苦難的根源，要自問「這是為什麼」？所以我相信二十世紀的下半葉假若將出現一位偉大聖人的話，這一新聖人勢將在以色列，印度與中國三地去尋找。

我不想描述這一未來的新聖人究屬何種典型，我亦不想預料這一新聖人的理想將循什麼路綫；但有一點可以斷定，即這一新聖人所提出的理想必須是：（一）這一理想將是國際主義，大同主義和全體人類本位的；（二）這一理想必須主張真正的平等，即國家間的平等，種族間的平等，與人與人間的平等；（三）這一理想必須是為窮人，為人間的不幸者，為溺者說話。祗有這樣一種宏偉遠大的理想和一位創造這一理想的新聖人出現，自由世界才能期其在思想鬥爭上實行主宰。

半週述評

中越的聯合公報

外長葉公超於四月廿一至廿六日，到越南作了五天訪問，廿六日飛返台北。葉外長與吳廷琰總統聯名發表了一份聯合公報，強調亞洲自由人民為保衛亞洲文化，必須密切合作。葉外長說：「吳廷琰總統深信，要戰勝邪惡的共產主義，必須遵循中國文化本源的孔孟學說，恢復其固有的精神」。

這是中越合作的基本精神力量，英國老政治家邱吉爾常以英語民族團結合作，作為英美兩大國的合作號召，其意義亦即以文化為基礎。今後中越合作，有了此種悠久偉大的精神力量，自然可以造成「互尊互信」的氣氛，一切問題，自然容易解決。

亞洲長久浴沐儒家文化的國家，中越之外，尚有日韓，此數國的政治家以及文化人士，如能共同充分發揮儒家的傳統精神，敦睦邦交，實行團結合作，則其力量之偉大，決不下於英語民族之團結合作。此實為今日要保衛亞洲文化，抵抗共產主義邪說最基本的努力方向。

中越邦交的增進

過去一年，中越兩國邦交，曾以旅越華僑問題，發生若干困擾。此次隨葉外長訪越歸來，他對記者表示，此一問題，不再構成嚴重問題，互尊互信的氣氛已經達成，文化經濟合作的具體辦法，也已經加以討論。他又透露將在越南建立資本一億八千萬越幣的紡織廠，中越共同投資。凡此均證明中越邦交，已邁步前進。此乃兩國政治家的卓越成就，其影響所及，決不僅為兩國的共同利益，對於亞洲的和平安定，與自由民主力量的發展，必將有其長久的偉大貢獻。可以預言。

吳廷琰總統訪華

葉外長又證實，中華民國政府正式邀請吳廷琰總統來華訪問，吳總統業經表示接受。吳總統的訪華日期雖未確定，吾人相信為期當不在遠。吳總統過去幾年為越南的統一獨立，與反抗共產主義浪潮，其所努力貢獻，已昭昭在人耳目。吳總統為篤信基督的現代民主政治家，又為精通儒家學說的亞洲文化衛士。他此次應邀訪華，我們相信他所能致力的，於中越兩國邦交增進之外，必然還有他更大的影響力量。這是我們最感興奮欣慰的。

印尼革命失敗了嗎？

印尼的中央軍現距蘇門答臘革命政府所在地的武吉丁宜不過十餘里，革命政府的首領外傳經已逃亡。印尼革命運動為時不過匝月，似已趨於崩潰。然而印尼的駐外使領因同情革命而辭職的不下卅人，中央軍將領且有公開表示同情革命者。革命運動的另一中心西里伯斯亦仍然保持實力。且蘇加諾政府所恃以鎮壓革命的，僅為共黨國家的武器與技術人員。借寇自重，必失民心。蘇加諾能澈底消滅革命力量乎？尚不能無疑。蘇加諾即幸而軍事勝利，今後將難免為共黨挾持，變成傀儡，印尼全部赤化的危機亦將因此而加甚。

印尼革命的挫折，實為亞洲「匈牙利」之重演。亦為民主自由的失敗。民主自由國家，能坐視革命之崩潰，而不及時予以切實有力的援助嗎？要等到西里伯斯的陷落，才對印尼革命志士再來一次「匈牙利式」的惋惜與救濟嗎？

●陳克文●

從理論到事實

——關於民主社會主義

高叔康

我們今天面對中共社會主義的悲劇，要反共，就必須根本反共黨之一切所為，如果換湯不換藥，先提出贊過社會主義，或民主社會主義，代替中共的社會主義，至少在我們中國，絕對是行不通的。

英國為經濟發展到高度的國家，自由民主有四百餘年的歷史，已具備社會主義的條件，而工黨又試行失敗；我們既沒有英國四百餘年的自由民主的歷史，更身受中共社會主義慘痛的教訓，還主張以議會方式，實現民主社會主義而有可能的麼？其結果，不是變成法西斯主義，便是使國家陷於長期混亂，萬劫不復的境地。現在世界上除了北歐兩三個小國家，有其特殊原因，實行社會主義外，（一般稱為福利國家而不稱社會主義）其他如老牌社會主義的澳洲，紐西蘭，早已不是社會主義了，西德社會民主黨，原是繼承馬克斯主義的傳統，現也根本不談這一套而只談就業。可知社會主義已不能當作夢想的天堂了。

我反對民主社會主義，不是受了米塞斯和海耶克的影響，而米塞斯和海耶克的著作中也沒有詳盡的論到民主社會主義矛盾問題。因讀了吉拉斯的「新階級」主張以民主社會主義來反共，覺得以一個原為南斯拉夫的共黨領袖，而有此種主張，實屬不夠澈底，所以提出反對意見，也就關涉到英國工黨的社會主義，其目標只在說明中國反共沒有民主社會主義的前途，英國既行不通，中國如何能行得通？不僅僅是理論，也是事實。

其次，看到冷定菴先生答覆我的「再論」，只覺得：

一、沒有將個人主義含義說明，究竟內容是什麼？與社會主義是如何的關係？個人與社會的相關，這是普遍的常識，用不着多說，個人不能脫離社會而生存，難道說個人必須生存於社會主義之下？沒有社會主義個人就不能存在麼？「社會」用作「社會主義」，顯然不合「相關的邏輯觀念」！

二、「為多數人的自由而設計限制少數人的自由」，這是極權主義者，為辯護極權而主張的自由，共產黨徒號召犧牲個人自由，爭取大多數無產階級的自由，就是根據這個原則。拉斯基是英國的馬克斯主義者當然持此種論調。請讀一讀一九三五年他的「我為什麼成為一個馬克斯主義者」的論文以及其晚年著作中所表示的擁護蘇俄的論調，可以判明。以一個馬克斯主義者的自由論與我們所說的自由意義當然有很大的距離。自命為反共者而提出與共黨相同的自由論調，總令人覺得可異！

三、社會主義必實行國有化，而且國有化的範圍和經營方法與目的與資本主義的不同，其影響作用亦不一樣，所以把社會主義的國有化與資本主義的國營企業等量齊觀是錯誤的。工黨以補償方法推行國有化，而招致那樣的流弊，實由於實行社會主義。國營的效率，無論在資本主義國家，或社會主義國家，不及私營，有許多鐵證：國有化是將私人企業轉移在政府手裏，形成經濟的集中，更加強權力的集中，這些都是常識；而「冷文」中說：「國有化的目的並不在所有權的轉移，乃在增加企業的效率和消滅權力集中的現象」，一面又說：「今天工黨所謀求者為縮短貧富的距離，除提出租稅方法實行再分配外，」接着又說：「他們並不敢侈言所得的平等」，「縮短貧富距離」，「實行再分配」，是不足謀求所得的平等？除此以外，又有那一派社會主義所主張的將國民所得規定一律，以實現所得的平等？

最令人困惑不解的，即是論到個人主義與社會主義的關聯，贊成「個人主義是社會主義的目的，社會主義是個人主義的手段」的說法；又引考茨基的主張，如「不能達到個人自由平等可以拋棄社會主義」，這是抬高個人主義在社會主義之上了；論到計劃與自由，主張「限制少數人的自由」，又是全體主義的立場。前者強調個人主義，取銷社會主義；後與強調全體主義，又取銷了自由主義，是不是自相矛盾呢？論到財產所有問題，更沒有把資本主義與社會主義的界限劃清；這些大的關節，都是眉毛鬍鬚一把抓！

赫魯曉夫在俄共二十次代表大會，號召今日議會可以作為過渡到社會主義的一種方式，吉拉斯的推測，這是赫氏想利用資本主義國家內的共產黨和社會民主黨人以建立人民陣綫。就這一點來說，今日主張社會主義者，無論動機和目的如何，赫氏一定要引以為同志的。但我沒有到過歐洲，洋書讀的不多，決不搶赫魯曉夫的烟斗，這是可以引為自慰的。

胡適與台灣

·杜蘅之·

胡適先生此次返台引起各方重視。本刊于七四二及七四三兩期曾發表陳紀瀅先生「寄望于胡適之先生者」一文。茲篇杜先生「胡適與台灣」一文，立論不同，其重視則一，爰一併發表于此。（編者）

胡氏來台以後

這是胡適先生第三次來台灣。第一次來台，是在五年以前，最受此間民衆之歡迎。對他的公開講演，聽衆大塲份的人，數日之前即擠上長蛇陣。當然，官方對胡氏之猜忌，也以那一次爲最甚。某軍中報紙接連以社論駁斥其自由思想。胡氏臨走在飛機場，見到該報記者，還發了一頓脾氣哩。第二次來台，他與官方的關係，似乎已搞得較好，而民衆對他的歡迎，卻不及第一次之熱烈了。他在台灣參加國民大會及總統副總統的大選，又在返美過檀香山時，發表談話說蔣總統可比美國反共日益積極的麥加錫。這都說明胡氏對於此間政府，是盡了一番變謔之力。這第三次來台灣時多方面都顯示胡氏與政府之距離，又大爲拉近了。第一，在他回國前夕，行政院秘書處查禁「胡適與國運」一書，不問這書出自那一方面，當局能事後立刻查禁，總是表示對胡氏有禮貌。第二、胡氏就任中央研究院院長時，蔣總統親臨致詞，對胡氏也恭維備至。第三，胡氏早就說明不作公開學術演講，並且盡力避免見到新聞記者，這都是避免言多有失，也是政府所樂意的。至於一般民衆，則對於胡氏此次之返國，則已失去以往那樣興奮的情緒了。

民衆的熱望

總之，台灣的民衆對胡氏的熱望，一次比一次低落。這是什麼緣故呢？很明顯的，國人原是希望胡氏作政府的一個有力的諍友，在沒有反對黨之今日，希望胡氏一人擔負起號召的力量，多少發生一點反對黨的作用。而胡氏卻漸漸傾向政府，而有意無意地解除了自己的武裝（說話），當然使大家大爲陷於絕望，甚至失望了。在這裏，我想把國人對胡適先生的看法再進一步地分數點剖析如下：

胡氏之就任研究院長

首先，胡氏就中央研究院院長一職，就不是很好的打算。不管這個院長地位如何淸高，在政府的眼裏，實是一個官，乃總統府的，與其他官署（如國防會議、戰略顧問委員會等）沒有分別，而胡院長今後給總統的公文，一樣得稱「職」，不會有特別客氣的優遇。我們痛惜的一件事，是張伯苓先生一生辦學校，到臨死之前，卻做了幾天官（考試院院長），就個人的本行說，實在不値得。固然胡適先生當官還不是第一遭（抗戰時任駐美大使），但爲了增長他在知識分子中間的崇高地位，以及他對當前現實政治的發言權，他還應不担任這個院長之職。他既然保薦了李濟博士，而政府也答應了，這已是最好的安排，何必自己又出來接事呢？有人說胡氏年事已高，政府要他[illegible]久居，李濟晚年[illegible]。政府既爲他在南港中央研究院所在地，蓋了官舍，自甚合他的理想。其實，即使胡氏不當這個院長，如願在台灣久居，政府也一樣會爲他準備住所，以及日後的生活需用。

如政治一團糟安能修談學術

其次，當了中央研究院院長之後，即不談國事，正是政府所期望的。而胡氏此種決定，也可說是懂得當局的心理。譬如，胡氏在光復大陸設計委員會上，即提出爭取學術獨立的主張，呼籲以全國力量建立獨立的學術研究環境。這話無異是表明他的態度：今後專心學術，不談政治。我不是說學術研究不應該獨立，更不是說學術不重要，而是覺得今天學術之獨立及研究之自由，都還沒有受到嚴重的妨礙，實在不用胡氏出大力來「爭」。我們是希望胡氏面對現實的政治，爲民多爭取自由。反之，如政治是一團糟，仍侈談學術獨立，無異是自居於象牙之塔，與社會人羣相隔離，這不是我們這個時代的學人應取的態度。我們回顧當中共進犯大陸時，在北平南京上海等學術中心，有許多教授學者，都沒有作遷徙的打算。就是因爲他們以爲自己是純粹研究學術的人，與現實政治不相干，中共也不會干擾他們。這是他們錯了。今日之政治與學術，已無從截開爲兩段。退一步說，即使如胡氏所說，我們要爭取學術的獨立，若僅僅在學術圈子裏奮鬥，也是枉然的，因爲今天能發揚學術也能摧殘學術的力量，是在政治方面。

大家是把他當作偉大的政治理想

再其次，胡氏的學術造詣及哲學思想，當然無愧爲一大學人。但是他的學術成就，遠不及他在五四時代提倡新文學及在近年來闡揚民主政治的貢獻之大。五年前，他第一次來台時，曾在台灣大學作一連串的學術講演，提出所謂「大膽的假設，小心的求證」的研究方法，聽衆都很感到興味，就

也有人認爲胡氏的學問，應該不止於此，應該有更大的學術成就，來播送給社會的後進學子。總之，胡氏在近年來，學術上沒有多大的貢獻，這是事實。我們都知道他有一部「中國哲學史大綱」上册，那是學術界已有定評的鉅著。聽說他在最近一二十年的研究工作，就是想續成下册。一直到現在，也還未見公開發表。可見國人之熱烈歡迎他，並不純然在於他在學術上的成就。大家是把他當作一個有偉大政治理想，而也有偉大號召力量的一位英雄。固然胡氏的性格，以及過去的經驗，都不適合作一個政治家。但是提出高尚的政治主張，與從事實際的政治工作，是兩回事。胡氏對於前者的使命，在今天實在是最相宜的。國人就是希望他努力這一點。如果他放棄了這一使命，而專心去鑽研學術，在他個人也許心安理得，或者興致甚濃，在國人眼中，這是國家的損失。

胡氏不該緘默隱藏

如上所述，胡氏是不願長緘默隱藏的。我認台灣的知識份子，一方面擁護胡氏所提出的學術獨立的主張，在另一方面而也不會容許他在政治方面之退縮。譬如，最近台北新聞界爲反對政府修改出版法，而一致團結，大聲抗議。就有記者以種種方法而找到胡氏，胡氏不得不發表一篇談話。胡氏並未準備說話，而政府也料不到胡氏會說話。我相信這樣的意外事件，今後會不斷的發生，因爲國人對於每一重大問題，尤其是每一個有關民主政治與人民自由的問題，必然地要聽胡氏發表一點公正的意見。與其如此，我建議胡氏重新下決心：於作一獨立學人之外，也作一個有力的諍友，把自己的意見向政府建議或向社會發表之外，也替人民多說點話。

有關反對黨問題

再說到反對黨的問題。在國人心目中，胡氏自是挺身出來組黨的領導人物。但是，今天，胡氏認爲時機尚未成熟，這也是事實。我們也不強胡氏這一王牌隨便用了，用了而不能發生預期的作用，還是愼重地用的好。但是，反對黨之組織，並不是唯胡氏不可。如果另有人願意背十字架，如得胡氏從旁促成，自然比其他人更爲有力。總之，胡氏即使自己不挺身出來組黨，對於有反對黨的這一主張，應該始終如一，這是他的政治良心，也是國人對他的期望。

大手筆！大手筆！

。尹震。

台北西書業現況

·一飛·

台北通訊

可以說全部）設在台北市，故言台北西書業可以包括整個台灣的西書業。又因時下台灣外文以英文爲主，[illegible]英文書籍[illegible]，故西書幾乎又可以說就是[illegible]。我國與美國訂有「中美文化保證制度」（MSA-IMG Program），凡購買美國書多可向台灣銀行申請該項外匯，按官價外匯方式進口（此項外匯總額每年一度，由美國與我國商定），由此英文書籍進口，佔[illegible]分之九十以上，其他西書之進口，則[illegible]書商紙樣申請外匯，[illegible]

[illegible]西書業爲經營進口之英、法、德等西方語國家[illegible]代，是一種新興與繁榮的行業。

[illegible]，成本太高，無法與美國書相比。近來工科及技術方面書籍較爲其他科目的讀本[illegible]英語的讀本（因爲[illegible]辦多如雨後春筍）與袖珍小說（Pocket Book）拾元一册，銷數亦佳。

現有自己直接進口的西書店計有：衡陽街有正中、文星、虹橋；重慶南路有遠東、東方（出版社）；中山北路有聯合；南昌街有科學；[illegible]等。其他也兼營西書，[illegible]在前幾年也有過黃金時代[illegible]

[illegible]西書店因此買進三層洋樓，光棍老闆討了年輕貌美的太太，然而目下[illegible]漸有飽和之勢，其一、[illegible]的限制，參考書現貨[illegible]百元左右，已是普通薪水階級月入的三分之一。其二、的確有「有錢人不看書，看書人沒有錢」的現象。其三、受翻版書的影響。（按我國並未參訂國際版權協定，翻版書並無法律拘束）銷路[illegible]無不有影印本（目下[illegible]），成本較進口書（原價平均每册[illegible]元十元），就是一項打擊，爲我國[illegible]，單就這方面看是値得鼓勵。其四、同業競爭之激烈，美國書進口僅需二個多月，書錢付款，無須墊本錢，故代客定書爲書商爭取之目標，且售書又無售不出之慮，有些書店不惜放棄國外給予書商的全部折扣優待買方，僅外加幾厘手續費以爲競爭。

雖然如此，但有些書店仍能利市百倍，因爲這裏還有生意經，那就是看誰的手腕高明，遇到機關學校大宗交易，不惜拉攏經辦人（當然是用利誘），來個獨家比價，抬高售價大撈幾文，爲了手續也許找幾家沒有西書業務的書店幾個伴兒（當然不要他們價錢低）比下價，這種現象在台灣別的行業中也多的是，要得嗎？實要不得。（四七年四月十五日）

寶島經緯綫

△「小諸葛」白崇禧將軍，自來台後，由於若干客觀環境之關係，其個人名字是儘量避免見報。記得有一次，台北幾位新聞記者曾聯名邀約他定個時間談談，白氏則予婉謝了，但有幾位「無冕王」訪候白氏心切，曾一再「要求」，白氏在無可如何之下，終於答應了，但其提出一個「要求」，盡量不談政治問題。（編者按：白氏不談政治的態度，倒與胡適之對政治無興趣，相映成趣了。好在自由中國，尚有對政治無興趣和不談政治的自由，讓大將軍與過河卒子休息休息不也是「好事」嗎？）

白氏曾一度失車，歸屬小事，卻當即使白氏又成了新聞人物。

四月十九日，白氏之座車停放於台北中山堂場間突告失竊，該車係由其隨從參謀吳祖堂（總統府中校）駕駛，該車有特別通行證；故事發後政圈關注，刑警方面更爲着急，曾動員大批幹員，居然在十二小時之內，終於破案，在基隆萊池尋獲，總統府通行證雖完整，然內部零件則有損失，拆卸若干。

本案雖告曇花一現，然有奈人尋味處；停於中山堂之小轎車甚多，卻單獨會失竊白氏者，因此曾引起政圈之琢談資料。

△台北一家民營晚報，近曾刊載一篇「胡適談話與報業」一文，文中曾牽涉「官方」報——中華日報。頗爲各界注目。

中華日報爲使外界明瞭起見，曾特致函該晚報有所申辯，其原函略稱：「本報雖有中國國民黨黨股，但仍有部份民股，外界咸知，是百[illegible]的民營報紙；從未敢以『官報』自命，至外界之附會，或是有意給我們加上一項帽子，那我們就辯不勝辯了」云云。（編者按：「辯不勝辯」，乃妙文也）

△胡適博士，四月十九日曾以「自由中國」半月刊社編輯委員之身份，參與該社編輯委員例會。這是胡博士回國後首先參加此項會議，該會議係由雷震主持，全體編輯委員共同研討該刊編輯方針。會中，胡氏曾強調當前台灣民營報界反對出版法一致的舉動，是負責任的合理合法的爭取新聞言論自由的最好方式，並表示他此次回國見到新聞文化界爲爭取言論自由所作的努力，而深感欣慰。

。季鸞。

美國經濟衰退的表裏

●參之●

美國的經濟繁榮，自一九五一年以來，曾經造成許多新紀錄。據前美勞工部長杜賓報告，貨幣和勞務生產總數，比一九五〇年多百分之十；比一九四四年有史以來最高的年份還多百分之五。可是這筆新的盈餘，卻被軍事開銷及其軍事工業投資所吸收。個人入息以金錢計算雖然打破紀錄，然而以購買力計算，卻未增加。因為生活指數，漲高了百分之七，租稅也比以前加重。

政府開支和私人投資

經濟繁榮時期，由韓鮮戰爭起始。主要的力量是政府開支和私人投資，當時政府開支沒有超過收入，對于經濟的影響，還不怎樣重要。私人投資，在房舍、工廠設備等類的大部分，是信用性質。這類投資，增加了全國的入息，可是卻不增加消費品數量，所以有引起通貨膨脹的後果。

至于工廠的設備，以後不會增加太多。國防工業的機器，設備已有八九成；非軍事工業，因缺乏原料和租稅加重，沒有人肯大量擴充。在韓戰期間，消費者實行搶購，各商店預期搶購而爭先囤積。後來紐約百貨商店實行減價，消費者的需求陡跌，商店存貨也竭力設法脫售。但在另一方面，用金屬製造的消費品，卻限制生產數量；非軍事工業，用鋁的程度，只准等于韓戰發生前百分之二十。鋼、鐵、銅、鋅等類金屬，也多半嚴行節制消費。

錢多貨少及錢少貨多

照上述看來，美國的經濟似乎走上危險的平衡上！而現在的繁榮狀況，仍基于軍事生產上，只要這種情形一天存在，則繁榮狀況就一天不能安心享受。美國人民在努力締造繁榮的時候，不僅提心吊膽戰事一旦發生，不知怎麼辦；而且要提心吊膽將來戰事不發生又怎麼辦？好在目前國防計劃大都完成，軍火已經堆積如山；工業力量也比非軍事性的需求擴充得更大。大家忽視這現錢多貨少的現象，一變而為錢少貨多的現象，就會遇到通貨的緊縮了。

國防計劃與民用貨品

此外，美國對全球經濟的關係，更是一個迫切而又長久的難題。國內隨着經濟發展而來的，有不時發生通貨膨脹的現象，威脅到經濟的繼續發展。將來若減省國防開支的時候，又必須防止經濟的不景氣。自從美國因抵抗共黨侵略以後，隨着國防開支的增加而有繁榮的現象。可是美國的經濟並不倚賴國防開支。因為在此期間租稅提高，所以國防計劃資金量入而出，並沒有造成通貨膨脹。國防計劃應該影響及民用貨品的資源。但是由韓戰開始起，民用貨品的生產卻有增加，足見國防計劃乃是以生產的擴充為基礎的。

艾森豪總統曾經說過：美國必須繼續增進本身的經濟知識與了解，及保持平行的有效政策；同時又必須維持國家的安全，以免喪失所有的經濟機會。

一般預料五年以後，美國可能有七千六百萬到八千萬的工作者。每人工作時間比現在更短，而每年生產總額以現在的物價計算，可能達到四千七百五十億到五千億元。其中消費品估三千四百億元，即平均男婦老幼每人分得二千元左右。

家庭入息與國際義務

現在美國家庭四分之一全年入息不到二千五百元，窮而多數是耆減失業或是農產品跌價。可是五年之後，應該能夠把所有家庭的入息，提高到每年四千元。

美國的國際義務，一部分用經濟力量來負擔；對外的軍事及經濟援助。表面上甚提高了國民的生活水準，但是假如共產主義在美國之外獲得進展，那美國將在絕大的代價之下，變成一個武裝的堡壘。誠然，繁榮是不可分離的。但美國在維持內繁榮的時候，不應忘卻這件任務；同時更要關心其他自由國家的經濟發展，特別是要機器設備和技術以提高生活水準的地方。

蘇聯必再流血整肅

有人誤認赫魯曉夫用和平手段

風行譯

由於赫魯曉夫之篡權而獨裁，而鞏固黨政，全世界人士均注意，今天蘇聯是否又將陷入史達林恐怖與整肅時期之前夕。若干人認為不相信，赫魯曉夫不是史達林那樣的人。下面是倫敦大學歐洲歷史講師阿登（Ardon）的觀察。他最近所作與文學之任務，會同東歐數國，親自觀察當地智識份子與工人之政治思想潮流。所以他對此問題之判斷，是有所根據的。茲摘譯如下（原文載四月五日紐約時報『思潮周刊』）。

最近對於蘇聯之整肅，常有人誤以為赫魯曉夫不像史達林，他用『和平手段』，而不用誅鋤方法去排除異己，其實他們誤解了史達林排斥政敵之方法。[illegible]

當年史達林的政敵

莫洛托夫與馬倫可夫

[illegible]

[illegible]

進步中的台省捲菸工業

吸菸是嗜好，漸成了人類生活習慣之一。台灣的菸酒，雖是由政府專賣，不能自由競爭，但因人口的增加，與生活水準的提高，台灣的捲菸工業也隨着在進步中。

台灣菸酒公賣局最大的菸廠是松山菸廠，它有最新式的切菸機、高速捲菸機、濾嘴捲菸機，以及自動包裝機，這些機器是世界上最新式的。[illegible]

因為菸酒的「專利」，而其所得又為政府的收入，故自光復以來，所招物議之處在所難免。如論與議會議員，常常以此為質詢資料。[illegible]公賣局為了維護政府的公賣政策，協同治安人員，查緝私酒私菸，也不免損失於人。可是其態度與方法，亦有所改進。[illegible]

（勳）

竹幕祕聞

「通商航海條約」

四月二十五日，中共與蘇聯簽訂了一項所謂「通商航海條約」，該約包括兩大部份，即貿易與有關貿易的交通運輸。其特點則是相互予對方以最惠國待遇。從表面上來看，該約確實是平等互惠的，但究其實質，則未必盡然。

海運如何互惠？

在交通運輸方面的最惠國待遇首要的條件是雙方要有同等數量的運輸工具，以目前的情況來說，中共並無與蘇相等的遠洋船舶，那麼這種互惠，結果只形成單方面的受惠。其次最惠國待遇是要在自由競爭下始能產生的。譬如說上海到海參威這條航線，根本沒有其他國家的船舶可以插足，條約上雖然訂有「在同一方向和同一距離內，關於貨物水運……運費和運輸有關的其他費用方面，締約另一方應給予最惠國待遇」的條款，在無比較的情況下，如何知其「最惠」與「不惠」？綜合上述兩點，豈不是這約所說的互惠，只不過是中共給予蘇聯的「最惠」。

貿易如何互惠？

條約規定貿易的相互予對方以最惠國待遇的重點在於關稅，其他稅收，與繁瑣手續和地方稅，其目的當在于減輕成本，以與其他國家的同類商品相競爭。

共產集團各國的對外貿易並非自由貿易，而是具有一定政治條件的貿易，其區分得最嚴格的當屬它們對其同類國家貿易與對自由世界的貿易。在目前的條件來說，自由世界各國在共產集團內部市場是無法競爭的，若要說這種最惠國待遇是爲着貿易競爭，那麼是對其他共產國家的競爭。

蘇聯對中共的輸出絕大部份是工業品，東歐共產國家對中共的輸出亦大部份為工業品，從它們對中共輸出的商品品種來說，是有衝突的。現在蘇聯之對中共貿易享最惠國待遇，也祇是為着更易於以政治壓力來排擠東歐國家對中共的輸出，取得了絕對的優勢。

[illegible]

表面關係變更

[illegible]

○心田○

史達林當年的殺戮

史達林當日亦面臨有若目前赫魯曉夫之困難。黨與人民之輿論，極反對洗血之整肅。遠至在一九三二年，史達林的勢力控制下的政治局，大多數人亦反對史氏之處決被攻之政敵。在進行殲滅政敵之前，史達林不得不先對付支持自己的人。

在一九三四年，（赫魯曉夫於第廿次蘇維埃黨大會之秘密演說會提及，）史達林實行謀殺他自己的首要助手基洛夫，其後方擅立罪名，逮捕第一批政敵（辛諾維夫等人。）至一九三七年史達林不能不克服他自己的同黨之企圖停止恐怖行為。史達林再忍心將其首要助手，阿特桑尼克茲，殺掉，於是才將他的殘餘政敵公開審判，而實行處決。在此時期內，他消除異己的政治局委員。（共黨黨魁有這一套潑辣的一明一暗的殺人陰謀。將自己暗殺之罪，[illegible]

史達林亦曾用溫和手段

赫魯曉夫目前的溫和手段，當年的史達林亦未嘗沒有。在一九三七年或一九三八年，史達林要讓得充份支持其流血的整肅，本來已無問題。但縱然他已把政治局變成了支持自己的機構，他仍不能放胆去整肅。預料要到明年赫魯曉夫才能到達這個階段。當時史達林要把『願意阿從的從犯，來代替政治的支持者。』足見史氏之老謀深算，以策萬全。

史達林何嘗沒有赫魯今天的論調

自然，這些未必能證明赫魯曉夫之企圖再運用舊式恐怖手段。此不過表示赫氏迄今為止的紀錄，與史達林的無甚大差異。因為，赫氏也說要反對整肅，但在一九二五年史達林亦何嘗沒有這種論調？他甚至說將政治局反對派排擠出去，是令人震驚之想法。然而在若干方面，是完全不可比擬的。

[illegible]制。除非他們能和解，否則蘇聯目前之統治者，將不得不實行大規模恐怖統治。

赫魯曉夫的紀錄

當在公開演說提出此消息時，意味着赫魯曉夫想立即採取極端手段。但指責而不加以行動，便有若一九三二年史達林之情形。赫魯曉夫曾被其支持者所阻撓，尚未忘記。東歐事變之教訓，他格言，是『斬草要除根』。波蘭的戈慕卡和匈牙利的納基曾被劉出被囚，但終因忽視而未將其處決，遂令他們恢復領袖地位，而消滅以前之政敵。

更須注意的，是赫魯曉夫曾表示：他並非不願殺政敵。在一九三[illegible]

勾動槍機的手指

赫魯曉夫已告訴莫斯科之著作家說：假如他們是危險人物，那麼他勾動槍機的手指，便不遲疑了。蘇聯或可能避免此種可怕的情形。但赫魯曉夫與支持他的人之歷史與前途看來，反對赫魯的人毫無光明前途的保障。如以史達林昔日初期階段來比較，更令他們感到惴惴自危了。

展望二期出版

（本報訊）青年的學習的戰鬥的新型雜誌「展望」第二期已出版。本期有五四紀念特輯，閩東、福建「地方主義」問題，電影小說「肥豬王」，中共黨內提綱，毛澤東的「千診自嘲詞」，以及插圖、故事，笑話，新聞劇等，該刊自第二期篇幅增加八頁，售價仍舊。

自由談

何不一勞永逸？

馬五先生

立法院對於審議出版法修正案的方式，究竟是公開討論的好呢？抑祕密從事爲佳？據說尚在斟酌之中。我對此項立法手續問題，毫無意見可述，卻希望立法機關乘此時機，率性來一次一勞永逸的根本改革，不亦善乎！

所謂「根本改革」，即是廢除現行出版法，而將出版物可能犯罪的情節，如以文字或圖畫煽動內亂外患，誹謗個人的名譽信用，以及誨淫誨盜，妨害社會善良風俗這些應受法令禁制究處的事項，分別歸納於刑律和違警律內，加重其刑事責任與罰鍰數額，規定某些罪行須經過法律裁判，某些可以適用行政處分。這樣，不特表現着健全的法治精神，而對政府方面所顧慮的流弊，亦可補救杜防了。與其補苴罅漏，枝枝節節而爲之，隨時引起一些是非爭執，徒亂人意，何如提綱挈領，從根本上予以改進之爲愈呢？

至於罰鍰而規定銀元爲主，可謂怪事也矣。政府明令禁止銀幣通行，業已廿餘年於茲，然在法律上卻要以廢棄了的貨幣爲繳納罰鍰的對象，這怎能夠自圓其說呢？我認爲不妨改爲國際通用貨幣如美元之類，若謂這未免有失國體，然則現時以中華民國的公務員，而公然領取美金薪俸的事實，難道就是國家的榮譽不成麼？光就這點小事看，即反映我們實在缺乏法治觀念，自己頒佈的法令可以不算數，任意破壞，行所無事，宜乎法令滋彰，盜賊多有也！

世上沒有永垂不敝的法制規章，我們現行的出版法固然有漏洞，其他的法令，亦何莫不然？貴在因時改革，從大處着想，唯求適應現實需要，大家守法不渝，這就行了。目前政府正在進行行政改革工作，立法方面似亦有此必要，請自改革出版法始，玆予望之！

關於易卜生

。張放。

「跌倒了，最要緊的是再爬起來，別給人家知道自己是受了傷。」

易卜生的代表作「挪拉」上演時，當觀衆走出劇場，許多「恩愛」夫妻反目，年輕情侶仳離，無數的女人大聲疾呼：「我們要追求眞正的愛，和眞正的家庭生活！」易卜生掀起革命的旗幟，以大無畏的精神，揭發了「人性」隱藏的弱點，和黑暗與虛偽的社會展開了總的攻勢。

他乃是追求新社會思想，主張自由意志，堅決反對「不負責任」的放任主義，而由於自由意志的選擇，來培養起負責的人格。他極力反對奸惡虛詐，從「國民公敵」，「社會棟樑」中可以看出來，他是在追求一條眞理的道路。

易卜生會說：「這個世界猶如一艘將要沉沒的船，最重要的你先要救出自己！」

今天，我們可以看到許多「無可自拔」的人；那些朋友，他們還沾沾自喜，不以爲「身處深淵」呢！

在「卜克曼」這齣戲裏，易卜生寫一個失意的老人，他把生命埋葬在酒和嘆息聲裏，有時，他祇幽幽地跟親近的朋友，訴說自己年青時代偉大的理想和抱負。但當有一個冬天，這個老人跑到屋外，向雪的荒原奔去。他並且說：「跌倒了，最要緊的是再爬起來，別給人家知道自己是受了傷。」

無可否認的事實，這部「卜克曼」作品代表了作者的精神。雖然「卜克曼」死在雪原上，但是他卻如同作者永遠活在讀者心裏一樣。

我們時常遇到過像「卜克曼」這樣的老人；也時常遇到過許多失意而再也爬不起來的朋友。

「唉，我這輩子完了！咱還有啥子希望喲！」

於是，他們蹉跎歲月，像土撥鼠一樣埋在地層下，不出頭，不前進。甚至最痛心的，有些年青朋友也竟然死氣沉沉的，活在虛無飄渺的氣氛裏。

易卜生指出這個「病根」，他以「跌倒以後再爬起來」的鐵槌，給這些沉重的人類敲響了生命勇氣的鐘。他的思想是躍進的，年青的，他以「阿爾哈脫」這個少年角色，象徵出生命的光輝和希望。

難怪蕭伯納傾佩于他，這位英國作家曾諷刺過莎翁，他這麼一個驕傲的人，卻承認他是「易卜生的信徒」。

易卜生是挪威人，他在一八二八年生於斯肯（Skien），家業瀕，初入藥店當學徒，二十歲左右始寫戲劇，他的妻子爲名教授之女，這對他在研究翻譯工作上幫助不少。易卜生多半是在國外生活的，法國、德國、意大利，都是他經年累月的遊歷地。這些享名的作品，也多半是在國外所寫出來的。

易卜生的文學成就，那便是他對各種戲劇方式，都會有了成功的嘗試。他的最大貢獻，乃是完成了「工整劇」（Well Made Play）。

他的作品如浪漫傳奇的「希特爾戰士」；諷刺的「少年黨」、「培爾根」；寫實的「羣鬼」、「挪拉」；象徵的「野鴨」、「海上夫人」；神秘的：「大匠」；心理描寫的「赫特卡波拉」等。

易卜生正確而深刻的人物描寫，是非常成功的。他的戲劇就是近代戲劇史；他在戲劇史上，繼承而統治了將近一世紀。

這位北歐作家，他影響了歐洲許多作家的思想：英國的高爾斯華綏、蕭伯納；德國的哈德曼；俄國的柴霍甫；法國的左拉，梅特林等。

易卜生提出的社會問題，距今雖已七十多年，但是是否都已「解決」了呢？他所指出法律、宗教、和道德上所埋藏的虛偽地方，誰又肯勇敢地站起來，爲眞理大聲疾呼呢？他在「挪拉」中揭破家庭的自私、依賴性、假道學、裝腔作勢、懦弱的偽君子……今天每個家庭是否把這些虛偽澄清了呢？這倒是個難以回答的問題。

袁項城的狂枉

。漁翁。

蔡東藩作「民國演義」，說袁世凱于民初，運用權術做了總統以後，被六君子勸進，和他長子袁克定（想做繼承者）的幾恿，才動了他做皇帝的念頭。但據說，項城的英雄思想，幼年時代早已有之。當它東髮讀書時，塾師以「普天之下，莫非王土，率土之濱，莫非王臣」命題。袁氏即席提筆做八股式的排偶一聯云：「東西兩洋，歐亞兩洲，隻手擊之不爲重，吾將舉天下之土，席捲囊括於座下，而不毛者，猶將深入」；「堯舜假仁，湯武假義，此心薄之而不爲，吾將強天下之人，頓首稽顙於階下，而不從者，殺之無赦」。塾師閱後驚異，向人道：「此兒有帝皇思想，只講威武，不顧仁義，欲以霸道征服世界，恐無良好結果」。後來項城帝制自爲，結局果如塾師所言。

燕塵識小

八月一日上諭「現在練兵緊要，直隸按察使袁世凱辦事勤奮，校練認眞，著開缺以侍郎候補，責成專辦練兵事務，所有應辦事宜，著隨時具奏。當此時局艱難，修明武備，實爲第一要務。袁世凱惟當勉益加勉，切實講求訓練，俾成勁旅。用副朝廷整飭戎行之至意。」戊戌慘劇，自袁世凱登場而全局大變。述百日維新者，至此暫可擱筆矣。

十二、乾坤一擲

入八月，新舊兩派，已至攤牌階段。光緒左右盡是一班放言高論的書生，而西后掌中卻有手握重兵之梟雄。予弱母強，形見勢絀，局中人亦自知悉甚明。當此一髮千鈞劍拔弩張之際，帝黨諸人求最後之掙扎，思乾坤而一擲，亦固其所。而袁世凱遂列爲此劇之樞軸矣。

戊戌譚往

先是，七月間既革六堂，復擢四貴。（此二事均在七月，前稿誤書五月，附此更正。）一般舊派大感危機，力謀對抗。懷塔布至津謀於榮祿。由李盛鐸奏請帝奉太后至天津閱兵，乘帝詣津時，以兵廢帝。奏上西后允諾，遂下詔九月天津閱兵。詔下，廢帝之說，甚囂塵上，光緒亦自知帝位不保。乃召見楊銳等籌畫對策。並賜詔曰：

近來朕仰窺皇太后聖意，不願將法盡變，並不欲將此輩老謬昏庸之大臣罷黜，而登用英勇通達之人，令其議政，以爲恐失人心。雖經朕屢次降旨整飭，而並且有隨時幾諫之事，但聖意堅定，終恐無濟於事。即如十九日之硃諭，皇太后已以爲過重，故不得不徐圖之，此近來實在爲難之情形也。朕亦豈不知中國積弱不振，至於阽危，皆由此輩所誤。但必欲朕一旦痛切降旨，將舊法盡變，而盡黜此輩昏庸之人，則朕之權力實有未足。果使如此，則朕位且不能保，何況其他。今朕問汝，可有何良策，俾舊法可以漸變，將老謬昏庸之大臣罷黜，而登進英勇通達之人，令其議政，使中國轉危爲安，化弱爲強，而又不致有拂聖意。爾等與林旭譚嗣同劉光第及諸同志妥速籌商，密繕封奏，由軍機大臣代遞，候朕熟思審處，再行辦理。朕實不勝十分焦急翹盼之至。特諭。

同日又賜康有爲詔曰：

「朕惟時局艱難，非變法不足以救中國，非去守舊衰謬之大臣而用通達英勇之士，不能變法，而太后不以爲然，朕屢次幾諫，太后更怒。今朕位幾不保。汝康有爲楊銳林旭譚嗣同劉光第等可妥速密籌，設法相救。朕十分焦灼，不勝企望之至。特諭。」（十三）

徽負生

詠柳詩

尤崇洵

宅邊栽了一株新柳，濱水低垂，輕盈婀娜，添了不少生意。一時興來，翻出了幾首詠柳詩以寄意亦以自遣。

其一

動春何期葉，撼曉幾多枝？
解有相思苦，應無不舞時！
絮飛藏皓蝶，帶弱露黃鸝；
傾國宜通體，誰來獨賞眉。
——李商隱

其二

只道梅花發，誰知柳亦新！
枝枝總到地，葉葉自開春；
紫燕時翻翼，黃鸝不露身。
漢南應老盡，灞上遠愁人。
——杜甫

其三

春思春愁一萬枝，遠村遙岸寄相思。
西園有雨和苔長，南內無人拂檻垂；
遊客寂寥緘遠恨，暮鶯啼叫惜芳時。
晚來飛絮如霜鬢，恐爲多情管別離。
——唐彥謙

其四

今古憑君一贈行，幾回折盡復重生！
五枝斜傍淵明宅，千樹低垂太尉營。
臨水帶烟藏翡翠，倚風兼雨宿流鶯。
隋皇隄上依依在，曾惹當時歌吹聲。
——羅鄴

現實小說

驚蟄

。金溟若。

幾天來陳瀚的宣傳車到各鄉鎮都兜上一個圈子，聽從林金灶的話把落湖鄉留在最後一天，而把重心置於城區。

匆忙中的時間飛駛而逝，競選的熱浪已到達最高潮，是白熱化的最後一天了。這天早上，宣傳車比平日特別提早出發，預定趕上午在城區先兜上幾個圈子，下午把時間派在落湖鄉，晚上再回城區。

落湖鄉是T縣最僻遠的一鄉，距縣城二十多公里。他們多加了一部卡車，讓林金灶和他所選的幾個彪形大漢坐在上面助威，而平日跟在宣傳車後面搖旗吶喊的嘍囉也擠在一起，隨在宣傳車後面。浩浩蕩蕩，車子在泥巴的鄉村公路上走走歇歇，競選人放開嘶啞的喉嚨「拜托」了一陣，繼續前進。最初幾處，都是吳阿火下過工夫的，車子一停下來，聽到廣播機的聲音，便有些人從自己的屋子裏出來，站在路邊歡迎他們。農民是天眞的，聽說是替自己說話的省議員競選人，竟會用眞心的熱情來擁護這個人，而把他們的心情流露在笑臉上。陳瀚見了這情形，心裏很滿意，也一樣的用笑與「拜托」回敬給那些樸質的人們。

不久，車子拐上岔路。那是很少有汽車通行的鄉道，牛車的輪跡經太陽一曬，結成一條條硬繃繃的泥梗，原已顛播的車子，跳動得更厲害，有幾次險些把車上的人給掀下來了。

車子又到了一個村集，大概有十幾家屋子，路口有一座鄉村裏不多見的大廟宇。在那媽祖廟的轉角上，車子停了下來。廣播機一停，陳瀚知道這一帶是客家人的村子，便用廣東話高聲叫了起來。

「謝謝各位伯伯叔叔，謝謝各位兄弟姊妹，拜托拜托，兄弟這次……」

正說到這裏，一塊比拳頭還大的石頭，從廟後直向車上飛來。接着是一聲吶喊，石塊便接二連三地劃空而過，有兩塊大石擊破了宣傳車前的巨型畫像，差一點兒砸上競選人的腦袋。好得陳瀚是在「皇軍」裏呆久了，有點軍事常識，一開始便叫車子上的人伏身下來，才免了頭破血流。司機看情形不對，趕快踏動油門。但這裏是單條直路，車子沒法掉頭，只得冒險向前衝，趕到了前面寬敞的地方，方得掉頭。後車上的好漢們在喊聲起時，在林金灶的指揮下跳車下來，由吳阿火帶頭衝到廟後。但搜索了一陣不見一個人影，他們知道了那些人都躲到民房裏去了。依林金灶他們，還想挨家搜尋，倒是陳瀚怕多惹是非，逼着他們上車，狼狽地循着原路回去。

這件糾紛雖給陳瀚帶來了很大懊惱，忿懣，但這是最後的緊要關頭，他不能爲了一點小糾紛便沮喪不振。晚上，他的宣傳車裝點得更爲堂皇，小電燈閃着紅綠的光彩，那幅在落湖鄉給砸破了的畫像，已換上了競選人的放大照片。玻璃鏡框在五光十色的反射下，放出耀眼的光芒。擴聲機裏廣播出來的聲浪，嘶啞得令人心悸，到後來簡直變成嚎啕，使聽者酸楚。有時，兩部宣傳車狹路相逢，各不相讓，雙方瞪着眼睛蹲在馬路當中，就如兩匹野獸決鬥前的場面。但各自哀鳴嗷叫了一陣，又慢慢地向前爬動，是那麼緩慢，沈痛，恰像兩匹野獸負了重傷，各向自己的洞穴掙扎着回去似地。

擴聲機在午夜的空氣中震撼着，市民們從熟睡中給驚醒過來，咒駡了幾聲翻了一個轉身，旋又鼾聲繼起，時間已是翌日的凌晨一時，陳瀚待那些幫忙的嘍囉吃了點心散去，一看壁上的掛鐘已近三時。緊閉了前後門，他在客堂供案上的祖宗神牌前點上香燭。檀香的煙柱在緊閉着的室內漸漸瀰漫，檀香的幽芬薰醒了幾日來昏昏沉沉的頭腦。他索性熄了電燈，合掌向祖宗祈禱。父親手上留給他的兩甲水田和兩座房屋，這次他都拿去作了孤注一擲，重振家聲或一敗塗地，只在十幾小時內可以決定他的命運了。想起父親的一生辛酸，向日本人低聲下氣掙成了的這份世業，他不覺深深內疚。他忘了一切疲勞，把頭低沉在胸前，好久，好久。

趕早市的人聲和豬叫聲，打破了他的沉思。他愕然，從宣傳車上卸下來的巨型畫像，靠在牆腳下咧開嘴巴慘笑。被鄉人的石頭戳穿了的兩個破洞，一左一右恰像一對失神的眼睛，是那麼空虛而渺茫。他打了一個寒戰，倒身在牆邊的沙發上。

趕墟的人們過去，大地仍歸沉默。天空上是一團黑漆，離天亮還有好一段時間呢。（九）（四十六年十一月．中壢）——全文完——

自由人

THE FREEMAN

（第七四七期）

中華民國僑務委員會
領發登記證台教新字第一零二號
中華郵政台字第五〇〇號
執照登記爲第一類新聞紙類
（半週刊每星期三 六出版）

每份港幣壹毫

台北市售價台幣壹元

督印人：陳文華

地址：香港高士威道二十號四樓
20 CAUSEWAY RD. 3RD. FL.
HONG KONG
TEL. 771726

承印者：東南印務出版社
地　址：高士打道六十四號
台灣總經理處
台北市西寧南路壹零壹號二樓
電　話：四七三四六
台郵儲金戶九二二五二
海外總經銷：友聯書報發行公司
香港：彌敦道中二十六號A二樓

五四運動之精神評價

·毛以亨·

一、五四精神

五四精神者，本春秋攘夷之大義，經數千年之蘊綿，代有表現，而與西洋文化之民族自由諸義相結合，其根蒂甚深厚，其變是頑大的。湯恩比以謂遇到挑戰即有反抗，失去反抗力之民族，必致衰亡，世界上本有二十餘民族，現已衰亡七民族。然則中華民族之經五千年而巍然獨存，必爲未失反抗力所致。以近事言之此四十年來之反抗的表現，可以對日抗戰與打倒一切日政府證之，而五四爲此四十年反日運動之開端。五四年並未失去，而最後尚有充分表現之反抗力，今日若能以之用于反共抗俄上，我們可以自信桑榆之收，是有把握的。

我們近百年所遇到的災禍，侵略者力量之大，與我們處境之孤，較今日之對俄共，尚能隔海相守，又得盟國之援助者，是不能比擬的。十九世紀中葉，英法砲艦相率東來，平定印度叛變，佔有越南全國，無啻爲今日獨占原子彈的力量。其在中國，攻取沿海口岸，進據天津北京，然終不能亡中國。據當時英法人估計，他們祗可亡滿清而不能亡中國，滿清一亡，中國禦外力量，仍可在內地組織起來，是無法克服的；倒不如假手滿清，以控制中國，最後乃放棄瓜分計劃而改採門戶開放政策。日本以地位次要，不受國際包圍，故能發奮圖強。中國人曾盼日本之強，以共禦歐洲人，在日俄戰時，中國人盡量幫助日本，可以證明。無如日本人早已以協助歐洲人之侵華急先鋒自任，而冀在中國分得一杯羹，八國聯軍，日本出兵亦最多。第一次世界大戰之後，日本一躍而爲世界上第三個強國，竟聲言其在中國有特殊勢力，意在獨占中國而不許他國染指；其方法亦師英法故智，假手北政府以控制全國；但其智慧不如英法人的地方，是沒有見到中華民族反抗力量之不可侮。而自以爲與中國接壤，究與英法之靠海上運輸不同，最後是要佔領中國的，結果遂至慘敗。五四運動，無啻爲中國人對日本人作最後之警告，可惜日本民族，知進不知退，狃于現實，而絲毫不肯反省與覺悟。

二、五四運動

日本與中國軍人相勾結，在戊戌政變後即已開始。康梁逃亡日本，日軍部竟主張把康梁遞解回中國，理由是不犯着得罪袁世凱。袁世凱一派取得民國中央政權以後，其勾結當更甚，所謂廿一條，就是日本支持袁世凱稱帝之交換條件。無如遭受全國人之反對，而終于挫折，即此已可知中國人反抗力之強盛，而日本人仍不覺悟。民國六年，段祺瑞當政，安福系之政客附之。以對德宣戰而組參戰軍，乃得向日大借款，大概爲四萬萬元，其確數連經手借款之西原龜三亦不盡知。名爲對德參戰之參戰軍，實則用以平定國民黨之內戰軍隊，蓋日本人仍欲藉段祺瑞以控制全中國。於此可知日本人之條件，不特要超過廿一條，且有甚于廿一條者，於是全國騷然。

一九一八年，留日學生罷學回國，組救國日報，派人與全國學界聯絡。北京已有過一次游行示威，並在府學胡同段祺瑞住宅前，喊過打倒賣國賊口號。一九一九年春，在巴黎和會，日政府欲將日本繼承德國人在山東之權利一節，加入對德和約，而英法贊成之。大家遂主張勿簽字，包圍首席代表陸徵祥住宅，卒得不簽。所以一九二二年華盛頓會議，卒能迫日本交回山東。

五四運動，突發于一九一九年五月四日。日本勢力而侵入山東，則中國本境，領土已不完整了，所以舉國一致來反抗。認段祺瑞向日交涉者，爲曹汝霖，陸宗輿，章宗祥三人，乃成衆矢之的。是日各校學生數千人，在天安門開大會。有人主張往胡家樓曹宅示威，衆附和之，遂一鬨而往。至則軍門深掩，並有警察駐守，乃彷徨無辦法。忽見一警察以手指一短垣曰，「此可踰也。」師大學生匡有生遂踰垣入，開門以納羣衆。一鬨而至客廳，則曹汝霖已從廁所逃出，僅見陸宗輿章宗祥二人，陸遂自稱爲日人，並出其日本名字之名片。學生們以各爲國家，且恐引起交涉，故放之出，獨章宗祥以有人認得被痛打，至受重傷。王崇生投火燒[illegible]，十年來中國與日本[illegible]，陸章如何[illegible]中國，我們知道，並不[illegible]反日，而形勢[illegible]比人強的。全國學生罷學之後，將以罷市罷工，乃罷免曹陸章三人，以謝國人。但段祺瑞與日本人勾結之力量，仍然不動，且可支配徐世昌而有餘。

三、五四以後

五四運動，本爲文化精神所啓發，受到挫折之後，則內向而仍歸于文化運動。於是開闢新文化之時代，而科學與民主之運動以起，使民族反抗之力量益形澎湃。於是將來外向之表現，益形有力。

但可得言者，從五四到新文化運動，雖有國民黨人參預其間，但都是全國性的羣衆運動，並沒有國民黨的色彩，梁任公一班朋友，爲最有表現的人，而北京晨報與時事新報，爲支持此一運動的最有力的輿論。孫中山並反對北政府，然曾與段祺瑞聯盟，而在國共合作以前，亦不肯抛棄對日本之幻想。五四羣衆，得不到歸宿，乃托身于空洞之新文化，少數人則開始組織中國共產黨。但是國民黨對全國羣衆是以廣東爲根據地負起責任來了，於是五四羣衆遂歸附于國民黨。十六年國民革命軍北伐，蘇聯尚且反對，因其軍力與北洋系僅爲一與十之比。然而終能將其各個擊破，推翻北政府，如摧枯拉朽之故，全爲五四羣衆所歸附而爲全國人所認識之故。廿六年開始抗日，中日軍力之對比，亦是不堪想像的，但由于民族反抗力之強，日本終于垮了。國民黨之致勝，可謂與五四精神相終始。

共產黨自稱爲本五四精神以組黨，其目的爲不僅反日，且反對一切帝國主義，自謂任務尚未完全，尚有前途。有感其說者，乃開始咀咒五四，以爲反共之助，此誠不特不認識他人，而且是不認識自己的荒謬運動。要知共產黨所欲打倒者，爲十九世紀時早已退出中國之英美法帝國主義。而所欲擁護者爲正在侵略中國之蘇聯帝國主義。而共產黨本身，正是滿清政府，與袁世凱段祺瑞；代蘇聯控制中國之虎倀，正是五四標語上所欲清除之國賊。所以相信反共抗俄必然成功，但須加倍努力的，爲文化方面。

半週述評

大陸歸僑

不要忘了大陸的歸僑，僑眷，他們最近正受到更多的災難，中共正組織他們「上山下鄉」，勞動開荒。

南方日報透露，中共的廣東華僑事務委員會擴大會議中決定，所有歸僑僑眷，一律要參加「義務勞動」，貧窮的固然要去，有僑滙收入的也要去。中共認爲，這種「勞動」是對於歸僑思想「改造」的第一步。

最近出版的中共僑務報也說：僑胞回到大陸以後「應該面向農村，回鄉生產：：：或者幫助他們集中在一起開荒。」

兩樣面孔

既要擴大「爭取僑滙」，又要歸僑、僑眷上山下鄉參加勞動，這兩者是不是抵觸呢？強迫勞動會不會「影響僑滙」呢？有些中共僑務幹部也不禁發問。

中共的政策是財也要，命也要。他們認爲真要的問題不是考慮政策，而是考慮所謂「國外影響」。

海外的僑胞總應該恍然大悟了，爲什麼中共在大陸上做的是一套，對海外宣傳的又是一套。對於一樣的華僑，還留在海外的，已經回到大陸的，中共的面孔是兩樣的。

等于自殺

中共不斷向海外華僑宣傳，要他們向大陸投資，但這些投資以後如何呢？中共的僑務報說：「華僑投資公司是社會主義性質的信託事業，資金由國家掌握調撥，公司所投資金，由國家管理。」所以祇要中共戲法一變，本息充公，僑資投向大陸，註定是要送終的。

華僑向大陸「投資」，等于幫助中共政權的統治，使大陸歸僑與僑眷，在「勞動與思想的改造」中，受到更大更多的災難，也等于自殺！

斷然唾棄

最近，印尼的耶加達政府，禁止華僑報紙出版的法令終于執行了。

作爲一個中國人，沒有不對耶加達政府這種無理的措施表示憤慨的！

中共政權與耶加達之間是有所謂「邦交」存在的，中共剝削海外華僑龐大的僑資，中共榨取大陸歸僑，僑眷巨大的勞力，當我們的僑胞在印尼受到這麼大的侮辱與迫害的時候，他們有沒有幫助華僑向耶加達政府爭一爭呢？沒有！一點也沒有，這樣一個中共政權，凡是愛國的華僑，應該斷然唾棄！

·司馬璐·

從孔子到胡適

——不是從胡適到孔子

·雅斯·

近年頗有人爲了反共而痛心于民族自信心的喪失，歸咎于當年胡適之要高喊「打倒孔家店」，因之也翻估甚而否定五四運動底價值。其實那是機械的否定論，那是文化的逆流；沿用民國十年代的一句話，那是思想上「開倒車」。

即使是形勢比人強，今天由于大陸變色，台灣株守，使得五十上下曾經于五四躬逢其盛的人再沒有勇氣面對五四向前走，但也萬不該「指導」後輩青年從原子時代回到那間孔家店去撐牛角尖；因爲今天一團糟的局面底演成，實際上是由于政治的失敗，因爲政治失敗，國人才失去信心，這才使人憧憬于過去，才想到孔老夫子，而把政治失敗的責任，向文化方面推得一乾二淨。換言之，政治失敗是引起國人對文化失却信心的原因，而國人失其自信，實在是政治失敗的結果。

五四這項歷史上的革新運動，不錯，是對舊文化的反動，但是這項運動，並不能就把「打倒孔家店」一個口號概括其內涵。它原有兩個主流，一是政治改革運動——由反帝的民族自救趨向民主的政治革新運動；一是新文化運動——由玄學而趨向于科學的新文化運動。雖然德先生（Democracy）與賽先生（Science）一直到今天還是姗姗來遲，然而這兩項主流迄還沒有人敢于否認它，如果今天由于德先生的失敗而歸咎于賽先生，要回過頭來求助于孔老夫子，那種不求上進的依賴心理，如果孔子復生，也當會「以杖叩其脛」的。今天在大陸被清算，那不足爲怪。「胡適思想」，如指的是民主自由與科學思想，是與「孔子思想」絕沒有正反的對立關係的。胡氏所領導的新文化運動，不是也高談「整理」國故嗎？可知當年打倒孔家店，也並非要把一切舊的好的都給否定了，反之，是要爲其時思想潮流衝擊下垂垂欲倒的孔家店重整門面而去迎合潮流。

我想今天願意自己關在孔家店裏對古董自我陶醉的衛道者，假如能冷靜地看一看他們的後一代，今天不致「十年窗下苦功」然後只會尋章摘句，而能夠用省出的時間打入科學的領域去有所建樹，總不會否認五四運動在文化上——至少可在文字解放，文學革命上的貢獻吧；除非否認家裏的電燈自來水比油燈古井更爲便利，否認李政道楊振甯的科學成就，比孔德成更重要，又除非我們面對着滿天飛的人造衛星及原子武器而無動于中，否則我們便無法自圓其說。

自然有人會從現實政治上去找出否定五四的理由。然而五四運動不是明明以科學與民主併進的嗎？否除了根本否定民主科學的原則，否則便無法否定「五四」的價值。而且一種運動的產生，自有其時代背景，不是憑空掉下來的；新運動的發展結果，也不能撤開其他客觀因素影響而忽略其質變的成份的。

五四運動的勃興，是受因於鴉片戰爭以後的國際局勢與國內政治，由民初政治革新的要求轉化而爲新文化運動，是動中求變的一項新運動，而終結于青年思想的求新，一方面在文化上傾向于科學化，那應該說是成功的——至于沒有科學上的成就，那是受了政治改革運動失敗的影響；另一方面在政治上當年傾向于反資本主義與接受社會主義思想，從今天反共的觀點看來那是認爲是失敗了的，——其實，也可以說，今天共產主義在大陸的抬頭，固不能說是與五四思想完全沒有影響，但那是一種乘虛而入的質變的逆流現象，至多祇能說是影響，而不是直接的因果關係。

如果說當年不呼打倒孔家店就可拿孔家店的法寶來抵擋世界潮流，可以根絕共產主義，是誰也不能相信；今天如果想回過頭來，向孔家店乞得靈藥，更其難于令人置信。問題倒是我們正統的思想家政治家幾多年來未能革故鼎新，提出及實施一套以填補孔家店開放（並未打倒）後的空隙，孫中山先生的三民主義雖已爲這一段時代劃出一個理想的輪廓，但又爲「政治家」喊成濫調，而迄未能完成其時代任務，這是時代的悲劇。

我們用不着再把「中學乎西學乎？」幾十年前的舊調重彈，因爲再彈幾十年也不會有結果的。我們倒該正視：造成今天一團糟的局面者，政治因素十居八九。起孔老夫子于地下是無能爲力的。目今我們需要賽先生，也更需要德先生；時勢推移，五四領導者碩果僅存的胡適先生今天又成了衆望，倒該把五四精神重振一下，不要祇記得賽先生而忘了德先生，因爲沒有德先生，而賽先生是幹不起來的。

華僑寄望中越邦交

【西貢通訊】自從越南政府派出駐華公使，中越外交關係已踏入正軌，無不歡欣。西堤各華文報，對中越正式建立外交關係，均予社論地位著論發揚。

「世界日報」指出：「就地理觀點言：中越原爲唇齒之邦，雖目前中國大陸與越南北部，俱被劃歸於共黨，但這只屬暫時性的，因共黨治下的區域，暴政百出，天怒人怨，只要自由中國與自由越南，加强合作，一旦弔民伐罪，同師收復國土有期，共黨將先受人民的反淸算而崩潰，中越唇齒相依的形勢，那時便可正式恢復舊觀。……無論從任何角度覽，中越二邦的友好合作，並肩作戰，那是理所當然的一回事。

「萬國晚報」更就當前之有利形勢，代表僑胞向我駐越公使館提出四點意見，道出一般僑衆的心聲。該報在一篇以「請公使館一聽僑民心聲」爲題的短評裏說：「中越邦交，循齊節序如春雲開展，益見好轉，報載：葉外長來越訪問後，越南總統吳廷琰先生，將有可能圖遙訪我自由中國，從而兩國的通商與交通等，亦將接觸頻繁，關係日趨密切。以前我們認爲是遙遠的，其距離已日益接近，希望能於不久的將來，依次實現。

在今日趨勢下，華僑的心情已充滿喜悅，他們希望隨着中越邦交的好轉，能實現下列數事：（一）中越使節，能如菲，韓與越使節然，互相升格爲大使階級。（二）我公使館應增設商務專員，文化專員等，協助擴大的僑社，促進發展商業與文化事務。（三）我公使館應在館內附設在台僑生聯絡處。（四）我公使館應如美，英，日使館然，成立新聞處。」

請聽聽越南華僑的心聲吧！（自，四月十五日于西貢）

又，已成立兩載由此間中越知名之士聯合組織之「越華會」，最近爲加强越南國友好合作，促進中越文化交流，與及經濟，政治上更趨於密切團結，決于最近期間組織越華會親善特派團，前往台灣訪問。任團長的爲主持越華會業務之越華會主席費南雄將軍，據悉，該代表團，現已開始報名工作，預定團員二十人左右。照目前籌備工作，將可於五月杪即可組成，六月初起程赴台。（自，四月十六日于西貢）

「民主政治」之癌

·杜多·

目前台灣的地方政府，人事不臧，效率低微，政風由是而敗壞，政令由是而受阻；如不澈底改正，將成「民主政治」不治之症，前途實堪憂慮！

台灣通訊

目前的怪現象

這裏所謂「民主政府」，是指由人民直接選出的縣市長所主持的縣市政府而言，以理而論，「民主政府」所有人員——自主官以至僱員，皆是人民的公僕，應該終日勤勞，爲人民服務，爲人民造福，纔不辜負人民的希望；事實上不但不能如此，反而怪象百出，令人驚奇。舉幾個例子：

（一）編制龐大，人員衆多，但是進了他們的「衙門」，找誰誰也不在，小心翼翼地低聲詢問，也無人理睬，就是睬了，還得不到結果。這些「濟濟之才」，究竟鑽那裏去了？有人說：「他們辦公不够，辦私有餘，所以根本不必上班」。又有人說：「他們領了出差旅費，不能再到辦公室，祗好回家休息」。不管他們爲什麽，總不免使老百姓感覺到「侯門似海，望衙興歎」。

（二）公文旅行，本來是中國衙門裏的老例，不足爲奇；到了今天，我們的「民主政府」，已經進步到「兜圈」，「監禁」或是「失蹤」的程度了。同一政府，同一主官，同一文件，兜來兜去，幾個月不能解決；如果遇到某一單位經辦人另有「要公」，或者是情緒不佳，乾脆打入抽欄，就以「監禁」，經年累月，竟可以宣告「失蹤」；費時誤事，貽令人啼笑皆非。

（三）命令下達，錯誤百出，笑話連篇：有令辦文件限期已過纔發出的，有案由與內容不符合的，有繕印錯漏的，有給甲機關而誤送乙機關的，有應是行文而誤爲報告的；千奇百怪，可見一般。究竟這些「民主官吏」，不懂處理公文手續呢？還是不負責任，草率從事呢？只有請教用人的「民主官」了。

（四）下級機關有所呈報或請求，承辦人員可以亂打官腔，濫施予奪；視法令如兒戲，以人權作兒戲；詢問主管，照例推諉搪塞，美其名曰「分層負責」，只知「分層負責」，卻不懂「層層節制」，所以不知紀律爲何物，如此現象，凡屬「治下」，焉得不叫苦連天？

（五）一個政府，爲了掌管業務的不同，分爲若干部門，各單位皆抱「權限至上」主義，其中人事財政兩單位，權限特大，儼然以「太上皇」自居，大家一齊向他們俯首低頭，於是乎他們便頤指氣使，爲所欲爲；如此尾大不掉，雖主官亦未如之何。以上種種怪現象，爲專制政府所沒有，而今日台灣「民主政府」竟然有之；較之腐敗官僚有后來居上之勢，實出人意料之外！無以名之，名之曰「民主政治之癌」，誰曰不宜？

其癥結何在？

爲什麽「民主政府」會有這些毛病？照一般的看法，大概不外以下幾種原因：

（一）縣市政府佐治人員——各科局長縣市長並無任用全權，人事、主計、財政……等等，各有獨立系統，主管人員概由上級派用，縣市長既無黜陟更調之權，指揮當然困難，事權當然不能統一。

（二）人事法令不重獎懲任免，偏重維持保障，無論何人，只要一經任用，便永難去職；縱然因案受法律審判，在未判罪前，只能暫時停薪，不得開缺，（准備復職補薪）世俗所謂「鐵飯碗打不破」，一點也不錯！他們既然有恃無恐，對於機關紀律，主官命令，也就視若無足輕重了。

（三）各機關用人，祇講資格，不重才能，品學二字，更不談了；一般公務員確有濫竽充數，不能勝任的；甚則目不識丁，也能擔重責，如此，那有不敗事之理？（四）縣市長在競選的時候，免不了要請託親友鄉黨鄉里爲協助，大事奔走；既然有求於人，當然要許下種種大願，一旦登龍，祇求酬庸有術，安置有方，對於其人是否稱職，是否守法負責，皆無暇計及；那些被酬的人，自恃功高，也就肆無忌憚，爲所欲爲了。

此癌確須急速割除！

人體有病，害及一身，猶需急於就醫；政治有病，害及蒸黎，若不從速求治，將陷人民於水火，使社會日趨敗壞。何況「一深入膏肓的癌症」，我們更不可稍有忽視，聽其蔓延滋長，以至不可收拾！近來各縣市議會對於政府施政質詢，往往失之苛刻尖峻，甚至肆口謾罵，以求快意，就表面看來，似乎有點過分，但如果明瞭目前地方政府積弊之深，罪孽之重，就認爲責之有理，罵之有道。不過，責斥謾罵，並不是頂澈底的辦法，因爲有些人抱定了「笑罵由他，好官自爲」的態度，縱然天天責罵，何補於事？最徹底的辦法，首先修正人事法規，加强主官用人權限，對於瀆職舞弊違法失職的公務員，決不予以保障，而且要加重處罰，以杜惡風！一方面民意代表要善盡考察督促之責，監察機關要嚴行糾舉懲戒之權，使這些頑劣的公務員有所顧忌，知所警惕；必須內外夾攻，這一「民主政治之癌」，纔能連根割除。

官商勾結　貪墨又一章

·張健生·

（台灣訊）民選宜蘭縣現任縣長甘阿炎，稍早被台北地方法院檢察處偵查終結，提起公訴。本案與中興新村等案同爲近十月以來的重大官商勾結舞弊之一，故社會極爲重視。三年前，民選嘉義縣長李茂松因縣中工程舞弊，而被判停職，甘阿炎是後起之秀。但所不同者，乃有愛職競選縣長，被輿論指爲政治迫害判處於司法當局，然甘阿炎係國民黨黨員，由該黨支持當選委員。他連續兩利，工程費較前者多至三倍，所以，民間對檢察處提出檢舉，認爲值得注意。至於甘阿炎是否將因被提起公訴而停職，司法當局仍在拒絕表示意見。

這一宗貪污案，是官商勾結，被起訴人犯中除甘阿炎外，尚有十餘人，甘阿炎一再表示，係因黨派爲敵人員故意陷害。但地方人士證實：甘阿炎以縣長兼宜蘭縣南方澳漁港建設工程管理委員會主任委員身份，包商從中漁利。該漁港第一期工程招標前，在公告招標前，竟將工程廢標，及工程設計數額十萬元。又於案發前後，向縣刑警隊刑警傳訊李桂霖反覆卸責。這種官商勾結舞弊案，如不用重刑，是不能根絕的。（四月十九日午夜於台北）

讀者論壇

關于駐外使館的幾點意見

·朱伯奇·

在前幾期的「自由人」上，看到一篇關于我駐外使領館的意見，觸起我個人的感想。在此風雨同舟之際，我無意多所指摘，不過就個人的觀感所及，略貢芻蕘之見而已。

若干年來，我曾東西浪遊，足跡所至，曾經踏遍若干地區，自然也有機會和當地使領人員有所接觸。個人對於他們的艱難處境，自然了解與同情；但是一般說來，他們有一個共同之點，便是暮氣沉沉。換句話說，守成有餘，進取不足，屬於自發式的活動特少，故不能有所作爲。再其次便是經費不甚充裕，甚至許多細節如使館的粉刷修理，也似乎感到費力。

我很了解我國駐外使領館內在的許多困難，更加上中共在運用國際間的分化，影響到僑民也形成兩個集團，嚴格說起來，在若干地區的情形是相當糟的。所以目前使領館的任務，除了折衝樽俎之外，還需要爭取僑衆。僑衆的爭取，不是說空話，喊口號便行，必須有一套辦法，幫他們解決本身問題，如能腳踏實地的去做了，這也並不是不易爲力的事。最近政府有關方面，有一個錯誤的觀念，以爲爭取僑領，即可爭取僑衆，事實上有許多所謂僑領，完全是投機分子，爲僑衆所不齒，當局祇注意于拉攏這些僑領，根本無大作用。

如何替僑衆服務，說起來事在人爲，而且並不需要花錢太多。如以歐洲爲例：第一、必須建立一張僑報（歐洲報紙不足以應需要），藉此把散漫在歐洲各國的僑衆聯絡集中起來，主要的須替他們「解決問題，謀求福利」，但是事情若由官辦預料結果一定不會圓滿。最好由一位具毅力，能刻苦而有服務精神的人去辦，經濟上由政府支持。第二、留居巴黎的華工，爲數可觀，他們原係第一次大戰時去法，均已成家立業，他們的子女，不但不識中國字，連簡單的中國話也不會說，一般預料留法下一代的華僑，將淸一色的變成法國人。因此，一個華僑小學，是少不了的，如果格于法令的話，即使一個補習班也好。第三、由香港去西德、希臘、意大利、西班牙的西服業商人，專做美國軍部生意，據非正式統計，不下五百人，此輩飽嘗入境居留之困難，且因爲業務關係，彼此間之傾軋特甚，事實上應有一超然的適當人員爲之組一公會，解決本身有關事務。如以美國爲例：我駐美使館規模最大，政治條件亦最單純，但關于中國問題，無法影響他們，這是了解不够的關係，董大使這次返台，也曾坦白承認宣傳的工作，未能展開。

在亞洲，很多地區的華僑如越南，如菲列賓，我政府並毫無切實保僑方法。還有許多中立國家的僑民，我們覺得未曾設法爭取。日本走向兩面政策，因此，僑衆的意見也顯得分歧，事實上應有一個小規模報紙，作爲聯繫的中心。祇有韓國方面，因爲與我利害比較相同，所以大使館也表現較佳。駐泰大使館地位重要，但是在東南亞變亂的地區中，顯然地還沒有做到主動的地位。我對於僑民活動少的使領館，應該在可能範圍內，自發的與駐在國多作文化上的聯繫，如電影，國樂等等。外交部也應賦予他們較寬的尺度，不要處處限制得太緊。還有一點，外交部，僑務委員會，及中央其他有關部門的政令對於華僑政令未能完全協調，致使使領館有顧此失彼，左右爲難之嘆。

最後，我願再强調一聲我寫這篇文章的動機，是善意的很單純的提供個人的意見。作爲一個中華民國的僑民，是如何的希望有一個像樣的使領館，在做切實的工作，而不是表面文章。

金湘帆先生事略

·懷冰·

先生諱曾澄，字湘帆，廣東番禺人。先世以經商致巨富，廣州高第街夏屋渠渠，衡宇相望，胥金氏產業也。先生幼而歧嶷，試爲詩文，出語驚其長老；既冠，肄業於廣雅書院，益致力於考據詞章之學。辛丑買棹東渡，初在東京補習日文，其後考入廣島高等師範，庚戌學成歸國，投身於教育界，飄以新知飼後進。民國建元，兩廣優級師範易名爲廣東高師，校長浙人王舟瑤辭職，先生繼之，力求充實課程內容，禮聘名宿講授，校務蒸蒸日進。民六先生辭職，由廖道傳繼任；及廖氏引退，先生再掌校長廣高。其時歐美教育思潮，澎湃吾國，學制亦大事改革；先生於是羅致留美教育專家多人襄理校政，孟祿、杜威諸氏學說，洋洋盈耳。負笈來學者，初不限於粵桂學子，且遠至湘鄂閩贛諸省焉。民十一年冬，粵東兵事頻起，紙幣低跌，廣高經費不繼，公費生自黏粗糲，且有斷炊之虞，幸先生墊支巨款，始得勉渡難關，多士懷之。民十二年孫大元帥令鄒魯接長廣高，並合併法政，農專籌設廣東大學，先生去職。民十六先生北行入京，任大學院秘書；未幾回粵，任兩廣政治分會秘書。民十九陳銘樞任粵主席，力薦先生繼長中大，明令既頒，一部份學子竟鼓噪拒絕，則以派系之爭所致，陳氏於是改薦先生出任教育廳長。先生樂易近人，不以榮辱得喪攖其天君。自解組後歷任仲愷，執信各中學校長，深奠有教無類之旨。迨抗戰軍興，先生挈家還港，執信則遷校濠鏡，先生以時往來港澳。門弟子流寓者衆，時有文酒之會，先生顧而樂之。民廿九粵省臨時參議會成立，先生被舉爲參議員，每屆會期，先生由港取道沙魚涌內渡，赴曲江出席，長途跋涉，不以爲苦。太平洋戰起，日軍攻港，先生適在澳，駐澳日領某氏偵知先生行止，驅車邀往執信訪謁，擬加游說，先生拒不見，即偷渡歸封鎖綫，展轉而至韶關，致電教部告以行蹤。迨先生行抵曲江，部令長中山大學，內外翕然無間。先生治校，任人而不任力，對於公帑開銷，絲毫不苟，故能於烽火瀰天之中，絃歌不輟。及日寇進逼曲江，先生率領校中員生轉徙梅縣。不久，日本投降，中大復校石牌，而先生荷負艱巨亦獲釋仔肩矣。民卅八年後，先生杜門家居，尋以偏枯病廢，荏苒數年，遂卒於里第。戊戌之春，旅港廣高門人謀重印先生澄宇齋詩，謹纂述先生生平崖略，附於篇末，以供國史採擇，非敢褒其可褒，貶其可貶也。中華民國四十七年三月十二日旅港廣東高師同人謹述。

稿酬：

本報三月份全月稿費通知單已分別付郵，請惠稿文友，憑單領取爲荷。

編輯部啓

自由世界的失策
坐視印尼革命功敗垂成
·華仁傑·

椰加達政府軍自月前在蘇北及中東部發動一次大攻勢，直向革命政府基地進攻，由于外力的援助，使革命軍勢力，幾乎只能退據山林，改採取迂迴游擊戰術。局勢發展，曾經一度陷于混亂。椰加達政府軍一時獲得優勢，事實上係由于蘇俄、中共技術人員抵達椰加達之後，重新決定戰略部署，然後對巴東發動空中攻擊。

蘇加諾並不否認椰加達已獲得一億美元的低利援助，這種援助，雖對於印尼經濟局勢，並無起大變化，大部分已用於向俄購買戰略物資，如船隻、軍火與戰鬥轟炸機等；另外椰加達政府又向中共借債四千萬元（年息一分半），對印尼經濟也可說無多大補助，這筆高利貸是由大陸輸入機器、棉布，和技術人員，仿照對緬甸那樣，在中共人員規劃下，建立一所紡織廠。因此，市上物價狂漲，日用品比一個月之前，幾乎漲及一倍，紙張奇缺，凡與國外各地有聯繫的商人，多已將資金調緊，國內業務亦紛紛收縮，以待局勢澄清再說。

從人心歸趨，以及各右翼黨派的緘默態度看來，顯說是于革命形勢有利的，因爲蘇加諾不理衆議，遂行接受共黨參預內閣，不顧獨立宣言，違背憲法，抑壓輿論，不准任何人貢獻反對意見，唯共黨詭計是從。但惟其如此，蘇加諾不得不急于要用軍事方法去消滅革命勢力，藉共黨武力鎮壓外島各省，以提高人心，致[illegible]

[illegible]所以軍事上[illegible]椰加達有利[illegible]，[illegible]東南亞各國[illegible]蘇聯[illegible]狂熱[illegible]「[illegible]國家」[illegible]

[illegible]對印尼援助[illegible]，當時的承諾[illegible]對印尼經濟[illegible]艾迪[illegible]共黨[illegible]，蘇加諾[illegible]訪俄，[illegible]困難[illegible]是印尼共黨[illegible]迎，只有口惠，不受歡迎。[illegible]斯特羅米[illegible]朱安達上台，俄援[illegible]

認。這次竟然先行援助，稍後協定，西方民主國家似乎同感驚異。顯然，是印尼於叫囂收回西伊里安之前（去年七月），曾經向美乞援，要求美國援助價值六億至七億美元的新武器；因爲美國不願支持印尼向西新幾內亞進攻而不能如願以償。局勢發展，反予蘇俄中共以可乘機會。

椰加達政府所採取的行動，乃藉軍事壓力迫使巴東放棄撤離革命基地，乘勢搶運積集蘇島物資，使椰加達的經濟困難，迅速獲得緩弛；另一方面，擴大排外宣傳，把革命運動說爲「外國支持」的「叛亂」，使巴東政府陷於孤立；同時以「安撫」與「剿」並用的手段，繼續加迫害非共的安分與論[illegible]。這種策略的技倆，如果不是蘇俄中共技術人員主持策劃，蘇加諾祖信的左右人物會有這種一石兩鳥的毒計，然而儘管蘇氏接共援而獨斷專行，不但無法爭取民心，在廣大群衆間反而陷於孤立。當然，靠武力苟延殘喘，祇不過收效一時而已。

蘇門答臘的革命攻勢，他們力圖爭取自由獨立的反共戰爭中，遭遇挫折是必然的，現實的情勢雖處境艱困，只要繼續不斷抗爭，這一場革命運動的野火，是撲滅不了的。自由世界各國的精神和物資支援，遲遲不來，乃才是一致命的打擊。自由世界對俄共在印尼的氣燄日長，竟視如不見呢？（四月廿三日寄自椰城）

共黨作家愛可口可樂
·旭軍·

蘇聯集團國家消耗酒量過多，已達到成爲社會嚴重問題的程度，非但烈性酒耗量增加，而且酗酒平均年齡水準降低。

在波蘭，目前每人的消耗酒量，比一九三八年的增加兩倍半。華沙電台播稱：『波蘭只有通達中酒精毒之路，而沒有通達社會主義的路。』

在捷克方面，一九四七年至一九五五年消耗烈性酒量增加了百分之廿五。至於匈牙利在去年宣佈一年內酒之消耗量增加百分之二四·六。羅馬尼亞，與保加利亞，亦宣佈酗酒案件大增。

耗酒量，與酗酒者增加的原因，與共黨政府的社會，經濟、和文化政策有關係。

在社會方面看，這是由於強行工業化，造成破壞原有之家庭與社會的生活。加之共黨攻擊傳統道德，社會因此而不穩定。在城市與新工業區生活之勞苦與失望，生存之空間，與娛樂設備及日用消耗之缺乏，引起工人，特別是年青的，將其現款花在飲酒，這是最易得的消遣，鬆弛之方法。

在經濟方面看，共產國家政府管制全國經濟，釀酒工業及製酒工業爲國家壟斷，亦歸國家經營。釀酒工業爲國家收入之巨大來源。捷克消耗酒的價值，共達七億六千四百萬美元。（布拉格電台播送的紀錄。）政府當局[illegible]，往往有強迫[illegible]飲酒之事。

波蘭共產黨作家特拉曼，在一九五六年訪問過美國歸來，寫下一篇文章。力說：波蘭祇有含酒精的飲料，而他讚美美國酒和飲料之多。尤其是美國人[illegible]，和放下冰的清涼飲料，令他爲之神往。

普特拉曼不怕人們罵他「崇美」，也大膽的提倡美國的不含酒精飲料，他說：『我們的研究美國國情專家說：「可口可樂」是帝國主義的象徵。甚至有人作詩咒駡「可口可樂」。這是愚蠢的仇恨。飲料被視爲好或醜，是隨各人的嗜好而異。但可口可樂有一個凌駕一切的優點，這就是不含有酒精這一點。……假如想以推廣汽酒打倒「可口可樂」，這便是愚蠢的想法。我們取最「可口可樂」是無效的。並且一定是「帝國主義」化的可口可樂，而捨棄最純粹的本國裸麥酒。』

他又說：『我們的同胞，實不想光是飲那[illegible]，還有其他的良好飲料[illegible]我們從市[illegible]得到什麼飲料呢？[illegible]』

竹幕秘聞

羣衆路綫 封建形態

最近幾月來，本欄曾經報導過毛澤東最近幾個月來的行動，作爲一系列的報導。惟自三月以來，毛澤東的行動，轉向另外方面去了。所有中共的首腦，如劉少奇、周恩來、董必武、彭德懷等都參加了這種巡視的行列。

這種巡視的目的何在呢？四月二十一日人民日報刊出一個人民出版社廣告，說明它即將出版新書「毛主席在羣衆中」，圖而見，毛澤東在這段時間中的巡視是爲着「到羣衆中去」，等而下之的官僚們，也就少不免模仿這種「到羣衆中去」的表演一番。

在過去封建王朝時代，天子到四方巡狩，[illegible]，但是在民主時代裏，人民應該已有說話的主動權，用不着皇帝去探訪；而今毛澤東要採用帝王的做法，是見他所統治的形態乃封建王朝形態，人民既無說話的主權，所謂「人民民主」又從何說起！

中共對南共的態度

自從一九五八年第六期「共產黨人」發表了批評南共綱領草案的文章以來，總之，東歐各共黨國家同聲譴責南共綱領，相繼指責。中共在這一次的表示，僅只在一九五八年四月二十六日由新華社報導南共七次大會閉幕時指出它的綱領草案「同莫斯科社會主義國家共產黨和工人黨代表會議的宣言精神相對立」，原則相違背」。

我們的看法，中共對於南共的批評是慎重的，它決不會同蘇聯一樣的對南共指責，因爲我們知道，中共與蘇共在這方面有差異。一九五六年匈牙利事件以後，南共領袖卡德爾曾作演說以攻擊蘇聯的鎮壓，蘇共亦著文以答覆之，當時「人民日報」會將這兩方面的言論全部刊出，接着，再發表中共中央的觀點「再論無產階級專政的歷史經驗」，這一種做法，現在，毛澤東似乎沒有[illegible]。

中俄共關係平等嗎？

共產集團要以蘇聯爲首，附庸國家也甘願貢獻一切，全世界的共產黨人既然願意做「國際主義」下的奴隸，身居在自由世界的人們自毋庸對之驚奇。

但是，在這次「共產黨人」的文章中，口口聲聲的說蘇聯與附庸國家間的關係是平等的，那末，我們願意就吾人所知的下列數事爲問，不知蘇共或中共敢於接受吾人的挑戰否：

一、蘇聯在中共多處設有領事，中共在蘇聯境內設有領事嗎？（又有那幾個附屬國與蘇聯有領事協約呢？）

二、鳴放時節，有人以中共與蘇聯貿易價格之不平等而提出攻擊，「對外貿易部」長葉季壯對此曾作過一報告，但語焉不詳，敢否將幾年的全部貿易情況詳盡公佈？

三、能說所說的在日軍投降後蘇軍於東北掠去的將近二十億美元的器材懸案，中共與蘇聯敢于公開表示對此的態度否？

四、在邊境河流通航協定簽訂以前，據吾人所知，早已有蘇聯船沿航行至哈爾賓，布爾津，伊寧，這種航行權的依據是什麼？試問中共能正面答覆嗎？

·田心·

狄托再度反蘇
將引起東歐整肅潮
·養之·

南斯拉夫總統狄托與蘇俄再度鬧翻以來，東歐各附庸國一致指責狄托之不當。故勿論它們的指責是出自內心抑或是表面；但不久將來，東歐附庸國中的流血大整肅，是勢所難免的。祇要看一看上一次狄托反俄所引起東歐各國的整肅潮，便可知了。

一九四九年波蘭戈慕卡

由於一九四八年，南國狄托只說了一句「愛蘇聯不能超過愛自己國家以上」的話，史達林就斷然把南斯拉夫開除[illegible]，東歐各附庸國家實施大清黨，要澈底清除狄托主義思想。故於一九四九年一月，在波蘭起，這種清除狄托思想的大整肅，最先的便是波蘭[illegible]書記戈慕卡；同年十一月正式開除黨籍，戈慕卡被整肅的理由是，他會說過「我雖然是一個共產黨徒，但是，我不能忘記我是一個波蘭人」。一言賈禍，從此，被黨內部整肅便瘋狂地展開。

匈、保、羅、阿、東德的整肅

在此同一時期，匈牙利共黨[illegible]拉伊克[illegible]，[illegible]南斯拉夫狄托[illegible]，同年十月被處死刑。此外[illegible]被株連的人物還很多。

一九五〇年春，保加利亞共產黨政治局委員兼副總理的克斯特夫，遭遇同樣的命運，保加利亞特別法庭宣佈克斯特夫的罪名是：與美國公使秘密勾結，甘心作「美帝」間諜，便判處死刑。

一九五一年達最高潮

在此期間東歐各附庸國被整肅的大人物，計有：阿爾巴尼亞副總理[illegible]，東德外長[illegible]，羅馬尼亞女外長鮑克爾及其三個副總理，也同樣地遭遇整肅。

東歐各附庸國的血腥大清黨，至一九五一年達最高潮。據英國國外國問題研究所的調查，當時慘遭整肅的共黨人物以捷克、匈牙利、保加利亞、羅馬尼亞四國合計有七十二萬二千人。若把波蘭、阿爾巴尼亞加入，總計被整肅的有二百五十萬人以上。這一筆大血債的主使者固然是當時蘇俄頭子史達林，然其導火線卻不能不歸咎于狄托之背叛史達林所激起。

一九五五年大翻案

但是一九五五年赫魯雪夫清算史達林後，一切舊帳都要翻轉過來，東歐那一羣忠實執行史達林命令的傀儡們，自然難逃厄運。次年（一九五六年）紛紛被開追究前次清黨的負責者，計有：司法部長蘇阿特克夫斯基，總檢察長加里諾斯基，保安部長拉特基維齊及保安副部長羅姆克斯基等，全受到清算史達林的影響而被逮捕下獄的。匈牙利方面計有：共黨第一書記拉科西，國家保安局長貝特爾（被指爲匈牙利的貝利亞）、保加利亞的副總理[illegible]，[illegible]的第一書記[illegible]，均受到批評，並被指爲前次血案的最高負責者，捲入在清算史達林的漩渦中，成爲待宰的羔羊。同時跟這些大人物有關連的中下級幹部，約有三百萬人之多，均被列入整肅之列。因此，[illegible]（四月十七日）

國際動態拾零

△杜魯門最近主張是：關於高峯會議者，與白宮意見相同，現在不爲蘇聯宣傳攻勢所乘；但對于經濟衰退，則主張削減所得稅與交通稅，如建築聯邦公共工程——這是艾森豪所深恐引起通貨膨脹，而不贊成的。

△美國會休假後，各議員回到故鄉視察，發現經濟衰退在各處之情形，不如他們在華盛頓想像之甚，所以都反對減所得稅。此外他們對援外計劃，仍感懷疑，且對蘇聯人造衛星，亦不再恐怖。

△美三軍統一計劃，艾森豪以親具經驗，勢必如此做。他說，在第二次世界大戰時任聯軍總司令時，海軍當局撤走二個師而他不知，是何等危險之事。但他又謂他提議而已，決定權則在國會。惟萬一國會不通過，他將用電視演說以訴諸民意。

△空軍將領，以最近戰爭，空軍是主力。但宣傳[illegible]，代以火箭之後，如陸軍擊火箭，則空軍將失勢。陸軍將領，多贊成國防部改組計劃，惟仍嫌[illegible]主合理，未能使力量集中。海軍意見尚未一致，有主[illegible]航空母艦者，有主張爲潛艇攜載火箭之擴展者。

△改組國防部，被陸海將意見者，有五星上將馬歇爾，麥克阿瑟與佛里脫，海軍之米尼茨等。

·陶然·

政監兩院法理爭議論叢
·劍聲·

這是一部近三十萬字的長篇論叢，主編者爲牛嘯先生，發行者爲「山水人物旬刊」，旨在爲國憲政評議的重要參考。

因「杜絕政府浪費」糾正案所引起政監兩院爭議，是憲政史上一大事件。爭議發生後，海內外政論家和輿論界的見智，甚至外電報導及各國報界的評論，憲法及本案爭議之事實因不甚瞭解而以學者及與論界對憲法條文適用問題的，亦多列入。如此編纂成帙，可爲國人士及史家之參考。

該書分爲甲編：敍述爭議之事實，政監兩院的官文書加以對照，使讀者對所持法律觀念得以瞭解；丙編：則爲法學政論人士如薩孟武、陶百川、張君勱諸氏所發表的論文；丁編：是集台灣中央、中華、新生、公論、大華、自立、民族、徵信、自由中國、民主潮、民主憲政、法律、山水人物、報章雜誌的社評；國外則有香港自由人報、時代雜誌、舊金山少年中國晨報、美國華美日報等專論。

這部論叢，具有時代意義與價值。該書台北各大書報社均有代售，定價台幣十四元。（四十七年四月十六日夜於台北）

紐劣的領導作風

自由談

正在埃及總統納瑟行抵莫斯科，受到俄共頭目赫魯曉夫們熱烈歡迎，視爲「國賓」之日，美政府亦宣佈將那凍結在美國的埃及存款三千萬美元予以解禁，並表示願意再給納撒政隊以經濟援助，但要看納撒是否一面倒向蘇俄而採取堅強的反美態度？（詳見華盛頓四月卅日合衆社電訊）

我不明白這是甚末外交策略？若想藉此緩和納撒反美親俄的心情，就應該在他尚未赴莫斯科訪問之前，宣佈這項措施，以昭渠慷修好的誠意，庶不失爲落落大方的世界盟主作風，即令將來不能獲得預期的效果，亦不致有丟臉失格。乃計不出此，竟於納撒到達俄京的一天，發出這種公然以金錢購買友誼的聲明，這不是結交，而是買怕，間接又替納撒製造國際政治市場的投機資本，其心可憫，其愚不可及也！

美國作家門翰•根室說是西方列強只要不太過於愚昧，懦怯，自私的話，蘇俄便無法征服全世界。看看美國當局處理中東問題的一切手法，眞令人洩氣沮喪，悲從中來！美國領導自由世界的本事不外兩套：一是擺闊綽，表示大爺有的就是金錢，然又不諳用錢之道，幼稚亂花一氣，多見其爲暴殄天物的寃大頭而已。二是車大砲，隨時誇稱核子武器的優勢實力，强調憑實力談判，但每逢與俄共巢議談判問題時，不是屈辱自甘，如韓、越停戰談判之類，即係退葸不前，恇怯過分，如最近所謂高層會議準備工作的大使級談判是也。此外就是對於狄托，納薩這類野心家實行買怕主義，越是在國際上譸張爲幻，桀驁不馴，表示中立姿態的，美國即不惜以財力物力從事妥協拉攏，並無所謂政治理想的。

因此，我雖然贊同約翰•根室的說法，却害怕他那假設的前提，將有不幸而實現之可能啊！

馬五先生

十載一科員

•陳予我•

自從跨出校門，很幸運我就幹了「科員」這麼一個差事，從委任八級起一步步的爬，到現在算是上了委任的頂尖兒，年功俸也拿了三年，不知道是同仁們諷嘲我沒出息，還是確實看得起我，說我是「老資格」，不錯，那當然是受之無愧，再過九個月零九日，如果有興致的話，不是還可以來個十週年紀念麼！

「科員」這差事，像我沒有背景的人，剛出學校，馬上拿到手，算是僥天之幸了。如果你是大才小用高資低就的「僱員」，還得經過「辦事員」這一關才能擢升，至於做了「辦事員」，不一定就能穩拿「科員」，我們機關裏，就有兩位辦事員，論學歷比我高，算年資比我久，還是眼巴巴的望着「科員」這一階而興嘆！

俗語說的好，幹一行怨一行。我在這漫漫九年餘的科員生活裏，嘗盡了酸甜苦辣。譬如說吧！「科員政治」是咱們中國「衙門」的老現象，科長是一個單位的主管（當然我祇能說我的頂頭上司，不敢更高攀！）會議多，酬應也多，對於公事文件，向來大部份是蓋章承轉，「擬如擬」「擬可」而已，什麼事兒一古腦的向「科員」身上推，起方案，擬辦法，應有盡有，不一而足，只要科長靈機一動，條子一下或面諭一句，你就要整天八小時，找法令根據，尋參考資料，搞個團團轉，碰到的如是「最速件」爲了「積壓公事貽誤要務」這責任擔當不起，連夜開快車是常事。擬好了，科長、秘書，層層呈送核判，如果不合「上級」口味退了下來，還得從頭做起，有時候，免不了要換一頓官腔。所以，一件公事，無論是簽辦，是擬稿，要如何迎合上級主管的意旨，不遭批駁，是煞費心機的。

「手指頭伸出，也有長短」，我並不是說幹「科員」的個個都是人才，個個都是忙人，濫竽充數的當然有，他們不是主管的妻舅內弟，就是主管的同鄉，門生……，關係特殊，背景硬繃繃，吹拍工夫也到家，誰也奈何不了他們。不過，這些總是少數，一旦樹倒猢猻散，他們遲早是跟着捲包袱滾蛋。

遇到的是好科長，還可以做你的良師益友，精神上也得着莫大鼓勵，如果碰到的是一位不學無術，臭架子十足的「官僚」胚兒，那就傷透腦筋。這些仁兄，十之八九是對上唯唯諾諾，毫無主張，對下盛氣凌人，官腔十足，如果頂撞他一下，就戴上「藐視長官」帽子，飯碗也要搖動，還是「逆來順受」爲妙。我在職九年多，換了五位科長，運氣算好，當然，碰釘是不能全免的。

時間和空間可以改變一個人的思想，也可以改變一個人的生活，將近十年的科員生活，把我的幻想和希望，埋了一半；一百八十度的轉變，午夜自捫，我現在還是科員，再十年將成什麼樣呢？我不敢想！

感懷

越南畢耀光

鄉關因風動，芭蕉借雨鳴。沉吟思往事，百感總交縈；太息蒼生若，金甌[illegible]；我非班定遠，重欲請長纓！慷慨情如昨，悲歌意轉凝；人生老易至，少壯幾何時！空負凌霄志，風雲際會遲，悠悠江海闊，故國念依依！

祝山看日出

阿里山散筆

•張放•

清晨四時半左右，我便被旅舍裏的人聲吵醒，原來要乘[illegible]看日出了。這時夜色正濃，山風襲人寒冷，加了一件毛線衣，外面披上了外套，[illegible]洗了個臉，[illegible]十幾個[illegible]，[illegible]。

「喂！把電筒照高一點好嗎？」「你這個傻瓜走慢些呀？」「前面的人走在後面，我們看不見路啊！」

[illegible]的人也[illegible]站，攀登[illegible]羊腸小徑，確是不易，尤其是夜間。我身後有一位四十歲的胖婦人，左手提着[illegible]，右手抱着一個小孩子，她[illegible]高跟皮鞋，[illegible]山，嘴裏不住的在喘氣。我暗自欽佩她這種旅行精神，將要爬到山峯時，她却[illegible]「她唱的什麼戲？」我[illegible]一個旅客，「歌仔戲，正宗都馬調，她唱的可真不錯哪。」

到達祝山頂上的觀日亭，我[illegible]，東方[illegible]，看看手錶[illegible]，[illegible]崎嶇的山路，却又[illegible]。

那位嚮導便向我們講解這眼前的山巒：從左起，白姑大山，東稽大山，巒大山，郡大山，秀姑巒山，玉山北峯，玉山東峯，玉山，玉山南峯，南玉山，雲峯，關山，東埔山，大竹山，西山，鹿林山，這幾座乃是新高山；在右前方的那座白色的房屋，就是新高口，從那裏攀登玉山高峯，是從那裏作起點的山脈，猶如波浪般的起伏綿延，這時都展現在我們的眼前，正在凝神嘆賞，但見玉山頂邊，透露了玫瑰紅的金邊，剎那間，太陽的光芒從山峯中射了出來，

我們知道太陽很努力的掙扎着，要把那種紅光球露在玉山頂上，一輪紅光樣子，忽然，一輪紅火球紅的顏色是何等鮮艷而美麗呀！大家叫着，嚷着，不久這一輪紅火球已經整個露出山峯來。

這時，山野間已變了金黃色。光明，重新照射在滿山遍野之間。又是新的一天到了。

在興盡而返的下山途中，我隨着人羣慢慢走着。這時看見剛才那位爬山的胖婦人，左手仍是提着兩隻高跟鞋，右手牽着那個正在哭泣的孩子，她現在不唱歌仔戲了，却是發出一串失望的話：

「日出，還不跟站在家裏房頂上看得一樣？下次我可再也不來了！」

偶像神人

•野火•

偶在圖書館，我看到一份基督教人辦的雜誌（一九五八年二月號），說佛教是異端，佛陀（釋迦牟尼）是人，不是神，不必拜他，拜他就是拜偶像；因此他們提議向佛教徒建議：爲什麼不捨棄那些泥土與木頭的偶像拜眞真的神！—上帝。我看到的時候，內心起了一陣陣强烈的反感。

若照這個說法，我得反問一句：莫拜十字架上的耶穌「也是金屬或木頭製的」，算不算是崇拜偶像？照歷史的觀點看來，如果說釋迦牟尼是人，而不是神；那麼，耶穌也是人，而不是神呀！

太平天國與典制通考序

饒宗頤

自清政中微，金田搆難，朱旗既舉，嚮若興雲。推戰襟桂之墟，長驅江漢之表；不三載而瓦解金陵，奠都江左。上帝降靈，若致命於天王；革龍劍黃，同漢化之蕩滌。既而江湖星同，直爲未克；無何饑饉師疲，自相殘殺；[illegible]馮官。無何[illegible]江）；鴉漩[illegible]覆滅於西康老鴉漩（[illegible]），莫解軍闆。斬，（天京垂陷，[illegible]王頒詔曰：「闔城食甜露，可以養生。」甜露者，植物類也。）始則燎原之勢，終成[illegible]之墟，九州離析，近古之變，未有如斯之烈者也。跡其傾覆之故，不越二端。曰有兵而無民，曰有政而無教。師旅之制，雖託始有周官，總制征誅，乃濫觴於天朝；寓民爲兵，固無[illegible]

[illegible]

[illegible]，繫近代運會之機，固衆之所共而喻者矣。新會簡子，厥業研精年。綢羅放失之舊聞，草創洪楊之澤。[illegible]濟若耶之溪；今古博通無涘，昔採盧作魏氏春秋，常璩爲[illegible]，擇一代舊官，成一家言，以君方之，曾無多讓。至若此書之作，體制度數，采撫尤備。爾其條貫，馬貴與雖專美于前；識騭過人，趙陵徐隨心折於後。行見不脛而走，遠患來，永垂龜鑑，頤蠡者同客桂之[illegible]。諸悲異代，嘆息統之血痕宛在。紫荊山下，燒炭之陳迹尚存；[illegible]燈如豆，無壓鉛槧於中宵；今猶見腸胃之映日，前塵俛仰，恍對此篇，昭若發矇矣。饒宗頤拜序。

燕塵識小

戊戌譚往

此詔由楊銳帶出。形勢迫切，刻不容緩。而此諸臣，實亦束手無策。迫不得已，只有拉攏袁世凱，企圖以袁制榮。策定，諸帝思結袁氏，遂有八月一日之新命（見前）。翌日再召見。初三夜乃有譚嗣同夜訪袁世凱之一幕，此是最後一着棋，可謂圖窮而匕首見矣。梁啓超撰譚嗣同傳云：

初三日夕君徑造袁所寓之法華寺，直詰袁曰君謂皇上何如人也，袁曰曠代之聖主也，君曰天津閱兵之陰謀君知之乎，袁曰然，固有所聞。君乃直出密詔示之曰今日可以救我聖主者惟在足下，足下欲救則救之。又以手自撫其頸曰，苟不欲救，請至頤和園首僕而殺僕，可以得富貴也。袁正色厲聲曰君以袁某爲何如人哉。聖主乃吾輩所共事之主，僕與足下同受非常之遇。救護之責，非獨足下。若有所敎，僕固願聞也。君曰榮祿密謀，全在天津閱兵之舉，足下及董聶三軍，皆受榮節制，將挾兵力以行大事，雖然董聶不足道也。天下健者唯有足下。若變起，足下以一軍敵彼二軍，保護聖主，復大權，淸君側，肅宮廷，指揮若定，不世之業也。袁曰若皇上於閱兵時疾馳入僕營，傳號令以誅奸賊，則僕必能從諸君子之後，竭死力以補救。君曰榮祿遇足下素厚，足下何以待之。袁笑而不言。（中略）君乃曰榮祿固操莽之才，絕世之雄，待之恐不易易。袁怒目視曰若皇上在僕營，則誅榮祿如殺一狗耳。因相與言救上之條理甚詳。袁曰今營中槍彈火藥皆在榮賊之手，而營哨各官亦多屬舊人。事急矣。既定策則僕須急歸營更選將官，而設法備貯彈藥則可也。乃丁甯而去，時八月初三夜漏三下矣。初五日袁復召見，聞亦奉有密詔云。至初六日變遂作。

梁啓超之說如此，而袁世凱亦自有說。據袁氏日記所自述者與此不同矣：

「譚曰外侮不足憂，可憂者內患耳。急詢其故，譚曰榮某近日獻策，將廢立弒君，公知之乎，予答以在津時常與榮相晤談，察其詞意，頗有忠義，毫無此項意見。必係謠言斷不足信。譚因出一草稿如名片式，內開「榮某謀廢立弒君，大逆不道。若不速除，上位不能保即性命亦不能保。袁世凱初五請訓，請面付誅論一道，令其帶本部兵赴京，見榮某出誅論宣讀，立即正法。即以袁代爲直督，傳諭僚屬，張掛告示，布告榮某大逆罪狀，即封禁電局鐵路，迅速載袁某部兵入京，派一半圍頤和園，一半守宮。」予聞之魂飛天外，因詰圍頤和園欲何爲。譚云不除此老朽國不能保。此事在我，公不必問。予謂太后聽政三十餘年，迭平大難，深得人心。我之部下常以忠義爲訓誡，如令其作亂必不能行。譚云，我僱有好漢數十人，並電湖南招集好將多人，不日可到。去此老朽，在我而行，無須用公。但要公以二事，誅榮某，圍頤和園耳，如不許我即死於公前。公之性命在我手，我之性命亦在公手。必須今晚定議，我即詣宮請旨辦理。詰以兩宮不和究由何起，譚曰因變法罷去禮部六卿，諸內臣環泣於慈聖之前，紛進讒言危詞，懷塔布立山楊崇伊等曾潛在天津，與榮相密謀，故意更深。予謂何不請上將必須變法時勢詳情陳於慈聖之前，並事事請示。又不妨將六卿開復，以爲意見。且變法宜順與情未可操切，緩辦亦可，停辦亦可，何必如此孤注以生他變。譚曰自古非流血不能變法。必須將一羣老朽全行殺去，始可辦事。予因其志在殺人作亂，無可再說，且已夜深，託爲趕辦奏摺，請其去。初五日請訓，因奏曰古今各國，變法非易，內有內憂即有外患。請忍耐待時，步步經理。且變法尤在得人，必須有眞正明達時務老成持重如張之洞者，贊襄主持，方可仰答聖意。至新進諸臣，固不乏明達猛勇之士，但閱歷太淺，辦事不能縝密，倘有疏誤，累及聖上，關係極重，總求十分留意，天下幸甚。臣受恩深重，不敢不冒死直陳。」

合兩記而觀之，眞所謂此亦一是非彼亦一是非矣。時過境遷，原不必再以考據眼光，斷其孰眞孰僞。然袁氏之在此時軍權在握，譚氏加之以游說，亦早知其不可而爲之。除此以外，更無良策。謂之爲乾坤一擲，恕辭也。

（十四）

燕雲生

自由人

THE FREEMAN

（第七四八期）

（半週刊每星期三六出版）

每份港幣壹毫　台北市館前街　台幣壹元

20 CAUSEWAY RD. 3RD. FL. HONG KONG

TEL. 771726

台北與大陸之間

——從若干消息所引起的一些感想

·左舜生·

一從四面八方來到香港的朋友，當他們看見我們的時候，好像都抱着同一的觀感：『您們眞幸運，最近八九年，凡我們所遭遇的一切一切，您們都不會遭遇，因此您們的態度很安詳，好像您們的精神從來沒有被擾亂的樣子，確實值得羨慕！』

我不好說這個話完全不合於事實，但說簡直就是這樣，却又未必盡然。

香港這個地方，緊挨着大陸，隔台灣也只有兩三小時的飛機，往往大陸發生一件事，大陸的人民還不曾弄淸楚，我們住在香港的人却每每能預測其後果而若合符節；同樣，在台灣發生一件什麼事，台灣的老百姓還被蒙在鼓子裏，香港方面乃先來一個『大胆的假設，』再來一套『小心的求證，』於是只要經過三天五天，最多一個禮拜，我們對這一事件的眞相，也就大致可以明白。我們對於大陸和台灣兩地人民的生活狀況，隨時都在密切注意，因此他們所遭遇的種種，我們實在是感同身受，最多不過有直接間接之分罷了。

千古艱難惟一死

最近大陸在所謂大鳴大放以後，便齊手淸算『右派分子，』當時香港有一部分人說：這一次像羅隆基章伯鈞這類『罪魁禍首』，中共大概非把他們趕快的弄死不可。但另一部分對中共較有研究的人說：不然，他們不一定要把這般人立即弄死，假如眞是這樣做，便還不够殘酷，更不足以使大家深刻的警惕。他們要做一定是這樣的：第一步叫一羣無恥之徒，先對這般人來一次或多次的淸算，把二十年三十年的老案一律翻了出來，儘管是虛虛實實，但却也要造出若干的『眞憑實據』，『物證人證』，使他們辯無可辯，甚至把他們弄得無地自容，於是他們便只好站在羣衆面前自打耳光，自動認罪。認了罪，他們便是罪人，最後應該如何辦，當然只好聽憑發落；於是第二步他們便叫這般人去受訓，去學習，叫一羣到過莫斯科或搞過一下馬列主義的黨棍做他們的老師，他們便惟有坐下來恭聆訓誨！據曹某人在南洋商報的一封北京通信，我們才知道費孝通，潘光旦，錢端升，吳文藻，儲安平等等，早已在受訓之中，至於章羅之類，當然更不用說。在曹某的這封通信中，還附了羅隆基的一個照片，據說是在老羅住宅中的後花園裏照下的，我已經二十多年不曾看見老羅，單就這張照片說，簡直就是從棺材中拖出來的一個活死人！他早年那一股飛揚跋扈的神氣，不知消磨到那裏去了？從這裏我們可以得到一個了解：凡是運用一種訓練制度，用上一羣毫無知識的蠢材，對着一羣曾受過現代高等教育的知識分子，實施訓練，硬要他們去相信某種說法，或崇拜某一個人，這就是在世界上比較古代凌遲那種酷刑還要殘酷的一種刑罰！究竟章羅等這種受訓要受到那一天爲止呢？我看也總有一個結業的時候，只要他們個別或集體用書面表示，說他們對馬列主義已經有了充分的了解，他們對於『毛主席』的恩情更是感激不盡，從此願把心交給黨，永遠不再放言高論，妄肆議評，我想中共還是可以讓他們毫無心肝的活下去的。『千古艱難惟一死，』像沈鈞儒，黄炎培，郭沫若，張治中，李濟深之流，不就是這樣活下去的嗎？這大概便是中共對付他們最後的一步。

章行嚴已進入彌留

其次，我們還得着一個消息，說在這次淸算右派中，葉公綽也在被淸算之列，章行嚴聽到了，便跑去向『毛主席』說情，毛也答應把葉的名字去掉，可是結果並沒有照辦，於是章不免說了幾句牢騷，說這般共幹們不遵照『毛主席』的意見也不買帳。這樣一來，章便立即受到警告：說這次被淸算的名單中沒有他，已經算是對他十分寬大，叫他自行檢點，少管閒事。章在接到這警告後，便一氣病倒，至今兩月有餘，已經進入一種不生不死的彌留狀態。

在得到章行嚴這消息的同時（五月三日），本港的某著名晚報，乃以木刻大字標出一條駭人聽聞的消息，據說胡適之先生的公子胡思杜，因爲不勝中共的壓迫，已於去年八月在唐山鐵道學院教員宿舍中自殺身死。這一消息一直被中共保密到現在才透露出來。該晚報說這條消息的內容，本來『言之鑿鑿』，原以若干年來大陸反共人士，被迫自殺者之多，幾乎[illegible]，我們也不願相信這條消息眞實的可能性很小！（我現在正托人打聽這條消息的來源）

根據上面從大陸所傳出的這類消息，已經使我們在精神上遭受莫大的刺激，再看看台灣，是不是多少有些好消息可以使我們得到一點安慰呢？不幸事實還是適得其反。

台北的多事之秋

在最近幾個月，台灣也可說是多事之秋，從俞鴻鈞內閣的彈劾，[illegible]一直到徐柏園、江杓的去職，[illegible]問題，內政部干涉問題，到『自由中國』半月刊的[illegible]，出版法修正案一直到最近新聞界的強烈反對而勢在必行；從胡適之先生回國的消息的傳播，到『胡適與國運』小冊子的[illegible]，一直到某四十餘人[illegible]中爲應付討論出版法修正案，某某兩派立委的合流；從王寵惠馮自由這類與國民黨有深長歷史關係的老黨員先後凋謝，一直到最近國民黨在準備中的再度登記：：實在是琳琅滿目，五花八門，無一不足以激起大家的極度不安，其對民心士氣以及反共復國前途可能發生的不良影響，自更不待論。

像上面所列舉這一大堆的問題，我現在還不能一一討論，也不顯在這裏逐一的討論，下面只揀出比較輕鬆的一兩點談談，這還是我自來對台灣直接發言總是採取避重就輕的一貫態度，我坦白承認：我是投鼠忌器！

黃色新聞與黃色事實

這次所謂出版法修正案，據我們所聞，主動決出自行政院，而另有其來源，這在黃少谷的某次談話中，已公開流露。其主要目的確在壓抑少數民營報紙以及對政治的尖銳批評，和對若干政治內幕的情形加以暴露。現在行政院把主要目的說成只是取締黃色新聞，可謂文不對題，而且跡近欺騙。現在這件事的全部責任已經落到立法院的頭上，我們都希望每一位立法委員能够謹愼從事，要確切認識人民的公意是什麼？您們所代表的是什麼人民的？如果過度忽視了人民的公意，您們可能得到的後果又是什麼東西？

再說到所謂黃色新聞，我們也覺得非常可笑。我們住在港九兩百萬以上的中國人，平日便絕少機會看到台灣的所謂黃色刊物，可是由台北若干要人所製造的黃色事實的傳播，却依然在港九一帶不脛而走！例如某某要人的『帷薄不修』，涉及任某某等的婚姻故事，至今也還是港九一帶對黃色消息感興趣的人們在茶餘酒後的一種談話資料，不從源頭上想辦法去轉移這種不良風習，只想拿着幾種黃色刊物來開刀，即令有此必要，也只能說是不揣其本而齊其末啊！（下轉第二版）

半週述評

理性與自由不可分

自由中國海內外輿論界，最近爲着政府要修改出版法這一問題，不斷地發揮反對意見，表示反對，這是好現象，證明中華民國人民確有言論自由權，而且能够明目張胆向政府爭取權利之合法享有，不遺損害。回顧大陸上一般知識份子而被暴力脅迫，含垢忍辱，從事於『交心』運動的情形，何啻天淵之別呢！

不過，自由與理性是不可分裂的，不以理性爲指導原則的言論自由，流弊滋多，不足爲訓。因此，我們認爲關於修正出版法的爭議，有兩點無謂的聚訟宣傳，似乎大可不必。

「危險」與「違憲」

胡適之先生曾對新聞記者說：「此時政府要修改出版法，是一種危險的事」。然輿論界乃將「危險」說成「違憲」，或許是聽覺的錯訛，事所常有，但後來已經證明胡先生只是說的「危險」二字，而有些報紙依然派定胡先生是說的「違憲」，——尤以海隅的報刊爲然。其意若曰：「胡適之都說是『違憲』，還不嚴重嗎？」頗有挾胡適以自張聲勢的偶象崇拜觀念，何若來哉？

說政府修改出版法是「違憲」行爲，並非毫無理由，也不是甚末大逆不道的言論，我們自己挺身來指說好了，何必假託於胡適之的口呢？這種「托大脚」的言行，太無謂了。別人既無此言，硬要捕風捉影地給栽上去，既乖理性，且關係立言的道德問題，決非健全的輿論現象吧！

我們對於一個在學說思想上具有領導地位的學者，除尊敬以外，還須愛護他，使他的言論主張構成權威性，庶不失「君子愛人以德」的義理，抓山惹水的作風，竊期期以爲不可也。

「公開」與「秘密」

立法院對於審議出版法修正案的程序，有的主張各小組委員會公開進行，有的主張秘密從事審議，但在兩次院會的表決中，多數贊成秘密從事之一途。這是立法機關可以自由決定的問題，我們雖然不贊成，也只能表示遺憾而已。因爲小組審議的結果，最後必須經過院會公開討論表決，才能够成爲正式的決案。

然而，輿論界竟有指立法院這項處理方法亦係「違憲」，而且是立法院的「一大汚點」者，這就是奇談了！第一，立法委員對於審議法律案，無論採取何種程序，皆不涉及憲法規定的明文，何有於「違憲」之說呢？第二，小組審議的結果如何，尚未可知，萬一跟我們所要求的言論自由標準是相符的，難道也認爲「違憲」？也說是「一大汚點」不成？第三，我們基於言論自由的合法權利，祗可儘量陳述理由，剖析利弊，要求立法機關採納輿情，愼重處理，而其關鍵乃在最後的院會表決。若抨擊到立法的程序問題，又隨便加以「違憲」之名，未免有忝立言的風度，是亦不可以已乎！

言論自由是應該爭取的基本人權，却不宜任意濫用，反而折損它的價值和權威！

○雷嘯岑○

從美國看遠東

——讀羅伯遜在美國會作證說明後

·雅斯·

最近美助理國務卿羅伯遜氏在國會外委會作證關于遠東政策的說明及其所引起的反響，固可視爲有利于目前自由中國，但倘進而分析，前途是隱伏危機的。

關於美國遠東政策，國務卿杜爾斯雖迭有闡明，總覺有點籠統而難于捉摸，不似羅伯遜說得比較明朗；且羅氏以國務院專司遠東事務主官身份向國會作負責的說明，故在若干程度上可以反映美國內部的意見，比較更能顯出白宮政策的實質。由此試一推論遠東未來可慮的情勢。

顯然，羅氏是以中共問題爲中心而說明的。他指出遠東十三個自由國家——日本、韓國、中國、菲律賓、越南、泰國、東埔寨、寮國、馬來亞、印尼、緬甸、澳洲與紐西蘭中，承認大陸政權的只有印尼和緬甸兩國，在全世界有四十五個自由國家仍承認中華民國政府，而承認大陸政權的只有十七國。他就拿這一個比例，說明「美國之拒絕承認中共不是「孤獨的行動」。

我們從這一說明，固可看出美國目前尚不致于承認中共，另一方面却可推知「承認中共政權」在美國會中依然有一股暗流，至少在一些現實主義者心中是一個問題。

倘若我們再一看最近在杜爾斯關于中共問題的談話，更說明這看法並不是過慮。他說「爲了符合美國的利益，是可以考慮中共問題的」，這裏所謂中共問題似是從蘇聯關于高層會議的談判中發生的，因爲在最近的談判中，蘇聯除了公開要求高層會議要加入捷波兩國外，更顯是要轉彎抹角的把中共從國際政壇正門外拉進來的，所以杜爾斯的話不可視爲憑空而發。這反映了蘇聯早已把握[illegible]「爲『符合美國利益』」的心理弱點，在企圖以貿易引誘政治滲透的方式逐漸打破世界及遠東國家不承認中共的現勢，以動搖美國。此證之白宮要人向來關于外交政策的談話中，對「反對中共加入聯合國」及「不承認中共」問題，往往拖上一條「目前」「如果」一類的尾巴，以及中共與美國藕斷絲連的巴黎會談，很足令人尋味。

因此，我們以爲白宮政策固然可改變遠東現狀，而遠東自由國家本身的作爲，在若干程度上，實決定了白宮的態度。

白宮過去的努力，是爲了阻止共產侵略韓國而參加韓戰，爲了阻止共黨使其不能從事公開的軍事侵略而協助台灣的自由中國加強防禦，協助東南亞的自由國家加強軍事力量。這防堵政策的目的祇是釘在在現狀下消極地防止中共進一步的，尤其是軍事的侵略。它在共同防衛計劃下每年對遠東各國提供近六億五千萬美元的軍援，及幾乎相等數目的防衛輔助的經援。雖然大部分給予中韓越三個堅強反共的國家，也同時對「中立」的自由國家予以區域安全上的經費援助。這一切都在說明，遠東國家彼此間如果不好自爲之，美國所能爲助的，恐怕止此而已。

在遠東十三個自由國家中，印尼和緬甸已承認「中共，用不着多說，親美的泰國，菲律賓，馬來亞以及處境較遠的澳洲紐西蘭，除希望有點安全「保障」外似不作進一步想。至于日本這個國家迄在羨慕印度尼赫魯的一套，走着兩頭政策的「中立」路綫。剩下的是中韓越三個被割裂國家處境相同，也都是非打破遠東僵局無以達成反攻及恢復統一局面的，實在需要拿出創造能力，聯結一起，用自己的力量去決定命運。因爲三國的統一復國，均有賴解決中共問題。如果也和別國一樣，祗能等待時勢推移，或竟以維持現狀爲滿足，或各自爲謀，則時間是屬於對方的！

在美國心目中，羅伯遜指出日本對於美國是有極大利害關係的國家，在商業上是美國第二個最大市場，在戰略上，是世界四大高度工業國家，在政治上是亞洲領導國家之一。所以美國對日本的兩面外交，顯然有無可如何的放任。

最後羅氏雖然認識「中華民國依然是一個堅定的有效力的盟友，並且是對共黨中國企圖永久地鞏固它對中國人民的統治的一個現存的挑戰」，但這個認識似乎祗是建立在基于「目前」及「如果」的條件上。倘我們處于被動地位，祗等待形勢的變化，而被動的變化，很可能從壞的一方面影響這些條件的。因此我們細心去尋味羅伯遜這個說明的動向，是很值得再四警惕的。

「出版法修正案」獲「護航」 立院竟否決「公開審議」

代表民意呢抑代表官意 本案成為立委的試金石

．劍聲。

台灣通訊

立法委員程滄波等二十四人，曾於立法院會中臨時提出「出版法修正案」應公開審查。該案於四月二十九日立院全體會議時，竟未加辯論即進行表決，卒未獲通過，結果仍將以秘密會議的方式審議。致沉寂了一周的台灣民營報紙又要論評誌，爲維護新聞言論自由而奮鬥。

立法委員程滄波等的提案，認爲「本案性質既無國防秘密會議之必要，行政院黃副院長對新聞記者請願代表，亦曾公開聲明本案列入密件，係主管人員之疏忽，再查上次出版法修正案討論時均屬公開會議」。

據說，立法院對本案提出後，便由立委趙家焯立即建議「本案不宜提出」。朱如松主張「無須討論，逕行表決應否予公開會議」。隨有立委楊寶琳、鄧[illegible]、張子揚、夏濤聲、程滄波等提出異議說：「立法院討論限制人民言論自由的重大法案，實不應秘密的審議。本案實無秘密可言，更無秘密的『必要性』」；並指出「有人想埋葬新聞自由，但新聞自由是埋不死的！」後主席于將「本案停止討論即付表決」後，付表決時——在場有立委二四五人，贊成者一六一人，至此，「公開審議」的提案，逐決定逕付表決，結果，僅得八十六票的少數未獲通過。一般認爲該案如此重大未加討論逕付表決，實創民主憲政惡例，因此對大多數立委是代表官意，抑代表民意，表示懷疑。

民意代表的職責，須以「民意」爲依歸，如此處理有關民意本身的重大議案，竟主張「秘密」，不讓人民知道，是遵循官意呢？抑是想避免人民責備呢？似有不可告人之隱，立法委員的任期雖由於環境事實關係，一再延長，連續任職達十一年之久；但立委總是代表民意的，不要以爲一天不反攻大陸，就一天不會改選，就可以不必[illegible]，也不怕下次落選，就可以[illegible]。[illegible]航」工作，終是爲人所不齒的。立委們自應[illegible]，會得恢復些少聲名，不要又爲此案而毀呀！（四月卅日于台北）

從「養女湖」到「歸來」

‧歸去來‧

台灣通訊

總算是這一屆比上一屆好些 製片的方針則尚待力圖改進

第五屆亞洲影展于四月廿日至廿六日在菲律賓馬尼拉舉行，自由中國參加影片是「歸來」，同往參加的影星有穆虹、張仲文、黃曼、唐菁、張小燕等，代表團長爲「中影」總經理李葉氏，嗣後改由訪美歸來之「合製」廠長龍芳氏出任。

想起上屆的「養女湖」

談到第五屆亞洲影展，最容易回憶第四屆在日本舉行的亞洲影展。上屆參加出品「養女湖」者亦爲「中影」；「養女湖」片自得到「勇氣獎」，所以勢必旌滿的，又曾先引起文化藝術界的物議，推三諉四，事後追究其責任，推三諉四，番，審查人以及影評人均不無責任，結果並未有所水落石出，其界應該引之爲「奇恥大辱」，從實倒沒有必要檢舉，但是爲國語片界而力圖改進製片方針。這次「歸來」赴菲，是否經過「審查人」與「影評人」之嚴厲審定，又不得而知，但對「歸來」一片有可得而言者。

該片早于舊曆年時，趁新年時期搶著製片成，台北五六家專映國片影院聯映，廣告展示「家歡樂，不管片子好壞汪滿」，這是「中影」故且看看消遣而已。

「歸來」原名「鳳還巢」，[illegible]

如果文學藝術有其相通之理，則毛姆的話說得不錯，即「一個人看小說並不是來求訓誨或教化，如果他要求訓誨與教化而不去讀專門爲訓[illegible]

但是「主題第一」過份了便無形中減低其藝術性。如何寫「主題」於「藝術」，使收潛移默化之效，似乎應是國語片的製片方針？當然非謂不要「主題」而漠重「藝術」，有如所謂「爲藝術而藝術」脫離現實者。因爲「主題第一」或者就是我們電影製片問題的問題。

對該片的一般評論

關於「歸來」究竟如何？一般評論「主題好」，其餘的均嫌不夠，如努力和良好的製片意圖，卻沒有收到應有的效果；劇本以之映人性矛盾爲主，結構尚好，惜未作更深一層的刻劃；女主角仇恨狐（張小燕飾）的主因，在情理上缺少必然性；反映男主角姐姐爲之介紹女友，學校當局逕將學生開除，似不合理；劇中人物刻劃，多失去真實性的還據；孤張小燕，人雖小，表演技術不錯，惟言行思想頗有大人樣，不餓實是其缺點，女主角的矛盾心理，缺少深入的愛恨交織，祇強調其偏激心理，忽略其先天的母愛；配角未盡陪襯之功，人物未有良好的對比，故未發揮人性的鮮明景象；故事背景缺乏時代感和地方色彩。導演方面，全片在平板的節奏中鋪展，缺少抑揚的效果；因爲無應有的氣氛，以致全劇情調不夠統一；張小燕走上危橋，乃全片高潮，鏡頭顯得無力，方向有錯誤。插入一段男主角與女主角的戀愛，似嫌多餘，且落入老套。以上大意爲小虹「歸來觀感」文中要點。

就筆者意見，一片中出現兩三次火車的鏡頭，便是導演未能運用「交替反應」原理，因爲人物的去來，除非交通工具不同須要交代，其實是否交代，均不算重要，以「歸來」這部家庭倫理巨片而言。

一個看法

電影已成爲綜合藝術與科學的藝術，對於新知識是必須博取的。我想話劇、電影劇有很大區別；其次小說與電影劇亦有殊異，儘管是名著小說改編成電影劇，可能不如小說好；同時改編電影劇也不必一定要長篇小說，往往被括皮削毛，屍骨無存的。好萊塢只要短篇小說，取其結構骨架改成電影劇。「歸來」的監製、製片、編劇、導演，儘管或有不是科班出身者，但只要廣博的吸收新知識，除圖改進，仍然是大有可爲的，就怕的是儼然以「家」自命，缺乏胸襟。

「話劇演員」要訓練

「歸來」一片演員計十八位，除穆虹、黃曼、唐菁、張小燕等在電影界頗有名外，其餘還未脫其「話劇演員」的身份，如果把時間倒退幾年說，都有「話劇演員」的身份與經驗，在我國的情形，電影明星多由話劇演員升遷而來，此並不値得勿議，但究竟話劇與電影不能相同，話劇表演與電影表演，也不是完全相同的，設若以演話劇的技術來演電影，恐怕問題不少；我們不能因爲好萊塢尋找人材以貌美或三圍的眼光，作爲我們選拔明星的標準，因爲好萊塢還來外型夠標準的明星素材，尚要經過明星訓練過程，究竟演技是決定明星的重要條件，我們的公營「中影」公司，應該對明星的訓練，多化點錢來磨鍊的。

釐定製片方針最切要

話說回來，「歸來」一片未能得獎，並非意外事，也原不關重要，童星張小燕撈回一個最佳童星獎，聊足自慰。若與上屆「養女湖」比已算進步了。但教訓是値得記取的，至少不能將苦心經營的影片祇是爲了牽到國外去應景，應該拿出魄力，力圖釐定新的製片方針，或者是切要之計吧？

張小燕其人

至此次獲得童星獎的張小燕値得一提。她今年不滿十歲，卅八年五月隨父母來台，四歲時開始學芭蕾舞及民族舞蹈，四十三年三月參加第一屆民族舞蹈大競賽，曾得兒童個人組冠軍。第一次上銀幕，是於四十四年夏天和周曼華合拍「聖女媽祖傳」，次年夏天又參加港台明星合演的「關山行」，去年冬天完成「歸來」，今年一月被中央電影製片廠聘爲基本演員，簽訂兩年合同，爲我國影壇上第一位正式受聘的童星。目前，她又在開拍中義合作的五彩新藝綜合體「萬里長城」，此片預計在羅馬完成，小燕也將於下月遠赴羅馬。此外，她還參加演出了「碧血黃花」、「龍女寺」話劇，在「碧血黃花」等劇中，她演的都反串男孩的角色，演來還不錯。是一個很有希望的演員。（四月三十日于台北）

寶島經緯

．季鸞。

△「出版法」修正案鬧得滿城風雨，最後終於弄到了立法院，但立法院對本案竟採用，「秘密審議」，對程滄波等主張「公開審議」的合理建議，予以否決，又引起台北新聞界之廣大不滿，紛紛撰文駁評。「出版法修正案」既非國防機密，又非外交秘密，爲什麼竟要在秘密的情形中進行？立法院是民意代表，代表民意呢？還是官意的代表乎？由此反映台灣政治層隱藏着一個除不去之病痛。

△這年頭，人民多在混中過日子，不足爲怪，所以做官的也就在「做一日和尚撞一日鐘」的觀念中討生活，就以僑務委員會爲例吧，這個僑胞們的大衙門，也是全球僑胞心靈之所託，其在爲僑胞「解決困難」，替僑胞服務，而事實呢？彼此心理有數。人手少困難以其一，經費少，比其二，但辦事人員之推、拖、拉精神，臨乎令人難以認識，據記者所知，最近海外有好幾個僑團，擬申請來台觀光或勞軍，公文尚未經過主管之眼，卻給承辦人員「禮貌」打回。此中理由？不外乎是近年來官場所流行之一班通病，即「多做多錯，少做少錯，不做不錯。」最近，身負行政改革大計之王雲五氏，似乎有所感而發，他于某場合會說：「多做設法少錯，少做設法不錯，不做大錯特錯。」

△行政機構的龐雜，行政效率的低落，早爲國人所詬病，機構的重複，爲內因素之一，當然其他因素也不勝枚舉，最顯著莫過於人事制度的不合理與待遇的低微。據說，「改革委員會」，對此曾草擬了六十個以上的建議性方案，呈請施行預計在六個月之內全部完成。我們相信方案總是好的，最怕是又只成了繼條。

△國防部長俞大維由美返國已月餘，三軍將士對他此行帶回了什麼「禮物」，均感表關心。別的不說，關于待遇問題，說老實話，求之於今日生活水準中，將士們仍是最清苦的，尤以一班軍眷爲甚。傳聞，又將調整官兵待遇之說，時間可能在本年七月間，待遇將比照南韓官兵方法（採用美元）云，這是一個令軍中興奮的消息。

台灣一畫人

普羅派畫家李仲生

．吳文蔚。

在自由中國的畫壇中，李仲生先生是屬於普羅派的西洋畫家。

他廣東人，抗戰前，即已聞名國內外。在日本，其名望更是顯著。自東京日本大學畢業後，其作品即名噪東瀛，並是日本著名二科美術展覽會，和春陽美術展覽會，中央美術展覽會的常年出品人；並於東京銀座黑色西洋畫展，及在東京銀座各畫廊，按月定期舉行畫展多年。東京仕女，欣賞其畫者，經常排列若隊，盛況歷久不衰。

李氏專攻西洋畫，其作品尤以油畫見長著名。其代表作如「逃之島」、「構圖」、「靜物」等幅；被編入二科畫集、「女像」與「獨」二幅，則編入春陽畫集中。其三色版畫片數幅，至今仍爲東京書局翻印發售中，其作品聞名東瀛之盛況，於此可見一般。

日本畫壇的名批評家外山卯三郎所著日本現代洋畫運動史，與日本昭和美術年鑑各書中，對李之藝術修養，介紹頗詳，在國內如「當代中國畫家評傳」以及各書報雜誌，屢有介紹，足見李氏藝術造詣之高深了。

國立藝術專科學校，及上海藝專，廣東藝專，均先後請聘李氏爲教授，近年又任政工幹校美術教授。

李氏去春盛病員林，與余蜜億一板之隔，日中無事，常同遊鄉間，欣賞自然風光，興之所至，輒畫於郊野、河邊、街頭。或繪濁農楊柳，或繪夕陽耕牛，或繪上午街市，或繪村婦童叟；其畫無不美，美又無不眞；妙筆天成，瓜韻自若，視之愈久，雖味愈濃，其造就如是，蓋有其天功獨到之處也。

去歲暑假後，李氏在復國學社中教授西洋畫，每日往來員林台中，不以爲苦。一時聞名來學者，坐無虛席。學者多爲中小學教師，及一般愛好繪畫之公務員。李氏授課爲時僅數月，惟學者一經其指點，均能獨作，且風格韻調，皆沛變，人皆謂李氏確有神奇之教授法。

猶憶時在台北執教時，受業諸生有數名已考得公費留學，其中有一名在西班牙，頗有成就，該生在國外作品，還常寄回國請李氏指導。

年來，友人均勸其出國一行，李氏甚有同感，暇時整理畫作，編訂目錄，作遠行準備，其去處及日期，雖尚未定妥，視其終日籌備忙碌之狀，蓋亦爲時不遠矣。

台北與大陸之間

（上接第一版）

名滿天下而謗亦隨之

。左舜生。

關於『胡適與國運』這本小册子，據說在一度取締之後，現在依然又可在台北公開發賣，不無令我們感到離奇。據我所聞，這本小册的出現，並非臨時發動，遠在胡先生未動手以前準備回國的時候，就已經有人在那裏醞備，這件事的主動者，既不姓徐，也不姓李，而實際是一位搞凶謀的某某所幹的。雖不一定爲某一方面所策動，但担任印刷的卻不是一家什麼民營的印刷機構，據說第一版印五千冊，印刷費四千五百元，只付一千，好像還有三千五百可以時許欠債的樣子。這件事就胡先生本人來說，正所謂『名滿天下而謗亦隨之』，大陸清算『胡適思想』已經鬧了八九年，專集也出了八九冊，台灣在今天既仍然難保不有匪諜參透，他們顯意採取一種行動以與大陸遙相呼應，自屬事理之尋常，胡先生不願深究而一笑置之，我覺得甚爲妥當。不過胡先生的這次回國，好像不完全是他自己的主動，與蔣總統的再三敦促也不無關係；因此這本小册子直接所要打擊的是胡先生，間接對蔣總統的威信，多少也有些損害，這可看出台北有一班人平日儘管高呼『擁護領袖』，可是到了某種場合，他們卻是可以一切不顧的。萬一不幸，台北有一天再有類似『五二四』一類事件的發生，乃至連蔣總統的命令也不一定有效，這樣一種尾不大掉的趨勢，不是有點令人感到不寒而慄嗎？

更正： 七四六期第一版載：「從理論到事實」一文「個人不能脫離社會而生存」，係「個人不能脫離社會主義而生存」之誤。又：七四七期四版「太平天國典制通考序」文，多植一「與」字。

竹幕秘聞

廣東黨爭

不久以前，中共廣東省委會舉行了一次省委擴大會議，會議要求：一、實徹「鼓足幹勁，力爭上游，多快好省」的建設路綫；排除教條主義，經驗主義和右傾保守思想；認眞學習馬列主義和毛澤東著作。二、認眞改造黨委領導方法，必須實行集體導領，分工負責。

若以目前中共主要黨爭的觀點去觀察，前一要求是毛派對劉派的批判；後一要求則是指過去黨委領導方法不好，沒有實行集體領導與分工負責，也就是說被某個人獨裁包辦了。照目前的情況來觀察，被攻擊爲獨裁包辦的當指省委第一書記陶鑄。

陶鑄陳郁之間

陶鑄在去年反右派高潮時節，還以鳴放來點綴；因此，曾受到「人民日報」的表揚，從這方面去觀察，陶鑄是善體毛澤東心理的人，不會是屬于劉少奇的一派；如此，上述會議要求的兩個方面，其批評對象是指的兩個對立的派系，並不是一面倒的批判。

去年八月裏，陶鑄「辭去」了兼省長的職務，若從黨委領導方式去觀察，陶鑄的辭職，具有分工的意義；若從陶鑄的個人權力來說，則是降低他的獨裁包辦的程度，削弱他的權力。

繼陶鑄而爲廣東省長的陳郁，他是廣東人，早期領導省港工會，參加廣州市公社的暴動，其「革命路綫」與毛澤東是相背的，隨後又長期在「白區」工作，受到劉少奇領導，後爲劉派大本營總工會委員。北平政權成立，陳郁出任「燃料工業部長」，一九五五年七月，燃料工業部撤消，改任「煤炭工業部長」直到出任廣東省長時止。從他的這種個人歷史去觀察，大概是劉派人物。一九五七年十一月，陳郁再被選爲廣東省委的書記。顯而易見，在廣東能與陶鑄對立的只有陳郁；廣東省委決議中所指的保守主義者亦是陳郁爲首的一個集團。所謂「認眞改造黨委的領導方法」則指的是陶鑄，在去年八月陶固然已經在名義上辭去省長職務，但實乎裏他的領導方法並未認眞地做到分工，故而要求再加改造，換句話說，還要陶分出些權力給別人。這一種針鋒相對的批評，可以見到陶鑄與陳郁間正在處於勢均力敵的狀態之下。

廣東地方主義

不久以前，廣東會經批判過嚴重的地方主義，但現在消聲匿跡了。是不是眞的沒有地方主義了呢？不是的。

毛澤東何故再度到廣東

●田心●

我們先得了解所謂地方主義的眞正來源。在雙方黨爭中，任何一方都想拉攏地方力量來爭取優勢壓倒對方；假如勝了，根本無所謂地方主義，像廣西一般，平空地把廣西省改成僮族自治區；假如敗了，就得揹上地方主義的罪名，像浙江「省長」沙文漢一般。這就是說，地方主義是一種黨爭中的莫須有的罪名，不過是一種一方要打擊另一方的手法而已。

前面說過，陶鑄是南下幹部到廣東掛帥的人；地方上人對於這種情況當有所不滿，陶鑄的反對派當可利用之來反對他；在去年八月以前，陶鑄對於這種攻擊已經抵禦不了，要辭去省長職務，隨後，他的新反對派陳郁來到廣東，因爲他是廣東人，自然很容易地把地方人力量引導到自己集團之中，這樣，陶鑄就現得孤立了，對於廣東地方主義他還能奈何些什麼呢？

正當整個大陸在批判地方主義時節，廣東也會喊出這種口號，不用說，這是陶鑄想利用這一浪潮來打擊反對派，但結果，並沒有人受到公開的批判，原因當是陶鑄的力量不足以打倒其反對派；這種批判地方主義的經過，亦可以說明當前廣東黨爭的勢均力敵。

從地方到中央

消息傳來，毛澤東又再度來到了廣東，不用說，他此行多多少少是爲陶鑄張聲勢來的。

中共黨內的勢力鬥爭，固正在地方上展開中，而中央的情況也頗現得緊張，「一一」，彭眞在天安門上講話，特別強調中央的領導權，而不提毛澤東，以及毛之不趕回天安門接受「朝拜」，皆是值得玩味的。

中文程度低落的結癥

○梓宜○

香港·教育

今日的香港學生，中文程度低落，實在叫人憂慮。但許多人愛把現代學生的中文程度，與前淸科舉時代「讀書人」的程度作比較，或者把五四運動前後作比較。我覺得都是不很妥當的。

首先，我們查到的原因，是社會環境的影響。自從中西交通發達之後，國人受西洋思想薰陶，對本國文化，未嘗不有點懷疑；加以中國科學落後，一般人對歐美科學之發達，不無崇拜之感；這樣一來，大家便把中文輕視了，輕視到「每個人應具備的基本程度」也忽略了。這種思想深入了學生的腦中，形成了學生無心學習，家長放棄督責，儘管教師如何鼓勵，學生也提不起勁學習了。這樣，就香港而言，社會上並非不需要中文人才，但似乎不大需要中學畢業的中文人才；至於英文人才呢？一個英文中學畢業生，好像可大派用場。換言之，即社會所需之中文人才的水準是要高於中學程度的，而英文人才的水準，中學程度已大有作爲了。那末，多讀一年才能畢業的中文中學，反不如少讀一年的英文中學來得吃香，如此，中文程度不低落才怪呢！

其次的原因，便是學習中文的時間缺乏。從前科舉時代，一個中等資質的人，祇讀中文一科，而要讀通寫通的話，總要十年時間；現在由小學至中學畢業，雖有十二年光陰，但所學的學科那麼多，日常生活那麼複雜，兩者比較，其結果是不言而喻的了。科舉時代的「讀書人」，假設每天學習（一定是中文）八小時，那麼十年便學習了二萬九千二百小時，才譬到「通」；現在的中小學，平均每週上中文課八節（讀本作文在內），每節約四十分鐘，共約五小時二十分，即使以一小時一天計算，再加上每天回家溫習中文一小時，共二小時，一學期上課約一百天，一年二百天，則一年祇學習中文四百小時，小學至高三便僅有四千八百小時，[illegible]若跟二萬九千二百小時比較，[illegible]學生，無怪乎不能通了。

第三原因，便是課本不適當。「五四」之前，課本全是文言文，學生讀來雖覺艱難，但「讀」與「寫」是相配合的，自然容易得到效果。「五四」之後，推行語體文，小學全部採用語體文，初中文言語體各半，高中大半是文言文；學生在小學階段完結時，他的語體文讀寫程度還未通，文言文又要接踵而來，前者未學好，後者又來，兩種不同的文體，便在他的腦海中展開大混戰，其結果並不是某一方勝利，卻是兩敗俱傷，豈不痛哉！尤其高中課本裏，許多是數千年前的文字，簡直應由特別愛好者或專門研究者去讀，絕不是一個「學習者」的「範本」。讀本內的文章本來是示範的，讀寫既脫節，便失去這作用了。

第四個原因是閱讀不足。一般人批評別人的中文程度，大都偏重於寫作而言，其實語文科的程度，是包括寫作和閱讀兩方面的。閱讀之多少和寫作之優劣成正比例，閱讀書本之深淺與寫作能力之高下也成正比例。除了生活經驗的積聚，及聽覺得到的知識外，閱讀是獲得知識的一道；轉過來說，除了說話之外，寫作是表達思想的一道：閱讀是吸收，寫作是傾吐。「吸」的分量不够，「吐」的能力怎會高？目前香港的學校，有多少是有圖書館的？有圖書館的又是否盡量利用？——閱讀——單靠學生「買書」，很難推行；單靠學生「官」讀，而不加以指導，很難收效。無論如何，現在的學生閱讀實在少，程度也就當然實在低了。

第五原因是教學方法未改良。近數十年，中國許多方面都有改良，但偏偏中文的教學法未有改良。國文教學是那麼重要，而教法卻不改良，確實使人費解。一般來說，還是從前老師宿儒登壇「講」學那一套，這在中小學而言是不適用的。當然，教學法不良無關教師的質素，只是技術的問題，但是若不是較易改善的，那麼影響是不堪設想的。例如上面所說，不指導學生閱讀，也是教學法未良善的一大明證。尤其今日的學生，學習中文的時間既缺乏，若不從教學方法上補救，以最短促的時間，收最大效果，學生們的中文程度有什麼希望能夠提高？

以上所說，雖不是什麼建設性的意見，但是決不是破壞性的意見；目的只是在指出中文程度低落之原因所在。確實找到了「病源」，那就可以對症下藥了。至於下些什麼藥？教育界的「大國手」們有其「良方」吧？

美蘇貿易的可能性？

「意識形態上的分歧無論如何不能成爲蘇聯社會主義和資本主義國家發展互惠貿易的障礙」。這是赫魯曉夫於四月廿四日接見美國「商務日報」所有人李德爾和編輯盛迪克遜說的。

赫魯曉夫的話聽來很動人，因爲這不僅是宣傳，而確是表明蘇聯希望和美國有正常的貿易關係，利用貿易的經濟上的策略成爲其向美國滲入的跳板。

但人們也了解，如果「意識形態上的分歧如何不能成爲」國與國間的交往障礙的話，何以蘇聯與南斯拉夫之間，卻會因此而破裂？又，如果恢復貿易就可以有助於緩和緊張局勢，那末蘇聯何以不盡力去設法和南斯拉夫先謀成這種協議呢？

在全世界的國際貿易範疇內，工業國家間尚未與蘇聯有貿易關係的，就只剩下了美國。而這正是蘇聯必須極力突破的最後的一道鐵幕。

蘇聯如能夠有機會獲得與美國正式恢復貿易，即或美國不讓它取得勝利，但在對內的宣傳上，更可以使它大肆宣傳資本主義的最後防綫的崩潰，甚之它能使蘇聯與美國的「經濟危機」？

蘇聯在軍工業方面生產的增長，是已爲美國政府當局和工業界所承認的事實，在這方面蘇聯若干項成就，已經與美國平分秋色。但這樣的情況，反而更足以說明美蘇之間的貿易並不可能，因爲蘇聯既不可能在美國得到特殊的生產設備與工業產品，而蘇聯可能輸出的商品也僅只是皮毛、錳礦之類，這些在美國也並不缺乏。因此，可以說，赫魯曉夫向美國所作的貿易呼籲，僅只是爲了宣傳而已。（奕）

評介「文星」月刊

台北刊行 蕭孟能主辦

●萬香堂●

落，也就只有嘆口氣了。

最近我發現了一本期刊——「文星」，看完之後，想到需要約略地談談它。

「文星」的外觀及內容編排，仿效歐美作風，令人在未讀之前，即有淸新之感。其封面標明：「生活的、文學的、藝術的」也無形中讓讀者對其內容先有了認識。其創刊詞以「不按牌理出牌」爲題，表示其在艱難中的創業精神，他們是服膺「那些創造歷史的偉大人們，如果人人照牌理出牌的話，就不會那麼多的豐功偉績」，又在另一文他們說「因爲對出版界部份反常的現狀不能心服，所以才投身到這個洪流裏，試一試自己的理想」。由此我們了解該刊的立志是如何了。筆者從該刊第一期至最近的第五期，均詳細考核其所表現者如何，重心尤在其實質方面；有沒有和其他刊物「華而不實」的毛病，有沒有將舊稿「借屍還魂」的取巧？有沒有把大學的「講義」稿拿來塞責呢？

「文星」創刊號，所刊文章凡十五篇之多，以介紹海明威爲主題，介紹文凡二篇，作家有知名之士毛子水、錢歌川、胡秋原、張秀亞等。長篇連載有國立藝校校長張隆延的「藝術欣賞」，內容資料豐富，且有獨見之處，秋原之稿素來是雜亂無章，但，這次則不然，所作「汝當自知」內容修詞均佳，另外幾篇譯文均適時可讀。而插圖（連闕頁）共達廿九個之多，不能不說是圖文並茂了，而其所花的錢也就可觀了。其二期所刊文章共十八篇，主要介紹之人物爲通俗小說家毛姆，名作家有梁實秋、蘇雪林、毛子水、[illegible]、雷震、[illegible]等，而重要的特稿多篇如馮志翔的「在美國的中國人」；羅勛的「馬迪里和巴塞羅那美術界現況」；胡汝森的「李楊的成就與科學精神」，均爲有特殊資料的力作。其他幾篇譯稿亦大有可觀，而插圖及闕頁合共亦達廿三個之多。第三期所刊共十八篇，主要介紹之人物爲法國名作家卡繆；威爾我弗當「狗爭談新聞自由」便是在本期發表的，惹起了一場是非。本期重要文章有司馬桑敦的「新聞自由與不自由」，乃報導日本報紙、讀者、編者、記者的專稿；朱介凡的「美與醜的事例」；吉本的「吳劍雄嚇倒物理學權威」，插圖及木刻共廿九個，而本期張隆延的「藝術欣賞」的專題爲「無限淸娛」，也特別長而豐富。第四期的容量和各期差不多的，主要介紹的人物爲當代的多才哲學家羅素；毛子水寫的「羅素和現代文化」；殷海光的「羅素底設科學及其影響」均爲力作。本期其他[illegible]第五期主要介紹人物爲西班牙詩人希梅耐茲，重要作品有[illegible]「傳統中的文化[illegible]」；[illegible]「戰爭與和平」；[illegible]「[illegible]橫談」；李[illegible]「[illegible]練習法」；胡汝森的「原子時代步入新階段」。插圖共計三十九個之多，標題已到[illegible]。由以上五期觀察，該刊[illegible]實方面都已盡了最大的努力，目前該刊[illegible]是銷路問題無法[illegible]，而是該刊內容應與讀者所[illegible]。該刊所標的「生活的」[illegible]現，得期重心[illegible]即「生活的」，文學[illegible]估三篇，對名[illegible]說。明詩要好[illegible]換。一個重大的問題，[illegible]運動，完全離[illegible]失敗的啊！這[illegible]座右銘吧！

國際動態拾零

△東柏林消息，赫魯曉夫繼任總理，在三月廿六至廿七的中央執行委員會，經長時間的辯論始行通過。許多委員，尤其布加寧，仍主張集體統治，可見赫氏之統治權，仍未穩固。不過內幕專家根室氏，卻認爲赫氏足以應付一切，認赫氏爲數十年來彼所僅見之機變人物。

△三十位保加利亞海軍退伍軍官，將受僱爲印尼商船海員。印尼是包括三千島嶼的國家，自解僱荷籍海員以後，國內交通，頓告癱瘓。現交通雖然復原，但共產黨人，業已到處滲透，更覺可憂。

△一九五六年後，英國與埃及、敍利亞已斷絕國交。埃敍二國宜佈合併爲阿聯伯共和國之後，英國首先承認。聞埃及在凍結之數千萬美金，亦將解凍。

△美國國防經費，在一九五七年爲三百八十四億。現在消耗增得極快，預料至一九六〇年，將達韓戰時期，最高峯之國防預算，爲四百三十六億。艾森豪深惧以此而引起通貨膨脹，致感不安。

△大西洋盟國中，尤其意、土，反對三強之說，而鄙視法國。各國都主張進行談判之說，庶不至爲英法所阻攔。惟杜爾斯則仍主張公約國間先有協議，再行談判。

●陶然●

自由談

臨淵羨魚

馬五先生

美國民主黨外交政策委員會主席，前任國務卿艾契遜，日前發表政治性的言論，批評艾森豪政府的政績，認為「不論對內對外，皆表現無能，偏差與失敗的記錄」他說，現在民主黨人今後要在執政當局癱瘓狀態下，完成挽救國家與國際局勢的艱鉅工作，以確保美國人民於一九六〇年選取能入主白宮的人士。這原係在野黨常有的氣勢和希望，殊不足奇。但其言論中肯，且係發乎至誠，對社會的影響力即不容忽視。因為他所謂「無能」，「偏差與失敗」，確實擊中到了艾克政府的弱處，並非信口開河，乃有事實可資反證的。民主黨在國會既擁有多數的席次，而其領導人物又常對政府施政作尖銳的批判，艾克及其政府閣員，一定要引起相當的刺激，而知所警惕，力求振作，相期勿給反對黨以可乘之隙，使其喚起取代執政地位。這就是反對黨存在的良好作用，有如個人當與諍友相處，時時聞勸戒與規過的逆耳之言，裨益良多。政權腐化的基因，即屬執政者只聞歌功頌德之聲，只見希旨奉承之人，驕傲自專，而惰性與虛矯之氣滋生，如是乎政象淆亂，政事日趨敗壞矣！史家稱漢唐的文、景與貞觀之治，原因就在當時居帝位者常能容受蹇諤之士的直言極諫，殆與現代民主政治的輿論批評效用，其義一也。

反對黨如其祇有發抒反對言論的權力，而不能從選舉中博得人民擁護，實行執政，則對於國家的貢獻，也就有限。在我國目前的情況之下，與其侈談反對黨問題，倒不如先從培育言論自由風氣，樹立批評政府得失的輿論權威入手，比較切合實際。英美政黨政治的軌範，固然值得羨慕，但非一蹴可以幾及，臨淵羨魚，不如退而結網，我們還是登高自卑，先紮根基的好！

野路旁邊的文化

·慕容羽軍·

鄉間的道路，彎曲而悠長，人踏上平野，山徑，彷彿走上了人生的旅程，路，並不單調的引導旅人的足跡瀰着可遠而不可即的前路迂迴着。田壠的基堤，那常得不許兩個人並排着走路，春雨把一方方的田點成一面鏡子，人走在基堤上，「鏡子」下面有一個倒影，上面有藍天白雲，忽然又掠過一點鷺鷥，偶然俯視一下基堤下的「鏡子」，將會不期然的驚訝着一幅充滿詩情的畫，出現在眼底呢！

我們鄉間有這樣的長路，它溝通了經濟上與文化上的交流，別小看這路子彎彎曲曲得不夠蒼勁，這樣的長路每一節都包羅着一些深遠的人世憂樂；代表了文化的形式。

我的記憶裏有一個建築物的影子，它是一座寶塔形式尖頂的東西，要說它的高矮形狀，當然不足與城市的建築物相比，但是，這幢建築物在荒陬的野路旁邊，可就算得上是「宏偉」的了。這是什麼東西呢？這是頗具有嚴肅性的「字紙亭」。這個建築物圓的像一座小型的寶塔，它的高度，比成年人稍高一點點，人伸手上去，也可以攀到「塔」頂。「塔」的中央部份有一個洞，洞口大約跟人的胸際差不多高。它是用紅磚建成的，外面瀏上了一層白灰。旁邊也有相當豐富於民族形式的圖案，點綴着大塊的黑色和殷紅色的綫紋，有時也有翠綠的顏色的裝飾圖案，它簡直就是鄉間的繪畫、建築藝術的典範。

「字紙亭」的建築，在它的命名上相信可以猜到它的用途了吧！它，是鄉裏的「善人」出資建築的，它和建築土地廟、關聖帝君廟和觀世音菩薩廟的出發點相同，無非是一些善男信女解囊捐輸的成績結晶，不過，「字紙亭」比之于土地、關聖、觀音等廟宇多了一點進步的意識。也可以說，這種建築物，它帶着文化的意味。鄉下人對讀書人的尊重，從「字紙亭」可以看到，「字紙亭」上的洞口，都塑上「敬惜字紙」四個大字。許多人為了「積點陰德」，常常獨個兒肩了一担竹籮，到處去檢拾字紙，一村一村，一鄉一鄉的去隨地檢拾，這樣一直到檢滿了竹籮，便挑到這個「字紙亭」來，把字紙倒到亭裏，舉火燃燒。這樣，他們便覺得心安理得的做完了一件好事。躊躇滿志的挑着空籮歸家。「敬惜字紙」的人，並不限于貧富，他們都是出于自發的，他們覺得這是一種良心的勾當，他們的心目中，是要把寫了字的字紙得到更好的歸宿，不讓它委棄于地下，任人踐踏。這些人的意識中，尤其憎恨那些拿寫了字的紙或印了字的紙去揩屁股。仔細的研究，這些人倒有點兒「衛道」的精神。他們頗仇恨用字紙去做不清潔或勵于不道德的，猥褻的事情。

鄉下人對讀書人的尊重，這是傳統的精神。正因為讀書人受別人的尊敬，人們才感到做文盲的可恥。「敬惜字紙」的人也許就因為自己沒有讀書的機會，或讀書太少，年紀又大了，便產生了這種近乎「歇斯的里」的意識。這種人的堅定心意，儼像崇信宗教一般去崇敬被棄掉的字紙。他們頗似苦行頭陀的精神，不斷的檢拾回他們所缺乏的書卷氣息。這原是一種淺薄知識的慰情的舉動。

每逢跑到鄉野的路上，我總喜歡看看這座寶塔式的「字紙亭」，它帶給人們一種新鮮而富有鄉土形式的文化感覺，當我用手接觸到亭子的粗糙帶點熱氣時，常常會泛現一個善良而慈直的影子在我的腦海中，我忍不住會重複誦讀一遍亭子上面那四個大字：「敬惜字紙」。

壽于右任院長八十

·邵鏡人·

艱難天縱牧羊童，晚節彌堅道在躬。革命馳驅龍起陸，奇才奔放馬行空。姚江踵武儒為將，（民國七年，先生奉孫中山先生命，為靖國軍總司令。）秦嶺鍾靈地亦雄。憂樂一生關運會，汾陽福壽許相同。

現實小說

揠苗

·蕭傳文·

一、

清風透出了秋天的氣息，小巷裏揚起一陣陣孩子們的歡笑和喧聲，這是個晴朗的星期天上午，小華和同伴們在玩一種新鮮的遊戲吹肥皂泡，因為他吹得最大最好，大家都圍着他歡呼和讚美，他也就吹得更起勁了。

「小華，再來一個，一個更大更美的呀！」

小華的心也像那泡泡一樣輕，在空中飛揚了起來，正當他聚精會神的當兒，忽然一聲熟悉而又粗暴的兇聲，從他的背後迸出，這是他父親張先生的聲音：

「小華，你這小鬼，還不給我滾回去！」

小華站着沒有動，像猝然觸了電似的，渾身戰慄冰冷，剛纔的歡樂和興奮，也降到冰點，驀然間，一隻粗大的手掌落在他的右頰上，接着左頰也挨了一下，猛烈的疼痛，像火燒一般，兩眼也像要冒出火星，他的瘦小的身子，因受不住這突來的襲擊，而搖搖欲跌。

「還不給我滾回家去！」

他默默地跟在父親的後面回到家裏，剛跨進大門，母親從屋裏迎出來，看見這父子倆的神色，吃驚地大聲問道：

「怎麼啦，又有什麼事惹你爸爸生氣了？」

張先生衝着妻厲聲吼着：

「還要問，都是你寵的，任他在外面野，也不督促他做功課。」

「今天是星期天呀，讓他玩玩——」

「讓他玩玩，」他忿然打斷她的話說：「你看老大怎麼樣了？都是你讓他玩，結果考不上學，跟人家學做小生意去，唉！」

小華趁着父母親在鬥嘴的當兒，趕快蹓進書房裏，當他剛剛在書桌前坐定的時候，他的肩膀上忽然感到一陣溫暖，原來是父親的肥厚的手掌，輕輕地撫着，他不知道他什麼時候進來的。出乎他意料之外的，父親的聲音突然變得溫和親切，他說道：

「孩子，爸爸是願你好，知道嗎？你明年暑假就小學畢業了，我禁止你玩，是要你多溫習功課，你是知道的，考中學多難，你大哥就因考不上做學徒去了，你一定要考，所以必須努力，我打你是願你好啊！」

他說畢，用雙手托過小華的臉來，眼睛裏充滿了慈祥和憐愛，顯然對自己剛纔的粗暴，覺得後悔，他愛小華，勝過其他的子女，他並非不愛他們，只是老大沒考上中學，使他對他的前途感到失望，其餘兩個年齡太小，目前看得見的，只有老二小華了，為了使他不重踏老大的覆轍，所以必須加緊督促，務必考上中學。

小華是個聰明的孩子，他懂得父親的意思，也知道他是由於愛他纔打他的，所以對父親給他的懲罰絲毫沒有怨意，反而為他深長的慈愛所感動，此刻也正父親滿是慈祥的臉上，再也看不到剛纔的兇狠神色，只有慈愛和親切，像春天的陽光般照耀着他。

二、

從此以後，小華再也不出門跟同伴們玩了，即使星期天也不例外。有時候讀書倦了，爬在窗口，望着同伴們遊戲，恨不能加入他們，但每在這種時候，父親便會突然出現在房門口，大聲斥喝，叫他好好讀讀書，小華纔又將心情收回，繼續做功課。除星期天外，他幾乎整天在學校裏，每天剛天亮，就在接連的呵欠聲中，匆匆吃完早飯上學去，他必須在七時以前趕到學校，纔能趕得上昇旗和早自習，往往在上學的途中，眼睛一直睜不開，為了保持勤惰表上沒有一次遲到的紀錄，他必須匆匆趕路，放晚學後，他留在學校裏補習功課，直到晚間十一時以後，晚餐的便當是由家人送來的。（一）

憶南京一報人 于緯文先生

·夢霞·

前時讀本刊所載的「自由中國報史上一位獨立的記者——祝成舍我先生六十壽」一文，使筆者聯想起一位久為人們所遺忘了的南京報人，他是道地的南京人，也是一位不折不扣的獨立報人，假使老一輩同業，不太健忘的話，也許總還會知道的；那就是戰前南京的一家新中華報創辦人于緯文先生，于氏現已作古多年，筆者所以要在此提出者，乃以其獨立創辦新聞事業之熱誠與艱鉅過程，確有事值得讚揚之處，而其忠貞不渝的人格似亦有不可埋沒者，因就筆者所知擇要報導出來，縱無任何價值可言，聊當紀念之意，或亦未為不可。

按于氏於民初即響應白話文之興起而首創「明德白話報」，以一個窮儒，遽爾創一刊物，其經費之籌措艱鉅可知，故最初僅為四開一小張，其內容除注重倡導新文藝外，對革命之鼓吹尤不遺餘力，因能逐漸支持編輯發行，並次第擴展，至北伐成功，遂易報名為「新中華報」，而其篇幅亦已居然擴至對開一張半了。當然他的報紙之所以能夠蒸蒸日上，也並非偶然致之的；經常對新聞之報導固極力爭取不落人後，另對一般社會教育，文化復興以及其他有關時勢之評述議論文字更力求新穎，于氏本人每日必親撰一篇針對事實之社論，頗得一般好評及政府之重視，至於副刊方面則注重文藝，故亦能吸引讀者，因而其文壇地位才能與當時首都各大小公私報紙相抗衡，報紙銷數日增，逐漸次充實內部增加營業部門，至民國廿年此一民營報，業已稍具規模了。於是復又增刊為兩大張。然而事業愈大，開銷日繁，其經費來源缺乏，一向全賴報紙銷量以及營業維持，若能善於管理，原可自給自足，無如于氏本人天性過份忠厚，竟不屑於計之較，結果反因營業累及報紙，日不敷出，又因不得不負債纍纍，而時局影響，終未能一帆風順，其中困難重重，若非于氏有堅強毅力，一度簡直有停刊之虞；但于氏並不氣餒，惟極力從各方面設法奔走，盡其所有使其新聞事業支撐下去，筆者曾目睹其家中已無隔宿之糧，却仍將身邊所剩無幾付給工人伙食。其苦心孤詣可見一斑。

抗戰開始之初，于氏之報紙仍舊振作精神為戰事極盡報導之能事，以及對惡劣局勢適時提出警惕，喚起振奮人心之作用。惜其時政府漸漸撤退，首都已進入危險狀態，于氏既無後台可恃，又乏經濟支持，當然無法隨當局同進退，只得坐待淪陷。當首都失守之前，于氏仍不願放棄其事業的最後一息，一方面當時京中已無其他報紙存在，故為適應一般人民之需要計，每日還照常發行四開報紙一頁，就當時戰爭情況盡可能作詳盡之報導，而其消息來源業已斷絕，除城內之社會新聞由其親冒炸危險採訪外，其戰事消息則僅賴夜間收聽廣播記錄報導，其時印刷工廠中祇剩排字學徒一名以及搖機粗工一人而已，編寫校等各工作則均由他一人唱獨腳戲。直至京城失陷前夕，此一經營數十年之私人獨創報紙方宣佈停刊。後于氏內心不堪敵寇之凌辱遂抑鬱而亡。

于氏生平性豁達，喜交遊，坐上客常滿，又急公好義，樂為善舉。擅長著述，曾有出版著作數種，惜均因戰爭流離失傳，家中藏書頗豐，亦同遭國難，知之者亦不禁為之惋嘆！

阿里山散筆

櫻花開遍山谷

·張放·

這恰是櫻花盛開的季節，許多遊客從各地前來阿里山賞櫻花；花前月下，儷影雙雙，以不辜負這良辰美景。我們剛下火車時，正走向林場招待所途上，便見十幾株盛放的櫻花含笑迎接；朵朵淡紅色櫻花瓣，猶如少女的美靨，即使在一個單身漢的心海中，目睹此景，已是飄飄然了。

阿里山櫻花雖然不甚多，但是櫻花樹雜生於翠綠之間，紅綠相映，別具一幅美麗而生動的畫面。這比起陽明山的櫻花要別緻可愛些。這彷彿是些天眞爛漫的少女，自是讓人羨慕三分；假使你到了「少女峰」裏以後，便抑不覺怎樣驚奇了。阿里山的櫻花樹，不多不少，正是恰到美處。

從三代木，慈雲寺，向着神木走的幽徑上，常見道旁有櫻花樹年攔路。櫻花每朵有五瓣，色甚美，葉互生，卵形有尖。櫻花在植物學上，牠是屬於薔薇科，落葉喬木。

據說看了櫻花，夜間便會夢見美女。這夜倒眞的夢斷櫻都：那東京上野，日光，淺草等地櫻花爭豔，往事又宛如雲海般的浮上眼前。如果從櫻花的角度去看日本，她還是一個崇尚和平享樂的民族。但是從明治維新以後，也許因國勢日強，那種好戰的野心勃起；甚至在今日，日本仍舊執迷於短暫的現實利益中。我覺得這是有背於日本人民的。可痛也。

次日清晨從祝山觀日出歸來，迎面見有香林國民學校男女生二十餘人結伴上山，穿過那一片櫻花樹，每個孩子的臉龐都像櫻花似的可愛。

「再會！再會！」一個接一個的向我點頭招呼。

我無法形容內心的歡喜，這宛似阿里山的新苗，在山風的勁吹與花卉的薰陶裏，他們將會成為堅毅而結實的森林。他們說的話又是多麼可愛呀！「再會，再會，」為什麼初次見面就說「再會」呢？

這些國家未來的主人翁，他們像駒兒似的活躍在阿里山道。中國是有無限前程的；別只看那些穿長袍馬掛的老人，你可得正視這些茁壯中的新的一代！

自由人
THE FREEMAN
（第七四九期）
（半週刊每星期三六出版）
每份港幣壹毫
台北市售價台幣壹元
督印人：陳文華
地址：香港高士威道二十號四樓
20 CAUSEWAY RD. 3RD. FL.
HONG KONG
TEL. 771726
承印者：東南印務出版社
地址：高士打道六十四號
台灣總經理處
台北市西寧南路壹壹號二樓
電話：四七三四六
台郵撥儲金戶九二五二
海外總經銷：友聯書報發行公司
香港：彌敦道中六十二號A二樓

中共黨內鬥爭新形勢

鄭竹章

最近半年來，由於中共以「經濟大躍進」來鼓舞幹部人民，在國內外渲染得如火如荼，因而其內部的鬥爭，反爲人所忽略。其實這半年來，中共不但在中央方面有激烈鬥爭，其基層組織更展開生死搏鬥。其近四月來接連清算浙江、安徽、青海等省省長及副省長，即爲此一內爭的具體反映。

老和尚再度雲遊

去年的「鳴放」與「反右派」，已顯露出共內部鬥爭的蛛絲馬迹。去年七月間毛澤東在青島所召開的部份省市黨委書記會議，即證明共內部確有鬥爭存在。十月間的中共八屆三中全會，是毛重振聲威的一項會議，爲其出席莫斯科會議的前奏。但去年的莫斯科之行，毛澤東在爭取俄共經援上一無所獲。從本年度起，蘇俄不但停止全部經援，且追索七億六千萬人民幣的貸款本息，證明俄京之會，毛澤東係空手而歸。

爭取俄援的失敗，使毛澤東重新陷入困擾，因而毛返北平後，對俄京之會絕口不提。爲挽回面子，更決定推行經濟上大躍進，一面加强發展地方小型工業，減少對蘇俄的倚靠；一面反常提高各種生產指標，以便向赫魯曉夫報以顏色，表示即使沒有俄援，中共仍可能「大躍進」。

在毛鼓勵經濟上躍進運動的時際，從去年下半年以來，其各省市黨委會正不斷展開清算。先後被整肅的，有浙江省委書記兼省長沙文漢，副省長楊思一，省委常委兼人民檢察長彭瑞林，省委兼財貿部長孫章鋒。接着又宣佈清算中共安徽省委書記處書記，副省長李世農，省委委員，省檢察院檢察長楊效椿，省委委員，省檢察院副檢察長李銳，省司法廳黨組書記，副廳長陳仁剛等。三月十一日又宣佈清算中共青海省委書記兼青海省長孫作賓。這一連串的清算運動，爲一九五四年清算高饒事件後最大規模的一次。

尤其值得注意的是，這些清算事件發生時，毛本人正作全國性的巡視。去年十二月，毛曾出現於上海及杭州，本年一月間至山東、安徽、廣東、廣西，二月間至東北，三月初抵四川，在四川盤旋將近一月，四月初抵武漢，四月下旬又再到廣州，今年的「五一」竟不出現於天安門，而在廣州近郊農業合作社渡「節」。因而使人發生一項感覺，如果這一連串的地方清算事件，不是出於毛的直接決定，則毛這次的雲遊不歸，可能意味着其本身正遭受某種壓力。

地方黨政的鬥爭

在浙江、安徽、青海的三項大整肅中，顯露出一基本事實，即中共內部黨權系統與政權系統傾軋的白熱化。中共黨方對沙文漢、李世農、孫作賓等所定的罪狀，差不多都是「反抗黨委的領導」、「反對以黨代政」、「企圖篡奪省委領導」等，即可概見。

沙文漢、李世農、孫作賓等担任省長、副省長，都歷有年所。照中共黨方的宣告，他們的反黨活動均非一朝一夕，而是有長期歷史的。但卻直到最近才被清算，這說明這些人的背後，必有另一派勢力的支持。而這次的整肅運動，可能是支持他們的力量已失勢。如果照一般人已熟知的經驗推斷，失勢的必是周恩來系。周恩來派的伎倆，顯然與去年的鳴放及反右派鬥爭有密切的關聯。

黨權上升政權下降

周恩來派的失勢，除反映於省市黨政之爭的着着敗績外，從下列各項跡象中，亦可略窺端倪：

第一、周主持下的「國務院」，在本年二月召開「人代會」第五次會議時，通過進行改組，裁撤七部一會，其本人的外長兼職，亦於此時被迫辭去。而劉控制下的黨中央委員會屬下各部，不但未見裁撤，反而日益膨脹。過去中共中央直屬部會，只有組織、宣傳、統戰、農村工作、社會等部，以及青年、婦女、軍事等委員會，目前已增設文教工作部、財政貿易工作部、工業工作部、交通工作部，與政權系統遙遙相對，以黨代政現象日益明顯。

第二、過去除關鍵性指示，由中共中央與「國務院」聯名發佈外，一般指示命令均由「國務院」名義單獨發表。但最近幾個月來，稍爲重要性的指示，幾無不以中共中央與「國務院」名義聯合宣佈，甚至如造林問題，亦須由中共中央聯名發佈，可見「國務院」權力愈來愈爲減低。

第三、中共目前正進行基層「人民代表」的選舉，據中共機關報最近的報導，各地選舉結果，凡屬右派傾向的人物，皆已全部落選。未來的新「人代會」，將清一色是所謂「左派份子」的天下。而所謂「左派」，大多數是劉少奇派，因而劉派的勢力，在未來的新「人代會」中，預料將佔壓倒性的優勢。

劉派勢力的不斷上升，不但壓倒了周派，而且已逐漸威脅毛澤東。而毛在最近幾個月來的間關道途，深入各省，顯然並非閑情逸致，即係在於撫輯省市幹部。因爲根據過去三年來的經驗，每逢黨內發生重大爭執時，毛並非召開中央政治局會議解決，而是召開省市黨委書記會議解決。如一九五五年七月卅一日的召開省市黨委書記會議，通過農村合作社的問題；一九五七年七月召開省市委書記會議，均通過鳴放與整改問題，均是同一方式。可見毛的僕僕風塵，一方面固然在表現其「到群衆中去」的路綫，而更基本的動機，乃在鞏固其對基層的控制。

且看鹿死誰手

劉派勢力的升漲，雖使周派暫居下風，但並非表示周派已一蹶不振。最近的幾項措施，均說明中共黨內反劉派的力量似極爲強大：

第一、最近各省政府的改組，黨委第一書記並未能兼任省長職務，如浙江省清算沙文漢後，繼任的不是省委第一書記江華，而是浙江紹興人周建人。許多原來由省委第一書記兼任省長的，亦紛紛辭去兼職。去年九月，廣東省委第一書記兼省長陶鑄，即首先辭去省長職務，另派國務院煤炭工業部長陳郁爲廣東省長。最近河北中共省委第一書記兼省長林鐵，亦被免去省長職務，專任第一書記。這一黨政工作的劃分，顯然是對劉派的一種反擊。

第二、共軍中反黨的傾向亦日漸抬頭。根據「解放軍報」的報導，中共部隊中指揮軍官與黨統的鬥爭，隨處可見。中共浙江省委第一書記江華去年十二月廿八日在「人民日報」上發表的報告中，即提出要加強黨委會對各地駐軍的領導。可見黨統在軍隊中的聲勢，仍未至能絕對控制共軍的時候。

第三、最近半年來，在大陸本部各省，地方主義傾向普遍抬頭。各省市紛紛要求本省人治理本省，反對由外省籍幹部「掛帥」。這一運動，在甘肅、青島、廣東、浙江等省，均有極突出的表現。上舉被清算的沙文漢、孫作賓等，據說都企圖利用這種地方主義勢力，強調地方人的聯合，要求黨委交出領導權。他們雖然被清算，但對地方主義的抬頭，中共中央迄今仍束手無策。

上舉的各項情勢，說明中共內部的派系鬥爭，仍各有憑藉，各有潛力。迄今爲止，劉派雖利用反右派的新情勢，對周派進行反擊，因而形成最近一連串的清算事件。但周派亦非完全孤立。何況毛澤東爲維持其高高在上的地位，必不令劉派一枝獨秀，以威脅其地位。因而中共內部的龍虎鬥，仍將繼續下去。劉少奇欲一手獨攬黨政大權，看來還未到其時。

半週評

共黨陣綫內部異端迭興

此次南斯拉夫共黨與蘇俄的爭端，在性質上依舊是共黨內部政策路綫之爭，但從南共黨綱草案中所表現的思想，卻與俄式共產主義之間有顯著的距離。狄托等人不再拘囿於由莫斯科御定的共黨路綫，例如有關資本主義可以和平演進到社會主義的觀點，顯然在推翻列甯的理論，而接近考茨基以來西方社會民主主義的看法。這幾年來，在東歐各共黨國家中間發現過許多「異端」。吉拉斯走得最遠，他根本否定共產主義和共產黨；挪基始終對馬克斯列甯主義矢忠，但他卻反對將俄式無產階級專政施用到其他國家，他的「新路綫」與匈牙利革命時期的政策，都顯示他可能從這種立場再進一步接近近代民主主義。現在的南共，則企圖要對無產階級革命的理論有所修正。這是共產世界中一項極重要的跡象，顯示出共黨理論是如何的虛弱，已經漸禁不住時間的考驗了。

狄托自取其咎

但這並不是說，我們要對狄托等人寄以何等重大期望。只要克姆林宮不逼人太甚，他們會從現在的立場退卻，正有如一九五三年以來所扮演的一樣。吉拉斯頭腦比狄托一流人清楚，他並未因崇高的地位與權勢而泯滅內心的良知，他道出了南斯拉夫最大多數人民的心聲，但他卻遭受到一連串的迫害，而今還在監獄中服刑，甚至在狄托此次反抗莫斯科指責時，仍不忘記對他的攻擊。可見南共諸人如何頑冥不靈，明知共產主義的路走不通，卻沒有勇氣澈底改弦更張，此次再度遭受共黨國家圍攻，正是自取其咎。

毛共嚴辭譴責狄托

最可笑的是中共，這次居然攘臂而起，對狄托做了比眞理報更爲惡劣的責難，甚至支持一九四八年共產情報局對狄托的處罰，這篇人民日報論文，次日即經眞理報全部轉載，藉以加重對南共的壓力。近兩年來，南斯拉夫和波蘭共黨，都和中共相當友好，多少有些引爲同調的用意，乃去年十一月在莫斯科，中共卻對莫斯科領導權表示堅決擁護，迥異於南共的根本杯葛與戈慕卡略達弱的遲疑，這次對南共的責難，北平又比莫斯科更不客氣，這對於狄托戈慕卡，是一件非常難堪的事。

論勇氣和智慧，毛澤東本來比狄托更不如，無足深論，至於此次何以如此爲克里姆林宮張目而對南共大肆抨擊？說是爲了討好俄共，抑或想鞏固共產世界領導權，都是隔靴搔癢之論，其實是今日中共正臨到思想意識方面的危機，在中共統治下，孕種「異端」和修正主義的抬頭，是中共一項重大的隱憂。現實的條件不只限定毛澤東自己不可能走狄托路綫，他還必須大力防範「異端」的滋長。只要大陸上人們的頭腦沒有全部僵化，吉拉斯路綫一定會繼續滋生滋長。

印尼的戰局

蘇門答臘革命運動告一段落，幸而北西伯斯方面有了新的進展，反共的印尼人民還沒有完全斷絕了希望。局勢發展至此，整個自由世界再不容依違兩可，放任共黨噴射機繼續屠殺印尼人民，一味否認「干涉內戰」的指控，是不足以激勵東南亞人民的反共意志的。

・李秋生。

緬甸執政黨的拆伙

——勢將觸發中共侵緬野心

華永雋

緬甸在一連串大逮捕之後，終於觸發前未曾有的政治危機。雖然，這是由來已久的必然趨勢，在不明政情的局外人看來，這次政府首腦間的衝突，宇努咎由自取。要說他不應當爲了鞏固個人權位，以莫須有要求，下令逮捕異己。事實上是另有原因的。

宇努在內戰十周年以後，授命各地軍警大舉搜捕，目的爲徹底肅清共禍，不得不在政府控制區取締附共分子。問題是事先未曾明白昭告國人而已。以宇叫迎爲首的社會黨各領袖，既不能力阻宇努行使總理權力，只能拆散「自由同盟」的「聯合陣綫」，使政治陷於癱瘓，以俟國會改選中得勢。

緬甸自命是一個「中立」國家，實際一方面厭棄西方殖民主義，同時也恐懼共產主義，力圖「自求多福」。宇努早期的概念，以爲只要排除英國人勢力；國內的紅、白旗（兩股）共黨不足爲患，殊不知這兩股來自莫斯科不同路綫的叛國集團，十餘年來，導致這個「社會主義」國家，對於社會只有破壞，阻撓建設，其基本原因，誠爲「反法西斯人民自由同盟」爲首與社會黨組成的「聯合陣綫」，只存在着一個形式，同盟政府首腦部意見，幾乎從未一致；相反，政治上的歧見，權力上的衝突，與派系間的磨擦，造成了決策上的重大矛盾。雖然，長期暗鬥的結果，只有宇努、宇叫迎兩大對立的主流。

宇叫迎在政府中任第三副總理兼經濟部長，不圖自力開發國內資源，又反對西方軍經技術援助，一向傾向共產集團使政府負債，向蘇俄及其附庸國借款。宇努最近拒絕了俄貸三千萬美元，那是鑒於中共「助緬擴建直遷紡織廠」有名無實，徒見以緬甸人民血汗換來的白米之誘上俄船駛離仰光。緬甸人對此只當是政府無能，不滿宇努的措施；共黨及反對派則藉此擴大反政府宣傳。宇努對於蘇俄、中共，今後應持何種態度，沒有理由不作重新考慮。

於是，他所遭遇的壓力，也就越來越重。所處環境，比一九五六年（連任八年）六月五日被迫辭職之時，更加惡劣。當時宇巴瑞於（同月十二日）繼任總理後，未及一年（去年二月辭職），已使緬甸政治、軍事以及社會建設，陷於停頓。中共對緬甸的割土要求，已成勢不可緩，在內憂外侮交織之中，宇努重被推出，於去年三月一日再行領導組閣；宇巴瑞退居第一副總理，仍兼國防部長（一九五零年六月起曾任）。宇努認爲當前的緊急措施，殆無過於綏和中共的兇鋒，卒於三月二十二日赴滇，要求中共對於四個月之前周恩來所提割土建議，重加考慮。同時對于中共屢次要求舉行邊界談判，始終延宕，以免觸怒緬人。

但是局勢發展，已使宇努無法逆取順守，那是肇因於政府內部無法團結，以致這個對外親共、對內剿共的內閣，變得脆弱無能。兩個月之前宇努拒絕緬共「和平協商，結束十年內戰」，只准共黨放下武器歸降之後，左翼以「勞工黨」爲中心的「人民統一陣綫」，在宇努、宇叫迎之間，肆意搆煽離間，而中共則在滇南增兵，深入中緬不管地帶測量地形，派遣共特喬裝僧侶滲入緬境，指導緬共控制地方基層政治。凡此皆嚴威脅同盟政府，宇努迫得派遣國防軍第八團北上增防邊境，另一方面則逮捕左翼——實際則爲共黨份子。

宇叫迎面對這一形勢，不圖切實檢討「社會黨」本身，反而斥責總理不應濫用權力，無故拘禁屬下黨幹。積累已久怨隙，一時遂爲忿怒，交相斥責，直至四月廿七日深宵，雙方自信在國會選舉中，均有取得多數票，竟得對方可能，協議分裂。結果，宇巴瑞（原屬社會黨發起人之一）領導的一派向宇叫迎合伙，自由同盟秘書長德欽丁將郝十派，本來在宇努、宇巴瑞、宇叫迎三派之間保持中立，現在則和宇叫迎合攏，使宇努陷於孤立；社會黨的潛力，本來比自由同盟強，由於並不公開露臉，勢力卒爲執政黨掩蓋。未來國會改選，兩派誰能獲勝，目前尚難斷言，表面形勢顯對宇叫迎有利，宇努的基本票僅祇九十五票，前者擁有一百十七票多數。今後不論誰人執政，兩派對立，倘能推誠團結，改弦更張，即令中共重兵壓境，國內共禍跋扈，亦可共謀救國之道。不然，橫禍乘虛而興，猝不及備也。

（四月廿八日寄自仰光）

胡適在台言論片段

●劍聲●

【台北通訊】中央研究院院長胡適以自由中國半月刊社務委員身份，於四月十九日參加該刊每月例行的社務會議。這是他回國後首次參加的會議。他於下午六時半走進該社，逗留了將近五時，過十一時才離去。

嘉勉「自由中國」同仁

胡氏在會議中嘉勉該刊同仁，說「自由中國」對督促政府改革政治的努力，並未白費。他列舉事實支持他的看法說：他抵達日本，許多友人告訴他，自由中國有一點言論自由，各方面也有一點進步，這點自由和進步，是「自由中國」社發揮了言責的努力。他甫抵國門，正逢報人為反對出版法修正草案，言論之激昂，發揮了高度的言論自由，這是「自由中國」過去為言論舖下的康莊大道。其次最近行政院的局部改組，也多半是「自由中國」的「蘋菓外滙案」社論所促成的。政府對「諍言」不似以往充耳不聞的態度，進而為知過必改了，這是可喜的現象。

對國際局勢的看法

胡氏對國際局勢的看法，認為大家避免戰爭而大戰卻隨時可能發生。他以「和比戰難」說明他的理由。大意是說：和難，因為目前自由民主思想絕不容於共產主義；「和平共存」是少數不瞭解共產主義本質的人的幻想，中立主義者推波助瀾，才有這濫調的出現，天真的人卻信以為真。同時，談到「和」，誰願意出來斡旋？萬一和不成而戰，則主和者豈不是歷史罪人？至于戰易，因為自從韓戰爆發後，民主國家積極從事軍備，以防第二個韓戰發生。現在兩大集團，在軍備上競賽，達到平衡，所以才發生制衡作用，保持現狀。一旦軍備競賽不能平衡，任何一方面領先，就是大戰來臨的前夕。

關於反對黨問題

據說，胡氏在另外一次談話中，有人提出反對黨的問題問他，他表示贊成民主國家要有反對黨，而反對黨的力量要和執政黨相等，以在野黨的地位，監督執政黨的政府。反對黨是民主憲政所不可少的。他主張由執政的國民黨中，分成兩個大黨，仿土耳其凱末爾主政時的辦法。或者由青年黨、民社黨，和無黨無派的社會人士組織一個與國民黨相等的反對黨，來監督政府。不過，他無意要做反對黨的黨魁，因為他的身體不好。過去，他有四不，就是不拜客，也不回拜拜訪他的朋友，不宴請親友，不替朋友寫信向政府官員介紹一官半職。近幾年來，他又增加了一個不，不寫回信給朋友。（四月二十七日）

活躍在五四紀念中的文藝界

●胡玉●

胡適作了長達兩小時的演說　有人指出軍中培養了新作家

台灣通訊

本屆文藝節的主要慶祝節目之一，是胡適之先生蒞臨大會，作了長達兩小時的演說。胡氏的演說，形式上看似隨便談談「想到便講」，但內容卻具體的解答了三項課題。

中共剽竊五四成果

第一、他說：五四運動完全是根據「老祖宗傳下的遺產」，「廣大的老百姓活用的語言」，而產生的「文藝復興」，簡單言之，可歸納成「漢字寫白話」五個字，絕不是所謂「啓蒙」或「革命」。這，自然是對共產黨徒剽竊五四成果，強說「五四是受蘇俄革命影響」的答覆。

胡風是「理想的傻子」

其次，胡氏提到魯迅，並認為胡風是「覺悟了的魯迅的意志」。而大陸上之所以由「清算胡適的幽靈」之喜劇，終演變為清算胡風的悲劇，也正因為胡風這位魯迅的意志，是一位「理想的傻子」，是「妄想」在共黨手下爭取創作的自由」。這分析無疑是新穎而透澈的！

文藝要走「人的路綫」

最後，胡氏強調：「交心」的今天，我們當大陸上的作家在比賽「一」的文藝，要走「人的路綫」，「不要希望什麼政府的輔導，讓我們作一個自由世界的自由創作」者！

畫龍點睛，這是胡氏的結論，也是他的勸告，希望與答覆。——尤其是對於在台灣成天吵嚷着，要在行政院裏增設一個「文化部」的那些文化「運動」者。

同樣值得注意的是：胡氏講演是在下午二時半，當天早上，中央日報上就已以星期專論地位刊了一篇陳紀瀅氏的紀念性的文章，認為「文藝創作絕對需要自由」。他說：「為什麼今天黃色作品如此泛濫呢？當然有政治因素，也是社會風氣敗壞」。而其結論則為「讓我們以自由眞理打擊殺戮者，以自由眞理拯救在鐵幕內的作家們」。文化圈內對此頗有一些敏感的想法。

好長的前奏曲

·尹錕·

一項出人意外的事實

將來的事終是將來的事，過去成就如何呢？有一個最出人意外的事實是：推動自由中國文藝「工作」（注意，「工作」不是「運動」）的主流，是軍中而不是社會。這事實也是由陳紀瀅所指出的，在五月二日的文協記者招待會上，他指證：「今天，最純正的文藝刊物，多半是有軍中直接訂戶，才得以維持」，「大半數現已成名的作家，都來自軍中」，而且，「年青而優秀的青年作家，正陸續由軍中產生」。（的確，新作家而來自社會的，確不多見）

半軍半民的「軍友報」立即很興奮地支持了陳氏的論點，在五月四日的社論中，要求重估軍中的文化水準，並進一步要求：「為了提高整個社會的文化」，甚至於形成一個新的文藝復興，由軍中影響到社會一如四十年前之由學生影響到社會。」社論中舉出許多事實的例子為陳氏作佐證：如某機構曾有辦理軍中文藝函授學校之議，報名者數日內即達七萬人，如全國廣播界「歌星」與正統音樂家同時赴金門勞軍，證明了前方對純正音樂的渴求與對黃色音樂的厭惡。如文史教授杜呈祥、吳湘湘、陳致平，及物理學教授王成椿等講學金門澎湖時，士兵所發對于史地及原子能諸問題之精深，曾博得各教授的驚異。如吳教授發現一位上等兵定閱了董作賓教授所辦的「大陸雜誌」，（偏重考古人類學）等等，並認為：「歷年克難英雄在科學方面的發明，更早已超過了社會的成就」。

事實上，陳氏觀察以及該報社論，都是十分正確的，在科學上，我們的楊振甯李政道都遠在外國，在國內的發明而創造，大都來自軍中。而且不獨此也，連成名的電影明星穆虹，張仲文，也都是從軍隊裏冒出來的！

來說，就現已成名的作家，如朱泉、何適存、何志浩、公孫嬿、魏希文（政工）、郭嗣汾（海軍）、（砲兵）都是正牌現役軍人，再如鍾雷，（亞洲影展得獎片「歸來」之編劇），王藍，及女作家劉枋等，抗戰時期都曾穿過軍服，另外幾位女作家如郭良蕙，郭晉秀、太太梅等，則都是軍人的太太。新作家之中，如寫「荒島血戀」的尼洛，以及在香港亞洲寫短篇甚佳且甚勤的徐慧等，亦復都是尉級軍人。另一位優秀的青年作家郭衣洞，雖非軍人，但亦在國防部的直屬單位工作。

社會文化呢？抑軍中文化？

這些最重要的事實是，這些人全都是在眞正寫文章，而大都不是在「搞「運動」」，雖然生活天天在戰鬥，但文章裏卻很少衝呵殺呵及萬歲之類的，的確是全仗這些人，台灣的純文藝刊物，才不致於是白紙，今後究竟是否將由水準較高而較純正的軍中文化，來推動並提高社會文化，抑是社會文化急起直追以趕上軍中文化呢？就得看事實的證明了！（五月四日寄）

環繞星洲大選日期的一些動向

逸倚

星洲特約通訊

筆者在四月十六日的通訊中，曾說到新加坡的強迫投票制度，將會在四月廿二日的立法會議中提出討論，可是，這位動議的議員臨時收回提案，醞釀中的一場大舌戰便告烟消雲散。但由於執政黨——勞工陣綫——和最大反對黨——自由社會黨——也表示支持強迫投票制度，差不多已成為定論，立法實施只是遲早問題，展開舌戰徒然浪費議院的時間而已。這且按下不提，轉而報導一些與此有關的下屆大選日期的消息吧。

既然要實施強迫投票，籌備需時，一九五八年內舉行大選已成為不可能了，但到底要那個時候才能夠舉行呢？根據首席部長林有福答覆議員質詢的演詞稱：大選日期將視政府認為顛覆勢力不能奪取此新生國家的政權而定，但亦不擬延至林德憲制（壽命）以後。這句話，顯然就是說下屆大選日期將會在一九五九年五月以前。林部長的話原是頗有彈性的，不過我們屈指一算，這彈性的幅度由現在計起亦不過一年，勞陣政府在這一年內自信能夠撲滅共黨的顛覆勢力，或者阻遏這種勢力的滋長嗎？

隨着顛覆份子問題而來的，還有新憲制案草的附加條件，英廷殖民部起草的憲制草案全文已於四月底寄到此間，各黨聯合代表團曾一度集會檢討條文。會議的過程，尚在保守秘密中，但去年代表團赴英談判時所保留下來的所謂附加條件，顯然還列在草案之內。這就是：英殖民部要求禁止被認為顛覆份子參加新議會的首次大選，這一問題，去年已成為倫敦談判的礁石，今年新加坡的政治形勢雖略有改善，但礁石能否順利剷除，還在未可知之數。此間的代表團將於五月八日赴倫敦談判了，日來我們可能窺見的，只有三點：（一）立法院訓令各黨代表團反對此附加條件。（二）人民行動黨代表謂會發覺草案中，對去年倫敦談判時所達到的協議，並未能完全滿足協議的要點，這是一種否定完全內部自治的意義。（三）首長林有福宣佈：代表團深信該國之聯繫無破裂之危險。至於英方的態度呢，我們還是一無所知，須待至本月十二日以後才會逐漸明朗。

這一談判的結果，無疑地又是決定新加坡大選日期的一個重要因素。不過，明智的英國人會給予顛覆份子一個新的藉口和煽動機會嗎？

我們沒有理由不相信政府有足夠鎮壓共黨的力量，但對民主黨派的競選有無必勝把握卻不無疑問。因為當前的形勢已不是武力對武力的問題，而是滲透與反滲透的問題。去年年底的市議會選舉，勞工陣綫聯合了被認為給共黨滲透的人民行動黨，打垮了自由社會黨，勞陣自身沒有得到多大益處，反而人民行動黨奪取了市議會的最多席位。敵乎，友乎？這微妙的一幕，至今還深印在人們的腦海裏。前車之鑑，只帶來了一個實施強迫投票制度。這制度將來從票數的對比上雖有削弱顛覆份子的力量，但敵友不分，顯然還會抵消了這一優勢的。

最近有政治觀察家指出：為了早日實現新加坡獨立和舉行大選，一切民主黨派和人士的大聯合，是時候了。假如這個聯合能夠成功，不特可以填補強迫投票制度不足的地方，還可以使政權不致被顛覆份子所篡奪。從若干跡象看來，自由社會黨已消除對人民行動黨方面的疑慮，和保守派的市議員集中向人民行動黨開火，與勞工陣綫好像已有醞釀（如主張強迫投票制等）希望他們能夠成為一個完全摒棄成見，劃清敵友界綫，羅致更多民主人士的聯合陣綫，迎接新的大選日期，總不會被拖延至一九五九年四月以後了。

（五月四日寄自星加坡）

政治改革從政務官自律做起

●馬周●

近年來自由中國政府政務官的進退，似乎並不依照民主常軌。四十五年行政院的經濟部，因為欣台公司案引起立法委員提出質詢，鬧得滿城風雨，結果不了了之，負責的官員，依然「官我自為之」。到了四十六年又發生西藥外滙舞弊案，內政部和財政部均受到社會與論的指摘，而當時負責人也依然「有官好自為之」。到了四十六年底，行政院長俞鴻鈞以違法失職，受了監察院的彈劾，院長俞鴻鈞，經濟部部長江杓，內政部部長王德溥，財政部部長徐柏園一度提出辭呈，結果內政，財政，經濟，三部部長均掛冠而去，俞院長只是為總統慰留而留，把「財經內閣」四個字換個一下，俞內閣依然是俞內閣。

差不多在同一期間，自四十五年夏季起，考試院先發生了中醫師考試面試委員瀆職案，前考選部部長史尚寬在考試院的全體考試委員檢討責任之下，掛冠而去，是比較有點風度的。到了四十五年夏季舉行每年一度的掄才大典，考試院的考試委員會，決定以心理測驗否定應考人的學科成績，違法淘汰了十三名應該及格的應考人，經監察院推派監察委員陶百川、王文光、吳大宇等查明後提出五項質詢，請考試院答復，事隔兩年，毫無下文。最近考試院於四十七年三月轉呈總統府的四十五年考績案內，竟將分局規財案的主犯汪震和中興新村疏遷會汚案的要角陳奮克考列優等？事經總統府申斥，海內外各報喧騰一時，而考政當局尚在「笑駡由他笑駡，好官我自為之」。

政務官決策錯誤，處理政務違法受到「議會」彈劾，而未能拿出事實否定其違法，理應掛冠而去，或辭候懲戒，無論什麼理由，總要弄個明白。那才合乎民主政治的常規。我們則不然，凡遇彈劾，總是不了了之。總是，「好官我自為之」，此種政風不改革，還談什麼政治改革，還談什麼社會風氣改革？我們開口閉口談民主，在上者如此，去求在下者的政風改革豈可得乎？要談改革政治，必須從政務官自律自肅做起才行。

内銷僑報的厄運

【本報訊】本港及菲律賓日本等地內銷僑報，此次因政府于上月十二日公佈改進外匯貿易辦法，遭受空前困難，因依照外匯結匯新辦法，內銷僑報之成本（包括報費及航空運費）較前增加幾達百分之百，如以此項增加數字全部加諸讀者則各報內銷售價即須增加一倍，實爲任何讀者所無法負擔，各報內銷負責人，曾爲此事一再聯合向政府有關當局，籲請補救，各報社長也曾有聯名公函向各有關當局說明困難，但迄今二十餘天，政府尚無確切答覆。按僑報內銷，係先將報紙運台，分派訂戶，於月終收款後再申請結匯，僑報目前內銷售價均按照舊結匯辦法成本計算，新辦法與舊辦法匯率相差極巨，若拖延不決將使僑報因訂費與新匯率不能相稱而蒙受極大之損失，如政府不迅定補救辦法，則各報內銷業務，因面臨空前危機，勢將不勝賠累，前途如何至堪憂慮（五月七日）

科學家錢學森嘆苦經

兩年半前，中國留美的科學家錢學森搭美國總統輪船經過香港回到大陸。當時，中共以盛大的場面歡迎這位傑出的科學家，而錢學森本人，也竟然破口大罵美國如何如何，同時也對一九四九年前的中國加以咒詛。持平一點說，錢學森的咒詛，在過去國民黨照顧科學家的情況下，是值得接受檢討的，但是錢學森以幼稚的左傾思想而盲目的崇拜共產黨，也顯然表現了他對政治認識的淺薄。

錢學森到了北平後，曾一度東奔西走地到處參觀，之後，中共爲他在北平按排了工作和居處。我們可以相信，中共在生活上招呼像錢學森這樣的科學家，一定會使他感覺到舒服的，但是在科學工作方面，他不啻是自陷於死水潭中了，就像魚兒在淺淺的臭水溝裏，讓炎炎的陽光烤得他浮燥不安。

錢學森二年半來的工作情況究竟如何呢？他現在是「中國科學院力學研究所所長」，在科學工作的領域裏，以他的成就，當然沒有人能否定他的地位或說他不稱職，但是在碼紙工作條件下要想作無米之炊，却是他在美國時從未曾想到的。在美國，他是一個世界知名的科學家，他不會感到工作條件的低劣，人們給予他的尊敬，使他可以放手做事。但現在他的情況如何呢？請看看四月廿九日「人民日報」上刊出他發表的文章所說的吧：

「在我剛回國來的時候，單憑過去在美國的經驗，覺得自己以前也搞過一些像發展液體火箭，超聲速飛行器，高速燃料穩定等開創先例的工作。」因此，「根據以前在國外的一些經驗我十分樂觀：心想只要有黨和政府支持，作點科學研究，解決一些工程技術問題，是毫無問題的事……很顯然（他不能不承認）那是我無知的時期，不知天高地厚。計劃定下來了，真要動手作研究了，這才逐漸感到困難重重，既沒有研究工具，也沒有研究設備，同時我也想，既沒有領導的支持，那麼就讓我們來動手吧，來設計創造研究設備吧，可是連這也幹不了，（！）爲甚麼呢？因爲沒有研究隊伍，金工廠也沒有，這時候，我的思想轉了一百八十度，從樂觀一變而爲悲觀，真是覺得作研究寸步難移，簡直急死人。……」

很够了。從錢學森的這段敍述中，已足够令海外的自由學人和科學家們體味了。科學家失去了工作環境，即使是天才，也會變成白癡的，於是他們只能放下了本位工作，打着他的專家和權威的活招牌，爲共產黨作政治工具，作宣傳，充場面，等而下之的舉着標語去領導遊行，喊喊口號，捉捉麻雀了。（按：最近北平發動了捕雀運動，錢學森和華羅庚同隸一隊，天不亮去掏麻雀窩。）現在大陸上那來甚麼「研究隊伍」呢？北大教授在鳴放期間就說：現在的大學生到臨畢業寫論文時，還不懂原文的參考書，教授不但要指導他寫論文，還要帶他做翻譯工作呢！

在這樣的環境中，別說是錢學森，就是神仙，現階段也會束手無策的。（賓）

竹幕幽秘

黨爭進入了妥協狀態

八屆二次會議

在去年九、十月間召開的三中全會上，鄧小平曾說：要在該年底召開中共八屆全國代表大會第二次會議，來通過全國農業發展綱要修正草案。三中全會決議雖然已基本通過了這個農業發展綱要修正草案，但還要再分發到大陸農村中去討論。中國土地遼闊，距離年底的時間僅有二個多月，若要認眞的去討論則在十二月以前一定完成不了，於是只有出諸拖延一途。

在去年的十月裏，毛澤東似欲另覓捷徑，以從速通過該案，遂又召開「最高國務會議」，「人代常委」與「政協常委」聯席會議，討論農業發展綱要，企圖通過這些會議的鼓勵扭轉被三中全會以拖延爲目的的決定，但無結果。

在這種情況之下，若召開二次黨代表會議，雖不能說這一綱要將被否決，其再被拖延的可能性是很大的。因此，毛澤東改變初衷，索性將召開會議的時間推遲了。

鼓動冒進、地方整黨

毛澤東的農業發展綱要所以被擱置，是由於反對派反對他在經濟政策上的冒進。於是毛就在去年十二月間起，遍巡大陸各重點區，一面整頓地方黨，另一面喊出了「反促退派」的口號。經過他親自鼓動之下，形勢有了轉變，繼之而來的就是所謂「大躍進運動」。

共產黨皆有着「寧左勿右」的基本態度，因之，這個「躍進運動」很快的得以全面展開。共反對派，初則噤若寒蟬，旋以形勢沛變，隨着浪潮而同聲附和。像劉派大將彭眞，在五一講話中也表示要「爭取提前實現農業發展綱要四十條」。

新的運動高潮既出現了，那末在這次代表會議上通過已被拖延了兩年多的農業發展綱要大概不會成問題的。在毛澤東來說，爲此無異是已精疲力竭了。

兩派暫時妥協

前兩節是單從「農業發展綱要」的方面來討論的。再從全面來看，這次會議，中間還有一些蹊蹺之處。據報導，這次會議的三項主要議程是：中央委員會工作報告；關於各國共產黨和工人黨的莫斯科會議的報告；通過農業發展綱要。

毛澤東于去年參加莫斯科會議後，在回程途中，違反常例，一語不發；儘管其他各國共產黨中央此起彼伏的一個個作出決定表示擁護莫斯科會議的兩項宣言，而中共中央絲毫沒有動靜。這種情況，並不足以說毛澤東反對這兩項宣言，但其過份的慎重，却顯出問題之不簡單。三月裏，南共發表了它的著名的違反莫斯科會議兩項宣言的綱領草案，蘇共根據兩項宣言加以駁斥，各附庸國又隨聲附和。在此時節，中共仍保持緘默。這當然引起了蘇共中央的極度不安。

三月裏，也正當毛澤東從東北到四川，在那裏靜靜的消磨了一個月，對於南共間的衝突似乎充耳不聞。於是劉少奇趕到了四川，可以設想他們對此必有初步談判；四月下旬，毛由湖北、湖南而再度到廣東，劉少奇又及時趕到了廣州，難免不又作了第二度的會談。直到這次黨代表會議開幕前夕的五月四日，毛澤東方才回到北平。次日，人民日報立即發表社論，猛烈抨擊南共綱領，同時對於莫斯科會議兩項宣言亦表示熱烈擁護。——其態度之積極遠超過了其他附庸國家，一變而爲反南共的急先鋒。

我們對於中共反對南共綱領一事並不覺得意外，但其積極的程度却覺得有點特殊。劉少奇是有名的國際派，他在三、四月裏的兩次奔走與毛會晤，似乎含有國際使命。兩次會晤的結果，似乎又是：毛放棄其對蘇共的冷淡態度；而劉則同意了毛的經濟政策。暫時地，這兩派又從妥協中統一了起來。○田心。

「但願紅旗飄揚在白金漢宮」

倫敦五一懸旗衝突事件

——試看那種人咒罵國旗——

五一勞動節日，倫敦班克拿斯區；社會黨所控制之大會堂上，豎起了紅旗。當被一批學生看見後，他們即集隊持着英國國旗，繞着大會堂而行，以示抗議。於是學生與社會黨員遂發生衝突。警方被迫出動彈壓，且拘去數人。○風行譯。

五月二日，警察巴希乎斯在法庭供證說：當時干涉學生之愛國行爲的，有班克斯參議會議細斯，另有三個參議會議員，該區參議會是被工黨勢力控制的。有四人被控犯出言侮辱之罪。當學生持英國國旗，經過大會堂外時，葛荷特大聲對警察喝道：『你們爲什麼不設法禁止這一班小伙子揮舞英國國旗呢？我認爲驚奇的，是你們支持他們。但我却喜歡看見紅旗飄揚，這豈不是很好看麼？』

一個名叫赫蘿的說道：『現在有人具着勇氣，敢作敢爲，但願紅旗飄揚在白金漢的日子不遠了！』

又有一位名墨菲的說道：『我也贊成這個，這是許多擁牌的第一次，我們不久便掌權，要顯顏色給他們看。你看他們揮舞這些可憎的旗（damnep flag）這旗的末日快臨了』——（按：中共罵青天白日滿地紅爲『喪旗』『廢旗』。和那些共產黨人或共產黨同路人之咒罵英國國旗同一口吻。他們目中祇見蘇俄的紅旗是他們的『國旗』。）

一個名叫做勃朗波的說：『不屑睬理他們（學生）。他們不過是一羣愚蠢的學童。這個國家的帝國主義，使我憎厭。』

這些學生聽聞他們說了這一番說話，便向着此四人議適前進，與師問罪。這警察巴希乎斯把這四人抓起來。

赫蘿在法庭承認他曾說過紅旗飄揚在白金漢宮。但他以爲這些話不會使犯忠君愛國之人。他說：『我祇是表示一個意見而已。』

葛荷特在法庭說：『就我的意見講來，共產主義是聲明狼藉的。』他的解辯態度尚好。

法官大衛判決：赫蘿該罰鍰五英鎊。他對赫蘿說道：『你有權表示自己的意見。但無論發表什麼意見，要看在什麼時候和在什麼地方。』

至於墨菲和勃朗爵波獲釋放，但被監視行爲凡一年。

葛特荷獲無罪釋放。（譯自五月三日之倫敦『每日電訊報』）

旅港北大師生紀念五四

錢穆董作賓等教授有致詞

【本報訊】旅港國立北京大學同學會於五月四日下午六時在六國飯店舉行五四紀念聚餐會，到會同學約三十人中不少是五四時代者。在主席曾如柏敦請之下，先有錢穆教授致詞，指出北大是中國第一個現代大學，上承國子監之統緒，下開新教育之肇端。北大之可紀念者不僅在五四運動。五四是一文化運動。一個偉大的運動，其最深意義也在文化上；一個文化必有其傳統，而既是一個運動，必有其新意義。我們必須站在時代的前面，但須需要有高深的學術修養，不僅了解當前時代，且要了解其傳統背景與周圍動向。我們需要與時代配合的學術，需要明體達用。五四以來一般人熱中於「前進」，唯恐落伍，自以爲是站在時代前面，結果誤入歧途。數十年來不乏愛國青年，但缺乏健全的學術思想領導力量。到現在仍需要展開新的五四運動，開創新的時代；但是知難行易，發動一個運動較易，認識時代，提出正確的思想領導較難，這仍賴於學術研究工作。

隨有董作賓教授致詞，除報告胡適校長健康近況外，追述其本人在北大研究所研究三年，後來教書，又在中央研究院工作了三十年，研究中國上古史、考古學、文字學、年代學等，得北大精神之益甚多。最近的研究報告是「中國年曆總譜」，即將由港大出版。

隨又有楊宗翰教授報告五四時其本人是在清華當學生，等于作了一名五四的後勤人員，當年北大的優點在於能收羅人才，集中人材；清華的優點在於嚴格訓練、嚴格管理。後來這兩大學府互相學習長處，對將來教育方針有其啓示意義云。

國際動態拾零

△白宮最近得一奇怪情報，謂朱可夫之免職，出于軍人之要求。赫魯曉夫本爲其盟友，欲保全之而未果，後欲請其任國防大學校長，亦未能實現。果其如此，則蘇聯政權，不漸落入反美軍人集團少數人之手，從而漸近戰爭邊緣了。由此而看，蘇聯現仍在集團統治，而赫魯曉夫迄未能如史太林之一人統治，不過軍人集團之傀儡而已。這是一個看法。

△原子潛艇，在海上增加燃料計劃，現已在繪好藍圖，由海軍少將雷可佛授成。現役之原子潛艇，仍須回港口後始能增加燃料。

△美國經濟雖在衰退，但要求出國旅行護照者，已大增加。上年共八萬四千人，本年則增至六十九萬人。可見商業並未大壞，獲利者亦未減少。

△民主黨議員，將以下列各項，責備共和黨政府，爲其失敗之證：一、失業；二、高物價；三、減稅；四、艾克領導無方；五、農業問題；六、經濟衰退。而尤注重于最後三點之宣傳。

△蘇聯在各國外交界，大吹法螺，謂不久將放射第三顆人造衛星，其重量爲三至四噸。在開羅的蘇聯外交人士說，此衛星將于納瑟訪問莫斯科時放射，埃及軍事代表團座位，將擠於最近云。○陶然。

自由談

合理的請願

馬五先生

台北報業公會最近爲修改出版法問題，向立法院致送請願書，提出兩項意見：一是根本廢除出版法，而將現行出版法所規定的各項禁忌情事，分別納入於刑法，違警罰法與戒嚴法之中；二是出版法如須存在，即政府對出版物執行之行政處分的範圍，應限於「行政管理」事項，此外皆須經由法律裁判。我認爲這是平正通達，合情合理的主張，希望立法機關特予注意，酌加採擇焉。

行政與司法機關都是屬於中華民國政府的一部門，在管制出版物方面，教司法部門多負點責任，這有甚末窒碍難行的事實與理由？我殊覺惶惑不解也。若依照刑法，違警罰法與戒嚴法來管制出版物，不論它觸犯任何罪行，皆無從逃避其應有的處分，行政機關又何必一定要多攬些事情來辦呢？有人告訴我：台灣曾發現藉「地方自治」刊物爲名，內容卻係挑撥煽動台灣人與內地人的惡感，且居然將那內亂罪犯廖文毅自封自繪的所謂「台灣共和國國旗」，亦印在上面；又有以「蜜報」爲名，而其內容完全是些政治性的文字者。前者犯着十足的內亂外患罪，證據確鑿，即無出版法，也應該禁止其發行，懲究其主持人，這有甚末顧忌呢？擁護民主自由招牌，難道就可以隨便叛國作亂不成！後者是「就登記事項爲不實之記載」，行政機關當然可以停止其發行，吊銷其登記證。這些都是用不着修改出版法亦能夠處理的事，誰曰不宜？

因此，我對於台北報業公會的意見，由衷地表示O．K。太上廢除出版法，其次劃清行政處分與司法裁判的範圍，而憲政國家的法治精神，即光芒普照了！

赤壁破曹 孫劉兩方誰居首功

——讀三國志與三國演義

·劉昌孝·

關於三國演義，在元朝有三國平話，卷首有詩說：「不是三人分天下，來報高祖斬首冤」，以爲獻帝是漢高祖，曹操是韓信，劉備爲彭越，孫權爲英布；三分鼎足乃是報漢高殺害功臣之冤。這是涉于怪誕。明朝湖海散人羅貫中改編三國志通俗演義，有庸愚子序云：「前代嘗以野史作爲評話，令瞽者演說，其間言辭鄙謬，又失之於野，士君子多厭之。若東原羅貫中，以平陽陳壽傳，考諸國史，……曰三國志通俗演義，文不甚深，言不甚俗，紀其實亦庶幾乎史」。這就是如今的章回底本。清代毛宗崗把羅本改作，再加上批評，稱爲第一才子書，便是今天的流行本。爲了小說迷的人很多，而陳壽的三國志又對一件事實常有幾個寫法，弄得眞假莫辨；三國演義遂取代了三國志正史的地位（至少衆人心目中是如此）。

近閱中國小說史料，見所引明胡應麟少室山房筆叢：赤壁破曹，玄德功最大。考昭烈傳：與曹公戰於赤壁，大破之。操傳：公至赤壁，與備戰不利，均不言周瑜及魯肅。陳壽書諸葛傳後亦言權遣兵三萬助備，備用得與曹公交戰，大破其軍。三國演義言破曹歸功周瑜，與陳志不甚合。

我們看羣英會，舞台上的周瑜何等威風，諸葛亮也不過是幕下客，劉備更沒有名堂爲此，我跑到圖書館翻三國志：赤壁破曹，劉氏爲主，周瑜爲輔；在戰爭上，赤壁之役是劉備第一次與曹操正面對抗，也是劉備鎮荊州取益州，作自已穩定地盤的開始。根據史實，一、三國志考證：「劉備屯樊，琮降曹公，備隨南走；曹公以江陵有軍實，恐備先據得之，自當陽，倍道追備，一日夜行三百里，遂克江陵」（清潘眉）。二、曹操要一鼓而下荊州，所以趁江陵之後，繼續追逐，劉備因爲「琮左右及荊州人多歸先主，比到當陽衆十餘萬，輜重數千，兩日行十餘里」。所以在當陽與曹兵接觸。劉備方面情形很狼狽。華陽國志劉先主志：「先主斜趨漢津，適與羽船會，而趙雲身抱先主弱子後主，及擁先主甘夫人相及濟江，亮曰：事急矣，請奉命求救於孫將軍」（晉常璩）。——三、劉備到夏口，情形就穩定了，會合劉琦的軍隊，加上孫權派來助戰的水軍，於是在赤壁正正式式對壘，因爲曹兵：一、强弩之末，疲於奔命；二、北人南來，水土不服；三、地理不熟，不慣水戰。加上劉備的反攻決心，曹操一戰慘敗。三國志旁證：「公至赤壁，與備戰不利。於是大疫，吏士多死者，乃引軍還」（清梁章鉅）。三國志考證：「又自江陵追備至巴邱，遂至赤壁，孫權遣周瑜程普各領兵萬人與劉備來敵曹公，遇於赤壁因風縱火，曹公大敗，遂取華容道步歸」。三國志武帝紀引三陽公載記曰：「公船艦爲備所燒，引軍從華容道步歸」。三國志先主傳：「與曹公戰於赤壁，大破之，焚其舟船，先主與吳軍水陸並進，追到南郡，時又疾疫，北軍多死，曹公引歸」。根據以上引證，敗曹操於赤壁者劉備也。

周瑜不過是孫權派他領兵「隨亮詣先主並力拒曹公」（先主傳）。孫盛也說：「非劉豫州莫可以當曹操者」（諸葛亮傳）。華陽國志載：「時操軍柴桑，既服先主大名，又悅亮奇雅，即遣周瑜程普水軍三萬，助先主」。至於說三國演義把周瑜寫成了赤壁之戰的主角？這也是有根據的，我想大概根據的是：一、三國志周瑜傳：「瑜部將黃蓋曰：今寇衆我寡，難於持久，然觀操軍船艦首尾相接，可燒而走之也」。二、三國志旁證引太平御覽卷十五引英雄記曰：「曹公赤壁之役，行至雲夢大澤中，遇大霧，迷失道路」。又江表傳云：「周瑜破魏軍，曹公復書於權曰：赤壁之役，値有疾疫，孤燒船自退，橫使周瑜得此虛名」。但這兩點似不可靠，因爲三國志對燒船的記述只有先主傳中說「焚其舟船」，而三國志注證及其他三種批評曹操與劉備戰不利一句時說：「是歲戰艦相接，是爲敵所燒」。三陽公載記也說「公船艦爲備所燒」。都未提爲周瑜所燒。至於江表傳，我沒有看見過，但這書是不大可靠的。還有一則江表傳敘述諸孔明去請助的期間，劉備恐懼曹操殺來，每天派人在江岸瞭望周瑜領兵來到，劉備大喜，請周瑜過船寒暄慰勞，周瑜搭架子要劉備先見他，而且對劉備要求見魯肅孔明也不批准。這段話孫盛評爲「吳人事美之辭」，不足信，就我們推想當日情況，周瑜也不能這樣狂妄，歷史的眞相可謂被小說掩藏了。撫今思後，恐怕再經若干年代，我們就沒有信史了。看書不多，以上只可視爲讀者質疑，至於辯正則有待于史家了。

謝康

戊戌三月初九，知用學社雅集九龍粉嶺蓬瀛仙館，會後瀏覽蜂園，沿途繁花似錦，粉蝶紛飛，水繞山環，騁懷游目，感賦二律，兼呈克文、翼中、蘇瑞、震寰、乃斌諸社兄暨同仁。

一、

暮春九日事郊行，春意闌珊轉放晴。
爛漫山花紫似錦，紛飛粉蝶志多情，
叢蜂喜見靈邱丈，集會同登仙館瀛。
祇是驪人聽不得，綠陰堤底杜鵑聲。

二、

來賞澄波曲水泓，陽村柳浪聽流鶯；
沙田春晚殘紅亂，粉嶺峯環遠碧生。
雅集幸聯新舊雨，病狂甯詠昔時清。
書生報國知何用？我愧居夷望太平！

現實小說

摳苗

·蕭傳文·

一個學期很快地過去，在短短的寒假期間，他每天到校補習功課。那是一個寒冷的早晨，正當西伯利亞寒流過境，小華緊縮着身子，儘量躲避迎面襲來的冷風。他一面趕路，一面在心裏背誦着算術公式，昨天老師教的預定進行問題，基本模式尚未背熟，老師說模式背不出的就不會計算，今天就要考這題目，他一定考不出來。他愈走愈焦急，想起了老師嚴厲的眼光和臉色，不禁發抖了。

不久他來到學校，因在假期，中低班的教室全空着，僅有樓上四班畢業班的教室在上課。他站在樓梯口傾聽着，楊老師開始講書了，他的心裏一沉，知道今天遲到了，輕輕躡起腳尖，爬上樓梯，從教室的門縫裏看見楊老師正面對黑板，便邁起腳步跨了進去。

楊老師一聲粗厲的斥喝，像一盆冷水潑在他的頭上。他站住了，教室裏五十多個同學，一律擡起頭來望着他。

「張小華，我問你，今天爲什麼遲到？」

「…………」

「不說？不說就跪下，一直跪着，等到說出爲止。」

小華慢慢地抬起頭來，他想起昨夜因做算術題到深夜二點鐘纔睡，所以今晨起身晚了；那四十多個難題，幾乎絞乾了他的腦汁，直到此刻，仍感到腦子空洞洞的，彷彿裏面什麼也沒有了，他鼓起勇氣，將他遲到的原因，告訴老師，他說：

「老師，我因昨夜做算術睡得太晚，所以今早……」

「啐，少廢話，任睡得多晚也不該遲到，」停一下又說「算你今天是第一次遲到，原諒了你，下次可再不許了。」他說畢，用眼睛暗示小華坐到位子上去。

第一節課後，果然是考算術，楊老師叫張小華背誦預定進行問題的算法，他的聲音比剛纔溫和多了，可是小華十分駭怕，因他尚未讀熟。他雖竭力搜索記憶，仍舊記不起來，只好默默地站着，愈是焦急，愈記不起來。漸漸地他覺得全身發熱，兩耳發出嗡嗡，喉頭乾澀，他看到老師和同學們的眼光，像許多利劍般向他逼視，向他集中，他恨不能自己鑽進地板縫裏。

「怎麼樣？」楊老師突然厲聲問：「背不出來？」

教室裏一片靜寂，小華仍舊站在那兒不動，頭俯得更低了。

「站着不許坐，」楊老師聲音比前更大，也更嚴厲，旋即轉過臉去：「陳永清，你背背看。」

陳永清站起來了，他是個臉色蒼白的孩子，雖剛滿十一歲，已戴着百度以上的近視眼鏡，他習慣地在回答問題之前，眨一眨眼睛。

「差累除每時速度的差，等於預定時間，」他停了一會，雙眉緊蹙着，在搜索記憶，然後繼續：「第一式前以某速度遲到，復以某速度恰到時，遲到速度乘遲到時間等於差累：……」

「第二式呢？」楊老師問。

「…………」

「眞該死，就背不下去了，」他環視大家一周：「有誰背得出第二式嗎？」

又是一片靜寂，只微微聽見呼吸的聲音，大家懷着焦急的心情，將頭儘量俯在胸前，不敢抬一下眼皮，惟恐被叫到自己的名字，因爲這類抽象的計算公式，都是勉强死記，十二歲以下孩子的腦力，是很難理解的。

小華和陳永清仍舊站着。

楊老師像忽然洩了氣的皮球一般，繃緊的臉突然鬆了下來，由剛纔的紅脹轉爲蒼白，兩眼無力地望着孩子們，聲音也變爲低沉而柔和，他說道：

「孩子們，你們是畢業班的學生了，不是老師要逼你們，是事實逼你們，我知道你們的功課太多太重，但是爲了要升學，不得不這樣，今天你們都背不出來，使我十分難過，我知道你們的心裏也難過，但是你們要想到快畢業了，就要考中學了，就應該特別加緊努力，你們知道嗎？」

「知道！」五十多個人齊聲回答。

「好，老師要你們做的功課，都要做完，算式都要背得出，昨天的算術習題，今天還有許多人沒有做完，這是不對的，以後必須今天的功課今天畢，聽見了嗎？」

「聽見了！」

「好，」張小華陳永清坐下，下次再不許背不出來啊！」

小華感到一陣輕鬆，他萬沒有想到今天老師不但不懲罰他，反而慈和地叫他坐下，這使他很感動，當他坐下時，偷偷地望老師一眼，恰好碰着他的眼光，彷彿老師也懂得了他的心思，也溫和地回視他。

這樣，他反而覺得慚愧了，原來老師罵他，罰他，都是爲了他好，他決定要從今天起，更要加緊用功，纔不辜負老師的教導。（二）

阿里山散策

雲深不知處

·張放·

阿里山的雲海，在海拔兩千公尺左右的空中。這在秋冬季節爲多。我這次在阿里山住了三天，雖然沒有遇到美麗壯觀的雲海奇景，但是黃昏，仍有白雲繚繞，只覺站在山林之間，我卻被濃厚的雲霧遮住眼前的景物。同時一種寂寞茫然的心情也跟着油然而生。

坐在博物館前的石凳上，啣着紙烟，凝視那遠方的雲海洶湧，猶如萬馬奔騰，那雲層從大塔山的斷嶺下面翻滾上升；越翻越濃，越升越高，雲海好像要努力淹沒山峯的樣子。這景緻眞是壯觀極了。

記得去冬乘飛機到花蓮，途中穿過濃厚的雲團，從機艙窗孔向外眺望，祇有一片白色的雲海，分不出天和雲，也分不出大漠和海；眼前只是茫茫一片，彷彿像走在一個遙長的大漠裏，前不靠村，後不靠店，我跌落在生命的寂寞與空虛的狹谷裏。

正尋思時，眼前大塔山已成爲一座小島，牠掩沒在雲海中了。

這種雲海多發生在斷崖深谷之間：黃昏時山谷仍留有陽光輻射的溫度，而山峯卻溫度低了，所以山峯的冷氣下降，這樣與深谷內的空氣相觸，便成爲美麗的雲海。在清晨，朝陽照暖了山峯，山峯的溫度高了，而深谷內卻保持着長夜的寒氣；這樣混合凝結又成了雲海。

我在少年時期曾遊歷過東嶽泰山，若在玉皇頂上，雖比阿里山高得多，但是雲海並不比此處爲美，這原因大概是由於亞熱帶島上的氣候關係罷。

在高山中觀雲，這是靜的生活享受。

其實人生的變幻又何嘗不似白雲一樣呢？從生下來，一個人所身受的悲歡離合，那歡樂的眼淚，哀[illegible]的語；愛情，事業上的得失，連孔老先生也曾說過「富貴如浮雲」的話，而我們又能說些什麼？

唯有土地纔是永恒的：我從故鄉來，我仍得回到那裏去的。

這夜，阿里山雲海漾漾，我睡在演留的一間幽靜小屋裏，竟作了一個還鄉的夢：

我穿着棉袍，裹着綠絨圍巾，在春寒料峭中，坐着兜子去攀登泰山，我在唱，我在嚷，我在笑……我期待着明晨的那一副瑰麗的日出奇景。斷夢般一陣響聲驚醒，原來是嚮導來了，使這個旅舍發生了一片擾動。

阿里山和泰山有何不同呢？淚眼朦朧中，我已訴不出深埋在心靈深處的苦痛。

鑽猴洞與走後門

房屋造門通常是正向，所以向光、納風、迎客也。有作爲的客人遵循正道而進，由正門入，升堂入室，則問心無愧，顏面有光。

然而社會上卻有很多人「舍正道而不由」，偏偏愛走「後門」。莫明其「妙」的人會覺得詫事：不要看那些人躬腰卑躬的從「後門」走進去，而去可憐他們那副可憐相。不一會他們會趾高氣揚的從正門擺出來，要你看一看他的「神通廣大」。眞的，孫猴子再世，也要驚駭失色，大嘆不如。許多事情，人們辦不到，他都辦到；既有的定規或法則，在他手上會變成例外。譬如當今通顯到達利祿的大學門，走「後門」就是「猴子」搖身變「貴人」的捷徑。孟子曾說過：「不由其道而往者，與鑽穴之類也！」若僅學猴洞山猴子的技倆，自會以爲洋洋得意，但小心別爲衣冠百結的飯巧嗤笑！

·陳宗敏·

自由人

THE FREEMAN

（第七五〇期）

中華民國僑務委員會頒發登記證僑新字第一一〇二號
中華郵政台字第五〇〇號
執照登記爲第一類新聞紙類
（半週刊每星期三六出版）

每份港幣壹毫
台北市售價台幣壹元

督印人：陳文韜
地址：香港高士威道二十二號四樓
20 CAUSEWAY RD. 3RD. FL. HONG KONG
TEL. 771726

承印者：東南印務出版社
地址：高士打道六十四號
台灣總經理處：台北市西寧南路壹壹號二樓
電話：四三七四六
台郵政劃撥儲金戶二九二五二
海外總經銷：友聯書報發行公司
香港：彌敦道六十二號A二樓

人性與自由
——再論胡適與臺灣

杜衡之

在「五四」這天，台北中國文藝協會舉行年會，特請胡適先生到會講演。聽衆很多，我因到的稍遲，竟至找不到坐位，而與許多人擠着站在後面。胡氏似乎很興奮，語多激昂，而講詞之長，也超過了他因身體關係而預定的限度。他對於五四運動所提倡的「人的文學」與「自由的文學」二點，一再闡揚，講得最好。我想今日正當新聞界聲嘶力竭反對修正出版法之際，能聽見有人大聲呼喚「人性」與「自由」，一定有許多人會感動得掉下眼淚。

一、

不過，我們也不要疏忽了另一面。

就在「五四」這一天，台北各處的書報攤上出現了「胡適與國運」這一本禁書。我們記得在胡適先生抵台前夕，當這書發現時，行政院秘書處立刻函請治安當局予以查禁，各報紙也一致譴責。後來事情愈演愈迷糊，甚至市政府也避免了對這書作者加以行政罰鍰的措施，而把這案子送到法院去，以後也就沒有下文了。但是，大家決想不到這本禁書居然又大量發行而公開發售（每册定價五元）。在「五四」第二日，在此間民營的「聯合報」第一版又出現了二十方吋的大幅廣告，由一個「學生書局」出名，聲明「印行本書，俾免以訛傳訛，影響胡博士的聲譽」。

第二件事情，是在「五四」這天的「中央」「新生」兩個官方報紙，刊登了胡適先生之子胡思杜在大陸被共黨逼死的消息。據此間公論報的報導說：胡氏覺得中央新生兩報於「五四」當日採用這條電訊，實在是一種令人深感遺憾的安排。

再說當胡適先生來到文藝協會，在發表演說之前，手裏拿到了一份新出的「筆滙」半月刊，上有任卓宣先生「糾正五四文化運動底誤解」一文，駁斥「自由中國」半月刊的「重整五四精神」的一篇社論的「聽說一番」與「荒謬」。而胡氏在演說中，曾大聲主張文藝無須政府輔導，政府也無須乎有什麼文藝政策文藝機關，文藝的創作應該完全是自由的。而在胡氏說話之後，就在這個年會席上，通過了「建議政府設立專司機構負責協助文藝工作」一案。

所以，顯而易見，在「五四」這天，胡適先生的心情是沉重的。許多智識分子的心情也許更爲沉重。想不到四十年的新文化運動，仍在遭受嚴重的考驗，而在這一運動居於領導地位的胡適先生，也仍在遭受無情的打擊。

二、

有一些觀察家分析種種跡象，認爲許多不利胡氏的事情之發生，不外乎下列幾個原因：

第一，胡氏近年來不斷爲「民主」「自由」呼喊，對於那些主張「集權」「最高」「領導」各種統治方式的人，無異是一種譏諷。如有機會，那些人一定要對胡氏加以報復。「胡適與國運」這書的作用，就是屬於這一類型。

第二，「自由中國」半月刊的言論，在有些黨政當局的眼中，等於洪水猛獸。而那些人始終認爲胡氏是「自由中國」的支持者，把那些言論都記在胡氏的帳上，如有機會自然要找胡氏算算帳的。「自由中國」的發行人雷震先生對於這種情勢深爲瞭解，爲了減少胡氏的寃枉帳，自從胡氏返國以後，該刊的言論已經大爲緩和了。雖然如此，那少數人對胡氏之遷怒，並未消除。

第三，在新聞界此次反對修改出版法的怒潮之中，胡氏對記者發表了一次談話，認爲此時此地修改出版法是「危險的」，這話使那些主張修改的人發生反感，以爲胡氏有意與政府爲難。所以有人說此次立法院大張「黨團」旗幟，一意孤行，堅持秘密審議，都是這種反感作用的表現。

第四，胡適先生不善於阿諛之詞，不說話則已，說出的話總是執政黨或在位諸公聽來刺耳的。何況胡氏在廣大的智識分子及青年中間，在國際學術界，都有崇高的聲望，他的話不能不爲當局所顧忌。因此，有些人總要給他一點顏色瞧瞧，暗示他不要說話。這也說明了五月五日此間中央日報的社論裏，何以隱隱約約的說：「學者專家有談政治的自由，但是同時也有不談政治的自由。這纔是胡先生所說『非政治的政治』，以及『二十年不談政治』的真實意義。」換句話說，奉勸胡氏應該選擇「不談政治的自由」。

三、

鑒於這些日子的客觀情勢，一天天對胡氏不痛快，胡氏的朋友們顯然有兩種不同的意見：一派主張胡氏如抵台時所說的，早日回美國去，免得作客愈久，所享受的禮貌愈少。另一派則主張胡氏應不爲少數人所僭，索性暢所欲言。

我個人的看法，這兩種意見都不太妥當。胡氏本來此次準備在台灣住兩三個月，仍返美國一行，爲什麼要提早呢？胡氏終究是祖國的人，六十八歲的老人需要回到祖國安居，祖國的絕大多數的人們，也是歡迎這位老人回來的。實無理由因爲少數人之搗亂，而變更了原定的計劃。至於主張胡氏挺身出來，與那些人「直碰」，以胡氏的年齡與聲望而論，也不必那樣做。何況現在的政治藝術已經相當進步，在舞台上出現的打手都是小嘍囉，真正的大亨始終是滿臉笑容，胡氏如果真的「碰」起來，只有那些大亨們暗中好笑呢。

那麼，胡適先生應該如何面對現實，而有一番作法呢？我認爲最要緊的，胡氏應該多多接近大衆。像在「五四」那天，胡氏在文協發表公開演說，給一般讀書人的鼓勵實在太大了。此後，胡氏爲健康所限，當然不必時常那樣激昂的演講，可是隨便談談當無大礙，而多與各方面人士隨便談談，其影響力也一樣大。無論如何，胡氏不應終日「悶」（胡氏說這個字很好）在南港的中央研究院。

其次，與其選擇「不說話的自由」，不如選擇「說話的自由」。這個理由很簡單：今天的自由中國需要有人多說諷諫的話。不然，全國祇有歌頌的話，還談什麼復國中興？但是，胡氏應儘可能避免與那些頑固分子起正面衝突。這也很簡單：那些人的論調本無學理的根據，用不着嚴正的辯駁，胡氏只須固執真理，從正面而加以闡揚，就可使那些反面的邪論無所遁形了。像在「五四」那天，胡氏大聲强調「人的文學」與「自由的文學」，「人權」不就等於一切「人」與及箝制自由的一切措施嗎？總之，我相信胡適先生是擅長說話的，應該怎樣說，說什麼，他比任何人都高明。我只想在這裏提供一點事實：自由中國是充滿各種怪誕的論調，愈是需要正義的聲音，而胡氏是最好的號手。

半週述評

東京、北平之間

岸信介的兩面政策，弄成三面不討好。台灣東京間的不如意事雖暫告斷絡；而北平爲了日本不准懸五星旗，藉着長崎撕旗事件，發出一連串的激烈攻擊，闊至宣佈全部停止對日貿易，大陸日商準備狼狽「繫人」了。

其實事態早已分明：中共對日的主要目的在政治不在貿易；岸信介的「政治台灣」，對北平是倒胃口的。陳毅已坦白的說出：「岸信介認爲中共必要與日本貿易，那是一個妄想的白癡」。兩面政策的結果，又必然的使日本的親共社會黨人站在輿論前頭來抨擊岸信介，很可能影響現執政黨在未來的大選。

岸信介及今後日本主政當局，當可開始領悟這事實教訓了！

莫斯科、開羅之間

納薩赴蘇訪問後，美國若干人士指出納薩坐大，將成爲美國的悲劇——當然也可能是自由世界的悲劇。

因此有人以爲美國爭取納薩的功夫用得不够。其實問題的關鍵是：納薩要做「亞拉伯的沙皇」，而美國在阿拉伯却有着足以阻礙他做沙皇美夢的客觀形勢——如英、法、以……等在中東的矛盾關係，使納薩在差不多等量條件下，衡量美援而取蘇援，雖然明知蘇援未必比美援更可靠。所以此次納薩赴俄，除要求軍經援外，更要求蘇聯支持他取回巴勒斯坦……。蘇聯顧忌沒有那麼多，正好互相利用，在中東冷戰中把握這張重要的王牌。

北平、貝爾格萊德間

當南斯拉夫再度與蘇聯決裂的時候，中共却以蘇聯同路者的姿態，抨擊狄托的修正主義，而引起了南斯拉夫的反擊。

什麼勞什子修正主義且不說它，拿政治因素看中共的態度，它不挾狄托反蘇以自重，反進而拉緊克姆林宮，其如意算盤，却是希望借重蘇聯在國際上的地位，好把它帶進國際政治舞台。因此有人說北平可與莫斯科爭一日之長，似乎言之過早。至于華沙共黨方面傳說中共此舉的目標是在「支持莫洛托夫派」而與赫魯曉夫派爲敵——即抨擊赫魯曉夫拉攏狄托的失敗；這說法祇能姑存一說而已。

德、蘇之間

德國問題儘管美蘇心裏都有數，都聲明遵循「德國問題應循自由選舉之途徑達成統一」的諾言，但一如杜爾斯所指出，蘇聯迄在逃避此項責任，拿美國不肯將軍隊撤出歐洲爲藉口。在這僵局久持下，阿登諾心理也有數——不是硬碰可以解決的，因此在英國斡旋之下，對于高層會議的態度，也顯示若干程度上的緩和。

法、美之間

法國蓋拉內閣垮台後一個多月，總統柯蒂迄今找不出一個適當的繼任人。主要的困難，顯在引起蓋拉內閣垮台的北非政策問題，及因此所引起的反美情緒——由于美國的「調解」，被目爲「干涉」，而有「法國政府政策是在華盛頓決定的」的論調。在沒落的殖民帝國自卑感的瘋狂心理下，誰上台也吃弗消，看來恐非等到勢局不可收拾不肯罷手。這類歷史重演已不祇一次了。

南北美之間

美副總統尼克遜在秘魯的聖馬歌斯大學被示威學生羣以石塊及唾液襲擊，引起「不禮貌行動」，據說是共黨陰謀的一部分。

這類事件竟發生在南美，却有兩個暗示：一是南美國家對美國的政府隱藏不滿是值得考慮；一是共黨勢力竟能在那裏滲入的確是不可忽視。

台灣、耶加達間

對於耶加達政府，台灣一再重申「未干預印尼內戰」；但除了這原可不必一再申辯之事而一再申辯外，對於耶加達點名迫害華僑與閉報館的行動，却未聞有嚴重的抗議，更沒有積極的行動。這還是會使華僑失望的。

・林伯雅・

印尼不是「內戰」
——蘇俄中共介入使「內戰」變質

仁傑

印尼的革命武裝部隊，先後於棉蘭、巴東、武吉丁宜受挫，被迫將主力隨同革命政府，撤出蘇島，移往西里伯斯北部，伺機反攻。這是不是說：印尼的反共革命，將如一九五六年匈牙利革命那樣，祇是曇花一現呢！

在目前，不論共產集團或者西方觀察家們，幾乎均認爲印尼可能成爲匈牙利第二。事實上，以蘇弗魯丁爲首的革命政權，仍認爲尚有可爲，祇要時間因素存在，精神、物質能獲各方支持，他們的政治、軍事發展，終將迫使蘇加諾及共產勢力瓦解。不然，過分信賴蘇加諾尚有號召能力，恐懼共黨龐大海空支援。那麼，印尼革命眞如曇花一現。

早先，新加坡的若干觀察家認爲印尼的革命已經失敗，並指出了三大理由：一爲革命政權成立之前，忽視爭取哈達合作；二則過分依賴外援；三係對耶加達政府估計錯誤，從未料到中央軍會有大量投入戰爭。這種表面判斷，殆係誤認武吉丁宜得失，決定革命政權命運。因爲革命政權成立之前，並未跟蘇加諾爲敵，原意祇在迫使蘇氏改組政府，改弦易轍，何嘗不渴爭取前任副總統哈達合作。迨蘇加諾自日本歸國，其左右爲共黨包圍，於是掀起內戰；如果不是蘇俄、中共幕後策動，內戰是打不起來的。戰事既起，革命軍不能不採取三大步驟：一、呼籲自由世界正視現實，要求同情和支持，並請國人合作，推翻親共的朱安達政權；二、派遣專員分赴各地遊說，策動各駐外使節改投革命政府；三、爭取反共國家援助，並向非共地區搜購軍火。

革命政權的態度和手段，從發展過程上看，不能說是有什麼錯誤。可是，在國際，爲什麼迄未獲得反共國家公開支持？那祇能歸咎于國際姑息主義作祟了。匈牙利的慘烈事件，似尚未能被引以爲訓；在國內，戰否本可在蘇臣一轉念間。這位軍事首長在蘇加諾返國之後，行動即已喪失自由，部隊中早被共黨滲透。因此，蘇島初期戰鬥中，有一部分正規軍叛離之外，以後在共特脅持督戰之下，政府軍沒有理由不獲進展，於是才有三月十六日棉蘭「戲劇化的兵變」出現。

共黨在印尼潛力繁殖與發展，在西方人看來，也許大爲驚異，印尼人久已多見不怪。幾乎誰也知道：中共在印尼的侵略投資，每月數達五十萬美元，這筆錢誰也不相信只用於幾蓬七百名「大使館」館員。當然，最重要的還是用作特務費，例如勾搭印尼婦女竊取印尼政府、以及非共國家駐印尼機構軍要情報，也得提供大量金錢，又如發動親共的甚至非共的印尼報紙製造謠言，硬說非共華僑「支援革命」，使耶加達政府遷怒華僑，也需付出相當代價。這種投注的結果，不僅獲得了各方面的情況，也激起了耶加達政府對非共華僑憤怒。在泗水共黨撕旗、打人的迫害華僑事件之後，不旋踵，耶城憲警又採取斷然行動，迫令華僑離境、封閉華文報紙以及逮捕記者。從這些橫蠻無理的措施中，不難看出：中共顯欲假手印尼政府，將拒絕登記中共僑籍的華僑，不是逐出印尼，即橫加迫害。

華僑遭受共黨迫害而同情革命容或可能；「捲入政爭」之說，根本無從談起。中共迫使耶加達政府誣害善良華僑，一方面固屬表示對無辜脅從的華僑「懲罰」，同時也是向脅從的華僑示威，迫令懾服於黃鎮（中共駐印尼「大使」）淫威之下；另一方面，激怒效忠自由中國的海外僑胞，紛向祖國政府責難，要求護僑行動，同時又製造些自由中國支援印尼革命的謠言。大一行動，便是藉使印尼政府向聯合國控訴中華民國「侵略」，企圖動搖自由中國在聯合國的代表權。

如今，革命勢力逆轉，蘇加諾的政治生命却更易危殆，其他非共黨派的政治領袖處境，跟非共華僑同樣艱困。儘管革命軍的現時基地，不論攻防均處有利地位，即使將來反攻節節勝利，共黨於進退失據之時，極可能採取兩大步驟：（一）在爪哇展開大規模屠殺，以洩失敗之憤，並非不可能者；（二）由中共出動海軍進援革命軍最後基地。傳說蘇俄米格機一批已抵耶城，而且蘇俄、中共、印尼共與朱安達政府已成立聯合作戰指揮機構。難道說：「聲討印尼反共革命軍」的戰爭，依舊是印尼的「內戰」嗎？

（五月一日寄自耶城）

張君勱評蔣總統青年節文告

‧莊生‧

張君勱氏在本港「再生」雜誌最近一期發表一篇長約三千餘言論文，對三月廿九日蔣總統發表的青年節文告，有所評論。他首先特別指出文告中下面幾句話「彼等必先摧毀中共政權，然後能使全國人民享受民主及自由；否則民主將爲共黨同路人破壞國家法紀之工具；而自由亦成爲旁觀政客爭取政權之資本」；認爲這個說法是當今民主爭論的焦點所在，影響今後復國運動者甚大。

「政治資本」的說法

首先他在「所謂政治資本」小標題下，認爲把談改革者的言行調爲旁觀政客爭取政權之資本，乃是「獨占政權」者，「拒人于千里之外」的論調，他謂「政治鬥爭中，甲黨對於乙黨宣佈爭取人心之建議爲下屆當選之準備者，名之曰政治資本。今大陸由政府一手斷送以去，民主人士所以爲民主者，名既與選舉無涉，更與自己當選議員無涉，有何政治資本可言？即令開會商討，民主人士且不必來；即來矣亦未必以得一官半職爲榮，其所念念不忘者爲如何聯絡友國？如何反攻？」

復國問題

其次在「復國問題」小標題下，他認爲文告中所稱「彼等必先摧毀中共政權然後能使全國人民享受民主與自由」一語，意思是指「惟有收復大陸後再許人民享受民主與自由；在未收復之前，只有奉行一黨專政一人專制之制」。因此他認這做法是于復國前途不利的。他說：「依歷史先例，失國而後還國者，必能自悔前非收拾民心，用新人，行新政而後，後丕變，朝氣復興而國力亦類之以滋長矣」他舉出漢代的復興者爲明經識書禮賢下士之後漢的光武，蜀漢之劉備；晉之復興者爲「收養人君子與之同事」之元帝；北宋幸賴李綱、張俊、劉世光、韓世忠、岳飛力戰於江淮以北，高宗遷至臨安，與金人議和，乃成紹興中興之業等史類，謂復國者之刷新政布治莫若夏之少康，周之宣王，史稱少康有田一成，有衆一旅，能其德，而兆其謀，以收夏衆；周之宣王，得與周召式爲相，修文武成康之遺風，故歷史中稱中興大業，必以能刷新政治，收服人心爲首圖。

「旁觀政客」的看法

再次在「所謂旁觀政客」小標題下，他認文告中所稱「自由成爲旁觀政客爭取政權之資本」一語，也是「方今當局者與民主人士政見分歧之所致」。他認爲此語之意是謂「目前台灣局面萬分困難，君等身處局外，唱爲高調，以責難政府，其實皆政客之擣亂爲爭取政權之計而已。」他認爲那是「當局者蔽以一己所見爲是，他人之言爲非」乃是當局者迷，而爲「在野黨人所引爲危懼」的。他引荀子解蔽篇曰「『凡人之患，蔽于一曲而闇於大理。』又曰：『心不使焉，則白黑在前而目不見，雷鼓在側而耳不聞。』擧淺顯之例以明之，治農者不知經商，經商者不知製器，製器者不知學理，心有所專一，方能精于一藝。既精于一藝，則他藝置之而不顧，而專門而陷之而自以爲是而有己無人之蔽，乃之以爲蔽。此荀子『凡萬物異則莫不相爲蔽，此心之公患也』之言，所以爲千古不磨之言也。「荀子從一般見地之論推及于政治上之人物曰：『桀蔽於末喜斯觀，而不知關龍逢，以惑其心而亂其行；紂蔽於妲己飛廉而不知微子啟，以惑其心而亂其行，故羣臣去忠而事私，百姓怨非而不用，賢良退處而隱逃，此其所以喪九牧之地，而虛宗廟之國也』，由比言之，而當局者之見解，自有蔽塞之患而不可不先治療者，倘以責人爲擣亂爲奪取政權，則龍逢微子，亦可目之爲擣亂爲奪取政權之人乎？」

國家法紀問題

最後在「國家法紀問題」的小標題下，他說文告中所言「先摧毀中共政權，然後…享受民主自由，否則民主將成爲共黨同路人，破壞國家法紀之工具」，是一種「欲加之罪，何患無詞」，他于引論吾國過去歷史說明初期國共合作，抗戰時期，及政治協商會議等時期，國內民、青各黨及國民黨開明派，並非共黨同路人之後，說到目前，他說：「就各派要求于政府者言之：如開救國會議，此與廬山談話同一用意，與何種法律相違反乎？如曰保障人民自由，此亦根據憲法立言，何破壞法紀之可言？」同時他指諦「迄今軍隊中尚有國民黨派」，「迄今國防組織尚無國防法，且在無法律規定狀態下擅設國防委員會；現時之命令長一切細改呈總統批准而後行」爲目前紀律紊亂之四項事實。而「民主人士所以要求民主之故，不外乎開放政權，遵守憲法，以期影響大陸人心，得以早日反攻大陸而已」。

出版法「修正草案」來龍

張厲生的談話引起了波瀾
台北報業公會向立院請願

‧劍聲‧

台灣通訊

出版法修正案草案，給當局帶來了不斷的困擾。于立法委員程滄波等「公開審議」的提案及影響承委員等一六一人連署復議的提案先後被否決後，將總統曾以國民黨總裁地位召集五位國民黨籍的報館負責人，包括聯合報社長范鶴言、徵信新聞社長余紀忠、中國郵報社長余夢燕、民族晚報社長李漢儀、大華晚報耿修業等，對出版法修正草案問題表示關切，並有所指示。據說，蔣總裁召集五報社長的消息，中央黨部曾通令各報負責人，——黨員，勿予披露，不料台北各晚報當日（一日）即以頭題新聞刊出。翌日，所有民營報紙也均刊載，致爲中央黨部所不滿。三日的官報及部份民報又刊載中央社記者與國民黨秘書長張厲生談話新聞一則：謂「此次總統係以本黨總裁地位召本黨新聞從業黨員，垂詢他們對出版法的意見。」據本人所知總裁對此謂『政府此次對立法院所提出版法修正案絕無限制新聞自由或干涉新聞事業的意思。近年來若干報刊的黃色新聞與具有煽惑性新聞評述，已使民心士氣蒙受嚴重損害，政府爲鞏固反攻復國基地，保持軍隊士氣，安定社會人心，不能不就現行出版法有關條文加以修正，其目的至爲單純，對新聞自由絕不如若干人所想像發生若何影響。該案已在立法院審議中，總裁向來尊重法治，自不能對立法院審議該案表示任何意見，總裁亦望輿論界尊重立法機關職責，如有意見應向立法院陳述，但不宜以不正確的新聞報導與威脅性的言論指摘，因爲這決非奉行法治尊重民意的表示，徒使一般社會對新聞事業之前途失望而已」。五報社長看到這條新聞後，即舉行緊急商談，對秘書長張厲生的談話認爲不符事實，指張氏引述總統指示欠詳，復又共同在民營報及自己的報上發表聲明，特別指出後一段的談話：「但不宜以不正確的新聞報導與威脅性的言論指責……。」認爲總統當時根本未曾作此種表示，這乃是張秘書長個人的意見，張氏在向中央社記者談話中對於總統尊重新聞自由的表示，又未予敘述云云。

這一些談話發生糾紛後，反而促進民營報的團結，實出乎關係方面人士的意外。同時，台北的公論報和自立晚報分別著文論述張氏的談話，及以將近整個篇幅的五分之一的版面，揭發該案內幕，這是草案發生後到達最高潮的階段，而台北報業分會今天又上書立法院籲請廢止出版法或合理修改。

此間輿論謂修正草案多表反對，張秘書長對中央社記者的談話，認爲曲折耐人尋味。公論報社論對張氏加以公開指摘。

據說，草案的退因，頗顯複雜，行政院院會通過草案送立院審議，俞揆竟未在「草案」原稿上簽名，致外界懷疑是否爲院會通過。首先獲得「草案」消息的是大華晚報社長耿修業，自此才由「秘密」而公開了。

台北市報業公會是依據憲法十六條及請願之規定，向立法院作緊急請願。並提出兩個願望：第一、根本廢止出版法，人民的言論自由是天賦的，不應限制；如第一願望不爲立法院所採納，即退而求其次，提出第二願望，即合理修改出版法。

（一）依據憲法第十一條規定，充份保障出版自由；（二）依據憲法第十三章規定，具體獎助出版事業；（三）行政管理合理化，不妨害人民工作權、財產權、及民法上之權利；（四）限制登記出版，不作超出刑法、違警罰法及戒嚴法之規定。（五）簡化行政處分，以違反行政管理者爲限，不得侵越司法職權。此五項原則係依據現行出版法之既定原則。

看來出版法修正草案事可大可小，如果立法院不能反映輿論，將失去人心，可以斷言。有所抉擇必要。（四月七日）

長崎日人正義行動
撕毀中共「污腥旗」

我方對當事人關東君卻默無表示

【東京航訊】中共與日本貿易關係，目前正趨於黯淡階段，這一結果之關鍵，不容諱言，是由於中共要求在日懸旗未得日本官方之正式聲明保護，也無形中否定了中共貿易代表團之「官式」地位。但是日本政府之聲明態度不夠明朗亦爲事實，其認爲中共代表團可以掛旗但不受法律保護。此模稜兩可態度實爲最大謬誤之決定。

日本官方態度既如此，中共遂決定作試探性之行動，一方面又出動其歌舞團，到日本各地巡迴上演——據當然是打起了中共旗幟出動的；另一方面則在上月杪於長崎舉辦「織錦、郵票」展覽，在展覽場所的濱屋百貨公司建築物上掛出了「污腥旗」，如果說，中共此項試探性之行動獲得順利進行，那末以後之發展將益爲囂張，反之亦可造成錯口，打擊日本政府，掣事以破壞日本官方、民間與左翼之間之矛盾衝突。此實爲中共一石數鳥「有百利無一害」之狡黠行動。

根據日本報紙之刊載，長崎撕毀「污腥旗」，完全是出於日本人民之反共熱情，其情況約略如下：

長崎市濱屋百貨公司上月三十日起至本月二日止一連三天舉辦所謂「中共織錦綢緞，郵票展覽會」，巧妙的由日本左翼的「日中友好協會」，民間團體出面主辦，並在各報大登廣告，繼之各新聞報紙並將展覽會懸掛「污腥旗」的新聞及照片以顯著地位刊出。

稍后報上又刊出我領事館爲此向長崎市政府提出抗議和長崎市府輕描淡寫以民間團體懸掛，無權過問的消息。結果當然抗議是抗議，掛旗照掛旗。迨到我駐東京大使館向日本外務省用電話提出口頭抗議後，外務省雖會直接以電話知照濱屋百貨公司，但該公司卻不加理會，抗議的後果既是如此，卻仍未見我使領館向日本新聞界發表談話，無意透過輿論的力量，來提醒日本當局。問題是出於我駐日官方機構之沉默，也同時促成了支共的僑衆忍辱無聲。就在這種靜默的情勢下，不料在二日展覽會閉幕前一小時許，竟由一個日本人叫關東君，一時氣憤把「污腥旗」扯了下來，結果是人旗一併帶進了警局。這位日人關東君在警局所稱是極端的痛恨共產主義，是極端的反共者。其實日本人民中反共意識甚強，只因日本當局態度之曖昧和左翼的囂張，沒有具體的組織活動，關東君的撕旗實是值得稱頌的。

但奇怪的是關東君之行動，卻未爲我駐日官方所重視，若謂官方不宜表示什麼，則何以連一向被認爲忠貞的僑領也沒有響一聲呢！好像根本沒有把日本人關東君扯下「污腥旗」當作一回事，更沒有僑領僑胞想到這事是應該我們自己作的事，現在既有人自動的出以正義行動而又一無獻言表示，實令人納罕，根據國內的消息，對於反共義士是愛護備加的。即使投共歸來的失足藝人也在大捧特捧，難道見義勇爲的關東君就不值得一書嗎？以免要說是「避嫌」，以免捲入漩渦，實未免是錯過了。

然而事情的發展還不止此，日中友好協會「在中共潛伏份子指示下」向長崎警局提出追查關東君扯旗的背後關係者，更發動了預定五月十日舉行長崎市民大會，大張威脅之勢，而這種羣衆大會在盲目的群衆心理下很可能釀成暴行的。即使是這次能夠安然渡過，但後仍難保無不幸事件發生，我駐日機關實不能掉以輕心，不加警惕。

目前中共的歌舞團已定在本月十日在福岡演出，大有再接再厲的情勢，顯而易見的是想在日本九州打開一條掛旗的路，以既成事實試探日本政府的決心，試探自由中國的能力，以及測驗愛國僑胞們的反應。據此情勢，如果我們的愛國華僑不能發動實際的抗議，那末「污腥旗」之公然飄揚於日本天空，將是無可避免的了！我們，主要的是我們的政府，將何以堪呢！（競五月八日寄）

秦風篇

——爲三原于右任先生八十壽

‧劉百閔‧

當三原于右任先生八十初度之辰，余方于役香港，未能稱觴祝延，從而頌禱；乃效今人之所爲，朗誦三原之詩，以示於此一代詩人之欽遲，其事雖新，其義則古。因作秦風篇，以爲三原先生壽。

人之言曰，知人論世。予則以爲猶當論其地也。人之於地，猶影之於形，雖有大力者，不能外之，詩有十五國風。班孟堅曰：『凡民函五常之性，而其剛柔緩急音聲不同，繫于水土之風氣也；故謂之風。』其論甚確。班氏作漢書，志地理，述以一地而兼有諸國之風者，邶地則邶、鄘、衛三國之詩相與同風也，秦地則詩風兼有秦豳之兩國也。班氏秦人也，自漢以來，善言秦風者，莫如班氏矣。其論豳風，言農桑衣食之本，其地有鄠杜竹林，南山檀柘，號稱陸海，爲九州膏腴；故其民有先王遺風，好稼穡而務本業。其論秦風如小戎、駟驖、車鄰諸篇，言車馬田狩之事，其地以迫近戎狄，故其民修習戰備，高上氣力，以射獵爲先。班氏之論，距今一千五百餘年，世代屢易，而秦之流風遺烈，至今猶存，不能改也。讀三原之詩，耄老猶喜以牧羊兒自稱，則是豳詩之泥土氣息也。少日自號『神州舊主，』而白首于郎，還期再造神州，同臨戰場，則猶是秦人強毅果敢之養，老而彌壯，而其志則彌堅也。班氏所謂：『剛柔緩急音聲不同，繫于水土之風氣』者，不其然乎！

三原先生今年八十歲，自其廿歲作詩以來，歌聲滿天地：當其矢志革命，神遊故國，夢中歌哭，則有半哭半笑樓詩；二次革命，行路戰陣，『曾呟大聲』，則有變風集；神聖之戰，雷雨及時，山川效命，則有民族詩壇與中華樂府；天人之戰，再造神州，歌聲未改，則有繼三百年來台灣詩社之詩；皆時代之音，革命之史。昔季札觀樂，歌秦則曰：『此夏聲也，能夏則大。』三原歸于中原一變之際，危苦激切，搶地呼天，誓言神州之再造可能得其八九，此夏聲也，此能夏則大者也。朱晦翁以無衣之詩，秦先人能克攘戎狄，同仇敵愾，有招八州而朝同列之氣，此秦之所以滋大。讀三原之詩，其志氣如天馬之長鳴，秋鶻之騫翮，不可以羈馭束縛；如旋風驟雨，攝心動魄，當之者靡不望而卻走。今三原與海外千萬亡人，皆同負不共戴天之痛，而有出億萬父老兄弟諸姑姊妹于水深火熱之責，賦無衣『與子同仇』之詩，以夏聲爲天下倡，詩之可以興觀羣怨，其在茲矣。論者謂，唐代中興，杜子美之歌聲，沉雄鬱勃，厲河朔忠義之氣，足與郭子儀、李光弼之元功偉烈，並存于天地間。則三原之夏聲，虎嘯龍吟，自信天將留以開新運也，其又奚疑！

余於三原未嘗有一日之親接，誦小戎之詩：『言念君子，溫其如玉；在其板屋，亂我心曲。』輒于三原勛業蘊伊人之思，而余不自知其胡然而念之也。友人吳季玉，事三原恭而有禮，將于先日自港赴台遙賀三原八十初度之吉，問余何以爲老人壽？余自顧淺陋，無可以張三原者，擱筆久之，茫然自失。余聞是日也，國人之在都門者，共謀有以娛之。予想見老人之酒後耳熱，仰天搊笛，而呼烏烏之樂，不禁心往而神馳矣。

海權法會議又失敗了

·衣葦·

四月底閉幕的八十六國海權法會議，和二十八年前在海牙召開的海權法會議一樣的，由於領海應否擴大問題之無法妥協，終告失敗。

這次在日內瓦舉行的會議，雖然六浬領海的折衷案提出，但因重視公海與領海之間利害得失的國家，還是堅守原定立場，遂使揭幕於本年二月二十四日的會議始終無法打開僵局。

國際問題

決定請示聯合國再開不開

說來怪可憐的：這次大會到了四月二十八日終結那一天，祗決定了向聯合國大會請示，應否召開另一次海權法會議；換言之：海權法會議在失敗之日，通過了議案，請求世界組織考慮有沒有再開這種會議的必要。

蘇聯的挑釁又失敗

說來怪可恨的：蘇聯代表在海權法會議上，自始提出我國代表資格問題，無理取鬧。大會代表資格審查委員會駁倒了，大多數代表支持我國的正義感。蘇聯代表受挫於這個小組委員會之後，心有未甘，復在全體大會席上，向我國的代表資格挑戰。但是，大會就在四月二十六日，以五十八票，通過了代表資格審查委員會的報告書，至是共黨陰謀又破滅了。

蘇聯得再展開宣傳戰

莫斯科這個挫敗，只是消極的，其積極的行動，是於聯合國的會議中，主張領海三浬限度應擴大至十二浬的國家，對西方九，其英美等強國，進行宣傳戰，宣傳帝國的外張。蘇聯本身蔑視國際法，規定了領海範圍十二浬，不但在十月革命成功後如此，在帝俄時代已然。算起來，莫斯科擴大領海已有七十年之久。

莫斯科破壞國際法

莫斯科破壞國際法的成例，復可從它佈滿於公海的外，大發得優於封閉，看有得把一個國際法放在眼內。另一鐵證——最近封閉了巴爾斯海東部，不許他國船隻航行和捕魚，好讓蘇聯艦隊演習。

蘇聯的海權藍圖

全世界的法學家，沒包括莫斯科的在內，有一人提出充份理由，由否定巴爾斯海屬於公海的海的。它把北極海圈，連北列積極地劃入莫斯科的內航領海！同時的蘇聯的海權藍圖，就是它沿東經一七〇度二十五度，經塘蔡加半島，至北緯四十八畫成交點直伸往色丹島，就在這個限度內，非法控制了捕魚的活動。

堅持三浬限度的國家不多

平情而論，三浬領海的勢力。事實上參與不少會議。這在一九三〇年海牙會議時，已有不少國家抗拒領海太窄的。其在日內瓦會議中，其在目前上，失敗了三浬，水域限制的，紐約也有它的三分之二，贊言之：目前堅持三浬限度的國家，英、美及日本強大海權國家，不會超過二十之數。

各國的主張一般

主張擴大領海的國家，其中……屬於極端派，仍比共黨國家隨時封閉水域的行為，較為開明。拉丁美洲，亞洲非洲和中東許多國家，與共黨集團聯成一氣，際言擴大領海的合理化。以南韓為例，它主張領海五十浬，自與韓日捕魚問題，大有關係。印度尼西亞主張十二浬之說，祇消看一看它的大小島嶼，有如星羅棋佈，便不難想像出其閉關的關係了。至於墨西哥規定了領海九浬，已開一百一十年之久，那就是對抗大國海權的象徵作法，因為它的捕魚業與航運並沒有設意經營的任何計劃可言。

英美的態度

英國與美國深知現行三浬限度，實在說不過去，在會議席上，先後表示六浬範圍才是合理的，並且在議案上，將六浬海外加六浬的捕魚權。英美議案大同小異，但是英代表力主領海六浬雖為新限度，仍不得影響原有三浬領海外的航行方便，包括輪船與艦艇及飛機的通航無阻。倫敦另一顧慮，在於捕魚權益的減損。如果領海十二浬一旦實行，則英國在北海的漁獲量將減少百分之四十。

冰島歲入百分之九十，全賴捕魚，它在大會提出議案，要求規定那些靠捕魚為生的國家有權限制他國在其水域附近捕魚。此案被推翻了，經由南非提出另一議案，只要求承認上述那些國家有優先捕魚的需要罷了。結果，大會在四月二十六日，以六十七對零票，通過此案。棄權票仍有十張，日本、希臘、荷蘭和葡萄牙都在內。

加拿大的建議

加拿大建議：擁有海岸的國家有權在沿岸十二浬內，拒絕他國捕魚。結果獲得了小組委員會三十七對三十五票的通過，雖然尚有九票棄權票，總算是表現出一種優勢，以謀局部解決。但是，加拿大另案擬請規定領海六浬，立遭四八對十一票的否決，與棄權二十七之眾，遂使大會形勢，更形複雜了。

印度與墨西哥

印度和墨西哥之所以願意和加拿大，聯合提出議案，規定領海六浬，是因為明知再行擴大領海，更加沒有希望。目前贊同六浬之說的，一共不會超過十四國。莫說六浬領海通不過，連加拿大那個十二浬捕魚權的議案，也沒法予在大會取得三分之二的大多數票，祇博得三十五對三十票的優勢，二十國棄權。這樣一來，捕魚權的擴大，也不能夠成為定案。

所謂「海架限度」

但是，大會通過了沿岸水深二百公尺以內的淺海案，此即所謂「海架」限度，許可二百公尺以內的淺海盡入領海水域之內。此案規定另締國際條約，以資詳細確定一切。這是第四委員會處理海架案後的有利進展；蘇聯，英國、印度和美國都投贊同票。

海權法的重大事項既無法達成協議，英美便在大會閉幕之日，鄭重聲明領海三浬，才是有效的國際公法，超過三浬的水域，即屬公海範圍。

會議失敗指出了今後各國捕魚航行與開發海洋寶藏的活動，仍將多所衝突；除非獲得大家公認的守則，勢必因為領海與公海間的利害與是非而致危害世界和平。（一九五八年五月七日）

管窺秘

中共猛攻日本

自日本政府否認中共商務代表團在日本有懸旗權利，中共對外貿易促進會主席南漢宸致電日本三團體，譴責日本政府破壞中共日本間的第四次貿易協定以來，中共以一連串的藉口加以攻擊，最近且驅逐貿易代表拘捕日漁船，儼然有將幾年來的中共與日本間的許多民間協議全部廢棄的氣勢。陳毅且說：「岸信介以為中國非與日本做生意不可，這簡直是癡人說夢。」中共對日關係的結局在現日看，似已無轉圜餘地，一切有待於日本大選之後，才能作進一步發展。

本欄曾多次談到過，目前中共國際對外政策是「和平共處」，在此原則下，中共的對日政策是以一九五七年二月十日周恩來的講話中，他說：「最近幾年來，中日間已從民間往來，簽訂不少協議開始，建立正常的關係了。」周的講話，在外交上，就是要通過民間協議，以各種協議，使日本人民對日本政府施加壓力，迫使日本政府走向中共所需要的政治方向。各種交往、協議是為完成它這種對外政策的必要手段；交往、協議愈多，達成共政治目的的機會愈大，既是這樣，可以想見中共豈肯將多年來辛苦建立起來的對日關係，於旦夕間予以結束。

中共目的安在

但是大家眼見的事實則是中共現在不僅止於不斷恫嚇，而且已在採取行動了，對日關係幾乎已到斷絕的邊緣了。不過這種行動恐亦僅止此而已。然則其目的何在呢？

目前每一次中共攻訐日本的言論，無不把責任歸結到岸信介的身上，其中尤以四月三十日「人民日報」觀察家評論「日本的政局」最為露骨，評論按照他們的觀點，把岸信介說成是「屈從于美國的」，「為壟斷資本集團服務的」，「加緊鎮壓人民的」，「法西斯抬頭的萌芽」，最後又要求日本人民在這次選舉中「抉擇」，要日本人民在「打倒岸信介內閣的口號下」「展開搏鬥」。顯而易見，中共的所以在這一期間施行鎮壓策略，無非是為着與日本內部打倒岸信介內閣為中心任務的左翼勢力相呼應而已。

貿易前途如何

話雖如此，不過中共的這些言論行動目前已使一些日本朋友深為憂慮于將來與中共的貿易前途了。因為這是最現實的問題。

就我們的論點來看共產國際對外策略——「和平共處」——在相當時間內是暫不會變的。而貿易正是達到此目的的手段，因此，根據現有跡象來說，日本大選之後，不問那一黨派出組內閣，中共還是將會自找「落場勢」以謀再與日本恢復貿易。

至於現在東京與北平間的情況是：中共為了要達到共政治目的而要與日本貿易；日本政府則是想在不牽涉政治的條件下與北平貿易，雙方都要貿易則一問題之僵持只是政治性的。

日本政府的後面有日本企業家商人壓迫其政府對中共讓步，好讓他們做生意，這是日本政府困難；但在中共的執政派方面也不是沒有壓力的，周恩來在一九五一年九月十八日舊金山和約簽訂之前，曾喊出「要與日本人民和平共處」的口號，當時史太林的外交政策製訂人莫洛托夫反對；史太林死後，赫魯曉夫經過幾番努力，莫洛托夫被排除出領導集團，「和平共處」的世界革命政策，才得以穩定下來；而今，「和平共處」的結果又如何呢，對日關係是更加惡劣了，其它方面也未見好轉，這勢將引起內部反對份子的嘲笑？特別是中共，怎樣自圓其說呢？可能黨內的反對派所施加的指責壓力，也並不下於日本政府所承受的呢！

形勢既這樣，那就要看今后中共與日本雙方誰能對內部的反對派的壓力堅持不屈，誰就將在這場政治性的貿易戰中獲勝，聯帶的對手方也就會因此讓步的。

◦田心◦

西貢通訊

葉外長一行七人的代表團，于本月廿一日來越作五天的親善訪問，是在中越正式建立邦交，關係好轉，日趨合作之際，自是負有促進中越兩大民族更進一步的瞭解。旅越華僑于過去失望之餘，又一度感到興奮，寄以新的希望。

「自由報」的意見

西貢各華文報均于首頁刊載此項新聞，並于社論中略談葉外長此行。

「自由報」就有關中越問題，提出下列幾點意見：

一、希望中越二邦，本過去的傳統友誼，及目前彼此的處境相同，在互助互惠，共存共榮的原則下，彼此加強合作，以求兩國共同利益，與保障和平。

二、在經濟方面，尤應互通有無，密切合作，互助互惠，合力杜絕共黨的滲入與顛覆，同時與提攜一個亞洲國家。加強中越彼此兩國的經濟關係，既如此密切，在經濟如能當中求發展，促進物資交流與技術合作，則事半功倍之效。

三、安定中，促進中越文化交流，保存東方文化，在共同努力之下，發揚而光大之，以儒家仁愛的思想，不特可以抵抗共黨唯物的觀念，且可挽救近代世界文化的末流，創立一種新的世界文化。理由是兩大民族都負有責任。

最後，該報特別指出：華僑在越南有八十萬的人口，向來對當地的經濟與文化都有着輝煌的貢獻。中越兩國若能增強經濟與文化的聯繫，自然少不得華僑的助力。為了中越兩國的經濟安定與文化發展，華僑是準備隨時為此而效勞的。只要能夠有助於自由中國和居留國家的復興與大計，華僑一定悉力以赴。無負於祖國的期望，與友邦的優容。

「每日論壇報」社論

西堤「每日論壇報」，曾經在該報的一篇社論裏，指出今後中越友好關係的增進，應循下列諸端：

一、中越今天的災難，都是出於同一的來源，就是共產黨。以奉行莫斯科基本政策為本身目標的中共，而在亞洲的共黨系統中，越共胡志明的一股勢力，不過等於毛澤東集團的支店，越南共和國恢復完整的希望，實與中華民國的目的相聯繫。而且，共黨最大的野心在南進，此刻北平之仍在「沉機觀變」而不敢動手，主要仍是因有台灣監視牽制着它的緣故。必須越南對此具有基本的認識，然後才會覺得與中華民國論交，實比之其他一般國家為重要。

二、中越文化同源，非互相傳承，無以相長相成。越南自昔即與中國為鄰，今日在越南的建國過程中，要想獨樹一幟，完全排斥中國文化，不是沒有可能，而是總會得不償失。因為中越文化有一點牢不可破的關係，是兩國民間通婚已歷千數百年，其所形成的文化本質，實非政治力量可能使之改變，故在中越邦交重新開始增進的今天，凡已存在於越南的華僑文化事業，都應獲得中越兩國政府的重視與獎掖，使培養出新的結合的花朵來。

三、越南華僑的利害，已與越南政府結為一體，非彼此共存，將無法使經濟繁榮獲得增進。越南華僑不下數十萬人，由於他們對工商事業的廣泛經營，以前一直均為當地社會經濟重要之一環，而由過去的長期事實證明，他們事業的榮枯得與越南經濟興衰互為表裏，如越南政府有意和自由中國增進貿易關係，則華僑正是一道最適宜的橋樑。

葉外長越南之行

葉外長說話

葉外長在越華會歡迎酒會中說：由於中越兩國的傳統和歷史背景關係，民主自由方式，並非完全要和西方完全相同。願見兩國學術界和商界能互相交換訪問，以確實溝通文化經濟的交流，他更就兩國悠久的歷史關係作簡要的說明，指出中越風尚習慣相同，儒家思想系統，道德倫理觀念，深入社會，其內在價值，值得追憶的史實中，宋末和明末中國的孤忠主節之士，投到越南去的，都被欣然接納，良好基礎，雖經相異，此種事實，也正是今日兩國作的關係已經超出了歷史性的範疇，但是葉外長說，今天貴我兩國間的共同的敵人：……國土形成分裂狀態……我們面臨着一個共同的敵人，我們在自由中國都認為我們兩國數千年來優良傳統和文明，一定要予以保持，進而發揮光大。他並指出今天我們兩國都以認定自由民主制度，是立國的坦途，決心朝這個方向前進，不過由于我們兩國的傳統和歷史背景關係，這種民主自由方式，並不一定要和西方的完全相同。他最後表示其信念說：為適應新的環境，中越兩民族必能充份發揮他們的創造性在一個優良傳統下，建立一個新的文化，兩國將來必成為現代化富強的東方國家。（志、四月廿四日）

國際動態拾零

△以色列政要告美國新聞周刊記者，謂納塞自莫斯科回後，可能以阿剌伯聯邦名義，承認以色列；而其交換條件，為以色列退回一九五七年聯合國所劃定之界線。以國如反對，可能遭世界輿論之白眼，但如承認，則恐無險可守。

△奧國新成立至遠東之航空綫，蘇聯將允許其經過蘇聯之領境。如是則其該綫民航之營業，必較他綫為發達，因此為歐洲至遠東之最短距離。但蘇聯以奧國購買其民航機為條件，並可將其減價，甚至賒欠云。

△納塞為蘇聯推銷飛機，並以派埃及駕駛員，代共訓練人員為附帶條件。目標在回教徒新成立之各國，甚至向馬來聯邦推銷。惟馬來政府已經婉謝，因該國正與英國訂立合同，決計採購英機了。

△阿丹諾與麥美倫最近會談，德國將向大英自治邦投資。印度尤能吸收大量外資云。

△美總統與大西洋公約國分享原子秘密之建議，不復為國會所贊成。最近法國內閣之倒，尤其使美國人不放心。原子委員會，將告總統，祇許英國共享原子秘密。其理由為法國倒閣運動，乃由戴高樂派與共產黨之聯合所造成。他們既可聯合倒閣，則于其他諸事，又何嘗不可聯合。故以原子情報給法國，無啻間接供給共黨，殊為不智。

陶然

自由談

讀書隨感

馬五先生

「東華錄」是一部紀述滿清王朝政事的半官書，內容比較可信。我最欣賞其中所述康熙皇帝玄燁的兩點作風：

一是有個姓張的兩江總督，爲向朝廷表示自己清廉刻苦起見，自備米糧上任，不要公家支應伙食之費，對於正當的公費消耗，亦特別吝惜，卻斥資鉅萬以印行自己的詩集。康熙帝就告誡他，說是作爲一個封疆大吏，須顧全應有的體制，不宜矯揉造作，以忝官常。你自備米糧作官，似乎很廉潔，然朕知道你印行詩集的鉅萬工本費，就是收取不義之財的衙門陋規所得哩！

一是有個漕河總督呈報所擬訂的防汛工程計劃，臚列各項器材與人工預算數目。康熙帝指示他某種木料大小不合式或不够用，某些土方不符預定的程度，教他增加預算，有如工程師之指導作業，仔細極了。這固然不見得就是皇帝親自核示的，但充分地表現着勵精圖治的精神，左右沒人敢朦蔽。

這兩點作風可使文武百官知道在上者綜核名實，虛僞不齒的英明之治，決不是表面做作，僞裝廉潔忠貞，或者只顧弋取節約之名，而暗中失職僨事的官僚手段所能朦騙的。所以，滿清王朝二百餘年的統治基礎，十九是康熙時代所奠立，乾隆帝不過坐享先人的餘澤而已。

整飭政風之道，祇要在上者能以一二事證昭示於衆，表現其不受欺朦的智慧，對於一般好表演，喜奉承的政治人物，給他一個明鏡高懸的對照，使其原形畢露，無可隱遁，有如康熙帝揭穿那位兩江總督僞裝清廉的西洋鏡然，效用可立而待也。光是發文告，申令甲，而無事實以繼之，狡黠者且將文告、令甲負之以趨，作爲邀寵求榮的利器，貽害實甚。過去我們在大陸時，飫聞文武人員滿口遵奉校長或團長「不成功，即成仁」的訓示以行事的英烈言詞，結果怎末樣呢？

阿里山散筆

森林的啓示

·張放·

清晨獨自在阿里山麓漫步，見那田畈之間植植的樹苗，正在欣欣向榮，迎着朝陽。所謂「十年樹木，百年樹人」的格言，至今才發生衷心的感慨。

看這一片繁茂的紅檜林，當年那些培植幼苗的園丁，他何曾享受過這陰涼的景緻？前人種樹後人享，我們雖然不知道種植樹木的姓氏，或者他的容貌，個性等等，然而我們應該永遠懷念他們，敬仰他們的。

想起「尊師重道」的古訓，今日有些太妹太保，目無師長，我倒奉勸學校當局把他們送到這裏旅行一趟。要他們從大自然中認識做人的啓示和教育。

阿里山的森林，因高山蟠結，森林繁茂，所以構成了垂直的森林帶。過去阿里山原爲一片荒蕪的原始森林。五十年前，這裏是野獸飛禽的聚所，後來經過日人的探險，發覺這擁有三萬餘公頃面積的森林寶藏。因此這條蜿蜒長達七十二公里的阿里山森林鐵路，也跟着建起了。

台灣光復以來，政府曾在楠梓仙溪開發新的天然林。同時在砍伐殆盡的地帶，發展造林事業。這種讓人興奮的事業，確是有光輝遠景的。

從阿里山向東瞭望，可見那條通往自忠新高口的鐵路，橫切在大塔的半腰間；它將要穿過萬山羣峯，穿過無數森林的高原，直伸入原始森林的心臟。記得四十四年二月間，我曾搭運輸木材的火車，到過眠月，不僅沿途的森林景色飽覽無遺，而且還交了一個駕駛火車的名叫謝火生的朋友。

在林業市場上，常聽到「阿里山五木」這個名詞，這就是包括紅檜、台灣杉、華山松、鐵杉、台灣扁柏五種。這五種木材可以做各種用途，木質堅實，而且萬歲。

森林整齊的排列在羅山中，牠們不畏風雨吹打不懼曝曬嚴寒。牠們祇是默默在那裏伸長壯大，將來等待自己事業的發展：做成舟船，可以飽覽江河風光；做成高大的建築物，可以傲然矗立在都市中；車輛、農具、枕木、家具、橋樑、雕刻、孩子們的鉛筆、老年人的棺材……森林的用途廣闊，牠們的前程也是無窮的！你試聽那遠處的松濤聲，氣勢多麼雄偉？這不就是一首偉大的生命交響樂麼？

刊印興寧先賢叢書引。

羅香林

興寧自有宋羅學士孟郊，以文節爲天下倡，與鄉人胡銓等，詆秦檜議和，率太學生陳東等數千百人，請願拒敵。一時才俊，感發興奮，咸思報國。孟郊又久從楊時龜山遊，以濂洛之緒自任。邑人化之，遂有以志節與理學鳴者。至明而王御史天與，遂以辭備，佐王文成公守仁，與平贛南及宸濠之役。著平寇錄見志，卒以身殉。而張天賦汝德，受業湛若水甘泉之門，以理趣爲學問之本。尤以淵雅虛白，英秀朗察，爲祝允明枝山所推重。由是吾邑有名節與性理之學。當有宋嘉時，江右學者，盛倡詩古文辭，覃研極造，激盪潮流。興寧界閩贛之交，學子慕效不歇。而陳宣教南一，爲文尤雅健不羣。迄明及清，遂有何南鳳叔堂，石咏竹道野，曾榮科玉峯，石娥嘯鐵齋，陳銓次臣，何映柳麟山，羅學旦奢亭，羅清英松亭，孫恒亭西疇，劉啓英迪齋，王藥曉闇，吳熙乾自閑，李文榮顯齋，傅兆麟楡根，陳其藻喬墉等，並以文學爲時所重。憂憂獨造，不儕而及於古。由是吾邑有詩古文辭之學。自明季泰西耶穌會士，以天文新法，傳授中土，吾邑羅麗鄉，於康雍之際，漫遊河湖，遇異人傳授天文星象，六壬吉凶之術，復入欽天監，究心曆算，窮極微隱，以泰西新法，合中土方術，歸里爲通書年曆，奉旨頒行全國，號羅氏通書，族丙子孫，歷世立三數人，綜傳天曆推算。由是吾邑有天文曆法之學。而經學史學，與夫音韻訓詁之學，亦代有通人，傳授不絕。遞演至於光緒之世，尤學者輩出，言文學則胡曦曉岑，言數學則饒寶書個香，言經學則羅獻修孝博，言小學則羅翽雲鵾其，言史學則羅師楊幼山。而胡先生尤精力過人，又最爲老師，有羣峯共仰之概。胡先生少遊邑儒陳炳章燦林之門，傳受經史與詩古文辭，更與嘉應黃遵憲公度，鎮平先輩鍾孟鴻遇賓友善。公度善以新詞入詩，胡先生相與揚榷其學，而一主於曲達詩義之微，與學術志節相表裏。自以吾粵人也，闡揚先業，敘述鄉土，不敢以讓人。窮居著述，積數十年，成興寧圖志考，枌楡碎事，涵此心齋詩文集，梅水匯靈集等三十餘種。大要以推源拾本，昌明絕學，愈章名節，宏揚風雅爲依歸。蓋自是而吾邑歷世相守之學，盡傳於時焉。同人等，生長斯鄉，景仰情切，茲擬悉力蒐訪，刊爲興寧先賢叢書。所願邦人君子，四海知交，協助印貲，勸斯盛舉，則先賢志業得所闡揚，而學術文化，維繫不墜。是惟桑梓之幸，抑亦民族之光也。是爲引。

發起人袁五松、王蔭平、羅香林敬啓

× × ×

閒話杜鵑

·秀瓊·

在春暮夏初，芳草如茵，柳絮飄飛時節，樹林間有一種著名的候鳥叫做杜鵑，日夜叫喚得淒婉動人，敏感的詩人聽到牠的聲音，吟成「望帝春心託杜鵑」「子規聲裏雨如烟」的詩句。

杜鵑的來歷，在古書裏極富詩意與傳奇式，根據華陽蜀志所載：「蜀王杜宇號望帝，好稼穡，治陴城，會國有水災……升西山隱焉，時適三月，蜀人悲之，聞子規鳴，即曰望帝，遂呼子規爲杜鵑，蓋鵑爲捐棄之意也」又師曠禽經云：「春夏有鳥，若云不如歸也乃子規」後人以其鳴聲哀婉，能動羈旅遊子思歸，就引用爲催歸之詞，正是：「蜀國曾聞子規鳴，宣城又見杜鵑花，一叫一回腸一斷，三春三月憶三巴」我們棲遲海島的人誦之，不免要動思鄉之念！

在舊書中還有一種啼血的傳說，禽經云：「雋周，甌越間曰怨鳥，夜啼達旦，血漬草木」，埤雅云：「杜鵑苦啼啼血不止」。所以古人有「杜鵑啼處血成花」之說，那花即爲現時作爲觀賞的杜鵑花，杜甫詩：「古時杜鵑稱望帝，魂化杜鵑何細微？」又云：「四月五月偏號呼，其聲哀痛口流血。」其實杜鵑啼血起源于觀察不精，根本沒有這回事，不過古人詠杜鵑鳥的詩常常連帶說到杜鵑花：「春紅始謝又秋紅，息國亡來入楚宮，應是蜀冤啼不盡，更憑顏色訴西風」及「山前杜宇哀，山下杜鵑開，腸斷聲聲血，郎行何日回？」最使我感覺有趣的是杜鵑同戀愛事件有關，老學庵筆記：「吳人謂杜宇曰謝豹。」宛陶詩：「謝豹傷心獨叫風」唐顧況詩：「綠樹村中謝豹啼」都以謝豹爲杜宇。琅環記：「昔有人飲于錦城謝氏，其女窺而悅之。其人聞子規啼，則怔忡若豹鳴也，使侍女以竹枝驅之，曰：豹！汝尚敢至此啼乎？故名子規爲謝豹」，這是多麼哀艷啊！

在英國詠鳥詩除夜鶯外，要算雲雀與杜鵑，但杜鵑詩發現的歷史卻早于雲雀，劇作家莎士比亞的一首春歌對于杜鵑便有極不平凡的描寫說春天的杜鵑站在樹上嘲諷已經結了婚的男人，極富幽默的情趣。英文杜鵑這個字同姦婦之本夫即被妻所欺騙之男人出于同源。因爲這嘲諷含有忘恩負義」所以英國人對于杜鵑似乎有不大好感。小泉八雲對于杜鵑的歌聲雖然愛聽，他說：「這是非常甜美而非常動人的」但對牠的習性卻很鄙惡而說：「杜鵑是一切鳥兒中最不道德的，殘酷的，狡獪的鳥」

杜鵑究竟是一種什麼樣的鳥？據本草綱目說：「杜鵑出蜀中，今南方亦有之，狀如雀鷂，而色慘黑，赤口，有小冠，春暮即鳴，夜啼達旦，鳴必北向，至夏尤甚，晝夜不止，其聲哀切。」牠不自營巢，卻產卵于別的鳥巢中，讓別的鳥替牠們孵育，而且牠的卵往往產于一些弱小的鳥窩裏，等到小杜鵑成長之後，便逐走或弄死那些孵育牠的的幼鶵，牠不但同類相殘，而且欺侮弱小，這就無怪乎小泉八雲對牠鄙惡了。

至于杜鵑鳥爲什麼要啼呢？據生物學家的解釋說：杜鵑向來是雄鳥多于雌鳥兩三倍，當春末夏初，雄杜鵑爲了性的要求，便急想尋雌鳥交配，那山林間晝夜不滯清亮的叫聲，原來就是牠們求偶的戀歌，正因爲求偶不易，所以不得不反覆歇喉去博取雌鳥的情意。現在，正是杜鵑哀鳴的時候，我們若聽見了牠那「不如歸去」的啼聲，讀到「等是有家歸未得，杜鵑休向耳旁啼」的詩句，未有不爲之黯然神傷的！

現實小說

揠苗

·蕭傳文·

三

寒假結束，新學期開始時，畢業班的同學，大家懷着異樣緊張的心情，每個人都像變成了整裝待命的戰士，在等待一場即將來臨的鬥爭。學校當局爲了配合這緊張的學習，並使孩子們有充分溫習功課的時間，和避免分散注意力起見，特地取消了一切的課外活動，連體育和音樂也不例外，因此孩子們在一天之內，極少有機會離開教室，甚至將少許的課間休息也擠掉了。

島上的夏天來得早，四月初旬，氣候便開始炎熱，擠滿五十多人的小小教室，一到正午，悶熱異常，小華的座位靠近窗邊，太陽照射，像火一般炎熱。這天歷史老師正在講五代的國號始末和都城，並列成一表，寫在黑板上，小華一面抄寫，一面默記，他的手機械地在紙上移動，漸漸地一陣疲軟的感覺襲來，使他的手臂提不起來，眼睛也漸漸模糊，紙上的黑字變成無數芝蔴點，在眼前幌動着，他的頭也漸漸感到沉重，不能自主了，終於垂了下來，落在手臂上。

在睡夢中他仍然聽見老師的聲音，他並沒有完全睡熟，他是從未敢在上課時睡覺的，可是今天不知怎樣，自己也糊塗了。他自從本學期開學以來覺得沒有一晚睡足過，每晚從學校補習回家，總在十一時以後，在吃點心和洗浴以後上床總在十二時以後了，次日清晨五點半鐘，是父親給他規定的起床時間，鬧鐘一響，如果延挨了五分鐘，父親便在隔房大聲叫喚，他是再也不能多睡了、此刻他再也不能支持，雖然只是靠在桌上，枕着手臂，但仍覺得舒服甜甜，像是十年沒有睡覺似的，身子輕飄飄地像在飛翔一般。到後來他什麼也沒聽見了，同時什麼也沒想起了，祇讓自己深深地沉入熟睡之中。

此刻像小華一樣倚着睡覺的有十多個人，其餘的人也都掙扎睡眠的邊緣，教室裏的空氣沉悶極了，大家都像被籠罩在霧中，老師的臉和聲音，像隔得很遠，看不清楚也聽不清楚。

「醒來，醒來，真該死，大家都睡覺了！」一聲尖銳的叫喊，從講台上發出，全室的寂靜陡地被打破，小華是第一個被驚醒的，他揉着眼睛，直起身子，雖然眼皮仍很沉重，頭也是昏沉的，但仍勉強掙扎着坐起，同時提起筆來繼續抄寫着。

老師並沒有繼續斥罵，因爲像這種情形，每堂課都有，爲了怕耽誤講習的時間，只有每隔幾分鐘揮動一下教鞭，使發出噪辣的響聲，驅走孩子們的睡眠。

晚上，由於中低級各班的教室，一片冷清和漆黑，更加顯出畢業班教室裏活躍和緊張的氣氛。這時正是補習開始，孩子們的桌上，堆滿了各科升學指導之類的書籍，加上老師們發下的油印講義，每張課桌上推得像座小山。這是學校最近一次教務會議決定的，爲補充課本之不足，必須增加許多課本以外的教材。而且校長一再強調這次的升學率必須比上學年提高百分之五十，換句話說，今年的升學率必須以達到百分之九十爲目標，這是關係校譽和學校前途的大事，因此老師們立即緊張起來，儘量搜集有關各科的補充教材，並使每個孩子熟讀至背誦程度，因此時間愈接近暑假，課外補習的氣氛也愈形緊迫。

這是一個異常燥熱的晚上，沒有風，陣陣隱雷，遠遠傳來，小華靠近窗口，可以望見外面漆黑的天空，他實在感到太悶熱，但無法打扇，因爲右手要抄寫，左手要翻動講義，這是楊老師發下的算術補充題，共有二百多個，限在三天內全部做完，今天是限期的最後一天，尙有四十多題未做，必須在今晚趕完。楊老師在黑板上寫了許多計算公式，小華一面聽講解，一面想着怎樣算法，他覺得自己的腦子忽然變得遲鈍，似乎什麼也變得糊塗了。

「大家注意，這四十多題，都是去年中學入學考試的題目，水流問題只要記牢幾條基本模式，隨它怎樣變化，都不困難，」接着他在黑板上寫下：「划速＝(划上行速＋划下行速)÷2；流速＝(划下行速－划上行速)÷2；……」

立時教室裏一片沉寂，每個孩子都低下頭，照着楊老師在黑板上畫的水流和船行的形狀，繪在紙上，藉以幫助計算。小華也在紙上畫着，他將水流畫得很長，船畫得很大，竭力集中注意一題的流速，想來想去，始終找不到門徑，不知怎樣算法。他下意識地在紙上畫出一隻又一隻的帆船，在這些帆船中漸漸地浮起無數旋渦，愈擴愈大，不停地滾動，漸漸地模糊起來。正當沉重的眼皮快要闔上時，忽然拍地一聲，是楊老師揮動教鞭，驅走孩子的睡魔的。小華霍地一驚，急急睜起眼睛，使勁地望着講義，看看腕上的錶，正指着十點半，時間已不早，他必須趕快做去。

他一口氣算了三十多題，也一連在自己的腿上捏了十多次，兩眼發漲了，仍驅不掉睡魔，最後他用手使勁揉揉眼皮和額角，又睜大眼睛望着燈光，希望強烈的燈光來刺激困乏的眼皮。就在此時，他看見坐在後排的幾個女生，在用冷水澆額，用以提神，他像發現奇跡一般，立即跑到門口的水桶旁，舀了一杯涼水，向自己的頭上澆去，果然有了奇效，他的精神陡地一振，頭腦也清醒多了。（三）

自由人
THE FREEMAN
（第七五一期）
中華民國僑務委員會登記證僑台新字第一二號
中華郵政台字第五〇〇號執照登記爲第一類新聞紙類
（半週刊每星期三六出版）
每份港幣壹毫
台北市售價台幣壹元
督印人：陳文華
地址：香港高士威道二十號四樓
20 CAUSEWAY RD. 3RD. FL. HONG KONG
TEL. 771726
承印者：東南印務出版社
地址：高士打道六十四號
台灣總經理處
台北市西寧南路壹號二樓
電話：四七三四六
台郵儲金戶九二五二
海外總經銷：友聯書報發行公司
香港：彌敦道中二十六號A二樓

怎樣提倡科學？

——從台北冲天炮事件說起

·張雲·

約兩個月以前，從報紙上看見兩段有關台北施放火箭消息，其一是：本港「工商日報」二月二十八日台北通訊，標題爲：「所謂國產兩節火箭放射成功，拆穿西洋鏡，原來是少年放爆竹」。其二是：「自由人」報三月五日標題的『台北傳奇。未能升空的箭』。茲爲讀者節省翻閱這過氣新聞的麻煩，特將之節略如下：

台北施放火箭

『台北一家大報，二月某日顯著地刊出一則「國產兩節火箭」已「試放成功」的新聞：……名爲「先鋒第三」的火箭，定二月二十三日在台北市中心新公園表演試射。後來在預定時間，果有五六千人到公園準備參觀，而結果祗見一高中學生，手持長兩尺紙糊的火箭型小玩意，尾裝炮竹店製的「冲天炮」。羣衆一見上當，立起騷動，甚至有人鳴打，此時，治安當局，即派員到場，謂奉令取締試放，結果該生將其毀棄』。

以事過後，台北報論抨擊，大都不以該報大事宣傳，致大家受騙爲然，並謂其後明知無危險，而竟奉令制止，更造成熱鬧中的空虛，亦有不對；而對此製火箭青年，則發出無辜或無罪的諒解。其中更有責爲「一塌糊塗」或謂爲「啼笑皆非」，一場風波，就此過去。但站在提倡科學立場而言，我們實可覲其有較多的可喜因素，未可因某報一時之誇張宣揚，而抹煞其意義。

第一，所謂火箭，據我國文典固有的解釋，乃古戰守之具，三國志載：『諸葛亮攻郝昭，昭以火箭逆射其雲梯……』，在近代如放東莞烟花中，藉火藥噴射力升起空中之爆竹，亦稱火箭，與時下譯RO CKET爲火箭，其原理本無不同，只大小有異，所用燃料，不必爲爆竹所用之火藥耳。假定所稱之「先鋒第三」，係爲此類冲天爆竹，則火箭之名，並不濫用，儘非德國式之大Ro CKET，V1或V2耳。國人震驚此洋式大火箭之威力，故一聞報傳火箭施放，各人之下意識即起同樣意念，以爲係屬此類洋式之V1或V2，及一見爲國產土貨，遂認爲受騙，而大起騷動，反責報紙誇張失實。究其實，乃衆人受了自己下意識之騙，而與報紙無尤。至于治安當局臨時宣佈，奉令取銷施放，令該青年不得不當衆毀棄，造成熱鬧中之空虛，可謂洩氣之至。或因當時羣情激烈，萬一釀成紛擾，又爲治安當局之責，不得不防竄未然，似又爲可原諒者，此時與火箭本身有無危險，又另外一回事了。

第二，此次火箭試放，造成如此不快局面者，其主要原因爲：（一）該施放者爲一中華民國的高中青年。（二）施放的不是洋式火箭V1或V2，而是土製冲天炮或東莞式的烟花。假使是晚施放者爲一碧眼兒，或最低限度爲一受過洋化洗禮的某博士或工程師，所施放的雖仍有類於冲天炮（因爲我國國境內，根本沒有V1或V2類火箭的製造廠），但改頭換面而出以另一種形式，則此不快場面，或不致出現。

我們對於青年技能的訓練與鼓舞，向來就沒有重視，即對青年固有的創作力，亦沒有培植信心，故「少不更事」一語，不知把幾許天才埋沒，社會一切的幕後支配，均爲「老成持重」，或已衰失一部份創作力的人。其次，「玩物喪志」，「雕虫小技」，祇是一般老年人的心理作祟，志士不爲。造成一種上國衣冠，自我陶醉的社會。聞泰戈爾出東洋車而嘆。爲甚有詩意，而欣然喜曰：「是可浮一大白」也。以如是[illegible]倡科學，無怪乎[illegible]門卻步，不肯領教矣。其他[illegible]於玆，成效難期，因有人主張非從社會心理或風氣改變入手不可，似亦有其道理。

美國的S·T·S·

查近十餘年來，美國民間有科學人才選拔委員會（SCIENCE TALENT SEARCH，簡稱STS）之組織，主要事者，爲科學權威，而則爲全國高中在學學生，選拔競賽，每年舉行一次，獲獎者數目，每年不同，當爲三十人以上。首三名則列爲殊榮，受一般實業家或科學界所另眼相看矣。某年筆者因事赴華府，得參加該年會的盛典，入選者全部「奉旨」進白宮，並獲與總統自由談話及拍照留念。此羣未滿二十歲（TEENS）熱血滾滾的高中青年，受此名實兼顧的鼓舞，鮮有不堅其志趣，畢生以從事科學研究，或竟決心將爲今後科學發展而犧牲者。此風仍日漸加強，其影響於國家科學發展的前途，是如何深遠。

在筆者得見該會選拔之最優勝者，其一、爲以數百小珠結成鈾素原子的理想模型（男生）；其二、爲經年捕獲數百不同型蝴蝶而分類（女生）。其他或以綫條製成數學特殊曲綫的模型，或實驗其化學上的試驗成品等，陳列一室琳琅滿目，不一而足。然此種競選品，能謂其均有科學之特殊價值乎，非也，藉此鼓勵青年從事科學之興趣，並設法協助此輩被選拔者，將來作進一步之研究，爲國家預儲科學人才耳。論其當時造詣，或未必都能超過以冲天炮表演火箭之水準。但一則受社會與國家鼓勵而享殊榮；一則受鬱抑撕毀，抱頭鼠竄而去。其間榮辱之別，不可以同日而語，可令人握腕長嘆者也。

台北的原子爐

數年以來，台灣當局以過去某校存有外滙之故，決先恢復成立研究所，但與其建立普通各科研究所，不如集中力量先從事核子物理之研究，此種躐等步驟，爲我國一般從事科學者所贊同而一致稱道者。

（下轉第二版）

半週述評

世局在沸騰中

週來，世局似從沸騰中開始沸騰了！從南美洲到北非，經中東以迄遠東，騷動叛亂和無休止的內戰，使隱伏的危機，皆一一表露出來。

即使是在共產集團內部，南蘇的反目，和附庸國家對狄托的「圍剿」，也起了點綴的作用。

這些不同類型的不安和動亂，總括起來說，全與民族主義問題有關，其間再經過赤色細菌的煽播，問題就顯得不簡單了。當然，西方，主要是美國政策的軟弱和失誤，也間接助長赤焰囂張。

向美國挑戰！

南美若干國家突發的反美情緒，該是美國所未曾逆料到的。善鄰友誼之手[illegible]緬甸的訪問中博得[illegible]比亞；在委內瑞拉，他卻遭遇到前所未有的襲擊；在中東的黎巴嫩，美國大使館和新聞處都遭受到襲擊，阿拉伯人正在向艾森豪主義展開挑戰，這樣的情況，姑可名之爲「左翼民族主義」底偏激活動。

北非法軍軍事當局，組成「公安委員會」（且據傳法地中海艦隊亦響應之），以對抗巴黎普林霸內閣，要新內閣保證不放棄阿爾及利亞，致一度陷法國於「內戰邊緣」。法國軍方的要求祗是基於傳統榮譽，並不滿美國政策對法國內政事務所引起的影響。這樣的情況，姑可稱之爲「右翼民族主義」底活動。——實際上，卻又是殘餘的舊殖民地利益的殉道主義在作祟。

印尼、緬甸和印度

印尼內戰，自從革命政府轉移陣地后，前途仍難逆料，革命政府所呼籲組織的志願軍，迄今尚未見端倪；蘇俄共黨支援蘇加諾的戰爭物資，卻在源源地運達爪哇；於是突然出現在香港九龍海面的蘇聯捕鯨船隊（計有六艘），就使人不能不對其蠶怨的行蹤懷疑。人們當不會遺忘印尼內戰初起時，蘇聯即已派遣有十艘遠洋艦組成的商船隊適時的支援耶加達政府。

除了上述這一系列的火爆性事態之外，緬甸的執政黨反法西斯自由同盟，目前也正陷於分裂狀態中；印度的發狂尼赫魯，前些時也曾表示有倦勤之意；這些情況，也正說明，所謂「中立主義」的國家，內部也正潛伏不安的因素。

白宮的對策

面對沸騰的局勢，白宮採取的政策是嚴格地注視法國政局，空運少量的部隊至波多黎各準備應付委內瑞拉的反美暴動；第六艦隊則正會合英國地中海艦隊舉行演習，以備應付萬一；對印尼，美國則以沉默來容讓蘇加諾的「指控」。當然，局勢最嚴重的地區是委內瑞拉和黎巴嫩。因爲擅與西方的石油權益有着緊密的關係。

反美中心在產油區

委內瑞拉雖僅有約近六百萬人口，但卻是西方集團第二石油產源地，其全部蘊藏量達十七億噸，西方國家在委內瑞拉的投資總額有五十億美元，其中百分之八十八是在石油工業上，美國佔該數的百分之六十。黎巴嫩是中東兩大油管的終點口岸。西方國家並在這裏設有煉油廠。反美的浪潮不期而然的於同一時間內，在這二個產油地區發生，其意義是無需再加解釋的了。

阿爾及利的事件，暫或不會引起法國的分裂或導致內戰，但這無疑的是法蘭西大悲劇的序幕。今後美國對法國政局的態度，是一仍舊貫抑加修正，該是最值得注意的了。

伊朗王訪華

在舉世擾攘聲中，伊朗國王巴勒維，刻正在台灣作深入的訪問，他之東來意義是多方面的。人們不會忘記莫薩德首相執政時期伊朗政局險象環生，莫薩德就是狹隘的偏激的民族主義者的典型人物，共產黨就利用他來製造事件。

當巴勒維國王掌握了實權後，他曾一再將王室的土地分給農民，而他此行來到台灣訪問，主要的活動之一也是在要了解自由中國土地政策的成效。在近二三年來，儘管中東紛擾不已，而伊朗卻分外安定，也就更現得這位君主在中近東地區的幹練和英明了。

·李金暐·

赤菌的毒發

——「圍堵」政策應再檢討了

·雅斯·

若說美國的「圍堵」或「阻截」政策早已不能發生作用，則最近世界各地發生一連串的反美事件，實不曾說明這政策已告破產。它對于赤色細菌的滋長與蔓延，顯然是無法堵截的。印尼「內戰」的變質，早已是一個癥疾；昨天發生的仰光反美示威，也是早已種因的；最近納塞的訪俄，不曾表示中東非洲已將形成毒瘤。這些赤菌不但毒發在溫床的中東，北非及東南亞各地，更且蔓延到美國往日門羅主義範圍內的南美——秘魯及委內瑞拉各國。

更可注意的是，黎巴嫩及法國已面臨「內戰邊緣」，均帶着「反美」色彩，這也正如艾森豪總統所指出：「黎巴嫩，南美及阿爾及利亞各地的反美示威，似爲一個配合計劃之各部分」；同時他也正視「共產黨于利用任何在發展中之不安，領導起來搗亂」。

黎巴嫩這小國的政局，原是比較安定的，現當局的政策是親西方的。「安定」與「親美」顯然成爲赤菌集中的目標。美國大使館外的炸彈，便是一個「赤菌彈」。黎巴嫩內閣已在考慮向聯合國抗議埃敘聯邦「干預此次黎巴嫩的叛變」，顯見黎國內變之成爲「國際化」，已是必然趨勢。這事變發生于納塞訪俄歸後，又可見不能與埃敘無關。照歷史往例，祗提出聯合國，是無法改變旣成事實的。要求美國援助嗎，依中東的艾森豪主義，美國雖有『保證保護中東國家免爲「國際共產主義控制的」國家所侵略』的責任，但至少在目前，黎巴嫩尚還沒有這要求，而美國事實上也還不能採取行動。等到「旣成事實」一旦造成，則聯合國的指責，祗是一套官腔而已。這是黎巴嫩可慮的情勢。

如果我們說黎巴嫩內變中的反美傾向是共產黨躲在民族主義後而幹出來的，那麼，法國內變中的反美傾向，則是殘餘殖民帝國主義躲在自由世界裏而幹出來的，也可以說，它是北非阿爾及利亞，突尼西亞一些反殖民帝國主義「阿剌伯主義與納塞親蘇的中立主義底合流所引起法國殘餘殖民主義對自由世界的一種反動傾向。

巴黎蕾拉內閣的垮台，是垮于內閣中兩個極端派，極右與極左——與中間偏右派有着不同背境的聯合叢力下；他們在國會辯論中公開指摘蕾拉爲「美國的傀儡」；而經過月餘難產而勉強產生的佛林姆內閣，先天就沒有解決這僵局的性能，所以一上台就被罵爲「投降的總理」。以極右派爲背景的阿爾及利亞法軍司令主張擁戴高樂復出，成立「公安政府」，並支持馬秀將軍及其傘兵所發動的閃電反政府叛變，使法國瀕于「內戰」邊緣。

法國沒有美國援助，是無法自已解決問題的。故自法國言，這是極右派及軍人在自由世界的一種盲動；自美國言，在納塞煽動中的民族主義，與法國的殖民帝國主義間，卻難於有所選擇，總要遭遇到一場深入內部的赤色細菌侵犯而無法還手的戰爭。

聽說白宮已在開始考慮改變政策了。但所謂改變，至多祗是個別的，局部的，而不是整個的，全面的。比如，艾森豪主義祗是有限度的防衛佈署，祗是圍堵政策的一部分；由支持變爲不再支持法國的北非政策——即在聯合國中不再支持法國把它看成內政問題而不容辯論的主張，等等。但這些對于中東及北非各地所將必然要造成的「旣成事實」，能有什麼方法補救呢？

赤色細菌戰，是無法「圍堵」或「阻截」的。而對着全世界每一角落都被赤菌侵入的局勢，白宮對于它的圍堵政策，以至對外援助政策，在不太晚以前，似該考慮全盤而合理的改變了。

我所瞭解的輿論意義

·李樸生·

我不是學新聞學的人，我不知新聞學上輿論的定義是什麼。我只覺得，在報紙上有某種見解，尤其民意代表的見解，大家不約而同的贊成其見解，似乎就叫做輿論。

過去的兩個事例

我年青時，廣東省諮議局討論禁賭案時，有人主張禁，也有報紙主張禁，投票時主張可禁的稱為「可議員」，社會上都稱頌他；反對禁的稱為「否議員」，社會都譏罵他。我當時還未入中學，只是一知半解看報紙，對可議員有好感，對否議員不滿意。這是我第一次接觸到輿論的意義。

及武昌起義，報紙上，諮議局中，也有贊成和反對的兩種主張，而贊成者佔多數。我不是革命黨，仍未進中學，沒有什麼政治知識，但贊成革命。所以當多數的民意代表決定「反正」的消息宣佈時，我非常高興，趕快剪掉辮子。這是我第二次接觸到輿論的意義。

袁世凱要做皇帝，籌安會在廣州已積極活動。我是廣東高等師範附屬中學的學生，禮堂正面的牆上，掛有「民國之基」四個大字，某天，奉道傳校長命令把這四個大字除下來，隨而北京宣佈改元洪憲。當時國民黨在學校似乎沒有學生運動，（至少我沒有聽過有人向我宣傳反對袁世凱）我們同學也沒有敢公開反對帝制，但私下談起來，都不贊成。張三不贊成，李四不贊成，……到了我們畢業的時候，聽到畢業證書是用「洪憲元年」年號，我們便不去領。某天，讀到梁任公先生的「異哉所謂國體問題」，非常高興！這是我第三次接觸到輿論的意義。

北洋軍閥和日本軍閥訂立軍事密約，留日學生丘念台、陳地球兩先生（現均在台北）回廣州鼓動學生反對，有報紙也主張反對，於是我們組成廣州市學聯會反對軍閥們的陰謀勾結。翌年有五四運動，廣州學生響應的行動已極有規模，這是我第四次接觸到輿論的意義。

輿論是什麼？

所以，輿論是什麼？輿論有什麼了不起？就我多年的經驗，覺得輿論也許是一二年輕的小子，在一個狹小的房間揮筆亂寫的意見。但他的意見却訴合了大家是非之心，引起了正義的共鳴，變成了很多人共同的意見。如果加以組織，繼續宣傳，便可以形成一個龐勢浩壯的行動，有淘汰腐舊的力量。在歷史上，輿論常出于民間不滿政府的某種措施，聯同反抗，他們的反抗行動，在政治壓力之下，可能當時歸于失敗。也有失敗之後，伏流于地下，曲折迂迴，到了某個時機，又可能找到出口，發生波浪翻騰的冲激力，所以輿論常在屢敗屢戰之情勢下，會居然成功的。

今天的理解

在民智進步的今日，大家都有常識，會用理智來研究一個引起大家關心的具體問題，絕不僅是感情用事，盲從附和。倒是有權勢的挾持，有人會盲從附和。若是不是經過理智的研究，不是一種對權勢的反抗，有其自以為合理的意見，他們怎敢甘冒危險，甘受損失，隨便反抗。因為反抗權勢，總是會先吃眼前虧的，而仍毅然有所主張，社會上又仍毅然有不少人同情他們的主張，這就值得當局冷靜來研究其主張之是非得失，不能一筆抹煞了。有權勢的時候，可以指揮叱咤，遇到反抗的時候，却不採取壓力，而能虛心，冷靜，把反抗的人，疏解，說服，容納其合理之要求，消除其歧見，這是偉大的，英明的，民主的領袖！若有權勢而用權勢壓倒反抗，却也是常見的事，不足為怪！我們不能大怪小驚于常見之事，但更期待有偉大的，英明的，民主的表現。

歷史上像大禹，齊成王，唐太宗之能拜昌言，納忠諫，讓大家起大母指稱讚的總是少；而運用權勢，無視輿論，為所欲為，致人與國家同受損失的是太多；而開國的中興的領袖，常是豁達大度，能勒臨崖之馬，無所歉于日月之蝕，從容取于人以為善的聖雄！

新聞的新聞

·健生·

【台北通訊】伊朗國王巴拉維將于十四日訪台，政府當局為此忙得不可開交。十二日官方在松山機場舉行的歡迎儀式預習，行政院新聞局事前函邀各報派記者採訪舉行預演的新聞。該局對報界宣示記者自由採訪活動的範圍，引起了在場記者的不滿。

年來政府各種慶典及外賓蒞華訪問時，似乎是怕老記們闖亂子，對報界多少總有某種程度的區別與約束，所謂便利記者採訪，也要看報館的背景和記者與承辦人員的交情而定。如青年節採訪證係交出該局主持，除台北各報外，外縣市的記者雖在三天前從事通絡，也卒至無法採訪，只好抄晚報或向同業情商，否則就怕不能交差了。

台灣各級政府新聞界有幾種不同的看法，就是小報沒有大報體面，民報不如官報便利，台灣報界又不如僑報，最受官方的特殊待遇還是洋記者。這種事實可以從各報新聞中一目了然。（五月十二日）

怎樣提倡科學？

（上接第一版）

但光陰似箭，瞬逾五載，關所擬設置最重要之原子爐，尚未啓用。論者又詬病之。本來創始困難，非口舌指摘之容易，遲遲將事，終抵於成，總比急進僨事為好。側聞台方已有的其他研究所機構，近亦以競置「原子爐」為時尚，似乎視「原子爐」為萬應靈符，以為其「爐」具備，科學提倡任務即已達成。殊不知此等研究所一切設備，多為泊來，萬一將來發生損壞，如何修理？原料不足，如何補充？人才缺乏，如何羅致？成果產生，如何整理？寧不能不應先為預謀。在科學人才未有充分培養，高級科學儀器製造，未有基礎，或不能平行發展以前，我們如何可以憑空或全靠泊來品以作高級科學研究？大學之道，明明指出，物有本末，事有始終，知所先後，方可近道。如將本末終始，先後倒置，雖如何呼號提倡，似未見其可。吾人應覺悟在科學提倡中，「迎頭趕上」一語，甚嫌近空洞也。

筆者，嘗與友人探討科學不誕生於我國，其原因何在？仁智所見，各有不同，無何結論。而時賢論著，更各發揮所見，不能盡錄。但筆者覺得，我國幾千年來，文化主流，大部受儒家哲學支配，而社會裏一切生活方式，不外以此文化主流為背景，一個社會有某種文化主流，即有某種生活方式，雖代有志士，常思變換改革，亦總假以為異端，攻擊折磨，削弱其流行滑力，而無法抬頭。

格物致知

然則科學之不誕生於我國，謂其不受儒家哲學之影響，其可得乎。但孔門大學，有格物致知之論，此殆與現代科學精神一致，所當注意者，為如何格物，或格物之方法如何乃可生效，否則不得其法，徒具空論，始終不能進入科學領域。「濟人利物非吾事，自有周公孔聖人。」我們如何可希冀抱著這樣人生觀的人，產生積極的證驗事理的科學？

然則孔門格物致知之學，其果為空論而不切實際乎？猶憶童年背誦大學一書，第四章以後，其論格物致知之義，則只有「此謂知本，此謂知之至也」二句，再讀下去，乃知二句之間，別有闕文。千餘年後，到了宋代程朱，乃演成下一段補充意見，眞是不勝其詫異！

右傳之五章，蓋釋格物致知之義，而今亡矣。閒嘗竊取程子之意以補之曰：「所謂致知在格物者，言欲致吾之知，在即物而窮其理也。蓋人心之靈，莫不有知，而天下之物，莫不有理，惟於理有未窮，故其知有不盡也。是以大學始教，必使學者，即凡天下之物，莫不因其已知之理而益窮之，以求至乎其極，至於用力之久，而一旦豁然貫通焉，則衆物之表裏精粗無不到，而吾心之全體大用無不明矣。」此謂物格，此謂知之至也。

（下轉第三版）

讀者論壇

日文日語在台灣

·人木·

韓國女影星鄒琴峯小姐，曾對自由中國的一個記者說：日文日語迄今還在台灣很流行，這令她有點驚奇，日本刊物充斥市場，某些中國人在街上，在大庭廣衆之間說日語，那副神態還是洋洋自得，好像無限榮耀。鄒小姐又說：她在韓國即使有機會給她日語，她也得找一個翻譯員，自己雖會講也不講。

要外國人來這樣說，實在是很傷心的：或許有些人拿我們古國泱泱風度來自我解嘲，說韓國人胸襟狹隘不能容物。但到底不能使我們明瞭為甚麼要講日語。

一個同學跟我說了這麼一個的故事：一個農人看見一個軍官跑路，便說：「國軍倒要不得，還是皇軍（日本兵）好看，日本軍官都有汽車，國軍軍官却要跑路！」

從這一個農人的口吻裏，便可以想像到日本統治台灣時愚民的利害了；帝國主義的軍事侵略固然可怕，而無形的霉化思想，消弭被征服國家子民的國族意識，更是澈底消滅一個國家最有效的武器。

講日語有兩個最大的因素：第一是某些奴隸性很強的人，無時不緬懷舊日「皇治時代」的「光榮」，認為講日語是一個高貴的表現：一個山地同胞向一個新聞者很痛心的說：入山地工作的工程師，相互之間都大多以日語對答，這一方面令山胞起了不好的反感。

舉個我所見到的實例。我有一個幼年生長在日本的同學，平日言談間總流露一些對日本的傾慕！看日本電影好啦、日本歌好聽啦！一次為了兵役的事，他竟一度埋怨說：「眞後悔生作中國人」又有誰能相信，這話是出自大學生的口呢？

話得說回來：現在的中國，實在是有許多地方比不上日本的，要糾正那種畸形的奴隸性，首先要使他們對國家發生強烈的信心，高瞻遠矚，知道中國將來一定能恢復，這有賴於我們自身的努力了。其次，是國語還不能普遍。光復台灣十幾年了，國語普及運動只及於一些學生；許多高山族和客家人說閩南人，各自的鄉音不同，又不會說國語，索性就撿出一套日語來對答。

我們聽了鄒琴峯小姐的話，眞有無限感慨與難過。

台灣的賭禁

·金吾·

（台北航訊）前時，香港工商日報第三版載有「上海賭風甚熾」的消息，說除普通賭具之賭外，並有鬥蟋蟀之賭，隔海相對，最近自由中國政府也申禁賭之令，中國豈眞是一個好賭的民族歟？

聽台灣同胞說，日據時期只有為社會所不齒的下等流氓才沈浸賭博，所以不能成風。自三十八年後大陸人士大批來台初時大家對這個緊張局面，憂心如擣，同時自己驚魂未定，所以並未念及賭博。四十年後，麻將，沙蟹的賭博漸多，警察局也時常「捉賭」，但因「碰頂子」之多，「勞而無功」，於是就懈怠下來，使賭博成了半公開狀態。由於最近許多驚人案件的發生：如張昌年案的凶手費、金兩人，都曾有巨萬財產，為了賭博破產而成了「職業凶手」；北部大車出軌慘案，也可說間接由於軍眷迷於賭博，子女失所管理竟在鐵路上堆石所釀成。同時各方對社會風氣的抨擊日烈。行政當局雖曾嚴令禁賭，仍是賭者自賭，禁者自禁，豈眞人心麻痺了嗎？曰：上有好者，下必有甚焉！

聽說現在不乏要人們「喜於此道」的（去年有一位立法委員出國，在某處餞行宴後一夜賭博輸了十多萬，贏者為最高機關某局長），而且刑法除抽頭聚賭的頭家可以處刑外，其餘只是違警的罰錢而已，公務員犯賭，只送公務員懲戒會議處而已。最近以來，警察已分批出動，各家報紙的反應似頗冷淡，即官報亦無例行的擁護評述，相反的若干副刊，短評且多冷諷熱嘲，如說：愛國獎券也是賭博，政府為什麼不停止啦；政府為什麼不為人民建設正當的娛樂場所啦；怎樣分別「抽頭聚賭」之賭和「家庭娛樂」之賭而定其禁與不禁的標準啦；賭博者是有關社會風氣，為什麼也是增長社會頹風的跳舞最近倒反予開放啦，縱或另有原因，也不能謂為健全，無論如何，賭是應該禁止的！

大陸人民不怕中共的苛虐而仍沈浸賭博，那是精神苦悶的關係。台灣是復國的基地，其間的人精神苦悶有之，豈可効尤！如果這個趨向，不能扭轉，不是末俗的象徵！能否整飾政治，振奮人心，這件事也可視為試金石！

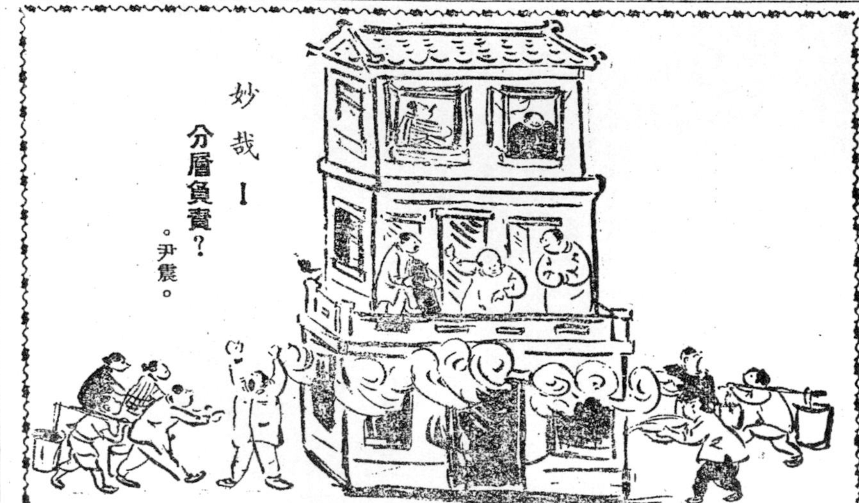

妙哉！分層負責？

·尹震·

納撒訪俄行

納撒訪問莫斯科之行，是他作爲蘇俄許西方國家的資本，一定攤出更明確的中立樣子；同時不管西方國家的意思如何，他是不能把克姆林宮的訪問無限期延期下去的，他好玩弄兩面手法，以欺騙和敲詐，對付這個人給那個人看，要得到雙倍的收獲，不過，在埃及方面，有兩個缺點，納撒向雙方賣弄風情，是不十分巧妙的，因爲美國年青小夥子會露出過於嫉妒的神氣，擺弄自己要給的東西，埃及現在只有靠蘇俄的經濟和軍事援助了。

只有少數埃及人樂觀

只有少數埃及人對國事是樂觀的，常在開羅聽到有人抱怨，納撒爲了他的目的，倒向東方，又拉攏西方，將不可能保持中立，因爲蘇俄不過是引誘西方的一種方法，同時美國政策是被開羅看作不高明的，它要排斥納撒，可是蘇聯是不了解，這政策受到了限制。

杜爾斯心中的盤算

事實上，杜爾斯心中在盤算着，美國對埃及的策略的轉變，同意蘇彝士運河公司股東的賠償，解除凍結埃及的美元，並恢復正常的商業關係，杜爾斯雖然不歡迎的是納撒玩弄中立，如果埃及掉在水裏，打算撈起他來，那時就更困難了。

所謂俄援

所謂俄援，埃及還不致向蘇俄借款弄得一身是債。蘇俄的坦克和飛機進運交付，據開羅消息，那是用以補充被英法以軍所毀的武器，是蘇俄免費供給埃及的。據說兩國之間的關係，是經濟的窒息。非軍事的六千二百萬鎊借款，是蘇俄允爲埃及發展工業之用，分二十年償還。

埃工業部長蘇聯去來

埃及工業部長四德基由莫斯科簽訂借款協議後，洋洋得意的返國。他滿自信的以爲蘇俄不僅好說話，而且是出於情願；他要求將借款期限延長不過由一項共同協定規定，蘇俄在埃及將有專利權，此後蘇俄剩餘物資可以自由出入市場，而今年收獲的埃及棉花却有誰買呢？

埃及實也要西方援助

埃及顯然需要從兩方面多少獲得援助，即使西方不合作，他必須依靠唯一的另一方面，但獲自蘇俄的一切實際有什麼代價？蘇俄不需要油或軍事基地，它與阿拉伯國家交好，只是爲了征服世界用以對抗美國。美國剛剛要插足中東，蘇俄就要計劃分化盟國，那是爲了自己的安全。第二個問題是蘇俄爲什麼選擇埃及和一九五五年那地方與時間，主要的是爲反擊美國大陸的政策。法魯克垮台後的埃及，有革命的活動力，其戰略地位是無比的，埃及位於非洲與阿拉伯世界之間，橫跨於運油到歐洲的主要海峽之一，當西方國家拒絕供給埃及新統治者所需要的武器時候，其門戶是誘人地大開着。

蘇俄是在埃及「賣藝」

蘇俄選擇埃及顯然賠不了本，它極力避免彼此間一些不愉快的事情，不打算干涉納撒因爲共黨的政策。第一和聯邦成立，敘利亞共人經敘利亞大馬士革的路綫，蘇聯表演賽遷的一套把戲，同時提高埃及人靈中，同時提高埃及領袖的自尊心，甚至那些多疑的埃及人認爲蘇俄的確是虛僞的，現在亦一樣受這一套阿諛的詞令了。

俄會抓住納撒的虛榮心

例如，納撒不會相信需要他參加高級會議，但是蘇俄於一月間提出建議時，他的虛榮心就觸發了。蘇俄人對付埃及人，是用比美國人更圓通的手法。艾森豪主義的條件使埃及的阿拉伯子，當其所提議的主張國家「共同防衛」那一辭令與那一觀念，已有二十年之久，爲英國所利用，爲埃及所憎恨的。美國人所提「互相依賴」不適合新興獨立的民族主義國家。雖然埃及知道蘇俄代表阿朱曼在亞非會議籠統的諾言——對請求的任何國家予以援助——不過那不能見諸實行，不過那精神，已足夠使他們爲之一快。

假如埃及穩定下去

雖然納撒有最大的缺點，西方國家要排斥他，如果新的埃及穩定下去，西方國家不能不與之進行正常關係，但又能藉口西方援助用以增加蘇俄的勢力，是仍然是有效的一種宣傳，美國對此也開始承認了。（譯自「經濟學人」）

竹幕秘聞

馬克思誕辰

今年是馬克思誕辰一百四十周年，五月四日，中共的「文化部」，中共中央馬恩列斯著作編譯局，中共中央高級黨校，在北平聯合舉行紀念大會，出席者一千五百餘人，大會由中共中央政治局委員董必武主持，由高級黨校校長楊獻珍作報告。在本年的四月二十二日，是列寧的八十八周年誕辰，北平的「中蘇友協」舉行紀念會，主其事者是「北京中蘇友協分會」副會長曹靖華（無中央性的紀念會）。

兩相比較，其紀念列寧的熱烈程度遠遠的落在紀念馬克思的後面了。

幾年以前，共產國家曾經熱烈地紀念斯大林，後來批判斯大林運動的一陣風，把這種狂熱冷却了下來；總之，大捧列寧，認爲列寧主義可以放之四海而皆準；現在，如前述情況，列寧的地位可能又在動搖中，則唯一可以搬出的偶像只有馬克思了。

一待到馬克思的偶像再倒下來，看他們還能搬得出那個死靈魂出來？

大躍進的陰暗面

從去年十二月起，毛澤東大罵「促退派」要求「大躍進」，這陣風已經在大陸上捲了起來。

但是這個大躍進運動，必需以物質爲基礎，照中國大陸的經濟情況來說，一定要有農業的大豐收，方才能夠持久。

但自今春以來，霜災，旱災，最近又鬧水災。老天爺連續不斷的似乎專與毛澤東爲難；秋收年成雖尙未可預測，但夏收則可以斷言，將不會得好的。

在大躍進的經濟狀況下，各種經濟關係像拉緊了的鐵鍊。只要這條鐵鍊的任何一個環節出毛病，勢必影響全局；從今春的農業景象來看，中共下半年的大躍進運動將停滯是無可避免，收縮各種計劃將是其下半年的主要經濟工作。

蘇聯商船到松花江

本欄前曾提出幾個「中蘇關係」的問題，其中之一是在「邊境河流通航協定」簽訂以前，何以有蘇聯船隻航入哈爾濱與布爾津？

五月八日，新華社報導，「根據中蘇邊境河流通航協定」首批兩艘蘇聯商船進入松花江的富錦縣碼頭舉行了一個歡迎會，說：「使人回想起一九四五年這裏的人民歡迎解放東北的蘇聯紅軍的情況。」香港的「文滙報」，則說成蘇聯商船「初到」松花江。——看了像「文滙報」這樣的話，在不經常注意大陸報導的讀者，可能會懷疑本欄撰述的確實性呢？同樣的一樁事，共黨讓大陸人民所了解的是這一面，讓海外人民所了解的又是那一面。說謊技術確夠高明。

爲此，還特別指出：一九五七年七月三十日人民日報報導：一批蘇聯貨運船在中國新疆北部的布爾津河上航行；一九五七年八月三十日人民日報又報導：八月二十八日蘇貨船CT507，CT504航到雙源縣（在哈爾濱以上的松花江之濱）。足見蘇船初到松花江之說是與事實不符的。

· 田心 ·

怎樣提倡科學？

（上接第二版）

然則（一）這格物致知之義，爲什麼命亡佚？（二）在什麼時候把它亡佚？都是我們後人所欲知之者，對於第一問，我們大約只有一個偏面答案，說不是故意把它遺亡的。且亡的理由，可能有很多，我們不必無聊的列舉，瞎三瞎四去猜，且亦不容易遽容猜得中，但說「不是有意遺亡，而是偶爾失落」，這樣偏面的估計，或者尙較近似。至於第二問，亦不易獲得準確答案，即使根據朱子說「而今亡矣」，這個「今」字，似不可當「今日」解，也即不是可代表程朱時代，可能秦漢時代已沒有，或者孔門後學，根本沒有把這段意思記下來。故此缺的早就已經缺了。惟有一層，格物致知之義，可斷其原來是有的，否則，這一套大學之道，就根本不是這樣說法了。

不幸得很，數千年前所缺的經文，而適是數千年後今日最吃香最重要由格物致知所構成的實驗科學，沒由獲得啓示，而也亦竟然不能生我國，讓我們後人焦頭爛額地向人家追趕，趕了幾十年，其落後如故。我曾作過多次的臆想，假定這孔門格物致知的眞義，沒有遺亡，我們能否在幾千年前，就獲得眞確的指示，培植一個科學基礎出來。這樣的問題，雖然誰也不能拿出肯定的答案。不過我總會這樣想，科學不誕生於我國，和這段經文的遺缺，間接直接的不能說沒有關係。

其次，要談到孔門千餘年後，先我們千餘年前，朱子推崇程子通段補充意見了。程朱的哲學大道理，我未嘗研究，不敢有所評議。惟對於這段補充意見，能否代表原意，實在大有問題。第一，孔門時代，很少談到心靈有知和心的全體大用的特出哲學，故原來格物致知之義，雖不能遽否肯定它會比程氏所說有更切近物質研討的態度，但抑可說，決不是付諸一個空洞的心靈作用。因第二、一個時代的哲學隨有那時代的文化做背景，程氏所作這段補語，無疑只能代表程朱時代的那一套哲學，或者更可說仍祗代表數千年來我們對於事理一套空疏或抽象的見解。其與原意還有很大距離是可肯定的。我們老祖宗對於一切事物的處理和概括，最聰明是用抽象和概括的字眼來估斷，令聽者莫明其妙，或根本無可辯駁。如醫學上用寒熱，陰陽，乾濕……等詞來斷病，而實際並未摸到病體的本源。正如程氏所云「物之表裏精粗無不到」，你說他有錯嗎，實不能說他錯。因爲這樣說法，有如說上天下地，男陽女陰不反則正，等最原始的分類法，無所謂錯誤，但對物體本身的實際性質，尙完全未有接觸到耳。

夫談物體的表裏精粗，有如說某病，或虛或實，或寒或熱相同。如這樣估斷疾症來作療治基礎，則我可當面表現我是一個大魔術家給你看，何故？因爲閣下的年歲財產數值，我可立即說出「不是單數便是雙數」也。

夫朱程用其哲學主觀來補充孔門格物致知之義，我們不應加以非議，因那時代的文化背景如此，他們能拿出的只有這一套，如他們生當現世，這段補充的經文，必不會如此，他們或者會這樣說：「……莫不因其已知之理，以求其未知或求其相似，更用實驗以證明之。舉凡證明，必須詳明反覆，手眼並到，務使物之本性，赤裸如見，不論何人，循同一合理驗證者，必獲得同一效應，此謂物格，此謂知之至也。」可不是嗎？生當今世，你實無理由再用「吾心之全體大用無不明矣」去概括科學吧！（全文完）

人與畫

談黃厚的新派畫

· 趙滋蕃 ·

新藝術的背後，必有新理想，新精神爲之澆醉鼓盪。不論前型舊則如何，新理想新精神必自爲表現。一時代有一時代的理想和精神，所以一時代也有一時代的藝術與流派。

西歐眞正的代表藝術是音樂。西歐藝術的理想與精神，以趨近音樂爲極致。而音樂所涵蘊的精神，就是越過現實事物，解除具體束縛的精神；音樂所包含的理想，就是向無限追求的理想。當代的表現主義畫派，在藝術上是十分趨近於音樂的。

表現派有立體派的立體感，但沒有立體派在透視學上所犯的錯誤。它着重單綫條，單純色，筆法，刀法與質而之勁的表現，以簡樸、自然、生動爲高，抑沒有立體派的機械、板滯。它可以隨意抒寫內心欲寫的東西，彷彿有一股強勁的藝術衝動，作形而上的催迫，沒有立體派的隨類賦彩，感爲情變的毛病。它在構圖上有立體派的「集中表現」之長，但又能以調子鳴起整個色調的和諧，以綫條的明晴起伏及其旋律節奏，傳其韻律於畫面。所謂「靈氣往來」，所謂「千載寂寥，披圖可鑒」，表現派的作品，足以當之無愧。

黃厚小姐的油畫與水彩，是走的表現派的路子。此次展覽出來的四十幀作品，水彩較多於油畫。而且，因爲這四十幀作品，不是成于一時，不是寫于一地，所以鑒賞起來，也階段分明，可以發現她由描摹到獨立創作；由素描、人像、人體、靜物、寫生等基本工夫，到掙脫工具的束縛，隨意直抒心臆；由寫實主義進至立體主義，再由立體主義折向表現主義的全部歷程。這一點對於有興趣從事於寫畫的朋友們，至少是有益的。一個藝術家，假若不能潛心於他所喜愛的藝術的全領域，要談獨闢蹊徑，要談衆能不如獨詣，豈是易事？

這四十幀作品，有極少數並不成熟，但大部分是有卓越表現的。她的畫面有沉鬱蒼莽之美，筆觸新奇，色調沉着，感情熱烈，情緒狂放，而質（Texture）與厚實（Depth）均能直抵表現派的堂奧，這些求之於一個二十多歲的青年女畫家，確實已經難能可貴了。譬如「玫瑰紅的幻想」，用玫瑰紅單色爲基調，以淡黃的調子鳴起整幅畫面的和諧，再以有旋律節奏的綫條，將帶醉的意象，將狂放、迷惑、和追懷的複雜情緒，傳遞到畫面上來。就藝術這幅畫構思的精巧，選色的大膽，誠令人心折。

又如「黑夜」，畫家以紫藍爲基調，褐紅色的不太猛烈的紫藍，用來表現的靜夜，比較普魯士藍的那種帶冷漠種死氣沉沉的色調，當然不可同日而語。而且，用這種吊色的調子所激起的共鳴，再配以短碎的黑綫條，以及靠近大小的適當聯結來經營位置，儘量發揮了透視與厚實的優點，而瀰漫着一片朦朧的美，若非大手筆，恐怕不容易有此成就。其它如「春潮千尺綠」、「帆影關關」、「寂寞孤帆」、「內景」等等，都能用錯綜交織的不規則筆法和刀法表現綫條與色彩的節奏，賦以生命，純然是表現派的風格，應躋一品之列。滿目琳琅，此處也不能一一列舉。

藝術家都隱含「無限發展的可能性」，但永遠年青的藝術家尤其如此。藝術之門雖是窄的，但永遠爲年青的天才而敞開！盼望黃厚小姐百尺竿頭，更進一步。

自由談

止謗莫如自修

美國務長官杜爾斯對於中南美的秘魯，中東的黎巴嫩等地區，最近連續發生反美暴動，認爲這是共黨的陰謀詭計，他解說這類事情祗要有人宣傳而且有人出錢，即在美國亦可能發生的。此言不無理由，却不是健全的見解。

如果人們的內心裏，根本就沒有怨懟某一國家的因素積累潛存着，即使有人宣傳煽惑，用錢收買，也不會激起眞正的仇視反對行爲，充其量喊喊口號，貼貼標語罷了。像秘魯，委內瑞拉這些小國，平日未聞其國內有共黨搗亂的情況，而黎巴嫩執政者亦素來是親西方的，全國人民百分之七十以上皆爲基督教徒，何致臨時受到共黨的宣傳煽惑，即不惜冒生命危險，從事反美暴動呢？在二次大戰以前，我們中國人祇要聽說，反對日本帝國主義，排斥日貨的話，雖婦孺亦挺身而起，唯力是視，現在呢，連共產黨亦已不彈此調，因爲人們內心裏不存在仇視日本的因素了。

「行有不慊於心，則反求諸己」，我認爲美國對於這些反美的情形，應該仔細研究其所以然，除了共黨作祟以外，有無其他的原因？譬如中南美那些小國人民的激昂反美情緒，是不是美國人平日對他們太過於表現優越感，過事任性而行呢？黎巴嫩，敘利亞是否由於美國對中東政策之無定見，無原則，因而容易受共黨挑唆鼓動呢？西歐各國亦有共黨從事反美宣傳，却不見有演出流血暴動的反美行爲，這就是值得省察的地方。

美國每年耗費大量的金錢物資以援外，然受援者對美國的感想並不見佳，致落得「以金錢購買友誼」的批判，這又是甚末原故呢？例如美國對自由中國大力援助，然白宮與國會人士，又公開宣稱不願意支援台灣國軍反攻大陸，意思就只是教我軍替美國守住台澎這一戰略據點。中國人並非傻子，內心上自然由失望而怨望，雖不反美，亦引不起心悅誠服的好感了。

反美之風固不可長，但止謗莫如自修，希望美國切實反省一下吧！

馬五先生

文人與和尚

—國父遊普陀山靈異別錄—

金伯華

是國二十五年下半年的事。普陀山某寺大和尚馨照寄給我一封快信，言有要事，定某日來京（南京）相訪。及見面，馨照從腰間抱出一小布包，內摺藏空白信封一個，封內盛文書一件，係書紙篆所寫，行書，字大略如豆，共十二行，每行十三字，其內容是否與已故周佩箴之影印本相同，余已絲毫不能記憶，但形式則全異，通篇無題、署，[illegible]無年月日，更無任何印章，[illegible]「報本堂下院」[illegible]擬存的「遊普陀誌奇」，[illegible]「民國五年八月二十五日孫文誌」[illegible]「孫文誌」[illegible]外，並於題目上端，均有「孫文」印，[illegible]印有「原稿珍藏淨土菴[illegible]普陀天勝眼相攝」字樣，文僅十行又半。是顯然爲兩件東西，誠如鄧家彥先生所「斷言」，兩件皆「贋也」。余當時問「老和尚」，「尊照在上海說有[illegible]

[illegible]和尚」，持歸此件何意，和尚說：這是中山先生遊普陀山[illegible]蹟。現在天下太平，殆出佛佑。山上僧衆皆以中山先生革命救民，大發大悲，爲我佛再世，[illegible]將此文刻碑樹立其中，以資永久紀念而供游人景仰。估計經費約需十五萬元。現在山上各寺已籌有十萬元之譜，擬請爲懇孫（科）院長惠助[illegible]院長爲中山先生晉[illegible]黨國要人，倘能召見，當面陳一切。……」余收受該項所謂「僞蹟」[illegible]

先生之欲起陳去病於地下而罪責之也。

在此一關於國父遺墨的軼事中，有值得吾人特別注意之點，即據鄧先生「述異」（附錄於後）所記，陳漢民氏在當時隨從國父「瞠目結舌、不知所對」之餘，立即「相視勿宣揚，恐貽口實」。胡漢民見之卓越，用心之深遠，即此可見一斑。孰料胡先生墓土未乾（胡係於二十五年五月九日逝世），竟即有欲挾此膺品以向孫哲生院長作詐財工具的和尚！茲適值胡漢民逝世第二十二周年忌辰，爰併述之。鄧家彥先生「述異」，雖係在最近（五月六日出版）政論周刊第一七四期刊出，但在民國四十二年，其所言「近又發現國父遺墨，嗚呼，異矣」，究竟是否即周佩箴先生紀念集中之「誌奇」照片，抑另有所見，則非筆者所知耳。（民國四十七年五月九日）

鄧家彥先生的「國父遊普陀山述異」一文（曾刊四十七年五月六日出版的「政論周刊」第一七四期茲附錄于下）

丙辰夏，討袁軍興，袁世凱暴卒，黎元洪繼任總統，吾黨革命告一段落。是時，國父方駐節滬濱，[illegible]長任光字焉。去[illegible]里許，抵一叢林，國父忽警異若有所合十作歡迎狀，其中寶幡風招展，隱然簇擁尊神在後。國父凝眸注視，則一切悉幻，了無跡象。國父甚驚異之，比至觀音堂，依次問隨行者曰：「君等倘亦見衆僧集叢林中作道場乎？其上寶幡飄揚，酷類高懸是堂者。」國父口講指授，目爛爛然明不少瞬。同人咸瞠目結舌，不知所答。少頃，漢民等相戒勿宣揚，恐貽口實。民十四年甚輕識者。國父崩，余適在北京，僉傳國父生前嘗洞天古佛，遂牽涉普陀見佛之異。未幾，某雜誌披露陳去病筆述普陀遊記。其時事過境遷，亦不遑追咎陳氏之洩筆也。不圖近又發見國父遺墨，嗚呼，異矣。國父筆跡，舉世盡知，茲篇非眞，固不待言，況陳去病交余久，其字效東坡，一望而知。（使其人健在，吾將興問罪之師，彼將焉逃！）吾敢斷言曰：贋也！或曰：「國父命秘書作筆，則亦不啻已出也。」余曰：不然，誠如是說，應有親筆簽署，一如其他遺書，今既無之，而其事又於國父身後流布人間，豈有死人能令秘書執筆也耶？吾更下一斷語曰：國父遊普陀所見靈異，誠有之，獨記述非遺墨耳。中華民國四十三年十月桂林鄧家彥書於台北一枝廬。

稿酬：

本報四月份全月稿費通知單已分別付郵，請惠稿文友，憑單領取爲荷。

編輯部啓

燕塵識小

（上續四七期）

世凱於初四日請訓出京，光緒命其初五乃行。於初五日又召見一次，袁氏一去，大勢已決。至初六日而垂簾之變再起矣。（節稿誤書初八日，附此更正。）

維新黨謀拉攏袁世凱，獨林旭持異議，會作小詩寄譚，附錄於此：伏蒲泣血知何用，慷慨同讐報主恩。願爲公歌千里草，本初健者莫輕言。

十三、三度垂簾

維新黨人，擬求助於世凱，既成畫餅。而守舊諸人亦正全力以傾新黨，其首倡者，[illegible]新練三軍也。光是懷塔布及御史楊崇伊等先後至天津，與榮祿謀，遂相與定謀，榮祿調聶士成軍五千駐天津，又命董福祥軍移駐長辛店，三次急電至總署，言英俄

戊戌譚往

在海參崴開戰，英艦七艘泊於天津，請飭袁世凱回津防禦。世凱至津，榮祿即乘專車抵京[illegible]至頤和園，上書於太后請訓政。清史紀事本末則謂如此。而崇陵傳信錄所載又略不同。據云：西朝御史楊崇伊龐鴻書，請太后再臨朝之奏勸，密疏付奕劻，奕劻[illegible]轉達頤和園。八月初四日黎明，上詣宮門請安，太后已由間道入西直門，車駕倉皇而返。太后直抵上寢宮，盡括章疏攜之去。召上怒詰曰：我撫養汝二十餘年，乃聽小人之言謀我乎？上戰慄不發一言，良久囁嚅曰：我無此意。太后唾之曰：癡兒，今日無我，明日安有汝乎？遂傳懿旨，以上病不能理萬幾爲辭，臨朝訓政。

清續文獻通考載臨朝之諭曰：二十四年八月諭現在國事艱難，庶務待理。朕勤勞宵旰，日綜萬幾。兢業之餘，時虞叢脞。恭溯同治年間以來，皇太后垂簾聽政，辦理朝政，宏濟時艱，無不盡善盡美。因念宗社爲重，再三籲懇慈恩訓政，仰蒙俯如所請，此乃天下臣民之福。由今日始在便殿辦事。本月初八日朕率諸王大臣在勤政殿行禮。一切應行禮儀，着各該衙門敬謹預備。

演變至此，新黨已全軍覆沒，舊派則大獲全勝。綜計西后一生，至至已三度垂簾矣。試列簡表於左：

第一次垂簾	起同治元年正月迄十二年正月	歸政同治
第二次垂簾	起光緒元年正月迄十五年二月	歸政光緒
第三次垂簾	起光緒廿四年八月迄三十四年十月	至死方休

後之君子，將五十年興亡閱盡，竟是此嫗一身一手所鑄成。武曌呂雉，鼎足成三。而遺禍邦家，究難逃千秋罪案也。（十五）

燕負生

現實小說　揠苗

·蕭傳文·

（四）

小華雖然有了用涼水澆頭的新發現，每晚如法泡製一番，但並非一個月來，他愈來愈覺得不行了，在澆過涼水維持暫時的清醒以後，接着而來的却是更可怕的困倦和疲乏，眼皮和頭部更其沉重地抬不起來。每晚，他像一個軟弱的戰士，和頑強的敵人—睡眠一直搏鬥，結果總是慘敗。

是另一個晚上，離考期僅有三天，小華在黑板上演算一題算術時，忽然感到兩腿發軟，眼前發黑，手臂也提不起來，而且微微抖着，他意識着自己生病了，大約三分鐘後，他由昏眩中清醒過來，然後由兩個同學伴送回家。

第二天由於醫生的吩咐和母親的勸阻，他沒有到校補習，可是第三天，也是考前的最後一天，小華仍勉强振作精神，和往日一樣到校，因爲這是最後一天的溫習，大家都不願意放棄這寶貴的機會。當上地理課時，吳老師特別提高嗓子說道：

「我發下的講義從第一頁到十四頁，是最重要的，但不是說別的就不重要，也要同樣背熟，都是初中的課本上有的：」

「老師，」一個男生好奇地打斷吳老師的話問：「初中的課本我們還沒有讀過，爲什麼要我們背呢？」

「別問，你知道什麼？考試的題目也許超出小學課本的範圍，到那時你們答不出，就糟了。」

地理溫習以後，接着便是公民博物和歷史，習題最多的是算術，所以楊老師佔據了整個下午的時間，給孩子們溫習，當他發覺小華又來上課時，不禁大爲高興，他推一推眼鏡，像要看得認眞些，然後關切地問道：

「張小華，你好了嗎？我看你的臉色還不太好。」

此刻小華的確不舒服，遠不如上午精神好，但他仍勉强撐持，回答道：

「我很好，老師。」

這時楊老師已踱下講台，走到小華的座位前，俯下頭看他的演算題。

「老師，您看我這題對嗎？」

「對，你眞不錯，永遠是班上的好孩子，這回你是沒有問題可以考取的。」

第二天，舉行中學入學考試，當小華考畢最後一堂跨出試場時，便覺得眼前的陽光，像一池黃濁的水，在四周蕩漾，同時覺得一切的東西，都在搖幌旋轉着，頃刻間，他的兩眼一黑，什麼也看不見了。

張太太從成千的家長們中間衝上前來抱住他，她用早已準備好的解暑藥給他吞服了，小華清醒過來時，發覺圍繞在他身邊的家長們的臉，都顯出如此的焦慮和關切，使他感到茫然，在回家的路上，他緊偎在母親的臂彎裏，覺得身子飄飄蕩蕩地，像在雲霧中一般。

躺倒在床上時，他感到無比的舒適和甜蜜，彷彿身上的每一根骨骼都鬆了，覺得癱軟無力。

經過醫生診視，認爲最要緊的是退熱，否則可能轉別的症狀，家人們雖然焦急萬分，可是小華却反常地安靜，他像得了預感般，想到自己已考取了，因此雖在睡夢中，臉上他露出微笑。

一星期後的一個下午，醫生照例來診視，在他的注射針插入病人的肌肉時，所得的反應，僅是一下輕微的抽動，那瘦小蒼白手臂，已軟弱無力地垂落在床邊……

在那邊一條寂靜的馬路上，級任楊老師匆匆地走着，他的光禿的頭頂在陽光下閃亮，他雖然感到吃力，但心裏却是愉快的。今天他是第一個趕去看榜的，他的辛勞畢竟的有了收穫，他班上的學生考取了三分之二，這是他卅年來從事教育工作中最大的安慰。他輕快地跨過街角，踅入一條小巷，張小華的家就在前面不遠，他此番是特地趕來報喜的。

「您是——楊老師嗎？」張家的女傭認識他，很有禮貌地問。

「是的，我來看張小華的家長，請你——」

「有什麼事嗎？」

「報告他們一個喜訊，張小華已經考取了。」

「噢，考取了？可是他已經——」她哽咽着再也說不下去。

他的眼前陡地一黑，一個深長的寒顫，像電流般透過他的背脊，他竭力支持住自己衰弱的身軀，當他轉身回去的時候，沉重的兩腿再也提不起來了。（四）——完——

自由人

THE FREEMAN
（第七五二期）
中華民國僑務委員會登記證僑新字第二號
中華郵政台字第五〇〇〇號執照登記為第一類新聞紙類
（半週刊每星期三、六出版）
每份港幣壹毫
台灣每份售價新台幣壹元
督印人：陳文華
地址：香港高士威道二十號四樓
20 CAUSEWAY RD. 3RD. FL. HONG KONG
TEL. 771726
承印者：東南印務出版社
地址：高士打道六十四號
台灣總經理處
台北市西寧南路壹零壹號二樓
電話：三四七四六
台郵撥儲金戶九二五二
海外總經銷：友聯書報發行公司
香港：德輔道中二十六號A二樓

就財經新政看外貿改變

陳式銳

行政院應客觀環境之需要，於三月十九日發表局部改組，經濟部、財政部、外滙貿易審議委員會改由楊繼曾、嚴家淦、尹仲容三氏充任，彼等且於三月廿八日分別就職；其特點，是外貿會的主任委員不再由財政部長兼任，以免除財政部的操持財經之大權，用以挽救日臨「逆流」底經濟局面。觀乎新官的片斷談話，可以預測今後對於經濟制度、政策、及實施辦法，可能有相當底改變。

改變勝于不變

楊部長就職後對記者談及經濟政策時指出：「我認爲只應有一個由各部會在內閣中取得協調配合的內閣政策」；嚴部長則謂：「在經濟政策中，財政政策爲其中的一部分」；尹主任委員同時提出他的外滙貿易政策，在「原則上是以鼓勵輸出，增加外滙收入，並減少不必要物資進口，以使外滙收入的逆差減低，包括美援等，以繁榮工商業爲目標」云云。楊氏的話，可以解釋爲經濟政策的整個性，不再以主持人的關係而各自爲政；嚴氏所言，一反財政部之獨尊觀念，亦符配合之義；尹氏所云，也不離此意。以人言，楊繼曾氏以經營台糖之故，頗領會企業的精神與處境，爲此次改組之唯一新人，一般人屬望甚殷；嚴家淦氏「鄉愿」成性，且「中興村舞弊案」之記憶猶新，輿論頗多指責，實爲此次改組之一累；尹仲容則以「幹勁」著稱，惟外滙貿易屬於經濟實務，單靠「幹勁」未必就應付裕如。一言以蔽之，這一改變被看爲進步，至少是勝於不變。

政策與輿論接近

大家知道，年來當局在財經理論方面，與民間輿論的差距已經逐漸縮小；譬如說基本原則，經濟部長楊繼曾於四月八日明白表示：「統制經濟是不合理的，他今後將遵循自由經濟的原則，促進經濟上的發展」（四月九日台北聯合報）。現在的問題是實施方案，據傳：「該一旨在改進現在財經及外滙貿易新政策方案，其主要原則精神乃爲財經及外滙貿易政策之密切配合，而形成爲一整套的財經外滙貿易政策……三方面相輔相成，互相呼應及配合，革除過去各自爲政及自行其是的不良作風」（四月九日嘉義商工日報）。此次的改變，可能孕育出一套經濟政策，至少將朝這一方向走；蓋以財長徐柏園的去職，意識着政府不再以人支配政策，而是以政策用人了。因爲過去財政部長徐柏園兼任外貿會主任委員，他居於一鎖鑰地位，也就握住財經的大權；而多年來台灣經濟之陷入「逆流」，在多種原因之中，此一因素負有重大底責任。

此次改變，係由執政黨發動，經過數月之研究，且草成方案而由從政黨員實施；經財兩部可能即秉此進行改革，惟尚需準備的時間，今後當可由其言觀其行了。先付實施者，乃是「改進外滙貿易方案」，已於四月十二日宣佈，自此且絡續發表有關法令。就該案的最高原則看，乃在「穩定物價、充實財政、刺激生產、發展經濟」；它的基本精神是「鼓勵出口及限制非必要的進口，使國際收支逐漸平衡，農工事業趨於繁榮」；而其改革要點則包括「簡化滙率、加強運用結滙證、開放自備外滙、廢止牌照頂讓、撤消防衛捐、改良工業原料配滙」等項。它的原則與精神，尚稱正確，亦爲政府一向所標榜者；問題乃在執行的方法，能否達到既定底目標。所謂簡化滙率，則廢止過去多至十種左右之滙率，規定一美元折合官價新台幣買進二四・五八元，賣出二四・七八元；結滙證進一一・六〇元，出一一・五〇元。滙率不再附征二成防衛捐，而改在進口關稅征收。開放自備外滙進口，旨在增加進口物資，改良工原配滙，用意在糾正過去分配之缺點，均甚切要；惟兩者辦法未定，尚未可觀其成效。其中最根本者，厥爲「加強運用結滙證」及「廢除牌照頂讓」兩端，它們爲「鼓勵出口」以及整個改革的關鍵所在。

結匯證的運用

先看結滙證的運用。過去出口滙率加結滙證，每一美元爲二六・三五元（15.55＋13.50×80%＝26.35），既爲「滙率偏低」，不利出口，當局爲「鼓勵」出口，所以施行不完整且不規則的保留外滙制；所謂不規則，即視物資而由外貿會隨時定其高低比率，論者以五成爲平準率，而保留外滙的市價每一美元爲新台幣五〇元左右，是出口一美元，其外滙的收入有三八・一七元（50×0.5＋26.35×0.5＝38.17），尚且不能達到鼓勵出口的目的。新辦法的出口外滙，每一美元折合新台幣三六・〇八元（24.58＋11.50＝36.08），較之舊率尚少二・一二元，其能否收效，可以見之。問題的所在，兩者均未行完整底外滙保留制；此制之特點，出口保留底外滙直接賦有進口權，在滙率偏低之下，它可以進口之利來補償出口的損失，由是收到鼓勵出口之效，且因出口連鎖着進口（不一定自己進口），在實行中進口但憑結滙證，也就根絕牌照的頂讓了。新案雖無「保留外滙」的字眼，但外貿會主委尹仲容四月十二日對記者招待會的談話，曾有「本方案的進出口發生連鎖」一語；四月廿四日他又對記者表示：「在新制度建立之後，貿易商的進口，只要能夠提出結滙證，就可向外貿會提出申請，外貿會亦隨時予以審核」；至少目下尚未可到此地步。而結滙證雖可自由買賣，當局且有抛售及收購之調節；何況它的市場有限，何況它尚沒有直接進口權，所以結滙證的運用，並無「加強」之可言。

牌照項讓的廢除

其次，看廢除牌照頂讓。新辦法貿易商申[illegible]

[illegible]身受之」似乎並不公平。且新方案爲着取締牌照頂讓，還引用了動員[illegible]七年以下有期徒刑，得併科七千元以下罰金；情節重大者，處死刑[illegible]並得沒收財產」，行見以政治力量以補經濟辦法之不足，過去此途之失效，不過是畫蛇添足而已。

由喝彩到批評

政府此次財經改革，外貿會宣佈[illegible]，甚至輿論的喝彩，乃至進口結滙的申辦，以[illegible]，逐漸引起物價的波動，[illegible]批評[illegible]

與四十四年三月的「改變」不異其趣，而謂其「退回原處」。尹仲容氏對此回答稱：[illegible]（四月十三日台北中央日報）。[illegible]

[illegible]（台灣經濟月刊第八卷第五期，五月十二日）[illegible]

半週述評

黎巴嫩的暴亂

歷時一週的黎巴嫩暴亂事件，在黎政府的迅速採取行動，與美國的及時援助下，已使混亂局面逐漸澄清，[illegible]但由此事件所引起的中東問題，及其牽涉的複雜的國際背景，却需要作進一步解決。

此次黎巴嫩暴亂，[illegible]「民族陣綫」份子要求黎總統夏蒙辭職，[illegible]國使館，炸毀油管，毀壞鐵路，並襲擊美[illegible]

[illegible]因此當美國援助黎巴嫩政府，制止叛亂，並[illegible]

蘇俄對印尼的干預

蘇聯集團在中東策動黎巴嫩暴亂事件的同時，其對印尼[illegible]下，反而污衊自由中國軍事人員的參加革命政府的作戰，顯見他們是如何企圖控制印尼，以改變東南亞的局勢。

法蘭西的政爭

[illegible]

金達凱。

外滙改革與僑報內銷

——論所謂「不合理的特權」

培彬

這次政府毅然實行外滙改革，可以說是在若干程度上接受輿論的結果，也可視爲多年來台灣政治差強人意的一種措施；但于這項改革方案執行上所引起內銷僑報的不利影響，實在是一件不幸事。

不錯，任何法例，不應有例外，更不應該有特權；但，五月十四日台灣新生報的短評，竟視僑報照往例內銷爲一種「不合理的特權」，則不可不加以論列。

關于這問題應該討論的有兩點：一是外滙改革方案原是以一般營利事業爲對象的，對僑報是否應予同等看待；另一點是，僑報是一種溝通海外人士政治意見，反映僑胞輿情的事業，政府應否加以扶植。答案如果是肯定的，那麼，所謂「不合理的特權」之論，是無稽之談了。

就第一點言，此項改革方案，是由外滙管制趨向自由開放，使一切貿易維持機會平等，使貿易與生產獲得健全的發展，在這一點上是國人所擁護的。但立案用意祗是以純粹營利事業爲目標。而正常的文化事業，原非此次改制的目標。倘因此而影響僑報的生存與發展，那確是一種無妄之災。今若對僑報內銷辛若得來的維持費手下留情，原也不算是一種例外，更非一種「不合理的特權」。而且這個名詞竟出諸于言論界同仁之口，殊難不予人以一種印象，如果不說是報界特權階級的話，那不能不說是幸災樂禍對自力更生困難處境的海外報界同仁而發的風涼話了。

就第二點言，儘管僑報所採的言論方針不盡相同，對國是的看法也不盡相同，但其反映輿論及宣揚反共抗俄，則莫不殊途同歸。倘若一旦因新方案的實施，使內銷僑報由于外滙關係要加上一倍的負担，報館縱然可以增加報費把負担轉嫁到讀者身上，但結果如非使報份減少銷路以至于不能維持，則讀者勢必要增加份外的負担，均屬不公平之事。

如果認爲今天國家的事仍須海外一千餘萬僑胞關心過問，非僅台灣一千萬人可以爲力者，則僑報如陷于危機，實爲應予正視的重大事件。何況今天海外僑胞的處境愈來愈加困難，倘無內銷僑報爲之勾通，僑胞勢必對國是漠不相干，則復國前途何堪再問。今天僑胞的熱望，坦白的說，由于將近十年台灣的[illegible]株守已過不如前，更如印尼的僑報已全部被封，數百萬印尼僑胞不啻與祖國隔絕，政府正挽救之不遑，若對其他各地僑報反因此增加困難，[illegible]目的或其他的[illegible]僑胞勾通之路，因小失大，莫此爲甚。

若謂僑報因[illegible]，可以用津貼或其他方法補助，那絕不是辦法。因爲[illegible]則所謂僑報[illegible]代言刊物，執筆者瞻前顧後，勢將無法充份反映僑情，自爲僑胞所不取；[illegible]問題，更有[illegible]例一開，[illegible]生，不難想見。[illegible]爲了保持[illegible]顯事。故此次外滙方案的宣佈，無論就理論上言，就事實上言，從情理方面看，絕不應把報紙看成商品，和一般商品作貿易進口，當局也不宜以財政目的爲行爲理由，一任維護僑胞的新聞事業陷於困境，忽視了關係整個國家更大的目的。[illegible]滙，派文化[illegible]人員出國者，主要目的無非爲爭取僑胞，而在海外生的僑報，其所負任務，[illegible]小，而在財政上所能減少的收入，在整個外滙上亦僅佔一小部分而已。

新生報所謂「不合理的特權」，[illegible]疑其用意何在。大多數僑報沒有政府紙張的配給，沒有政府[illegible]的銀行借款，其唯一希望是[illegible]地解除自由之困難，其特權云乎哉！不合理云乎哉！我們以爲一向重視僑胞的政府當局，爲了政治上的影響，當必把這問題作適切的考慮，而不爲這類短見的論調所左右。

怪書之謎揭開：胡適與國運原來如此（上）

。歸去來。

「胡適與國運」這一本神秘的書，已在台港成爲一件秘事；未及一月，它已由暗而明了。台灣學生社出版一種「法律」月刊四卷八期（五月一日）亦發行特輯。這個謎底已揭穿了。依一般人的觀感，學術討論者少，攻擊之意多，如此仔細推究，此怪書之動機，更爲撲朔迷離，迄今還不辨究竟。

怪書本來就在暗地裏活動的，自「自由中國半月刊」殷海光先生「請勿濫用『學術研究』之名」發表：「我所得到的印象是：一、人身攻擊；二、毫無思路；三、缺乏常識；四、漢文欠通；五、不訴諸論證而訴諸情緒；六、有主張而無解析；七、專向眞正學人不屑一顧！

的現實政治權利等問題上瞎扯。這樣的小册之本身，明眼人一看就可知道是現實政治的副產物。……」之後，它便成爲公開的一件事了。「法律月刊」雖認爲殷氏之文也不免有「不訴諸論證而訴諸情緒」的可能，但究竟如何我們還是從它本身去求證吧。

李煥燊的一篇

「胡適的領袖慾」一篇，作者筆名諸心（李煥燊）從胡適論學近著中「論領袖人才」一文下手，以中國的王雲五、錢穆兩氏及美國總統之出身爲例證，反駁胡氏論領袖非大學出身不可，以爲「想不到一位不可一世的思想大師，想根到底，想說的不外一句話：『非外國大學畢業生，不能做中國元首！』」又說「知道了胡先生的公式是這樣的：理想的胡說領袖＝無智＋無能＋無爲＋外國大學生＝胡適」。我們看了這話，可以說：胡適先生不管怎樣，還不是「學問淺薄」「思想幼稚」的人吧；至於說胡適先生想做領袖，尤其說軍人大都缺乏最低的近代知識和訓練，指出台灣軍校出身者，比胡先生高明得多，要胡先生來比賽比賽，請美國人來評判，有誰能夠讀了首肯呢？從這一文，我們可以覺出這是對胡適先生那篇爲總統祝壽文的攻擊與反駁，以此爲寫本文的動機，就難怪文中出言潑辣，語多偏激之意了。陳紀瀅氏在「寄望於胡適之先生者」文中說，胡先生是以無黨派的學者身份參予政治批評的一人，也就是所謂「文人論政」；除去在對日抗戰時期，胡先生曾一度出任中國駐美大使外，三十年來，總算與實際政治糾葛不多。」若謂胡適先生有當總統的領袖慾，更其難以令人首肯。

李煥燊的另一篇

「敬以『無爲』爲胡適之先生壽」一文，作者爲李博愛（李煥燊），此文之題目頗類似胡氏之「以『無爲』爲總統壽」，可見其動機，還是側重於反駁胡先生之文，全文語氣還是口口聲聲「忠貞」「效忠」那一派的，如「你說有良心明事理的人，對於這位老人（蔣總統），除了感激涕零以外，還有什麼可說？」究竟胡氏那篇文章是否爲污辱蔣總統，抑或出於善意，是此說之關鍵；因爲認爲胡氏爲祝總統壽是侮辱，而推論：「誰是侮辱他的人，不是見識淺薄受人利用而不知，便是共匪的鷹犬。」以及「胡先生祝壽的好文章正是共匪籌謀求之不得的資料，正合乎共匪統戰的藍圖。」故而指斥胡氏是被「共匪」利用的統戰份子，未免比擬不倫。提到「打倒孔家店」之事，李氏指實胡氏之居心，是看準轉航，台灣不保，搖身一變爲買辦的美國人先生」（民主），台灣安定，大行其道，還可一過「無爲元首」之癮云云；又謂「毛澤東倒不是胡先生做「打倒孔家店」吃人的禮教」開路先鋒，把民族精神摧毀殆盡，任他有通天本領，也不能奄有大陸，南面稱孤」云云；又謂「打倒孔家店」，國文無人問津，程度一天天低落，國文教師也漸降於受人輕視，大陸三千萬人被殺，六億人遭殃，與其說是共匪利用了胡先生，倒不如說胡先生利用了共匪云云。這一類話，眞使讀者讀了啼笑皆非。

關於「民主」「自由」

關於「民主」、「自由」，李氏指實胡先生與中共的態度一樣；以越唱「民主」「自由」的人，越無民主風度，越發侵犯人家的自由。胡先生凡十年來，打倒不少異己者，蔡孑民先生長北大，新舊人物兼有，胡先生長北大，去舊添新，便是不談「謀自由」的明證云云。

（下轉第三版）

你們要做無名英雄

・尹震・

泰局趨向苟安

政府在計劃加俸增稅　乃沙立赴美尚無歸期

・祝君健・

海外通訊

「曼谷通訊」泰國政治局勢，在外表上看來，自乃沙立赴美後，一直不穩定——時常有「政變」傳說。那是什麼？像最近的一次，左翼報紙很肯定的指出：「失意政客在某地集會籌劃，準備在「五一」勞動節進行政變」，「五一」雖然渡過，並無結果。經過長期考驗，這些捕風捉影的謠言，由來不是沒有作用的，乃是共黨拿它來轉移政府目標，讓警方全神貫注於發動政變。

政府的態度呢？幾乎只求穩定，忽略了共黨的顛覆活動。在乃沙立出國以前，政府有兩件事需要去做：第一，訪問美國，要求經濟、軍事上的援助，以及開發東北部，救濟平民問題，均須透過美國援助；第二，英國的外交家，對乃沙立的看法是：……因此，乃沙立在訪美之後，將去英倫休養一個時期，順便考察英國的政治和軍事。

共黨對泰國正推行和平的「懷柔政策」，不但極力避免對現政權作正面攻擊，反而多方設法，乃策動泰國工商界，交換泰國農作物，進一步使中共與泰國建立貿易關係；（二）極力誘致泰國政府本身設法廢除防共條例；（三）拉攏「社會主義」陣營，同時左翼黨派極力謀求與執政黨團結見協調。

「經濟人黨」一黨魁國會議員，已公開聲明，他願意把「經濟人黨」解散，邀請全體東北議員組一個強有力的新政黨。這一段組黨，在院會通過二千八百四十萬美元，用以開發東北計劃後，十民代跟政府處於反對地位；取得東北部民心的計劃，要看美政府的援助，即使乃沙立在美國就理論上說來，艾森豪跟乃沙立會談，也不致遭到拒絕。因爲，泰國政府本身的預算和社會建設，以及國防的充實，都無法負擔。

生活水準低落，就這幾年的情勢看來，人民負擔增加，政府預算冒險上升，都非新政府的財政所能負荷。

基本法，在支出六十七億零四十萬銖國家總預算中，除了準備金九百萬，跟去年度一樣，須津貼自主機構，比較去年度減少十一億二千六十五萬四千銖，此外，增加的，泰國王室，各院部處的支出，均有了大量增加，七千三百五十三萬六千八百零七銖；其次爲借款（還債）比對增加二億六千六百十四萬五千二百零二銖，再次爲教育部，增加二億六千一百十二萬二千二百卅二銖。

院會通過後的反應，民間雖無顯著反感；政府機關的公務員幾乎普遍不滿，而中等官員的享受經濟剝削，縱然怨語，未必心甘；至於高級官員，他們根本上不受任何影響，因爲他們是特權階級。「持權階級」向來是國家收入；他們只會避稅，律本來就不當一回事，由增加收入，殆無過於收入非薄的外僑，尤其是華僑中的多數。這可以在下列比對中獲得答案，雖然「隨身證」費比去年減少了一千三百萬銖；居留證費增加八萬七千銖；收換國籍費增加四十萬四千銖；其他各項外僑應繳例費增加了四十一萬六千銖。其中關於「隨身證」費收入銳減，那是預計本年度申請居留泰國外僑人數，比去年將會大量減少。

反對黨派在預算案交付民會辯論減原額之前，未曾表示意見，原因不外民主黨魁乃寬，曾中諷刺了東北人，和忽視東北平民疾苦，受到東北人廣泛指摘，力謂不和，北人誤會在於政府不當措施，儘管調和，不滿，表面上不動聲色，對於北歧見；左右方面，却有助於協勞工、僑領起用舊人，而擴大陰謀，乃炮捲土重來的，他們幾乎只捐勞心於紓緩政府惡劣的變化，政府力量，乃他們隨時準備增強，政府還未始不能加以對付，而政府所需要的，乃是努力謀求安定於現實的對策。

入險披政，只要新政能獲得國人支持，問題是對增加稅收，一方面既不涉及關稅，官員則避稅、逃稅既不至發生，增加職，去自可依循，經主張「官不涉商」，官員解除過去的貪污；另一方面，減稅增進人民向心；不僅毋待加稅，消弭赤字，更可以說收充裕國庫，儘管讓雙披政乃炮他們回來，只要新政能獲得國人支持，共黨既無口實可藉，在野政客謀變，當非易舉。不然，得漁忘筌，絕非長治久安之策。（五月二日寄自曼谷）

救救自由文化事業

・吳壽頤・

近在報上看見一段消息，自由電影界人士王元龍等赴台，呼籲救濟自由電影事業。又說明某自由文化事業因經費困難，在報上刊登招頂告白，這使人感覺自由文化事業之不易維持。

另一方面，黃色文化事業，迎合低級趣味，專談女人，不談政治，倒可大行其道，不愁不能自給自足，而且還可發財。

至於共黨的紅色文化事業，共黨可以下命令，要黨徒出錢出力支持，自然容易維持。自由文化事業，既不願降低格以迎合低級趣味，又不肯接受人家的津貼，自然更沒有黨的命令可恃，只好孤軍奮鬥，到了孤立無援時，便只好關門大吉。說起來，眞是可嘆。大家都知道，文化運動的意義，和心理作戰，是很重要的。一套電影片，或一份報紙的力量，有時比起一枝軍隊或一排大砲更有力量。名作家巴爾扎克說：「拿破崙用劍不能到達的地方，我們用筆來完成它。」這是何等痛切的話，這話是確有至理的。我國古語，也有「馬上得天下，不能馬上治之」的話。因此反攻復國，文化運動是決不能忽視的。

我國到了清末，外患內憂，交迫而至。入民國後，固有文化，漸失權威，民族精神爲之動搖。於是思想龐雜，異端邪說乘機興起。經過列寧，史太林製造過之馬列主義，乘虛而入。號倡無產專政，階級鬥爭。崇尚唯物，侈言辯證。個性與人格之斷喪，蕩然無存。凋有之人文主義，理性主義，遂不復有人齒及。於是暴力泛濫，理智銷沉，民族精神，民族道德，均日見衰退。此實爲共黨得勢，竊據大陸之一大原因，故今日而言反共復國，決不宜輕視文化運動的工作。

於此我們要大聲疾呼，籲請我國上下，我們應以國家的力量，培植新的文化發展。這新的文化，一方面要發揚我國固有的優良文化傳統，一方面要容納西方學術文化的精華。必須如此，我們的反共抗俄，才有成功的希望。

故有遠見有抱負的政治家，目前對於海外的自由文化事業，決不宜任令其自生自滅，或見死而不救。區區之意，當不至有人認爲無病呻吟也。

西貢航訊　僑社一三事

・光明・

△驚鴻一瞥

去月下旬，葉公超外長率領中華民國訪問團，來越作爲期五天的友好訪問。在機場的歡迎行列，僅僑團百餘人，較之去年奉問，他的「部下」衰了幾乎一倍，雖在駐越公使館，僑團聚會，公使館到底是怎樣的房舍，也忙到無暇多事修飾，看個仔細，只作「驚鴻一瞥」便匆匆離去。據僑團方面人士透露：華僑對切身問題有提出，與越公使時的熱鬧情形，頗有天淵之別。人數僅二十與一之比。在越期間，外長延見越僑，也和吳總統晤談，和越方交涉。他走後，留下一筆錢給僑團籌備會，而治理似乎未有提出。會計組報告：歡迎費用支出，較之原定十萬元數字，「超額」四萬多元。一個僑領對記者表示：中越兩國高階層的友好氣氛，倘若能普遍地傳播到僑社每一角落去，即使多化點錢，也是值得。

△「請纓無路」

僑委會規定，越南僑生返回自由祖國升學者，必須取得當地政府的來回護照簽證，但越南當局，則只許發單程，「可」不必再回越南原居地。有志回國升學的僑青，陷入進退兩難的「請纓無路」之境，僑生家長爲此推舉代表向負責人，舉行座談會，就此一問題，交換意見。與會者提出：僑委會應當取消此一規定，否則，不妨宣佈停止招收有志回國升學的越南僑生。此種申請讓越南僑生，以「預備學生」方式，爭取回國升學，使他們能投歸自由祖國的決心，僑委會似宜採取變通辦法，容納單程護照的越南僑生，使他們能投歸自由祖國的決心，不致「請纓無路」，這實在是有利於僑生的好事。

△孔德成將訪越

越南孔學會代表吳繼才上月前赴台北，邀請孔德成來越講學。孔氏將來訪越，和孔學會作成接洽，他的隨身秘書李某，和越南大學，已經接洽好安排講學日程表。此表是經過越南有關當局同意的。除了在西貢的越南大學，和孔學會講演外，還有一個月的時間作學術性的講學訪問。

孔氏來越的消息傳出以後，一般越人都能得睹其風采。所以越南之邀請孔氏訪問，雖然以孔學會出名，實在可以說是「半官式」的。孔氏來越，將來「迎孔」的熱鬧場面，必不讓日本專美於前。至於孔氏來越行期，約在七月間，即在吳總統訪台之後。

△一臂之力

台灣紡織業專家蔡元，已乘機飛港返台。他在兩個月前，曾來貢，與華越商人進行合資經營的大規模紡織廠作第一步商談，並擬開設一間工廠，名爲華越商人合資，實則是變籍和未變籍的僑領投資經營，中國和交通兩銀行，也在去年撥出二千萬元參股，也可以說是大企業。其公式是：華僑資本，台灣技術，越南池利。工廠在目前仍尚未正式建立起來，但已做了一件很有意義的事：即爲僑治葉友好訪越南，助以「一臂之力」，鋪好路基。給「中美號」專機，安然降落新山一機場。（五月十五日）

——完——

南共「綱領草案」評述

·曾旭軍·

南斯拉夫共產黨製訂的「綱領草案」，約可分成下列幾個綱要加以論述：

（一）分析世界形勢，

（二）工人階級和民族主義運動，

（三）南斯拉夫的外交政策，

（四）南斯拉夫和其他共產國家的關係，

（五）南斯拉夫社會主義建設的經驗。

分析世界形勢

南斯拉夫不同意世界分成共產與非共產兩對立陣營的看法。她既知她和其他共產國家的歧異，亦見到非共產世界中的紛歧。事實上，南共以西方民主國家，以及亞非洲與南美洲若干新興國家之走向「國家資本主義」爲例證，可見走向社會主義可以經過各種不同的路徑。資本主義可以解決若干經濟問題。共法祇是准國家管有與管理。總之社會主義只有一個，但各國人民客觀的情形和主觀的理解不同，可選擇各種不同的途徑，通到社會主義的世界。路路都通到『無產階級獨裁』。

工人階級和民族主義運動

在資本主義和共產主義的政體內，國家的機構成爲獨立的社會因素。它高高立在諸階級之上，故諸階級競取管理國家之權。凡工人階級與資產階級對抗政治鬥爭愈烈，則官僚政治的功能愈恣無忌憚。在共產主義國家，最顯著的是蘇聯，國家權力集中，成爲官僚政治。因此『個人崇拜』在其中發展起來。『官僚國家主義』不但在資本主義民主政治中成爲嚴重問題，而且在社會主義政權中亦然。

因此南斯拉夫認爲『社會主義者的思想，不宜再專注意於防止資本主義的氾濫，而應注意社會主義初期及過渡時期中，內部之矛盾。例如官僚政治，國內的民主，工業計劃，以及過度集中化等問題。』由此而引起國家衰落，使「代表」工人階級的政府，變成爲眞正「由工人親自管制」的政府的問題。更由此而討論建立『工人委員會』，及相類似的政治機構如「公社」，去代替國家的功能。國家萎落，共產黨亦隨着萎落。

這種「共產黨任務」的觀念，和史達林或赫魯曉夫所持的極端相反。南共極反對共產黨包攬造成社會主義的一切活動，及反對僅從共產黨找出代表，及由共產黨本身完成社會主義的主張。南共的綱領草案說，這是理論上之錯誤，在實行上的害處，由此產生出極嚴重的錯誤，造成許多共產黨的宗派分立。這就是莫斯科與貝爾格萊德爭論的中心。南斯拉夫最反對『領導任務』。而這個領導任務的理論，正是蘇聯要操共產世界霸權的基礎。

南斯拉夫的外交政策

上述的道理自然運用到南斯拉夫的外交政策。南國既然在黨方面反對『兩大陣營』，那麼在國際政治上，自然也反對『兩大陣營』。[illegible]

[illegible]

南斯拉夫和其他共產國家的關係

[illegible]

……南共之忽視國家。它設：國家是不能崇謝下去的因爲需要它作保衛，作管理勞工，和生產和保存民族的主權。南斯拉夫焉能一方面談說國家會崇謝了呢？而同時南斯拉夫之不肯向克姆林宮低頭，對於其他的共產國家有悠長的影響。假如南斯拉夫之「達到社會主義的道路不一」的觀念，獲得諸共產附庸國贊同，那麼『社會主義陣營』分裂，而此陣營的權威及共產黨的任務，此種的分裂，可能使波蘭分離，匈牙利危機再現，整個東歐附庸國可能完全脫離了蘇聯的控制。

南斯拉夫社會主義建設的經驗

雖然南斯拉夫可能在分析與判決社會主義不正確，但他們從痛若的經驗得到若干的覺悟，[illegible]而不甘完全……

……斯拉夫和波蘭的農業由於放棄強迫集體化收到良好效果，羅馬尼亞人豈有不模仿之理？蘇聯附庸國均有追隨南斯拉夫的可能。惟有中共北平的一羣統治者，沒有可能。中共是蘇俄翼卵，孵化，培養出來的，而目前經濟命脈又都給蘇聯掌握着。從近日中共之抨擊南斯拉夫，比蘇聯還更粗暴，便可知了。

日本大選前夕

觀游

【東京航訊】日本大選，正在日本全國各地熱烈展開激戰中，自民與社會兩大政黨都拚命向選民爭取選票，如火如荼。此次議員定額爲四六七席，只要取得過半數之二三四席，即可獲得日本政權而組閣。[illegible]

[illegible]

管窺

修正主義是甚麼

修正主義是什麼？已成爲目前了解共黨內部在思想必需要解決的問題。事實是共黨內部的修正主義也在發展中，已經不是過去共黨出版的辭典之類書籍所詮釋的那一些事例所可概括的了。

因此，我們必須對修正主義有一種積極的理解：所謂修正主義，[illegible]的人，以自己主觀所作的認定，[illegible]思想。於是在[illegible]」而的便批判之爲教條主義，「右」而的便批判之爲修正主義。所以，所謂修正主義，是共黨內部當權派[illegible]帽子而已。

舉個例來說吧，[illegible]其他的共產黨[illegible]己的觀點；從[illegible]則蘇共的某些[illegible]此，南共批判[illegible]主義。但若[illegible]共的思想，[illegible]「右」而，[illegible]批評蘇共教條主義，而蘇共攻擊南共爲修正主義，[illegible]義的基本理解。

釋修正主義

共產國際思想並未統一

本編並不普眞在多數理論，但是若要比較明確的來理解共產黨，就必須對它們的某些觀念作必要的解釋；基於前述的解釋，吾人就不會迷惑於這樣的現象：各共產國家目前都在猛烈批判修正主義，則他們之間的立場思想豈不應該是統一的了？實則不然。

因爲每一個共產黨員口中的修正主義，是基于其本身的主觀思想；那若各個共產黨員的主觀思想不同，則他們所說的雖同爲修正主義的字樣，但其內容並不相同；所以，儘管各附屬國都在批判修正主義，卻並不足以說明各附庸之間的思想是已經完全統一了的。

各國共黨底修正程度

根據筆者的理解，目前的各國共產黨的修正程度，可以根據史太林的思想爲標準例出如下：

赫魯曉夫的思想已比史太林思想修正了一些；毛澤東的思想再比赫魯曉夫的思想修正了一些；狄托的思想又比毛澤東的思想修正了一些；修正得最多的當然是狄托。

果若如此，讀者們一定會發出這樣的疑問：既然毛澤東、哥穆爾卡的思想都比赫魯曉夫的思想「修正」，那末爲什麼蘇共不直接指出毛、哥爲修正主義者？要回答這樣的問題，我們只要看一看，狄托被指爲修正主義者的過程就可以明白了。

狄托的思想，並不是現今才開始表露的，但是他被直接指爲修正主義者，卻是在最近。這也就是說明過去蘇共要想用其影響力來減少南共的修正程度，從而來使狄托的思想逐漸接近赫魯曉夫的思想；這種希望，由于南共綱領草案的發表而完全幻滅，因而形勢迫使蘇共指出狄托是修正主義。爲着要改變狄托的思想，要抵抗南共的思想攻擊，共產集團必須團結；祇能讓它暫時存在，而集中火力先對付狄托。這就是毛、哥目前尚未被指爲修正主義者的原因。

有些學者們往往輕視對共產思想的研究，但思想指導着他們的政策，我們若不了解他們的思想，必難完整的了解他們的政策，這並不是說筆者對於他們的思想已澈底的正確的理解了，不過是指出其重要性而已。同時，我們相信，促成將來共產國際分裂瓦解內部力量來源，必然是思想上的修正主義，就是目前共產國際不惜使用龐大的精力發動批判修正主義的原因；我們也要促起反共人士的注意，不要忽視這種修正主義在共產國際內部所發生的離心力量。

·田心·

……放棄了共產主義，——在波蘭及他處的『修正主義』亦莫不如是，共產黨所說的史達林之錯誤和缺點，都是從這裏而來。所以有人說南斯拉夫今次再和克姆林宮反目，以及克姆林宮的指責狄托總統及其政府，是克姆林宮內鬨的副產品。因爲克姆林宮的反史達林和史達林派，都是以南斯拉夫爲題目大作文章，指桑罵槐。

假如南斯拉夫繼續堅持自己的道路，在理論和實行上與蘇聯的「正統主義」相反，其他共產國將步其後塵。假如南斯拉夫的『工人委員會』是南斯拉夫獲致工業民主的方法。保加利亞和俄國人民爲什麼不起來追隨呢？假如南……

國際動態拾零

△莫斯科外交短簡，謂克里姆林宮赫魯曉夫與史太林派之暗鬥，仍甚劇烈。最近狄托的破裂，即爲史太林派主張的勝利。

△超雷達的死光，已爲海軍科學家所發明，能將高空轟炸機，與火箭彈頭在其目標數萬英里以外，溶爲廢礦，其方法，類于將極強之太陽力量集中一點，將一切都燃燒了。

△美國軍事專家，多在中南美各國，任軍事顧問，年薪爲四千五百美元，但在美仍支現役軍職原薪。美政府以其能改善其與各國之關係，故加以鼓勵。

△狄托訪問波蘭計劃，行將取消。波總理甘慕卡，仍贊成狄托式之共產主義，但以受蘇聯之強大壓力，故不得不取消其邀請。

△杜爾斯將派前美國駐錫蘭大使之克勞，赴倫敦與英國新聞界，開一個月會議，俾其對杜爾斯主張，尤其對高峯會議，不會期望一點，能有深切之瞭解。

△英國現在海總司令蒙托本（MOnttaban），將任三軍之統一統帥。時間將在麥美倫改組國防部之後，其名義爲國防參謀總長，一切在數星期內均可實現，三軍預算，則由國防部長桑第斯統籌。現在蒙托本正協助桑第斯由草改組國防計劃。

△東柏林消息，波爾受蘇聯重大壓力，將放棄其一九五六年所得之自由。並且要甘慕卡接受蘇聯之指導，放棄依不同路線可到社會主義之觀點，要求把所有修正派都清出黨外。

·陶然·

胡適與國運原來如此（上）

（上接第二版）又以爲胡先生的刊物（或指自由中國半月刊）天天批評人家短處，甚至臭罵人家，其中卻無與胡先生意見有出入之論，文體也無不同。可見「胡先生萬一掌握政權，必有『偶語者棄市』之日云云，這類論調屬一般性質，是否有學術價值在，讀者自然心裏有數！

關於提倡「白話文」

關於胡氏提倡「白話文」，李氏指出一九五四年美國出版「基每日百科辭典」，載胡氏「發明白話」，加以譏笑，此當非胡氏之意。實不在該辭典目前編輯人之措詞不當。「在『文協』年會的『四』，也提到「白話文」的演講，並非他的「古已有之，李氏說幾千什麼發明。與胡氏說，是「復年前便有白話，但話文套上「古」，把白話文與胡先生的新文學，之倡，用漢字寫白話的文學，但是「一種正民話不，李氏不用說是不講文章合的人，「復興」現在不用，偽寫作來，文不用構思，拉雜、精省、稿費多加點，所以化人附和胡氏，也是一種無的味誣蠛。李氏判決「改良文學芻議」，其餘都是抄襲顧孝林的，大部份從前的「老生常談」，就因爲「文學解放」，迎合低級趣味，李氏說也，予他所成名的可惜，才走白話文反對文章，胡氏提倡也過是迎合低級民國十一年的胡氏所著「中國哲學史大綱」上冊，是胡先生漢學時，以後，參入佛家老莊下，了。胡先生就易寫去時，一生黠不懂記「傳說」中，李氏自稱該文般，類似是在一私立校裏討論的政治，絕對不學院「活」，純粹的是一個老百姓防豈是學「黨派」，在「校」不該政治院？一純粹任何老百姓？「恐怕「此地無銀三百兩」了？（未完下期續）

自由談

禮尚往來

馬五先生

近幾年來，自由世界各友邦的元首，內閣總理，副總統，以及在野的政黨領袖等，前來自由中國訪問者，絡繹不絕，甚盛事也。

禮尚往來，報聘修睦，原係國際間應有的外交軌範。我們現時正處於國運艱蹇的階段中，發展外交工作，尤爲反共救國的首要問題，別人不我遐棄，紛紛惠然過訪，而我們却泰然受之，不聞施以同樣之禮，我總認爲這不是謀國之道。我們今日原是弱國，要想轉弱爲強，唯有運用外交策略，方能行尙而往有功，坐着不動，便如守株待兔的情形，寧有倖理？

因此，我希望自由中國的元首，也不妨出國訪問一下，如美國與伊朗，我們的總統即有前往報聘之必要。萬一總統無暇出國，至少至少亦應該敦副總統代表周游自由列國，藉示親善結交的誠意。尤其是美國，他大力援助我們，又締結安全互助協定，關於軍國大計，由兩國元首秘密懇談，推誠相與，無論如何亦比一個大使在社交場合，只是說些不落邊際的大道理，更爲有益。英國首相遇事即赴華府請教，不惜降抑「老大哥」的身份，尤以老氣橫秋的邱吉爾尤稱此中能手。他於最後一次以首相地位訪問華府，應邀赴國會兩院聯席會議講演時，第一句話就說是：「我這次不是來伸手向各位要錢的！」當時全場哄然大笑。結果邱翁回國之際，不特取得了美國一百萬噸的鋼鐵贈送禮物，而且在經濟上亦大有收穫。美國政府的一切權力，是受着國會管制的，邱翁跟議員們弄融洽了，即如山東菜館的堂倌所說，「要甚末有甚末」，不成問題，這便是外交功用。

外交作用對國家前途的關係如此重大，我們豈可忽視嗎？孔子曰：「吾豈匏瓜也哉，焉能繫而不食」，敬望我國元首，三復斯言吧！

談洋裝古董與唐人洋樓

・燕廬・

「洋裝古董」和「唐人洋樓」，是本港商業廣告上的兩句術語，也可以說是兩句典型的「香港地中文」。照常識理解，所謂古董，原可以有中國的古董，或外洋的古董之分，如今是中國人打算做外洋人的生意，其所賣的，原該是百份之百中國的東西，跟洋裝兩字是毫不相干的；所謂洋樓，其義也與之相同，即是說：此樓是依着洋人的生活方式，建築藝術設計建造起來的。那末，這兩句廣告上的術語，豈不是有點近于不倫不類麼？對了，說它不倫不類是很恰當的，但却代表了我們今天所生存這個世代的文化的內涵。

先前，許多守舊中國本位思想蠹蟲的老先生們，總以爲要挽救今日的世界，必須把中國文化的力量擴展出去，他們以爲，尚書、易傳、禮運裏邊的思想，將會對世界有大貢獻，前之如辜湯生，近之如李宗吾，以至于常在本刊寫文章的伍憲子先生。這些人，對於所謂中國文化，是特別具有信心的。但另外也有些人，却是主張全盤西化的急先鋒，如陳獨秀、丁文江、吳稚暉等等，他們對所謂中國文化，都有一種深惡痛絕的心情。這些人的學行文章，都會爲我所傾倒。但當我再三玩味這兩句香港地中文的廣告用語之後，却使我對于香港商人的智慧，生出一種由衷的了解。如所週知：商人的目的在賺錢，因此有時會爲別種人所鄙薄，但，一個人運用資金，透過商業的方式，從中賺一點錢，不能說是壞的行爲，因爲倘如他的經營手法出了岔子，他便可能要蝕本。在一般人心目中，洋樓是理想的住宅，因爲它是水泥鋼骨造的，有充足的陽光和空氣，有水電設備，適合于安全、舒適、衛生的條件；可是，他們的樓雖是洋式的，但顧客十九是中國人，因爲其是中國人，除了中西人所共同要求的條件之外，還有中國人所特別要求的條件，這些條件，在洋人看來，也許是可有可無的，而對于中國人則却是必需的，他們的洋樓如缺少了中國人所特別要求的必需條件，則中國人自然不肯買，建築商有了樓而賣不出，則此商人不但要蝕本，而且會破產，故他們不得不在廣告上弄一點聰明，說他們的樓是「唐人洋樓」，這無異說：他們的樓是洋式的，除了安全、舒適、衛生之外，又是特別適合中國人居住。

洋裝古董的道理，也不外如此。以中國之大，而且據說已經有了四千年以上上的歷史，「故家喬木」，自然保存下來不少的古董。洋人要研究中國文化，要炫耀他到過中國，了解中國，雖說他們很少能讀通中國書，但中國古董則是非買不可的。因此每一個華洋雜處的中國城市，如天津、上海、漢口、廣州等地，都有中國人所開設，專做洋人生意的古董店。現在香港的古董商人，說他們所賣的是洋裝古董，並非說他所賣的是「來路貨」，而僅只說那是洋人們所喜愛的古董，一方面是叫同胞們「免開尊口」，甚至連進去看一下也大可不必，因爲他們壓根兒不想賺同胞們的洋錢。于此我們覺得：儘管我們有許多的古董，而其中爲洋人所喜愛的究竟很少。尤其是該了解一點，就是雖爲我們自己所喜愛的，却不一定能適合洋人們的胃口，太史公作貨殖列傳說：「治生產猶伊尹呂尚之謀，孫吳用兵，商鞅行法」。商人們能錦衣美食，坐擁千金，其實也不是偶然的了。

中國人爲學外洋，曾經有過不少青年到外國去留學，英、美、德國、法國最多；就是意大利、日本、以至丹麥、挪威也不少。他們學成回國，都像到過中國白相一番的洋人一樣；分別把其所曾留學的國家的古董帶回了一些，而且大家都很熱心地向自己的同胞傾銷，這種心情我們相當了解。所謂要全盤西化，很可能就是在這種熱忱底下產生的想法，但就以洋樓爲例，縱然那些百份之百的洋式建築，至今仍然不爲中國人所歡迎，至于文學藝術以及政治法律之類，似乎也只有些「不倫不類」的產物，一種像香港商人所標榜，又既具有洋式優點，而確實爲中國人所樂于接受的東西，目前我們彷彿尚未看到。那末，像辜湯生，李宗吾他們，以爲尚書、易傳、禮運裏邊的思想，會有一天完全爲洋人們所接受，希望在現世出現一個熙熙皞皞，像堯舜時代那樣的社會，此「以爲」，就恐怕不免是癡人說夢了。

文人・文學・責任

今人多輕視文人，因爲文人窮，今人多輕視文學，因爲文學不能當飯吃。因此就有許多文人自卑，消沉終生；就有許多文人自棄，變節營利。而亦因此，文學染上了許多色彩，諸如黃色的肉麻，灰色的消極……這些毒素，就在文人筆下帶出，就像病菌一樣的散佈着，比任何新原子武器更可怕，而文人却在不知不覺中疏忽了罪過與責任。

孔子曾說：「君子固窮，小人窮斯濫矣！」現時代的文人，固然不必自擬君子，但文人守窮的氣節不能沒有，而且，文人應該牢記着自己的責任：以文學表達健康、正確的思想，指導社會。

社會是變動的，人羣的思想是複雜的，有時候這種大衆思想的思潮正確的指示出時代的方向。但有時候却不然，魏晉南北朝清談玄虛、縱情肆志的思想驅迫羣衆走向消沉的逆流便是一例。所以當某一階段的思想來到時，那一階段中的文人便有汰濁揚清的責任。

文學是指導社會的，可能受社會的影響，但不受社會的指導；文學思想是領導時代的，可能沾染時代色彩，但不受時代所約束。政治、教育，風俗習慣……都要受文學的指導。文學的功能，不限在「推敲」的技巧，而在以健康，正確的思想指點人生。文人的可貴，亦不在以文學爲器用，沽名釣譽，炫嚇世人尤不應市價市勢，而是他要有守命持操，不爲窮所迷惑，不爲利所引誘，不爲威權所脅，確確實實做個說實在話，發揚眞理的文人。

・陳宗敏・

李田仳離之謠

・苟不理・

去歲以張岳軍之慫恿，在台北賓館舉行之李（石曾）田（寶田）盛大結婚酒會，開政府遷台以後黨國元老之第一次合歡大會紀錄。

報章什誌競載此一「佳話」。譽之爲白髮紅顏佳人才「老」之豔福。且遠播海外，西洋報上，亦以之爲花邊新聞。繼之而有賈煜老（景德），與金素琴間之傳聞。賈氏即以悼亡詩闢謠，至今未成事實，可見賈之撫「琴」者，祗是看看手相，像煞有介事而已；不似李田之眞有其事。

近月以來，二三報紙，突然播出李田仳離消息，甚且謂贍養費之數目亦在講價還價，初次開盤，爲七千美金云云。若然，則石老既有林素珊之死別，又遭田寶田之生離，以年近八旬之老翁，能不痛哭而流涕者幾！

惟據接近石老者云，仳離之說，尚未成眞，口角之爭，則亦屬實，某次老小兩口以出國問題而拌嘴，田問何以久不出國？李答公私事忙。再問「忙到何時？你還有幾年好忙？」於是道途傳聞播爲仳離之說，是耶非耶！

燕塵識小

十四、一人有病

自八月初六垂簾之局已定，勝負之數已決。西后因躊躇滿志，然何以處此孱主，亦須有一交代。簡單得很，無病硬說有病，亦足掩飾於一時。蓋自四月以來，北京謠言極多，皆言光緒病重，皆云自內務府太醫院傳出。有人問軍機大臣王文韶皇上之病實在如何？王曰吾日日見皇上，實不覺其有他病，但有肝病耳。蓋光緒每怒諸臣之疲玩常厲聲責之，故王謂其肝火盛也。譚嗣同召見時，面詢皇上病體如何？光緒言朕向未有病，汝何忽問此言。譚乃惶恐免冠謝云。觀此，則光緒之無病甚確。初六政變之日，北京即有電旨往上海，言光緒已崩，係康有爲進紅丸所弒，急速逮捕就地正法云云。此電旨上海道持以告各國領事，請其協拿，英領事曾見之。蓋先造光緒重病之謠，後誣康以弒君之罪，使人不疑。論者以爲悉出自后黨之預謀，容可信也。初十日果然降詔稱病，宣天下名醫入宮醫治。自此以後，幽囚光緒於瀛台。屢欲向外逃走，終爲西后所發覺。別易信任之內監十餘人，監守之。名雖帝王，實則囚虜。古稱「一人有慶，兆民賴之」。而此時乃有「一人有病兆民怪之」之現象。斯亦古今之奇觀，帝王之末路矣。

十五、六賢授命

孱主一身，朝作籠中之鳥。維新諸子，暮爲階下之囚。勢所必至，死何可逃。於是莫須有三字沉冤，重見於斯世，菜市口六賢蒙難，所爭者千秋。蓋八月六日先有垂簾僞詔，興大獄之狂飈。同日降旨以康有爲結黨營私，莠言亂政，褫其職，與其弟廣仁皆逮下獄。有爲走免，廣仁被逮。

戊戌往譚

初九日又有諭云：

「張蔭桓徐致靖楊深秀楊銳林旭、譚嗣同劉光第均着先行革職，交步軍統領衙門拿解刑部審訊」。

初七日，七君全被捕，解交刑部。十三日有人奏「若稽時日，恐有中變。」故未經刑部審訊，即日斬楊深秀、楊銳、林旭、譚嗣同、劉光第、康廣仁，等六人於菜市口，世所稱六君子是也。此六君者，固一時忠烈之士，而卒之畫虎不成，至於不保首領以沒，亦所謂時爲之也。功罪是非，千秋萬世，自有公論。吾儕讀史至此，覽其意志之可原，傷其遭逢之可憫，固無待多事評騭矣。

獨譚氏之殉清主，世論或有異同。梁啓超譚嗣同傳云：

「至六日變遂發。時余（梁自稱）方訪君寓，對坐榻上有所擘畫。而抄捕南海館（康先生之所居也）之報忽至。旋聞垂簾之論。君從容語余曰，昔欲救皇上無可救，今欲救先生亦無可救。吾已無事可辦，惟待死期耳。雖然天下事知其不可而爲之，足下試入日本使館謁伊藤氏，請致電上海領事而救先生焉。余是夕宿於日本使館。君竟日不出門以待捕者，捕者既不至，則於其明日入日本使館與余相見，勸東遊。且攜所著書及詩文辭稿數冊家書一篋託焉。曰「不有行者無以圖將來，不有死者無以酬聖主。今南海之生死未可卜，程嬰杵臼月照西鄉，吾與足下分任之。」遂相與一抱而別。初七八九三日，君復與俠士謀救皇上，事卒不成。初十日遂被逮，被逮之前一日，日本志士數輩苦勸君東遊，君不聽。再四強之。君曰：各國變法無不從流血而成。今中國未聞有因變法而流血者，此國之所以不昌也。有之請自嗣同始。卒不去，故及於難。

燕負生

稿約

一、本報各版園地公開，歡迎投稿，來稿以一千五百字至二千字爲最適宜。特約稿不在此限

二、本報歡迎通訊、特寫、文藝、評論、書評、人物介紹、短篇小說、詩詞等；三、五百字之短文尤所歡迎。

三、本報對來稿有刪改權，不同意者請於來稿預先聲明。

四、來稿請用稿紙繕寫，行文請勿過於潦草，不宜一紙兩面繕寫。

五、來稿請自行留底，外埠郵票香港不適用，請勿附退稿郵票，本報不負責退稿。

六、稿酬每千字按港幣五元至十元計算。

黃色與政治

・葉子・

所謂「世紀末情調」，除了反映社會上墮落於聲色犬馬之外，更重要的是，大家逃避現實的心理狀態在不斷增漲。

逃避現實，並不是指現實生活僅有的「墮落」而。有很多人，現實生活過得很好，既不愁溫飽，也不慮匱乏，高官厚爵，嬌妻美妾之外，仍追求聲色犬馬者，是因爲看不到希望。

看不到希望，這就一個極嚴重的社會心理狀態。

要讓大家看得到希望，這是袞袞諸公的事，而這也就是政治的最淺易的意義。

但是袞袞諸公既忌諱談政治，於是風花雪月，就自自然然抬頭了。

專談女人的三國（當然談女人的範圍絕不止於三國）和專寫××寶鑑之類的文章，在目前顯然已落伍，因爲它還缺少些八股與讜論，於是各色各樣的以反共抗俄爲外殼而以女人的屁股爲內容的文章和報刊就大行其道了。

有人出錢買這樣的文章，辦這樣的報刊，據說最大的效果在能吸引人，在於透過黃色，激厲反共抗俄的思想意識。當然其副作用更可以使人整天渾渾噩噩，莫談政治，莫談民主，也莫論自由。

更有一種高見，則特別強調說海外華僑懂得有限，知識程度低，他們就喜歡看女人屁股一類的文章，如果不以這些來號召，就根本無人看反共的報刊了。嗚呼！此誠妙論也。

於是乎，黃色就和政治結了不解之緣。初以爲用黃色來宣傳反共，而結果却自自然然地變成了黃色在利用政治八股了。

這樣的現象，好像已引起了一部份袞袞諸公的良心責備，於是對黃色大肆撻伐，推出了以一竹篙打翻一船的方法，置黃色與健康的政治報刊於一船，希望用一竹篙之力，同時打翻它。

黃色，除了在一些八股型的政治讀物上能同時見到外，似乎我們還沒有見到過寫女人的屁股的文章會同時在政論報刊上出現過的奇蹟。

黃色與政治，雖然是絕然不同的兩種類型，但在現在，却遭遇到了同樣的命運。這年頭畢竟是變了，也祗能見怪不怪了。

自由人
THE FREEMAN

（第七五三期）

中華民國僑務委員會僑報登記證新字第一零二號
中華郵政台字第五〇〇號執照登記認為第一類新聞紙類
（半週刊每星期三、六出版）

每份港幣壹毫
台北市售價台幣壹元

督印人：陳文華

地址：香港高士威道二十號三樓
20 CAUSEWAY RD. 3RD. FL.
HONG KONG
TEL. 771726

承印者：東南印務出版社

論中共所謂「祖國」新任務

張六師

在所謂「社會主義祖國」的教育下，中共歷年甘心剝削大陸，效忠蘇俄，事實具在，不辯自明；乃最近又在支援印尼再反狄托，以為這一切行為，皆是擁護「社會主義祖國」的「愛國」行為，是一項新任務，則不可不一論之。

一個國家或政權之是否真正獨立自主，是明顯不過的道理，就是它在處理自己國家的國際事務中，是否能真正為自己的國家和人民的利益作打算。因此，中共政權的是否確為獨立自主或為漢奸國賊，這在大陸上因為人人眼睛雪亮，倒是已成為不成問題的問題。只有在海外，還有人在討論着，也有的還在半信半疑中。

其實中共傀儡之確屬蘇俄奴才，其證據早已歷歷可數，尤以最近更加顯著，因此，才引起許多人為俄南交惡，中共應聲，而又舊話重提所謂狄托路綫。

他們之甘心把一切內政，軍事，經濟，文化，教育，工業，商業……全受俄國顧問，專家……和黨的控制剝削，改造；必如是才是對社會主義「祖國」效忠，才是無產階級國際主義所當然；於是類似狄托的所謂「修正主義」，「民族主義」……，自然必指為「背叛蘇聯祖國」的「資本主義路綫的反動行為」。

有書為證

在他們的這本「為甚麼我們要擁護蘇聯」小冊子第五頁還露骨的這樣說：

「東歐和東南歐各國……所有這些國家，都是被蘇軍解放出來的。僅這一條件，就足以成為蘇聯在這些國家中獲得巨大聲望的基礎，成為廣大勞動群衆對蘇維埃人民之深厚謝意的基礎。反動的資產階級黨徒和右派社會的公開反蘇，波蘭，捷克，南斯拉夫，羅馬尼亞，匈牙利，保加利亞，阿爾巴尼亞的人民，根據經驗知道：誰擁護蘇聯，誰就擁護自己和祖國的光榮，誰反對蘇聯，誰就是祖國的叛徒和外國帝國主義的走狗。因此，在國家被解放後，誰敢提出反蘇口號，或在此以前就以敵視蘇聯而出名的政客之遭受勞動群衆的憎惡鄙視，是極自然的。」

一個具體答案

上面文字中，人們應該獲得一個具體答案，是：無論在史達林生前死後，或狄托親蘇反蘇，北平傀儡政權之必然站在蘇俄立場效忠到底，是先天就已注定了的。因此，他們之為國賊，漢奸，附庸……並不是反共者出諸意氣的讒謗或是具有成見，而是在他們的行為上，在事實與理論的奴性訓練上所證實了的。歷史上誰會見過有這樣的一個「政府」，甘心用種種陰謀詭計魚肉剝削自己的同胞，而去為另一異族的利益作爪牙的呢？誰會見過有這樣的「政府」居然聽命另一鄰國的驅使，去出兵百萬為這一鄰國的假想敵——「資本主義國家」作戰犧牲的呢？中共既可受命參加韓戰於前，還能免於不聽命莫斯科而不參加印尼內戰於後嗎？在一個傀儡政權甫才誕生不久，羽毛還未豐滿之際，尚且可以接受出兵韓國越南的任務，則在今日休養生息又已八年之後，它還能拒絕這一新的南進任務麼？

南進的「新任務」

赫魯曉夫在一九五五年二月俄共二十次黨代表會中雖然斥責史達林發動韓戰的錯誤，金日成在同年六月赴東德時在東柏林也承認韓戰應由史達林負責，這雖證明北平傀儡的出兵並非為「保家衛國」。（如果聯合國要討伐中共，沿海各地，何處不可登陸？何必要經韓國？還會阻止自由中國的登陸沿海麼？）但只要今天莫斯科命令中共南進，在中共近日追隨蘇俄叫囂指責美，台，菲：支援印尼革命政府的幕後，誰敢保證這不就是他們準備公開干預印尼內戰的試探？他們還不一樣的可以把「抗美援朝」口號，改成「抗美護僑」保衛「和平」……的口號？若要他們中止這類冒險，除非自由世界，尤其是印尼三百萬華僑的真正祖國——中華民國，能履行真正的護僑任務，劍及履及地先就實行保護，拯救華僑，阻止赤色魔掌的無法伸入南太平洋和包圍東南亞，先使他們絕望斷念，否則莫斯科絕不會放着這枚棋子不用的。

時至今日，世人如果要再考驗中共是否還仍舊對「社會主義祖國」——蘇俄效忠到底，繼續再作韓戰越戰一樣的出國冒險，流血海外，就可在這次的言行中獲得答案。

誰是「祖國」

世人當不健忘，本年二月十一日的人民日報，曾大字登載中共所迫害的宗教團體——基督教代表與羅宗的言論，即所謂：「今天愛國主義的內容就是愛社會主義的祖國」，「堅決走社會主義道路才是愛國」的文字。

到底那一國才是「社會主義祖國」呢？請裏在中共知識書店一九四九年八月出版的知識文選第八本——「為甚麼我們要擁護蘇聯」？其中第三頁便有很具體的解釋：

「一個堅強的共產黨員或社會主義者，無論在任何情形下，都不應反對蘇聯，是絲毫不足為奇的。因為他認為蘇維埃國家是社會主義祖國，他應愛護它。他怎麼能反對這樣的祖國呢？一個誠實的人怎麼能背叛社會主義的祖國呢？」

原來各國共產黨徒所以毫不知恥的高呼「擁護蘇聯」，稱俄國為「社會主義祖國」，「工人無產階級祖國」，「工人祖國」，……而又魚目混珠地向着人說他們也是「熱愛祖國」，其思想背景就是這樣有所自來的。

只要一看事實北平政權之必把國名改為「人民共和國」與外蒙，北韓，北越，烏克蘭，波蘭……同樣列朝班；他們之必把中國有歷史傳統的國旗改為俄式全紅小星旗，又必以俄人列甯，史達林為祖師；

半週述評

爆發大戰的憂慮

北大西洋公約組織聯軍副統帥蒙哥馬利廿日發表談話說，「今日的政治形勢與三次大戰前無異，迄無改變的趨向」。又說「如果政治氣氛沒有轉變，再次爆發戰爭勢所難免。」

蒙帥是一個軍人，對於戰爭或不免有過度的敏感，然而目前黎巴嫩為中心的中東局勢確是嚴重非常，隨時可以爆發大戰的。加上法國內部分裂，愈來愈甚，北非動盪不安。亞洲的印尼內亂，中共蘇俄聲言將派遣志願軍參加作戰。南美最近的反美浪潮，也有增無已。另一方面，共產國家的華沙八公約國將於本月廿四日（今日）在莫斯科召開首腦會議，中共，北越，北韓，外蒙均派代表參加。公約國的外長與國防部長均將出席，赫魯曉夫親自主持。則此一會議之充滿火藥氣味，也自不言而喻。

在這樣的迫切形勢下，蒙帥所憂慮的「爆發戰爭勢所難免」，決不是無病呻吟，危詞聳聽的了。

最近幾年，世人往往以為在原子僵局之下，戰爭將不至於爆發。可是老哲學家羅素說得好，「國家的權力常落在神智不清醒的人物手上」，他們是不會抑制自己，而不至於輕舉妄動的。蒙帥還說過，不使用原子彈的戰爭是可能爆發的，以前戰爭雙方，互相默契，不去使用毒氣細菌，今後也可能雙方不去使用原子彈。

羅素希望東西雙方「唯一要放棄的是用武力去擴張本身的主義信仰」，這恐怕只是書生之見而已。原子僵局已不足以阻止戰爭的爆發，其理甚明，此外還有甚麼更有效的力量呢？

法蘭西的歧途

法蘭西共和國今日所面臨的局面，是極端嚴重的而又是極端複雜的。法國今日的問題，是共和制度能否繼續存在的問題，是統一能否保持的問題，是北大西公約組織能否不陷於瓦解癱瘓，西方能否團結的問題。而今日所遭遇的困難，又有其歷史的因素，有其憲制的因素，有其殖民主義的因素，有其種族歧見與宗教信仰的因素。

故今日的法蘭西問題並不是單純戴高樂個人或極端右派份子爭取政權的問題。

受命於危難之際的佛林閣總理，於迅速取得國民會議緊急法案的大權之後，一方面盡力安撫海陸空軍人。同時召開閣議，討論進行憲法改革，如何迅速行動的建議。標本兼施，鎮壓與改革並進，可謂得其大體，知其本末。然而，創鉅痛深，痛甚愈遲，佛林關能否回天有力，旋轉乾坤，目前尚言之過早。不過法國人是聰明知慧的民族，近百年來，爭取民主自由的政治經驗亦最豐富。法國今日雖陷於分崩離析，聲威一落千丈的困境。我們相信第四共和，尚不至於即行斷送。戴高樂自己也說，他決不至於自行毀滅自己親手恢復的共和。可見大多數的法國民心雖痛心於目前憲制所造成的國家災禍，但對於維護民主自由的觀念，還是始終不衰的。專制獨裁制度能夠違悖大多數的民心而產生出來嗎？戴高樂及極端右派份子，敢於悍然不顧一切，借藉軍人的力量，以奪取政權，而破壞國家的根本大法嗎？自然，這一趨勢，不是不可能的。然而，這便是歷史悲劇的重演，不僅違反了大多數的民心，也救不了法蘭西日趨惡劣的命運。我相信大多數愛自由民主的法國人，不至出此下策。○陳克文。

法共與阿爾及利亞

旭軍

阿爾及利亞問題，近來已成為法國政府的絆脚石，凡是政府對阿政策顯得過於寬大與妥協，則為議會中右翼所不容，若過於高壓，則為議會中左翼所不容。法國政府和北非人民之間的關係，數十年來都持續在緊張之中。但並非無法改善，而是在一種良好的氣氛出現之前，必須排除種種障礙。有人說主要的困難在於法國政府在處理北非問題時，所持的態度，是甚於帝國主義的自私自利，這在某一方面而不能否認，但在另一方面看又未必盡然。何以故，請試述之。

理由是法國各政黨雖然多主張不放棄阿爾及利亞，但假如沒有共產黨的慫恿挑撥與暴動，則問題是可以用談判來解決的。

無疑地，殖民地的解放是世界自然的潮流，不能違反。但任何正當的民族解放，必須有宗主國，必須先談判逐步收回主權，但仍維繫經濟上的關係，甚至不能廢除保障外人在該地區的利益。

因為『阿爾及利亞民族解放陣綫』已指責共產黨利用民族主義煽動暴動，製造恐怖，使阿爾及利亞立即成為共產帝國之一員。住在阿爾及利亞的歐洲人和回教徒，均可能成為恐怖份子的屠殺對象，一定有幾十歐洲人受害於叛徒之暴行，非作戰的回教徒如此的被犧牲的更多。

一九五四年稍末的民主黨MTLD的領袖哈德治，便是一個共產黨員，於該年共產黨便開始在地方選舉，遊行恐怖暴動，弄到現在阿爾及利亞殺機四伏。在一九五四年十一月八日，法國共產黨刊物宣佈承認「一個民族性質」問題存在，國際共黨廣播電台所宣稱的是指當時阿爾及利亞發生一連串的暴動，也就是法共所謂「武裝鬥爭」已開始。

最近法國共產黨員，及殖民地問題專家葉爾克，在其所著的一篇文章說：「殖民地的自然友人，是宗主國內的工人階級」，及工人的黨（即共產黨）所操縱下的「周仔」（即共產黨）。法國共產黨刊物的宣言說：「法國共產黨為所有的教訓，贊同個人的自由的行動，替殖民地服務。法國共產黨對阿爾及利亞保證法國工人團結起來，共同反抗鎮壓，及保護他們的權利，並正為阿爾及利亞民族解放陣綫」。

最近披出的「備忘錄」，便指斥法國共產黨並非真正謀民族獨立，而是為蘇聯共產黨集團服務，看看法國的建議阿爾及利亞行動綱領，完全不了解「阿爾及利亞民族解放陣綫」的鬥爭意義。

當該民族解放陣綫號召的組織，動員他們一切的力量，謀取國家獨立時，那些共產黨，「保護阿爾及利亞工人物質上的需要，抵抗鎮壓，要求大赦，支持阿爾及利亞人民合法的要求」。

由此可見共產黨並不是真正援助阿爾及利亞的民族獨立，只是使法國對阿政策長期陷於混亂，好從火中取栗而已。

對於阿爾及利亞法國少壯軍人之主張對阿採取強硬政策，引起法國軍政分裂，拖法國入內戰漩渦，這正是共產黨求之不得的。

「訪越之行第一章」

曾恩波一篇文章惹起一場風波

・吳庸・

西貢通訊

葉公超外長，此次赴越聘問，據悉隨行人員，陣容龐大，行前台北外交界透露，此行不與越方提出特殊問題討論，葉氏也說，任務祇在加強中越友誼敦睦邦交，其他有關中越兩國的實質問題，暫不談商。因此，葉氏率領的代表團不過聊壯行色而已。不過此行跟在越南駐華公使阮功勛赴台灣新任，中越正式建立邦交之後，其意義却是十分重大的。

然而，葉外長的巧妙安排，却未盡如人意。葉氏隨員之一的中央社記者（關總編輯）曾恩波先生，也許來錯了熱帶的西貢，執筆爲文，諸多失檢之處，掀起了一場風波。

曾氏在其「訪越之行第一章」一文中，對葉氏此行的意義和任務，隻字不提，却去舞文弄墨，「特寫」機上風光，繪影繪聲，洋洋數千言，却令對此行原抱熱望的僑胞讀者感到失望。

登上「蓮花寶座」

我們把曾氏的大文讀後，似乎覺得曾氏以一個記者被邀追隨政府大員出國訪問，是一種殊榮，故搭上豪華的總統座機，有點飄飄然，「如登蓮花寶座」了。

曾氏說「登上了舒適的總統座機，覺得滿身寬鬆，不禁深深吐出一口氣」。「美麗溫和的空中小姐張承德中尉，掛起你的上衣，遞給你一雙拖鞋，接着又給你一杯清心脾的冷飲；」這種「要人」生活，固社會人士垂涎欲滴，却忘了這會令百難餘生中的僑胞起了不平凡的反感的。

專機上忙讀資料

曾氏又說：「從內艙步出永遠不知疲倦的葉外長，穿着一件鱷紋藍色襯衫，他遞給大家一夾資料，這本厚得像韋氏大字典一樣，如果能知道這一夾中的全部資料，也許將有機會給你一個博士學位，可是這一本，是訪問團每位團員必讀的。」這一段令人得到的印象是：「資料」既然如此繁多，而團員們要登上專機才開始「忙讀」，這情形宛如學生考試前夕的臨時抱「佛脚」「開夜車」，固然對於登上「蓮花寶座」的隨員們，大煞風景，但也曾想到這會使僑胞們感到大員們是如此「兒嬉」嗎？

沒有譯成英文

曾氏似乎爲要表明他的報導客觀忠實，曾以輕鬆口吻向「訪問團」「幽了一默」，他說：「忽然大家發覺葉外長準備在西貢機場發表的聲明，只有中文，越文，和法文本，却無英文稿以應付當地英文報紙，以及美聯，合衆，路透社的記者，必須有一個人將它譯成英文。」這豈僅幽默已也，抑亦虛矣。堂堂一個訪問團，竟會如此「馬虎」的呀！當時的情形，有如他說：「大家都在忙，吸烟的人，一根接一根地抽，不吸烟的人，不知灌了多少杯濃茶。」情狀，歷歷如繪！

「追記」不虛此行

曾氏寫了「訪越之行第一章」，便不再有下文。但還好，有「追記」「續貂」。曾氏在「追記」中劈頭說：「不是開玩笑，西貢究竟是圓的還是方的，我却沒有摸清」；又說：「我敢和你打賭，訪問團中至少有一半人說不出兩條西貢街名。」讀者至此，自然不敢奢望他在文章中報導「華僑印象」「西貢觀感」之類了。

五天訪越期間，隨員之一的曾氏雖「忙得喘不過氣來」，精神上仍是振奮愉快的，他自喻在串演一幕「影子戲」，他說：「在現代影子戲」中，你看到的是兩輛摩托車前導，後面是兩輛吉甫車坐着警察，再後面是六輛小轎車飛快的疾駛，由政府賓館至總統府，由總統府至副總統府，再至外交部，然後返回賓館，車隊所經之處，交通停頓，好比當年摩西手杖一揮，大海上現出一條路，」這寫得倒是猗歟盛哉，但是華僑想知道的倒不是這些呀！

蹴讚南國佳人

如果照曾氏的感覺，縱如登「蓮花寶座」到「僕僕于官邸與賓館之間」，他摸不清西貢是圓是方，只是走馬看花以後，說從西堤的華僑人數，說到漂亮的越南姑娘，並肯定的說「堤岸的人個個說廣州話，連閩籍華僑與越南人也不例外，不說廣州話的就不是華僑。」在這方面有如此驚人之語，確使一般「老西貢」深愧不如。

曾氏連西貢是方是圓都摸不清，却能道出僑情如數家珍；同時，他可能說不出兩條西貢的街名，可是，他竟能指出越國佳麗，身體容貌，酷肖中國女郎，對越女所穿旗袍，緊身窄袖，又高及腰，長褲飄然，嘖嘖稱美，盛讚越女的漂亮，確是生花妙筆，這也是言論自由，可惜他是一位僑胞所熱望的大員訪問團的隨團記者，似乎已渾忘了他的任務了。

僑報的批評

曾氏在「追記」中，說他如何「風塵僕僕」，出入官府之門，遊山玩水，探幽訪勝，「可算不虛此行」，甚至撇開華僑最關切的問題，專談風月，品評女人，已令僑胞倒胃，傷心，他雖然特別捧葉外長上三十三天，譽爲自由中國來訪問的官員獲得好評的首人，事實上如此報導，却令人對葉氏的觀感也爲之打了折扣了。何況一竹篙打盡一船人，把過去所有訪越的大小官員都開罪了。

「兩處茫茫皆不見」

「越華晚報」首先指出曾氏的訪越特稿中所說「自由中國來此訪問的政府官員，時常受到不好的評語，但是我們聽不到關於葉部長的惡評」，是一種含血噴人的「惡評」，不知何所而云然？認爲：我們作爲一個新聞同業，既不敢妄自菲薄爲「孤陋寡聞」，亦不須裝聾作啞去「諱疾忌醫」，但如曾先生所指的情形，却是「上窮碧落下黃泉，兩處茫茫皆不見」！

該報以曾氏身爲中央社記者，且爲葉部長隨員，也免不了道聽塗說，撫拾浮言，以致大好文章，竟添上一段不盡不實的蛇足，誠可說是佛頭着糞，而認爲惋惜。

「失言」和「失態」

「遠東日報」直率指出：「訪越之行追記」「那篇文章，只要略識之無和稍有常識的人，都知其爲「不妥」的，譬如肯定判斷：「不會說廣州話，就不是華僑」，眞不知根據甚麼邏輯云然？叫那些旅越的「北佬」如何自處？這已不復是記的「輕鬆」和「幽默」，而是訪問團員的「失言」和「失態」了！該報不禁慨乎言之：「亦可以聯想到政府用人的問題。」

僑胞問題未見隻字

「亞洲日報」指出：今日的越南社會，其最感重要的，莫如文教和商務問題，其最需向祖國或海外各地僑胞匯報導者，亦莫如這兩項問題。乃曾氏的「追記」，洋洋數千言，未見提及隻字，却於字裏行間，提及此國與彼國的美女比較；若以此爲文采風流，眞是吾欲無言！

任重道遠

・尹震・

孔子

科學救國

台灣的自行車業

・林嘯崧・

台灣通訊

在台灣城鄉的每個角落裏，都可看到自行車行與修理行，尤其在城鎮中心，簡直是比比皆是。各行都堆滿了各式各樣的自行車，如同展覽會的陳列方式。奇怪的是各行中並無泊來品的自行車，全爲台灣土產，可說是式樣新穎，價廉物美，在目前看來，雖不是每人，却幾乎是每戶平均都有一輛，不僅在城市爲然，甚至於遠鄉僻壤亦是如此。

分佈在全省各地的自行車零件製造廠數以百計，而車子牌名則不可勝數，從裝組的式樣上，大致分起來有特級的，日式的，英式的以及美式的。這些出品必須經過經濟部中央標準局檢驗以及台灣省工業試驗所的查驗合格，認爲已達到國家水準後始能公開出售。至於特級的自行車，所用器材成本更高，而且由精工監製，嚴格裝組，其電鍍烤漆型式均可媲美於國際標準，由政府核定列爲外銷產品。

談到外銷究竟是問題很多，因爲我們要與先進國家如英日美西德等國競爭市場，乃是台灣自行車工業最感苦惱的事情，由於台灣金屬礦藏中煤鐵有限，煤鋼工業是處於癱瘓的狀態之中，因此各廠所用的鋼鐵原料及部份零件，都來自英美德日，在製作的技術上也許比之他們的並無遜色，但在成本上却無法與他們競爭市場。過去我國運售於中東及東南亞各友邦的自行車，在貿易原則上是蝕本的，實在毫無利益可圖，祇算是做了幾次自行車產品外銷的宣傳，所以產品外銷實際上已成過去，如何開闢這條外銷之路，恐怕工業界尙要走一段很長的艱苦旅程，但如不能打開外銷之路，便要從此走向沒落，因爲它的發展已到了高峯，以後如無國際市場，其衰退現象是難以避免的，原因是第一台灣市場幅度有限，而做這行檔的又逐漸增多，競爭劇烈；第二是社會購買力有限，供過於求，第三是一般廠家資金不夠，在週轉上發生困難，第四是各公司或車行的維持費用（開支）浩大，而進利很薄；第五是摩托車代替了自行車，使自行車地位居於次級。

胡適與國運原來如此（下）

・歸去來・

怪書之謎揭開：

朱光漢的一篇

「請看從前的胡博士和我怎樣佩服他的理由」，作者爲朱光漢。文共十二節，他認爲胡適研究西洋哲學，不能講授中國哲學。這可以說毫無理由，胡氏著有「中國哲學史大綱」，怎麼不能講中國哲學呢？朱氏認爲「只須看社會上的去年到處實行家庭革命，手反父母，兄妹結婚，倒戈叛上的種種行爲，莫不是受胡氏「打倒孔家店」的影響，因此得到無數青年的擁護，做他將來政治活動的工具。朱氏認爲除了少數上了年紀的人對本國文字能看得懂，年青人已看不懂中國文字，以及「不過要使一般讀國學擅長的人站不住脚，他才可成爲大思想家和新式大文豪。」云云，這是什麼話呀！他說大陸陷共前，國立學校的中共「職業學生」，向中共投靠的軍人，都是受胡氏的影響，換言之，胡適領導「職業學生」，軍人向中共投靠，胡氏之罪也；云云。這又是什麼話呀！他說「我並不代替政府做辯護人」，那又是「此地無銀三十兩」？又說「胡氏幫助陳獨秀、李大釗一批人打倒孔家店，竭力提倡白話文，但不主張蘇維埃共產方式，而以德（民主）、賽（科學）兩先生作榜樣，來造成他領導全國青年的地位。「到了相當時期他再組織一個新政黨來代替國民黨統治中國的。所以國軍北伐以前，他的徒子徒孫就開始南下滲入國民黨，恰如共匪滲透國民黨一樣」，可惜呀！胡氏事實上過去到現在並不如朱氏所說那樣的熱中呀！胡適先生一向是無黨派人士，何來其「死黨」？所謂「徒子徒孫」那就是胡先生滿天下的桃李，他們有誰在革國民黨的命呢？朱氏又認爲此刻的大陸，青年男子奮勇的喊俄國大鼻子做爸爸，青年女子嬌羞的求大鼻子「克史」（即接吻Kiss），完全是胡博士的罪過，「不像胡博士能破除民族思想，打開國際界限，使幾千萬方里的中國由共匪手裏交給俄國大鼻子做了衛星呢，」云云，那竟說胡適先生有賣國之罪了，由此說來，胡適及其「徒子徒孫」都是「匪諜」之類了。恐怕胡先生的學生們不會心服此說的吧！政府當局乃至蔣總統竟會請「匪諜」首領來當「中研院」的院長，容忍他來做「匪諜」的賣國工作呢！又引章太炎弟子黄季剛駡胡適爲「狗蛋」「妖孽」，那更未免跡近無聊了。反對胡適先生提倡白話文一事，當時桐城派以及湘中舊文人之攻擊批評，在中國文學史已成陳蹟，今朱氏引來漫駡胡先生，有什麼意義呢？末段是朱氏警告在台灣的國人，說有人說（恐係自說自話！）胡博士此生不過總統癮就死不甘休；去年在美各處講演，就是想美國人支持他做下一屆中國的總統；也想得諾貝爾獎金。此說正是一些恐懼病患者的典型。

以上三篇要點

據以上三文，無不以「打倒孔家店」爲指責攻擊胡適之主要點，但是否胡適是倡言「打倒孔家店」？任卓宣氏在「筆匯」（五月四日，廿二期）上發表「糾正五四文化運動底誤解」文說，「胡適呢？幾乎從沒有關於這些（打倒孔家店）的文章了。他祇是在五四文化運動以後爲「吳虞文錄」寫序，贊成吳虞打倒孔家店而已。」至於稱孔子爲孔老二者，在該序中，胡先生稱孔丘，對於吳虞，只稱他爲「四川省隻手打孔家店」的英雄而已。並無仇恨孔子之意。

關於拜倫詩漢譯

「拜倫哀希臘詩的漢譯」，作者爲王愛維（李煥燊），比文例舉該詩之馬君武、蘇曼殊、胡適及李煥燊四人之漢譯，使學者觀摩比較，自有其學術價值在。蘇譯格律謹嚴，最爲難得；胡譯不講格律，最易取巧；馬氏用七言古風，蘇氏是五言古風，胡氏是騷體，並例舉胡氏對於Kings及Thermopylae，Earth等字之誤譯，例不能說沒有點「學術評論」的價值。惟自稱：「在信達雅方面，却遠較胡譯爲勝！」一語，不無自炫自誇之嫌，筆者並無意爲胡氏辯護，胡氏之譯詩不能譯，他人轉譯總有幾分猜測；而胡氏之譯詩與李氏時間相隔太久，如果明年以後的人再譯，恐有比李氏之譯尤佳者，詩之翻譯，語文之時空間限制，深於此道之學者，當可明其三昧矣。而且這類批評，也沒有什麼嚴重意義！

「壽聯」

「壽聯」，僅署「轉載社會公論」，無作者名，但據上月的新聞報導，徐子明教授說是他寫的。一派詭譎之辭打油詩，殊無足論者。

讀完了以後

讀完這本「胡適與國運」，其措詞動機，與某刊物對於「自由中國半月刊」「祝壽專號」的批評，似乎有其關聯性，此或亦就是那一次攻擊「專號」之餘波，僅是改變「官方」爲「民間」方式而已。左舜生先生說：「這件事的主動者，既不姓徐，也不姓朱，究竟是誰主動呢？左先生說：「名滿天下謗亦隨之」，這「解」確爲深刻見解！「所以人們歡迎他（胡適之）歸來，是期望他有助於現實政治的改善與反共工作的加強。」即使胡氏返國以後不作任何新獻與建樹，朝野上下歡迎之不暇，何以李、徐、朱等加以清算他乎？他們除「中共搞「清算胡適思想」數年；如此這樣的做法，實在不能原諒的吧。乃論，司法依法追訴，但該怪書由黑暗到光明，有失學人風度，也就無異活現原形；其結果，又何所損害胡先生的令譽呢？殷海光先生說：「一切言論，由此得以判然矣了。」胡適之是人，所以胡適也可以被批評的人都可被批評，但批評得據於事實與事理，譬如「拜倫哀希臘詩的漢譯」何嘗不可光明正大的向胡氏提出呢？本文僅是「胡適與國運」讀後的個人觀感而已。（四十七年五月七日午後於台北）（完）

談香港的七年教育計劃

許漢釗

香港政府推行七年教育計劃，不遺餘力。第一個七年計劃完成後，下一個七年教育計劃是什麼呢？因爲它關係華僑子弟的教育甚大，是爲我們大家所關懷的。

第一七年計劃成果

第一個七年計劃的中心是發展小學教育，其成果，雖不能說盡如人意，但總算解決了許多適齡兒童的就學問題。這些年，增設了許多間官立補助津貼小學，把原有全日制的官立小學，改爲半日制，增加收容一倍的學童，規定「一圓津貼一圓」的原則，鼓勵公衆團體及私人開辦非營利性的學校，又擴充羅富國與葛量洪兩間師範學院訓練學員的名額，擴充教員訓練班學員的名額，這都屬於教育設施的好政策。

產生另一嚴重問題

但若干年來大量培養小學生的結果，產生另一個嚴重逼切的問題，就是中學校太少，中學校有限的名額並不能容納小學畢業的學生。所以我們可以預言，下一個七年教育計劃，一定注重中等教育發展。

現在的中學

香港現有的中學可分三種：就是官立的、私立的、補助的津貼的。官立的只有幾間，補助和津貼的共二十餘間，私立的也不超過百間。但官立補助津貼學校的學生班班都告滿額，許多學生望門興歎，私立學校除極少數稍具規模的能滿額外，其餘的卻感招生不易無法維持。爲什麼許多學生要投考官立或補助的津貼學校而不去投考私立學校？主要的原因是私立學校收費較昂，一般入息不多的家長無法負担。私立學校所以收費較昂的原因，由於他們須靠學費來維持龐大的校舍租金和教員薪金。提到教員薪金，流行一句話說是「可恥的待遇」，可恥到一個教員每月所拿到的報酬，不及一個女僕人工錢。

一個矛盾現象

香港政府當局似乎沒有採取與星加坡政府同一步驟的意圖，就是說，香港政府並沒有把所有私立學校都採津貼的計劃，香港的私立學校便注定了走上自生自滅的途徑，自力更生談何容易。私立學校日漸萎謝，自非香港政府之福，但看到許多小學畢業生，沒有地方升學，又有許多私立學校在生存的邊緣上掙扎而不加以援手，這是一種矛盾現象。所以下一個七年教育計劃，應把怎樣扶助私立學校，尤其是扶助私立中學放在第一着。

一個不正確的看法

有人說，一般私立學校應該多在管教方面做工夫，管教嚴格，校譽日隆，自然學生會多起來，才可自力更生，何必要依靠政府幫忙？他們並舉英國本土教育爲例，私立學校擁有最良好的師資，校譽遠勝於官立學校，因此他們絕不担心招不到學生。其實這是高調兒，香港何嘗沒有聖士提反一類的私立學校，但香港大多數居民中，有多少人的經濟能力能維持他們子弟進入聖士提反一類的學校，如果以聖士提反中學來代表香港一般私立中學，這是漠視香港社會情形了。

官立和補助津貼的中學

且按下私立中學不說，談談官立和補助津貼的中學。根據政府制定的第一個七年教育的計劃，我們可以推論下一個七年教育計劃，將逐步發展官立和補助津貼中學。談到發展，「財」是指校舍和設備所需要的資金，「才」是指師資。根據香港政府每年的預算計劃，發展教育早列入預算之一項，長袖善舞，籌措當然咄嗟可辦；可是師資卻不是短時間能速成的。

師資缺乏之成問題

此時此地，中學師資尤其是高中師資呈青黃不接的現象，據四月廿八日華僑日報的報導，此種現象不特在私立學校爲然，即官立學校莫不皆然。教育當局對專科教員之調動，由於人手不敷應用，經常產生困難，有等學校，即甚於此項問題，在原有教師老退，新教員未能及時就任之情況下，立見有部份學科暫停教授者。

目前教師已感不敷，如果學校將來擴充，自然更成問題。故在下一個七年教育計劃中，將師資的儲備與培養，是一個重要的項目。

師資缺乏之原因

中學師資爲什麼「原有教師老退，新教師未能及時就任」呢？因爲香港只有一所香港大學，而香港大學所訓練的學生，並不是以中學師資爲對象，現有的羅富國師範學院訓練出來的，大都是小學而至初中的師資。現任本港各中學的高中專科教師，大都是戰前大陸各大學的畢業生，這些人才逐漸凋零，來源已斷，而本港各學院的畢業生，限於教學經驗，担任高中專科教師尚須假以時日，所以中學師資在目前已感缺乏之了。

各種訓練班的舉辦

教育當局爲解決這項問題，曾辦理中學教員訓練班及各種專科訓練班，此舉在原則上原未可厚非，但在技術上尚多待商榷的地方。如中學教員訓練班的入學試驗規定中文英文兩科，這是無法選拔人才的，試問一個富有高中生物學數學經驗的教師，不測驗他的生物學知識，卻要他作一篇英文文章回答若干國學常識的問題，這有什麼效果呢？故試驗應以任教的學科爲主科，而以中文英文爲副科，以主科成績作主要標準，副科的選拔成績作次要標準。再加教育司署視學官視學報告作參考，如此似較合理。去年中學教員訓練班所取錄的學員，大部分是英文教師，就由於入學試驗規定中文英文作試驗標準所致。

效果問題

又如港府陸續開辦的專科訓練班，原是希望現任教師能有進修的機會，加強教學效果。但事實上進修的機會誠有之，能否加強教學效果則尚待考驗。主要問題在各科訓練班担任的講師是否適當。如果担任講師的是一位大學教授，但他從沒有中學教學經驗，則對實際教學方法無所裨益：如果担任講師是一位中學教師，則使受訓的教師先存同行相輕的成見，覺得卑之無甚高論。筆者可以指出某種專科訓練班爲例：担任講師的是一位官立中學的教員，他第一天上課就說一番德薄能鮮的客套話，然後請每一位受訓的教師依次登台按照課程「試教」，然後請大家提出批評，試想在這種場合之下，誰肯「在貢院門前賣文章」，結果大都抱着明哲保身的態度。這種虛應故事的訓練究竟有什麼效果，實在值得考慮！

一個不合理現象

還有一項措施使人莫測高深的，就是政府常常調任私立中學的高中生物，物理化學等富有教學經驗的教師去官立小學任教。在教員本身來說，他們爲着爭取較高的待遇，向政府申請爲官立學校教師，原是很合理的要求，但在目前高中專科教師正感到缺乏的當兒，突然調他們去担任小學教師，何嘗不是浪費人才之舉！何況葛量洪羅富國師範學院每年訓練大批的教師，小學師資不虞匱乏，下更不應用牛刀去割鷄。這些雖是技術上小問題，不會影響到整個教育政策，但措置不當往往是會拖延發展的進度的。下一個教育計劃似應有更週密的考慮。

居民所寄望

在香港的居民中，除極少數外，沒有不爲子女的讀書問題感到困擾的，小學入學之後，跟着是升學中學的問題，第一個七年教育計劃，已替他們解決了一部分，其餘則只有寄希望於第二個七年教育計劃了。

國際動態拾零

△外長會議，蘇聯已得東西集團之平等權，但要求亞洲中立集團，亦參加二國，其一爲印度，其一未定，蘇聯控制外長會議之多數票決權。

△美國衆議院撥款委員會主張將失業救濟延至十六星期，並提撥十五億作此用途，惟參議員同意艾森豪政府的主張，聯邦貸款于各邦政府，使各邦救濟期限，爲十三星期，而以曾經保險之工人爲限。

△美國空軍總部，本認核子戰爭，要三年始可獲得勝利。現因核子在英法及歐非各處之儲藏量日增，相信第三次大戰如果爆發，六十天內，即可結束。

△空軍所消除之原子附產品，每年值十億，現在已積存值三十六億之附產品，但恐其價值將在市場上降低；故不願立即出賣。

△艾森豪本是和易可親的人，最近忽大發肝火，因爲國防改組，經濟衰退三事，均遇挫折。上星期怨對德州女記者大發雷霆，當女記者問國防改組計劃時，艾氏則勃然，該女記者答曰，講而通紅，艾氏則反駁曰：你從沒有看過，如是無當斥責一位女子說謊了。

陶然

中共與外蒙

據新華社報導，五月十二日，外蒙的烏蘭巴托車站舉行歡送會，歡送到蒙參加建設期滿的第一批中共員工回國。按這批員工是根據一九五六年八月所簽訂的「中國給予外蒙經濟和技術援助協定」到外蒙的，這一協定中共無償地援助外蒙一六，〇〇〇萬盧布，期限爲一九五六到五九年，助建若干工廠與公路。

這一消息似乎暗示着：中共對於外蒙的援助期滿將終止；其實際意義則是中共幾年來伸入外蒙的經濟勢力已被提早逐出。這一種情況與中共對北韓的援助一樣，于一九五七年底期滿亦終止了。

北韓與外蒙是均無力來逐走中共勢力的，蘇聯當然是幕後的支持者。

中共與東歐

中共在共產集團中的地位升高，它曾經利用過東歐各共黨國家與蘇聯間的矛盾，特別是在史太林逝世以後，與波蘭擴大海運，衝破蘇聯對中共與東歐間的交通封鎖，利用東歐的人力、物力突破蘇聯對中共的經濟技術的壟斷。

一九五六年十月波匈事件時節，中共以同情的語調在共產國際中發言，更使中共的地位提高。據一九五六年十一月三十日人民日報報導：一月，波蘭舉行新聞工作者代表大會，說統一工人黨政治局委員莫拉夫斯基在會上說：在波蘭十月事件中，「中國和意大利共產黨一開始就同情我們」，「對我們的努力表示支持和承認」。一九五七年九月二十七日人民日報報導：「再論無產階級專政的歷史經驗」一文，在匈牙利，從中央到地方，幾乎沒有例外地都要提到它，把它看作是最及時的幫助。這兩事，可以說明中共在那時的特殊地位了。

當我們談到在一九五六年十月中共支持波匈反蘇事件時，往往被人誤解爲一種無限制的支持，我們必須指出，這是國際主義範圍下的反大國主義的支持。最近路透社曾對此發出疑問，這裏順筆解釋如上。

及至一九五七年十一月，莫斯科舉行各國共產黨代表會議，中共被赫魯曉夫壓制了下來。最近中共與波蘭，匈牙利，羅馬尼亞已訂或將訂以中共的第二個五年計劃爲中心的長期貿易協定，似又有利用蘇聯與東歐附庸國家間的貿易矛盾來再提高自己的身價的企圖呢？

中共與南斯拉夫

在一九四八年南共被共產國際逐出以後，蘇南間一直在互相責罵，史太林逝世後，形勢稍趨緩和，一九五五年初，蘇南關係有改善的跡象了。這種改善若從整個共產國際的對外和平共處的政策由中共所發動的一點看，中共大概是主催者。

匈牙利事件時節，南共發表許多言論攻擊蘇聯，其中最主要的鐵托與卡德爾的演說，中共的人民日報曾予以全文轉載；此事，據一九五六年十二月三十一日人民日報報導：鐵托對南共「戰鬥報」發表談話時曾指出表示：中共報紙刊他與卡德爾演說全文表示滿意。

本欄前已指出，最近一次，中共對於南共的綱領草案是不敢全文刊出的了，還可以意味到中共內部的不安，對於所謂修正主義的嚮往者大概不在少數。

綜合前述數項，可以見到，中共在共產國際中的地位，于一九五六年底時最高，現有的迹象是顯示又轉趨下坡了。

·田心·

新書評介

論大陸高等教育的矛盾

△金達凱著

金達凱先生是中共問題研究的專家，近幾年來，先後出了七本有關中共問題的專書。他的研究都是根據切實可靠的資料，作客觀的理論分析，極具權威性。

本書資料，直接取自大陸各種報章及專門雜誌與有關文字，並以「鳴放」、「整風」、「鬥爭」、「雙反」等運動材料爲主，至最近的「雙反」運動止，以反映出大陸高等教育的全貌，故本書亦可謂爲對八年來大陸高等教育的一部總結。

中共二號頭子鄧小平說，「無產階級需要知識份子的知識」。但「鳴放」以後，大陸知識份子的反抗中共，愈來愈厲害，中共對知識份子的壓迫亦愈來愈甚。知識份子爲甚麼不甘於爲中共利用？中共爲甚麼虐待殺戮知識份子？將來的演變又如何？均不可不讀此書。中共爲具體而微的蘇俄，欲明了蘇俄的教育制度，亦不可不讀此書。

全書共十章，每章三節，二百二餘面，凡十餘萬言，全書一冊，本年四月初版，每冊定價港幣二元三角。香港自由出版社出版。（文華）

南共拒絕參加莫斯科會議 華沙公約弱點在擴大中

南蘇交惡，已引起共產集團內部極大的紊亂。狄托的「修正主義」，無情地抨擊了以蘇聯爲首的武裝霸權，南斯拉夫並直率地指出，華沙條約東歐八國軍盟，是蘇聯推行其霸權的主要手段。

華沙軍事條約，已簽訂了三年，在五月十四日，莫斯科及其它各附庸國，均曾爲此大事宣傳。並特別強調華沙軍盟對抗北大西洋公約、巴格達公約、東南亞公約的軍要性，但是也一致地指出，由於南斯拉夫的背叛莫斯科，和對該公約組織的攻擊，已起了「惡意誹謗」的效果。

目前，八國共黨的高層分子，正在莫斯科集會，南斯拉夫已通知拒絕參加。

這次的集會，雖名爲以經濟和貿易爲會談的中心，實則南蘇交惡的問題，才是重心所在。

根據西方通訊社消息所透露，儘管此時蘇聯又發出了第三衛星，但在對西方宣傳攻勢方面，依然表示要與西方國家建立互不侵犯條約和在中歐與中東建立非核子區。莫斯科並且企圖以全力來發揮以附庸國包圍南斯拉夫的策略，對南國洲以經濟封鎖。企圖以諸般壓力，迫使南共就範。

在這次莫斯科會議中，亞洲的共黨國家，也均派出了觀察員例席，因爲這是亞洲共黨國家之義務，如果戰爭在歐洲爆發，亞洲共黨國即成爲東歐軍事行動的「大後方」。

從表面上看，蘇聯的一切行動，都在宣傳爲了避免戰爭的出現，實際上蘇聯企圖以結束冷戰來準備新的世界霸權爭奪戰，馬克思黨徒們的看法是，凡祗要能使西方軟化的策略，均可應用。不過南斯拉夫已在警告蘇聯，如仍包圍和攻訐，皆只足以暴露蘇聯弱點。

因此，莫斯科的經濟會議，雖在華沙公約的三週年之後，和發射了一顆半噸的第三顆衛星之後召開，但形勢上仍不足以挽救共產集團下墜中的聲譽。南斯拉夫不僅是共產主義集團的異端，在現階段已成爲反蘇的急先鋒了。（裕）

自由談

人類的悲劇

馬五先生

緊隨着美國當局在中東宣行「實惰政策」，埃裁聯邦首領納撤訪問莫斯科之際，大發其妖波，既宣佈解除埃及在美國存款的凍結令，又聲明將予黎巴嫩事變由埃裁的軍人以經濟援助的後面，確物資接濟了！據說由於大規模的恐怖事件，採取親西方政策的內閣總理要求撤換，設由所謂中立人物出來，而要求反共最力的總統夏蒙，亦得承認不再連任，作爲和平條件。不用說，黎巴嫩從此又將中立主義，第二步即將撤退的「阿剌伯國」。美國在中東的政治路八成只是一敗塗地，無可收拾的。

中東局面若照英美法在戰後聯合宣言保障和平的辦法，根本可說沒有問題，只因這些聯合宣言的保護者，爲着爭奪中東石油利益的自私心理，同床異夢，金影干戈，豈才釀到今日風烘的狀態。至於其他一切的說法，甚麼是莫斯科人的陰謀，以商業政治來領導自由世界，才是動亂的癥結所在嗎！

從前我們中國在次殖民地時代，四方列強隨便在中國開工廠，設銀行，賣軍火，壟斷商業利益，各人當利用着一個擁護的軍閥作工具，讓他們互相爭鬥，坐收漁人之利，而美其名曰「保持中國領土主權之完整」，「維護世界和平」，實際是僅是發揮商業政治作用的煙幕而已。現在西方列強對於中東的作法，依然不脫這種窠臼，能希望中東有和平安定之日嗎？

自由世界很可能斷送於這般自私而又低能的領導者手中，真是人類的悲劇。

日月潭的「眞假王爺」

這是許多人所見所聞所親歷，而也許所不知道內幕的台灣一個「名勝」與「人物」的故事。

．佛湧．

台灣的日月潭，是中外聞名，而日月潭之有「王爺」，原也是中外皆知的了。但是日月潭的「王爺」從何而來？現被人尊爲「王爺」的毛信孝，有人說是僞的，那麼，日月潭到底有沒有眞「王爺」？爲什麼會有眞假「王爺」？這裏要向讀者敍述一些內幕。

也許你會不相信，日月潭根本就是沒有「王爺」，即使翻開日月潭山胞的歷史來查考，也找不出這個明堂。那麼現在的「毛王爺」又是從何而有呢？說起來簡直令人覺得它是一個近乎「荒唐的玩笑」。一言道破，所謂「王爺」也者，其實是因開玩笑而起的，這玩笑後來竟是「弄假成眞」，直至今天，日月潭的「王爺」竟被人視爲「眞有」；而被稱爲「王爺」的毛信孝，竟亦以「眞王爺」自居，且處處表現得似「當之無愧」，「理所當然」，甚至「自我陶醉」起來。

更妙的是：毛信孝就是因爲「王爺」兩個字交好運，發大財，被譽爲日月潭的首富。又因爲由于外界知道毛信孝是「王爺」，爲了好奇，凡來日月潭的總留個紀念，紛紛都同「毛王府」「拜望，當然也就少不了要和「王爺」及他的幾位公主合照幾張照片，和欣賞一下他們的「山地舞」。這樣一來，無形中就給「王爺」開出一條「生財之道」。照相和看跳舞，都要付代價，每天來往不斷的遊客所付的代價十多年下來，毛王爺不發財那才怪哩！不過這些生財之「道」，如今已不爲毛王所獨行了，除最近發出一個所謂「僞王爺」之外，幾年來又已有什麼紅白「牡丹」，紅白「玫瑰」等出而搶生意。不過，後起者的舞蹈，雖或有優于毛家公主者，而「名」不聞，還是搶不走毛家生意。

依照日月潭高山族同胞從古至今的族制，根本沒有所謂「王爺」。該族爲台灣土著民族中的「鄒族」（有人說原係「布農族」），又由于歸化以在清朝前又稱爲「化番」，今天日月潭之「化番社」即由此而來。日月潭往昔又稱爲「水社」或「水河遠」，故該地山胞又稱爲「水社番」。但不管怎樣，日月潭的山胞族制中皆沒有「王爺」這個名稱，而「頭目」及「酋長」則有之，而且有據可考。

關于「王爺」之由來。據說是這樣的：在台灣剛光復的時候，日月潭的景況當然不如現在，山胞們對「光復」簡直不知所以，祇是傾以未來命運爲慮。直到政府人員到台，日月潭開始建立新行政時，山胞們才推出現被稱爲「王爺」的毛信孝出來，代表向政府人員交涉。但當時山胞們之推出毛信孝，而不以「頭目」來做代表，其中實有其兩大原因：第一、自日據時代起已沒有「頭目」存在，其後裔由於孤陋寡聞，不勝大任；第二、山胞知識簡單，更無對外經驗；祇有當過「甲長」的毛信孝比較見聞廣些。

毛信孝當代表後，由于在外接觸廣，馬上成了聞人，山胞非找他不可了。據說一次一位新聞記者到日月潭，見山胞一切都聽之于毛，以爲毛就是番族的酋長，于是就戲稱他爲「番王」，誰不知他這一戲封「王」號，遂決定了毛信孝一生的「王」運。

自「王爺」這名詞首被登上紙後，接着就被很多記者引用着，別人向毛稱「王爺」時，而毛也公然應之，因而他的「王位」也就無形固定了。

「毛王爺」一直靠了日月潭風景美麗，中外遊客日增，收入也一天天地可觀。而日月潭也因「毛王爺」的出現而繁榮。

「毛王爺」靠天掉下來的好運，自然也不免引起了同族的妒嫉，除了設法搶其財路之外，更也有人覬覦他的「王爺」位。最近曾有原始「頭目」的後裔石松加之出現，而與之大打其「眞假王爺」官司，鬧得滿城風雨，就是一個例證。

毛信孝卻不失爲一個好人，他也曾爲山胞們做了許多事——比如現在日月潭的水電建設，學校，公地放領，造林等等。不久前當石松加指他是假冒「王爺」時：他就曾經坦白對他人說，他根本沒有冒別人的「王爺」，他之所以被人稱爲「王爺」，那是別人贈送他的渾號，這與「頭目」兩不相干；他希望族人要團結，不要輕聽別人而自傷情感。

星光

．尤崇洵．

這湖的水不深，和那株檳榔一樣的長度。于是我看到檳榔的影子投在水裏了。似倒栽的樹，那檳身樹葉都存在於水裏。

因了夜的籠蓋，湖水是黯然的，像洗硯底水或濃或淡地在擴散着。周圍各種樹木也只剩下或濃或淡的輪廓。因爲樹後的背景是黑的，彷彿是用一匹大黑布纏住四周的林木，我看不見參差的影，也或許它們根本沒有影吧！我定睛看去，連那輪廓也漸漸不甚了然起來。

當然，天上無有月亮，多也不過疏疏的星子。而且，只有薄薄的光，時時沒去。

我在水邊尋着，鄰近的檳榔較清晰外，餘下的樹都祗剩下輪廓，而且愈遠愈模糊起來。

我又在湖心尋着，有幾點微弱的光倏忽不見，我再看去，那光一閃，隨即又沒去。這樣不斷的找尋着，那光沒着顯着。

那光很深很深存在在水底，比湖深得多似的。

那光不似鑽石底或是金銀底光，我想湖底也不會沉有這些寶飾。但那光來自湖底。猛然我憶起這周圍林上的天空的星子了。我疑惑起來：那星子太高；但，却也是唯一的光。

我知道湖的深和檳榔一樣的長度，那湖足够倒栽一株檳榔。而那星子太高太高。是湖替星子撒謊麼？

於是我燃了火，抛上去，高過檳榔幾許，我看到水底有火的光；我又抛了火上去，高過檳榔許許多多，我也看到水底有火底光。

火熄滅後，我又看到中天疏疏的星子在水底或顯或沒了。（一九五八年五月十二日）

遊淺水灣

。王世昭。

春繡峯下幾淺灣，最愛潮聲似我閒。
萬里晴波開玉鏡，中天麗日幻金環。
有情春花芙蓉館，無意遊過赤柱山。
樓遍闌階消夏永，夜涼明月倚肩還。

戊戌元宵後一日中國筆會同人遊淺水灣，余氏別墅黃天石兄有作見示爲和元玉。

瀛海詩集序

。王韶生。

世之有志於爲詩者，輒斤斤校量於詩格之高下，詩功之深淺，窮力而爲之；彼蓋以詩人自命，而蘄一世之名。曾不知古之善爲詩者，其心胸之所蘊蓄，高矣，廣矣；其性情之所涵泳，醇矣，厚矣；偶發之於詩，則詩之境，與之爲高，爲廣；詩之味，與之爲醇，爲厚。至其學問才性，軒輊爲譽，不可掩抑，而浩氣逸懷，往往形於筆墨之外。豈尋章摘句，捨本逐末者，所可同日而語哉。吾友柳城謝永年博士，弱冠負笈羊石，研治文史；壯歲遊學巴黎，專攻哲學，博古證今，酬論萬類，蓋已深造而自得之矣。學既成，肆力於外交，兼務教育文化工作，卓然有所樹立，不震不竦，任重道遠。嘗其登山臨水，感事懷人，言志述懷，抒情詠物，慨然有作，興文成篇。嘗試論之，昔之所謂詩人者，當其入世也，能直且厚，其出世也，能曠且達，憂國傷時，發爲吟詠，表，睥睨一世。抑永年所處之時代，較之唐之安史內亂，宋之南渡偏安，何多讓焉。故其詩之所作，同於子美、放翁者，蓋十之八九。永年萬里壯遊，足跡所至，於國外曾遊歐洲諸邦，與夫南洋群島，於國內則遍歷長江以南諸山水，或繫之以古體，或繫之以近體，或繫之以律絕，其滋繪自然，清新剛健，觀察深細，竊意以爲更有過之矣。後之知人論世者，或將有取於斯乎。永年茲輯其詩稿付梓，而屬序於余。以余之固陋，曷足爲永年有所增益，爰書所感而歸之。時中華民國四十七年四月五日

燕塵識小

戊戌譚往

由此而觀，則譚氏之以死酬聖主，灼然可見。然揆之譚氏平生議論，又迥不侔矣。蓋譚氏素極不喜死節之說。謂：

「君亦一民也，且較之尋常之民而更爲末。民之與民，無相爲死之理，本之與末，更無相爲死之理。死君者，宦官宮妾之爲愛，匹夫匹夫之爲諒也。夫曰共舉之，猶得曰吾死吾所共舉，非死君也。何以解於後世之君，皆以兵強馬大，力征經營而奪取之。（中略）況又有滿漢種族之見，奴役天下者乎？」

由此而觀，則譚氏之衝決網羅，不甘爲滿廷死節明矣。而卒以身殉，果何爲者？譚氏豈不知變法大業，無望於清廷，而必有待於陳涉楊玄感，及是脫身猶得爲陳楊也。豈君臣知遇之感，譚終亦不能自解，故進退兩難而出此耶？又如梁氏所記當日譚氏之言曰「不有行者無以圖將來，不有死者無以酬聖主」，則譚氏果以伺月知遇，竟自沒齒効忠，稱聖天子如常俗矣。竊疑當時未必有此語。而譚氏之坐守待死，果何爲者？若謂譚不欲累及家庭，則爲陳涉楊玄感，爲聶政荊軻，獨不湛族乎？譚氏諒亦不爲此。然則譚氏之死，以仁學所謂衝決網羅言之，若終不免爲無意義之徒死也。

然譚氏身後，所謂衝決網羅之思潮，則演進無已。辛亥革命，君臣一倫終於毀滅，平等自由之聲浪，亦日呼而日高矣。（以上節錄「康有爲學術述評」，」清華學報第十二卷第一期。見中國近代史論叢第一輯第七冊一四七頁）

此又一說也。撮述大要於此，以備知人論世者，有所取焉。

譚氏繫獄，題一詩於獄壁。曰：「望門投宿思張儉，忍死須臾待杜根。我自橫刀向天笑，去留肝胆兩崑崙。」

梁啓超曰「蓋念南海也。」而未詳其說，讀者惑焉。據陶菊隱氏新語林所載，頗有一段曲折之事實。大致言：民國九年元旦徐世昌任總統時，總統府演戲招待使節，有湖南顯官某君（原作未述姓名，吾意似係易宗夔。）職散滑倒折斷足骨，由一外科接骨醫生治癒。此人名胡致廷江湖人稱通臂猿胡七，當時在京師警廳充當國術教員。因治病，日久而熟，有時閒談，偶然說到湖南人物，胡氏自言曾與大刀王五同識譚嗣同。戊戌八月譚氏被捕之前夕，王胡二人力勸譚出京避禍，胡王任保護之責，而譚笑謝之。相持至午夜，捕者在門，二人始跳房而逸。猶憶見譚之鋃鐺入獄也。某公又問胡，「你二位都是那一派呢？」胡言「我們都是崑崙派」。某公拍案大呼曰「這才明白了」。胡七爲之愕然。原來此語恰是「去留肝胆兩崑崙」的正解。無怪某公狂喜也。證以譚對袁言「我幄有好漢數十人」之語「可知譚確有江湖俠義之交。陶氏所云，亦有人證，容可信也。原文如何，已不記得。述其大意於此，以供談助云。

（本節完、本篇未完）（十七）樂負生

讀史偶感

。陳宗敏。

近讀「袁項城狂枉」一文，爲袁氏不做皇帝夢，好好的替民國打鐵基，則以成爲中國的佛蘭克林呢。

歷史上尚有許多譎可怖的野心人物，東漢末，董卓爲亂，司徒王允獻劍曹操，年青，志壯，氣豪，其勇可致。假若曹操其時爲董卓所殺，則歷史上的曹操，絕不是今天人人心目中的曹操了。

民元前的汪精衛，北上謀刺清親王，被拘入獄，獄中作詩見志，「慷慨歌燕市，從容作楚囚，引刀成一快，不負少年頭。」何等氣概，其時若汪被處死，則汪早已蓋棺論定了。

我們讀歷史，看古人，所以感慨萬千者以此。

稿酬：

本報四月份全月稿費通知單已分別付郵，請惠稿文友，憑單領取爲荷。

編輯部啓

自由人
THE FREEMAN
（第七五四期）
每份港幣壹毫　台北每份台幣壹元
社址：香港告士打道二十號四樓
20 CAUSEWAY RD. 3RD. FL. HONG KONG
TEL. 771726

美國究竟有無對華政策

宋文明

我常聽到很多人大談美國的對華政策，也常看到很多人用這個題目寫文章；但一問到美國現時的對華政策究竟是什麼？這政策的目標究竟何在？就沒有人會作出一個圓滿的答覆。事實上對於這樣一個複雜而微妙的問題，不祇一般局外人找不到一個明白的答案，甚至美國政府中對此問題具有決策能力的高階層官員，恐怕也不容易一下說得清楚。

一、

在美國高階層人物的頭腦中，他們當然對於中國問題有很多想法；但這些想法是雖其確說得出，也很難有一個統一的概念和解釋。他們現在對於中國問題也有很多作法和行動，但這些作法和行動往往和他們的想法並不一致。數年以前，美國主管遠東事務的助理國務卿艾理生就曾在一次集會上說過：「我們簡直不知道在對華政策上應作什麼」。這種「不知應作什麼」的情形，可以說至現在仍然存在。雖然杜勒斯和勞勃森最近經常發表有關對華政策的演講或談話，但他們也正和他們過去的前任一樣，對於這一問題始終提不出一個明確的遠景來。現在我願把九年來的事實加以簡述，藉以明瞭這一美國對華政策上的迷惑情形並不自今日始。

二、

（一）自一九四九年八月四日至一九五零年夏韓戰爆發這一階段。在此階段中一般人們所最注意者，並不是美國對大陸的態度，而是美國對台灣地位問題的態度。可是就在這短短不到一年的時間中，美國對於台灣的態度，竟然變了四次或五次之多。一九四九年十二月十四日，當時美國國務卿艾奇遜在記者會宣布：「美國對於台灣並無肯定政策」。同月二十二日據，美國務院密訓令駐遠東各地使節，不要過份強調台灣戰略地位的重要。次年一月五日，杜魯門聲明美對台灣將不予以經援，但拒絕予以軍援或干涉。就在同日下午，艾奇遜發表一正式聲明，明白承認「台灣屬於中國」。一月十二日，艾奇遜在華府記者俱樂部演講，把台灣劃出於勢必保衛的遠東安全體系之外。二月十四日，美國宣布擴大麥帥職權，使其必要時得指揮第七艦隊；並在同時透露出一個「勿使台灣落入對美非友好者之手」的政策。這些表示顯然與當時的國際環境有關，特別是與中共在莫斯科的談判有關。但經過一而再，再而三的改變態度，正可看出當時美國的對華政策，至少在形式上是屬於機會主義的。

三、

（二）自韓戰發生至共和黨政府上台這一階段。韓戰更使美國對台灣的態度發生重大變化，由過去的消極態度變為用第七艦隊來防衛台灣的安全。但就在作了這一重大決定之後，美國對台灣的將來以及對存在於台灣的國民政府的前途，仍未作積極的表示。最明顯的事實表現在：一、台灣的中立化，使在台國軍不准對大陸發動軍事行動；二、聲明台灣的未來地位由聯合國加以討論；三、不許在台國軍赴韓作戰，但並未揭出適當理由；四、不准在台國民政府參加舊金山對日和會。由這些事實可以看出韓戰發生後美國雖決心維護台灣安全，但在對華政策上將採取什麼行動，仍然感到無所適從。

四、

（三）自共和黨政府上台至中美簽訂聯防條約這一階段。共和黨政府上台對中美關係及台灣處境頗有改進，如：遣派大使駐台；解除台灣中立化，恢復了兩者間的正常關係；杜勒斯所提出的加強台灣的吸引力和加強對大陸的壓力的政策；改善中美間的軍事聯繫及加強對台灣的軍事援助等；都多少具有一種長遠的意義。但共和黨政府採取這些重大措施的同時，卻堅決限制在台國軍對大陸實行任何攻擊行動。這一限制至一九五三年秋天以前，還是在一種非正式的方式下表示，越到後來，這一限制越成了公開與明顯的行動了。這又可看出繼美共和黨政府的對華態度已比較積極，也沒有表示出它們對於長遠的對華政策有何不同的想法。

五、

（四）自中美簽訂聯防條約迄今。中美聯防條約第五條全文以及當時葉公超與杜爾斯爲這一條約所交換的函件，我們可以確定的說：中美聯防條約實際上是爲「兩個中國」鋪路。加上這一條約簽訂後，對台灣海峽的停火政策，與中共進行日內瓦會談的努力；以及一九五四年十一月十六日杜爾斯對台灣地位問題的談話；似更證明美國確正在進行一個「兩個中國」的政策。但就在進行這種政策的同時，我們突又看到杜爾斯一下把這一政策全盤推翻。一九五五年八月一日杜爾斯對記者談話稱：「我很同意周恩來的看法，兩個中國爲事實上不可能者」。這一表示再一次證明美國的對華政策不僅經常在動搖不定與矛盾中，而且似乎根本就沒有一個對華政策可言。

六、

不過，假若我們能使自己更冷靜一點，把過去九年美國對華政策的史實，從外表再往裏面看，便會發現在一些美國對華政策的矛盾、不定與迷惑的外表下，卻有一個不變和一致的根本想法在。這一根本想法在九年前如此，在韓戰時如此，在共和黨政府上台之初如此，現在仍如此。這一想法，不是別的什麼新奇的發現，而正是九年前美國所發表的那一「對華關係」白皮書。在作爲這一白皮書的中心思想的該書序言中，當時美國務卿艾奇遜，對未來的美國對華政策，會提出如此的建議：

「吾人現仍繼續相信：無論中國在最近將來處境如何悲慘，無論此一偉大民族之大部份人民將如何慘遭一以外國帝國主義利益爲前提之政黨所壓制，但其固有之深邃文化及民主性個人主義，終將重行發揮其力量，而將此外來桎梏掃蕩無餘。凡以此爲目標之任何發展，在目前抑在將來產生於中國，吾人均將予以鼓勵。」

「至吾人對華友好之傳統政策之實施，在其最近將來，自難免深受當前局勢之影響。中共政權原係效忠蘇聯，而非爲中國人民謀福利。對於此點，今後中國人民究將認識至如何程度？又於既已認識此點之後，其對於外來統治，又將有如何之反應？吾人對華政策蒙受當前局勢影響之久暫，要當以此爲斷。但有一點，甚爲明顯，即中共政權，若竟甘爲蘇聯帝國主義之工具，而企圖侵犯中國鄰邦，則吾人及其他聯合國會員國，勢將面臨一破壞聯合國憲章原則及威脅國際和平與安全之局勢。」

「今後吾人之政策，將仍以尊重聯合國憲章，珍貴對華友誼，堅定維持中國門戶開放，尊重中國獨立暨維持中國領土行政完整之傳統原則，爲其基礎」。

我覺得九年來美國對華政策的所有文件中，還沒有一件比上述這段摘錄更重要。九年來的事實已指明，在極端困難與複雜的遠東局勢中，美國顯然在履行這一說法中的種種政策。這一政策究竟是什麼？我的結論是：（一）在長遠的意義上，美國的對華政策是中國狄托政策或中共的合理化演變政策。（二）在現階段及眼見的將來，美國的對華政策仍然是「等待與觀望」政策。我們求要認真想想，事實是否如此？

半週述評

日本總選揭曉的我觀

左舜生

這次日本的總選，已於本月二十三日完全揭曉，自民黨在衆院所失去的議席，遠較一般預測者爲少；社會黨所增加者，也遠不如預測者之多；共產黨原有兩席，這次更損失一半，僅得一席。[illegible]

一、自民黨贏得執政，雖不能達到他們所希望的企圖（他們得二八七席），但他們的政策的執行，將不會遇到如何的困難。

二、社會黨依然是自民黨的反對黨，[illegible]

三、共產黨僅得一席，[illegible]便祇好說他們的鬥爭場所，原不以議會爲限。這一點卻也是事實，[illegible]僅僅著眼於議會的議席，[illegible]

我曾兩度去過日本，第一次是個人行動，私人間的談話較多，我覺得多少有些心得；第二次是集體行動，觀光性質，所得的祇是一些概括的印象。加上這幾年來對日本一點膚淺的研究，構成了我對日本前途幾點基本的看法：

一、日本一般人民以教育水準較高，鑑別是非的能力頗強，憲法對人民自由的保障充分有效，一種偏激的說法或主張，不容易在日本生得起根來。

二、日本工商界的人才極多，比較政治一方面的更爲整齊，他們對國際依存及政治與經濟的關係充分認識，絕不像中國工商界除掉他們本身的事業以外，便漠不關心，這是日本民主政治逐漸形成的一個重要因素。

三、日本對外貿易的發展，確有其迫切的需要，但因發展貿易的關係，便帶著輸入一種政治的不良因素，則必爲日本工商界的有識者所不許。

四、日本立國的精神，及其民族傳統之優良部分，至今沒有動搖，今後仍可與現代科學技術的文化平流並進，不會造成如何嚴重的矛盾。

五、日本人民自來吃軍閥的苦頭很大，尤其以戰前的三十年爲然，日本民主政治的發展既已逐漸使軍人坦途，今後日本軍人除掉維護他們保衛國民的天職以外，想要捲土重來，再度取得政治上的特殊地位，可能性很小。我們懂得：軍人獨裁或一黨專政，這是發展共產主義最優良的條件，今後日共期待這種優良條件的出現，已頗不容易。

六、一般日本人民的生活水準，仍在逐年的進步中，就大體說，他們仍有就業的充分機會，這也是日本社會不易陷入動盪不安的基本原因之一。

七、關於種族的歧視，在日本可以說絕無僅有，因此日本人的團結變成可以達相當的自然，也因此一種外來的煽動滲透，在日本不容易發生了不起的作用。

總而言之，我們不必期待在十年或二十年之內，日本一定會變成積極反共的一員，但把日本作爲一個民主陣線的有力分子，我們依然不會失望。中共和日共[illegible]準備向日本去不斷運用，我們一定可以看見他們繼續的碰壁！不過話仍得說回頭，蘇聯和中共對亞洲所抱的野心，依然會以爭取或破壞日本爲主要的對象，這個形勢是不會變更的。

印尼局勢的可能演變

——美援「平亂」祇會造成更大混亂

華仁傑

印尼局勢，目前有急劇演變的可能。問題是：蘇聯、中共叫囂「外國干涉印尼內政」之後，[illegible]嗎？抑或同情印尼革命的各國，等[illegible]之後，甘冒大戰危險支持印尼反共[illegible]，接受美國軍需物資援助，使印尼[illegible]題，會使人感到困惑。但如果出於美援印尼「平亂」，那祇有造成更大的混亂而已。

從實際情況去看，我們不難理解：蘇聯、中共所謂支援，實在是希望蘇加諾自由世界支持革命，早日結束內爭；更藉西新幾內亞之爭，早取赤化印尼的果實。但，問題並不那麼簡單。

先就共黨叫囂「外國干涉印尼內政」用意看，那並不單是對付中華民國政府及其僑居印尼國民，並且還包括了荷蘭、星、馬以及東南亞公約（八國）各國。目的有二：一、嚇阻上述各國及地區同情革命，或以軍需戰略物資當與革命政權；二、中華民國跟耶加達政府沒有外交關係，其對中國政府詆譭的作用，在於藉詞封閉非共派僑校喉舌，更利用此一機會，對拒絕加入中共僞籍的華僑，採取報復手段，敎勉強附僞的僑胞馴服，一洩兩年來所受「剝削」積怨，以逮捕遞走關批華僑赴台。雖然革埔監獄設拘無辜，係印尼憲警奉命行事，如何設落，倘有待北平「傳命」；蘇加諾只能忍受各方交相譴責。

其次，中共所謂「派遣志願軍」，那是一種恫嚇，企圖利用印尼局勢轉變，如同埃及掌握蘇彝士那樣，用來取得「西伊里安」；革命勢力的消長，共黨並不重視。他們只要派幾架飛機，鼓動一次兩棲登陸，西里伯斯盡入掌握，何況僅需雞毛一隅，再說，中共事實上不敢派遣「志願軍」，韓境的戰俘背離，已夠令其膽寒，再加大陸軍政各階層遍呈不滿，即有「軍事冒險」未必聽任驅使。事實上說，蘇聯中共早已干擾印尼革命，中共與印尼的飛行員混合組成（不久來自埃及），蘇聯的作戰指揮人員，早已滲入中央軍中，在「印俄中（共）聯合參謀部」成立後，上月終在巨港演出了「南軍區譁變」一幕，一方面傳遞「巴里安給服從命令」，同時監視巴里安部下，強迫他們擁護巴氏同情革命，驅走軍區司令，而向中央政府效忠。巴里安解甲歸田，正好予各省統治者一大警惕。

至於陸軍參謀長茹蘇賢呢？他曾經企圖波動兵變，推翻蘇加諾政權，[illegible]

[illegible]（五月二十日寄自耶城）

「出版法修正草案」是否違憲問題

龍一諤

自「出版法修正草案」提出以後，引起國內外言論界紛紛反對，依理力爭，本報亦曾爲文有所評述。茲龍一諤先生寄來此篇，聲明是「個人的看法」，單就該案「是否違憲」一點立論。爰亦作爲一個問題，照刊于此，以待公開研討。（編者）

行政院對立法院提出的出版法修正草案，論者多指其違憲；但若從法律觀點研究，我以爲不能得到這樣的結論，茲從程序、形式、內容各方面分析如次：

從程序方面說

一、從程序方面而說：憲法第五十八條第二項規定：「行政院院長、各部會首長，須將應行提出於立法院之法律案、預算案……提出於行政院會議議決之。」出版法修正草案是由內政部王前部長提出，經行政院兩次會議議決通過，送請立法院審議；通過後又經內政部田部長將原修正案第四十條第四十一條再修正，提出行政院會議通過，送請立法院併案審議；在提出的程序上，並無任何違憲之處。至於行政院第一次送立法院的公文，在封面蓋有「機密」字樣，亦不構成違憲或違法，因憲法未規定行政院送立法院的法律案應公開送出，而公務員服務法却有公務員應保守其職務上機密的規定；在法案未通過公布之前，公務員保守機密，乃依法所應爲，不能成爲被指摘的對象。又立法院以秘密會議審議該草案，乃根據立法院組織法第十三條及立法院議事規則第七十三條所爲之決定，雖與四十一年討論修正出版法之例不同，但憲法對立法院審議法律案究應公開抑應秘密，並無明文規定，自亦不能謂其違憲。

從形式方面說

二、從形式方面而說：所謂違憲者，乃法律或命令牴觸憲法之謂，即憲法第一百七十一條所指「法律與憲法牴觸者無效。」及一百七十二條所指「命令與憲法或法律牴觸者無效。」我國迄今尚無司法院解釋法律或命令牴觸憲法而宣佈其無效之例。姑舉外國之例以明之：美國杜魯門總統於一九五二年四月間，下令商業部長接管幾家鋼廠，以預防其罷工而免韓戰遭受不良影響；但聯邦最高法院於一九五二年六月，以六票對三票宣佈杜魯門的接管令違憲。因之違憲的形式是（一）法律或命令牴觸憲法。（二）經最高司法部門依法定程序宣佈。至於尚在提案或討論當中的法律草案或命令草稿，僅是一個草案，並未構成法律或命令的形式，亦即尚未發生法律或命令的效力與人民的權利義務尚無關係，司法部門無從宣佈其違憲，其他的人更不能過早地肯定其違憲。

從內容方面說

三、從內容方面而說：出版法修正草案所修正的條文，雖有十餘條之多，而其主要內容僅增加一項限制和一項行政處分，即增加對繫屬法院案件不得評論的限制和增加撤銷登記的處分。前者乃仿英美對藐視法庭的限制，後者則泰國現行出版法有「無特定限期中止印刷」之例，而行政院對立法院所提出的修正案，對撤銷登記的規定至爲繁慎，即（一）出版品之記載觸犯或煽動他人觸犯內亂罪外患罪，情節重大，經法院判決確定者（二）出版品之記載以觸犯或煽動他人觸犯妨害風化罪爲主要內容，經予三次定期停刊而仍繼續違反者。這兩款在實際上是備而不用的條文，因爲幾乎均不能構成這兩款的情形之一；若萬一有這種情形，[illegible]記的內政部撤銷其登記，亦不能謂之違憲或不合理，而指摘其違憲者則認爲：撤銷登記是封報館，封報館是扼殺新聞自由，違反了憲法第十一條的規定；又憲法第二十三條祇規定得以法律限制各種自由權利，並未規定得撤銷某種自由權利，所以撤銷登記一點是違憲的。筆者因不同意這種推論，因爲：

第一、這種推論腰斬了構成撤銷登記的前提，將觸犯內亂罪外患罪情節重大和以觸犯妨害風化罪爲主要內容並連續違反各點故意不說，而祇將「封閉報館」作爲推論的根據；這等於說把人關起來是妨害憲法所保障的身體自由，却不去推究這個人被關的原因是犯了殺人罪。沒有前提根本不能作推論，腰斬了前提的推論會與眞理完全相反。第二、撤銷登記和封報館並不能構成一個等號，因爲既不沒收出版機構的財產，也不禁止其他的業務。例如一家出版公司發行兩種以上的雜誌或報紙，其中有一種受到撤銷登記的處分，該公司並不關門，其所發行的其他報刊仍可照常發行；又如書店發行雜誌，這種雜誌受撤銷登記後，該書店仍可照常營業所以撤銷登記並不就是封閉出版機構。第三、出版品之被撤銷登記，乃因出版品的本身觸犯了內亂罪外患罪及連續妨害風化罪，與某一機關的職員犯罪不同，不能比擬；因爲職員犯罪是職員本身犯罪，至多亦祇是利用職權犯罪，並不是這個機關的招牌犯罪，和出版品刊載犯罪文字的情形完全不同，故前者應處罰職員本身，後者則應對出版品加以處分。（下轉第三版）

伊朗國王訪華點滴

·聲劍·

△伊朗國王巴勒維訪華前，此間各報及廣播電台均紹介伊朗國王的生平事蹟，和伊朗的歷史文化風俗，使國人對貴賓多瞭解。由松山機場到圓山大飯店的金龍廳——行宮，中途招展，十四日夾道歡迎的人山人海，盛況空前。旗是新的禮服幾乎一式全新裝備，連總統府前的東門樓也換上了「新裝」；凡是貴賓經過的地方，馬路連夜修補，路旁兩邊的書攤也暫躲藏了。

△總統於十五日在總統府禮堂舉行國宴款待貴賓。各院、部長及陸海空勒首長，文化教育界人及各國駐華使節等一百多人被邀參加。總統以最高級的采玉大勳章贈給伊王。伊王在會見時，亦會以伊朗泰祺大勳章贈送。台北市長黃啓瑞代表市民以「台北市之鑰」贈與國賓。伊王答授伊國二等勳章一枚與黃氏。

△伊王於十五日曾赴桃園縣石門水庫參觀，途經中壢訪問農會及農家，對我國土地改革及成果極感興趣。總統並在湖口參觀陸空大演習。並赴中壢和新竹參觀工業區。

△官方原在彩牌樓橫書歡迎「伊朗國王巴勒維陛下」，後因國人對官方稱貴賓爲「陛下」有點不安，卒改爲「訪華」。另外有一個笑話插曲，就是，將伊朗國徽誤爲一猛獅和半形太陽，而經由侍衛人員指正。原伊朗國旗爲一猛獅，復興橋及沿街道的伊旗僅剩下一猛獅了。據總算撤一個烏龍」。

△國賓對台灣進步讚揚之詞，自然一時成爲官方在報上宣傳的熱門材料。（五月十八日）

越南的暮春三月

·光明·

反共態度明朗化

西貢航訊

自由越南的反共態度，有更明朗的表示。西貢政府前日照會印支國際監停委會，通知越共駐貢代表團自五月十五起，停止活動，返回河內。否則該代表團人員，作非法居留論罪，並堅決的表示：爲執行此一決定，西貢當局將採取一切必要措施。此無異告訴越共，過去南北雙方間「藕斷絲連」「若即若離」的關係，從今以後「一刀兩斷」。在不同制度的環境下，「和平競存」。

越共駐貢代表團的設立，是以法越（共）統帥部於一九五五年三月卅日簽訂的「議定書」爲根據。但自一九五六年四月法駐越統帥部解組後，西貢政府即通知越共代表團撤退。不過後者採取「延宕戰術」，一直拖了兩個多年頭。

越共駐貢代表團，名義上雖爲協助監停委會執行任務，實際做的都是另外一種工作，其團長文進勇少將，雖爲「武裝同志」，手下不乏特務好手。散播謠言，滲透顚覆，內殺「武器」，樣樣精通。西貢政府的照會公佈後，河內方面強詞奪理的叫囂，震天價響，一般預料，越共如對南越有所報復，不會在七月以前發動。目前的「冷戰」，只是暴風雨前夕的「旱天雷」而已。該代表團，已定十七日乘國際監停專機，返回河內。

「越南統一河內實現」

這是越新聞部長陳正誼於十四日在一個演講會中所講的題目。聽衆都是政府高級官員及其領導的國家革命黨幹部。陳氏承認：越南之統一，以北越民衆起義，推翻越共政權爲「最出色」。且認爲如果越共以武力求國家之統一，必遭失敗。前者似乎說明北越人民憎恨越共殘暴統治到了怎樣的程度，後者表示南越不怕戰，且有「穩操勝劵的把握」。陳氏並提出四月廿六日南越給越共頭子范文同照會的復文，所揭示的六項原則，加以詳細解說。該六原則最主要的一項爲：越共必須把五十萬人民軍裁減至與南越現有兵額十九萬的相等數字，爲與越共舉行政治協商，恢復正常關係的先決條件，這篇復文洋洋數千言，傳係陳氏任「總主筆」。這幾年來，越共在每年七月廿一日，日內瓦協定簽字之前幾個月，循例向南越當局提出履行日內瓦公約的要求。而南越的復文，又往往選擇在四月廿六日「吉日良辰」，「四二六」實在並非越共的「吉日良辰」。

越共與阿爾及利亞戰亂

正當阿爾及利亞的戰亂，日益擴大，法新內閣佛林姆林難產，法國軍人集團大唱「對台戲」之前，河內越共電台與報章，竟出南越軍隊在阿境與法軍作戰的消息。這正是越共本身企圖「介入」阿境戰爭的一個藉口。今日阿爾及利亞「亂事」的「革命份子」，一部份就是昔日胡志明叢林裏訓練出來的「同志」，受過中越共的馬列主義嚴格訓練，學成畢業後，遣返「祖國」，「擴大」「民族解放戰爭」，於爲爆發，這批「同志」，是爲「抗法」的「英雄」。共黨散播在北非的種籽，生根發芽。兩年來，北越共匪的「支援阿爾及利亞運動」，也如火如荼瘋狂地普遍展開。[illegible]總工會」書記長[illegible]滿懷而歸，越共這番挺越南出兵助法鎮壓阿境叛亂，大概是他們急不及待，將快要採取行動的一個信號。（五月十六日）

讀者論壇

我的看法

——關於區合作社兼辦社員互助會

·丁秉政·

五月初旬，台南市北、西、東、中四區消費合作社及縣聯社所辦社員互助會，奉省命解散後，據官稱合作社亦遭台南市政府通知停辦。現悉之餘，不勝詫異，有關當局之所以採取此項處置據報端披露，是以違反本省「合會儲蓄事業管理規則」爲由。實則社員互助會與合會儲蓄公司截然兩事，不能相提並論。就業務對象言，前者是對內，以其社員爲顧客；後者則係向外招徠顧客。就經營目的言，前者是爲社員服務，後者則旨在謀利。其他可資區別之處甚多。我以爲：

區合作社兼辦社員互助會，是純爲社員服務的互助機構。其基本業務在求社員間小額資金的融通。即有些盈餘，年終仍須攤還給社員，或爲社員舉辦其他福利事業。這與合會儲蓄公司不需資本，每一萬元一組的甲種合會，在一年期內可以獲利八千四百餘元，實有其本質上的差異：互助會是平民互助；合儲公司則爲資本家的營利事業。區合作社兼辦社員互助會是完全合法的。凡屬合作社先辦理的事業，人民均可經營。又依縣各級合作社組織大綱第五條之規定，縣各級合作社是採兼營制的，即凡專營合作社所經營的業務，區（鄉鎮）合作社均可經營。乃省財政廳僅以違反「台灣省合會儲蓄業管理規則」之省單行規程，擴用禁止，姑不論此種措施，有無袒護少數人的特殊利益，但其曲解法令，毫無疑義。

再按諸實際，目前本省一般經濟情形，雖已年有改善，但資本不足，人所共知。因此有關當局應如何設法吸收社會遊資，以充實經濟建設資金，殆爲天經地義。在此資金奇缺，嚐息高昂的情形下，一羣經濟上的弱者——小工商業者及一般公教人員——又向那裏去取得他們所需要的小額資金呢？欲借於銀行，那是談何容易！想參加合會儲蓄公司嗎？其負利的苛重，又超過於黑市利息。譬考一萬元一組的甲種合會，僅可標得資金七一〇八元，平均每月要負擔利息二九九元！因此，求人不如求己，他們便組成了社員互助會以資融通，並藉此儲蓄，洵爲民衆的迫切需求。所以我希望有關當局，應以整個國家民族的利益爲前提，欲要消滅黑市高利貸的猖獗，應遵照憲法國策，獎勵平民金融，羅集社會上各階層的遊資，擴充經濟建設以發展國民經濟。這是一個紙論從何觀角着眼，均須正視的問題，斷不應不顧憲法與法律，捧住省單行規程來保護少數人特殊利益，或致貽丈攻甚地社會經濟的紛擾和隱憂。我是省合作金庫支庫的一個從業員，我對於這個當前台灣社會經濟的嚴重問題，平心觀察，絕無偏頗，心有所難安，故懇借貴刊一角之地籲請省財政當局暨社會明達加以注意。

丁秉政上

（五月十九日于合作金庫屏東支庫）

一件「好事」

·昌增勳·

（台灣通訊）前國民黨台南市黨部的一位負責人常對我說：「自由人報專說壞話，不講好的，你也是專評台南市不好：……。」其實，以我閱讀「自由人」所見，它何嘗不歌功，只是不盲目歌功而已。如筆者曾撰寄「台南監獄參觀記」等文，文雖拙劣，但編輯也立即採用了，祇可惜我們表揚「好人好事」，總感到材料不多。

現在下面寫的，倒是一件好事——台南電訊局改裝自動電話工程的完成。

台南市遠在民前十二年日人裝設的手搖電話，于二次大戰時，遭盟機轟炸，光復時不到一百號，接收後經過不斷整修擴充，至目前已有用戶達一千九百戶；不過這些人工電話仍難配合經濟繁榮後的需要。四十五年六月成立的台南市擴建自動電話協進會。」預定費用台幣五千零五十萬元之鉅，並讓進行收用自動電話，其中用戶負擔一千八百萬元，每一新戶一萬二千元，分三期完納，原有戶四千元，分四期繳清。其全部材料以分期付款方式，購自日本株式社。

這電訊大樓，分爲兩部，一爲已完工的三層自動電話機房及地下室洞道，另爲即將動工的四層營業及辦公房屋。工程全部爲鋼筋混凝土造機房，並設空氣調節機控制氣溫。編織於市空的電線，則全部轉入地下。第一期工程完成三千號，五年內可供用一萬號。該項工程於四十六年六月六日開工，至本年五月十五日完竣。

這是台灣光復以來全省最大規模的電訊工程。該大廈矗立在市中心區的民生路。這麼大的工程，總算未會聽到有什麼工程弊端，雖因外間對工程的延展完成，致工程費存入銀行的利息的處理情形頗有微詞，但願終能澄清，我們可以把它列爲一件好事。（五月十九日）

反美潮的看法——美國對外政策亟待改變

○衣華○

美副總統尼克遜自訪問拉丁美洲掀起一陣反美浪潮後，華府當前的外交政策，實有從速檢討的必要。

當尼氏在委京加拉加斯正遭遇「不禮貌的行動」時，北非阿爾及利亞法國工人大罷工，竟然也涉及到美國新聞處之被毀。

也就在那個時候，黎巴嫩暴動羣衆亦大舉焚毀首府美新處圖書館，而亂民還兇的企圖既在推翻貝魯特的親西方政府，美國也被捲進了旋渦。艾森豪主義目前又在中東碰上了最嚴重的一次考驗，在立即馳援或宣告破產之間，別無選擇餘地。

這三件事故的背景雖異，還是脫不了「美國人滾回去！」那種叫囂的氣息。不待美總統指責，委內瑞拉諸邦反美，乃受共黨教唆，稍具常識的人們一看便知道那不過又是共黨典型作法之一，亦係克里姆林宮加緊進行冷戰宣傳的一項攻勢。

論者認爲美國在冷戰中，常居下風，主因在於言行不一致；美國當代評論家諾克（Arthur Knock）最近在紐約時報，發表專文，慨乎言之！英戲劇著作家約翰·奧斯本對所謂美國生活方式的評言是這樣的：除非你是美國人，否則活在「美國時代」裏，那就難堪極啦！這兩個見解反映了美國在臻於物質空前高峯以來，它對外對內的表現，處處容易引起世人的反感，形成了非共黨國家對金元王國感情上的一層鴻溝，共黨乘時乘虛而入，鼓動反美浪潮，自是易如反掌！抑羣衆衝動心理支配下的行動，有時「烏合之衆」亦會弄出大麻煩來。

身爲民意代表的美國會議員們在俄共集團斥責美國「侵略台灣」的叫囂之下，於美大使館被毀之後，輕率發言，具見美國朝野對於反美潮的形成，始終不大了然。例如杜爾斯國務長官認爲拉丁美洲此次反美，是因共黨使用金錢和從事宣傳的影響而已。杜氏之言只有一半是對的；難道他不知道歐洲人也對偏重實利主義的美國人所施援助，發生疑慮嗎？西歐年來獲得美援最多，連英人也高唱要貿易不要援助的口號，意味着自尊與反美，則一向以獨裁者著稱的南美，一旦步向民主，而生活又如是困迫，加以共黨鼓教，而美國的外援復多言行不盡相符的鼻非，怪不得尼克遜這次訪問中，吃了好些苦頭！

美英明知法國對北非動亂的處理，是不可能解決問題的，除非巴黎放棄了殖民主義，但是英美終於出頭調解法與突尼西亞的衝突。法軍大轟炸突境村落，咬定突國爲阿爾及利亞民族份子掩護培育區，一波未平另波又起，而於法軍在阿境用武之際美國竟成爲法國西殖民者的眼中釘。英人亦曾以美駐英基地問題，核子武器試爆問題，在倫敦舉行示威，大有非把美國人逐離英境不可之勢！這又佐證美國在歐洲備受敵視，確是一大危機，那能一口肯定全是左傾份子煽動而起的反感？前英首相艾登決定了進兵蘇彝士運河區，結果沒法子不撤兵，便宜了納塞這個野心家。如果戴高樂秉政，即速對北非鎮壓到底，還不是北大西洋聯盟倒霉？美國在這種情勢中挨受怨氣，勢所不免。問題不在於類似反美潮的興起，而在美國堅定其領導自由人類的奮鬥意志。

請看敘埃聯邦的成立，明明威脅着中東的安全，就在英法無能爲力之際，華府一聽見納塞到莫斯科加強勾結去，開羅在美國凍結的資金，便告解凍。難道美國外交專家認定蘇彝士運河問題到今天才是全解決之時麼？猶憶去年夏天的敘利亞政變發作時，美國在敘人指責美國「干涉內政」的威脅下，悄然勸令美使節離境，以利觀變。那時候，華府深恐操之過激，會引起埃及恐懼，結果反而增加莫斯科滲透的方便。曾幾何時，埃敘聯邦實現不久，黎巴嫩亦告危急了！美國還能夠退縮嗎？還能夠有如華府之等待印尼突變之局，至今依然袖手旁觀，任令富有戰略性的印尼陷共麼？

儘管各國反美的背景不盡相同，那是難免發生的，亦爲東西方冷戰的一面，亦有時從西方擊戰的範疇，既涉及全球反共政略與軍略的配合運用，則美國今後外交政策的執行，尤須依循明確的堅定的果敢的指針，悉力以赴。

「出版法修正草案」是否違憲問題

（上接第二版）

第四、憲法第二十三條規定對各種自由權利，爲防止妨礙他人自由避免緊急危難維持社會秩序或增進公共利益所必要，得以法律限制之，至於如何限制，則有待刑法和各種特別法去詳細規定，例如憲法保障身體自由，而刑法則規定對犯法者得處徒刑或死刑；憲法保障財產權，而刑法則規定對犯法者得科以罰金，懲治叛亂條例並規定得沒收叛亂者的財產；憲法保障工作權，而公務員懲戒法則規定對違法失職者得予以停職撤職，世界各國的憲法和法律多屬如此。若謂憲法未規定得撤銷之而以法律規定撤銷登記即爲違憲，則世界各國刑法莫不違憲，勢非廢止一切法律僅保留一部憲法不可，寧有此等事理！且我國現行商業法，公司法均有撤銷登記的規定，鑛業法有撤銷鑛業權的規定，專利法有撤銷專利權的規定，銀行法有撤銷其營業執照的規定；其他法例甚多，不勝枚舉。司法院並未認定其違憲，亦無任何法學家指摘其違憲，故出版法修正草案內增列得撤銷登記的處分，在法理上並未構成違憲。

按美國憲法有不得制定任何法律以限制言論出版自由的明文，故美國雖無出版法，但在其第十八號法典第八十三章中規定對出版品加以限制的條文甚多，普通法亦有法庭的判例，各州更有許多限制出版品的法律，英國對出版品的處罰甚重，香港的報紙受到此種處罰的甚多，亦無人責其箝制新聞自由。英美無出版法，係由法院處分，（戰時設專管機構則由專管之機構處分）。歐洲大陸法比較出版法，係由主管機關處分。我國法系與大陸法系爲近，故出版品由主管機關處分，刑法中雖亦有處罰違法出版品之條文，但並無藐視法庭的規定，爲了維護法庭尊嚴，防止出版品侵犯他人自由並保障國家安全，出版法修正草案內增列褻瀆法庭的限制、規定對觸犯內亂罪外患罪情節重大者得撤銷登記，與憲法第二十三條之規定甚爲符合，亦無違反憲法第十一條，或任意限制新聞自由之處。

個人的看法

自發生出版法修正草案爭論以來，國內外言論多數反對；筆者願從法理寫出個人的看法，以供立法院和社會人士參考。（五月十九日）

竹幕幽秘

莫斯科會議

現在，莫斯科正在舉行兩項會議：一是八國經濟互助委員會成員國共產黨、工人黨代表會議；另一是華沙條約締約國政府首腦級的政治協商委員會會議。前者是經濟性的會議，後者則是政治性的會議。

照理，這兩項會議的基本成員國是連蘇聯在內的東歐八個共產國家；而今，外蒙、北韓、北越、與中共都派代表參加這個經濟互助會議（並非以觀察員身份參加），大概由原來的八個成員國擴大爲十二個共產國家了；這樣，共產國際的經濟規劃將完整起來。

原來的共產國際，經濟方面的中心有兩個，一個是蘇聯，另一個是中共；現在外蒙、北朝鮮、北越、與中共都以同等地位參加這一經濟會議了，其意義之一，是中共對於外蒙、北朝鮮、與北越的特殊經濟地位被取消了；其二，則是中共對蘇聯的在經濟上的對抗被壓制住了。

上期本欄曾經說到，中共于共產國際中的地位在低落中，此事足以作爲補充說明。

政治協商些甚麼

當前共產國際最感頭痛的問題，就是以南斯拉夫爲基地而向各共產國家入侵的修正主義，莫斯科會議當將討論這一問題。要解決這一問題，實在不太容易，除非作動武力來消滅狄托。因此又有人認爲：會議將對其它方面作出一些激烈的決議；這或許是不可能的；作這一論定是基于下述數項事前的跡象：

一、目前和平共處的對外政策似未有改變的跡象，例如强調經濟競賽，要求停試氫彈試探與義大利簽訂互不侵犯協定等等。

二、實現和平共處政策的最現實的表現是舉行巨頭會議，對蘇聯來說，這種巨頭會議固然有着宣傳重于解決實際問題的嫌疑，但有一事吾人應以特別注意者：四月十九日，蘇外長葛羅米柯接見包括所有附庸國家在內的十四個國家的使節，五月六日，他又接見這些國家使節，通知他們關於高級會議的籌備問題；爲甚麼要通知他們呢？顯已表示出了這一問題，蘇聯並不能獨自作主必須與附庸國家協商；也意味着在這方面蘇聯不能輕視附庸國家的意向。

三、本月十四、十五日蘇聯與中共都發表了對印尼內戰的聲明，從聲明中的字眼去理解：中共的聲明說：『準備在力所能及的範圍內，給與印尼』；蘇聯的聲明說：『不能「袖手旁觀」』，並沒有不顧一切來援助印尼政府之意。

中共的態度

固然，前面說到中共對於蘇聯在經濟方面已經服了，但是它並不曾派出正式代表去參加政治協商會議一事來看（觀察員之類大概還是會派的），在政治方面中共似乎還不能完全同意蘇聯的行動。儘管它也大聲疾呼要批判修正主義，但其批判的立場大概還不會統一。

我們相信，這次莫斯科會議將弄不出好辦法來的，於修正主義的批判以外，恐怕愈是批判，修正主義愈是滲入其內部，由這樣的觀點來討論，似對於共產國際的分崩離析可以作比較樂觀的看法。

。田心。

中國詩的將來

專稿

·顧詠余·

詩應否有形式與音律，是古今中外辯論不完的一個問題。有人認爲詩不需要照一定的格式，但須押韻。有人說詩固應有音節，但祇需：第一、語氣有節奏，第二、每句內部所用字如能自然和諧，就是不調平仄與句末無韻，也不要緊。有人舉希臘詩無韻，所以英國古典作家如彌爾頓等所著詩亦不押韻。有人說，韻之最大功用，在把渙散的聲音聯絡貫串起來，成爲一個完整的曲調，我們讀詩的朗誦時，就覺得押韻腳的重要。

就中國文字而言，用韻入詩似乎最有必要。中國詩每句成一單位，句末一字在音義兩方面都有停頓。奇偶相間的詩句，利偶句之末用韻，使得讀詩的人既生美感，對辭意也易於領悟。即使意義隱晦如李義山的詩，亦因爲平仄相間並押韻腳，讀起來仍然聲調優美，易於記憶。

中國古時的詩用五音調節。五音就是宮商角徵羽，後來加入變徵變宮，成爲整個音階，與鋼琴上的CDEFGAB七個琴鍵所發音相同。中國古詩經裏風雅頌全都入唱，宋代朱熹與清朝乾隆皇帝均訂有詩經樂譜。秦漢之際楚歌最爲風行，楚辭裏九歌招魂等章大概都是載歌且舞之詞，同時恐尚有樂隊伴奏。項羽的垓下歌，漢高祖的大風歌當是依據當時的歌調，而將心中的懷念感想用文字唱出來。漢武帝命李延年爲協律都尉，管理樂隊，並隨時譜出新聲來配合樂府諸章。此後抒懷感事詠史的古詩出現，詩與歌始行分開。但古詩十九首孔雀東南飛之類，念起來還是抑揚高下，音節鏗然。六朝的新樂府，李太白王昌齡等的絕句，以及元白的新樂府溫庭筠等人的詞，都是入唱的，唐絕與五代及宋詞不僅講音，更調平仄，唐時詩人受上自宮中下迄里巷的歡迎，一首詩出現後旗亭教坊到處歌唱。

平仄起自齊梁時沈約周顒諸人。陳寅恪氏認爲沈約從佛教僧人念經，而悟出四聲之理，他從天竺讀佛經之聲，得出平上去三聲，加以本易分別的入聲，而撰四聲譜。周顒也著有四聲切韻，行於當時。

現在的佩文韻府，根據宋人劉淵的平水韻，後者一百零六韻，又是隋朝陸法言顏之推等九人所著切韻，唐玄宗時孫愐增訂的唐韻以及北宋的廣韻以來的二百零六韻所合併而產生的。一千餘年來，中國人的聲音已有改變，如果有專家學者將詩韻重行改訂，參照古詩可通韻之例，將韻目再行改少，似尚非不合理。

個人對詩的將來，見解如下：第一、律絕詩用傳統的平仄與腳韻，聽起來的確悅耳。祇有天才如黃山谷之流，方可以不拘平仄來做詩。至於古詩樂府之類，則向來不拘平仄，祇需押韻。第二、關於形式方面，律絕詩應依照定型，古詩則本可有長短句。所以將來的中國詩，似乎祇有小部份特別有天才的詩家，方可做出無形式不押韻不拘平仄的自由詩，純以意念情感，使讀者欣賞，其他多數詩家恐怕仍願做傳統式的詩。但詩家對以下四點，似應注意：

第一、詩的題材用字用典，似可擴大範圍，不拘一格。例如詠史不必一定說莽操，而也可談論希志拉與史太林。前人可用儒佛道字句典故，今人亦可用現代宗教之詞句與故事入詩。現代之史地科學哲學名詞均可入詩。

第二、中國古來有名的詩最長不超過一千五百字，西方詩長篇者如但丁的神曲，密爾頓的失樂園等類詩，連篇累牘，我國詩人，尚須努力。

第三、詩如能與音樂合流，是最好的事。四十年前日人鈴木國人李叔同沈心工先生等曾經下過一番工夫。個人記得小時曾經隨風琴學唱過李叔同的古從軍行與王昌齡的「出塞」等詩，甚感其雄壯蒼涼，發揚志氣。抗戰前後，趙元任黃自諸先生將新舊詩人譜，也甚有成就。此後我國詩家與音樂家似應密切合作聯繫，如能有詩意優美的詩，配以和諧的音樂入唱，同時又有嫻雅姿態的舞蹈，來發揚中國文化，豈不更佳。

第四、詩人不問來自任何省分，念詩的聲調總與念散文的聲調不同。念詩的音節分頓，不一定與詩義相同，而每字朗誦時的長短高低，亦與念讀時不同。每一位舊詩的欣賞者或詩人，少時從他的父母師長等人，必會學會一種讀詩的方法。此種讀法當然隨地區方言之不同而有差別，但個人曾經請教過東北廣東雲南浙江湖南福建等省朋友，請他們朗誦舊詩，覺得都甚可聽，蓋吟詩不經朗誦，其佳處不會全部顯露，這一點向來論詩的各家似乎尚嫌不夠注意。朗誦詩雖與唱歌不同，但抑揚頓挫自成聲調，與我國之和尚道士念經，印度之僧侶吠陀（Sama Veda）或羅馬教會之聖詩腔 Gregorian Chant 可相比擬。個人係江蘇北部淮安人，朗誦詩的聲調與江北其他各縣人朗誦的聲調大致相仿，茲將本人讀律詩絕詩方法，用五線譜表現於後，所用音階，非長短音階，而用唱詩調 Plainsong Mode。個人對音樂雖知欣賞，但毫無研究。此種表現方法，有待於方家的指教。（譜略）

總之，詩與其他文學及藝術作品同，一時風尚或可使某種作品得到多數人的歡迎欣賞，但時日稍久，便無人過問。眞正不朽作品可經得起時間的考驗，中國舊詩，如李杜白蘇等人作品，即屬於此種。後人推陳出新，自可嘉許，但對于歷史悠久的傳統與評價標準，如全予推翻，恐非所宜耳。（在紐約中美聯誼會中，「詩與詩人」演講詞之一部份）

自由談

幼稚的優越感

馬五先生

美國有個民主黨參議員，名叫亞斯庇爾斯其人者，最近向參議院外交委員會主辦份子的資格，大談其遠東政策，他主張南北韓、越政府進行公協，先讓雙方人民自由選擇他們的基礎，使台灣與大陸間的僵局云云，其幼稚無知的見解，令人噴飯。

最可惡的是他對台灣領土問題的主張，[illegible]讓自由中國政府與中共[illegible]台灣[illegible]的一部分，但他看不出美國如何能够接納這項事實？他還說「台灣居民與中國大陸並無關係，將來如有戰爭，其結果將連台灣人民也[illegible]」。美國就是「要使台灣成爲[illegible]，是不利於美國的安全」……（詳見諸報五月廿五日電訊）

他這套謬論，很像是英國駐華[illegible]的外交人員說的話，一副自視優越感的面目，[illegible]，豈是發有此理！台灣不是中國領土的一部份，難道是美國或英國的？[illegible]

壽命談趣

·秀瓊·

今天男人平均享齡可達六十六，女子且達七十，二十一世紀中葉以後，將可達百歲。而且在一些「假如」之下，人類可活到二百歲。然乎，否乎？

好生惡死，人之常情，儘管世間也有活得了無生趣而自尋短見的人，但那畢竟是少數，絕大多數的人對於長壽之道，常感興趣，甚至人們對動物的壽命也感興趣。

我們披閱歷史，古今中外，不知多少帝皇求長生不老之術，中國第一位講究這一套的是秦始皇，他聽說東海中有蓬萊仙島，有不死之藥，曾遣徐福率童男童女三千人，乘樓船入海求之，結果[illegible]，千古同慨。[illegible]漢武帝也頗好此道，欲借神仙之[illegible]可強求，這自是迷信的[illegible]

[illegible]

……都經證實。大鱷和鱷魚可以活到五十年左右，鸚鵡、天鵝、鷹也可以活到四五十年，蛤可以活到十五年至二十年。

「新政」　·尹震·

新詩小言

·張健·

本刊七四八期刊出萬番堂「評介文星月刊」的大作，看後相當欽佩。

但是萬先生有一點意見，是筆者不敢苟同的。那是在文末所說「詩歌翻譯中順便提及的：「詩歌翻以譯者爲宜，」這話我覺得[illegible]，然我們不難意會到他是不太欣賞他們自己的新詩的。

老早讀過五四以來新詩[illegible]之類的論斷，[illegible]「人云亦云」了一個時候，但自從真正對新詩有了相當密切接觸之後，我就不作如此觀了。

讀了今天自由中國第一流新詩作品，就可以瞭解新詩幾年來是突飛猛進的，當然我無法用抽象的形容詞來說明我的論調；但萬先生認爲新詩作品都不上「文星」，我倒頗有異議。——當然我並非反對「譯詩」。

我想文學作品的翻譯，無疑的譯詩是問題最大的一嚴格的說：詩是不能譯的！因爲再有怎麼好的修養，要想經過文字的隔閡而保持「詩」的意境，韻味，聲調……，簡直不大可能。據我所知，台灣譯詩較佳的幾位，他們本身在新詩方面的成就也是極佳的。而且他們幾位譯的詩，有時（當然有時也好些）也只是免於詰屈聱牙罷了。比起創作來，很難說是更適「宜」的。

退一步說，即使新詩的水準還是不够，文星的「水平線詩選」的作品也都是不够高明，但因此而完全否定了創作詩，是萬萬不該的。

因爲這樣的類似觀念恐怕不是萬先生一人所有的，因此筆者不敢緘默，恕我多言無禮了！（作於台北）

滅字木蘭花

·鍾慈梅·

戊戌三月廿日重遊青山禪院

青山重過。寂寂山靈還識我。莫怨春歸。綠滿枝頭花滿蹊。

當年在圃。一晌清遊留客住。雲散波明。天爲看山放午晴。

附註：是日晨微雨及午放晴

又

蒼碑殘碣。目擊千年[illegible]趣。綠鎖晴嵐。海色天容上下兼。

鄉懷能瀉。幸未將山隨缽去。我輩登臨。難寫思鄉一片心。

滅字木蘭花

題崇基學院所社畢業同學錄

四年回首。恨恨題情如中酒。話到重逢。投帽拋愁一笑中。

蒼生霖雨。赤手屠龍今付汝。驥足誰先。浪說儒冠誤少年。

更正：本報七五三期「瀛海詩集序」第五行「軒豁」誤植「軒豁」，第六行「吾友」誤植「否友」，第十六行「足跡所經」誤植「足跡所見」，第十八行「戒嬰之以律絕」「律上多一「杞」字，第二十二行「或將有取」誤植「其收」。又「肆力於外交黨務」句，「黨務」二字係「宣傳」二字之誤。

燕塵識小

十六、四海爲家

至於變法維新之鼓勵人康聖梁賢，則僥倖逃脫，未及於難。自此以後，虎口餘生，流亡域外，度其四海爲家之亡命生涯。而以筆墨文字，喚醒癡迷。這是後話。

在同年六月，孫家鼐奏請派康有爲往上海辦官報局。意在排擠，使之外出。但康不願往，光緒亦命其緩行。至八月初二日賜有爲詔云：

「朕今命汝督辦官報，實有不得已之苦衷，非楮墨所能罄也。汝可迅速外出，不可延遲，汝一片忠愛熱腸，朕所深悉。其愛惜身體，善自調攝，將來更效馳驅，共建大業，朕有厚望焉。特諭。」

此詔由林旭帶出，即康有爲之所謂衣帶詔也。康氏接奉此詔，當在初二日之夕。時在宋伯魯宅與李端棻徐子靜同宴，談事變之急，相與憂嘆。既歸始見促行之詔與林旭所留明日有要事告之書。次早林旭始持密詔跪讀，（按此係另一詔書，已見前七四六期）康氏痛哭，草摺謝恩，並誓死救帝，令林旭持回繳命並奏報於初四日出京。

初三日夜間乃知康復入城，得譚嗣同消息，知袁不能舉兵扶帝，濟君側，康乃決行。是夕康回南海會館，

戊戌譚往

黃仲弢林旭梁啓超康有溥（廣仁）均在。黃勸康微服出山東勿經天津。啓超有溥跪請康行。次日初五天未明出京，至春抵塘沽，即登招商局船，既而以其須初六日四時啓碇太遲，乃還入店，至初六日早搭太古之重慶船，於十時啓行。既至烟台，康仍以爲無事，而烟台道某已接天津密電，適以急事往膠州未及察，及電知到捕，船已開矣。先是初七日有詔逮捕康有爲及梁啓超，步軍衙門率兵往南海館圍捕，而康已行，有溥及有爲弟子程大璋錢維驥同被逮。其夕閉城，斷鐵路，大索於京師，而榮祿亦派飛騎至津沽逮捕不得，乃急電上海烟台道，命逮捕，又遣飛鷹兵艦往追，以貯煤不足而返。（六十年前，官場辦事，儼直兒戲一般，今日聞此，僅堪竊笑。然則康氏幸成漏網之魚，不謂之徼天之倖，不可得也。）

船既至滬，滬道蔡鈞已準備搜捕，時八月初九日也。至吳淞口英人濮蘭德持康之照片登船，首問康是否其人，康自認不諱，又問是否弒帝，康曰吾安得爲殺人事。濮乃出示西后僞旨曰「已革某官康有爲進丸毒弒大行皇帝，着即行就地正法，欽此。」康見光緒已死，痛欲投海。濮氏抱之曰「聞上未大行，毋欲死，姑少待。」康即口占一絕云：

忽灑龍髯翳太陰。紫微光掩帝星沉。孤臣辜負傳衣帶。碧海青天嘅夜心。（十八）

燕負生

吃屎

沒聽說過有誰喜歡吃屎的——即使是狗投胎，也得恪守他的「人類的尊嚴」——如果別人好意請你去吃生日宴、飲結婚酒，席上你竟不知趣，邊吃喝邊提起屎尿的話題來瞎扯，別人一定滿身雞皮疙瘩，喉嚨間怪難受的不能下嚥。以後你得被人仇視、嘲罵：無他也，你雖沒有或當叫他們吃屎，但那不潔的「穢物」已經把你的身價貶值了。

爲了恐怕自己孤陋寡聞，我問了某些人：「喂，你見過人吃屎不曾？」眼出一瞪：「你這話怎說？」笑笑：「沒見過！」迫不得已，到「聊齋」把我看成瘋漢；好脾性的只我所看過的書和讀過的故事中找一一自然不會是左傳春秋之類，我的國文程度來不了這一套——倒有兩三個頗有趣的故事。

孫臏爲龐涓所妒忌，詐作請他寫兵書，把他幽禁了。孫臏一瞧苗頭不對，遂佯瘋起來。有一天，他的「老朋友兼老同學」龐涓去找他，只見他衣冠不整，全是些穢物，嘴裏咿咿呀呀的不曉得在唱甚麼，手裏捧着一把臭屎，猛往嘴中塞，招呼龐涓道：「喲，我道是誰？原來是老龐！來，你也來嘗嘗這天下美味！」

龐涓這傢伙實在不夠利害，給孫臏瞞過了，結果只叫了孫臏的兩條腿孫臏才逃了命。以後馬陵道上，龐涓受亂箭射死，也是忽略了孫臏吃屎是假的，所招致的後患。

爲了生命，吃屎是無可奈何的，這不由值得同情，更值得佩服！

另外一個故事，是一個人平日時常想做仙人，但卜者說他沒有緣份，他卻憤憤不平。一晚做了個夢，夢見鐵拐李在一個廟門前翹腳，第二天他果真去呆等，只見一癩頭乞丐蹣跚地跑來，他一把拉住，抵死也不肯放，要求超渡他爲神仙。

「你沒有做神仙的緣份。」那癩頭乞丐好不耐煩。

「我有，我要做神仙。」

癩頭乞丐擲了褲帶，就地扯起幾條稀溜溜屎來。

「吃掉它，你便成仙。」

那人心想那有這一回事？抵死不吃。乞丐走遠了，橫地裏跑出隻狗來，把屎吃了；立即四腳下生起七彩祥雲，升騰成狗仙飛去。那人站住了一楞，還隱隱聽到乞丐老遠地說：「說你沒緣便沒有緣份，那狗比你好多呢！」

鐵拐李也委實會擺弄人。屎雖然臭，若果那要做神仙的人，知道吃了「一定」成仙，我想他會立即吞吃的！或者有人說我說笑話，但我卻言出有據：只要看看現今某些人物，爲了陞官發財——科學發達，誰也不談到要做神仙了——無論多委屈，多卑恭都肯做。自然，也沒有那一個爲了提攜提攜他們，便叫他們吃屎的！——不然，吃了屎，還要說屎香的，是大不乏人的呢！

人木

自由人

THE FREEMAN

（第七五五期）

中華民國僑務委員會頒發登記證台教新字第一第二號
中華郵政台字第五〇〇號執照登記爲第一類新聞紙類
（半週刊每星期三、六出版）

每份港幣壹毫
台北市售價台幣壹元

督印人：陳文華
地址：香港高士威道二十號四樓
20 CAUSEWAY RD. 3RD. FL.
HONG KONG
TEL. 771726

承印者：東南印務出版社
地址：高士打道六十四號
台灣總經理處
台北市西寧南路壹壹零號二樓
電話：四七三四六
台郵撥儲金戶九二五二
海外總經銷：友聯書報發行公司
香港：彌敦道中二十式號A二樓

論「研究發展」

——兼論漢字的橫寫規定

李樸生

年來政府首長頗注意提倡「研究發展」，這是好現象。人造衛星昇空以後，政府首長警告大家說：「不研究就不能發展，不發展就是落後，落後就是死亡！」何等簡明痛切！不過研究要得到好成績，一定要有若干不可缺少的條件。

最實際，最基本的條件就是（一）有適當的研究設備；（二）有安心研究的生活供給。我們現在的研究設備，高深精細的試驗是辦不到的。如果吳健雄氏在中國，她絕不能給李政道，楊振寧兩氏的定律作實驗證明。人家的人造衛星升空以後，我們連看衛星影子的望遠鏡都沒有，連收衛星無線電的儀器都沒有，雖有研究，僅是「紙上談兵」。我曾聽鄒魯厚氏演講人造衛星，深佩其娓娓動聽的口才，但看着幾張簡單的圖表，心中便覺得空虛可怕。（據報載大陸强迫錢學森「交心」時自實的話，則我們的設備比中共仍好得多。）

名教授何以喜到國外

現在國內不少有名教授歡喜應聘到國外教書。如歡喜到美國，是有道理的，因爲美國有好的設備，可以供研究的便利。但到香港、新加坡的大學，研究設備並不見得比國內大學好，學生程度又並不比國內大學整齊，何以仍然有人歡喜去？我絕不是反對名教授到香港、新加坡等處，我們極同情名教授甚至願意到南洋的中學教書，使我們的華僑青年得到良師的教育，薰成人才。而「吾道南矣」，正是中國文化發揚的盛事。我一向反對用禁止出口的方法，把有用的人才困在國內，令他們挨窮，令他們搶飯碗，令他們鬱鬱不得伸其志，侷促不能展其才。便利人才出口，教散四方，應該是僑務最有意義的服務。但我們一面提倡研究發展，一面很多人才不願意留在國內，甚且願意到研究設備不如國內的地方去，是什麼原因呢？我們不能勉強有學問的教授們個個都做顏回，他們總要過合于身份的生活，總要爲家庭妻子的負担打打算盤。名教授雖不少書呆子，不一定羨慕物質的虛榮與享受，但對太太的牢騷，對兒女的健康與前途，誰無人性？誰不感到精神的負担太重？誰不想去減輕家累，以便安心研究呢？

新科學家何以難產

俄帝的人造衛星能夠升得起來，不是由于「研究人造衛星各部門的科學家遠比我不如的生活，比較我們能吃苦，能克難，故能有此成就；而是由于他們的待遇比美國更好，能[illegible]于研究，乃能一飛冲天，一鳴驚人。（這是美國人的檢討。他們說美國科學家的待遇比不上俄國好。美國人的好處就是坦白承認自己之錯誤不掩飾自己的短處，所以即能切實糾正自己之錯誤，趕上前去。）近中央研究院選舉院士十四人，十人是在美國、加拿大、台灣只有四人。有卓越成就的人才何以多在國外？國外有適當的研究設備，有安心研究的生活供給，而台灣缺乏此兩項條件，[illegible]

[illegible]後世。又如果[illegible]單有紅燒豬肉，一[illegible]飲有衛生豆漿，他也可以活到六十歲。總之，即使有一只豬，一只鷄，教育未完成而死掉，便是我們財產的損失，若一代學人，研究發展未成功而短命，國家的損失，不是很鉅大麼？

[illegible]提倡研究發展，是[illegible]要用資本錢，落硬功夫，沒有政治的符咒是可[illegible]奇蹟，「速速如律令」的[illegible]內第一條國民公約是王[illegible]確實，凡一切建造計[illegible]百分之百地照科學規定的標準，絕不能希望節工省料[illegible]不可以成爲彪氏之殉英雄。[illegible]比李元彌氏之成功，就[illegible]國家，就個人的利害而言，都値得深省。還有[illegible]科學的進步，世界有一個大方向，所有進步的國家都以期遵從，都要相配合，以期發展順利；否則會阻礙其進步。例如，我們提倡研究發展之際，我們看到報載（四月廿二日台北各報）有一段消息，說是政府規定凡是我國文字橫寫，都要由右而左。報章，專刊，雜誌的排印，如果是橫列排印的，仍一律要由右而左。這規定粗淺看來，是與提倡研究發展無關，但在事實上，這規定，有妨礙科學的研究，尤其對數學，物理，化學的研究，是絕對辦不通的。我案上適有一本通俗科學月刊，內容是介紹科學常識，很不錯，但文字是橫排的，是由左而右的橫排，知果要它遵照規定，改爲由右而左，裏面很多方程式，算式，阿拉伯數字，還有不少應該註明的英文名詞，便把讀者看得頭昏眼花。銷路一定大跌。我再找小學算術教科書，中學物理，化學，代數，幾何的教科書來看，都是由左而右的橫排。可見政府還樣由右而左的規定，一到數學，自然科學的大門，便要「來賓止步」。而學生們考試答題，平日習題，這類科學及畢業論文，恐怕也不能遵照政府這樣的規定。因爲阿拉伯數字的算式，物理化學的方程式，係由左而右的排列，已成爲國際公認的定型，H2O 就是水的方程式，中國絕不能單獨把他們改轉方向而成爲O2H，使人家看得不懂。提倡「研究發展」，是要把精神用在要緊的地方，若因文字排列之不適當，致讀寫均較不便，自然影響到研究發展之進步。中國文字本是直行的，由上而下，讀寫方便。若由于事實之需要（如介紹自然科學）而橫寫，則宜循歐美科學進步國家之公例，由左而右，勝於由右而左。若謂中國文字直行之次序，第一行之後到第二行，第三行，是以由右而左爲序，因此便斷定每一個字之橫寫，亦應由右而左，始合于中國之傳統，這在邏輯上不是必然的結論。就一般人是用右手執筆，所以由左而右寫字是較容易。中國文化之復興，是要研究深刻，內容精實，發展可達世界的高水準，並不宜拘泥于形式，使青年有志之士太消耗精神時間于文字讀寫。

日本文也是直行的，要橫寫的時候，也是由左而右，不是由右而左。

（下轉第二版）

半週述評

法國的政治逆流

以多黨政治稱於世的法蘭西共和國，最近出現了一股政治逆流——軍人以「兵變」的行動，干涉國家政務，要求戴高樂將軍出而組閣執政。

這種事情若發生在我們東方這些「落後」國家，一點也不稀奇，出之於西方號稱民主先進之邦的法國，就値得驚詫了！推究其所以然，不外兩項原因：人才與制度是也。

一個國家儘管是實行民主政治，但在政治上仍需要有些中心人物，[illegible]各方，綜持大體，形成衆望所歸的地位。法國在第一次世界大戰期間以及戰後，政治上有克里孟梭、布里安這些雄才大略的人物，[illegible]國運乃告昌盛。迨二次大戰時期，政治人才凋零了，因而瀕受亡國之禍。戰後十餘年來，由於多黨林立，憲法新頒，而又缺乏大政治家之故，政府常在[illegible]往來的紛紛更迭之中，海外領土日見壁縮，國內經濟困難萬分，然政客們利用國會權力，只知爭權奪利，但所謂「國家事，管它娘！」今日的軍人干政行爲，就是上述情況累積釀造出來的。軍人們認爲這是愛國行動，政客們指爲違法亂紀，各有理由，未可軒輊，倒霉的祗是法蘭西共和國，我不知現代法國那位大名鼎鼎的文學家莫洛亞，是否將要再寫一部「法蘭西罪人」之類的書呢？

政黨政治的教訓

從法國的政治悲劇中，我們可以肯定地認爲多黨林立的憲政制度，結果是利少害多，而以英美式的兩大黨交互執政，比較妥當。

假如咱們中國亦像法國那種情形，大小幾個政黨估計國會席位，而其法定權力又甚大，隨時可以推倒內閣，易如反掌，那結果恐怕比法蘭西還要糟哩！法國人民對於民主憲政生活的素養，比我們先進了一百年以上，現時且構成軍人干政的動亂局面，若在我國，內戰不知打過多少次了！

政黨應重質不重量

鑑於法國多黨制的弊害，我對胡適之先生最近號召知識份子組黨之說，即不敢同情共鳴，並非反對政黨政治，而是害怕多黨制。我希望有政治興趣的知識份子，根據自己的意志抉擇，分別加入既成的政黨，要做反對黨的，即可參加青年黨或民社黨。強健了在野黨的陣營和實力，自然會發生政治上的制衡作用的。

自抗戰結束的時候起，十餘年來，我在自動或被動的情況之下，跟朋友們搞過幾次的組黨運動後，發覺現代知識份子組織政團的目的，一在解決生活，二在爭作領袖，三則限在朝黨「扯把子」，現炒現賣。所謂政綱政策，以及主義思想等等，都是些膏藥罐而已。因此之故，組黨運動總是殺鷄聚會，打狗散場，有時竟連朋友的交誼都給損壞了。胡先生盼望知識份子拚着三五十年不執政的決心來組黨，我敢担保：就是胡先生親自出馬組黨如果先行揭櫫這項原則，黨員亦將寥寥可數的。這是我的經驗之談，大家不妨參考而端詳之。○雷嘯岑。

內銷僑報調整台灣區報費聯合啓事

自政府於本年四月十二日公佈外匯貿易新辦法後僑報等內銷報紙及航空運費結匯成本增加一倍僑報等爲顧及讀者負担曾一再向有關當局籲請補救迄今尙未獲得最後解決而過去一個半月來僑報等對內銷報費新舊匯率之差額已不勝負累茲經同業決議自六月一日起暫先調整內銷報費價格如下：

華僑日報全份（五大張）零售每份台幣四元全月一百二十元
外埠版（二大張）零售每份台幣一元九角全月五十七元
公教版（一大張）零售每份台幣一元三角全月三十八元
星島日報全份（四大張帶星報）零售每份台幣三元八角全月一百一十四元
外埠版（二大張帶星報）零售每份台幣二元二角全月六十六元
工商日報全份（三大張或二張半）零售每份台幣二元七角全月八十一元
外埠版（一大張）零售每份台幣一元二角全月三十六元
工商晚報（二大張）零售每份台幣一元六角全月四十八元
菲律濱新聞日報零售每份台幣二元二角全月六十五元
環球報（一大張）零售每份台幣一元二角全月三十六元
上海日報（四開一張）零售每份台幣九角全月二十七元
南洋日報（四開一張）零售每份台幣九角全月二十七元
天文台報（四開張雙日刊）零售每份台幣一元二角全月一十八元
自由人報（四開張三日刊）零售每份台幣一元五角全月一十三元
勞工報（四開張三日刊）零售每份台幣一元五角全月一十三元
香港虎報零售每份台幣五元五角全月一百六十五元
南華早報零售每份台幣六元全月一百八十元整

憲法與出版法

雅斯

本刊上期（七五四期）龍一謌先生提出「出版法修正草案是否違憲問題」，雖然聲明是「個人的意見」，其實也是代表一方面的意見，旨在說明政府提出的修正草案並「不違憲」，其用意則在爲「出版法修正草案」辯護，不過這並不足以說明現行出版法有修正的必要。

第一、就「是否違憲」一點言，如果引據憲法第二十三條，則這一條對于列舉的基本自由規定「得以法律限制之」者，乃是基于「爲防止妨礙他人自由」或「避免緊急危難」或「爲維持社會秩序」或「爲增進公共利益」的「必要」。在台灣言論界的現況言，是否形成了上述四項條件之一，是否有限制必要？乃是一個問題。如果沒有必要，而該法又是爲了限制新聞自由，那就値得考慮的了。

第二、所謂「是否違憲」，當然要引據憲法條文，但對于憲法條文所表現的基本精神，更其是不可忽略的。我說現行憲法的基本精神，是直要保障言論自由的。縱然根據條文解釋，而沒有客觀上的必要，也會與憲法的基本精神相悖。

第三、「出版法修正草案」是否違憲是一個問題，而現在出版法應否修正是另一個問題。其間雖有關連，却非一個問題。就是說，在憲法上當局容有如此修改該法之權，而在政治環境上實無提出修正該法的必要。而且此案一出，不但不能解決政治意見問題（如果是以黃色新聞爲對象則並不需如此秘密其事），反而加深歧見。縱不違憲，也屬不智。若更採用壓力使此案通過，對于民意人心的不利影響，可以預言。如果當局認爲輿論要求誠一味喝彩才好，即沒有話說；如果民意仍要申張，那麼，我以爲現在出版法之不宜修正，並不因「不違憲」而有所不同。

台灣警政制度改革

·陳予我·

台灣通訊

光復初期，台灣警察制度是承襲了日據時代的規模，加上了幾任負責人的籌意經營，警察幹部素質都高，人事組織系統完整，工作效率等等較之當時大陸警政措施，都有優越的表現，對台灣治安有不能抹煞的貢獻。

今昔之不同比較

大陸撤守後，各省警政人員，紛擁寶島，照理說，以原來粗具的規模，再加上這批生力軍，凡百措施，總該是更趨完善，確確實實走上制度化了，可是事實恰相反，由於後來者視警察陣營如收容所，互相排擠攻訐，不一而足，其間因人設事，假業務需要之美名，增設機構，形成架牀疊屋組織紛歧現象，有功大家爭，有過互推諉，內勤單位有增無已，外勤警力單薄呆板，成爲頭重脚輕，內勤重於外勤的倒行趨勢。例如，光復初期，縣市警察局僅有行政，司法，總務三課和秘書督察兩室，後來卻將原有的行政課分爲行政，保安，經濟三課及外事室，原有的司法課分而爲刑事課和司法課，又增加了主計，人事，山地三室，即如人口少，業務簡單的台東花蓮澎湖等縣也是如此部置，倒是麻雀雖小，五臟俱全，有識之士，警察行家（指真正警察幹部出身者），明知其非合理，醞釀改革，唯格於現實環境人爲因素，還是只聽樓梯響，不見人下來。

五二四事件之教訓

「五，廿四」事件，將大陸撤守後警政措施的各種弊病揭發無遺，改革要求，已屬刻不容緩，現任負責人抓住這次行政院爲提高行政效率，實行精簡機構員額政策的機會，毅然針對各種缺點，配合政治，軍事，經濟等方面的需要，實行警政制度組織機構全面改革調整，是值得喝彩的。

調整改革之原則

擬宜依調整改革原則：（一）警務處本身方面，撤併山地，專員室，廳併刑警總隊及第三科爲刑事科，森林大隊裁撤，基隆高雄港警所員額縮減，各縣市小改警察局。（二）縣市警察方面，裁併十二個山地警務室，十一個經濟課，三個人事室，三個主計室，原有司法課改爲刑事課，刑事警察隊編入刑事課，刑事課課長兼任隊長，（三）編餘官警，全部納入各縣市警察局充實外勤基層與機動警力，實施步驟，警務處已於四月下旬開始，各縣市爲配合會計年度將於七月上旬始能施行。

警察任務，爲「依法維持公共秩序，保護社會安全，防止一切危害，促進人民福利」。務以爲這次改革，是應該貫徹下去的。

一身特支費　·尹震·

東姑 阿都拉曼 報聘日本

促進日馬貿易爲主要目的

·容與樓·

海外通訊

馬來亞聯合邦首相東姑阿都拉曼已於本月廿一日抵達日本東京，作爲期十天的官式訪問，他此行的目的：一是敦睦邦交，二是參觀亞運，三是促進日馬貿易。在機場他發表談話，他作一次廣播，除了重申三點目的之外，還表示他贊同日本的禁止核子武器試作的主張和嚴格管制它的生產。

這是馬來亞獨立以來，東姑首相首次說到有關禁止核子武器的話，因此，曾引起一些人不必要的揣測。一般的說來，東姑首相的話，大都是由衷之言，然後說出幾句同情話，在就要說這種唯一曾受到核子武器傷殘的國家，倒也算不得是題外文章。

順便看看「亞運」

去年十一月，日首相岸信介曾訪問馬來亞，東姑此行原是報聘；剛好亞洲運動大會在東京舉行，因利乘便，一覩馬來亞的選手首次舉起獨立旗幟與國際健兒角逐。這兩點，在東姑的心目中，固自有其特殊意義，但我們總覺得促進貿易這一點才是他此行重要目的，這，在整個自由世界的反共立場上也是饒有深意的。

東姑的廣播

東姑在廣播中說：「……亞洲的國家應該合力給日本貨物的銷售機會。因爲日本是一個高度工業國家，需要市場以供應它的過多及辛勤人民的日常需要。否則，日本將在經濟上受斷。凡對世界和平及關心人類福利的國家，將不會允許這種事發生的。因此，每個人都應該設法協助日本，馬來亞正準備盡他的力。」他又說：「……日本是我們錫砂最大的主顧，但現在購買量已減少，我們東海岸正發生失業問題。我希望東京會談的結果，會對我們的錫及鐵產有改善……」這些辭句已充份的說了他準備與日本進行互助互利的貿易談判。與他同行的，還有工商部長及內政兼司法部長，比他先期抵達東京的，更有財政部長。這樣，我們不難想見這個談判斷不是隨便談談，而是打算作若干具體決定的了。

馬工商部長的談話

此外，在出發訪問的前夕，工商部長陳信修氏發表了獎勵外國投資法案的內容，這原是準備在下月立法會議提出討論的。假如我們不是太敏感的話，提前發表了這法案的內容，很可能也跟東姑首相此行有關。

對日本注射興奮劑

日本，戰後迅速恢復了繁榮和工業生產的水準，爲了經濟的要求，不惜採取騎牆政策，暗向中共送秋波。中共看中了她的弱點，諸多要脅，最近藉口長崎撕旗事件，斷毀了與日本民間的一切商業協議，企圖迫使岸信介政府就範。在目前，或許有若干日本人士爲此而感到苦悶的，東姑此行，無疑是給他們注射了一針興奮劑，同時，間接地予中共一個意外的打擊。東姑的廣播詞不止是對中共有了諷刺而且立刻見諸於行動了。

應可達成協議

在日本言，所謂失諸東隅，收諸桑榆，顯然沒理由不促成這談判達致圓滿的協議；何況這是名正言順，平等互惠的國際貿易。在馬來亞言，有的是天然資源，亟待開發，無論在農業、漁業、礦業、工業上都急需先進技術的指導。雙方合作起來，不特，本國產品有了巨大銷場，一般商人不至徬徨歧路，還可供應馬來亞以開發必需的器械和技術人材，如無其他因素，則三數年後無限量的資源，不難成爲安定自由世界經濟的一股巨大力量。此間有遠大眼光的人士，正對東姑此行以莫大的期望。

民間還有接觸

還有一點，我們還得報道：一千萬富翁劉西蝶氏也正乘機赴日，除了馬日官方的正式談判外，似乎還透過民間的接觸，前途樂觀，可預卜了。（五月廿四日寄自吉隆坡）

國產應爭取越南市場

【西貢通訊】中越邦交的進展，現仍着重在文化交通與經濟合作階段，對於後者，尤爲當地華僑所盼待。西堤華文「大夏日報」最近的一篇社論，主張我國產品宜向越南爭取銷場，可謂代表這裏華僑的意見，台灣當局所應注意的一篇言論。該社論說：

「我國政府爲協助越南發展工業，穩定經濟，曾於今年派專家來越，趙耀東等來貿，籌備開設一家大規模的紡織廠。陳副總統曾一再勉勵東來專家，要與越南政府合作，竭力協助越南政府發展經濟，設紡織廠只許成功，不許失敗。而蔡元元等專家奉命來越，經數月來的積極籌備，及得各商劃資源與支持，在短期間，許一億二千萬越元的資本額，很容易的獲致解決，其他一切問題亦將迎刃而解了。我國協助越南設立華越合資經營的紡織工業公司，不久將來，定可實現。從此中越經濟關係更趨密切。

「我國除協助越南設工業外，更宜協助越南，繁榮商業，將台灣產品，大量供給越南，使越南人士，得以採用國貨，而國貨亦可在越得到銷場。誠因我國的產品，現銷越南的數量甚少，重要的僅白糖而已，其他的名產均未能源源來越南。記得前年總商會曾舉行一次商品樣本展覽會，去年再舉行一次國產商品樣本展覽會，從這兩次展覽會中看到我國貨成品，如紙料，布匹，五金，電器，日用品，塑膠，等均極精美，款式亦極新穎，如運越南來，是極爲消費者所歡迎的，至於此間的僑商有意做國貨業務的，亦有不少。在越南，有華僑百萬，及有數百萬的越南人民，是東南亞的一個良好市場；故此曾先後來西南越中華總商會，或派員來越考察，擬將工業品大量向越傾銷，可是皆因技術問題，貨價問題，航運問題等，至現在始終未能解決，遂致國貨亦因此未能運銷越南，僑胞亦難以採購一件國貨用品，殊可惜！

「再觀，最近數年來，越南市場上的必需品，其輸入數量極爲可觀，而輸供國家爲：日，美，法，意，西德等國，尤以日貨佔絕大多數，所以現在市面上可謂尺布，電器用具，及甚多日用品，幾全爲日貨之銷場。法貨銷量反見減縮。考日貨在越得以如此暢銷？無非是：一，成本輕，二，美觀，三，輸入容易，四，獲享優惠關稅，五，政府鼓勵外銷，有此五項優厚條件，故能盡量大批輸越。至於法國貨品方面，其輸往越、柬、寮三國，在以往是由政府特別補助，將價削減，務使較別國貨物爲廉。廠商產品出口，既獲補助，價必既宜，故爲外國所樂購，日法貨品在越暢銷，亦基於此。

「我國產品未能大量銷越，大概是因：一，目前仍未有經常航行台越線的輪船，以載運貨物；二，未與越南政府締訂商約，而獲貨物輸越優惠關稅；三，我國政府未能將價削減，以補助商品外輸，所以形成了國產貨品輸越，運輸困難，成本昂貴。當然國產品是較日貨耐用，似宜先與越南政府締結商業協約，使貨品輸入獲享優惠關稅：且遞減低貨價，鼓勵出口，更宜從速籌劃台越航線，派輪經常航行，運費亦宜優待，如此，貨物運越成本自必廉宜，則國貨不愁不暢銷，且深信不久將來，必可與日貨在越銷場，爭一日短長。」（志）

台灣點滴

△高雄港務局修船廠長齊振文以次廿七職員，貪證會污爲數驚人，除一新進女打字員未涉及外，均已承認分得以外「津貼」。齊氏並供稱循例分送現款或禮儀與港務局上級主官。經月餘調查，現案已由警察所移到法院，人已被傳訊三次。法院面諭廿萬元交保，後准檢察官減爲五萬元書面保釋。據傳在押之齊廠長，未任是職前，身無長物，現已有漁船四艘，委託行二家，及其他財產爲數可觀。

△省立成功大學，學風素稱良好，自高雄港務局副港長兼高市救國團支隊長的閻振興接長以後，尙安無事，然自香港「新聞天地」五二六期刊出一封滇邊遊擊隊的信，斥四九四期「贊同蔣經國赴滇邊」一文的作者丁作韶——他任訓導長，曾一度往緬南某地與僑商作錫砂經紀，收取某方錫砂款未繳清，避入泰國，冒充中國大使館職員，被泰警拘捕解回台灣；又自高港修船與涉嫌消息後，成大學生于夜間不斷貼出標語：「歡迎我們貪污的校長，與礦砂走私的反共義士的訓導長。」（大意），並將報刊消息剪附於標語之上。負訓導責任的丁作韶自此即忙於早起掃除標語，而該校前原禁止學生涉足的彈子房，又復觀了。

△中央標準局局長向賢德與審查委員劉百疇，對於主管事務，假借權力圖利，監察院于三月廿四日公報該案已移送公務員懲戒委員會。這期公報暢銷，據承辦經銷公報的張執中說：「這是監院公報承辦以來的奇蹟，買十份八份的易，買三百五百份的就難邀求了」。中央標準局主辦的業務爲專利，與產品合格檢定。這次因是核准台北張朝銘的萬年帽新式樣「專利」爲其他廠商檢舉而案發。

○昌增動。

論研究發展

（上接第一版）我們可以說日本人不知重視日本文化的傳統嗎？即在亞洲曾稍受現代洗禮的國家，似乎也未見過出右而左的橫排文字。

在台灣，有若干位熱心提倡科學研究的人士，如林挺生氏曾成立協志工業振興會，出版了幾本有名的譯著，如富蘭克林自傳，西洋哲學史話（威爾·杜蘭著）人類的故事，（房龍著）及湯元吉氏譯的化學學校。湯氏是學科學的，在用其所學，辦肥料廠，是台灣規模大，管理好，成績高，聲譽著的工廠，對儒家道德的修養，但他中國文化的變遷，絕不後於今日以守先待後自負的士大夫，故化學學校文字的橫排，如果以由右而左，他不會願意由左而右。我想讀者會有同感！不實我小題大做，崇拜西化。（五月七日）

考試院來函照刊

敬啓者：頃閱貴報載有「政治改革從政務官自律作起」文內，對於考試院之二點，一係心理測驗，一係考績呈閱問題，已於五月三日經銓敍部雷部長詳細說明，載在台灣各報，勿庸再述。至於心理測驗，在英美各國，早經採用，我國自民國四十年，高普考試均列有心理測驗科目，且在各地試驗，歷有年所。至四十五年六月廿八日，本院第七十九次院會，對於心理測驗實施問題，再三詳細討論，依據專家之研究，實地試驗，方依決定，心理測驗，以作取錄決定標準，因初辦，一般社會人士似覺太嚴，監察院派員前來調取本院實施之情形，當由本院說明，並於四十六年元月四日第一二三次院會決定在案，同年五月三十日第一二三次院會決定，在四十六年高普考試時，仍列爲考試科目之一。執行結果甚佳，本年考試仍照上年成例辦理，以上情形敬希查照刊登爲荷。此致

自由人報社

考試院秘書處

八屆二次會議

「大權獨攬」·「小權分散」

中共八屆二次會議，已於二十三日結束，會議通過了：中央委員會的工作報告的決議，關於全國共產黨、工人黨的莫斯科會議的決議，全國農業發展綱要，並增選了中央候補委員二十五人。

接着，于二十五日召開中央委員會第五次會議，增選林彪爲中央委員會副主席，政治局常務委員；增選柯慶施，李井泉，譚震林爲政治局委員；增選李富春，李先念爲中央書記處書記；[illegible]中央委員會委員。決定出版一個「紅旗」半月刊，爲黨中央的中共機關刊物。

至此，八大二次會議的主旨已經具體顯示：一、肯定所謂鼓足干勁，力爭上游，多快好省地建設社會主義的總路線；二、正式表示對莫斯科會議兩個宣言的態度，並且反對南共綱領所表現的修正主義；三、鞏固中央領導階層的人事。

突如其來的調整人事

前述的第一、二兩項的決定，是黨內中事。但調整人事卻是意料之外的。經調整後，中共中央副主席由四人增爲五人。政治局常委由六人增爲七人，政治局委員由十七人增爲二十人，中央委員增補的二人在內仍爲九十七人，候補委員除了升補爲中委的二人以外爲九十六人。問題是，這種擴大有什麼用意？固然在中共的黨章裏對於這些領導人員的數目並無規定，但是，任何一個團體在一定的階段，都有一個定額，否則，就會[illegible]。[illegible]利用時機來增加自己方面的勢力，來爭取權利。目前，中共的這次會議，大概已被毛澤東利用所謂大躍進的有利時機，增加其在中共中央的勢力了。

人們所最注意的是林彪的被升爲副主席，一般的說來林彪是屬於國際派的人物。他的這種擢升可能又表示着國際派增加勢力了。

但是，次一級的人物擢升並不如此，柯慶施是上海市委第一書記，最早提出經濟躍進「反保守」的就是他；李井泉是四川省委第一書記，在大躍進中表現也非常積極，譚震林是「農業綱要」的提出者。這三個人全都是在大躍進中的毛系的積極人物。本來政治局有候補委員六人，按理政治局委員應該由候補委員選升，但以前柯，李，譚三人沒有一個是政治局委員，而他們跳躍式的升爲政治局委員，這一點特別明顯的表示出破格的跡象。

原來中共中央書記處除總書記鄧小平以外，僅有彭眞是政治局委員；現在，增加了李富春，李先念，原來的書記譚震林也升爲政治局委員了，兩李一譚均屬毛系人物，如此一對比，書記處的四個政治局委員毛派與劉派成爲三對一的比例。

若再從新增選的二十五個候補委員去分析，數目可觀的大部分是大躍進中的積極份子，劉派所佔，極少數。從上述的擢升情形去看，雖然具有一些兩派妥協的跡象，但是劉派所佔的優勢似乎只是表面上的，而毛派的勢力在政治局，中央委員會特別是書記處裏有顯著的增強了。

毛澤東的眞正目的

縱觀劉少奇的報告，對於毛澤東的經濟大躍進一點也沒有反對之意，也許有人認爲我們所說的劉少奇反對大躍進[illegible]。[illegible]

。田心。

日本大選與民主政治的前途

——東京通訊——

日本，正邁步朝向兩黨政治的途徑發展，議會政治的規模已確立，選民的政治認識業經提高，眞正的民主政治在日本之實現，是可預期的。這次大選不僅顯露出日本政治上的若干優點，更顯得在實行民主政治方面是已后來居上了。這是值得國人深思和學習的。（編者）

日本全國大選，衆院的四六七議席已於二十三日下午全部開票完畢，自民黨計獲二八七席，社會黨一六六席，無所屬（獨立派系人士）十二席，共產黨獲一席，其他黨派一席。

筆者曾在本刊第七五二期斷言自民黨的絕對優勝，果如所言。[illegible]

兩黨政治的形成

[illegible]

熱誠地等候競選揭曉

[illegible]

競選期中的特色

[illegible]何政黨都不敢輕舉妄動的。

[illegible]成泡影；[illegible]此次也可以說是成功，[illegible]自民黨未能獲得三分之二議席，[illegible]日本憲法當無法修改。[illegible]本憲法既不能修改，則共產黨自可合法存在。然而，自民黨因此次的確[illegible]，日本國民是百分之百厭棄共產主義的。

。觀游。

候選人絕無特權享受

凡是貪污的或不稱職的前屆議員，[illegible]

岸信介的內政外交綱要

岸信介二十三日於自民黨本部發表新聞記者談話，[illegible]說，引用青年新進人員，頗具才能云。

[illegible]，更推行適材適所主張，新閣人選當在岸慎選中，今後，岸信介因此次領導自民黨競選成功，將更增加其在黨內與國民間的聲望與愛戴，岸派系政權之鞏固與確立自不待言。

[illegible]共貿易問題，岸信介答稱對中共態度要堅定有毅力。日本主張是對的，國際法是要尊重的，中共是違背國際法的，所謂貿易問題，只是一億美元而已，且是單方面的，只有讓中共自己反省，讓中共自己尋求解決之道，日本是不必急急求解決的，由此可以看出岸信介是較前堅定了。

岸信介與在野黨於二十四日上午會談，將於六月十日召開特別國會，日本議會政治將展開新頁。（五月廿五日）

國際動態拾零

△射程二百五十英里之紅石飛彈，本星期第一次不在科學家管理之下，由軍隊自行放射。因爲第四十紅石砲兵團，已訓練完成，不久即開至西德。

△赫魯曉夫倘遇不測，政治方面之繼承人將爲葛斯羅夫（F. Kozlov），布加甯去職後業已升任爲副總理。黨方之繼承人將爲共黨第一書記吉里辛科（Kiri Chenko）他爲烏克蘭人，辦黨多年，乃赫氏所一手提拔者。

△一般估計，赫魯曉夫政權，不會維持得太長久。因爲赫氏所清除之馬連可夫，朱可夫等，潛勢力仍在，隨時有重掌政權之可能。

△東柏林消息，擁護朱可夫之軍官，爲史派與反史派間之第三勢力。積極參加最近克里姆宮之權力鬥爭。

△中共將遣派軍隊七萬五千人至西藏，清除西藏軍中之反共力量。尼赫魯行將訪問西藏，中共則欲完成其控制于尼氏來藏之前。

△蘇聯邊區荒地工業化計劃，現已遭遇困難，因爲缺乏青年熟練工人之故。此爲赫魯曉夫宣佈修正蘇聯教育計劃，注意多多培育技工之故。

△美國將供應伊拉克F86飛機一打以上。此爲伊拉克歷年所要求，但美國以該地區歸英負責，故未允所請。現在之突然答應，因納塞之勢力增長，實使中東各國，勢力稍得平衡之。

。陶然。

新書評介

童著「翠鳥湖」和「古香爐」

。石玉清。

小說作家童眞女士最近問世的「翠鳥湖」和「古香爐」兩書，我覺得有一加評介的價值。

「翠鳥湖」是部長約四萬五千字的中篇小說；原在「自由中國」上連載，現由「[illegible]」出版單行本。牠寫的是一個不幸的善良女人，在衆人的蜚言蜚語下喪失了貞操，而又在懺悔之後遭到了遺棄。後來她嫁了人而且成了一個鄉紳的繼室主婦，偏又遇見了那個自幼丢掉的「非婚生子」，因爲這種尷尬的情形，[illegible]面子和幸福，[illegible]兒子[illegible]，直到兒子重傷瀕死，她卻又不惜拋棄辛苦營致的面子和幸福，[illegible]而與兒子作最後一面。這個具有雙重人格的母親，其感情的複什以及其心理的微妙，原是難以言喻的，但作者卻能憑其藝術的想像力，優異的技巧，並利用悲劇的氣氛，把牠描寫得絲絲入扣，合情合理。至于這個中篇最使讀者最感動的地方，是作者對這個掌着面幕的母親，寄以深切的同情，而對那些衛道的人們加以抨擊。這種同情，正是這個內容之所在。他如文筆的清麗，佈局的典雅，與夫意象的豐富，我想讀者是不難體會到的。

「古香爐」是部十萬餘字的短篇集，由大業書店出版。內包括十篇，大都發表在台港高水準的[illegible]。牠們的長短不一（自三五千字以至一萬五千字）；題材互殊（但大多是以發掘人性爲基點）；文筆有的[illegible]，有的婉約；但就技巧言，卻[illegible]有其獨到之處。我無法在這篇短文中逐一詳加剖析，我要特別提出的是「古香爐」、「助人者」、「春回」、「駝二叔」、「代價」、「最後的慰藉」、「引力」、「出獄以後」這幾篇：寫人情，入木三分；寫人物，呼之欲出；寫心理，深刻細膩，水準甚高。

不過，童女士的作品雖有上述的優點，卻未嘗沒有缺點——「巧合」多。這可以從「古香爐」中的「春回」、「暖流」和「前路」三篇中窺知。誠然，狄更斯的不朽之作「雙城記」、「奧利佛爾」，勃朗特的「咆哮山莊」以及其他許多名家作品也多有「巧合」之處，但如果用得稍爲多了，總有些人感到美中不足！至于還有些人批評她作品中缺少「時代意識」，這點我卻不敢苟同，因爲「時代意識」在某種場合固然能夠增加藝術作品的價值，但牠畢竟不是衡量一件藝術作品的唯一標準，流傳到今天的歐美名著，不也很多沒有「時代意識」的？我們決不能因爲要加強牠而使藝術作品價值本身受到損害，否則，就無異把文藝看作工具了！

中共雲南省委組織部正副部長反抗黨中央

中共黨內的鬥爭，現正進入高潮，中央對地方黨幹部的整肅，不遺餘力地進行，過去在奪取政權階段時期的地方幹部，現在正被扣以「地方主義」的帽子加以清除。最近根據「雲南日報」載稱，滇共「省委組織部」部長鄭敦，副部長王鏡如等，已被中共開除黨籍並撤銷其職務。中共宣佈他們的罪狀如下：「鄭敦是長期隱藏於黨內剝削階級的代理人，政治野心家和陰謀家。他的野心活動早在一九四八年雲南地下武裝鬥爭時期即已開始，一九五六年與由嚴重資產階級個人主義發展而墮落的蛻化變質分子王鏡如，擴張黨羽，結成反黨集團，向黨進行了猖狂的進攻。這個集團有着一整套的篡奪省委領導，改變黨的性質，從而爲資產階級復辟鋪平道路的反動政治綱領，並且由於他們竊居了省委組織部的陣地，有組織地進行反黨活動，因而給黨造成的危害也特別嚴重。

「從揭發的材料中可以看出：鄭、王反黨集團毒辣的手法之一，是通過地方主義、宗派主義、反黨的幹部政策，來實現其從堡壘內部來攻破黨的陣地的目的。甚至以肅反、審幹爲名，製造謠言，企圖陷害幾個省委和地委第一書記，來傷害黨的骨幹。

「鄭、王反黨集團在一九五七年間，國內階級鬥爭劇烈之際，利用國際上修正主義思潮，匈牙利事件和社會上右派份子的向黨進攻，發起了兩次猛烈的反黨高峯。」（賢）

和為貴

自由談

馮五先生

爲着出版法修正案這項問題，台灣的同業界竟發生官方報紙與民間報紙間的爭論，而以台北報業公會向立法院致送請願書一事爲導火線，以致表現官方輿論與民間輿論的分裂現象。出版法修正案尚在立院小組委員會審查中，我們同業間乃有此無謂的內鬨行爲，是亦不可以已乎？

首先，我不敢苟同官方同業的說法，認爲報業公會是「商業團體」，不應該從事政治性的請願活動。報業公會即令是「商業團體」，它爲了本身的利益，對政府機關有所請願，這亦是合理合法的基本人權，無可非議的。至於請願事項是否適當，那是另一問題，祗有讓主管機關的裁決，用不着自己內部焦心起哄，徒亂人意吧！

官方的報紙同業站在政府立場說話，亦得看是甚麼事情？報業公會這次對出版法修正案的請願意見，祗是希望政府對於出版物的管制方法，加強法律責任，縮小行政機關直接處罰的範圍，並非毫無理性的吵鬧，更無礙於代政府立言的官報前途，實無「兄弟鬩牆」之必要。何況報業公會的請願書送出很久了，據說事前曾將原文抄送各報在開會時不表示異議，現在忽然有此傷感情的否定之詞，何苦乃爾！

任何一行職業，同行之間皆容易發生矛盾對立情形，唯獨新聞界不應有此現象，因爲彼此間的利害關係多是一致的，衝突的因素甚少，即就出版法而論，官報亦不會享有違犯法令的豁免權啊！請願的內容祗要不損害新聞界的共同信譽，無論結果如何，亦屬無關宏旨，又何必自傷和氣，嘵嘵譏咋呢？

總之：我不贊成同業間作無謂的是非爭議，尤其不希望新聞從業人員有官方與民間的壁壘之分，否則未免有忝指導輿論的職責了。

閒談「地盤」

●成天佐。

搶地盤者，天下滔滔皆是也，此所以天下好人（但社會往往視爲「庸人」）弄得地無立錐，又安足怪哉！

咱們貴國人似乎比別人還更懂得「地盤」的價值，而且很會爭取地盤。

跑江湖的人每走到一個碼頭，就要開地盤，然後賣膏藥，或要把戲。各行業也何嘗不如此。說實話，士農工商，也不例外，不過途徑有別而已。我們的學者，暫且不說吧，假如農人終年胼手胝足，爲的是擴充他的產業地盤，更要爲子孫萬代創下基業；商人終日打算盤，爲的是要逐漸把工場擴大，然後「一麥克麥克」的財源滾滾。碼頭苦力有碼頭做地盤，三輪車伕，有區域劃分，甚至乞丐也有疆界限的地盤，互不侵犯，否則非頭破血流不止。軍閥爭城奪地爲的是擴地盤，弄得魚肉百姓，演足私鬥，那更顯而易見，不用說了。他們往往爲了擴張地盤，妄動干戈，甚至借重外力，以至賣國亦所不計。

在你爭我奪社會裏，能源源赤手空拳打江山，創下地盤來，確也是一般社會心目下的英雄事業，非用權術，非能非狠，非霸，休想能在草莽羣雄中露出半個頭角來。

還有，要在黑暗社會裏掙出個名堂來，單憑鬼才還不夠，更要搞「幫會」，一旦做了幫會的頭目，直可誇似指揮百萬貔貅的三軍統帥。昔左宗棠曾爲其部下蜂湧到碼頭去迎接朝廷通緝要犯的幫會龍頭，而大大吃驚。民國成立後，青紅幫，劃明南北疆域，各據一方，其權勢之大，是可左右當地政治，經濟，乃至於軍事治安。政府首長也要給「龍頭」下個帖子，才能在人家的地盤下，鞏定自己的地盤，不信，請看當年舊上海吧！幫會龍頭，爲甚麼竟能搖身一變，儼然公卿大夫，炙手可熱的要人呢？故此都是爲了「地盤」吧了。

長袖善舞的政客們，最懂得爭地盤這一套，他們明白也須爭取到一塊地盤，來做政治資本，然後才能呼風喚雨。如若不信，請看過去在政治舞台上，無論在黨務上，政治系統上，在金融界，甚至在教育界，不是界限分明嗎？歷年來政客們翻雲覆雨朝秦暮楚，也不是，着眼人家的「地盤」，在打自己的主意嗎？

甚至可憐的作家們也不能沒有寫作的地盤，不過美其名叫做「園地」，把自己喻作「園丁」，好聽一點吧了。這個年頭，想在寫作園地上做一名小小的園丁，却非易易，「有資格」的作家們把持地盤的方法很巧妙。一般說來，雜誌報刊徵稿簡約上，雖都有標榜「園地絕對公開」，骨子裏，每一份刊物裏都有自己的基本作家，外來的稿子除非是「字字璣珠，語語驚人」，得發表，偶爾刊登外，或是你已經有了點虛名，否則大作有不委屈的拜托字紙簍送到焚紙箱處理去者，幾稀。

奪取地盤手段最高明的，莫過於共產黨徒了，他們有計劃，有組織，有宣傳，有滲透，暴動顛覆的手段，像耍魔術一樣，往往兵不血刃地就會把地盤搶過來了。

據說共產黨徒是有一套祖傳的法寶——，清算、鬥爭、三反五反，……和平共存，一旦祭起法寶來，人們就會「自願」地把你辛苦攢來的「地盤」送給他們，而自己再會「自動」——地跑到他們的地盤——「集體農場」「奴工集中營」去做牛馬。「自願」「自動」嗎？信不信由你，但那却是搶地盤的最新法，不是嗎？

搶地盤者，天下滔滔皆是也。此所以天下好人（但社會往往視作「庸人」呀！）弄得地無立錐，又安足怪哉！

漏洞

●葉子●

法律是爲了維護社會秩序的，但當社會風氣惡化到相當程度的時候，法律不僅不足以維護社會秩序卻會助長歪風，且成爲鷄鳴狗盜之徒的護身符。

這不是說，意味着否定法律的價值，而是說法律是死的，它的公正有力量，在於執行的程度如何而定。

譬如說，做個奉公守法的公教人員，換一世也未必有幾十萬元的積蓄，但如果有膽，敢於胡作非爲，抓住機會，撈幾十萬亦非難事，至於說吃官司坐牢，不過是三幾年的事，滿期出獄，仍可面團團做富家翁，『何樂而不爲呢』？

這就無形中變成，對貪贓枉法之徒的生活保障了。

法律的漏洞，變成爲開發鼓勵不法之徒的工具了。

平心靜氣地說，問題當然不全在法律有漏洞，而是現實的社會充滿了矛盾，而是因爲生活在沒有信心和希望的境界中。

人，失去了希望和信心，在犯罪與法律的面前，當然是選擇犯罪的，更何況犯罪的結果，還能對他的下半生的生活有保障呢？

社會的安寗秩序，實在不是靠法律、道德、輿論可維持的，而是靠希望令人能有活下去的信心，而是靠希望之支持活下去的信心。

大家擠在這彈丸之地，有些人既失去了信心和希望，自然就此間樂不思蜀了。

人本就是個高等動物，當人遺失了高等的意識時，又和餓瘋了的狗有什麼不同呢！

鳳皇台近

自度曲，用平韻，中擬仄韻。九十字。

海角聞雁

●王沅裴。

殊鄉客思。連天海氣。物華過眼都休。夕陽西下。荒郵夜。鬼火星稠。怎得教人留。昏鴉幾處噪林晚，諳王孫，多難逃遊。凝眸。征雁遠。嘆天涯，驚失伴。孤影落汀洲。極目南天縱好。何日到。思悠悠。盡處吾邱。雖憐夜夜故鄉夢，隔長天，重到無由。

小萬柳堂

海隅偶錄

●婆婆生。

無錫廉泉字惠卿，又號南湖，清末，曾官至中書舍人。夫人吳芝瑛，係桐城派文章大家吳摯甫之猶女，家學淵源，文章精湛。夫婦有雅人深致，杭州西湖花港，築別墅，題曰小萬柳堂。墅內植有楊柳數百株，暮春三月，柳色疏綠，獨據湖中之勝。西湖風景全在桃柳爭妍，蘇東坡築堤，堤上即夾植柳樹夾桃，用意深遠。南湖後以負債累累，不得已以售歸南京蔣鍊倉，抵還宿逋，改名蔣莊。今之遊湖者，祇知有蔣莊，而不復記憶小萬柳堂矣。

芝瑛夫人與秋瑾烈士交甚厚，秋瑾遇害殉國，芝瑛與石門徐自華爲謀瘞於杭州西冷橋畔，事以上聞，幾遭不測，幸有端午橋諍伯弗力護而免。夫婦避難來海上，借隱於梵王渡帆影樓中，無錫名畫家吳觀岱爲作帆影樓紀事圖，由文明書局以珂羅版印行。南湖曾游日本，得其印刷術歸，始辦文明書局，以精印四王畫冊，與商務書館影印叢集相對敵，引起狄平子的興趣，亦接踵而起，辦有正書局，專影印宋元以來之畫畫法帖，定名爲中國名畫集，連續出版，有三十五本之多，是爲民國以來，美術的大發揮。

南湖受李經邁之託，督印李文忠全集，書既印成，認購者以清亡而觀官未付款，經邁亦不置理，以致涉訟賠累，四王名蹟，悉以典售而償，生活漸苦，芝瑛夫人亦以病沒，遂投北平西山潭柘寺爲僧，未曾披剃，即告圓寂。

燕塵識小

又寫絕筆二遺書，一與家人，一與門弟子，皆令僕人藏之，以俟不測，蓋爲再投海計。其第一書云：

我專爲救中國，哀四萬萬人之艱難而變法以救之，乃蒙此難。惟來人間世，發願專爲救人起見，期皆至於太平大同之世，將來生生世世，歷經無量劫，救此眾生。雖患難無有厭改，願我弟子我後學，體吾此志，亦以救人爲事，雖經患難無改也。地球諸天，隨處現身，本無死理。至於無量數劫亦世，救人而已。聚散生死，理之常，出入其間，何足異哉。到此無可念，惟吾母吾君之恩未能報，爲可念耳。

與門弟子書，係寄交徐勤者，書云：

吾以救中國，故冒險遭變，竟至於畢命也。然神明何曾死哉，君勉爲烈丈夫。吾有老母，謹以爲託，照料吾家人，力任大道無變怠也。同門中誰能仗義護持吾國吾家者，吾神明嘉之。

是時英吏以二兵艦救護康氏，故上海道搜緝不得，康氏遂停留三日，至十二日英吏仍以兵艦護送往香港，十四夕到港，何曉生即同港督所派之人來迎，蓋已有電告之也。

康氏至此，幸已完全脫離險境，大有蛟龍入海之樂。而在清廷觀之，不免有縱虎歸山之懼矣。

戊戌譚往

是年九月康氏東渡旅居日本，有題環翠樓七律一首云：

環翠樓浴後不寐夜步迴廊

電燈的的照樓台。夜靜游廊幾百迴。明明如月光難掇，渺渺微塵劫未灰。風葉一秋疑檜雨，瀑泉竟夕謬飛雷。曉珠斗大爲懷抱，獨倚銀屏數去來。

此時心境已甯，信筆書懷，遂有從容之致，非復舟中北望揮淚，激昂淒厲之聲矣。

至於梁啟超氏則八月初三夜間在南海館堅促康行之後，旋即避入日本使館，終以日本大島兵艦之保護，亦得出險離京。

綜觀此役，康以英人之援助而免禍，梁以日艦之保護而解圍。清廷雖明知其故，而莫可如何。於是由怨恨康梁之心，轉而遷怒外人。西后欲報此仇，必朧光緒而後快。醞釀兩年，卒肇庚子拳亂之互禍。此中蛛絲馬跡，固遙遙可睹也。

是月十四日又降諭旨，以已革工部主事康有爲學術乖謬，大逆不道，搆煽陰謀，着將該革員所著書籍版片由地方官嚴查銷燬。

十七日又諭兩廣總督譚鍾麟，查抄康有爲及梁啟超家產，逮捕家屬。並懸賞訪查康梁二人之下落。

凡此種種，皆題中必有之文，不煩贅述矣。（十九）

燕負生

「退一步着想」

●楚江秋。

中國有許多俗語，很能表現中國人的人生態度，就以「三十六着，走爲上着」，「退一步着想」這兩句俗語來說，它教人圓滑、忍耐與機智。

大抵，上了四十歲以上的中年人，多是實利主義者，二十歲的毛頭小伙子，則充沛着理想主義的熱情。但當理想主義和現實主義發生衝突時，「退一步着想」這句話，就會從他自己心中或別人口中說出，這種思想，不是沒有它的根源，唐代有兩位詩僧的對話很能具體道出：

一日，寒山謂拾得：「今有人侮我，辱我，慢我，冷笑笑我，蔑視我，毀我傷我，嫌惡恨我，詐騙欺我，則奈何？」拾得曰：「子但忍受之，依他，讓他，敬他避他，苦苦耐他，裝聾作啞，漠然置他，冷眼觀之，看他如何結局。」

這種冷淡而又漠然的哲學觀念，應該是充滿了智慧而又超然的態度，用「冷眼」以觀察人生無限之變遷，以「懸心」諷諷人類衝突爭辯底無益，這種態度，是深具的懷疑態度，表現在人生中，它雖不積極，但也不完全消極，它是理想與現實中的「中庸之道」；當理想得勝時，它袖手旁觀，當現實失敗時，它挺身而出。

唯是，中國社會的變亂太多了，理想主義的花朵在這貧瘠的土地上從沒有開放過一次。戰爭、貧窮、災難、飢懼，像長江上的大浪，前浪接後浪而來，它使得這冷淡而又漠然的哲學觀念，變爲遁世的，消極的，迴避的哲學觀念，它使「三十六着，走爲上着」這句話成爲失敗主義，「退一步着想」成爲向現實低頭主義，硬梗的氣質消磨了，鬥爭的勇氣沒有了，近三十年來中國的國運搞到如此，和這觀念有相當關係。

什麼時候，才能回復這哲學觀念底自然本質呢？它教人圓滑，但不是官僚鄉愿，唯唯否否。當直線前進發生障礙時，它是採用迂迴的方式，並不是叫人放棄前進的；它教人忍耐，但這忍耐是選擇最有利的時機，並不是沒有限度的忍耐，盲目的忍耐，屈服的忍耐。

圓滑、忍耐，與機智，是多麼成熟的人生態度！中國的偉大，偉大在此，但把它的意義歪曲了，使得官僚鄉愿大批產生；政治販子的大行其道，其罪惡亦莫過於此吧！

自由人
THE FREEMAN
（第七五六期）
中華民國僑務委員會登記
[illegible]
（半週刊 每星期三、六出版）
每份港幣壹毫
台北市每份售價台幣壹元伍角
督印人：[illegible]
地址：香港高士威道二十號三樓
20 CAUSEWAY RD. 3RD. FL. HONG KONG
TEL. 771726
承印者：東南印務出版社
址：高士打道六十四號
台灣總經理處
台北市西寧南路壹壹零號二樓
電話：三○三四六
台郵劃撥儲金戶九二五二二
海外總經銷：友聯書報發行公司
香港：彌敦道中二十六號A二樓

論戴高樂執政

法國人民最後的選擇

當戴高樂的上台已成定局的時候，阿爾及尼亞的廣播說：「將軍，你的時間終于來臨了。」

早幾天，總理佛爾林還沒有決定辭職的時候，阿爾及尼亞的廣播中說：「佛爾林先生，對于法蘭西共和國，你願意是最後一個克倫斯基政府嗎？否則，在洛蘭十字和紅色五星旗之間，你已面臨到最後抉擇的時機了。」

美國民主黨的主要議員孟斯斐爾說，擺在法國政局面前的祇有三條路：

一條是，繼續維持一個軟弱的混亂的政府。

一條是，「人民陣綫」的上台，但是，這條路綫，最後一定是共黨的勝利。

一條是，戴高樂將軍上台，「恐怕只有這是唯一的道路」。

是的，在法國，問題的確到了這一步，除了戴高樂上台能保持法國的團結，拯救法國以外，沒有別的出路。

不錯，當蓋伊內閣解決北非問題的計劃在國會被否決，被迫得下台的時候，世界輿論曾經同情過蓋伊先生——甚至直到今天我們依然相信，「和平解決北非糾紛」的原則，是符合法國人民利益，是對整個自由世界有利的。

不錯，人們也許要指出，既然如此，蓋伊內閣是被戴高樂的主要擁護者蘇斯台爾推翻的，那麼，我們今天又有什麼理由支持戴高樂的上台呢？

要答覆這一指責，我們是要交代一個事實：當蘇斯台爾領導反對蓋伊內閣的時候，法共的立場是站在蘇斯台爾一邊的，當時的法共，是支持他們今天所指責的「戴高樂分子」，「法西斯分子」「極右派分子」一邊的。這就是說，今天法共是沒有資格以「共和政體的維護者」說話的。

今天，就法國人民的選擇而言，擁戴分子所代表的一種對現狀不滿的情緒，是一種狂熱的愛國主義的情緒，這種「狂熱的愛國主義情緒」，如果不善加誘導，有時可能有「偏激」的危險；但是，當人民最後被迫祇能夠在「狂熱的愛國」與「狂熱的賣國」（在法國國會中，擁戴分子指着共產黨員說：「你們到莫斯科去吧」！）之間加以選擇時，他們選擇「狂熱的愛國」這條道路，無疑的是值得同情的。

如前所述，「狂熱的愛國主義」所產生的「偏激的情緒」是有「危險」的，這點我們毫不否認。但是，如果法蘭西人民的選擇，他們基本的動機，無論如何是比較易于「誘惑」的，所以，法國和世界的輿論，過去希望避免法國有右派的上台，和今天支持戴高樂的執政，全是對的。

法國共產黨當初反對蓋伊內閣的動機，是企圖造成法國的混亂；法國「狂熱的愛國主義」者「擁戴」，而使戴高樂成爲國家團結與希望的象徵，他們的行爲富有英雄的無私的奔放的氣概（雖然他們有「偏激的危險」）可見，這兩者之間的動機，太不成對比了。

愛國陣綫與人民陣綫

法國人民選擇戴高樂，動機是爲了愛國，但是，就他們那一種狂熱的情緒，也許會有「危險的傾向」，這就是說，是兩個問題。「愛國動機」本身並不等于「危險傾向」，而由「愛國動機」而產生的一種「狂熱的情緒」，可能成爲一種「危險的傾向」。但是，如果一種「動機」果是爲了「愛國」，即使在情緒上有一時的「狂熱」與「偏激」，也是易于誘導的。

今天把戴高樂將軍說成是法國的「極右派」，甚至把他說成是主張獨裁的人，可能是事實。右派擁護戴高樂是事實，右派「擁戴」是他們的聰明，因爲今天在法國，祇有戴高樂能夠成爲團結全國的重心，愛國的象徵，右派擁護戴高樂，並不等于戴高樂是右派。嚴格的說，今天的戴高樂是法國愛國陣綫的領導者，這一愛國陣綫，右派是主要的組成部分，更重要的，它要能進一步的團結全國一切非共黨派。這個愛國陣綫是一個唯一能夠粉碎共黨的「人民陣綫」的武器。

戴高樂是今天法國愛國陣綫的唯一適當的領導者，因而他同時也成爲那些被認爲「狂熱的」「偏激的」愛國分子的誘導者。北非變起，戴高樂一面表示願意對國家的危難負責，聽候人民的召喚；一面則一再強調必須經過合法程序執政。這是一個很得體的風度。我們知道，當戴高樂發表這些談話的時候，以當時巴黎的政治空氣，戴高樂祇要登高一呼，武力奪取政權而易舉，但是他說，他不願他重造的共和制度毀在自己手上，這又是一種感人的聲音。

對於戴高樂將軍，有些「誤解」是很不幸的：

譬如說，就修憲問題而言，通過修憲使法國政府得獲更多的權力，使法國政府更趨穩定，這幾乎是法國最近歷屆政府的主張，但是，戴高樂認爲：這個問題與其在國會討價還價，不如直接交給人民復決。那也就不能說是戴高樂的個人獨裁了。

譬如說，戴高樂要求半年的全權，以便于放手改革。這一點，如果我們明白在法國的修憲問題沒有解決以前，任何一個內閣都有朝夕不保之處，任何改革都屬徒然的情況，我們就得承認，這是絕對必要的，這與所謂獨裁是不相干的。

譬如說，戴高樂在外交主張上，強調法國的利益，甚至也抨擊過北大西洋公約因而有些觀察就担心戴高樂執政，法國可能退出北大西洋公約，這一觀點顯然是「不現實」的。我們知道，一個國家的外交政策，是服從他的內政的，如果法國的基本的國策堅定，縱然有些情緒上的對反共盟友之間的不滿，也是易于誘導的。

（下轉第三版）

司馬璐

半週述評

法蘭西悲劇重演

擾攘兼旬的法國政潮，終於以戴高樂繼任總理而告一段落。

法國一向是防杜軍人干政最嚴的國家，儘管政爭頻繁，軍人却必須恪遵政府命令，不得捲入政爭漩渦。這是第三共和成立以來，法國民主政治的基本法則，七十餘年間罔敢或渝。此次軍人反抗政府的事，偏偏發生在最古老的民主國家法國，倒是一大諷刺。

佛林蘭總理受命於危難之際，以極大決心和勇氣應付北非軍人的挑戰。佛氏隸屬於中間偏右的大衆共和黨，但他具有自由開明的立場（這也是北非法國軍民堅決反對佛氏的原因之一）。當他在職短短三周期間，曾經兩度獲得議會授權，表決時的懸殊多數已打破第四共和國以來的記錄。在他辭職之前，且獲國會支持，通過修憲建議，以期加強政府的穩定性。凡此種種，都證明他是個有抱負有做爲的政治家。然而他畢竟受不住來自軍人和右翼方面的壓力，另一方面，他又不肯於接受共黨支持，在這樣難堪的境界中，他盡到他的最大力量，他辭職了。

守法的戴高樂將軍

但這局面並不如北非公安委員會一般人的理想。他們要組成一個全國性公安委員會政府，拋開憲政常規，以恢復他們心目中所想像的法帝國光榮，不顧阿爾及利亞的民族獨立，要永遠是法國控制下的一省，這一運動竟在感情激盪的法國各地如火燎原，幾乎全部海陸空軍都走到北非方面，幸把受錯會——間接也就是受全國人民一致支持的合法政府推翻。

然而他們所支持的戴高樂將軍，也許個強者，他却反對擾亂行動，他堅持要遵循合法途徑上台。他不滿已往的政黨政治，他要求特殊權力，以便在不受國會牽制之下行使治權，並修改憲法；但他並不採取大革命時代的公安委員會方式而向國會要求合法授權。這種光明磊落並恪守法理的精神，使許多一向對他懷有成見的人都改變了態度。其間特別值得一提的是前總統歐禮和與前總理莫萊，他們愛護共和憲法之殷未必下於至今仍繼續反對戴氏的那些社會黨議員；要防止內戰，避免國家糜爛，現在祇有由戴氏出山秉政一途。兩害相權取其輕，最大多數的法國人已做了明智的抉擇。

戴高樂的守法精神值得稱揚，他可以鄙棄國會和憲法，在軍人擁戴下實行軍事專政，但他曾自制心的與各政黨會商，並依例出席國民議會發表政見，法雖式微，猶有典型，世人還不容輕視這一傳統的標榜自由平等博愛的國家。

棘手的北非問題

但是法國病根已深，[illegible]不是一蹴可幾的事。據傳戴氏將立即提赴阿爾及利亞，可見北非局面是第一棘手的問題。不祇政府紀綱需要重建，年來成爲政爭導火綫的阿爾及利亞前途也要有斷然決策。關於西方聯盟，戴氏已有明確表示，但關於北非政策至今還諱莫如深。他究將實踐時宣言，以聯邦形式結合界予獨立的前此海外各屬領呢？抑或由衛北非法國軍民要求，堅持舊日殖民地的羈縻呢？這是戴高樂以至整個法國命運所面臨的考驗。

・李秋生・

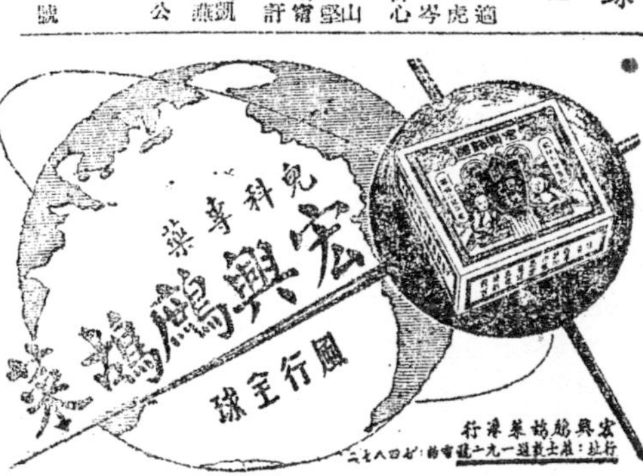

歎然與失望

——美國來鴻之一

‧謝扶雅‧

前本港浸會學院中文系主任謝扶雅教授于今年四月間前赴美國講學，頃接謝教授第一次特約通訊稿，亟爲披露如左，讀者當以先睹爲快。（編者）

〔本報美洲特約通訊〕我想在這裏將美國方面有關中國的事情，斷斷續續地拉雜地作點報導的工作，中間亦不免插有個人的觀察和評斷。

今日美國無疑地被逼做成世界政治舞台上的最大主角，可是眞正眼光遠大而具道義精神的政治家則仍不可多覯。一般美國人無論朝野上下，對於大陸中共都有「奈何它不得」之概。一方面既羨且妬其日臻壯大强盛，心中自然不大高興，它方面便愈對台灣政府歎然甚至失望。他們總覺得國民黨太不爭氣，尤其對民卅五復員後的南京政府在各方面都顯出無能和腐敗，尤其是軍政要人的飽括自肥，全無奉公守法及愛國心肝，言下猶表憤慨不已。他們雖亦略聞台灣近來已大有進步，並亦聽到一些宣傳——說這回如眞軍返大陸，保證決不再有當年南京那樣糊塗和無政治效率。然而一般都不大相信，並認台灣絕對無法亦無期能作反攻復國之舉。一般對於最近問世的「蔣總統言論集」（英文本）似乎也並不十分重視，甚至有人認爲，裏面缺乏悔過自新的誠意者。然而雖僅美國差不多沒有人能想到中國前途的希望另有所在。它毋寧繫乎中國數千年來文化優良傳統和青年知識分子的動向。龐大的美援只對軍事——至多在經濟的某些方面，却對文化的協助實在微乎其微，對青年知識分子的協濟更談不上。我曾對美國人說爲香港高中畢業生每年六七千人的升學問題請命：美國如肯幫助一大筆獎學金，如當年清華（前大學時代，即美國退還庚子賠款所指定開辦者）畢業即可全部送往美國各大學讀書上進，則十年後新中國舞台的角色將全爲受過美國洗禮的留學生，這對美國爭取中國爲盟友一事將是何等無比的成功！然而我這種呼籲是不見有何反應，可見他們的近視眼鏡度數也相當深啊。

可是美國這裏對中國人的觀感和態度眞比以前大有進步了。早在李政道楊振寧兩青年物理學家贏得諾貝爾獎金轟動全世界以前，留在這裏的中國知識人士已達五千之衆。大約東方紐約和西部加省台占十分之九，其餘則散在各州。這批「知識難民」當然比從前唐人街洗衣開餐館的「唐人」大受美國的青眼。的確，這五千中國「士子」，大半已在此結婚生男育女，再過一二十年，後起華僑新青年恐將更有十百千李政道楊振寧之輩占據美國學術界的高位，也許它年月球登陸的第一人還屬於炎黃後裔哩！中國人的資質本屬上上乘，而勤苦耐勞也屬絕頂。前者已足超過彼邦人，後者不用說更遠越任何民族以上。中國少年比來在此間中學（High School），無論初高，每考試必占冠軍。每屆各地大學入學試以第一名拔榜者尤所多見，這實在爲中國民族爭光不少。兩星期前，中美文化關係討論會假瑪星爾大學開會，到者中美名流學者約百人，除報告上屆會議（每年一次，已開過三次）紀錄外，討論的問題有（一）美國各大學內中國文化學科的教師應如何聯絡團結並組成一會，以資交換經驗，（二）美國各地研究中國問題之調查，（三）中國經子哲學名著之選出及英譯，（四）關於中國問題之基本書目編就以備此這講授之用。中國文化講座已不及上次大戰時的聲勢，對中國研究之興趣已遠不及中東。社會有錢的人不大熱心捐給爲中國研究之用途，一般教會海外宣道工作已轉注目於亞非利加，而對東南亞也不大起勁了。（五月廿二日）

言論爭自由發生不幸「內鬨」

‧劍聲‧

官報與民報劃成一道鴻溝

台灣通訊

台北市報業公會因「出版法修正條文草案」向立法院請願致發生「內鬨」，官報與民報各在報上刊登啟事，表明立場與態度，爲該案三度進入高潮。

官報聯合聲明

中央、中華、新生、青年戰士報等官方報紙於五月二十六日發表聯合聲明，謂「台北市報業公會以公會名義向立法院請願，當時會員中已有表示異議者，近查復有以報業公會名義分函立法院各立法委員致送請願情事，我們四個報社茲鄭重聲明，此項行動，不能代表台北市報業公會全體會員報紙」云云。同日，四家官報復又以「本報訊」發表統一新聞說：「立法院內政、教育、民刑商法等三委員會昨天上午九時假中山堂主席召舉行第二次聯席會議，出席委員劉錫五、劉贊周等六十七人，自由列席委員延國符等二十四人，由劉錫五主持，會中對於台北市報業公會請願書爲籲請廢止出版法或作合理之修改案曾詳加討論，決議對該案不交付審查」云云。

報業公會說明眞相

台北市報業公會多數會員立表異議，當天下午四時乃舉行第六次全體會員報社會議，決以九票對四票通過決議以公會名義發表聲明如下：（一）查同業公會以維持及增進同業共同利益爲宗旨，乃法所明文規定者，此次行政院送請立法院審議之「出版法修正案」，關係報業同業之切身利害，故報業不得不向保障人民自由權利之立法院請願，此爲公會基於同業共同利益，所應有之舉措，絕非商業以外之活動。（二）查五月六日向立法院陳述請願意見之本會代表十人，（按：青年戰士報代表一人）係經當日上午十時所舉行之第五次全體會員報社會議所議決推定者，當時並無人提出異議，此有會議紀錄可資查考。關於所謂「復有以報業公會名義分函立法院各委員致送請願書情事」，查此項請願書係經四月三十日第四次全體會員報社會議審議通過，會議紀錄內並曾載明：「各報社如有意見，可於本週內送會，俾資參考」。結果並無一報表示異議。本會分送立法院各委員之請願書，乃係原文之副本，並非另一文件。

立院新聞室的談話

復據立法院新聞室語記者：五月二十五日立法院內政、教育、民刑商法等三委員會舉行聯席會議，該室並無發佈有關會議的新聞，因爲聯席會議無正式決議，會議紀錄尚未作最後定稿，需待下次聯席會議宣讀通過。至有部份報載新聞「決議對該案不交付審查」一節，該室既不承認也不否認。

一般觀感

從上述雙方聲明，我們可以推知報業同人內鬨的內幕，就是官報與民報的明顯分野。四家官報的聲明，自有其本身不得不聲明的苦衷，但爲了言論言的整個立場，自然會使人感慨萬千！（五月二十七日于台北）

有朋自遠方來　‧尹震‧

海外一報人

‧何日中‧

新聞日報及晨報社長吳重生

人物介紹

本年二月間，馬尼拉華僑新聞界，有一個盛大的集會，五六十名華僑報人，假座「綠室」旅社，歡宴馬尼拉最大華文報紙——新閩日報暨晨報社長吳重生氏，慶賀他獲得菲總統親自頒贈的報界榮譽獎狀。吳氏是旅菲華僑報人中第一位獲得是項榮譽的人。

艱辛歲月卅二年

吳氏從事報業有三十二年的歷史了。他是從校對、到記者、到社長的。日軍侵菲期間，他曾被通緝，報館也被封閉了。他雖然到處流亡，但始終保持着一個報人堅貞的氣節。一九四五年二月，他逃亡歸來，新閩日報已經只剩下一片焦土，他決心要使他的報紙從廢墟中重新站起來。他曾在一九四六年十月間新閩日報復刊後的一篇社論上說：「敵人盡了他們摧殘破壞的能事，讓我們這些倖存的人負起復興建設的責任。」新閩日報終於在他的努力下，迅速的再生了。而今聳立在馬尼拉蘇勒爾街的新閩日報大樓，和報館蒸蒸日上的業務，正是華文報業在菲律賓華僑社會，復興的標誌。

開新聞自由新頁

華僑的辛苦經營，對菲律賓的貢獻是多方面的。而吳氏對新聞自由的貢獻，更是菲國新聞史上光輝燦爛的一頁。距今二十七年以前，新閩日報爲了登載一條揭露事實眞象的報導，而被控誹謗罪，地方法院判吳氏兩月徒刑，直至向大理院上訴，始獲判無罪。當時全菲新聞界曾舉行盛會，慶祝新聞採訪自由的得獲保障。大理院法官馬康，在判決書中有謂：「把一個合法厥盡新聞天職的報人送入監獄，將使人民的良知遭受震驚。」這就是一九三一年著名的「馬康判例」。此一判決，不但奠定了菲律賓新聞自由的基礎，也使新閩日報以及吳氏的聲譽雀起。這在今天我們國內的新聞同業來說，仍有值得向吳氏借鏡之處。

老當益壯話前途

吳氏不老！他常愛引用麥亞瑟將軍的一句話：「青春不是生命過程中的時間，它是心情的狀態。」現在的吳氏，正像他所代表的新閩日報一樣，飽經憂患後更加堅强起來。他每天親自看大樣，删改標題，並且記錄着每天報份的升降。現在的新閩日報有廣大的讀者羣，有最新式的電動鑄字機及鑄模機，有現代化的印報工廠，也是菲律賓報中唯一裝有七十四馬力高速捲筒機的報紙。同時他所籌辦的中英文晨報，也已於去年出版。吳氏的事業，看來正在開始呢！

辦報紙是一種文化事業，不同於其他商業的機構。吳氏不但利用他的報紙，促進了全菲的繁榮與建設，並且對發揚祖國文化，與維護僑胞正當權益上，也盡了最大的努力。

台北報業公會分裂內幕

‧金伯華‧

（台灣通訊）本年三月二十日行政院會議以「現行出版法中部份條文間有未能適應當前需要」爲理由，通過一種「出版法修正條文草案」，於同月二十八日作爲「密件」送請立法院審議。行政院旋復於四月十八日改爲普通文件（非「密件」）補提再修正草案，但在報界及立法院一部分委員們間，業已激起嚴重而激烈的爭辯；反對修正的報界及立委們均搬出憲法來，認爲此項修正條文草案，不但與現行出版法原則及民、刑法以及其他法律相牴觸，並「與中華民國憲法基本精神相牴觸」。情形之緊張，除電力加價及股合公司兩案外，可謂得未曾有。執政黨當局曾一度特別召見台北聯合、徵信、自立、大華、民族五家日晚報負責人有所指示。誠因此五家報紙雖係民營，但均由國民黨員負責主持，依照黨紀自應服從黨的意旨。據聞當時當局，曾面囑毋得發表新聞。事後各報並不受約束，均於次日刊出語氣有利於反對修正的報導。於是換着有中央黨部秘書長張厲生發表正式談話，用意自然在擁護修正。不料各該報又於次日在報上一致對該談話加以指摘。於是蔣先生於五月十九日親往機場爲伊朗王送行後，立即趕回陽明山，以總裁身分在紀念週中對各該報負責人及多數反對修正出版法的黨員立委們加以指責，聲色甚厲，爲前此所僅見。從此兩個月來反對修正出版法如火如荼的憤激輿情，暫時也就漸見平熄了。

然而不幸的，是變起蕭牆：一般輿情，表面上雖已漸見寂靜，而報界本身反暴露出分裂的痕跡。轟動一時之「台北市報業公會爲籲請廢止出版法或作合理之修改以保人民言由權利而維國家憲法尊嚴上立法院請願書」，即爲此報界內部分裂的導火線。關於官報、民報雙方的聲明，已見諸雙方各報。我們看了上述兩個聲明，此中是非，讀者可以自加判斷。不待多贅。筆者所引爲不幸的，是此事竟招致報業公會本身的分裂，你來一道「聯合聲明」，我來一道「緊急聲明」，誰就雙方報紙名稱，一望而知一方是黨政軍經營的報紙，而另一方是民營報紙；——總之都是執政黨黨員所主持負責的報紙。在國民黨當局提出指示之後，黨員間對於此事的見解，甚至即是利害吧，如發生歧異或衝突，何以不訴之於黨或總裁？竟連篇累牘的在報上大登啟事呢？據筆者看來，出版法修正案勢將要在立法院通過，當局凡希望非於立法院「本會期內」通過不可。（四十七年五月廿七日）

法國會變成法西斯國家麼？

。風行粹。

自從二次大戰以來，法國發生內閣危機，已有二十四次了。

在最近的七十五年，法國的改換內閣的次數，不祇七十五次，爲什麼此種危機頻頻發生呢？在每一次危機中，局外人每每疑問道：在法國人的性格，或法國的政治制度中，有什麼東西，足以令到建立穩定政府這樣的困難呢？

法國人有三種特性

在巴黎最近刊行一新書『支離破碎的法國』，作者是『世界報』的著名通訊員孚維特。他對此問題，提出了有趣的答案。據他說，法國的困難，非係特別局政治，也不是屬於其他特別的論題。他說：不能歸咎於政黨或憲法條例。而是在法國人的性質。孚維特單指出：法國人的三種特別性格：（一）個人主義，（二）保守主義，（三）唯智主義。

個人主義

法國的選舉制度，是少數者得以其人數爲比例而被選。此種制度名爲『比例代表制』，固然是法國有許多各異的政黨之原因。但尚有一更大的原因是個人主義。他說：法國今天分成兩個基本的陣營（左及右），三個主要的趨向（左，右，中）六種不同的意見（極端右派，國會保守派，天主教人民共和黨，急進黨，社會黨，及共產黨），十個『國家政黨』（每一黨有幾種傾向），十四個『國會派別』。孚維特指出：在一個好像法國那樣的過度中央集權制的國家，個人主義是對抗權威的自然自保反應。在一個地方分權的國家，而政府較接近人民，則人民感覺地方行政機構，是一種自己表達及實踐的工具，而不是服役。

保守主義

他相信在局外人看來，法國是一個革命的國家。但孚維特看到保守主義是法國許多煩惱之原因。其矛盾不待證而自明。極端保守主義者，阻止依次進化，便造成不可避免的革命之條件。

孚維特拿法國和英國的保守主義互相對照。他說：英國好像使用舵輪，有各種不同的動作，而法國好像使用汽車制動機只有死板的簡單動作。法國與鄰的北非屬領之關係，是這種保守主義可悲之例。保守主義也是法國維持古老農村經濟之原因。其他各國檢討其社會與經濟制度，以求適合二十世紀之工業主義。

唯智主義

另外有一嚴重的法國性格之錯誤，是唯智主義，孚維特解說作崇拜抽象，象徵，及先例。此種弊端，令到法國在這個日趨變化的世界中，不能找到實用的答案，去解決政府每天的難題。

在此種情形之下，孚維特之見解，認爲雖然法國分開再分開，成爲左與右的各種程度但他們受大部份的『不機動之』中間勢力所控制，因爲左傾與右傾的反國會派系，互相抵消力量，而讓中間勢力用折衷及權宜的方法奪得政權。

孚維特指出一半的選舉人（共產黨佔四分之一，右翼各派佔四分之一），不祇是反對政府，而且是反對資產階級的代議制政體本身，他們絕不是『負責任的反對黨』。

巴黎在半醒半眠狀態

孚維特稱：今天對政府的離異，是表示冷淡無情，而不是反叛。他寫道：『法國是可厭的，不能再被鼓舞起來。巴黎在於一種半醒半眠的狀態。你不能再看見它突然對一主張，或一大問題，興奮起來。』

許多第一流的新聞界人士，不論法國的抑或是外國的，表示同樣的見解。英國『新政治家』週刊巴黎通訊員卡羅爾，寫下一篇文章，題目是『法國將成法西斯主義的國家』。他說道：『法國的輿論絕不是走向極端，而是埋葬在一種奇怪的魯鈍氣氛。大衆只是拒絕作反應，他們是麻木不仁了。』卡羅爾說道：『美國的政論家李普曼最近訪問巴黎以後，他便將巴黎之氣氛與當年麥卡賽全盛時代的華府相比擬。他說這種的比擬極爲切合。』他又說：此間有一種恐慌，任何批評阿爾及利亞戰爭的人之愛國主義，自然受到非難。但卡羅爾並未預期法國走向法西斯，只是右派能繼續操縱馴服的政府，他們便不必冒着政變的危險。』

但我已遇見此間許多消息靈通的記者，他們看目前之局勢，可能有『半法西斯』的政變發生。（譯自五月二十四日的新德里「思潮週刊」）

國際動態拾零

△陸軍與民防司令正討論如何保護美國大城市，以防蘇聯襲擊，惟空軍專家，已獲得證據，謂蘇聯之轟炸目標，並不在大城市。蘇聯原子飛機及火箭之第一目標，爲消滅美國之戰略空軍力量。

△美國戰略空軍總司令保衛（J. Power），設計製造一環繞地球飛彈，射程爲一萬一千五百英里。

△艾森豪本年度不擬追加軍事預算。國防部原擬在六月三十以前，增加八億之軍械預算，爲艾氏所批駁，囑依原預算開支。

△美前財政部長漢富利加，領導反對減稅運動，因爲收支不敷過甚，仍會引起不景氣的。

△外交人員道德問題，在下院引起熱烈討論。數年前香港領館職員鬧同性愛之醜聞，近年又復發現。各地美新處去年有七人鬧同性戀愛，業已被迫辭職。（見新聞週刊五月十九日一期第五頁。）

△上月赫魯曉夫與狄托秘密會見，欲調和兩國矛盾，未有結果。時赫魯曉夫巡視匈牙利全境，忽不見了一整天。這是狄托要求，地點爲勃拉東湖。

△中東將出現新聯邦，爲巴基斯坦，阿富汗，伊朗所組成。這是伊朗王所提議，其計劃將于其最近訪問美國時，向國務院提出。此三國與美國關係較爲密切，想英國已經同意其主張。

。陶然。

竹幕幽秘

秦始皇路綫

——析「社會主義建設總路綫」——

八大二次會議所通過的「鼓足幹勁，力爭上游，多快好省地建設社會主義總路綫」的基本點是：調動一切積極因素，正確處理人民內部矛盾；鞏固和發展社會主義的全民所有制和集體所有制，鞏固無產階級專政和無產階級國際團結；在繼續完成經濟戰綫，政治戰綫和思想戰綫上的社會主義革命的同時，逐步實現技術革命和文化革命，在重工業優先發展的條件下，工業和農業同時並舉；在集中領導，全面規劃，分工協作的條件下，中央工業和地方工業同時並舉；通過這些，盡快地把我國建成爲一個具有現代工業，現代農業和現代科學文化的偉大的社會主義國家」；中共在此以前，已有一個過渡時期總路綫，它是：「在一個相當長的時間內，逐步實現社會主義的工業化，逐步完成對農業、手工業和資本主義工商業的社會主義改造」；有了社會主義建設總路綫，當然廢止了以前的過渡時期總路綫了。

兩者相比，一個急躁冒進，另一個比較和緩循序。

自一九五三年十月，中共喊出過渡時期總路綫以來，僅僅只實行了一年多一點，即被毛澤東破壞了，在一九五五年七月，于他所召開的省，市委書記會議上，點那批過渡時期總路綫而反對毛澤東冒進的人是：「小腳女人」，「教條主義者」，……總之，在一九五五年下半年至一九五六年上半年，把絕大部分的農戶強迫納入農業合作社，把大多數的私營工商業用公私合營的名義吞併了。於是，揚言：社會主義改造基本完成了。

於一九五六年下半年，中共的經濟支持不了這種急劇的畸形的發展，於是有一批人喊出[illegible]

[illegible]事業以最高速度前進」；建設的最高速度是保證不了的，而由于這條路綫被黨中央通過了，沒有人敢再說「冒進了」，到是實在的，其所謂保證大概是這方面的保證，封住人們的口，不許說冒進的保證。

一九五八年一月十七日人民日報，刊載了[illegible]的一篇文章，文章又揭露出[illegible]孫殿才（省委常委[illegible]）、[illegible]陝法黨組書記、副[illegible]）、[illegible]銀川地委書記）[illegible]

在一九五六年，甘肅省興修了四百三十多萬畝水地，孫殿才等說這是「冒進」，[illegible]換來的」，「都是[illegible]的」，「是秦始皇[illegible]省委面對這些攻[illegible]一百萬畝左右的[illegible]的腦袋想必發熱[illegible]終遭清算。據說[illegible]的頭六個月裏，水[illegible]的十倍；由此可[illegible]程度！

[illegible]路綫指導下的全國[illegible]意見；那麼，說毛[illegible]的[illegible]

。田心。

論戴高樂執政

（上接第一版）

譬如說，戴高樂宣稱不放棄北非，並不一定就可以解釋爲加強對北非的殖民政策之謂。我們知道，北非的民族主義者中有許多是反共的，他們一面反法，一面警惕共黨，甚至也担心法國一旦完全退出阿爾及尼亞的後果。這次阿爾及尼亞的公安政府成立，獲得廣大北非人民的支持，就是一個例證。前法國總理畢奈說，在北非，這次法國人和阿爾及尼亞人如此合作，這種機會太難得了，戴高樂表示，他上台後要親自到北非以「合作精神」結束叛亂，這些都是一些可能的進步的趨勢。

我們學到些甚麼教訓

法國這次戴高樂的執政，其過程是不平凡的，無論如何，是我們當代政治生活中的一個重大事件，因其「不平凡」，所以也給了我們一些「不平凡」的啓示。

第一、北非事變，起初完全是自下而上的；北非事變，迅速影響全國，也由于平日積怨太多，人人思變。法國這個國家，有民主的傳統，有民主生活，而平日沒有善自利用民主制度發生消毒的作用，結果幾乎造成一發不可收拾的全國大變亂，這是何等的危險。

第二、法國軍人在這次事變中的表現有値得讚揚的，如前所述，戴高樂以他在軍人中的號召力，要是利用武力，奪取政權，輕而易舉，但是他沒有這樣做。前參謀總長伊利將軍，他不滿意他的僚屬被捕，他不同意佛蘭林政府的政策，堅決辭職而去，但也未直接干政。北非的薩蘭將軍，馬蘇將軍全是形勢迫成的，他們也一再說明他們對政治沒有野心。

第三、北非事變後，佛蘭林要戴高樂到公衆中說理，戴高樂接受了他的挑戰，這時共黨對佛蘭林施以壓力，要他阻止戴高樂說話，佛蘭林不但沒有這樣做而且當他發現戴高樂的影響已經成爲不可抗拒的力量時，他立刻也作了「讓賢」的準備，假如在法國歷史上，這次戴高樂的改革成功，法國總統柯蒂，政治元老歐禮和，社會黨領袖莫萊，與辭職的總理佛蘭林，他們全是有功的，他們的風度全是可敬的。

第四、這次法國事變中，相當普遍的反應是法國人民厭棄政黨的情緒。我們必須承認，民主政治與現代民主政黨制度是進步的東西，但是，倘使少數人利用政黨這一工具，爭權奪利，置國家的利益不顧，我們可以說，這種政黨的本身已經腐朽了，必爲人民唾棄。我們可以指出，在民主生活之下，政黨的普遍腐朽，往往發生了替極權主義鋪路的作用。

今天法國政治上的內爭，本質上已經不是什麼黨派問題之爭，是愛國與賣國之爭，是愛國陣綫與賣國陣綫之爭。今天戴高樂受到法國的右派擁護上台，但是他表示他「不是屬于任何一個人，而是屬于一切的人」（戴高樂語），正因爲如此，今天在法國，他不是右派的領袖，而是全國的領袖。

在法國，一切反對戴高樂的人們，可說是，在國家緊要關頭，放棄了自私與偏見，而成全了國家的利益。塞翁失馬，這次北非事變，結果戴高樂執政，法蘭西可能因禍得福；臨危而不亂，這又不能不歸功于法蘭西的政治家，法蘭西的民主生活傳統還有他的可愛之處。（寫于六月二日法國國會通過戴高樂執政之日）

新書評介

西洋藝術名家畧傳

王仲章編著・台灣新竹青年出版社刊行

。古往今。

東西方開明之士，倡言東西方文化交流，若言文化交流，當以藝術爲最，因爲語文有格限，獨藝術無疆限，東方繪畫運去西方展出，或西畫運來東方展覽，祇其一也；然名藝術家之言行，有多足爲愛好藝術青年之式範者，西洋藝術諸學派亦當有其重要性，惟作這種傳播的媒介工作之士則少，這不能說不是一件憾事。

我國一向對藝人的言論不傳，而其生活鮮人傳述，以至現在的青年人對之漠然不知；西方的文學藝術影響及於東方者，無過於今了，青年人欲直接閱讀外文，復無能力，尤以西洋藝術之學派紛繁，往往知其名詞而不解其意，愛好藝術的青年，對西洋藝術家的了解，可以說是迫切需要的。從事藝術教育的王仲章先生近編著這部新書行世，可謂於藝術教育上的影響力是很大的。

自文藝復興期前至後期印象派的名藝術家佔最大多數——現在畫家，僅馬蒂斯、盧奧、畢加索等幾位——計有喬托、波提塞利、文西、丟勒、密格朗基羅、拉菲爾、提香、丁托列托、魯本斯、委拉司貴茲、林布蘭特、高耶、達微特、爵里科、柯洛、德拉克洛、杜米埃、米勒、高爾培、喬凡尼、馬奈、底加司、塞尚、莫內、羅丹、雷諾爾、羅梭、高更、梵高、修拉、勞特列克、馬蒂斯、盧奧、畢加索等卅四人。

編者以說故事方式，將名藝術家的生平軼事，學派，作品風格道出，文字淺顯，雅俗共賞，附各位名藝術家代表作廿一幀，有人認爲現代畫家選得嫌少，以我手邊之「Famous Artists and Their Models Thomas Craven」之審言，廿三家中現代畫家亦寥寥無幾，也許爲立體主義，抽象主義，表現主義，超現實主義等流派因爲尚未立穩腳跟而未選列之故。

我認爲這部書的小疵是：一、各名藝術家之照片未附，使人在他處見而不識；二、卅四家只選代表作廿一幀，未能各選一幀爲之代表，是一憾事；三、因爲錯字不少，以致顯得文字有些地方欠通順；四、譯名有些須加斟酌；五、作品製版，未能用銅版紙，以致糢糊不清。

我認爲以上這幾點小疵，容或爲着在印刷時受經濟的限制或者時間上的匆迫，但於藝術上的價值是不減分毫的了。（四十七年五月廿二日夜於台北）

自由談

官僚作風的一端

馬五先生

第四屆亞洲運動會本來是由執行總部提議，請自由中國作東的。但以我國代表團主持人表示要向政府請示，因而臨時變卦，改在印尼舉行了。台北方面傳出消息，有關方面與熱心體育人士認爲這是中共從中作祟所致。（見泛亞社台北卅一日電訊）我却認爲這是「請示政治」的應有結果，驗是自己丟掉的，與共黨何干乎？

作一次亞運會的東道主，問題並不簡單，如其我們自忖沒有辦好的把握，則暫不担任主催國的職責，也不是甚末了不得的嚴重事件，無所謂失望的。假使爲着國家體面關係，不應錯過機會，我們的代表團長就得當機立斷，慨然承諾，焉用官僚作風的「請示」爲哉？我們事前既無一定的決策，臨事又缺乏識大體，決大疑的出席代表人才，唯唯否否，敷衍從事，致予別人以乘機竊發，爭奪亞運東主國的餘地。這完全是咎由自取，於人何尤？

就這回事亦可看出「請示爲負責之本」的惡劣政風，是怎樣地貽誤國計民生了！平日機關林立，職責不分，沒事時互爭職權，互推責任，東牽纏，西制衡，而以開會議，發廢話，製公文，爲官樣爲服務成績。一旦遇到需要負責應付的事情，即以「請示」爲盾牌，表現着一副不求有功，但求無過的活官僚形相，烏龜不笑鱉，大家泥裏歇，如果有人責難，最好是諉過於共黨搗亂，誰也不敢再說二話了。因爲共產黨是國家民族的公敵，誰如別有異議，誰就不免要戴上「爲匪張目」的帽子，那還得了嗎？

我對於這次自由中國失去下屆亞運東主機會的關鍵所在，却不避「爲匪張目」之嫌，肯定地認爲是官僚主義與官僚人物的必然現象，大可不必藉共黨從中作祟的口實來解嘲啊！

一篇「不受歡迎」的來稿

春歸何處

◦陸夢墨◦

最近台灣的文壇產生了一個變化，有兩家大報「新生」與「中華」的副刊都改變了風格，今後將不再刊登文藝性的小說及散文，其徵稿的要求，以趣味性的，新聞性的，珍聞異事，及兩性關係的文字（見徵稿啓事）爲原則，我猜這在報館的立場不外是銷路問題，站在編輯的立場來說，無論是迎合老闆的心理也好，讀者的心理也好，總爲相互的關係，但是文藝風氣的衰微，就可以想見了。

有人擬報紙副刊本來是報屁股，無足輕重的，但是報紙所擁有的讀者要不知要比一般文藝刊物多若干倍！一個副刊若加以好好的利用，它的力量足可以造成一種風氣和潮流，南部新生報「西子灣」去年曾經登載過拒刊新詩的啓事，惹起詩人們普遍的不滿，北部又再向小說及散文關門了，固然我們需要瞭解兩性或是飛碟的秘密，但是每週刊裸體模特兒還不够刺激嗎？世界珍聞的事情還不够新奇麼，科學上驚版的恐龍還不够靜細麼？何必再向這個可憐的園地去動腦筋，事實上副刊之不被歡迎，我大胆一點來說，並非文章的性質，而在文章的好壞。短篇小說的半生不熟，散文的莫名其妙，一些在圖書館裏即可查到的考古文字，以及對訓練耐性有效的長篇連載，千篇一律，如此去虐待讀者，結果怎麼能够受歡迎？我想有個編者在選好稿方面以及一些沒分肥的心理不是沒有。鄉油有聲的作品不付稿費的詩刊，試一些文藝刊物常常發現內容及高人一等的作家佳作，報刊而稿費竟如此微薄，還能不怪作者們不公平嗎？抑或是讀者們不向稿費多多的報紙投稿？我在開頭說「台灣的文壇產生了一個變化」似乎是說得大了一些，因爲報紙副刊不能代表文學，能有一部份已算不錯。幾年前中華日報每半月有一版「文藝」，是由徐蔚忱先生主編的，內容到乾淨嚴肅，後來不知因何停刊了，聯副去年亦有改變風格之說，但是變化不大，星期小說每週一次，也常常發現優秀的作品。中副的選稿有宗旨，意識性重於藝術性，是章回小說及女作家們的舞台。新副在改作風格的副刊前亦常見傳永的短文，南部新聞報的「西子灣」時由歐陽醇主編的，後來換人主編，內容到還豐富，只見一些中學生作文式的東西，有一兩篇像樣的，當然也是不够的。也因爲是紙業公司了辦的報紙，北部的副刊稿費高過大報，也自然比大報遜色。老闆的幾家報紙的副刊，對文藝作品一扇一扇的關閉了大門，所剩無幾，有辦法的作家自然把地盤抓得更緊，那些埋首的無名作家，他們的作品將往何處去呢？莫非一定要他們鑽出角落，去握手，去請客，才有文章的出路嗎？眞是「春歸何處？寂寞無行路。」了。

兄弟鬩牆

◦林運生◦

「兄弟鬩牆」可能「外禦其侮」，但可能變爲「箕豆相煎」而「同歸于盡」——箕焚成灰，豆變成糞。這些現象，正表明「不合」，凡二物不合而能活着，亦十分勉强，如貌合神離，終必及于傷亡。

最近台港的報紙爲了變更外滙問題，由港地的內銷僑報發出呼籲；接着台地官辦報紙却予以批評與挖苦，因而展開內鬨，且及陰牆面，讀者這才知道了有些報刊的經濟來源，原來如此這般。這給一般眞正報人而不能操報業在台灣凍結十年者不知是羨是恨，但總是印象不佳。

我更知道台灣有間報內容除了色情小說每日三四段編而外，就沒有什麼東西可看了。但因爲「報紙登記」不開放，只有此一家獨市，故可以大賺其錢。甚至在「文化清潔運動」時期，它也安然無恙，黃色如故，當局本來依法可以過問的，但又爲什麼不呢？

有人說：台灣的「言論自由」，不是在「自由中國」半月刊，乃是在那「黃色的小報」。因爲它不談政治，可以胡說八道，却不會令當局注意，因而加以取締的。但我們還良心，對于這類報紙，是不是應該肅清的呢？然而沒有。

不過今天台港兩地報紙發生的「內鬨」恐還不是「兄弟鬩牆」，而是「官民鬥法」！

演員的基本認識

◦何日中◦

幾個月前，我曾在本報寫過一篇關於藝術理論的文章，題目是「提供一個藝術觀念問題」（去年八月十四日出版）。文中主旨，是在討論影劇藝術的基本觀念。但在影劇界來說，我是個十足的「圈外人」，對國內情形，不太瞭解。這篇文章所根據的，只是在銀幕及舞台看到的東西，拉雜寫來，希望能「拋磚」以「引玉」。

演員的地位

「影劇」，是用語言和美的動作（包括語言和表情），表演故事，以引發觀衆情緒，獲得觀衆同情的一種綜合藝術。在藝術領域中，它是包羅最廣的一種。

演員是影劇最基本的一個單位，在表現過程中，演員本身就是藝術。他不同於樂曲的音符、繪圖的線條，只是一種標誌和符號。所謂「藝術」，大體說來，是把對外界的印象統一起來，再在內部重新喚起，而用一種特定的，審美的形象表現出來的時候產生的。而這種形象的表現，在繪畫上，是靠畫家；在樂曲上，是靠音樂家；在文學上，是靠作家；在雕刻上，是靠刀人。而在影劇上，却不能光靠劇作家、或導演、或佈景、或聲光，……劇作家和導演等等所表現的，只是一部份，而另一部份，無疑的得要靠演員。因之，一部戲的演出效果如何，演員具有最後決定性的作用。這也就是演員也被稱爲「藝術家」的理由了。

演員的素養

演員是在表現劇中人的行爲，而「行爲」的產生，用當代心理學的定義來說，是一種：對內在、或外來的全部刺激的整個反應，所以保羅·牟尼（Paul Muni）說：「你並不是在表演，你是在反應」（You donot act, You react.）。

人類對刺激的反應，分兩個階段：一是「自然的反應」，一是「制約的反應」。前者是簡單的，不假思索的，主要是生理方面的反應；後者是複雜的，具有社會意識的，主要是心理方面的反應。而制約的反應，也是由自然的反應發展而來。因爲「人」是一種社會動物，其對刺激的反應方式——換句話說，就是行爲標準——不能不受社會關係之制約。本此原則，在舞台上、或銀幕上，情節的發展，固然是一種社會關係的變動與調整；而在人物的發展中，劇中人間，也是對刺激反應方式的變動與調整。保羅·牟尼所指的「反應」，就是這種經過變動與調整之後所發展而成的，適合於劇中人的身份、教育程度、社會關係以及時代背景的制約反應。這就是「演技」。

所以，一個演員，不能祇靠「學習」來獲得演技，戲劇教師和導演所能教的，祇是自然的反應較多，例如喜、怒、哀、樂等等——就是通常所謂的「表情」。而一個如何的角色，要有如何的喜、怒、哀、樂？也就是要如何把表情應用到劇中人的身上，而能恰如其份的演出，這就有多半要靠演員自己對生活的體驗了。

所謂生活體驗，包括外在的生活體驗，和內在的生活認識。前者如精神與物質的生活方式，人與人間的關係等等的認識；後者如對生活意義和對生命價值的肯定等等。這些都是做爲一個好演員所不可不備的素養。

演員的演技

「演技」就字面來講，是演員的技巧，「技巧」在其它藝術領域中，並不受重視。因爲它只是藝術表現的一種手段，而非藝術本身。但在影劇中，演技而且是演員藝術生命的一部份，一個演員之是否有前途，有成就，端視其演技。演技既是表情的制約化，故應有審美的標準，影劇「藝術」。才能够成其爲一……有些演員怨……

[illegible]

宿廬山溫泉 並引

◦許紹棣◦

霧社有溫泉，曰櫻溫泉，以櫻花名，今改稱廬山溫泉。春初過此，青萍有「廬山面目渾非昔」句，因作此以寫意。

客裏逢春憶舊遊，匡廬入夢亂鄉愁，衣冠南渡今猶昔，莫把杭州作汴州。

母親節有作

清晨入教堂，景象異平昔，男女齊歡愉，云慶母親節。母存佩紅花，母亡色尚白，問我何所取，中腸欻內熱。憶昔齠齔年，慈幃悲永訣，自廢蓼莪章，春秋五十易。漂泊干戈裏，皓首仍爲客，松楸隔千里，哭望何由接；誦彼寸草詩，春暉感罔極！

燕塵識小

十七、一網打盡

六卿授首，二士潛蹤，其餘諸人，猶未能免禍也。后黨意氣驕盈，必欲一網打盡。於是大事株連，而參與維新者，幾盡成階下囚矣。

李端棻　革職遣戍新疆（後於庚子赦還）。

張蔭桓　革職查抄家產遣戍新疆（終於庚子賜死戍所）

徐致靖　革職下獄永遠監禁

徐仁鑄　致靖之子，革職永不敍用，上書請代父下獄。

徐仁鏡　致靖之子，革職，上書代父下獄。

陳寶箴　革職永不敍用

陳三立　寶箴之子，革職永不敍用，圈禁於家。

張百熙　革職留任

王錫蕃　革職永不敍用

黃遵憲　免官逮捕

文廷式　已於光緒二十二年二月革職永不敍用，今拿辦逮捕家屬。

王照　革職拿辦逮捕家屬查抄家產。

江標　革職永不敍用，圈禁於家

端方　銷去三品卿銜，撤去督辦農工商局差使

徐建寅　銷去三品卿銜，撤去督辦農工商局差使

吳懋鼎　銷去三品卿銜，撤去督辦農工商局差使

宋伯魯　革職永不敍用並拿問

李岳瑞　革職永不敍用

張元濟　革職永不敍用

熊希齡　革職永不敍用，圈禁於家

右列二十名，縱未必盡屬幹濟之才，要亦一時振奮有爲之士。人之云亡，邦國殄瘁。賢哲既盡，僉人在朝（握大權者如榮祿剛毅之流，承風希旨者如文悌李盛鐸之類，）清之必亡，無待蓍龜矣。

十八、全盤推翻

此時守舊勢力，氣燄方張，對人既睚眦必報，對事又來一個全盤推翻。總攬百日維新之舉措，最使舊派怵目驚心痛惡深疾者，一爲裁汰九卿，使三四品[illegible]終；一爲廢除八股，使[illegible]登庸無路。朝局既變，則首復舊制，於是八月十一日降諭曰：「朝廷振興商務，籌辦一切新政，原爲當此時局，冀爲國家圖富強，爲吾民籌生計。並非[illegible]舊如遺。此朕不得已之苦衷，當爲天下臣民所共諒，乃體察近日民情，頗覺惶惑。總緣有司奉行不善，未能仰體朕意，以致無識之徒，妄相揣測，議論紛騰。即如裁併官缺一事，本爲沙汰冗員，而外間不察，遂有以大吏制度爲請者。舉此類推，將以訛傳訛，伊于胡底。若不開誠宣示，誠恐胥動浮言，民氣因之不靖，殊失朕力圖自強之本意。所有現行新政中，裁併之詹事府等衙門，原議將應辦之事分別歸併，以省繁冗，現在詳加察度，此減彼增，轉多周折。不若悉仍其舊，著將詹事府通政使大理寺光祿寺太僕寺鴻臚寺等衙門，照常設立，毋庸裁併。（如此措詞十分勉强）（廿）

衛勇生

自由人
THE FREEMAN
（第七五七期）
中華民國僑務委員會
頒發登記證台教新字第一〇二號
中華郵政台字第五〇〇〇號
執照登記爲第一類新聞紙類
（半週刊每星期三、六出版）
每份港幣壹毫
台北市售價台幣壹元伍角
督印人：陳文華
地址：香港高士威道二十號四樓
20 CAUSEWAY RD. 3RD. FL. HONG KONG
TEL. 771726
承印者：東南印務出版社
地址：高士打道六十四號
台灣總經理處
台北市西寧南路壹壹零號二樓
電話：三〇三四六
台郵儲金戶九二五二
海外總經銷：友聯書報發行公司
香港：彌敦道六十二號A二樓

戴高樂與法國前途

謝康

一、

若干年來，許多人對法國不免發出悲觀的論調，認爲她是「浪漫的」，「愛享樂的」，「任性的」，「不安定的」，「生產落後的」，一句話，也就是黨派林立，意見紛歧的「悲劇性」的國家。當她失掉了安南，和北非的一部份屬地，四年來阿爾及利亞戰事正糾纏不淸，共產黨愈鬧愈兇的時候，二次大戰後（第四共和）第二十四屆內閣又因北非問題拖到垮台的時候，評論家對法國政局更感覺得悲觀失望。香港報紙也多爲法國危機表示關切沉慟，未免發出低估戴高派及其擁護者的話，以爲北非洲的勵態和科西嘉島的叛亂，無論理由如何，都不是法國之福……即使能夠成功，相信亦祇能曇花一現，終歸失敗；同時以爲戴高樂是一個純粹的軍人頭腦，對民主自由四個字，固有很大距離，尤其對國際外交，更未能認識淸楚，其在二次大戰後，迅速即爲人民所推倒，就證明他不合時宜：又以爲戴氏一出主政，便將現時的法美關係，一刀割斷，甚而可能改採中立路綫。

這種不同情戴高樂主政的論調所持的理由，主要的是指摘戴派作風「不够民主」，不懂「國際外交」兩點，而因此發出杞憂，以爲戴氏復出，將是「法國之禍」，甚至禍延北大西洋公約，影響法美、法英，及法德關係，使自由世界蒙受損失。這種看法，也許是受一些英國電訊的影響。

反對戴高樂的死硬派，當然要算國際共黨及其同路人比較激烈的一部份社會黨份子了。全世界的共產報刊及親共的左翼報紙，這幾天都是一鼻孔出氣地駡戴高樂，以爲他一上台，法國就有「危險」，西方聯盟就會「分裂」。伏羅希洛夫不惜以主席身份，預言戴氏上台，必定「害多而利少」。於是本港擁共報刊，儘量用嘲諷輕謔，嬉笑怒駡的話，把戴高樂之上台，是「篡奪政權」，「獨裁專政」，「破壞了法國組織政府的通常程序」，「法國人危險當頭」等等。這些戴紅色眼鏡的看法，千篇一律，吠影吠聲，至少可以證明戴氏確是法共的剋星，他一出山，法共就有危險，這也不在話下。

二、

但在相反方面，歡迎戴氏的論調，在法國和自由世界隨處却可以聽到。且莫說法政黨已多數表示支持戴氏，即以自由中國而論，前幾天，外交部發言人已對法政局前途，表示樂觀的期待，葉外長的論評是：「戴將軍將領導法國的命運，向促進國內統一與團結之途邁進，使法國能擔任防衛自由世界的適當角色。法國人民對國家和愛國精神，中華民國政府和人民同感讚佩」，同時南韓外長曹正煥也有類似表示。美國則艾克總統早已對戴氏再起東山表示「老友」之話。該國民主黨領導人之一愛德華史蒂文生提，奧里歐這班領袖擁戴氏出山爲公忠體國。像這類歡迎戴氏的話，西方陣營裏還很多。

三、

以上各種看法，見仁見智，各有不同，但同樣重視戴氏軍事政權，則毫無疑問。法國國會已通過任命他，（反對者僅共黨及其同路人）。問題是戴氏上台以後，在共產黨繼續反對之下，能不能將法國弄好？進一步能不能使得法國對保衛自由世界的問題，普選其溫和的一分子？站在自由世界反共的立場，我們該是歡迎戴氏出來領導法國的。由北非事件作一個導火綫計算起，可說是一九三八年第一次「人民陣綫」解體以來，反共和共派最有力的一次大結合。結果，除社會黨中一部份議員依然站在一起之外，法共顯然是孤立地失敗了。單就此次法共號召罷工失敗而言，在一千多萬工人當中，只有幾十萬人響應總工會的命令，其人數尚不及全國工人總數十分之一，而且一般對罷工的反應很不熱烈，可見其勢力已不足左右法國社會。而從法共所得國會議席經常約佔總數四分一的比例，顯然也見得其力量日趨微弱，不能與之相比。要是從這點更深一層的看法，則法共所以轉弱，除一九五六年匈牙利革命引起法國人對共黨的反感外，戴高樂一九四六年十月第四共和憲法產生，未必眞能符合多數法國人民的願望。因爲當全體選民票決這部憲法草案時，贊成，反對及棄權者幾各佔三分之一。而贊成方面僅僅以微弱的比較多數，擊敗反對者，（贊方九百二十萬，反方八百餘萬），可見這部憲法所根據的民意基礎的薄弱（實應加以修訂）。近十二年來，根據這部憲法所產生的國會，共黨常佔議席約近四分之一，對政府諸多掣肘留難；尤其是有建設性的計劃，共黨更多加以否決，不遺餘力，幾乎好像蘇聯在聯國安理會行使其否決權一樣，其目的都在於搗蛋或拆台。這樣，雖然可以博得左傾人士之歡心，但亦引起了中間路綫和右派分子之反感，連帶失却老百姓對議會政治之信心。近年來法共言論機關人道報銷數之空前低落，和最近各非共黨派之擁戴氏及工人響應罷工者之少，及第四共和第一三屆總統，現任總理普里林等的附順軍心及輿情，完成戴氏組閣工作，已足徵法國絕大多數人心所向咸認戴氏爲國家救星，至少是非常時期較爲理想的人選。共產黨說他「破壞法國組織政府的通常程序」，這話如果有幾分事實根據，正可反映出法國朝野上下多數人團結救國的精神，已無暇顧及共黨所謂不合程序的指摘，使共黨深感孤立自討沒趣而已。至於所謂「篡奪政權」，如果照戴高樂這次上台的經過去看，也非公平之論。

四、

要知道戴高樂今後能否拯救法國，則除（一）阿爾及利亞問題（二）共黨煽動工人問題（三）經濟財政建設問題（四）修憲問題，每一問題都和法共政策有密切關係，須以削弱共黨勢力爲先決條件外；最主要的，還是法國社會安定勢力能否重建及非共各派能否團結鞏固的問題。這就是說，佔全國四分三或至少過半數的人如能夠繼續相當時間團結在戴高樂派堅強領導下，法國前途才能日趨於光明，否則若給多財善變的共黨挑撥利用，分崩離析，各個擊破，所有非共各黨派遲早將可能繼今日社會黨（S.F.I.O.）分裂之後，逐漸分化而趨於沒落。二次戰後的法國，多少改變了農業本位古老文明的國格，可說是農、工、商業平衡發展的國家，在職業人口二千餘萬當中，工人和農業勞働者約佔一半，農、商、工業有產階級亦佔一半。從政黨關係看來：前一半由共產黨分社會黨及人民共和黨分領，後一半大概由人民共和黨，急進黨和往右的各派政黨所領導。除共黨惟蘇聯馬首是瞻而外，其餘各派勢力實較法共爲雄厚，倘能化零爲整，以國家利益爲重，派系及私人利益爲輕。站在反共立場，爲國家前途，拋棄成見，攜手合作。那麼，自由世界對法國沒有悲觀的理由。

此外，國際合作也是今後法國安定繁榮的關鍵所繫。我們相信戴氏絕不致於老氣橫秋，開罪四鄰，走上孤立或中立的外交路綫。因此，我以爲戴高樂再起，是法國和自由世界之福。至於是不是「萬應靈藥」，那却要等候一個相當時間，纔可以得到證明。

半週述評

對南共攤牌

蘇聯正在運用各種壓力，莫斯科正在動員全世界共產黨員中的國際主義者，集中全力攻擊所謂狄托主義。

在思想上，各國共產黨人被迫追隨莫斯科的聲音，發表千篇一律的所謂斥責南共修正主義的文告。

在政治上，各國共產黨人被迫在這個問題上徹底攤牌，「交代」他們和南共之間的關係。例如最近匈共說，一九五六年的匈牙利「反革命事件」是由南共暗中支持的。

在經濟上，莫斯科與東德也宣佈取消了對南斯拉夫的經濟援助。

西方的奸細

蘇共第二十次大會中，赫魯曉夫曾經指斥過史達林對南共的政策；但是六月三日，赫魯曉夫在保共第七次大會中却說，一九四八年共產國際情報局關於南共的決議是正確的。

不僅如此，赫魯曉夫還引用，當年共產國際情報局的老調，說南共和狄托是西方國家的「奸細」。

吠影與吠聲

狄托成爲南斯拉夫的英雄，莫斯科曾經大力捧過他；狄托成爲「匪幫」成爲西方的「奸細」，這些也是莫斯科「傑作」；以後，在共黨的宣傳中，狄托又變成英雄，又變成奸細，製造這些宣傳資料的，也是莫斯科！

一犬吠影，百犬吠聲，一九四八年如此，十年後依然如此！

狄托，「同志」乎「匪幫」乎，可憐「百犬吠聲」祇靠一點點聽覺而已。

處死的領袖

莫斯科的外國觀察家說，赫魯曉夫這回領導反狄托的神態，就像一個「指揮前綫總攻的元帥」。

十年前，史達林說，我彈一個指頭，狄托就要完蛋了。

當然，人們知道，狄托本身並沒有倒下；但是，人們一定不會忘記，在「狄托主義」的罪名下，保共領袖特萊哥斯托夫，阿爾巴列亞共產黨領袖哈查，羅共領袖巴特拉斯努，匈共領袖拉加克，捷共領袖克里門提斯，斯蘭司基等等，不是被處死，就是不知所終。

中共的忠誠

這次反狄托主義的鬥爭中，中共最近出版的「紅旗」發表了陳伯達的文章，南共路綫是「帝國主義的產物」；六月四日人民日報要求所有共產國家與南共「劃清界限」；六月三日，董必武在保共大會上也公開指責南共的「修正主義」。

爲什麼中共如此賣力呢？第一，他們要表示對莫斯科的忠誠；第二，他們要藉這頂大帽子，壓制黨內的分歧；第三，他們認爲，犧牲國家獨立與奴才政權是同等價值的交換買賣。

司馬璐

論秀才與學究

燕廬

宋神宗朝，王安石秉政，改以經義取士，把先前以詩賦取士的成規廢掉，王的意思，以爲凡讀書人，必通經而後能致用，原則上，我們很少理由反對他這種改革，但實施的結果，王安石也覺得大爲失望，他追悔說：「本欲變學究爲秀才，却不料轉使秀才成爲學究」。

如所週知：宋代的讀書人，一般都有一種像范仲淹所說：「先天下之憂而憂，後天下之樂而樂」的豪邁的抱負，在這種抱負下，對那些專事尋章覓句，摭拾類書典故以文飾其制藝的士子，自然要覺得其毫無是處，而且早在唐代末年，便有人以爲「進士」過于「輕薄」，不稱其實了。爲了改革這種士風，遂決定以經術取士，目的是要每一個讀書人，都明白所謂治國平天下的大道理，矯正那種以帖括爲能的餖飣爲富的固陋之習。這種做法，自然與民國以後，某幾個割地自雄的武人之提倡讀經不同，因此我們覺得：王安石的主張也不見得很壞，只不該把他跟科舉連在一起，使人以爲讀經不過是爲了利祿。漢代今文經學的衰微，就因爲立了博士，有了門戶，那些聖賢的微言大義，成了一部份人的衣食飯碗之故。

香港的中、英文中學，決定實施會考制度的時候，我曾寫過一篇短文，表示異議，也許因爲那時尚未實施會考，我的意見未免言之過早吧？不會引起過任何人的注意，這幾年來，我照常教書，並且有時會替一些學生補習會考的功課，而外間的報紙雜誌，反而疏疏落落的，有些人在反對會考了，那些文字，我也偶然讀到一些，都各有各的所見。但我早已不像先前的熱心了。因爲我彷彿已體會到，在香港，有許多事情是不容我們張口的。我的教書，目的是爲了吃飯，一日有書可教，一日不致于飢寒，別的事便慢慢的看得淡了。但我終于又有了另外的感覺，就是我的學生們，逐漸都染上了學究味，他們讀經學、歷史、古文、詩、詞；戲曲和小說；但似乎很少想到什麼治國平天下，也不以爲那些作品可以疏瀹性靈、涵養品德，他們終日哭喪着臉，只想牢牢地記着：九疇、八卦的名目，三綱八目的順序，建安七子和唐宋八大家的姓字，以至南北曲的區別，詩與詞的分野之類的問題。于是會考指南，問題詳解一類應時的印本，都成了科學時代的「闈墨」一樣，讓他們在那裏鑽研揣摹，等到會考放榜，他幸而沒有落選，結果這些「闈墨」連同教科書一起，通通成了廢物，先前要死命記着的東西，不到三個月，你再問他，包管大半已經茫然，如其你也是一位先生，說不定會感到一點輕微的內疚，其實那只是你的不識時務，其實對于學生而言，只要他可以通過會考，便一切也滿足了，因爲他從此可以考羅師、葛師、入預科、考H.K.U.，不單學生如此，就連你的上司——校長和你的顧客——家長，也莫不如此，只要你曾經教過的學生，百份之九十通過會考，校長先生就會在他所編印的校刊上，把這個百份比的數字，用特大的鉛字印出來，作爲一種榮典。這就是說，他的這一份生意大有前途，你的飯碗，無疑地也已經固若金湯，再不要愁有什麼意外了。

有許多人，把今天的會考擬諸昔日的科舉，是否類似，我不擬計較，但如其眞的有點相同，則我倒很想知道，這些業已「中式」了的新進，其資格是相當于秀才還是學究呢？蘇軾彷彿是反對王安石以經義取士的，曾經說過這樣的話：「昔者以聲律（詩賦）取士，士雖學而不志于道；今也以經術取士，士雖知求道而不務學」。其實學是道的基礎，不務學亦無由明道，正如王安石自己說：「秀才變成學究」。清朝末年，國事敗壞，有些人便歸咎于八股，以爲它斷喪盡了中國的人才，這種持論也許是過激的，但科舉之與學術無關，則似乎是無庸諱言的事實。漢末鄭玄的古文經說，宋代程朱的理學，司馬光的史學，以至清代的考證學，這些還正足以代表一個時代的學術，其始都可以說與制科漠不相干的。因此我們覺得，凡是科舉，或類似科舉的考試，雖不見得如清末人所說者：它足以斷喪一代的人才，但却可以說；它絕不能積極地造就人才。至於從另一角度看，它不能造就人才，却又實施了二千多年？問題是它雖不能造就人才，却很可能造就奴才，歷代的開國帝皇，從做流氓出身，揭竿而起，在不分青紅皂白地相砍一番之後，於是做穩了皇帝，下詔改正朔，易服色，接着就是「開科取士」，理由很簡單，由他櫛風沐雨搶來的這一份家當，必須有一大批奴才去替他管理，奴才跟秀才不同，因爲秀才大約都懂得造反，故所謂學究云者，其實都是些典型的奴才罷了。

電視與石油帶來了困惑

・日華・

台灣通訊

蔣一誠，這位去國五年，而在美國社會一躍而爲紅人的蔣一誠，帶着在美國的榮譽回到了台灣。他回到祖國，使祖國朝野對他刮目相看，因爲他是近年來，中國人在美國商業上成功的名人，他的成就，顯然已與李、楊等的成就並駕齊驅了，雖然彼此事業成就的領域有不同。

蔣一誠之所以引人注目，還不在於他在美國社會上的那些令譽，在台灣來說，是因爲他公事包裏裝有兩份在台灣投資的計劃，而如果一切順利的話，第一期的投資額有五十萬至一百萬美元，更何況美國的企業主還可以源源地支持。官方之所以對之興趣濃厚，要抑在此。至於民間的反映如何呢？只要閉起眼睛想一想，台灣的民家有多少是有能力用五千到六千元來裝置電視機，來享受視聽之樂的，就可以想見了。

據各家報紙的刊載，在美國被譽爲「好公民之父」的蔣一誠袋裏的那兩份動人的投資計劃書是：電視事業和勘察台灣沿海海底石油資源計劃，而他的後台則爲美國德州的石油資本家。

絕沒有人會懷疑上述投資計劃的可能性，但是對於由蔣一誠代表美商資本家所提出的投資條件，卻已引起了人們的困惑。據盛傳的消息說，投資電視事業的條件是：（一）在台灣享有專利權，此項專利權，並不限於台灣省，而延伸包括到將來收復的整個中國大陸在內。（按：據大陸中共報紙宣稱，北平也正在發展電視事業中）（二）由我政府指定由原投資人專利電視器材之輸入與在台設廠製造，其它方面（包括政府在內）任何人不得再經營或製造出售同類的電視台或電視器材。

至於沿海海底石油勘察一項，則目前似並無具體的消息外露。顯然，在這二項龐大的投資計劃中，電視事業的投資是居於第一位，勘察沿海海底石油礦藏的計劃是次者。也有人這樣說，照目前的發展情況言，石油勘察計劃是電視事業的附屬計劃，如果電視事業的投資計劃未獲順利進行，那末，石油勘察計劃也就根本談不到了。

從經濟觀點來看，也就是從純生意眼來說，投資人顯然是有意在等待電視經營成功或賺了錢之後，才進行石油勘察。同時，也可以這樣說，如果中國官方能夠接受美商代表人蔣一誠所提出的電視事業的專利權，那末才會有興趣繼之以進一步具體地談及石油勘察計劃。這種分別先后提出的投資計劃，很像是採取「投石問路」的方式，使台灣方面對投資人的誠意不能有所懷疑；如果官方的着眼和興趣是在石油勘察方面的話，爲了要發展石油工業，就必須忍耐接受電視事業的專利投資計劃，雖然這種專利權的內容是過苛的。於此，也足見投資人的生意門檻是相當精的。站在老百姓的立場來說，我們當然希望先着手石油勘察計劃，石油工業不論在民用或國防及工業、交通發展上來說，其價值和重要性，都遠在電視之上，但投資人既將投資機劃如此分別先後提出，是不是意味着台灣既需要石油，就必須先要接受電視，如果拒絕了電視，似乎也就是同時拒絕了石油！

本來外商投資或僑資回國，是今天自由中國所竭誠歡迎的。一方面願意投資，而另一方面則又亟需有人投資，雖則在自由中國方面是官方出面爲承諾的主體，實則仍是一種商業行爲，並不因交易的主體一方是一個國家的政府而有所不同。既然這是種商業行爲，「買賣雙方」勢必要討價還價的，此亦本不足爲怪。但何以台灣的輿論界對此有所評呢？問題就在於投資人所提出的電視專利權之過份廣泛和含有獨佔性的氣味太濃，而且也令人推想到有可能因爲拒絕「電視而同時也喪失了開發海底石油的機會。

如果以假設的方法，以電視爲「小」，以石油爲「大」，以電視爲「輕」，以石油爲「重」，很明顯的，石油的需要對自由中國的引誘力是極大的，從大小輕重的觀點來衡量，似乎頗有令我們不能拒絕電視之感；這等於說，雖然我們有選擇權，而實際上已無選擇之可能了。

筆者作如是之看法，並無意於說人家有意在存心愚弄或取巧，如果肯定這二項投資機劃是一種商業行爲的話，更不能用愚弄或取巧字眼（做生意本是斤斤計較的）。問題是說，我們的官方能不能夠和有沒有力量，在商談折衝時做得比較美滿一點，是不是能夠對於電視的專利權內容作合情合理的商討修改；設若辦不到，那麼無異是賣斷了中國將來自己經營電視的權利，這是未免過份的。

將一誠帶來了電視與石油；但也爲台灣的朝野帶來了迷惘與困惑。（六月一日寄）

時勢造英雄

・尹震・

談中日貿易協議

・南銘・

（合衆通訊）歷時兩個多月的中日貿易懸案，從表面看來，是在一種很和祥的氣氛下，圓滿的達成協議。三月十四日以後的一段時間，台灣自然是希望能在過往的情況下援致協議，而在日本那方面，卻忙得手足無措，但是在兩面不討好的形勢下，簡直不知道如何踏下一步棋。

有一度時期，日本與中共打得火熱，日本的願望想從中共能嚐到一個滿足貿易上的經濟甜頭，但卻沒有想到，吃了一記悶棍，至此才回過頭來，趨向台灣這一方面。實際上國家與國家之間，不管在那一方面，也只有利害的關係。

事實上，中日貿易協定，就貿易的項目來說，日本是以工業產品，和化學物品，西藥等爲主；台灣是以農業產品，糖、米、香蕉、鳳梨等爲主。這在日本，它是一個消費項目，在台灣本土上，雖然無產，依照外界的供給是無可避免的，以他們經濟上的觀點來看，這個來源除了大陸以外，就只有台灣是他唯一可取得需要的地方。

由此看日本堅定共同反共的目標，希望能暢希貿而已？實際上還是一個貿易問題，八千五百萬美元，這個數目字恐怕如在今日台灣對日貿易上來講，並不是一個理想的數目，去年度的貿易計劃額，爲九千二百六十萬美元，而今年減少了七百六十萬美元；這一個數目字的減低，是不可樂觀的。但是我們總算把日本做成了一批交易，使中共在一次政治鬥爭上還祭了挫折。

家政會議及其他

・光明・

西貢航訊

亞洲區家政會議

中、越、日、韓、菲、泰、柬、寮及印尼等九個亞洲國家，於本（五）月十九日，在西貢舉行「家政會議」。出席的代表，除了少之又少的觀察員及間爲男人之外，其餘都是婦女。每個國家的代表，好似是個「婦女代表大會」。她們的「國服」，五光十色，比較說來，最落落大方的是中國代表的「旗袍」，最的是越南的七彩上身衣和紅色的褲。她們坐在「延熙會場」，攜同形象議廳內，以英語爲「國際語」，就如何改善家庭生活問題，滔滔不絕地談表意見，使人有「不讓鬚眉」之感。中華民國代表團在這七人中，有兩名爲美德女師範學校的，來頭不小，是華僑協會馬超俊理事長的「賢媳」，曾留學美國，現任台灣大學家政系副教授。她四十左右的年紀，配上一副黑框眼鏡，坐在首席代表座位上，倒是一「道貌岸然」。

吳修敏，過去曾在西貢舉行的國際性會議代表，循例設招待酒會，以盡「地主之誼」。此次則屬例外。只託他的弟婦，越國會議員吳廷琰夫人，代作「東道主」。於大會閉幕之後兩日，在市府大禮堂，舉行一個相當盛大的雞尾酒會，招待與會代表及有關各國使節和新聞記者，並有越南古典舞及音樂等精彩節目表演助興。

這一爲期十二天的會議，已於今日閉幕。中國代表團定下（六）月一日就返台北。她們對此次會議的成就，表示滿意。

放棄華僑控制乎

台北一家英文日報，於本月上旬發表一篇社論，向政府建議，放棄控制及組織旅居東南亞各地區之一千三百萬華僑的企圖，並鼓勵他們「集體入籍」，爲解決華僑問題的「最佳方案」。並認爲「取得新國籍的華僑，決不會忘記其母國的深切關係」。這一「爆炸性」的主張，提出以後，外國通訊社會摘要轉發。各地僑胞的反響如何，不得而知，但此間一般僑胞的意見，認爲該報「危言聳聽」「標新立異」。一家僑報著論批評，直指爲「癡人說夢」。該報社論說：「這個主張，不但違背了自由祖國的國策，違背了國家的利益，違背了華僑的意願，而且華僑居留國家，能不能輕易地接受這個建議，亦大有問題。除此之外，假使萬一這個主張竟然實行了起來，我們不難想像到中共方面「暗暗喝彩」，「正中下懷」。從而「因利乘便」，對這些被遺棄的華僑，進行其煽動滲透，那時整個東南亞的國家，都將受到威脅，而蒙其害者已不只是中華民國」。該報繼續指出：「僑居台灣彈丸之地的自由祖國，今日猶能爲世所重，放出萬丈光芒，主要因素之一，在於她擁有散佈五大洲華僑的全力支持。假使這一因素消失，自由祖國將黯然無光。」

今日的華僑問題，的確是個複雜的問題。必須要有愼密的研究，才能找出具體的解決方案。而這些方案，又必須因地因人因時而規劃，不能千篇一律。台英文報的意見，只能說是「只見森林，不見樹木」。假如這位主筆先生，在去年四、五月間有機會目睹西貢僑胞憤怒地搗毀公使館「驚險萬狀」的鏡頭，或者他會更能了解此時此地僑胞的心理，就不會寫出這樣的文章來了。

僑委會懸崖勒馬

僑委會對招收越南僑生的「硬性規定」，已有折衷辦法寄到，且有將近廿名有志回台升學僑生，辦妥手續，絡繹首途。一般對僑委會之能「接納下情」，「懸崖勒馬」，表示欣慰。

其實，除非自由祖國不愛越南僑青，僑委會根本就沒有「拒人千里之外」的理由。當去月此一「硬性」招生章程在此公佈時，所引起「不愉快」的反響，及僑胞心情的沉重，眞是「一言難盡」。他們認爲此舉如不是直接暗示中越兩國間的「懸案」，在今後數年內無法解決，就是間接暗示在今後數年中反攻大陸的希望，不能實現。否則爲什麼要採取這一「不智」的「關門」決定呢？當然，這些推測未必「可靠」，但不能說其「毫無根據」。

僑務當局，在處理某些華僑問題的過程中，遭遇着技術上的困難，在所不免。倘能和有關地區僑團密切聯系，交換意見，未嘗不可以減少此不必要的誤會和麻煩。（四七，五，卅日）

台南二三事

・昌增勳・

巡視・招待・爛帳　法官・課長・索賄　免試・升學・夭折

△又一「巡視」「招待」爛賬案出現高雄，消是繼主席巡視台南市「招待費」的亂支又一章。高雄市長陳武璋，於去年十月七日就任市長後作首次巡視，至鼓山區，因隨行人員及記者衆多，攜帶飯盒不便，交二二五元委托區公所代辦午餐。事情過了八個月，陳市長日前第二次出巡至該區，午餐仍在龍泉寺素食，席間與寺僧閒談，發現去年一餐午飯，係該寺免費招待。以是乃認該區長涉嫌「揩油」。事經中華日報刊載，但次日（本月二十五日）新生報登出林燦珍區長在咖啡館舉行記者招待會上，鄭重否認「揩油一筆飯賬」的報導。林氏說明該款未交龍泉寺，乃以移作招待市長及隨行人員的水菓、香烟、汽水、糖菓的「津貼」。廿六日新生報復載出區公所民政課長的嚴正聲明，說：「某報消息與事實不符，及市府的二二五元係爲準備十五人的餐費，因記者，司機，區公所一共有三三人之多，開了五席，故餐費由龍泉寺招待」等云。以市民一躍一躍而爲一市之長以後，對市政感到生疏，要去巡視一番，原也無可非議。但排定日程，帶着一羣記者，浩浩蕩蕩巡視除了勞民傷財，其意義究竟何在？因此，記起以前東北一位將軍，隨行帶着一個樂隊，每到一處，即令其先行下車奏樂歡迎，上車時，樂隊先到站列隊演奏後，乃命開車的故事，祇是五十步百步之差耳。

△台南地方法院檢查官巴天鐸，與南市稅捐處四課長葉文基，突於日昨深夜遭扣押。台灣高等法院夏惟上首席檢察官爲瞭解案情，專程南下，後並攜回資料。消息傳出後，咸認這該是整飭司法界的開端。此案聽說是這樣的：本市榮豐塑膠廠去年一場大火，焚燬一空，太平保險公司照價賠償了七萬元。月前該公司接到密報，謂該廠老闆吳貫深，故意縱火詐財，所焚燬的工廠內已搬得空無一物。該保險公司遂向地檢處投訴，案由巴檢察官偵辦，將吳老闆扣押起來，索賄款一萬元交保，經課長葉文基手交付。治安人員獲知乃將每紮鈔票上第一張號碼錄下，葉課長交遞後不久在巴家被搜，並搜出尚有美鈔，黃金等其他貴重財物。據說因台南地檢處迴避，已由高檢處令轉嘉義地方法院檢察處偵辦中。

△打破中國的傳統學制，實行「免試升學」，曾在教育廳，教育部，乃至立法院裏爭吵得相當熱鬧，後經總統下令先由新竹縣試辦。高雄市去年也自告奮勇開始實施，到今年高市議會一再討論，且派專人至教廳叠次請求補助經費，終無結果，「免試升學」因此遂宣告夭折。（五月廿八日）

可注意的蘇聯戶口調查

。風行。

蘇聯正在計劃於一九五九年一月，作第三次的人口調查，——這是最近廿年來的第一次。本年五月七日，「眞理報」第一版，刊出調查表格的樣式，有兩欄是值得我們特別注意的。在十五項調查問題當中，有一項是問及「民族位」，另一項是「假如沒有職業，那麼你個人的收入是從那裏來的？」

第一項自然引起很大的猜測。因爲從表面上看來，試樣便承認公民當中有差別，以及有關公民權，及在蘇聯的人們有地位上的歧別。無論如何這問題指出有「沒有公民權的公民」存在。依照蘇聯的憲法，「人民之敵」也沒有公民權。

此外，值得注意的，是在調查表中特設這一欄，可見有很廣泛的差別。在資本主義的國家中，如沒有數目字重大關係的事項，普通列一欄，就算「其他」一類而已。蘇聯所謂「沒有公民權」的人們，換句普通話來說，就是奴隸不如。現在蘇聯的人口調查，喚起我們注意這一點。是則勞動奴並非自由世界虛構的幻想。

第二項關於收入來源這一欄，不管是無意之間對蘇聯當局所自誇全民就業的一種諷刺——此問題當然不甚是對小孩子，因爲蘇聯的小孩子不需查後，但當調查之結果公佈，和精細的材料，對此問題將必有更詳細和有趣的材料。

然而蘇聯竟想到了調查人口，也是值得注意的。原本世界各地，每十年舉行人口調查一次，是平常事。除非遭遇緊急事件，以致不能舉行而已。蘇聯二十年已無此舉，現突然舉行，便會引起猜測它爲的是什麼目的。祇是在去年，蘇聯宣佈過人民超過二億。而這種的宣佈，絕不會是甚於猜測，顯然的蘇聯政府的計算，係以身份證爲根據，或以發給蘇俄十六歲以上的「公民」之旅行護照依據。如此則我們可以說，假如沒有此種的證件，在俄國任何人都不能旅行，或受僱用，甚至取得日常生活之利便。

日本雜誌如此報導
中國留學生組暗殺團謀刺中共各首要

。金陵公子譯。

周恩來被刺消息好像會見中央社有簡短的報導，惜語焉不詳。日本路透社廣的「實話雜誌」六月號發表了署名如月八郎的詳盡報導，茲特節要譯出，以饗讀者：

這個刺殺團是由留美學生李泰祺（化名）連合二十三名志同道合反共青年組成，縮寫爲A．R．（Anti-Red China），李君北平人，其父李延欽，家富有，在北平紫震殿附近置有豪華住宅，不幸李泰祺六歲時適逢蘆溝橋戰起，二次大戰爆發亦延十四歲，其父亦病死，家道逐漸中落，惟其叔父李濤明早於二次大戰前赴美，所以李君乃得於十六歲時投奔其在美叔父，旋在New Orleans大學讀史學系。另一位主角乃南京王正鋒君，出身富庶家庭，惟自共黨佔據南京後，乃遁滑算門學，王君在美加州大學攻讀。

李王二君相識於舊金山某氏宅邸舉行之「中國留學生會」大茶會中，一見如故，乃集合二十四人組成A．R．團。此二十四位青年家庭均屬遭中共清算驅逐者。

一九五〇年韓戰爆發。A．R．團正式在洛杉某宅組成，並決定以暗殺中共首要毛、周以次三十名爲首要工作。一九五三年在共黨倡導歡迎留學生返歸大陸工作，首批八人自美回到北平後極受共黨優遇，住於一流的北京大飯店，上級伙食，出入自由，旅行自由，一切供應無缺，半年後，王正鋒等九人亦於一九五四年到達北平，接着李泰祺君七人等繼之，彼等所受優遇均一如第一批回大陸學生。半年後被分隔各地，彼等二十四人，李泰祺君分發北京人民大學充助教，住北京公寓第七層樓之一室，爲近代化之建築。彼等雖分處各地，但通訊不斷，均以暗碼策劃反共工作，李君得日赴大學授課，二年後，

一九五七年春周恩來約晤留學生，彼等乃在李君詳加調查情狀，先就會晤場所的設計，以手槍無法暗殺，乃改用利刃，最後靜待時機發動。一九五七年三月八日李泰祺等十二人首先遣召到周官邸，由周及朱德接見，談了二十分鐘，會見場所有護衛二人，朱於離場行程中因限三人，至七月廿八日，再度召晤，此次有護衛三人，且均屬A．R．團員爲何成龍、賀龍惠、王正鋒，接見時間爲上午十一時半，但彼等在被召見後，周恩來亦在一再未見何、賀、王三君相繼出現於公衆場合，以爲暗殺成功，其實何、賀、王三君已被周之警衛員檢查成仁。於是中共對A．R．團之行動暗中加以秘密偵查。A．R．團除以暗殺爲主要工作外，並在大陸各地展開學運，發動反共運動，據謂漢陽學生之反共即與之有關。A．R．團誌士計在廣東有八人，在漢陽有三人先後被捕，是年八月周又再出現，而A．R．團份子或已被捕殆盡，僅李泰祺君一人倖於九月中旬由北平脫出險境，聞現已抵達英倫云，據李君說，在共區要發動大規模暴動之反共運動，是極不容易的，失敗成仁之可能極大，其悲感情形當可以想見。

要幹，要革命，是時候了！

毛澤東爲了要實行秦始王式的總路綫，因此，創出一些謬論，這些謬論均見之于劉少奇在中央委員會對八大二次會議的工作報告裏。（這一報告雖然是劉少奇唸出的，但它的筆調，章法，語氣，思想意識，全部與過去毛澤東的言論相同，因此我們認爲這並非劉少奇自己的言論，而是毛澤東的言論。）他說：

一、「我國經濟本來落後，我國的外部還有帝國主義，只有儘可能地加快建設，才能儘快地鞏固我們的社會主義國家，提高人民的生活水平。」——這個提高建設速度的理由看來冠冕堂皇，但是他所說的加快速度是異乎常情的，在這一理由之下，要全國人民改吃紅薯，要取消任何假期，要老殘婦孺全部參加勞動，要叫人們挑燈夜戰等等；不用說，這種加快建設速度是以全國人民牛馬生活爲基礎的。

二、「有人懷疑執行多快好省的方針會造成浪費。……多和快是對數量和時間的要求，好和省是對質量和成本的要求，它們是互助補充，互相制約的。事實證明，全面地執行多快好省的方針，可以把人民羣衆的積極性和潛在力量發揮起來，可以在整個生產建設事業的發展中造成節約。」——他所說的「互相補充」，「互相制約」作用的例，可以在譚震林的「農業發展綱要說明」中找個：一九五七年冬至五八年春在大躍進的鼓勵下，據說積肥三千一百億擔，比一九五五年多五六春多積五倍，比一九五六多五七春多積七倍，但因爲都是土泥和泥肥，其肥效僅及五五多五六春積肥的兩倍，僅及五六多五七春積肥的三倍，付出五、七倍的勞力，而僅祇獲得二、三倍的效果，這究竟還是節約，或者是浪費？如此補充，如此制約，必無人認爲合理。

三、「有些人又担心執行多快好省的建設方針，會在各個生產部門間，在財政的收入和支出之間，造成不平衡。……要解決財政收支不平衡的問題，積極的方法是發展生產，增闢財源；消極的方法是從片面的財政觀點出發，限制建設事業的發展。」因此，他又認爲要「企圖從收縮必不可少的財政開支去解決財政困難的保守觀點，是不能解決任何問題的。」——要發展經濟，就要錢；沒有錢，怎麼發展經濟？看來這是空話；但是他這種歪論還是有指導性的存在的，中央無錢，要地方籌，暗裏是含有這種意義的；目前要廢止中央公債，讓地方發公債，要求民辦學校，要工廠「遍地開花」等等，都是這種隱藏着的指導思想在作祟，說穿了要人民榨出最後一點血，以供其作爲「社會主義建設」的浪費和揮霍。縱然他用發展經濟的大帽子，隱蔽這種謬論的狐狸尾巴，我們深信，身受這種謬論之害的中國人民是欺騙不了的。

毛澤東之所以敢于如此胆大妄爲，提出這種謬論是基于他對於中國人民的「一窮二白」的歪曲理解，他認爲：中國六億人民的「一窮二白」看起來是壞事，其實是好事。「窮則思變，要幹，要革命。一張白紙，沒有負担，好寫最新最美的文字，好畫最新最美的圖畫」。顯然，淳厚得像「一張白紙」似的中國人民，被他看成是可以任意胡爲，「亂寫」「亂畫」的基本條件了。

可是他却忘記了自己說的話中的「革命」意義。說到革命，毛和他的黨並未取得專利權，毛澤東和中共既可革他人之命，則人民也一樣可以其人之道還治其人。要榨取人民的最後一滴血，人民那得不思變？那末，要幹，要革命，毛澤東的命的時候，也就不遠了。

。田心。

菲當局觀念迄無改變
對華僑苛例有增無已

（馬尼剌通訊）菲律賓經濟窘境雖管越來越嚴重，而國會若干議員，依舊不作根本之圖，一味在外僑身上打主意——大多數是華僑。自本月十二日參院（二讀）通過了「處理外僑違憲購置地產案」後，擁有資產華僑從此失了產權保障；擬議中的「勞工菲化」，一經完成法案，華僑將多數面臨失業和飢餓；其他「麵粉菲化」、「養鴨菲化」、以及椰干肉與椰干餅、鮮果、香烟、菸葉等禁止進口，無一不是在摧殘華僑社會經濟生機。

國會議員仍多懵目然

這些有背國際常例、妨害人類自由生存原則的措施，雖然有人指出那是共黨摧毀菲島經濟，迫使華僑與菲律賓人民投共詭計；國會議員中仍多懵然無知。他們還以爲菲共已臨日暮窮途，無可作爲力。

。諸葛明。

菲共的政治進攻

殊不知菲共的軍事反叛能力，表面上儘管無大作爲。實際是軍事退却，政治進攻。菲共本身即令無大作爲，而中共在幕後支持策動的潛力，比過去祇有更加厲害。例如今年二月被解職的美十三航空隊司令艾克曼少將，共黨利用他的太太在社交界活動機會，包圍進攻，慫恿她誘丈夫挪用公款，在克拉克基地修葺四座不用房屋；促成機場附近檢查站問題，跟菲律賓政府發生爭執；以及導使艾克曼少將生活浪漫，在酒會中發生失態事件。中共之所以要使這位四十八歲的美國空軍將領，構成兩大罪嫌——嚴重影響美國政府威信，和挪用公款。原因不外是：艾氏曾於戰時掌握遠東情報，對亞洲赤禍了解極深，在職十八個月間，助菲自美獲得噴射機、和空軍的配備加強了菲島的戰略地位；其次是艾氏利用巨額公款，用以招待外國官員、新聞記者以及戰時所結識的朋友，以獲得共黨活動的情報。

艾克曼解職與菲化案

艾克曼解職，與「菲化律」同樣是菲律賓的一大損害；也同樣是在打擊美國和中華民國政府的威信。這些由於共黨製成的不良後果，菲律賓總統與國會若干議員，大都能夠明白，他們痛惜艾氏去職；並一直反對「菲化律」，但是終有離力挽回。前者對美菲的影響倘還不大，後者對於中菲人民無論在過去、現在和將來，都損害甚深。

「外僑違憲購置地產案」

「外僑違憲購置地產案」，係參議員孫武朗提出，後經議員巴里惹提出折衷修改，規定一九四七年十二月三日以前，或外僑購置地產超過十年以上，必須在本案完成立法程序以前或完成立法程序後一年內，將地產轉售予一菲籍民；這是被稱爲「善意的買賣」，不論原地主收回，或轉售與其他菲籍人，售價是一九四七年估價價格，和一九五六年估價比率，乘一九五六年至收回（成交）的時間。但一九四七年十二月三日以後外僑所購置的地產，則被稱做「惡意」的，除非地主在本案成立前已加入菲籍，將遭菲政府沒收。

「勞工菲化案」

「勞工菲化」係以逐步淘汰外僑的手段，從各行業中清除外人。規定一九五九年一月一日起，工商機構僱用菲人職工百分之八十；一九六零年起增至百分之九十；一九六一年起爲百分之九十五。這是說，距今七個半月之後，外僑失業將逐年增加；但是菲人的就業機會雖然大增，他們能否頂替去職的熟練勞工？誰也發爲疑問。至於能否取得僱主信任，那是次要問題。在菲律賓各行業之中，華僑與菲人的比率兩對一與一對一，那是很普遍的；菲人僱用華工的傳統觀念，是基於華僑誠實、勤懇、負責，故寧舍菲人不用。儘管淘汰華工是逐漸的，數字驚人，影響必大，恐亦非僅華僑獨受其害。

「華僑遊客」老問題

解決這個嚴重問題，只有期待菲律賓本國人民，根據本身利害得失，要求國會改變主意。另一爭持莫決的遊客問題，衆議員俞蘭洛原先要求以難民身分准許留菲，代表遊客的律師黃與示加，最近也會向菲總統加西亞呈遞備忘錄，要求批准二千五百名遊客爲難民身分。但移民局長牙絕却堅決反對，他的理由是：中國政府對香港難民尚且擬加處置；過去且曾接受韓境共俘選擇自由；不久又接運越南不願入籍華僑；以及最近印尼境內的萬僑一批撤台，故不應認爲台灣人口過多，拒絕菲律賓逾期遊客赴台。

想到自己的國家

這批所謂遊客華僑縱能留菲，在菲既無就業營的權利，且無居停的自由，亦祇是倚賴親友維持耳。

祇念海外華僑的處境，吾人自然想到自由中國的整個出路了。

（五月二十二日寄自馬尼剌）

國際動態拾零

△蘇聯第三顆人造衛星，據公佈重量爲二九一九磅。美專家估計，乃併用兩個越洲火箭放射：每個有二十六萬四千磅之衝擊力，且合併使用固體燃料，與液體氣燃料，而非用超級燃料。

△據美國國防部原子計劃委員會主任約克博士說，美國將于一九六〇年，用火箭放射一噸重衛星至天空，如此則美國已落後十八個月。

△美國商業其主要部份，已漸露復蘇之機。但失業人數至六月時，將由五百萬增至六百萬；因俗暑假期間，大中學生，要求工作者，約一百萬人。

△巴黎有反美運動，美駐德大使布魯斯（Bruce），坐巴黎美使館汽車赴火車站，爲人擲石；汽車亦差不多翻過來，布魯士則負傷而逃。

△戴高樂對美無好感，第三次大戰後，美國會反對其執政。一九五四年大西洋公約國在巴黎開會時，戴氏要求與杜氏會晤，杜氏允於在美使館見面。惟戴氏要杜氏去看他，致被拒絕。

△東柏林蘇聯外交家傳出消息，謂五月間聯共中央執行委員會的議決案，其秘密而未發表部分，是對南斯拉夫的。主旨在促成南國內部反狄托運動，並使各衛星國，取消對南國所締的經濟互助協定。

△蘇聯在南美之外交活動，除引起反尼克遜暴動外，已進一步要求米高揚領導之貿易代表團訪問南美各國，並提出貿易與文化之交換協定。且在莫斯科，列寧格勒兩大學，給南美各國以若干免費學額。

。陶然。

自由談

投其所好

俄酋赫魯歇夫致函美總統艾森豪，建議發展美俄兩國貿易關係，藉以促進世界和平云云。這原是一種陳腔濫調，毫無新穎意義的，但此時對美國唱出這類俚曲，却有相當的催眠作用，何以見得呢？

目前美國正爲着經濟衰退趨勢而愁眉不展，英國首相麥美倫亦爲着再行放寬對中共區域的禁運物資，即往華府會商，要求同意。這樣表裏外合的貿易攻勢，對美國的工商企業資本家，誘惑力必不淺鮮，此時此事，正所謂搔到癢處。英美這些建築在資本家支持力之上的現政府，祇要是有貿易利益可圖，其他皆屬次要了。何況美國又恰在經濟不景氣的時候，俄帝乘機啗之以貿易利益，英國及時說之以「和平共存」的理由，一般資本家沒有不色然以喜，對政府施展壓力的。

二次大戰前夕，英美駐在中國長江的兵艦雖被日軍飛機炸毀，但英美的商人依然以廢鐵和汽油，大量向日本販[illegible]。一九四九年我國空軍攻擊上海[illegible]，英美商人與傳教士，竟[illegible]炸上海，且要求該國政府[illegible]。英[illegible]政府之搶先承認中共政權，[illegible]英商要求而然者。事後英商在華的企業財產，雖被共黨沒收淨盡，傳教士一個個被指爲間諜，拘囚判刑，然英[illegible]氣，跟中共舉行所謂大使級談判哩！

這說明資本主義國家之實行商業政治，是必然的定律，也是它們的致命傷。[illegible]掉淚，它們明知故犯，[illegible]已身，決不會放棄其自殺的作風。俄帝[illegible]比深悉這項訣竅，因而[illegible]波，再加以英國的游說，[illegible]顆貿易金彈，[illegible]高空中，一定逗得美國資本家心花怒發的。

馬五先生

想像與現實

。陳永昌。

浮生談

我們生於這個世界，必須面對現實，但現實對於我們是很難如意的，所以我們便不能不趨於幻想。人的想像力各個不同，大抵小孩的想像力比較成年人小，我這裏所說的「小」字是指小孩的想像力太幼稚，所想像的東西縱使失敗了也沒有大妨礙；至於成年人却大不相同了，其想像的失敗，關係着整個社會、國家，甚至世界。現舉數例以資說明：尋常人想像要變富翁，賭博自然是一條捷徑，勝了變富翁，輸了變窮光蛋，社會便平添了許許多多的富翁和窮人，甚至壞人。你道想像對社會沒有關係嗎？希魔想像要征服世界，不惜動用一國的人力和物力去完成他的理想，世界各國均受其「賜」，在他個人的想像裏，絕不會想到一國的被瓜分，和世界大亂。

反過來說，人生在世界上，除了應付現實外，確需要幻想來調劑我們的生活，有了不平凡的想像，我們就倍覺生命的値得留戀，因爲當我們在生活的時候，我們不斷希望着在最近的將來，我們的想像會變成事實，但是，最爲世人所苦惱的就是現實好像永遠和我們的想像背道而馳，這眞令人費解，好像在上帝未造人前已經安排好了每人的命運，以致現實就是現實，想像就是想像，想像與現實相符者乃偶然的事吧了。

再說，想像力實在是上帝給人的一個最有價值的禮物，世界偉人，如文學家、詩人、和科學家等，皆具有豐富的想像力，丹麥童話家安徒生的童話創作和陶淵明的桃花源記等，都是超乎現實的佳作。世界科學家都是夢想家，愛迪生若不夢想發明電燈泡，他永不會製成世界上第一個電燈，他的成功亦當[illegible]。一個[illegible]，一方面我們要面對現實，[illegible]揮我們的想像力，想像有時候使我們覺得做事[illegible]的時候，我們就是做夢[illegible]陶醉的美夢，[illegible]最可愛之處，在[illegible]恨之處，在現實不能一[illegible]我們的美夢，奈何！

秦之亡

。陳宗敏。

周厲王壓抑輿論，招致放逐。秦始皇及二世，亦以禁忠言早亡。史記記其事：「忠言未卒於口而身爲戮沒矣，故使天下之士傾耳而聽，重足而立，拑口而不言」，於是「忠臣不能諫，智士不敢謀，天下已亂姦。」秦之亡，亡於此耳！此足爲後世警惕者。

「大舜有大焉，」試問何所「大」？「大」在「樂取於人以爲善。」桀紂之被稱爲獨夫，則在專橫獨斷，不肯反省與納受忠言而已。

立身處世，欲能日行千里，勇往邁進，在交叉路口，最要緊處，是能及時反省，「不宜妄自菲薄，引喻失義，以塞忠諫之路也」。

纏腳

。人木。

自從小周后跳蓮花舞，引起了李後主的興趣而喜愛纏小脚的婦人以來，至清末民初，我國婦女還是以纏脚爲美的；而那些男人們似乎多有一種病態心理，也不曉得是由於喜歡病態美，抑或是喜歡看女人受苦，都說小脚美。於是大家小家的女孩子不到六七歲便纏脚，務使長大造成「三寸金蓮」。

我到現在還活不到二十年，慚愧得很，沒有目睹盛況，祇是祖母及姑媽的小脚我從小就看了噁心，看她們做事和跑起路來那副吃力相，又實在有點可憐她們。看小說和聽上一輩談天，纏脚的痛苦多少可以想像。

這種受封建荼毒的怪象，竟有人往往以我國婦女的隱忍自詡，却不知道這所謂隱忍實在是奴服于傳統勢力而已。

不料一波未平，一波又起，歐風西雨傳來，婦女纏足的桎梏甫經脫去，便又忙着在脚跟下墊起條小木棍兒來了。

中國的纏脚被罵個狗屁淋漓，而五十步與百步之差的高跟鞋却爲女人的恩物。這可歸入「月亮是外國的圓」一類了，即是洋屁，也香！

現實小說

二叔

。袁修農。

我沒有見過比二叔更可憐的面孔了。他遭逢到如此的命運，誰都爲他歎息，他自己也無可奈何，他呼天，天不應，他哭，淚泉已乾了。

二叔是柳鎮的一個大戶，柳積慶是他的名字，因爲行二，大家都稱他爲二叔，他的爲人正如他的名字一樣，所以鎮上無論老小，一提起二叔，都讚賞不已。

他在鎮上開了一座店子，什麼都賣，凡是家庭日用的東西，應有盡有，價錢也不高，並且可以[illegible]……

幾縣最出名的，會喝酒的都願義務替二叔宣傳。酒和二叔的名字，齊爲遠近所熟悉。說眞的，二叔家的酒，確實很好，味道芬芳馥郁，呷一口，便韻味無窮，無論冬夏，鎮上趕集的人經過積慶酒廠，二叔便站在門口打招呼『來歇歇脚，喝一盅』，然後大家都醉醺醺的走回家去。

秋來，莊稼收場了，二叔收購的高粱一大車，一大車運到酒廠，堆積得高高的，酒像湧泉似的流出來，一大罈一大罈運到四處銷售，除了二叔還有誰能有這麼大的氣派，就連最外行的[illegible]生意做得好。

二叔有一子一女，[illegible]許多人都勸二叔『你快離開家吧，到外面去躲躲，你是鎮上的富戶，老八少不了要和你爲難』！二叔也有他的理由『你看，我這半生心血造成的這個家，怎麼捨得撇掉呢，先看看風頭再說』。本來嘛，莫說別的，就光那座酒廠，二叔怎肯扔掉了呢！

半年過去有人開始調查二叔的財產和素行，酒廠裏不斷地進出着些不三不四的人，儘管工人對二叔的向心力是沒有變，但今天一個會，明天一個會，工人們的工作時間和精力都受了影響，酒廠的生意便像青草着了霜似的慢慢萎頓起來，終於積慶酒廠的大門被村什麼政府的一張紙條封起來，二叔無權過問。他每次進城總有一二個鬼頭鬼腦的傢伙在後面跟蹤，二叔的心意荒了，想逃，但已經遲了。鬥爭清算的風聲由鄰鄉漸漸傳播到柳鎮，謠言滿天飛，鎮上的人心，被罩上了一層恐怖的雲翳，終於事情明朗化，遭受第一個開刀的不是別人；正是柳積慶。

二叔經過一次戲劇性的「公審」後，便被關起來，財產全部充公，一個秋天過去，二叔的刑期還沒有消息，二嬸母由於受刺激過度已瘋了，二叔的女兒被強迫嫁給了一個共幹。

三十六年的初夏國軍收復了縣城，二叔從獄裏解救出，他什麼都不顧，一口氣跑到青島去看他的兒子，當曉得老五已經死了時，他哭得死去活來，幾番尋死，他碰過汽車，跳過海，都被看護他的親友救活。在當年的秋天我隨軍從華北的一個港市調經青島，見到了二叔，已看不出他以前的模樣，他一句話都沒說便撲到我身上來，泣不成聲。住了些日子，他留『我要回去了，我已經見到你，我的心願就了了，』說完就放聲大哭！

『不，二叔你不能回去，你回去凶多吉少，請你跟我一同走，我走到那裏你就隨到那裏，生活我全負責。二叔，留得身在，我們不怕沒有復仇的日子，你別傷心。』

『我什麼都完了，我還活着有什麼意思呢，我只想回去看看祖先的墳墓就夠了，明天我就要走』，他很堅決得令我無法勸解，第二天清早，我跑到小港碼頭去送他，看見二叔已在那裏僱船，我代付了錢，給他買了些零吃的東西，他一句話也沒講，臉色青得可怕，他呆了好久，終於向船上一指，我便扶他上了船，他坐在艙面上，眼睛朝着我，我的眼淚像熱流似的流出來了，在糢糊中船一櫓一櫓的離開了岸……。

燕塵識小

戊戌譚往

同日禁止士民上書，又廢官報局，又停止各省州縣設立中學校小學校。

八月二十四日恢復鄉會試歲科考八股取士舊制。同日罷經濟特科。又廢農工商總局。又命各省督撫查禁全國報館，嚴拿報館主筆。（這倒乾脆）

八月二十六日有旨禁立會社，拿辦會員。旋又恢復已裁之廣東湖北雲南三省巡撫。

九月間又有旨，恢復鄉會試武闈，乃試弓刀石之制。竊於此請贅一言：當彼之時，歐洲帝國主義之巨艦大砲，既已震還非亞兩洲。進而環伺吾華，誅求不厭。而我則干城之選，還得用滾木擂石，羽箭闊刀。以武事爲兒戲，滑天下之大稽。今日觀之，眞堪捧腹。然在當時清議，未必不以爲擇善固執，獨行其是。直至喜峯口之役，猶且以大刀片對抗機關槍。吾人決不敢否認大刀片能克一時之敵，而獨惜其終不能操必勝之權也。生逢今世，氫彈縱橫。又將如何急起直追，以固吾圉乎？宜知儆矣。

百日維新一點萌芽，至此全爲翦盡。在彼時羣情固蔽之秋，此亦快心之舉。蚩蚩之氓，未嘗不歡呼感戴。（宣統二三年間，我曾聽見老輩將官痛恨洋操，以爲穿草鞋打包頭，也能打勝仗。）由今觀之，所謂復冗官，考八股，停學校，禁會社，封報館，拿主筆，無一而非愚民政策，亦無一而非大開倒車。但求快意一時，不顧後來遺患。是知謀國之要，端在因時制宜。彼新進書生，草率更張，誠不足當迴乾轉坤，經邦濟世之大任，而守成老輩，抱殘守缺，政惟求舊，則亦將何以迴彼豆剖瓜分禍迫眉睫之危局也哉？後來甲辰乙巳之間，再言變法。又幾無一不由康梁翻轍，摸索而行。則保守諸公，又將何辭以自解。然則維新諸賢，不謂之先知之彥，亦不可得也。（本節完本篇未完）（廿一）

鍾槐村老人憶恩詩及芹香燕喜圖跋

。周德偉。

文明何由始乎？始乎男女之分也。故易首乾坤，大雅首詠，史法帝王后妃君子淑女並詠，事業而任重分紀，婦職母儀，則雖稱之，雖殺千無顯赫之迹，功名富貴，身不與焉，豈不尤難哉；恆人於嬰功偉業，則歸功於衷也。於貞固純萬人，毋毫不關心之大德。有師乎萬人之效，反若漠然無親後，乖乎哲之教遠矣。唐宋以待西方學說之輸入，方復男女平等之義，其惑於習，昧於理，不達於修齊治平之道，不已甚乎！至於重功名，輕德義，三代以後，風氣不改，維持聖教達德於不隳，反賴若干隱逸卓行，而王侯將相不與焉，此治之所以不進也。近讀鍾槐村老人憶恩詩及芹香燕喜圖記，益增嚮往，老人生十二歲而失怙恃，太母陳太夫人身丁艱薄，乃外折豪強，內撫藐孤，卒大鍾氏之門，成再造之業，且鄉黨乏，與族學，鄉里謳思弗衰，其嘉言懿行，藍山縣志有傳，李明志祕丞有芹香燕喜圖記，自清末維新，民元開國，以逮護國、護法、自治、制憲諸役，無不有 槐村老人之跡，德澤不止周於鄉里已也。溯其本源，則太夫人之慇懃督教，老人之淬勵奮發，並皆不朽，歲戊戌，値 太夫人一百四十歲冥誕，老人亦年垂八十矣，絕口不言半生之事功，而惟稱述 太夫人之懿行，其義蓋不止於光先德、弘孝思，直欲以扶持聖敎，助成大同之治爲己任，德偉末學不文，不足彰 太夫人之德，亦不足紀 老人之功，惟探究夫人之道，袪生千刼，理亂八撰，則與老人之心同，若續效之遠近大小，則世運也，不敢必也，君子純心而已矣。倘徉於自得足之樂，烏有於成，烏有於敗！因賡詩記之義，而爲之跋。

自由人
THE FREEMAN.
（第七五八期）
中華民國僑務委員會核發登記證台新字第一零二號
中華郵政台字第五〇〇號執照登記爲第一類新聞紙類
（半週刊每星期三六出版）
每份港幣壹毫
台北市售價台幣壹元伍角
督印人：陳文華
地址：香港高士威道二十號四樓
20 CAUSEWAY RD. 3RD. FL. HONG KONG
TEL. 771726
承印者：東南印務出版社
地址：高士打道六十四號
台灣總經理處
台北市西寧南路壹零號二樓
電話：三〇三四六
台郵撥儲金戶九二五二
海外總經銷：友聯書報發行公司
香港：德輔道中二十六號A二樓

戴高樂登台及其後

大法蘭西與歐洲法國

毛以亨

大家都知道法國是祗有二十一萬平方英里幅員，四千一百萬人口的國家；但其殖民地之多，僅遜于英國，大英帝國固無日落之時，大法帝國亦幾無日落之時。這是論到法國國策時所不得不知，而亦常爲人們所疏忽的地方。

法國殖民地，第二次世界大戰後，誠實喪失不少：一九四六年，喪失了敘利亞及黎巴嫩；一九五四年喪失了越南；一九五六年喪失了摩洛哥與突尼斯。但現尚保有北非西非與赤道非洲，索馬蘭，馬達加斯格諸處，幾掩有非洲之半並及印度洋南太平洋各島嶼。大法帝國之土地面積，超過美國二倍，其人口總和亦有九千萬，在二十世紀建立大國之條件，均已具備。惟法國之特以控制非洲者，爲阿爾及利亞。最近阿爾及利亞有叛變，法國不惜出兵六十七萬以資鎮壓，即撤出歐洲防蘇之軍，亦所不惜。而大西洋公約國，祇有讚之而無可如何。理由是阿爾及利亞對法國太重要了，假使失去阿爾及利亞，即將失去整個非洲，而大法帝國終于不保，單剩歐洲法國，則將如荷蘭，西班牙，從一等強國降至次要國家，故法國人非作最後掙扎不可的。

此次事變

阿爾及利亞，爲法人與回人雜居的地方，但其地法人，多與土著同化，而爲本國法人所輕視。當地回人，亦有與法人處得很好，而不完全主張獨立者。法國在阿爾及利亞，向置總督，用統治殖民地之高壓手段，法國人則欲變爲如本土之行省，俾有公民權與選舉權，回人多要求自治，祗少數回人主張完全獨立。此問題懸而不決，法國祗有駐兵該處，以爭取有利之解決辦法，但到了今天，已不能再拖了。

此次阿爾及利亞總司令薩蘭，以四十萬大軍之統帥，反對政府，而擁護戴高樂。復由傘兵司令馬蘇將軍，前總督戴高樂派蘇提爾及親法派之回教領袖加雷（Cara）共組公安委員會。此非純軍事叛變，民衆示威運動亦極熱烈，因有政治活動民族運動摻雜其間，至有革命型公安會之成立。倘墨守議會政治成規，有成立人民陣綫內閣，以資應付。然其後果在國內則使共黨得勢，在非洲則局面必壞至難收拾，這是與法國基本國策相違背，故爲各政黨領袖所不取。

法國軍人干政，在第三次共和後從沒有成功，縱使此次軍人們在巴黎發動，亦必敗無疑。法國之共和政體，是流血數十年換來的，故必爲人民所竭力擁護。記得第一次世界大戰方終，福煦元帥統率數百萬戰勝之師，欲擁立拿破崙親王復辟。內閣以一紙復員令，使士兵悉數回家，使福煦元帥無一兵一卒可資調遣；而共和派舉議會議長米勒漢爲總統，其事遂寢。故法國政府，絕不怕薩蘭元帥之回師攻法本土，仍可以一紙復員令，解散其隊伍。徒爲投鼠忌器起見，不願非洲局面之糜爛，但仍以保持其共和制度爲基本條件，以顧全大局。乃與戴高樂協商，戴高樂亦欣然就範，聲稱必以合法手段，取得政權。細讀其提出修改憲法各點，亦並非建立獨裁政治，不過欲將法國式憲法，變爲美國式憲法而已。所以共和政體，與議會政治已經保全了。有人鑑于希特勒利用國會以崛起，而終于廢棄國法，以樹立獨裁政治，遂疑戴高樂亦將樹立獨裁政治。其實德法人心迴不相同，且希特勒事前，已有獨裁之主張，而深得民衆支持。此次戴高樂會直接間接表示反對獨裁，政治家若違反諾言無啻自掘墳墓，這是希特勒能獨裁，而戴高樂不能獨裁之基本原因。

將來趨勢

國會所授與戴高樂之全權，僅以中央政府爲限，時間爲六個月。任務之一爲解決北非問題，大抵不外將阿爾及利亞建爲行省，或自治區。問題解決之後，法兵自當調回本土，遠戍爲法人所不願的，長期當義務式之兵，亦爲其所不願的，故預料不久即會復員的。其另一任務，爲修改憲法，目的在使政府在任之時間，不致太短，這是法國政制的唯一弱點，沒有人不主張修正的。

待至十月國會重開之後，則中央政權將向戴高樂收回。除非他召集普選，使人民選之爲總統，且有權解散國會。惟據倫敦廣播，謂地方政權仍舊，人民自由權利亦仍舊，戴高樂所受之權，僅以中央政府爲限，凡瞭解法國政治者，均認此二點爲極要，可惜港報未載。法國議員們，多能包辦其本省的選舉，而爲本省的實力派，祗要人民有自由之選舉權，戴高樂在將來普選上必不能取勝。故各政黨雖賦戴高樂以全權，仍有法控制他，使其無法建立獨裁制度。法國政黨領袖，皆有組閣機會，此次以政權給戴高樂，實與組閣情形相差無幾，因控制選舉之權，仍在政黨領袖手中。

至其對于國際上，戴高樂仍然親美，並不見有若何改變。然不退出大西洋公約國，決不至與蘇聯打交道，致玩火自焚。理由是法國以保住北非，爲基本國策，而以在地中海能自由航行爲其先決條件，而今日之地中海則美海軍之集結地，故必須向美國低頭。且法國復興，已接受美援五十六億，而生產率較一九三九年已多至一倍，法屬非洲盡爲未開發土地，薩哈拉沙漠之油田，將有美資合作，已在協議中者，戴高樂雖爲民族主義者，然能無視此種形勢麼？

唯一隱憂

雖然，戴高樂這一派，始終是愛國主義者，雖已受民主政治之拘束，已爲政黨領袖之普選投票權所控制，然當發爲狂熱情緒時，卻控制之，終不免衝決羅網，走向獨裁之路的。此固理所必無之杞憂，然亦難保事之必不有。但苟如此之逆施，則戴高樂必敗，且召致法國以無可補救之損失，因今日事勢，決不許如此做的。

戴高樂一派，過去曾有不顧一切，橫衝直撞的作風，所以失敗下來。如暗殺法國駐北非司令，頗爲美國及本國海軍所不滿，致使自身垮台，使英人亦愛莫能助。即越南之失，亦是因其利用胡志明，將其培植至足以與中國駐軍爲難之程度，逼令中國軍隊退出，遂至胡氏坐大，而自食其果。其本來目的，固欲恢復整個越南，結果則反損失整個越南，而執行戴高樂之此項命令者，爲自由法國多年駐滇代表之史登納（Stanley）方今戴高樂捲土重來，殊望其勿蹈故轍，而爲仇者所痛，這是我們願與法人爲友者，所不得不關心之事。（六月五日）

編者按：毛先生此文脫稿時，戴高樂尚未宣布三個月內舉行大選也。

半週述評

是否「萬靈膏藥」

論者多看好戴高樂，不錯，他是在目前法國不可收拾的殘局下以民族英雄姿態出現的；但民族英雄的造成，必須是法國第一，保持殖民帝國光榮，否則，就站不住。

所以戴氏上台第一張支票是保證決不放棄阿爾及利亞——這是給法國及在阿區一百二十萬法人開的；另一張是保證阿區人民一律享有平等政治權利，參加決定法國政制及國會的公民投票——那是給近九百萬阿剌伯人和柏柏族人開的，當然，他並不保證阿區獨立。

這兩張支票怎樣兌現呢。准阿區獨立嗎？那是民族英雄所不能幹的事；不准嗎？看他怎樣和阿區代表和談，同時怎樣對擁他上台的人交代？

戴氏是否萬靈膏藥，就法國言，不久可見分曉；就自由世界言，還要看他會不會爲了「法國第一」而不分敵友，忘記了北非及中東的民族主義是共黨的利器！

英美官方表面「報喜不報憂」，心裏也是不無隱憂的！

所謂「並非完全共黨政府」

據傳印尼政府由于內戰軍費無法負担而有意談和，蘇加諾且會公開向民衆呼籲：「我們也不要提議將國旗改爲綠色（回教）」；雖則印尼革命軍電台播出「這是共黨和平攻勢」，但據說北大西洋公約國家與澳洲及紐西蘭會商後將決定支持耶加達政府，認爲耶加達政府「並非完全是共黨政府」。這是比前此東南亞組織國家之採觀望政策，更進了一步，更錯的一步。

如果所傳不錯，一切國家的親共力量今後勢必效尤，一切反共勢力將爲之氣餒了。

否決「美援共黨國家」

美參議院通過了下年度三十七億一千三百萬元的軍經及技術援外法案，又曾僅以一票之多數否決了「授權艾森豪總統運用外援款項去援助共黨國家，使他們得以擺脫莫斯科之操縱」。

這個決定，表示了美援政策在美國會中有這兩項不同意見；同時也或多或少的表示諾蘭一派強硬非共人士在國會中的勢力，實居其半。

中東「艾森豪主義」被挑戰

黎巴嫩指控阿拉伯聯邦干預該國內亂案，在聯大安理會成爲蘇聯冷戰的項目。蘇聯代表支持阿拉伯聯邦立場，自不待言。

針對黎外長長達一萬字的演詞，埃及代表發表一千餘字的演詞：「那不過純粹是黎國的內政問題，目前的局勢，其實就是黎國本身意見分歧的結果。此事祇有靠他們本身去找尋解決方法」。靠自己實力解決，這不啻是納塞之聲，一項實力自負的說明，也等于向中東的艾森豪主義挑戰。

狐狸及其尾巴

蘇南一再鬧翻，本質上都是一丘之貉。狄托在俄援美援之間玩花樣，赫魯曉夫甚至出賣史太林的屍骨去買好狄托，結果還是回到史太林當年的排南路綫。雙方都像狐狸般的善變。

兩國正鬧着社會主義路綫問題，但都向資本主義送秋波。狄托論調的再變不用說了，赫酋也在「呼籲」願與美國訂立貿易協定。這也許是一項經濟攻勢（最近麥、艾之會，也以此爲主題之一），也許是一種宣傳戰；但馬克斯本門弟子狄托給說穿了：「莫斯科一再說，美國供給信用借款和經濟援助，一定是有政治條件的；但這並不能阻止蘇聯向美要求信用借款與貸款」。這表示祇對蘇聯有利而適宜，而他國則不然」。

共產主義狐狸露出了尾巴而不自覺！

林伯雅

宇努向何處去

爲緬局今後注意的一個傾向

華永儔

緬甸的政治局勢，現已面臨「總結算」。「自由同盟」（兩派聯合）政府，將於六月五日衆院臨時會議之後，成爲歷史的陳迹。今後，兩派（宇努、宇巴瑞）不論誰人執政，均不容對方盟員參加政府，尖銳對立的形勢一成，鬥爭勢將加劇。

現實情勢反映：努、瑞兩派於四月終拆伙之後，努派勢弱，爭與左翼「民族團結陣綫」合作，密跟共黨妥協；瑞派擁有軍政實力，且向美國進行貸款，似有必勝把握。但是，中共大軍頻向緬境移動，泰國北部形勢驟緊。這是不是說：衆院臨時會議否決宇努繼續組閣，努派將藉外力奪取政權？

本來，宇努於「拆盟」後早應辭職，等候國會改選。他卻堅持反對態度，並召「自由同盟」執委會議，卒決定於「臨會」舉行前夕現任內閣總辭。副總理兼外長蘇昆雀，在派系間向持中立。處此過渡時期，他曾試圖協調努、瑞兩派爭執，要求未來新閣，仍由兩派組成，但結果徒勞無功，反而造成雙方更深歧見，交相指責，各有標榜。宇努與德欽陣一派主張重建「廉潔的自由同盟」；宇巴瑞、宇叫迎一派，則高呼「團結自由同盟」。各自要求「盟員」表示態度，向己方宣誓效忠，特別是對衆院議員，以爭取基本票數，至此政局陷於混沌，全國各地物價普遍上漲，緬共乘機活動，流氓到處騷擾，盜賊横行肆虐。人們更担心於六月五日這一天，全國處於難以設想的混亂。但現實的情勢反映，仰光如已陷入無政府狀態，預示共黨顯已有備，伺機取得政權。

各大寺院高僧，面對這一混亂局勢，一致認定六月五日「政治決戰」，不論誰派獲勝，全面難免戰亂。因此一個「僧侶護國會」在仰光出現，幾經向努、瑞兩派忠告，要求大家通過民主形式，循正當手段取得政權，絕不使用武力決勝。雙方同意，曾於五月廿一日在市府大廈簽署「決不動武」的誓書。這種佛教的壓力，到時能否見效，無人敢作保證。（按：國會對宇努信任表決，展期六月九日）

因此策劃「護國僧侶」，祇能利用清磬，木魚，以求菩薩力挽緬甸厄運。然而，在政潮洶湧之中，爭權者試問誰有「慈悲心腸」。綜觀當前政治暗流趨勢，除非兩派合作，不易奠定緬甸和平之局。

因爲，這次努派在衆院中的席位，僅只佔四分之一，除非獲左翼支持，不能獲得多數。衆院議員共二百席，「自由同盟」（執政黨）共擁有一百五十席，左翼「民族團結陣綫」及無黨派分去五十席。宇巴瑞、宇叫迎派在一百五十盟議員中幾逾半數，如果瑞派能够超過一百票多數，宇努顯難倖勝。基於這一形勢，努派除了向左翼低頭，尚須向盟員中爭取票數；宇巴瑞派，事實上爲了忙於拉票，以致忽略了邊境嚴重局勢。

根據曼谷報紙消息：「緬甸外圍的軍事局勢，現已日呈嚴重，除了北部滇緬邊境中共屯集重兵之外，泰國北部緬南邊陲，已遭中共武裝侵入，緬軍曾一度被迫後撤。泰警爲防止侵入緬境共軍闖入泰境，現已源源開赴泰緬邊境增防。」這一事實，是不是說，中共侵緬部署已近完成？只待六月九日仰光內戰觸發；力足控制緬甸全境的中共部隊，迅即佔有仰光。就宇努於政治危機發生之後，頻頻跟左翼議員接觸看來，這一情勢殆不可免，而宇巴瑞派宣傳「宇努同共黨妥協」，當非故意揑造，事實上宇努現在除了爭取左翼支持，不易在國會獲得信任。這一個傾向是最可注意的。

當「自由同盟」執委會議時，宇巴瑞這派同意召開衆院臨時會議的另一原因，係衆院議長帽巫旺滯留莫斯科未返，左翼議員未必甘心會受宇努利用。可是，帽巫旺在俄聞訊，已自五月二十日離俄，取道北平返國。不論他這次返國之前，對蘇中共有無承諾，或接受俄共中共任何要求；但蘇俄、中共基於緬共以及左翼勢力消長因素，迫使帽巫旺全力支持宇努，無疑是可能性甚大。

不然宇巴瑞一經得勢，即令宇叫迎是一位左傾政治領袖，對緬共及左翼壓力，在美國一經同意經濟援助之後，勢將大大增加。何況緬甸政府及其人民，歷年對於蘇俄，中共「援助」並未實際受惠，已呈不耐。緬美貸款倘獲成立（按：美國進出口銀行已同意貸緬千萬美元），「共援」自將相顧失色。然而，中共兵臨緬境，宇努倘藉外力重獲政權，緬甸政治變質。是則俄共勢力深入孟加拉灣，東南亞整個局勢危殆。（六月一日寄自仰光）

白澳政策煎熬中的華僑

方濟人

海外通訊

（澳洲通訊）做爲一個現代的中國人，有時還不如亂世的狗。有家不能團聚，有國未得歸投。漂泊在異地他鄉，遇時被人家傾軋、排擠。偌大的世界，生爲一個中國人，倒無容身立足之地。上蒼生人無私，莫非因我們先爾的罪孽深重，還一代的黃炎子孫，代補罪償？

非島華僑遭遇的厄運，越南僑胞的池魚之殃，激起了國人的憤慨與共鳴。如果同胞們還有同情淚可洒的話，請你們翹首南望，在大洋洲樂園中的一隅，也有一羣被壓迫的僑胞在嗚咽吞泣。

從趙元跳海說起

數星期以前，此處報載，有中國青年名趙元（譯音）者，三次不法潛入澳洲，三次被遣解出境。最近一次，當押解他的船行在紐加索海面時，他縱身躍入海中，希圖重登澳境。當地政府得訊後，隨即出動水陸警察，大事搜捕。

經過三日的搜查後，趙元仍無蹤跡，有人推測，他一方鯊魚如願，趙元很可能已葬身魚腹。之後移民部稱，趙元永無希望在澳洲住下去，這一次[illegible]，他無路可逃往可方[illegible]，寧落下黃泉，我們也要遞解他出境的。

趙元何人？他不過是一個青年船員。爲了自由而逃出大陸，爲了生計而潛入澳洲。幾年來，他克勤克儉，想在此處成家立業。不料移民部這個撲蒼蠅不打老虎的機關，天大的案子都通融過去，這一次對這個不幸的華僑青年倒作起對頭來。就在一元復始的舊曆元旦後不久，趙元落入他們的魔掌，做了新春的祭品。

趙元的悲劇僅是千百中的一例。自從華僑涉足澳洲以來，所受的委屈與奚落，罄竹難書。在礦工時代，中國人遭白人同僚的嫉忌，而被害的不知凡幾。幾十年前澳洲人明目張膽的集夥打劫中國店舖的事，屢見不鮮。最近幾十年來，澳洲人民對華人的敵愾心理漸漸消除，但因着政府的白澳政策，華僑每年被迫走頭無路、跳海、自縊的大有人在。凡是在此居住略久的人，都能如數家珍似的，給你道出些血淚的事跡。

撲朔迷離的政策

不錯，澳洲是人間的「天堂」。但是一條白澳政策法律，已將有色人的手足束縛住。因此同是在光天化日下，有色人不能與白種人享受同等的權利。

「白澳政策」這個名詞，你翻遍澳洲移民法律也是尋不到的。雖然法律上沒有這一個名詞，但有同等性質，即限制亞洲人或有色人入境的條文。

白種人素來重視人權，（只少有很多中國人如此想）。每個人呱呱墮地以後，即有權利飲食生存。世界的萬有是造物主的惠賜，人類所共享的。那麼白種人根據什麼獨霸這塊天賜的福地，不讓有色人染指呢？對於這個問題，我曾經請教過多人，都是言人人殊。

當初曾有人說，中國人好食懶作，沒有產力。一個白人朝食以前的勞作，勝過一個中國人整日的忙碌。如果讓中國人寄生在澳洲，他們將是澳洲生產上的贅疣。其實這僅是知其一不知其二的人，因根子上有民族優越感作祟，才如此說。凡是具有點常識的人都知道，中國人是以勤儉耐勞出名，正是如此，華工們當初才被礦工的同僚嫉忌，與陷害過。

今日，又有人一反前說，稱中國人，克苦耐勞，不分晝夜的操勞。如果許中國人大批的移入，他們將取代澳洲工人的地位，破壞澳洲的勞工制度。這樣的想法，完全是杞人憂天。澳洲地大物博，現有的居民僅九百萬，再移入一千萬人，也沒有僧多粥少的危險。說這樣話的人，完全表示出他們懶而跋扈的態度。自己佔着廁所不用，也不讓別人涉足。

此外又有一些英國國教（聖公會）的領袖說：澳洲大體上是基督化的國家，當盡可能的保持這一傳統，勿讓無信仰的亞洲人雜入。這眞是傳教士巧妙的遁詞。當他們見到在亞洲很多地域餓殍載道，千萬人流離失所時，而忘却了基督要他們貫徹愛人如己的原則。

華僑同根相煎

海外僑胞同是天涯淪落人，自當息息相關，守望相助。但是此處華僑則大不然。分明結黨，勾心鬥角，言之令人傷心。當筆者數年前才漂到此地的時候，在街上如遇到中國人，如逢知己，盡力與他們打招呼。豈知有些人對你報作一絲冷笑，有些人則視若無睹，毫不睬你。起初我眞是大惑不解，弄的非常尷尬。我以爲中國人，同是離鄉背井，同受白種人的歧視，自當同舟相濟，彼此勉勵。爲何人情如此冷淡？之後有朋友笑我天眞，他告訴我，沒有三年作人的經驗，休想在此處華僑中立足。此地中國人，有小圈子無大團結。同胞們彼此交往，是以金錢勢力作基礎的。因此形成了階級，養成怨恨，自私的心理。彼此欺詐，彼此猜忌，有時將人的好心肝當爲狼狗肺。

此處華僑中，最令有識之士切齒的，是少數中國資本家剝削華工的事。他們從香港僱來的夥友，在此處出牛馬之力，依政府規定，領最低的工資，工人起碼的週薪是十三鎊，那些華工有時連這個數目的一半都領不到。然而顧主們一面怕政府的干涉，一面掩飾他們剝削工人的醜行，揚言華工與澳工的待遇相等哩。近幾年來，也有幾家老板，刼數已到，以至東窗事發，顧主顧工弄到法庭相見。結果，顧主依法律按年按月全數補償僱工。這些僱工僅是僥倖的一羣。亟多數的小工，因經濟拮据，言語不通，欲訴訟、提刀無人，因此依然度着那忍氣吞聲，牛馬不如的生涯。

這些黑暗的醜行，不幸發生在中華海外兒女社團中。凡是天良未喪的人，都感到這是我民族的汚點。這羣利慾薰心的商賈，是不懼文人筆誅的，這些話在他們聽來，也許如輕風掠耳，拂不醒已泯的天良的。但是我這些主要的是對海內外具有正義感的人們的伸訴。尤其是我政府外交人員，希望他們抱着大無畏的精神，披荊斬棘，將僑務中最棘手的問題理清，不如此，我們那弱小的一羣，將永遠不得解放，永遠無見天日的希望。

稿酬：

本報五月份全月稿費通知單已分別付郵，請惠稿文友，憑單領取爲荷。

編輯部啓

立法院來函照刊

敬啓者　頃閱本年六月四日貴報第七五六期第二版所載劍鼐先生「言論爭自由發生不幸「內鬨」」，其中有立法院新聞室的談話一節，略謂：五月二十五日立法院內政教育民刑商法三委員會聯席會議紀錄尚未作最後定稿等語。查本室從未對內政等三委會聯席會議發表任何談話，亦未有劍鼐先生其人到室洽詢情事。該文所稱絕非事實，相應函請查照惠予更正爲感。此致

香港自由人報

立法院新聞室敬啓（六月四日）

台灣的電氣業

林嘯崧

（台灣通訊）近年來台灣的電氣業，有如雨後春筍，發展至爲迅速，各地市鎭廠行林立，觸目即是，到處播送音樂，到處可聽電訊，商行裏堆滿了收音機和電唱機，而且牌名繁多，形式各異。由此可見台灣的電器業是有相當的發達了，但是這些收音機的器材並非產自台灣，而係大部份來自日德美英，僅部件裝置技術由台灣廠商所完成。因此收音機分爲「原裝」，「台裝」兩種，原裝貨式樣美觀合用，惟價值昂貴，普通」只六燈的便需新台幣一千五百元以上，同樣台裝的則僅需千百十元即可購得，所以一般人並不十分歡迎舶來品，而反愛光顧台裝的收音機。這樣一來，各地廠商便爭相牟利，幹這項行業的便與日俱增。但政府對無綫電通訊器材的管制，却極爲嚴格，申請經營執照，並非易事，廠行設備如不合標準，不僅不能享有無綫電器材項下的美援及易滙優待，而且根本就不會准其開業，然而地下廠商仍非法售裝雜牌收音機，以圖厚利，其影響所及，則不免粗製濫造，不顧技術信譽，如果無綫電特許廠商裝售之收音機，硬性規定必須冠以各廠商牌號，以牌號登記領照，則廠商爲顧及其自身牌號信譽，勢必自動改進技術，提高品質，且地下廠商亦將無隙可乘。筆者認爲要促進台灣電氣業的發展：第一是雜牌收音機，應加取締，目前市上雜牌收音機多至不可勝數，已成良窳難分現象。第二是管制政策，應儘量放寬，採取重點管制措施，對「動員時期無綫電器材管制辦法」，須略加修正。第三是爭取外滙預算，改善配額美元，第四是健全組織，謀取同業利益。第五尤其必須創設工廠，自製電器器材，配合經建計劃，發展電化工業，這樣台灣的電化過程，將由此步入電視時代的新階段！（四七，五月卅一日）

基督教的世界性問題（上）

讀簡又文「論基督教的世界性」有感

○周祥光○

鹽商某甲說：「我的鹽最鹹，請你們來買吧」！這句話沒有錯，因爲他要招徠生意，所以如此。鹽商某乙亦說：「我的鹽最鹹，你們來買吧」！這句話也沒有錯，因爲乙要招徠生意，所以如此。假使鹽商甲說：「我的鹽最鹹，你們如不買我的鹽，則你們就是不識好歹，自暴其狹隘及自棄其權益」。這句話就錯了，因爲鹽商甲自己所設定的前提——他的鹽最鹹——並未經大家同意，硬是要人去買他的鹽，否則就是自暴其狹隘與自棄其權益，不近人情，莫過於此。近日山居無事，披閱剛自香港寄來之自由人報第七三五期，載有簡又文先生「論基督教的世界性」一文，其結論似與鹽商甲賣鹽的自我宣揚廣告無稍異。作者實在不敢句同，願抒管見，就正於讀者之前。

簡又文先生爲基督教作自我宣揚之立論，不外左列三點：

（一）耶穌所崇事的神、是人類大衆的天父，人人——不分種族國界，一律是其尊貴的赤子，彼此是兄弟姐妹。其基本眞諦是以愛神愛人爲總原則，而以個人得救爲出發及歸宿，由個人與上帝直接發生如父如子的倫理關係，聚人而成社會，則復實施仁愛的教道於人類倫誼中。惟其能以個人爲基本單位，故能超越種族國家的界限而成爲普遍人類的，即是具世界性的宗教。

（二）在歷史上，耶穌一出生，便是無國之人。而其所傳之教，則是超越國家與種族的限隔，突破物質與制度的藩籬，而是屬於純精神，純倫理道德境界的。是故萬族、萬國、萬民一律可以自由皈依而不致失去其國族的意識（覺心）。

（三）自是而後，作爲普遍世界，人類的基督教傳至希臘羅馬世界，復假遍傳於歐美亞非諸洲各國，而成爲世界人類共有的文化遺產。

作者對於簡先生右列所述三點，並無異議，因爲簡先生自有權利爲他的基督教作自我宣傳，與我個人無任何關係，我自無置喙之必要。可是簡先生在此文結論中却有這樣的話：「若有人焉，乃以「洋教」敵視之者，無異以「西洋哲學」或「科學」爲「洋垃圾」，及以「金山橙」爲「洋果」而不食焉，是自暴其狹隘及自棄其權益而已」。這一結論，實在使我覺到簡先生之言有歟暴燥之氣，不近情理。這一結論「我們覺得簡先生的心目中，認爲基督教爲世界最優的宗教，其教義爲至善唯一，任何宗教均不逮之，否則簡先生是不會說出不信任基督教之人是自暴其狹隘，與自棄權益的話來。依作者的管見所及，若簡先生欲望大家宗教信抑歸於一教，將基督教定於一尊，這是不可能的。實際言之，世界上各民族間的知識、思想、環境、習俗等情況，以及對宇宙人生看法的不同，在其所發生的宗教理論上，原有種種差別，可是最後目的——人神和協——並無相異之處。世界上任何宗教，無不勸人爲善，制止作惡，無不闡述「天人合一」與物我同登之道；無不宏揚愛神愛人的法則；無不以個人得救爲出發與歸宿；基督教如此，他教亦如此。作者實在看不出基督教有何特殊優越地方，作爲世界唯一宗教的地方。

簡先生所謂「耶蘇所崇事的神，是人類大衆的「天父」」云云，這好像是基督教唯一特有的地方了，他教所無。作者不知簡先生對於這個「神」字，作何解釋，依我想來，宗教所謂「神」，並非人格化的神，有五官四肢，要穿衣吃飯。神之云云，實指宇宙間有一種力量，或好像冥冥中有一個主宰，創生萬類；又好像有一軌道，或有一種「理」，使萬物照此運行，無有參差之處；例如春去夏來，四時行焉；由幼而老，人生程序，生住異滅，毫厘不爽。對於這一宇宙力量，或主宰，或理，或軌道之名稱，各宗教所言互異；儒家名之爲「天」或「上帝」；道家名之曰「道」，印度教名之爲「梵天」，基督教亦名之爲「上帝」，回教曰「阿拉」，拜火教名之爲「阿火羅瑪陀」。再推而言之，例如某甲其子稱兄之名雖然不同，然其人則一，何以既知宇宙之主宰祇有一個，我們所崇事之神爲人類大衆的天父，而他教所崇奉者則否，此豈非簡先生之「我見」太深，有以如此？所謂基督教徒間彼此是兄弟姐妹，他教亦不例外，儒家所謂「乾稱父，坤稱母」、「民吾同胞，物吾與也」；佛教所謂「四姓爲沙門，皆稱釋種」；印度教回教更屬如此。這些都是宗教的慣有常例，談不到有何特殊在，作者在此處所應特別指出者，即基督教所崇事的神——上帝，實儒家心目中的宇宙主宰——上帝。憶當日利瑪竇 Matteo Ricci 來華傳教時，心慕中國之孔子文化博大精深久遠，於是決心採用儒家之所謂「上帝」一辭，作爲基督教所崇事的神的稱呼。故依天主教之我國學人徐光啓等，亦承認儒與基督教應當並行，並無說出一句你們不信基督教，就是自暴其狹隘及自棄其權益的話，古人學養，畢竟不同。基督教徒嘗譏佛教之求神拜佛爲迷信，此亦屬一種知彼而不知己的錯誤觀念。試問基督教之所謂「天國」，與佛教淨土宗之「西方極樂國」云云，有何不同？基督教徒之禮敬「十字架」或將銅質之小型「十字架」掛在胸前，此與佛教徒拜佛像，手持佛珠又有何不同？基督徒所謂死後升「天國」，與佛教徒（淨土宗）之所謂往生西方極樂，有何不同？所謂宗教云云，實指「人神和協」的一種方法的別名，換言之，宗教在使我人知曉如何獲見「天心」——宇宙究竟——的一種方法，若人證道，則「宗教」上種種禮儀與教理，即失其作用。例如簡先生從九龍寓所到香港教書，須搭渡船，若抵香港後，自然棄却渡船，若仍在船中，豈非笑話？我人所信宗教不同，但殊途同歸。我們決不能說你坐的渡船要比我們的好，你所信的宗教比我們所信的好，此是小孩唇舌之爭耳。若以信仰基督教者可以升「天國」，則世界上今日尚有二十億人未基督教依皈，豈不是這一大羣的人都要入地獄？「大道」爲公開的神聖獎品，人人可得，並不限於基督教徒所獨享，否則，上帝待人，豈非太不公正耶？（未完）

「文娛」的冷戰

·衣草·

鐵幕真相

活在鐵幕外邊的人，領教到的，不消說，就是報喜不報憂之類的風味；至於另一面，儘管觀察家認為共產黨徒妖言欺世，卻不能忽視赤色宣傳戰的效果。赤區的思想鬥爭，甚至所謂「文娛」這種項目，也是強迫性的，和共黨在海外的討好作風，完全兩副不同的嘴臉。如若不信，不妨進去任何一間赤色書店，看看兩者之間，在若干方面的異同。

目前中共增加大中學外語教學的時數，顯示了它進侵東南亞的陰謀在準備上，確然「大躍進」了一步。中共高等學校外語專修的重點，自以俄文為首，但是它並沒有忽略其他國家的語文，尤其東南亞的。為了吸收所謂資本主義國家的科學技術，純理論與應用的，中共中等學校培養外語人才的準備工作，依然要把英語放在俄語的地位。北平出版的書報，現在譯文絕大部份取材於蘇俄的，而俄文字典的編印，在大量需求之下，卻編不出一本完備的來，倒不如它新近出版的那本德華辭典來得詳盡。

莫斯科明知北平的低能，便在去年出版了一本中型的俄華字典，五百多頁，祇索價二元（港幣）。中共在推銷讀物的定價上，確然落在蘇俄之後。

目前莫斯科出版的語文工具書，仍以農工低水準的讀者為主要對象，在吸引自由世界一般讀者方面，它當然要急於培養更多的俄文讀者，因此而編英、法、德文的俄文字典，雖然印刷，紙張和裝釘，未盡稱意，取價之廉，卻是英美法德各國所印行的俄文字典望塵莫及的。如果莫斯科定價五盧布的一本工具書，在香港折合算來，還不到兩塊錢，則同樣頁數的英美所編印的，動輒十元以上！這不是英美書商有什麼不對的，實係莫斯科要吸引別人學俄文罷了。就是中共出版一本五百頁的俄文字典，何嘗不索價十元左右。

蘇俄要把讀物俄文化，是有遠大的計劃的，目前只能夠依類其他語文從事文化攻略。中共在這方面辦的外語期刊，一如莫斯科的失敗，並沒有吸引一般讀者的魅力。停了刊的英文「人民中國」讀者僅限於極少數研究中共問題的人士，一如今天看北京周報的洋人絕不可能是廣大的羣衆呀！莫斯科的「新消息」英文讀者又何嘗會多到那裏去了。

然而，蘇俄在中東的語文宣傳戰，竟編出共黨語意為主的英文課本來，以供應阿剌伯人學習英文之用，這能說克里姆林宮實在太低能？二百多頁的一本法俄語文教本，定價折合不到港幣七角，那麼，在英美德學習俄文的一般人士，是不愁負担書價不起的吧！

即使你不會花幾塊錢，把馬克思的著作買回來，最低限度，廣大的讀者不願意看這種書的。然而，人造衛星的出現改變了許多英美人士看待俄文的態度，大學專修或選修俄文的學生增加了。俄文技術書籍一般說來，也比英美的低。四十盧布以上的，反是較厚型的專門書籍，十盧布以下的一般應用科學書籍，由於俄文讀者在蘇俄境外，還是少得可憐，即使在中共區，也祗有靠譯本傳給讀者以技術知識的好處。莫斯科目前就心急得很，恨不得馬上逼令萬千國外讀者讀通了俄文從語文修養上培植出世人對「老大哥」的好感來。

一時急不來的工作，蘇俄也有自知之明的，因而對歌舞，美術及其他的宣傳，便大力推行。小人書如連環圖之類，蘇俄正在大量編印，取材異於英美的，附上簡單的英文，讓英語小讀者「欣賞」到赤色繪畫的魔力，在極廉價的推銷下，日子一久，英美書商如不加以排斥，勢必感到生意上的威脅，不只是思想戰發生另一更大危機！這種威脅自前還不如純娛樂性質的冷戰具有的威脅性那麼大。

如果英美的文化也要發揮冷戰作用的話，那麼，許多出國的聲色藝代表團在非共地區和赤色文娛份子爭一日的雄長，未來路途正是崎嶇令人不勝更甚之感啊！例如美國務院資助美國藝人出國作親善表演的，十居其九都以上層或有錢人為其表演的對象，在票價上看，也看得出這個老毛病的，而這個老毛病又怎能夠大事增加美國的威望呢？

估計蘇俄在第二次世界大戰後，花在文娛對外活動的錢財，恐怕不下美金五億元，怪不得蘇俄藝員表演時，門券確是低得很——英美直到現在，還不足以語此；並不是美國不夠富強，而是文化宣傳的方針，大有問題！凡此成因，都是基本性質的，文化冷戰如再受挫敗，其失敗也是屬於基本的了！

中共在緬甸最近表演什麼歌舞之類的撈什子，儘管肉麻的地方很多，也有不少聽衆反胃。但是，我們不能夠漠視中共在東南亞的演唱，多是露天的形式，運輸大規模的露天演出，也盡量容許場地外站立着的觀衆免費觀看。美國觀察家認為那種作用，的確可畏，實則並不可畏，怕人的還是自由國家本身振作不起，任令赤色勢力乘虛而入，每多咎由自取。須知懸，就是惡人，共黨的文娛冷戰畢竟有其致命傷，問題在於宣佈攻勢上，如何予以致命的打擊。

剛在比京布魯塞爾舉行中的萬國博覽會，其中的蘇俄館連同各項費用計算在內，據說超過五千萬金元，比美國館的一千五百萬，多了兩倍以上，論者認定這就是文化冷戰的另一回合，藉書報，電影，工藝製品，音樂和歌舞，進行深入人心的思想戰，比氫彈的放射威脅力更其可怕。我們毋忘當今大勢由列強均勢進入了「均怖」中，莫斯科在和談掩護下，其文化攻勢還有經濟冷戰為之撐腰。沒有聽見赤色「文娛」戰士在非共黨區內，利用美經濟衰退，喊出更多的口號來嗎？（一九五八年六月四日）

蘇共對狄托

南共綱領中被蘇共斥為修正主義者計有下列五大要點：

一、南共認為資本主義目前正在長入社會主義，可以不經革命而實現社會主義。說馬克思主義已落後于現代社會的發展了。

二、南共認從目前國際形勢是兩大軍事政治集團的對壘。蘇共反對它這種平等對待的態度，更使蘇共不能容忍者，則是南共之認為由于史太林的外交政策刺激，為西方成立大西洋公約的主因，間接的指出這兩大集團對壘是史太林所造成。

三、南共認為國家消滅，是今天社會主義國家的主要底直接任務；並指責蘇聯加強國家權力的不當，實施黨政不分的制度的錯誤，這些都是造成官僚主義的基本原因。

四、南共認為，蘇聯以種種不同方法維持同其他社會主義國家的不平等關係，並指出蘇聯有政治壟斷的嫌疑！對於社會主義國家獨立的威脅，指係來自蘇聯。

五、南共認為各國有自己特殊道路向社會主義前進。指去年莫斯科十二國黨會議的宣言中的共同規律是蘇聯的思想壟斷；各社會主義國家的路線正確與否不取決于國際中樞的批准。

固然，上述五點，南共在若干國內應該辦到的亦未辦；但是，它對于蘇聯，整個共產集團，各國共產黨確實是擊中了要害。

波共對狄托

四月裏，由蘇聯雜誌「共產黨人」領頭，攻擊南共綱領草案，各附庸國家於焉亦搖旗吶喊，一方面固然在助長蘇聯的威勢，另一方面則惟恐本國內部的狄托主義者起而呼應。但其中有兩個共產國家是特殊的，一個是波蘭，另一個是中共。

四月二十三日，波蘭工人黨機關報「人民論壇報」發表社論，評論南共七次代表大會，認為對於南共的觀點，「戰軍保留」。繼之，于五月間，「人民論壇報」又發表文章，評南共七次代表大會，其特色：一、聲明不談南共綱領中的國家的內部事務，只談國際部份。顯然在避免南共指責其他共產國家干涉其內政；二、措辭委婉，且有斡勸雙方和好之意；三、雖然對南共論點批評之處甚多，但絕不會提到修正主義；四、譴責一九四八年情報局對南共決議的不公平；五、未曾為蘇聯對附庸國家的霸權行為作辯護。——我們相信這些特色就是波共與蘇共對南共的基本歧見。

中共對狄托

正當各國共產黨對南共抨擊得非常熱鬧的四月裏，中共卻緘默到一字不發。

五月四日，人民日報發表社論，繼又發表八大二次會議對于南共批判的決議（附入在關于莫斯科會議的決議中），六月四日，人民日報再發表社論評南共綱領。

綜觀這些文件，措詞固然嚴峻，但未加以批判者有以下幾點：

一、東西兩個集團形成是由於史太林外交政策所造成。

二、蘇共對于附庸國家的霸權關係。——各國共產黨對這一點着重替蘇聯辯護，但中共人民日報六月四日社論不但不這樣做，反而說：思想鬥爭「同什麼大國沙文主義，霸權主義等等毫不相干」，弦外之音，似乎簡接認為蘇聯在這方面是有錯誤的。

此外，中共文件還有兩個特點：

一、這幾個文件都強調：一九四八年情報局批判南共是正確的，方法卻是錯誤的；一九四九年情報局對南共決議，則完全錯誤。一九五〇年以來赫魯曉夫與南共改善關係是正確的——所謂一九四八年情報局對南共的方法是開除它出情報局。一九四九年情報局決議是號召南共黨人打倒狄托，審查各共產黨黨員有無犯狄托主義的錯誤。前一個會議是蘇聯的日丹諾夫（已死）、馬林可夫（已貶），蘇斯洛夫所主持，後一決議是現任羅共第一書記喬治烏——德治所報告，看來中共所以如此強調，是暗示在共產國際中像蘇斯洛夫，喬治烏——德治等還認為對于南共的措施不夠強硬，是有問題的。

二、六月四日人民日報社論重新提出要指責南共是修正主義。這大概是對蘇聯的答覆。由此可見，在批判南共一事上，共產國際已引起了紛爭。

·田心·

國際動態拾零

△美國要狄托證明其不受蘇聯控制，始能恢復美援。狄托對之頗為不滿，他認最近蘇南交惡，已足夠證明了。

△印尼最近自蘇聯購買之mIT，與運輸機，有兩組訓練員與技術專家。一組為蘇聯人，一組為捷克人，因熱帶天氣，易于使人疲倦，故非兩組人輪流執行任務不可。

△澳洲專家相信，印尼政府中，有一部份人，正在要求蘇加諾從速肅清紅色份子。

△赫魯曉夫希望三個月後祇與艾森豪二人開高峯會議，時間為本年底，地點可在華盛頓。

△本月底或下月初，美海軍將放射完全之前鋒型衛星。陸軍之探險號，則在本年底放射。

△三個月內，英國經濟代表團，將再度訪問美國，其目的在減輕經濟衰退，且設法不使其發展至歐洲。

△美國已發明以橢圓鏡若干面，構成死光，以消滅敵人，因據秘密上院報告，原子彈與原子砲並不能毀滅敵人武力。曾以豬實驗，而獲得此類證據。

陶然

「國文第一」

——兼論台灣的教科書和師資問題

·蕭平·

我從十六、七歲才開始學習中國文字，慚愧的是後來居然做起職業「文人」的事來：不是坐在冷板凳上，爬方格子，便站在講台上饒舌。這樣逶迤走了三十多年的歲月，始終困在這小圈子裏無法鑽出。

我初與中國文字接觸的那一時代，國文教員不必是大學文學院出身的人才。不，壓根兒他們沒有近代的學歷，卻有前清的功名，如拔貢，舉人之類。儘管他們腦子裏裝滿着四書五經及其他，有的是滿腹經綸而懷才不遇的老前輩，但他們的教課是自家肚裏明白，很難讓我們了然。他們在講台上是讀的多，講的少，拉長聲音或豎起喉嚨作自我陶醉的份兒多，而給我們講解的份兒少。許多文句，都變成了「只能神會而不能言傳」的神秘的東西。我沒有請教過當時共同學習的同學，到底領悟了多少，在我則頗為茫然，有如霧中看花，老隔着些什麼，越走不通的路，越挺着要把它走通。我把求之老師的，轉而求諸辭典，整整一年間，我丟開一切，專向古文中鑽。而我所賴以讀通這些古文的，就是「辭源」和「康熙字典」。這樣讀書當然很喫力，而且那時的注音字母並不流行，在讀音上就碰到很多困難。我苦苦地讀了一年，這一年內倒可以說是「廢寢忘餐」，是我一生中最用功的時期了。我的辛苦還算沒有白花，我在一年間讀了不少古籍，敢誇張地說可以抵得上學校教育的十年，總算是邁進了「國文」的門限之內了。而最大的收穫，則是我對於「中國的」底一切發生了濃厚的興趣；從文字的章句以至傳統的文化和思想的輪廓，而尤以對人生哲學的那些透闢的見解。我雖進了醫學校，結果還是轉向文學，就是這時注下的命運。

那個時期，正是五四運動後語體文慢慢地抬頭，語文漸趨合一，而我們的「讀」與「寫」正在開始脫節的一個時代。最初，學校裏的作文，還是用文言書寫的，似乎對四六駢文之類特別感到興趣，那些讀起來音節鏗鏘的文字，往往受老師和同學們擊節稱賞。那位短命作家王子安，正是當時同學們心目中的崇拜偶像。這一方面固然因他那篇「滕王閣序」懾服了他們，而另一方面，作者的年華才氣和那未老先衰的頹廢色彩在作祟，在當代的青年心理上起了錯覺作用，也是事實。但這只是一種迴光反照的現象。時代的步子是攔阻不了的，思想的潮流是龐大的，曾幾何時新興的文體便取而代之了。剛回國的時候，我不能用中國文字寫成一張像樣的短稿。一年下來，我居然能從呻吟吱哦進而執筆屬文，竟也頗得國文老師的青睞，時時給我鼓勵的話，但實在說，那些祗是塗鴉，算不得作文。

以上是我讀國文的經歷，是三十年前的事了。根據這種經歷及以後的體驗，我覺得教國文確不是一件容易的事，尤其是高中和大一的國文。從國校的國語至初中的國文，只是對中國語文的一個認識。高中以上則不然，我們要給學生一個有系統的常識，讓他們知道本國的文學、思想與學術的輪廓，俾其認識民族文化的傳統精神及蛻變擅遞之迹這是每一個中國公民應該有的常識；大一國文之定為各學院必修科亦即在此。但我國的歷史悠久，民族文化的累積富厚，其間一脈相承雖有迹可循，然歷代學人輩出，簡策多如牛毛，要就其中擷取精華，簡練揣要能賅而存其真，就不容易了。這是教材選擇編排上的困難。而且文非一體，學者鮮能備善，只是取長舍短，攻其所善罷了。所謂通才，只是一個抽象的名詞而已。而大一與高中的國文，則欲其博而不取其專，對中國的學術思想與文學固然需要澈底了解，對世界文學亦不可無相當的修養，教學上又須深入淺出，方克以奏膚功。所以大學中文系延聘教授非難，要聘請理想的大一國文教授或高中國文教員不易。這是師資物色延攬上的困難。（上）

無事自擾

馬五先生

美國所倡導，蘇俄表示同意舉行的關於管制核子武器的技術專家會議，俄帝既未提議教中共參加，中共亦未要求參預這項會議——它根本就沒有濫竽其間的資格。

然而，美國方面卻「鬧麻了」！身爲外交當局的杜爾斯，近來即不斷地談論毛共屬否參加這項會議的問題，嘵嘵譁咋，張脈僨興，好像害怕將來因爲毛共未預其役，就使這項會議有歸於無用的危險。這叫作「脫去褲子放屁」，多餘的醜態也！

既認爲毛共絕無參加這類高度科學技術會議的資格，而俄帝與毛共亦無表示，幹嗎要相驚以伯有，慌慌張張地自問自答，給俄帝以胡鬧瞎纏的機會呢？若謂這就是預先暗示俄帝免開尊口，亦係自尋煩惱的拙劣作風。君不見聯合國的任何會議舉行之始，俄帝代表必然照例對中華民國代表作一次反對的提議那種無聊行爲乎？大家不予理睬，它只好嗒然若喪，毫無表情了。假使像美國這種神經過敏的無端自擾情形，出席聯合國各種會議的代表們，豈不是大家在開會之前，皆得聲明一下反對俄帝代表無理取鬧的意見，寧非笑話嗎？

美國人無論大小事情，總是牙擦擦，口花花，說的甚多，做的極少。有時候甚至於並無其事，亦要找些廢話來講，例如日前美國陸軍部發表俄帝可能以二三百萬軍隊與若干飛機、大砲、坦克，對西歐分幾路進攻，實施只用普通武器從事世界大戰的估計報告，就是不必要的連篇廢話，徒亂人意。至於隨時描述俄帝的越州飛彈如何進步，性能如何優越，一顆氫彈投入新大陸即可能消滅六千萬人口等類想像之詞，更足以自我恐嚇，別無意義可言。

美國人如果改變未做先說，無事起哄的習慣，自由世界即可告高枕無憂了。

從「妳」說到「娥」

——我也來咬文嚼字——

息文

看了陳曉風先生的「她們有問題」一文（見本刊七二七期），不禁深有所感焉。

夫「她們」（或者說「他們」）之所以有問題，實在是中國人學習上青出于藍的表現。本來方塊字的第三身代名詞，並無所謂男性女性之分；稱男爲「他」，稱女爲「她」，稱物爲「牠」，是從外國文法上摹仿來的。但外國文表衆數第三身並無分男女，在某些敏感的人看來似還不足，於是當並指男女性的場合，不得不特爲女人造一行宮（如陳曉風先生所說的）寫作「他（她）們」了。但問題來了。在同一篇文章中要提到「他（她）們」多次的時候，這些「行宮」實在造不勝造。如香港人說大陸同胞，爲了不遺漏大陸的女同胞，當然一律要爲她們造「行宮」，於是便顯出下面的尷尬相了：

「大陸同胞他（她）們在鐵幕之下，思想無自由，生活無自由，行動無自由，終年過着水深火熱的日子。他（她）們內心感到憤恨萬分，可是他（她）們不能憑赤手空拳去打倒極權魔鬼，他（她）們祗有日夕盼望自由祖國政府，快快反攻……」

僅僅不過百字左右的小段，已造了四座「行宮」，如續成洋洋萬言，怎麼得了？此其一也。復次，在「他」多數，而「她」少數的時候，屈「她」夾在括弧裏倒沒話說，如果在「她」和「他」比較而「她」佔壓倒多數的時候，仍然照樣請「她」入「宮」，似又屬不平之尤，非「時代思想」所能允許了。此其二也。

時代進化，近年來連第二身「你」也有了性別之分。這「妳」字的誕生地，不是香港便是台灣。說之，其發明人不僅是天才，而且定是女性的崇拜者。本來在字形上分性別，以其所代實體不明，怕人誤會也。第三身尚有此必要。至于對第二身，對象就在目前，如當我對我的太太說「你」的時候，無論是面談或寫信，都確知其爲女性；多情才子要寫信給他的愛人，叫一聲：「妹妹，我愛你！」無論男女任何一方，決不會將這「你」誤作男人。然而這「妳」字畢竟風行了，特別是在報屁股上。凡是存在的都是合理的，這句話在不錯時，大約在提到「女」人時，可增加人們香艷之感吧。而據此以推，女性的「我」似應寫作「娥」，閣下與尊夫人合稱非寫作「我（娥）們」便有褻瀆之嫌，其罪將不容於「打」了。

如果眞有這麼一天，處處充滿了這類的怪字怪文時，即使全天下人反對，我也必擁護秦始皇復辟。——我擁護秦政先生不爲別的，就祗擁護他那一把燒書的火。

偶感

漁翁

近讀「自由人」七五四期人木寫的「吃屎」一文，不禁捧腹而大笑！蓋屎爲「穢物」，惟犬能食之；人非犬，又何能下嚥？若爲生命而試嘗之乃出於一時不得已之苦衷；若爲貪富貴功名而替人嘗糞者，豈非笑話！然而在歷史上亦大不乏人。茲舉一例：

唐朝魏元忠，寵極一時，有郭霸者，生性卑鄙，嘗以奔走權貴之門爲能事。一日，聞元忠病，即趨探訪，嘗以「元忠之安危，可於糞上判之」，糞甘則可憂，糞苦無傷也。郭霸乃拈元忠之糞而嘗之曰：「魏公之糞果苦，定占勿藥」，因此，乃博得元忠的信任。

執筆至此，未嘗不擲筆而三歎也。

讀報偶感

從三屆亞運說起

稚明

最近第三屆亞運會，因爲破天荒地得了六項金牌，把中華民國的旗幟，一再高高的升起，使千餘萬華僑久蟄的愛國心，頓時溫暖了起來！因此，我們對於下屆亞運東主權歸與印尼一事，雖不敢斷言是甚麼原因，卻有點感到疑慮。

五月廿七日聯合報的黑白集，曾以「馬與老牛」爲題，評論體育主管當局，不該坐失下屆東主國之良機，造成外交體育雙重損失。到一九六二年，如果印尼保持現狀，我們能否得到參加，頗成問題，中共必將以浩大陣容，參加競賽活動。這種預言，是假定一九六二年，台灣與大陸，還是現狀；隔日中央日報的短評所發的論調，是針對聯合報的一段消息，是以奧林匹克委員會主席布倫達治的談話爲根據，謂印尼將不能阻止我國參加下屆亞運。這雖然沒有說明到那時中華民國局勢將如何，但似也默認，那時中共政權，將仍存在。如到了一九六二年反攻大陸成功，難道還怕人家不讓我們參加嗎？要聲明印尼沒有權力阻止我們參加下屆亞運，最好的理由，我們已將摧毀中共政權，其實如果眞的反攻大陸成功，也用不着什麼聲明，由此令人想到不久以前，人們一蜂窩地抨擊「反攻無望論」矣，是很不公平的。這也很容易令人懷疑一些決策，或執行決策的人，大人們，有洋房住，有汽車坐，於公事之餘，會不會忘記了反攻是個問題，一個千餘萬海外華僑，及千千萬萬大陸同胞，十年來所一刻不忘的大問題呢？吾有感乎斯焉！

醉花陰

吳石仙

濁世愁雲彌宇宙，善舞偏長袖。一旦倖登台，取盡錙銖，慾壑填難就。

江山萬里渾如舊，祇是工農瘦！莫自逞英雄，試看秦隋，崩潰何其驟？

台灣的藝校

姿婆生

台灣有三個培養戲劇人才的學校，就是大鵬、復興、藝專三個單位。雖是同樣的培養，但各個遭際不同。大鵬得天獨厚，一切經費，有其來源可尋，造就人才，比較輕而易舉，二科三科四科，不斷的茁芽。復興細於經費，全恃捐募，可是占着人和，在困難的環境，也造綀不少優秀人才。藝專是國立的，在天時地利，通無問題，可是不得其教，人才極少。最近發現有一位常熟錢蓉蓉小姐，可說是藝專的一枝獨秀，於平劇電影，流行歌曲，以至舞蹈，無所不能。

當台北市府爲救濟窮苦災民，在民本電台，辦一次歌唱義賣的節目，余在收音機旁，聽了四個鐘點，覺得何家閨秀，有那樣的氣派。後來在另一場平劇唱演中，覺得她有一副天賦的好嗓，唱得非常圓朗，而且身材很夠條件，年齡不過十八。她經常帶便當，搭公路車，奔馳在台北板橋之間。書本一放，即注意練琴習歌學唱，不停的努力。假期之中，常往各處勞軍，遠至馬祖金門，尤其在多季，不避寒冷，冒着風霜，奔往前綫，精神也確實可嘉。故說者謂蓉蓉技藝未來的成就，可能爲藝校爭光。

幼稚可喜

陳宗敏

今日社會中流行着一種風氣，當一個人巴結他的「上司」或者恭維他的朋友時，每每拍拍朋友的肩膀，或者在他的長官面前翹起大拇指：「你老兄是老資格！」若譏人則常用「幼稚」兩字，

其實，學識，才幹幼稚些的人，肯虛心學習，力求進步，力爭上游，不失爲眞實可貴。唯倚老賣老的裝模做樣，强不知爲知，强無能爲能自命不凡，自以爲「資深望重」，輕藐一切意見，剛愎自用，處處表現「老大」的氣概，不肯採納雅言，則恐將落入「老大徒傷悲」而不能自悟了！

宇宙事物，人類不知不能者正多，「知之爲知之，不知爲不知，是知也。」又何必件件皆能，事事皆知？又何必要强充萬能的「知」者？

而且有些人因自持資格老，閱歷深，殊不知人事日新，因襲陳腐，「老」何可恃？周公「一沐三握髮，一飯三吐哺」，孔子過太廟每事問；周孔尚不畏人譏爲幼稚，我何必以「老大」自命。聖者之聖，賢者之賢，智者之智，能者之能，均由虛懷若谷的謙遜，孜孜力學的勤謹而來，不在裝「老」造作。

「大人者，不失其赤子之心也。」赤子之心正是「幼稚」，純潔，好問，好學之心。西洋人談三 W 的科學精神，也由幼稚而終於智慧，否則牛頓若裝老大世故，蘋果掉到那裏去他便不管了。

甚此而言，幼稚無可譏，最可譏者「老大」自欺而已。

現實小說

悲哀

桑雨

他又從袋裏掏出那封信來，第三次以深恐看錯，其實是不必要的凝神注視，再仔細的瀏覽了一遍：

「志逸：這回我決搭十五號的快車南下，下午四點可達。你還是去上班，不用接我了。一直說要去看你，連我自己也莫明其妙，怎麼竟會拖了兩年。眞成了無的放矢哩！

照片收到了，謝謝，你似乎顯得清瘦些，是太忙的緣故吧？但那總不足爲慮，當然不及我親眼見你。一切面談。何滿」

從每一字每一句中，他彷彿聽到了何滿低沉的聲音。是的，那聲音太熟悉了，曾在他耳際縈繞了整整四年！在大學中，他與何滿同住一個宿舍，一個房間。雖然自己是學文學而對方卻是學工科的，彼次卻成了莫逆之交，就是到現在，周志逸他自己也說不出一個充分而恰當的理由來。如果說雙方都基於第一印像，固然無不可，但總嫌太傳奇了些。

何滿是極聰明卻沉默的。每次的談話，自己常因過份縱肆情感，而對方卻像一尊木偶般的嚴肅，引起一種失望和不滿足的抗議。事後何滿便朝他微微一笑說：

「當你說的時候，我不該與你搶白；但當我不能同意你的見解時，便不會使你覺得我似毫無反應了。」

他又想起當同臥在校園中的草坪上，睜着眼看暮色一步步踏近身旁，草蟲們開始奏着夜的序曲的光景，他們會無拘束的談着，而那種每天可以享有的片刻，竟成了他追憶中的一份感受了。

他緩緩地把信紙裝回封套裏，看看錶，才只十一點，距離下班還有一小時。

一小時幹什麼呢？每天他可以用讀報或看小說雜誌把它打發過去，不說一小時，就是三小時也是一樣的。現在不同了，他用惡意而不安的眼神頻頻看錶，恨它走得太慢。本來還有一個消磨時間的良方，便是與同事們天南地北，不着邊際的胡扯一陣。可是他不慣參與他們的陣綫，他覺得他們俗不可耐，並且令人討厭。他很憤恨和奇怪，同時也替他們悲哀，因爲他們顯得竟是那樣滿足於微不足道的小吏小職的現實生活。

「要筆桿，坐硬板凳的小人物！」他又想起大學時代，他們年青的一致對於公務員的如是我觀的看法來。這觀念也還深深蒂生在他心裏，但他現在卻無法再去衡量別人了，因爲他自己由主體一變而爲被批評的客體。

兩年了，他在被自己奚落過的環境裏，平淡而悲哀的混過六百多天日子。一種不屑與自尊使他在機關同事中孤立。他覺得自己的世界愈來愈小，小得正剩下自己住的四個榻榻米大的屋子；同時也變得愈來愈淒涼黯淡了。於是他寫信給何滿，要求同情的施予。有時信手塗掉七八張紙，有時卻提起筆又放下，覺得煩燥和無聊。

他只想何滿能來，那怕是幾分鐘的晤面，自己也會振奮許多的。

「何滿！你來啊！我太寂寞了」有一個細小得幾乎聽不見的聲音經常浮泛在他的嘴邊。他不明白，就是何滿來了，站在他面前，他是否便能獲得足夠的寶貴與解脫？雖然這樣，他仍日以夜繼的貪婪的期待着，像一些愚蠢的人民對於巫神的忠實一樣。

再看看錶，只走了十分鐘。不耐而又莫可奈何的心情，變成許多小蟲在他全身上下的蠕動。他望着辦公室的門出神。

門開了，一個熟悉的影子閃了進來。

「周先生科長請您去一下。」

「啊？何……」工友老黃的聲音喚醒了他半迷惑中的錯覺，他可笑自己剛才差些冒失的叫出聲來。周志逸呷了口茶，站起來，緊緊領帶，然後跨出門去。

壁上的掛鐘噹的敲了一下，是十一點半。

科長意外的客氣和慷慨，答應借給周志逸一張床，這使他忽然感到那樣每天看來有幾分不順眼的長臉，竟也變得溫和些。

周志逸請了下午的半天假，準備過詳的計劃一番，來接待自己闊別了兩年的好友。他去買了一束晚香玉插在那隻從未插過花的瓷瓶裏，小屋經過稍微整理，自覺清爽不少。

他斜靠在椅子上，心中有一種說不出的興奮同溫暖，這情懷是他許久許久沒有過的了！畢業以後，茫然的浮萍似的生活，使他幾乎懷疑自己的本性與潛能，逐漸由紊亂而趨於惶惑和厭倦。

二點鐘，周志逸揀了一身新的衣褲換過，便急急趕往車站。（一）

自由人
THE FREEMAN
（第七五九期）
中華民國僑務委員會頒發登記證台僑新字第一二號
中華郵政台字第五〇〇號執照登記爲第一類新聞紙類
（半週刊每星期三 六出版）
每份港幣壹毫
台北市售價台幣壹元伍角
督印人：陳文華
地址：香港高士威道二十號四樓
20 CAUSEWAY RD. 3RD. FL. HONG KONG
TEL. 771726
承印者：東南印務出版社
地址：高士打道六十四號
台灣總經理處
台北市西寧南路壹壹零號二樓
電話：三〇三四六
台郵撥儲金戶九二五二
海外總經銷：友聯書報發行公司
香港：德輔道中二十六號A二樓

對時局低調的種種

舉二三事爲例

左舜生

我老實說，我對台灣目前的一切情況，確實是越來越擔憂。有人誤會，以爲我是一個特別歡喜唱高調的人，其實我是一個最願意針對事實而把調子儘可能降低的人物。

先要盡其在我

舉例說：關於反攻，八九年來，始而是政府高唱入雲，有所謂一年如何，兩年如何，三年四年又如何的一類說法，我明明知道這不過是說說而已，但我從不願作過分的指摘，因爲我知道：這並不是政府有意騙人，實際是當時的情況如果不有這一類的說法，便會使得一個倉卒成立的政府將無法穩定下去。後來因時間拖延得太久，政府無法實踐諾言，海外輿論便不免責難紛至，甚至由失望而轉入悲觀，我總覺得像這類的責備未免過分，幾乎是責人挾泰山以超北海，根本便不了解所謂反攻必須具備的是一些什麼條件，同時也不免對敵人作太低的估計。我曾把這類反攻條件分作兩類：一類是單靠自身的力量也可能辦到的，例如政治；一類是非待國際配合便無法完成的，例如經濟與軍事。自身可能做到的無待於外求，國際配合則不能完全操之在我；但把自身可做的先做，這總是不可少的一着。要把反攻條件準備得像個樣子，然後才談得上選擇和把握反攻時機；如果一切只如今天台灣的現狀，即令大戰的爆發就在明天，也不見得於我們的反攻一定有益，甚至更帶來一大難於克服的災禍也不一定。我們對政府當局所不滿的，乃是放棄一切自身可做的不做，甚至還要向着只有壞處毫無好處的方向去做，同時卻把一切虛無飄渺的空想去寄望於別人，這一點我們實在期期以爲不可。

誠意不在開會

其次，關於所謂『反共救國會議』。這件事原是政府首先談起的，當時許多人以爲有『廬山談話會』和『國民參政會』的往例可援，總以爲輕而易舉，甚至到了今天，香港還有一份有地位的日報，仍在繼續鼓吹；可是我個人對這件事的首先反應，便認定像這樣一種會議開可，不開也未嘗不可，而政府所應該做的，只是放出若干與政府所抱持的政見(?)稍有不同的人物，到海外來和大家談談，單說這一層的本身，便足以表現政府充分的誠意。而且我深信：這般人出來以後，決不會勾結海外人士向政府去造反，反有可能反映出若干切實可行的具體意見。關於這件事的看法，我至今與四年前所主張的完全一樣，我總覺得一定要把台灣和海外打成兩橛，這畢竟於反攻復國的前途是有損無益。

莫與人民爲敵

復次：關於這次出版法修正的事件。到今天爲止，政府總已應該切實知道：這次國民黨的中央常委會所製定這一份修正出版法的草案，而又運用立法院的黨團作用，一定想把它通過，甚至還想根據這一份修正後的出版法，居然要對若干平日爲政府所不高興的言論機構實行加以關閉，這確實是大多國民所極端憤慨的。我平日從來沒有希望政府事事能服從人民的公意；而且我也承認即令是人民的公意也不見得一定不犯錯誤；可是我覺得：無論是怎樣一種形式的政府，究竟不可與大多數國民公然爲敵！照執政的國民黨目前所採的步驟，好像硬非這樣嘗試一下不可，這確實是太可悲憫的。就一個平日歡喜讀讀中外歷史的人一種常識的看法，無論任何一個暴君或若干的權貴，只要他們有意或無意走上與人民公然爲敵的路子上去，他們便幾乎是無一可以倖免。我們一百個不願意看見一個領導反共復國的大黨，遷就少數人的意氣用事，硬要一生拉活扯，把這樣一個柔弱無力的政府放在爐火上，讓它去受這種不必要的煎熬！此外我還知道一件小事：香港有兩種政治性的刊物，正在積極籌備中，最多不出兩個月便會同時出版，假定這個不合理的出版法一旦通過，他們便打算在報頭傍邊標出六個大字：『本報不銷台灣！』像這樣一種高談政治的報紙而決定不銷台灣，這在台灣少數人物，自然是樂得耳根清淨，可是就整個自由中國的面子着想，總也不見得是一種光榮吧！但不幸政府一定要是那樣做，人民便不會不是這樣做，世間多少的不幸事件，便往往是這樣相摩相盪而逼迫出來的！

閉門羹　·尹震·

半週述評

當局之「決心」

「出版法修正案」終於在立法院內政、教育、民刑商法三委員會聯席會議上獲得初步審查通過。但是，卻也給民國的立法史寫下了罕見的一頁！因爲出席參加表決該案的立法委員，尚不足四十人；而三委員會的總人數，卻有一百三十四名。當然，我們不能說這樣草率地通過是「不合法」的。

從該案被以「誤會」的理由，由行政院秘密送請立法院審議開始；中經立法院院會激辯應否交付秘密會議審議；再經該院三委員會以「本案不付審查」之決定，變相地拒絕台北市報業公會的請願；進而到達以極少數出席人數通過審查，充分地顯露出執政黨中央對立法院之嚴密控制程度，和立意以「指導」方式達到箝制言論自由，必須通過該案之決心。

內外之批評

但在另一方面，海內外的輿論，也一致地從各個角度抨擊和反對該修正案。即使在台灣本省，省議會也曾於本月四日爲此通過臨時動議，向立法院提出兩項建議，要該院本諸民主憲政保障言論出版自由之精神審議該修正案，以維護憲法尊嚴；並須以公開會議方式審議。總之，監察院於最近也成立了專案小組，研究該案是否違憲；認定目前並無修正出版法之必要。

即使在立法院內部，反對該案或堅持該案必須公開審議者，亦非少數。試就三委員會以不足四十人通過審查爲例，也可見得那爲數近百人之立法委員，雖在形式上不得不接受黨的「指導」態度，但在精神上未見得是積極贊同和支持的。否則他們何以要出諸消極一途，不出席審查會議！

法律之尊嚴

「出版法修正草案」最后之勢必在「指導」力下通過，殆無異疑。我們姑且置該案之是否違憲一點不論，（惟筆者不認爲該案是符合憲法精神的）現就該案在最後通過審議而成爲法律條文後，可能出現的後果一點試加論述：

任何法律皆具有其特定的強制性，法律的強制性，本是構成法律尊嚴的因素之一。在正常情形下法律的強制性，並不完全依仗於政治權力來伸張的，當然更不應假手於黨權或警察權力來表現。眞正的良法，其尊嚴是積極地依靠人民普遍由衷的對它的崇敬獲致。基於此，可以預料，未來的新出版法，由於民意和輿論之對它厭惡，而且又是在某種政治壓力的「指導」下所通過誕生，它的法底尊嚴，是已受到了嚴重的傷害！另一方面，政府爲貫徹其箝制言論之自由，勢必傾其所能之權力，來支持新出版法，因此，相信未來海內外輿論界與官方之不愉快將在所難免，人民與政府的對立與距離，也將因之擴大。這點，可試觀台灣輿論界，並不因官方一再強調將來的新出版法並非旨在危害言論自由，而稍減其疑懼，即可想見。

政府之威信？

政黨或政府的威信，並非可藉各種法令建立的，而是要靠這個政黨和政府能不斷地主動地自肅來獲致。民主政治之所以容許人民有批評政治的自由，在於通過輿論監督政府。一個失去自肅能力的政黨和政府，如果一旦再取得了對言論自由的控制權，這對該政黨及其所由組成的政府言，亦非好事。

各方面都曾經爲當局錯誤地不適時宜的提出出版法修正草案，謀取開脫之途，希望在可能盡量顧到「面子問題」的條件下，由當局自動撤回原案，或作俯合輿情之修正，然從田內長在監察院答覆詢問之內容觀察，反映出當局所持者乃非「擇善固執」之態度，更令人無從理解了。

有什麼可說！

有謂，當局之所以「一以貫之」必須通過該案者，其用心在于以此案試探立法院內反對派之能力，並試圖以「指導」的壓力所促成的黨團的聯合實力，以作爲未來提出修改憲法案的張本！如果如此，而上述之觀察尚有幾分可靠性者，那末，我們還有什麼話可說呢？

·李金曄·

「控制的自由」與「出版法」

從政治觀點說，自由是有範圍的。言論自由，載在憲法，在法律範圍內，人民即享有這種自由，受憲法的保障；如果超越範圍，構成罪行，自然受到法律的處分，實在沒有另訂什麼「出版法」來限制言論自由的必要。

從法理上說，法外不應有法。言論自由在這範圍內享有，就不應在另一個圈子裏受到限制。我是在巴黎習新聞學的，從未聽過「出版法」的課程，所以我以前在廣州國民大學新聞學系任教時，學校要我講授「出版法」，曾令我感到那是一件苦事！

人民有集會，結社，信仰，居住，通信，等自由，爲什麼不制訂各別的單行法？獨對言論自由，來一個「出版法」加以約束？若以「出版法」爲例，對信仰自由，來一個什麼「宗教法」，那還成什麼話！出版是業務性質，違法的出版物，自有法律去制裁。在行政上，來一個「出版管理條例」，也就够了！何用「法」爲？

在台灣，不能說沒有言論自由，固然比共區強得多；但比歐美還是差得遠。由於台灣的特殊政治環境和一些不必要的特務組織，從事言論工作的人，執起筆來，就怕惹麻煩，顧忌諸多，羅斯福提倡四大自由，其中就列有「無有恐懼的自由」，是屬於精神方面享受的；要是言論工作者，精神上就感到威脅，等於受了一種力的控制。

去年九月間，法國一位社會黨人著名的反共作家拉班（Laban）夫人來台，在一次正式訪問中，她提出許多問題；「在台灣是否有充分的言論自由？」就是其中一個。後來，在餞別宴席上，她說：『台灣的自由，是「控制的自由」。』就工人來說，就沒有罷工的自由。一位不懂法語的朋友，誤「控制的自由」爲「有限度的自由」。其實，她用的是政治術語；所謂「控制的自由」，是指這種自由有一種力的控制和操縱，可以讓你自由，也可以使你不自由。英語「力的自由」，就是同樣的含義。我知道自由知識分子，對政府有所不滿，因不想增加大家的不滿情緒，所以事後祇就她提出的許多問題之中，寫了一篇「有關反攻的三個問題」——與法女作家拉班夫人一席話」，在去年十月十九日「自由人」發表，其他有關民主自由的，都按下不提。我不是故意袒護政府，祇因剩下來的台灣，是唯一的反攻基地，在心情上，總不免投鼠忌器！

最近，看到「我們的抗議」——香港自由人士對台灣摧殘新聞自由的抗議」一文，覺得這一抗議，嚴重一點來說，是已經嗅到爆炸性的火藥味；說得平穩些，也是中心如焚不能自抑的結果。知識分子是社會的領導階層，站在民主反共的立場，這種抗議，自不能說是好現象；但站在政府立場，與知識分子作對，與全國輿論爲難，又豈是明智之舉！秦始皇焚書坑儒，招致不良之後果，是歷史顯著的例。爲了國運攸關，碩果僅存的台灣，我一向對於有關民主自由問題不願說的話，現在也不能不說了！

政府向立法院提出的「出版法修正案」，無疑的是一個扼殺言論自由摧殘新聞事業的法案，自難怪輿情鼎沸，羣起反對。「出版法」非關軍政大計，無機密可言，行政院爲什麼要偷偷摸摸的送去立法院，立法院又爲什麼要來個秘密審議，此中原因，已够耐人尋味了！有種種跡象，足以證明政府當局對這件事，都是志在必行。若果強幹下去，前途眞不可樂觀！

人心不可逆，輿論不可背。大政治家不僅要勇於負責，尤其要敢於任過；明知其不可爲，就應不遠而復。因此，我以沉重的心情，籲請政府當局，拿出勇氣，下大決心，撤回「出版法修正案」，再依程序公佈廢止「出版法」，改訂事務性的「出版管理條例」，洗滌一切「控制的自由」汚點，把多年來籠罩民主自由的陰霾，一掃而空。這是最開明的作法，也是對全國輿論最美滿的答覆。

·谷懷·

自由談

獎勵與分贓

馬五先生

由於中華民國政府改變外匯政策之故，原來銷行台灣省境的海外華僑報紙，皆受到了相當的損失。據說，政府爲體念僑報的艱難，將用獎勵方法，酌予各報以航運費的補助。這是合理的措施，僑報亦不欲因小我的利害關係而損傷外滙政策的信譽，相期共赴國難。

不過，既言獎勵，就得有個給獎的標準，而其唯一的起碼條件，亦須那張報紙在海內外有些讀者，提起某某報的名字，總有人知道它是怎末回事。假如我在海外刊行一種報紙，表示反共，却沒人願意看，踏遍海內外的市街，亦尋不見這張報紙的蹤影。但爲騙取優惠的外幣結滙率起見，憑着人事關係，得許銷行台灣，而且每天運赴台北的數量亦很可觀，藉作結滙的憑據。縱然實際銷售不到幾份，但舊報紙還可以賣給造紙廠做紙漿，反正只要能夠按照運輸數量，向國家銀行結滙就得了。這完全是好商市儈套取外滙的貪污行爲，與文化事業無關，更與反共救國的宣傳作用風馬牛不相及。

如果政府爲獎勵海外僑報而補助運費，對於這類的報紙亦一視同仁，平等看待，不特毫無獎勵的效用，而是十足的分贓辦法，反將引起一般名實相符之僑報的反感，認爲政府全不講究是非賞罰之道，獎懲無別，黑白不分，結果是使好意產生最劣的影響，德政變成污行，不亦冤乎！

若干年來，政府對於海外文化事業，亦消耗了不少的財力，但大部分都是投擲到一些拆爛污的黑洞裏，眞正在海外爲反共救國而奮鬥的文化機構與人員（指民間的），很少有所沾染，因爲大家不屑於直尺枉尋，找甚關係。現在政府有意獎勵僑報，所以我要提醒當局者，好自爲之，幸勿再蹈覆轍也可！

牛

·人木·

我帶了輕鬆愉快的心情在田野漫步。是初夏的時分了，晌午陽光下遠遠近近的林間響着蟬兒的聒噪，野草在風裏輕搖擺；午後眩目的陽光使我睏倦，有一種懶洋洋的強烈的快感。

一隻怪碩壯的黃牛低頭在啃草，看牛的小童在不遠處林蔭中睡着了。那牛見我跑過去，抬起頭，大牛眼和善的望我瞧，一時高興，我映了映怪眼：

「喂，牛兄，別來無恙乎？」

「呵呵，」那牛竟然點擺着頭，鼻孔噴氣：「還不是老樣子，怎生得了病？天天不是耕田、拉車，吃的草，擠的是奶！」

「哎——」我不知怎的，也不覺得牛會說話是件怪事情：「你太辛苦了！」

「有甚麼辦法？」牛頭搖了搖，靜默了一會，彷彿大有深意的，很久才迫出這樣的話：「我們做牛的，就得這樣。」

聽他我有點悲傷：「怎麼你們不革命呢？……人類實在是可惡極了（我不曉得甚麼時候開始有這種偉大的人道精神。）你們一出生，他們便沒有好好的待你們，你難道不是嗎？他們剝奪你母親的奶，給你們吃草，一錢不花，便叫你們拖犂耙哪、拉車子哪……還要擠你們的奶——有一天你們老了，人類却毫不顧念一下往昔的恩情，把你們宰了，吃你們的肉，喝你們的血，用你們的骨角來製東西……這些你們怎能忍受的？我問你們，到底怎能忍受這種虐待和欺凌？……」我愈說愈憤激，簡直忘了我自己也是人了！「……你們得反抗，起來罷！牛們！打倒那些殘酷無道的人類罷！不要再做奴隸了！」

黃牛很感動，眼淚都流了下來；我打住了，很久還在爲自己的愛心和激烈的言辭而興奮。牛兄却說話了，幽幽的：「你叫我怎辦呢？我們幾千年來便是這樣的了！我父親，我父親的父親，我千萬年代的祖宗都是這樣的——哎，你叫我怎樣反抗呢？」

我叫了：「不用害怕！」「站起來，聯合你們所有的牛類！把你們的主權，你們自己的利益爭回來！你要有信心，該知道只要你們是能堅持到底，人類一定會讓步的。牛兄，站起來，做一個偉大的牛物！（我本想說人物，心想牠到底不是人！）將來說不定做了牛中的華盛頓，你的子孫將會豎起銅像，世世代代的敬仰你，使你不朽！起來，牛兄，革命去！」

「不！」

「你這沒膽量的東西，怕甚麼？去啊！」

「不！」

「你說的不？」

「不！」

我便使勁拉他，心裏恨牠的不爭氣透了。

「你這懦夫！」

「不！我決不！」牠罵，「你快放手，不然我得叫了！」

我……我死命不放。

「哞，哞，哞……有人偷牛啊！有人偷牛……」

颱風過境

·張慕陶·

一夕風姨肆虐來。庭前老桂竟成災。繽紛委地皆金粟。唯向空枝嘆幾回。

暮砧

蘿齋何事費沉吟。難遣閒愁酒獨斟。南服羈棲人漸老。暮砧急節更驚心。

一見傾心

·永昌·

我認爲一個人發現他最愛好的作家，乃是他的智識發展上最重要的事情。世間還有一些人的心靈是類似的。一個人必須在古今的作家中，尋找一個心靈和他相似的作家。他只有這樣，纔能夠獲得讀書的眞益。一個人必須獨立自主去尋出他的老師來。沒有人知道誰是你最愛好的作家，也許甚至你自己也不知道。這跟「一見傾心」一樣。人家不能叫讀者去愛這個作家或那個作家，可是當讀者找到了他所愛的作家時，他自己就本能地知道了。關於這種發現作家的事情，我們可以提出一些著名的例證。有很多學者似乎生活於不同的時代裏，相距多年，然而他們思想的方法和他們的情感却那麼相似，使人在一本書裏讀到他們的文學作品時，好像看見自己的肖像一樣。

談中文書寫式

●文平子

我們的官方常言「革命」，凡事冠以「革命」才感覺榮耀；同時亦以復古、邁古爲自得之正統。最近關於中文書寫方式又規定三點辦法，意謂創導遵守我國文字書寫固有方式，自上而下，自右而左。以此文字書寫方式而言，眞正習慣與實用，自上而下以及自右而左，皆時習慣與應用之須要，海禁未開之時如是，今者時變境遷，是否以昔時之範圍之？不可加以規定，唯多少國家大事，文化教育値得興革者，倒沒有規定，實不無貽人以輕重不分之譏。海禁開後，由於國外交通頻繁，應用方面須依西文書寫方式，故有橫寫方式，與寫方式片斷比較，與新文化運動相比，更覺是急其所不急；這不是由於形式主義的優越感而來嗎？

傳教的邪途合之後，曾有效忠之士，向總統提出中文書寫橫式一律規定自右而左，此舉之效忠實在學「者」，便係犬儒之德作祟，不無令人欲嘔之至。

最近規定三點，其一爲書籍排印，除數學、自然科學、外國專門名詞、中外文對照以及各符號公式等可以自左到右，餘則不可。其二爲各種標語招牌及商業廣告，如係橫寫必須自右而左，自上而下，並須正楷，不得使用「歪斜」之美術字體。如須用外文時，亦可由左而右。其三爲外國影片之中文加註則須小於中文字幕，則儘量採用自右而左，自上而下之方式。上述三點皆分別由行政院新聞局、教育部等主管機關通令，切實辦理。

直寫、橫寫原在習慣與應用兩者之便，其應用實甚於東西方之字體不同，結構有異。直寫者由於我國之方塊字體限制，橫寫者因於西方係諸字母之拚排而成，西方人也從無對中國文直寫式引爲惡感，中國人也大可不必對西文橫寫式發生討厭。中國文字偏旁者殊多，試思先寫左偏旁，在書寫時絕不可先寫右偏旁（在書寫時右偏旁地位一旦太小時，便得影響書寫之優美了），但如橫寫則無此病，且可使字體寫得好看，中文直寫之便，因左右上下各留空白，不受限制，橫寫時亦然，今限一律自右而左之橫寫式，如遇其中須寫數字、外文、公式、符號又須自左而右，自右而左與自左而右交錯其間，實在無美觀之可言，甚而自右而左須一種認識，又須自左而右的認識，實在不可，有別扭的感覺。

小啓：戊戌譚往暫停續刊。

家人的宗教

·恬辛·

平常在街上看到一座座的教堂，心裏很少引起什麼感觸的；可是近來，却有些不同了。以往，星期天是家裏最熱鬧的一天，我們就是想靜靜的讀幾頁書也幾乎不可能；如今却不同了，每到星期天我總是孤獨的坐在書桌前，或者是躺在陽臺藤椅的沙發裏。去年春天，母親便開始和教堂重新結緣了。她的虔誠的增長，竟和她罕有的健康一般的增長。不久，由於母親的影響，兩個弟弟也不斷的上起主日學來了。

至於我呢，也許是因爲多背了幾年書的緣故吧，對於上帝及「罪」之類的觀念，好像不太容易接受。雖然母親和她的教友常常勸我說：「常常去聽聽道，很快就能得到救的機會。」我却推三阻四，心裏也明知有點「不恭」的，總算有一次，我爲了不忍過拂母親的盛意，前往聽了一次一位名牧師主持的「奮興會」。所謂「奮興會」，其情況熱烈，正像是高呼口號的萬人大遊行。回來，我就說：「這不過是熱鬧而已，可是眞正的宗教不應該是這樣的吧。」母親就是這樣的原諒了我。可是她將不能放棄任何合理的努力的——我深深知道。

父親是一位佛教徒，對佛學也有研究，至少不是只懂得點皮毛的。母親却也像所有熱心過度的基督徒一樣，希望父親「改邪歸正」。父親在盛情難却的情形下，也就拿出佛教徒的風度，隨着往教堂去「旁聽」一番。可是有時也不禁說：「這眞是罪孽：我並不反對基督教，但我信佛却是天性，何況基督教的教義也遠不及佛教的深刻。」

無論如何，全家到今天只有我一個是非教徒了。其實我也不一定是什麼「無神論者」，不過不知爲甚麼，我對教會總有些不敢學步。也許只是因爲我生性太自由不羈了吧，實在說我根本也是不反對宗教的。

「你不信上帝將來死了要落地獄的！」一知半解的小弟又在向我進行咆哮式的勸導了。

「哈哈！」我不禁爽朗地笑了。

現實小說

悲哀

。桑雨。

坐在巴士裏，一直耽心着何滿所乘的快車會先他而到。汽車得停靠一站，他也增加一份焦慮。

雖然距車進站的時間還有十分鐘，但站內旅客已經很多了。周志逸買了張月台票，慌忙的擠進去。他不時站在月台邊上，伸長了頸子，望着鐵軌的盡頭，再瞧瞧錶。終於他看到一個小黑點在遠處出現了，漸漸地變大，朝着他移近了。

在一剎如觸電般的感覺後，頓時緊張起來，他用短促的呼吸及睜大的眼貼在車窗外向裏面張望。三節車過去了，沒有何滿的影子。他的心開始由蹺蹺而不安的跳動。

「志逸！喂，志逸！」

周志逸本能的回轉身子，當他急灼而閃着驚奇的眼光，落在距離他兩丈遠的地方站着的他的朋友身上，他飛奔了過去。

「何滿！」他叫着。

他抓住了何滿的手，嘴唇微微顫抖，他一時突然像白癡一樣，用眼睛盯住何滿的臉，企圖從那裏喚回記憶的佐證。

「你眞來了」！

「啊！志逸，你還是來接我！」何滿拍拍他肩膀。

「你更精神，也更漂亮，頭髮也蓄長了！」他上下的端詳對方，樣子是很純的興奮和愉快。

「先到我那兒去休息休息，歇會兒我們下館子，算爲你洗塵。」

「志逸，你不必破費了，公司在這裏有招待所，吃住都很方便。」

「什麼話！今晚你就在我那裏住，我已特地爲你準備了一張床了。」

何滿躊躇了一下，對他說：

「志逸，我得告訴你，這次來是半公半私，公司在這邊有筆生意，今晚我就得趕去接洽。這樣好了，回頭我們就去吃飯，至於住的地方，一則我看你那裏一定很擠，二則我也沒把握什麼時候回來，還是住招待所吧。如果事情順利，明早我來找你。」

「何滿，你眞成了忙人啦！放了本行做起進出口貿易，像是頗爲得意哩！」周志逸玩笑的說。

「有什麼辦法！公司裏人手少，只有多忙點。」

他們走出車站。

「這樣吧，我們先找個咖啡館坐坐。」何滿提議說。

「咖啡？呵呵！我早爲你想到了，知道你喜歡喝它。走吧，到我那裏去喝個痛快。」周志逸的眼睛亮了起來，眉梢眸動着。他偏過頭來望着他的朋友，問道：

「說起喝咖啡來了，何滿，你還記得我們在大三時的那回事嗎？」

「你是說我們偷燒電爐煮咖啡，結果被宿舍導師發現了的那一次？」

「是呀！他本來想申斥我們一頓，沒想到我們給他端了一杯去，竟把他弄得反怒爲笑了。居然和我們大談起咖啡經來！」周志逸把自己拉回到往事的斷片中，咀嚼着逝去的歡樂。

「哼！柔能克剛！」何滿隨口應着。

像一個影子在眼前一晃，又匿蹤。「柔能克剛」這四個字，突然令周志逸有刺耳的感覺。同時它們一下子變得很大，大得塞滿了他的腦子裏所有的空間。這正是他目前所需要抱持有而迄未採納的態度呀！

頓時他聯想起大一國文中史記上寫的韓信能忍袴下之辱的一段；以及過去自己聽過見過的「大丈夫能屈能伸」，和孟子上「天將降大任於斯人也……」一類拉雜記憶，因此忽然沉默起來了。

他又想：

「究竟所謂正確與否，有什麼標準呢？我是應該繼續維持自己的生活方式，抑是暫時從俗？」

這矛盾梗在他心裏已經很久了，一直沒有解決。他想問何滿，看他正聚精會神欣賞着沿街景物，又沒說了。

「何滿！」他終於吶吶叫了聲。

「嗯？」他的朋友歪過臉來。

周志逸看見一張甚爲陌生的，掛着一種玩世的笑，彷彿毫無誠意；期待着回答，又似漫不在乎的態度的一張面孔。那面孔上印了無數問號，使他看來有一種驚訝後微微悸暈的感覺。剛想吐出來的許多話，便像洩了氣的汽球般縮了回去。

（一）

自由人
THE FREEMAN
（第七六〇期）
中華民國僑務委員會
頒發登記證台穀新字第一第二號
中華郵政台字第五〇〇號
執照登記爲第一類新聞紙類
（半週刊每星期三　六出版）
每份港幣壹毫
台北市售價台幣壹元伍角
督印人：陳文華
地址：香港高士威道二十號四樓
20 CAUSEWAY RD. 3RD. FL.
HONG KONG
TEL. 771726
承印者：東南印務出版社
地址：高士打道六十四號
台灣總經理處
台北市西寧南路壹壹零號二樓
電話：三〇三四六
台郵撥儲金戶九二五二
海外總經銷：友聯書報發行公司
香港：彌敦道中二十六號A二樓

知識分子與反對黨

。杜蘅之。

胡適先生返國五十天以來，一直在避開談論政治問題，但是在五月二十七日「自由中國」半月刊邀請的一個七十位學人的聚餐會上，他開了戒，而且所談的是一年來已成爲一個最強烈的耳語運動的「反對黨」問題。

一、

胡先生首先說他曾經熱烈主張由執政的國民黨，分出一部分黨員（以民意代表爲中心），來組織一個或若干個反對黨。現在他瞭解這是不可能的。不但如此，他認爲「反對黨」這一名詞，對於執政黨及政府當局，都是太刺耳的，所以他提議改稱「在野黨」。並且強調說，儘可以在野十年十五年，使執政黨不必担心會爭奪政權。顯然在胡先生心目中，像這樣溫和的一個組織，應該可以博得執政當局的諒解，而實現國人組織第二大黨之主張。

胡先生除了認爲這樣一個政黨應該立即求其實現之外，又說這個黨應由知識分子來組織。這一主張也足以看出他的慎重之處。因爲執政當局最怕有人出來「打天下」，「革命」，及「爭奪政權」。而打天下必須擁有打手（如軍人以至政客流氓等），如今這一新黨只有些「百無一用」的書生，及「造反三年不成」的秀才，自可使當局放心了。

二、

雖然如此，這一個在野黨（從胡氏之建議，採用此詞）能否組成，仍有下列三大困難：

一、最近在中央日報已有數篇社論，表示國民黨是一個革命黨，它的任務是革命。什麼是革命呢？在他們心目中就是「有我無他」的思想與行動。這與現代民主國家的政黨理論是大相逕庭的。換言之，如果眞的產生一個在野黨，可能立刻成爲這個執政黨的革命對象。那麼，以今日執政黨之擁有各種「革命」實力，這個在野黨是不堪一擊的。

二、在自由中國，眞正「自由的」知識分子實在太少了。我可以大概地說，知識分子之中，百分之九十都有執政黨黨籍，必須遵守黨紀，效忠領袖。其餘百分之十，在名義上是自由人，其實又有百分之九十是在政府餉册上的可憐虫，吃的住的乃至穿的，都是政府配給的，誰敢動彈一下。以如此少數之自由知識分子，去組織在野黨，在人數上即處於絕對劣勢，在政治上自難產生預期之作用。若是吸收了執政黨籍的知識分子，當然更要引起執政黨的反感，而增重這一新黨所受之打擊。

三、政黨的組織是一項複雜的問題，在歐美民主國家的政黨，都少不了一班搞組織的專家，與那些調和人事關係的政客。如今由純「自由」的知識分子來組織政黨，在理論上在政策上一定有卓絕的表現，在組織上則一定渙散脆弱，而有許多漏洞。那麼，官僚與特務之滲透，就是值得顧慮的。這些人都是搞組織的能手，能說各種術語，能做各種臉相，滲透進來，易如反掌，而進來之後，使出他們那一套分化離間的本領，準把這個在野黨弄得七零八碎，求在野而不可得哩。

四、組黨的一個重要條件是經費。今日的知識分子百分之九十九點九都是窮光蛋，到何處去籌措一筆鉅大的開辦費用？又如何來維持平日的政黨活動？在歐美各國，政黨的財政基礎大多靠大企業家之捐助。此在台灣也是辦不到的，因爲大企業都在政府手裏，而稍像樣的民營企業，也都靠政府補貼、借款而維持生存的。

有了上述四大困難，這個在野黨的產生，着實未可樂觀。我不知胡先生心目中，對於這些事實上的問題，有無考慮過。至少我相信他沒有想到這些困難是這樣嚴重的。

三、

不過，從另一角度看，此時此地而倡導組織在野黨，確是針對目前政治危機的一劑特效藥。執政黨已經當政三十年。任何一個具有高度智慧與理想的政府組織，獨占政權這樣長時間之後，也必然要腐化及衰老的，最近台灣某縣警察局的一個會計人員，由於無人查帳，在一年多的時間竟挪用公款在一百萬元新台幣以上。這個執政黨掌握政權已三十年，沒有一個足以抗衡監督的第二大黨，我們試想這是多麼危險的現象！誠如胡適先生所說的，這個在野黨之組成，並不立即與執政黨爭政權，而執政黨既在各民意機關都擁有絕對大多數的席次，紙須顧慮有人能夠與其抗爭。但是，有一個在野黨，就有一種監督的力量，可以使執政黨始終向善的方面發展，而爲國家造福。

其次，政府年來屢有召開救國會議之議，其所以延擱至今，而未能實現的最大原因，是海外有一些有人望的民間領袖，不願來台參加這個會議。他們爲什麼不願來呢？簡單一句話，他們對於執政黨已經失掉信心。如今若有一個在野黨，我相信那些民間領袖十之八九可能參加這一新黨。即使不參加這一新黨，也必願參加由執政黨與這一在野黨聯合召開的救國會議。

再其次，從這一新黨的組成分子爲知識分子這一點來說，這也是一個把握要點的建議。從各種階層分子來看，終究以知識分子最重眞理與正義，而最少利害的打算。今日組織一個新黨，與執政黨相對立，並且遲早在政治舞台上要發生衝突，這在一班精於利害打算的識時務的朋友，一定期期以爲不可，而且認爲危險執甚！就執政黨內部而言，那些作威作福的，究竟都不是純正的知識分子。而純正的知識分子大都不重視黨籍，而以國家人民的福利爲前提。將來如得執政黨之諒解，這一羣知識分子都可能參加這一新黨組織。

四、

所以，我的結論是：縱然有重重困難，在野黨之產生是必要的。如果爲困難所嚇，則中國永遠不能有在野黨，這正是今日執政黨所企望的，但是中國的民主政治也就永遠不會建立堅實的基礎。一切道路都是人走出來的，只要全國知識分子都向這一條路走，我想不難開闢出一條現在所不能預見的大路。

在目前，我認爲大家應該有兩個步驟：第一是要從各方面來響應胡適先生的這一號召，並使海內外知識分子提出具體的主張，而共同研討與批判。知識分子組黨，當然與一般政客組黨不同，大家必須先分交換意見，而一切問題都公開討論。我想在執政黨一定有一部分人對於這一組黨運動感覺頭痛，而想有所阻擋，但是討論與研究，當不致受干涉。如果海內外的知識分子，對於組黨的認識是一致的，並且有一個堅強的決心，更可造成一種形勢，使執政黨不致輕易採取破壞的妨礙與行動。所以這一個交換意見的階段是絕對必要的。

第二階段就是實際組黨了。不論有多少志同道合之士，總以先成立一個組織爲上策，而且組織小，目標也小，所遭受之阻力也較少，這都是對於知識分子組黨的有利條件。發展是要看客觀的情勢，好在胡先生說得好，這一在野黨既不急急乎爭取政權，又何妨慢慢發展呢？

半週述評

科技會議的波折

關于討論停止試驗核子武器問題，蘇聯雖接受艾森豪的建議，同意于七月一日在日內瓦舉行科學技術會議，並提出參加會議的代表名單。但由于蘇方曲解美國原意，致使此會議又發生波折。

第一，美國原堅持此項會議的任務，僅以商討如何管制禁試的方法爲限，使參加的雙方，均不因此而受到必須同意實行禁試的約束。但蘇方的覆文，則竟假定舉行科技會議的結果，將達成實行停試核子的協定，使美國須受協定的約束。這是雙方意見未能統一的第一點。

第二，美政府原擬出席科技會議的，除美、英、法三國專家外，並包括其他友好國家的專家。而蘇聯的照會則只提及美英法三國，以與蘇聯、捷克、波蘭三國舉行相對等的會議。這一方面限制了西方其它國家的參加，一方面又提高附庸國的國際地位，以作爲其它會議爭取附庸國出席的成例。這又是美國所不便接受的。

今日蘇聯最希望的，自是透過科學技術會議而解除美國的防衛武裝，所以莫斯科電台又要求美國放棄在歐亞兩洲的二五〇處軍事基地，以換取蘇聯不以太空作軍事用途的保證。在此懸殊條件下，科技會議將難順利進行，即使能如期舉行，也必無具體的結果。

蘇聯的經援活動

目前蘇聯雖避免熱戰，但支配世界仍爲其主要目標。因之近年來採用經援的戰術。據美國務院披露，除十五國經已接受約達二十億元之蘇聯集團援助外，並對若干未開發國家繼續進行經濟顛覆活動。已接受蘇聯集團的國家及所佔數額是：阿富汗一億六千一百萬元，阿根廷六百萬元，緬甸四千二百萬元，高棉二千二百萬元，錫蘭二千萬元，埃及四億八千五百萬元，冰島五百萬元，印度二億九千五百萬元，印尼一億九百萬元，尼泊爾一千三百萬元，敘利亞二億九千四百萬元，也門一千九百萬元，巴西二百萬元。這說明了蘇聯經濟攻勢的一般，並已收得若干政治效果。但蘇聯究非富足的國家，其援外支出也增加了自身的經濟負担，最近他們之向美國賒購貨物，正是此一經濟窘態的表露。

狄、毛矛盾的加深

在經濟問題之外，目前對蘇聯發生嚴重影響的是狄托問題。赫魯曉夫的懷柔政策既經失效，中共的横蠻攻擊，更促使狄托的離心。而共產陣營亦將由此導致更大的分裂。

對于蘇俄與中共月來的攻擊，狄托已發出強力的反擊。他指責中共煽動戰爭，與戰爭販子採取同一的立場，企圖以戰爭危機來解決內部的困難。他說：「中共領袖正遭遇內部的困難，以攻擊南斯拉夫爲解決內部困難的手段，堅持史大林的緊逼的立場，但此種緊迫終將失敗，徒在國際勞工運動間留下深深的裂痕」。並承認美援物資解決了南斯拉夫的困難，指責赫魯曉夫自己也要求美國貸款，實不夠資格譴責南國。狄托的倔強態度，不僅揭穿了中共的一面倒向蘇聯的醜態，也粉碎了蘇聯的懷柔和高壓的手法，使當前共產陣營發生更大的困難。

○金達凱○

論知識分子組黨問題

傅正

胡適先生近在「自由中國」社餐會上，打破冷場後的緘默，公開提出對反對黨問題的意見。指出一個新方向：「組織一個以知識份子爲基礎的新政黨」，亦即由教育界、青年、知識份子出來組織，暫不希望取得政權的「在野黨」。這主張引起各方面普遍的重視。

近幾十年來，我國革命勢力從推翻滿清，以至後來打倒軍閥，統一中國，建立中華民國，都是依靠武力做後盾的。於是許多人以爲馬上得天下，可以馬上治之。那些打天下的英雄好漢，更以爲天下是老子打來的，把自己造成權力中心。到後來，由於剿匪和抗戰都是靠武力的，於是領導階層，便在有意無意之中，感到武力的重要，以至產生武力至上的觀念。

幾十年來，由於英雄好漢的抬頭，武力至上的觀念作祟，一般手無寸鐵的知識份子，地位遂日趨低下。他們在政治上，除非肯完全放棄其所信仰的眞理，否則往往要被打入「冷宮」，最多也只能做些點綴性的工作，發生一點花瓶作用而已。因此實際政治差不多與知識份子處於絕緣的境地。而中國政治之所以造成了今日的局面，不能不說與此有關。領導階層缺乏現代知識，又怎能拿出一套有效的政策和辦法，來解決很多根本非武力所能解決的問題呢？

政府退守台灣以後，領導階層似乎並未能接受過去的教訓，而覺悟過來，仍以爲反共的失敗，只是純武力的失敗，依然迷信武力萬能。知識份子在政治上的地位，也就更爲衰落。若干知識份子只知察言觀色做些曲解詭辯或歌功頌德的工作。若干知識份子又只知三緘其口，裝聾作啞，以免戴上反動的帽子。近十年來，許多重大問題，竟找不到一個適當的解決辦法，不能不說，知識份子未能充分發揮其才能，有以致之。

很明顯的，知識份子雖然是手無寸鐵的書生，不能直接衝鋒陷陣，但究不是百無一用的。因此，一個執政的黨，如果儘是些喊口號貼標語的蠢家，固然注定要失敗，即使全是些拿槍桿的英雄好漢，也同樣是無濟於事的。馬上得天下，不能以馬上治之。早在兩千年前，已經有人說過了。一個現代國家的政權，不能建立在槍砲刺刀等形式的武力之上，必須建立在大多數人民的選票基礎之上。這必須以知識份子爲基礎的政黨，才能了解，才能切實奉行。

中國的知識份子，原具有以天下國家爲已任的傳統精神，尤其是當國家衰亂之際，知識份子常能挺身而出，力挽狂瀾於既倒。這一代的中國知識份子，已飽經世變，歷盡苦難，自然更能體認到本身對國家所負的責任，積極起來，發揚傳統精神。儘管今天的政治環境，非常惡劣。但知識份子一想到國事的嚴重，責任的重大，早已到了責無旁貸，再難袖手作壁上觀的最後關頭，應該抓住時機，挺身而起，明知其不可爲而爲。唯有這樣，才可以起死回生。如果還想逃避責任，苟全性命於亂世，聽任大局的變化，那將是這一代知識份子的最大恥辱，難逃後代的笑駡。

現在，時機已經迫切，已不是知識份子考慮該不該組黨的時候，而是要拿出決心和辦法來切實行動的時候了。因此胡先生所指出的新路向，應該是知識份子切實行動的路向。（六月十日）

稿酬：

本報五月份全月稿費通知單已分別付郵，請惠稿文友，憑單領取爲荷。

編輯部啓

談談年來台灣省政措施

劍聲 ——台灣通訊——

今日一般人對地方自治的談論，多以推行民主政治不夠誠意，指摘執政黨，上至立法委員，下迄各級民意代表至少莫不有此同感，例如送立法院審議的省縣自治通則，將近十餘年，僅完成二讀程序，立法委員的質詢，省議員的提案和決議，每會期都有類似的例行文書，採納與否，但是質詢，又是一回事，提案的決議是一回事。甚至充耳不聞，相應不理。照理省參議會結束訓政後，實施憲政，理應為省議會。但是，如果由直接選舉省長和議員，則中央不能對省要求協助十多億元的經費，更無權否決省議會的議決案。於是，省議會被改為臨時議會，且長此「臨時」下去。這樣，省地方政府如同派出所，要事事受中央指揮與監督。

省地方政府于此，效尤中央，也如法泡製。如縣市政府施政綱要的頒佈，縣市預算編列的指導綱要，都是省府約束縣市政府的東西。可是縣市地方政府和省不同？縣市長民選，縣市議會不是「臨時」的，如何可以約束它呢？于是有專家建議，以補助地方經費之不足為由，加以否決縣市的行使。省政府否決縣市的預算，或其他有關建設案時，縣市政府和議會當然不會接受，可是省方認為縣市地方機關不接受其否決，可以取消其「補助」，無形中逼著縣市政府或議會不得不接受。這套反常的制度，不過是一例而已。

選民對此自然是時有怨言的。這些怨言，初則在私人的談話中，繼之，顯露於半公開的批評，最後，則成為無黨派人士在競選期間主要的宣傳資料，在公開的正式的演講集會上予以猛力的抨擊。政府為了自己辯護，官報對抨擊者不免要戴上一頂「灰色」的或者「黑紅色」的帽子，或其他方法，務使對方不敢「亂說」。

本年度省預算中協助中央和補助地方的經費，估總預算三分之一，剩下十二億多的省預算，用人費估三億左右，只餘八九億元分別用在教育科學文化，交通和經建上，在千頭萬緒的省建設上，我們想像不出會有什麼「偉大」的成就？而納稅義務人年年增加負擔！據周主席報告說，今年稅收增加近二億元，如以九百五十萬人口計算，每人每年平均增加二十元之強的支出。台灣課稅增加是否和納稅人增加課稅支出成正比例呢？實際是否定的。人民付出最高的代價，而得到的仍是最低的享受，焉能無怨言！

如果說省議會省政去年度有成就是算省議會大廈那座新式的建築物了。正如省府某要員說：「美侖美奐的大廈」，都是民脂民膏的汗血錢」這句話形容省政是最恰當的比喻。由此可見，地方人士批評政府推進民主政治不夠誠意的話，並不是無的放矢！（六月五日）

賠償、冷戰、與人質交換

西貢航訊　光明

日越「賠償」談判新轉機

去月上旬，此間傳出一個消息：日越談判有關戰爭賠償問題，已接近結束階段。越共偽政權外交部為此發表聲明，一面指出南越政府不能代表整個越南與日本談判，一面警告日本，勿與南越採取單方面的決定；並堅決表示：日內瓦協約未完全實施之前，日本與南越所達成一切協議，越共決不承認有效。日政府對此，認為係一種宣傳攻勢。日外部發言人說：只有西貢政府才是整個越南唯一合法的政府。

舊金山會議對日和約，西貢政府是簽字國之一；當時越共偽政權也發表聲明，激烈反對，沒有結果，現在再來吵鬧。自然不會發生作用。不過西貢東京之間，這幾年來所作戰費賠償談判，僅是一波三折，其癥結之一，由於日本投降後不久，即將其在越掠奪的十四噸黃金，交與法國。這可能被視作賠償的一部份。去年十一月下旬，日首相岸信介來越訪問，主要任務，是與此間當局就這一問題，作進一步的交換意見。越方所提條件很簡，三億美元。日方認為「出價」太高，但並非絕對不可「斟酌」。現在既有「好轉」消息，當然有點「近磅」，賠償問題能解決，日越外交關係，可望步入一個新階段。

越共代表團訪問東歐

越共偽國民大會主席孫德勝率領一個代表團，於去月中旬，前赴歐洲「社會主義兄弟國家」，作友好訪問。孫德勝是個「春秋」六十開外的老頭子，在北越小王國裏，只有他的歷史與地位，可與胡志明「並駕齊驅」。范文同、武元甲，長征之流都是「瞠乎其後」人物。當俄酋史達林崩殂之前一年，他曾「榮獲史達林和平獎品」。但獎金尚未到手，史魔一命「嗚呼」。

此間靈通人士推測：孫德此次訪問東歐任務，說是「促進和加強越共與社會主義兄弟國間的友好關係」，只是「表面文章」，真正使命，還是試探在越共偽政權急切要求履行日內瓦協定的時候，歐洲附庸國將採怎樣的態度，及所能作的幫助，達到如何程度。因為波蘭是印支三國監停委會三個主席國之一。去年此時，越共頭目胡志明前赴北平莫斯科謁見其主子之外，並往東歐附庸訪問。獲得了他的「難兄難弟」給予支持實施日內瓦協定的保證。今年此際，孫魯又有遠行，任務之重大，可想而知。

越共的兩件照會

去月下旬，大約越共駐西貢國際監停委會代表團一行「被逐出境」返抵河內之後十日，越共派駐河內監停辦事處代表團團長何文樓上校，先後以照會兩件致送監停會。第一件照會中，越共提出：請該會通知南越當局，將自一九五四年以來由美國運入西貢的軍事物資及人員，全部「滾出去」。並要求南越嚴格履行協定義務。越共最後還要求監停會對此一照會所持的態度，加以說明。在第二件照會中，越共希望透過監停會的關係，促請南越終止一切「控共」活動。此事南越如何答覆，監停會採怎樣態度，均無下文。據熟悉北越內情人士指陳：越共在第一封照會中，措詞的積極，前所罕見，但還不能作為越共對該會一種不友好的表示。越共在共能夠消化北越經濟食量之前：還須與該會合作。至要求停止一切「控共」活動一節，其目的無非是想對南越製造普遍的恐怖和不安現象之前找尋一個藉口而已。

人質一批打算交換

前幾個月，河內越共當局，關閉一家越文報，——人文報，（香港電訊作文學報），原因是該報社長兼總編輯張懷及其「同路人」，在北越小鐵幕的「鳴放運動」中，首先擎起一面義旗，瞄準越共黨中央發炮轟擊。火網之密，得未曾有彷彿銀幕上「硫磺島登陸戰」一樣。人文報指責越共偽政權，欺騙、鎮壓和迫害民衆，無所不用其極，並呼籲工人農民，知識份子，團結起來，「反對錯誤」，「不迴該悲觀」。越共偽黨成怒，先下令把該報關門，然後訓令黨的機關報，向人文報及「張懷集團」，發動總攻。指張懷及其「同路人」，「反黨」，「反社會主義」，直至目前，仍只限於「口誅筆伐」階段，尚未採取所進一步的行動。但一般預料，「張懷集團」的下場，和大陸「章羅同盟」的遭遇，相去不會太遠。

當「張懷集團」在河內大放大鳴之同時，西貢治安當局，恰巧破獲一個越共特務組織，據查獲的秘密文件中，十二名越文報記者，竟然「榜上有名」。治安機關按址拿人後，他們也直認不諱「為虎作倀」。現仍在管教中，因此有些文化團體有意試圖向有關方面，提出建議，把這十二名越共記者遣返河內，換取張懷集團一班人馬，接來西貢，倘能成事，倒是「各得其所」！（四七，六、四、）

台灣通訊　大甲的帽蓆業

林嘯松

大甲鎮位於台中縣的西北部，是一個十八世紀式的小鎮，只有一條狹長的街道，在比較顯著的建築物中，有省立大甲中學，大甲農校，大甲國民學校，還有一座古老的媽祖廟，香火頗盛，每年有定期的「拜拜」，熱鬧非常。每年農曆三月間，跟隨媽祖神轎從大甲出發，前往雲林縣北港（相傳為媽祖聖地）「掛香」的男女老幼，無不身背香袋，或手擎黃旗，傘蓋，一路吹打，數達二三萬人，尤其近古稀的老太婆，雖係三寸金蓮，也能步行一週。

但大甲著名的原因並不在此，而是因為大甲有一種特產，聞名於亞洲乃至於全世界，那就是帽蓆。

帽蓆在國際市場上曾有過一頁輝煌的歷史，逐年輸出外匯六〇〇萬美元以上。自台灣光復以來，此業竟一蹶不振，昔日的盛譽已不復存在，近年來雖業者百般努力，企圖東山復起，但其輸出紀錄僅一八〇萬美元，較前不過三分之一。致其衰落的主因，當係人為不臧：第一是政府低估了大甲帽蓆在爭取外匯所佔的重要地位，在現行的貿易政策中，對帽蓆輸出，沒有扶植的辦法；第二是政府保留外匯，匯率的差額懸殊，使貿易商無利可圖，而業者亦難以維持；第三，政府對大甲帽蓆生產事業未能供應美援貸款，或生產貸款，使其有充份資金運用，因此業者惟有求之高利貸，以致製作帽蓆成本增高，獲利微薄；第四，是台灣省物資局規定若干煩雜手續，對帽蓆輸出形成若干阻礙，其中包括「保稅」及「暫繳防衛捐」等；第五是稅務機關對業者納稅的規定，有所謂「稅金歸戶」，使從事此項生產者，情願放棄這種手工副業，改營其他工作。

關於帽蓆生產，原是大甲（除大甲外尚有苗栗縣之苑裏亦生產帽蓆）居民最有利的一項副業，也是為國家爭取巨額外匯的一種手工藝，他們利用農隙，把田間種植成熟的三角藺」收割回片來，剖開後，再經晒乾漂白後，由婦女們織成精緻美觀的各種用品，例如涼蓆，各式草帽草履及煙盒提包式樣合時，經久耐用，誰都愛買。總之，大甲帽蓆在國際市場上，已有五十年以上的光榮歷史，是爭取大宗外匯的特產，我們這樣讓其衰敗下去，眞是可惜！（六月四日）

亞運會後談瑣

・鳳之・

【台北通訊】亞洲數億人民所關心的三屆亞運，在本月一日已經掩旗息鼓。勝利者領獎、獻花、歡迎、遊行，一應總切，行禮如儀，早留存在電影鏡頭裏。寫文章的人，如今再談亞運，已嫌太不驚時，但事過境遷，若干瑣事餘音裊裊，鯁骨在喉，一吐為快。

懸旗事件

中國鐵餅選手黃春棉小姐得獎時，大會職員竟將中國國旗倒懸上昇，事後發覺才行改正。此事發生，當場幾乎引起我代表隊全體憤怒而總撤退。大會執事人改正致歉後，本來忠厚為想，也用不着多談。但令人驚異的，使人總無法想得通怎麼旗昇至頂，至少一二丈高，以中、日兩國恩仇關係之密，大會職員，竟會誤把中國國旗倒置，實不可解。既認失禮，事後復有「無意」，還待考證。當年蔣百里曾論日本人所缺民族性，偏狹、陰險，後來味道，儘管原子彈脫皮換骨，岸首相笑容可掬，但在這場所謂「扣手」與「出道」的競爭裏，總會使我們時時觸發到此種陰影。

「日活」電影製片公司的拍成新聞片放映，可見究竟是「有意」或「無意」。

「難得塗糊」

中、日、籃球爭霸戰，從電訊中細加品味——手，知戰法激烈，十度平手，創亞運球賽之高峯（與中、韓足球血戰，足可媲美），計分計時之提前數秒，究竟如何，當不敢斷言，但按懸旗事件推測，必須令人懷疑。

不過要說倒楣，恐不在中、日，這場籃球戰，而眞正倒楣的却是我們對於計分的「瞭解」。中國代表團堂堂二百四十餘人，其中眞正馳騁賽場，並非全部，一大部份是「南郭先生」。這許多「南郭先生」中，各有執事，照樣領旅費，辦報銷，化外匯，總應該各盡良知，多給團體辦點事，事實似又不盡然，以堂堂的亞運代表團總教練周鶴鳴君，對籃球計分法，竟然懵然若夢，這是一大奇事。

周鶴鳴自己對籃球計分法是作如是解釋的：

「草案是英文的，沒有說明是採用國際習用的籃球計分法，或者採用新式奧林匹克世運計分法，出席會議的各國代表大約都糊糊塗塗，沒有弄清楚大會是採用新法。所以最後一日決賽完畢，菲隊亦以為我隊得冠軍，向我道賀。當大會宣佈菲隊為冠軍時，我隊未向大會抗議，只是要求解釋，此時並發現日本於二十三日發出的正式文件上，已加了採用奧林比克籃賽計分法的字樣，與十五日開會所發草案並無註明字樣者不同」。（見台北六月三日中央日報）

周又說：「他實在太忙了，他是代替牛炳鎰去開會，所以無暇仔細研究」。

這段「解釋」，據周的看法，各國代表「都糊糊塗塗」，因此菲隊在各場競賽中，才毫不保留的發揮最高力，以致奪得冠軍而去。他指出菲隊向我道賀，就是「糊塗」的力證。但人家要問卅三日日本發出的正式文件，貴為總教練以及其他負責職員，竟不屑一顧了嗎？這將何以自解。

（下轉第三版）

如是我想

自經過當局提出，出版法修正案後，台灣的報紙在官報與民營報之間的界限已經劃分得很清楚了。

過去有的官報因為有了一點點所謂「商股」，於是就強調自己是民營報紙，但現在大家都知道了誰是官報，誰是民營報，今後是井水不犯河水。

在過去對於新聞界有一個習慣上的稱謂，就是「各報」。想來從今以後，這「各報」的字樣也有出入了。「各報」不再是代表台灣的所有報紙了。

對寫作的人來說，更要小心火燭，在寫作上如果要引用報上的評論或新聞必須要寫明是根據某某報，至少也要用「據各家民營報的……」或「據各家官方報紙的……」以免混淆不清，而又會招出不必要的誤會或不必要的更正。

還有，因為據說黃色能影響民心士氣，想當然的，關於屬於黃色性質的文字，將會全面被淨化了，台灣全省將因此成為眞正的潔淨地區，世界上所沒有的淨土。

核子武器正在向潔淨方向發展，我們貴國雖尚不能像蘇俄高樂那樣，一朝握在手，就把令來下，要積極製造核武器，以便居以實力地位，行獨立外交。但至少我們的紙彈已經是迎頭向「潔淨式」趕上了。那末，但願某些大報能將它的徵文啓事內容改一改，以免投稿的人誤投黃色，編輯老爺一時大意，而讓「毒素」流向軍中，以影響士氣。

但願從此以後，黃色在台灣絕跡，讓朝野上下可以清心寡慾，至於談談政治，評論庶政，當局已曾一再表示網開一面，對不危害言論自由，想來也不至於食言自肥，則自必與論界將更有一番氣象，清心寡慾之餘，而又能助長言論自由，誰又能說出版法不應修改呢！

如是我想！如是我想！（小鳳）

「更正」五月廿八日，本刊第七五四期「越南的暮春三月」航訊中有一段小標題「越南統一何時實現」，誤植為「河內實現」。

轉變中的南斯拉夫

·小言·

當所有的共產附庸國家，一窩蜂似地緊隨着莫斯科之后，對南斯拉夫作伏擊式的叫駡已到了疲倦狀態之際，狄托也毫不留情的對莫斯科和「北京」回駡了。

當然，狄托永遠祇是狄托；儘管南斯拉夫的國家和社會形態在變，倫敦的「星期日泰晤士報」的記者甚至形容今日的南斯拉夫已成爲「巴爾干的意大利」（謂其受美國風的影響一如意大利），但是狄托在抨擊莫斯科和「北京」時，也還是附帶着對西方加以譏誚的。不過在基本上說，狄托對西方的譏誚，是無大損傷的。而他「回敬」赫魯曉夫與毛澤東的，却是句句鏗鏘有聲的。

自一九四八年來，因蘇聯對南斯拉夫所加予的經濟和政治壓力，所引起的憤懣，可隨時在南共官員的言談和臉色上看到，至於人民則由於集體農場的解散，社會經濟結構的變易，美援的幫助，使南斯拉夫澈底地擺脫了蘇聯所加予的政治經濟封鎖以來的貧困。

由於美國和其它西方國家對南斯拉夫援助的結果，改變了面貌的南斯拉夫，對東歐的任何一個附庸國家都起了激烈的影響。「美好的」共產主義思想意識和「進步的」社會主義經濟制度，只能長期使東歐人民屈居於困乏之中，即使是波蘭，接受小額美援也不過是近年來的事，但是也一樣地對波蘭的經濟起了良好的復甦作用。

南斯拉夫和波蘭的實際事例，使蘇聯深自感覺到不安，一方面是忌妒，一方面是憎恨。

蘇聯一向表示其對外援助是無條件的。其實避免談條件的援助要非不切實際，就是在援助的背后存在着更大的陰謀——控制和奴役這個受援國。中共是長期接受俄援的政權，其貧困和內部的鬥爭頻仍，即是最好的說明。

蘇聯一面宣傳南斯拉夫接受美援是可恥的，但她自己仍不免要向美國提出貸款貿易的要求。既是這樣，狄托說：「赫魯曉夫怎能來譴責我們？」

中共對南斯拉夫的態度，在某些方面來說，其攻訐之烈尤勝蘇聯，這種「飽含敵意的咒駡」，益使狄托覺得毛澤東、劉少奇等之無恥，狄托指出，「中共領袖所感到的內部困難，不應用攻擊南斯拉夫的方式來謀解決。」此處所謂「內部困難」，當係指中共內部反對派對中共中央所作的反抗和不合作。

狄托更明確的指出，如果希望以戰爭威脅來解決「社會主義組織內」的問題，那是妄想和不可能的，他說「我們不想鬥爭，但當情勢逼臨時，也必起而奮鬥。」

南斯拉夫對蘇聯的反抗，顯然已引起了西方的一致喝采，雖則狄托和他的黨是存在濃厚的共產主義氣息，西方却並不計較這些。

南斯拉夫與意大利之間的關係，尤其是民間的關係，有顯著的改善和增進，以去年爲例，無護照而能在兩國邊境，暢所往來的人，超過了五百多萬。這種彼此毫無戒懼而友好的情懷；即使在蘇聯與中共之間也是不可能產生的。

在新聞工作方面，南共路透社的記者說，南共機關報——「戰鬥報」上所刊載的消息，當然不能說不受管制，但比諸東歐（波蘭除外）任何國家所給予人民知道的爲多，社論也永不像莫斯科報紙那樣長編累牘。另一張「政治報」，是在五十五年前創辦的，比「戰鬥報」的資格更老，而銷數也遠在後者之上。前者的銷數達到三十萬份左右，後者只有廿五萬份。這兩張報紙對南國的社會影響很大，更由於它們競向西方報紙學習，它們報紙的內容因是顯得生氣勃勃，而給社會也帶來活躍氣息。

在貝爾格來德首都還有一張「新聞晚報」，日銷十萬分，其外貌形像，頗似英國的「每日鏡報」。

總之南斯拉夫的一切都在變，而這種變化主要還是南共較能俯順民情，和拋棄了共產黨的那種冷冰冰的統治方式，使民間與政府間的距離縮短了。

蘇俄婦女生活枯燥

下面是『人人週刊』的一篇紀實文章，作者唐卡絲德是個女性，寫出她在蘇聯的觀感。

當蘇聯放射第一個人造衛星時，我在俄國喬治亞的首府底弗里斯。早晨往商店購物，空跑一場，滿身灰塵，自嘆倒霉，回到旅館，聽到收音機播音，大吹大擂說蘇聯已戰勝了全世界。

蘇俄犧牲整個人民經濟生活，換取技術發展，而日用品之缺乏到令人難以置信的程度。我在蘇聯，爲「國際電視廣播」秩序攝取新聞片，在八個星期中，我被剝奪了一般婦女所喜歡的裝飾，視覺娛樂，和許多的消遣。

我買不到我喜歡的擦臉粉。在蘇聯只有兩種顏色的臉粉，——白和蒼白的粉紅色，——而大多數的婦女臉孔是灰暗的。蘇聯婦女永遠沒有機會懂得化裝的藝術，甚至唇膏是禁用的，直至最近才改變。

就我們的標準看來，俄國婦女的衣服，壞極了。好像二十餘年前的舊貨，和人的腰圍和肩膀極不相稱。衣緣纖蕊，質料奇劣。我知道蘇俄婦女很渴望穿好的衣服。她們看我作美若天仙，常常誇獎我。其實我並不美，在自由世界上任何地方，我都沒有受到這樣的誇獎！我想這是物以少見爲貴罷了。我常見旅館女僕，極力稱讚我的衣服。當我在阿巴斯班和農婦住在一起時，她們看見我那襲價的有織變邊飾的內衣，便由此推斷我是貴族的女兒。其實，在自由世界中，沒有人有此看法。

燒水很成問題，甚至燒柴爐也不易辦得到，除非住在農莊。小康之家也不設浴室。我們住的大廈，號稱沒有一個。廁所就是後面的菓園，盥洗室自然是沒有了。只有一個自來水龍頭，當我去洗臉時，男男女女，老的幼的，一大羣圍過來，看着我的牙刷，和肥皂，以及我的法蘭絨衣。他們感到如癡如醉。在這種情形之下，我很難洗得痛快。

在鐵幕內的國家，飲酒飲得很兇，因此我遇到了宴會，飲酒很成難題。只有吃多點油膩的食物，但我却不喜吃脂肪質的東西。假如拒絕勸酒，便被對方認爲不敬，存心侮辱。

在莫斯科很缺少房屋。人們住得很擁擠不安，我想知道青年男女怎樣相會和談情說愛。在夏季時，一雙一對的手挽手，在公園散步或坐談。但到了冬天便困難了。年青的俄國人告訴我；這是令他們頭痛之事。爲了想在一個黃昏得在一個房間暢會一回，往往出資給鄰家入到戲院看電影，才有一個這樣寶貴的機會。因爲外面漫天雲氣，滿池冰雪，實在無地可容身。

當我離去蘇聯，乘着新型的『TU一〇四』式民航噴射機，——四十年來共產黨統治，給予蘇聯物質進步的象徵，——我懷疑俄國的婦人，是否反省她們付出的代價是太大了呢？她們和男子一樣的勞苦，做繁重的工作，駕駛拖拉機，和在重工業行列中若幹，而挖渠修路又是婦女專有的工作。但她們沒有自由的修飾日子未知何日方了。

·風行譯·

竹幕幽秘

加緊搜括

爲着支持再冒進的經濟政策，最近，中共當局通過了一系列的財政措施：

一、公佈「地方經濟建設公債條例」。據六月六日人民日報社論說明，是爲了「給地方以較大的機動性和靈活性」，易言之，即予地方以任意搜括的便利。

二、通過「關於改進稅收管理體制的規定」——將大部分稅收管理權力下放，目的是「在生產發展的基礎上，開闢財源，增加積累」。

三、公佈「農業稅條例」。這一問題說起來很複雜，總括起來，則是：一、下放一部權力給地方；二、表面上少徵，實際上是多徵。三、利用這一稅則，強迫發展生產。可以見到，中共在大陸的搜括是更加加緊了，已達于要求地方「無孔不至」的搜括的地步！

清除反冒進者

在八大二次會議時節所透露的被清除的黨內份子，其中如青海「省長」孫作賓，甘肅的「省長」孫殿才，陳成義，省委梁大均，河南省委第一書記潘復生等，都是因爲反毛澤東的冒進經濟政策而遭清算的。在中共中央固然未曾發現這種人物被清算，但是，我們相信決不會沒有，也不會少。因爲，毛澤東於去年十二月從召開杭州會議開始；接着于今年一月，在南寧召開會議；二月，召開「人代五次會議」；三月再召開南寧會議；始終以鼓勵冒進爲中心主題，均未能獲得如毛澤東所預期的結論；這就是說中央委員會中的反對冒進的勢力不弱。在毛澤東震怒之下，一面着手清除地方上的反冒進的幹部，另一方利用國際緊急關係，迫使中央委員會中的反冒進份子屈服，終于在八大二次會議前夕的四中全會上作出了合乎毛氏意願的工作報告，並在八大二次會議上予以通過，這些會議，只顯示了毛氏的一意孤行。

神化毛澤東

毛澤東到各地雲遊了一番，中共各報刊出多篇「毛主席在群衆中」的文章，這些文章的一個特點是：他所到之處，群衆的生產情緒提高了，產量增加了，一切問題都解決了；照這些文章看來，毛澤東似乎是神而不是人。

在一九五六年二月，蘇共二十次代表大會上，掀起反史太林運動，批判史太林生前把自己神化，誘導其屬下群衆作個人崇拜。共產國際的頭目們曾經爲此事鬧得六神不安；老奸巨滑的毛澤東在預先看到這一運動對其不利，于是，極力禁止這一運動傳來東方，中共內部當然更不用說了。現在看來，他這一行動，什麼理論根據都是假的，而是爲着便于其一意孤行，便于其任意「亂寫」「亂畫」，神化他自己，創造條件，以供人們作個人崇拜。

可惜人總還是人，即使生前不爲其屬下的百姓公開責駡，死後還是逃不過鞭尸的一關。史太林的前車，大可爲毛澤東死後的寫照。

·田心·

我看台灣的文藝批評界

——兼評「下弦月」詩集

·清飛·

目前，文藝界，大家都有同一的感嘆，乃是文藝批評，遠不及文藝創作。有人說：地小人多，天天都有碰頭的機會，誰肯說誰的不是？儘管有人高喊，要樹立嚴正的文藝批評，可是像文化清潔運動一樣，當人面高喊清潔大掃除，背了人面，既吐痰又便溺。

大凡一個批評家，除具有淵博的知識外，還應當担負着當代的三大任務：（一）透視時代，認清眞理，掀起時代的思潮，使作家認清努力的目標，在其思想的影響下，推動時代的進步。（二）對作家猶像一面鏡子，使作家在其創作的活動中，糾正作爲的偏差，辨識美醜與善惡，走上正當的發展路向。（三）對讀者負責，批評的目的，在於發掘作品中的眞理與價值的高下，應把其中崇高、至善、而美的涵意廣泛的介紹給讀者，使其能因批評的啓發，辨識眞僞，拔出庸俗的窠臼，提高文藝的鑑賞力。可是現在的文藝批評界，却毫無責任感，往往以人情爲從事文藝批評的標準，這不能說不是一大危機。

現在就以詩集「下弦月」爲例，該書曾獲得台灣文藝批評界的好評的，諸家一致推薦是一本「戰鬥與抒情並茂的詩集」。並且口口聲聲的指責現在的新詩作品，「是散文分行，口號，或者是追求美，幾乎是頹廢的美。」那麼「下弦月」應當是新詩中健康的代表作了，可是批評的人，我看只不過是出紙上寫黑字，不負責任的亂說一陣罷了，實際上他們所推薦的這本書，才是道道地地的口號，散文分行的詩哩！請看：

今天——
我們要立刻喚醒那些
在都市的繁華夢裏
過着紙醉金迷生活的人
（醒來，起來）

爲了鍛鍊我們的體魄
我們要越嶺翻山
爲了開朗我們的心胸
我們要登高望遠

這樣的句子，我們能稱它爲詩，而不屬於口號，散文分行嗎？再如：

我們今天的戰爭
是爲國家爭獨立，爲民族爭生存的戰爭
是負有歷史任務，負有時代使命的戰爭（戰爭的使命）

生活的鞭子
打得我遍體鱗傷（當）

這種說教式的句子，能算是好詩嗎？新詩應該不是說教，說教只有使人起厭煩之感。而且像這樣的詩句，全書多的是，無法舉例。

讀一首好的戰鬥詩，能使人情緒激昂，精神奮發，譬：文天祥的「正氣歌」，菲律賓革命人俠西·黎剎（JASE RIZAL）的「我的訣別」等，眞是令人百讀不厭，那種哀婉、慷慨、激昂，含着無盡的情思，使人不知不覺，凄然而淚下。多讀一遍，就多一次情緒的激盪，也多一分對作者的欽佩與敬意。而我所不能同意的，是那些披着戰鬥外衣的僞詩，把詩壇弄得魚目混珠！不辨眞僞了。更滑稽的是，有一位向來倡導新詩革命的大詩人，竟也把這本應該是他要革命的對象——「下弦月」，認爲是好詩而向他的朋友推薦了，眞是耐人尋味的事。

英國文學批評家拉司金說：「無論怎樣的作家，除了與他同等以至更優的人以外，是不能鑑賞他的。」像這樣的一本詩集問世，竟獲得文藝批評家們的讚賞，並且允推爲好詩。不難想見台灣的文藝批評界是怎麼的了。

（四月卅日夜）

亞運會後談瑣

·風之·

（上接第二版）

鑑諸縣旗事件，尙有「日活」之攝製新聞，大加宣揚，那麼，江彩雲以手捂鼻，當然上了電視鏡頭。于是陳寶貝與姚爭鬧，也從內翻出，刊諸各報端。忠厚點說，像這人類球員間喜怒哀樂之事，負責人員無爲疏得好了。何必對球員一言一行，自我宣揚指摘。

老實說，球員犯規，充其量，以後不准其參加國際比賽即可，若是老鼠過街，人人呼打，大可不必，而且歸根溯源，寶貝者，平前頭的崢嶸，也在東京出過頭，總不失爲一技術尙佳之球員，對於技術尙佳球員要鼓勵，要培植，包括他的技術與修養，若僅以金牌論勝負，從此打入冷宮，那是不夠史巴司曼精神的。

史巴司曼精神

第三屆亞運已結束，來者可追，錦標事小，體育事大，今天奔忙糊塗，負責人士也該冷靜一下的檢討，多作改進才是。

國際動態拾零

△艾森豪之弟密爾頓將有中美六國之行，鑑于上次尼克遜不愉快事件，六國政府已事前將可能擾亂秩序之嫌疑犯，先捕入獄，以策萬全。艾總統並親下密令，屬海外中央情報人員，及國務院秘密警察，嚴密保護云。

△魚雷型之自動水底原子火箭，蛙人可騎在其上，如自行單車，業已完成，其秘密稱號爲SPU。火箭出後，蛙人即被自動機推開至安全地帶。因其爲塑膠製造，故對方雷達無法察出。

△蘇聯對波蘭最不放心，波捷邊界近多築碉壘，而波蘇邊界，則駐重兵。

△突尼斯在北非動亂時，竟向英大購軍械。英內閣未允其請，告以彼在英所能得者，僅爲若干另件。

△保加利亞，阿爾巴尼亞，得蘇聯訓令，使其對狄托搗亂，其目標爲煽動駐在保希二國邊境之馬其頓人，使其促成在南斯拉夫境內之馬其頓人獨立。

△大西洋公約國，主張高峯會議討論各問題，美國須事先徵詢各該國意見。土耳其、比利時甚至要求十五公約國，開會二三日，以答覆赫魯曉夫來函所提各問題。

·陶然·

可恥的和平主義

自由談

馬五先生

美國務長官杜爾斯在眾會報告：上月派大隊傘兵飛往南美委內瑞拉港口，實行保護副總統尼克遜的安全那回事，是總統自己決定的，事前他不知情云云。

和平總統何以有此不和平的斷然處置呢？就因爲認爲蕞爾小邦的委內瑞拉人士，決不敢螳臂之擋以當車，必然聞風震懾，不致對尼克遜再作侮慢的行動了。貌似威猛，實際仍是和平心理。君不見美國若干僑民被中共無理拘囚，凌辱備至，而白宮當局却低聲下氣，跟毛共在日內瓦舉行外交談判那種和平行爲乎？和平主義也者，欺善怕惡之謂也。俄帝深諳此中三昧，經常揭櫫「和平」幌子，在國際上吆喝不歇，指摘美國好戰，而和平總統艾克先生即急忙跟俄帝在國際政治市場上，大搶其和平帽子。

搶和平帽子的理由亦很堂皇，說是要避免原子戰爭，而其邏輯則對任何一個俄帝附庸政權，無論在任何情況之下，皆得姑息退讓，否則即有迫使俄帝參戰的危險。所以，這次艾克總統宸衷獨斷，毅然決然派兵赴委內瑞拉保護尼克遜，即以該國政府不是共黨執政，沒有激怒俄帝起而干預的顧慮，美國不妨給它一點顏色看看嘍！此外，白宮當局對於接受美援的自由國家，遇事稍不愜意，卽深致不滿，挑剔多端，但對共產國家之受援者，如南共狄托政權之類，却隨時陪笑臉，示好意，生怕對方不高興接受軍經援助，反友爲敵，爲的是害怕俄帝可能替對方撐腰，妨礙搶和平帽子的工作呀！

明乎此，即知白宮主人斷然派兵赴南美小國示威之舉，是相信不會搞出不和平的氣氛，萬無一失的。美國對中東宣佈了所謂「艾森豪主義」，表示不惜以武力維護和平的氣概，但敘利亞仗着俄帝的支援而以暴力反美時，白宮發言人又說是「艾森豪主義不準備延展到敘利亞」了。

可哂的和平作風，可恥的和平主義！

談「香」

·秀·

香的魔力是不可思議。聞香則迅快感，遇臭必然掩鼻。古人常納香于口中解穢，如漢官儀記：「尙書郎含鷄舌奏事。」現在一般青年男女則以嚼口香糖爲時髦，其實我國早已有之，秦觀詞云：「丁香笑吐嬌無限」。香氣對人的情緒作用既有如此之大，無怪婦女愛用香水，愛插香花，甚至名字也多用「香」字。

香有產自動物如麝香，有發自異性，據說十個男人有九個會爲女人香澤而神魂顛倒。我國香妃就是體能發散異香。梁簡文帝詩云：「鬢紋生玉腕，香汗浸紅紗」，所咏是也。李後主詞：『向人微露丁香顆，一曲清歌暫引櫻桃破』。也是咏大周后口能生香的名句。多數來自植物如丁香，檀香及各種香花如桂花水仙梔子等。目下人造香料太多，其中以法國香水最爲馳名，產地在南部近地中海的格拉西鎭佔世界所產百分之七十無論東方西方任何一個城市，幾乎都有它的香蹤。

冒辟疆在他所著的「影梅庵憶語」中，描寫他和愛姬董小宛的閨房之樂，曾提到焚香之趣，其中有：「閨中皆如風過伽倩，露沃薔薇，熱麝琥珀酒傾犀斝之味，久蒸衾枕間，和以肌香，甜艷非常，夢魂俱適。」所謂「紅袖添香夜讀書」且引爲風流韻事，而騷人墨客吟咏的佳句亦頗多。如陸放翁的「湯嫩雪濤翻若盌，火溫香縷上衣篝」。皮日休的，「欲淸詩思更焚香」黃庭堅的：「從此永明書百卷，自公退食一爐香」。據合璧事類記載：「隋煬帝觀文殿前設五方香林，綴貼金玉珠翠」，尤以開天遺事所記：「楊國忠用沈香爲閣，檀香爲欄，以麝香沒藥乳香篩土和泥飾壁，每屆木芍藥盛開之際，聚賓客于閣上賞花焉」，眞是極盡享受奢侈之能事。

書經上說：「馨香感于神明」所以信佛者祭祀供神，通要燒香，當你走進一座香氣繚繞的寺院裏，不禁油然而生虔敬的情緒，似覺忘却心中者雜與紛擾。

明朝高濂有一篇論香的文章，把香味區分爲六品：一幽閒之香，二恬靜之香，三溫潤之香，四佳麗之香，五蘊藉之香，六高尙之香；又拿檀，蘭，越鄰，龍涎，玉蕊，棋楠作爲代表，並詳論六香的功用云：「幽閒者物外高隱坐語道德，焚之可以淸心悅神，恬雅者四更殘月，興味蕭騷，焚之可以暢懷舒嘯，溫潤者晴窗楊帖，揮麈閒吟，篝夜讀書，焚之遠辟睡魔，謂古伴月可也。佳麗者紅袖在側，密語談私，執手擁爐，焚之蕩心熱意，謂古助情可也。蘊藉者坐雨閉關，午睡初足，就案學書，啜茗味淡，一爐初熱，香靄馥馥撩人，更宜醉筵醒客，高尙者皓月淸宵，冰絃戛指，長嘯空樓，蒼山極目，未殘爐熱，香靄隱隱邊簾，又可祛邪辟穢」。

有一位周嘉胄者，竟費二三十年的時光，著成一部洋洋大觀的「香乘」把有關香的掌故窮搜輯集無遺，他還說：「有生之樂在茲」，道眞是香的知已了。

我國使用香料風氣最早，幾千年前文獻如離騷及毛詩等隨處可見香料的素描。至于西方國家香料的鑑觴，係見于宗教文獻聖經所載瑪利亞用一種叫納爾的香油替耶和華洗腿，以及阿當跟夏娃佩帶乾麥穗

喜適之鄉賢歸長中央研究院，有望

·本際上人·

去國言歸四載餘，飛行無恙還如初。倘翻故友遺篇序（前北大名教授遺著佛科比較）；待展名山定本書（聞君將整理中國思想史下卷）。世運隆汚誰索隱？人心顚倒豈終愚！撫今思昔倍多感，切盼先生一啓予！

讀明季荆園吳與湛詩，感時

春秋忽忽老垂垂，北海蹉跎暮惜遲。譬眼猶存童稚影；驚魂忍數亂殘碁！新邦倏建云何覩？舊轍甘隨飾甚詞。世網重重中有索，憐他同曳獨深悲！

恕我幽默其一

大學生往往喜歡幽默，把女生比作「墓地裏的鮮花」；不幸的是，諧與幽默的人們，却不了解本身就是笑謔的出處。

·陳永昌·

這裏說的大學生，當然是指本港唯一大學的香港大學的，正在肄讀的學生。我們這一羣天之驕子，平日談來談去，最好還是談男女間的關係，爲了這題材充滿了笑料與幽默。我淸楚地記得一個含蓄的幽默，就是把美麗可愛的女生們比作「墓地裏的鮮花」，而這是被認爲大快人心的。所不幸的就是諧與幽默的人們不了解他們本身就是笑謔的出處。最煩惱的却是這最高學府的人正如紐約的摩天樓裏的人，天天都在想一切的事情，有向上、向上、向上爬的傾向。

根據權威的統計學報告，雖然少過百份五十學生吸烟，但是多過百份七十五的人是具有烟斗的。經過深慮和帶有多少天才的思考，我發覺他們之所以有烟斗，乃是爲了飾裝的原故，由內幕消息所得，同學們持烟斗的風度，並不是與生俱來的，而是天天對鏡練習，日積月累的經驗使他們拿起烟斗時的熟練，眞使局外人肅然起敬。

在一個極偶然場合，我有機會聽到兩個秘密：一個同學爲了練習吸烟時的那種口銜烟斗搖頭擺腦的神態，竟連課也不上，整整練習了四十八小時。又有一個同學，對於烟草是外行的，購了某種烈性烟草，一吸時竟然咳了個半死。

另外一個從實地觀察所得的驚人結果是每個人都有一件「明德格物」的校服。一條或兩條滿有校徽的領帶。這件校服與校味是所向無敵的，我們可以穿着它去參加正式舞會，閒談集會，各式招待會，運動會等等，眞的，穿着校服的港大學生隨處可見，在大酒店，大酒吧，戲院裏（尤其是在戲院門前候女友，雖然未到秋天或已過春天，厚的校服仍然爲人愛穿，也許這是表示尊貴，但也有點「牙刷刷」，可是，誰又能誹謗這一小點「牙刷」呢？女友們盡量表演他們的「卅六、廿、卅六、」我們的男士爲何不還點臉色她們看，告訴你一個秘密，女友愛我們穿校服和她們遊街更勝我們穿黑西裝結二撇鬚呢！）狗展會，馬場裏，各式各樣的公衆場所，甚至連夜總會裏也可見！相信祗有一處是沒有港大校服出現的，那就是海灘，爲的是氣候的關係，因此，我們已提議大學當局製定夏天校服，好讓我們出下威風啊！未知何時接納。

現在我們已分析過甚麼東西是組成一個「大學生」了，讓我把這些用一個方程式表示出來吧！

「大學生」等於「烟斗」加「校服」加「校味」。

歷史：大學生的味道已很久，但只在一九一三年才爲人分析出來（註：港大於一九一三年成立。）

配製：由數學、物理、生物、化學、地理、歷史等經過一個冗長的過程叫作「入學試」的凝結便成爲一個不落的東西，這個東西就是「大學生」。

存在：臚大數目的「大學生」可以在維他命丸裏與及石榴裙下找到。少量的「大學生」散佈在發揮智力或體力的地方。（註：發揮智力的地方是馬場——「合法的賭博」，發揮體力的地方是各式運動——最普遍莫如桌球。）

性質：「大學生」是一件黃綠色的固體，對於神經會引起刺激作用，在課室氣壓，它會凋謝，但對以下的東西，反應強烈——粉紅色的雷電，三寸高鞋跟，尼龍，身段窈窕的「東西」（不是阿拉伯式的窈窕。）

任何和以上情形相同的大學生絕不是純粹的偶合。

童言婦語

以免誤會

「自由中國」載胡適先生「從爭取言論自由談到反對黨」；胡先生叫人「最好不要用『反對黨』這個名詞」。這一句話對我好像一條繁難的算題；直到我想起了以前習作英文文法時所犯的錯誤，才觸類旁通，知道Adjective不能當作Verb來用，才恍然有悟于胡先生的意思是不是說：這「反對」二字雖然可變作「現在分詞」當Adjective來用，但很易被誤作Verd來看，不如乾脆不用它，免得人家以爲有意搗亂，有顚覆政府的意味。

孩子不可欺

祗有八歲大的女孩，讀了「少×雜誌」，面上露出了一股不樂意的神情對我說：「媽，媽，我不滿意這裏寫的一篇關於上帝，亞當和夏娃的故事，它說亞當和夏娃吃了禁果，上帝拔出寶劍來。上帝根本沒有寶劍，怎會拔出寶劍？」

·馬太·

現實小說　悲哀

·桑雨·

「你有些變了，何滿。」周志逸的語調中有些遺憾與悵惘。

「變了？」何滿猛然停住脚，不解的凝視着周志逸。繼而哈哈一笑：

「誰能不變呢？志逸，我們應該共同承認，我們既無法永遠保持着既有的，就該坦誠的面對現在。一個人生活在單純的我裏，是愚笨而行不通的。你想，這世界，這社會隨時在變啊！」

「所以你放下了電機工程，經營買賣了，也不似以前那樣沉默了，都在變，是不是？」志逸有點揶揄他的朋友，淡淡的道。

「你又何獨不然？學文學的，做了標準的公務員。」

周志逸彷彿被擊中要害，覺得一股涙哀和羞悔的熱血在體內急遽的流動，突然又像落在零下幾十度的冰窖裏，馬上被凍得又僵又硬。何滿與他立在一家咖啡店門口，問道：

「這裏如何？」

「可以！」周志逸苦笑一下，顯得無力而隨和。他不再堅持拉何滿去他的小屋了，煮好的咖啡任它冷掉吧！

他們每人叫了一份咖啡和少許點心，彼此都有一番事元想要說而一直未出口的話，但却像室內黯淡的氣氛一般帶有微妙，令人無形中抑住了高談的衝動，使一切歸於靜滯。

周志逸對這種反常的空氣不能再忍受下去，低沉而歡綿的音樂如同磁鐵吸住了他的五臟六腑，他覺得氣壓逐漸稀薄，簡直快要窒息了。於是坐了不到二十分鐘，便匆匆付賬出來。

他倆了又蹓了一會馬路，但都心事沉重，誰也沒有說話。隨即進了一間飯館，周志逸胡亂點了四樣菜，兩人便默默的吃着。他原想弄一瓶酒來高興一下，現在却興緻索然了。他也覺得如此怠慢老友，是太不應該而缺乏理由的，但他自己也莫明其妙，怎麼一下子變成這樣。

「志逸，你像有什麼心事。」終究何滿先開口，打破了這難受的沉寂。

「沒有——沒有——我突然想到很多問題，毫無頭緒，也不能一下子說完——」他搖搖頭，扒下一口飯。

「你到底是學文學的！」何滿打趣着說。

他們出了飯館已是六點半鐘。

「我得趕去辦公事了，今晚也許不能去你那裏，但我仍希望的。十點過了你就不必再等了。謝謝你的招待。」何滿向他握手告辭。

「我的住址你知道？」

「門牌號碼及街道名稱背得爛熟，只是緣慳造次。」

「好吧，我等你！」周志逸緊握着朋友的手，唯恐他逃得一去不返。

「再見，」何滿跳上一輛三輪車，揮揮手去了。

周志逸望着車子消失在蒼茫的初夜街頭，然後獨自踽踽回去。

推開門，把電燈扭亮了。他對這小屋的一切，用一種新奇的眼色掃視着。最後，他燃上一枝烟，頹然倒在床上。

燈光照射架上一隻玻璃的魚缸，他可以看見三隻金魚的影子不停在蠕動，姿態翩翩，變化無窮。

「誰能不變呢？這世界，這社會就是在變啊！」他記起何滿剛才所說的話。

朦朧中有敲門的聲音，他看看錶，已十一點多。

「何滿，你回來了？」他下床去開門。

一個陌生人站在門口，遞給他一封信，用生硬的國語說：「台北來的何先生要我送來的。」

「謝謝你，」他關上門，抽出信紙，上面是潦草數語：

「志逸：請你原諒，今晚不能與你同榻夜語了，公家的事有大變動，我明早就得搭六點鐘第一班早車回去，恐來不及向你告別。來去匆匆，沒能一去你的小屋，實在遺憾。但機會仍多着，我會再來，雖然自己也不知什麼時候。多寫信給我吧。再見。何滿」

他把信扔在桌上，悵然坐下，然後緩緩脫衣上床，關掉了電燈。

夜裏他做了許多夢：夢何滿當了大經理，腦滿腸肥，自己却做了一個大學教授，穿着長衫，手裏提了拐杖，派頭十足……又夢見何滿因走私而被警察抓走，向他們打拱磕頭乞憐的狼狽嘴臉；自己做了部長，無意中接受了別人的賄賂，結果被抓過何滿的警察抓走，關進獄裏，他又和何滿在一起生活了……

破曉時分，有一列急馳的火車，隆隆的從他附近的鐵道上向北駛過，他被震醒，看看錶，是六點三分。

火車的聲音逐漸遠去，不久，傳過一聲像悲哀的叫喊似的汽笛聲。（三）——完——

自由人
THE FREEMAN
（第七六一期）
中華民國僑務委員會
僑務登記證台新字第一第二號
中華郵政台字第五〇〇號
執照登記爲第一類新聞紙類
（半週刊每星期三、六出版）
每份港幣壹毫
台北市售價台幣壹元伍角
督印人：陳文華
地址：香港高士威道二十四號四樓
20 CAUSEWAY RD. 3RD. FL. HONG KONG
TEL. 771726.
承印者：東南印務出版社
地址：高士打道六十四號
台灣總經銷處
台北市西寧南路壹壹零號二樓
電話：三〇三四六
台郵撥儲金戶九二五二
海外總經銷：友聯書報發行公司
香港：彌敦道中二十六號二樓

言論自由與國運

伍憲子

言論自由，爲近代民主國家之天經地義，亦是中國數千年來人性文化之重要信條。得政權者能尊重之，國運雖危，可轉爲安。否則雖以把握復興之時機，雖有復興之勢，亦可轉爲危殆。證諸往事，歷歷皆然。謂予不信，請觀斯篇。

一　先從清末說起

清代當二十四朝專制帝王之末造，本無所謂言論自由之憲法條文。然數千年來之人性文化，雖深居簡出之帝王，亦久沐之，故依然不能埋沒言論自由之精神。我們試檢讀歷史，每有直言極諫之士，其痛陳大計，匡救過失，比諸今日泛泛之自由言論常過之。遠者不必論，就如清末，戊戌變法之能定國是，其主要原因，在清帝之能受直言。康南海請變法之書，其痛陳危亡之情形，謂「及今不變，他日求爲長安布衣不可得」。又謂「臣不忍煤山前事，復見於今日」。此種切直之言，敢於積二千年專制之威之君主面前言之，其言論自由之精神如何。君主亦能安心受之，不以爲忤，不怒以威，其尊重言論自由之胸襟又如何。故戊戌變法之求言計劃，許可所有臣民皆得直接上書言事，其言論自由範圍之廣闊又如何。假令后黨不推翻新政，戊戌維新得以成功，中國國運，必能日臻富強。然后黨雖推翻新政，而維新變法之主張，潮流所趨，革命之主張，憲政之主張，蓬蓬勃勃，可見言論自由之可貴，亦可見言論自由之不可抑，斷非握政權者所能壓抑。故握政權者不能壓抑言論自由，其結果，言論自由之主流，若決江河，沛然莫之能禦也。

二　再證之北洋派時代

袁世凱因緣時會，內挾北洋四鎮之兵威，外借各省紛紛獨立之聲勢，嚇哄孫中山等一般北洋舊官僚，遂得以宣統退位，命令舊臣不渡江，留武昌以給革命黨，又令張勳退出南京，助成南京政權，擁戴爲大總統，清帝退位，共挾武力而作，一般舊式兵，唯命是從，指揮一切，可稱如意。故孫中山黃克強不能不讓，於此時入京，南方臨時約法，袁世凱視若無睹。合進步黨與國民黨兩大黨之力，議員數百人，立言論自由之壁壘，可惜國民黨與進步黨不合作，不能一致以抗袁，袁世凱益自得，以爲天下莫予毒，洪憲帝制於是發生。然籌安會諸君一手包辦天與人歸之勸進言論。然而官電一疏，終不能封鎖梁啓超一枝筆，「異哉所謂國體問題者」一篇檄文，就開雲南護國之先河，袁世凱雖欲以十萬大軍鎮壓，亦不可得，而憂憤以死。言論自由之不可侮又如是。北洋派只靠徐馮曹段，支持十年，曹錕之憲法頒佈，不受憲法之牽掣，而林白水、邵飄萍等案，稍爲風頭之新聞記者，都被捕殺於軍閥之鎗尖下。言論無有自由，而戰爭則各有自由，從此直、奉、皖，以至南北，頻年苦戰。國民黨代之而興，本來是一個很好機會，可惜國民黨又不善利用之。

三　一黨專政最不聰明

國民黨因爲守孫中山先生遺教，自信有一個訓政時期，於是訓了二十年，即專政了二十年，此是國民黨最不聰明之事。國民黨當北伐成功之後，若能遵循民主政治軌道，容納各黨派，在言論自由之風氣下，政治必可以支配軍事，黨內各派亦不至鬥爭，則內戰必不至發生，而今日黨外之攻擊，亦可消弭。我們並非事後言智，實知歷史公論，終不能爲黨國之掩飾。假令憲法提前頒佈，於北伐成功之後，訓政時期取消一黨專政，我敢決世界潮流之一黨，必能保存，不至將機會讓給共產黨。然不幸得很，憲法至三十六年頒佈，黨外之自由言論以監督之，必致養成黨的惰性、腐化，造成今日的失敗之慘局。尤不幸得很，自三十六年憲法頒佈，至今已閱十年，名爲憲政時期，實則一黨專政之風未改。最近尚有什麼出版法修正案，由行政院秘密送交立法院，復由立法院原有一百三十四名之三委會，僅以三十餘人之出席，秘密通過，不付公開審查，剝奪言論自由，違反人民公意，於是激起海外民主人士不斷反對之聲，即立法委員，台灣省議會，台北各報，亦提出不少抗議。然此大家所注意者，所爭執者，只是憲法問題，法律問題，而未了解其根本問題，仍在一黨專政。什麼行政院要提出出版法修正案，實際就是國民黨中常會所擬定，國民黨所以要立法院三委會通過，抹殺大多數人民之公意，而國民黨之黨團作用，立法委員則不能反抗。故立法院之立法委員可以反抗行政院之命令，而不敢反抗國民黨之黨命。故行政院雖是最高行政機關，但在一黨專政之制度下，行政院仍須聽一黨之命令。因此，一黨專政之制度不根本消除，行政立法均無行憲之可言，言論自由云云，亦永不能實現，此根本問題，我們必須要攪清楚。

四　今後如何挽國運

今大陸淪陷，政權落於共產黨之手，已無言論自由之可言。國民政府退保台灣，希望能在最短時間內反攻復國。如此，則有重要問題，急當履行者，就是言論自由。言論自由之效用，比之軍事效用尤大。言論自由，不能以比較放寬，不能以比較稍爲放寬，遂以爲足。今後軍事之利與否，全以此言論自由效用之一，主治者可以聞過。主治者最忌蔽聽，堯舜之聖，不外明四目，達四聰。偽正一，必求聞過。孟子：「子路人告之以過則喜。禹聞善言則拜。」宋五子之首周濂溪，論人修養方法，其第一爲聞過，知恥，其不樂聞過，不知恥；不知聞過之人，亦不知恥。然而制止言論，主治者就無機會聞過。第二，說到進賢，亦非有言論自由不可。古人說，「得師者王，得友者霸，得奴才者亡」。師友與奴才之分，就是師友能進言，盡言，奴才則除垂手直立，聽主人吩咐容一聲是是之外，不敢再多說半言。故爲政之道，必先獎勵言論自由，而後可以得師友。否則所得者盡奴才，所謂訑訑之聲音顏色，拒人於千里之外，士止於千里之外，而讒諂面諛之人至矣。第三，說到容衆，民主政治，以合衆爲主，合衆之法，在得衆心，而言爲心聲，若言論不自由，則衆心怫鬱，強者怫鬱，則弱者離散，不容反抗矣，民主政治下容有此。尤其是當艱難之會，痛定思痛，圖反攻復國以中興，則聞過，進賢，容衆，刻不容緩，言論自由之信條，應置於「軍事第一」之前，方足以轉移國運。我願國民黨當局平心靜氣一思吾言。（六月十九日）

半週述評

納基竟被謀殺處死

一九五六年領導匈牙利革命，反抗俄帝奴役，要求獨立的匈國總理納基，竟於昨十七日被匈共政府誅殺處死。同時受害的還有當時的國防部長馬勒特等，及其他納基派人員。消息由塔斯社傳佈出來，舉世爲之震怒憤慨。

匈牙利的革命早已爲俄帝的鐵騎鎮壓下去，而當時納基之避難南斯拉夫大使館，東手就擒，也曾有過蘇俄答應不加殺害的保證。納基被捕兩年，共黨忽然要在這時候把納基和他的同志加以殺害？又由塔斯社加以宣傳呢？這一件事對於鐵幕國家和自由世界又將發生甚麼影響呢？

威嚇修正主義

今日納基的被害，很顯明的並不是納基和他的幾個同志還有甚麼力量足以動搖匈牙利的共黨政權，而是赫魯曉夫要借納基的頭來威嚇鐵幕內甚麼修正主義的氣燄。修正主義是目前鐵幕內最可怕的擴張，不僅已蔓延東歐，而且已深入蘇俄和中共的心腹。這是冲淡四十年來共黨殘暴統治的一股洪流。赫魯曉夫雖千方百計要消滅修正主義的一號頭目狄托，但始終無可奈何，於是牢獄中手無寸鐵的納基，便成了替罪的羔羊。

史魔老路走得通嗎

現在克里姆林宮正舉行俄共的首腦會議。納基被害，實足以顯示赫魯曉夫要走史太林的老路，以殘酷恐怖殺戮鎮壓異己，以穩定其本身的統治。但是蘇俄內部的莫洛托夫、馬林可夫、布加甯、朱可夫等固不免要因納基之被殺而慄慄危懼，便是波蘭、匈牙利及其他東歐附庸乃至於中國的一切修正主義者或右派，也警不要因此而爲自己的危機？然而，史太林的老路是否還走得通呢？以清算史太林起家的赫魯曉夫如果再師史魔的故智，亦爲見其窮途末路倒行逆施，失敗是可斷言的。

黎巴嫩危機

蘇俄勢力滲透中東，爲赫魯曉夫登台後，最得意之作。今日的黎巴嫩危機，亦即由此而造成。受埃及和敘利亞支持的黎巴嫩叛徒，企圖推翻親西方的夏蒙政府，製造暴動，已有一個多月。形勢愈來愈惡。現聯合國的觀察團抵達，聯合國的秘書長韓馬紹亦親身前往執行防止國外援濟叛亂份子的工作。能否就此消弭亂事，尚未可知。英美兩國業已表示不惜出兵保護黎國的獨立。蘇俄亦會表示英美的軍隊如果登陸黎國，即將引起戰爭。故黎國現局已成爲東西勢力最尖銳的對立局面，不言而喻。

蘇俄會爲黎國打仗嗎

去年運河事件，以英美意見不能一致，造成蘇俄勢力侵入的良機。現在，又是西方勢力在中東的一個嚴重考驗了。這不僅是黎國能否保持獨立的問題，也是「艾森豪主義」能否在中東推行有效的問題。美國今日大有劍及履及的決心以維持黎國獨立的氣概。赫魯曉夫儘管大聲恫嚇，以戰爭作威脅。但既對聯合國派遣監察團的提案不敢加以否決，祇用棄權，則所謂戰爭云者，亦祇是虛聲恫嚇而已。鐵幕內部危機方深，料俄帝此時不至挺身而出訴諸戰爭。故英美如果決心以實力維護黎國獨立的政策，俄帝是不會動手的。韓戰時代的史太林，猶且不敢公然出兵，何況今日的赫魯曉夫？最多亦不過囑使納塞做當年的毛澤東，做俄帝的貓腳爪而已。

○陳克文。

越共與法共南共之間

燕生

當阿爾及利亞法軍人集團以行動來擁護戴高樂東山再起，法共在巴黎接二連三地舉行「反法西斯」示威巡行之時，河內越共，天天實黨戴高樂爲法西斯頭子，並通電給法共，表示支持他們的反右派鬥爭運動。眞是桴鼓相應。

越共與法共的勾結，有着深長的歷史關係。二次大戰之前，胡志明領導的印支共產黨活動，一開始就已獲得法共的支援。一九四五年越共豎起「民族解放運動」的旗幟，開府河內，和法軍火拚，八年長期抗戰，更得到法共的幫助。在「和平之役」「奠邊府之役」等幾次大會戰中，法國軍隊及軍事物資開來越南增援之時，法共就乘機策動巴黎馬賽火車、碼頭、及輪船工人，從事怠工罷工及破壞的活動，以阻撓援軍的進發。去年多，法共中央政治局應越共之邀，派一個代表團赴河內作友好訪問，並與越共頭目舉行會議，發表公報，法共保證支持越共嚴格履行日內瓦協約完成統一任務，而越共則堅決表示在爭取社會主義的勝利中，全力支持法共及法國工人階級的鬥爭。兩條馬列主義的尾巴，互相勾搭，愈來愈爲明顯。

此次阿爾及利亞法軍人支持戴高樂主政的行動開始之日，河內越共，不斷地發出「緊急呼籲」，要求法國工人階級，社會黨以及左翼各黨派人士，緊密地團結在法國共產黨的周圍，反對戴高樂法西斯派的抬頭。越共黨中央，總工會，各團體，也相繼去電法共及法總工會，表示全心全力支持。越共中央政治局委員長征，六月一日召集越共高級幹部千餘人開會時稱，戴高樂任總理後，法國政策有兩個主要的目標：一是反社會主義的積極性，另一是對殖民地戰爭的白熱化。他並指出法國局勢今後的發展可能爲戴高樂暫時得勢，復將造成中間路綫與起的機會，認爲法國工人階級及人民爭取勝利的主要因素乃爲正確地擁護法共的「反法西斯鬥爭」，取得政權。

越共爲什麼那樣狂熱地反對戴高樂的復出呢？原因之一，是戴本人及其支持者，有一個反共的中心的同時，在越共的想像中，右派勢力的興起，將使法國獲得一個小康的局面，也就減少了法共活動機會，在執行俄共世界革命策略的努力中，要付出更高的代價和更長的時間，所以在對法國問題的立場上，越共與法共，有着相呼應，沆瀣一氣的必要。

但是越共與南斯拉夫共產黨間之關係，就不似與法共之密切深長了。事實上在日內瓦協約簽訂之前，越共與南共，只能說是「同路人」。胡志明「勝利還都河內」以前，南共雖然承認了越共偽政權，但對北越的解放戰爭及所謂「社會主義建設」的物質援助，不但不能和中俄共比擬，就是較之東德，波蘭，捷克，匈牙利，甚至保加利亞，亦「瞠乎其後」。去年十一月間胡志明訪問中、東歐附庸國的行程中，包括南斯拉夫在內，而且和狄托會談，發表聯合宣言，互相保證合作。南共且聲明：在越共執行日內瓦協約，完成和平統一領土所作的一切努力，表示支持的決心。越共與南共的關係，至此才步入一個新的階段。

但是到了最近，南共的「新綱領」發表，越共吃了一記突如其來的「反封拳」，怒火冲天，跟着其主子俄共之後，向南共發砲攻擊。原來南共在「新綱領」中居然把南北越和南北韓，東西德之分裂，視爲「兩個集團間爭權奪利的結果」，這一點，使越共大動肝火，認爲「南共無視抹煞了越南人民數十年艱苦奮鬥的革命精神與歷史」。越共中央政治局發表聲明，抨擊南共的綱領，違反了馬列主義原則，違反了去年十一月間國際共黨在莫斯科會議所發表的那篇和平宣言，更違反了社會主義的利益」。並嚴厲指責南斯拉夫戴上一副「一國共產主義者的假面具，接受「美帝」的十億援助，做了美帝的工具」。「胡狄聯合聲明」一筆勾銷了。

從上面的事來看越共的意向，我們不難找出一個共同的觀點：越共對俄共，固由於狄托使胡志明下不了台，同時也是接受命令的一種行動。至於其全力支持法共奪取政權，又恰好爲「通過北平爲到達巴黎的最佳途徑」列寧這句話作註腳。從莫斯科到北平而河內，俄共在向巴黎前進的道路上已跨過兩大站，而法共之反戴運動，又是現階段一項必然發展的步驟。我們有時候聽慣人面孔的表情，也未嘗不可推測其主人的一點心事。（四七、六、九于西貢）

向構父談出版法

台灣通訊

在立法院討論「出版法修正案」聲中，民社黨向構父氏以該黨中央改造委員會主席團主席身份，向記者發表談話如下：

一、根本不應該有出版法　民主政治的最高原則，是人民要有說話的自由，我國憲法第十一條「人民有言論講學著作及出版之自由」便是根據這個原則制定的，美國憲法更明白規定「政府對言論出版不得制定任何法律」，故美國沒有什麼出版法，更沒有什麼出版法施行細則，這是民主國家的良好規範。我國在四十一年四月九日公佈了現行出版法，同年十一月廿九日又制定了出版法施行細則，實在是多餘的，是不應該有的，最近所發生的出版法修正案事件，更是多餘的，更是不應該有的。

二、我們要爭取言論出版的自由　具體言之，便是要爭取辦報辦雜誌的自由，眞正民主國家的人民辦報辦雜誌是享有高度的自由的，如要登記，也只照例報請備查，政府是沒有准否的權力的，假如報紙或雜誌的言論觸犯了刑法或民法，也只有負責人接受法院的審判或懲處，對報社及雜誌社的本身並不發生影響，行政機關是沒有權力過問的，因爲民主之可貴，便是貴在人民有發表政治主張，批評時政得失的自由，當然不能避免與執政當局的主張發生衝突的，假如言論出版自由的大權不操在人民全體的手中，而讓執政當局拿去，那末，民主政治還有什麼可貴？言論出版還剩得多少自由呢？

三、行政處分不能代替司法審判　此次由內政部發動的出版法修正案的中心思想，是要在擴大行政處分一點上，如既經根據出版法施行細則第廿七條「所謂計劃供應出版品所需之紙張，爲於節約原則，調節新聞紙雜誌之數量」，已藉口台紙產量不足，實際等於取銷新聞的出版物的登記許可了！政府猶以爲不足，在修正案第九條「登記手續之下，加入「除情形特殊者外」一語，這樣抽象而含糊的文字，便是給予行政機關拒絕新報新雜誌登記一個良好的藉口，其對於已經登記了的報刊，如行政機關認爲有問題時，此後不須經過法院的審判，得逕行予以九次警告，三次停刊，一千銀元的罰鍰，或竟撤銷登記等的處分，這些規定對於出版界的打擊，固然重大，而對於司法審判權的侵犯，對於憲法尊嚴性的損害，更足憂慮。

四、報業公會與立法院而臨考驗　報業公會經過合法的會議程序提出請願案於立法院，是爭取言論出版自由的正確行動，如報社願意放棄自由，反對請願爭取，這是難以自圓其說的，而在立法院方面有戰慶鄉委員等七十五人提議對內政部以行政命令公佈之出版法施行細則違法各點，採取必要的行動，最近復有文發委員等一百卅五人提案對報業請願案、出版法修正案重付審查，這都是合乎原則的民主自由的最佳表現，反對報業公會請願的是少數，這少數報紙不是民營的，我們不必強求，保留戰慶鄉委員等提議案和否決文發委員等的提議案的是多數，這多數委員雖不屬於民青兩黨，却也是民選的，如果修正案竟獲得立法院多數的通過，即等於選民神經一時失了控制，被自己的手亂打自己的嘴巴，這不但對選民無法交代，對歷史要負嚴重責任的（惠生于台北）

對台北畫展的觀感

（台灣通訊）每年到了五月，開畫展的特別多，綜觀所有畫展，不禁使人發生很多的感慨。

在這些畫展中，有團體的有個人的，有文官的，有武將的，有學生的，有社會的。其中，有油畫，有國畫，有日本作風的粉畫，派系之多，不甚枚舉，有好的也有不好的；甚至，連美術門徑都沒有摸到，便大胆展出的；有些，更祇有半懂不懂，便大肆鋪張，震驚社會的。且這類人，訂價之高，與賣出爲數之多，又遠比一些有成就者爲甚，本來，文人賣文，畫人賣畫，原沒有什麼不對，問題是，假若其目的不止在爲生活兜售幾張畫而已，則其展出，實在是違背藝術的眞義，確有一種沽名釣利之嫌了。在台北展出過的一些畫展中就給我們上述的一些印象，我殊不願一一列舉。概括說來，在多數青年作家的畫展中，我們則發現有不少是勇於負起了這大時代新任務的胆量的。他們作品中洋溢着新的生命。但在老一輩的，他們有的，甚至連繪畫是什麼東西都沒有搞通，也要開畫展，且要大大的開畫展，在展出之先，新聞一再的爲他們報導，名流爲他們設起，學者爲他們捧場，大官爲他們介紹，事前便渲染得聲價社會聲名四溢，整個畫界如同美術慧星爆出冷門，及至到展出之後給人的印象，却遠不如在報章上所渲染的。加之，訂價之高，與賣數之多，又遠超出一般職業名畫家，故有人評其爲「應酬的一套」，確是失去了藝術清雅的美感，而充滿了市儈氣。

愛名利，本不足怪，但我們希望此時的藝術界，這類現象能越少越好，總之，最低限度，我們不要過份違背一個原則，就是應從直中去取，循乎自然，不要違背常理。否則，給人的印象是，不外「混」、「騙」二字，實有碍于眞藝術的發展。

美術這門學問，也像數學一樣，必先懂得一二三的數字然後慢慢的推進，方可懂得再深的數理，再後才可以畫建築工程圖。否則，其畫出來的圖樣是空洞的，築起高樓便要坍的，此道，絕非膚淺的東西，不懂者，總以爲沒甚了不起；半懂者，又總以爲已通；果有眞才實學者，其成就絕不感冒昧的向人喧叫，總是戰戰兢兢，以討論研究的態度問世。

最後，筆者還作一個聲明，我們評畫，是就一般而論，實不是指所有的好畫展都是如此，無意於打倒某一個人，或是某一畫派，因爲此地（台灣）大家都知道，一向是缺少忠實評論的；即或有，也多是歌頌的，諷諛的，故有很多能評畫者，爲了免於開罪人，而祇有不評。所以，展覽會雖多，而佳作則少，畫家看不見批評，也便不知道自己的錯誤，養成了一種自大狂，其不能進步，也是這個道理。

再者，我們絕非是有「開畫展，就與別人喝倒好，而是深覺得，這個社會太虛浮了，藝術家們理應實在一點，這個社會已經是沒有是非，我們不要再造成無聊的使人盲目的崇拜，攪得這社會更虛浮而已。（六月十日寫于台北）

湘騄。

乍晴乍雨愁煞人

西貢通訊

·庸人·

在亞熱帶的西貢，春天像淘滿處子，飄飄忽忽，姗姗的來，却又驚鴻一瞥，稍縱即逝，繼之而來，便是灼熱的炎夏。

季候一進入初夏，驕陽似火，溽暑迫人，揮汗如雨！人們在九十度高溫下喘息，「熱呀熱呀」叫過不休，野狗在馬路上踉蹌，張開口紮氣……

可幸的是，這兒雖已進入初夏，同時也屆臨「雨季」，一場突如其來的暴雨，頓使暑氣全消。

然而，「長年皆是夏，一雨便成秋」，這種乍晴乍雨忽涼忽熱情境，往往使人諸多感喟！而且，驕陽似火長夏炎炎的日子若其長，和風細雨的清涼日子又嫌其短！有時陰雲低迷，細雨連綿，更是滿懷愴惱愁煞人！

這兒的天氣，也正像這兒僑胞的心情一樣。

旅越華僑的心情，便是若憂參半，焦急如焚！他們置身亞熱帶的盛夏中，親臨溽暑，揮汗如雨，同時，面對着「禁營」「入籍」的威脅，在雙重「熱浪」侵襲下，他們的心境更是若憫焦燥，此情此景，彷彿熱鍋上的螞蟻。

然而，來自台北的報導說：葉公超外長此次訪越，久獲輝煌，圓滿成功。葉氏與吳廷琰總統會見四次之多，款款深談，融洽投契，大有相見恨晚之概。姑勿論熱鍋上的螞蟻的心情如何，可不必管它，葉氏此行，對中越關係的促進，邦誼的敦睦，可謂已克盡厥職了。

中越關係日趨好轉，台北和西貢政壇溢洋一片歡欣。爲進一步顯示中越的友善與合作，兩國公使館，升格爲大使館的論調，又高唱入雲，呼之欲出！

自然，而對此一「佳訊」，中越朝野人士，大都欣然色喜，惟獨大部分旅越華僑，尤其是目下仍未轉籍的人，在中越關係好轉聲中，仍爲國籍問題所困擾，未免別有一番滋味在心頭。

目前旅越華僑的境遇，駐越公使館及台北似已熟視無睹了。華僑滿懷悒鬱，自在情理之中。

自越南實施「新國籍法」及「禁營」政策，我自由選擇國籍的原則，實際等于一句空話。所有旅越僑商，除非自動停業，否則，全部非加入越籍不可。因此此間僑胞心情並不因政府官員底「中越關係好轉」論調，和使館升格的喜訊，而感到興奮，此種心情，凡留心僑胞問題者，是不難體會到的。

週來西貢，連宵細雨綿綿，暑氣頓消，眞是「天涼好個秋」，在這樣夜涼如水的晚上，有人正憧憬着「大使」美夢，欣然陶醉，有人却仍惴惴自己的未來境遇。執筆至此，吾欲無言了。（六月十六日）

人物介紹

台灣畫家李石樵

何鐵華

在台灣籍的畫家中，李石樵是一位純粹爲藝術而生活，以藝術爲職志的。五十年前他生在台北縣新莊的一個農家，自幼與大自然的美接觸，便愛好了畫畫，初投台北師範，後習美術科，畢業後赴日深造，在東京美術學校專攻油畫，其所作曾出展日本帝國美展、文部美展，爲台籍畫家參加中免審查之第一人。日治時代與藝友籌組畫會——即今日台陽美術會之前身，舉辦美展，提倡美術，歷數十年而不懈。他又兼任台灣省美展審查委員，惟近兩年來他極想一改省展及台陽美展過去的舊作風舊制度，惜獨力難持，未能如願，遂鬱鬱寡歡！然而他對藝術是抱着樂觀態度的，性情耿直，生活淡泊，一生沒有其他職業，連在學校教課也沒有過，雖坎坷亦不易其志，只是潛心于畫藝，力爭上游，數十年如一日。他以往的畫風堅實嚴整，多描寫農村生活景象，如今則一變而爲明朗雅麗的風韻，向新藝術的創造邁進。這不能不說是在最近幾年來他受了世界新藝術思潮的影響。

他有生以來的第一次個人油畫展覽會，于本（六）月十三日至十七日在台北市中山堂舉行，把他自四十一年起迄今所埋首製作的九十六幅油畫，不分好壞依次陳列，公諸于社會評鑑，以求自己獲知今後寫作的進步路向。這種虛心求教和自我檢討的態度，是值得藝術工作者們去效法的。

說到他的畫藝成就，我認爲靜物畫的格調最高，人物畫次之，風景畫則又次之。這可以從他對事物觀察的深淺程度去鑑別出來，因爲凡是一個畫家在描寫某一事物之前，最重要者爲其思想與藝術觀的正確與否，可以決定其瞭解對象够不够透澈，然後才講到表現的方法對不對，憑李氏過去的繪畫經驗，在學時期對基礎工力之造詣，加以經年來的苦練求進，和接受新來的世界藝術思想，他的畫是够份量的，沉着樸健的，深厚之度是可耐人尋味的。

他的靜物畫有些特別是現明快活潑、富有生命活力，有些受了立體派影響，有些構圖非常單純，而主觀物顯著凸出，色味感與質感都充份表現出來，畫面更洋溢着雅拙美的可愛。

他的人物畫却能把握住人物的神情態勢要求來描寫，有些還採用Brapue的表現方法，在恬靜中却有律動的感覺。

他的風景畫，有些屬于後期印象派的畫風，用色的明朗，畫面結構富有韻律，很有實在感。

總之，他是上了五十歲年紀的人，而固有技法又定了型，卻不會以入選日本保守性的帝展文展爲得意的作家爲滿足，竟然能擺脫過去的作風和觀念，竟然在最近的短短三數年間，冒出了新藝術的火花，這是難能可貴的，使我非常欽佩！

讀者論壇

中學教員不應該受行政處分

·孫德廣·

最近基隆市政府給予所屬某中學教員某以行政處分，記大過兩次。筆者認爲於情、理、法均屬不合。

從情的觀點講：教員是爲人師的，師是學生的表率，在學生的心目中，是全知的，完美無缺的。教員之所以能教導學生以此。因而爲師應有師之尊嚴，學校對教員只可不聘或解聘，而不可加以處分；至於行政機關，只應管校長而不應管教員，自更不可予教員以處分。否則，師之尊嚴沒有了，便不足以做學生的表率，無法教道學生。

從理的觀點講：學校請某人做教員時，聘書上總明寫：「茲敦聘某某爲本校某科教師。」教員是被聘的不是被派的，被僱的；所以教員的地位是超然的。因教員有超然的地位，故可談論古今，臧否事實，品評人物，表現其風格骨氣，以影響學生，今行政機關竟對教員加以處分，殊有損於教員之地位，有碍於教育之效果。

從法的觀點講：中等學校教員是聘任的。某學校需要某科教員，某人具備做某科教員的條件而願意到某學校教書，經雙方換洽協議，學校出具聘書，某人在聘書上簽字即成。故教員與學校之間是一種契約關係。如教員不履行聘書上所訂之義務，學校可提出解聘；學校不給予聘書所訂之待遇，教員亦可提出辭聘。行政機關是管不着的。此於教員觸犯刑事民事諸法，自有法院制裁，行政機關是管不着的。校長是教育行政官吏，是行政機關所派的，行政機關所能管轄的只是校長，可訓令校長不聘某種教員或解聘某種教員（然不能違法），而不能直接管轄教員而予教員以行政處分。因爲教員不是教育行政官吏，且亦根本不負行政責任，與行政機關是毫無關係的。

總之，中等學校教員不應受行政處分，盡管事實上許多行政機關往往爲表現威風而以行政處分加諸教員，但那是不應該的，情、理、法都是不合的。常言曰：「士可殺不可辱」，中學教員是「可停聘解聘而不可處分」，不但行政機關不應給教員以行政處分，且比較重的也不應予教員以任何其他處分。（四七、六、十五，於新莊）

日駐使訪韓歸國稱　兩國關係可望改善

岸信介特使矢次一夫於訪問韓國回抵日本後，表示日韓關係之正常化，可能於短期內即可實現。矢次此次赴韓除面遞岸信介致李承晚總統函件外，並代表岸信介致歉意，並遞與伊藤博文時代所訂下之侵略禍根。矢次最大使命爲促進岸李之晤，此行尚有一擴大使命宣稱，此行尚有一之使命，爲促進日韓關係之早日正常化。矢次謂此舉亦有實現可能。

李承晚總統甚欣賞岸信介在日本政治上之成就，謂岸係日本傑出之政治家之一。（五月廿六日游寄自東京）

管窺

計劃經濟？

對于十九世紀的自由經濟形態，卡爾馬克思盡其畢生之力作出了一個將導致生產過剩的危機的結論；在消極方面他提出階段鬥爭的口號，在積極方面鼓吹計劃經濟的方法。這是馬克思主義的基本精神之所在。所謂計劃經濟，其重點當在于有計劃的發展，平衡的發展經濟。

抱着不可一世思想的毛澤東，强將其矛盾論使用于計劃經濟；他的荒謬論點是：「所謂平衡，就是矛盾的暫時的相對的統一。過了一年，就整個說來，這種平衡就被矛盾的鬥爭所打破了，這種統一就變化了，平衡成爲不平衡，統一成爲不統一，又需要第二年的平衡和統一。這就是我們計劃到經濟的優越性。」他又强調說：「任何事物在發展中存在矛盾，出現不平衡，完全是正常的現象，而平衡，矛盾的統一，才是特殊的現象。」因此，他號召：「竭力支持落後的積極性和創造性，促進新生事物的生長」，從而「來打破舊的平衡」，「讓落後事物趕上先進事物」，來「建立新的平衡」。

這就是說，讓所有的事物，盡量的，鼓勵其發展，然後，再來作暫時的平衡；這樣，再這樣的循環下去。——這樣的計劃經濟制度，從經濟發展的角度來說，與十九世紀的自由經濟制度還有什麼分別？（而這樣的規律，已爲不斷進步中的資本主義經濟制度所否定了。）因爲所謂生產過剩的危機，從廣義的來說，也具有計劃平衡的作用；毛澤東所發的計劃經濟暫時平衡，與生產過剩危機發生以後的暫時平衡，單從平衡的角度來說，是並無什麼不同的。

地方分權

八大二次會議的中央委員會工作報告裏，認爲「要讓地方辦更多的事情，更全面的建設工作能夠又多又快又好又省地發展」，而因此，在今後，原屬國務院各部經營管理的企業，除了一些特殊的，主要的和試驗性質的以外，原則上將一律交給地方經營管理。」

上期本欄曾經談到中共將發行公債，徵收稅項的權力下放，這種措施顯然是配合上述地方分權，來「多快好省」地發展建設，來盡量「促進新生事物的成長」，來打破舊「平衡」。換句話說，給地方以權力，漫無限制的，儘量的搜括；給地方以方便，不談計劃，儘量的亂闖亂發展！

結果如何？

我們已簡單地把目前中共的經濟發展的概述如上，當亦不難想像到，中共統治下的大陸，將發生下述情況：

一、這種胡亂發展的結果，必然會造成一種新型的生產過剩。這種生產過剩，是兩種因素構成：無計劃無目的地發展；及人民物力之消耗。

二、某種原材料的供應更加困難。本來，在其制度下特別强調發展工業的結果，原材料已經緊張了，現在，這一情況將加劇。

三、到一定的階段，將會出現一個巨大的停工失業浪潮，這個浪潮將助長革命的形勢。

四、這種地方經濟發展的結果，又可能：一、助長本位主義和宗派主義的發展更趨嚴重；獨立王國之類可能又要發生了。二、農村與城鄉對立的形勢將加深。

五、大陸人民比現在還要窮，還要苦。毛澤東說，「窮則思變，要幹，要革命」，不錯的，毛澤東的這種搞法，確實是爲革共產政權的命創造了有利的條件。

○田心○

冷觀印尼內戰中的和談局勢

華仁傑

【印尼航稿】印尼局勢今後如何發展，幾乎越來越使人困惑。在表面上看，反共的革命勢力，於五月四日政府軍攻佔武吉丁宜，已成強弩之末。但是，耶加達政府對於迫處萬鴉老的革命軍最後基地，迄仍無力進取；同時，所謂「收復區」的政治非但一無開展，反而受到反共游擊隊牽制。不論是和或戰，均有重大困難。事實反映：整個局勢尚在激劇演變。

雙方在準備增加賭注

面對印尼危局，無人可以斷言，任何一方可獲決定性勝利；事實上，萬鴉老和耶加達都在準備增加賭注，繼續進行擊潰對方的戰爭。儘管各方對革命政權痛加指責，認爲革命集團的部署、策略與估計，無一不犯軍大錯誤。卻不知這種錯誤，也非絕對不能料正，明白革命集團現行策略者，仍認革命政權，只要假以時日，尚有可爲，成爲一個堅決的反共集團，從事建國。因爲，耶加達政府的處境，並不是僅和革命軍作戰，而係跟非共的全印尼人民作戰。舉一個例說：如果中央政府獲得人民支持，蘇中革命軍主力撤出，政治局勢早該恢復，沒有理由還延月餘，仍受當地游擊隊威脅，無從重建基層政治；其次，外島各省對中央政府既無効忠諾言，向來各自爲謀，目前，無非保持實力，靜以觀變，蘇加諾一再强調「統一全國」，早在反荷戰爭結束後名存實亡，不然，中央政府經濟也不致日感艱困，問題是各省庫存，中央政府毫末難求。

經濟威脅比軍事嚴重

這種情形，並不是現在如此，一九五六年十二月哈達辭副總統職，即已十分顯著，甚至於重要出口物資，不自耶加達轉口。二月十五日印尼革命政府宣布成立後，對耶加達的經濟威脅，比軍事更爲嚴重。如果沒有美國油商支持，共黨工會加强勒索，與加徵出入口重稅，以及外僑「人頭稅」，早已使中央政府完蛋。蘇俄一億美元貸款，如係現金，對枯竭的國庫也許還可充實，毋待乞靈於印鈔機，使物價暴漲，人心浮動；可是，那一億美元，祇是提供武備的代價，用以殺害國人，原先爲增强國防用途而向義訂購艦隻，仍無的款可供清付；超額的預算，如蘇俄中共參謀，戰略技術人員每月都直線上升。然而，他們對於消滅革命勢力，所作的貢獻，充其量只見到革命軍主力追入蘇中，於整個局勢仍無裨助。中央政府的處境危殆，不言可知。

耶加達的和談建議

當六月三日萬鴉老電台播出了「收回和平建議，堅持作戰到底」消息後，蘇加諾不能默然無動，對於這一頑強敵對勢力如何應付？顯然需要有效對策。於是，故意散布流言，中央政府有意跟革命政府談和，同時利用政府中若干溫和派提出主張，要求違憲的朱安達內閣於六月底前辭職，另以哈達爲首組織新政府，這在西方國家看來，印尼和平安全曙光重又湧現。

蘇加諾的兩面攻勢

[illegible]

問題，蘇加諾在此時此境，除了一面倒之外，改組更張機會早已喪失，就印尼整個局勢看來，共黨企圖迅速消滅革命勢力，擴大反荷「收回西伊里安」戰爭，可能性已逐漸消失。預料明年大選，亦難着手籌備。因爲，印尼人民對於共黨面貌，現已有了認識，絕難容許共黨得勢，倘若貿然舉行選舉，共黨欲藉武力爭取選票，全面性的戰爭始將難免。故此，印尼共黨刻正策動工農階級，鼓起反對明年大選熱潮。然而，革命政府迫處一隅，也非長久之圖，除了爭取各省合作，尚需誠懇有力號召，以獲得外力支持。[illegible]

國際動態拾零

△東柏林消息，一位紅色中國外交家說，毛澤東曾爲第一號人物，然已失去實權。最近中共之抨擊狄托，確爲毛氏所不贊成。中共業已分裂爲二，由周恩來領導政府，而劉少奇領導黨部。

△中東煤油，蘇聯將公開出面與美國競爭。美國與中東國家之煤油開發協議，爲各占百分之五十的利益。蘇聯向中東國家之新條件，爲各國佔百分之九十的利益，而蘇聯則祇占百分之十。此外蘇聯並供給專家，機械，且訓練土人特殊技能。

△德總統英首相訪問美國時，值戴高樂登台，德總統得以立即討論英德二鄰國將來對法之態度。艾森豪表示，他願與戴高樂合作無間，使其不至參加蘇聯陣營。

△阿丹諾本請美國隨時對蘇施以壓力，促進東西德之統一，現阿氏態度突變，以爲無需如此，使杜爾斯大感困擾，乃解嘲的說，「我需要德國統一，較他爲甚。」並謂德國本身，如滿不在乎的樣子，在高峯會議上，本問題是不易有結果的。

△印尼現似轉而親美，蘇加諾不特常與美大使晤面，且曾在使館晚餐。最近印尼向蘇聯購買的軍械，大感失望。蘇加諾竟對美國說，如不欲我們變爲共黨，則請盡量幫助我們。

△麥美倫由美回後，將飛巴黎，告戴高樂以美總統之意見，及西方聯盟之重要性。

●陶然●

關於現代學術季刊

（本報訊）陳伯莊先生主編，一九五六年十一月創刊的「現代學術季刊」，現已出到第二卷第二期，乃一本純學術性，水準甚高的定期刊物。該刊的主旨在介述現代的（一）歷史學，（二）心理學，（三）社會學，（四）人類文化學，（五）政治學，（六）經濟學，及成爲科學知識的共同基礎的（七）新哲學爲任務。（一）至（六）皆爲關於人及其行爲的科學。現代的治學趨勢於繼續爲分科發展外，已開始步入融匯貫通的方向，而致力於科學的整合，以及貫通各科的行爲科學之建立。在致知工具方面，則究方法之發展，對人生意義，行爲目的方面，則從事於科學的價值研究之推進。

該刊第一卷第一期至第四期討論及介述學術的文字共三十三篇，依其性質分類如次：

類別	篇數
（一）歷史學	三
（二）心理學	二
（三）社會學	四
（四）人類文化學	一
（五）政治學	一
（六）經濟學	二
（七）哲學	六
（A）科學整合	五
（B）行爲科學	四
（C）研究方法	二
（D）價值研究	二
（七）及（B）哲學及行爲科學	一
總計	三十三

三十三篇中，論著文字三篇，計（甲）心理學家平平先生的「心理學及社會科學」，（乙）人類學及歷史學家李濟先生的「論『道森氏，曉人』案及原始資料之鑒定」，（丙）哲學家莫利士先生 Charles Morris 的「哲學及各行爲科學在美國」。介述文字二十六篇，其中譯介了（丁）社會學家帕森思的行動論，（戊）政治學家拉士威爾的「權力與社會」，（己）人類文化學家林頓的文化論，及（庚）人類文化學家克羅孔的價值論。又論學來函帕生思，克羅孔各一。該刊所選介的名著和所選譯的文字，或由該社同人詳商慎選，或經當代權威學者通函推薦。譯文力求正確忠實，一字不苟。依據上述的介述方向和工作標準，該刊已步入第三個年頭，繼續力求發展，此誠我國學術專刊中一本值得鄭重推薦的定期刊物。（六月十三日）

新亞書院續辦第二期暑期藝術班

（本港訊）新亞書院爲發揚中國固有文化，曾于去年暑期創辦暑期藝術班，人數衆多，成績卓著。今年暑期，轉瞬即屆，各界要求續辦者甚多，現經該院議定本年續辦第二期暑期藝術班，課目與前次大致相同，分國畫與西畫兩大類，國畫有山水、花鳥，西畫有水彩、素描。定七月廿一與廿三日開始上課，至九月三日結束，成績優良者，得發給證書，凡有志藝術者，均可參加。簡章可向九龍農圃道該院索取。又該院藝術科于七月十七日起至廿一日止，舉行繪畫，書法展覽會云。

新書評介

評「威震長空」

郭嗣汾著。亞洲出版社印行

●聞觀●

這是一部以現代空軍爲題材的出色小說。可以說是僅見的。據作者說「亞洲」擬以此書拍攝電影；因此，我覺得這部小說的評價，當在電影與小說兩方面着力才是。

當小說被改編成電影後，都要比原著遜色些；換言之，如果改寫電影故事爲小說，也未必比電影好了。這就是電影故事和小說兩者的不同處，前者透過科學機械訴諸觀衆的視覺，要注重形式的具體表現；後者是透過作者生活經驗的想像訴諸讀者的感覺的。

「威震長空」如作爲電影故事看，價值很高。但若從閱讀小說角度看，則又未必是一部怎麼好的小說；因爲，它僅具小說型式，傳記文學的色調很濃，這正是符合電影故事的要求。因此，我以爲，作者化了五十一頁半的篇幅，補敍白汝鵬的童年到投入空軍的過程，與整個小說無大關係的。故即使刪掉這卅頁也不會影響這部小說的價值。

正如編者所介紹的，有柔情、冷酷、掙扎、焦慮、毅力、歡欣、頑强的生命力，莊嚴崇高的生命，對國家民族的深情，感覺中它們的色調並不甚濃，似乎深度不夠；諸如作者描寫白汝鵬落在蕉田的一夜，他撥弄別人的腳骨而的腳骨，好像在撥弄自己的一樣；又如他在昏迷中劇痛中，回憶昔日與小情人的甜蜜往事，都不能令讀者感到什麼親切；末尾加上一個傳奇式的結尾，他試飛噴射機成功時，魂牽夢縈的情人到來了，無非是英雄美人的大團圓格局；但是，這些如果在電影的拍攝時，透過演員的直接表現，也許都是優美之處。

近年來「傳記體」小說格局，可以說在小說家們的心裏極一時之盛，我以爲弄得不好，難免「流水賬」之病。寫現實的題材，又有些「報告文學」的格局，作者那部寫海軍的小說「黎明的海戰」，報告文學的意味很濃；還有一點，就是作者在書中對於「共匪」、「共產黨」、「共產匪徒」、「共軍」、「中共」等名詞用得很亂，未能予以適當處理；這些是宣傳文件上的名詞，作家們愛用，無非意在强調其宣傳於文藝的動機而已。

我們必須有一個概念：世界上沒有一部好書是無懈可擊的，但這些也不一定使一部書失去價值。所以，這部書仍然有它的價值在：近代中國人對於科學知識的貧乏，飛機的常識、駕駛、降落、作戰等實際情形，茫然無知，這部書却使讀者對航空打開一個視界；領略的人生太豐富了，尤其在鐵血、戰鬥、截擊的境界中，顯出生命力的頑强，年青一代的空軍對國家民族的忠摯與深愛，在中華民族復興抗敵的史程上，這種壯偉的史詩，可歌可泣之外，也顯示民族氣象的昂揚，更能予人以反攻復國的信心。所以這部書可以當史詩來讀了。

據我所知，作者一直服務於海軍，這部書的材料是搜集而來的，但是材料可以使一部歷史生色，却不能使一部小說動人，這部書能夠感動人類崇高的情操，白汝鵬的信心、意志、毅力，能夠使他們從癱中復原，駕駛噴射機作戰，幾乎成了奇蹟，以及在生命危殆而有掙扎與堅信，毫不灰心傷志，使他顯示人類生命的不平凡，則全由作者的才華與想像力的豐富有以致之。我極同意「亞洲」編者的話：「忍耐加上時間，人類在歷史上創造了奇跡。而決心與毅力，會使一些平凡的人，留下許多壯偉的史詩。我們應以讀史詩的心情，來讀這本『威震長空』。」（四十七年六月十一日夜於台北）

自由談

美國的黃色新聞

美國總統府一位機要秘書之類的職員亞當斯，名義上叫作「總統助理」，實際上，他的權力比那國務長官杜勒斯還要廣泛而重大，因為他是代替總統審閱各文武機關呈送核示的重要文件，而且可以簽註意見的。這樣的高官大吏，他的一舉一動，一言一行，當然引起社會人士的密切注視。

最近美國衆議員指出：亞當斯曾經接受波士頓一個富商替他支付二千五百元的旅館費用，又收納了該商人贈送的一件毛絨大衣，顯係官商勾結，別有所圖。衆議院的「調查委員會」即召亞當斯到會質詢一切，他亦承認有此事情，交換條件只是介紹該商人與聯邦調查局某人相見而已，並未利用政治職權予該商人以任何利益，何況自己與該商人原係老朋友，決不涉及貪污問題云云。議員們亦認為亞當斯應否去職，唯有聽候總統與亞氏本人的良心裁判了。

假使我國的監察委員對政府高級官吏亦進行這種查詢工作，我相信監委可能碰上一鼻的灰，自討沒趣，理由是干涉別人的私生活，與政治無關。報紙如果披露這類消息，更係誹謗私人名譽的黃色新聞，非吃官司不可。然在美國却把它當作一樁重大事件，定要查究明白。這至少可使在政治上負有重要職責的人，聞者足戒，知所警惕，而貪污風氣亦可消弭於未然。

今世對於政治人物的品德素不講究，動則說是不必過問個人的私生活，我認為這就是產生貪污腐敗風氣的基本因素。若教一個在日常私生活上卑鄙齷齪，無所不為的人，担任政治高位，而希望他能夠奉公守法，潔己自愛，殆無異置貓兒於魚肆而相信它不致偷食，寧有是理乎？所以，我每見有達官顯宦對人談孔孟的學說思想，即為之作嘔不已。儒學最主要的義理，就是講求個人平日立身行己的修養工夫。既不注重私生活的品德，又何必談這類廢話？應該主張打倒孔家店纔對呵！

馮五先生

雜談信仰

人類之有信仰，起源應該是很早的了。遠在數千年前，人類生活稍具定型的時候，世界上幾個最古老的國家——中國、印度、埃及和巴比倫——已經開始有了宗教信仰的存在。這些國家的人民，在他們的生活漸趨安定，起居飲食有了一定的方式之後，因為思想簡單，文化尚未發達，精神上總不免有空虛之感。因此他們便有對一種超于自己能力的信仰，以為人的生命是冥冥中由一個超人做主宰操縱的。於是對這個冥冥中的主宰做種種祈求祭祀的儀式，以尋求生活的保障。我國在夏商兩個朝代已經有對天的信仰。這時代的中國人，一切生活都是以宗教為中心的，甚至把宗教和政治混為一體，做成一種政教不分的制度。當然從這一個朝代祭天的繁複儀式，以及卜筮的方術來看，他們的信仰是十分虔誠的。埃及古代，對日神和河神的信仰最為重要，埃及民族是極端重視宗教的民族。他們相信，死後仍可以有生命的存在，只要把屍體保存得好，便可以永生不滅。因此許多帝王便有金字塔的建築，以期保存死後的屍體。

此外，巴比倫和印度，古代的宗教生活，也一樣的重要。總而言之，人類信仰的起源，是原始人類生活有了定型以後的事。信仰是人類文化的開始，是由於原始人類的思想幼稚，知識簡單而產生的。這時候的信仰是帶有濃厚的盲從性的。

因為時代演進，人類生活愈變愈複雜，各方面的知識也愈來愈進步，人類的思想自然也跟着漸趨變化。一方面有許多大哲學家產生，一方面，人類的科學知識又日趨發展，於是人類便漸漸脫離了古代的迷信，開始用科學眼光分析事理。不過，人類的精神需要，還不能以此而滿足。故宗教信仰仍然普遍存在。宗教生活，仍然是人類日常生活的重要部份。然而，這時候的宗教許多都和古代不相同了。不再以迷信做基礎，而以哲學理論做基礎。已經有一定的教義，不再是古代的盲目迷信了。起源於中國的道教雖仍帶迷信成份，但起源於猶太的基督教，和起源於印度的佛教，以及起源於阿拉伯的回教，這幾種最有勢力的宗教雖然教義不同，傳道方式不同，但有一共同點，就是，他們的基本理論總是教人從善的。

到了今天，人類的宗教信仰仍然有增無減，尤以基督教和天主教最具勢力，這可能有許多原因。以上所說的幾種宗教，佛教的理論過於玄奧，而且以出世為目的。回教則以武力為傳教方式，未免過於專斷。基督教的教義既不教人出世修行，又不主張武力服人。其主張的博愛和平，是不會和一般人的生活方式起衝突的。其次，基督教到了中古時代，便成為歐洲最重要的宗教了。回教和佛教雖然也傳入歐洲，但影響力量主要只限於亞洲。中古以後，歐洲國家，商業發達，勢力強盛，逐漸經營開拓美洲和澳洲。因此，這兩洲也自然入於基督教的勢力範圍。基督教之成為世界上具有勢力的宗教其發展是很自然的。

人類是否有信仰宗教必要，這裏且不去談它，然而許多人信仰宗教的動機和態度，却是值得懷疑的。實際上大多數人的信仰，可以說是無條件的或盲目的。有些人只是為了逃避責任，希望神的庇佑，使自己的事業順利。有些人不是為了自己的需要，而是感到自己應該有一種信仰，以為成了信徒是高尚純潔的。又有人是為了時髦或迎合潮流，所以當歐洲基督教流行時，而不信佛教或回教，他們覺得基督教最時髦，因為歐美的人大多數都是基督教徒。此外更有些人是為了信教之後，自己更能從事多方面的活動，社交生活會因此而多采多姿，同時又增加自己在社會上的重要性。

所以，有些人在還沒有深切認識一種宗教以前，便毫不考慮地做了信徒，這樣，他們的虔誠態度，只是限於形式罷了。

宗教以外的信仰，例如甚麼主義，甚麼學說之類，也有很多人是純然出於盲從或利用性質的。盲目信仰一種主義或學說，隨波逐流，誤己誤人，往往後悔莫及，害處是比較宗教的盲從還要利害。

假如世界上多數人稍為懂得謹慎的信仰，避免盲從，又何至造成今日這個思想鬥爭，危機四伏的局面呢？（六月七日于港大）

○幻痕

端節狂言

·永昌·

端節是紀念屈大夫的，他為楚懷王而死，死在汨羅江，完完全全是「屍諫」楚懷王的；想不到近數十年來，新聞記者先生們，把那些跳海投江失足溺斃的冤魂怨鬼，一律稱為「從屈大夫遊」，這一來，可真把屈大夫屈辱了。他的「屍諫」逐漸變了質，幾乎變成了一個水國的導游者。只要是死在水裏的便都是「從屈大夫遊」，屈大夫死而果作「導游」，想來必定忙得又要「尋死」，試想，這大千世界，每天總有數不清的新水鬼找他，則五湖三江四海——或者說：從汨羅江遊向洞庭湖八百里吧，這份導遊差事也夠他忙累的了。

說嗜好

·弓也長·

人是應該有些優良的嗜好的，尤其是對於那些混世魔王，上至獨裁者，下至市井小人。嗜好不僅對他個人有益，也對人類社會有益。

人生不能沒有嗜好。沒有嗜好的人生，是一個悲哀的人生，也是一個充滿空虛與無味的人生；如同一株無根的關化，飄蕩在無邊的汪洋中，永遠找不到她最後的歸宿。

當然，人心不同，各如其面。嗜好也因各人興趣、個性、環境的不同而有種種差別。有人具有多方面的嗜好，放下這樣提那樣，始終興趣勃勃，人生的種種煩惱、若隱遠離了他。也有人祇有一樣嗜好，終生樂此不疲。一個人有幾樣嗜好總比單調的一樣好，能夠多一點變化，換換口味，更能保持永恆的興趣。這兒所說的嗜好當然是指好的一方面。如果不幸染上了不良的嗜好，還不如一樣沒有好。

許多人的嗜好往往相同。最習見的並為很多人所愛好的，總不外乎：下棋、釣魚、抽烟、飲酒、集郵、奏樂器、聽唱片、剪貼報紙、收集各種各樣的小玩意兒……偶而也有人有些特別的嗜好，尤其是一些深居宮幃的君王，名聞遐邇的大英雄、大學者。這和他們的環境、經濟能力不無關係。比如歐洲的幾個小國——摩納哥的雷尼爾王子喜歡兇猛的野獸。那個年逾八十的邱吉爾以收集形形式式的烟斗聞名。也有許多國際間的知名之士以打獵、打高爾夫球、飼養珍禽作為他們的嗜好的。

有人說：年青人正在努力積蓄知識的時代，不應該把時間精力用在嗜好上。其實，這種看法是不對的。我們祇看老年人在暮落的晚年，需要一些高尚的嗜好來填補他悲哀的心情。試想：當你滿身疲憊的身體從課室或辦公室返回之後，沒有一些良好的嗜好來調劑一下枯竭的心靈，怎成呢？我倒希望一些危害世界的魔王和作奸犯科的小人能多有幾種優雅的嗜好，不要把他剩餘的精力再用來在狡詐陰險的圈子裏打轉。

再說一遍：人活在世界上，不能沒有嗜好，否則他真枉活作一個人。

好人好事

現實小說

符兆祥

李主任回到家，一見到李太太就問：

「胡强把利息送來沒有？」

李太太板着臉說：

「當然沒有，」接着，沒好氣的說：

「都是你，當初我就不願借給他，雖然利息高點，可並不保險，他除了那所破房子以外，什麼都沒有，我看你怎樣扳本。」

李主任不耐煩的問：

「他人有來過嗎？」

「來過了，」李太太更不高興地：

「老婆兒子一大堆，哭哭啼啼的求我，要我再容他過幾天，要我發發善心，還說不要逼他向死路走……」

「哼，死這麼容易，」李主任說。

停了會，李主任又問：

「小虎學校的事情怎麼啦？」

「啊？哦，」李太太說：「沒事了，倒虧這孩子聰明。」

「怎麼了呢？」

「他說，他們學校最近提倡好人好事。」

「這跟他有什麼關係？」

「他說，他找了一個同學幫他的忙……」

「不要錢？」

「怎麼不要錢，」李太太說：

「他們商量這樣，由那位同學故意把鋼筆，手錶丟在一個地方，由他拾起到訓導處報功。」

「這有什麼用，白花錢，花了多少錢？」

「怎麼沒有用？學校記了他一大功，你知道，功能抵過，他不是可以不開除了嗎？」

「哦！」

「小虎說，學校還預備把這件事呈報到教育廳去呢？」

「這倒沒什麼，能不開除就好啦。」

頓了頓，李太太問：

「你們的視察先生走了？」

「沒有，」李主任嘆了口氣：

「他胃口大得很。」

「他開口多少？」

李主任不忍說，祇把三個指頭伸了出來。

「三萬？」李太太倒抽了口冷氣：

「哼，這件事我們不過才拿到四萬，還一直提心吊胆的，他好便宜，一要就是三萬。」

「不給又不成，他手裏有一封密告信，他一個報告上去，就不堪設想了。」

「你再找他商量，」李太太說。

「當然，不過我想，還是給他算了，這次就痛點心，反正我們機會還多，」說到這裏，李主任笑了笑。

「怎麼？」李太太有興趣的問。

李主任回頭望了望；李太太說：

「這是家裏，有誰？」

李主任悄悄的說：

「剛才老周來說，過兩天那個姓白的船又要來啦，這次，他要給……」

「你呀，笨死了，上次他給你兩萬塊你也收了，我聽老周的太太告訴我，他那船帶的貨，最少也值個一百萬！」李太太恨恨的說。

「這次我們有分數，」李主任瞇着眼說。（上）

端午詞話（一）

○謝康○

古來弔屈之詩頗多，不勝枚舉，詞則係後起之詩餘，端陽懷古之作，似較古近體詩比賽作品為少。然詞之為體以溫柔敦厚婉轉纏綿，深宜閨閣為尚，以致婉約派優美之詞，自始即為詞壇正宗。而端陽韻事之本身旨趣，亦極適合詞人之歌詠。詩人節亦即詞人節也。蓋靈均之高標，離騷，天問，漁父，九章之哀怨，曹娥之沉江，競渡之成為民間娛樂，粽子蒲觴又為大衆嗜好及家人端節之需，凡此種種，隨事增華，益添佳節詩料，是以歷代詞人於此，隨感興發，有不能已於言者。惟北宗以前，詞只有曲調名而無題。今所選錄，自北宗始。

晁無咎詞神姿高秀，而磊落之氣，坦易之懷，時流露於字裏行間，其佳處論者以為差可與東坡驂靳，視秦七黃九亦未遑多讓。其端午詞永遇樂云：

「紅日葵開，映牆遮臘，小齋端午。香展荷金，簪抽笱玉，幽事還數，綠鬟纖手，朱奩輕縷，爭門綵絲艾虎，想江潭冤魄歸來，空惆悵，對菰黍。朱顏老去，清風好在，未減佳辰歡聚。趣蠟潤深斟，菖葅細糝，闌坐從兒女。還同子美，江村長夏，閒對燕飛鷗舞，算何須楚玉雄風，方消畏暑」。

寫佳節樂趣，發思古幽情，精艷絕人。

南宋詞人端午作，以余淺見，似可以劉後村（克莊A.D.1187－1269）賀新郎一闋為代表，其詞云：

「深院榴花吐，畫簾開，練衣紈扇，午風清暑，兒女紛紛誇結束，新樣釵符艾虎，早已有游人觀渡，老大逢場慵作戲，任陌頭年少爭旗鼓，溪雨急，浪花舞。靈均標致高如許，憶生平，既紉蘭佩，更懷椒糈，誰信騷魂千載後，波底垂涎角黍，又說是蛟饞龍怒，把似而今醒到了，料當年醉死差無苦，聊一笑，弔千古！」

競渡古俗及弔屈心情，俱躍然紙上。後村宅心仁厚，詞旨甚高，非剪紅刻翠者可能比擬。

此外，與後村同時代之婉約派詞人吳文英（A.D.1205?－1270?）淮安重午日澡蘭香詞，亦膾炙人口，其詞為：

「盤絲繫腕，巧篆垂簪，玉隱紺紗睡覺，銀瓶，露井，綵箑雲窗，往事少年依約，為當時曾寫榴裙，傷心紅綃褪萼，黍夢光陰，漸老汀洲煙蒻，莫唱江南古調，怨抑難招楚江沉魄，薰風燕乳，暗雨梅黃，午鏡澡蘭簾幕，念秦樓也擬人歸，應翦菖蒲自酌，但悵望一縷新蟾，隨人天角。」

詞意婉轉哀怨，撩起離人佳節思親愁緒。陳述叔海綃說詞，許為懷歸之賦，引屈原事借古陳今，言家人望己，如宋玉之招屈也，蓋悽惋工麗之作，允稱上品。直令海外羈人，同聲墮淚矣！

清代名家詞造詣之高，超軼元明，直追兩宋，而納蘭容若（A.D.1654-1685）之天資超逸，詞境婉麗淒清，擒摛情懷，尤為一代之冠，其卜算子端午詞云：（待續）

自由人
THE FREEMAN
（第七六二期）
中華民國僑務委員會
僑發登記證台教新字第一第二號
中華郵政台字第五〇〇號
執照登記為第一類新聞紙類
（半週刊每星期三 六出版）
每份港幣壹毫
台北市售價台幣壹元伍角
督印人：陳文華
地址：香港高士威道二十四號四樓
20 CAUSEWAY RD. 3RD. FL. HONG KONG
TEL. 771726
承印者：東南印務出版社
地址：高士打道六十四號
台灣總經理處
台北市西寧南路壹壹零號二樓
電話：三〇三四六
台郵報儲金戶九二五二
海外總經銷：友聯書報發行公司
香港：德輔道中二十六號A二樓

「兩個中國」的可能與不可能

宋文明

自從一九五四年秋天起，兩個中國之說便甚囂塵上。尤其在一九五五年初台峽局勢緊張期間，有關兩個中國問題的爭論成了當時國際外交上的主要專題。自從那時以後這一問題所以能逐漸消沉下來，主要是由於台峽局勢因美國的各種外交措施而漸趨穩定之故。假若一旦台灣海峽再起風波，世界目光重行集中於這一地區，兩個中國問題無疑又將再度被提出。甚至就是在這一表面沉寂階段，在世界各地高階層政治人物的幕後討論中，這一問題仍然佔着很重要的地位。在這種討論中它們所不斷追尋的答案是：兩個中國是一項解決中國問題的有效辦法嗎？兩個中國是可能的嗎？

一、

根據數年來世界許許多多的官方的或非官方的文件和表示，以及許許多多私人的演講和談話，我們看出在兩個中國問題上它們的態度可以分成兩大派。即一派是主張實行兩個中國的，另一派是反對兩個中國的。贊同者以一些反共的西方集團和親西方者為主，認為兩個中國辦法是解決中國問題的最合理途徑，而亦能實行得通；反對者以中立集團和親共者為主，認為兩個中國辦法不僅不能實行，而且也是不合理的。就現時情形而論，似乎贊同兩個中國辦法者略佔上風，在國際間就這一問題經常發表意見者，亦以它們為最多。

二、

在這些人看來，兩個中國辦法的勢必實行和能夠實行，是根據四點重大的理由。即（一）在地理上，台灣是居於西太平洋防衛連鎖的中心，北接日韓琉球，南聯菲島和整個南洋，為亞洲及太平洋安全所不可缺少。正如艾森豪於一九五五年初在致國會的台峽授權咨文中所表示，就為了這種戰略與安全的理由，美國將永不會允許台灣落入對美國及對自由世界非友好者之手。（二）在國際關係上，台灣是今日美國介入西太平洋事務向中共施用壓力的一個最重要的據點和藉口。在整個遠東問題還未獲得根本解決，以及美國和中共的關係還未求得最後的徹底清理前，美國絕不會輕意放棄台灣於[illegible]顧，使它自己就此退出於遠東政治舞台之外。可是要使遠東問題獲得根本解決，以及美國與中共的關係求得最後的清理，絕不是在眼見的將來即能辦得到的事。（三）在歷史事實上，今日這兩個中國對峙並存的局面，已經實行了約近十年的時間。既然能夠存在十年，那麼這一事實再繼續存在十年、二十年或更長時間，也是非常可能的事情。（四）台灣的所以能擺脫日本統治，主要是由於太平洋戰爭的結果，靠了美國的犧牲。因此美國對於台灣的將來及台灣人民負有一種道義責任，絕不能使其陷入共黨統治。雖然在其開羅會議中美國已承認台灣將交還中國，但並未答應將交還於共黨，所以美國有權利對台灣作任何有利於它自己的處置。基於這四項理由，所以贊同兩個中國者便認為這是一項解決中國問題的必然的歸宿，而且祇有這種承認現狀與穩定現狀的作法，才是一種比較輕便與妥善的途徑，除此之外，其他別的嘗試都是費力不討好的。

三、

可是在相反的一面，如尼赫魯，英國工黨及日本社會黨等，這些反對兩個中國作法者，認為兩個中國在事實上及理論上，都是美國現行反共的外交政策的產物，是一種非正常現象；假若美國一旦決定修改這一政策，所謂兩個中國並存局面便立即消除，絕不會繼續存在下去。這種說法，顯然祇看到問題的一面，而忽視了問題的另一面，祇看到美國支持台灣這一政策的作用，沒有看到美國何以要支持台灣的根本原因。正如上述，當那些美國支持台灣的根本原因仍還存在時，美國就得繼續兩個中國的作法；如是即令外界反對再厲害，也是無濟於事的。

四、

那麼兩個中國是真正可能嗎？就現在和眼見的將來說，這是可能的；但從長遠的歷史眼光去看，這又是不可能的。假若把兩個中國作為一種過渡時期看，現在就是如此；但要作為一種長久的理想，則又完全不然。

何以在長遠的意義上兩個中國是絕不可能？一言以蔽之，這一根本問題就是：台灣不是一個民族單位。一個獨立的國家必須具備一種民族的基礎，必須具備一種獨立的文化，包括自己的語言、文字、風俗習慣和宗教信仰等。而台灣沒有它自己的歷史，沒有它自己的語言文字，風俗習慣，宗教信仰，更沒有民族學上的差異，試問它如何以能成為一個獨立國家呢？中國之於台灣的關係，絕不同於印度之於錫蘭的關係，和希臘之於塞浦路斯的關係，也不同於法國之於科西嘉和義大利之於撒丁尼亞的關係。以上這些島嶼在形式上雖有點像台灣地位，而實際則絕不相同。何況科撒兩島久為法義領土，塞島現正要求與希臘合併中。甚至退一步說，台灣之於中國的關係，還不同於新疆和西藏之於中國的關係。新疆和西藏雖久為中國領土，但還有少數民族問題存在，並具有不同的歷史背景和文化。縱然如此，新疆和西藏並未脫離中國而自成一國。所以在長遠意義上台灣不僅沒有條件成為一獨立國家，而且連成為一中國的高度自治區也不可能。台灣人是百分之百的中國人，台灣為一百分之百的中國正式行政區的一部份，在此情形下，試問兩個中國如何可能？既然在根本上兩個中國為不可能，那麼若要強行建立兩個中國，就得長久保持現時台灣海峽這一緊張的軍事封鎖狀態才行；否則，祇要任何一方不願接受這一兩個中國的事實，而對他方開放大門，無限制允許其人口與貨物的自由進出，則這兩國並存的事實很快就會消除於無形。

五、

所謂兩個中國者，其含義之一便是台灣與大陸要互相承認其主權獨立之意。換言之，台灣要承認大陸被中共統治的事實，中共要承認國民政府繼續存在台灣的事實。這對兩方說，都是一個可怕的想法。要中共承認台灣獨立，就是要它付出重大的政治讓步；要國民政府接受兩個中國，這就是一種政治上的死路。我不相信台灣方面會接受兩個中國的作法，也不相信中共會接受這種作法。因此假若有人以兩個中國作為它的外交政策，這一政策最後一定會徹底失敗；若有人以兩個中國作理想，企圖建立垂統萬世的帝業，作獨善其身的長久打算，這一想法也是愚蠢不過的。

半週述評

關於對日本外交問題

中日兩方朝野人士剛剛在東京舉行甚末「合作策進會議」，彼此高談其親善合作之[illegible]之後，日本新內閣的工商、外交大臣，以及內閣秘書長等，即相率發出要與中共偽政權親善結交的主張，這不啻是對「中日合作策進會議」的一大諷刺；也就是我們對日外交的一大失敗！

凡屬稍為明瞭日本民族性及其建國史跡的人，都知道日本的政治，是比英國的現實主義更短見而淺陋。因為英國人講現實主義，還有他們的一種政治理想——對不對是另一問題——日本人卻完全以趨炎附勢為原則，決無政治理想可言。日本人在戰後依然瞧不起我們，更輕視韓國人，但現在他們不特對中共的暴力政權表示敬畏，即對南韓亦小心翼翼，不肯稍事妥協，連一個民間組織的「亞洲反共聯盟」，亦始終不贊成邀請日本參加，指斥它的外交政策是兩面人作風，羞與為伍，而日本人對南韓亦就刮目相看，不敢小覷哩！

我們對日本一味地自作多情，處處表示親睦幫忙的言行，然日本政府打從解除盟軍管制生活之日起，直到現在，幾曾見有對我們表示過一點親善結交的誠意呢？這是重新估計對日外交政策的時候了。

先要自我檢討

現階段我們在國際上是處於弱國地位，外交政策應以爭取反共抗俄的友邦為第一義。日本乃是容許共黨合法存在活動的國家，我們的對日外交策略，自須以爭取日本社會各界人士的廣泛同情為主，即所謂國民外交是也。

可是，戰後我們的對日外交作風，在盟軍佔領時期，只求結好美國人，他非所顧；迨日本獨立後，但知從事官式外交工作，一板一眼，墨守常規。更糟的是一個駐日外交機構中，大小職員真正懂得日本情形的，殆如鳳毛麟角，即通曉當地語言文字的亦不多覯，暮氣沉沉，除卻等因奉此辦理官式外交工作外，祇好抱着「多一事不如少一事」的宗旨，敷衍了事，而內部人事之不協調，尤為習積相沿，匪伊朝夕的不良現象。似此情形，加以日本民族勢利成性，日本政府對華外交政策之採取兩頭蛇動態，可謂勢所必至，理有固然。

今後應該注意之點

第一是要加強國民外交工作，其道甚多，非短言所能盡，但有一前提可以肯定，即担負國民外交任務的人，必須有相當的知識修養，能對反共抗俄問題從學說思想到國際關係，系統地說得出一番道理來，教人發生共鳴之感，只知唸反共八股，罵「可殺的共匪」這類人才，日本人決不感興趣的。第二是事權統一，分工合作。許多機構亂派些人到日本活動，彼此互不相謀，而且互相掣制，這真是敗國之象，為甚末不能教這般人受本國大使的指導監督呢？第三是澈底改組整頓駐日大使館，把舊有那些惡習怪象，掃蕩廓清，遴派幹員承其乏，予以應有的權力，給以足夠的經費。非如此，我們跟日本的邦交，那就只有日益惡化而已。

雷嘯岑

出版法修正通過以後

雅斯

出版法修正案在輿論抗議，立院爭辯，政府預期之下通過了。一般想法，這固然可說是表現政府或執政黨在立法院有足夠影響的力量，但也可說，表現了這個最高民意機關並無足夠（雖然還有一部分立委力爭）反映民意的作用。自一方面言，一個執政黨擁有控制國會的力量，固屬必需；自另一方面言，一個政府的政策與輿論對立，卻不是一種好現象。

然無論如何，此案通過公布以後，政府有一項控制輿論的利器在握，祇要當局，具體言之，祇要內政部或市縣政府，甚或任何能夠影響該法主管官署的勢力，都可扼殺當局所不滿，但不一定是不正當的言論。

這是一個現實問題：在目前情況下，政府的措施與輿論間顯出有若干距離，言論愈是本諸良心發言，往往愈加易于招致當局的不滿；反之，若完全一味為當局意向立言，那就不成其為輿論了。其間尺度的標準，僅在分寸之間耳。若照出版法第四十一條所列情形之一，尤其是其中的第（一）項，事實上如何衡量，失之毫釐，差以千里，儘管言者意識，而聽者不快，這樣，輿論勢必有動輒得咎之慮，民意的反映幅度，將必愈縮愈少，否則必然是政府與民意之間的距離，愈來愈大。從這一點言：出版法的修正，其實際後果，可謂得不償失。若謂當局並無限制言論之意，則關于該修正案自提出以迄通過的種種措施，顯得如是神秘緊張，又是所謂何來？若如內政部的解釋，謂該案的修正單純是為了限制黃色新聞而非為限制政治性刊物的言論，恐怕難于令人置信。

此刻我們不必再作關於該案收回成命的任何呼籲，因為趨勢是不可能的，我們也無須請求政府今後在執行上放寬尺度。因為如果是一個政府是一意孤行，縱使沒有什麼勞什子出版法，要封鎖一間報館，扼取任何言論自由，原是何患無詞的；否則縱然利器在握，也不會用在一個忠誠勇敢愛國的言論者身上。

當然，平心而論，當茲國難時期，國人感于反攻希望渺茫之際，言為心聲，要求其不致觸犯政府之異者，勢有所不能；執筆者唯有本諸良心而已，否則什麼刊物不辦也罷，還要執筆爬字格自討苦吃做什麼？但是，倘若一旦足以反映民意的言論刊物都給關門大吉，使台灣自由中國平靜得鴉雀無聲，剩得幾間官報，替政府傳遞消息，那又豈是一種好現象。

此刻再談出版法應否修正，也是多餘的，不過我們總覺得：依憲法第二十三條的規定，是除為防止妨礙他人自由，避免緊急危難，維持社會秩序，或增進公共利益所「必要」者外，「不得」以法律限制之。其基本精神是在「不得」二字，據此，與其解釋是有上述情形「得」以法律限制之，謂為採用大陸法系的預防制度；毋寧應當看作近乎英美法系的追懲制度。覬于制憲時對關于各項人民基本權利的條款，是將五五憲草原文的「依法律」字句刪除，而且記得當年還是經過一番激辯後才刪除的；可見現行憲法是偏于採用直接保障主義。至于二十三條所稱「必要」云云，雖若干官方言論曾經透露是政治上「事實」的需要，及「戰時」的台灣的需要，但依內政部的解釋，純「為取締不良之黃色刊物，免致影響民心士氣。」當然我們衷心主張黃色刊物無論戰時平時都應嚴加取締，而黃色業者也該反躬自省免為害羣之馬，但當局取締的方法儘多，又何需小題大做，牽動到整個言論自由問題，殊不可解。

我們要提醒當局注意的是：此時此地，台灣足以維繫人心者，除反攻的憧憬外，就是民主團結與言論，我們殊不願全國上下因了什麼勞什子出版法的爭論，致打破這幾件自由中國的法寶，甚至牽涉到憲法的尊嚴與民意機關的聲望。言論者固應自省，審慎戒懼于言論自由的正當運用，而當局尤其應慎用這一個足以扼殺言論自由的工具——出版法。因為譬如說，原子能的威力夠大，用于和平正當用途有利，用于戮殺則大害！

（六月廿三日）

東京與台北之間

寰懷

〔台北通訊〕日本岸信介內閣，對「中國問題」之態度，一變再變，先則倡「政治中國」和「經濟中國」——附和「兩個中國」之說，近則內閣閣員竟有謂認定大陸與台灣爲兩個獨立國家者。

雖岸信介本人及外長藤山愛一郎，曾有表示，不承認中共，但內閣閣員之輕率表示對「中國問題」之態度，無疑已說明岸內閣的「對華政策」，是既不誠懇而又驕驕的。內閣閣員與首揆間之發言語意含混不盡相同，亦不過「如表演雙簧之角色。實二而爲一，並無不同。

當岸信介解散國會，舉行大選前後，日本看守政府在岸之領導下，曾因中共拒絕與日本繼續貿易關係，而使台北政界部分人士表示欣慰，認爲從今以後，日本得此教訓，將會改變其對「中國問題」之態度，及至自民黨重掌政權，岸信介二次組閣前，此種樂觀之氣氛，有增無減。然則岸內閣正式組成後，新內閣之「對華」態度，實不僅仍未放棄其舊調。從某種角度來觀察，且在從事積極謀與中共打開貿易僵局，甚或有不惜接受某些政治條件之可能。至今此間以前若干懷抱樂觀觀點之政界人士感覺迷惘。復由於若干宣傳上之失當，在一度強調日本與自由中國關係如何密切之後，而突然遭受到日本曖昧態度之刺激，也使民間一般對官方之宣傳和樂觀，深覺悵惘。

其實就目前之情況觀察，日本之「對華政策」，不可能有鮮明之決定，任何不切實際之宣傳，徒然在民間造成一種不實之感，而此種印象反映到日本，則成爲一種笑談。尤其是像目前的日本，在兩黨政治下，對外政策富有極大的彈性，任何粗淺之樂觀宣傳，實不足以補實際，尚望當道諸公能多冷靜三思。（李審）六月十九日

此風不可長

——爲遏止翻版盜印而呼籲

楊海宴

（台灣通訊）筆者一直側身於所謂「文化工作者」之列，不過我出的書恐怕永不會有被書商翻印的榮幸的，所以這篇文章由我來寫，似乎個人動機很少，弄得好，甚至還沾上一個「仗義執言」的帽兒呢，我是樂得幹了。

話說近來自由中國的台灣，怪門徑特別多，尤其是弄錢的門徑，各種新行當新花樣愈來愈多。而被列爲文化事業的書籍商人，腦筋尤其靈活，先還是在「死人頭上動腦筋」，把一些在大陸上出版的文學名著譯本，改動一下譯者的名字，換換封面，甚至栽贓抓個譯者出來，煞有其事似的在書的首頁部份寫一篇譯序，繪聲繪影的說這是新版（如托爾斯泰的「戰爭與和平」）。其他像徐志摩、盧隱、朱自清、許地山、郁達夫等人的作品，也都被各書商爭相翻印。其中有的翻印得不壞，還可以沾上一點傳佈文化事業的大理由。但大部份的翻印本，都是紙質粗劣，印刷模糊，內容竄改（如發現書中有某段與現時國策不合的，則密藁不印），甚至頁序倒置，篇章隨意抽掉，看完後令人又痛又恨。因爲這些書商們，一是皆以牟利爲本，是無所謂道德責任的。且他們又都是眼光如炬，洞燭機先，凡是有利可圖的書，不論內容好壞，似乎都難逃他們翻而印之的厄運；甚至還有把大陸出版的書，也弄來改頭換面的翻印出來。像最近大陸上出版的漢英英漢辭典，此間市面上就找得到它的翻印本了。書商們這樣做，既方便，又賺錢，怪愜意的。

這種盜版翻印的風氣，由來已久，只是到今天更其熾烈起來，先還祗是「在死人頭上動腦筋」。大概是甜頭吃得入味，於是益發猖獗起來，過活在他們身邊的作者的新出版書籍，也老實不客氣照翻不誤了，大至于蔣總統著的「蘇俄在中國」，小至兒童讀物的連環圖畫，都被重重翻印，而其中「蘇俄在中國」的英文譯本，版權已讓給美國人了，但我們的書商仍是翻而印之，這就把臉兒也丟給外國人看了，很不得體的事。最近王藍新著長篇小說「藍與黑」出版，發行以來，銷路極佳，也被書商們看準大量翻印圖市，作者親自出馬請求有司當局究辦，纔由刑警總隊在台南查出一個專門盜版翻印的集團，並且建立有極嚴密的發行網，規模很大，可以想見這是七十二行以外的一行，而且是很賺錢的一行。這次王藍親自出馬，滿以爲抓到翻印主犯了，必可懲他一下，但他抵賴堅不承認，問他這些翻印的僞書是那裏來的，他說是從行商批來的。這人就是以前翻印尹雪曼編的「名作家書簡」的陳麒麟，那次尹雪曼曾經告到法院，這位法官可能極爲服膺「訟簡刑清」的，當場對原告被告說：你們都是大陸人，大家逃難，爲生活，還是和了罷。這次「藍與黑」的翻印，又落這位仁兄頭上，並且毫不在乎。像這樣的著作權益毫無保障，似乎對於助長盜版翻印風氣，是一莫大鼓勵。

我們的出版法原有保障著作權益的條例，每本新書出版的封底，都印有「版權所有，不准翻印」字樣。但今天的翻印風氣，不僅對這幾個字視若無睹，就是眞正弄到法院去了，他們也不以爲有什麼大不了得，頂多照章處罰，也不過是罰五百個大頭，折合官價新台幣僅一千五百元，若合港幣才只二百元譜，翻印一本書何止賺這點點，罰就罰吧。書商們認清了這層，無怪大翻而特翻呢。若就遏制現在的翻印風氣來說，現行出版法這個漏洞，似乎也宜補補。

像蔣總統、胡適之先生一流人物，他們固不必靠版權來吃飯，書商翻印他們的書，看準了不會有麻煩，而他們也寬大爲懷，不願計較。但若是一個身外無長物，而全靠「筆耕」爲生的同文，辛辛苦苦經營之的寫出了一本書，千幸而有一點銷路，卻被書商們翻印，這不形同搶人衣食，扼人生路嗎，這實在太殘忍了一點。並且作爲一個現代的文明國家，司法似乎有義務保障這點權益不被侵害。著作權無法獲得堅固的保障，極易流致僞本氾濫，斯文掃地，而一個國家的文化基礎，也就很有可能從根本上受到動搖的危險了。故區區不辭人微言輕之譏，儼然在這裏向有關當局來呼籲一番了，個人相信必很快的就有會改善的措施出來的，讓咱們塡格子的朋友，大家歡呼以待吧！

台南點滴

引起海內外輿論反對的出版法修正案，南市包括記者公會四個人民團體（即議會、教育會、記者公會）昨竟也去電立院支持政府立場，說「此次政府修正出版法，俯順輿情，[illegible]至爲允當」，電文大同小異。如出一個模型。[illegible]旨在取締黃黑色新聞，保障正當新聞事業」，要比台北市四家日報[illegible]有過之而無不及，確有點令新聞同業，感到莫明其妙。（六月十四日）昌滄勸

論軍中文藝工作

蔡俊光

五月十日本報第七四九期刊出了一篇台灣通訊，題爲「活躍在五四紀念中的文術界。」它除了詳盡報導當天胡適之先生在紀念大會中的講詞之外，還特別提到陳紀瀅氏當在中央日報上以星期專論地位刊出了一篇「五四」紀念文章，其中述及他五月二日在文協會上提出「一項出人意外的事實」：就是近年「推動自由中國文藝工作的主流是軍中而不是社會。」陳氏指證：「大半數現已成名的作家，都來自軍中」「年靑而優秀的靑年作家，正陸續由軍中產生」。跟着，軍人主辦的「軍友報」在「五四」那天的社論中也就立即支持陳氏的論點，提出了不少的佐證，說最顯著的，例如某機構創辦軍中文藝函授學校，數日內報名者即達七萬人云。因此，該報於興奮之餘，在那篇社論中乃進一步提出要求：「形成一個新的文藝復興，由軍中影響到社會，一如四十年前之由學生影響到社會。」

看了上面這些通訊報導，使人知道，作爲今天自由中國復興基地的台灣，軍人們大都熱烈嚮往於文藝，喜弄筆桿。在一方面看，確也彌感欣慰；但在另一方面我們以一個流亡海外的中國人身份說來，對此，心理上的反應卻大感異樣。

道理淺顯不過，這些赳赳武士，他們本來的最高任務是殺敵致果，反攻復國，其他從次要而已。是的，言爲心聲，心有所觸，筆之于書，情所必至，理所當然；然而文弄墨究非軍人的本職，倘軍中文風鼎盛，實非正常現象，甚恐其志分而意怠乎。易困象曰：「有言不信，尚口乃窮。」孔子繫辭亦云：「非所困而困焉，名必辱；非所據而據焉，身必危」，這都是教我們身處困窮時，務當沉着實幹，謹守崗位，才可轉危爲安，打出一條生路來。班定遠嘗言曰：「大丈夫當立功萬里外，安能久事筆硯間乎！」我們此時此地，允宜三復斯言啊！

星洲特約航訊

關於「顛覆分子」被禁參加大選

逸儔

新加坡首席部長兼赴英談判代表團團長林有福於月之十六日由倫敦載譽歸來了。民衆之赴機場迎候者，盛況空前。這可見新加坡人期望自治的殷切。我想，每一個歡迎者的心坎中，都急切想知道倫敦談判的經過，和實施新憲制的確期。然而，他們還是抱着同樣的心情回去。

林氏在歡迎會中說：「我因患病，現還未痊可，不能多說話。但對於此次在英談判憲制結果，以及明年如何實現內部完全自治的步驟，將會在二星期後勞工陣綫舉行會議時作詳細報告。」這樣，歡迎的人們便不能不再忍耐兩個星期了。有某君在會後對筆者說：「不算得晚吧，假如他眞個能夠在兩週內訂出安全可靠的內部自治步驟，我們還該慶幸呢。」

最受人關注的問題

林氏雖然不大方便說話，但仍然於會後招待記者，並答覆許多問題，如：如何達到星馬合併；被扣留的顛覆份子和他們不許參加首屆大選；工人黨要求現政府辭職等，都是些傷透腦筋的問題。也許記者們所要探詢的祗是接觸到問題的表皮，而不是全面深入，所以林氏沒有因「病」而把問題圓滑地答覆過去。

這些問題中，最受人注意的是第二項，因爲它關連到內部自治的能力和國家的安全。

倫敦所担心的一着

戰後的英國殖民地政策比較開明的，願意扶助殖民地獨立，對於新加坡自然也一樣看待。有些國家在獨立以後，人民對英國所表現的態度還是不滿，甚而有極端左傾的趨向。根據這次倫敦談判的結果，很明顯地看出英國担心新加坡的前途會走向共產主義，所以憲制草案有禁止顛覆份子參加首屆大選的附項。後來雖經新加坡代表團據理力爭，結果仍然是換湯不換藥，刪除憲制草案這一附項，而代以英女王的敕令執行之。這一着，就說明了英國恐怕那些知名的顛覆份子一旦參加競選，所有其他民主黨派的候選人都會遭遇到慘敗。新加坡市議會的選舉，就是一個類似的例子。

李光耀的談話

代表團中的左翼份子李光耀在倫敦談判歸來後，就有過這樣的談話：「……如以余所猜料英政府的用意，如任何人因參加傾覆活動被扣留者，不能參加競選，則應付之辦法甚爲簡單，如：吾人獲勝後，出組政府之前，吾人將釋放本黨的某些黨員及領袖，如是，彼等已不再被認爲參加傾覆活動，當不受該附加條項之束縛，便不能禁止彼等參加補選。如該附加條項連補選亦禁止彼等參加時，吾人只好採取其他辦法，包括再來一次大選。」這不是很露骨地說明極端左翼人士正運用其機智以打擊英國嗎？甚至使已知名的顛覆份子也有掌握政權的機會。

林有福的談話

因此，當林有福氏被提詢這個問題時，便格外受人關注了。他說：「吾人所扣留的人士，完全是爲了地方的安全及利益設想。吾人將彼等扣留並不是要討好英殖民部，因爲國家之安全，實較任何一個政黨之利益爲大，勞工陣綫，甚至吾人之華巫同僚亦全爲此而爲國家服務。」林氏的話，十分得體。他不特說明扣留顛覆份子不是政黨之爭，亦不是出自殖民部授意，同時更暗示爲了地方安全，不容許有顛覆活動。

這雖祇是片段的談話，我們已可推想到新加坡政府在未來大選前，將會有週全的部署，而另一方面，亦可能有針對的醞釀，且看後事如何吧。（六月十八日寄自新加坡）

讀者論壇

讀蕭平先生「國文第一」有感

杜多

「自由人」第七五八及七五九兩期，連續登載蕭平先生的「國文第一」，兼論台灣的教科書和師資問題，鄙人不學，忝居同行，不禁有感於中。

首先談到蕭平先生所論的台灣教科書，內容蕪雜凌亂，不是失之深奧難懂，就是失之膚淺乏味，編排欠妥，錯誤迭出；這是絕大多數國文教員共認的，毋待多說。師資素質不齊，有些標準太低，更是無可否認的；連我自己也是那「大雜燴」裏的一樣粗菜，固不在話下了。

不過談到「國文第一」，卻使我感慨不置！試問今天台灣得一階層，每一角落，究竟能有幾個人會眞的認爲「國文第一」？請余不信，請看以下的情形罷。

（一）自小學以至於大學（除國文系外）的學生，對於語文科大都是到考試時才看看什麼「複習指導」，「考試指南」之類的東西，應付應付而已；國文不受學生的重視，是普遍的現象。（二）學生家長爲了子女升學，往往不惜重金聘請家庭教師，但是所聘的，幾曾聽說過有聘請語文家教的；國文不受家長的重視，也毋待煩言了。（三）至於社會方面，更是一言難盡了，簡單地舉幾個例子來說明：大人先生談話時常常竟會白字滿口，下筆時竟會錯字連篇，例如事情棘手的「棘」字，往往讀成「辣」字，鬼鬼祟祟的「祟」字，往往讀成「崇」字；至如「刺」「剌」不分，「丐」「丏」混淆，那都毫不稀奇；但是並沒有人敢說他不對，更無礙於他做大人先生。其次，大家都是中國人，雖然中國話講得並不漂亮，中國文寫得並不通順，可是彼此談話的時候，偏偏夾兩句洋話，寫信的時候，常常加幾個洋字，表示自己「摩登」，同時也會有人認爲他是滿腹經綸，對他表示敬意。他如商店的招牌廣告，騎樓上的標語傳單，以及一般的通訊文字，到處都可發現錯字；「司空見慣」，更不足爲奇。整個社會不重視國文，于此可見。

假如有人會高呼「國文第一」的口號，恐怕也就是蕭平先生自己和我輩「不識時務」的少數國文教員吧？蕭平先生最後說：「不能自最高當局號召始，僅以各校校長嘴巴上的口號終」，我說號召儘管號召，學生國文程度的低劣還是低劣；事實上，一些敷衍公事的做法，如開開有名無實的展覽會之例，並不能提高學生的國文程度，更不足以把國文的地位提升到「第一」。我更不相信校長們大都會喊出「國文第一」的口號來，可是對於學生國文的好壞，不一定皆有關心的必要；而且什麼是好，什麼是壞，也未必會很認眞，自找麻煩！「國文第一」，恐怕祇成爲一些國文教員的口號罷了！

從正被圍攻的「新人口論」說起

鐵幕真相

●衣羣●

大陸千萬飢民嗷嗷待哺，弄得節育這件事情在宣傳得太過那個的場合裏，恐共病患者似乎鎮靜些，覺得鴕鳥又有躲藏的去處。中共人口壓力疾速增加着，這不是迫令共黨世界鬼打鬼的一大危機麼？

美名記者的看法

美名記者列斯頓本月九日在麻省威士利學院演說時，預料蘇俄老大哥在公元二千年之前，將與北平毛潮拚個你死我活。這個看法，誰也不敢判明是否準確，但是列氏的推論顯然離不了人口，資源及其工業化的進展對莫斯科威脅的可能因素，就中以亞洲人口激增而論，蘇俄也開始感到不安的了。

這樣看來，馬爾薩斯主義又派得着用場，怪不得北京大學校長馬寅初這些日子備受圍攻；共黨正向他的「新人口論」開刀，斥責他藉人口問題，主張多搞中小型工業，好得安插過多的人口，而致中共的未來高度工業化被拖住了。換言之：「新人口論」有礙共黨厲厲於發展備戰計劃所必需的重工業條件之完成。中共最怕人口論，認爲人口的增加，是按等比例，即按照幾何級數增加，而食物則以等差比（算術級數）增加罷了。馬爾薩斯當年對今後三百年的人口的看法如此，其實在放射性同位素的應用觀點看來，此一比例大有修正的必要，但是馬氏的立論依然有據，否則今天的中共用不着那麼忙亂，越吃越不夠！

科學上或某科學理上的推論與政治陰謀往往背道而馳。儘管中共在厲行節育，同時抨擊馬寅初的人口新說，毛澤東還是說人口多對中共的未來統治有大利。被奴役的人數越多越有被奴役的效果；一旦大戰再起，祗要不敢動用核子武器，則人力及其軍事化的運用，便成爲制勝的一大因素。此毛酋之所以不愁人多吃不飽的困苦事象，在可見的將來老是「理還亂」的！

中共區人口，就業，生產與重工業的建設構成了最繁複緊張的情狀，掀起了大陸內外許多困煩問題來，長短期間的兼有。目前北平加緊奴役人民，光受人口壓力，就非鼓起「幹勁」不可，否則再活不了的人數一多，造反必成的啊！何況共黨強迫人民流汗，一切爲了備戰，這又惹起強勁的遠慮和近憂來。這種性質的憂慮不該祗之爲杞人憂天。前美副總統蒲萊士在一九四八年以進步黨首領競選美總統失敗後，退隱園林，本月十一日忽的心血來潮，說二十一世紀將是「華人世紀」；他本人相信蘇俄會和西方結盟，以應付落後國家的「人口爆炸」。他既說中共區人口的激增，將陷蘇俄於窘境，又說中共區的人民將擁有極龐大的能力，這樣說來，陷於困煩中的，將不祗是蘇俄，更不能說那時還是落後區域人口的激增，而廻視之爲人力，資源及工業三者屆時均告高度軍事化的威脅！這份威脅僞的威脅到蘇俄本身，何以莫斯科事先並不預爲之防？蓋危才與西方結盟，那麼，自由世界又何不任令蘇俄給中共吞噬完了，不更妙嗎？難道莫斯科不明白中共，且具有那個威脅，正好是共黨世界大進軍之日，一吓子打倒資本主義，不更好麼？蒲萊士之流一厢情願，自我陶醉的看法委實可憐得很！列斯頓認爲我們這一代及身見不到大戰，但在未來四十二年內，即公元二千年大關尚未跨越之前，一連串小戰爭，例當出現。他又以爲這期間，驚人事故或者會發生，所稱中共與蘇俄大打出手，動盪開闢，令人狐疑的基本因素，還是要深深地潛伏着的。

第一、即使中共有一天強大起來，國力比蘇俄更強大的話，它竟然一愚至於與莫斯科爭先來一個決鬥？這是不可思議的。第二、如果屆時的中共敢冒險進攻蘇俄，比蘇俄更怕觸發核子大戰的西方，不就是中共進攻的好目標麼？莫斯科裁決中共屆時突襲自由世界，更有用的理由來和西方結盟，共同抵禦中共勢力向外擴充呢？

第三、假如蘇俄由世界乃至西方的當權害怕北平的常備兵力而又不敢動用核子武器的話，中共實向蘇俄大伸，光是以上之點，已足以推翻中共將與蘇俄大戰之說，而蘇俄被迫與西方攜手以對付中共看法。中共既然受人口壓力，大有透不過一口氣來之苦，否則明知今大人口和毛澤東的勢力以將奴役的人民去叫那些奴役的人民去節育的。人口出生已形成了一如脫韁之馬的危局，北平目前捨奴役於生產外，實在沒有他途可循！大陸到處飢荒，但「新人口論」抑非積極備戰計劃的受阻。當心「人海戰術」再逞兇日子的來臨啊！（一九五八，六，十四。）

國際動態拾零

△美國海軍當局，認蘇聯漁船，越過紐芬蘭，並無破壞行爲。許多年來，蘇聯漁船皆在這一帶捕魚，海軍照例予以監視。最近新聞的喧擾，不久會平靜下來。

△最近對蘇聯貿易，應否開放一節，爭論頗烈。國務院主張稍加放寬，而軍事當局與中央情報局，則極反對。英國則表示嚮美國，謂此後將不受任何禁運限制，除非是純粹的軍事物資。

△聯邦儲備銀行當局，對商業繁榮之展望，仍極悲觀。他們認爲除非工業界大大減低物價，始可做到。惟財政當局，則不以爲然，他們認爲減低物價，不會解決問題，或甚至結果與預期相反。

△杜爾斯認爲蘇聯接受美國之核子專家會議，或許有誠意在內。依過去經驗，蘇聯絕未要求中共加入任何國際會議，此後是否改變態度，亦殊難說。

△蘇羅德將接受共和黨提名爲紐約州長。他一直不承認，但前共和黨全國委員會主席哈爾已代爲宣佈了。

△以農業繁榮之故，共和黨預計將在農業地帶，多取得眾議院六個議席。這是在中部，所謂穀倉區。

△國防部改組案，艾森豪總統欲將文生之修正案取消。他已得全國政界商界有聲望人士之支持，影響眾院，促其通過所提原案。

○陶然。

竹幕秘

納吉之死！

●田心●

本月十七日，那位曾在匈牙利領導作「狄托式」革命的領袖納吉終於被處死了，一般皆認爲，這可能是蘇聯集團的某些政策轉變的開端，似應予以着重的討論。赫魯曉夫在保加利亞黨代表大會上說：「一九四八年情報局會議通過一項『關於南斯拉夫共黨情況』的決議」，……這個決議基本上是正確的，以後，在一九四九年到一九五三年南斯拉夫共黨和其他兄弟黨之間發生了爭端，當時在鬥爭過程中犯了一些錯誤，出現了一些有害于我們共同事業的芥蒂。」——「自一九四九到一九五三年共產集團對狄托及其內部狄托份子的政策，是以一九四九年十一月情報局對南共的第二個決議爲指導的，該決議號召兩點：一、要求全世界共產黨員包括南共黨員在內起來推翻狄托；二、要求各國共產黨展開一個肅查黨員運動，堅決打擊在各國共產黨內部的狄托份子。在這一號召之下東歐的許多同情狄托份子被清除了。但到了一九五六年，卻被形勢壓迫撤消了這一決議，戈慕爾卡便被釋放了出來，許多當年的劊子手似遭到了清算。若從這一段歷史去理解赫魯曉夫的現時的作爲，他有恢復一九四九年對狄托與狄托份子政策的可能，更何況還能以納吉被處死一事來證明赫氏的這種意圖正在開始。

然而若再更進一步觀察，對於以上所獲之一般性的說法，不無有斟酌之餘地。根據納吉被處死前赫魯曉夫在保共代表大會上發言所說：「爭取和平和各國人民安全鬥爭中應當竭力加強各國的合作。我們希望同南斯拉夫聯邦人民共和國也保持這樣的關係。」一節與上一節的一段話連系起來看，可以明白，所謂「共同事業」是「爭取和平」，所謂「一些錯誤」就是指一九四九年情報局決議中的號召打倒狄托，因爲有了這個號召才發生了「共同事業的芥蒂」。甚而影響了整個共產國際關係之不調協。而這樣的不愉快結局無異是一樁重大的教訓。

同時更有比較現實而嚴重的情況是，類似狄托而又非狄托路線的波蘭共產黨，目前正處於尷尬窘迫之境況中，如果莫斯科對狄托之壓力加大，影響所及，可能促使戈慕爾卡被「迫上梁山」，赫魯曉夫自不會不考慮到的。那末，對狄托可能不會再過度強硬了，但是對內部的狄托份子抑可能會更嚴厲些。對那些被肯定爲是在內部反蘇的，就會毫不憐惜加以極刑；納吉就是在這樣的需要下被殺的。但是，納吉被殺已是一個，如果再要找第二個納吉，只有波蘭的戈慕爾卡可稱是一個類似狄托的份子，若要恢復一九四九年情報局對南共決議中的辦法，那末戈氏首先應遭清算。清算戈慕爾卡並不太難，只要駐在波蘭的蘇軍一舉手就可解決了；可是雖然他不會也不可能反對赫魯曉夫，但畢竟還應該有些顧忌，這也就是說赫氏即使要想像一九四九年一般來清除各共產國家內部的狄托份子，恐怕也不容易。

假使真是這樣，那麼赫氏冒各種危險，殺納吉不過是爲的恐嚇戈慕爾卡以及其他的內部狄托份子耳。

王平陵之文藝生活

○袁道宏○

文壇人物

溧陽王平陵氏，去年已滿六十，在自由中國新文藝作家中堪稱老作家。教育部去年的小說獎，他以一票之差而未得。人多惜之，他未嘗介意，且阻止複選，不失其爲奇氣勁節。

今日之「紅」作家很多，實則其作品經得起考驗的如王氏者不多見。氏著作等身，四十年來，始終是文化門士。只對敵人作戰，不計名權，不露頭角，被稱爲「好好先生」者，是其作品足以當之。

他此刻住在台灣景美鎮半山，心情恬淡。他以謙讓寬恕爲目的，從不與人爭名奪利，到台灣九年，沒有固定職業，雖煮字療飢，素不向人訴苦。

他曾有三十年，每日至少抽六十多支香烟的大烟癮。還有以高粱酒當龍井茶飲的大酒量。自四十四年多天由泰國返台以後，烟酒都澈底戒絕了，因爲他已成爲虔誠的基督徒。

在文營圈中他沒有派系，對於國家民族的公敵，決不屈服，三十年孤軍奮鬥，勇往邁進，具有「見小敵怯，見大敵勇」的性格。其從事文藝生活，四十年如一日，茲聞不久有赴美國講學與著作之行，雖有「楚材晉用」之譏，亦時勢使然耳。以下是他自己敍述的文藝生活：

「民國九年，我的處女作「雷峯塔下」，發表在時事新報「學燈」，接着寫了一個獨幕劇「回國以後」，（是婦女問題劇）刊在商務的「婦女雜誌」從此引起寫作的興趣。

民國十一年，在南京美專教書、十三年主編時事新報的「學燈」，十七年在暨南大學中國語文系任教，交遊都是文藝作者，才集中全力於文藝的寫作和研究。

民國十九年，共黨宣傳階級鬥爭的「普羅文藝」，氣燄囂張，不可一世，青年們盲目附和，如瘋若狂，腐蝕中國優秀文化傳統，爲禍至烈。葉楚傖先生首先倡導「民族主義」的文藝運動，力圖挽救頹風。我在他的指導下，担任下列四項工作：

一、創辦大型文藝刊物——「文藝月刊」，每期十五萬至廿萬字，如遇「專號」及「特輯」，常常擴大到三十萬至五十萬字：我從十九年創刊號起，担任總編輯，直到三十一年才辭去。當時，除了左傾作家，凡國內大多數詩人、作家、戲劇家，都曾投寄創作及譯稿，亦幫助了不少新興的作家。

二、民國廿一年，葉先生創辦正中書局，組織出版委員會，他担任主任委員，我是七個委員中之一，主編「時代文藝叢書」，及「新生活叢書」。爲了鼓勵讀書風氣，又推我主編「讀書顧問」季刊，無期六十萬字，大都是譯載各國名作家的傳記，寫作方法，演劇、繪畫、歌唱……的技術研究，並盡力介紹純正的讀物及文藝作品。在文藝叢書部份，有梁實秋的「偏見集」，徐蔚南的「短篇小說」集，陳銓的長篇小說，繆崇羣的散文集，鍾憲民的「犧牲者」，（弱小民族的譯作。）文于女士的翻譯法國名劇「毋寧死」……目的在解消「普羅」文藝的毒素，把美、英、法的名譯，代替蘇聯的譯作。

三、廿四年，共黨及其外圍作家滲透各大都市的報紙副刊，作有計劃的文藝活動。葉先生在中央宣傳部特設「全國報紙副刊及社論指導室」，派我担任主任一職。我即擬訂文藝的指導綱要，頒發全國各報紙，在各大都市的主要報紙，創辦十二個「文藝週刊」，聘請忠貞愛國的文藝作家担任主編，密切適應「民族文藝」運動的需要，執行批評和介紹的任務。在當時發生了顯著的功効。

四、廿四年，共黨運動御用的劇作家，滲透上海各民營電影製片廠，攝製毒素的影片。葉先生派我担任「電影劇本審委員」，非經審查的劇本不能攝製影片。凡各公司攝成的影片必須交「電檢會」按照修正的劇本檢查。才使共黨御用的劇作家無法加進毒素的意識。

五、廿五年，陳立夫先生爲了積極改變電影的作風，特透過教育部，成立「中國教育電影協會」。我担任該會「電影年鑑」的主編，全書共五百萬字，凡關於電影的理論和技術，各國電影與教育狀況，及政府法令，檢查法規，都羅列無遺。

六、廿六年抗戰軍興，即將「文藝月刊」，改出半月刊，全部刊載抗日愛國的作品，特別注意描寫前綫戰鬥的報告文學及軍歌。

六、廿七年，在漢口成立「全國文藝界抗敵協會」，團結全國作家爲「抗日愛國」而寫作。我在抗戰八年中，逐年担任常務理事及組織工作，始終設法不爲共黨所篡奪，而由愛國的作家們佔最大的多數，爲「抗日愛國」發生較有利的作用。

八、廿八年，汪精衞叛離中樞，出走河內，我應「戲劇界抗敵協會」的邀請，編寫「狐羣狗黨」的劇本，在重慶上演一個多月。

九、卅二年，重慶大鬧米荒，奸商操縱。我寫了一個以「米」爲主題的五幕劇「維他命」，給予囤積的奸商，以無情的打擊，此劇曾在各地上演。

十、卅二年，爲商務印書館主編「大時代文藝叢書」廿册，精選各名作家的抗日作品，包括小說、劇本、散文等。

十一、卅四年，在重慶「和平日報」，寫長篇「歸舟返京」，連載一年半。

十二、卅五年，各黨各派妄圖爭權奪利，不勞而獲，因在天津民國日報，撰寫長篇連載小說「國寶」。

十三、卅七年至卅八年多季，担任「重慶文化運動委員會」的工作，在中央文運主委張道藩先生的指導下，努力推動重慶的文運，及文藝的活動。

十四、卅八年多季，自重慶飛台，迄今已滿七年，直接參加各種文藝團體的工作。爲了適應現實需要，曾寫成五個多幕劇，四本短篇小說集，一本歷史小說，二本中篇小說，二本長篇小說，至於過去作品，詳載作品一覽表，（略）共計出版者短篇小說十種，歷史小說二種，長篇小說四種，散文集二種，詩集三種，電影劇本五種，文藝理論五種，其他八種。」

自由談

丟醜的大話

馬五先生

美國防部長麥洛埃最近發表演說，聲稱中東如果發生局部戰爭，迫使美國參預時，即將使用小型的原子武器，這原是所謂「嚇阻政策」的一種大話，而且是假設之詞，世人早已聽膩了這類色厲內荏的論調，當伊嘸介事。然俄共集團乃藉爲攻訐「美帝」的口實，說是要派遣志願軍赴黎巴嫩援助叛黨作戰。這亦是「坐地飽鋒」的虛聲恫嚇，不自今日始的。

可是，白宮當局却大爲慌張，連日來再三否認有在中東使用原子武器作戰的意念，恨不得要跪在上帝面前，賭咒發誓，表明心迹，可謂丟醜到了極點！

中東局勢弄成今天這樣亂烘烘的現象，完全由於美國政府的半吊子作風所致。自前年蘇彝士運河戰役結束以後，美國一身負担着保護中東和平的全責，由國會認可所謂「艾森豪主義」，授總統以使用武力制止共黨顛亂的全權。迨敍利亞事變發生，俄帝爲之助勢，白宮即聲明「艾森豪主義」不準備適用於敍境，狐搰狐埋，這成甚末話？紙老虎一經戳穿，黎巴嫩之亂乃接踵繼起了。敍、黎的變亂，都是埃及納撒仗着俄帝的支持而煽動促發的。美國一會兒反對納撒，一會兒拉攏納撒，這比英法過去對中東的「錯誤政策」更爲糟糕，整個中東可能被「艾森豪主義」斷送掉，同樣的情形，整個自由世界亦可能大遭其「嚇阻政策」的殃哩！

最近五六年來，自由世界在美國領導之下，除却領土日益緊縮，人心趨頹變萎靡以外，究有甚末成就可覩呢？早已宣告破產的「嚇阻政策」再不放棄，匪特中東的局面不堪設想，美國本身亦將陷於孤危之境，連奢說原子武器大話的資格亦沒有了，可憐也已！

漫談拉屎

慕容羽軍

在香港，生活上的每一個細節，都天天講求改進，譬如拉屎，幾十年來也有了若干的改變。要在拉屎方面發發「思古幽情」，就得從「窗樓」談起。

香港的新樓與舊樓之間，除了高矮不同，材料不同，無人敢說舊樓實是進步之外，頂要的一項，就是拉屎的設備有了眞正的進步——當然，這是指中國人住的新樓與舊樓區，而不是指西人住宅區或「高等華人」住宅區。舊樓住客最感痛苦的，便是每日用木桶來「倒夜香」的，因此，每天都要人來淸理出去，政府方面就多了一項「糞政工作」。說到這一些「社會學家」說：糞政工作人員有階級工作問題，因爲有糞人淸，負責去淸的人，在心理上免不了會生出了一種「不平」之感，如果有人想擺動階級科學，最容易入手的就是「糞政工作」人員云云，這些話聽來也言之成理。還是我說，你和我都不願見他這種工作的心理，不過，中國人就有一副敬業樂羣的鼓勵，對任何事情，做了下去一定滿識下去，保不定這種職業還會父傳子，子傳下呢！

忽然，我又想到了鄉間的情形來。在鄉間，替人淸糞還得拿錢給人，未知就心這個問題的「社會學家」有沒有研究過這一現象？鄉間的農人，常常推了手車或牛車，到市鎮去替鎮裏的人家淸糞，其實是買糞，一擔糞在當年所值，約相當于今天港幣兩元左右。畢竟，都市和鄉間是有所不同的，都市由于淸糞有問題，所以公廁就特別興旺，九龍的油麻地區、深水埗區，公廁特多，香港還邊，灣仔、中環都有。如果說得嚴重一點，它是代表了一種經濟問題的面貌和結果，那就不僅是祗包括「社會問題」那麼單純了。

在都市，拉屎可以坐到水廁的木兜上，一戶人家如果拉屎的人時間沒有紙觸的話，坐在裏面悄悄地看看報紙，也是樂事呢！在鄉間，因爲鄉下人要利用糞便做肥料，所以開闢一個大水槽，槽內儲了水，人們就蹲在槽旁拉屎，由于糞便和水攪混得烏烟瘴氣，蚊蠅和蛆虫一堆堆，一走近廁所便是嗡的一聲，蚊蠅撲面飛來，你一面拉屎，它一邊吸你的血，拉完了屎，少不免遍身瘙癢。至于吸入鼻中的異味，更不消提了。不過，說來也很奇怪，我國有一句成語「如入鮑魚之肆，久而不聞其臭」，鄉居生活的人習慣蹲在「水槽」上，久而久之，似乎對異味並無特別的感覺，科學一點說，這該是「慣性定率」的現象。

前些時，我曾讀過一位醫生在一家雜誌上寫的一篇隨筆，他帶有「考證」的口吻，談到「揩屁股」的用具，他指出大多數地區的人是用草紙，最後他以奇怪的口吻記述某些鄉間用竹片或瓦片刮屁股的。對于那位醫生的驚異，我倒覺得很平淡，在我來說，我住的家鄉附近的鄉村，那揩屁股的全部是竹片，它叫做「籠白」，我小時候到家鄉去，人們都說我們老家實在太窮，因爲他們沒有預備草紙，也「入鄉隨俗」，用硬硬的竹片來括屁股，少不免是有些痛苦的，我就由于這個原因，[illegible]

[illegible]鄉人來把它淸去，多的時候一枚銅錢，少的[illegible]這些錢，就成了我們姊弟的零用錢。遇到淸糞，就收到錢了，收入了些好吃的東西回來，口裏嚼着，家裏的人就說我們在「吃屎」[illegible]

[illegible]算是我們家鄉最文明的方式。[illegible]創作了在我所見到的交通工具上，拉屎所用的設計要算火車上最沒有公德心[illegible]

關于拉屎問題，近來我發覺拉屎用的廁紙也進步了，據說這種「進步」可促進拉屎時的快感，和增進心理上的美感。這是一位美術的朋友告訴我聽的。因爲近來的廁紙，由原來的白色，進步到有各種顏色了：其中以粉紅色和蛋黃色的功用最大。那位朋友說：如果大便不暢，拿了蛋黃色廁紙在手，一在心裏上能幫助大便暢通；在廁內無聊，手裏拿着粉紅色的廁紙也能增加愉快云云。我想，說這話的人不免有點生意經，正如前面那「社會學家」一樣，他們專靠把問題拉到和自己的學識相有關的方面來研究，以爲精研。不過，話也得說回來，手拿粉紅色的廁紙，心裏頭有點愉快的感覺，原因是過去的廁紙都是粗糙的，或是用稻黃而粗糙的，彷彿有點齷齪，迷惘……甚至厭惡。

于斌主教近作三首

·蔣清華·

于主教在美爲自由中國活動的消息常有所聞，惟獨他的詩不常見。茲承于主教自美寄來近作三首。一爲「讀『歲暮傷逝』有感」，係寄和筆者的悼亡詩而作的；一爲「悼丁月波」；一爲「寄清華教友」。茲將原詩影印寄呈貴刊，俾讀者得以一睹于主教之手筆與近作也（六月九日）

好人好事

符兆祥

現實小說

第二天，中午下班的時候，李主任滿頭大汗的回來。

「你看你，」李太太看他那慌張樣說。

「太太，壞消息！」

「怎麼？」李太太不明白的問。

「聽說監察院要派人來調查……」

李太太一呆，可馬上又鎮定下來：

「這有什麼可急的，又不是查你；就是查你，我們手脚乾淨，他們也查不到什麼的。」

「這就難說了，」李主任說：「難保沒有人不會出賣我們，再說，這是個肥缺，早就不知有多少人在打主意了，這會子還不拚命想法子抓我的漏子？」

李太太不作聲，繼續刷她的指甲。李先生說：

「你怎麼啦看有什麼？……」

李太太皺了皺眉：

「你們視察巳經……」

「今早走了，上火車前錢巳交給他了，他巳答應我。」

「唔，」李太太沉吟了下，又說：

「最近報上不是在宣揚什麼好人好事嗎？」

「哎呀，這跟我有什麼關係？」李主任焦急的說。

「什麼關係，你過來。」

李太太在李主任耳朵旁，嘰哩咕嚕的說了一會，才說：

「台北×老你記着寫一封信去，過幾天再打點些什麼叫人送去，再嚇，在監察委員還未到這前，你表演一手好人好事，讓報紙宣傳出去，讓大家知道也給他一個好印象，再……」

「可是，我怎麼做好事呢？」

李太太也感到一時無從想起，不過她是聰明人，眼睛一轉已有了主意，她說：

「你可以捐一些錢給小虎的學校，當作桌椅費，這是好事，對小虎也有幫助」

「唔，」

「再、看看那裏有人因窮自殺，我們也可以捐些錢去；還有，拿出一些錢來，修馬路呀，替別人裝水管，還不都是……！」

「可是，這要花好多錢，」李主任叫道。

「你呀，不要因少失大，懂嗎，反正我們再想法子在別處撈回來就是了。」

「那好。」

「還有，」李太太關照他：「你再看看，公事上還有什麼馬脚露出來沒有，那位監察委員來時，也得好好招待他一番，如果像×××那種委員，就更容易辦了。」

「這我知道，不過……」

「不過什麼？」李太太說：「天下烏鴉一樣黑，錢沒有人不愛的。」

吃過午飯，李主任又趕去上班，出了門，他忽然又想起一件事，回過頭來向李太太：

「胡強有來沒有？」

「沒有。」

李主任生氣的說：「等會叫他來，錢不借了，連本帶利一齊拿回來，一共是三千塊。」

「什麼？才三千塊，你怎麼算的？一千塊一個月利息一百，他借兩千，都半年了，應該三千二才對。」

「對，一共三千二，」李主任說：「一定要回來，沒錢就賣房子也要。」

「這我知道，」李太太說：「倒是你去辦你的事吧。小心點」（下）

瓶

你肚子空空，人們嘲笑你一無所有，不足掛齒；而我却說你是「虛懷若谷」。

你每是如此的謙恭；當人們把任何東西放進你的腹中，你都無言地接受，從不拒絕，也從無抗議；更不企望任何酬勞與感激。

然而誰又能說你是一個貪婪的佔有者呢？

當花兒插進你腹，你說：我因花兒的美麗而生色，我當感謝。但鮮花是終會凋謝的，你却永遠堅强地站立着。

有時你被用來盛水。你想：水是何等偉大的物質啊！天下一切的生物都需要他，渴求他，甚至我自己也是藉他的力量鑄成的；我得好好的報答他，不讓他終年地東飄西流。

有次你裝滿了藥丸。你說：藥丸眞够偉大啊！他把自己犧牲，送進人們的肚腹，但却使人們從病魔的圈套中解脫！和他一比，豈不黯然失色呢！

其實，你自己呢？你那任勞任怨的精神，你竟毫不自知嗎？

但人們是不盡有心肝的。「匡啷」一聲，當你被無情地擲成粉身碎骨時，竟一滴眼淚也沒有落下。

張健。

端午詞話（二）

謝康。

「村歸午，鷄啼，殘睡新晴，一簾[illegible]」[illegible]容若，絕頂聰明，年十九成進士，除詞外，兼長於詩及書法，三十一歲謝世，天不假永年，[illegible]

[illegible]

自由人
THE FREEMAN
（第七六三期）
中華民國郵政登記第一類新聞紙類
半週刊（星期三、六出版）
每份港幣壹毫
台北市售價每份新台幣五角
督印人：陳文
社址：香港高士威道二十號三樓
20 CAUSEWAY RD. 3RD. FL. HONG KONG
TEL. 771726
承印：東南印務出版社　地址：香港高士打道六十四號
台灣總經銷處
台北郵政信箱第九二五二號
海外總發行：聯合書報發行公司　香港德輔道中二十六號二樓

共產主義與共產黨人

王厚生

今日世界上竟有這樣一種主義、思想或眞理，不受人們的愛戴和信服，而必要由主張這種主義、思想或眞理的人施用暴力、專制和屠殺的手段，強迫人們去擁護和相信這種主義、思想或眞理。在我們的面前擺放着一件可貴的東西，竟只有人爭着去取，贈送給人，又遭人拒絕不納，於是，改用強迫的方法硬要人們接受，如仍不接受，豈不是不識抬舉，遂老羞成怒，大開殺戒，將不願接受贈品的無辜民衆加上個「反革命」、「反動」或「帝國主義奸細」之類的罪名，處以絕刑。

不願接受天地間唯一眞理的人不限於一般民衆，許多一向擁護這種眞理的人也對它表示了懷疑，甚至已有不少的人紛紛拋棄這種眞理。這使眞理圈子的內部發生了矛盾、磨擦和問題。

這是什麼主義、思想或眞理呢？共產主義，普通也稱它爲馬克思主義。

一般民衆固然不願接受馬克思主義，曾經接受過它的人，現在重新將它拋掉，這是一種値得注意和研究的現象。爲了解釋這種現象，我們提出三個假設，然後依這三個假設去求證，去查究事實是否和假設完全相符。三個假設是：

一、馬克思主義的本身有着缺點或毛病。

二、馬克思主義是好的，是一項眞理，可是推行馬克思主義的人太不成話，他們把馬克思主義的名譽弄壞了，把共產主義的事業帶上歧路。

三、主義和執行主義的人都有很大的缺點和毛病，除掉拋開主義和推倒執行人的政權以外，這種缺點和毛病是無可補救的。

重視第一個假設的人，多數是學究，他們只就馬克思主義的理論加以分析和研究，他們忽略了這種理論一旦推行起來之後，將會發生怎樣的後果。人類思想史上，曾經有過許許多多設想周到、美麗動聽的理論，但是這類理論多數是不能行的，或者是推行之後發生偏差的。所以，單從主義的批判着手是得不到最後定案的，說它好吧，它卻沒有實際裨益於人類社會，說它不好吧，它也無損於人類社會。

重視第二個假設的人最多，這裏面包括很多對馬克思主義沒有深刻研究，但對社會上貧富不均現象抱有反感的人，他們只聽宣傳所用的標語口號，並不鑽研主義的實際內容，如果有人向他們訴說馬克思主義的不是，他們不是否認，便是把一切不是的責任推到推行馬克思主義的人身上。這些人的膚淺是顯而易見的，所以，我們不必爲這個假設多費心思。

重視第三個假設的人是理論和實踐並重的，他們感覺馬克思主義是行動的指南針，如果現實是不能令人滿意的，這不僅是由於執行人有缺點，也是由於理論有毛病，反過來說，假使理論是正確的，而執行的人却不健全，則正確的理論也可被利用作爲罪惡的掩飾物。這個假設包含了第一第二兩個假設的內容，比較完全，我們可據此來談今日共產主義的問題。

我們先來說人的問題，因爲無論如何，人的因素終有其決定性，好的或壞的理論，不推行則已，如要推行，其斷案必得等待人的決定。

從列寧開始，共產主義的實踐首先以專制政治、特務統治，以史大林。列寧未死之前已奠下基礎，但他的實踐時間太短，影響還不大，作惡尚少，到史大林執政，對內對外所犯的罪狀，屈指難數，赫魯曉夫在蘇共二十次大會上作了詳細的指責，用不着我們再費筆墨。現在，推行馬克思主義的各共產國家之頭目，蘇聯的赫魯曉夫在史大林統治之下，赫魯曉夫是史大林的幫兇，史大林昔日犯罪，不能一一親自動手，執行命令的是他手下的人，赫魯曉夫是其中之一。史大林有罪，赫魯曉夫也脫不了干係。我們只要從蘇共和南共的關係看赫魯曉夫是否比史大林高明些。

一九四八年蘇共和南共決裂，赫魯曉夫先在蘇共二十次大會上指摘史大林彈劾小指可以摧毀南共之荒謬言論，再於一九五五年五月廿六日在南國機場上親向狄托道歉，推卸責任於前特務警察頭子貝利亞，作爲造成蘇共和南共分裂之實。赫魯曉夫那次訪問南國—其中有布爾加寧—訪問南國後，再到保加利亞和羅馬尼亞。今日訪南之行的用意，當然已經說明了。赫魯曉夫那次訪問南國，並沒有將南共拉到一道，相反的，他在東歐各共產國家之間，說了南國不少好話。當南共在今年三月發表了新綱領草案，案中關於國際形勢的部分，蘇共和其他共產國家都指責它是「修正主義」，赫魯曉夫且親自出馬，在保加利亞共產黨第七次代表大會上發表了攻擊南共的演說，並指南國接受美援，遂經援，還此一點，而斷定南國是美帝的奸細，六月十五日，狄托對此加以反擊，他說：「南斯拉夫因做了俄國和美國援取借款—而受俄國證實，那是非常不合理，且是可笑的。」

……以便購買機器。至於南國爲什麼不願重投蘇共的懷抱，還有很多原因，理論上的分歧是一部分原因，另一部分原因是南共拒受蘇共的束縛，因爲當赫魯曉夫在一九五五年訪問南國時，曾鄭重地提出了連隊和士兵的主張，即共產國家必須是一個連隊，個別的共產國家是士兵，當步伐不整齊時，士兵應依照連隊的步伐加以調整。換句話說，南共須聽命於蘇共而調整步伐。南共對此堅決拒絕。

再說馬克思主義，南共綱領說：「近幾十年來馬克思主義思想落後於現代社會的發展了。」四月廿三日，尼赫魯在印共執政的凱勒拉邦向約二萬人的民衆大會演說：「共產主義運動是模做，抄襲別人的思想而沒有自己的思想。共黨的口號如無產階級專政之類早已過時，特別是在今天的印度，已只剩一「在理論上」問題了。」南共綱領說資本主義社會已能和平地進入社會主義社會。馬克思從前也曾說過某些有民主傳統的國家可和平地走向社會主義。五月五日人民日報批評南共綱領，說「沒有無產階級革命和無產階級專政，就不可能有什麼社會主義。」這不僅說明中共本身是修正主義，也是中共思想的自我否定，因爲中共曾簽字於十二國共產黨宣言上，那篇宣言明白指出通往社會主義之路有二：暴力的道路與和平的道路。

半週述評

戴高樂登台以後

當法國軍人以一種『兵諫』的形勢把戴高樂擁護出台的當兒，不免有若干人存着一種幻想：以爲像法國那種由於黨派太多，隨時都可能演出一種不安的政局，還不如讓一個有力的軍人出來大刀闊斧的幹一幹要痛快得多；假定戴高樂能實行某種程度的獨裁，對法國那種病態的民主加以一番打擊，我相信更會有人要引爲『吾道不孤』，甚至還可能把獨裁說成是一種政治新潮，値得我們去迎頭趕上哩！

可是，戴高樂並不是過分的簡單：他自己所採登台的步驟，究竟不敢與法國的憲法完全脫節；他所組成的內閣，究竟還要拉上幾個其他黨派的人物，以求得處理政務的圓滑進行；甚至就對那般擁他出來的軍人，他也並不完全買帳；從這些角度去評判戴高樂的政治頭腦，他究竟還和那般無知妄動的軍人不同，即令法國對內對外的一般情況不會因戴高樂的再起而得到一種奇蹟式的好轉，但軍人專政不可能在法國出現，戴高樂本人也決不可能變成希特拉，我還是對法國國民有着這樣一個最低限度的信心的。

『自侮』與『自伐』

日本在岸內閣成立以後，至少有一部分的閣員仍不免對中共有一點心旌搖搖；法國在最近幾天以內，除和中共訂立了一個物物交換的貿易協定以外，據說戴高樂內閣還在對中共加以應否承認的考慮；前兩天有一個美國環遊世界的旅行團，由東京到達香港，當他們還未到港以前，我們便接着他們一個通知，表示他們願意和香港的反共民主人士有所接觸，並希望能聽到我們的若干意見，於是我們在一間酒店，召集了一個賓主約五十人的茶會招待他們，他們這個集團所包含的分子相當複雜：有大學教授，有醫生，有一般的研究者，也有若干社團的領導人物，可是就他們大體的立場說，他們是反共的；我們從他們所提出的問題以及內他們所發表的意見一加分析，却相當的失望：他們對中共這七八年來演變的事實相當隔膜；他們對亞洲一般之情況也不十分瞭解；尤其對於一般接受美援國家的心理，似乎更少注意；可是有一點他們說得很坦率：他們說美國目前的輿論，顯然分成兩派：一派主張繼續不承認中共；一派則主張應該予以承認；好像他們的此行，便正是要對這一問題求得一個適當的解答似的。

『人必自侮，而後人侮之；國必自伐，而後人伐之』；我們從上舉日本、法國、美國一部分人對中共所抱持的這種態度來看，我總覺得台灣近年演種『自侮』『自伐』的事實，實在表演得太多！尤其一個毫無必要的出版法，一定要費盡九牛二虎的氣力，強迫在立法院加以通過，確實更是『自侮』『自伐』之尤。一旦聽見別人對我表示一種不友好的態度，又皇皇不安，似乎還想汲汲以求補救，這又何苦來呢？

胡適之臨別贈言

適之先生最近在台北住了近兩個月，現在依然又到美國去了。推測胡先生這次其所以毅然回來就了中央研究院院長這個職務，其目的總不完全在辦一次院士的選舉，多少總還想發展一個研究高深學術的健全機構。可是以目前台灣的實況來說，一方面既認定是在『戰時』，一方面又還要高唱『革命』，既要『革命』而又在『戰時』，胡先生偏要來高談學術，豈不近於迂遠？中央研究院全年的經費，聽說祇有二百五十萬元的台幣，還比之一個爲個人製造政治資本的青年團體，究竟能佔幾分之幾？至於胡先生臨別贈言，還希望台灣的知識分子起來組織一個不可怕的『在野黨』，其實就一般統治階級的心理來說，他們覺得最難應付的却正是所謂知識分子，否則毛澤東何必清算所謂右派？何必清算『胡適思想？』台灣當局又何必一定要修改一種出版法爲一般舞文弄筆的知識分子做就一頂一戴上去就要感到頭痛的『花花帽』呢？

·左舜生·

泰國政潮的暗流

祝君健

泰國政府又面臨新的危機。國社黨內部的裂痕，如無法彌縫，乃他隆內閣辭命，殆將無法持久。他隆也公開表示無意戀棧了。處境困難不言可知。

探其原因，不外執政黨內部意見分歧，缺乏堅定的政策，以致溫和的他隆內閣，顯得脆弱無能。乃沙立病癒離美，歐洲就留多久，尚未決定，目的是要考察美歐民主政制。是否一如鑾披汶過去那樣，要把西方的民主帶回本國試驗，現在推斷尚嫌過早。不過泰國現時政治混亂、政潮暗流洶湧，完全肇因於既不獨裁、也不民主的政治制度。

因此，在衆說紛紜之下，民會祗成了民主形式。去年政變、接踵大選，新政府誕生與國社黨創立以來，許多新政，均未能適應民意，諸如加稅、准許學校增徵學雜費、加強管制外僑，以及成立廢除不合理條例委員會各項，無一不招物議。先就加稅說來，這是最失政府威信的一大舉措。

泰人多數知道：大公司、企業、商行，都操縱在政府官吏們手裏，他們可以逃稅、避稅與抗不繳稅；加稅祗是對蟻民的一大迫害。如果不論官民一概徵稅，不但國庫充裕，也毋待加稅。他隆內閣組成之時，假如考慮進行調查公務員財產，不准官吏涉商，追繳各行商歷年稅款，政府必獲全民擁戴。可是，他隆氏不此之圖！—問題是乃沙立的財富及其商業機構，足以左右泰國商場。今年政府預算支出增加，那顯然是幣値降低的先兆，市上貨價提高，私貨大量輸入，自屬必然趨勢，再加上國社黨通過准許學校，向學生增收學雜費，不啻風助火威。蒙受打擊的，不是政府官吏，也非少數富人，而係佔人口總數百分之九十的平民。全國學生普遍抗議，顯然不需要待共產黨策動，在教育水準大大低落的現狀下，學生情緒容易激動是必然的。任何一個現實政權，均有教育本國公民的責任，泰國政府爲何如此不智，無論如何，學生及其家長不會歸咎國社黨，只會譴責政府無能。國社黨的決策，目的却是要拖垮政府。說來很矛盾，其實是有原因在的。

國社黨是執政黨，爲什麼反要自拆政府之台呢？明白國社黨內部的，總該知道：這個黨的結合，在表面上，自由、聯邦以及其他左翼黨派和少數右翼民主黨黨員的縫合體，實際以聯邦黨爲骨幹，該黨在創立之時，中共曾經付出了一筆相當大的經費，原先是用來對付鑾披汶的，披汶氏垮台，沙立元帥掌權，遂該黨秘書長乃沙顯跟沙立氏弟兄關係，獻策組織國社黨，動機係爲乃沙立做黨政傀儡，可以爲所欲爲。誰知乃沙立甚於國際國內情勢，遠聯邦黨與自由黨覆甚幹，延乃他隆組閣，聯邦黨企圖獨擅政局，顯然已告失敗。因此，處心積慮，策劃拖垮現政權。先是以「新政府用舊人」打擊政府威信，迫使政府組織「廢除不合理條例委員會」，力謀廢除「防共條例」，讓共黨公開活動，雖然初次辯論即予擱置，左翼黨派現仍繼續叫囂，其次爲離間政府高級官員，再三散布流言，說鑾披汶、乃炮的舊部密謀發動政變，一方面轉移政府防共活動視綫，另一方面阻撓披汶氏乃炮及其舊部跟政府合作；追鑾披汶表明心跡，又告失敗。於是，使政府喪失民心，堅決要求增稅，增加學雜費，民間還是浮動，暗中宣傳強調「官逼民反」。這些情況，乃沙立在美並非不知，他曾表示離去國社黨黨魁，可是，他的黨傀儡已經做定，後悔當時不該組黨，現在自已鞭長莫及了。

當然，除了上述的陰謀之外，「限制外僑居留人數」以及厲行「保留職業」這兩項措施，也足以使泰國政府妨害邦交、增進社會問題的嚴重性；其他彩票局（乃沙立任主席）問題、售糖糾紛、財政部失款、以及國行被騙去巨款等等，都是貶抑政府威信的事件，共產黨有此強大的顛覆潛力，不需要公開活動，即可以坐收漁利。現在的混亂局勢，顯然不會持久，乃比里之妻娘蒲戌，及其子乃班，已於十六日離泰赴港轉往大陸，他們此行爲何，毋待贅言，但國社黨內部若干主張要求政府接受蘇聯援助的人士，正以大量資金收買民會議員，準備聯名請求民會辯論不信任政府案，企圖拖他隆院長下台。政治暗流洶湧不已。（六月十六日寄自曼谷）

出版法修正案

通過後的反應

·劍聲·

【台灣通訊】立法院三讀通過出版法修正案後，台北官報和民營報，又發生一場筆戰。一般輿論反應非常不佳。

聯合報今天發表台大法商學院院長、立法委員薩孟武的「評出版法修正案」。薩氏針對該法弱點和與刑法抵觸之處加以指出。他的結語是：「報紙雜誌儘管安心，你們已受刑法的保護。」謂為該出版法不能約束「你們批評政治」所以「你們對於政治的是非得失，儘可自由批評，行政機關絕不能利用出版法上任何條文，加你以罪。」

據憲法二十三條規定：（一）限制言論自由出版自由必須依法律為之。憲法條文不但拘束行政機關，亦得拘束立法機關，不得任政府用命令限制人民的自由權利；（二）限制的條件：必須出於防止妨礙他人自由，避免緊急危難，維持社會秩序，或增進公共福利之意；（三）限制的限度：不得超過「必要」的範圍。這就是說，如果沒有此種事實存在，或有了而未超過「必要」範圍，這種法律都是違憲的。

現在的出版法修正案成為問題的，不是（一）項和（二）項，問題乃在（三）項，即限制是否超過「必要」範圍外。又如連續三次警告，便須定期停刊發行，三次定期停刊發行，便須撤銷登記。若照刑法上的累犯罪名不過加重其本刑之義，同一罪犯，絕不能因三次拘役，變為有期徒刑，九次拘役，變為無期徒刑。修正案復未規定若干年內受三次定期停止發行之處分，就須撤銷登記。

最奇怪者莫過於出版法三十二條列舉刑法上七種罪名，而又不依刑法辦理。未經法院判決，行政機關擅自決定罪名，再依自己所決定的罪名，加以行政上的處罰，實是破壞司法獨立，而有違於五權分立之義。所以，薩氏以幽默和沉痛的口吻說：此後傷害罪，竊盜罪亦將改由行政機關審判了。同條所言各罪有「觸犯」及「煽動」二種。「觸犯」是行為，「煽動」為言論。報紙雜誌所担心的是「言論」而非「行為」。刑法各章條文關於「言論」方面之規定甚少，若由行政機關自由裁量，流弊實大。故報紙不怕法院依法判決，而怕行政機關曲解法律。

政府修正出版法的宗旨，據內政部解釋，意在取締黃色新聞，但是出版法沒有取締黃色新聞的明文，實使人不解。其次是出版品之毀損他人名譽，修正案又未有隻字提及，所謂「誹謗」之罪何能制止。如果行政機關自由裁量，對誹謗他人的出版品不經由當事人提出告訴而加以行政處分，事後，當事人以行機關之處分公文書作反證，向法院告訴，經過法院偵查審判而不成立宣告無罪；這時若適逢出版品係第九次警告撤銷登記，這樣，該法行政命令不能約束法律，對此將何以解決。同時，誹謗罪係告訴乃論，法院不便自動處理，行政機關因無根據，又不能禁止發行。那豈不又是出版法上的一個漏洞。

至於公論報，則發表立委鄧翔宇反駁立委林棟「論請願案的處理過程」一文，更揭發了立法院二十一會期程序委員會違法失職的「內幕」。

儘管，新的出版法是面世了，官報似也居於勝辯的一方，但是民心却已失去了，更何況民營報事實上並未敗下陣來呢！

（六月二十三日于台北）

四屆美展今展出

【台北訊】「第四屆自由中國美展」，已定六月廿八日至七月二日假台北市衡陽路新聞大樓展出。

參加展覽的作品共五百多件，因審查標準提高，故僅選出近三百件精品展出，包括國畫、洋畫、攝影、書法、金石、木刻、工藝美術等各部門，作家百餘人中，有不少旅居海外的名畫家，並有許多新進的後起之秀的作家。

按自由中國美展乃係由作家們基於自由意志而組成，他們僅以學術思想相通而合作，至今已歷四屆之久。（云）

台南點滴

△剪綵、揭幕、開鐵、破土、奠基，是台灣近數年來甚為流行的玩意。這是借官貴們或名女人之名，以事宣傳的手法。但有時也為着要提高某人的身價。如去年高雄市議長陳武璋，參加競選市長期間，報載陳氏曾有過剪不盡的綵。但躍登市長寶座後對于此道似乎不復感到興趣了。

△月前伊朗國王訪台，聽說政府開支逾千萬元，又傳伊王曾在高雄住了一宵，市府也花費了百餘萬。後經高市主計人員證實，高市僅搭排樓同座，及市長做一套國服「長袍黑掛」，與翻譯秘書一套西裝，合計三萬元左右，因衣服是私人穿着，可能還不便報銷。

△出版法修正案，鬧了兩個多月，台南市議會議長等也去電支持。這幕趣劇演過後，此間各界被踴發動機關，學校，報社，電台，民衆服務站等大肆宣傳，拒讀黃色，黑色書刊。警局且曾派大批武裝員警，分成十九個小組，出動至各書報攤，實行突擊檢察，檢扣淫書與春宮照片甚多云云。其實出版法沒有修改前，警局也有權取締黃色書刊的。一般認為如修改出版法是為取締黃色新聞，則乃殺鷄用牛刀了。出版法修正案獲得通過消息的同日，此間人民團體又再演了一幕電賀立院的諧劇。

△省立成功大學本月十八日舉行畢業典禮，應邀參加觀禮的有各界首長，與畢業生家長等千餘人。畢業生四三八人中，僅女性十五人。由此見得台灣女性接受高等教育的不多。

（六月廿一日）呂增勳

從我們的新出版法——看美國的新聞報導

·章垚·

美國人和中國人在某種觀念上，畢竟不盡相同。僅就「內幕」二字來講，美國記者們都把它當作追縱新聞的一種最高目標。你看根室便以內幕為號召，寫了許多名著，如澳洲內幕，亞洲內幕等，最近又出版了一本今日蘇俄內幕，風行一時。而我們呢？對內幕報導的刊物，確是深痛惡絕的被目為下流；這因為我們傳統的文化是「隱惡揚善」，全國上下又往往是矯枉過正地歧視內幕新聞。

胡適氏說：「美國近多年來社會思想革新運動的成就，完全靠一種以揭發隱私的內幕報導的功效，也就是美國人自己讚揚的扒糞運動」。真的，這裏有幾個確實的例證：美國的一個女記者絲貝，她費了很多工夫研究美孚煤油公司的歷史，看看煤油大王是怎樣的操縱着全美，以至世界的市場，結果她揭發了托辣斯的內幕。另一位記者林肯史丹芬，她為研究市政腐敗的原因，探尋幕後操縱老板，特到各處去訪問，找覓材料，結果在雜誌上首先發表了聖路易城的黑幕。還有一位美國霍斯特系報紙的主持人威廉霍斯特，年青時代曾設法取到了煤油大王一大批與參議員來往的信札，內有許是分期行賄的證據，霍斯特將它一一攝成照片發表。這些內幕報導，在當時社會上都起了很大的改革作用。

同時有一些開明的政治家，也讚許並參加了這種運動。辛克萊是美國的著名作家，他的小說石炭王、煤油、屠場，都是把揭發瀆職內幕來作題材的。有一天老羅斯福看到了屠場這部小說，內容寫盡了支加哥屠宰場的黑暗與不衛生，立刻召集閣員和專家商議改革，這真是美國政治家的風度與可愛處。

回顧我國，當局正通過修正出版法，把自由言論，被縮得緊緊的，要想學美國的那種抓糞運動的作風，絕無可能，一般刊物，今後恐怕也祇能寫些粉飾、歌頌、和自我陶醉的文章了。

西貢航訊

河內·西貢·永珍

·光明·

越共文化幹部會議

本月上旬，越共偽政權文化部在河內舉行「越南全國文化幹部會議」，由總理長征，及文化部長黃明鑑主持。會期三天，通過議案中最重要的一項為：今後文化運動的鬥爭路綫，乃是全國的文學、戲劇、藝術工作者及知識份子，必須深入工農階級的裏層去，體念勞動人民的生活實況透過民族主義的形式，寫出無產階級的作品。換言之，一切文化工作者不能離開黨的領導，要為黨服務，為農工羣衆効力，為人民民主「鞠躬盡瘁」，以逐漸走向社會主義的文化建設，使北越的社會主義文化發展為全國的一個主流，並肅清潛伏在人民專政下的反黨思想。為達成這一使命，北越文化工作者必須團結在黨的周圍，和南越的文化工作者及知識份子，沆瀣一氣，為實現祖國的統一任務而努力。大會閉幕後，河內「越南全國文化工作者協會」奉命解散了。「文協」是「張懷集團」操縱下的一個組織，解散這個組織，等於孤立這集團及其同路人。顯然的，「文化鬥爭路綫」之提出，無非是為要對付這批「反黨」的「叛徒」而安排「陽謀」。越共對反黨反共的北越知識份子，已從言論的清算到行動的鬥爭階段了。從這一點來看，北越知識份子的反共暗流，已在日益壯大中，越共整風的聲浪喊得愈響，愈見其統治權的不穩。

聞越南幾個文化團體，將就越共文化鬥爭綱領及對張懷集團的迫害，擬發表一篇宣言，說明自由越南文化界的立場。

奧丹尼談南越新軍

紐約美越協會主席奧丹尼，本月十二日，在貢舉行一個記者招待會，發表他的訪越觀感。奧丹尼將軍是前美國太平洋陸軍司令，一九五五年繼柯林斯將軍任駐越特使，軍援團團長，柯林斯在越南緘亂期間因說過「越南亦可行君主立憲」一語而丟掉「烏紗帽」，他則是和越南最高當局比較接近的一員，越南新軍之訓練，和裝備，是由他「一手經理」的。也可以說他是越南新軍的保姆。一九五六年任滿返國，被選為美越協會主席，「暌違」南國，「闊別」「老友」，屈指算來，兩易寒暑於茲矣。今次「舊地重遊」，自然耳目一新。他在會中盛讚越南陸軍的學習精神，戰鬥力，一日千里。在回答「越南陸軍費支出浩大，照閣下的看法，戰爭的氣氛是否已趨緩和，可否裁減兵額」一問題時，這位將軍認為「越共現有軍隊卅五萬人，以此和南越十五萬相較，超過廿萬之多。換言之，南越軍隊祇及越共軍的七分之三。不能再少了」，但他又指出：「假如後備軍有足夠數目，隨時可以動員的話，則現役軍隊數額，未嘗不可減少」對戰爭氣氛是否已見緩和一點，他避不作答，但他促請記者們注意：「日內瓦協定祇是一個停戰協定」，法外之音，讓大家細細的欣賞，他在越訪問已有三週之久，足跡遍及北緯十七度邊界線，目睹耳聞，心領神會，一切盡在不言中。大抵日內可離貢反國了。

越報界主張越人學漢文

【越南通訊】越南政府教育部長陳友世氏，最近曾公開主張越南青年應學漢文，俾越語字彙更豐富，自從陳部長發出此一號籲後，各方均有極好反應，中越報界均著論讚揚。

越文新西貢報今日曾以「欲使我們的國文基礎穩固，各校須教漢文」為題發表意見如后：「最近，改革中學課程委員會，曾集會研究和分析教育的情形，與及提出基本的改革計劃。教育部長陳友世在開會致詞中曾宣稱：教育當局於一九四九年時，已進行改革事宜，惟所改革者，都是一些小節上的更換，並未為全部改革工作定下一個基本的原則。

「照陳部長所言，則教育之主要任務是要保守國家之特有性質，因為祇有尊崇國家傳統價值，和將之深印在各青年之心靈中，那麼，後一代兒女，才能避免忘本之虞，選擇改革之計劃，須以恢復國家言語和文字之固有地位為目的。須要予越南的青年和少年依照較完善的方法學習漢文，俾越語語彙更豐富。如此，才有可能融滙東西兩大文化成為一種國家性和國際性的真正文化……我們更特別贊成教育部長關於中學班級教漢文的提示。」

該報特別強調學習漢文的重要性，因為越南的國文大部份的起源，是模仿中國的文章，而在越南的語言中，雖是一句通常語，亦夾雜着多個漢字的音源。那些不識漢字的人不但難於深切了解前人遺下的一些文獻傑作，而在普通的文藝中，亦自感詞語貧乏，不足以表達其心聲。這實在是一個最大的缺點，有及早改革之必要，越南的漢文，才有希望得到迅速的發展。

一般認為漢書越譯，在今天的越南，已經一天似一天的增加，從中越文化交流方面說，它無疑是具着相當的推動力；若從民族間感情方面說，它更無疑會促使大家語言相通情意互達，而增進與鞏固兩民族的親善與友誼。除此之外，它無疑還會把我國粹介紹給友邦認識，使我們的文化更藉此德致向外傳播，所以他的意義非常重大，實在有倡導的必要。

（志）

符瑪首相組新政黨

寮國首相符瑪親王，已被選為「人民聯合黨」主席，這是個新政黨，由前國家主義黨及獨立黨聯合組成，內長賈泰及外長信沙那尼貫任副主席。從這三條「大牌」的合作來看，則「人聯黨」之產生，顯為對付寮共頭目蘇芬努旺的愛國黨而採取的一個「緊急步驟」。

符瑪前兩日在永珍接見一個西方記者時，曾經坦白指出：由於各民主黨派之各自為政，使五月四日的補充選舉，給寮共以有利的機會。但他又否認寮共已獲得優勢。因為反共的民主黨派，在選舉中共得九六〇、〇〇〇票，而愛國黨不過二八〇、〇〇〇票，為三與一之比，可作一個證明。不過這種解釋是欠缺充分理由的，寮共過去蟄踞的風沙里和桑怒兩省，人口不到十萬，雙方宣佈合作，寮共還政中央後，蘇芬努旺入政府做部長，擎起和平中立政策的招牌，大賣假藥，居然有人樂於使用，不數月間由十萬顧客徒增至廿八萬，數字顯示竟上升不是下降。如果說寮共在人民中沒有發生影響作用，未免有點「言不由衷」。符瑪對那個西方記者又說：「國會選舉後產生的新政府，在軍事上是中立的，在思想上是民主的，以此為出發點，寮國願與一切民主國家結為朋友，同時亦與共產國家敦睦邦誼，只要他們不作煽動性的宣傳，進行滲透顛覆工作，王國不欲與之為敵的。」

寮國懸在兩隻老虎——中越共的旁邊，隨時有被吞噬的危險，所以標榜和平中立政策，以圖自存，處境之難當為我們所同情。但寮國當局也應該格外提高警覺，不能為了一時的苟安，忘記了「後患無窮」的悲哀，與共黨國家敦睦邦誼，強大如美英等國，尚且有「如履深淵」的戒懼，寮國一掌之地，中越共黨虎視眈眈，時機一旦成熟，裏應外合，推翻王國，建立蘇維埃政權，不是易如反掌麼？其受害者不僅寮國一池，越、泰、柬也遭「池魚之殃」！

（四七、六、十七）

從法國與中共簽訂貿易協定說起

◎李金畔

大約是在前年的這個季節，法國的巴黎和加拿大的渥太華，同時傳出了要承認中共的消息。雖然消息終於成為「傳聞」，未見實現，但是這個令人不快的陰影，一直籠罩在人們的心頭。

於是，國際間「兩個中國」的傳說，逐漸的甚囂塵上了。於是加拿大和北平之間也打開了貿易的關係，雖然直到現在這貿易關係，祇限於非戰略性物資，但係開展，和貿易數字的增加，却直接地刺激了法國。

不論在文化關係上，在血統關係上，加拿大與法國之間的關係是相當密切的，雖則在政治關係上說，加拿大却是屬於英聯邦的。

大英聯邦中有好些成員國是與北平有「邦交關係」的，加拿大也頗有意於與之建立「正常關係」，但由於美國的影響，却一直觀望不前。渥太華與北平間的商務關係的進行中，無形中也刺激了巴黎政壇的情緒。戴高樂上台後，曾有一些法國通訊社傳出戴高樂不會和中共打交道的說法，在台北政府也有些人，特別有此論調，但是他們却忽略了一點，在戴高樂的政權下，是在法國利益的觀點上來考慮法國的問題。因此就不會與中共打交道，否則是不會輕舉妄動的。但是在有些事實告訴我們，儘管戴高樂反共，却是在他的手上與中共完成了「貿易協定」！亦有人謂這項協定並不是在戴高樂上台後，而是在前任內閣手上即已開始了，這不足以說明戴高樂與共產集團的態度的依據，但在心理上當理由，但試問如果戴高樂政府沒有容忍中共的誠意，不能毅力來終止此項談判，則不是正是證明戴高樂的政策，與我們所想而的一種情願的想法是有距離的嗎？戴高樂一上台即會表示了要推行「獨立的外交政策」呢！而法國的轉變不也正和本國所採的「對華政策」的態度相近似嗎？

從國際關係上的這些轉變來看，西方國家正在過於遷就事實上的發展，「兩個中國」的話，也許不是他們所不願聽的，……貿易關係之建立，是兩者間建交的第一步！明乎此，我們就不會再對法國與中共簽訂貿易協定而驚詫了。

但是，無論如何說，我們都該要警惕到，中共的態度之轉變是不利於自由中國的。這些國家仍與我們維持了友好的正式邦交，但我們應該採用什麼方法來改變這種不利於我的趨勢呢？這當然要有效之對策。否則當然是有待當局，至少要有面對現實的勇氣，和改變對現實問題的觀點，不然，長期的固守於自我陶醉的宣傳氣氛中，將不免會逼而自我解體的！

蘇南關係流水賬

◎宗

在最近十年來翻雲覆雨的蘇南關係中，最近一次，可說已達高潮。翻開這一頁蘇南關係史，簡直是一篇流水賬，從其中更可看出一點，就是：兩國政治關係的發展，必然是隨著經濟關係的發展而來。這又說明了一項事實，那是：蘇俄一向是在運用共產集團經濟封鎖的武器，來對付南國。請看這一筆流水賬吧：

一九四八年六月：南斯拉夫被摒於共黨國際，被稱為法西斯主義者。

一九四八年：蘇南貿易，在六個月內減少三分之一；所有信用保證的經濟援助一律取消。

一九四九年至一九五三年：貿易停頓，經濟絕交。

一九五四年：蘇聯政策改變，破天荒對集團外的國家（阿富汗）予以經援。

一九五四年十二月：蘇南間逐漸恢復貿易。

一九五五年六月：赫魯曉夫訪南，倡「和平共存」，重修舊好。

一九五六年春：蘇南息爭，對南予以集團外經濟保證信用借款三億元。

一九五六年十一月：狄托批評蘇俄干涉匈牙利。

一九五七年春：一九五六年信用保證借款的主要部分停止。

一九五七年夏：南國不斷批評蘇聯對匈牙利的行動；稍後復承認東德。

一九五七年夏：蘇聯及東德對南的信用保證借款，再次停止。

一九五八年三月：南共公佈黨綱，宣告中立，並根據修正路綫，認蘇聯為兩集團之一。

一九五八年五月：中蘇共譴責，勸告南國改變政治觀點無效後，宣佈取消經援。

抹煞血淚史

六月十九日，人民日報發表一篇題名「偉大的一年」的社論，來紀念毛澤東的「關于正確處理人民內部矛盾問題」的文章發表一周年，同日人民日報轉載了大陸各地正在加緊學習這篇文章……

只要對大陸情勢加注意的人，總會記得這篇文章是一九五七年二月二十七日毛澤東在最高國務會議上的講話，這篇講話鼓勵人們鳴放，後來毛澤東抵擋不了鳴放潮，修改內容背叛諾言，加進六項標準，於去年六月十九日在人民日報上發表出來，轉而用此來打擊那些起來鳴放的人，說明了這篇文章本身就是「陽謀」，說明了鳴放的罪證以及血淚的歷史，這是不容人民日報輕輕抹煞的。

毛澤東迷信之一

人民日報社論說學習毛澤東的這篇文章可以破除迷信，解放思想，好像是一個跪在偶像前祈禱的人，硬指那些不跟他一同跪下的人是頑固的罪人一般的荒唐。

早在一九五六年春，毛澤東在開始鼓勵鳴放，絕大多數的人因為上共產黨的當太多不敢鳴放，另外一些人，則認為他這種做法會出亂子，毛澤東則硬不相信，他認為，「社會主義改造」已基本完成，所有在他統治下的「人民」都願意走社會主義的道路，即使有少數人想搗亂，也擋不住大多數人喜歡的「社會主義制度」所發生的力量。對於勸他不要搞鳴放的人，說他們是教條主義，要用整風來整他們；提了許多保證，說了許多話，包括那個「關於正確處理人民內部矛盾問題」的講話在內，要他們大膽鳴放。後來羣衆果然鳴放了，他又感覺到受不了，不但如此，連他自己也很有可能被鳴放浪潮所吞沒。至此，方才恍然大悟，鳴放是搞不得的。這一段事實，說明什麼呢？它說明了毛曾經迷信「人民都願意走社會主義的道路」；根據共產黨的理論，資本主義社會中，少數人剝削多數人，現在他們自認為把這些少數剝削人的人打倒了，大多數被剝削過的人當然會喜歡沒有剝削的社會主義社會了。而不自知他的掛着社會主義社會的招牌，是做着比資本家剝削還更厲害多倍的「新階級」剝削的事業，這不是這塊社會主義的招牌所可掩蓋得住的。

毛澤東迷信之二

自去年十二月以來，毛澤東又犯上了新的迷信，他認為以「多快好省」來加速發展，一定能解決中國經濟問題，于是他反對任何會拖慢他所要求的經濟發展速度的經驗和理論。他反對人們用蘇聯建設速度來比擬他的經濟發展速度，說這是教條主義；他更反對科學家以科學理論來計算經濟發展速度，說這是「崇洋」，說是資本主義思想；他所說的破除迷信，就是要破除這方面的蘇聯教條主義，破除科學家的這種「崇洋」思想，和資本主義思想，這叫做思想解放。據說這樣思想解放以後，就「敢想」，「敢說」，「敢做」了，社會主義建設就可瘋狂加速發展了。

讀者們請想一想，這種情況，究竟還是科學家們迷信呢？還是毛澤東迷信？

毛澤東的這篇「關于正確處理人民內部矛盾問題」的文章，說要破除科學家們的這種「迷信」是不可能的；它違反正確處理矛盾的原意來製造與擴大矛盾到是實在的。

·田心·

國際動態拾零

△戰略用之小型原子武器，曾宣傳已久，然至今始配備于戰鬥部隊。原子彈頭，直徑在八英寸以下，可用原有槍砲來放射。

△環繞北極軌跡之人造衛星，將于十月間放射，為空軍所主持，所用是主神與前鋒之混合火箭。現在美國人造衛星，是繞赤道而行，祇蘇聯人造衛星，乃繞北極的。

△陸軍火箭專家，出席作證，謂反原子之尼克飛彈，可以打下越洲飛彈之命中率極高。對蘇炸機之命中率，幾乎百分之百，放射尼克之基地要塞，將于一九六一年可築成。

△一九六〇年型之美國潛艇，可入水三千尺，每小時行六十海里，較現在最新型之美潛艇，入水僅八百尺，每小時航行三十五至四十浬者為勝。

△中共內部有困擾，在各大學、工廠、農村，大清算即將開始。其對象為過去贊成百花齊放之「叛黨分子」。

△美援衛星國計劃，現已胎死國會，因民主共和兩黨皆反對。但將通過一件伸縮性議案，予艾總統全權，俾可援助不滿蘇聯之衛星國。

陶然

印度赤色毒瘤　喀勒拉

風行譯

……，已是印度對世界文化交流之窗。

紐約時報說：「絕少人相信印度是一個共產國家，可是有許多人都認定……」它就是世界上唯一經過自由選舉而給共產黨獲得政權的地方。……全印度的第一步。喀勒拉，在過去許多世紀以來……

喀勒拉對美國人的關係不能算小。譬如席、胡椒，是來自該地。喀勒拉的居民三分之一，是基督教徒。大多數住在特拉凡哥爾的中部。美國每年捐了不少的錢，給該地的教徒。

共產黨係在一九五七年四月掌握喀勒拉政權的。他們在省議會的一百廿六席中，佔到了六十席，而尼赫魯的國大黨祇得四十三席。共產黨雖然在表面上伴作背通的民主政黨，但不易掩蔽尾巴。一旦得勢，魚肉小民，設立秘密小法庭，便……

共產黨在慶祝其勝利時，從省內監獄，釋放了四百餘名囚犯。又釋放了犯有謀殺、搶刦、縱火等罪的共黨徒刑犯。

密丹査里是喀拉勒最橫蠻的地方，雖然它是重要的海軍港，可城港的一部份。在數月前，密丹査里市議會計劃舉行信任表決，反對議長，——他是一個共產黨徒。當他們赴議會時，有一人被刺殺，另一人被綁架。歹徒中有一人綽號『史達林』。警察不得不控告被捕之歹徒，但「日後，被綁之人獲釋放回，然而矢口否認被強拉去。顯然的，這是受威脅。警方立即消案。國大黨人被暗殺之案件屢次發生，若干反共的人民社會黨員被絞斃，但共產黨徒亦有被報復暗殺的。國大黨目前大部份是商人、地主、律師，及資產階級，不與大衆勞著平民相接觸。

當一九四七年印度獲得獨立時，在該省組成民主政府。共產黨被認為非法組織。其後國大黨人內鬨，八年中改變了地方政府六次。兩次長期陷入無政府狀態。至一九五二年，共產黨獲被認為合法組織後，立即強大起來。他們在一九五七年的選舉獲勝，因為許多選民厭惡國大黨，而輕信共產黨的諾言。共產黨的競選宣言，包含了九十四個諾言。但無一能實現。且宣言書已完全燒毀了。喀勒拉仍受印度民主憲法統治。這也是共產黨的計謀。他們把人民的怨恨，歸咎於民主政治，和新德里中央政府。

喀勒拉的共產黨很狡黠，保持外表雅觀。他們不干涉出版的自由。反共政黨可盡量發表演說和遊行示威。

一位印度基督新教徒領袖說：『坦白的說，甚至我也弄不清了。這裏的共產黨到底是不是和別處不同。』

此間共產黨扮演『進步』民主之成功，有賴於喀勒拉首席部長（省長），南布迪烈柏。他原是富地主之兒子。他堅持將他的農業財產瓜分。並將其所有了之價值六萬三千美元之財富一半給他的妻子，另一半予共產黨。他雖是固守共產黨的路綫，但他的同志們都認為他是一個投機份子。

他的女兒，在美國的瑪德拉斯基督教醫學院讀書。南布迪烈柏出身自印度最高階級的婆羅門。因為印共的現政策並不堅持要其黨員成為無神論者。『祇要接納共產黨的經濟及社會思想便可，——他們的宗教，由他們自己處理好了。』

記者問一位印度朋友，為什麼喀勒特的共產黨這樣的成功。所得到的答覆是：『共黨奪取政權後，立即替一個在一八一〇年，領導革命反抗特拉凡哥爾王失敗自殺的英雄韋斯譚皮，建立了紀念像。譚皮死時，馬克斯還未想到他的理論。根本和共產黨風馬牛不相及。但國大黨不替譚皮之紀念像，而共產黨却做到了，共產黨利用譚皮的名字，令人感到譚皮鬥爭之目的，和共產黨的相同。共產黨就是有這一套的。』

在一九五二年共產黨初獲認為合法組織時，僅有二十四人領黨證。現在持有黨證的，有五萬六千人了。他們滲入了警察，和公務人員裏，他們能在任何時期，將巴士的交通服務癱瘓。任何的政黨若承繼執政權，便無法去統治，於是共產黨回來時代，比以往更具強大的力量。

共產黨知道他們可能忍受短期的挫折。但他們計劃長遠的勝利。他們希望在下屆的選舉，再贏得安達拉和西孟加拉。然而他們並不是集中注意在逐省的贏取。他們以『用和平方法達成社會主義制度』的口號，發展統一陣綫。最近有人問南布迪烈柏還有幾久共黨才贏得整個印度？

他很具有信心的樣子回答道：『一代』（a generation）。——按：字義即是三十年

私逃

△魏希文著▽

新著簡介

「私逃」是魏希文先生一本新近出版的長篇小說，寫一個人性悲哀而的故事，正和本書扉頁所引蕭伯納的話一樣「生命中有兩項悲劇；其一是不能達到心頭的慾望，另一是達到它」。作者便用他那悲天憫人的心情寫下這一本小說。

魏氏是自由中國青年寫作協會的編輯委員，他出過的幾本小說：「我永遠存在」，「春曉」，「歸來」，都是很有名的。他的作品以描寫細膩，文筆清新獲素見稱。

「本書」係台北「中國文學社」出版，今年六月初版，全書約十五萬字，每本定價新台幣十元。（華）

自由談

我好悔也！

馮五先生

當立法院三小組委員會秘密審查出版法修正案的時候，輿論界爲之大譁，指係「違憲」與「非法」行爲，情勢相當激越。愚以中和的心境，曾在本刊發表言論，替立委們辯護，認爲小組委員會審查方式如何，乃程序問題，無關宏旨，審查意見，必須經過院會公開討論通過，方能成爲正式法案的。因勸大家不必過於慌張逆臆，或許小組委員會審查結果，適如大家的願望，亦未可知哩！

詎料院會開過三次討論本案，除第一次否決了一百六十餘人請將本案重付審查的提議以後，二讀三讀，皆在秘密院會中，由極少數的出席委員，予以通過，而其內容除却對於出版物停刊處分，加上了「以一年爲限」這句條文之外，又完全照原修正案辦理。這眞是教我太失望了。

修正案既經立法機關正式通過，即毋庸再談。我所不能已於言者，爲甚麼立法院會討論這樣轟動一時的議案時，竟要採取秘密會議方式？縱不違法，亦是大大的失態了！若說這是爲的避免委員們發言有所顧慮，以防辯論情況洩漏於外，試問小組秘密審查的經過情形，那一點外間人又不知道呢？男子漢大丈夫，如果自己認爲在義理上應該贊成政府所提的修正案，即在院會中公開表示意見好了，何畏？政府的主張，並非不可告之事，自反而縮，雖千萬人吾往矣。護航就護航，駁辯就駁辯好了？

這一失態之舉，世人作何批判，不必管它。但我當初爲立委辯解，而結果如斯，捫心自問，慚愧難安，因而不覺記起陳宮在舞台上演「宿店」一幕的那句戲詞：我好悔也！

人類的演化

○陳永昌○

> 人類祖先從那裏來，怎樣演變成爲今天的形狀，及生活形態，根據專家們在動物學的重要發現，研究起來是很有趣的。但也姑置一說而已。

在中生代（Mesozoic Era大約六千萬年）裏，哺乳動物與爬虫比較起來是很微小的。他們的種類雖多，生活地雖有種種不同，但是多半在樹枝上生活。中生代的末尾，新生代（Cenozoic Era大約二千萬年）開始的時候，大爬虫滅亡了，哺乳動物有了發達的機會。這時候許多種微小的哺乳動物，因爲地面上已經沒有大爬虫的壓迫，就脫離樹枝到地面上發達成各種體積加大適於行走的動物，但是人類的遠祖仍然留在樹枝上生活。

人類遠祖大如松鼠

據古生物學家的意見，這時候的人類遠祖是大如松鼠，形似樹鼩（Tupaia），構造原始而普通，腦量較大，近於現代食虫類的一種動物。在新生代的始新世（Eocene）開始的時候，靈長類已經起源，人類的遠祖已經成了一種靈長目的動物。

手足有了改變

人類的祖先由始新世開始演化成靈長類以後，逐漸變成更加能適於樹枝生活。樹枝生活需要把握樹枝的手足，於是人類祖先的手足有了改變，大拇指變成能與其他手指相對，大足趾變成能與其他足趾相對。這一改變對於我們是有非常重要關係的，因爲我們的祖先如若沒有這種改變，我們的手指足趾就平排在一面，像猫狗的腳一樣，不但不能用手來製造精細的工具，連吃飯的筷子和寫字的筆也無法把握了。

有些像長臂猿的猩猩

經過始新世的長期樹枝生活以後，到了漸新世（Oligocene）裏，我們的祖先對於樹枝生活有了更進一步的適應。這時候我們的祖先似乎有些像近代仍然生存的一類名叫長臂猿的猩猩。長臂猿的前肢特長而後肢較短，在身體直立地上前肢下垂的時候，他的手可以達到地面。前肢的肌肉也特別發達，能用手握樹枝身懸空中在樹林裏來往自如，經久不覺疲倦，在現代人類，因爲脫離樹枝生活已久，這種能力已經失去了，但是在嬰孩時期仍然可以現出。新生嬰孩的腿是不能站立地上的。有人作試驗使新生嬰孩兩手把握木棒，身懸空中，他能用自己的前肢懸掛自己的身體，經過十秒至數十秒鐘，並沒有痛苦的表情。這時候他的腿部彎曲着，像猴在樹枝上的姿勢一樣。

身體漸成直立

自懸空中的生活對我們的祖先和我們自己還有一個更重要的影響。這就是身體吊成直立了。松鼠用四足在樹枝上行動如飛，但是身體仍然是橫行的。長臂猿用兩手懸掛身體的方法在樹林中生活，漸漸的把他的身體改變成直立，在身體構造上發生了很多的影響。例如橫行哺乳動物的胸部，普通是前後距離較長，左右距離較短的，直立身體的胸部變成前後距離短，左右距離長。換言之，就是胸部變寬平了。更重要的影響是頭部，直立姿勢需要頭部支架在脊柱之上，一個橫行動物使他用兩足站立起來，他的頭部就要因爲重點不在脊柱之上，而發生前重後輕的困難。

頭部發生變化

人類的祖先因爲過了長期的懸空生活，身體吊成直立，於是頭部漸漸的發生變化。這個變化是前部漸漸收縮，頂部和後部漸漸擴大。前部的收縮使人類把一副原來狗一般的嘴臉，變成寬平的面貌，頂部和後部擴大的大腦部份有發展機會，因而智慧可以更倍發達。（上）

戊戌詩人節弔靈均有作

·顧詠余·

懷花紅兮角黍香，攜良朋兮上高堂，陳俎豆兮列桂漿，祭先賢兮遙望兮沅湘，感余懷兮哀國殤，緬維屈子兮系出高陽，行脩志潔兮與日爭光，遭時不淑兮[illegible]，浮雲蔽日兮讒佞譖，衆口鑠金兮羣小披猖，鳳凰鷄鶩兮騰翔，行吟澤畔兮憔悴佯狂，賦爲離騷兮著九章，上追風雅兮上啓高唐，美人帝子兮天各一方，不能相見兮九轉愁腸，巫咸不下兮帝閽何望，哀郢懷沙兮賽身湟浪，邦國殄瘁兮人之云亡，流風千載兮至今不忘，洞庭瀟湘兮汨水茫茫，感時思古兮我心悲傷，願隨賢兮作賦弔忠良。

「官」與「財」

·陳宗敏·

我未曾做過官，官星「想」來也不會顯，無奈何，只得談「官」過癮。

在我國，一向把做官看成是發財的，讀書人讀書也是做黃金夢，所謂「書中自有黃金屋，書中自有顏如玉」，「十年寒窗無人問」，一朝「飛黃騰達」，就會衣錦還鄉，使親戚、朋友、鄉里、族人，都刮目相看。當蘇秦身佩相印，其嫂匍匐不敢仰視，錢財本身不是骯髒物，官人本身亦非壞種胚，但「官」與「財」結緣，就不免有點「狼狽爲奸」了，「升官發財」四個字，明明是對做官人的一種面上黥刑，但做官的人往往樂意接受這種「恭維」。充份顯出「陳倉暗渡」，「私通強姦」的不光明來；「官」和「財」結緣，其中便有私生子——作弊的嫌疑，因爲就理論上說，做官根本就不可能發財的。

爲此，古今來許多淸高之士——像古時之隱者，今之「在野人士」——都肆力諷諷做官，史不絕書，此中當然不是爲的「眼紅」，（因爲他們寫出酷吏傳，也寫出循吏傳。）而是攻訐那些「笑罵由他笑罵，好官我自爲之」的厚顏無恥的「官人」。

平心而論，讀書人有了學問而不做官，學問也有沒有用處的，所以古人曰：「士優則仕」，乃是極自然的「人盡其才」的道理，孔子、孟子、王安石、范仲淹等，都抱以天下爲己任之志，試想不做官，怎能「以天下爲己任」呢！

問題是，有學問的好人，不懂鑽營之術，而沒有學問的壞人，卻深研厚黑之學，此「官」之所以與「財」不分家也。

一撮泥土的奮鬥史

鮑家琳譯

亨利·范·戴克（Henry Van Dyke）爲美國的牧師兼作家，他所寫的詩歌和散文，都是很優美而有力的，令人在精神上得到鼓舞，在心靈上得到安慰。本篇「一撮泥土的奮鬥史」（A Handful of Clay），即爲人生之寓言，它說明了「百鍊成鋼」及「大器晚成」的眞理，勸人不必自慚形穢，只須對人生具有奮鬥的勇氣，即能獲成功。故特譯出，以饗讀者。（譯者附識）

這是一塊泥土，一塊生活在河岸邊緣上的泥土。

這塊泥土，雖然同別的泥土是一樣的具備有粗糙的皮膚和笨重的體質，可是他卻有一個「平步青雲」的理想；那是，當他的特長被人發覺的時候，他在世界上的地位，便會一天一天的提高了。

因此，他生活得很幸福，因爲他是無憂無慮的，故能知足常樂。而在他的頭上，陽光曾向他微笑，春風在向他耳語：「光榮終會降臨在你的身上……。」還有那許多奇花異卉，在原野上爭奇鬥艷；以及森林裏的明朗色彩，就像無數的紅寶石同綠寶石懸掛在高於大地之上的雲端裏所閃爍出鮮艷奪目的虹光一樣好看，致使他的周圍環境變得格外的美麗，而充滿了詩情畫意的獨特情調。

但在他腳下的這條小河，也由於得到了新生的力量而感到十分喜悅。由於春天的來臨，使河水能擺脫冰凍的桎梏，從岸的對面急流如飛而來，那淙淙的水聲，像一首和諧的美妙的音樂。而且，在那盡滿了雪的高山之上，受到了風和日暖的感化，化成無數瀑布，注入這個小河裏，使小河的生命力更加充沛。於是，工廠便利用這條小河的水力來發電，並推動巨大的機械來作有益於人羣的工作，以造福人類；而小河也盡最大的努力來載浮一條龐大的汽船，使它能安全、順利的飄駛到海裏去。

這塊在河岸上的泥土，是十分佩服這小河的功勞的，他雖然是盲目的在河岸上期待，但仍然未失去他的自信心，因爲他常被崇高的希望激勵着：「我的出頭日子，一定會在不久的將來。」他常如此的安慰着自己說：「我決不會永遠的被埋沒；當人們發覺了我這顆璀璨星後，那名譽、地位、光輝便會滾滾而來啊！」

終於，有一天，這塊泥土感到自己似乎已離開了這個美麗的地方，因爲他發現了一口鐵鏟的刀鋒將他連根鏟起，拋到一部開來的大卡車上，然後又同別的泥塊一樣的被這部卡車帶走了。他覺得，他們似乎是在一條不平坦的石子路上奔騰，但他並不因爲離開了那可愛的故鄉而在內心裏害怕起來，因爲在他想來：「到光榮的路上，必定是崎嶇的；何況，我現在是在這個世界上扮演一個偉大的角色呢？」當然，他沒有想到，這段艱苦的旅程，如果同以後所遭到的苦難和不幸來比較，實在是算不了甚麼的——因爲這畢竟是一件太渺小的事情哩。（上）

端午詞話（三）

○謝康○

寫懷古心情及蘇州端節風俗情形如畫：

武進趙懷玉著秋籟吟詞，與洪亮吉孫星衍黃景仁齊名，有滿江紅五日云：「佳節匆匆，凡幾度、客中端午，空負了、白雲溪上，畫船簫鼓。桃豈金耶能成印，艾原草耳能成虎，待明朝擲下路旁看，隨塵土！ 括禿管，心何苦，臨蟾鏡，頭如許：笑延年無術，仗他絲縷，鐵鑄九州人已錯，石磨五色天難補，幸先生別有却愁方，爲浦醑。」集中尚有鳳凰台上憶秋簫及奪錦標詠五日各一首俱佳，尤妙者爲閏月五日，用滿江紅前韻云：「六十年來，已六度、兩番重午，休便嘆、老之將之，與還堪鼓，旅客尚隨梁上燕，佳人重鬭釵頭虎，問孟嘗幾遇閏生朝，今甚士！ 黃楊厄，誰知者，青雲業，徒爭許，且門除宿艾，臂纏新縷，風雨正愁長日誤，羲和恰把良辰補，記月前勝得副浮梁，重傾醑。」詞中稱六十年中曾六逢閏五月，似較閏中秋爲易逢，最近一九五二年壬辰，亦同閏五月，予適飄泊南荒，讀此詞不勝感慨！

清名家端木埰有碧瀣詞一種，埰字子疇，江寧人，工書善詞，爲王鵬運所稱，有齊天樂丙戌端午以角黍新茶祀屈子敬賦一首云：

「左徒虫節千秋重，湘山悄然高詠，玉[illegible]神，颯爽氣質，衆醉中間獨醒，丹心自靖，與殷代三仁，後先輝映，若問同時，祇鄒鄒澤可相並。」離騷衣被萬古，禰風詩小雅，應許[illegible]草兒時，鴻裁曠代，妙契偏從孤冷，清芬盪[illegible]對岩潔泉甘，定符貞性，更展遺編，綠隱娛[illegible]。

此詞贊美靈均，可與微子、比干、箕子、孟子，諸大賢後先輝映，並垂不朽，又認爲離騷一賦，光輝萬古，可與國風小雅，相提並論，對於屈子之人格及作品，欽佩之忱，較上列諸首，但有過之無不及矣。抑由今日觀之，蓋可作爲屈子蓋棺定論，與太史公屈原賈生列傳所稱離騷兼風雅之長，「其稱文小而其旨極大，舉類邇而見義遠，濯淖汚泥之中，浮游塵埃之外，嚼然泥而不滓，可與日月爭光」等話，所見若合符節，眞論世知人之言也。有此一詞，彼蜉蝣撼大樹者如廖季平胡適之謂無屈原其人，何天行謂楚詞作於漢代，孫次舟，聞一多謂屈子不過「文學弄臣」或「文化奴隸」等翻奇立異之說，俱可以休矣！

龔定庵（A.D.1792—1841）詞豁麗飛揚，與其詩風格頗不類，有南浦一闋，詠端午云：（上半闋略）……登車切莫回顧，怕回頭見，高城尺五，城裏正端陽，香車過多少青紅女？吟情太苦！歸來未算年華誤。一劍還君君問，換了江關詞賦。蕩氣迴腸，生平驚瑟，詢才人之吐屬也。

近人沈尹默，以書法名世，其減字木蘭花詞，隨文懷沙離騷今釋，亦清婉可誦，詞云：「美人香艸，此語尋常都解道。爭比靈均，文采昭然歷劫新。 蛟龍不起，泗水至今清且[illegible]。故事難忘，五月南風粽葉香。」寫離騷題詞，兼及蛟龍角黍，不宜爲端午詠矣，與清末會稽李慈銘（蒓客）丙子端午錦堂春詞有異曲同工之妙。猶憶四年前（甲午）端[illegible]，「自由人」報曾刊登彭楚珩先生端午故國繫戀花一闋，下半首云：「…無限相思無限戀，舊地風情，盼煞重[illegible]頭。綺麗河山能繾綣，屈平肯作離騷怨？」亦深得屈子哀郢王粲賦之旨。

予於塡詞頗感興趣，雖未諳聲律，亦願學[illegible]。曩在桂林，逢端節，觀競渡，曾以蒲酒雄黃自酬節況偶亦爲詞以紀之，自遁跡海隅，故山[illegible]負平生約，九載於茲矣，送春未久，又報天中，弱女牽絲，街頭買粽，更不勝離家之感，爰寫浣溪紗一闋云：

「騷賦三閭楚調傳，端陽依舊粽形尖，傷心滄海斜陽邊！ 九載羈愁懷故國，蒲觴艾酒[illegible]豎，神州鼎沸讀遺篇。」

哀時撫事，不覺疾痛呻吟，既以實吾詞話，並抒所感云爾，工拙非所計也。（戊戌，重五前三日。）

——全文完——

史地傳記類　PC0272

自由人（七）

編　　者 / 陳正茂
責任編輯 / 邵亢虎
圖文排版 / 彭君浩
封面設計 / 陳佩蓉

法律顧問 / 毛國樑　律師
印製經銷 / 秀威資訊科技股份有限公司
114台北市內湖區瑞光路76巷65號1樓
電話：+886-2-2796-3638　傳真：+886-2-2796-1377
http://www.showwe.com.tw
劃撥帳號 / 19563868　戶名：秀威資訊科技股份有限公司
讀者服務信箱：service@showwe.com.tw
展售門市 / 國家書店（松江門市）
104台北市中山區松江路209號1樓
電話：+886-2-2518-0207　傳真：+886-2-2518-0778
網路訂購 / 秀威網路書店：http://www.bodbooks.com.tw
國家網路書店：http://www.govbooks.com.tw

2012年12月復刻版
定價：2500元

國家圖書館出版品預行編目

自由人 / 陳正茂編. -- 一版. -- 臺北市 : 秀威資訊科技,
2012. 12-
冊； 公分. -- (史地傳記類)
BOD版
ISBN 978-986-326-020-2(第1冊 : 精裝). --
ISBN 978-986-326-016-5(第2冊 : 精裝). --
ISBN 978-986-326-017-2(第3冊 : 精裝). --
ISBN 978-986-326-018-9(第4冊 : 精裝). --
ISBN 978-986-326-019-6(第5冊 : 精裝). --
ISBN 978-986-326-022-6(第6冊 : 精裝). --
ISBN 978-986-326-023-3(第7冊 : 精裝). --
ISBN 978-986-326-024-0(第8冊 : 精裝). --
ISBN 978-986-326-025-7(第9冊 : 精裝). --
ISBN 978-986-326-026-4(第10冊 : 精裝). --

1. 報紙 2. 香港特別行政區

059.92　　101021409

讀者回函卡

感謝您購買本書，為提升服務品質，請填妥以下資料，將讀者回函卡直接寄回或傳真本公司，收到您的寶貴意見後，我們會收藏記錄及檢討，謝謝！

如您需要了解本公司最新出版書目、購書優惠或企劃活動，歡迎您上網查詢或下載相關資料：http:// www.showwe.com.tw

您購買的書名：______________________________

出生日期：________年________月________日

學歷：□高中（含）以下　□大專　□研究所（含）以上

職業：□製造業　□金融業　□資訊業　□軍警　□傳播業　□自由業

□服務業　□公務員　□教職　□學生　□家管　□其它_____

購書地點：□網路書店　□實體書店　□書展　□郵購　□贈閱　□其他

您從何得知本書的消息？

□網路書店　□實體書店　□網路搜尋　□電子報　□書訊　□雜誌

□傳播媒體　□親友推薦　□網站推薦　□部落格　□其他__________

您對本書的評價：（請填代號　1.非常滿意　2.滿意　3.尚可　4.再改進）

封面設計____　版面編排____　內容____　文／譯筆____　價格____

讀完書後您覺得：

□很有收穫　□有收穫　□收穫不多　□沒收穫

對我們的建議：______________________________

____

____

____

請貼
郵票

11466
台北市內湖區瑞光路 76 巷 65 號 1 樓
秀威資訊科技股份有限公司 收
BOD 數位出版事業部

....

（請沿線對折寄回，謝謝！）

姓　　名：________________　年齡：________　性別：□女　□男

郵遞區號：□□□□□

地　　址：____

聯絡電話：(日)________________　(夜)________________

E-mail：____